BOUQUINS

Collection fondée par Guy Schoeller
et dirigée par Jean-Luc Barré

Le Livre des Mille et une Nuits

Traduit par
le Dr J.C. Mardrus

* *

PRÉSENTATION DE
MARC FUMAROLI

ROBERT LAFFONT

ISBN : 978-2-221-13370-5

Dépôt légal : mars 2013 – N° d'éditeur : 52927/01

HISTOIRE D'ABOU-KIR ET D'ABOU-SIR

Schahrazade dit :

Il m'est parvenu, ô Roi fortuné, qu'il y avait autrefois dans la ville d'Iskandaria deux hommes dont l'un était teinturier et s'appelait Abou-Kir, et l'autre était barbier et s'appelait Abou-Sir. Et ils étaient voisins l'un de l'autre dans le souk, car leurs boutiques se touchaient porte à porte.

Or le teinturier Abou-Kir était un insigne fripon, un menteur tout à fait détestable, une crapule ! Tellement ! Ses tempes devaient à coup sûr avoir été taillées dans quelque irréductible granit et sa tête façonnée avec les cailloux des marches de quelque église de Juifs, sans aucun doute ! Sinon comment lui serait-elle venue, cette audace sans vergogne dans les méfaits et toutes les vilenies ! Il avait coutume, entre diverses escroqueries, de faire payer d'avance la plupart de ses clients, sous prétexte qu'il avait besoin d'argent pour l'achat des couleurs, et il ne rendait jamais les étoffes qu'on lui apportait à teindre, bien au contraire ! Non seulement il dépensait l'argent qu'il avait touché d'avance, en mangeant et en buvant tout à son aise, mais il vendait en secret les étoffes qu'on déposait chez lui, et se payait de la sorte toute espèce de jouissances et d'amusements de première qualité. Et quand les clients revenaient pour réclamer leurs effets, il trouvait moyen de les amuser, et de les faire attendre indéfiniment, tantôt sous un prétexte et tantôt sous un autre. Ainsi il disait, par exemple : « Par Allah ! ô mon maître, hier mon épouse a accouché, et j'ai été obligé de faire des courses à droite et à gauche, toute la journée. » Ou bien encore, il disait : « Hier j'ai eu des invités, et j'ai été tout le temps occupé de mes devoirs d'hospitalité à leur égard ; mais si tu reviens dans deux jours, tu trouveras ton étoffe toute prête dès l'aube. » Et il traînait les affaires de son monde en longueur, jusqu'à ce que, impatienté, quelqu'un s'écriât : « Voyons ! veux-tu enfin me dire la vérité au sujet de mes étoffes ? Rends-les-moi ! Je ne veux plus les faire teindre ! » Alors il répondait : « Par Allah ! je suis au désespoir ! » Et il levait les mains au ciel, en faisant toutes sortes de serments qu'il allait dire la vérité. Et s'étant lamenté et frappé les mains l'une contre l'autre, il s'écriait : « Imagine-toi, ô mon maître, qu'une fois les étoffes teintes, je les avais mises à sécher bien tendues sur les cordes devant ma boutique, et je m'étais absenté un instant pour aller pisser ; quand je revins elles avaient disparu, volées par quelque chenapan du souk, peut-être même par mon voisin, ce barbier calamiteux ! » À ces paroles, si le client était un brave homme d'entre les personnes tranquilles, il se contentait de répondre : « Allah m'en dédommagera ! » et il s'en allait. Mais si le client était un homme irritable, il entrait en fureur et chargeait le teinturier d'injures et en venait avec lui aux coups et à la dispute publique dans la rue, au milieu de l'attroupement général. Et malgré cela, et en dépit même de l'autorité du kâdi, il ne parvenait guère à recouvrer ses effets, vu que les preuves manquaient et que, d'un autre côté, la boutique du teinturier ne renfermait rien qui pût être saisi et vendu. Et ce commerce réussit ainsi et eut une assez longue durée, le temps que tous les marchands du souk et tous les habitants du quartier fussent dupés l'un après l'autre. Et le teinturier Abou-Kir vit alors son crédit irrémédiablement perdu et son commerce anéanti, attendu qu'il n'y avait plus personne qui pût encore être dépouillé. Et il devint l'objet de la méfiance générale, et on le citait en proverbe quand on voulait parler des friponneries des gens de mauvaise foi.

Lorsque le teinturier Abou-Kir se vit réduit à la misère, il alla s'asseoir devant la boutique de son voisin le barbier Abou-Sir, et le mit au courant du mauvais état de ses affaires, et lui dit qu'il ne lui restait plus qu'à mourir de faim. Alors le barbier Abou-Sir, qui était un homme qui marchait dans la voie d'Allah, et qui, bien que pauvre, était consciencieux et honnête, compatit à la misère d'un plus pauvre que lui, et répondit : « Le voisin se doit à son voisin ! Reste ici et mange et bois et use des biens d'Allah, jusqu'à des jours meilleurs ! » Et il le reçut avec bonté, et pourvut à tous ses besoins pendant un long espace de temps.

Or, un jour, le barbier Abou-Sir se plaignait au teinturier Abou-Kir de la dureté du temps et lui disait : « Vois, mon frère ! Je suis loin d'être un barbier maladroit, et je connais mon métier, et ma main est légère sur la tête des clients. Mais comme ma boutique est pauvre et que moi-même je suis pauvre, personne ne vient se faire raser chez moi ! C'est à peine si le matin, au hammam, quelque portefaix ou quelque chauffeur s'adresse à moi pour se faire raser les aisselles ou appliquer de la pâte épilatoire sur les aines ! et c'est avec les quelques pièces de cuivre que ces pauvres donnent au pauvre que je suis que j'arrive à me nourrir, à te nourrir et à subvenir aux besoins de la famille que supporte mon cou ! Mais Allah est grand et généreux ! » Le teinturier Abou-Kir répondit : « Tu es vraiment naïf, mon frère, d'endurer si patiemment la misère et la dureté du temps, quand il y a moyen de s'enrichir et de vivre largement. Toi tu es dégoûté de ton métier qui ne te rapporte rien, et moi je ne puis exercer le mien dans ce pays rempli de gens malveillants. Il ne nous reste donc plus qu'à délaisser ce pays cruel, et à nous en aller d'ici voyager à la recherche de quelque ville où exercer notre art avec fruit et consolation. D'ailleurs tu sais combien d'avantages on retire des voyages ! Voyager, c'est s'égayer, c'est respirer le bon air, c'est se reposer des soucis de la vie, c'est voir de nouveaux pays et de nouvelles terres, c'est s'instruire, et c'est, quand on a entre les mains un métier aussi honorable et excellent que le mien et le tien, et surtout aussi généralement admis dans toutes les terres et chez les peuples les plus divers, l'exercer avec de grands bénéfices, honneurs et prérogatives. Et de plus tu n'ignores point ce qu'a dit le poète sur le voyage :

« Quitte les demeures de ta patrie, si tu aspires aux grandes choses, et invite ton âme aux voyages.

Sur le seuil des terres nouvelles t'attendent les plaisirs, les richesses, les belles manières, la science et les amitiés choisies !

Et si l'on te dit : « Que de peines, ami, tu vas endurer, et de soucis et de dangers sur la terre lointaine ! » réponds : « Il vaut mieux être mort que vivant, si l'on doit toujours vivre dans le même lieu, insecte rongeur, entre des envieux et des espions ! »

Ainsi donc, mon frère, nous n'avons rien de mieux à faire que de fermer nos boutiques et de voyager ensemble pour un sort meilleur ! » Et il continua à parler d'une langue si éloquente que le barbier Abou-Sir fut convaincu de l'urgence du départ, et se hâta de faire ses préparatifs qui consistèrent à envelopper dans un vieux morceau de toile rapiécée son bassin, ses rasoirs, ses ciseaux, son cuir à repasser et quelques autres petits ustensiles, puis à aller faire ses adieux à sa famille et à revenir dans la boutique retrouver Abou-Kir qui l'y attendait. Et le teinturier lui dit : « Maintenant il ne nous reste plus qu'à réciter la Fatiha liminaire du Korân, pour nous prouver que nous sommes devenus frères, et prendre ensemble l'engagement de mettre désormais en commun dans une cassette notre gain et de le partager entre nous, en toute impartialité, à notre retour à Iskandaria. Comme aussi nous devrons nous promettre que celui d'entre nous qui trouvera de l'ouvrage sera obligé de subvenir à l'entretien de celui qui ne pourra rien gagner ! » Le barbier Abou-Sir ne fit aucune difficulté pour reconnaître la légitimité de ses conditions ; et tous deux alors, pour sceller leurs mutuels engagements, récitèrent la Fatiha liminaire du Korân…

À ce moment de sa narration, Schahrazade vit apparaître le matin et, discrète, se tut.

Mais lorsque fut la quatre cent quatre-vingt-huitième nuit. Elle dit :

… Et tous deux alors, pour sceller leurs mutuels engagements, récitèrent la Fatiha liminaire du Korân. Après quoi, l'honnête Abou-Sir ferma sa boutique et en remit la clef au propriétaire, qu'il paya intégralement ; puis ils prirent tous deux le chemin du port et s'embarquèrent, sans aucune provision, sur un navire qui mettait à la voile.

Le destin leur fut favorable durant le voyage, et leur vint en aide par l'entremise de l'un deux. En effet, parmi les passagers et l'équipage dont le nombre s'élevait en tout à cent quarante hommes, sans compter le capitaine, il n'y avait point d'autre barbier qu'Abou-Sir ; et lui seul par conséquent pouvait raser convenablement ceux qui avaient besoin d'être rasés. Aussi, dès que le navire eut mis à la voile, le barbier dit à son compagnon : « Mon frère, ici nous sommes en pleine mer, et il faut bien que nous trouvions de quoi manger et boire. Je vais donc essayer d'offrir mes services aux passagers et aux marins, dans l'espoir que quelqu'un me dira : « Viens, ô barbier, me raser la tête ! » Et moi je lui raserai la tête, moyennant un pain ou quelque argent ou une gorgée d'eau, de quoi pouvoir, moi et toi, en tirer notre profit ! » Le teinturier Abou-Kir répondit : « Il n'y a point d'inconvénient ! » et il s'étendit sur le pont, posa sa tête le mieux qu'il put et s'endormit, sans plus, tandis que le barbier s'apprêtait à chercher de l'ouvrage.

Dans ce but, Abou-Sir prit son attirail et une tasse d'eau, jeta sur son épaule un morceau de torchon pour toute serviette, car il était pauvre, et se mit à circuler parmi les passagers. Alors l'un d'eux lui dit : « Viens, ô maître, me raser ! » Et le barbier lui rasa la tête. Et lorsqu'il eut fini, comme le passager lui tendait quelque menue monnaie, il lui dit : « Ô mon frère, que vais-je pouvoir faire ici de cet argent ? Si tu voulais me donner plutôt une galette de pain, cela me serait plus avantageux et plus béni dans cette mer : car j'ai avec moi un compagnon de voyage, et nos provisions sont bien peu de chose ! » Alors le passager lui donna une galette de pain, plus un morceau de fromage, et lui remplit d'eau sa tasse. Et Abou-Sir prit cela et s'en revint auprès d'Abou-Kir et lui dit : « Prends cette galette de pain, et mange-la avec ce morceau de fromage ; et bois l'eau de cette tasse ! » Et

Abou-Kir prit tout cela, et mangea et but. Alors Abou-Sir le barbier reprit son attirail, jeta le torchon sur son épaule, prit la tasse vide à la main, et se mit à parcourir le navire, entre les rangs des passagers accroupis ou étendus, et rasa l'un pour deux galettes, l'autre pour un morceau de fromage ou un concombre ou une tranche de pastèque ou même de la monnaie ; et il fit une si belle recette qu'à la fin de la journée il avait amassé trente galettes, trente demi-drachmes et du fromage en quantité et des olives et des concombres et plusieurs tablettes de laitance sèche d'Égypte, celle qu'on retire des excellents poissons de Damiette. Et, en outre, il avait su si bien gagner la sympathie des passagers qu'il pouvait leur demander n'importe quoi et l'obtenir. Et même il devint si populaire que son habileté parvint aux oreilles du capitaine qui voulut se faire raser la tête également par lui ; et Abou-Sir rasa la tête du capitaine et ne manqua point de se plaindre à lui de la dureté du sort et de la pénurie où il se trouvait et du peu de provisions qu'il possédait. Et il lui dit aussi qu'il avait avec lui un compagnon de voyage. Alors le capitaine, qui était un homme à la paume large ouverte, et qui de plus était charmé des bonnes manières et de la légèreté de main du barbier, répondit : « Sois le bienvenu ! Je désire que tous les soirs tu viennes avec ton compagnon dîner avec moi. Et n'ayez plus tous deux aucun souci de quoi que ce soit, tant que durera votre voyage avec nous ! »

Le barbier alla donc retrouver le teinturier qui, selon son habitude, continuait à dormir et qui, une fois réveillé, lorsqu'il eut vu près de sa tête toute cette abondance de galettes, de fromage, de pastèques, d'olives, de concombres et de laitance sèche, s'écria émerveillé : « D'où tout cela ? » Abou-Sir répondit : « De la munificence d'Allah (qu'Il soit exalté !) » Alors le teinturier se jeta sur toutes les provisions à la fois d'un geste qui voulait les engloutir dans son estomac chéri ; mais le barbier lui dit : « Ne mange pas de ces choses, mon frère, qui peuvent nous être utiles dans le moment de la nécessité, et écoute-moi. Sache, en effet, que j'ai rasé le capitaine ; et je me suis plaint à lui de notre pénurie en provisions ; et il m'a répondu : « Sois le bienvenu, et viens tous les soirs avec ton compagnon dîner avec moi ! » Or, c'est précisément ce soir le premier repas que nous allons prendre avec lui ! » Mais Abou-Kir répondit : « Il n'y a pas de capitaine qui tienne ! Moi j'ai le vertige de la mer, et je ne puis me lever de ma place. Laisse-moi donc apaiser ma faim avec ces provisions-ci, et va, toi seul, dîner avec le capitaine ! » Et le barbier dit : « Il n'y a pas d'inconvénient à la chose ! » Et, en attendant l'heure du dîner, il se mit à regarder manger son compagnon.

Or le teinturier se mit à attaquer et à mordre les bouchées comme le tailleur de pierres qui tranche des blocs dans les carrières, et à les avaler avec le tumulte que fait l'éléphant à jeun depuis des jours et des jours et qui engloutit avec des borborygmes et gargouillements ; et les bouchées venaient en aide aux bouchées pour les pousser dans les portes du gosier ; et le morceau entrait avant que le précédent fût descendu ; et les yeux du teinturier s'écarquillaient sur chaque morceau comme les yeux d'un ghoul, et le cuisaient de leurs éclairs en le brûlant ; et il soufflait et meuglait comme le bœuf qui beugle devant les fèves et le foin.

Sur ces entrefaites, apparut un marin qui dit au barbier : « Ô maître du métier, le capitaine te dit : « Amène ton compagnon et viens pour le dîner ! » Alors Abou-Sir demanda à Abou-Kir : « Te décides-tu à m'accompagner ? » Il répondit : « Moi je n'ai point la force de marcher ! » Et le barbier s'en alla seul et vit le capitaine assis par terre devant une large nappe sur laquelle se trouvaient vingt mets de différentes couleurs, ou même davantage ; et l'on n'attendait que son arrivée pour commencer le repas auquel étaient également invitées diverses personnes du bord. Et, le voyant seul, le capitaine lui demanda…

À ce moment de sa narration, Schahrazade vit apparaître le matin et, discrète, se tut.

Mais lorsque fut la cent quatre-vingt-neuvième nuit. Elle dit :

… Et, le voyant seul, le capitaine lui demanda : « Où est ton compagnon ? » Il répondit : « Ô mon maître, il a le vertige de la mer et il est tout étourdi ! » Le capitaine dit : « Cela n'a aucune gravité. Ce vertige lui passera ! Assieds-toi là près de moi, et au nom d'Allah ! » Et il prit une assiette et la remplit de toutes les couleurs de mets avec si peu de parcimonie que chaque portion pouvait bien suffire à dix personnes. Et lorsque le barbier eut fini de manger, le capitaine lui tendit une seconde assiette en lui disant : « Porte cette assiette à ton compagnon ! » Et Abou-Sir se hâta d'aller porter l'assiette pleine à Abou-Kir qu'il trouva en train de moudre avec ses crocs et de travailler des mâchoires comme un chameau, tandis que les morceaux énormes continuaient à s'engouffrer dans sa gueule les uns après les autres, rapidement. Et il lui dit : « Ne t'avais-je pas dit de ne pas fermer ton appétit avec les provisions ? Regarde ! Voici les choses admirables que t'envoie le capitaine. Que dis-tu de ces excellentes brochettes de kabab d'agneau, qui viennent de la table de notre capitaine ? » Abou-Kir, avec un grognement, dit : « Donne ! » Et il se précipita sur l'assiette que lui tendait le barbier, et il se mit à tout dévorer des deux mains avec la voracité du loup ou la rage du lion ou la férocité du vautour qui fond sur les pigeons ou la furie de l'affamé qui a failli finir de faim et ne fait point de façons pour se farcir avec fougue. Et, en quelques instants, il la nettoya et la lécha pour la jeter vide absolument. Alors le barbier ramassa l'assiette et la porta aux gens du bord, pour aller boire ensuite quelque chose avec le capitaine, puis retourner passer la nuit près d'Abou-Kir qui ronflait déjà de toutes ses ouvertures, en faisait autant de vacarme que l'eau heurtant le bateau.

Le lendemain et les jours suivants le barbier Abou-Sir continua à raser les passagers et les marins, en gagnant provendes et provisions, dînant le soir avec le capitaine, et servant en toute générosité son compagnon qui, pour sa part, se contentait de dormir, ne se réveillant que pour manger ou satisfaire la nécessité, et cela durant vingt jours de navigation, jusqu'à ce que, au matin du vingt et unième jour, le navire fût entré dans le port d'une ville inconnue.

Alors Abou-Kir et Abou-Sir descendirent à terre et allèrent louer dans un khân un petit logement que se hâta de meubler le barbier avec une natte neuve achetée au souk des nattiers et deux couvertures de laine. Après quoi le barbier, ayant pourvu à tous les besoins du teinturier, qui continuait à se plaindre du vertige, le laissa endormi dans le khân, et s'en alla par la ville, chargé de son attirail, exercer sa profession au coin des rues, en plein air, en rasant soit des portefaix, soit des âniers, soit des balayeurs, soit des vendeurs ambulants, soit même des marchands assez importants attirés par son rasoir savant. Et il rentra le soir pour aligner les mets devant son compagnon qu'il trouva endormi et qu'il ne réussit à réveiller qu'en lui faisant sentir le fumet des brochettes d'agneau. Et cet état de choses dura de la sorte, Abou-Sir se plaignant toujours d'un reste de vertige marin, quarante jours pleins ; et chaque jour, une fois à midi et une fois au coucher du soleil, le barbier rentrait au khân pour servir et nourrir le teinturier, après le gain que lui octroyaient le destin de la journée et son rasoir ; et le teinturier engloutissait galettes, concombres, oignons frais et brochettes de kabab, sans fatigue aucune pour son estomac chéri ; et le barbier avait beau lui vanter la beauté sans pareille de cette ville inconnue, et l'inviter à l'accompagner à une promenade dans les souks ou les jardins, Abou-Kir répondait invariablement : « Le vertige marin me tient encore la tête ! » et, après avoir roté divers rots et pété divers pets de diverses qualités, il se renfonçait dans son pesant sommeil. Et l'excellent et honnête barbier Abou-Sir se gardait bien de faire le moindre reproche à son crapuleux compagnon, ou de l'ennuyer par des plaintes ou des discussions.

Mais, au bout de ces quarante jours, le barbier, ce pauvre, tomba malade et, ne pouvant plus sortir pour vaquer à son travail, pria le portier du khân de soigner son compagnon Abou-Kir et de lui acheter tout ce dont il pouvait avoir besoin. Mais, quelques jours après, l'état du barbier empira si gravement que le pauvre perdit l'usage de ses sens et devint inerte et comme mort. Aussi, comme il n'était plus là pour nourrir le teinturier ou lui faire acheter le nécessaire, celui-ci finit par sentir cruellement la brûlure de la faim et fut bien obligé de se lever pour chercher de droite et de gauche quelque chose à se mettre sous la dent. Mais il avait déjà tout nettoyé dans le logement, et il ne trouva absolument rien à manger ; alors il fouilla dans les vêtements de son compagnon étendu inerte sur le sol, y trouva une bourse qui contenait le gain du pauvre, amassé cuivre par cuivre durant la traversée et les quarante jours de travail en ville, la serra dans sa ceinture, et, sans plus s'occuper de son compagnon malade que s'il n'existait pas, il sortit en fermant derrière lui, avec le loquet, la porte de leur logement. Et comme le portier du khân était à ce moment-là absent, nul ne le vit sortir et ne lui demanda où il allait.

Or le premier soin d'Abou-Kir fut de courir chez un pâtissier où il se paya un plateau entier de kenafa et un autre de feuilletés sablés ; et là-dessus il but une cruche de sorbet au musc et une autre à l'ambre et aux jujubes. Après quoi…

À ce moment de sa narration, Schahrazade vit apparaître le matin et, discrète, se tut.

Mais lorsque fut la quatre cent quatre-vingt-dixième nuit. Elle dit :

… Après quoi il se dirigea vers le souk des marchands et s'acheta de beaux vêtements et de belles affaires, et, somptueusement accoutré, il se mit à se promener à pas lents par les rues, et à s'égayer et s'amuser des choses nouvelles qu'il découvrait à chaque pas dans cette ville qu'il croyait n'avoir pas sa pareille dans le monde. Mais, entre autres choses, un fait étrange le frappa particulièrement. Il remarqua, en effet, que tous les habitants, sans exception, étaient habillés pareillement d'étoffes uniformes quant à leurs couleurs : on ne voyait que du bleu et du blanc, pas autre chose. Même dans les boutiques des marchands il n'y avait que des étoffes blanches et des étoffes bleues, pas une couleur de plus. Chez les vendeurs de parfums, il n'y avait que du blanc et du bleu ; et le kôhl lui-même était visiblement bleu. Chez les marchands de sorbets, il n'y avait que des sorbets blancs dans les carafes et point de rouges ou de roses ou de violets. Et cette découverte l'étonna extrêmement. Mais là où sa stupéfaction parvint à ses extrêmes limites, ce fut à la porte d'un teinturier : dans les cuves du teinturier il ne vit, en effet, que de la teinture bleu-indigo, sans plus. Alors, ne pouvant plus maîtriser sa curiosité et son étonnement, Abou-Kir entra dans la boutique, et tira de sa poche un mouchoir blanc qu'il tendit au teinturier en lui disant : « Pour combien, ô maître du métier, me teindras-tu ce mouchoir ? Et quelle couleur lui donneras-tu ? » Le maître teinturier répondit : « Je ne te prendrai, pour te teindre ce mouchoir, que la somme de vingt drachmes ! Quant à sa couleur, elle sera bleu-indigo, sans aucun doute ! » Abou-Kir, suffoqué de la demande exorbitante, s'écria : « Comment ? tu me demandes vingt drachmes pour teindre ce mouchoir, et encore en bleu ? Mais dans mon pays ça ne coûte qu'un demi-drachme ! » Le maître teinturier répondit : « Dans ce cas retourne le teindre dans ton pays, mon bonhomme ! Ici nous ne le pouvons à moins de vingt drachmes, sans un cuivre de rabais ! » Abou-Kir reprit : « Soit ! mais je ne veux pas le faire teindre en bleu. C'est en rouge que je le veux ! » L'autre demanda : « Dans quelle langue me parles-tu ? Et qu'entends-tu par rouge ? Est-ce qu'il y a de la teinture rouge ? » Abou-Kir, stupéfait, dit : « Alors teins-le-moi en vert ! » Il demanda : « Qu'est-ce que la teinture verte ? » Il dit : « Alors en jaune ! » Il répondit : « Je ne connais pas cette teinture-là ! » Et Abou-Kir continua de lui énumérer les couleurs des diverses teintures, sans que le maître teinturier comprît de quoi il s'agissait. Et comme Abou-Kir lui demandait si les autres teinturiers étaient aussi ignorants que lui, il lui répondit : « Nous sommes dans cette ville quarante teinturiers qui formons une corporation fermée à tous les autres habitants ; et notre art se transmet de père en fils, à la mort seulement de l'un de nous. Quant à employer une autre teinture que la bleue, cela nous ne l'avons jamais entendu ! »

À ces paroles du teinturier, Abou-Kir dit : « Sache, ô maître du métier, que moi aussi je suis teinturier et je sais teindre les étoffes non seulement en bleu, mais en une infinité de couleurs que tu ne soupçonnes pas. Prends-moi donc à ton service, moyennant salaire, et je t'enseignerai tous les détails de mon art, et tu pourras alors te glorifier de ton savoir devant toute la corporation des teinturiers ! » Il répondit : « Nous ne pouvons jamais accepter d'étranger dans notre corporation et notre métier ! » Abou-Kir demanda : « Et si j'ouvrais pour mon propre compte une boutique de teinturier ? » L'autre répondit : « Tu ne le pourras guère non plus ! » Alors Abou-Kir n'insista pas davantage, sortit de la boutique et alla trouver un second teinturier, puis un troisième et un quatrième, et les autres teinturiers de la ville ; et tous le reçurent de même, et lui firent les mêmes réponses, sans l'accepter pas plus comme maître que comme apprenti. Et il alla conter sa plainte au cheikh-syndic de la corporation qui lui répondit : « Je n'y puis rien. Notre coutume et nos traditions nous défendent d'accepter un étranger parmi nous. »

Devant cette réception, unanime dans le refus, de tous les teinturiers, Abou-Kir sentit son foie se gonfler de fureur, et il alla au palais et se présenta devant le roi de la ville et lui dit : « Ô roi du temps, je suis étranger et de ma profession je suis teinturier, et je sais teindre les étoffes de quarante couleurs différentes…

À ce moment de sa narration, Schahrazade vit apparaître le matin et, discrète, se tut.

Mais lorsque fut la quatre cent quatre-vingt-onzième nuit. Elle dit :

… Et je sais teindre les étoffes de quarante couleurs différentes. Et pourtant il m'est arrivé *telle* et *telle* chose avec les teinturiers de cette ville qui ne savent teindre qu'en bleu. Moi, je puis donner à une étoffe les couleurs et les nuances les plus charmantes : le rouge avec ses divers degrés, par exemple le rose et le jujube ; le vert avec ses divers degrés, par exemple le vert végétal, le vert pistache, le vert olive et le vert aile de perruche ; le noir avec ses divers degrés, par exemple le noir charbon, le noir goudron, le noir-bleu de kôhl ; le jaune avec ses divers degrés, par exemple le jaune cédra, le jaune-orange, le jaune limon et le jaune d'or, et bien d'autres couleurs extraordinaires ! Tout cela ! Et pourtant les teinturiers n'ont voulu de moi ni comme maître ni comme apprenti salarié ! »

En entendant ces paroles d'Abou-Kir et cette énumération prodigieuse de couleurs dont il n'avait jamais ouï parler ni soupçonné l'existence, le roi s'émerveilla et se trémoussa et s'écria : « Ya Allah ! que c'est admirable ! » Puis il dit à Abou-Kir : « Si tu dis vrai, ô teinturier, et si vraiment tu peux avec ton art nous réjouir les yeux de tant de couleurs merveilleuses, tu n'as qu'à chasser tout souci et à tranquilliser ton esprit. Je vais tout de suite t'ouvrir moi-même une teinturerie, et te donner un gros capital en argent. Et tu n'as rien à redouter de ces gens de la corporation ; car si l'un d'eux par malheur s'avisait de te molester, je le ferais pendre à la porte de sa boutique ! » Et aussitôt il appela les architectes du palais et leur dit : « Accompagnez ce maître admirable, parcourez avec lui toute la ville, et, lorsqu'il aura trouvé un endroit à son goût, que ce soit une boutique, ou un khân, ou une maison, ou un jardin, chassez-en immédiatement le propriétaire, et bâtissez en toute hâte, sur l'emplacement, une grande teinturerie avec quarante cuves de grande dimension et quarante autres d'une moindre dimension. Et, en toute chose, agissez suivant les indications de ce grand maître teinturier ; suivez ponctuellement ses ordres et prenez bien garde de faire mine de lui désobéir en quoi que ce soit ! » Puis le roi fit don à Abou-Kir d'une belle robe d'honneur et d'une bourse de mille dinars, en lui disant : « Dépense pour tes plaisirs cet argent, en attendant que soit prête la nouvelle teinturerie ! » Et il lui fit, en outre, cadeau de deux jeunes garçons pour le servir, et d'un merveilleux cheval harnaché d'une belle selle de velours bleu et d'une housse en soie de même couleur. De plus il mit à sa disposition, pour qu'il l'habitât, une grande maison richement meublée par ses soins et desservie par un grand nombre d'esclaves.

Aussi Abou-Kir, vêtu maintenant de brocart et monté sur son beau cheval, apparaissait-il brillant et majestueux tel un émir fils d'émir ! Et le lendemain il ne manqua pas, toujours monté sur son cheval et précédé de deux architectes et des deux jeunes garçons qui écartaient la foule sur son passage, de parcourir les rues et les souks à la recherche d'un emplacement où bâtir sa teinturerie. Et il finit par fixer son choix sur une immense boutique voûtée, située au milieu du souk, et dit : « Cet endroit-ci est excellent ! » Aussitôt les architectes et les esclaves chassèrent le propriétaire, et commencèrent aussitôt à démolir d'un côté et à bâtir de l'autre, et ils apportèrent un si grand zèle dans l'accomplissement de leur tâche, sous les ordres d'Abou-Kir à cheval qui leur disait : « Faites ici *telle* et *telle* chose et là *telle* et *telle* autre chose ! » qu'en un rien de temps ils terminèrent la construction d'une teinturerie qui n'avait pas sa pareille dans aucun endroit sur la terre.

Alors le roi le fit appeler et lui dit : « Maintenant il ne s'agit plus que de faire marcher la teinturerie ; mais sans argent rien ne peut marcher. Voici donc, pour commencer, cinq mille dinars d'or comme première mise de fonds. Et me voici tout impatient de voir le résultat de ton art en teinturerie ! » Et Abou-Kir prit les cinq mille dinars, qu'il serra soigneusement dans sa maison, et avec quelques drachmes, tant les ingrédients nécessaires étaient à bon compte et restaient invendus, il acheta chez un droguiste toutes les couleurs qui étaient entassées chez lui dans des sacs encore intacts, et les fit transporter dans sa teinturerie où il les prépara et les délaya savamment dans les grandes et les petites cuves…

À ce moment de sa narration, Schahrazade vit apparaître le matin et, discrète, se tut.

Mais lorsque fut la quatre cent quatre-vingt-douzième nuit. Elle dit :

… Et les délaya savamment dans les grandes et les petites cuves.

Sur ces entrefaites, le roi lui envoya cinq cents pièces d'étoffes blanches en soie, en laine et en lin pour qu'il les teignît selon son art. Et Abou-Kir les teignit de différentes manières en leur donnant soit des couleurs pures de tout mélange, soit des couleurs composées, de telle façon qu'il n'y eût pas une seule étoffe qui ressemblât à l'autre ; puis, pour les faire sécher, il les étendit sur des cordes qui partaient de sa boutique et allaient d'un bout de la rue à l'autre bout ; et les étoffes colorées, en séchant, s'avivaient merveilleusement et produisaient sous le soleil un spectacle splendide.

Lorsque les habitants de la ville virent cette chose si nouvelle pour eux, ils furent ébahis ; et les marchands fermèrent leurs boutiques pour accourir et mieux voir, et les femmes et les enfants poussaient des cris d'admiration, et les uns et les autres demandaient à Abou-Kir : « Ô maître teinturier, quel est le nom de cette couleur-là ? » Et il leur répondit : « Ceci est du rouge grenat ! ceci est du vert d'huile ! ceci est du jaune cédrat ! » Et il leur nommait toutes les couleurs, au milieu des exclamations et des bras levés pour attester une admiration sans bornes.

Mais soudain le roi, qui avait été averti que les étoffes étaient prêtes, déboucha à cheval au milieu du souk, précédé de ses coureurs qui écartaient la foule, et suivi de son escorte d'honneur. Et à la vue des étoffes chatoyantes de tant de couleurs sous la brise qui les faisait onduler dans l'air incandescent, il fut ravi à la limite du ravissement et resta immobile longtemps, sans respiration, avec les yeux tout blancs de dilatation. Et les chevaux eux-mêmes, loin d'être effrayés de ce spectacle inaccoutumé, se montrèrent sensibles aux belles couleurs et, de même qu'ils caracolent au son des fifres et des clarinettes, ils se mirent à danser de côté, ivres de toute cette gloire qui trouait l'air et claquait au vent.

Quant au roi, ne sachant comment honorer le teinturier, il fit descendre de cheval son grand vizir et monter Abou-Kir à sa place, en le mettant à sa droite, et, ayant fait ramasser les étoffes, il reprit le chemin du palais où il combla Abou-Kir d'or, de présents et de privilèges. Il fit ensuite tailler dans les étoffes colorées des robes pour lui, pour ses femmes et pour les grands du palais, et donner mille nouvelles pièces à Abou-Kir afin qu'il les lui teignît aussi merveilleusement ; si bien qu'au bout d'un certain temps, tous les émirs d'abord, puis tous les fonctionnaires eurent des robes colorées. Et les commandes affluèrent en quantité si considérable chez Abou-Kir, nommé teinturier en titre du roi, qu'il devint bientôt l'homme le plus riche de la ville ; et les autres teinturiers, avec le chef de la corporation en tête, vinrent lui faire des excuses pour leur conduite passée, et le prièrent de les employer chez lui comme apprentis sans salaire. Mais il refusa leurs excuses et les renvoya honteusement. Et l'on ne voyait plus, à travers les rues et les souks, que des gens habillés d'étoffes multicolores et fastueuses, teintes par Abou-Kir, le teinturier du roi. Et voilà pour lui ! Mais pour ce qui est d'Abou-Sir, le barbier, voici…

À ce moment de sa narration, Schahrazade vit apparaître le matin et, discrète, se tut.

Mais lorsque fut la quatre cent quatre-vingt-treizième nuit. Elle dit :

… Mais pour ce qui est d'Abou-Sir, le barbier, voici !

Une fois qu'il eut été dépouillé et délaissé par le teinturier, qui était parti après l'avoir enfermé dans le logement, il resta étendu à demi mort pendant trois jours, au bout desquels le portier du khân finit par s'étonner de ne voir sortir aucun d'eux ; et il se dit : « Ils sont peut-être partis sans me payer le prix de location du logement ! Peut-être aussi sont-ils morts ! Ou encore peut-être c'est autre chose, je ne sais pas ! » Et il se dirigea vers la porte de leur logement, et trouva la clef de bois dans le loquet fermé avec les deux crans ; et il entendit au-dedans comme un faible gémissement. Alors il ouvrit la porte et entra et vit le barbier étendu sur la natte, jaune et méconnaissable ; et il lui demanda : « Qu'as-tu, mon frère, que je t'entends gémir de la sorte ? Et qu'est devenu ton compagnon ? » Le pauvre barbier, d'une voix bien faible, répondit : « Allah seul le sait ! C'est aujourd'hui seulement que je suis parvenu à ouvrir les yeux. Je ne sais depuis quand je suis là ! Mais j'ai bien soif, et je te prie, ô mon frère, de prendre la bourse qui est pendue à ma ceinture et de m'acheter quelque chose pour me soutenir. » Le portier retourna la ceinture dans tous les sens ; mais, n'y trouvant point d'argent, il comprit que l'autre compagnon l'avait volé, et dit au barbier : « Ne te préoccupe de rien, ô pauvre ! Allah traitera chacun selon ses œuvres ! Moi je vais m'occuper de toi et te soigner avec mes yeux ! » Et il se hâta d'aller lui préparer une soupe dont il lui remplit une écuelle, et la lui apporta. Et il l'aida à l'avaler, et l'enveloppa d'une couverture de laine, et le fit transpirer. Et de la sorte il agit pendant deux mois, en prenant à sa charge tous les frais du barbier, si bien qu'au bout de ce temps Allah octroya la guérison par son entremise. Et Abou-Sir put alors se lever et dit au bon portier : « Si jamais le Très-Haut m'en donne le pouvoir, je saurai te dédommager de tout ce que tu as dépensé pour moi, et reconnaître tes soins et tes bontés. Mais Allah seul serait capable de te rémunérer selon tes justes mérites, ô fils choisi ! » Le vieux portier du khân lui répondit : « Louanges à Allah pour ta guérison, mon frère ! Moi je n'ai agi de la sorte à ton égard que par le seul désir du visage d'Allah le Généreux ! » Puis le barbier voulut lui baiser la main, mais il s'y refusa en protestant ; et ils se quittèrent en appelant l'un sur l'autre toutes les bénédictions d'Allah.

Le barbier sortit donc du khân, chargé de son attirail ordinaire, et se mit à parcourir les souks. Or sa destinée l'attendait ce jour-là et le conduisit justement devant la teinturerie d'Abou-Kir, où il vit une foule énorme qui regardait les étoffes colorées étendues sur les cordes devant la boutique, et s'émerveillait et s'exclamait tumultueusement. Et il demanda à l'un des spectateurs : « À qui appartient cette teinturerie ? Et pourquoi ce grand rassemblement ? » L'homme questionné répondit : « C'est la boutique du seigneur Abou-Kir, le teinturier du sultan ! C'est lui qui teint les étoffes avec les couleurs admirables que voilà, par des procédés extraordinaires ! C'est un très grand savant de l'art de la teinturerie ! »

En entendant ces paroles, Abou-Sir se réjouit en son âme pour son ancien compagnon, et il pensa : « Louanges à Allah qui lui a ouvert les portes des richesses ! Tu as eu bien tort, ya Abou-Sir, de mal penser de ton ancien compagnon ! S'il t'a délaissé et oublié, c'est parce qu'il a été très occupé par son travail ! Et s'il t'a pris ta bourse, c'est parce qu'il n'avait rien entre les mains pour acheter des couleurs ! Mais tu vas voir maintenant, lorsqu'il t'aura reconnu, comme il va te recevoir avec cordialité en se souvenant des services que tu lui as autrefois rendus, et du bien que tu lui as fait quand il était dans le besoin ! Comme il va se réjouir de te revoir ! » Puis le barbier réussit à se faufiler à travers la foule et à arriver devant l'entrée de la teinturerie. Et il regarda à l'intérieur. Et il vit Abou-Kir nonchalamment étendu sur un haut divan, appuyé contre une pile de coussins, et le bras droit sur un coussin et le bras gauche sur un coussin, et vêtu d'une robe semblable aux robes des rois, et devant lui quatre jeunes esclaves noirs et quatre jeunes esclaves blancs somptueusement habillés ; et tel, il lui apparaissait être aussi majestueux qu'un vizir et aussi grand qu'un sultan ! Et il vit les ouvriers, au nombre de dix, qui avaient la main à l'ouvrage, et exécutaient les ordres qu'il leur donnait du geste seulement.

Alors Abou-Sir fit un pas de plus et s'arrêta juste devant Abou-Kir en pensant : « J'attendrai qu'il abaisse ses yeux sur moi pour lui faire mon salam ! Peut-être même va-t-il me saluer le premier et se jeter à mon cou pour m'embrasser et me faire ses compliments de condoléances et me consoler ! » Or à peine leurs regards se furent-ils rencontrés et l'œil fut-il tombé sur l'œil...

À ce moment de sa narration, Schahrazade vit apparaître le matin et, discrète, se tut.

Mais lorsque fut la quatre cent quatre-vingt-quatorzième nuit. Elle dit :

... Or à peine leurs regards se furent-ils rencontrés et l'œil fut-il tombé sur l'œil, que le teinturier bondit en s'écriant : « Ah ! scélérat, voleur, que de fois ne t'ai-je pas défendu de t'arrêter devant ma boutique ! Veux-tu donc ma ruine et mon déshonneur ? Holà, vous autres ! arrêtez-le, saisissez-le ! »

Aussi les esclaves blancs et les noirs se précipitèrent sur le pauvre barbier, et le renversèrent et le piétinèrent ; et le teinturier lui-même se leva, prit un grand bâton et dit : « Étendez-le sur le ventre ! » Et il lui assena sur le dos cent coups de bâton. Puis il dit : « Tournez-le sur le dos ! » Et il lui assena sur le ventre cent autres coups de bâton. Après quoi il lui cria : « Ô misérable gredin, ô traître ! Si jamais je te revois encore devant ma boutique, je t'enverrai chez le roi qui t'écorchera la peau et t'empalera devant la porte du palais ! Va-t'en ! Qu'Allah te maudisse, ô visage de poix ! » Alors le pauvre barbier, bien humilié et endolori de ce traitement, et le cœur brisé et l'âme rabougrie, se traîna de là et reprit le chemin du khân, en pleurant en silence, poursuivi par les huées de la foule ameutée contre lui et par les malédictions des admirateurs d'Abou-Kir le teinturier.

Lorsqu'il fut arrivé à son logement, il s'étendit tout de son long sur la natte et se mit à réfléchir sur ce qu'il venait de subir de la part d'Abou-Kir ; et il passa toute la nuit, sans pouvoir fermer l'œil, tant il se sentait malheureux et endolori. Mais le matin, les traces des coups s'étant refroidies, il put se lever et sortir dans l'intention de prendre un bain au hammam, pour achever de se reposer, et se laver le corps, depuis le temps qu'il était resté malade sans faire ses ablutions. Il demanda donc à un passant : « Mon frère, quel est le chemin du hamman ? » L'homme répondit : « Le hammam ? Qu'est-ce que c'est que le hammam ? » Abou-Sir dit : « Mais c'est l'endroit où l'on va se laver et se faire enlever les saletés et les filaments que l'on a sur le corps ! C'est l'endroit le plus délicieux qui soit au monde ! » L'homme répondit : « Alors va te plonger dans l'eau de la mer ! C'est là qu'on se baigne ! » Abou-Sir dit : « C'est un bain au hammam que je désire ! » L'autre répondit : « Nous ne savons point, nous autres, ce que tu veux dire par hammam. Quand nous voulons prendre un bain, nous allons à la mer ; et le roi lui-même, quand il veut se laver, fait comme nous : il va prendre un bain de mer ! »

Lorsque Abou-Sir eut appris de la sorte que le hammam était chose inconnue pour les habitants de cette ville, et qu'il fut convaincu qu'ils ignoraient l'usage des bains chauds et des opérations du massage, de l'enlèvement des filaments, et de l'épilation, il se dirigea vers le palais du roi et demanda une audience qui lui fut accordée. Il entra donc chez le roi et, après avoir embrassé la terre entre ses mains et appelé sur lui les bénédictions, il lui dit : « Ô roi du temps, je suis étranger, et barbier de ma profession. Je sais également exercer d'autres métiers, surtout celui de chauffeur de hammam et de masseur, bien que dans mon pays chacune de ces professions soit exercée par des hommes différents qui ne font que cela toute leur vie. Et j'ai voulu aujourd'hui aller au hammam dans ta ville ; mais nul ne sut m'en indiquer le chemin, et nul ne comprit ce que signifiait le mot hammam ! Or il est bien étonnant qu'une ville aussi belle que la tienne soit dépourvue de hammams, alors qu'il n'y a rien au monde d'aussi excellent pour faire les délices et l'embellissement d'une ville ! En vérité, ô roi du temps, le hammam est un paradis sur la terre ! » À ces paroles, le roi fut extrêmement étonné et demanda : « Peux-tu m'expliquer ce que c'est que ce hammam dont tu me parles ? Car moi non plus je n'en ai jamais entendu parler. » Alors Abou-Sir dit : « Sache, ô roi, que le hammam est un bâtiment construit de *telle* et *telle* manière, et l'on s'y baigne de *telle* et *telle* façon, et l'on y éprouve *telles* et *telles* délices, car l'on y fait *telles* et *telles* choses ! » Et il raconta par le détail les qualités, les avantages et les plaisirs d'un hammam bien compris. Puis il ajouta : « Mais ma langue deviendrait plutôt poilue avant qu'elle te donnât une idée exacte d'un hammam et de ses joies. Il faut expérimenter pour comprendre ! Et ta ville ne sera une ville vraiment parfaite que le jour où elle aura un hammam ! »

En entendant ces paroles d'Abou-Sir, le roi se dilata d'aise et s'épanouit et s'écria : « Sois le bienvenu dans ma ville, ô fils des gens de bien…

À ce moment de sa narration, Schahrazade vit apparaître le matin et, discrète, se tut.

Mais lorsque fut la quatre cent quatre-vingt-quinzième nuit. Elle dit :

… Le roi se dilata d'aise et s'épanouit et s'écria : « Sois le bienvenu dans ma ville, ô fils des gens de bien ! » Et il le revêtit de ses propres mains d'une robe d'honneur qui n'avait pas sa pareille, et lui dit : « Tout ce que tu voudras te sera accordé, et au-delà ! Mais hâte-toi de construire le hammam, car mon impatience est grande de le voir et d'en jouir ! » Et il lui fit don d'un cheval magnifique, de deux nègres, de deux jeunes garçons, de quatre adolescentes et d'une maison splendide. Et il le traita encore plus généreusement qu'il ne l'avait fait pour le teinturier, et mit à sa disposition ses meilleurs architectes en leur disant : « Il faut que vous bâtissiez le hammam sur l'emplacement qu'il aura lui-même choisi ! » Et Abou-Sir emmena les architectes, et parcourut avec eux toute la ville, et finit par trouver un emplacement qu'il jugea convenable, où il donna l'ordre de bâtir le hammam. Et, d'après ses indications, les architectes bâtirent un hammam qui n'avait pas son pareil dans le monde, et ils l'ornèrent de dessins entrelacés et de marbres de diverses couleurs et d'ornements extraordinaires qui ravissaient la raison. Et tout cela d'après les instructions d'Abou-Sir. Et lorsque la construction fut achevée, Abou-Sir fit faire le grand bassin du milieu en albâtre transparent, et les deux autres bassins en marbres précieux. Puis il alla trouver le roi et lui dit : « Le hammam est prêt ; mais il manque encore les accessoires et les fournitures ! » Et le roi lui donna dix mille dinars, qu'il se hâta d'utiliser pour acheter les divers accessoires et fournitures, tels que serviettes de lin et de soie, essences précieuses, parfums, encens, et le reste. Et il mit chaque chose à sa place, et n'épargna rien pour que tout fût à profusion. Puis il demanda au roi, pour l'aider dans son travail, dix aides vigoureux ; et le roi lui donna à l'instant vingt jeunes garçons bien faits et beaux comme des lunes qu'Abou-Sir se hâta d'initier à l'art du massage et du lavage, en les massant et les lavant, et en leur faisant répéter les diverses expériences sur lui-même. Et lorsqu'ils furent devenus tout à fait experts dans l'art, il fixa enfin le jour de l'inauguration du hammam et en avisa le roi.

Et ce jour-là Abou-Sir fit chauffer le hammam et l'eau des bassins, et brûler l'encens et les parfums dans les cassolettes, et marcher les eaux des fontaines avec un bruit si admirable que toute musique devenait vacarne à côté ! Quant au grand jet d'eau du bassin central, c'était une merveille incomparable et qui, sans aucun doute, devait ravir les esprits en extase ! Et là-dedans une propreté et une fraîcheur régnaient sur toute chose qui défiaient la candeur des lys et des jasmins.

Aussi quand le roi, accompagné de ses vizirs et de ses émirs, eut franchi la grande porte du hammam, il fut agréablement affecté, quant à ses yeux et à son nez et à ses oreilles, par la décoration charmante du lieu et les parfums et la musique de l'eau dans les vasques des fontaines. Et, bien émerveillé, il demanda : « Qu'est-ce cela ? » Abou-Sir répondit : « C'est le hammam, cela ! Mais ce n'en est que l'entrée ! » Et il fit pénétrer le roi dans la première salle, et le fit monter sur l'estrade où il le déshabilla et l'enveloppa de serviettes depuis la tête jusqu'aux pieds, et lui passa aux pieds de hautes socques de bois, et l'introduisit dans la seconde salle où il le fit abondamment transpirer. Alors, aidé des jeunes garçons, il lui frotta les membres au moyen de gants de crin et en fit sortir, sous forme de longs filaments semblables à des vers, toute la saleté intérieure accumulée dans les pores de la peau ; et il les montrait au roi qui s'en étonnait prodigieusement. Puis il le lava à grande eau et à grand renfort de savonnage, et le fit descendre ensuite dans la baignoire de marbre remplie d'eau parfumée à l'essence de roses, où il le laissa un certain temps pour ensuite l'en faire sortir et lui laver la tête avec de l'eau de rose et des essences précieuses. Ensuite il lui teignit les ongles des mains et des pieds avec le henné, qui leur donna une couleur aurore. Et, durant ces préparatifs, l'aloès et le nadd aromatique brûlaient autour d'eux et les pénétraient de suavité.

Cela terminé, le roi se sentit devenir léger comme un oiseau et respirer de tous les éventails de son cœur ; et son corps était devenu si lisse et si ferme qu'en le touchant de la main il rendait un son harmonieux. Mais quel ne fut point son délice quand les jeunes garçons se mirent à lui masser les membres avec une douceur et un rythme tels qu'il s'imaginait être changé en luth ou en guitare ! Et il sentait une vigueur sans pareille l'animer, tellement qu'il fut sur le point de rugir comme un lion. Et il s'écria : « Par Allah ! de ma vie je ne me suis senti si vigoureux. Est-ce cela le hammam, ô maître barbier ? » Abou-Sir répondit : « C'est cela même, ô roi du temps ! » Il dit : « Par ma tête ! ma ville n'est devenue une ville que depuis la construction de ce hammam ! » Et lorsque, après avoir été séché dans les serviettes imprégnées de musc, il eut remonté sur l'estrade pour boire les sorbets préparés à la neige hachée, il demanda à Abou-Sir…

À ce moment de sa narration, Schahrazade vit apparaître le matin et, discrète, se tut.

Mais lorsque fut la quatre cent quatre-vingt-seizième nuit. Elle dit :

… Pour boire les sorbets à la neige hachée, il demanda à Abou-Sir : « Et combien estimes-tu que vaut un tel bain, et quel prix penses-tu faire payer ? » Il répondit : « Le prix que fixera le roi ! » Il dit : « Moi, je fixe un tel bain à mille dinars, pas moins ! » Et il fit compter mille dinars à Abou-Sir, et lui dit : « Et désormais tu feras payer mille dinars à chaque client qui viendra prendre un bain dans ton hammam ! » Mais Abou-Sir répondit : « Pardon, ô roi du temps ! Tous les gens ne sont pas égaux ! Les uns sont riches et les autres sont pauvres. Si donc je voulais prendre de chaque client mille dinars, le hammam ne ferait plus rien et fermerait, car il n'est pas au pouvoir du pauvre de payer pour un bain mille dinars ! » Le roi demanda : « Comment alors penses-tu faire ? » Il répondit : « Pour ce qui est du prix, je le laisserai à la générosité du client ! Chacun de la sorte payera selon ses moyens et la générosité de son âme ! Et le pauvre ne donnera que ce qu'il pourra donner. Quant à ce prix de mille dinars, c'est là un cadeau de roi ! » Et les émirs et les vizirs, en entendant ces paroles, approuvèrent grandement Abou-Sir et ajoutèrent : « Il dit la vérité, ô roi du temps, et c'est là la justice ! Car toi, ô notre bien-aimé, tu crois que tous les gens peuvent faire comme toi ! » Le roi dit : « C'est possible ! En tout cas cet homme est un étranger, un très pauvre, et le traiter avec largesse et générosité est notre devoir, d'autant plus qu'il dote notre ville de ce hammam dont de notre vie nous n'avons vu le pareil, et grâce auquel notre ville a acquis une importance et un éclat incomparables. Mais du moment que vous me dites ne pouvoir point payer mille dinars le bain, je vous autorise à ne lui payer cette fois chacun que cent dinars et à lui donner en plus un jeune esclave, un nègre et une adolescente ! Et, dans l'avenir, puisqu'il le juge ainsi, vous lui payerez chacun ce à quoi vous inciteront vos moyens et la générosité de votre âme ! » Ils répondirent : « Certes ! nous le voulons bien ! » Et lorsqu'ils eurent pris leur bain au hammam, ce jour-là, ils payèrent chacun à Abou-Sir cent dinars d'or, un jeune esclave blanc, un nègre et une adolescente. Or comme le nombre des émirs et des grands qui avaient pris leur bain, après le roi, montait à quatre cents, Abou-Sir reçut quarante mille dinars, quarante jeunes garçons blancs, quarante nègres et quarante adolescentes, et, de la part du roi, dix mille dinars, dix jeunes garçons blancs, dix jeunes nègres et dix adolescentes belles comme des lunes.

Lorsque Abou-Sir reçut tout cet or et ces cadeaux, il s'avança et, après avoir embrassé la terre entre les mains du roi, dit : « Ô roi fortuné, ô visage de bon augure, ô souverain aux idées justes et pleines d'équité, quel est l'endroit qui va pouvoir me loger, avec cette armée entière de jeunes garçons blancs, de nègres et d'adolescentes ? » Le roi répondit : « Moi je t'ai fait donner tout cela pour te rendre bien riche ; car j'ai pensé que peut-être tu songeras un jour à retourner dans ta patrie près de ta famille chérie, souhaitant la revoir ; et alors tu pourras partir de chez nous avec assez de richesses pour vivre chez toi avec les tiens à l'abri du besoin ! » Il répondit : « Ô roi du temps, qu'Allah te conserve prospère ! mais tous ces esclaves c'est bon pour les rois, et non pour moi qui n'ai guère besoin de tout cela pour manger le pain et le fromage avec ma famille ! Comment vais-je faire pour nourrir et habiller cette armée de jeunes blancs, de jeunes noirs et d'adolescentes ? Par Allah ! ils auront vite fait de manger avec leurs jeunes dents tout mon gain et moi après mon gain ! » Le roi se mit à rire et dit : « Par ma vie, tu dis vrai ! Ils sont devenus une puissante armée ; et à toi seul tu ne pourras guère arriver à les satisfaire par n'importe quel endroit ! Veux-tu donc me les vendre, pour t'en débarrasser, chacun à cent dinars ? » Abou-Sir répondit : « Je te les vends à ce prix ! » Aussitôt le roi fit appeler son trésorier qui versa intégralement à Abou-Sir le prix des cent cinquante esclaves ; et le roi, à son tour, renvoya tous ces esclaves chacun à son ancien maître, comme cadeau. Et Abou-Sir remercia le roi pour ses bontés, et lui dit : « Qu'Allah te repose l'âme comme tu m'as reposé l'âme en me sauvant d'entre les dents terribles de ces jeunes ghouls gloutons qu'Allah seul pourrait rassasier ! » Et le roi se mit à rire de ces paroles, et se montra encore très généreux à l'égard d'Abou-Sir ; puis, suivi des grands de son royaume, il sortit du hammam et rentra dans son palais.

Quant à Abou-Sir, il passa cette nuit-là dans sa maison à serrer l'or dans des sacs et à cacheter chaque sac bien soigneusement. Et, pour son train de maison, il avait vingt nègres, vingt jeunes garçons et quatre adolescentes…

À ce moment de sa narration, Schahrazade vit apparaître le matin et, discrète, se tut.

Mais lorsque fut la quatre cent quatre-vingt-dix-septième nuit. Elle dit :

… Vingt nègres, vingt jeunes garçons et quatre adolescentes.

Le lendemain, Abou-Sir fit crier dans toute la ville par les crieurs publics : « Ô créatures d'Allah, accourez tous prendre un bain au hammam du sultan ! Pendant trois jours on ne paiera pas ! » Et il y eut une foule énorme qui, durant trois jours, se précipita prendre pour rien un bain au hammam nommé Hammam du Sultan. Mais dès le matin du quatrième jour Abou-Sir s'installa lui-même derrière la caisse, à la porte du hammam, et se mit à percevoir le prix des entrées qui fut laissé à la bonne volonté de chacun, à sa sortie du bain. Et, le soir venu, Abou-Sir avait encaissé des clients une recette de la contenance de la caisse, avec l'assentiment d'Allah (qu'Il soit exalté !). Et il commença de la sorte à amonceler les tas d'or que lui accumulait sa destinée.

Tout cela ! Et la reine, qui avait entendu parler de ces bains avec enthousiasme par le roi son époux, résolut d'en prendre un comme essai d'abord. Et elle fit prévenir de son intention Abou-Sir qui, pour lui plaire et acquérir également la clientèle des femmes, consacra désormais la matinée aux bains des hommes et l'après-midi aux bains des femmes. Et il se tenait lui-même le matin derrière la caisse, pour les recettes, tandis que l'après-midi il chargeait de ce soin une intendante nommée par lui à cette charge-là. Aussi, lorsque la reine fut entrée au hammam et qu'elle eut expérimenté sur elle-même les effets délicieux de ces bains selon la nouvelle manière, elle fut si charmée qu'elle résolut d'y revenir tous les vendredis après-midi, et ne se montra pas à l'égard d'Abou-Sir moins libérale que le roi, qui avait pris l'habitude d'y retourner tous les vendredis dans la matinée, en payant chaque fois mille dinars d'or, sans préjudice des cadeaux.

Ainsi Abou-Sir s'acheminait-il plus profondément dans les chemins des richesses, des honneurs et de la gloire ! Mais il ne se montra pas, pour cela, moins modeste ou moins honnête, au contraire ! Il continua, comme par le passé, à se montrer affable, souriant et plein de bonnes manières à l'égard des clients, et généreux à l'égard des pauvres gens dont il ne voulait jamais accepter d'argent. Et cette générosité fut d'ailleurs pour lui la cause de son salut, comme il sera prouvé dans le courant de cette histoire. Mais, dès maintenant, que l'on sache bien que ce salut lui viendra par l'entremise d'un capitaine marin qui, un jour, se trouva à court d'argent et put néanmoins prendre un bain tout à fait excellent, sans frais aucunement ! Et comme, en outre, il avait été rafraîchi de sorbets et accompagné jusqu'à la porte avec tous les égards possibles par Abou-Sir en personne, il se mit dès lors à réfléchir sur les moyens de prouver sa gratitude à Abou-Sir, soit par quelque cadeau soit autrement ! Et cette occasion il ne tarda pas à la trouver. Et voilà pour le capitaine marin !

Quant au teinturier Abou-Kir, il finit par entendre parler de ce hammam extraordinaire dont s'entretenait avec admiration toute la ville, en disant : « Certes ! c'est le paradis en ce monde ! » Et il résolut d'aller expérimenter par lui-même les délices de ce paradis, dont il ignorait encore le nom du gardien. Il se vêtit donc de ses plus beaux habits, monta sur une mule richement harnachee, se fit précéder et suivre par des esclaves armés de longs bâtons, et se dirigea vers le hammam. Arrivé à la porte, il sentit l'odeur du bois d'aloès et le parfum du nadd ; et il vit la multitude des gens qui entraient et qui sortaient, et ceux qui étaient assis sur les bancs à attendre leur tour, fussent-ils d'entre les grands notables, ou d'entre les plus pauvres des pauvres, ou les plus petits des plus petits. Il entra alors dans le vestibule, et aperçut son ancien compagnon Abou-Sir assis derrière la caisse, dodu, frais et souriant. Et il eut même quelque peine à le reconnaître, tant les anciennes cavités de son visage étaient maintenant remplies d'une graisse de bonne nature, et tant son teint était brillant et sa mine avantagée de beaucoup ! À cette vue, le teinturier, bien que surpris et bouleversé, feignit une grande joie et, avec une impudence extrême, il s'avança vers Abou-Sir, qui déjà s'était levé en son honneur, et lui dit d'un ton plein d'amical reproche : « Hé quoi, ya Abou-Sir ! Est-ce là la conduite d'un ami et le procédé d'un homme qui connaît les bonnes manières et la galanterie ? Tu sais que je suis devenu le teinturier en titre du roi et un des personnages les plus riches et les plus importants de la ville, et tu ne viens jamais me voir ni prendre de mes nouvelles ! Et tu ne te demandes même pas : « Qu'est donc devenu mon ancien camarade Abou-Kir ? » Et moi j'ai eu beau te demander partout et envoyer de tous les côtés mes esclaves à ta recherche, dans les khâns et les boutiques, nul n'a pu me renseigner à ton sujet ni me mettre sur tes traces ! » À ces paroles, Abou-Sir hocha la tête avec une grande tristesse, et répondit : « Ya Abou-Kir, tu oublies donc le traitement que tu m'as fait subir, quand je suis venu à toi, et le coups que tu m'as donnés et l'opprobre dont tu m'as couvert devant les gens en m'appelant voleur, traître et misérable ? » Et Abou-Kir se montra bien formalisé et s'écria : « Que dis-tu là ? Serait-ce toi cet homme que j'ai battu ? » Il répondit : « Mais oui, c'était moi ! » Abou-Kir alors se mit à jurer mille serments qu'il ne l'avait pas reconnu, en disant : « Certes ! je t'ai confondu avec un autre, avec un voleur qui avait déjà essayé mainte fois de dérober mes étoffes ! Tu étais si maigre et si jaune qu'il m'a été impossible de te reconnaître ! » Puis il se mit à regretter son acte, à se frapper les mains l'une contre l'autre, disant : « Il n'y a de recours et de puissance qu'en Allah le Glorieux, l'Exalté ! Comment ai-je pu me tromper de la sorte ! Mais aussi la faute n'est-elle pas surtout à toi qui, m'ayant le premier reconnu, ne t'es pas nommé devant moi, en me disant : « Je suis Tel ! » d'autant plus que ce jour j'étais tout à fait distrait et hors de moi de toute la besogne dont j'étais surchargé ! Je te prie donc, par Allah sur toi, ô mon frère, de me pardonner et d'oublier cette chose-là qui était écrite dans notre destinée ! » Abou-Sir répondit : « Qu'Allah te pardonne, ô mon compagnon, c'était là, en effet, l'arrêt secret du destin ; et la réparation est sur Allah ! » Le teinturier dit : « Pardonne moi tout à fait ! » Il répondit : « Qu'Allah libère donc ta conscience comme je te libère ! Que pouvons-nous contre les arrêts rendus du fond de l'éternité ? Entre donc au hammam, enlève tes habits et prends un bain qui te soit plein de délices et de rafraîchissement…

À ce moment de sa narration, Schahrazade vit apparaître le matin et, discrète, se tut.

Mais lorsque fut la quatre cent quatre-vingt-dix-huitième nuit. Elle dit :

… Et prends un bain qui te soit plein de délices et de rafraîchissement ! » Et Abou-Kir lui demanda : « Et d'où t'est venue cette félicité ? » Il répondit :

« Celui qui t'a ouvert les portes de la prospérité me les a ouvertes également ! » Et il lui raconta son histoire depuis le jour où il avait reçu la bastonnade par ses ordres. Mais il n'y a aucune utilité à la répéter. Et Abou-Kir lui dit : « Ma joie est extrême d'apprendre la faveur dont tu jouis auprès du roi. Je vais m'employer de façon à ce que cette faveur augmente encore, en racontant au roi que tu es mon ami de toujours. » Mais l'ancien barbier répondit : « À quoi bon l'intervention des créatures dans les arrêts du destin ? Allah seul tient dans ses mains les faveurs et les disgrâces ! Quant à toi, hâte-toi de te déshabiller et d'entrer au hammam jouir des bienfaits de l'eau et de la propreté ! » Et il le conduisit lui-même dans la salle réservée et, de ses propres mains, il le frotta, le savonna, le massa et le travailla jusqu'à la fin, ne voulant laisser ce soin à aucun de ses aides. Puis il le fit monter sur l'estrade de la salle fraîche, et lui servit lui-même les sorbets et les réconfortants, et cela avec tant d'égards que tous les clients ordinaires étaient ébahis de voir Abou-Sir en personne remplir cet office et rendre ces honneurs exceptionnels au teinturier, alors que d'ordinaire le roi seul en bénéficiait.

Lorsque vint le moment de partir, Abou-Kir voulut offrir quelque argent à Abou-Sir que celui-ci se garda bien d'accepter, disant : « N'as-tu pas honte de m'offrir de l'argent, alors que je suis ton camarade, et qu'il n'y a aucune différence entre nous ? » Abou-Kir dit : « Soit ! mais, en retour, laisse-moi te donner un conseil qui te sera d'une grande utilité. Ce hammam est admirable, mais pour qu'il soit tout à fait merveilleux il lui manque encore une chose ! » Abou-Sir demanda : « Et quelle est-elle ? » Il dit : « La pâte épilatoire ! J'ai, en effet, remarqué qu'une fois que tu avais fini de raser la tête de tes clients, tu te servais, pour les poils des autres parties du corps, du rasoir également ou de la pince à poils. Or rien ne vaut la pâte épilatoire dont je connais la recette et que je vais te donner pour rien ! » Abou-Sir répondit : « Certes ! tu as raison, ô mon camarade. Je ne demande pas mieux que d'apprendre de toi la recette de la meilleure pâte épilatoire ! » Abou-Sir dit : « Voici ! Prends de l'arsenic jaune et de la chaux vive, pétris-les ensemble en y ajoutant un peu d'huile, mélange-les d'un peu de musc pour en enlever l'odeur désagréable, et renferme la pâte ainsi obtenue dans un pot en terre cuite, pour t'en servir au moment du besoin. Et je te réponds du succès de l'opération, surtout quand le roi verra ses poils tomber comme par enchantement, sans heurt ni frottement, et que sa peau lui apparaîtra toute blanche en dessous ! » Et Abou-Kir, ayant ainsi livré cette recette à son ancien compagnon, sortit du hammam et se dirigea en toute hâte vers le palais.

Lorsqu'il arriva devant le roi et qu'il eut présenté ses hommages entre ses mains, il lui dit : « Je viens chez toi en conseiller, ô roi du temps ! » Le roi dit : « Et quel conseil m'apportes-tu ? » Il répondit : « Louanges à Allah qui t'a sauvegardé jusqu'aujourd'hui des mains malfaisantes de ce méchant, de cet ennemi du trône et de la religion, de cet Abou-Sir maître du hammam ! » Le roi, bien étonné, demanda : « De quoi s'agit-il ? » Il dit : « Sache, ô roi du temps, que si par malheur tu entrais encore une fois dans le hammam, tu serais perdu sans recours ! » Il dit : « Et comment cela ? » Abou-Kir, avec des yeux pleins de terreur menteuse et un large geste d'épouvantement, souffla : « Par le poison ! Il a préparé à ton intention une pâte composée d'arsenic jaune et de chaux vive qui, placée rien que sur les poils de la peau, les brûle comme le feu. Et il te proposera sa pâte en te disant : « Rien ne vaut cette pâte pour faire tomber les poils du derrière, avec confort et sans heurt pour le derrière ! » Et il appliquera la pâte sur le derrière de notre roi, et il le fera mourir empoisonné par cette voie-là, qui est la plus douloureuse d'entre toutes les voies ! Car ce maître du hammam n'est autre chose qu'un espion soudoyé par le roi des chrétiens pour arracher de cette façon-là l'âme de notre roi ! Et moi je me suis hâté de venir t'en aviser, car tes bienfaits sont sur moi ! »

En entendant ces paroles du teinturier Abou-Kir, le roi sentit une terreur intense l'envahir, et tellement qu'il en frissonna et que son cul se contracta comme s'il était déjà travaillé par le poison brûlant. Et il dit au teinturier : « Je vais tout de suite aller au hammam avec mon grand vizir pour contrôler ton dire. Mais d'ici là garde soigneusement le secret de la chose ! » Et il emmena son grand vizir et s'en alla avec lui au hammam.

Là, comme d'habitude, Abou-Sir introduisit le roi dans la salle réservée et voulut le frictionner et le laver ; mais le roi lui dit : « Commence d'abord par mon grand vizir ! » Et il se tourna vers le grand vizir et lui dit : « Étends-toi ! » Et le grand vizir, qui était bien dodu, et poilu comme un vieux bouc, répondit par l'ouïe et l'obéissance, s'étendit sur le marbre et se laissa frotter, savonner et laver d'importance. Après quoi Abou-Sir dit au roi : « Ô roi du temps, j'ai trouvé une drogue qui possède de telles vertus épilatoires que tout rasoir devient superflu pour les poils d'en bas ! » Le roi dit : « Essaie cette drogue sur les poils d'en bas de mon grand vizir...

À ce moment de sa narration, Schahrazade vit apparaître le matin et, discrète, se tut.

Mais lorsque fut la quatre cent quatre-vingt-dix-neuvième nuit. Elle dit :

... Essaie cette drogue sur les poils d'en bas de mon grand vizir ! » Et Abou-Sir prit le pot de terre cuite, en tira un morceau gros comme une amande de la pâte en question, et l'étendit sur le haut du bas-ventre du grand vizir, simplement comme essai. Et l'effet épilatoire de la drogue fut si prodigieux, que le roi ne douta plus que ce ne fût là un redoutable poison ; et, gonflé de fureur à ce spectacle, il se retourna vers les garçons du hammam et leur cria : « Arrêtez ce misérable ! » et il leur montra du doigt Abou-Sir que le saisissement avait rendu muet et comme hébété. Puis le roi et le vizir s'habillèrent en toute hâte, firent livrer Abou-Sir aux gardes du dehors, et rentrèrent au palais.

Là, le roi fit appeler son capitaine du port et des navires, et lui dit : « Tu vas t'emparer du traître appelé Abou-Sir, et prendre un sac rempli de chaux vive dans lequel tu l'enfermeras, et tu iras jeter le tout dans la mer, sous les fenêtres de mon palais. Et, de la sorte, ce misérable mourra de deux morts à la fois, par noyade et par combustion ! » Le capitaine répondit : « J'écoute et j'obéis ! »

Or, justement, le capitaine du port et des navires était le capitaine marin qui avait été autrefois l'obligé d'Abou-Sir. Il se hâta donc d'aller trouver Abou-Sir dans le cachot, et l'en tira pour l'embarquer sur un petit vaisseau et le conduire à une petite île située non loin de la ville, et où il put enfin lui parler librement. Il lui demanda : « *Ô Tel !* je n'oublie point les égards que tu as eus pour moi, et je veux te rendre le bien pour le bien. Raconte-moi donc ton affaire avec le roi, et le crime que tu as commis pour perdre ses faveurs et mériter la mort cruelle à laquelle il t'a condamné ! » Abou-Sir répondit : « Par Allah ! ô mon frère, je jure que je suis innocent de toute faute, et que je n'ai jamais rien fait qui ait mérité un pareil châtiment ! » Le capitaine dit : « Alors tu dois sûrement avoir des ennemis qui t'ont nui dans l'esprit du roi ! Car tout homme qui est en vue par un bonheur trop apparent et par les faveurs du destin a toujours des envieux et des jaloux ! Mais ne crains rien ! Ici, dans cette île, tu es en sécurité. Sois donc le bienvenu et tranquillise-toi. Tu passeras ton temps à pêcher, jusqu'à ce que je puisse te faire partir pour ton pays. Maintenant je vais faire devant le roi le simulacre de ta mort ! » Et Abou-Sir baisa la main du capitaine marin qui le quitta pour aller aussitôt prendre un gros sac rempli de chaux vive et s'avancer vers le palais du roi jusque sous les fenêtres qui regardaient la mer.

Le roi précisément était accoudé à attendre l'exécution de son ordre ; et le capitaine, arrivé sous les fenêtres, leva ses regards pour recevoir du roi le signal de l'exécution. Et le roi étendit le bras hors de la fenêtre, et du doigt il fit signe de jeter le sac à la mer. Et cela fut immédiatement exécuté. Mais au même moment le roi, qui avait fait avec la main un geste trop brusque, laissa tomber dans l'eau un anneau d'or qui lui était aussi précieux que son âme. En effet, cet anneau tombé dans la mer était un anneau talismanique enchanté, dont dépendaient l'autorité et la puissance du roi, et qui servait de frein pour maintenir en respect le peuple et l'armée ; car lorsque le roi voulait donner l'ordre d'exécuter un coupable, il n'avait qu'à lever la main au doigt de laquelle se trouvait l'anneau, et il en jaillissait aussitôt un éclair subit qui renversait à terre le coupable raide mort, en lui faisant sauter la tête d'entre les épaules ! Aussi, quand le roi vit de la sorte tomber son anneau dans la mer, il ne voulut en parler à qui que ce fût et garda le plus profond secret sur la perte ; sans quoi il lui eût été impossible de tenir plus longtemps ses sujets dans la crainte et l'obéissance. Et voilà pour le roi !

Quant à Abou-Sir, une fois seul dans l'île, il prit le filet de pêche que lui avait donné le capitaine marin, et, pour distraire ses torturantes pensées et chercher sa nourriture, il se mit à pêcher dans la mer. Et, après avoir jeté son filet et attendu un moment, il le retira et le trouva plein de poissons de toutes les couleurs et de toutes grosseurs. Et il se dit : « Par Allah ! voilà longtemps déjà que je n'ai point mangé de poisson ! Je vais en prendre un et le donner aux deux garçons de cuisine dont m'a parlé le capitaine, afin qu'ils me le fassent cuire à l'huile. » En effet, le capitaine du port et des navires avait également chargé de pourvoir, tous les jours, de poisson frais la cuisine du roi ; et, ce jour-là, comme il n'avait pu veiller lui-même à la pêche du poisson, il avait chargé Abou-Sir de ce soin, et lui avait parlé de deux garçons cuisiniers qui viendraient afin qu'il leur livrât le poisson pêché et destiné au roi. Et Abou-Sir fut favorisé de cette pêche nombreuse, dès le premier coup de filet. Il commença donc, avant de livrer sa pêche aux deux garçons qui allaient venir, par choisir pour lui-même le poisson le plus gros et le plus beau ; il tira ensuite de sa ceinture le grand couteau qui y était enfoncé, et le passa d'outre en outre dans les branchies du poisson qui frétillait. Mais il ne fut pas peu surpris en voyant sortir, appendu à la pointe du couteau, un anneau d'or, avalé sans doute par le poisson !

À cette vue, Abou-Sir, bien qu'il ignorât les vertus redoutables de cet anneau talismanique, qui était précisément celui tombé du doigt du roi dans la mer…

À ce moment de sa narration, Schahrazade vit apparaître le matin et, discrète, se tut.

Mais lorsque fut la cinq centième nuit. Elle dit :

… À cette vue, Abou-Sir, bien qu'il ignorât les vertus redoutables de cette anneau talismanique, qui était précisément celui tombé du doigt du roi dans la mer, et sans attacher une grande importance à la chose, prit cet anneau qui lui revenait de droit, et le passa à son propre doigt.

À ce moment arrivèrent les deux garçons pourvoyeurs de la cuisine du roi, et ils lui dirent : « Ô pêcheur, peux-tu nous dire ce qu'est devenu le capitaine du port qui nous livre chaque jour le poisson destiné au roi ? Il y a déjà longtemps que nous attendons son retour ! De quel côté s'est-il dirigé ? » Abou-Sir répondit, en étendant la main de leur côté : « C'est de ce côté-là qu'il est parti ! » Mais au même moment les deux têtes des garçons de cuisine sautèrent d'entre leurs épaules et roulèrent avec leurs propriétaires sur le sol ! C'était l'éclair lancé par l'anneau porté par Abou-Sir qui venait de tuer les deux garçons pourvoyeurs.

En voyant les deux garçons tomber ainsi privés de vie, Abou-Sir se demanda : « Qui a bien pu faire sauter de la sorte la tête de ces deux-là ? » Et il regarda de tous côtés autour de lui, dans les airs et à ses pieds ; et il commençait à trembler de terreur en songeant à la puissance cachée des genn malfaisants, quand il vit revenir le capitaine marin. Et celui-ci, du plus loin qu'il le vit, aperçut en même temps les deux corps inertes sur le sol avec, à leur côté, leurs têtes respectives, et l'anneau porté par Abou-Sir, qui brillait sous le soleil. Et il comprit d'un coup d'œil ce qui venait de se passer. Aussi se hâta-t-il de lui crier, en se garant : « Ô mon frère, ne bouge pas ta main qui porte l'anneau, ou je suis tué ! Ne la bouge pas, de grâce ! »

En entendant ces paroles, qui achevèrent de le surprendre et de le rendre perplexe, Abou-Sir s'immobilisa tout à fait malgré le désir qu'il avait de courir à la rencontre du capitaine marin, lequel, arrivé près de lui, se jeta à son cou et dit : « Tout homme porte sa destinée attachée à son cou. La tienne est supérieure de beaucoup à celle du roi ! Mais raconte-moi comment t'est venu cet anneau, et moi je te dirai ensuite ses vertus ! » Et Abou-Sir raconta au capitaine marin toute l'histoire, qu'il est inutile de répéter. Et à son tour le capitaine, émerveillé, lui narra les vertus redoutables de l'anneau, et ajouta : « Maintenant ta vie est sauve et celle du roi est en danger. Tu peux sans crainte m'accompagner à la ville, et faire tomber, d'un signe de ton doigt porteur de l'anneau, les têtes de tes ennemis et faire sauter celle du roi d'entre ses épaules ! » Et il fit embarquer Abou-Sir avec lui sur le petit vaisseau et, l'ayant ramené en ville, le conduisit au palais devant le roi.

À ce moment, le roi tenait son diwân et était entouré de la foule de ses vizirs, de ses émirs et de ses conseillers ; et bien qu'il fût bourré de soucis et de rage jusqu'au nez, à cause de la perte de son anneau, il n'osait divulguer la chose ni faire faire des recherches dans la mer pour le retrouver, de peur de voir les ennemis du trône se réjouir de sa calamité ! Mais lorsqu'il vit entrer Abou-Sir, il n'eut plus aucun doute sur sa perte complotée, et s'écria : « Ah ! misérable, comment as-tu fait pour revenir du fond de la mer et échapper à la mort par noyade et par combustion ! » Abou-Sir répondit : « Ô roi du temps, Allah est le plus grand ! » Et il raconta au roi comment il avait été sauvé par le capitaine marin, par reconnaissance de sa part pour un bain gratuit, comment il avait trouvé l'anneau et comment, sans connaître la puissance de cet anneau, il avait causé la mort de deux garçons pourvoyeurs. Puis il ajouta : « Et maintenant, ô roi, je viens te rendre cet anneau, par gratitude pour tes bienfaits sur moi, et pour te démontrer que si j'étais un criminel dans l'âme je me serais déjà servi de cet anneau pour exterminer mes ennemis et tuer leur roi ! Et je te supplie, en retour, d'examiner plus attentivement le crime que j'ignore et pour lequel tu m'as condamné, et de me faire périr dans les tortures si je suis reconnu vraiment criminel ! » Et, en disant ces paroles, Abou-Sir retira l'anneau de son doigt et le remit au roi qui se hâta de le passer au sien, en respirant d'aise et de contentement, et en sentant son âme rentrer dans son corps. Il se leva alors sur ses pieds et jeta ses bras autour du cou d'Abou-Sir, en lui disant : « Ô homme, certes ! tu es la fleur de choix d'entre les gens bien nés ! Je te prie de ne point me blâmer trop, et de me pardonner le mal que je t'ai fait et le dommage que je t'ai causé. En vérité, un autre que toi ne m'aurait jamais rendu cet anneau ! » Le barbier répondit : « Ô roi du temps, si vraiment tu souhaites que je libère ta conscience, tu n'as qu'à me dire enfin le crime qui m'est attribué et qui m'a valu ta colère et ton ressentiment ! » Le roi dit : « Ouallah ! à quoi bon ? Je suis maintenant sûr que tu as été accusé à faux. Mais du moment que tu désires savoir le crime que l'on t'a attribué, voici ! Le teinturier Abou-Kir m'a dit de toi *telle* et *telle* chose ! » Et il lui raconta tout ce dont l'avait accusé le teinturier, au sujet de la pâte épilatoire expérimentée d'ailleurs sur le haut des poils du bas-ventre du grand vizir…

À ce moment de sa narration, Schahrazade vit apparaître le matin et se tut discrètement.

Mais lorsque fut la cinq cent unième nuit. Elle dit :

… La pâte épilatoire expérimentée d'ailleurs sur le haut des poils du bas-ventre du grand vizir ! » Et Abou-Sir, les larmes aux yeux, répondit : « Ouallah ! ô roi du temps, moi je ne connais point le roi des Nazaréens, et de ma vie je n'ai foulé le sol du pays des Nazaréens. Mais la vérité, la voici ! » Et il raconta au roi comment le teinturier et lui s'étaient engagés par serment, après lecture de la Fatiha du Livre, de s'entraider mutuellement, comment ils étaient partis ensemble, et toutes les ruses et tous les tours que lui avait joués le teinturier, y compris le traitement de la bastonnade qu'il lui avait fait subir, et la recette de la pâte épilatoire qu'il lui avait lui-même donnée. Et il ajouta : « En tout cas, ô roi, cette pâte épilatoire, appliquée sur la peau, est une chose infiniment excellente ; et elle ne devient poison que si on l'avale. Dans mon pays les hommes et les femmes ne se servent que de cela, au lieu du rasoir, pour se faire tomber en tout confort leurs poils du bas ! Quant aux tours qu'il m'a joués et au traitement qu'il m'a fait subir, le roi n'aura qu'à faire appeler le portier du khân et les apprentis de la teinturerie, et à les interroger pour contrôler la vérité que j'avance ! » Et le roi, pour faire plaisir à Abou-Sir, bien que la preuve fût toute faite pour lui, fit mander le portier du khân et les apprentis ; et tous, après interrogatoire, confirmèrent les paroles du barbier en les aggravant encore par leurs révélations sur la conduite malhonnête du teinturier.

Alors le roi cria aux gardes : « Qu'on m'amène le teinturier, nu-tête, nu-pieds, et les mains liées derrière le dos ! » Et les gardes aussitôt coururent envahir le magasin du teinturier, qui était alors absent. Ils le cherchèrent donc dans sa maison, où ils le trouvèrent assis à savourer la jouissance des plaisirs tranquilles, et à rêver sans aucun doute à la mort d'Abou-Sir. Et donc ils se précipitèrent sur lui, qui à coups de poing sur la nuque, qui à coups de pied dans le derrière, qui à coups de tête dans le ventre, et le piétinèrent et le dépouillèrent de ses vêtements, excepté de la chemise, et le traînèrent, nu-pieds, nu-tête et les mains liées derrière le dos, jusque devant le trône du roi. Et il vit Abou-Sir assis à droite du roi, et le portier du khân debout dans la salle avec, à ses côtés, les apprentis de la teinturerie. Il vit tout cela, en vérité ! Et de terreur il fit ce qu'il fit au milieu même de la salle du trône ; car il comprit qu'il était perdu sans recours. Mais déjà le roi, le regardant de travers, lui dit : « Tu ne peux nier que ce ne soit là ton ancien compagnon, le pauvre que tu as volé, dépouillé, maltraité, délaissé, battu, chassé, injurié, accusé et fait, en somme, mourir ! » Et le portier du khân et les apprentis de la teinturerie levèrent leurs mains et s'écrièrent : « Oui, par Allah ! tu ne peux nier tout cela. Nous en sommes témoins devant Allah et devant le roi ! » Et le roi dit : « Que tu le nies ou que tu l'avoues, tu n'en subiras pas moins le châtiment écrit par le destin ! » Et il cria à ses gardes : « Prenez-le, promenez-le par les pieds à travers toute la ville, puis enfermez-le dans un sac rempli de chaux vive et jetez-le à la mer, afin qu'il meure de la double mort par combustion et par asphyxie ! » Alors le barbier s'écria : « Ô roi du temps, je te supplie d'accepter mon intercession pour lui, car moi je lui pardonne tout ce qu'il m'a fait ! » Mais le roi dit : « Si toi tu lui pardonnes ses crimes contre toi, moi je ne lui pardonne pas ses crimes contre moi ! » Et il cria encore une fois à ses gardes : « Emmenez-le et exécutez mes ordres ! »

Alors les gardes s'emparèrent du teinturier Abou-Kir, le trainèrent par les pieds à travers toute la ville, en criant ses méfaits, et finirent par l'enfermer dans un sac rempli de chaux vive et le jetèrent à la mer. Et il mourut noyé-brûlé ! Car telle était sa destinée.

Quant à Abou-Sir, le roi lui dit : « Ô Abou-Sir, je veux maintenant que tu me demandes tout ce que tu souhaites, et cela te sera accordé à l'instant ! » Abou-Sir répondit : « Je demande seulement au roi qu'il me renvoie dans ma patrie ; car il m'est désormais pénible de demeurer loin des miens, et je n'ai plus envie de rester ici ! » Et le roi, bien que fort affecté de son départ, car il voulait le nommer grand vizir, à la place du dodu-poilu qui remplissait cette charge, lui fit préparer un grand navire qu'il chargea d'esclaves hommes et femmes, et de riches présents, et lui dit, en prenant congé : « Alors tu ne veux pas devenir mon grand vizir ? » Et Abou-Sir répondit : « Je voudrais bien retourner dans mon pays ! » Alors le roi n'insista pas, et le navire s'éloigna avec Abou-Sir et ses escalves dans la direction d'Iskandaria.

Or Allah leur écrivit un bon voyage, et ils touchèrent Iskandaria en bonne santé. Mais à peine avaient-ils débarqué que l'un des esclaves aperçut sur la plage un sac que la mer avait jeté à terre. Abou-Sir l'ouvrit et y découvrit le cadavre d'Abou-Kir que les courants avaient entraîné jusque-là ! Et Abou-Sir le fit inhumer non loin de là, sur le rivage de la mer, et lui éleva un monument funèbre et ce fut un lieu de pèlerinage auquel il attacha, pour l'entretien, des biens de mainmorte ; et il fit graver sur la porte de l'édifice cette inscription morale :

« Abstiens-toi du mal ! Et ne t'enivre pas à la gourde amère de la méchanceté. Le méchant finit toujours par être terrassé !

L'océan voit flotter à sa surface les carcasses du désert, tandis que les perles reposent tranquilles sur les sables sous-marins.

Dans les régions sereines, il est écrit sur les pages transparentes de l'air : Celui qui sème le bien récolte le bien ! Car toute chose revient à son origine ! »

Et telle fut la fin d'Abou-Kir le teinturier, et le début d'Abou-Sir dans la vie désormais heureuse et sans soucis. Et c'est pourquoi la baie où fut enterré le teinturier fut depuis lors nommée la *baie d'Abou-Kir* ! Gloire à celui qui vit dans Son Éternité, et qui par Sa Volonté fait suivre leur cours aux jours de l'hiver et de l'été !

Puis Schahrazade dit : « Et voilà, ô Roi fortuné, tout ce qui m'est revenu de cette histoire ! » Et Schahriar s'écria : « Par Allah ! cette histoire est édifiante.

C'est pourquoi me vient maintenant le désir de t'entendre me raconter une ou deux ou trois anecdotes morales ! » Et Schahrazade dit : « Ce sont celles que je connais le mieux ! »

À ce moment, elle vit apparaître le matin et, discrète, se tut.

Mais lorsque fut la cinq cent deuxième nuit, Schahrazade dit :

ANECDOTES MORALES DU JARDIN PARFUMÉ

Les anecdotes morales, ô Roi fortuné, sont celles que je connais le mieux. Je vais t'en raconter une ou deux ou trois, tirées du JARDIN PARFUMÉ. *» Et le roi Schahriar dit : « En ce cas, hâte-toi de commencer, car je sens mon âme envahie par un grand ennui, ce soir ! Et je ne suis plus certain de la conservation de la tête sur tes épaules jusqu'au matin ! » Et Schahrazade, souriante, dit : « Voici ! Mais je te préviens, ô Roi fortuné, que ces anecdotes, toutes morales qu'elles sont, peuvent passer, aux yeux des gens grossiers, à l'esprit étroit, pour des anecdotes libertines ! » Et le roi Schahriar dit : « Que cette crainte ne t'arrête point, Schahrazade ! Toutefois, si tu penses que ces anecdotes morales ne peuvent être entendues par cette petite qui t'écoute blottie à tes pieds sur le tapis, dis-lui de s'en aller au plus vite. D'ailleurs, je ne sais point au juste ce qu'elle fait ici, cette petite-là ! » À ces paroles du Roi, la petite Doniazade, craignant d'être chassée, se jeta dans les bras de sa grande sœur qui la baisa sur les yeux, la serra contre sa poitrine et calma son âme chérie. Puis elle se tourna vers le roi Schahriar et dit : « Je crois tout de même qu'elle peut rester ! Car il n'est point répréhensible de parler des choses situées au-dessous de la taille, vu que* toutes choses sont propres et pures aux âmes propres et pures ! »

Et aussitôt elle dit :

LES TROIS SOUHAITS

Il m'est revenu, ô Roi fortuné, qu'un certain homme aux bonnes intentions avait passé toute sa vie dans l'attente de la nuit miraculeuse, que promet le Livre aux Croyants doués de foi ardente, cette nuit nommée la Nuit des Possibilités de la Toute-Puissance, où l'homme pieux voit se réaliser ses moindres désirs. Or, une nuit des dernières nuits du mois de Ramadan, cet homme après avoir jeûné strictement toute la journée, se sentit soudain vivifié des grâces divines, et il appela son épouse et lui dit : « Écoute-moi, femme ! Je me sens ce soir en état de pureté devant l'Éternel, et sûrement cette nuit va être pour moi la Nuit des Possibilités de la Toute-Puissance. Comme tous mes vœux et souhaits seront sûrement exaucés par le Rétributeur, je t'appelle pour te consulter auparavant sur les demandes qu'il me faut faire, car je te sais de bon conseil, et souvent tes avis m'ont été profitables. Inspire-moi donc les souhaits à formuler ! » L'épouse répondit : « Ô homme, à combien de souhaits as-tu droit ? » Il dit : « À trois ! » Elle dit : « Commence alors par exposer à Allah le premier des trois désirs. Tu sais que la perfection de l'homme et ses délices résident dans sa virilité, et que l'homme ne peut être parfait s'il est chaste, eunuque ou impuissant. Par conséquent, plus le zebb de l'homme est considérable, plus sa virilité est grande et le fait s'acheminer dans la voie de la perfection. Prosterne-toi donc humblement devant la face du Très-Haut, et dis : « Ô Bienfaiteur, ô Généreux, fais grossir mon zebb jusqu'à la magnificence ! » Et l'homme se prosterna et, tournant ses paumes vers le ciel, dit : « Ô Bienfaiteur, ô Généreux, fais grossir mon zebb jusqu'à la magnificence ! »

Or, à peine ce désir avait-il été formulé, qu'il fut exaucé, et au-delà, à l'heure et à l'instant. Car aussitôt le saint homme vit son zebb se gonfler et se magnifier, tellement qu'on l'eût pris pour une calebasse reposant entre deux grosses citrouilles. Et le poids de tout cela était si considérable qu'il obligeait son propriétaire à se rasseoir quand il se levait, et à se lever quand il se couchait.

Aussi l'épouse fut si terrifiée à cette vue qu'elle s'échappait par la fuite toutes les fois que l'appelait à l'essai le saint homme. Et elle s'écriait : « Comment veux-tu que je fasse l'essai de cet outil dont le simple jet est capable de perforer les rochers d'outre en outre ? » Et le pauvre homme finit par lui dire : « Ô femme exécrable, que me faut-il faire de cela maintenant ! C'est ton œuvre, ô maudite ! » Elle répondit : « Le nom d'Allah est sur moi et autour de moi ! Prie sur le Prophète, ô vieillard à l'œil vide ! Moi, par Allah ! je n'ai point besoin de tout cela, et ne t'ai point dit d'en demander autant ! Prie donc le ciel de te le diminuer ! Ce sera là ton second souhait ! »

Le saint homme leva alors les yeux au ciel et dit : « Ô Allah, je te supplie de me débarrasser de cette encombrante marchandise, et de me délivrer du tracas qu'elle me procure ! » Et aussitôt l'homme devint lisse quant à son ventre, sans plus de trace de zebb et d'œufs que s'il eût été une jeune fille impubère. Mais cette disparition complète ne le satisfit guère, pas plus lui que son épouse, qui se mit à l'invectiver et à lui reprocher de l'avoir à jamais frustrée de son dû. Aussi la peine du saint homme fut-elle extrême ; et il dit à son épouse : « Tout cela est ta faute et vient de tes conseils insensés ! Ô femme sans jugement, moi j'avais droit à trois souhaits devant Allah, et je pouvais choisir à mon gré ce qui me plaisait le mieux des biens de ce monde et de l'autre. Et voilà que deux de mes vœux ont déjà été exaucés, mais c'est tout comme si de rien n'était. Et me voici dans une condition pire que la précédente ! Mais comme il me reste encore le droit de formuler mon troisième souhait, je vais demander à mon Seigneur de me faire réintégrer dans ce que je possédais tout à fait au commencement ! » Et il pria son Seigneur qui exauça son vœu. Et il rentra dans ce qu'il possédait au commencement !

La morale de cette anecdote est qu'il faut se contenter de ce que l'on a.

Puis Schahrazade dit :

LE JEUNE GARÇON ET LE MASSEUR DU HAMMAM

Il m'est raconté, ô Roi fortuné, qu'un certain masseur de hammam avait pour clients ordinaires les fils des notables et des plus riches habitants, car le hammam où il exerçait son métier était le mieux achalandé de toute la ville. Or, un jour d'entre les jours, entra dans la salle où il attendait les baigneurs un garçon encore vierge de poils, mais bien dodu et riche en rondeurs de tous les côtés à la fois ; et ce garçon était bien beau de visage ; et il était le fils même du grand vizir du roi de la ville. Aussi le masseur se réjouit-il de masser le corps si doux de cet adolescent délicat, et il se dit en son âme : « Voilà un corps où la graisse a partout mis des coussins soyeux ! Quelle richesse de formes, et qu'il est dodu ! » Et il l'aida à s'étendre sur le marbre tiède de la salle chaude, et commença à le frictionner avec un soin tout spécial. Et lorsqu'il fut arrivé près des cuisses il fut à la limite de la stupéfaction en remarquant que le zebb du gros garçon atteignait à peine le volume d'une noisette…

À ce moment de sa narration, Schahrazade vit apparaître le matin et, discrète, se tut.

Mais lorsque fut la cinq cent troisième nuit. Elle dit :

… Il fut à la limite de la stupéfaction en remarquant que le zebb du gros garçon atteignait à peine le volume d'une noisette. Et, voyant cela, il se mit à se lamenter en son âme, et à frapper ses mains l'une contre l'autre, en s'arrêtant tout court dans le massage qu'il faisait.

Lorsque le jeune garçon vit le masseur en proie à un tel chagrin et sa mine bouleversée de désespoir, il lui dit : « Qu'as-tu, ô masseur, à te lamenter ainsi au-dedans de ton âme et à frapper tes mains l'une contre l'autre ? » Il répondit : « Hélas ! mon seigneur, mon désespoir et mes lamentations sont à ton sujet ! Car je vois que tu es affligé du plus grand malheur dont un homme puisse être atteint ! Tu es jeune, dodu et beau, et tu possèdes toutes les perfections de corps et de visage, et tous les bienfaits dispensés par le Rétributeur à ceux qu'Il élit. Mais justement tu manques de l'instrument de délices, celui sans lequel on n'est pas un homme et on n'a pas les apanages de la virilité qui donne et reçoit ! Est-ce que la vie serait la vie sans le zebb et tout ce qui s'ensuit ? » À ces paroles, le fils du vizir baissa tristement la tête et répondit : « Mon oncle, tu as bien raison ! Et tu viens justement de me faire penser à ce qui fait le sujet de mon seul tourment ! Si l'héritage de mon vénéré père est si petit, la faute est à moi seul qui jusqu'aujourd'hui ai négligé de le faire fructifier. Comment veux-tu, en effet, que le chevreau devienne un puissant bouc s'il se tient loin des chèvres incendiaires, ou que l'arbre se développe si on ne l'arrose pas ? Moi jusqu'aujourd'hui je me suis tenu loin des femmes, et nul désir n'est encore venu réveiller mon enfant dans son berceau ! Mais il est temps, je pense, que se réveillent les endormis et que le berger s'appuie sur son bâton ! »

À ce discours du fils du vizir, le masseur du hammam dit : « Mais comment fera le berger pour s'appuyer sur son bâton qui n'est pas plus gros que la phalangette du petit doigt ? » Le garçon répondit : « Je compte pour cela, mon bon oncle, sur ton généreux vouloir. Tu vas aller sur l'estrade où j'ai laissé mes vêtements, et tu prendras la bourse que tu trouveras dans ma ceinture ; et avec l'or qu'elle contient tu iras me chercher une adolescente capable de commencer ce développement. Et moi je ferai avec elle mon premier essai ! » Et le masseur répondit : « J'écoute et j'obéis ! » Et il alla sur l'estrade, prit la bourse et sortit du hammam chercher l'adolescente en question.

En cours de route, il se dit : « Ce pauvre garçon s'imagine qu'un zebb est une pâte de caramel mou, qui se développe tant et plus dès qu'on la touche ! Ou peut-être croit-il que le concombre devient concombre du jour au lendemain, ou que la banane mûrit avant de devenir banane ! » Et, riant de l'aventure, il alla trouver son épouse et lui dit : « Ô mère d'Ali, sache que je viens de masser au hammam un jeune garçon beau comme la lune dans son plein. Il est le fils du grand vizir, et il a toutes les perfections ; mais, le pauvre ! il n'a point un zebb comme celui des autres hommes ! Ce qu'il possède est à peine aussi gros qu'une noisette. Et moi comme je me lamentais sur sa jeunesse, il m'a donné cette bourse pleine d'or afin que je lui procure une adolescente capable de développer en un instant le pauvre héritage qu'il tient de son vénérable père ; car le naïf s'imagine que son zebb va s'ériger comme ça en un instant dès le premier essai ! Moi alors j'ai pensé qu'il valait mieux que tout cet or restât dans la maison ; et je viens te trouver pour te décider à m'accompagner au hammam où tu feras le simulacre de te prêter à l'essai sans conséquence du pauvre garçon. Il n'y a aucun inconvénient à la chose ! Et tu pourras même passer une heure à rire sur lui, sans aucun danger ni crainte ! Et moi je veillerai du dehors sur vous deux, et je ferai en sorte de vous protéger contre la curiosité des baigneurs. »

En entendant ces paroles de son époux, la jeune femme répondit par l'ouïe et l'obéissance et se leva, et se para et se vêtit de ses plus belles robes. D'ailleurs, même sans parures ni ornements, elle pouvait faire tourner toutes les têtes et s'envoler tous les cœurs, car elle était la plus belle d'entre les femmes de son temps…

À ce moment de sa narration, Schahrazade vit apparaître le matin et, discrète, se tut.

Mais lorsque fut la cinq cent quatrième nuit. Elle dit :

… Car elle était la plus belle d'entre les femmes de son temps.

Le masseur emmena donc son épouse et l'introduisit auprès du jeune fils du vizir, qui attendait toujours étendu sur le marbre de la salle chaude ; et il les laissa seuls et sortit se poster au-dehors pour empêcher les importuns de passer leur tête au travers de la porte. Et il leur dit de refermer cette porte sur eux en dedans.

Quand donc la jeune femme vit l'adolescent, elle fut charmée de sa beauté de lune ; et lui également. Et elle se dit : « Quel dommage qu'il n'ait pas ce que possèdent les autres hommes ! Car ce que m'a raconté mon époux est bien vrai : il est à peine aussi gros qu'une noisette ! » Mais déjà l'enfant endormi entre les cuisses de l'adolescent s'était ému au contact de la jeune femme ; et, comme sa petitesse n'était qu'apparente et qu'à l'état de sommeil il était de ceux qui rentrent entièrement dans le giron de leur père, il commença par secouer sa torpeur. Et voici qu'il surgit soudain comparable à celui d'un âne ou d'un éléphant, et vraiment très grand et très puissant ! Et l'épouse du masseur, à cette vue, jeta un cri d'admiration et s'élança au cou de l'adolescent qui la monta comme un coq triomphant. Et, en une heure de temps, il la pénétra une première fois, puis une deuxième fois, puis une troisième fois, et ainsi de suite jusqu'à la dixième fois, alors que, tumultueuse, elle s'agitait et gémissait et se remuait éperdument.

Tout cela ! Et, de derrière le treillis en bois de la porte, le masseur voyait toute la scène et n'osait, par crainte de l'opprobre public, faire du bruit ou casser la porte. Et il se contentait d'appeler à mi-voix son épouse qui ne lui répondait pas ! Et il lui disait : « Ô mère d'Ali, qu'attends-tu donc pour sortir ? La journée s'avance et tu as oublié à la maison ton nourrisson qui attend le sein ! » Mais elle, située en dessous de l'adolescent, continuait ses ébats et, au milieu des rires et des halètements, disait : « Non, par Allah ! je n'aurai désormais à donner le sein à d'autre nourrisson que cet enfant ! » Et le fils du vizir lui dit : « Pourtant tu pourrais bien aller un instant le nourrir, pour aussitôt revenir ! » Elle répondit : « On me ferait sortir plutôt l'âme avant de me décider à rendre pour une heure orphelin de sa mère mon nouvel enfant ! »

Aussi, quand le pauvre masseur vit son épouse lui échapper de la sorte, et refuser avec cette effronterie de revenir à lui, il fut dans un tel désespoir et une telle rage de jalousie qu'il monta sur la terrasse du hammam et se jeta de là pour aller se briser la tête dans la rue. Et il mourut.

Or cette histoire est pour prouver que le sage ne doit en rien se fier aux apparences.

« Mais, continua Schahrazade, l'anecdote que je vais te raconter démontrera mieux encore combien sont trompeuses les apparences, et comme il est dangereux de se laisser guider par elles :

IL Y A BLANC ET BLANC

Il m'est revenu, ô Roi fortuné, qu'un homme d'entre les hommes s'éprit à l'extrême d'une charmante et belle adolescente. Et cette adolescente, modèle de grâce et de perfections, était mariée à un homme qu'elle aimait et dont elle était aimée. Et comme elle était, en outre, chaste et vertueuse, l'homme qui en était amoureux ne pouvait arriver à trouver le moyen de la séduire. Et comme il y avait déjà longtemps qu'il usait sa patience sans résultat, il pensa à employer quelque expédient soit pour se venger d'elle, soit pour vaincre son abstention.

Or l'époux de cette jeune femme avait chez lui, comme serviteur de confiance, un jeune garçon qu'il avait élevé dès l'enfance, et qui gardait la maison pendant l'absence des maîtres. Aussi l'amoureux évincé alla trouver ce jeune garçon et se lia d'amitié avec lui, en lui faisant divers cadeaux et le comblant de prévenances, tant et tant que le jeune garçon finit par être entièrement à sa dévotion et par lui obéir, sans restriction, en toutes choses.

Quand donc l'affaire fut à ce point, l'amoureux dit un jour au jeune garçon : « Ô *Tel,* je voudrais bien aujourd'hui visiter la maison de ton maître, une fois que ton maître et ta maîtresse seront sortis ! » Il répondit : « Certainement ! » Et lorsque son maître fut parti pour sa boutique et que sa maîtresse fut sortie pour aller au hammam, il alla trouver son ami, le prit par la main et, l'ayant introduit dans la maison, lui fit visiter toutes les pièces et voir tout ce qu'elles contenaient. Or l'homme, qui était fermement résolu à se venger de la jeune femme, avait déjà préparé le tour qu'il voulait lui jouer. Donc, lorsqu'il fut arrivé dans la chambre à coucher, il s'approcha du lit et y versa le contenu d'un flacon qu'il avait pris soin de remplir de blanc d'œuf. Et il fit si discrètement la chose que le jeune garçon ne s'aperçut de rien. Après quoi il sortit de l'appartement et s'en alla en sa voie…

À ce moment de sa narration, Schahrazade vit apparaître le matin et, discrète, se tut.

Mais lorsque fut la cinq cent cinquième nuit. Elle dit :

… Il sortit de l'appartement et s'en alla en sa voie. Et voilà pour lui !

Quant à l'époux, voici. Lorsque, vers le coucher du soleil, il eut fermé sa boutique, il rentra dans sa maison et, comme il était fatigué de toute une journée de ventes et d'achats, il alla à son lit et voulut s'y étendre pour se reposer, mais il aperçut une large tache qui maculait les draps, et recula étonné et méfiant à la limite de la méfiance. Puis il se dit : « Qui a bien pu pénétrer dans ma maison et faire ce qu'il a pu faire avec mon épouse ? Car ceci que je vois est de la semence d'homme, sans aucun doute ! » Et, pour mieux s'en assurer le marchand plongea son doigt au milieu du liquide et dit : « C'est cela même ! » Alors, plein de fureur, il voulut tout d'abord tuer le jeune garçon, mais il se ravisa, pensant : « Une tache si énorme ne peut être sortie de ce jeune garçon, car il n'est pas encore à l'âge où se gonflent les œufs ! » Il l'appela pourtant et, la voix tremblante de fureur, lui cria : « Misérable avorton, où est ta maîtresse ? » Il répondit : « Elle est allée au hammam ! » À ces mots, le soupçon ne fit que se consolider dans l'esprit du marchand, puisque la loi religieuse veut que les hommes et les femmes aillent au hammam faire une ablution complète toutes les fois qu'il y a eu copulation. Et il cria au garçon : « Cours vite la presser de rentrer ! » Et le garçon s'empressa d'exécuter l'ordre.

Lorsque son épouse fut rentrée, le marchand, dont les yeux roulaient de droite et de gauche dans la chambre même où se trouvait le lit en question, sans prononcer une parole, bondit sur elle, la saisit par les cheveux, la renversa à terre et commença par lui administrer une raclée à grand renfort de coups de pied et de coups de poing. Après quoi il lui lia les bras, prit un grand couteau et s'apprêta à l'égorger. Mais à cette vue, la femme se mit à lancer de grands cris et à hurler de travers, et si fort que tous les voisins et voisines accoururent au secours et la trouvèrent sur le point d'être égorgée. Alors ils éloignèrent de force le mari, et demandèrent la cause qui nécessitait un tel châtiment. Et la femme s'écria : « Je ne sais point la cause ! » Alors tous crièrent au marchand : « Si tu as à te plaindre d'elle, tu as le droit soit de divorcer d'avec elle, soit de la réprimander avec douceur et aménité. Mais tu ne peux la tuer, car, pour être chaste elle est chaste et nous la connaissons comme telle et en témoignerons devant Allah et devant le kâdi ! Elle est depuis longtemps notre voisine, et nous n'avons remarqué dans sa conduite rien de répréhensible ! » Le marchand répondit : « Laissez-moi l'égorger, cette débauchée ! Et si vous voulez avoir la preuve de ses débauches, vous n'avez qu'à regarder la tache liquide qu'ont laissée les hommes introduits par elle dans mon lit ! » À ces paroles, les voisins et les voisines s'approchèrent du lit et chacun à son tour plongea le doigt dans la tache et dit : « C'est là un liquide d'homme ! » Mais à ce moment, le jeune garçon, s'étant approché à son tour, recueillit dans une poêle à frire le liquide qui n'avait pas été absorbé par le drap, approcha la poêle du feu et en fit cuire le contenu. Après quoi il prit ce qu'il venait de cuire, en mangea la moitié et en distribua l'autre aux assistants, en leur disant : « Goûtez-en ! c'est du blanc d'œuf ! » Et tous, ayant goûté, s'assurèrent de la sorte que c'était réellement du blanc d'œuf ; même le mari, qui comprit alors que son épouse était innocente et qu'il l'avait injustement accusée et maltraitée. Aussi il se hâta de se réconcilier avec elle et, pour sceller leur bonne entente, lui fit cadeau de cent dinars d'or et d'un collier d'or.

Or cette courte histoire est pour prouver qu'il y a blanc et blanc, et qu'en toutes choses il faut savoir faire la différence.

Lorsque Schahrazade eut raconté ces anecdotes au roi Schahriar, elle se tut. Et le Roi dit : « En vérité, Schahrazade, ces histoires sont infiniment morales ! Et elles m'ont, en outre, tellement reposé l'esprit que me voici disposé à entendre me raconter une histoire tout à fait extraordinaire ! » Et Schahrazade dit : « Justement ! celle que je vais te raconter est celle que tu souhaites ! »

HISTOIRE D'ABDALLAH DE LA TERRE
ET D'ABDALLAH DE LA MER

Et Schahrazade dit au roi Schahriar :

Il est raconté – mais Allah est plus savant ! – qu'il y avait un homme, pêcheur de son métier, qui s'appelait Abdallah. Et ce pêcheur avait à nourrir ses neuf enfants et leur mère, et il était pauvre, bien pauvre, tellement que pour tout bien il n'avait que son filet. Et ce filet lui tenait lieu de boutique et était son gagne-pain, et la seule porte de secours pour sa maison. Aussi avait-il coutume d'aller chaque jour pêcher à la mer ; et s'il pêchait peu de chose, il le vendait et en dépensait le gain sur ses enfants, selon la mesure qui lui octroyait le Rétributeur ; mais s'il pêchait beaucoup, il faisait, avec l'argent du gain, cuisiner par son épouse une cuisine excellente, et achetait des fruits et dépensait le tout sur sa famille, sans aucune restriction ou économie, jusqu'à ce qu'il ne lui restât plus rien entre les mains ; car il se disait : « Le pain de demain nous viendra demain ! » Et il vivait ainsi, au jour le jour, n'anticipant point sur la destinée du lendemain.

Or son épouse, un jour, accoucha d'un dixième garçon, car les neuf autres étaient également des garçons, par la bénédiction ! Et ce jour-là précisément il n'y avait rien du tout à manger dans la pauvre maison du pêcheur Abdallah. Et la femme dit au mari : « Ô mon maître, la maison a un habitant de plus, et le pain du jour n'est pas encore venu ! Ne vas-tu point aller nous chercher quelque chose qui nous soutienne en ce moment pénible ? » Il répondit : « Justement je vais sortir, me fiant à la bonté d'Allah, et m'en aller pêcher à la mer en jetant mon filet à la chance de cet enfant nouveau-né, pour voir de la sorte la mesure de son bonheur futur ! » La femme lui dit : « Mets ta confiance en Allah ! » Et le pêcheur Abdallah prit son filet sur son dos et s'en alla à la mer…

À ce moment de sa narration, Schahrazade vit apparaître le matin et, discrète, se tut.

Mais lorsque fut la cinq cent sixième nuit. Elle dit :

… Et le pêcheur Abdallah prit son filet sur son dos et s'en alla à la mer. Et il le jeta et le disposa dans l'eau, au bonheur de cet enfant nouveau-né, et dit : « Ô mon Dieu, fais que sa vie soit facile et non pas difficile, abondante et non point insuffisante ! » Et, après avoir attendu un moment, il retira le filet et le trouva rempli d'ordures, de sable, de gravier et d'herbes marines, mais n'y vit pas trace de poisson grand ou petit, absolument rien ! Alors il s'étonna et s'attrista en son âme, et dit : « Allah aurait-il donc créé ce nouveau-né pour ne lui allouer aucun lot ni aucune provision ? Cela ne peut être, ne pourra jamais être ! Car Celui, qui a formé les mâchoires de l'homme et tracé deux lèvres pour la bouche, ne l'a point fait en vain, et a pris lui-même sous sa responsabilité de fournir à leurs besoins, parce qu'Il est le Prévoyant, le Généreux. Qu'Il soit exalté ! » Puis il chargea son filet sur son dos et alla le jeter à un autre endroit, dans la mer. Et il patienta un bon moment et, après s'être donné une grande peine, car il le trouvait bien lourd, il le retira. Et il y trouva un âne mort, tout gonflé et exhalant une odeur épouvantable. Et le pêcheur sentit la nausée envahir son âme ; et il se hâta de débarrasser son filet de cet âne mort, et de s'éloigner au plus vite vers un autre endroit, en disant : « Il n'y a de recours et de puissance qu'en Allah le Glorieux, le

Très-Haut ! Tout ce qui m'arrive là en fait de malchance est la faute de ma maudite femme ! Que de fois ne lui ai-je pas dit : « Il n'y a plus rien pour moi dans l'eau, et il faut que je cherche ailleurs notre subsistance. Je n'en puis plus de ce métier ! Non, en vérité, je n'en puis plus ! Laisse-moi donc, ô femme, exercer un autre métier que celui de pêcheur ! » Et je lui ai tant de fois répété ces paroles que les poils m'en ont poussé sur la langue ! Et elle, toujours, elle me répondait : « *Allah Karim ! Allah Karim !* Sa générosité est sans bornes ! Ne te désespère pas, ô père des enfants ! » Or est-ce là toute la générosité d'Allah ? Cet âne mort serait-il donc le lot destiné à ce pauvre nouveau-né. » Et le pêcheur Abdallah resta immobile, en proie à un chagrin bien profond. Puis il finit par se décider à jeter encore une fois son filet à la mer, en demandant pardon à Allah des paroles qu'il venait de prononcer inconsidérément, et dit : « Sois favorable à ma pêche, ô Toi le Rétributeur qui dispenses à tes créatures les faveurs et les bienfaits, et marques d'avance leur destinée. Et sois favorable à cet enfant nouveau-né, et je te promets qu'il sera un jour un santon dévoué à ton seul service ! » Puis il se dit : « Je voudrais bien ne pêcher qu'un seul poisson, ne serait-ce que pour le porter au boulanger, mon bienfaiteur, qui dans les jours noirs, lorsqu'il me voyait arrêté devant sa boutique à humer du dehors l'odeur du pain chaud, me faisait de la main signe d'approcher et me donnait généreusement de quoi suffire aux neuf et à leur mère ! »

Lorsqu'il eut jeté son filet pour la troisième fois, Abdallah attendit très longtemps, et se mit ensuite en devoir de le retirer. Mais comme le filet était encore plus lourd que les autres fois et d'un poids tout à fait extraordinaire, il éprouva une peine infinie à le ramener sur le rivage ; et il n'y réussit qu'après s'être ensanglanté les mains en tirant sur les cordes. Et alors, à la limite de la stupéfaction, il trouva, engagé entre les mailles du filet, un être humain, un Adamite, semblable à tous les Ibn-Adam, avec cette seule différence que son corps se terminait en queue de poisson, mais, à part cela, il avait une tête, un visage, une barbe, un tronc et des bras, tout comme un homme de la terre.

À cette vue, le pêcheur Abdallah ne douta pas un instant qu'il ne fût en présence d'un éfrit d'entre les éfrits, qui, dans les anciens temps, rebelles aux ordres de notre maître Soleïmân Ibn-Daoûd, avaient été enfermés dans des vases de cuivre rouge et jetés à la mer. Et il se dit : « C'est là certainement l'un deux ! Grâce à l'usure du métal par l'eau et les années, il a pu sortir du vase scellé et se cramponner à mon filet ! » Et, poussant des cris de terreur et relevant sa robe au-dessus de ses genoux, le pêcheur se mit à courir sur la plage, fuyant à perdre la respiration, et hurlant : « Amân ! Amân ! Je te demande grâce, ô éfrit de Soleïmân ! »

Mais l'Adamite, de l'intérieur du filet, lui cria : « Viens, ô pêcheur ! Ne me fuis pas ! Car je suis un être humain comme toi, et non point un mared ou un éfrit ! Reviens plutôt m'aider à sortir de ce filet, et ne crains rien ! Je t'en récompenserai largement ! Et Allah t'en tiendra compte au jour du Jugement ! » À ces paroles, le cœur du pêcheur se calma ; et il s'arrêta de fuir et revint, mais à pas lents, avançant d'une jambe et reculant de l'autre, vers son filet. Et il dit à l'Adamite pris dans le filet : « Alors tu n'es point un genni d'entre les genn…

À ce moment de sa narration, Schahrazade vit apparaître le matin et, discrète, se tut.

Mais lorsque fut la cinq cent septième nuit. Elle dit :

… Alors tu n'es point un genni d'entre les genn ? » Il répondit : « Non pas ! Je suis un être humain qui croit en Allah et en son Envoyé ! » Abdallah demanda :

« Mais alors qui t'a jeté à la mer ? » Il dit : « Nul ne m'a jeté à la mer, puisque j'y suis né ! Car je suis un enfant d'entre les enfants de la mer. Nous sommes, en effet, des peuples nombreux qui habitons les profondeurs maritimes. Et nous respirons et vivons dans l'eau comme vous autres sur la terre, et les oiseaux dans l'air. Et nous sommes tous des croyants en Allah et en son Prophète (sur lui la prière et la paix !) et nous sommes bons et secourables envers les hommes, nos frères, qui habitent à la surface de la terre ; car nous obéissons aux commandements d'Allah et aux préceptes du Livre ! » Puis il ajouta : « D'ailleurs si j'étais un genni ou un éfrit malfaisant, n'aurais-je pas déjà mis en pièces ton filet, au lieu de te prier de venir m'aider à en sortir sans l'endommager, vu qu'il est ton gagne-pain et la seule porte de secours de ta maison ? » À ces paroles péremptoires, Abdallah sentit se dissiper ses derniers doutes et ses dernières craintes, et, comme il se baissait pour aider l'habitant de la mer à sortir du filet, celui-ci lui dit encore : « Ô pêcheur, la destinée a voulu ma capture pour ton bien. Je me promenais, en effet, dans les eaux, quand ton filet s'est abattu sur moi et m'a pris dans ses mailles. Je désire donc faire ton bonheur et celui des tiens ! Veux-tu que nous fassions un pacte par lequel chacun de nous s'engagera à être l'ami de l'autre, à lui faire des cadeaux et à en recevoir d'autres en échange ? Ainsi toi, tous les jours, tu viendras me trouver ici et m'apporter une provision des fruits de la terre qui poussent chez vous autres : des raisins, des figues, des pastèques, des melons, des pêches, des prunes, des grenades, des bananes, des dattes et d'autres encore ! Et moi j'accepterai de toi le tout avec un plaisir extrême. Et, en retour, je te donnerai, chaque fois, des fruits de la mer qui poussent dans nos profondeurs : le corail, les perles, les chrysolithes, les algues-marines, les émeraudes, les saphirs, les rubis, les métaux précieux et toutes les gemmes et pierreries de la mer. Et je t'en remplirai chaque fois le panier de fruits que tu m'auras apporté ! Acceptes-tu ? »

En entendant ces paroles, le pêcheur qui déjà, dans sa joie et dans le ravissement que lui causait cette énumération splendide, ne se tenait plus que sur une seule jambe, s'écria : « Ya Allah ! Et qui donc n'accepterait pas ? » Puis il dit : « Oui ! mais avant tout qu'entre nous soit la Fatiha, pour sceller notre pacte ! » Et l'habitant de la mer acquiesça. Et tous deux alors récitèrent à haute voix la Fatiha liminaire du Korân. Et, aussitôt après, Abdallah le pêcheur délivra du filet l'habitant de la mer.

Alors le pêcheur demanda à son ami de la mer : « Comment t'appelles-tu ? » Il répondit : « Je m'appelle Abdallah. Ainsi quand tu viendras ici chaque matin, le jour où, par hasard, tu ne me verrais pas, tu n'auras qu'à crier : « Ya Abdallah, ô Maritime ! » Et à l'instant je t'entendrai, et tu me verras apparaître hors de l'eau. » Puis il demanda : « Mais toi, ô mon frère, comment t'appelles-tu ? » Le pêcheur répondit : « Je m'appelle aussi Abdallah, comme toi ! » Alors le Maritime s'écria : « Toi tu es Abdallah de la Terre, et moi je suis Abdallah de la Mer ! Et de la sorte nous sommes deux fois frères, par notre nom et par notre amitié. Attends-moi donc ici un instant, ô mon ami, rien que le temps de plonger et de te revenir avec un premier cadeau maritime ! » Et Abdallah de la Terre répondit : « J'écoute et j'obéis ! » Et aussitôt Abdallah de la Mer sauta du rivage dans l'eau et disparut aux yeux du pêcheur…

Alors Abdallah de la Terre, ne voyant plus au bout d'un certain temps apparaître le Maritime, se repentit grandement de l'avoir délivré du filet et se dit en lui-même : « Est-ce que je sais, moi, s'il va revenir ? Il est certain qu'il a dû rire de moi et me dire tout cela afin que je le délivre. Ah ! que ne l'ai-je plutôt capturé ! J'aurais pu de la sorte l'exhiber aux habitants de la ville, et gagner beaucoup d'argent ! Et je l'aurais aussi transporté dans les maisons des gens riches, qui n'aiment pas se déranger, afin de le leur montrer à domicile. Et ils m'auraient largement rétribué ! » Et il continua ainsi à se lamenter en son âme et à se dire : « Ta pêche s'est échappée d'entre tes mains, ô pêcheur...

À ce moment de sa narration, Schahrazade vit apparaître le matin et, discrète, se tut.

Mais lorsque fut la cinq cent huitième nuit. Elle dit :

... Ta pêche s'est échappée d'entre tes mains, ô pêcheur ! » Mais, à l'instant même, le Maritime apparut hors de l'eau, tenant quelque chose au-dessus de sa tête, et vint se poser sur le rivage à côté du Terrien. Et les deux mains du Maritime étaient pleines de perles, de corail, d'émeraudes, d'hyacinthes, de rubis et de toutes les pierreries. Et il tendit le tout au pêcheur et lui dit : « Prends cela, ô mon frère Abdallah, et excuse-moi du peu. Car, cette fois, je n'ai point de panier pour te le remplir ; mais la prochaine fois tu m'en apporteras un, et je te le rendrai plein de ces fruits de la mer ! » À la vue des gemmes précieuses, le pêcheur se réjouit extrêmement. Et il les prit, et après les avoir fait couler entre ses doigts en s'en émerveillant, il les cacha dans son sein. Et le Maritime lui dit : « N'oublie pas notre pacte ! Et reviens ici tous les matins, avant le lever du soleil ! » Et il prit congé de lui et s'enfonça dans la mer.

Quant au pêcheur, il revint en ville transporté de joie, et commença d'abord par passer devant la boutique du boulanger qui lui avait été si bienfaisant dans les jours noirs, et lui dit : « Ô mon frère, la bonne chance et la fortune commencent enfin à marcher sur notre route ! Je te prie donc de faire le compte de tout ce que je te dois. » Le boulanger répondit : « Un compte ? Et pourquoi faire ? Avons-nous besoin de cela, entre nous ? Mais si vraiment tu as de l'argent de trop, donne-moi ce que tu peux ! Et si tu n'as rien, prends autant de pains qu'il t'en faut pour nourrir ta famille, et attends, pour me payer, que la prospérité réside chez toi définitivement ! » Le pêcheur dit : « Ô mon ami, la prospérité s'est installée solidement chez moi, pour le bonheur de mon nouveau-né, par la bonté et la munificence d'Allah ! Et tout ce que je pourrai te donner sera bien peu en comparaison de ce que tu as fait pour moi, quand me tenait à la gorge la misère ! Mais prends ceci en attendant ! » Et il plongea sa main dans son sein et en retira une grosse poignée de pierreries, si grosse même qu'il ne lui resta pour lui que la moitié à peine de ce que lui avait donné le Maritime. Et il la remit au boulanger, en lui disant : « Je te demande seulement de me prêter quelque argent, en attendant que j'aie vendu au souk ces gemmes de la mer. » Et le boulanger, stupéfait de ce qu'il voyait et recevait, vida son tiroir entre les mains du pêcheur et voulut lui-même lui porter jusqu'à sa maison la charge de pain nécessaire pour la famille. Et il lui dit : « Je suis ton esclave et ton serviteur ! » Et, bon gré mal gré, il prit sur sa tête la hotte de pains et marcha derrière le pêcheur jusqu'à sa maison, où il déposa la hotte, et il s'en alla après lui avoir baisé les mains.

Quant au pêcheur Abdallah, il remit la hotte de pains à la mère de ses enfants, puis il se hâta d'aller leur acheter de la viande d'agneau, des poulets, des légumes et des fruits. Et il fit faire par son épouse, ce soir-là, une cuisine extraordinaire. Et, avec ses enfants et son épouse, il fit un repas admirable, en se réjouissant à la limite de la réjouissance de l'avènement de cet enfant nouveau-né qui apportait avec lui la fortune et le bonheur.

Après quoi, Abdallah raconta à son épouse tout ce qui lui était arrivé, et comment la pêche s'était terminée par la capture d'Abdallah de la Mer, et enfin toute l'aventure dans ses moindres détails. Et il finit par lui mettre entre les mains ce qui lui restait du cadeau précieux de son ami l'habitant de la mer. Et son épouse se réjouit de tout cela ; mais elle lui dit : « Garde bien le secret de cette aventure ! Sinon tu risques de voir les gens du gouvernement te créer de grands embarras ! » Et le pêcheur répondit : « Certes ! je tairai la chose à tout le monde, excepté au boulanger ! Car, bien que d'ordinaire l'on doive cacher son bonheur, je ne puis de mon bonheur faire un mystère à mon premier bienfaiteur ! »

Le lendemain, de très bonne heure, Abdallah le pêcheur se rendit, avec un panier rempli de beaux fruits de toutes les espèces et de toutes les couleurs, au bord de la mer, où il arriva avant le lever du soleil. Et il déposa son panier sur le sable du rivage et, comme il n'apercevait pas Abdallah, il frappa ses mains l'une contre l'autre en criant : « Où es-tu, ô Abdallah de la Mer ? » Et à l'instant, du fond des flots, une voix marine répondit : « Me voici, ô Abdallah de la Terre ! Me voici à tes ordres ! » Et l'habitant de la mer émergea de l'eau et parut sur le rivage. Et, après les salams et les souhaits, le pêcheur lui offrit le panier de fruits. Et le Maritime le prit, en remerciant, et replongea au fond de la mer. Mais quelques instants après, il réapparut tenant dans ses bras le panier vide de fruits, mais lourd d'émeraudes, d'aigues et de toutes les gemmes et productions marines. Et le pêcheur, après avoir pris congé de son ami, chargea le panier sur sa tête et reprit le chemin de la ville, en passant devant le four du boulanger…

À ce moment de sa narration, Schahrazade vit apparaître le matin et, discrète, se tut.

Mais lorsque fut la cinq cent neuvième nuit. Elle dit :

… Et le pêcheur, après avoir pris congé de son ami, chargea le panier sur sa tête et reprit le chemin de la ville, en passant devant le four du boulanger. Et il dit à son ancien bienfaiteur : « La paix sur toi, ô père des mains ouvertes ! » Il répondit : « Et sur toi la paix, les grâces d'Allah et ses bénédictions, ô visage de bon augure ! Je viens de t'envoyer à la maison un plateau de quarante gâteaux que j'ai spécialement cuit à ton intention, et dans la pâte desquels je n'ai point économisé le beurre clarifié, la cannelle, le cardamome, la noix muscade, le curcuma, l'armoise, l'anis et le fenouil ! » Et le pêcheur plongea sa main dans le panier, d'où partaient mille feux étincelants, prit trois grosses poignées de pierreries et les lui remit. Puis il continua sa route et arriva à sa maison. Là il déposa son panier, y choisit de chaque espèce et de chaque couleur la plus belle pierrerie, mit le tout dans un morceau de chiffon et s'en alla au souk des bijoutiers. Et il s'arrêta devant la boutique du cheikh des bijoutiers, étala devant lui les merveilleuses pierreries, et lui dit : « Veux-tu me les acheter ? » Le cheikh des bijoutiers regarda le pêcheur avec des yeux chargés de méfiance, et lui demanda : « En as-tu encore d'autres ? » Il répondit : « J'en ai un panier tout plein à la maison. » L'autre demanda : « Et où se trouve ta maison. » Le pêcheur répondit : « De maison, je n'en ai point, par Allah ! mais simplement une hutte, en planches pourries, située au fond de *telle* ruelle près du souk des poissons ! » À ces paroles du pêcheur, le bijoutier cria à ses garçons : « Arrêtez-le ! C'est le voleur qui nous a été signalé comme ayant dérobé les bijoux de la reine, épouse du sultan ! » Et il leur ordonna de lui administrer la bastonnade. Et tous les bijoutiers et les marchands l'entourèrent et l'invectivèrent. Et les uns disaient : « C'est certainement lui qui a volé le mois dernier la boutique du hadj Hassân ! » Et les autres disaient : « C'est encore lui, ce misérable, qui a nettoyé la maison de *Tel !* » Et chacun racontait une histoire de vol dont l'auteur était resté introuvable, et l'attribuait au pêcheur ! Et Abdallah, durant tout ce temps, gardait le silence et ne faisait aucun geste de négation. Et, après qu'il eut reçu la bastonnade préliminaire, il se laissa traîner devant le roi par le cheikh-bijoutier qui voulait lui faire avouer ses crimes et le faire pendre à la porte du palais.

Lorsqu'ils furent tous arrivés dans le diwân, le cheikh des bijoutiers dit au roi : « Ô roi du temps, lorsque le collier de la reine eut disparu, tu nous as fait prévenir, et tu nous as enjoint de retrouver le coupable. Nous avons donc fait tout notre possible et, avec l'aide d'Allah, nous avons réussi ! Voici donc, entre tes mains, le coupable et les pierreries que nous avons retrouvées sur lui ! » Et le roi dit au chef eunuque : « Prends ces pierreries et va les montrer à ta maîtresse. Et demande-lui si ce sont bien là les pierres du collier qu'elle a perdu ! » Et le chef eunuque alla trouver la reine, et, étalant devant elle les gemmes splendides, lui demanda : « Sont-ce bien là, ô ma maîtresse, les pierres du collier ? »

À la vue de ces pierreries, la reine fut à la limite de l'émerveillement, et répondit à l'eunuque : « Mais pas du tout ! Moi j'ai retrouvé mon collier dans le coffret. Quant à ces pierreries, elles sont de beaucoup plus belles que les miennes, et n'ont pas leurs pareilles dans le monde ! Va donc, ô Massrour, dire au roi d'acheter ces pierres pour en faire un collier à notre fille Prospérité qui est en âge d'être mariée. »

Lorsque le roi eut appris, par l'eunuque, la réponse de la reine, il entra dans une fureur extrême contre le cheikh des bijoutiers, qui venait d'arrêter ainsi et de maltraiter un innocent ; et il le maudit de toutes les malédictions d'Aâd et de Thammoud ! Et le cheikh des bijoutiers, bien tremblant, répondit : « Ô roi du temps, nous savions que cet homme était un pêcheur, un pauvre ; et, le voyant détenteur de ces pierreries et apprenant qu'il en avait encore un panier tout plein dans sa maison, nous avons pensé que c'était là une trop grosse fortune pour que ce pauvre ait pu l'acquérir par les moyens licites ! » À ces paroles, la colère du roi ne fit qu'augmenter et il cria au cheikh des bijoutiers et à ses compagnons : « Ô roturiers impurs, ô hérétiques de mauvaise foi, âmes communes, ne savez-vous donc pas que nulle fortune, quelque soudaine et merveilleuse qu'elle soit, n'est impossible dans la destinée du vrai Croyant ? Ah ! scélérats ! Et vous vous hâtez, comme cela, de condamner ce pauvre sans l'entendre, sans examiner son cas, sous le faux prétexte que cette fortune est trop grosse pour lui ! Et vous le traitez de voleur, et vous le déshonorez parmi ses semblables ! Et pas un instant vous ne pensez qu'Allah l'Exalté, quand Il distribue ses faveurs, n'agit jamais avec parcimonie ! Connaissez-vous donc la capacité d'abondance des sources infinies où le Très-Haut puise ses bienfaits, ô sots ignorants, pour juger ainsi, d'après vos calculs mesquins de créature de boue, de la somme des poids dont est chargée la balance d'une heureuse destinée ? Allez, misérables ! Sortez de ma présence ! Et puisse Allah vous priver à jamais de ses bénédictions ! » Et il les chassa honteusement ! Et voilà pour eux…

À ce moment de sa narration, Schahrazade vit apparaître le matin et, discrète, se tut.

Mais lorsque fut la cinq cent dixième nuit. Elle dit :

… Et il les chassa honteusement. Et voilà pour eux !

Quant au pêcheur Abdallah, voici ! Le roi se tourna vers lui et, avant de lui poser la moindre question, lui dit : « Ô pauvre, qu'Allah te bénisse dans les dons qu'Il t'a faits ! La sécurité est sur toi ! C'est moi qui te la donne ! » Puis il ajouta : « Veux-tu maintenant me raconter la vérité, et me dire comment te sont venues ces pierreries, si belles que nul roi de la terre n'en possède les pareilles ? » Le pêcheur répondit : « Ô roi du temps, j'ai encore à la maison un panier à poissons rempli de ces pierreries-là ! C'est un don de mon ami Abdallah de la Mer ! » Et il raconta au roi toute son aventure avec le Maritime, sans omettre un détail ! Mais il n'y a point d'utilité à la répéter. Puis il ajouta : « Or, moi, j'ai fait avec lui un pacte, scellé par la récitation de la Fatiha du Korân ! Et par ce pacte, moi, je me suis engagé à lui porter tous les matins, à l'aurore, un panier rempli des fruits de la terre ; et lui, il s'est engagé à me remplir ce même panier des fruits de la mer, dont ces pierreries que tu vois ! »

En entendant ces paroles du pêcheur, le roi s'émerveilla de la générosité du Donateur à l'égard de ses croyants ; et il dit : « Ô pêcheur, cela est dans ta destinée ! Laisse-moi seulement te dire que la richesse demande à être protégée, et que le riche doit avoir un haut rang ! Je veux donc te prendre sous ma protection, toute ma vie durant, et même mieux que cela ! Car je ne puis répondre de l'avenir, et je ne sais le sort que peut te réserver mon successeur, si je viens à mourir ou à être dépossédé du trône. Il est possible qu'il te tue par convoitise et par amour des biens de ce monde. Je veux donc t'assurer contre les vicissitudes du sort, pendant que je suis en vie. Et le meilleur moyen, je pense, c'est de te marier avec ma fille Prospérité, adolescente pubère, et de te nommer mon grand vizir, en te léguant ainsi le trône directement avant ma mort ! » Et le pêcheur répondit : « J'écoute et j'obéis ! »

Alors le roi appela les esclaves et leur dit : « Conduisez au hammam votre maître que voici ! » Et les esclaves conduisirent le pêcheur au hammam du palais, et le baignèrent avec soin et le vêtirent de vêtements royaux, et le reconduisirent devant le roi, qui séance tenante, le nomma grand vizir. Et il lui donna les instructions nécessaires pour sa nouvelle charge, et Abdallah répondit : « Tes avis, ô roi, sont ma règle de conduite, et ta bienveillance est l'ombre où je me plais ! »

Ensuite le roi envoya à la maison du pêcheur des courriers et des gardes nombreux avec des joueurs de fifre, de clarinette, de cymbales, de gros tambour et de flûte, et des femmes expertes dans l'art de l'habillement et des parures, avec missions d'habiller et de parer la femme du pêcheur et ses dix enfants, de la placer dans un palanquin porté par vingt nègres, et de la conduire au palais au milieu d'un cortège splendide et aux sons de la musique. Et ces ordres furent exécutés ; et l'épouse du pêcheur, portant son nouveau-né sur son sein, fut placée avec ses neuf autres enfants dans un somptueux palanquin ; et, précédée par le cortège des gardes et des musiciens, et accompagnée par les femmes mises à son service et par les épouses des émirs et des notables, elle fut conduite au palais où l'attendait la reine qui la reçut avec des égards infinis, tandis que le roi recevait ses enfants et les faisait s'asseoir à tour de rôle sur ses genoux et les caressait paternellement, avec le plaisir qu'il aurait eu s'ils avaient été ses propres enfants.

Et de son côté la reine voulut marquer son affection à l'épouse du nouveau grand vizir, et la mit à la tête de toutes les femmes du harem en la nommant grande vizira de ses appartements. Après quoi, le roi, qui avait pour fille unique la jeune Prospérité, se hâta de tenir sa promesse en l'accordant en mariage, comme seconde épouse, au vizir Abdallah. Et, à cette occasion, il donna une grande fête au peuple et aux soldats, en faisant décorer et illuminer la ville. Et Abdallah, cette nuit-là, connut les délices de la chair jeune et la différence entre la virginité d'une adolescente fille de roi et la vieille peau usée où il se reposait jusque-là.

Or, le lendemain, à l'aurore, comme le roi, réveillé avant son heure habituelle par les émotions de la veille, s'était mis à sa fenêtre, il vit son nouveau grand vizir, l'époux de sa fille Prospérité, qui sortait du palais, portant sur sa tête un panier à poisson rempli de fruits. Et il le héla et lui demanda : « Que portes-tu là, ô mon gendre… »

À ce moment de sa narration, Shahrazade vit apparaître le matin et, discrète, se tut.

Mais lorsque fut la cinq cent onzième nuit. Elle dit :

… Et il le héla et lui demanda : « Que portes-tu là, ô mon gendre ? et vers où te diriges-tu ? » Il répondit : « C'est un panier de fruits que je vais porter à mon ami Abdallah de la Mer ! » Le roi dit : « Mais ce n'est point l'heure où les gens sortent de leur maison. Et puis il n'est guère convenable que mon gendre porte lui-même sur sa tête une charge de portefaix ! » Il répondit : « C'est vrai ! Mais j'ai peur de manquer l'heure du rendez-vous et de passer aux yeux du Maritime pour un menteur sans foi, et de l'entendre me reprocher ma conduite en me disant : « Les choses du monde maintenant te distraient de ton devoir et te font oublier tes promesses ! » Et le roi dit : « Tu as raison ! Va trouver ton ami, et qu'Allah soit avec toi ! » Et Abdallah prit le chemin de la mer, en traversant les souks. Et les marchands matinaux qui ouvraient leurs boutiques disaient en le reconnaissant : « C'est Abdallah le grand vizir, gendre du roi qui va à la mer faire l'échange des fruits contre des pierreries ! » Et ceux qui ne le connaissaient pas l'arrêtaient au passage et lui demandaient : « Ô vendeur de fruits, à combien la mesure d'abricots ? » Et il répondait à tout le monde : « Ce n'est pas à vendre. C'est acheté d'avance ! » Et il disait cela fort poliment, en faisant ainsi plaisir à tout le monde. Et il arriva de la sorte au rivage, où il vit sortir des flots Abdallah de la Mer, auquel il remit les fruits en échange de nouvelles pierreries de toutes les couleurs. Puis il reprit le chemin de la ville, en passant devant la boutique de son ami le boulanger. Mais il fut bien étonné de voir fermée la porte de la boutique, et il attendit un moment pour voir si son ami n'arriverait pas. Et il finit par demander au boutiquier voisin : « Ô mon frère, qu'est devenu ton voisin le boulanger ? » Il répondit : « Je ne sais au juste ce qu'Allah lui a fait. Il doit être malade dans sa maison ! » Il demanda : « Et où est sa maison ? » Il dit : « Dans *telle* ruelle ! » Et il prit le chemin de la ruelle indiquée et, s'étant fait montrer la maison du boulanger, il frappa à la porte et attendit. Et, quelques instants après, il vit apparaître à une lucarne du haut, la tête épouvantée du boulanger qui, rassuré en voyant le panier à poisson rempli comme à l'ordinaire de pierreries, descendit ouvrir. Et il se jeta au cou d'Abdallah en l'embrassant avec des larmes aux yeux, et lui dit : « Mais alors tu n'as donc pas été pendu par ordre du roi ? Moi, j'ai appris que tu avais été arrêté comme voleur ; et, craignant d'être arrêté à mon tour comme complice, je me suis hâté de fermer le four et la boutique et de me cacher au fond de ma maison. Mais explique-moi, ô mon ami, comment il se fait que tu sois habillé comme un vizir ! » Alors Abdallah lui raconta ce qui lui était arrivé depuis le commencement jusqu'à la fin, et ajouta : « Et le roi m'a nommé son grand vizir et m'a donné sa fille en mariage. Et j'ai maintenant un harem à la tête duquel se trouve ma vieille épouse, la mère des enfants ! » Puis il dit : « Prends ce panier avec tout son contenu. Il t'appartient, car il est écrit aujourd'hui dans ta destinée ! » Puis il le quitta et rentra au palais avec le panier vide.

Lorsque le roi le vit arriver avec le panier vide, il lui dit en riant : « Tu vois bien ! ton ami le Maritime t'a délaissé ! » Il répondit : « Au contraire ! Les pierreries, dont il m'a rempli le panier aujourd'hui, étaient supérieures en beauté à celles des autres jours. Mais je les ai toutes données à mon ami le boulanger qui, autrefois, quand me tenait la misère, me nourrissait et nourrissait mes enfants et leur mère. Et moi, à mon tour, de même qu'il m'était miséricordieux aux jours de ma pauvreté, je ne l'oublie point dans les jours de ma prospérité ! Car, par Allah ! je veux témoigner qu'il n'a jamais froissé ma susceptibilité de pauvre besogneux ! » Et le roi, extrêmement édifié, lui demanda : « Comment s'appelle ton ami ? » Il répondit : « Il s'appelle Abdallah le Boulanger, comme moi je m'appelle Abdallah le Terrien et comme mon ami de la mer s'appelle Abdallah le Maritime ! » À ces paroles, le roi s'émerveilla et se trémoussa et s'écria : « Et comme moi je m'appelle le Roi Abdallah ! Et comme nous tous nous nous appelons les serviteurs d'Allah ! Or, comme tous les serviteurs d'Allah sont égaux devant le Très-Haut et frères par la foi et l'origine, je veux, ô Abdallah de la Terre, que tu ailles tout de suite me chercher ton ami Abdallah le Boulanger, afin que je le nomme mon second vizir ! »

Aussitôt Abdallah le Terrien alla chercher Abdallah le Boulanger que le roi, séance tenante, revêtit des insignes du vizirat, en le nommant son vizir de la gauche, comme Abdallah le Terrien était son vizir de la droite. Et Abdallah, l'ancien pêcheur, remplit ses nouvelles fonctions avec tout l'éclat désirable, sans oublier un seul jour d'aller trouver son ami Abdallah de la Mer, et de lui porter un panier des fruits de la saison, en échange d'un panier de métaux précieux et de pierreries. Et lorsqu'il n'y eut plus de fruits dans les jardins et chez les vendeurs de primeurs, il remplit le panier de raisins secs, d'amandes, de noisettes, de pistaches, de noix, de figues sèches, d'abricots secs et de confitures sèches de toutes les espèces et de toutes les couleurs. Et chaque fois il rapportait sur sa tête le panier rempli de joyaux, comme à l'ordinaire. Et cela durant l'espace d'une année.

Or, un jour, Abdallah de la Terre, arrivé, comme toujours, à l'aurore sur le rivage, s'assit aux côtés de son ami Abdallah le Maritime et se mit à causer avec lui sur les usages des habitants de la mer…

À ce moment de sa narration, Schahrazade vit apparaître le matin et, discrète, se tut.

Mais lorsque fut la cinq cent douzième nuit. Elle dit :

… S'assit aux côtés de son ami Abdallah le Maritime et se mit à causer avec lui sur les usages des habitants de la mer. Et, entre autres choses, il lui dit : « Ô mon frère, ô Maritime, est-ce bien beau chez vous autres ? » Il répondit : « Certainement ! Et, si tu veux, je te ferai entrer avec moi dans la mer, et je te montrerai tout ce qu'elle contient, et je te ferai visiter ma ville et te recevrai dans ma maison, en toute cordiale hospitalité ! » Et Abdallah le Terrien répondit : « Ô mon frère, toi tu as été créé dans l'eau, et l'eau est ta demeure. C'est pourquoi tu n'es point incommodé d'habiter dans la mer. Mais peux-tu me dire, avant que je réponde à ton invitation, s'il ne te serait pas extrêmement funeste de séjourner sur la terre ? » Il dit : « Mon corps se dessécherait ; et les vents de terre, en soufflant contre moi, me feraient mourir ! » Le Terrien dit : « Et moi de même ! J'ai été créé sur la terre et la terre est ma demeure. C'est pourquoi l'air de la terre ne m'incommode pas. Mais si je venais à entrer avec toi dans la mer, l'eau pénétrerait dans mon intérieur et m'étoufferait, et je mourrais ! » Le Maritime répondit : « Sois sans aucune crainte à ce sujet, car je t'apporterai un onguent, dont tu t'enduiras le corps, et l'eau n'aura plus aucun pouvoir nuisible sur toi, même si tu devais y passer le reste de ta vie. Et de cette façon tu pourras plonger avec moi et parcourir la mer dans tous les sens, et y dormir et t'y réveiller, sans que jamais aucun mal t'arrive par n'importe quel endroit ! »

À ces paroles, le Terrien dit au Maritime : « Dans ce cas, il n'y a pas d'inconvénient à ce que je plonge avec toi. Apporte-moi donc l'onguent en question, afin que j'en fasse l'essai ! » Le Maritime répondit : « C'est ce que je vais faire ! » Et il prit avec lui le panier de fruits et plongea dans la mer, pour, au bout de peu d'instants, revenir tenant dans ses mains un vase rempli d'un onguent semblable à la graisse des vaches, et dont la couleur était jaune comme celle de l'or, et dont l'odeur était délicieuse absolument. Et Abdallah le Terrien demanda : « De quoi est composé cet onguent-là ? » Il répondit : « Il est composé avec la graisse du foie d'une espèce d'entre les espèces de poissons appelée *dandane*. Et ce poisson dandane est le plus énorme de tous les poissons de la mer, tellement que d'une seule bouchée il avalerait sans se gêner ce que vous autres, les terriens, appelez un éléphant et un chameau ! » Et l'ancien pêcheur, épouvanté, s'écria : « Et que peut bien manger cette funeste bête-là, ô mon frère ? » Il répondit : « Elle mange d'ordinaire les bêtes les plus petites qui naissent dans les profondeurs. Car tu connais le proverbe qui dit : *Les faibles sont mangés par les forts !* » Le Terrien dit : « Tu dis vrai ! Mais y a-t-il chez vous autres beaucoup de ces dandanes-là ? » Il répondit : « Des milliers et des milliers, et Allah seul en sait le nombre ! » Le Terrien s'écria : « Alors dispense-moi de te faire cette visite, ô mon frère, car j'ai bien peur que cette espèce me rencontre et me mange ! » Le Maritime dit : « N'aie point cette peur, car le poisson dandane, bien que d'une férocité terrible, redoute Ibn-Adam dont la chair est un poison violent pour lui ! » L'ancien pêcheur s'écria : « Ya Allah ! mais à quoi me servira-t-il d'être un poison pour le dandane une fois que je serai avalé par le dandane ? » Le Maritime répondit : « Sois absolument sans crainte de ce dandane, car rien qu'en voyant Ibn-Adam il prend la fuite, tant il le redoute ! Et puis comme tu es enduit de sa graisse, il te reconnaîtra à l'odeur, et ne te fera point de mal ! » Et le Terrien, gagné par l'assurance de son ami, dit : « Je mets ma confiance en Allah et en toi ! » Et il se dévêtit et creusa dans le sable un trou où il enfouit ses habits, afin que personne ne les lui volât pendant son absence. Après quoi il s'enduisit de l'onguent en question depuis la tête jusqu'aux pieds, sans oublier les plus petites ouvertures, et, cela fait, il dit au Maritime : « Me voici prêt, ô Maritime mon frère ! »

Alors Abdallah de la Mer prit son compagnon par le bras…

À ce moment de sa narration, Schahrazade vit apparaître le matin et, discrète, se tut.

Mais lorsque fut la cinq cent treizième nuit. Elle dit :

... Alors Abdallah de la Mer prit son compagnon par le bras et plongea avec lui dans les profondeurs marines. Et il lui dit : « Ouvre les yeux ! » Et comme il ne se sentait point étouffé ni écrasé par le poids énorme de la mer, et comme il respirait là-dedans mieux que sous le ciel, il comprit qu'il était réellement impénétrable à l'eau ; et il ouvrit les yeux. Et dès cet instant il devint l'hôte de la mer.

Et il vit la mer au-dessus de sa tête se déployer comme un pavillon d'émeraude, tel sur la terre l'admirable azur reposant sur les eaux ; et à ses pieds s'étendaient les régions sous-marines que nul œil terrien n'avait violées depuis la création ; et une sérénité régnait sur les montagnes et les plaines du fond ; et la lumière était délicate qui se baignait autour des êtres et des choses, dans les transparences infinies et la splendeur des eaux ; et des paysages tranquilles l'enchantaient au-delà de tous les enchantements du ciel natal ; et il voyait des forêts de corail rouge, et des forêts de corail blanc, et des forêts de corail rose qui s'immobilisaient dans le silence de leurs ramures ; et des grottes de diamant dont les colonnes étaient de rubis, de chrysolithes, de béryls, de saphirs d'or et de topazes ; et une végétation de folie qui se dodelinait sur des espaces grands comme des royaumes ; et, au milieu des sables d'argent, les coquillages aux formes et aux couleurs par milliers qui se miraient, éclatants, dans le cristal des eaux ; et, tout autour de lui, en éclairs, des poissons qui ressemblaient à des fleurs, et des poissons qui ressemblaient à des fruits, et des poissons qui ressemblaient à des oiseaux, et, d'autres, habillés d'écailles d'or rouge et d'argent, qui ressemblaient à de gros lézards, et d'autres qui figuraient plutôt des buffles, des vaches, des chiens et même des Adamites ; et des bancs immenses de royales pierreries qui lançaient mille feux multicolores que l'eau avivait, loin de les éteindre ; et des bancs où s'ouvraient les huîtres pleines de perles blanches, et perles roses et de perles dorées ; et d'énormes éponges gonflées et mobiles lourdement sur leur base qui s'alignaient en d'immenses rangées symétriques, comme des corps d'armées, et semblaient délimiter les différentes régions maritimes et se constituer les gardiennes fixes des vastitudes solitaires.

Mais soudain Abdallah le Terrien, qui, toujours au bras de son ami voyait défiler devant lui, en une course rapide sur les abîmes, tous ces spectacles splendides, aperçut une innombrable suite de cavernes d'émeraude, taillées à même les flancs d'une montagne de la même gemme verte, et aux portes desquelles étaient assises ou étendues des adolescentes belles comme des lunes, aux cheveux couleur de l'ambre et du corail. Et elles ressemblaient aux adolescentes de la terre, n'eût été leur queue qui leur tenait lieu de croupe, de cuisses et de jambes. Or c'étaient les Filles de la Mer ! Et cette ville de cavernes vertes était leur domaine.

À cette vue, le Terrien demanda au Maritime : « Ô mon frère, ces adolescentes ne sont-elles donc pas mariées, que je ne vois pas de mâles parmi elles ? » Il répondit : « Celles que tu vois sont des jeunes filles vierges, et elles attendent à l'entrée de leurs demeures l'arrivée de l'époux qui viendra choisir parmi elles celle qui lui plaît. Car, en d'autres endroits de la mer, se trouvent des villes peuplées de mâles et de femelles, et d'où sortent les adolescentes en quête de jeunes épouses ; car c'est ici seulement qu'ont droit de séjourner les jeunes filles, qui, de tous les points de notre empire, s'y rendent et vivent entre elles dans l'attente de l'époux ! » Et, comme il finissait cette explication, ils arrivèrent à une ville peuplée de mâles et de femelles ; et Abdallah le Terrien dit : « Ô mon frère, je vois là une ville peuplée, mais je n'y remarque point de boutiques où l'on vende et l'on achète !

Et puis je dois te dire que je suis bien étonné de voir que pas un des habitants n'est couvert d'habits qui le protègent quand aux parties qui doivent être tenues cachées ! » Il répondit : « Pour ce qui est de la vente et de l'achat, nous n'en avons aucun besoin, vu que la vie nous est facile et que notre nourriture consiste en poissons pêchés à portée de notre main. Mais pour ce qui est de cacher certaines parties de notre corps, d'abord nous n'en voyons pas la nécessité, et nous sommes constitués autrement que vous autres quant à ces parties-là ; et puis, nous voudrions les cacher que nous ne le pourrions pas, vu que nous n'avons point d'étoffes pour les couvrir ! » Il dit : « C'est juste ! Mais comment se font chez vous autres les mariages ? » Il dit : « Chez nous il ne se fait point de mariages, car nous n'avons point de lois qui fixent et régissent nos désirs et nos inclinations ; mais quand une adolescente nous plaît, nous la prenons ; et quand elle cesse de nous plaire, nous la laissons, et elle plaira à un autre ! D'ailleurs, nous ne sommes pas tous musulmans ; parmi nous il y a aussi beaucoup de chrétiens et de juifs ; et ces gens-là n'admettent pas le mariage fixe, car ils aiment beaucoup les femmes, et le mariage fixe les contrarie. Nous seuls, les musulmans, qui vivons à part dans une ville où ne pénètrent point les infidèles, nous nous marions d'après les préceptes du Livre, et nous célébrons des noces qui sont vues d'un bon œil par le Très-Haut et le Prophète (sur lui la prière et la paix !). Mais, ô mon frère, je veux me hâter de te faire enfin arriver à notre ville ; car si je passais mille années à te montrer les spectacles de notre empire et les villes qui le peuplent, je n'aurais pas encore fini ma tâche, et tu n'aurais pas pu juger d'une mesure sur vingt-quatre mesures ! » Et le Terrien dit : « Oui, mon frère, d'autant plus que j'ai bien faim, et que je puis manger comme toi des poissons crus ! » Et le Maritime demanda : « Et comment alors mangez-vous les poissons, vous autres Terriens ? » Il répondit : « Nous les faisons griller ou frire dans l'huile d'olive ou l'huile de sésame ! » Le Maritime se mit à rire et dit : « Et comment ferions-nous, nous qui habitons dans l'eau, pour avoir de l'huile d'olive ou de sésame, et faire frire des poissons sur un feu qui ne s'éteigne pas ? » Le Terrien dit : « Tu as raison, mon frère ! Je te prie donc de me conduire à ta ville que je ne connais pas ! »

Alors le Maritime…

À ce moment de sa narration, Schahrazade vit apparaître le matin et, discrète, se tut.

Mais lorsque fut la cinq cent quatorzième nuit. Elle dit :

… Alors Abdallah le Maritime lui fit parcourir rapidement diverses régions où les spectacles se succédaient devant ses yeux, et le fit aboutir à une ville, plus petite que les autres, dont les maisons étaient également des cavernes, les unes grandes et les autres petites, suivant le nombre de leurs habitants. Et le Maritime le conduisit devant une de ces cavernes, et lui dit : « Entre, ô mon frère ! C'est ma maison ! » Et il le fit entrer dans la caverne, et cria : « Hé ! ma fille, viens vite par ici ! » Et aussitôt, sortant de derrière une touffe de corail rose, s'approcha une adolescente qui avait de longs cheveux flottants, de beaux seins, une ventre admirable, une taille gracieuse et de beaux yeux verts aux longs cils noirs, mais qui, comme tous les autres habitants de la mer, se terminait en une queue qui lui tenait lieu de croupe et de jambes. Et, voyant le Terrien, elle s'arrêta interdite, et le regarda avec une immense curiosité, puis finit par éclater de rire, et s'écria : « Ô mon père, qu'est-ce donc que ce Sans-Queue que tu nous amènes ? » Il répondit « Ma fille, c'est mon ami le Terrien qui me donnait tous les jours le panier de fruits que j'apportais, et dont tu mangeais avec délices ! Approche-toi donc poliment et souhaite-lui la paix et la bienvenue ! » Et elle s'avança et lui souhaita la paix avec beaucoup de gentillesse et un langage choisi ; et comme Abdallah, extrêmement charmé, allait lui répondre, l'épouse du Maritime entra à son tour, tenant contre son sein ses deux derniers enfants, chacun sur un bras ; et les enfants avaient chacun un gros poisson qu'ils croquaient à pleines dents, comme les enfants terriens croquent un concombre.

Or, en voyant Abdallah qui se tenait aux côtés du Maritime, l'épouse de celui-ci s'arrêta sur le seuil, immobile de surprise, après avoir déposé ses deux enfants, et soudain s'écria, en riant de toutes ses forces : « Par Allah ! c'est un Sans-Queue ! Comment peut-on être sans queue ? » Et elle s'avança plus près du Terrien ; et ses deux enfants et sa fille s'en approchèrent également ; et tous, amusés à l'extrême, se mirent à l'examiner de la tête aux pieds, et à s'émerveiller surtout de son derrière, vu que de toute leur vie ils n'avaient vu de derrière ou autre chose qui ressemblât à un derrière. Et les enfants et la jeune fille, qui avaient d'abord été un peu effrayés par cette protubérance, s'enhardirent jusqu'à la toucher avec les doigts à plusieurs reprises, tant elle les intriguait et les amusait. Et ils riaient entre eux de cela, et disaient : « C'est un Sans-Queue ! » et ils dansaient de joie ! Aussi Abdallah de la Terre finit-il par se formaliser de leurs façons et de leur sans-gêne, et dit à Abdallah de la Mer : « Ô mon frère, m'aurais-tu conduit jusqu'ici pour faire de moi la risée de tes enfants et de ton épouse ? » Il répondit : « Je te demande bien pardon, ô mon frère, et je te prie de m'excuser, et de ne point prêter attention aux manières de ces deux femmes et de ces deux enfants, car leur intelligence est défectueuse ! » Puis il se tourna vers ses enfants et leur cria : « Taisez-vous ! » Et ils eurent peur de lui, et se turent. Alors le Maritime dit à son hôte : « Ne t'étonne pourtant pas trop de ce que tu vois, ô mon frère, car chez nous celui qui n'a pas de queue ne compte pas ! »

Or, comme il achevait ces paroles, arrivèrent dix individus grands, gros et vigoureux, qui dirent au maître de la maison : « Ô Abdallah, le roi de la Mer vient d'apprendre que tu as reçu chez toi un Sans-Queue d'entre les Sans-Queue de la Terre. Est-ce vrai ? » Il répondit : « C'est vrai. Et c'est celui-ci même que vous voyez devant vous. Il est mon ami et mon hôte, et je vais à l'instant le reconduire sur le rivage où je l'ai pris ! » Ils dirent : « Garde-toi de le faire ! Car le roi nous a envoyés le chercher, vu qu'il désire le voir et examiner comment il est fait ! Et il paraît qu'il a quelque chose d'extraordinaire à l'arrière, et quelque chose de plus extraordinaire encore à l'avant ! Et le roi voudrait voir les deux choses et savoir comment on les appelle ! »

À ces paroles, Abdallah de la Mer se tourna vers son hôte et lui dit : « Ô mon frère, excuse-moi, car mon excuse est bien manifeste. Nous ne pouvons désobéir aux ordres de notre roi ! » Le Terrien dit : « J'ai bien peur de ce roi, qui peut-être va se formaliser de ce que j'ai des choses qu'il n'a pas et vouloir ma perte à cause de cela ! » Le Maritime dit : « Je serai là pour te protéger et faire en sorte qu'aucun mal ne t'arrive ! » Il dit : « Alors je m'en rapporte à ta décision, et je mets ma confiance en Allah et te suis ! » Et le Maritime emmena son hôte et le conduisit devant le roi.

Lorsque le roi vit le Terrien, il se mit à rire tellement qu'il fit un plongeon ; puis il dit : « Sois le bienvenu parmi nous, ô Sans-Queue ! » Et tous les hauts dignitaires qui entouraient le roi riaient beaucoup et se montraient du doigt les uns aux autres le derrière du Terrien, en disant : « Oui, par Allah ! c'est un Sans-Queue ! » Et le roi lui demanda : « Comment se fait-il que tu n'aies point de queue ? — Je ne sais pas, ô roi ! Mais nous tous, les habitants de la terre, nous sommes comme ça ! » Le roi demanda : « Et comment appelez-vous cette chose qui vous tient lieu de queue, en arrière ? » Il répondit : « Les uns l'appellent un cul et les autres un derrière, tandis que d'autres le nomment au pluriel et disent des fesses, à cause qu'il a deux parties. » Et le roi lui demanda : « Et à quoi ça vous sert-il, ce derrière ? » Il répondit : « À s'asseoir, quand on est fatigué, c'est tout ! Mais chez les femmes, il devient un ornement très apprécié ! » Le roi demanda : « Et ce qui est par-devant, comment ça s'appelle-t-il ? » Il dit : « Le zebb ! » Il demanda : « Et à quoi vous sert-il, ce zebb ? » Il répondit : « À beaucoup d'usages de toutes les espèces, et que je ne puis expliquer, par égard pour le roi. Mais ces usages sont tellement nécessaires que dans notre monde rien n'est aussi estimé chez l'homme qu'un zebb de valeur, comme chez la femme rien n'est aussi apprécié qu'un derrière d'importance ! » Et le roi et son entourage se mirent à rire extrêmement de ces paroles, et Abdallah le Terrien, ne sachant plus que dire, leva les bras au ciel, et s'écria : « Louanges à Allah qui a créé le derrière pour être une gloire dans un monde et un objet de risée dans un autre…

À ce moment de sa narration, Schahrazade vit apparaître le matin et, discrète, se tut.

Mais lorsque fut la cinq cent quinzième nuit. Elle dit :

… Louanges à Allah qui a créé le derrière pour être une gloire dans un monde et un objet de risée dans un autre ! » Et, bien gêné de se voir ainsi servir à satisfaire la curiosité des habitants de la mer, il ne savait que faire de sa personne, de son derrière et du reste ; et il pensait en son âme : « Par Allah ! je voudrais bien être loin d'ici, ou avoir de quoi couvrir ma nudité ! » Mais le roi finit par lui dire : « Ô Sans-Queue, tu me réjouis tellement avec ton derrière que je veux t'accorder la satisfaction de tous tes désirs. Demande-moi donc tout ce que tu veux ! » Il répondit : « Je voudrais deux choses, ô roi ! Retourner sur la terre, et rapporter avec moi beaucoup de joyaux de la mer ! » Et Abdallah le Maritime dit : « D'autant plus, ô roi, que mon ami n'a rien mangé depuis qu'il est ici, et qu'il n'aime pas la chair des poissons crus ! » Alors le roi dit : « Qu'on lui donne autant de joyaux qu'il en désire, et qu'on le ramène là d'où il est venu ! »

Aussitôt tous les Maritimes s'empressèrent d'apporter de grandes coquilles vides, et, les ayant remplies de pierreries de toutes les couleurs, demandèrent à Abdallah le Terrien : « Où faut-il te les porter ? » Il répondit : « Vous n'aurez qu'à me suivre et suivre mon ami Abdallah, votre frère, qui va me porter le panier rempli de ces pierreries, selon sa coutume ! » Puis il prit congé du roi et, accompagné de son ami, et suivi par tous les Maritimes porteurs des coquilles pleines de pierreries, il franchit l'empire marin et remonta sous le ciel.

Là, il s'assit sur le rivage pour se reposer un bon moment et respirer l'air natal. Après quoi il déterra ses habits et s'en vêtit ; et il prit congé de son ami Abdallah le Maritime et lui dit : « Laisse-moi sur le rivage toutes ces coquilles et ce panier, afin que j'aille chercher des portefaix pour qu'ils me les transportent ! » Et il alla chercher les portefaix qui transportèrent au palais tous ces trésors ; puis il entra chez le roi.

Lorsque le roi vit son gendre, il le reçut avec de grandes démonstrations de joie, et lui dit : « Nous avons été tous bien inquiets de ton absence ! » Et Abdallah lui raconta son aventure maritime depuis le commencement jusqu'à la fin ; mais il n'y a point d'utilité à la recommencer. Et il lui mit entre les mains le panier et les coquilles pleines de pierreries. Et le roi, bien qu'émerveillé du récit de son gendre et des richesses qu'il apportait de la mer, fut très formalisé et offusqué de la façon peu convenable dont les Maritimes s'étaient comportés à l'égard du derrière de son gendre et de tous les derrières en général, et lui dit : « Ô Abdallah, je ne veux plus désormais que tu ailles retrouver cet Abdallah de la Mer sur le rivage, car si, cette fois, tu n'as pas éprouvé un grand dommage de l'avoir suivi, tu ne peux savoir ce qui peut t'arriver dans l'avenir, car *ce n'est point chaque fois qu'on la jette que reste intacte la gargoulette* ! Et puis tu es mon gendre et mon vizir, et il ne me convient point de te voir t'en aller chaque matin à la mer avec un panier à poisson sur la tête, pour être ensuite un objet de risée aux yeux de toutes ces personnes plus ou moins à queue et plus ou moins inconvenantes. Reste donc au palais, et de la sorte tu auras la paix, et nous aurons la tranquillité à ton sujet ! »

Alors Abdallah de la Terre, ne voulant point contrarier le roi Abdallah, son beau-père, resta désormais au palais avec son ami Abdallah le Boulanger, et n'alla plus retrouver sur le rivage Abdallah de la Mer, dont d'ailleurs on n'entendit plus parler, vu qu'il avait dû se fâcher !

Et ils vécurent tous dans la condition la plus heureuse et la pratique des vertus, au milieu des délices, jusqu'à ce que vînt les visiter la Destructrice des joies et la Séparatrice des amis. Et tous moururent ! Mais gloire au Vivant qui seul ne meurt pas, qui gouverne l'empire du Visible et de l'Invisible, qui sur toutes choses est Omnipotent, et qui est bienveillant pour ses serviteurs dont Il connaît les intentions et les besoins !

*Et Schahrazade, ayant prononcé ces dernières paroles, se tut. Alors le roi Schahriar s'écria : « Ô Schahrazade, cette histoire est vraiment extraordinaire ! » Et Schahrazade dit : « Oui, ô Roi ; mais, sans aucun doute, et bien qu'elle ait eu la chance de te plaire, elle n'est pas plus admirable que celle que je veux te raconter encore, et qui est l'*HISTOIRE DU JEUNE HOMME JAUNE. *»* *Et le roi Schahriar dit : « Certes ! tu peux parler ! » Alors Schahrazade dit :*

HISTOIRE DU JEUNE HOMME JAUNE

Il est raconté, entre divers contes, ô Roi fortuné, que le Khalifat Haroun Al-Rachid sortit une nuit de son palais avec son vizir Giafar, son vizir, Al-Fazl, son favori Abou-Ischak, le poète Abou-Nowas, le porte-glaive Massrour et le capitaine de police Ahmad-la-Teigne. Et tous, déguisés en marchands, se dirigèrent vers le Tigre et descendirent dans une barque qu'ils laissèrent aller à l'aventure avec le courant de l'eau. Car Giafar, ayant vu le khalifat pris d'insomnie et l'esprit soucieux, lui avait dit que rien n'était plus efficace pour dissiper l'ennui que de voir ce que l'on pas encore vu, d'entendre ce que l'on n'a pas encore entendu et de visiter un pays que l'on n'a pas encore parcouru.

Or, au bout d'un certain temps, comme la barque se trouvait sous les fenêtres d'une maison qui dominait le fleuve, ils entendirent à l'intérieur de la maison une voix belle et triste qui chantait ces vers en s'accompagnant sur le luth :

« Comme la coupe de vin était là et que dans le fourré du voisinage chantait l'oiseau hazar, je dis à mon cœur :

Jusqu'à quand repousseras-tu le bonheur ? Réveille-toi, la vie est un prêt à courte échéance !

La coupe et l'échanson, les voici ! C'est un bel et jeune échanson que ton ami ! Regarde-le, et prends de ses mains la coupe qu'il te tend !

Ses paupières sont languissantes et leur regard t'invite ! Ne méprise point ces choses !

J'ai planté de jeunes roses sur ses joues, et quand j'ai voulu à leur maturité les cueillir, j'ai trouvé des grenades !

Ô mon cœur, ne méprise pas ces choses ! C'est le moment où ses joues sont duvetées ! »

En entendant ces couplets, le khalifat dit : « Ô Giafar, qu'elle est belle cette voix ! » Et Giafar répondit : « Ô notre seigneur, certes, jamais voix plus belle ou plus délicieuse n'a encore frappé mon ouïe ! Mais, ô mon maître, entendre une voix de derrière un mur, ce n'est l'entendre qu'à demi ! Que serait-ce si nous l'entendions derrière un rideau…

À ce moment de sa narration, Schahrazade vit apparaître le matin et, discrète, se tut.

Mais lorsque fut la cinq cent seizième nuit. Elle dit :

… Ô mon maître, entendre une voix de derrière un mur ce n'est l'entendre qu'à demi ! Que serait-ce si nous l'entendions derrière un rideau ? » Alors le khalifat dit : « Pénétrons, ô Giafar, dans cette maison pour demander l'hospitalité au maître du lieu, dans l'espoir de mieux entendre cette voix ! » Et ils arrêtèrent la barque et atterrirent. Puis ils frappèrent à la porte de cette maison et demandèrent à l'eunuque qui vient ouvrir la permission d'entrer. Et l'eunuque alla prévenir son maître, qui ne tarda pas à venir au-devant d'eux et leur dit : « Famille, aisance et abondance aux hôtes ! Soyez les bienvenus dans cette maison dont vous êtes les propriétaires ! » Et il les introduisit dans une vaste salle fraîche, au plafond agréablement colorié de dessins sur un fond d'or et d'azur foncé, et au milieu de laquelle, dans un bassin d'albâtre, s'élançait un jet d'eau d'où résultait un son merveilleux. Et il leur dit : « Ô mes maîtres, je ne sais de vous autres quel est le plus honorable ou le plus haut de rang et de condition. Bismillah sur vous tous ! Daignez donc vous asseoir aux places que vous trouverez convenables ! » Puis il se tourna vers le fond de la salle où, sur cent chaises d'or et de velours, se trouvaient assises cent adolescentes, et fit un signe. Et aussitôt les cent adolescentes se levèrent et sortirent l'une après l'autre en silence. Et il fit un second signe, et des esclaves, ayant leurs robes relevées à la ceinture, apportèrent de grands plateaux remplis de mets de toutes les couleurs et confectionnés avec tout ce qui vole dans les airs, marche sur le sol ou nage dans les mers ; et des pâtisseries, et des confitures et des tartes sur lesquelles étaient écrits, avec des pistaches et des amandes, des vers à la louange des hôtes.

Et lorsqu'ils eurent mangé et bu, et qu'ils se furent lavé les mains, le maître du lieu leur demanda : « Ô mes hôtes, si maintenant vous m'avez honoré de votre présence pour me faire le plaisir de me demander quelque chose, parlez en toute confiance. Car vos désirs seront exécutés sur ma tête et mes yeux ! » Giafar répondit : « Certes, ô notre hôte, nous sommes entrés dans ta maison pour mieux entendre la voix admirable que nous entendions à demi et voilée, sur l'eau ! »

À ces paroles, le maître de la maison répondit : « Vous êtes les bienvenus ! » Et il frappa dans la paume de ses mains et dit aux esclaves accourus : « Dites à votre maîtresse Sett Jamila de nous chanter quelque chose ! » Et quelques instants après, derrière le grand rideau du fond, une voix à nulle autre pareille chanta avec l'accompagnement léger des luths et des cithares :

« Prends la coupe et bois de ce vin que j'offre à tes lèvres : il ne s'est jamais mélangé au cœur de l'homme !

Mais le temps fuit loin d'une amante qui se flatte en vain de revoir l'objet de son amour.

Combien de nuits j'ai passées, les regards fixés sur les ondes brunies du Tigre, sous la lune obscurcie par l'orage.

Combien de fois à l'occident j'ai vu la lune, au soir, disparaître dans les eaux pourpres sous la forme d'un glaive d'argent ! »

Lorsqu'elle eut fini de chanter, la voix se tut, et les instruments à cordes seuls continuèrent en sourdine à accompagner les vestiges sonores et aériens. Et le khalifat, émerveillé et ravi, se tourna vers Abou-Ischak et dit : « Par Allah ! jamais je n'ai rien entendu de semblable ! » Et il dit au maître du logis : « La maîtresse de cette voix est certainement amoureuse et séparée de son amoureux ! » Il répondit : « Non pas ! sa tristesse a d'autres origines que celle-là ! Ainsi par exemple, elle pourrait bien être séparée de son père et de sa mère, et chanter de la sorte en se souvenant d'eux ! » Al-Rachid dit : « Il est bien étonnant que la séparation d'avec les parents suscite de pareils accents ! » Et, pour la première fois, il regarda attentivement son hôte, comme pour lire sur son visage une explication plus admissible. Et il vit que c'était un jeune homme dont les traits étaient d'une grande beauté, mais dont le visage était de couleur jaune comme le safran. Et il fut bien étonné de cette découverte, et lui dit : « Ô notre hôte, nous avons encore un souhait à formuler avant de prendre congé de toi et de nous en aller là d'où nous sommes venus ! » Et le jeune homme jaune répondit : « Ton souhait est d'avance satisfait. » Il demanda : « Je désire, et ceux qui sont avec moi le désirent également, apprendre de toi si cette couleur jaune safran de ton visage est une chose acquise dans le cours de ta vie ou bien si c'est une chose originelle que tu as eue en naissant ! »

Alors le jeune homme dit : « Ô vous tous, mes hôtes, la cause de la couleur jaune safran de mon teint est une histoire si extraordinaire que si elle était écrite avec les aiguilles sur le coin intérieur de l'œil, elle servirait de leçon à qui la lirait avec respect. Confiez-moi donc votre ouïe et accordez-moi toute l'attention de votre esprit ! » Et tous répondirent : « Notre ouïe et notre esprit t'appartiennent ! Et nous voici impatients de t'écouter…

À ce moment de sa narration, Schahrazade vit apparaître le matin et, discrète, se tut.

Mais lorsque fut la cinq cent dix-septième nuit. Elle dit :

… Notre ouïe et notre esprit t'appartiennent. Et nous voici impatients de t'écouter ! » Alors le jeune homme au teint jaune dit : « Sachez, ô mes maîtres, que mon origine est du pays d'Oman, où mon père était le plus grand marchand d'entre les marchands de la mer, et possédait en propriété absolue trente navires dont le rendement annuel était de trente mille dinars. Et mon père, qui était un homme éclairé, me fit apprendre l'écriture et aussi tout ce qu'il est nécessaire de savoir. Après quoi, comme son heure dernière approchait, il m'appela et me fit ses recommandations que j'écoutai respectueusement. Puis Allah le prit et l'admit dans Sa miséricorde. Puisse-t-Il, ô mes hôtes, prolonger votre vie !

« Or moi, quelque temps après la mort de mon père, dont je possédais maintenant toutes les richesses, j'étais assis dans ma maison au milieu de mes invités, quand un de mes esclaves m'annonça qu'il y avait un de mes capitaines marins qui était à la porte et m'apportait une corbeille de primeurs. Et je le fis entrer, et j'acceptai son cadeau qui consistait, en effet, en fruits inconnus à notre terre, et vraiment tout à fait admirables. Et je lui remis en retour, cent dinars d'or pour lui marquer mon plaisir. Puis je distribuai ces fruits à mes invités, et je demandai au capitaine marin : « D'où viennent ces fruits, ô capitaine ? » Il me répondit : « De Bassra et de Bagdad ! » Et, à ces paroles, tous mes invités se mirent à s'exclamer sur la terre merveilleuse de Bassra et de Bagdad, à me vanter la vie qu'on y menait, la bonté de son climat et l'urbanité de ses habitants ; et ils ne tarissaient point d'éloges à ce sujet, les uns renchérissant sur les paroles des autres. Et moi je fus tellement exalté de tout cela que, sans en demander davantage, je me levai à l'heure même et à l'instant et, ne résistant point à mon âme qui désirait ardemment le voyage, je vendis aux enchères mes biens et mes propriétés, mes marchandises et mes navires à l'exception d'un seul que je gardai pour mon usage personnel, mes esclaves hommes et mes esclaves femmes, et je fis argent de tout, réalisant de la sorte une somme d'un millier de mille dinars, sans compter les joyaux, les pierreries et les lingots d'or que j'avais dans mes coffres. Après quoi, je m'embarquai, avec ces richesses, ainsi réalisées dans leur poids le plus léger, sur le navire que j'avais gardé, et je fis mettre à la voile pour Bagdad.

« Or Allah m'écrivit une heureuse traversée et j'arrivai sain et sauf, avec mes richesses, à Bassra, d'où, ayant pris place sur un autre navire, je remontai le Tigre jusqu'à Bagdad. Là je m'informai de l'endroit le plus convenable à habiter, et l'on m'indiqua le quartier Karkh comme étant le quartier le mieux fréquenté et la résidence habituelle des personnages importants. Et j'allai à ce quartier et je louai une belle maison dans la rue Zaafarân, où je fis transporter mes richesses et mes effets. Après quoi je fis mes ablutions et, l'âme réjouie et la poitrine dilatée de me trouver enfin dans l'illustre Bagdad, but de mes désirs et envie de toutes les villes, je m'habillai de mes plus beaux vêtements et sortis me promener à l'aventure à travers les rues les plus fréquentées.

« Or, ce jour-là était précisément le vendredi, et tous les habitants étaient en tenue de fête et se promenaient comme moi, en respirant l'air frais du dehors. Et moi je suivais la foule et me portais là où elle se portait. Et j'arrivai de la sorte à Karn-al-Sirat, le but habituel des promeneurs de Bagdad. Et je vis, à cet endroit, entre divers édifices fort beaux, une bâtisse plus belle que les autres et dont la façade donnait sur le fleuve. Et sur le seuil de marbre je vis un vieillard assis et vêtu de blanc qui était bien vénérable d'aspect, avec une barbe blanche qui lui descendait jusqu'à la ceinture en se divisant en deux touffes égales de filigrane d'argent. Et il était entouré de cinq adolescents beaux comme les lunes, et parfumés comme lui d'essences choisies.

« Alors moi, gagné par la belle physionomie du vieillard blanc et par la beauté des adolescents, je demandai à un passant : « Qui est ce vénérable cheikh ? Et quel est son nom ? » Il me fut répondu : « C'est le cheikh Taher Aboul-Ola, l'ami des jeunes gens ! Et tous ceux qui entrent chez lui n'ont qu'à manger, boire et s'amuser au choix avec les adolescents ou les jeunes filles qui logent en permanence dans sa maison...

À ce moment de sa narration, Schahrazade vit apparaître le matin et, discrète, se tut.

Mais lorsque fut la cinq cent dix-huitième nuit. Elle dit :

… Et tous ceux qui entrent chez lui n'ont qu'à manger, boire et s'amuser avec les adolescents ou les jeunes filles qui logent en permanence dans sa maison ! » Et moi, à ces paroles, ravi à la limite du ravissement, je m'écriai : « Gloire à Celui qui, dès ma descente du navire, m'a mis sur la route de ce cheikh au visage de bon augure ! car je ne suis venu du fond de mon pays à Bagdad que dans le but de trouver un homme tel que celui-ci ! » Et je m'avançai vers le vieillard et, après lui avoir souhaité la paix, je lui dis : « Ô mon maître, j'ai besoin de te demander quelque chose ! » Et il me sourit comme un père sourit à son fils, et me répondit : « Et que souhaites-tu ? » Je dis : « Je souhaite vivement d'être ton hôte cette nuit ! » Il me regarda encore et me répondit : « Avec amitié cordiale et générosité ! » Puis il ajouta : « Cette nuit, ô mon fils, j'ai un nouvel arrivage de jeunes filles dont le prix, par soirée, varie suivant leurs mérites. Les unes sont cotées dix dinars par soirée, les autres vingt et d'autres atteignent jusqu'à cinquante et cent dinars par soirée. C'est à ton choix ! » Je répondis : « Par Allah ! je veux commencer l'essai d'abord avec une de celles qui n'atteignent que dix dinars par soirée. Ensuite Allah Karim ! » Puis j'ajoutai : « Voici trois cents dinars pour un mois, car un bon essai exige un mois ! » Et je lui comptai les trois cents dinars et les lui pesai dans la balance qu'il avait près de lui. Alors il appela un des adolescents qui étaient là et lui dit : « Emmène ton maître ! » Et l'adolescent me prit par la main et me conduisit d'abord au hammam de la maison, où il me donna un bain excellent et me prodigua les soins les plus attentifs et les plus minutieux. Après quoi il me conduisit à un pavillon et frappa à l'une de ses portes.

« Et aussitôt vint ouvrir une adolescente, au visage riant et plein de bon augure, qui me fit un beau geste d'accueil. Et le jeune garçon lui dit : « Je te confie ton hôte ! » Et il se retira. Alors elle me prit la main que le jeune garçon venait de lui remettre, et m'introduisit dans une chambre miraculeuse d'ornementations, sur le seuil de laquelle nous reçurent deux petites esclaves attachées à son service et jolies comme deux étoiles. Et moi je regardai plus attentivement l'adolescente, leur maîtresse, et je m'assurai de la sorte qu'elle était vraiment telle la lune dans son plein. Alors elle me fit m'asseoir et s'assit à mon côté ; puis elle fit un signe aux deux petites, qui aussitôt nous apportèrent un grand plateau d'or sur lequel étaient assis des poulets rôtis, des viandes rôties, des cailles rôties, des pigeons rôtis et des coqs sauvages rôtis. Et nous mangeâmes jusqu'à satiété. Et de ma vie je n'avais goûté à des mets plus délicieux que ceux-là, ni bu des boissons plus savoureuses que celles qu'elle me servit, une fois enlevé le plateau des mets, ni respiré des fleurs plus suaves, ni ne m'étais dulcifié de fruits, de confitures et de pâtisseries aussi extraordinaires ! Et elle fit preuve ensuite de tant de gentillesse, de charme et de voluptueuses caresses que je passai avec elle le mois entier sans me douter de la fuite des jours.

« Au bout du mois, le petit esclave vint me chercher et me ramena au hammam, d'où je sortis pour aller trouver le cheikh blanc et lui dire : « Ô mon maître, je désire une de celles qui sont à vingt dinars par soirée ! » Il me répondit : « Pèse l'or ! » Et j'allai chercher de l'or à ma maison, et revins lui peser six cents dinars pour un mois d'essai avec une adolescente de vingt dinars par soirée. Et il appela un des adolescents et lui dit. « Emmène ton maître ! » Et l'adolescent me conduisit au hammam où il me soigna mieux encore que la première fois, et me fit ensuite pénétrer dans un pavillon dont la porte était gardée par quatre petites esclaves qui, aussitôt qu'elles nous eurent aperçus, coururent prévenir leur maîtresse. Et la porte s'ouvrit et je vis apparaître une jeune chrétienne du pays des Francs, belle bien plus que la première, et plus richement habillée. Et elle me prit par la main, en me souriant, et m'introduisit dans sa chambre qui m'étonna par la richesse de sa décoration et de ses tentures. Et elle me dit : « Bienvenu soit l'hôte charmant…

À ce moment de sa narration, Schahrazade vit apparaître le matin et, discrète, se tut.

Mais lorsque fut la cinq cent dix-neuvième nuit. Elle dit :

… Bienvenu soit l'hôte charmant ! » Et après m'avoir servi des mets et des boissons encore plus extraordinaires que la première fois, comme elle avait une très belle voix et savait s'accompagner sur les instruments d'harmonie, elle voulut me griser plus encore que je ne l'étais et, ayant pris un luth persan, elle chanta :

« Ô suaves parfums des terres où s'élève Babylone, allez avec la brise porter un message à ma bien-aimée.

Au loin, en des lieux enchantés, habite celle qui porte le trouble dans l'âme des amants, et les enflamme sans leur accorder le don qui apaise les désirs ! »

« Or moi, ô mes maîtres, je passai le mois entier avec cette fille des Francs, et je dois avouer que je la trouvai infiniment plus experte en mouvements que ma première amante. Et vraiment je constatai que je n'avais pas payé un prix exagéré les délices qu'elle me fit éprouver depuis le premier jour jusqu'au trentième.

« Aussi lorsque l'adolescent revint me prendre et me conduire au hammam, je ne manquai point d'aller trouver le cheikh blanc et de lui faire mes compliments sur le choix plein de justesse qu'il faisait de ses adolescentes, et je lui dis : « Par Allah ! ô cheikh je veux habiter toujours dans ta généreuse maison, où l'on trouve la joie des yeux, les délices des sens et le charme d'une société choisie ! » Et le cheikh fut très satisfait de mes louanges, et, pour m'en marquer son contentement, me dit : « Cette nuit, ô mon hôte, est pour nous une nuit de fête extraordinaire ; et seuls ont droit de prendre part à cette fête les clients distingués de ma maison. Et nous l'appelons la Nuit des Visions splendides. Tu n'as donc qu'à monter sur la terrasse, et à juger par tes yeux ! » Et moi je remerciai le vieillard et montai sur la terrasse.

« Or, la première chose que j'aperçus, une fois sur la terrasse, fut un grand rideau de velours qui divisait la terrasse en deux parties. Et derrière ce rideau, sur un beau tapis, éclairés par la lune, étaient étendus l'un à côté de l'autre deux beaux jeunes gens, une jeune fille et son amoureux, qui s'embrassaient lèvres sur lèvres. Et moi, à la vue de la jeune fille et de sa beauté sans pareille, je fus étourdi et émerveillé, et je restai longtemps là à la regarder sans respirer, ne sachant plus où je me trouvais. Je pus enfin sortir de mon immobilité et, ne pouvant avoir de paix avant de savoir qui elle était, je descendis de la terrasse et courus trouver l'adolescente avec qui je venais de passer un mois d'amour ; et je lui racontai ce que je venais de voir. Et elle vit l'état où j'étais et me dit : « Mais qu'as-tu besoin de te préoccuper de cette jeune fille ? » Je répondis : « Par Allah ! elle m'a arraché la raison et la foi ! » Elle dit en souriant : « Alors tu désires la posséder ? » Je répondis : « C'est là le vœu de mon âme, car elle règne dans mon cœur ! » Elle me dit : « Et bien, sache que cette adolescente est la fille même du cheikh Taher Aboul-Ola, notre maître, et nous sommes toutes des esclaves à ses ordres ! Sais-tu combien coûte une nuit passée avec elle ? » Je répondis : « Comment le saurai-je ? » Cinq cents dinars d'or ! C'est un fruit digne de la bouche des rois. » Je répondis : « Ouallah ! Je suis prêt à dépenser toute ma fortune pour la posséder, ne serait-ce qu'une soirée ! » Et je passai toute cette nuit-là sans arriver à fermer l'œil, tant mon esprit travaillait à son sujet.

« Aussi le lendemain, je me hâtai de me vêtir de mes plus beaux habits, et, accoutré comme un roi, je me présentai devant le cheikh Taher, son père, et je lui dis : « Je désire celle dont la nuit est de cinq cents dinars ! » Il me répondit : « Pèse l'or ! » Et moi aussitôt je lui pesai le prix de trente nuits, en tout quinze mille dinars. Et il les prit et dit à l'un des jeunes garçons : « Conduis ton maître auprès de ta maîtresse *Une Telle.* » Et le jeune garçon m'emmena et me fit entrer dans un appartement dont mon œil n'avait jamais vu le pareil en beauté et en richesse sur le visage de la terre. Et je vis, assise nonchalamment, un éventail à la main, l'adolescente, et du coup je fus stupéfait d'admiration quant à mon esprit, ô mes hôtes honorables…

À ce moment de sa narration, Schahrazade vit apparaître le matin et, discrète, se tut.

Mais lorsque fut la cinq cent vingtième nuit. Elle dit :

… Et du coup, je fus stupéfait d'admiration quant à mon esprit, ô mes hôtes honorables ! Car elle était vraiment comme la lune à son quatorzième jour, et rien qu'à la façon dont elle répondit à mon salam, elle acheva de me ravir la raison par le ton de sa voix plus mélodieuse que les accords du luth ; et toute belle elle était, et de tous les côtés gracieuse et symétrique, en vérité ! Et c'est d'elle sans aucun doute qu'il s'agit dans ces vers du poète :

« La belle ! Si elle paraissait au milieu des infidèles, ils délaisseraient pour elle leurs idoles et l'adoreraient comme la seule divinité.

Si toute nue sur la mer elle se montrait, sur la mer aux flots amers et salés, du miel de sa bouche la mer se dulcifierait.

Si à quelque moine chrétien d'Occident elle se montrait en Orient, pour sûr le moine délaisserait l'Occident et tournerait ses regards vers l'Orient !

Mais moi, l'ayant vue dans l'obscurité qu'illuminaient ses yeux, je m'écriai : « Ô nuit ! Que vois-je ?

Est-ce une apparition légère qui me leurre, ou bien une vierge intacte qui réclame un copulateur ? »

Et je la vis, à ces paroles, serrer avec sa main la fleur de son milieu, et me dire en soupirant de tristes et douloureux soupirs :

« De même que les belles dents ne paraissent bien belles que frottées par la tige aromatique, de même le zebb est aux belles vulves ce que la tige frotteuse est aux jeunes dents !

Ô musulmans, à l'aide ! N'y a-t-il donc plus chez vous autres un maître zebb qui sache se tenir debout ! »

Alors moi je sentis mon zebb craquer sur ses jointures et soulever ma tunique pour prendre un essor triomphant. Et en son langage il dit à la belle : « Le voici ! Le voici ! »

Et je défis ses voiles. Mais elle eut peur et me dit : « Qui es-tu ? » Je répondis : « Un gaillard dont le zebb debout vient répondre à ton appel ! »

Et, sans plus tarder, je l'assaillis, et mon zebb, gros comme un bras, remuait entre ses cuisses gentiment !

Si bien que, comme je finissais de planter le troisième clou, elle me dit : « Plus près, ô gaillard, plus près l'enfoncement ! » Et je répondis : « Plus près, ô ma maîtresse, plus près ! Il arrive ! »

« Or moi, je lui souhaitai la paix, et elle me rendit mon souhait, en me lançant des regards d'une langueur acérée, et me dit : « Amitié, aisance et générosité à l'hôte ! » Et elle me prit la main, ô mes maîtres, et me fit asseoir auprès d'elle ; et des jeunes filles aux beaux seins entrèrent et nous servirent, sur des plateaux, les rafraîchissements de la bienvenue, et des fruits exquis, des conserves de choix et un vin délicieux comme on n'en boit que dans les palais des rois ; et elles nous offrirent des roses et des jasmins, tandis qu'autour de nous les arbustes odoriférants et l'aloès qui brûlait dans les cassolettes d'or exhalaient leurs suaves parfums. Ensuite une des esclaves lui apporta un étui de satin dont elle tira un luth d'ivoire, qu'elle accorda, et elle chanta ces vers :

« Ne bois le vin que de la main d'un tendre jouvenceau ; car si le vin procure l'ivresse, le jouvenceau rend meilleur le vin.

Car le vin ne procure point de délices à celui qui le boit, à moins que l'échanson n'ait des joues où brillent de pures roses, candides et fraîches. »

« Or moi, ô mes hôtes, après ces préludes, je m'enhardis, et ma main devint audacieuse, et mes yeux et mes lèvres la dévoraient ; et je lui trouvai des qualités si extraordinaires de savoir et de beauté que non seulement je passai avec elle le mois déjà payé, mais que je continuai à payer au vieillard blanc, son père, un mois après un autre mois, et ainsi de suite pendant un long espace de temps, jusqu'à ce que, à cause de ces dépenses considérables, il ne me restât plus un seul dinar et toutes les richesses que j'avais apportées avec moi du pays d'Oman, ma patrie. Et alors songeant que j'allais bientôt être forcé de me séparer d'elle, je ne pus empêcher les larmes de couler en fleuves sur mes joues, et je ne sus plus différencier le jour d'avec la nuit…

À ce moment de sa narration, Schahrazade vit apparaître le matin et, discrète, se tut.

Mais lorsque fut la cinq cent vingt et unième nuit. Elle dit :

… Je ne pus empêcher mes larmes de couler en fleuves sur mes joues, et je ne sus plus différencier le jour d'avec la nuit. Et elle, me voyant ainsi tout en larmes, me dit : « Pourquoi pleures-tu ? » Je dis : « Ô ma maîtresse, parce que je n'ai plus d'argent, et que le poète a dit :

« La pénurie nous rend étrangers dans nos propres demeures, et l'argent nous donne une patrie à l'étranger ! »

« C'est pourquoi, moi, ô lumière de mes yeux, je pleure dans la crainte de me voir séparé de toi par ton père ! » Elle me dit : « Sache alors que lorsqu'un des clients de la maison s'est ruiné dans la maison, mon père a l'habitude de lui donner l'hospitalité pendant encore trois jours, avec toute la largesse désirable et sans le priver d'aucun des agréments coutumiers ; après quoi il le prie de s'en aller et de ne plus se montrer dans la maison ! Quant à toi, mon chéri, comme dans mon cœur il y a pour toi un grand amour, n'aie aucune crainte à ce sujet, car je vais trouver le moyen de te garder ici aussi longtemps que tu le voudras, inschallah ! J'ai, en effet, toute ma fortune personnelle sous mes propres mains, et mon père en ignore toute l'immensité. Aussi vais-je tous les jours te donner un sac de cinq cents dinars, prix d'une soirée ; et toi tu le remettras à mon père, en lui disant : « Désormais je te paierai les soirées jour par jour ! » Et mon père, te sachant solvable, acceptera cette condition ; et, selon sa coutume, il viendra me remettre cette somme qui m'est due ; et moi de nouveau je te la donnerai afin que tu lui paies une nouvelle soirée ; et il en sera ainsi aussi longtemps qu'Allah le voudra et que tu ne t'ennuieras pas avec moi ! »

« Alors moi, ô mes hôtes, dans ma joie je devins léger comme les oiseaux, et je la remerciai et lui baisa la main ; puis je demeurai avec elle, en ce nouvel état de choses, l'espace d'une année, comme le coq dans le poulailler.

« Or, au bout de ce temps, le sort néfaste voulut que ma bien-aimée, dans un accès de colère, s'emportât contre une de ses esclaves et la frappât douloureusement ; et l'esclave s'écria : « Par Allah ! je te meurtrirai le cœur comme tu m'as meurtrie ! » Et elle courut à l'instant chez le père de mon amie, et lui révéla toute l'affaire depuis le commencement jusqu'à la fin.

« Lorsque le vieux Taher Aboul-Ola entendit le discours de l'esclave, il sauta sur ses pieds et courut me trouver alors que, dans l'ignorance encore de ce qui se passait, j'étais aux côtés de mon amie, en train de me livrer à divers ébats de première qualité ; et il me cria : « Ho ! Un Tel ! » Je répondis : « À tes ordres, ô mon oncle ! » Il me dit : « Notre coutume ici, quand un client s'est ruiné, est d'héberger ce client, en ne le privant de rien, pendant trois jours. Mais toi, il y a déjà un an que tu uses par fraude de notre hospitalité, en mangeant, en buvant et en copulant à ton aise ! » Puis il se tourna vers ses esclaves et leur cria : « Chassez d'ici ce fils d'enculé ! » Et ils s'emparèrent de moi et me jetèrent tout nu à la porte, en me mettant dans la main dix petites pièces d'argent et en me donnant un vieux caban rapiécé et tombant en loques, pour couvrir ma nudité. Et le cheikh blanc me dit : « Va-t'en ! je ne veux ni te faire donner la bastonnade ni t'injurier ! Mais hâte-toi de disparaître ; car si tu as le malheur de rester encore dans Bagdad, notre ville, ton sang jaillira au-dessus de ta tête ! »

« Alors moi, ô mes hôtes, je fus bien obligé de sortir en dépit de mon nez, sans savoir où me diriger dans cette ville que je ne connaissais guère, bien que je l'habitasse depuis quinze mois. Et je sentis s'abattre pesamment sur mon cœur toutes les calamités du monde et sur mon esprit le désespoir, les tristesses et les soucis ! Et je dis en mon âme : « Comment, moi qui suis venu ici à travers les mers porteur de mille milliers de dinars d'or avec, en plus, le prix de vente de mes trente navires, ai-je pu dépenser toute cette fortune dans la maison de ce calamiteux vieillard de goudron, pour maintenant en sortir tout nu et le cœur brisé et l'âme humiliée ? Mais il n'y a de recours et de puissance qu'en Allah le Glorieux, le Très-Haut ! » Et comme, plongé dans ces affligeantes pensées, j'étais arrivé sur les bords du Tigre, je vis un navire qui allait descendre vers Bassra. Et je m'embarquai à bord de ce navire, en offrant mes services comme matelot au capitaine, afin de payer mon passage. Et j'arrivai de la sorte à Bassra.

« Là je me dirigeai sans tarder vers le souk, car la faim me torturait, et je fus remarqué…

À ce moment de sa narration, Shahrazade vit apparaître le matin et, discrète, se tut.

Mais lorsque fut la cinq cent vingt-deuxième nuit. Elle dit :

… Là je me dirigeai, sans tarder, vers le souk, car la faim me torturait, et je fus remarqué par un épicier qui s'approcha vivement de moi et se jeta à mon cou en m'embrassant, et se fit connaître à moi comme un ancien ami de mon père ; puis il m'interrogea sur mon état. Et je lui racontai, sans omettre un détail, tout ce qui m'était arrivé. Et il me dit : « Ouallah ! ce ne sont pas les actes d'un homme sensé ! Mais maintenant, ce qui est passé est passé, que comptes-tu faire ? » Je répondis : « Je ne sais pas ! » Il me dit : « Veux-tu accepter de rester chez moi ? Et, puisque tu sais l'écriture, veux-tu écrire les entrées et sorties de mes fournitures, et toucher par jour comme salaire un drachme d'argent, sans compter ta nourriture et ta boisson ? » Et moi j'acceptai en le remerciant, et demeurai chez lui comme scribe pour les sorties ou entrées des ventes ou achats. Et je vécus de la sorte chez lui assez de temps pour mettre de côté la somme de cent dinars.

« Alors je louai pour mon propre compte un petit local, sur le bord de la mer, afin d'y attendre l'arrivée de quelque navire chargé de marchandises du loin, où m'acheter, avec mon argent, de quoi faire un chargement bon à vendre à Bagdad, où je voulais retourner, dans l'espoir de trouver l'occasion de revoir mon amie.

« Or la chance voulut qu'un jour un navire vînt du loin chargé de ces marchandises que j'attendais ; et moi, mêlé aux autres marchands, je me dirigeai vers le navire et montai à bord. Et voici que, du fond du navire, sortirent deux hommes qui s'assirent sur deux chaises et étalèrent devant nous leurs marchandises. Et quelles marchandises ! Et quel éblouissement des yeux ! Nous ne vîmes là rien que des joyaux, des perles, du corail, des rubis, des agates, des hyacinthes et des pierreries de toutes les couleurs ! Et alors l'un des deux hommes se tourna vers les marchands terriens et leur dit : « Ô compagnie des marchands, tout ceci n'est pas à vendre pour aujourd'hui, car je suis encore fatigué de la mer ; je ne l'ai étalé que pour vous donner une idée de ce que sera la vente de demain ! » Mais les marchands le pressèrent tellement qu'il accepta de commencer la vente immédiatement, et le crieur se mit à crier la vente des pierreries, espèce par espèce. Et les marchands se mirent à augmenter chaque fois le prix, les uns sur les autres, jusqu'à ce que le premier petit sac de pierreries eût atteint le prix de quatre cents dinars. À ce moment, le propriétaire du sac, qui m'avait autrefois connu dans mon pays quand mon père était à la tête du commerce d'Oman, se tourna vers moi et me demanda : « Pourquoi ne dis-tu rien et n'augmentes-tu pas le prix comme les autres marchands ? » Je répondis : « Par Allah, ô mon maître, il ne me reste plus des biens de ce monde que la somme de cent dinars ! » Et je fus bien confus, en disant ces paroles, et des gouttes de larmes tombèrent de mes yeux. Et, à cette vue, le propriétaire du sac frappa ses mains l'une dans l'autre et s'écria, plein de surprise : « Ô Omani, comment d'une si immense fortune ne te reste-t-il plus que cent dinars ? » Et il me regarda ensuite avec commisération et entra dans mes peines ; puis soudain il se tourna vers les marchands et leur dit : « Soyez témoins que je vends à ce jeune homme pour la somme de cent dinars un sac avec tout ce qu'il contient en fait de gemmes, de métaux et d'objets précieux, bien que je sache sa valeur réelle qui monte à plus de mille dinars. C'est donc un cadeau que je lui donne de moi à lui ! » Et les marchands, stupéfaits, témoignèrent qu'ils voyaient et entendaient ; et le marchand me remit le sac avec tout ce qu'il contenait, et même me fit cadeau du tapis, et de la chaise sur laquelle il était assis. Et moi je le remerciai pour sa générosité ; et je descendis à terre et me dirigeai vers le souk des bijoutiers.

« Là je louai une boutique et me mis à vendre et à acheter et à réaliser tous les jours un gain assez appréciable. Or, parmi les objets précieux contenus dans le sac, se trouvait un morceau d'écaille rouge d'un rouge foncé qui, à en juger par les caractères talismaniques gravés sur ses deux faces, sous la forme de pattes de fourmis, devait être quelque amulette fabriquée par un maître fort versé dans l'art des amulettes. Il pesait une demi-livre, mais j'en ignorais l'usage spécial et le prix. Aussi je le fis crier plusieurs fois au souk, mais on n'en offrit au crieur que de dix à quinze drachmes. Et moi, ne voulant pas, tout de même, en prévision d'une excellente occasion, le céder à un prix si modique, je jetai ce morceau d'écaille dans un coin de ma boutique, où il resta une année. Or un jour que j'étais assis dans ma boutique, je vis entrer…

À ce moment de sa narration, Schahrazade vit apparaître le matin et, discrète, se tut.

Mais lorsque fut la cinq cent vingt-troisième nuit. Elle dit :

… Or un jour que j'étais assis dans ma boutique, je vis entrer un étranger qui me souhaita la paix et qui, apercevant le morceau d'écaille, malgré la poussière dont il était recouvert, s'écria : « Loué soit Allah ! Je trouve enfin ce que je cherchais ! » Et il prit le morceau d'écaille, le porta à ses lèvres et à son front, et me dit : « Ô mon maître, veux-tu me vendre ceci ? » Je répondis : « Je veux bien ! » Il demanda : « Quel en est le prix ? » Je dis : « Combien en offres-tu, toi ? » Il répondit : « Vingt dinars d'or ! » Et moi, à ces paroles, je crus, tant la somme me paraissait considérable, que l'étranger se moquait de moi ; et je lui dis d'un ton fort désagréable : « Va-t'en en ta voie ! » Alors il crut que je trouvais modique la somme, et me dit : « J'en offre cinquante dinars ! » Mais moi, de plus en plus convaincu qu'il riait de moi, non seulement je ne voulus point lui répondre, mais je ne le regardai même pas et fis semblant de ne plus remarquer sa présence, afin qu'il s'en allât. Alors il me dit : « Mille dinars ! »

Tout cela ! Et moi, ô mes hôtes, je ne répondais pas ; et lui, souriait de mon silence gros de fureur concentrée, et me disait : « Pourquoi ne veux-tu pas me répondre ? » Et moi je finis par répondre encore : « Va-t'en en ta voie ! » Alors il se mit à augmenter mille dinars sur mille dinars jusqu'à ce qu'il m'offrît vingt mille dinars. Et moi je ne répondais pas !

« Tout cela ! Et les passants et les voisins, attirés par cet étrange marché, s'attroupaient autour de nous dans la boutique et dans la rue, et murmuraient tout haut contre moi et faisaient des remarques désobligeantes sur moi, disant : « Il ne faut pas que nous lui permettions de demander davantage pour ce misérable morceau d'écaille ! » Et d'autres disaient : « Ouallah ! la tête dure, les yeux vides ! S'il ne va pas lui céder le morceau d'écaille, nous le chasserons de la ville ! »

« Tout cela ! Et moi je ne savais pas encore ce que l'on me voulait. Aussi, pour en finir, je demandai à l'étranger : « Veux-tu enfin me dire si tu achètes vraiment ou si tu te moques ? » Il répondit : « Et toi, veux-tu vraiment vendre ou te moquer ? » Je dis : « Vendre ! » Et il dit : « Alors je t'offre, comme dernier prix, trente mille dinars ! Et concluons la vente et l'achat ! » Et moi alors je me tournai vers les assistants, et je leur dis : « Je vous prends à témoin dans cette vente ! Mais auparavant je tiens à savoir de l'acheteur ce qu'il veut faire de ce morceau d'écaille ! » Il répondit : « Concluons d'abord le marché, et je te dirai ensuite les vertus et l'utilité de cette chose-là ! » Je répondis : « Je te la vends ! » Il dit :

« Allah est témoin de ce que nous disons ! » Et il sortit un sac rempli d'or, me compta et me pesa trente mille dinars, prit l'amulette, la mit dans sa poche, en poussant un grand soupir, et me dit : « Alors c'est bien vendu et conclu ? » Je répondis : « C'est vendu et conclu ! » Et il se tourna vers les assistants et leur dit : « Soyez tous témoins qu'il m'a vendu l'amulette et en a touché le prix consenti à trente mille dinars ! » Et, cela fait, il se tourna vers moi, et, avec un ton de commisération et d'ironie extrême, il me dit : « Ô pauvre, par Allah ! si tu avais su tenir la main dans cette vente en la retardant encore, je serais arrivé à te payer pour prix de cette amulette non point trente mille ou cent mille dinars mais mille milliers de dinars, si ce n'est davantage ! »

« Or moi, ô mes hôtes, en entendant ces paroles, et en me voyant ainsi frustré, à cause de mon manque de flair, de cette somme fabuleuse, je sentis un grand bouleversement s'opérer dans mon intérieur ; et une révolution soudaine de mon corps fit descendre le sang de mon visage et monter à la place cette couleur jaune que j'ai conservée depuis et qui a attiré votre attention ce soir, ô mes hôtes !

Je restai donc hébété un moment, puis je dis à l'étranger : « Peux-tu me dire maintenant les vertus et l'utilité de ce morceau d'écaille ? » Et l'étranger me répondit : « Sache que le roi de l'Inde a une fille chérie qui n'a point sa pareille en beauté sur la face de la terre ; mais elle est sujette à de violents maux de tête ! Aussi le roi son père, à bout de ressources et de médicaments capables de la soulager, fit assembler les plus forts scribes de son royaume et les hommes de science et les devins ; mais aucun d'eux ne réussit à enlever de sa tête les douleurs qui la torturaient…

À ce moment de sa narration, Schahrazade vit apparaître le matin et, discrète, se tut.

Mais lorsque fut la cinq cent vingt-quatrième nuit. Elle dit :

… Mais aucun d'eux ne réussit à enlever de sa tête les douleurs qui la torturaient. Alors moi, qui étais présent dans l'assemblée, je dis au roi : « Ô roi, je connais un homme appelé Saadallah le Babylonien, qui n'a point son pareil ou son supérieur dans la connaissance de tels remèdes, sur la face de la terre ! Si donc tu juges à propos de m'envoyer vers lui, fais-le ! » Le roi me répondit : « Va vers lui ! » Je dis : « Donne-moi mille milliers de dinars et un morceau d'écaille rouge d'un rouge foncé ! Et, en plus, un cadeau ! » Et le roi me donna tout ce que je lui demandais, et je partis de l'Inde vers le pays de Babylone. Et là je m'informai du sage Saadallah, on me guida vers lui, et je me présentai devant lui et lui remis cent mille dinars et le cadeau du roi ; puis je lui donnai le morceau d'écaille, et après lui avoir soumis le but de ma mission, je le priai de me préparer une amulette souveraine contre les maux de tête. Et le sage de Babylone employa sept mois entiers à consulter les astres, et finit, au bout de ces sept mois, par choisir un jour faste pour tracer sur le morceau d'écaille ces caractères talismaniques pleins de mystère que tu vois sur les deux faces de cette amulette que tu m'as vendue ! Et moi je pris cette amulette et revins auprès du roi de l'Inde, auquel je la remis.

« Or le roi entra dans la chambre de sa fille chérie, et la trouva, selon les instructions données, toujours enchaînée au moyen de quatre chaînes attachées aux quatre coins de la chambre, et cela afin qu'elle ne pût, dans ses crises de douleurs, se tuer en se jetant par la fenêtre. Et dès qu'il eut posé l'amulette sur le front de sa fille, elle se trouva guérie à l'heure et à l'instant. Et le roi, à cette vue, se réjouit à la limite de la réjouissance, et me combla de riches présents et m'attacha à sa personne, parmi ses intimes. Et la fille du roi, guérie de la sorte si miraculeusement, attacha l'amulette à son collier, et ne la quitta plus.

« Mais un jour la princesse, se trouvant en promenade dans une barque, jouait avec ses compagnes, l'une d'elles, dans un mouvement malheureux, cassa le fil du collier, et fit tomber l'amulette dans l'eau. Et l'amulette disparut. Et au même moment la Possession rentra en elle, et elle fut de nouveau possédée par le Possesseur terrible, qui lui donna des maux de tête d'une telle violence qu'Il lui égara la raison. À cette nouvelle, le chagrin du roi fut au-dessus de toutes paroles ; et il m'appela et me chargea d'une nouvelle mission auprès du cheikh Saadallah le Babylonien, afin qu'il fît une autre amulette. Et je partis. Mais, en arrivant à Babyl, j'appris que le cheikh Saadallah était mort.

« Et depuis lors, accompagné de dix personnes pour m'aider dans mes recherches, je parcours tous les pays de la terre dans le but de trouver, chez quelque marchand ou chez quelque vendeur ou passant, une amulette de ces amulettes que savait seul douer de vertus guérisseuses et exorcisantes le cheikh Saadallah de Babylone. Et le sort a voulu te mettre sur ma voie, et me faire trouver et acheter dans ta boutique cet objet que je désespérais déjà de retrouver jamais ! Puis, ô mes hôtes, l'étranger, après m'avoir raconté cette histoire, serra sa ceinture et s'en alla. Et telle est, comme je vous l'ai déjà dit, la cause de la couleur jaune de mon visage !

« Quant à moi, je réalisai en argent tout ce que je possédais, en vendant ma boutique, et, riche désormais, je partis en toute hâte pour Bagdad, où, dès mon arrivée, je volai au palais du vieillard blanc, père de ma bien-aimée. Car, depuis ma séparation d'avec elle, le jour et la nuit elle remplissait mes pensées ; et la revoir était le but de mes désirs et de ma vie. Et l'absence n'avait fait qu'attiser les feux de mon âme et exalter mon esprit.

« Je m'informai donc d'elle auprès d'un jeune garçon qui gardait la porte d'entrée. Et le jeune garçon me dit de lever la tête et de regarder. Et je vis que la maison tombait en ruine, que la fenêtre où d'ordinaire se tenait ma bien-aimée était arrachée, et qu'un air de tristesse et de profonde désolation régnait sur la demeure. Alors les larmes me vinrent aux yeux, et je dis au petit esclave : « Qu'a donc fait Allah au cheikh Taher, ô mon frère ? » Il me répondit : « La joie a abandonné la demeure, et le malheur s'est abattu sur nous depuis que nous a quittés un jeune homme du pays d'Oman, nommé Aboul-Hassan Al-Omani. Ce jeune marchand était resté une année avec la fille du cheikh Taher ; mais comme, au bout de ce temps, il n'eut plus d'argent, le cheikh, notre maître, l'a chassé de la maison. Mais notre maîtresse, l'adolescente, qui l'aimait d'un grand amour…

À ce moment de sa narration, Schahrazade vit apparaître le matin et, discrète, se tut.

Mais lorsque fut la cinq cent vingt-cinquième nuit. Elle dit :

… Mais notre maîtresse, l'adolescente, qui l'aimait d'un grand amour, fut si bouleversée de ce départ qu'elle tomba malade d'une fort grave maladie qui la fit approcher de la mort. Alors notre maître Taher, se repentit de ce qu'il avait fait, en voyant la langueur mortelle où se trouvait sa fille ; et il dépêcha des courriers dans toutes les directions et tous les pays, afin de retrouver le jeune Aboul-Hassan, et promit cent mille dinars de récompense à celui qui le ramènerait !

Mais jusqu'à présent tous les efforts des chercheurs ont été vains, car nul n'a pu se mettre sur ses traces ou avoir de ses nouvelles. Aussi l'adolescente, fille du cheikh, est-elle maintenant sur le point de rendre le dernier soupir ! »

« Alors moi, l'âme déchirée de douleur, je demandai à l'enfant : « Et le cheikh Taher, comment va-t-il, lui ? Il répondit : « Il a été de tout cela dans un tel chagrin et un tel découragement, qu'il a vendu les adolescentes et les jeunes garçons, et s'est repenti amèrement devant Allah le Très-Haut ! » Alors je dis au jeune esclave : « Veux-tu que je t'indique où se trouve Aboul-Hassan Al-Omani ? Qu'en diras-tu ? » Il répondit : « Par Allah sur toi, ô mon frère, fais-le ! Et tu auras rendu une amante à la vie, une fille à son père, un amoureux à son amie, et tu auras tiré de la pauvreté ton esclave et les parents de ton esclave ! » Alors je lui dis : « Va donc trouver ton maître, le cheikh Taher, et dis-lui : « Tu me dois la récompense promise, pour la bonne nouvelle ! Car à la porte de ta maison se trouve, en personne, Aboul-Hassan Al-Omani ! »

« À ces paroles, le jeune esclave s'envola avec la rapidité du mulet échappé du moulin ; et, en un clin d'œil, il revint accompagné du cheikh Taher, père de mon amie. Et comme il était changé ! Et qu'était devenu son teint si frais autrefois et si jeune malgré les années ? Il avait, en deux ans, vieilli de plus de vingt années. Pourtant il me reconnut aussitôt, et se jeta à mon cou et se mit à m'embrasser en pleurant, et me dit : « Ô mon maître, où étais-tu pendant cette longue absence ? Ma fille, à cause de toi, est proche du tombeau. Viens ! Entre avec moi dans ta maison ! » Et il me fit entrer, et commença par se jeter à genoux sur le sol en rendant grâces à Allah qui avait permis notre réunion ; et il se hâta de remettre au jeune esclave la récompense promise de cent mille dinars. Et le jeune esclave se retira en appelant sur moi les bénédictions.

« Après quoi le cheikh Taher entra d'abord seul chez sa fille pour lui annoncer, sans brusquerie, mon arrivée. Il lui dit donc : « Je t'annonce, ô ma fille, la bonne nouvelle ! Si tu veux consentir à manger un morceau et à aller prendre un bain au hammam, je te ferai revoir aujourd'hui même Aboul-Hassan ! » Elle s'écria : « Ô père, est-ce vrai ce que tu dis ? » Il répondit : « Par Allah le Très-Glorieux, ce que je te dis est vrai ! » Alors elle s'écria : « Ouallah ! Si je vois son visage, je n'aurai plus besoin de manger ou de boire ! » Alors le vieillard se tourna vers la porte, derrière laquelle je me tenais, et me cria : « Entre, ya Aboul-Hassan ! » Et j'entrai.

« Or, ô mes hôtes, dès qu'elle m'eut aperçu et reconnu, elle tomba en pâmoison, et fut longtemps avant de recouvrer ses sens. Elle put enfin se relever, et, au milieu des pleurs de joie et des rires, nous nous jetâmes dans les bras l'un de l'autre, et nous restâmes longtemps embrassés, à la limite de l'émotion et de la félicité. Et lorsque nous pûmes faire attention à ce qui se passait autour de nous, nous vîmes au milieu de la salle de réception le kâdi et les témoins, que le cheikh avait mandés en toute hâte, et qui écrivirent notre contrat de mariage, séance tenante. Et on célébra nos noces avec un déploiement de faste inouï, au milieu de réjouissances qui durèrent trente jours et trente nuits.

« Et depuis ce temps-là, ô mes hôtes, la fille du cheikh Taher est mon épouse chérie. Et c'est elle que vous avez entendue chanter ces airs mélancoliques qui lui plaisent, en lui rappelant les heures douloureuses de notre séparation et en lui faisant mieux sentir le bonheur parfait dans lequel nous coulons les jours de notre union bénie par la naissance d'un fils aussi beau que sa mère ! Et c'est lui-même que je vais vous présenter, ô mes hôtes...

À ce moment de sa narration, Schahrazade vit apparaître le matin et, discrète, se tut.

Mais lorsque fut la cinq cent vingt-sixième nuit. Elle dit :

… Et c'est lui-même que je vais vous présenter, ô mes hôtes ! » Et, ce disant, Aboul-Hassan, le jeune homme jaune, sortit un moment et revint en tenant par la main un jeune garçon de dix ans, beau comme la lune dans son quatorzième jour. Et il lui dit : « Souhaite la paix à nos hôtes ! » Et l'enfant s'acquitta de la chose avec une grâce exquise. Et le khalifat et ses compagnons, toujours déguisés, furent charmés à l'extrême aussi bien de sa beauté, de sa grâce et de sa gentillesse, que de l'histoire extraordinaire de son père. Et, après avoir pris congé de leur hôte, ils sortirent émerveillés de ce qu'ils venaient de voir et d'entendre.

Et le lendemain matin, le khalifat Haroun Al-Rachid, qui n'avait cessé de penser à cette histoire, appela Massrour et lui dit : « Ô Massrour ! » Il répondit : « À tes ordres, ô mon seigneur ! » Il dit : « Tu vas immédiatement réunir dans cette salle tout le tribut annuel en or que nous avons perçu de Bagdad, tout le tribut de Bassra et tout le tribu du Khorassân ! » Et Massrour, sur l'heure, fit apporter devant le khalifat et amonceler dans la salle les tributs en or des trois grandes provinces de l'empire, qui montaient à une somme qu'Allah seul pouvait dénombrer. Alors le khalifat dit à Giafar : « Ô Giafar ! » Il répondit : « Je suis là, ô émir des Croyants ! » Il dit : « Va vite me chercher Aboul-Omani ! » Il répondit : « J'écoute et j'obéis ! » Et il alla aussitôt le chercher, et l'amena tout tremblant devant le khalifat, entre les mains duquel il embrassa la terre et se tint les yeux baissés dans l'ignorance du crime qu'il avait pu commettre ou de la cause qui nécessitait sa présence.

Alors le khalifat lui dit : « Ô Aboul-Hassan, sais-tu les noms des marchands qui ont été tes hôtes hier au soir ? » Il répondit : « Non, par Allah, ô émir des Croyants ! » Le khalifat se tourna alors vers Massrour et lui dit : « Enlève la couverture qui cache les amas d'or ! » Et, la couverture ayant été enlevée, le khalifat dit au jeune homme : « Et peux-tu au moins me dire si, oui ou non, ces richesses sont plus considérables que celles dont tu as été frustré par ta vente hâtive du morceau d'écaille ? » Et Aboul-Hassan, stupéfait de voir le khalifat au courant de cette histoire, murmura en ouvrant des yeux dilatés : « Ouallah, ô mon seigneur, ces richesses-ci sont infiniment plus considérables ! » Et le khalifat lui dit : « Sache alors que tes hôtes d'hier au soir étaient le cinquième des Bani-Abbas et ses vizirs et ses compagnons, et que tout cet or amassé là est ta propriété, en cadeau de ma part pour te dédommager de ce que tu as perdu dans la vente du morceau d'écaille talismanique ! »

En entendant ces paroles, Aboul-Hassan fut dans un tel émoi, qu'une nouvelle révolution bouleversa son intérieur, et que la couleur jaune descendit de son visage pour être remplacée à l'instant par le sang rouge qui y afflua et lui rendit son ancien teint blanc et rose, éclatant comme la lune durant la nuit de sa plénitude. Et le khalifat, ayant fait apporter un miroir, le présenta devant le visage d'Aboul-Hassan qui tomba à genoux pour rendre grâces au Libérateur. Et le khalifat, après avoir fait transporter dans la demeure d'Aboul-Hassan tout l'or amoncelé, l'invita à venir souvent lui tenir compagnie au milieu de ses compagnons intimes, et s'écria : « Il n'y a d'autre Dieu qu'Allah ! Gloire à Celui qui peut produire changement sur changement, et qui seul reste Inchangeable et Immuable ! »

*Et telle est, ô Roi fortuné, continua Schahrazade, l'*HISTOIRE DU JEUNE HOMME JAUNE. *Mais certainement elle ne peut être comparée à l'*HISTOIRE DE FLEUR-DE-GRENADE ET DE SOURIRE-DE-LUNE *! Et le roi Schahriar s'écria : « Ô Schahrazade, je ne doute point de tes paroles ! Hâte-toi de me raconter l'histoire de Fleur-de-Grenade et de Sourire-de-Lune, car je ne la connais pas ! »*

HISTOIRE DE FLEUR-DE-GRENADE ET DE SOURIRE-DE-LUNE

Et Schahrazade dit :

Il m'est revenu, ô Roi fortuné, qu'il y avait en l'antiquité des âges et les années et les jours d'il y a très longtemps, dans les pays ajamites, un roi nommé Schahramân qui résidait dans le Khorassân. Et ce roi avait cent concubines, toutes affligées de stérilité, car il n'avait pu avoir d'aucune d'elles un enfant, fût-il du sexe féminin. Or, comme, un jour, il était assis dans la salle de réception au milieu de ses vizirs, de ses émirs et des grands du royaume, et qu'il s'entretenait avec eux, non point des affaires ennuyeuses du gouvernement, mais de poésie, de science, d'histoire et de médecine, et en général de tout ce qui pouvait lui faire oublier la tristesse de sa solitude sans postérité et sa douleur de ne pouvoir laisser à ses descendants le trône que lui avaient légué ses pères et ses ancêtres, un jeune mamelouk entra dans la salle et lui dit : « Ô mon seigneur, à la porte il y a, avec un marchand, une esclave jeune et telle que jamais l'œil n'en a vu de plus belle ! » Et le roi dit : « À moi donc le marchand et l'esclave ! » Et le mamelouk se hâta d'introduire le marchand et sa belle esclave.

Or, en la voyant entrer, le roi la compara en son âme à une fine lance d'un seul jet ; et, comme elle avait un voile de soie bleue rayée d'or qui lui enveloppait la tête et lui couvrait le visage, le marchand le lui ôta ; et aussitôt la salle fut illuminée de sa beauté, et sa chevelure s'écroula sur son dos en sept tresses massives qui touchèrent les bracelets de ses chevilles : tels les crins splendides qui balaient le sol sous la croupe d'une jument de noble race. Et elle était royale et cambrée merveilleusement, et défiait en souplesse dansante la tige délicate de l'arbre ban. Ses yeux, noirs et allongés de leur nature, étaient chargés d'éclairs destinés à transpercer les cœurs ; et sa seule vue pouvait guérir les malades et les infirmes. Quant à sa croupe bénie, but des souhaits et des désirs, elle était si fastueuse, en vérité, que le marchand lui-même n'avait pu trouver un voile assez grand pour l'envelopper…

À ce moment de sa narration, Schahrazade vit apparaître le matin et, discrète, se tut.

Mais lorsque fut la cinq cent vingt-septième nuit. Elle dit :

… Quant à sa croupe bénie, but des souhaits et des désirs, elle était si fastueuse, en vérité, que le marchand lui-même n'avait pu trouver un voile assez grand pour l'envelopper.

Aussi le roi fut-il émerveillé de tout cela à la limite de l'émerveillement ; et il demanda au marchand : « Ô cheikh, à combien cette esclave ? » Il répondit : « Ô mon seigneur, moi je l'ai achetée de son premier maître pour deux mille dinars ; mais, depuis, j'ai voyagé avec elle pendant trois ans pour arriver jusqu'ici, et j'ai dépensé de la sorte pour elle trois autres mille dinars : aussi n'est-ce point une vente que je viens te proposer, mais c'est un cadeau que je t'offre, de moi à toi ! » Et le roi fut charmé du langage du marchand, et le révêtit d'une splendide robe d'honneur et lui fit donner dix mille dinars d'or. Et le marchand baisa la main du roi, et le remercia pour sa bonté et sa munificence, et s'en alla en sa voie.

Alors le roi dit aux intendantes et aux femmes du palais : « Conduisez-la au hammam et soignez-la et, après avoir fait disparaître d'elle les traces du voyage, ne manquez pas de l'oindre de nard et de parfums, et de lui donner, comme appartement, le pavillon dont les fenêtres regardent la mer. » Et les ordres du roi furent exécutés à l'heure et à l'instant.

Or la ville capitale où régnait le roi Schahramân se trouvait en effet, située sur le bord de la mer, et son nom était la Ville-Blanche. Et c'est ainsi que les femmes du palais purent conduire, après le bain, l'adolescente étrangère dans un pavillon qui regardait la mer. Alors le roi, qui n'attendait que ce moment, pénétra chez elle. Mais il fut bien surpris de voir qu'elle ne se levait pas en son honneur et ne faisait pas plus de cas de lui que s'il n'était pas là. Et il pensa en lui-même : « Elle a dû être élevée par des gens qui ne lui ont pas appris les bonnes manières ! » Et il la regarda mieux, et il ne pensa plus à son manque de politesse, tant il fut charmé de sa beauté et de son visage qui était un rond de lune ou un lever de soleil dans un ciel serein. Et il dit : « Gloire à Allah qui a créé la beauté pour les yeux de ses serviteurs ! » Puis il s'assit près de l'adolescente, et la pressa tendrement sur sa poitrine. Ensuite il la prit sur ses genoux et la baisa sur les lèvres, et savoura sa salive qu'il trouva plus douce que le miel. Mais elle ne disait pas un mot et se laissait faire sans opposer de résistance ni montrer d'empressement. Et le roi fit servir dans la chambre un festin magnifique, et se mit lui-même à lui donner à manger et à lui porter les bouchées aux lèvres. Et, entre-temps, il l'interrogeait doucement sur son nom et son pays. Mais elle restait silencieuse, sans prononcer une parole, et sans lever la tête pour regarder le roi, qui la trouvait si belle qu'il ne pouvait se résoudre à se mettre en colère contre elle. Et il pensa : « Peut-être est-elle muette ! Mais il est impossible que le Créateur ait formé une pareille beauté pour la priver de la parole ! Ce serait une imperfection indigne des doigts du Créateur ! » Puis il appela les servantes pour se faire verser de l'eau sur les mains ; et il profita du moment où elles lui présentaient l'aiguière et le bassin pour leur demander à voix basse : « Pendant que vous lui donniez vos soins, l'avez-vous entendue parler ? » Elles répondirent : « Tout ce que nous pouvons dire au roi, c'est que pendant tout le temps que nous étions auprès d'elle à la servir, à la baigner, à la parfumer, à la coiffer et l'habiller, jamais nous ne l'avons vue remuer les lèvres pour nous dire : « Ceci est bien ! Cela n'est pas bien ! » Et nous ne savons si c'est mépris pour nous ou ignorance de notre langue ou mutisme, mais nous n'avons guère réussi à lui faire proférer une seule parole de merci ou de blâme ! »

À ce discours des esclaves et des matrones, le roi fut à la limite de l'étonnement, et, pensant que ce mutisme était dû à quelque chagrin intime, il voulut essayer de l'en distraire. Dans ce but, il fit assembler dans le pavillon toutes les dames du palais et toutes les favorites afin qu'elle s'amusât et jouât avec elles ; et celles qui savaient jouer des instruments d'harmonie en jouèrent, tandis que les autres chantaient, dansaient ou faisaient les deux choses à la fois. Et tout le monde était dans l'épanouissement, excepté l'adolescente qui continua à rester immobile à sa place, tête basse et bras croisés, sans rire ou parler. Le roi, à cette vue, sentit sa poitrine se rétrécir et ordonna aux femmes de se retirer. Et il resta seul avec l'adolescente. Là, après avoir encore essayé, mais en vain, d'en tirer une réponse ou une parole, il s'approcha d'elle et se mit en devoir de la déshabiller...

À ce moment de sa narration, Schahrazade vit apparaître le matin et, discrète, se tut.

Mais lorsque fut la cinq cent vingt-huitième nuit. Elle dit :

... Là, après avoir encore essayé, mais en vain, d'en tirer une réponse ou une parole, il se mit en devoir de la déshabiller. Il commença par lui enlever délicatement les voiles légers qui l'enveloppaient, puis, l'une après l'autre, les sept robes de couleurs et d'étoffes différentes qui la couvraient, et enfin la chemise fine et l'ample caleçon à glands de soie verte. Et, en dessous, il vit son corps éclatant de blancheur et sa chair de pureté et de vierge argent. Et il l'aima d'un grand amour et, se levant, il prit sa virginité, et la trouva intacte et imperforée. Et il s'en réjouit et s'en délecta à l'extrême ; et il pensa : « Par Allah ! n'est-ce point une chose prodigieuse que les divers marchands aient laissé intacte la virginité d'une jeune fille si belle et si désirable ! » Et le roi s'attacha tellement à sa nouvelle esclave, qu'il délaissa pour elle toutes les autres femmes du palais et les favorites et les affaires du royaume, et s'enferma avec elle une année entière, sans se lasser un moment des délices nouvelles que tous les jours il y découvrait. Mais, avec tout cela, il n'avait guère réussi à lui arracher une parole ou un assentiment, ni à l'intéresser à ce qu'il faisait avec elle et autour d'elle. Tout cela ! Et il ne savait plus comment interpréter ce silence et ce mutisme. Et il n'espérait plus arriver à lui délier la langue et à s'entretenir avec elle.

Or un jour d'entre les jours, le roi était, selon sa coutume, assis auprès de sa belle et insensible esclave, et son amour pour elle était plus violent que jamais, et il lui disait : « Ô désir des âmes, ô cœur de mon cœur, ô lumière de mes yeux, ne sais-tu donc l'amour que j'éprouve pour toi, et que j'ai délaissé pour ta beauté mes favorites, mes concubines et les affaires de mon royaume, et que je l'ai fait avec plaisir, et que je suis d'ailleurs loin de m'en repentir ? Ne sais-tu que je t'ai gardée pour mon seul lot et mon unique agrément, de tous les biens de ce monde ? Et voici plus d'un an que j'allonge la patience de mon âme sur la cause de ce mutisme et de cette insensibilité que je n'arrive point à deviner ! Si tu es réellement muette, fais-le-moi du moins comprendre par signes, afin que je laisse tout espoir de t'entendre jamais, ô ma bien-aimée ! Sinon, puisse Allah attendrir ton cœur et, dans sa bonté, t'inspirer de cesser enfin ce silence que je ne mérite pas ! Et si cette consolation doit m'être toujours refusée, fasse Allah que tu sois enceinte de moi et me donnes un fils chéri qui puisse me succéder sur le trône que m'ont légué mes pères et mes ancêtres ! Hélas ! ne vois-tu pas que je vieillis solitaire et sans postérité, et que bientôt je ne vais plus pouvoir même espérer féconder de jeunes flancs, cassé que je serai par la tristesse et les ans ! Hélas ! hélas ! ô toi, si tu éprouves pour moi le plus léger sentiment de pitié ou d'affection, réponds-moi, dis-moi seulement si oui ou non tu es enceinte, je t'en supplie, par Allah sur toi ! Et qu'ensuite je meure ! »

À ces paroles, la belle esclave, qui, selon sa coutume avait écouté le roi, les yeux toujours baissés et les mains jointes sur les genoux, dans une pose immobile, soudain, pour la première fois depuis son entrée au palais, eut un léger sourire. Cela seul et rien de plus. À cette vue, le roi fut dans une telle émotion qu'il crut le palais illuminé en entier par un éclair au milieu des ténèbres. Et il se trémoussa en son âme et exulta, et, comme, après un tel signe, il ne doutait plus qu'elle ne consentît à parler, il se jeta aux pieds de l'adolescente et attendit ce moment, les bras levés et les lèvres entrouvertes dans l'attitude de la prière. Et soudain, l'adolescente releva la tête et, souriante, parla ainsi : « Ô roi magnanime, notre suzerain, ô lion valeureux, sache…

À ce moment de sa narration, Schahrazade vit apparaître le matin et, discrète, se tut.

Mais lorsque fut la cinq cent vingt-neuvième nuit. Elle dit :

… Et soudain, l'adolescente releva la tête et, souriante, parla ainsi : « Ô roi magnanime, notre suzerain, ô lion valeureux, sache qu'Allah a répondu à ta prière, car je suis enceinte de toi ! Et le temps est proche de ma délivrance ! Mais je ne sais si l'enfant que je porte dans mon sein est un petit garçon ou une petite fille ! Sache, en outre, que, n'était ma fécondation par toi, j'étais bien résolue à ne jamais t'adresser la parole ni à te dire un seul mot durant ma vie ! »

En entendant ces paroles inespérées, le roi fut dans une telle joie qu'il se trouva d'abord dans l'impossibilité d'articuler un mot ou de faire un mouvement ; puis son visage s'illumina et se transfigura ; et sa poitrine se dilata ; et il se sentit soulevé de terre dans l'explosion de sa joie. Et il baisa les mains de l'adolescente et il baisa sa tête et son front, et s'écria : « Gloire à Allah qui m'a accordé deux grâces que je souhaitais, ô lumière de mes yeux : te voir me parler, et t'entendre m'annoncer la nouvelle de ta grossesse ! Alhamdolillah ! la louange à Allah ! »

Puis le roi se leva et sortit de chez elle, après avoir pour un moment pris congé, et alla s'asseoir en grande pompe sur le trône de son royaume ; et il était à la limite de la dilatation et de l'épanouissement. Et il donna l'ordre à son vizir d'annoncer à tout le peuple le sujet de sa joie, et de distribuer cent mille dinars aux indigents, aux veuves et à tous ceux en général qui étaient dans le besoin, en actions de grâces à Allah (qu'Il soit exalté !). Et le vizir exécuta immédiatement l'ordre qu'il avait reçu.

Alors le roi vint retrouver sa belle esclave, et s'assit auprès d'elle, et la serra contre son cœur et l'embrassa, et lui dit : « Ô ma maîtresse, ô reine de ma vie et de mon âme, peux-tu maintenant me dire pourquoi tu as gardé vis-à-vis de moi et de nous tous ce silence inébranlable de jour et de nuit, depuis déjà une année que tu es entrée dans nos demeures, et pourquoi tu t'es décidé à m'adresser la parole aujourd'hui seulement ? » L'adolescente répondit : « Comment n'aurais-je pas gardé le silence, ô roi, alors que, réduite à la condition d'esclave, je me voyais ici devenue une pauvre étrangère au cœur brisé, séparée pour toujours de ma mère, de mon frère, de mes parents, et éloignée de mon pays natal ? » Le roi répondit : « J'entre dans tes peines et je les comprends ! Mais comment peux-tu dire que tu es une pauvre étrangère, alors que dans ce palais tu es la maîtresse et la reine, que tout ce qui s'y trouve est ta propriété, et que moi-même, le roi, je suis un esclave à ton service ! En vérité, ce sont là des paroles qui ne sont pas à leur place ! Et si tu es chagrinée d'être séparée de tes parents, pourquoi ne me l'avoir pas dit afin que je les envoie chercher et te réunisse ici même avec eux ? »

À ces paroles, la belle esclave dit au roi : « Sache donc, ô roi, que je m'appelle Gul-i-anar, ce qui dans la langue de mon pays, signifie Fleur-de-Grenade ; et je suis née dans la mer, où mon père était roi. Lorsque mon père mourut, j'eus un jour à me plaindre de certains procédés de ma mère, qui s'appelle Sauterelle, et de mon frère, qui s'appelle Saleh ; et je jurai que je ne resterais plus dans la mer, en leur compagnie, et que je sortirais sur le rivage et me donnerais au premier homme de la terre qui me plairait. Donc, une nuit que la reine ma mère et mon frère Saleh s'étaient endormis de bonne heure, et que notre palais était plongé dans le silence sous-marin, je me glissai hors de ma chambre et, montant à la surface de l'eau, j'allai m'étendre sur le rivage d'une île, au clair de lune. Et là, gagnée par la fraîcheur délicieuse qui tombait des étoiles, et caressée par la brise de la terre, je me laissai gagner par le sommeil. Et soudain je me réveillai, en sentant quelque chose s'abattre sur moi, et je me vis en la possession d'un homme qui me chargea sur son dos et, malgré mes cris et mes protestations, me transporta dans sa maison où il m'étendit sur le dos et voulut abuser de moi par la force. Or moi, voyant que cet homme était laid et sentait mauvais, je ne voulus point me laisser faire, et, rassemblant toutes mes forces, je lui appliquai sur la figure un violent coup de poing qui l'envoya rouler à terre à mes pieds, et je me jetai sur lui et lui administrai une telle raclée qu'il ne voulut plus me garder chez lui et me conduisit en toute hâte au souk, où il me cria aux enchères et me vendit à ce marchand auquel tu m'as achetée toi-même, ô roi ! Et, comme ce marchand était un homme plein de conscience et de droiture, il ne voulut point à son tour, me voyant si jeune, abuser de ma virginité ; et il me fit voyager avec lui et me conduisit entre tes mains. Et telle est mon histoire ! Or, moi, en entrant ici, j'étais bien résolue à ne point me laisser faire ; et j'étais décidée, à la première violence de ta part, à me jeter à la mer, par les fenêtres du pavillon, pour aller retrouver ma mère et mon frère. Et j'ai gardé le silence par fierté, pendant tout ce temps. Mais en voyant que ton cœur m'aimait vraiment et que tu avais délaissé pour moi toutes tes favorites, je commençai à être gagnée par tes bonnes manières ; et, me voyant enfin enceinte de toi, je finis par t'aimer, et je laissai de côté toute idée de m'échapper désormais et de sauter dans la mer, ma patrie. Et d'ailleurs de quel œil et de quelle audace pourrais-je le faire maintenant que je suis enceinte et que ma mère et mon frère, en me voyant dans cet état et en apprenant mon union avec un homme de la terre, risqueraient de mourir de chagrin, et ne me croiraient pas si je leur disais que je suis devenue la reine de la Perse et du Khorassân, et l'épouse du plus magnanime des sultans ! Et voilà ce que j'avais à te dire, ô roi Schahramân ! Ouassalam…

À ce moment de sa narration, Schahrazade vit apparaître le matin et, discrète, se tut.

Mais lorsque fut la cinq cent trentième nuit. Elle dit :

… Et voilà ce que j'avais à te dire, ô Schahramân ! Ouassalam ! »

À ce discours, le roi embrassa son épouse entre les yeux, et lui dit : « Ô charmante Fleur-de-Grenade, ô native de la mer, ô merveilleuse, ô princesse, lumière de mes yeux, quelles merveilles tu viens de me révéler ! Certes, si jamais tu me quittais, ne fût-ce que pour un instant, je mourrais au même moment ! » Puis il ajouta : « Mais, ô Fleur-de-Grenade, tu m'as dit que tu étais née dans la mer, et que ta mère Sauterelle et ton frère Saleh habitaient dans la mer avec tes autres parents, et que ton père était, de son vivant, roi de la mer ! Or, je ne comprends pas tout à fait l'existence des êtres maritimes, et jusqu'à présent je traitais de radotages de vieilles femmes les histoires que l'on me racontait à ce sujet. Mais puisque tu m'en parles, et que tu es toi-même une native de la mer, je ne doute plus de la réalité de ces faits, et je te prie de mieux m'éclairer sur ta race et les peuples inconnus qui habitent ta patrie. Dis-moi surtout comment il se peut que l'on puisse vivre, agir ou se mouvoir dans l'eau sans étouffer ou se noyer. Car c'est la chose la plus prodigieuse que j'aie entendue de ma vie ! »

Alors Fleur-de-Grenade répondit : « Certes ! je te dirai tout cela, et de cœur amical ! Sache que, grâce à la vertu des noms gravés sur le sceau de Soleïmân ben-Daoûd (sur eux deux la prière et la paix), nous vivons et marchons au fond de la mer comme on vit et on marche sur la terre ; et nous respirons dans l'eau comme on respire dans l'air ; et l'eau, au lieu de nous étouffer, entretient notre vie, et ne peut même mouiller nos vêtements ; et elle ne nous empêche pas de voir dans la mer, où nous gardons les yeux ouverts sans aucun inconvénient ; et nous avons des yeux si excellents qu'ils percent les profondeurs maritimes, malgré leur masse et leur étendue, et nous font distinguer tous les objets aussi bien quand le soleil fait pénétrer ses rayons jusqu'à nous, que lorsque la lune et les étoiles se mirent dans nos eaux.

Quant à notre royaume, il est bien plus vaste que tous les royaumes de la terre, et se trouve divisé en provinces où il y a de grandes villes bien peuplées. Et ces peuples sont, comme sur la terre, suivant les régions qu'ils occupent, de mœurs et de coutumes différentes, et aussi de conformation différente ; les uns sont des poissons ; les autres des demi-poissons, moitié humains, avec une queue qui remplace leurs pieds et leur derrière ; et les autres, comme nous, tout à fait des humains qui croient en Allah et en son Prophète, et parlent un langage qui est le même que celui dans lequel est gravée l'inscription du sceau de Soleïmân. Mais pour ce qui est de nos demeures, ce sont des palais splendides, d'une architecture que vous ne pourriez jamais imaginer sur la terre ! Ils sont de cristal de roche, de nacre, de corail, d'émeraude, de rubis, d'or, d'argent et de toutes sortes de métaux précieux et de pierreries, sans parler des perles qui, de quelque grosseur ou de quelque beauté qu'elles soient, ne sont pas bien estimées chez nous, et n'ornent que les demeures des pauvres et des indigents. Enfin, quant à ce qui est de nos moyens de transport, comme notre corps est doué d'une agilité et d'un glissement merveilleux, nous n'avons pas besoin, comme vous autres, de chevaux et de chars, bien que nous en ayons dans nos écuries pour nous en servir seulement dans les fêtes, les réjouissances publiques et les expéditions lointaines. Bien entendu, ces chars sont formés de nacre et de métaux précieux, et sont pourvus de sièges et de trônes en pierreries, et nos chevaux marins sont si beaux que nul roi de la terre ne possède les pareils ! Mais je ne veux pas, ô roi, t'entretenir plus longtemps des pays marins, car je me réserve, dans le courant de notre vie qui sera longue, si Allah veut, de te parler d'une infinité d'autres détails qui achèveront de te mettre au courant de cette question qui t'intéresse. Pour le moment, je me hâte d'arriver à une chose beaucoup plus pressante et qui te touche plus directement. Je veux parler des couches de femmes. Sache, en effet, ô mon maître, que les couches des femmes de mer sont absolument différentes des couches des femmes de terre ! Or, comme le moment de mes couches est tout proche, je crains fort que les sages-femmes de ton pays ne m'accouchent de travers ! Je te prie donc de me permettre de faire venir chez moi ma mère Sauterelle et mon frère Saleh et mes autres parents ; et je me réconcilierai avec eux ; et mes cousines, aidées par ma mère, veilleront à la sûreté de mes couches et prendront soin du nouveau-né, héritier de ton trône…

À ce moment de sa narration, Schahrazade vit apparaître le matin et, discrète, se tut.

Mais lorsque fut la cinq cent trente et unième nuit. Elle dit :

… Et mes cousines, aidées par ma mère, veilleront à la sûreté de mes couches et prendront soin du nouveau-né, héritier de ton trône ! »

En entendant ces paroles, le roi, émerveillé, s'écria : « Ô Fleur-de-Grenade, tes désirs sont ma règle de conduite, et je suis l'esclave qui obéit aux ordres de sa maîtresse ! Mais, dis-moi, ô merveilleuse, comment vas-tu pouvoir en si peu de temps aviser ta mère, ton frère et tes cousines, et les faire venir avant tes couches dont le moment est si proche ? En tout cas, je tiens à le savoir au plus tôt, pour tâcher de faire les préparatifs nécessaires et les recevoir avec tous les honneurs qu'ils méritent ! » Et la jeune reine répondit : « Ô mon maître, il n'est guère besoin entre nous de cérémonies ! » Et d'ailleurs mes parents vont être ici dans un instant. Et si tu tiens à voir de quelle manière ils vont arriver, tu n'as qu'à entrer dans cette chambre voisine de la mienne, et à me regarder et à regarder aussi par les fenêtres qui donnent sur la mer. » Aussitôt le roi Schahramân entra dans la chambre voisine, et regarda avec attention aussi bien ce qu'allait faire Fleur-de-Grenade que ce qui allait se produire sur la mer.

Et Fleur-de-Grenade tira de son sein deux morceaux de bois d'aloès des îles Comores, les mit dans une cassolette d'or, et les alluma. Et dès que s'en dégagea la fumée, elle lança un sifflement long et aigu, et prononça sur la cassolette des paroles inconnues et des formules conjuratoires. Et, au même moment, la mer se troubla et s'agita, puis s'entrouvrit, et il en sortit d'abord un adolescent beau comme la lune et de belle taille, et semblable, quant au visage et à l'élégance, à Fleur-de-Grenade, sa sœur ; et ses joues étaient blanches et roses, et ses cheveux et ses moustaches naissantes étaient d'un vert de mer ; et, comme dit le poète, il était plus merveilleux que la lune elle-même, car si la lune a pour demeure ordinaire un seul signe du ciel, cet adolescent habite indistinctement dans tous les cœurs ! Après quoi il sortit de la mer une vieille très ancienne, aux cheveux blancs, qui était dame Sauterelle, mère de l'adolescent et de Fleur-de-Grenade. Et elle fut immédiatement suivie de cinq jeunes filles belles comme des lunes, qui avaient une certaine ressemblance avec Fleur-de-Grenade, dont elles étaient les cousines. Et l'adolescent et les dix femmes marchèrent sur la mer, et s'avancèrent à pied sec jusque sous les fenêtres du pavillon. Et là ils prirent leur élan et sautèrent avec légèreté l'un après l'autre sur la fenêtre où leur était apparue Fleur-de-Grenade qui s'effaça à temps pour les laisser entrer.

Alors le prince Saleh et sa mère et ses cousines se jetèrent au cou de Fleur-de-Grenade, et l'embrassèrent avec effusion en pleurant de joie de l'avoir retrouvée, et lui dirent : « Ô Gul-i-anar, comment as-tu pu avoir le cœur de nous quitter et de nous tenir pendant quatre ans sans nouvelles de ta part et sans même nous indiquer l'endroit où tu te trouvais ? Ouallah ! le monde s'est rétréci sur nous, tant nous étions accablés de la douleur de ta séparation ! Et nous n'éprouvions plus de plaisir à manger et à boire, car tous les aliments étaient devenus insipides à notre goût ! Et nous ne savions que pleurer et sangloter le jour et la nuit, de toute la douleur cuisante de ta séparation ! Ô Gul-i-anar ! vois comme notre visage est amaigri et jauni de tristesse ! » Et Fleur-de-Grenade, à ces paroles, baisa la main de sa mère et de son frère, le prince Saleh, et embrassa de nouveau ses cousines chéries, et leur dit à tous : « Certes ! j'ai commis une grande faute envers votre tendresse en partant sans vous prévenir ! Mais que peut-on contre la destinée ? Réjouissons-nous maintenant de nous retrouver, et rendons-en grâce à Allah le Bienfaiteur ! » Puis elle les fit tous s'asseoir auprès d'elle, et leur raconta toute son histoire depuis le commencement jusqu'à la fin ! Mais il est inutile de la répéter. Puis elle ajouta : « Et maintenant que je suis mariée à ce roi excellent et parfait à la limite des perfections, qui m'aime et que j'aime, et qui m'a rendue enceinte, je vous ai fait venir pour me réconcilier avec vous et vous prier de m'assister dans mes couches. Car je n'ai point confiance dans les sages-femmes terriennes qui ne comprennent rien aux accouchements des Filles de la mer ! » Alors dame Sauterelle, sa mère, répondit : « Ô ma fille, en te voyant dans ce palais d'un prince de la terre, nous avons eu bien peur que tu ne fusses malheureuse ; et nous étions prêtes à te presser de nous suivre dans notre patrie, car tu sais notre amour pour toi et le degré d'affection et d'estime où nous te tenons, et notre désir de te savoir heureuse, tranquille et sans soucis ! Mais du moment que tu nous affirmes que tu es heureuse, que pourrions-nous pour toi souhaiter de meilleur ?…

À ce moment de sa narration, Shahrazade vit apparaître le matin et, discrète, se tut.

Mais lorsque fut la cinq cent trente-deuxième nuit. Elle dit :

… Mais du moment que tu nous affirmes que tu es heureuse, que pourrions-nous pour toi souhaiter de meilleur ? Et c'eût été, sans doute, tenter la destinée que de te vouloir, malgré le sort contraire, mariée à un de nos princes de la mer. » Et Fleur-de-Grenade répondit : « Oui, par Allah ! je suis ici à la limite de la tranquillité, des délices, des honneurs, de la félicité et de tous mes vœux ! »

Tout cela ! Et le roi entendait ce que disait Fleur-de-Grenade ; et il se réjouissait en son cœur et la remerciait en son âme de ces bonnes paroles ; et il l'en aima mille milliers de fois plus qu'auparavant, et pour toujours l'amour qu'il lui portait se consolida dans le noyau de son cœur ; et il se promit bien de lui donner de nouvelles preuves d'attachement et de passion par tous les endroits possibles !

Après quoi, Fleur-de-Grenade frappa des mains pour appeler ses esclaves et leur donna l'ordre de tendre la nappe et de servir les mets dont elle alla elle-même surveiller la cuisson à la cuisine. Et les esclaves apportèrent les grands plateaux couverts de viandes rôties, de pâtisseries et de fruits ; et Fleur-de-Grenade invita ses parents à s'asseoir avec elle autour de la nappe et à manger. Mais ils répondirent : « Non, par Allah ! nous n'en ferons rien avant que tu ne sois allée prévenir le roi, ton époux, de notre arrivée. Car nous sommes entrés dans sa demeure sans sa permission, et il ne nous connaît pas ! Ce serait donc une grande incivilité de manger dans son palais et de profiter de son hospitalité à son insu ! Va donc le prévenir, et dis-lui combien nous serions heureux de le voir et de faire en sorte qu'il y ait entre nous le pain et le sel ! »

Alors Fleur-de-Grenade alla trouver le roi, qui se tenait caché dans la chambre voisine, et lui dit : « Ô mon maître, tu as sans doute entendu comment j'ai fait ton éloge devant mes parents, et comment ils étaient décidés à m'emmener avec eux si je leur avais dit la moindre chose qui pût leur faire croire que je n'étais pas dans le bonheur avec toi ! » Et le roi répondit : « J'ai entendu et j'ai vu ! Ouallahi ! C'est dans cette heure bénie que j'ai eu la preuve de ton attachement pour moi, et je ne puis plus douter de ton affection ! » Fleur-de-Grenade dit : « Aussi, après toutes les louanges que je leur ai faites de toi, je dois te dire que ma mère, mon frère et mes cousines ont éprouvé pour toi une affection considérable, et je puis t'assurer qu'ils t'aiment grandement. Et ils m'ont dit qu'ils ne voulaient pas retourner dans leur pays avant de t'avoir vu, de t'avoir présenté leurs hommages et fait leurs souhaits, et d'avoir causé amicalement avec toi ! Je te prie donc de te rendre à leurs désirs, et de venir accepter et leur rendre leurs souhaits, afin que tu les voies et qu'ils te voient, et qu'entre vous soit la pure affection et l'amitié ! » Et le roi répondit : « Entendre, c'est obéir ! car tel est aussi mon désir ! » Et il se leva à l'instant et accompagna Fleur-de-Grenade dans la salle où se tenaient ses parents.

Et, dès qu'il fut entré, il leur souhaita la paix de la manière la plus cordiale, et ils lui rendirent son salam ; et il baisa la main de la vieille dame Sauterelle, et embrassa le prince Saleh, et les invita tous à s'asseoir. Alors le prince Saleh lui fit ses compliments, et lui exprima la joie qu'ils éprouvaient tous de voir Fleur-de-Grenade devenue l'épouse d'un grand roi, au lieu de tomber entre les mains d'un brutal qui l'aurait déflorée, pour la donner ensuite en mariage à quelque chambellan ou à son cuisinier. Et il lui dit combien ils aimaient tous Fleur-de-Grenade, et comme quoi ils avaient voulu anciennement, avant même qu'elle fût pubère, la marier à quelque prince de la mer ; mais que, poussée par sa destinée, elle s'était échappée des pays sous-marins pour se marier à sa guise ! Et le roi répondit : « Oui ! Allah me la destinait. Et je vous remercie, ma belle-mère, la reine Sauterelle, et toi, prince Saleh, et mes cousines si gentilles de vos souhaits et de vos compliments, et de ce que vous voulez bien donner à mon mariage votre consentement ! » Puis le roi les invita à se mettre avec lui autour de la nappe, et s'entretint longtemps avec eux en toute cordialité, et les conduisit ensuite lui-même chacun à son appartement !

Les parents de Fleur-de-Grenade restèrent donc au palais, au milieu des fêtes et des réjouissances données en leur honneur, jusqu'aux couches de la reine, qui ne tardèrent pas à survenir. En effet, au terme fixé, elle accoucha, entre les mains de la reine Sauterelle et de ses cousines, d'un enfant mâle, beau comme la lune en son plein, et rose et dodu. Et on le présenta, enveloppé de langes magnifiques, au roi Schahramân, son père, qui le reçut avec les transports d'une joie que ni la plume ni la langue ne sauraient décrire. Et, en actions de grâces, il fit de grandes largesses aux pauvres, aux veuves et aux orphelins, et fit ouvrir les prisons et donner la liberté à tous ses esclaves des deux sexes ; mais les esclaves ne voulurent point de la liberté, tant ils se trouvaient heureux sous un pareil maître. Puis, au bout de sept jours de réjouissances continuelles, au milieu de toutes les félicités, la reine Fleur-de-Grenade, avec l'assentiment de son époux, de sa mère et de ses cousines, donna à son fils le nom de Sourire-de-Lune...

À ce moment de sa narration, Schahrazade vit apparaître le matin et, discrète, se tut.

Mais lorsque fut la cinq cent trente-troisième nuit. Elle dit :

... La reine Fleur-de-Grenade, avec l'assentiment de son époux, de sa mère et de ses cousines, donna à son fils le nom de Sourire-de-Lune.

Alors le prince Saleh, frère de Fleur-de-Grenade et oncle de Sourire-de-Lune, prit le petit dans ses bras, et se mit à le baiser et à le caresser de mille manières, en le promenant par la chambre et en le tenant en l'air dans ses mains ; et soudain il prit son élan et, du haut du palais, sauta dans la mer, où il disparut avec le petit.

À cette vue, le roi Schahramân, saisi d'épouvante et de douleur, se mit à pousser des cris désespérés et à se donner de si grands coups sur la tête qu'il en faillit mourir. Mais la reine Fleur-de-Grenade, loin de se montrer effrayée ou affligée de la chose, dit au roi d'un ton assuré : « Ô roi du temps, ne te désespère pas pour si peu de chose, et sois sans aucune crainte au sujet de ton fils ! car moi, qui certainement aime cet enfant bien plus que toi, je suis tranquille, le sachant avec mon frère qui, s'il savait que le petit devait avoir la moindre incommodité ou prendre froid ou seulement être mouillé, n'aurait pas fait ce qu'il vient de faire. Sois sûr que l'enfant ne court aucun risque ni danger du côté de la mer, quoiqu'il soit à demi de ton sang ! Mais à cause de l'autre moitié qu'il tient de mon sang, il peut impunément vivre dans l'eau, comme sur la terre. Ne sois donc plus alarmé, et sois, en outre, persuadé que mon frère ne va pas tarder à revenir avec l'enfant en bonne santé ! » Et la reine Sauterelle et les jeunes tantes de l'enfant confirmèrent au roi les paroles de son épouse. Mais le roi ne commença à se calmer que lorsqu'il vit la mer se troubler et s'agiter et que, de son sein entrouvert, sortit, tenant le petit dans ses bras, le prince Saleh qui s'éleva dans les airs, d'un saut, et rentra dans la salle haute par la même fenêtre d'où il était sorti. Et le petit était aussi tranquille que s'il était sur le sein de sa mère et, il souriait comme la lune à son quatorzième jour.

À cette vue, le roi fut tout à fait tranquillisé et émerveillé ; et le prince Saleh lui dit : « Sans doute, ô roi, tu as dû ressentir une grande frayeur en me voyant sauter et plonger dans la mer avec le petit ? » Et le roi répondit : « Certes ! ô fils de l'oncle, mon épouvante a été extrême, et j'avais même désespéré de le revoir jamais sain et sauf ! » Le prince Saleh dit : « Sois désormais sans crainte à son sujet, car il est pour toujours à l'abri des dangers de l'eau, de la noyade, de l'étouffement, du mouillage et autres choses semblables, et il peut, toute sa vie durant, plonger dans la mer et s'y promener à son aise ; car je lui ai fait acquérir le même privilège qu'à nos propres enfants nés dans la mer, et cela en lui frottant les cils et les paupières avec un certain kohl que je connais, et en prononçant sur lui les Paroles mystérieuses gravées sur le sceau de Soleïmân ben-Daoûd (sur eux deux la paix et la prière !). »

Après ce discours, le prince Saleh remit le petit à sa mère, qui lui donna à téter ; puis il tira de sa ceinture un sac dont l'ouverture était scellée, en fit sauter le cachet, et, l'ayant ouvert, il le prit par le fond et en versa le contenu sur le tapis. Et le roi vit scintiller des diamants gros comme des œufs de pigeon, des bâtons d'émeraude de la longueur d'un demi-pied, des filets de grosses perles, des rubis d'une couleur et d'une taille extraordinaires, et toutes sortes de joyaux plus merveilleux les uns que les autres. Et toutes ces pierreries lançaient mille feux multicolores qui éclairaient la salle d'une harmonie de lumières semblables à celles que l'on voit dans les rêves. Et le prince Saleh dit au roi : « Ceci est un cadeau que j'apporte, pour m'excuser d'être venu ici les mains vides la première fois. Mais alors je ne savais point où se trouvait ma sœur Fleur-de-Grenade, et je ne me doutais point que son heureuse destinée l'eût mise sur le chemin d'un roi tel que toi ! Mais ce cadeau n'est encore rien en comparaison de ceux que je me réserve de te faire dans les jours à venir ! » Et le roi ne sut comment remercier son beau-frère de ce cadeau, et se tourna vers Fleur-de-Grenade et lui dit : « Vraiment, je suis confus à l'extrême de la générosité de ton frère à mon égard, et de la magnificence de ce cadeau qui n'a point de pareil sur la terre et dont une seule des pierres vaut mon royaume en entier : « Et Fleur-de-Grenade remercia son frère d'avoir pensé à s'acquitter des devoirs de la parenté ; mais il se tourna vers le roi et lui dit : « Par Allah, ô roi, cela n'est même pas digne de ton rang ! Quant à nous, jamais nous ne saurons assez nous acquitter des dettes que ta bonté nous a fait contracter ; et si même nous tous, nous passions mille années à te servir sur nos visages et nos yeux, nous ne pourrions te rendre ce que nous te devons ; car tout est peu, en proportion de tes droits sur nous ! »

À ces paroles, le roi embrassa le prince Saleh, et le remercia chaleureusement. Puis il l'obligea à rester encore au palais quarante jours avec sa mère et ses cousines, au milieu des fêtes et des réjouissances. Mais, au bout de ce temps, le prince Saleh se présenta devant le roi et embrassa la terre entre ses mains. Et le roi lui demanda : « Parle, ô Saleh ! Que souhaites-tu ? » Il répondit : « Ô roi du temps, en vérité nous sommes les noyés de tes faveurs, mais nous venons te demander la permission de partir, car notre âme souhaite vivement de revoir notre patrie, nos parents et nos demeures, depuis si longtemps que nous en sommes éloignés ! Et puis un séjour trop prolongé sur terre est nuisible à notre santé, car nous sommes habitués au climat sous-marin...

À ce moment de sa narration, Schahrazade vit apparaître le matin et, discrète, se tut.

Mais lorsque fut la cinq cent trente-quatrième nuit. Elle dit :

... Un séjour trop prolongé sur terre est nuisible à notre santé, car nous sommes habitués au climat sous-marin ! » Et le roi répondit : « Quel chagrin pour moi, ô Saleh ! » Il dit : « Et pour nous également ! Mais, ô roi, nous reviendrons de temps en temps pour te rendre nos hommages et revoir Fleur-de-Grenade et Sourire-de-Lune. » Et le roi dit : « Oui, par Allah ! faites-le, et souvent ! Quant à moi, je suis bien triste de ne pouvoir t'accompagner, ainsi que la reine Sauterelle et mes cousines, dans ton pays de sous-mer, vu que je crains beaucoup l'eau ! » Alors ils prirent tous congé de lui, et après avoir embrassé Fleur-de-Grenade et Sourire-de-Lune, ils s'élancèrent par la fenêtre, l'un après l'autre, et plongèrent dans la mer. Et voilà pour eux !

Mais pour ce qui est du petit Sourire-de-Lune, voici ! Sa mère, Fleur-de-Grenade, ne voulut point le confier aux nourrices, et lui donna elle-même le sein jusqu'à ce qu'il eût atteint l'âge de quatre ans, afin qu'il suçât avec son lait toutes les vertus marines. Et l'enfant, d'avoir été si longtemps nourri du lait de sa mère, la native de la mer, devint plus beau de jour en jour et plus robuste ; et, à mesure qu'il avançait en âge, il augmentait en force et en agréments ; de telle sorte que lorsqu'il eut atteint sa quinzième année il devint l'adolescent le plus beau, le plus solide, le plus adroit dans les exercices du corps, le plus sage et le plus instruit d'entre les fils des rois de son temps. Et dans tout l'immense empire de son père, il n'était question chaque jour dans les conversations que de ses mérites, de ses charmes et de ses perfections ; car vraiment il était beau ! Et le poète n'exagérait point, qui de lui disait :

« Le duvet adolescent a tracé deux lignes sur ses charmantes joues, deux lignes noires sur du rose, ambre gris sur des perles, ou jais sur des pommes !

Les traits assassins logent sous ses languides paupières, et à chacun de ses regards ils partent et tuent !

Quant à l'ivresse, ne la cherchez pas dans les vins ! Ils ne vous la donneraient pas à l'égal de ses joues rougies par vos désirs et sa pudeur.

Ô broderies, merveilleuses et noires broderies dessinées sur ses joues éclatantes, vous êtes un chapelet de grains de musc éclairés par une lampe qui brûle dans les ténèbres ! »

Aussi le roi, qui aimait son fils d'un très grand amour et qui voyait en lui tant de qualités royales, voulut, se sentant lui-même vieillir et approcher du terme de son destin, lui assurer de son vivant la succession au trône. Dans ce but, il convoqua ses vizirs et les grands de son empire, qui savaient combien le jeune prince était en tous points digne de lui succéder, et leur fit prêter le serment d'obéissance à leur nouveau roi ; puis il descendit devant eux du trône, ôta la couronne de dessus sa tête et la mit de ses propres mains sur la tête de son fils Sourire-de-Lune ; et il le soutint par les aisselles et le fit monter et s'asseoir sur le trône à sa place ; et, pour bien marquer qu'il lui remettait désormais toute son autorité et son pouvoir, il embrassa la terre entre ses mains et, se relevant, il lui baisa la main et le plan de son manteau royal, et descendit se placer au-dessous de lui, à droite, tandis que, à gauche, se tenaient les vizirs et les émirs.

Aussitôt le nouveau roi Sourire-de-Lune se mit à juger, à régler les affaires pendantes, à nommer aux emplois ceux qui méritaient une faveur, à destituer les prévaricateurs, à défendre les droits du faible contre le fort et ceux du pauvre contre le riche, et à s'occuper de la justice avec tant de sagesse, d'équité et de discernement qu'il émerveilla son père, et les vieux vizirs de son père, et tous les assistants. Et il ne leva le diwân qu'à midi.

Alors, accompagné du roi son père, il entra chez la reine sa mère, la native de la mer ; et il portait sur sa tête la couronne d'or de la royauté, et était ainsi vraiment beau comme la lune. Et sa mère, le voyant si beau avec cette couronne-là, courut à lui, en pleurant d'émotion, et se jeta à son cou en l'embrassant avec tendresse et effusion ; puis elle lui baisa la main et lui souhaita règne prospère, longue vie et victoires sur les ennemis.

Et tous les trois vécurent de la sorte, au milieu du bonheur et de l'amour de leurs sujets, pendant la longueur d'une année, au bout de laquelle le vieux roi Schahramân sentit, un jour, son cœur battre précipitamment et n'eut que juste le temps d'embrasser son épouse et son fils, et de leur faire ses dernières recommandations. Et il mourut avec une très grande tranquillité, et s'en alla en la miséricorde d'Allah (qu'Il soit exalté !)...

À ce moment de sa narration, Schahrazade vit apparaître le matin et, discrète, se tut.

Mais lorsque fut la cinq cent trente-cinquième nuit. Elle dit :

... Et il mourut avec une très grande tranquillité, et s'en alla en la miséricorde d'Allah (qu'Il soit exalté !). Et le deuil et l'affliction furent grands de Fleur-de-Grenade et du roi Sourire-de-Lune, et ils le pleurèrent un mois entier sans voir personne, et lui élevèrent un tombeau digne de sa mémoire auquel furent attachés des biens de mainmorte au bénéfice des pauvres, des veuves et des orphelins.

Et, pendant cet intervalle, ne manquèrent pas d'arriver, pour prendre part à l'affliction générale, la grand-mère, dame Sauterelle, et l'oncle du roi, le prince Saleh, et les tantes du roi, natives de la mer. Et, d'ailleurs, ils étaient déjà venus plusieurs fois visiter leurs parents, du vivant du vieux roi. Et ils pleurèrent beaucoup de n'avoir pu assister à ses derniers moments. Et ils mirent tous leur douleur en commun ; et ils se consolaient mutuellement à tour de rôle ; et ils finirent, au bout d'un très long temps, par faire un peu oublier au roi la mort de son père, et le décidèrent à reprendre ses séances au diwân et à s'occuper des affaires de son royaume. Et il les écouta et consentit, après bien des résistances, à revêtir de nouveau ses habits royaux ouvragés d'or et constellés de pierreries, et à ceindre le diadème. Et il reprit en main l'autorité et rendit la justice, avec l'approbation universelle et le respect des grands et des petits ; et cela pendant encore une année.

Or, un après-midi, le prince Saleh, qui depuis un certain temps, n'était pas revenu voir sa sœur et son neveu, sortit de la mer et entra dans la salle où se tenaient à ce moment la reine et Sourire-de-Lune. Et il leur fit ses salams, et les embrassa ; et Fleur-de-Grenade lui dit : « Ô mon frère, comment vas-tu ; et comment va ma mère, et comment vont mes cousines ? » Il répondit : « Ô ma sœur, elles vont très bien et sont dans la tranquillité et le contentement, et il ne leur manque que la vue de ton visage et du visage de mon neveu le roi Sourire-de-Lune ! » Et ils se mirent à causer de choses et d'autres, en mangeant des noisettes et des pistaches ; et le prince Saleh en vint à parler, avec de grandes louanges, des qualités de son neveu Sourire-de-Lune, de sa beauté, de ses charmes, de ses proportions, de ses manières exquises, de son adresse dans les tournois, et de sa sagesse. Et le roi Sourire-de-Lune, qui était là, étendu sur le divan et la tête appuyée sur les coussins, entendant ce que disaient de lui sa mère et son oncle, ne voulut pas avoir l'air de les écouter, et feignit de dormir. Et de la sorte il put entendre commodément ce qu'ils continuaient à dire sur son compte.

En effet, le prince Saleh, voyant son neveu endormi, parla plus librement à sa sœur Fleur-de-Grenade, et lui dit : « Tu oublies, ma sœur, que ton fils va bientôt avoir dix-sept ans, et qu'à cet âge il faut bien songer à marier les enfants ! Or, moi, le voyant si beau et si fort, et sachant qu'à son âge on a des besoins qu'il faut satisfaire d'une façon ou d'une autre, j'ai bien peur qu'il ne lui arrive des choses désagréables. Il est donc de toute nécessité de le marier, en lui trouvant parmi les Filles de la mer une princesse qui lui soit égale en charmes et en beauté ! » Et Fleur-de-Grenade répondit : « Certes ! tel est aussi mon intime désir, car je n'ai qu'un fils, et il est temps qu'il ait, lui aussi, un héritier au trône de ses pères ! Je te prie donc, ô mon frère, de rappeler à ma mémoire les jeunes filles de notre pays, car il y a si longtemps que j'ai quitté la mer que je ne me souviens plus de celles qui sont belles et de celles qui sont laides ! » Alors Saleh se mit à énumérer à sa sœur les plus belles princesses de la mer, l'une après l'autre, en pesant soigneusement leurs qualités, et le pour et le contre, et les avantages et les désavantages. Et, chaque fois, la reine Fleur-de-Grenade répondait : « Ah ! non, je ne veux pas de celle-ci, à cause de sa mère, ni de celle-ci à cause de son père, ni de celle-ci à cause de sa tante dont la langue est trop longue, ni de celle-là à cause de sa grand-mère qui sent mauvais, ni de celle-là à cause de son ambition et de son œil vide ! » et ainsi de suite, refusant toutes les princesses que Saleh lui énumérait.

Alors Saleh lui dit : « Ô ma sœur, tu as raison d'être difficile dans le choix d'une épouse pour ton fils qui n'a point son pareil sur la terre et sous la mer ! Mais je t'ai déjà énuméré toutes les jeunes filles disponibles, et il ne m'en reste plus qu'une seule à te proposer ! » Puis il s'arrêta et, hésitant, il dit : « Il faut auparavant que je m'assure si mon neveu est bien endormi ; car je ne puis te parler de cette jeune fille devant lui : j'ai des motifs pour prendre cette précaution…

À ce moment de sa narration, Schahrazade vit apparaître le matin et, discrète, se tut.

Mais lorsque fut la cinq cent trente-sixième nuit. Elle dit :

… Je ne puis te parler de cette jeune fille devant lui : j'ai des motifs pour prendre cette précaution ! »

Alors Fleur-de-Grenade s'approcha de son fils et le tâta et le palpa et l'écouta respirer ; et, comme il avait l'air d'être plongé dans un pesant sommeil, car il avait mangé d'un plat d'oignons qu'il affectionnait beaucoup et qui lui procurait d'ordinaire une sieste très lourde, elle dit à Saleh : « Il dort ! Tu peux sortir ce que tu as ! » Il dit : « Sache donc, ô ma sœur, que si je prends cette précaution, c'est que j'ai à te parler maintenant d'une princesse de la mer qui est extrêmement difficile à obtenir en mariage, non point à cause d'elle, mais à cause du roi, son père. Aussi il n'est guère utile que mon neveu entende parler d'elle, avant que nous soyons sûrs de l'affaire ; car l'amour, ô ma sœur, tu le sais, se transmet plus souvent par l'oreille que par les yeux, chez nous, musulmans, dont les femmes et les filles ont le visage couvert du voile pudique. » Et la reine dit : « Ô mon frère, tu as raison ! car l'amour est d'abord un jet de miel qui ne tarde pas à se transformer en une vaste mer salée de perdition ! Mais hâte-toi, de grâce ! de me dire le nom de cette princesse et de son père ! » Il dit : « C'est la princesse Gemme, fille du roi Salamandre le marin. »

En entendant ce nom, Fleur-de-Grenade s'écria : « Ah ! je me souviens maintenant de cette princesse Gemme ! Quand je vivais encore dans la mer, c'était une enfant d'un an à peine, mais belle entre toutes les petites de son âge. Comme elle doit être devenue merveilleuse, depuis ! » Saleh répondit : « Merveilleuse, elle l'est, en vérité, et ni sur la terre ni dans les royaumes de dessous les eaux on n'a vu pareille beauté ! Oh ! ma sœur, qu'elle est délicieuse et gentille et douce et savoureuse et charmante ! Et un teint ! Et des cheveux ! Et des yeux ! Et une taille ! Et une croupe, heu ! lourde, tendre, et ferme à la fois et nonchalante, et ronde de tous les côtés sans exception ! Si elle se balance, elle fait envie au rameau du bân. Si elle se tourne, les antilopes et les gazelles se cachent ! Si elle se découvre, elle rend honteux le soleil et la lune ! Si elle bouge, elle renverse ! Si elle appuie, elle tue ! Et si elle s'assied, sa trace est si profonde qu'elle ne s'en va plus ! Comment alors, si brillante et si parfaite, ne s'appellerait-elle pas Gemme ? » Et Fleur-de-Grenade répondit : « Certes ! de lui avoir donné ce nom, que sa mère a été bien inspirée d'Allah l'Omniscient ! Voilà vraiment celle qui convient, comme épouse, à mon fils Sourire-de-Lune ! » Tout cela ! Et Sourire-de-Lune feignait de dormir, mais se délectait en son âme et se trémoussait en pensée de l'espoir de posséder bientôt cette princesse marine si pesante et si fine !

Mais Saleh bientôt ajoutait : « Seulement, ô ma sœur, que te dirai-je du père de la princesse Gemme, le roi Salamandre ? C'est un brutal, un grossier, un détestable ! Il a déjà refusé sa fille à plusieurs princes qui la lui demandaient en mariage, et les a même honteusement chassés après leur avoir cassé les os ! Aussi je ne sais trop quel accueil il va nous faire, ni de quel œil il va regarder notre demande ! Et me voici à cause de cela à la limite de la perplexité ! » La reine répondit : « L'affaire est bien délicate ! Et il nous faut y penser longtemps, et ne point secouer l'arbre avant que le fruit soit mûr ! » Et Saleh conclut : « Oui ! réfléchissons, et après, nous verrons ! » Puis, comme, à ce moment, Sourire-de-Lune faisait mine de se réveiller, ils cessèrent de parler, se réservant de reprendre la conversation plus tard, au point où ils la laissaient. Et voilà pour eux !

Quant à Sourire-de-Lune, il se leva sur son séant, comme s'il n'avait rien entendu, et s'étira tranquillement ; mais, en son intérieur, son cœur brûlait d'amour et grésillait comme sur un cendrier rempli de charbons ardents...

À ce moment de sa narration, Schahrazade vit apparaître le matin et, discrète, se tut.

Mais lorsque fut la cinq cent trente-septième nuit. Elle dit :

... Mais, en son intérieur, son cœur brûlait d'amour et grésillait comme sur un cendrier rempli de charbons ardents !

Or, il se garda bien de dire le moindre mot à ce sujet à sa mère et à son oncle, et il se retira de bonne heure et passa seul toute cette nuit-là en proie à ce tourment si nouveau pour lui ; et il réfléchit, lui aussi, au meilleur moyen d'arriver le plus promptement au but de ses désirs. Et il n'est point utile de dire qu'il resta, jusqu'au matin, sans pouvoir fermer l'œil un instant.

Aussi, dès l'aube, il se leva et alla réveiller son oncle Saleh, qui avait passé la nuit au palais, et lui dit : « Ô mon oncle, je désire aller ce matin me promener sur le rivage, car ma poitrine est rétrécie, et l'air de la mer la dilatera. Je te prie donc de m'accompagner dans ma promenade ! » Et le prince Saleh répondit : « Entendre, c'est obéir ! » Et il sauta sur ses deux pieds, et sortit avec son neveu sur le rivage. Longtemps ils marchèrent ensemble, sans que Sourire-de-Lune adressât la parole à son oncle. Et il était pâle, avec des larmes dans le coin des yeux. Mais soudain il s'arrêta et, s'étant assis sur un rocher, il improvisa ces vers et les chanta, en regardant la mer :

Si l'on me dit,
Au milieu de l'incendie,
Alors que flambe mon cœur,
Si l'on me dit :
— La voir, préfères-tu,
Ou boire une gorgée
D'eau fraîche et pure ?
Que répondras-tu ?
— La voir et mourir !
Ô cœur devenu si tendre,
Depuis qu'en toi s'est incrustée
La Gemme de Salamandre !

Lorsque le prince Saleh eut entendu ces vers chantés tristement par le roi son neveu, il frappa ses mains l'une contre l'autre, à la limite du désespoir, et s'écria : « La ilah ill'Allah ! oua Mohammâd rassoul Allah ! Et il n'y a de majesté et de puissance qu'en Allah le Glorieux, le Très-Grand ! Ô mon enfant, tu as donc entendu ma conversation d'hier avec ta mère au sujet de la princesse Gemme, fille du roi Salamandre le marin ? Ô notre calamité ! car je vois, ô mon enfant, que ton esprit et ton cœur travaillent déjà beaucoup à son sujet, alors que rien n'est fait, et que la chose est difficile à traiter ! » Sourire-de-Lune répondit : « Ô mon oncle, c'est la princesse Gemme qu'il me faut, et non point une autre ! Sans quoi je mourrai ! » Il dit : « Alors, ô mon enfant, rentrons auprès de ta mère afin que je la mette au courant de ton état, et lui demande la permission de t'emmener avec moi dans la mer, pour aller au royaume de Salamandre le marin demander pour toi la princesse Gemme en mariage ! » Mais Sourire-de-Lune s'écria : « Non ! ô mon oncle, je ne veux point demander à ma mère une permission qu'elle me refusera certainement ! Car elle aura peur pour moi du roi Salamandre, qui a de mauvaises manières ; et elle me dira aussi que mon royaume ne peut rester sans son roi, et que les ennemis du trône profiteront de mon absence pour usurper ma place ! Je connais ma mère, et je sais d'avance ce qu'elle me dira ! » Puis Sourire-de-Lune se mit à pleurer beaucoup devant son oncle, et ajouta : « Je veux aller tout de suite avec toi chez le roi Salamandre, sans prévenir ma mère ! Et nous reviendrons bien vite, avant qu'elle ait le temps de s'apercevoir de mon absence ! »

Lorsque le prince Saleh vit que son neveu s'obstinait dans cette résolution, il ne voulut pas le peiner davantage, et dit : « Je mets ma confiance en Allah, à tout événement ! » Puis il tira de son doigt une bague sur laquelle étaient gravés quelques noms d'entre les noms, et la passa au doigt de son neveu, en lui disant : « Cette bague te protégera encore mieux contre les dangers sous-marins, et achèvera de te munir de nos vertus maritimes ! » Et tout de suite il ajouta : « Fais comme moi ! » Et il s'éleva légèrement en l'air, en quittant le rocher. Et Sourire-de-Lune, pour l'imiter, frappa du pied le sol, et quitta le rocher pour s'élever avec son oncle dans les airs. Et de là ils décrivirent une courbe descendante vers la mer, où ils plongèrent tous deux…

À ce moment de sa narration, Schahrazade vit apparaître le matin et, discrète, se tut.

Mais lorsque fut la cinq cent trente-huitième nuit. Elle dit :

… Et de là ils décrivirent une courbe descendante vers la mer, où ils plongèrent tous deux.

Et Saleh voulut d'abord montrer à son neveu sa demeure sous-marine, afin que la vieille reine Sauterelle pût recevoir chez elle le fils de sa fille, et que les cousines de Fleur-de-Grenade eussent la joie de revoir chez elles leur cher petit cousin. Et ils ne mirent pas beaucoup de temps à y arriver ; et le prince Saleh introduisit tout de suite Sourire-de-Lune dans l'appartement de l'aïeule. Or, justement, dame Sauterelle était assise au milieu des jeunes filles, ses parents ; et, dès qu'elle vit entrer Sourire-de-Lune, elle le reconnut et éternua de plaisir. Et Sourire-de-Lune s'approcha et lui baisa la main, et baisa la main à ses cousines ; et toutes l'embrassèrent avec émotion, en poussant des cris de joie d'un ton très aigu ; et la grand-mère le fit s'asseoir à côté d'elle et l'embrassa entre les deux yeux, et lui dit : « Ô arrivée bénie ! ô jour de lait ! Tu illumines la demeure, ô mon enfant ! Mais comment va ta mère Fleur-de-Grenade ? » Il répondit : « Elle est en excellente santé et dans le bonheur parfait, et me charge de transmettre ses salams à toi et aux filles de son oncle ! » Voilà ce qu'il dit ! Mais ce n'était pas la vérité, puisqu'il était parti sans prendre congé de sa mère. Mais pendant que Sourire-de-Lune, entraîné par ses cousines qui voulaient lui montrer toutes les merveilles de leur palais, s'était éloigné avec elles, le prince Saleh se hâta de mettre sa mère au courant de l'amour qui était entré par l'oreille de son neveu et s'était emparé de son cœur, sur le seul récit des charmes de la princesse Gemme, fille du roi Salamandre. Et il lui raconta l'aventure depuis le commencement jusqu'à la fin, et ajouta : « Et il n'est venu ici avec moi que pour la demander en mariage à son père ! »

Lorsque la grand-mère du roi Sourire-de-Lune eut entendu ces paroles de Saleh, elle fut à la limite de l'indignation contre son fils, et lui reprocha violemment de n'avoir pas pris assez de précautions pour parler de la princesse Gemme en présence de Sourire-de-Lune, et lui dit : « Tu sais bien pourtant combien le roi Salamandre le marin est un homme violent, plein d'arrogance et de stupidité, et qu'il est avare de sa fille qu'il a refusée déjà à tant de jeunes princes ! Et tu ne crains pas de nous mettre dans une situation humiliante vis-à-vis de lui, en nous amenant à lui faire une demande qu'il repoussera sans aucun doute ! Et alors nous, qui tenons à notre honneur, nous serons bien humiliés et nous reviendrons de là avec le nez allongé certainement ! En vérité, mon fils, dans aucun cas et de n'importe quelle façon, tu n'aurais dû prononcer le nom de cette princesse, surtout devant le fils de ta sœur, fût-il même endormi par un soporifique ! » Saleh répondit : « Oui ! mais la chose est faite maintenant, et le jeune homme est si amoureux de la jeune fille qu'il m'a affirmé que, s'il ne la possédait pas, il mourrait ! Et puis quoi, à la fin ? Sourire-de-Lune est au moins aussi beau que la princesse Gemme, et il est le descendant d'une illustre lignée de rois, et il est lui-même roi d'un puissant empire terrestre ! Car enfin il n'y a pas seulement que ce stupide Salamandre qui soit roi ! Et puis que pourra-t-il m'objecter que je ne puisse résoudre en lui en opposant la contrepartie ? Il me dira que sa fille est riche, je lui dirai que notre fils est plus riche ! Que sa fille est belle, mais notre fils est plus beau ! Que sa fille est de notre lignée, mais notre fils est encore d'une plus noble lignée ! Et ainsi de suite, ô ma mère, jusqu'à ce que je le convainque qu'en somme il a tout à gagner en consentant à ce mariage ! En tout cas, c'est moi qui suis, par mon indiscrétion, la cause de l'affaire ; et il est juste que je prenne sur moi de la mener à bonne fin, au risque même de me faire casser les os et de rendre l'âme ! » Et la vieille reine Sauterelle, voyant qu'il n'y avait plus, en effet, que cette solution, dit en soupirant : « Qu'il eût été préférable, mon fils, de ne jamais susciter cette dangereuse affaire-là ! Mais puisque c'est la destinée, je me résous, mais bien à contre-foi, à te laisser partir. Mais je garde auprès de moi Sourire-de-Lune jusqu'à ton retour ; car je ne veux pas l'exposer ainsi, sans savoir rien de précis ! Pars donc sans lui, et surtout veille sur tes paroles, de peur qu'un mot malsonnant ne mette en fureur ce roi brutal et grossier, qui ne tient compte de rien et traite tout le monde avec une égale impertinence ! » Et Saleh répondit : « J'écoute et j'obéis ! »

Il se leva alors et prit avec lui deux grands sacs remplis de cadeaux de valeur destinés au roi Salamandre ; et il chargea ces deux sacs sur le dos de deux esclaves, et prit avec eux la route marine qui conduisait au palais du roi Salamandre…

À ce moment de sa narration, Schahrazade vit apparaître le matin et, discrète, se tut.

Mais lorsque fut la cinq cent trente-neuvième nuit. Elle dit :

… Et prit avec eux la route marine qui conduisait au palais du roi Salamandre.

En arrivant au palais, le prince Saleh demanda la permission d'entrer parler au roi ; et on la lui accorda. Et il entra dans la salle où se tenait, assis sur un trône d'émeraude et d'hyacinthe, le roi Salamandre le marin. Et Saleh lui fit ses souhaits de paix de la manière la plus choisie, et déposa à ses pieds les deux grands sacs, remplis de magnifiques cadeaux, que portaient les esclaves sur leur dos. Et le roi, à cette vue, rendit à Saleh ses souhaits de paix, l'invita à s'asseoir et lui dit :

« Sois le bienvenu, prince Saleh ! Il y a longtemps que je ne t'ai vu, et j'en suis assez attristé ! Mais hâte-toi de me demander ce pour quoi tu es venu me voir ; car quand on fait un cadeau, c'est toujours dans l'espoir d'obtenir en retour une chose proportionnée ! Parle donc, et je verrai si je puis faire quelque chose pour toi ! » Alors Saleh s'inclina une seconde fois profondément devant le roi, et dit : « Oui ! j'ai une chose en commission que je ne veux obtenir que d'Allah et du roi magnanime, du vaillant lion, de l'homme généreux dont la renommée de gloire, de magnificence, de libéralité, de gracieuseté, de clémence et de bonté s'est étendue au loin des terres et des mers, et dont s'entretiennent avec admiration, le soir, sous les tentes, les caravanes ! » Et le roi Salamandre, à ce discours, diminua le froncement terrible de ses sourcils qui se rejoignaient, et dit : « Expose ta demande, ô Saleh, et elle entrera dans une oreille sensible et un esprit bien disposé ! Si je puis te satisfaire, je le ferai en t'évitant les retards ; mais si je ne le puis pas, ce ne sera pas par mauvais vouloir ! Car Allah, ô Saleh, ne demande point d'une âme un contenu qui dépasse sa capacité ! » Alors Saleh s'inclina devant le roi plus profondément encore que les deux premières fois, et dit : « Ô roi du temps, la chose que j'ai à te demander, tu peux, en vérité, me l'accorder, car elle est en ton pouvoir et sous ta seule autorité ! Et je ne me serais certainement pas hasardé à venir te la demander si je n'avais pas eu d'avance la certitude qu'elle était dans les possibilités ! Car le sage a dit : « Si tu veux être agréé, ne demande pas l'impossible ! » Et moi, ô roi (qu'Allah te conserve pour notre bonheur !), je ne suis ni dément ni prétentieux ! Or donc, voici ! Sache, ô roi plein de gloire, que je viens chez toi en intermédiaire seulement ! Et c'est, ô roi magnanime, ô généreux, ô le plus grand, pour demander de toi la perle unique, le joyau inestimable, le trésor caché, ta fille la princesse Gemme, en mariage pour mon neveu le roi Sourire-de-Lune, fils du roi Schahramân et de la reine Fleur-de-Grenade, ma sœur, et maître de la Ville-Blanche et des royaumes terrestres qui s'étendent des frontières de la Perse jusqu'aux extrêmes limites du Khorassân ! »

Lorsque le roi Salamandre le marin eut entendu ce discours de Saleh, il se mit à rire tellement qu'il se renversa sur son derrière, et là il continua à se convulser et à se trémousser en donnant de grands coups de pieds en l'air ! Après quoi il se releva et regardant Saleh en silence, il lui cria soudain : « Ho ! Ho ! » Et de nouveau il se mit à rire et à se convulser, et si fort et si longtemps qu'il finit par lancer un pet retentissant. Et, de la sorte, il se calma et dit à Saleh : « En vérité, ô Saleh, je t'ai toujours cru un homme sensé et pondéré, mais je vois bien à présent combien je me trompais ! Ou alors, dis-moi ! qu'as-tu fait de ton bon sens et de ta raison pour oser me faire une demande si folle ? » Mais Saleh, sans se troubler ni perdre contenance, répondit : « Je ne sais pas ! Mais il y a une chose certaine, c'est que le roi Sourire-de-Lune, mon neveu, est au moins aussi beau et aussi riche et d'une aussi noble lignée que ta fille, la princesse Gemme ! Et si la princesse Gemme n'est point faite pour un tel mariage, pour quelle chose alors est-elle faite, dis-le-moi ? Car le sage n'a-t-il point dit : « Pour la jeune fille il n'y a que le mariage ou le tombeau ! » C'est pourquoi les vieilles filles sont inconnues chez nous musulmans ! Hâte-toi donc, ô roi, de saisir cette occasion de sauver ta fille du tombeau ! »

À ces paroles, le roi Salamandre fut à la limite de la fureur, et, se levant sur ses deux pieds, avec les sourcils contractés et du sang dans les yeux, il cria à Saleh : « Ô chien des hommes, est-ce que ceux qui te ressemblent peuvent prononcer en public le nom de ma fille ? Quoi donc es-tu, toi, sinon un chien fils de chien ? Et qui est ton neveu Sourire-de-Lune ? Et qui est son père ? Et qui est ta sœur ? Tous, des chiens fils de chiens ! » Puis il se tourna vers ses gardes, et leur cria : « Hé, vous autres ! empoignez-moi cet entremetteur, et cassez-lui les os ! »

Aussitôt les gardes se précipitèrent sur Saleh et voulurent le saisir et le renverser ; mais, rapide comme l'éclair, il s'échappa de leurs mains et s'élança au-dehors pour prendre la fuite. Mais là, à sa surprise extrême, il vit mille cavaliers montés sur des chevaux marins, et couverts de cuirasses d'acier et armés des pieds à la tête, et qui étaient tous de ses parents et des gens de la maison ! Et ils venaient d'arriver à l'instant même, envoyés par sa mère la reine Sauterelle qui, ayant pressenti la mauvaise réception que pouvait lui faire le roi Salamandre, avait songé, par précaution, à envoyer ces milles hommes pour le défendre contre tout événement.

Alors Saleh, en peu de mots, leur raconta ce qui venait de se passer, et leur cria : « Et maintenant sus à ce roi stupide et fou ! » Alors les mille guerriers sautèrent de leurs chevaux, dégainèrent leurs glaives, et se précipitèrent en un seul bloc derrière le prince Saleh dans la salle du trône...

À ce moment de sa narration, Schahrazade vit apparaître le matin et, discrète, se tut.

Mais lorsque fut la cinq cent quarantième nuit. Elle dit :

... Alors les mille guerriers sautèrent de leurs chevaux, dégainèrent leurs glaives, et se précipitèrent en un seul bloc derrière le prince Saleh dans la salle du trône.

Quant au roi Salamandre, lorsqu'il vit entrer avec fracas ce torrent subit de guerriers ennemis qui se répandaient comme les ténèbres de la nuit, il ne perdit point contenance et cria à ses gardes : « Sus à ce bouc des lâches et à son troupeau ! Et que vos sabres soient plus proches de leurs têtes que leur salive n'est proche de leurs langues ! »

Et aussitôt les gardes poussèrent leur cri de guerre : « Ya-lé-Salamandre ! » Et les guerriers de Saleh poussèrent leur cri de guerre : « Ya-lé-Saleh ! » Et les deux partis se ruèrent et s'entrechoquèrent comme les flots de la mer tumultueuse ! Et le cœur des guerriers de Saleh était plus ferme que le roc, et leurs sabres tournoyants se mirent à accomplir les arrêts du destin ! Et Saleh le valeureux, le héros au cœur de granit, le cavalier du sabre et de la lance, frappait les cous et transperçait les poitrines, avec des bonds à renverser les rochers des montagnes ! Oh ! la terrible mêlée ! Quel épouvantable carnage ! Que de cris étouffés dans les gosiers par la pointe des lances brunes ! Que de femmes rendues veuves avec leurs enfants orphelins !... Et le combat continuait acharné, les coups retentissaient, les corps gémissaient sous les blessures douloureuses, et les terres sous-marines tremblaient sous les chocs des guerriers pesants ! Mais que peuvent les sabres et toutes les armes contre les arrêts du destin ? Et depuis quand les créatures peuvent-elles retarder ou devancer l'heure marquée pour leur terme fatal ? Aussi, au bout d'une heure de lutte, les cœurs des gardes de Salamandre ne tardèrent pas à devenir semblables aux pots fragiles ; et tous, jusqu'au dernier, jonchèrent le sol autour du trône de leur roi. Et Salamandre, à cette vue, entra dans une telle rage que ses testicules extraordinaires, qui pendaient jusqu'à ses genoux, se rétractèrent jusqu'à son nombril ! Et il se précipita, en écumant, contre Saleh qui le reçut à la pointe de sa lance et lui cria : « Te voici, ô perfide et brutal, à la limite extrême de la mer de la perdition ! » Et, d'un coup retentissant, il le renversa sur le sol et l'y maintint solidement, jusqu'à ce que ses guerriers l'eussent aidé à le charger de liens et à lui attacher les bras derrière le dos ! Et voilà pour tous ceux-là !

Mais pour ce qui est de la princesse Gemme et de Sourire-de-Lune, voici ! Dès les premiers bruits de la bataille qui se livrait dans le palais, la princesse Gemme, affolée, s'était enfuie avec une de ses servantes, nommée Myrte, et, ayant traversé les régions marines, elle était montée à la surface de l'eau et avait continué sa course jusqu'à ce qu'elle eût atteint une île déserte où elle s'était sauvée en se cachant au haut d'un grand arbre feuillu. Et sa servante Myrte l'avait imitée, et s'était également cachée au haut d'un autre arbre où elle avait grimpé.

Or le destin voulut que la même chose se passât au palais de la vieille reine Sauterelle. En effet, les deux esclaves qui avaient accompagné le prince Saleh au palais de Salamandre pour porter les sacs des cadeaux, s'étaient eux aussi, dès le commencement de la bataille, hâtés de se sauver et de courir annoncer la nouvelle du danger à la reine Sauterelle. Et le jeune roi Sourire-de-Lune, qui avait interrogé les esclaves à leur arrivée, avait été très alarmé de ces nouvelles peu rassurantes, et s'était considéré, en son âme, comme la cause première du grand danger que courait son oncle et du trouble apporté dans l'empire sous-marin. Aussi, comme il était très timide devant sa grand-mère Sauterelle, il n'avait pas eu le courage de se présenter devant elle après le danger où se trouvait, à cause de lui, le prince Saleh, son oncle. Et il avait profité du moment où sa grand-mère était occupée à écouter le rapport des esclaves, pour s'élancer du fond de la mer et remonter à la surface afin de retourner près de sa mère Fleur-de-Grenade, dans la Ville-Blanche. Mais comme il était ignorant du chemin à suivre, il s'était égaré et était arrivé dans la même île déserte où s'était sauvée la princesse Gemme.

Dès qu'il eut touché terre, comme il se sentait fatigué de la course pénible qu'il venait de faire, il alla s'étendre au pied de l'arbre même où se trouvait la princesse Gemme. Et il ne savait pas que la destinée de chaque homme l'accompagne partout où il va, courût-il plus vite que le vent, et qu'il n'y a point de repos pour le poursuivi ! Et il ne se doutait point de ce que, du fond de l'éternité, lui réservait le sort mystérieux.

Une fois donc étendu au pied de l'arbre, il appuya sa tête sur son bras pour dormir, et soudain, en levant les yeux vers le haut de l'arbre, il rencontra le regard de la princesse et son visage, et il crut d'abord voir la lune elle-même entre les branches. Et il s'écria : « Gloire à Allah qui a créé la lune pour illuminer les soirs et éclairer la nuit ! » Puis, en regardant avec plus d'attention, il reconnut que c'était une beauté humaine, et qu'elle appartenait à une adolescente belle comme la lune…

À ce moment de sa narration, Schahrazade vit apparaître le matin et, discrète, se tut.

Mais lorsque fut la cinq cent quarante et unième nuit. Elle dit :

… Il reconnut que c'était une beauté humaine, et qu'elle appartenait à une adolescente belle comme la lune. Et il pensa : « Par Allah ! je vais tout de suite monter l'attraper et lui demander son nom ! Car elle ressemble étrangement au portrait admirable que m'a fait mon oncle Saleh de la princesse Gemme ! Et qui sait si ce n'est point elle-même ? Elle a dû peut-être prendre la fuite du palais de son père, dès le début du combat ! » Et, ému à l'extrême, il sauta sur ses pieds et, se tenant debout au-dessous de l'arbre, il leva les yeux vers l'adolescente et lui dit : « Ô but suprême de tout désir, qui es-tu et pour quel motif te trouves-tu dans cette île, au haut de cet arbre ? » Alors la princesse se pencha un peu vers le bel adolescent et lui sourit, et dit d'une voix chantante comme l'eau : « Ô charmant jouvenceau, ô très beau, je suis la princesse Gemme, fille du roi Salamandre le marin ! Et je suis ici, car j'ai fui ma patrie, et les demeures de la patrie, et mon père et ma famille, pour échapper au triste sort des vaincus ! Car le prince Saleh, à l'heure qu'il est, a dû réduire mon père en esclavage après avoir massacré tous ses gardes. Et il doit me chercher partout dans le palais ! Hélas ! hélas ! Ô dur exil loin des miens ! Ô malheureux sort du roi mon père ! Hélas ! hélas ! Et de grosses larmes tombèrent de ses beaux yeux sur le visage de Sourire-de-Lune, qui levait les bras en l'air d'émotion et de saisissement, et qui finit par s'écrier : « Ô princesse Gemme, âme de mon âme ; ô rêve de mes nuits sans sommeil, descends, de grâce ! de cet arbre, car je suis le roi Sourire-de-Lune fils de Fleur-de-Grenade, la reine native, comme toi, de la mer ! Oh ! descends, car je suis l'assassiné de tes yeux, l'esclave captif de ta beauté ! » Et l'adolescente, comme ravie, s'écria : « Ya Allah ! ô mon maître, c'est donc toi le beau Sourire-de-Lune, neveu de Saleh et le fils de la reine Fleur-de-Grenade ? » Il dit : « Mais oui ! descends, je t'en prie ! » Elle dit : « Oh ! que mon père a donc été peu sage de refuser pour sa fille un époux tel que toi ! Que pouvait-il souhaiter de mieux ? Et où pouvait-il trouver un prince plus beau et plus charmant, sur la terre ou sous les mers ! Ô mon chéri, ne blâme pas trop le refus irréfléchi de mon père, car moi je t'aime ! Et si toi tu m'aimes grand comme un empan, moi je t'aime gros comme le bras ! Dès que je t'ai vu, l'amour que tu as pour moi s'est transporté dans mon foie, et je suis devenue la victime de ta beauté ! »

Et, après avoir prononcé ces paroles, elle se laissa glisser de l'arbre dans les bras de Sourire-de-Lune qui, à la limite de la jubilation, la serra contre sa poitrine et la dévora partout de baisers, alors qu'elle lui rendait caresse pour caresse et mouvement pour mouvement. Et Sourire-de-Lune, à ce contact délicieux, sentit son âme chanter de tous ses oiseaux, et s'écria : « Ô souveraine de mon cœur, ô princesse Gemme tant désirée, toi pour qui j'ai délaissé moi aussi mon royaume, ma mère et le palais de mes pères, certes ! mon oncle Saleh ne m'a détaillé que le quart à peine de tes charmes, alors que les trois autres quarts restent pour moi encore insoupçonnés ! Et il n'a pesé devant moi de la beauté qu'un carat sur vingt-quatre carats, ô toute d'or ! » Et, ayant dit ces paroles, il continua à la couvrir de baisers, et à la caresser de mille manières. Puis, brûlant de se délecter enfin à sa croupe de bénédictions, sa main hardie descendit vers les glands du cordon. Et l'adolescente, comme pour l'aider dans cette opération, se leva, s'éloigna de quelques pas, et soudain elle étendit toute droite la main dans sa direction, et lui crachant au visage faute d'eau, lui cria : « Ô terrien, quitte ta forme humaine, et deviens un grand oiseau blanc avec le bec et les pieds rouges ! » Et aussitôt Sourire-de-Lune, à la limite de la stupéfaction, fut changé en oiseau aux plumes blanches, aux ailes lourdes et incapables de voler, et au bec et aux pieds rouges ! Et il se mit à regarder l'adolescente, avec des larmes dans les yeux !

Alors la princesse Gemme appela sa servante Myrte, et lui dit : « Prends cet oiseau, qui est le neveu du plus grand ennemi de mon père, de ce Saleh l'entremetteur qui a combattu mon père, et va le porter dans l'île Sèche, qui n'est pas loin d'ici, afin qu'il y meure de soif et de faim…

À ce moment de sa narration, Schahrazade vit apparaître le matin et, discrète, se tut.

Mais lorsque fut la cinq cent quarante-deuxième nuit. Elle dit :

… Prends cet oiseau, et va le porter dans l'île Sèche, afin qu'il y meure de soif et de faim ! »

Tout cela ! Car la princesse Gemme ne s'était montrée si gracieuse à l'égard de Sourire-de-Lune que pour s'approcher de lui sans inconvénient, et pouvoir de la sorte le métamorphoser en oiseau destiné à mourir d'inanition, et venger ainsi son père et les gardes de son père. Et voilà pour elle !

Quant à l'oiseau blanc ! Lorsque la servante Myrte, pour obéir à sa maîtresse Gemme, l'eut pris, malgré les battements désespérés d'ailes et les cris rauques qu'il poussait, elle eut pitié de lui et n'eut pas le cœur de le transporter dans l'île Sèche où l'attendait une si cruelle mort ! Et elle se dit en son âme sensible : « Je vais le porter plutôt dans un endroit où il ne puisse pas mourir d'une façon si cruelle, et où il attendra sa destinée ! Car qui sait si ma maîtresse ne se repentira pas bientôt de son premier mouvement, une fois revenue de sa colère, et ne me reprochera pas de lui avoir trop vite obéi ! » Et là-dessus elle transporta le captif dans une île verdoyante, plantée de toutes sortes d'arbres fruitiers et arrosée de frais ruisseaux, et l'y laissa, pour retourner auprès de sa maîtresse.

Or laissons pour le moment l'oiseau dans l'île verte, et la princesse Gemme dans la première île, et revenons voir ce qu'est devenu le prince Saleh, victorieux de Salamandre. Une fois qu'il eut fait enchaîner le roi Salamandre, il l'enferma dans un des appartements du palais, et se fit proclamer roi à sa place. Puis il se hâta de chercher partout la princesse Gemme, mais, bien entendu, il ne la trouva pas. Et lorsqu'il vit que toutes ses recherches étaient vaines, il revint dans son ancienne résidence mettre la reine Sauterelle, sa mère, au courant de tout ce qui venait de se passer. Puis il lui demanda : « Ô ma mère, où est mon neveu le roi Sourire-de-Lune ? » Elle répondit : « Je ne sais pas ! Il doit être en promenade avec ses cousines. Mais je vais envoyer tout de suite le chercher ! » Et comme elle disait ces paroles, les cousines entrèrent, et il n'était pas avec elles. Et on l'envoya chercher partout, mais, bien entendu, nulle part on ne le trouva. Alors la douleur du roi Saleh, de la grand-mère et des cousines fut extrême ; et ils se lamentèrent et pleurèrent beaucoup. Puis Saleh, la poitrine rétrécie, fut bien obligé d'envoyer prévenir de la chose sa sœur la reine Fleur-de-Grenade la marine, mère de Sourire-de-Lune.

Et Fleur-de-Grenade, à la limite de l'affolement, se hâta de plonger dans la mer et de courir au palais de Sauterelle, sa mère. Et, après les embrassades et les pleurs premiers, elle demanda : « Où est mon fils, le roi Sourire-de-Lune ? » Et la vieille mère, après de longs préambules, et des silences pleins de larmes, et, au milieu des sanglots des cousines assises en rond, raconta à sa fille toute l'histoire depuis le commencement jusqu'à la fin. Mais il n'y a point d'utilité à la répéter. Puis elle ajouta : « Et ton frère Saleh, qui a été proclamé roi à la place de Salamandre, a eu beau faire partout des recherches, il n'a pu encore retrouver les traces pas plus de notre fils Sourire-de-Lune que de la princesse Gemme, fille de Salamandre ! » Lorsque Fleur-de-Grenade eut entendu ces paroles, le monde noircit devant son visage, et la désolation entra dans son cœur, et les sanglots du désespoir la secouèrent toute. Et, pendant un long temps, on n'entendit dans le palais sous-marin que les cris de deuil des femmes, et les hoquets de la douleur.

Mais il fallut bientôt songer à remédier à un état de choses si étrange et si désolant. Aussi ce fut l'aïeule qui, la première, sécha ses larmes, et dit : « Ma fille, que ton âme ne s'attriste point outre mesure de cette aventure ; car il n'y a pas de raison pour que ton frère ne finisse point par retrouver ton fils Sourire-de-Lune ! Quant à toi, si tu aimes vraiment ton fils et si tu veilles sur ses intérêts, tu feras bien de retourner à ton royaume pour gérer les affaires et tenir à tous secrète la disparition de ton fils. Et Allah pourvoira ! » Et Fleur-de-Grenade répondit : « Tu as raison, ma mère. Je vais rentrer ! Mais je t'en prie, oh ! de grâce ! ne cesse point de penser à mon fils, et que personne ne se relâche dans les recherches ! Car s'il lui arrive jamais quelque mal, je mourrai sans recours, moi qui ne vois la vie qu'à travers lui et ne goûte de joie qu'à sa vue ! » Et la reine Sauterelle répondit : « Certes ! ma fille, de tout cœur affectueux ! Sois donc sans crainte à ce sujet, et tranquillise ton esprit tout à fait ! » Alors Fleur-de-Grenade prit congé de sa mère, de son frère et de ses cousines, et, la poitrine bien oppressée et l'âme bien triste, elle regagna son royaume et sa ville…

À ce moment de sa narration, Schahrazade vit apparaître le matin et, discrète, se tut.

Mais lorsque fut la cinq cent quarante-troisième nuit. Elle dit :

… Elle regagna son royaume et sa ville.

Or, maintenant, revenons à l'île verdoyante où la jeune Myrte à l'âme sensible avait déposé Sourire-de-Lune changé par la princesse Gemme en oiseau au plumage blanc, au bec et aux pieds rouges !

Lorsque l'oiseau Sourire-de-Lune se vit abandonné par la secourable Myrte, il se mit à pleurer abondamment ; puis, comme il avait faim et soif, il se mit à manger des fruits et à boire de l'eau courante, tout en pensant à son malheureux sort et en s'étonnant de se voir en oiseau. Et il eut beau essayé ses ailes pour s'envoler, elles ne purent le soutenir dans l'air, car il était très gros et très lourd. Et il finit par se résigner à sa destinée, en pensant : « À quoi me servirait-il d'ailleurs de quitter cette île, puisque je ne sais où me diriger, et que personne ne voudra reconnaître, à mon extérieur d'oiseau, le roi que je reste en mon dedans ? » Et il continua à vivre dans l'île, assez tristement ; et, le soir, il se juchait sur un arbre pour dormir.

Or un jour qu'il se promenait tristement sur ses pattes, la tête basse, tant il avait de soucis, il fut aperçu par un oiseleur qui venait dans l'île tendre ses filets de chasse. Et l'oiseleur, charmé par l'aspect magnifique de ce gros oiseau qui n'avait point de pareil et dont le bec rouge et les pieds rouges tranchaient d'une façon si jolie sur la blancheur du plumage, se réjouit fort de pouvoir posséder un tel oiseau dont l'espèce lui était tout à fait inconnue. Il prit donc toutes ses précautions et, avec une adresse lente, il s'approcha derrière lui et d'un coup subtil lança sur lui son filet et le captura. Et, riche de cette belle pièce de gibier, il retourna à la ville d'où il était venu, en portant délicatement par les pattes le grand oiseau sur son épaule.

Et l'oiseleur, en arrivant en ville, se dit : « Par Allah ! moi, de ma vie, je n'ai vu un oiseau pareil à celui-ci, pas plus dans mes chasses sur terre que sur mer. Aussi je me garderai bien de le vendre à un acheteur ordinaire, qui ne peut en connaître ni le prix ni la valeur, et qui probablement le tuera et avec sa famille le mangera ; mais je vais aller le porter en cadeau au roi de la ville, qui s'émerveillera de sa beauté, et m'en dédommagera précieusement ! » Et il alla au palais et le porta au roi qui, à sa vue, fut charmé à l'extrême, et admira surtout la belle couleur rouge du bec et des pieds. Et il l'accepta et donna dix dinars d'or à l'oiseleur qui embrassa la terre et s'en alla.

Alors le roi fit faire une grande cage avec un treillis en or, et y enferma le bel oiseau. Et il mit devant lui des grains de maïs et de blé, mais l'oiseau n'y porta point le bec. Et le roi étonné, se dit : « Il n'en mange pas ! Je vais lui porter autre chose ! » Et il le fit sortir de la cage et mit devant lui du blanc de poulet, des tranches de viande et des fruits. Et aussitôt l'oiseau se mit à en manger avec un plaisir notoire, en faisant de petits cris et en gonflant ses plumes blanches. Et le roi, à cette vue, se trémoussa de joie et dit à un des esclaves : « Cours vite prévenir ta maîtresse, la reine que j'ai acheté un oiseau prodigieux qui est un miracle d'entre les miracles du temps, afin qu'elle vienne l'admirer avec moi, et voir la façon merveilleuse dont il mange de tous ces mets dont ne se nourrissent pas d'ordinaire les oiseaux ! » Et l'esclave se hâta d'aller appeler la reine qui ne tarda pas à arriver.

Mais, dès qu'elle eut aperçu l'oiseau, la reine se couvrit vivement le visage de son voile, et, indignée, recula vers la porte et voulut sortir. Et le roi courut derrière elle et lui demanda, en la retenant par son voile : « Pourquoi te couvres-tu le visage, alors qu'ici il n'y a que moi, ton époux, et les eunuques et les servantes ? » Elle répondit : « Ô roi, sache que cet oiseau n'est point un oiseau, mais c'est un homme comme toi ! Et il n'est autre que le roi Sourire-de-Lune, fils de Schahramân et de Fleur-de-Grenade la marine. Et il a été ainsi métamorphosé par la princesse Gemme, fille de Salamandre le marin, qui vengea de la sorte son père vaincu par Saleh, oncle de Sourire-de-Lune ! »

En entendant ces paroles, le roi s'étonna à la limite de l'étonnement et s'écria : « Qu'Allah confonde la princesse Gemme et lui coupe la main ! Mais par Allah sur toi, ô fille de mon oncle, donne-moi des détails sur la chose ! » Et la reine, qui était la magicienne la plus insigne de son temps, lui raconta toute l'histoire sans en omettre un détail. Et le roi, prodigieusement émerveillé, se tourna vers l'oiseau et lui demanda : « Est-ce vrai tout cela ? » Et l'oiseau…

À ce moment de sa narration, Schahrazade vit apparaître le matin et, discrète, se tut.

Mais lorsque fut la cinq cent quarante-quatrième nuit. Elle dit :

… Se tourna vers l'oiseau et lui demanda : « Est-ce vrai tout cela ? » Et l'oiseau baissa la tête, en signe d'assentiment, et battit des ailes. Alors le roi dit à son épouse : « Qu'Allah te bénisse, ô fille de l'oncle ! Mais par ma vie devant tes yeux ! hâte-toi de le délivrer de cet enchantement ! Ne le laisse pas dans ce tourment ! » Alors la reine, s'étant couvert tout à fait le visage, dit à l'oiseau : « Ô Sourire-de-Lune, entre dans cette grande armoire ! » Et l'oiseau obéit tout de suite et entra dans une grande armoire, cachée dans le mur, que la reine venait d'ouvrir ; et elle entra derrière lui, avec, à la main, une tasse d'eau sur laquelle elle prononça des paroles inconnues ; et l'eau se mit à bouillonner dans la tasse. Alors elle en prit quelques gouttes qu'elle lui lança au visage, en lui disant : « Par la vertu des Noms Magiques et des Puissantes Paroles, et par la majesté d'Allah l'Omnipotent, le Créateur du ciel et de la terre, le Résurrecteur des morts, le Fixateur des termes et de Distributeur des destinées, je t'ordonne de quitter cette forme d'oiseau et de reprendre celle que tu as reçue du Créateur ! » Et aussitôt il trembla d'un tremblement, et se secoua d'une secousse, et revint à sa forme première. Et le roi émerveillé, vit que c'était un adolescent qui n'avait pas son pareil sur la face de la terre. Et il s'écria : « Par Allah ! il mérite son nom de Sourire-de-Lune ! »

Or, dès que Sourire-de-Lune se vit revenu à son premier état, il s'écria : « La ilah ill'-Allah, oua Mohammâd rassoul Allah ! » Puis il s'approcha du roi, lui baisa la main et lui souhaita une longue vie. Et le roi lui baisa la tête et lui dit : « Sourire-de-Lune, je te prie de me raconter toute ton histoire, dès ta naissance jusqu'aujourd'hui ! » Et Sourire-de-Lune raconta au roi, qui s'en émerveilla à l'extrême, toute son histoire, sans en omettre un détail.

Alors le roi, arrivé à l'extrême limite du plaisir, dit au jeune roi délivré de l'enchantement : « Que veux-tu maintenant, ô Sourire-de-Lune, que je fasse pour toi ? Parle-moi en toute confiance ! » Il répondit : « Ô roi du temps, je voudrais bien rentrer dans mon royaume ! Car, il y a déjà bien longtemps que j'en suis absent, et je crains beaucoup que les ennemis du trône ne profitent de mon éloignement pour usurper ma place. Et puis, ma mère doit être bien anxieuse de ma disparition ! Et qui sait si, dans le doute, elle survit encore à sa douleur et à ses soucis ? » Et le roi, touché par sa beauté et gagné par sa jeunesse et sa piété, répondit : « J'écoute et j'obéis ! » et il fit préparer sur l'heure un navire, muni de ses provisions, de ses agrès, de ses marins et de son capitaine, où le roi Sourire-de-Lune, après les souhaits de l'adieu et les remerciements, s'embarqua en se fiant à sa destinée.

Mais cette destinée lui réservait encore, dans l'invisible, d'autres aventures ! En effet, cinq jours après le départ, une tempête furieuse s'éleva qui désempara et brisa le navire contre une côte rocheuse, et seul Sourire-de-Lune, à cause de son imperméabilité, put se sauver à la nage et gagner la terre ferme. Et au loin il vit émerger une ville comme une colombe très blanche, qui, située sur le sommet d'une montagne, dominait la mer. Et soudain, du haut de cette montagne, il vit s'approcher et dévaler sur lui, avec une rapidité d'ouragan, un galop forcené de chevaux, de mulets et d'ânes, innombrables comme les grains de sable. Et cette troupe galopante et effarée s'arrêta tout autour de lui. Et tous les ânes, avec les chevaux et les mulets, se mirent à lui faire de la tête des signes évidents qui signifiaient : « Retourne là d'où tu es venu ! » Mais comme il s'obstinait à rester, les chevaux se mirent à hennir et les mulets à souffler et les ânes se mirent à braire, mais c'étaient des hennissements, des souffles et des braiments de douleur et de désespoir. Et quelques-uns même se mirent notoirement à pleurer, en reniflant. Et ils poussaient du museau délicatement Sourire-de-Lune, immobile, qui se défendait de retourner à l'eau. Puis comme, au lieu de revenir sur ses pas, il allait de l'avant vers la ville, les animaux à quatre pieds se mirent à marcher qui devant lui, qui derrière lui, en lui faisant comme un cortège funèbre d'autant plus impressionnant que Sourire-de-Lune reconnaissait dans les cris qu'ils poussaient comme une vague psalmodie, en langue arabe, semblable à celle que poussent devant les morts les lecteurs du Korân...

À ce moment de sa narration, Schahrazade vit apparaître le matin et, discrète, se tut.

Mais lorsque fut la cinq cent quarante-cinquième nuit. Elle dit :

... Sourire-de-Lune reconnaissait dans les cris qu'ils poussaient comme une vague psalmodie, en langue arabe, semblable à celle que poussent devant les morts les lecteurs du Korân.

Et Sourire-de-Lune, ne sachant plus s'il dormait, s'il était à l'état de veille, ou si tout cela n'était qu'un effet trompeur de son état de fatigue, se mit à marcher comme on marche dans les rêves, et arriva de la sorte sur la colline, à l'entrée de la ville perchée sur le sommet. Et il vit, assis à la porte d'une boutique de droguiste, un cheikh à la barbe blanche auquel il se hâta de souhaiter la paix. Et le cheikh, de son côté, en le voyant si beau, fut charmé à l'extrême, et se leva, lui rendit son salam et s'empressa de faire signe de s'éloigner de la main aux animaux à quatre pieds. Et ils s'éloignèrent, tout en tournant la tête de temps à autre, comme pour marquer l'intensité de leurs regrets ; puis ils se dispersèrent de tous côtés et disparurent.

Alors Sourire-de-Lune, interrogé par le vieux cheikh, raconta en quelques mots son histoire, puis dit au cheikh : « Ô mon oncle vénérable, peux-tu me dire, à ton tour, quelle est cette ville, et qui sont ces étranges animaux à quatre pieds qui m'accompagnaient en se lamentant ? » Le cheikh répondit : « Mon fils, entre d'abord dans ma boutique, et assieds-toi là ! Car tu dois avoir besoin de nourriture. Et après, je te dirai ce que je puis te dire ! » Et il le fit entrer et s'asseoir sur un divan, au fond de la boutique, et lui apporta à manger et à boire. Et lorsqu'il l'eut bien restauré et rafraîchi, il l'embrassa entre les deux yeux et lui dit : « Remercie Allah, ô mon fils, qui t'a fait me rencontrer avant que t'ait vu la reine d'ici ! Si je ne t'ai rien dit encore, c'est que je craignais de te troubler et de t'empêcher de la sorte de manger avec délices ! Sache donc que cette ville s'appelle la Ville-des-Enchantements, et que celle qui règne ici s'appelle la reine Almanakh ! C'est une magicienne redoutable, une enchanteresse extraordinaire, une vraie cheitana ! Or elle est sans cesse brûlée par le désir ! Et chaque fois qu'elle rencontre un étranger jeune, solide et beau qui débarque dans cette île, elle le séduit et se fait monter et copuler beaucoup de fois par lui, pendant quarante jours et quarante nuits. Or, comme au bout de ce temps, elle l'a complètement épuisé, elle le métamorphose en animal. Et comme, sous cette nouvelle forme d'animal, il récupère de nouvelles forces et de puissantes vertus, elle se métamorphose elle-même à sa guise, chaque fois, selon l'animal à qui elle a affaire, soit en jument, soit en ânesse, et se fait ainsi copuler par l'âne ou le cheval une quantité innombrable de fois. Après quoi, elle reprend sa forme humaine pour se faire de nouveaux amants et de nouvelles victimes parmi les beaux jeunes gens qu'elle rencontre. Et il lui arrive quelquefois, dans les nuits de ses désirs extrêmes, de se faire monter à tour de rôle par tous les quadrupèdes de l'île, et cela jusqu'au matin ! Et telle est sa vie !

« Or moi, comme je t'aime d'un grand amour, mon enfant, je ne voudrais pas te voir tomber entre les mains de cette enchanteresse inassouvie, qui ne vit que pour ce que je viens de te dire ! Et, comme tu es certainement le plus beau de tous les adolescents débarqués dans cette île, qui sait ce qui va arriver si tu es aperçu par la reine Almanakh !

« Quant aux ânes, aux mulets et aux chevaux qui, en t'apercevant, ont dévalé du haut de la montagne à ta rencontre, ce sont justement les jeunes gens métamorphosés par Almanakh. Et, comme ils te voyaient si jeune et si beau, ils eurent pitié de toi et voulurent d'abord, par leurs signes de tête, te décider à regagner la mer. Puis, comme ils te voyaient obstiné à rester, malgré leurs objurgations, ils t'accompagnèrent jusqu'ici en psalmodiant, dans leur langage, les formules funèbres, comme s'ils accompagnaient un homme mort à la vie humaine !

« Or, mon fils, la vie avec cette jeune reine Almanakh, l'enchanteresse, ne serait pas désagréable du tout, n'était l'abus qu'elle fait de celui que le sort lui donne comme amant. Pour moi, elle me redoute et me respecte, parce qu'elle sait que je suis plus versé qu'elle dans l'art de la sorcellerie et des enchantements. Seulement moi, mon fils, comme je suis un croyant en Allah et en son Prophète (sur Lui la prière et la paix !), je ne me sers point de la magie pour faire le mal ! Car le mal finit toujours par se tourner contre le malfaiteur ! »

Or à peine le vieux cheikh avait-il dit ces paroles que de son côté s'avança un magnifique cortège de mille adolescentes comme des lunes, habillées de pourpre et d'or, qui vinrent se ranger en deux lignes le long de la boutique pour faire place à une adolescente plus belle qu'elles toutes, montée sur un cheval arabe étincelant de pierreries. Et c'était la reine Almanakh elle-même, la magicienne. Et elle s'arrêta devant la boutique, mit pied à terre, aidée par les deux esclaves qui tenaient la bride, et entra chez le vieux cheikh, qu'elle salua avec beaucoup de déférence. Puis elle s'assit sur le divan et, les yeux à demi fermés, regarda Sourire-de-Lune. Et quel regard…

À ce moment de sa narration, Schahrazade vit apparaître le matin et, discrète, se tut.

Mais lorsque fut la cinq cent quarante-sixième nuit. Elle dit :

… Puis elle s'assit sur le divan et, les yeux à demi fermés, regarda Sourire-de-Lune. Et quel regard ! Long, perforateur, câlin et étincelant ! Et Sourire-de-Lune se sentit transpercé comme d'un javelot ou brûlé d'un charbon ardent. Et la jeune reine se tourna vers le cheikh et lui dit : « Ô cheikh Abderrahmân, d'où as-tu pu avoir un pareil adolescent ? » Il répondit : « C'est le fils de mon frère. Il vient d'arriver chez moi de voyage ! » Elle dit : « Il est bien beau, ô cheikh ! Ne voudrais-tu pas me le prêter pour une nuit seulement ? Je ne ferais que causer avec lui, sans plus, et je te le rendrais intact demain matin ! » Il dit : « Me fais-tu le serment de ne jamais essayer de l'ensorceler ? » Elle répondit : « J'en fais le serment devant le maître des magiciens et devant toi, vénérable oncle ! » Et elle fit donner en cadeau, au cheikh, mille dinars d'or, pour lui marquer sa gratitude, et fit monter Sourire-de-Lune sur un merveilleux cheval couvert de pierreries, et l'emmena avec elle au palais. Et il apparaissait au milieu du cortège comme la lune au milieu des étoiles. Or Sourire-de-Lune, qui se résignait désormais à laisser agir la destinée, ne disait pas un mot et se laissait conduire sans montrer d'aucune manière ses sentiments.

Et la magicienne Almanakh, qui sentait ses entrailles brûler pour cet adolescent bien plus qu'elle n'avait jamais brûlé pour ses amants passés, se hâta de le conduire dans une salle dont les murs étaient bâtis en or, et dont l'air était rafraîchi par un jet d'eau jaillissant d'un bassin de turquoise. Et elle alla se jeter avec lui sur un grand lit d'ivoire où elle commença par le caresser d'une façon si extraordinaire et si merveilleuse qu'il se mit à chanter et à danser ! Et elle n'était pas brutale du tout, au contraire ! Si délicate vraiment ! Aussi incalculables furent les saillies du coq sur l'infatigable poularde ! Et il se dit : « Par Allah ! elle est infiniment experte ! Et elle ne me bouscule pas ! Elle prend son temps, et moi également ! Aussi, comme je pense bien qu'il est impossible que la princesse Gemme soit aussi merveilleuse que cette enchanteresse, je veux rester ici toute ma vie, et ne plus penser ni à la fille de Salamandre, ni à mes parents, ni à mon royaume ! » Et, de fait, il resta là quarante jours et quarante nuits, passant tout son temps avec la jeune magicienne, en festins, danses, chants, caresses, mouvements, assauts, copulations, et autres choses semblables, à la limite du plaisir et de la jubilation.

Et de temps en temps, pour rire, Almanakh lui demandait : « Ô mon œil, te trouves-tu mieux avec moi qu'avec ton oncle, dans la boutique ? » Et il répondit : « Par Allah ! ô ma maîtresse, mon oncle est un pauvre vendeur de drogues, mais toi tu es la thériaque même ! »

Or comme ils étaient au soir du quarantième jour, la magicienne Almanakh, après un nombre infini d'assauts divers avec Sourire-de-Lune, fut plus agitée que de coutume et s'étendit pour dormir. Mais vers minuit, Sourire-de-Lune, qui feignait de dormir, la vit se lever du lit, avec un visage enflammé. Et elle alla au milieu de la salle où elle prit, dans un plateau de cuivre, une poignée de grains d'orge qu'elle jeta dans l'eau du bassin. Et, au bout de quelques instants, les grains d'orge germèrent, et leurs tiges sortirent de l'eau, et leurs épis mûrirent et se dorèrent. Alors la magicienne recueillit les grains nouveaux, les pila dans un mortier de marbre, y mélangea certaines poudres qu'elle tira de différentes boîtes, et en fit une pâte arrondie comme un gâteau. Puis elle mit le gâteau ainsi préparé sur la braise d'un réchaud et le fit cuire lentement. Alors elle le retira, l'enveloppa dans une serviette et alla le cacher dans une armoire, après quoi elle revint se coucher dans le lit à côté de Sourire-de-Lune, et s'endormit.

Mais le matin, Sourire-de-Lune, qui, depuis son entrée dans le palais de la magicienne, avait oublié le vieux cheikh Abderrahmân, se souvint de lui à propos et pensa qu'il était nécessaire d'aller le trouver pour le mettre au courant de ce qu'il avait vu faire Almanakh pendant la nuit. Et il alla à la boutique du cheikh qui fut ravi de le revoir, l'embrassa avec effusion, le fit s'asseoir et lui demanda : « J'espère, mon fils, que tu n'as pas eu à te plaindre de la magicienne Almanakh, toute infidèle qu'elle est ! » Il répondit : « Par Allah, mon bon oncle, elle m'a traité tout ce temps avec beaucoup de délicatesse, ne m'a bousculé en rien. Mais, cette nuit, j'ai senti qu'elle se levait, et, voyant son visage enflammé, j'ai feint de dormir, et je l'ai vue s'occuper d'une chose qui me fait tout craindre d'elle ! C'est pourquoi, ô mon vénérable oncle, je viens te consulter. » Et il lui raconta l'opération nocturne de la magicienne…

À ce moment de sa narration, Schahrazade vit apparaître le matin et, discrète, se tut.

Mais lorsque fut la cinq cent quarante-septième nuit. Elle dit :

... Et il lui raconta l'opération nocturne de la magicienne.

En entendant ces paroles, le cheikh Abderrahmân entra dans une grande colère, et s'écria : « Ah ! la maudite ! la perfide ! la parjure qui ne veut pas tenir son serment ! Rien ne la corrigera donc de sa mauvaise magie ! » Puis il ajouta : « Il est temps que je mette un terme à ses maléfices ! » Et il alla à une armoire, en tira une galette en tous points semblable à celle confectionnée par la magicienne, l'enveloppa dans un mouchoir et la remit à Sourire-de-Lune en lui disant : « Avec cette galette que je te donne, le mal qu'elle veut te faire va retomber sur elle. En effet, c'est au moyen de galettes confectionnées par elle et qu'elle donne à manger, au bout de quarante jours, à ses amants qu'elle les transforme en ces animaux à quatre pieds qui remplissent l'île. Mais toi, mon enfant, garde-toi bien de toucher au gâteau qu'elle te présentera ! Tâche, au contraire, de lui faire avaler un morceau de celui que je te donne ! Puis fais-lui exactement ce qu'elle aura essayé de te faire, en fait de sorcellerie, en prononçant sur elle les mêmes paroles qu'elle aura prononcées sur toi. Et, de la sorte, tu la changeras en tel animal qu'il te plaira ! Et tu la monteras et tu viendras me trouver. Et alors je saurai ce qu'il me restera à faire. » Et Sourire-de-Lune, après avoir remercié le cheikh de l'affection et de l'intérêt qu'il lui portait, le quitta et retourna au palais de la magicienne.

Et il trouva Almanakh qui l'attendait dans le jardin, assise devant une nappe servie, au milieu de laquelle, sur un plateau, se trouvait la galette préparée à minuit. Et, comme elle se plaignait de son absence, il lui dit : « Ô ma maîtresse, comme il y avait longtemps que je n'avais vu mon oncle, je suis allé lui rendre visite ; et il m'a reçu avec effusion et m'a servi à manger ; et, entre autres choses excellentes, il y avait des gâteaux si délicieux que je n'ai pu m'empêcher de t'en apporter un, pour te le faire goûter ! » Et il tira le petit paquet, dégagea le gâteau, et la pria d'en manger un morceau. Et Almanakh, pour ne pas le désobliger, rompit le gâteau et prit un morceau qu'elle avala. Puis, à son tour, elle offrit du sien à Sourire-de-Lune qui, pour ne pas la désobliger, en prit un morceau, mais, tout en faisant semblant de l'avaler, le fit glisser dans l'ouverture de son vêtement.

Aussitôt la magicienne, croyant qu'il avait réellement avalé le morceau de gâteau, se leva vivement, prit dans le bassin d'à côté un peu d'eau dans le creux de sa main et l'en aspergea en lui criant : « Ô jeune homme affaibli, deviens un âne puissant ! » Mais quel ne fut pas l'étonnement de la magicienne en voyant que le jeune homme, loin de se transformer en âne, s'était levé à son tour et s'était vivement approché du bassin où il avait puisé un peu d'eau, pour l'en asperger en lui criant : « Ô perfide, quitte ta forme humaine et deviens ânesse ! » Et, au même moment, avant qu'elle eût le temps de revenir de sa surprise, la magicienne Almanakh fut changée en ânesse. Et Sourire-de-Lune l'enfourcha et se hâta d'aller trouver le cheikh Abderrahmân auquel il raconta ce qui venait de se passer. Puis il lui livra l'ânesse qui faisait la rébarbative.

Alors le cheikh passa au cou de l'ânesse Almanakh une double chaîne qu'il fixa à un anneau dans la muraille. Puis il dit à Sourire-de-Lune : « Maintenant, mon fils, je vais m'occuper de mettre ordre aux affaires de notre ville, et je vais commencer par lever l'enchantement qui tient un si grand nombre de jeunes gens changés en animaux à quatre pieds. Mais, auparavant, je veux, bien qu'il m'en coûte beaucoup de me séparer de toi, te faire rentrer dans ton royaume, pour que cessent les inquiétudes de ta mère et de tes sujets ! Et, dans ce but, je vais te faire suivre le plus court chemin ! »

Et, ayant dit ces paroles, le cheikh mit deux doigts entre ses lèvres et lança un long et fort sifflement, et aussitôt apparut devant lui un grand genni à quatre ailes, qui se tint debout sur la pointe des pieds, et lui demanda le motif pour lequel il l'avait appelé. Et le cheikh lui dit : « Ô genni l'Éclair, tu vas prendre sur tes épaules le roi Sourire-de-Lune que voici, et tu vas le transporter en toute diligence à son palais, dans la Ville-Blanche ! » Et le genni l'Éclair se courba en deux, en baissant la tête ; et Sourire-de-Lune, après avoir baisé la main du cheikh, son libérateur, et l'avoir remercié, monta sur les épaules de l'Éclair, et, laissant pendre ses jambes sur sa poitrine, il se cramponna à son cou. Et le genni s'éleva dans les airs et vola avec la rapidité de la colombe messagère, en faisant avec ses ailes un bruit de moulin à vent…

À ce moment de sa narration, Schahrazade vit apparaître le matin et, discrète, se tut.

Mais lorsque fut la cinq cent quarante-huitième nuit. Elle dit :

… En faisant avec ses ailes un bruit de moulin à vent. Et, infatigablement, il voyagea pendant un jour et une nuit, et parcourut de la sorte un espace de six mois de chemin. Et il arriva au-dessus de la Ville-Blanche, et déposa Sourire-de-Lune sur la terrasse même de son palais. Puis il disparut.

Et Sourire-de-Lune, le cœur fondu aux souffles de la brise de sa patrie, se hâta de descendre dans l'appartement où, depuis sa disparition, se tenait sa mère, Fleur-de-Grenade, pleurant en silence et portant son deuil secrètement en son âme, pour ne point se trahir et tenter de la sorte les usurpateurs. Et il souleva le rideau de la salle, où se trouvaient précisément, en visite chez la reine, la vieille grand-mère Sauterelle, le roi Saleh, et les cousines. Et il entra, en souhaitant la paix à l'assistance, et courut se jeter dans les bras de sa mère, qui, en le voyant, tomba évanouie de joie et de saisissement. Mais elle ne tarda pas à reprendre ses sens, et, serrant son fils contre sa poitrine, elle pleura longtemps, toute secouée de sanglots, tandis que les cousines embrassaient les pieds de leur cousin, et que la grand-mère le tenait par une main et l'oncle Saleh par l'autre main. Et ils restèrent ainsi, dans la joie du retour, sans pouvoir prononcer une parole.

Mais lorsqu'il leur fut enfin permis de s'épancher en paroles, ils se racontèrent mutuellement leurs diverses aventures, et bénirent ensemble Allah le Bienfaiteur qui avait permis leur salut à tous et leur réunion. Après quoi, Sourire-de-Lune se tourna vers sa mère et sa grand-mère et leur dit : « Il ne me reste plus maintenant qu'à me marier ! Et je persiste à ne vouloir me marier qu'avec la princesse Gemme, fille de Salamandre ! Car, en vérité, c'est une vraie gemme comme l'indique son nom ! » Et la vieille grand-mère répondit : « La chose, ô mon enfant, nous est maintenant aisée, car nous tenons toujours le père prisonnier dans son palais. » Et elle envoya aussitôt chercher Salamandre, que les esclaves firent entrer enchaîné des mains et des pieds. Mais Sourire-de-Lune ordonna qu'on le désenchaînât : et l'ordre fut exécuté sur l'heure.

Alors Sourire-de-Lune s'avança près de Salamandre, et, après s'être excusé d'avoir été la cause première des malheurs survenus, il lui prit la main qu'il baisa avec respect, et dit : « Ô roi Salamandre, ce n'est plus un intermédiaire qui te demande l'honneur de ton alliance ; mais c'est moi-même, Sourire-de-Lune, roi de la Ville-Blanche et du plus grand empire terrestre, qui te baise les mains et te demande ta fille Gemme en mariage. Et si tu ne veux pas me l'accorder, je mourrai. Et si tu acceptes, non seulement tu redeviendras roi dans ton royaume, mais je serai moi-même ton esclave ! »

À ces paroles, Salamandre embrassa Sourire-de-Lune, et lui dit : « Certes ! ô Sourire-de-Lune, nul plus que toi ne saurait mériter ma fille. Or, comme elle est soumise à mon autorité, elle acceptera ce désir de grand cœur ! Aussi me faut-il l'envoyer chercher dans l'île où elle se tient cachée depuis que j'ai été dépossédé du trône. » Et, en disant ces paroles, il fit venir de la mer un messager auquel il enjoignit d'aller immédiatement chercher la princesse dans l'île, et de la lui amener sans retard. Et le messager disparut, et ne tarda pas à revenir avec la princesse Gemme et sa servante Myrte.

Alors le roi Salamandre commença par embrasser sa fille, puis il la présenta à la vieille reine Sauterelle et à la reine Fleur-de-Grenade, et lui dit en lui montrant du doigt Sourire-de-Lune, ébahi d'admiration : « Sache, ô fille mienne, que je t'ai promise à ce jeune roi magnanime, à ce vaillant lion Sourire-de-Lune, fils de la reine Fleur-de-Grenade la marine, car il est certainement le plus beau des hommes de son temps, et le plus charmant, et le plus puissant, et le plus haut en rang et en noblesse, et de beaucoup ! Aussi je juge qu'il est fait pour toi, et que tu es faite pour lui…

À ce moment de sa narration, Schahrazade vit apparaître le matin et, discrète, se tut.

Mais lorsque fut la cinq cent quarante-neuvième nuit. Elle dit :

… Aussi je juge qu'il est fait pour toi, et que tu es faite pour lui ! »

À ces paroles de son père, la princesse Gemme baissa les yeux avec modestie, et répondit : « Tes avis, ô mon père, sont ma règle de conduite, et ton affection vigilante est l'ombre où je me plais ! Et puisque tel est ton désir, désormais l'image de celui que tu me choisis sera dans mes yeux, son nom sera dans ma bouche, et sa demeure dans mon cœur ! »

Lorsque les cousines de Sourire-de-Lune et les autres dames présentes eurent entendu ces paroles, elles firent retentir le palais de leurs cris de joie et de leurs lu-lu perçants. Puis le roi Saleh et Fleur-de-Grenade firent aussitôt mander le kâdi et les témoins pour écrire le contrat de mariage du roi Sourire-de-Lune et de la princesse Gemme. Et l'on célébra les noces en grande pompe et avec un faste tel que pour la cérémonie du vêtement, on changea neuf fois la robe de la mariée. Quant au reste, la langue deviendrait poilue avant de réussir à en parler comme il sied. Aussi ! gloire à Allah qui unit entre elles les belles choses, et ne retarde la joie que pour donner le bonheur !

Lorsque Schahrazade eut fini de raconter cette histoire, elle se tut. Alors la petite Doniazade s'écria : « Ô ma sœur, que tes paroles sont douces, et gentilles et savoureuses. Et que cette histoire est admirable ! » Et le roi Schahriar dit : « Certes ! ô Schahrazade, tu m'as appris bien des choses que j'ignorais ! Car je ne savais pas bien jusqu'aujourd'hui les choses du dessous des eaux. Et l'histoire d'Abdallah de la Mer et celle de Fleur-de-Grenade m'ont satisfait grandement ! Mais, ô Schahrazade, ne connaîtrais-tu pas une histoire tout à fait diabolique ? » Et Schahrazade sourit et répondit : « Justement, ô Roi, j'en connais une que je vais tout de suite te raconter ! »

LA SOIRÉE D'HIVER D'ISHAK DE MOSSOUL

Et Schahrazade dit :

Le musicien Ishak de Mossoul, chanteur favori d'Al-Rachid, nous rapporte l'anecdote suivante. Il dit : « Une nuit, j'étais assis dans ma maison, en hiver, et, pendant qu'au-dehors les vents hurlaient comme des lions et que les nuages se déchargeaient avec tumulte comme les bouches larges ouvertes des outres pleines d'eau, je me chauffais les mains au-dessus de mon brasier en cuivre, et j'étais triste de ne pouvoir, à cause de la boue des chemins, de la pluie et de l'obscurité, ni sortir ni espérer la visite de quelque ami qui me tînt compagnie. Et comme ma poitrine se rétrécissait de plus en plus, je dis à mon esclave : « Donne-moi quelque chose à manger, pour occuper le temps ! » Et comme l'esclave s'apprêtait à me servir, je ne pouvais m'empêcher de songer aux charmes d'une jeune fille que j'avais connue naguère au palais ; et je ne savais pourquoi m'obsédait à ce point son souvenir, ni pour quel motif ma pensée s'arrêtait plutôt sur son visage que sur celui de toute autre de celles si nombreuses qui avaient charmé mes nuits passées. Et tellement je m'appesantissais en son délectable désir, que je finis par ne plus m'apercevoir de la présence de l'esclave debout, les bras croisés, qui, ayant fini de tendre la nappe devant moi sur le tapis, n'attendait plus que le signe de mes yeux pour apporter les plateaux. Et moi, plein de ma songerie, je m'écriai tout haut : « Ah ! si la jeune Saïeda était ici, elle dont la voix est si douce, je ne serais point si mélancolique ! » Ces paroles, je les prononçai à voix haute, en vérité, je me le rappelle maintenant, bien que d'habitude mes pensées fussent silencieuses. Et ma surprise fut extrême d'entendre ainsi le son de ma voix, devant mon esclave dont les yeux s'ouvraient grandement.

Or mon souhait à peine était-il exprimé qu'un heurt se fit à la porte, comme si c'était quelqu'un qui ne pouvait souffrir l'attente, et une jeune voix soupira : « Le bien-aimé peut-il franchir la porte de son ami ? » Alors, moi, je pensai en mon âme : « Sans doute c'est quelqu'un qui, dans l'obscurité, se trompe de maison ! Ou bien aurait-il déjà porté ses fruits, l'arbre stérile de mon désir ? » Je me hâtai pourtant de sauter sur mes pieds et courus ouvrir moi-même la porte ; et, sur le seuil, je vis la tant désirée Saïeda, mais avec quelle tournure singulière et sous quel étrange aspect ! Elle était vêtue d'une robe courte en soie verte, et sur sa tête était tendue une étoffe d'or qui n'avait pu la garantir de la pluie et de l'eau déversée par les gouttières des terrasses. Du reste, elle avait dû plonger dans la boue tout le long du chemin, comme ses jambes l'attestaient clairement. Et moi, la voyant dans un tel état, je m'exclamai : « Ô ma maîtresse, pourquoi t'exposer ainsi dehors, et par une pareille nuit ! » Elle me dit, de sa voix gentille : « Hé ! pouvais-je ne point m'incliner devant le souhait que tout à l'heure chez moi m'a transmis ton messager ? Il m'a dit la vivacité de ton désir à mon égard, et, malgré cet affreux temps, me voici ! »

Or moi, bien que ne me souvenant point d'avoir donné un ordre pareil, et l'eussé-je donné, que mon unique esclave n'eût pu l'exécuter dans le même temps qu'il était demeuré près de moi, je ne voulus point montrer à mon amie combien bouleversé était mon esprit de tout cela ; et je lui dis : « Louange à Allah qui permet notre réunion, ô ma maîtresse, et qui change en miel l'amertume du désir ! Que ta venue parfume la maison et repose le cœur du maître de la maison ! En vérité, si tu n'étais venue, je serais allé moi-même à ta recherche, tant ce soir mon esprit travaillait à ton sujet…

À ce moment de sa narration, Schahrazade vit apparaître le matin et, discrète, se tut.

Mais lorsque fut la cinq cent cinquième nuit. Elle dit :

… Je serais allé moi-même à ta recherche, tant ce soir mon esprit travaillait à ton sujet ! » Puis je me tournai vers mon esclave et lui dis : « Va vite chercher de l'eau chaude et des essences ! » Et l'esclave, ayant exécuté mon ordre, je me mis à laver moi-même les pieds de mon amie, et lui versai dessus un flacon d'essence de roses. Après quoi je l'habillai d'une belle robe en mousseline de soie verte, et la fis s'asseoir à côté de moi près du plateau des fruits et des boissons. Et lorsqu'elle eut bu avec moi plusieurs fois dans la coupe, je voulus, pour lui plaire, moi qui d'ordinaire ne consens à chanter qu'après force prières et supplications, lui chanter un nouvel air que j'avais composé. Mais elle me dit que son âme n'avait pas envie de m'entendre. Et je lui dis : « Alors, ô ma maîtresse, daigne toi-même nous chanter quelque chose ! » Elle répondit : « Pas davantage ! Car mon âme ne le souhaite pas ! » Je dis : « Pourtant, ô mon œil, la joie ne saurait être complète sans le chant et la musique ! Qu'en penses-tu ? » Elle me dit : « Tu as raison ! Mais ce soir, je ne sais pourquoi, je n'ai guère envie d'entendre chanter qu'un homme du peuple, ou quelque mendiant de la rue. Veux-tu donc aller voir si à ta porte ne passe point quelqu'un qui puisse me satisfaire ? » Et moi, pour ne point la désobliger, et bien que je fusse persuadé que par une nuit pareille il n'y avait point de passants dans la rue, j'allai ouvrir ma porte d'entrée et je passai ma tête par l'entrebâillement. Et, à ma grande surprise, je vis, appuyé sur son bâton contre la muraille d'en face, un vieux mendiant qui disait, se parlant à lui-même : « Quel vacarme fait cette tempête ! Le vent disperse ma voix, et empêche les gens de m'entendre ! Malheur au pauvre aveugle ! S'il chante, on ne l'écoute pas ! Et s'il ne chante point, il meurt de faim ! » Et, ayant dit ces paroles, le vieil aveugle se mit à tâtonner de son bâton sur le sol et contre le mur, cherchant à continuer son chemin.

Alors moi, étonné et charmé à la fois de cette rencontre fortuite, je lui dis : « Ô mon oncle, sais-tu donc chanter ? » Il répondit : « Je passe pour savoir chanter ? » Et moi je lui dis : « En ce cas, ô cheikh, veux-tu finir ta nuit avec nous, et nous réjouir de ta compagnie ? » Il me répondit : « Si tu le désires, prends-moi la main, car je suis aveugle des deux yeux ! » Et je lui pris la main, et, l'ayant introduit dans la maison, dont je fermai soigneusement la porte, je dis à mon amie : « Ô ma maîtresse, je t'amène un chanteur qui, en plus, est aveugle ! Il pourra nous donner du plaisir sans voir ce que nous faisons. Et tu n'auras pas à te gêner, ou à te voiler le visage. » Elle me dit : « Hâte-toi de le faire entrer ! » Et je le fis entrer.

Je commençais d'abord par le faire s'asseoir devant nous, et l'invitai à manger quelque chose. Et il mangea avec beaucoup de délicatesse, du bout des doigts. Et lorsqu'il eut fini et se fut lavé les mains, je lui présentai les boissons ; et il but trois coupes pleines, et alors me demanda : « Peux-tu me dire chez quel hôte je me trouve ? » Je répondis : « Chez Ishak fils d'Ibrahim de Mossoul ! » Or, mon nom ne l'étonna pas outre mesure ! et il se contenta de me répondre : « Ah ! oui, j'ai entendu parler de toi. Et je suis aise de me trouver chez toi. » Je lui dis : « Ô mon maître, je suis vraiment réjoui de te recevoir dans ma maison ! » Il me dit : « Alors, ô Ishak, si tu le veux, fais-moi entendre ta voix qu'on dit fort belle ! Car l'hôte doit commencer le premier à faire plaisir à ses invités ! » Et moi je répondis : « J'écoute et j'obéis ! » Et, comme cela commençait à m'amuser beaucoup, je pris mon luth et j'en jouai, en chantant, avec tout le talent qui me fut possible. Et lorsque j'eus terminé la finale en la soignant à l'extrême, et que les derniers sons se furent dispersés, le vieux mendiant eut un sourire ironique et me dit : « En vérité, ya Ishak, il ne te manque que peu de chose pour devenir un parfait musicien et un chanteur accompli ! » Or moi, en entendant cette louange qui était plutôt un blâme, je me sentis devenir tout petit à mes propres yeux, et, de dépit et de découragement, je jetai mon luth de côté. Mais, comme je ne voulais point manquer d'égards à mon hôte, je ne jugeai pas à propos de lui répondre, et ne dis plus rien. Alors il me dit : « Personne ne chante et ne joue ? N'y a-t-il donc pas quelqu'un d'autre ici ? » Je dis : « Il y a encore une jeune esclave. » Il dit : « Ordonne-lui de chanter, que je l'entende ! » Je dis : « Pourquoi chanterait-elle, puisque tu en as déjà assez de ce que tu as entendu ? » Il dit : « Qu'elle chante tout de même ! » Alors l'adolescente, mon amie, prit le luth, mais bien à contrecœur, et, après avoir préludé savamment, chanta de son mieux. Mais le vieux mendiant l'interrompit soudain et dit : « Tu as encore beaucoup à apprendre ! » Et mon amie, furieuse, jeta le luth loin d'elle, et voulut se lever. Et je ne réussis à la retenir qu'à grand-peine, et en me jetant à ses genoux. Puis je me tournai vers le mendiant aveugle, et lui dis : « Par Allah, ô mon hôte, notre âme ne peut donner plus que sa capacité ! Pourtant, nous avons fait de notre mieux pour te satisfaire. À ton tour maintenant d'exhiber ce que tu possèdes, par manière de politesse ! » Il sourit d'une oreille à l'autre, et me dit…

À ce moment de sa narration, Schahrazade vit apparaître le matin et, discrète, se tut.

Mais lorsque fut la cinq cent cinquante et unième nuit. Elle dit :

… Il sourit d'une oreille à l'autre, et me dit : « Alors, commence par m'apporter un luth qu'aucune main n'ait encore touché ! » Et moi, j'allai ouvrir une caisse, et lui apportai un luth tout neuf que je lui mis entre les mains. Et il saisit entre ses doigts la plume d'oie taillée, et en toucha légèrement les cordes harmonieuses. Et, dès les premiers sons, je reconnus que ce mendiant aveugle était de beaucoup le meilleur musicien de notre temps. Mais quel ne fut point mon émoi et mon admiration quand je l'entendis exécuter un morceau selon un mode qui m'était tout à fait inconnu, bien que l'on ne me considérât point comme un ignorant dans l'art ! Puis, d'une voix à nulle autre pareille, il chanta ces couplets :

« À travers l'ombre épaisse, le bien-aimé sortit de sa maison, et vint me trouver au milieu de la nuit.

Et avant de me souhaiter la paix, je l'entendis frapper et me dire : « Le bien-aimé peut-il franchir la porte de son ami ? »

Lorsque nous entendîmes ce chant du vieil aveugle, moi et mon amie nous nous regardâmes, à la limite de la stupéfaction. Puis elle devint rouge de colère et me dit, de façon que je fusse seul à l'entendre : « Ô perfide ! n'as-tu pas honte, pendant les quelques instants où tu es allé ouvrir la porte, de m'avoir trahie en racontant ma visite à ce vieux mendiant ! En vérité, ô Ishak, je ne croyais pas ta poitrine d'assez faible capacité pour ne pas contenir un secret une heure durant ! Opprobre aux hommes qui te ressemblent ! » Mais moi je lui jurai mille fois que je n'étais pour rien dans l'indiscrétion, et lui dis : « Je te jure sur la tombe de mon père Ibrahim que je n'ai rien dit de cela à ce vieil aveugle ! » Et mon amie voulut me croire, et finit par se laisser caresser et embrasser par moi, sans crainte d'être aperçue par l'aveugle. Et moi, tantôt je la baisais sur les joues et sur les lèvres, tantôt je la chatouillais, tantôt je lui pinçais les seins, et tantôt je la mordillais aux endroits délicats ; et elle riait extrêmement. Puis je me tournai vers le vieil oncle et lui dis : « Veux-tu nous chanter encore quelque chose, ô mon maître ? » Il dit : « Pourquoi pas ? » Et il reprit le luth et dit, en s'accompagnant :

« Ah ! souvent je parcours avec ivresse les charmes de ma bien-aimée, et je caresse de ma main sa belle peau nue !

Tantôt je presse les grenades de sa gorge de jeune ivoire, et tantôt je mords à même les pommes de ses joues. Et je recommence ! »

Alors moi, en entendant ce chant, je ne doutai plus de la supercherie du faux aveugle, et je priai mon amie de se couvrir le visage de son voile. Et le mendiant soudain me dit : « J'ai bien envie d'aller pisser ! Où se trouve le cabinet de repos ? » Alors, moi, je me levai et sortis un moment pour aller chercher une chandelle afin de l'éclairer, et je revins pour l'emmener. Mais lorsque je fus entré, je ne trouvai plus personne : l'aveugle avait disparu avec l'adolescente ! Et moi, quand je revins de ma stupéfaction, je les cherchai par toute la maison, mais ne les trouvai point. Et pourtant les portes et les serrures des portes restaient fermées en dedans, et je ne sus de la sorte s'ils étaient partis en sortant par le plafond ou en entrant dans le sol entrouvert et refermé ! Mais ce dont depuis je fus persuadé, c'est que c'était Éblis lui-même qui m'avait d'abord servi d'entremetteur, et qui m'avait ensuite enlevé cette adolescente qui n'était qu'une fausse apparence et une illusion. »

Puis Schahrazade, ayant raconté cette anecdocte, se tut. Et le roi Schahriar, extrêmement impressionné, s'écria : « Qu'Allah confonde le Malin ! « Et Schahrazade, voyant qu'il fronçait les sourcils, voulut le calmer et raconta l'histoire suivante :

LE FELLAH D'ÉGYPTE ET SES ENFANTS BLANCS

Voici ce que l'émir Mohammâd, gouverneur du Caire, rapporte dans les livres des chroniques. Il dit : « Comme j'étais en tournée dans la Haute-Égypte, je logeai une nuit dans la maison d'un fellah qui était le cheikh-al-balad de l'endroit. Et c'était un homme d'âge, brun d'une couleur extrêmement brune, avec une barbe grisonnante. Mais je remarquai qu'il avait des enfants en bas âge qui étaient blancs d'une couleur très blanche relevée de rose sur les joues, avec des cheveux blonds, et des yeux bleus. Puis comme il était venu, après nous avoir fait bel accueil et grande chère, converser en notre compagnie, je lui dis, par manière de demande : « Hé, Un Tel, d'où vient donc que toi, ayant le teint si brun, tes fils l'aient si clair avec une peau si blanche et rose, et des yeux et des cheveux si clairs ? » Et le fellah, attirant à lui ses enfants dont il se mit à caresser les fins cheveux, me dit : « Ô mon maître, la mère de mes enfants est une fille des Francs, et je l'ai achetée comme prisonnière de guerre au temps de Saladin le Victorieux, après la bataille de Hattîn qui nous délivra pour toujours des chrétiens étrangers, usurpateurs du royaume de Jérusalem. Mais il y a bien longtemps de cela, car c'était aux jours de ma jeunesse ! » Et moi je lui dis : « Alors, ô cheikh, nous te prions de nous favoriser de cette histoire ! » Et le fellah dit : « De tout cœur amical et comme hommage dû aux hôtes ! Car mon aventure avec mon épouse, la fille des Francs, est bien étrange ! » Et il nous conta :

« Vous devez savoir que, de mon métier, je suis cultivateur de lin ; mon père et mon grand-père semaient le lin avant moi, et, de par ma souche et origine, je suis un fellah d'entre les fellahs de ce pays-ci. Or, une année, il se trouva, par la bénédiction, que mon lin semé, poussé, nettoyé et venu à point de perfection, se montait à la valeur de cinq cents dinars d'or. Et, comme je l'offrais sur le marché et ne trouvais point mon profit, les marchands me dirent : « Va porter ton lin au château d'Acre, en Syrie, où tu le vendras avec de très gros bénéfices ! » Et moi, les ayant écoutés, je pris mon lin et m'en allai dans la ville d'Acre, qui, en ce temps-là, était entre les mains des Francs. Et, effectivement, je commençai par une bonne vente, en cédant la moitié de mon lin à des courtiers, avec crédit de six mois ; et je gardai le reste et séjournai dans la ville pour le vendre au détail, avec des bénéfices immenses.

Or un jour que j'étais à vendre mon lin, une jeune fille franque, le visage découvert et la tête sans voile, selon la coutume des Franques, vint acheter chez moi. Et elle se tenait là, devant moi, belle, blanche et jolie ; et je pouvais à mon aise admirer ses charmes et sa fraîcheur. Et plus je regardais son visage, plus l'amour envahissait ma raison ! Et je tardais beaucoup à lui vendre le lin...

À ce moment de sa narration, Schahrazade vit apparaître le matin et, discrète, se tut.

Mais lorsque fut la cinq cent cinquante-deuxième nuit. Elle dit :

... Et je tardais beaucoup à lui vendre le lin. Enfin, je fis le paquet, et le lui cédai à très bon compte. Et elle s'en alla, suivie de mes regards.

Or, quelques jours après, elle revint m'acheter du lin, et je le lui vendis à meilleur compte encore que la première fois, sans la laisser me le marchander. Et elle comprit que j'étais amoureux d'elle, et elle s'en alla ; mais ce fut pour revenir, peu de temps après, accompagnée d'une vieille femme qui resta là, pendant la vente, et qui revint ensuite avec elle chaque fois qu'elle avait besoin de faire un achat.

Mais alors, comme l'amour s'était tout à fait emparé de mon cœur, je pris la vieille à part et lui dis : « Or çà, pourrais-tu, moyennant un cadeau pour toi, me procurer une jouissance avec elle ? » La vieille me répondit : « Je pourrai te procurer une rencontre pour que tu en jouisses, mais c'est à condition que la chose reste secrète entre nous trois, moi, toi et elle ; et, en outre, tu consentiras à mettre en œuvre quelque argent ! » Je répondis : « Ô secourable tante, si mon âme et ma vie devaient être le prix de ses faveurs, je lui donnerais mon âme et ma vie. Mais pour ce qui est de l'argent, ce n'est pas une grosse affaire ! » Et je tombai d'accord avec elle pour lui donner, en courtage, la somme de cinquante dinars ; et je les lui comptai sur l'heure. Et, l'affaire ayant été conclue de la sorte, la vieille me quitta pour aller parler à la jeune fille et revint bientôt avec une réponse favorable. Puis elle me dit : « Ô mon maître, cette adolescente n'a point de lieu pour de pareilles rencontres, car elle est encore vierge de sa personne, et ne connaît rien à ces sortes de choses. Il faut donc que tu la reçoives dans ta maison, où elle viendra te trouver et demeurera jusqu'au matin ! » Et moi j'acceptai avec ferveur, et m'en allai à la maison apprêter tout ce qu'il fallait en fait de mets, de boissons et de pâtisseries. Et je restai à attendre.

Et je vis bientôt arriver la jeune fille franque, et je lui ouvris et la fis entrer dans ma maison. Et comme c'était la saison d'été, j'avais tout apprêté sur la terrasse. Et je la fis s'asseoir à mes côtés, et je mangeai et je bus avec elle. Et la maison où je logeais touchait la mer ; et la terrasse était belle au clair de lune, et la nuit était pleine d'étoiles qui se réfléchissaient dans l'eau. Et moi, regardant tout cela, je fis un retour sur moi-même, et je pensai en mon âme : « N'as-tu pas honte devant Allah le Très-Haut, sous le ciel et en face de la mer, ici même en pays étranger, de te rebeller contre l'Exalté, en forniquant avec cette chrétienne qui n'est ni de ta race ni de ta loi ! » Et, bien que je fusse déjà étendu à côté de la jeune fille qui se blotissait amoureusement contre moi, je dis en mon esprit : Seigneur, Dieu d'Exaltation et de Vérité, sois témoin que je m'abstiens en toute chasteté de cette chrétienne, fille des Francs ! » Et, pensant ainsi, je tournai le dos à la jeune fille, sans de ma main la toucher ; et je m'endormis, sous la clarté bienveillante du ciel.

Le matin venu, la jeune Franque se leva, sans me dire un mot, et s'en alla fort marrie. Et moi je me rendis à ma boutique où je me remis à vendre mon lin comme d'habitude. Mais, vers midi la jeune fille, accompagnée de la vieille, vint à passer devant ma boutique, avec une mine fâchée ; et moi derechef, de tout mon être, à en mourir, je la désirai. Car, par Allah ! elle était comme la lune ; et moi je ne pus résister à la tentation ; et je pensai, me gourmandant : « Qui donc es-tu, ô fellah, pour ainsi refréner ton désir d'une telle jouvencelle ? Or çà, toi, es-tu un ascète, ou un soufi, ou un eunuque, ou un châtré ou bien un des morfondus de Bagdad ou de Perse ? N'es-tu point de la race des puissants fellahs de la Haute-Égypte, ou bien ta mère a-t-elle oublié de t'allaiter ? » Et, sans plus, je courus derrière la vieille et, la tirant à part, je lui dis : « Je voudrais bien une seconde rencontre ! » Elle me dit : « Par le Messie, la chose n'est maintenant faisable que moyennant cent dinars ! » Et moi, sur l'heure, je comptai les cent dinars d'or et les lui remis. Et la jeune Franque vint chez moi pour la seconde fois, mais moi, devant la beauté du ciel nu, j'eus les mêmes scrupules, et je ne tirai pas plus parti de cette nouvelle entrevue que de la première, et m'abstins de la jouvencelle en toute chasteté. Et elle, dans un violent dépit, se leva d'à côté de moi, sortit et s'en alla.

Or moi, le lendemain, derechef, comme elle passait devant ma boutique, je sentis en moi les mêmes mouvements, et mon cœur palpita, et j'allai trouver la vieille et lui parlai de la chose. Mais elle me regarda avec colère et me dit : « Par le Messie, ô musulman ! est-ce ainsi qu'on traite les vierges dans ta religion ? Jamais plus tu ne pourras te réjouir d'elle, à moins toutefois que tu ne veuilles cette fois me donner cinq cents dinars ! » Puis elle s'en alla. Moi donc, tout tremblant d'émotion, et la flamme d'amour brûlant en moi, je résolus de réunir le prix de tout mon lin, et de sacrifier pour ma vie les cinq cents dinars d'or. Et, les voyant serrés dans une toile, je m'apprêtais à la porter à la vieille, quand soudain…

À ce moment de sa narration, Schahrazade vit apparaître le matin et, discrète, se tut.

Mais lorsque fut la cinq cent cinquante-troisième nuit. Elle dit :

… Je m'apprêtais à les porter à la vieille, quand soudain j'entendis le crieur public qui criait : « Ho ! compagnie des musulmans, vous qui demeurez pour vos affaires dans notre ville, sachez que la paix et la trêve que nous avons conclues avec vous est terminée. Et il vous est donné une semaine pour mettre ordre à vos affaires et quitter notre ville et rentrer dans votre pays ! »

Alors moi, entendant cet avis, je me hâtai de vendre ce qui me restait de lin, je rassemblai l'argent qui me revenait sur ce que j'avais donné à crédit, j'achetai des marchandises bonne à vendre dans nos pays et royaumes et, quittant la ville d'Acre, je partis, avec, dans le cœur, mille peines et regrets de cette fille chrétienne qui s'était emparée de mon esprit et de ma pensée.

Or j'allai à Damas, en Syrie, où je vendis ma marchandise d'Acre avec de grands bénéfices et profits, du fait des communications interrompues par la reprise d'armes. Et je fis de très belles affaires commerciales et, avec l'aide d'Allah (qu'Il soit exalté !), tout prospéra entre mes mains. Et je pus de la sorte faire, avec grand profit, le commerce en grand des filles chrétiennes captives, prises à la guerre. Et trois années s'étaient passées ainsi, depuis mon aventure d'Acre, et peu à peu l'amertume de ma brusque séparation d'avec la jeune Franque commençait à s'adoucir dans mon cœur.

Quant à nous, nous continuâmes à remporter de grandes victoires sur les Francs, tant dans le pays de Jérusalem que dans les pays de Syrie. Et, avec l'aide d'Allah, le sultan Saladin finit, après bien des batailles glorieuses, par vaincre complètement les Francs et tous les infidèles ; et il emmena en captivité à Damas leurs rois et leurs chefs, qu'il avait faits prisonniers, après avoir pris toutes les villes en leur possession sur les côtes, et pacifié tout le pays. Gloire à Allah !

Sur ces entrefaites, j'allai un jour, avec une fort belle esclave à vendre, sous les tentes où campait encore le sultan Saladin. Et je lui montrai l'esclave, qu'il désira acheter. Et moi je la lui cédai pour cent dinars seulement. Mais le sultan Saladin (qu'Allah l'ait en sa miséricorde !) n'avait sur lui que quatre-vingt-dix dinars, car il employait tout l'argent du trésor à mener à bien la guerre contre les mécréants. Alors le sultan Saladin, se tournant vers un de ses gardes, lui dit : « Va, conduis ce marchand sous la tente où se trouvent réunies les filles prisonnières du dernier engagement, et qu'il choisisse parmi elles celle qui lui plaît le mieux, pour remplacer les dix dinars que je lui dois ! » Ainsi agissait, dans sa justice, le sultan Saladin.

Le garde m'emmena donc sous la tente des captives franques, et moi, passant au milieu de ces filles, je reconnus justement dans la première que rencontra mon regard la jeune franque dont j'avais été si amoureux en Acre. Et elle était, depuis, devenue la femme d'un chef-cavalier des Francs. Moi donc, l'ayant reconnue, je l'entourai de mes bras, pour en prendre possession, et je dis : « C'est celle-ci que je veux ! » Et je la pris, et je m'en allai.

Alors, l'ayant emmenée sous ma tente, je lui dis : « Ô jouvencelle, ne me reconnais-tu pas ! » Elle me répondit : « Non, je ne te reconnais pas ! » Je dis : « Je suis ton ami, celui-là même chez qui, en Acre, tu es deux fois venue, grâce à la vieille, moyennant une première mise de cinquante dinars, et une seconde mise de cent dinars, et qui s'est abstenu de toi en toute chasteté, en te laissant partir, bien marrie, de sa maison ! Et celui-là même voulait, une troisième fois, t'avoir une nuit pour cinq cents dinars, alors que maintenant le sultan te cède à lui pour dix dinars ! » Elle baissa la tête et soudain, la relevant, elle dit : « Ce qui s'est passé est désormais un mystère de la foi islamique, car je lève le doigt et je témoigne qu'il n'y a de Dieu qu'Allah et que Môhammad est l'Envoyé d'Allah ! » Et elle prononça ainsi officiellement l'acte de notre foi, et sur l'heure elle s'ennoblit de l'Islam !

Alors moi, de mon côté, je pensai : « Par Allah ! je ne pénétrerai en elle, cette fois, que lorsque je l'aurai libérée et me serai légalement marié avec elle ! » Et j'allai sur l'heure trouver le kâdi Ibn-Scheddad que je mis au courant de toute l'affaire, et qui vint sous ma tente, avec les témoins, écrire mon contrat de mariage.

Alors je pénétrai en elle. Et elle devint enceinte de moi. Et nous nous établîmes à Damas. Quelques mois s'étaient passés de la sorte, quand arriva à Damas un ambassadeur du roi des Francs, envoyé auprès du sultan Saladin pour demander, suivant les clauses stipulées entre les rois, l'échange des prisonniers de guerre. Et tous les prisonniers, hommes et femmes, furent scrupuleusement rendus aux Francs, en échange des prisonniers musulmans. Mais quand l'ambassadeur franc eut consulté sa liste, il constata qu'il manquait encore, sur le nombre, la femme du cavalier Un Tel, celui-là même qui était le premier mari de mon épouse. Et le sultan envoya ses gardes la chercher partout, et on finit par leur dire qu'elle était dans ma maison. Et les gardes vinrent me la réclamer. Et moi je devins tout changé de couleur, et j'allai en pleurant trouver mon épouse que je mis au courant de la chose. Mais elle se leva et me dit : « Mène-moi tout de même devant le sultan ! Je sais ce que j'ai à dire entre ses mains ! » Moi donc, prenant ma femme, je la conduisis voilée en présence du sultan Saladin ; et je vis l'ambassadeur des Francs assis à côté de lui, à sa droite…

À ce moment de sa narration, Schahrazade vit apparaître le matin et, discrète, se tut.

Mais lorsque fut la cinq cent cinquante-quatrième nuit. Elle dit :

… Et je vis l'ambassadeur des Francs assis à côté de lui, à sa droite.

Alors, moi, j'embrassai la terre entre les mains du sultan Saladin, et je lui dis : « Voici la femme en question ! » Et il se tourna vers mon épouse et lui dit : « Toi, qu'as-tu à dire ? Veux-tu aller dans ton pays avec l'ambassadeur, ou préfères-tu rester avec ton mari ? » Elle répondit : « Moi, je reste avec mon mari, car je suis musulmane et enceinte de lui, et la paix de mon âme n'est pas restée chez les Francs ! » Alors le sultan se tourna vers l'ambassadeur et lui dit : « Tu as entendu ? Mais, si tu veux, parle-lui toi-même ! » Et l'ambassadeur des Francs fit à mon épouse des remontrances et des admonestations, et finit par lui dire : « Préfères-tu rester avec ton mari le musulman, ou retourner auprès du chef-cavalier Un Tel, le Franc ? » Elle répondit : « Moi, je ne me séparerai pas de mon mari l'Égyptien, car la paix de mon âme est chez les musulmans ! » Et l'ambassadeur, bien contrarié, frappa du pied et me dit : « Emmène alors cette femme ! » Et moi je pris ma femme par la main et sortis avec elle de l'audience. Et soudain, l'ambassadeur nous rappela et me dit : « La mère de ton épouse, une vieille Franque qui habitait Acre, m'a remis pour sa fille ce paquet que voici ! » Et il me remit le paquet et ajouta : « Et cette dame m'a chargé de dire à sa fille qu'elle espérait la revoir en bonne santé ! » Moi donc je pris le paquet, et revins avec ma femme à la maison. Et lorsque nous eûmes ouvert le paquet, nous y trouvâmes les vêtements que mon épouse portait en Acre, plus les premiers cinquante dinars que je lui avais donnés et les cent autres dinars de la deuxième rencontre, noués, dans le mouchoir même, du nœud que j'y avais fait moi-même ! Alors moi je reconnus par là la bénédiction que m'avait apportée ma chasteté, et j'en rendis grâces à Allah !

Dans la suite, j'emmenai ma femme, la Franque devenue musulmane, en Égypte, ici même. Et c'est elle, ô mes hôtes, qui m'a rendu père de ces enfants blancs qui bénissent leur Créateur. Et jusqu'à ce jour nous avons vécu dans notre union, mangeant notre pain comme nous l'avons cuit d'abord ! Et telle est mon histoire ! Mais Allah est plus savant ! »

Et Schahrazade, ayant raconté cette anecdote, se tut. Et le roi Schahriar dit : « Que ce fellah est heureux, Schahrazade ! » Et Schahrazade dit : « Oui, ô Roi, mais certainement il n'est pas plus heureux que ne l'a été Khalife le Pêcheur avec les singes marins et le khalifat ! » Et le roi Schahriar demanda : « Et quelle est donc cette HISTOIRE DE KHALIFE ET DU KHALIFAT *? » Schahrazade répondit : « Je vais tout de suite te la raconter ! »*

HISTOIRE DE KHALIFE ET DU KHALIFAT

Et Schahrazade dit :

Il m'est revenu, ô Roi fortuné, qu'il y avait, en l'antiquité du temps et le passé de l'âge et du moment, dans la ville de Bagdad, un homme qui était pêcheur de son métier et s'appelait Khalife. Et c'était un homme si pauvre, si malheureux et si dénué de tout qu'il n'avait jamais pu réunir les quelques cuivres nécessaires pour se marier ; et il restait ainsi célibataire, tandis que les plus pauvres des pauvres avaient femme et enfants.

Or un jour il prit, selon son habitude, ses filets sur son dos et vint au bord de l'eau pour les jeter de bon matin, avant l'arrivée des autres pêcheurs. Mais, dix fois de suite, il les jeta sans rien prendre du tout. Et son dépit en fut d'abord extrême ; et sa poitrine se rétrécit et son esprit devint perplexe ; et il s'assit sur le rivage en proie au désespoir. Mais il finit par calmer ses mauvaises pensées, et il dit : « Qu'Allah me pardonne mon mouvement ! Il n'y a de recours qu'en Lui ! Il pourvoit à la subsistance de ses créatures, et ce qu'Il donne personne ne peut nous l'ôter, et ce qu'Il refuse personne ne peut nous le donner ! Prenons donc les jours bons et les mauvais comme ils viennent, et préparons une poitrine gonflée de patience contre les malheurs. Car la mauvaise fortune est comme l'abcès qui ne crève et ne s'abolit que par des soins patients ! »

Lorsque le pêcheur Khalife se fut réconforté l'âme par ces paroles, il se releva courageusement, et, s'étant retroussé les manches, serré la ceinture et relevé la robe, il lança ses filets dans l'eau aussi loin que pouvait donner son bras, et attendit un bon moment ; après quoi il attira à lui la corde, et tira dessus de toutes ses forces ; mais les filets étaient si lourds qu'il dut prendre des précautions infinies pour les ramener sans les rompre. Il y réussit enfin, en s'y prenant délicatement ; et, les ayant devant lui, il les ouvrit, le cœur palpitant ; mais il n'y trouva qu'un gros singe borgne et estropié…

À ce moment de sa narration, Schahrazade vit apparaître le matin et, discrète, se tut.

Mais lorsque fut la cinq cent cinquante-cinquième nuit. Elle dit :

… Mais il n'y trouva qu'un gros singe borgne et estropié.

À cette vue, le malheureux Khalife s'écria : « Il n'y a de force et de puissance qu'en Allah ! En vérité nous appartenons à Allah et vers Lui nous retournerons ! Mais quelle fatalité me poursuit aujourd'hui ? Et que signifient cette chance désastreuse et ce sort calamiteux ? Que m'arrive-t-il donc en ce jour béni ? Mais tout cela est écrit par Allah (qu'Il soit exalté !) » Et, disant cela, il prit le singe et l'attacha par une corde à un arbre qui poussait sur le rivage ; puis il saisit un fouet qu'il avait sur lui, et, le levant en l'air, il voulut tomber sur le singe à coups bien appliqués, pour ainsi exhaler son désappointement. Mais soudain le singe, avec l'aide d'Allah, remua la langue et, avec un parler éloquent, dit à Khalife : « Ô Khalife, arrête ta main, et ne me frappe pas ! Laisse-moi plutôt atttaché à cet arbre, et va encore une fois jeter ton filet dans l'eau, en te fiant à Allah qui te donnera ton pain du jour ! »

Lorsque Khalife eut entendu ce discours du singe borgne et estropié, il s'arrêta dans son geste menaçant et s'en alla vers l'eau où il jeta son filet, en laissant flotter la corde. Et lorsqu'il voulut la tirer à lui, il trouva le filet encore plus lourd que la première fois ; mais, en s'y prenant avec lenteur et précaution, il réussit à le ramener sur le rivage, et voici ! il trouva dedans un second singe, non point borgne ou aveugle, mais fort beau, avec les yeux allongés de kohl, les ongles teints de henné, les dents blanches et séparées par de jolis intervalles, et un derrière rose et non point de couleur crue comme le derrière des autres singes ; et il avait la taille prise dans un habit rouge et bleu, fort agréable à voir, et des bracelets d'or aux poignets et aux chevilles et des pendants d'or aux oreilles ; et il riait en regardant le pêcheur, et clignait des yeux et faisait du bruit avec la langue.

À cette vue, Khalife s'écria : « C'est donc aujourd'hui la journée des singes ! Louanges à Allah qui a changé en singes les poissons de l'eau ! Je ne suis donc venu ici que pour faire une telle pêche ! Ô journée de poix, voilà ton commencement ! Tu es comme le livre dont on sait le contenu quand on en a lu la première page ! Mais tout cela ne m'arrive qu'à cause du conseil du premier singe ! » Et, disant ces paroles, il courut vers le singe borgne attaché à l'arbre, et leva sur lui son fouet qu'il fit tournoyer d'abord trois fois dans l'air, en criant : « Regarde, ô visage de mauvais augure, ce qui résulte pour moi du conseil que tu m'as donné ! De t'avoir écouté et d'avoir ouvert ma journée avec la vue de ton œil borgne et de ta difformité, me voici condamné à mourir de fatigue et de faim ! » Et il cingla du fouet son dos et allait recommencer quand le singe lui cria : « Ô Khalife, plutôt que de me frapper, va d'abord parler à mon compagnon, le singe que tu viens de tirer de l'eau ! Car, ô Khalife, le traitement que tu veux m'infliger ne te servira à rien, au contraire ! Écoute-moi donc, c'est pour ton bien ! » Et Khalife, fort perplexe, lâcha le singe borgne et revint près du second qui le voyait venir en riant de toutes ses dents. Et il lui cria : « Et toi, ô visage de poix, qui donc peux-tu être ? » Et le singe aux beaux yeux répondit : « Comment, ô Khalife ! Ne me reconnais-tu donc pas ! » Il dit : « Non ! je ne te reconnais pas ! Parle vite, ou bien ce fouet va s'abaisser sur ton derrière ! » Et le singe répondit : « Ce langage, ô Khalife, n'est pas convenable ! Et tu ferais bien mieux de me parler autrement, et de retenir mes réponses, qui t'enrichiront ! » Alors Khalife jeta le fouet loin de lui, et dit au singe : « Me voici prêt à t'écouter, ô seigneur singe, roi de tous les singes ! » Et l'autre dit : « Sache alors, ô Khalife, que j'appartiens à mon maître le changeur juif Abou-Saada, et que c'est à moi qu'il doit sa fortune et sa réussite dans les affaires ! » Khalife demanda : « Et comment cela ? » Il répondit : « Simplement parce que le matin je suis la première personne dont il regarde le visage, et la dernière dont le soir il prend congé avant de s'endormir ! » Et Khalife, à ces paroles, s'écria : « Le proverbe n'est donc pas vrai qui dit : *Calamiteux comme le visage du singe...* ? » Puis il se tourna vers le singe borgne, et lui cria : « Tu entends, toi, n'est-ce pas ? Ton visage ce matin ne m'a apporté que de la fatigue et du désappointement ! Ce n'est pas comme ton frère que voici ! » Mais le singe aux beaux yeux dit : « Laisse mon frère tranquille, ô Khalife, et écoute-moi enfin ! Commence donc, pour éprouver la vérité de mes paroles, par m'attacher au bout de la corde qui tient à tes filets, et jette-les à l'eau encore une fois. Et tu verras de la sorte si je te porte bonheur…

À ce moment de sa narration, Schahrazade vit apparaître le matin et, discrète, se tut.

Mais lorsque fut la cinq cent cinquante-sixième nuit. Elle dit :

… Et tu verras de la sorte si je te porte bonheur ! »

Alors Khalife fit ce que le singe venait de lui conseiller et, ayant jeté ses filets, amena un magnifique poisson, gros comme un mouton, avec des yeux comme des dinars d'or, et des écailles comme des diamants. Et, glorieux comme s'il était devenu le maître de la terre et de ses dépendances, il vint le porter en triomphe au singe aux beaux yeux qui lui dit : « Tu vois bien ! Maintenant va ramasser de bonnes herbes fraîches, mets-en au fond de ton panier, place le poisson desssus, couvre le tout d'une nouvelle couche d'herbes et, nous laissant nous deux, les singes, attachés à cet arbre, prends le panier sur ton épaule et va le porter dans la ville de Bagdad. Et si les passants t'interrogent sur ce que tu portes, ne leur réponds pas un mot. Et tu entreras dans le souk des changeurs, et tu trouveras au milieu du souk la boutique de mon maître Abou-Saada le juif, cheikh des changeurs. Et tu le trouveras assis sur un divan avec un coussin derrière lui, et deux caisses devant lui, l'une pour l'or et l'autre pour l'argent. Et tu trouveras chez lui des jeunes garçons, des esclaves, des serviteurs et des employés. Alors, toi, tu t'avanceras près de lui, tu déposeras le panier à poisson devant lui et tu lui diras : « Ô Abou-Saada, voici ! Moi je suis allé aujourd'hui à la pêche, et j'ai jeté les filets en ton nom, et Allah a envoyé ce poisson qui est dans ce panier ! » Et tu découvriras délicatement le poisson. Alors il te demandera : « L'as-tu déjà proposé à un autre qu'à moi ? » Toi, dis-lui : « Non, par Allah ! » Et lui, il prendra le poisson et t'offrira, comme prix, un dinar. Mais tu le lui retourneras. Et il t'offrira deux dinars ; mais tu les lui retourneras. Et chaque fois qu'il te fera une offre, tu la repousseras, même s'il t'offre le poids en or du poisson ! N'accepte donc rien de lui, fais-y bien attention. Et il te dira : « Dis-moi alors ce que tu désires ! » Et toi tu lui répondras : « Par Allah ! je ne vends le poisson que contre deux paroles ! » Et s'il te demande : « Quelles sont ces deux paroles ? » Tu lui répondras : « Lève-toi sur tes pieds et dis : « Soyez témoins, ô vous tous qui êtes présents dans le souk, que je consens à échanger le singe de Khalife le pêcheur contre mon singe, que je troque ma chance contre sa chance et mon lot de bonheur contre son lot de bonheur ! » Et toi tu ajouteras, en t'adressant à Abou-Saada : « Tel est le prix de mon poisson. Car, je n'ai que faire de l'or ! Je n'en connais ni l'odeur, ni le goût, ni l'utilité ! » Ainsi tu parleras, ô Khalife ! Et si le juif consent à ce marché, moi, étant devenu ta propriété, tous les jours de bon matin je te souhaiterai le bonjour, et le soir je te souhaiterai le bonsoir ; et de la sorte je te porterai bonheur, et tu gagneras cent dinars durant ta journée. Quant à Abou-Saada le juif, il inaugurera tous les matins sa journée par la vue de ce singe borgne et estropié, et il aura tous les soirs la même vision ; et Allah l'affligera chaque jour d'une nouvelle exaction ou d'une corvée ou d'une avanie ; et, de la sorte, au bout de peu de temps, il sera ruiné, et, n'ayant plus rien entre les mains, il sera réduit à la mendicité ! Ainsi donc, ô Khalife, retiens bien ce que je viens de te dire, et tu prospéreras et tu te trouveras dans le droit chemin vers le bonheur ! »

Lorsque Khalife le pêcheur eut entendu ce discours du singe, il répondit : « J'accepte ton conseil, ô roi de tous les singes ! Mais alors que faut-il que je fasse de ce borgne de malheur ? Faut-il le laisser attaché à l'arbre ? Car je suis bien perplexe à son sujet ! Puisse Allah ne le bénir jamais ! » Il répondit : « Lâche-le plutôt, pour qu'il retourne à l'eau. Et lâche-moi également. C'est mieux ! » Il répondit : « J'écoute et j'obéis ! » Et il s'approcha du singe borgne et estropié, et le détacha de l'arbre ; et il rendit aussi la liberté au singe conseiller. Et aussitôt, en deux gambades, ils furent dans l'eau où ils plongèrent et disparurent. Alors Khalife prit le poisson, le lava, le mit dans le panier au-dessus de l'herbe verte et fraîche, le couvrit d'herbe également, prit le tout sur son épaule, et s'en alla à la ville, en chantant de tout son gosier.

Or lorsqu'il fut entré dans les souks, les gens et les passants le reconnurent et, comme d'habitude ils plaisantaient avec lui, ils se mirent à lui demander : « Que portes-tu, ô Khalife ? » Mais il ne leur répondit pas et ne les regardait même pas, et cela tout le long du chemin. Et il arriva de la sorte au souk des changeurs, et il suivit les boutiques une à une jusqu'à ce qu'il fût arrivé à celle du juif. Et il le vit lui-même qui était assis majestueusement au milieu de sa boutique, sur un divan, avec, empressés à son service, des serviteurs en nombre, de tout âge et de toute couleur ; et il avait ainsi l'air d'être du Khorassân ! Et Khalife, après s'être bien assuré qu'il avait affaire au juif lui-même, s'avança jusque entre ses mains, et s'arrêta. Et le juif leva la tête vers lui et, l'ayant reconnu, lui dit : « Aisance et famille, ô Khalife ! Sois le bienvenu...

À ce moment de sa narration, Schahrazade vit apparaître le matin et, discrète, se tut.

Mais lorsque fut la cinq cent cinquante-septième nuit. Elle dit :

... Aisance et famille, ô Khalife ! Sois le bienvenu ! Et dis-moi quelle est ton affaire et ce que tu désires. Et si quelqu'un par hasard t'a dit de mauvaises paroles ou t'a froissé ou t'a bousculé, hâte-toi de me le dire afin que j'aille avec toi trouver le wak, et lui demander réparation du tort ou du dommage qu'on t'a causé ! » Il lui répondit : « Non, par la vie de ta tête, ô chef des juifs et leur couronne, personne ne m'a dit de mauvaises paroles ni ne m'a froissé ni ne m'a bousculé, bien au contraire ! Mais moi je sortis aujourd'hui de ma maison et m'en allai sur le rivage et jetai, à la chance et en ton nom, mes filets dans l'eau. Et je les retirai et trouvai dedans ce poisson-ci ! » Et, parlant de la sorte, il ouvrit son panier, tira délicatement le poisson de son lit d'herbe et le présenta avec ostentation au changeur juif. Et lorsque celui-ci vit ce poisson, il le trouva admirable et s'écria : « Par le Pentateuque et les Dix Commandements ! sache, ô pêcheur, que moi j'étais endormi hier quand je vis en songe la vierge Marie m'apparaître pour me dire : « Ô Abou-Saada, demain tu auras de moi un cadeau ! » Or c'est ce poisson-ci qui doit être le cadeau en question, sans aucun doute ! » Puis il ajouta : « Par ta religion, dis-moi, ô Khalife, as-tu déjà montré ou proposé ce poisson à quelqu'un d'autre que moi ? » Et Khalife lui répondit : « Non, par Allah ! je le jure par la vie d'Abou-Bekr le Sincère, ô chef des juifs et leur couronne, personne, hormis toi, ne l'a encore vu ! » Alors le juif se tourna vers l'un de ses jeunes esclaves et lui dit : « Toi, viens ici ! Prends ce poisson et va le porter à la maison, et dis à ma fille Saada de le nettoyer, d'en faire frire la moitié et d'en griller l'autre moitié, et de me tenir le tout au chaud jusqu'à ce que j'aie fini d'expédier les affaires et que je puisse rentrer à la maison ! » Et Khalife, pour renforcer l'ordre, dit au garçon : « Oui, ô garçon, recommande bien à ta maîtresse de ne pas le brûler, et fais-lui voir la belle couleur de ses branchies ! » Et le garçon répondit : « J'écoute et j'obéis, ô mon maître ! » Et il s'en alla.

Quant au juif, il tendit du bout des doigts un dinar à Khalife le pêcheur, en lui disant : « Prends ceci pour toi, ô Khalife, et dépense-le pour ta famille ! » Et lorsque Khalife eut pris instinctivement le dinar, et l'eut vu briller dans sa paume, lui qui de sa vie n'avait encore vu de l'or et n'en soupçonnait même pas la valeur, il s'écria : « Gloire au Seigneur, Maître des trésors et Souverain des richesses et des domaines ! » Puis il fit quelques pas pour s'en aller, quand il se rappela tout d'un coup la recommandation du singe aux beaux yeux et, revenant sur ses pas, il jeta le dinar devant le juif et lui dit : « Prends ton or et rends le poisson du pauvre monde ! Crois-tu donc pouvoir impunément te moquer des pauvres ? »

Lorsque le juif eut entendu ces paroles, il crut que Khalife voulait plaisanter avec lui ; et, tout en riant de la chose, il lui tendit trois dinars au lieu d'un ! Mais Khalife lui dit : « Non, par Allah ! assez de ce jeu déplaisant ! Crois-tu vraiment que je me résoudrai jamais à vendre mon poisson pour un prix si dérisoire ? » Alors le juif lui tendit cinq dinars au lieu de trois, et lui dit : « Prends ces cinq dinars pour prix de ton poisson, et laisse de côté l'avidité ! » Et Khalife les prit dans sa main et s'en alla bien content ; et il les regardait, ces dinars d'or, et s'en émerveillait et se disait : « Gloire à Allah ! Il n'y a certes pas chez le khalifat de Bagdad ce qu'il y a dans ma main aujourd'hui ! » Et il continua son chemin jusqu'à ce qu'il fût arrivé au bout du souk. Alors il se souvint des paroles du singe et de la recommandation qu'il lui avait faite ; et il s'en revint chez le juif et lui jeta l'or avec mépris. Et le juif demanda : « Qu'as-tu donc, ô Khalife, et que demandes-tu ? Veux-tu changer tes dinars d'or en drachmes d'argent ? » Il répondit : « Je ne veux ni tes drachmes ni tes dinars, mais je veux que tu me rendes le poisson du pauvre monde ! »

À ces paroles, le juif se fâcha, et cria et dit : « Comment, ô pêcheur ! Tu m'apportes un poisson qui ne vaut pas un dinar, et je t'en donne cinq dinars, et tu n'es pas satisfait ! Es-tu fou ? Ou bien veux-tu enfin me dire à combien tu veux me le céder ? » Khalife répondit : « Je ne veux le céder ni pour de l'argent ni pour de l'or ; mais je veux le vendre moyennant deux paroles seulement ! » Lorsque le juif eut entendu qu'il était question de deux paroles, il crut qu'il s'agissait des deux paroles qui servent de formule pour la profession de foi de l'Islam, et que le pêcheur lui demandait, pour un poisson, d'abjurer sa religion ! Aussi, de colère et d'indignation, ses yeux saillirent jusqu'au sommet de sa tête, et sa respiration s'arrêta, et sa poitrine se creusa, et ses dents grincèrent ; et il s'écria : « Ô rognure d'ongle des musulmans ! tu veux donc me séparer de ma religion pour ton poisson, et me faire abjurer ma foi et ma loi, celles qu'avant moi professaient mes pères ? » Et il héla ses serviteurs qui accoururent entre ses mains, et il leur cria : « Malheur ! Sus à ce visage de poix, et prenez-le-moi par la nuque et appliquez-lui une bastonnade soignée qui lui mette la peau en lambeaux ! Et ne l'épargnez pas…

À ce moment de sa narration, Schahrazade vit apparaître le matin et, discrète, se tut.

Mais lorsque fut la cinq cent cinquante-huitième nuit. Elle dit :

… Et ne l'épargnez pas ! » Et aussitôt les serviteurs lui tombèrent dessus à coups de bâton, et ne cessèrent de le frapper que lorsqu'il eut roulé jusqu'au bas des marches de la boutique ! Et le juif leur dit : « Laissez-le maintenant se relever ! » Et Khalife se releva debout sur ses pieds, malgré les coups reçus, comme s'il n'avait rien senti ! Et le juif lui demanda : « Veux-tu maintenant me dire le prix que tu prétends recevoir pour ton poisson ? Je suis prêt à te le donner, pour en finir ! Et songe au traitement guère enviable que tu viens de subir ! » Mais Khalife se mit à rire et répondit : « N'aie aucune crainte à mon sujet, ô mon maître, pour ce qui est des coups de bâton ; car, moi, je puis supporter autant de coups que peuvent en manger dix ânes à la fois ! Je n'en suis guère impressionné. » Et le juif se mit également à rire de ces paroles, et lui dit : « Par Allah sur toi ! dis-moi ce que tu désires, et, moi, je te le jure par la vérité de ma foi, je te l'accorderai ! » Alors Khalife répondit : « Je te l'ai dit ! Je ne te demande pour ce poisson que deux paroles seulement ! Et ne va pas encore croire qu'il s'agit pour toi de prononcer notre acte de foi musulman ! Car, par Allah ! ô juif, si tu deviens musulman, ton islamisation ne sera d'aucun avantage pour les musulmans et d'aucun tort pour les juifs ; et si, au contraire, tu t'obstines à rester dans ta foi impie et ton erreur de mécréant, ta mécréantise ne sera d'aucun tort pour les musulmans et d'aucun avantage pour les juifs ! Mais, moi, les deux paroles que je te demande, c'est autre chose ! Je désire que tu te lèves sur tes deux pieds et que tu dises : « Soyez témoins de mes paroles, ô habitants du souk, ô marchands de bonne foi : je consens, de ma propre volonté, à changer mon singe contre le singe de Khalife, et à troquer ma chance et mon sort en ce monde contre sa chance et son sort et mon bonheur contre son bonheur ! »

À ce discours du pêcheur, le juif dit : « Si c'est là ta demande, la chose m'est aisée ! » Et, à l'heure et à l'instant, il se leva sur ses deux pieds, et dit les paroles que lui avait demandées Khalife le pêcheur. Après quoi il se tourna vers lui, et lui demanda : « Te reste-t-il encore quelque chose chez moi ? » Il répondit : « Non ! » Le juif dit : « Alors, va-t'en en sécurité ! » Et Khalife, sans plus tarder, se leva, prit son panier vide et ses filets et retourna sur le rivage.

Alors, se fiant à la promesse du singe aux beaux yeux, il jeta ses filets à l'eau puis les ramena, mais avec de grandes difficultés, tant ils étaient pesants, et il les trouva pleins de poissons de toutes les espèces. Et aussitôt passa près de lui une femme qui tenait en équilibre sur sa tête un plateau, et qui lui demanda du poisson pour un dinar ; et il lui en vendit. Et un esclave vint également à passer et lui prit du poisson pour un second dinar. Et, ainsi de suite, jusqu'à ce qu'il eût vendu pour cent dinars, ce jour-là ! Alors, triomphant à la limite du triomphe, il prit ses cent dinars et rentra dans le misérable logis où il demeurait, près du marché aux poissons.

Et lorsque vint la nuit, il fut très inquiet de tout cet argent qu'il possédait, et se dit en lui-même, avant de s'étendre sur sa natte pour dormir : « Ô Khalife, tout le monde dans le quartier sait que tu es un pauvre homme, un malheureux pêcheur sans rien entre les mains ! Or, maintenant, te voici devenu possesseur de cent dinars d'or ! Et les gens vont le savoir, et le khalifat Haroun Al-Rachid finira par le savoir également, et, un jour qu'il sera à court d'argent, il enverra chez toi les gardes pour te dire : « J'ai besoin de tant d'argent, et j'ai appris que tu avais chez toi cent dinars. Or je viens te les emprunter ! » Alors moi je prendrai mon air le plus piteux, et je me lamenterai en me donnant de grands coups sur la figure, et je répondrai : « Ô émir des Croyants, je suis un pauvre, un rien du tout ! Comment aurais-je cette somme fabuleuse ? Par Allah ! celui qui t'a raconté la chose est un insigne menteur ! Je n'ai jamais eu et je n'aurai jamais pareille somme ! »

Alors, pour me soutirer mon argent et me faire avouer l'endroit où je l'aurai caché, il me livrera au chef de la police Ahmad-la-Teigne, qui me fera ôter mes habits et me donnera la bastonnade jusqu'à ce que j'avoue et que je lui livre les cent dinars. Or, moi, maintenant, je pense que ce qu'il y a de mieux à faire, pour me tirer de cette mauvaise passe, c'est de ne point avouer ! Et pour ne point avouer, il faut que j'accoutume ma peau aux coups, bien que, Allah soit loué ! elle soit déjà passablement endurcie ! Mais il faut qu'elle le soit tout à fait, afin que ma délicatesse native ne regimbe pas sous les coups, et ne me fasse faire ce que mon âme ne désire point ! »

Ayant pensé de la sorte, Khalife n'hésita pas davantage, et il mit à exécution le projet que son âme de mangeur de haschisch lui suggérait. Il se leva donc à l'instant, se mit complètement nu…

À ce moment de sa narration, Schahrazade vit apparaître le matin et, discrète, se tut.

Mais lorsque fut la cinq cent cinquante-neuvième nuit. Elle dit :

… Ayant pensé de la sorte, Khalife n'hésita pas davantage, et il mit à exécution le projet que son âme de mangeur de haschisch lui suggérait. Il se leva donc à l'instant, se mit complètement nu, et prit un coussin en peau, qu'il avait, et le pendit devant lui à un clou de la muraille ; puis, saisissant un fouet de cent quatre-vingts nœuds, il se mit à donner alternativement un coup sur sa propre peau et un coup sur la peau du coussin, et à pousser en même temps de grands cris comme s'il était déjà en présence du chef de la police et obligé de se défendre de l'accusation. Et il criait : « Aïe ! Hélas ! Par Allah, mon seigneur, c'est un mensonge ! Aïe ! un grand mensonge ! Hélas ! Aïe ! des paroles de perdition contre moi ! Ouh ! Ouh ! comme je suis délicat ! Tous des menteurs ! Je suis un pauvre ! Allah ! Allah ! un pauvre pêcheur ! Je ne possède rien ! Aïe ! rien des biens méprisables de ce monde ! Si, je possède ! Non, je ne possède pas ! Si je possède ! Non, je ne possède pas ! » Et il continua de la sorte à s'administrer ce remède, en donnant tantôt un coup sur sa peau, et tantôt un coup sur le coussin ; et, quand il avait trop mal, il oubliait son tour, et donnait deux coups au coussin ; et il finit même par ne plus se donner qu'un coup sur trois, puis sur quatre, puis sur cinq !

Tout cela ! Et les voisins, qui entendaient les cris et les coups résonner dans la nuit, et les marchands du quartier finirent par s'émouvoir et se dirent : « Que peut-il donc être arrivé à ce pauvre garçon pour qu'il crie de la sorte ? Et que sont ces coups qui pleuvent sur lui ? Peut-être sont-ce des voleurs qui l'ont surpris et qui le battent à le faire mourir ! » Et alors, comme les cris et les hurlements ne faisaient qu'augmenter d'intensité, et que les coups devenaient de plus en plus nombreux, ils sortirent tous de leurs maisons, et coururent à la maison de Khalife. Mais comme ils en trouvèrent la porte fermée, ils se dirent : « Les voleurs ont dû entrer chez lui de l'autre côté, en descendant par la terrasse ! » Et ils montèrent sur la terrasse voisine et de là sautèrent sur la terrasse de Khalife, et descendirent chez lui en passant par l'ouverture du haut. Et ils le trouvèrent seul et tout nu, et en train de se donner des coups alternés, avec le fouet, et de pousser en même temps des hurlements et des protestations d'innocence ! Et il se démenait comme un éfrit, en sautant sur ses jambes !

À cette vue, les voisins, stupéfaits, lui demandèrent : « Qu'as-tu donc, Khalife ? Et quelle est l'affaire ? Les coups que nous entendions et tes hurlements ont mis tout le quartier en émoi, et nous ont empêchés de dormir ! Et nous voici avec des cœurs battant tumultueusement ! » Mais Khalife leur cria : « Que voulez-vous de moi, vous autres ? Est-ce que je ne suis plus le maître de ma peau, et ne puis-je pas en paix l'accoutumer aux coups ? Est-ce que je sais, moi, ce que peut me réserver l'avenir ? Allez, braves gens ! Vous feriez bien mieux de faire comme moi et de vous administrer ce même traitement ! Vous n'êtes pas plus que moi à l'abri des exactions et des avanies ! » Et, sans plus faire attention à leur présence, Khalife continua à hurler sous les coups qui claquaient sur le coussin, en pensant qu'ils tombaient sur sa propre peau. Alors les voisins, voyant cela, se mirent à rire tellement qu'ils se renversèrent sur leur derrière, et finirent par s'en aller comme ils étaient venus.

Quant à Khalife, il se fatigua au bout d'un certain temps, mais ne voulut point fermer l'œil, par crainte des voleurs, tant il était dans l'embarras de sa fortune nouvelle. Et le matin, avant d'aller à son travail, il pensait encore à ses cent dinars, et se disait : « Si je les laisse dans mon logis, ils seront volés certainement ; si je les serre autour de ma taille dans une ceinture, ils seront remarqués par quelque larron qui se mettra à l'affût dans un endroit solitaire pour attendre mon passage, et me sauter dessus, me tuera et me dépouillera. Aussi je vais faire mieux que tout cela ! » Alors il se leva, déchira son caban en deux, confectionna un sac avec l'une des moitiés, et enferma l'or dans ce sac qu'il pendit à son cou au moyen d'une ficelle. Après quoi, il prit ses filets, son panier et son bâton, et s'achemina vers le rivage. Et arrivé là, il saisit ses filets et, de toute la force de son bras, il les lança dans l'eau. Mais le mouvement qu'il fit fut si brusque et si peu mesuré que le sac d'or sauta de son cou et suivit les filets dans l'eau ; et la force du courant l'entraîna au loin dans les profondeurs.

À cette vue, Khalife lâcha ses filets, se dévêtit en un clin d'œil en jetant ses vêtements sur le rivage, sauta dans l'eau et plongea à la recherche de son sac ; mais il ne réussit point à le retrouver. Alors il plongea une seconde fois et une troisième fois et ainsi de suite jusqu'à cent fois, mais inutilement. Alors, désespéré et à bout de forces, il remonta sur le rivage et voulut se vêtir ; mais il constata que ses vêtements avaient disparu, et il ne trouva que son filet, son panier et son bâton. Alors il frappa ses mains l'une contre l'autre et s'écria : « Ah ! les vils chenapans qui m'ont volé mes habits ! Mais tout cela ne m'arrive que pour donner raison au proverbe qui dit : « Le pèlerinage ne s'achève pour le chamelier que lorsqu'il a enculé son chameau...

À ce moment de sa narration, Schahrazade vit apparaître le matin et, discrète, se tut.

Mais lorsque fut la cinq cent soixantième nuit. Elle dit :

... Le pèlerinage ne s'achève pour le chamelier que lorsqu'il a enculé son chameau ! » Il se décida alors à s'envelopper de son filet, faute de mieux, puis il prit son bâton à la main et, son panier sur son dos, il se mit à parcourir le rivage à grandes enjambées, en allant de côté et d'autre, à droite, à gauche, en avant et en arrière, haletant et désordonné et enragé comme un chameau en rut, et semblable en tous points à quelque éfrit rebelle échappé de l'étroite prison d'airain où le tenait enfermé Soleïmân ! Et voilà pour Khalife le pêcheur ! Mais pour ce qui est du Khalifat Haroun Al-Rachid, dont il va être ici question, voici ! Il y avait à Bagdad, en ce temps-là, comme homme d'affaires et bijoutier du khalifat, un gros notable nommé Ibn Al-Kirnas. Et c'était un personnage si important dans le souk que tout ce qui se vendait à Bagdad en belles étoffes, joyaux, objets précieux, jeunes garçons et jeunes filles, ne se vendait que par son entremise ou après avoir passé par ses mains ou avoir été soumis à son expertise. Or un jour d'entre les jours qu'Ibn Al-Kirnas était assis dans sa boutique, il vit venir chez lui le chef des courtiers tenant par la main une adolescente dont jamais spectateur n'avait admiré la pareille, tant elle était à la limite de la beauté, de l'élégance, de la finesse et de la perfection. Et cette adolescente, outre les charmes qu'elle avait en elle, connaissait toutes les sciences, les arts, la poétique, le jeu des instruments d'harmonie, le chant et la danse. Aussi Ibn Al-Kirnas n'hésita pas à l'acheter, séance tenante, pour cinq mille dinars d'or ; et, après l'avoir habillée de vêtements pour mille dinars, il alla la présenter à l'émir des Croyants. Et elle passa la nuit chez lui. Et il put de la sorte mettre à l'épreuve, par lui-même, ses talents, et ses connaissances variées. Et il la trouva experte en toute chose et n'ayant point son égale dans l'époque. Elle s'appelait Force-des-Cœurs, et elle était brune et fraîche de peau.

Aussi l'émir des Croyants, enchanté de sa nouvelle esclave, envoya-t-il le lendemain à Ibn Al-Kirnas dix mille dinars comme prix d'achat. Et il ressentit pour l'adolescente une passion si violente, et son cœur fut tellement subjugué, qu'il négligea pour elle Sett Zobéida, sa cousine, fille d'Al-Kassim ; et il délaissa toutes les favorites ; et il resta un mois entier enfermé chez elle, ne sortant que pour la prière du vendredi et rentrant ensuite en toute hâte. Aussi les seigneurs du royaume trouvèrent-ils la chose trop grave pour durer plus longtemps, et allèrent-ils exposer leurs doléances au grand vizir Giafar Al-Barmaki. Et Giafar leur promit de porter bientôt remède à cet état de choses, et attendit, pour voir le khalifat, la prière du vendredi suivant. Et il entra dans la mosquée et eut une entrevue avec lui et put lui parler pendant un long moment des aventures d'amour et de leurs conséquences. Et le khalifat, après l'avoir écouté sans l'interrompre, lui répondit : « Par Allah ! ô Giafar, je ne suis pour rien dans cette histoire et ce choix ; mais la faute est à cœur qui s'est laissé prendre dans les lacets de l'amour, et moi je ne sais guère le moyen de l'en tirer ! » Et le vizir Giafar répondit : « Sache, ô émir des Croyants, que ta favorite Force-des-Cœurs est désormais entre tes mains, soumise à tes ordres, une esclave parmi tes esclaves ; et tu sais que lorsque la main possède, l'âme ne convoite plus. Or, moi, je veux t'indiquer un moyen pour que ton cœur ne se lasse point de la favorite : c'est de t'en éloigner de temps en temps, en allant par exemple à la chasse ou à la pêche, car il est possible que les filets du pêcheur délivrent ton cœur de ceux où l'amour le tient enlacé ! Cela vaut encore mieux pour toi que de t'occuper, pour le moment, des affaires du gouvernement, car, dans la situation où tu te trouves, ce travail te causerait trop d'ennuis ! » Et le khalifat répondit : « Ton idée est excellente, ô Giafar, allons nous promener sans retard ni délai ! » Et, dès que les prières furent terminées, ils quittèrent la mosquée, montèrent chacun sur une mule et prirent la tête de leur escorte pour s'en aller hors de la ville et parcourir les champs.

Après avoir erré longtemps de côté et d'autre, pendant la chaleur du jour, ils finiront par laisser leur escorte loin derrière eux, distraits qu'ils étaient par leur conversation ; et Al-Rachid eut bien soif, et dit : « Ô Giafar, je suis torturé par une soif très forte ! » Et il regarda de tous côtés autour de lui, pour chercher quelque habitation, et aperçut quelque chose au loin, sur un tertre, qui bougeait, et demanda à Giafar : « Vois-tu, toi, ce que je vois là-bas ? » Il répondit : « Oui, ô commandeur des Croyants, je vois quelque chose de vague sur un tertre. Ce doit être quelque jardinier ou quelque planteur de concombres ! En tout cas, comme il doit y avoir certainement de l'eau dans son voisinage, je vais courir t'en chercher ! » Al-Rachid répondit : « Ma mule est plus rapide que ta mule ! Demeure donc ici, pour attendre notre escorte, tandis que je vais aller moi-même boire chez ce jardinier et revenir ensuite ! » Et, disant cela, Al-Rachid poussa sa mule dans cette direction-là, et s'éloigna avec la rapidité d'un vent d'orage ou d'un torrent qui tombe du haut d'un rocher ; et, en un clin d'œil, il atteignit la personne en question, qui n'était autre que Khalife le pêcheur. Et il le vit nu et empêtré dans ses filets, et couvert de sueur et de poussière, et les yeux rouges, saillants et égarés, et d'aspect horrible à regarder. Et il ressemblait de la sorte à un de ces éfrits malfaisants qui errent dans les lieux déserts...

À ce moment de sa narration, Schahrazade vit apparaître le matin et, discrète, se tut.

Mais lorsque fut la cinq cent soixante et unième nuit. Elle dit :

... Et il ressemblait de la sorte à un de ces éfrits malfaisants qui errent dans les lieux déserts. Et Haroun lui souhaita la paix, et Khalife lui rendit le souhait en maugréant et en lui lançant un regard flamboyant. Et Haroun lui dit : « Ô homme, as-tu à me donner une gorgée d'eau ? » Et Khalife lui répondit : « Ô toi, es-tu aveugle ou fou ? Ne vois-tu pas que l'eau coule derrière ce tertre ? » Alors Haroun contourna le tertre et descendit vers le Tigre où il se désaltéra, en s'étendant à plat ventre, et fit également se désaltérer sa mule. Puis il revint auprès de Khalife et lui dit : « Qu'as-tu donc à faire ici, ô homme, et quelle est ta profession ? » Khalife répondit : « En vérité, cette question est encore plus étrange et plus extraordinaire que celle concernant l'eau. Ne vois-tu donc pas sur mes épaules l'outil de mon métier ? » Et Haroun, ayant vu le filet, dit : « Tu dois être pêcheur, sans doute ! » Il dit : « Tu l'as dit ! » Et Haroun lui demanda : « Mais qu'as-tu fait de ton caban, de ta chemise et de ton sac ? » À ces paroles, Khalife, qui avait perdu ces divers objets que venait de nommer Al-Rachid, ne douta pas un instant qu'il ne fût lui-même le voleur qui les avait dérobés sur la rive, et, se précipitant sur Al-Rachid du haut du tertre, comme un éclair, il saisit la mule par la bride, en s'écriant : « Rends-moi mes effets, et fais cesser cette mauvaise plaisanterie ! » Haroun répondit : « Moi, par Allah ! je n'ai point vu tes habits, et je ne sais de quoi tu veux parler ! » Or Al-Rachid avait, comme on sait, les joues grasses et gonflées et la bouche très petite. Aussi Khalife, l'ayant regardé avec plus d'attention, crut qu'il était un joueur de clarinette, et lui cria : « Veux-tu, oui ou non, ô joueur de clarinette, me rendre mes effets, ou bien préfères-tu danser sous mes coups de bâton et pisser dans tes vêtements ? »

Lorsque le khalifat vit l'énorme matraque du pêcheur levée sur sa tête, il se dit : « Par Allah ! je ne pourrai guère supporter la moitié d'un coup de ce bâton ! » Et, sans hésiter davantage, il se dépouilla de sa belle robe de satin et, l'offrant à Khalife, lui dit : « Ô homme, prends cette robe, pour remplacer tes effets perdus ! » Et Khalife prit la robe, la tourna dans tous les sens, et dit : « Ô joueur de clarinette, mes effets valent dix fois plus que cette vilaine robe ornementée. » Al-Rachid dit : « Soit ! mais revêts-la tout de même, en attendant que je te retrouve tes effets ! » Et Khalife la prit et s'en vêtit ; mais, l'ayant trouvée trop longue, il prit son couteau, qui était attaché à l'anse du panier à poissons, et, d'un coup, en retrancha tout le tiers inférieur dont il se servit pour se confectionner aussitôt un turban, tandis que la robe lui arrivait à peine jusqu'aux genoux ;

mais il le préférait ainsi, pour ne pas avoir les mouvements gênés. Puis il se tourna vers le khalifat et lui dit : « Par Allah sur toi, ô joueur de clarinette, dis-moi ce que ton métier de joueur de clarinette te rapporte par mois comme appointements ? » Le khalifat répondit, n'osant plus contrarier son questionneur : « Mon métier de joueur de clarinette me rapporte environ dix dinars par mois ! » Et Khalife dit, avec un geste de commisération profonde : « Par Allah, ô pauvre, tu me rends bien triste à ton sujet ! Moi, en effet, ces dix dinars je les gagne en une heure de temps, rien qu'en jetant mon filet et en le retirant ; car j'ai dans l'eau un singe qui s'occupe de mes intérêts, et se charge chaque fois de pousser les poissons dans mes filets. Veux-tu donc, ô joues gonflées, entrer à mon service pour apprendre de moi le métier de pêcheur et devenir un jour mon associé dans le gain, en commençant d'abord par gagner cinq dinars par jour, comme mon aide ? Et, en outre, tu bénéficieras de la protection de ce bâton contre les exigences de ton ancien maître de clarinette que je me charge, s'il le faut, d'éreinter d'un seul coup ! » Et Al-Rachid répondit : « J'accepte la proposition ! » Khalife dit : « Descends alors du dos de la mule, et attache cette bête quelque part afin qu'elle puisse, au besoin, nous servir à transporter le poisson au marché ! Et viens vite commencer ton apprentissage de pêcheur ! »

Alors le khalifat, tout en soupirant en son âme et en jetant des yeux éperdus autour de lui, descendit du dos de sa mule, l'attacha près de là, retroussa ce qui lui restait de vêtements et attacha les pans de sa chemise à sa ceinture et vint se ranger près du pêcheur qui lui dit : « Ô joueur de clarinette, prends ce filet par un bout, jette-le sur ton bras, de *telle* manière, et lance-le à l'eau de *telle* autre manière ! » Et Al-Rachid fit appel dans son cœur à tout le courage dont il se sentait capable et, ayant exécuté ce que lui ordonnait Khalife, jeta le filet à l'eau et, au bout de quelques instants, voulut le retirer ; mais il le trouva si pesant qu'il ne put y arriver tout seul, et Khalife fut obligé de l'y aider ; et, à eux deux, ils le ramenèrent sur le rivage, tandis que Khalife criait à son aide : « Ô clarinette de mon zebb, si par malheur je trouve mon filet déchiré ou endommagé par les pierres du fond, je t'encule ! Et, de même que tu m'as pris mes vêtements, je te prendrai ta mule ! » Mais heureusement pour Haroun, le filet fut trouvé intact et rempli de poissons de la plus grande beauté ! Autrement Haroun aurait certainement passé par le zebb du pêcheur, et Allah seul sait comment il aurait pu supporter une telle charge. Or il n'en fut rien ! Au contraire, le pêcheur dit à Haroun : « Ô clarinette, tu es bien laid, et ta figure ressemble à mon derrière, exactement ; mais, par Allah ! si tu fais bien attention à ton nouveau métier, tu seras un jour un pêcheur extraordinaire…

À ce moment de sa narration, Schahrazade vit apparaître le matin et, discrète, se tut.

Mais lorsque fut la cinq cent soixante-deuxième nuit. Elle dit :

… Ô clarinette, tu es bien laid, et ta figure ressemble à mon derrière, exactement ; mais, par Allah ! si tu fais bien attention à ton nouveau métier, tu seras un jour un pêcheur extraordinaire ! En attendant, ce que tu as de mieux à faire, c'est de remonter sur ta mule et d'aller au souk m'acheter deux grands paniers pour que j'y mette le surplus de cette pêche prodigieuse, pendant que je vais rester ici pour garder le poisson jusqu'à ton arrivée. Et ne te préoccupe pas d'autre chose, car j'ai ici la balance à poisson, les poids et tout ce qui est nécessaire pour la vente au détail. Et toi tu n'auras pour toute charge, quand nous serons arrivés au souk du poisson, que de me tenir la balance et de toucher l'argent des clients. Mais hâte-toi de courir m'acheter les deux paniers. Et surtout prends bien garde de flâner, ou le bâton jouera sur ton dos ! » Et le khalifat répondit : « J'écoute et j'obéis ! » Puis il se hâta de détacher sa mule et de l'enfourcher pour la mettre au grand galop ; et, riant à rendre l'âme, il alla rejoindre Giafar, qui, le voyant accoutré de si bizarre façon, leva les bras au ciel et s'écria : « Ô commandeur des Croyants, sans doute tu as dû trouver sur ta route quelque beau jardin où tu t'es couché et roulé sur l'herbe ! » Et le khalifat se mit à rire, en entendant ces paroles de Giafar. Puis les autres Barmécides de l'escorte, parents de Giafar, embrassèrent la terre entre ses mains et dirent : « Ô émir des Croyants, puisse Allah faire durer sur toi les joies et éloigner de toi les soucis ! Mais quelle est la cause qui t'a retenu si longtemps loin de nous, alors que tu ne nous avais quittés que pour boire une gorgée d'eau ? » Et le khalifat leur répondit : « Il vient de m'arriver une aventure prodigieuse des plus dilatantes et des plus extraordinaires ! » Et il leur raconta ce qui lui était arrivé avec Khalife le pêcheur, et comment, pour remplacer les vêtements qu'il était censé lui avoir volés, il lui avait donné en échange sa robe de satin ouvragé. Alors Giafar s'écria : « Par Allah ! ô émir des Croyants, quand je t'ai vu t'éloigner tout seul, si richement habillé, j'ai eu comme un pressentiment de ce qui allait t'arriver. Mais il n'y a pas grand mal, puisque je vais aller tout de suite racheter au pêcheur cette robe que tu lui as donnée ! » Le khalifat se mit à rire encore plus fort, et dit : « Tu aurais dû, ô Giafar, y penser plus tôt, car le bonhomme, pour l'ajuster à sa taille, en a déjà coupé un tiers et s'est servi du morceau coupé pour se faire un turban ! Mais, ô Giafar, j'ai eu vraiment assez d'une seule pêche, et je ne suis guère tenté de recommencer une telle besogne. Et, d'ailleurs, j'ai péché en une fois de quoi me dispenser désormais de souhaiter un plus beau succès, car le poisson sorti de mon filet est d'une abondance miraculeuse, et se trouve là-bas, sur le rivage, sous la garde de mon maître Khalife qui n'attend que mon retour avec les paniers pour aller vendre au souk le produit de ma pêche ! » Et Giafar dit : « Ô émir des Croyants, je vais donc aller rabattre vers vous deux les acheteurs ! » Haroun s'écria : « Ô Giafar ! par les mérites de mes ancêtres, les Purs, je promets un dinar par poisson à tous ceux qui iront acheter de ma pêche à Khalife, mon maître ! »

Alors Giafar fit crier aux gardes de l'escorte : « Ho ! gardes et gens de l'escorte, courez au rivage et tâchez de rapporter du poisson à l'émir des Croyants ! » Et aussitôt tous ceux de l'escorte se mirent à courir vers l'endroit indiqué, et trouvèrent Khalife qui gardait la pêche ; et ils l'entourèrent comme les éperviers entourent une proie, et s'arrachèrent les poissons amoncelés devant lui, en se les disputant, malgré le bâton dont Khalife les menaçait en s'agitant. Et Khalife finit tout de même par être vaincu par le nombre, et s'écria : « Nul doute que ce poisson ne soit du poisson du paradis ! » Et il put, en distribuant force coups, réussir à sauver du pillage les deux plus beaux poissons de la pêche ; et il les prit, chacun dans une main, et se sauva dans l'eau pour échapper à ceux qu'il croyait être des brigands, coupeurs de routes. Et, enfoncé de la sorte au loin dans l'eau, il leva ses mains qui tenaient chacune un poisson et s'écria : « Ô Allah ! par les mérites de ces poissons de ton Paradis, fais que mon associé, le joueur de clarinette, ne tarde pas à revenir ! »

Or, comme il achevait cette invocation, un nègre de l'escorte, qui avait été en retard sur les autres, son cheval s'étant arrêté en chemin pour pisser, arriva le dernier sur le rivage et, ne voyant plus trace de poisson, regarda à droite et à gauche et aperçut Khalife dans l'eau, qui tenait un poisson dans chaque main. Et il lui cria : « Ô pêcheur, viens t'en par ici ! » Mais Khalife répondit : « Tourne le dos, ô avaleur de zebb ! » À ces paroles, le nègre, à la limite de la fureur, leva sa lance, et, la pointant dans la direction de Khalife, lui cria : « Veux-tu venir ici et me vendre ces deux poissons au prix que tu fixeras, ou bien recevoir cette lance dans ton flanc ? » Et Khalife lui répondit : « Ne frappe pas, ô vaurien ! Il vaut encore mieux te donner le poisson que de perdre la vie ! » Et il sortit de l'eau et vint jeter avec dédain les deux poissons au nègre qui les ramassa, et les mit dans un mouchoir de soie brodé richement ; puis il porta la main à sa poche, pour y prendre de l'argent, mais il la trouva vide ; et il dit au pêcheur : « Par Allah, ô pécheur, tu n'as pas de chance, car moi présentement je n'ai pas un seul drachme en poche ! Mais demain tu viendras au palais et tu demanderas le nègre eunuque Sandal. Et les serviteurs te mèneront à moi, et tu trouveras auprès de moi accueil généreux et ce que ta chance t'aura fixé ; et tu t'en iras ensuite en ta voie ! » Et Khalife, n'osant trop faire le rébarbatif, jeta à l'eunuque un regard qui en disait plus que mille insultes ou mille menaces d'enculage ou de fornication avec la mère ou la sœur du partenaire, et s'éloigna dans la direction de Bagdad, en frappant ses mains l'une contre l'autre, et en disant, avec un ton d'amertume et d'ironie : « En vérité, voilà un jour qui, dès son commencement, a été béni entre tous les jours bénis de ma vie ! C'est évident ! » Et il franchit de la sorte les murs de la ville, et parvint à l'entrée des souks. Or lorsque les passants et les boutiquiers…

À ce moment de sa narration, Schahrazade vit apparaître le matin et, discrète, se tut.

Mais lorsque fut la cinq cent soixante-troisième nuit. Elle dit :

… Or lorsque les passants et les boutiquiers virent le pêcheur Khalife qui d'une part portait sur son dos ses filets, son panier et son bâton, et d'autre part était revêtu d'une robe et coiffé d'un turban qui à eux deux valaient bien mille dinars, ils l'entourèrent et marchèrent derrière lui, pour voir quelle pouvait être l'affaire, jusqu'à ce qu'il fût arrivé devant la boutique du tailleur même du khalifat. Et le tailleur, dès le premier regard jeté sur Khalife, reconnut en l'habit qu'il portait celui-là même qu'il avait livré depuis peu au commandeur des Croyants. Et il cria au pêcheur : « Ô Khalife, d'où t'est donc venue cette robe que tu portes ? » Et Khalife, de très mauvaise humeur, lui répondit en le toisant : « Et de quoi te mêles-tu donc, impudent au visage d'excrément ? Sache tout de même, pour voir que je ne cache rien, que cette robe m'a été donnée par l'apprenti auquel j'enseigne la pêche, et qui est devenu mon aide. Et il ne me l'a donnée que pour ne pas avoir la main coupée, à la suite du vol dont il s'est rendu coupable en me dérobant mes effets ! »

À ces paroles, le tailleur comprit que le khalifat avait dû, en sa promenade, rencontrer le pêcheur, et lui faire cette plaisanterie, pour rire de lui. Et il laissa Khalife continuer en paix son chemin et arriver à sa maison, où nous le retrouverons demain.

Mais il est temps de savoir ce qui s'est passé au palais, pendant l'absence du khalifat Haroun Al-Rachid. Eh bien ! il s'y est passé des choses d'une gravité extrême. En effet ! nous savons que le khalifat n'était sorti de son palais avec Giafar que pour aller prendre un peu d'air par les champs, et se distraire pour un moment de sa passion extrême pour Force-des-Cœurs. Or il n'était point le seul que torturât cette passion pour l'esclave. Son épouse et cousine, Sett Zobéida, depuis l'arrivée au palais de cette adolescente, devenue la favorite exclusive de l'émir des Croyants, ne pouvait plus ni manger, ni boire, ni dormir, rien ! tant son âme était remplie par les sentiments de jalousie que ressentent d'ordinaire les femmes pour leurs rivales. Et, pour se venger de cet affront continuel qui la rapetissait à ses propres yeux et aux yeux de son entourage, elle n'attendait qu'une occasion, soit une absence fortuite du khalifat, soit un voyage, soit une occupation quelconque, qui lui permît d'être libre de ses mouvements. Aussi, dès qu'elle eut appris que le khalifat était sorti pour aller à la chasse et à la pêche, elle fit préparer, dans ses appartements, un festin somptueux où ne manquaient ni les boissons ni les plateaux de porcelaine remplis de confitures et de pâtisseries. Et elle envoya inviter, en grande cérémonie, la favorite Force-des-Cœurs, en lui faisant dire par les esclaves : « Notre maîtresse Sett Zobéida, fille de Kassim, épouse de l'émir des Croyants, t'invite aujourd'hui, ô notre maîtresse Force-des-Cœurs, à un festin qu'elle donne en ton honneur. Car elle a bu aujourd'hui un médicament et, comme pour en obtenir les meilleurs effets il faut qu'elle se réjouisse l'âme et se repose l'esprit, elle trouve que le meilleur repos et la meilleure joie ne peuvent lui venir que de ta vue et de tes chants merveilleux, dont elle a entendu parler avec admiration par le khalifat. Et elle souhaite fort en faire par elle-même l'essai ! » Et Force-des-Cœurs répondit : « L'ouïe et l'obéissance sont à Allah et à Sett Zobéida, notre maîtresse ! » Et elle se leva à l'heure et à l'instant ; et elle ne savait pas ce que lui réservait le destin dans ses projets mystérieux. Et elle prit avec elle les instruments de musique qui lui étaient nécessaires, et accompagna le chef-eunuque aux appartements de Sett Zobéida.

Lorsqu'elle fut arrivée en présence de l'épouse du khalifat, elle embrassa à plusieurs reprises la terre entre ses mains, puis se releva et, d'une voix infiniment délicieuse, elle dit : « La paix sur le rideau élevé et le voile sublime de ce harem, sur la descendante du Prophète et l'héritière de la vertu des Abbassides ! Puisse Allah prolonger le bonheur de notre maîtresse aussi longtemps que le jour et la nuit se succéderont l'un à l'autre ! » Et, ayant dit ce compliment, elle recula au milieu des autres femmes et des suivantes. Alors Sett Zobéida, qui était étendue sur un grand divan de velours, leva lentement les yeux vers la favorite et la regarda fixement. Et elle fut éblouie de ce qu'elle voyait…

À ce moment de sa narration, Schahrazade vit apparaître le matin et, discrète, se tut.

Mais lorsque fut la cinq cent soixante-quatrième nuit. Elle dit :

… Et elle fut éblouie de ce qu'elle voyait de beauté en cette adolescente accomplie qui avait des cheveux de nuit, des joues comme les corolles des roses, des grenades à la place des seins, des yeux brillants, des paupières languides, un front éclatant et un visage de lune. Et, certes, le soleil devait se lever de derrière la frange de son front, et les ténèbres de la nuit s'épaissir de sa chevelure ; le musc ne devait être recueilli que de son haleine durcie, et les fleurs lui devaient leur grâce et leurs parfums ; la lune ne brillait qu'en empruntant l'éclat de son front ; le rameau ne se balançait que grâce à sa taille, et les étoiles ne scintillaient que de ses yeux ; l'arc des guerriers ne se tendait qu'en imitant ses sourcils, et le corail des mers ne rougissait que de ses lèvres ! Était-elle irritée, ses amants tombaient par terre privés de vie ! Était-elle calmée, les âmes revenaient rendre la vie aux corps inanimés ! Lançait-elle un regard, elle ensorcelait, et soumettait les deux mondes à son empire. Car, en vérité, elle était un miracle de beauté, l'honneur de son temps et la gloire de Celui qui l'avait créée et perfectionnée !

Lorsque Sett Zobéida l'eut admirée et détaillée, elle lui dit : « Aisance, amitié et famille ! Sois la bienvenue parmi nous, ô Force-des-Cœurs ! Assieds-toi et divertis-nous de ton art et de la beauté de ton exécution ! » Et l'adolescente répondit : « J'écoute et j'obéis ! » Puis elle s'assit et, allongeant la main, elle prit d'abord un tambourin, instrument admirable ; et on put ainsi lui appliquer ces vers du poète :

« Ô joueuse de tambourin, mon cœur à t'entendre s'est envolé ! Et tandis que tes doigts battent le rythme profond, l'amour qui me tient suit la mesure, et le contrecoup frappe ma poitrine.

Tu ne prendras qu'un cœur blessé ! Que tu chantes sur un ton léger ou que tu jettes le cri de la douleur, tu pénètres notre âme !

Ah ! lève-toi, ah ! dépouille-toi, ah ! jette le voile, et, levant tes pieds légers, ô toute belle, danse le pas de la délice légère et de notre folie ! »

Et, lorsqu'elle eut fait résonner l'instrument sonore, elle chanta, en s'accompagnant, ces vers improvisés :

« Les oiseaux, ses frères, ont dit à mon cœur, oiseau blessé : « Fuis ! fuis les hommes et la société ! »

Mais j'ai dit à mon cœur, oiseau blessé : « Mon cœur, obéis aux hommes et que tes ailes frémissent comme des éventails ! Réjouis-toi pour leur faire plaisir ! »

Et elle chanta ces deux strophes d'une voix si merveilleuse que les oiseaux du ciel s'arrêtèrent dans leur vol, et que le palais se mit à danser de tous ses murs, de ravissement. Alors Force-des-Cœurs laissa le tambourin et prit la flûte de roseau, sur laquelle elle appuya ses lèvres et ses doigts. Et on put de la sorte lui appliquer ces vers du poète :

« Ô joueuse de flûte, l'instrument d'insensible roseau, que tiennent sous tes lèvres tes doigts de souplesse, acquiert une âme nouvelle au passage de ton haleine !

Souffle dans mon cœur ! Il résonnera mieux que l'insensible roseau de la flûte aux trous sonores, car tu y trouveras plus que sept blessures qui s'aviveront au toucher de tes doigts ! »

Lorsqu'elle eut enchanté les assistants d'un air de flûte, elle déposa la flûte et prit le luth, instrument admirable, dont elle régla les cordes, et l'appuya contre son sein en s'inclinant sur sa rotondité, avec la tendresse d'une mère qui s'incline sur son enfant, si bien que c'est certainement d'elle et de son luth que le poète a dit :

« Ô joueuse de luth, tes doigts sur les cordes persanes excitent ou calment la violence, au gré de ton désir, comme un médecin habile qui, selon qu'il en est besoin, fait à son gré jaillir le sang des veines ou l'y laisse circuler tranquillement !

Qu'il est beau d'entendre parler, sous tes doigts délicats, un luth aux cordes persanes, parler à ceux dont il ne possède pas le langage, et de voir tous les ignorants comprendre son langage sans parole ! »

Et alors elle préluda sur quatorze modes différents, et chanta, en s'accompagnant, un chant en entier, qui confondit d'admiration ceux qui la voyaient et ravit de délices ceux qui l'entendaient.

Ensuite Force-des-Cœurs, après avoir ainsi préludé sur les divers instruments et chanté des chansons variées devant Sett Zobéida, se leva dans sa grâce et sa souplesse ondoyante, et dansa ! Après quoi, elle s'assit et exécuta divers tours d'adresse, jeux de gobelets et d'escamotage, et cela d'une main si légère et avec tant d'art et d'habileté que Sett Zobéida, malgré la jalousie, le dépit et le désir de vengeance, faillit tomber amoureuse d'elle et lui déclarer sa passion. Mais elle put réprimer à temps ce mouvement, tout en pensant en son âme : « Certes ! mon cousin Al-Rachid ne doit point subir de blâme d'être si amoureux d'elle...

À ce moment de sa narration, Schahrazade vit apparaître le matin et, discrète, se tut.

Mais lorsque fut la cinq cent soixante-cinquième nuit. Elle dit :

... Certes ! mon cousin Al-Rachid ne doit point subir de blâme d'être si amoureux d'elle ! » Et elle donna l'ordre aux esclaves de servir le festin, et laissa sa haine prendre le dessus sur ces premiers sentiments. Pourtant elle ne laissa pas la compassion fuir entièrement son cœur, et, au lieu d'accomplir le projet qu'elle avait formé d'abord d'empoisonner sa rivale, et de se débarrasser ainsi d'elle pour toujours, elle se contenta de faire mélanger dans les pâtisseries présentées à Force-des-Cœurs une très forte dose de bang soporifique. Et dès que la favorite eut porté à ses lèvres un morceau de ces pâtisseries, elle tomba la tête en arrière, et s'enfonça dans les ténèbres de l'évanouissement. Et Sett Zobéida, feignant une très grande douleur, ordonna aux esclaves de la transporter dans un appartement secret. Puis elle fit répandre la nouvelle de sa mort, en disant qu'elle s'était étouffée en mangeant trop vite, et fit faire un simulacre de funérailles solennelles et d'enterrement, et lui éleva à la hâte un tombeau somptueux dans les jardins mêmes du palais.

Tout cela eut donc lieu pendant l'absence du khalifat ! Mais lorsque, après son aventure avec le pêcheur Khalife, il fut rentré dans le palais, son premier soin fut de s'informer, auprès des eunuques, de sa bien-aimée Force-des-Cœurs. Et les eunuques, que Sett Zobéida avait menacés de la pendaison en cas d'indiscrétion, répondirent au khalifat sur un ton funèbre : « Hélas, ô notre seigneur, qu'Allah prolonge tes jours et verse sur ta tête l'arriéré dû à notre maîtresse Force-des-Cœurs ! Ton absence, ô émir des Croyants, lui a causé un tel désespoir et une telle douleur qu'elle n'a pu en supporter la commotion, et une mort soudaine l'a frappée ! Et elle est maintenant dans la paix de son Seigneur ! »

À ces paroles, le khalifat se mit à courir dans le palais, comme un insensé, en se bouchant les oreilles et en demandant à grands cris sa bien-aimée à tous ceux qu'il rencontrait. Et tout le monde, sur son passage, se jetait à plat ventre, ou se cachait derrière les colonnades. Et il arriva de la sorte dans le jardin où s'élevait le faux tombeau de la favorite, et il se jeta le front contre le marbre, et, étendant les bras et pleurant toutes ses larmes, il s'écria :

« Ô tombeau, comment tes ombres froides et les ténèbres de ta nuit peuvent-elles enfermer la bien-aimée ?

Ô tombeau, par Allah, dis-moi ! la beauté, les charmes de mon amie sont-ils à jamais effacés ? S'est-il pour toujours évanoui, ce spectacle réjouissant de sa beauté ?

Ô tombeau ! certes tu n'es ni le Jardin des Délices ni le ciel élevé ; mais, dis-moi, comment alors se fait-il que je vois dans ton intérieur briller la lune et fleurir le rameau ? »

Et le khalifat continua de la sorte à sangloter et à exhaler sa douleur pendant une heure de temps. Après quoi il se leva et courut s'enfermer dans ses appartements, sans vouloir entendre les consolations ni recevoir son épouse et ses intimes ! Quant à Sett Zobéida, lorsqu'elle eut vu le succès de sa ruse, elle fit en secret enfermer Force-des-Cœurs dans un coffre à habits (car elle continuait à éprouver les effets soporifiques du bang) et ordonna à deux esclaves de confiance de porter ce coffre hors du palais, et de le vendre au souk au premier acheteur venu, à condition que l'achat fût fait sans qu'on soulevât le couvercle !

Et voilà pour tous ceux-là. Mais pour ce qui est du pêcheur Khalife : lorsque, le lendemain de la pêche, il se fut réveillé, sa première pensée fut pour le nègre châtré qui ne lui avait pas payé les deux poissons, et il se dit : « Je crois bien que ce que j'ai encore de mieux à faire c'est d'aller m'informer, au palais, de cet eunuque Sandal, fils de la maudite aux larges narines, puisqu'il me l'a bien recommandé lui-même ! Et s'il ne veut pas s'exécuter, par Allah ! je l'encule ! » Et il se dirigea vers le palais.

Or, en y arrivant, Khalife trouva tout le monde sens dessus dessous ; et, à la porte même, la première personne qu'il rencontra fut le nègre eunuque Sandal, assis au milieu d'un groupe respectueux d'autres nègres et d'autres eunuques, discutant et gesticulant. Et il s'avança de son côté, et, comme un jeune mamelouk voulait lui barrer la route, il le bouscula et lui cria : « Marche, fils de l'entremetteur ! » À ce cri, l'eunuque Sandal tourna la tête et vit que c'était Khalife le pêcheur. Et l'eunuque, en riant, lui dit de s'approcher ; et Khalife s'avança et dit : « Par Allah ! je t'aurais reconnu entre mille, ô mon blondeau, ô ma petite tulipe ! » Et l'eunuque éclata de rire, en entendant ces paroles, et lui dit avec aménité : « Assieds-toi un moment, ô mon maître Khalife ! Je vais tout de suite te payer ton dû ! » Et il mit la main dans sa poche pour prendre de l'argent et le lui donner, lorsqu'un cri annonça la présence du grand vizir Giafar, qui sortait de chez le khalifat...

À ce moment de sa narration, Schahrazade vit apparaître le matin et, discrète, se tut.

Mais lorsque fut la cinq cent soixante-sixième nuit. Elle dit :

... Et il mit la main dans sa poche pour prendre de l'argent et le lui donner, lorsqu'un cri annonça la présence du grand vizir Giafar, qui sortait de chez le khalifat. Aussi les eunuques, les esclaves et les jeunes mamelouks se levèrent pour se ranger sur deux lignes ; et Sandal, auquel le vizir fit signe de la main qu'il avait à lui parler, laissa là le pêcheur, et se rendit en toute hâte aux ordres de Giafar. Et tous deux se mirent à causer longuement, en se promenant de long en large.

Lorsque Khalife vit que l'eunuque tardait à revenir près de lui, il crut que c'était une ruse de sa part pour ne pas le payer, d'autant plus que l'eunuque semblait l'avoir complément oublié et ne s'inquiéter pas plus de sa présence que s'il n'existait pas. Alors il se mit à s'agiter et à faire des gestes de loin à l'eunuque, qui voulaient dire : « Reviens donc ! » Mais comme l'autre n'y prêtait aucune attention, il lui cria, d'un ton ironique : « Ô mon seigneur la Tulipe, donne-moi mon dû pour que je m'en aille ! » Et l'eunuque, à cause de la présence de Giafar, fut très confus de cette apostrophe, et ne voulut point répondre. Au contraire, il se mit à parler avec plus d'animation, pour ne point attirer de ce côté-là l'attention du grand vizir ; mais ce fut peine perdue ! Car Khalife s'approcha davantage et, d'une voix formidable, s'écria, en lui faisant de grands gestes : « Ô insolvable vaurien, qu'Allah confonde les gens de mauvaise foi, et tous ceux qui dépouillent les pauvres de leur bien ! » Puis il changea de ton, et, ironique, lui cria : « Je me mets sous ta protection, ô mon seigneur Ventre-Creux ! Et je te supplie de me donner mon dû pour que je puisse m'en aller. » Et l'eunuque fut à la limite de la confusion, car Giafar, cette fois, avait vu et entendu ; mais comme Il ne saisissait pas encore de quoi il s'agissait, il demanda à l'eunuque : « Qu'a-t-il donc, ce pauvre homme ? Et qui a pu le frustrer de son dû ? » Et l'eunuque répondit : « Ô mon seigneur, ne sais-tu pas qui est cet homme-là ? » Giafar dit : « Par Allah ! d'où le connaîtrais-je, puisque c'est la première fois que je le vois ? » L'eunuque dit : « Ô notre seigneur, c'est justement le pêcheur dont nous nous sommes hier disputé les poissons pour les porter au khalifat ! Et moi, comme je lui avais promis de l'argent pour les deux derniers poissons qui lui restaient, je lui ai dit de venir aujourd'hui me trouver pour se faire payer son dû ! Et je voulais le payer tout à l'heure, quand j'ai été obligé d'accourir entre tes mains ! Et c'est pourquoi le bonhomme, impatienté, m'apostrophe maintenant de cette façon-là ! »

Lorsque le vizir Giafar eut entendu ces paroles, il sourit doucement et dit à l'eunuque : « Comment, ô chef des eunuques, as-tu fait ton compte pour manquer ainsi de respect, d'empressement et d'égards envers le maître même de l'émir des Croyants ! Pauvre Sandal ! Que dira le khalifat s'il vient à apprendre qu'on n'a pas honoré à l'extrême son associé et maître, Khalife le pêcheur ! » Puis Giafar ajouta soudain : « Ô Sandal, surtout ne le laisse pas s'en aller, car il ne pouvait tomber plus à propos ! Justement le khalifat, la poitrine rétrécie, le cœur affligé, l'âme en deuil, est plongé dans le désespoir, par la mort de la favorite Force-des-Cœurs ; et j'ai inutilement cherché à le consoler, par tous les moyens ordinaires. Mais peut-être à l'aide de ce pêcheur Khalife allons-nous pouvoir lui dilater la poitrine. Retiens-le donc pendant que je vais aller tâter le sentiment du kahlifat à son sujet ! » Et l'eunuque Sandal répondit : « Ô mon seigneur, fais ce que tu juges opportun ! Et qu'Allah te conserve et te garde à jamais comme le soutien, le pilier et la pierre angulaire de l'empire et de la dynastie de l'émir des Croyants ! Et que sur toi et sur elle soit l'ombre protectrice du Très-Haut ! Et puissent la branche, le tronc et la racine rester intacts durant les siècles ! » Et il se hâta d'aller rejoindre Khalife pendant que Giafar se rendait auprès du khalifat. Et le pêcheur, voyant arriver enfin l'eunuque, lui dit : « Te voilà donc, ô Ventre-Creux ! » Et, comme l'eunuque donnait l'ordre aux mamelouks d'arrêter le pêcheur et de l'empêcher de s'en aller, celui-ci lui cria : « Ah ! voilà bien ce à quoi je m'attendais ! Le créancier devient le débiteur, et le demandeur devient le demandé ! Ah ! Tulipe de mon zebb, moi je viens demander ici mon dû, et l'on m'emprisonne sous prétexte d'arriéré de taxes et de non-paiement d'impôts ! » Et voilà pour lui.

Quant au khalifat, Giafar, en pénétrant auprès de lui, le trouva ployé en deux, la tête dans les mains et la poitrine soulevée de sanglots ! Et il se récitait doucement ces vers :

« Mes censeurs me reprochent sans cesse mon inconsolable douleur ! Mais que puis-je, quand le cœur refuse toute consolation ? Est-il sous mon pouvoir, ce cœur indépendant ?

Et comment pourrais-je, sans mourir, supporter l'absence d'une enfant dont le souvenir remplit mon âme, une enfant charmante et douce, si douce, ô mon cœur !

Oh ! non ! jamais je ne l'oublierai ! L'oublier quand la coupe a circulé entre nous, la coupe où j'ai bu le vin de ses regards, le vin dont je reste encore grisé ! »

Et lorsque Giafar fut entre les mains du khalifat, il dit : « La paix sur toi, ô émir des Croyants, ô défenseur de l'honneur de notre Foi, ô descendant de l'oncle du Prince des Apôtres ! Que la prière et la paix d'Allah soient sur Lui et sur tous les siens sans exception ! » Et le khalifat leva vers Giafar des yeux pleins de larmes et un regard douloureux, et lui répondit…

À ce moment de sa narration, Schahrazade vit apparaître le matin et, discrète, se tut.

Mais lorsque fut la cinq cent soixante-septième nuit. Elle dit :

… Et le khalifat leva vers Giafar des yeux pleins de larmes et un regard douloureux, et lui répondit : « Et sur toi, ô Giafar, la paix d'Allah et sa miséricorde et ses bénédictions ! » Et Giafar demanda : « Le commandeur des Croyants permet-il à son esclave de parler, ou bien le lui défend-il ? » Et Al-Rachid répondit : « Et depuis quand, ô Giafar, t'est-il défendu de me parler, toi, le seigneur et la tête de tous mes vizirs ! Dis-moi tout ce que tu as à me dire ! » Et Giafar dit alors : « Ô notre seigneur, comme je sortais d'entre tes mains pour rentrer chez moi, j'ai rencontré, debout, à la porte du palais, au milieu des eunuques, ton maître et professeur et associé, Khalife le pêcheur, qui avait beaucoup de griefs à formuler contre toi, et se plaignait de toi, disant : « Gloire à Allah ! je ne comprends rien à ce qui m'arrive ! Je lui ai enseigné l'art de la pêche, et non seulement il ne m'en a aucune gratitude, mais il est parti pour me chercher deux paniers et s'est bien gardé de revenir ! Est-ce là une bonne association et un bon apprentissage ? Ou bien est-ce ainsi qu'on paie ses maîtres en retour ? » Or moi, ô émir des Croyants, je me suis hâté de venir t'aviser de la chose, pour que si tu as toujours l'intention d'être son associé, tu le sois ; sinon, que tu l'avises de la cessation de l'entente entre vous deux, afin qu'il puisse trouver un autre associé ou compagnon ! »

Lorsque le khalifat eut entendu ces paroles de son vizir, il ne put, malgré les sanglots qui l'étouffaient, s'empêcher de sourire, puis de rire aux éclats, et, soudain, il sentit se dilater sa poitrine et dit à Giafar : « Par ma vie sur toi, ô Giafar, dis-moi la vérité ! Est-il bien exact que le pêcheur Khalife soit maintenant à la porte du palais ? » Et Giafar répondit : « Par ta vie, ô émir des Croyants, Khalife lui-même, avec ses deux yeux, est à la porte ! » Et Haroun dit : « Ô Giafar, par Allah ! il me faut aujourd'hui lui faire justice, selon ses mérites, et lui rendre son dû ! Si donc Allah, par mon entremise, lui envoie des supplices ou des souffrances, il les aura intégralement ; si, au contraire, Il lui écrit pour son sort la prospérité et la fortune, il les aura également ! » Et, disant ces paroles, le khalifat prit une grande feuille de papier, la coupa en petits morceaux d'égale mesure, et dit : « Ô Giafar, écris de ta propre main, d'abord, sur vingt de ces petits billets, des sommes d'argent allant de un dinar à mille dinars, et les noms de toutes les dignités de mon empire, depuis la dignité de khalifat, d'émir, de vizir et de chambellan, jusqu'aux plus infimes charges du palais ; puis écris, sur vingt autres billets, toutes les espèces de punitions et de tortures, depuis la bastonnade jusqu'à la pendaison et la mort ! » Et Giafar répondit : « J'écoute et j'obéis ! » Et il prit un calame et écrivit de sa propre main, sur les billets, les indications ordonnées par le khalifat, telles que : *Un millier de dinars, charge de chambellan, émirat, dignité de khalifat* ; et : *arrêt de mort, emprisonnement, bastonnade,* et autres choses semblables. Puis il les plia tous de la même manière, les jeta dans un petit bassin d'or, et remit le tout au khalifat, qui lui dit : « Ô Giafar, je jure par les mérites sacrés de mes saints ancêtres, les Purs, et par ma royale ascendance qui remonte à Hamzah et à Akil que, lorsque Khalife le pêcheur va être ici tout à l'heure, je vais lui ordonner de tirer un billet de ces billets dont le contenu n'est connu que de moi et de toi, et que je lui accorderai tout ce qui sera écrit sur le billet qu'il aura tiré, quelle que soit la chose écrite ! Et serait-ce même ma dignité de khalifat qui lui écherrait, je l'abdiquerais à l'instant en sa faveur, et la lui transmettrais en toute générosité d'âme ! Mais si, au contraire, c'est la pendaison, ou la mutilation, ou la castration ou n'importe quel genre de mort qui va être son lot, je le lui ferai subir sans recours ! Va donc le prendre, et me l'amène sans retard ! »

En entendant ces paroles, Giafar se dit en lui-même : « Il n'y a de majesté et il n'y a de puissance qu'en Allah le Glorieux, l'Omnipotent ! Il est possible que le billet tiré par ce pauvre soit un billet de la mauvaise espèce, qui va être l'occasion de sa perte ! Et j'aurai été ainsi, sans le vouloir, la cause première de son malheur ! Car le khalifat en a fait le serment, et il n'y a pas à songer à lui faire changer de résolution ! Je n'ai donc qu'à aller chercher ce pauvre ! Et il n'arrivera que ce qui est écrit par Allah ! » Puis il sortit trouver Khalife le pêcheur et, le prenant par la main, il voulut l'entraîner à l'intérieur du palais. Mais celui-ci, qui n'avait cessé jusque-là de s'agiter, de se plaindre de son arrestation, et de se repentir d'être venu à la cour, faillit en voir sa raison s'envoler tout à fait, et s'écria : « Que j'ai été stupide de m'écouter et de venir trouver ici cet eunuque noir, Tulipe de malheur, ce fils lippu de la race maudite aux larges narines, ce ventre-creux ! » Mais Giafar lui dit : « Allons ! suis-moi ! » Et il l'entraîna, précédé et suivi par la foule des esclaves et des jeunes garçons que Khalife ne cessait d'invectiver. Et on le fit pénétrer à travers sept immenses vestibules, et Giafar lui dit : « Attention ! ô Khalife, tu vas être en présence de l'émir des Croyants, le défenseur de la Foi ! » Et, soulevant une grande portière, il le poussa dans la salle de réception, où sur son trône était assis Haroun Al-Rachid, environné de ses émirs et des grands de sa cour. Et Khalife, qui n'avait pas la moindre idée de ce qu'il voyait, n'en fut nullement déconcerté ; mais, regardant avec la plus grande attention Haroun Al-Rachid au milieu de sa gloire, il s'avança vers lui en éclatant de rire et lui dit : « Ah ! te voilà donc, ô clarinette ! Crois-tu donc avoir agi honnêtement en me laissant hier garder seul le poisson, moi qui t'ai appris le métier et t'ai chargé d'aller m'acheter deux paniers ? Tu m'as laissé sans défense et à la merci d'un tas d'eunuques qui sont venus, comme une nuée de vautours, me voler et m'enlever mon poisson, qui aurait pu me rapporter au moins cent dinars ! Et c'est toi aussi qui es la cause de ce qui m'arrive maintenant au milieu de tous ces gens qui me retiennent ici ! Mais toi, ô clarinette, dis-moi, qui a bien pu mettre la main sur toi et t'emprisonner et t'attacher à cette chaise-là…

À ce moment de sa narration, Schahrazade vit apparaître le matin et, discrète, se tut.

Mais lorsque fut la cinq cent soixante-huitième nuit. Elle dit :

… Mais toi, ô clarinette, dis-moi, qui a bien pu mettre la main sur toi et t'emprisonner et t'attacher sur cette chaise-là ? »

À ces paroles de Khalife, le khalifat sourit et, prenant dans ses deux mains le bassin d'or où se trouvaient les billets écrits par Giafar, lui dit : « Approche, ô

Khalife, et viens tirer un billet d'entre ces billets ! » Mais Khalife, éclatant de rire, s'écria : « Comment ! ô clarinette, tu as déjà changé de métier et abandonné la musique ! Te voici devenu maintenant astrologue ! Et hier tu étais apprenti pêcheur ! Crois-moi, clarinette, cela ne te mènera pas loin ! Car plus on fait de métiers, moins on en tire de profit ! Laisse donc de côté l'astrologie, et redeviens clarinette, ou bien reviens avec moi faire ton apprentissage de pêcheur ! » Et il allait continuer encore à parler, quand Giafar s'avança vers lui, et lui dit : « Assez de paroles comme ça ! Et viens tirer un de ces billets comme te l'a ordonné l'émir des Croyants ! » Et il le poussa vers le trône.

Alors Khalife, tout en résistant à la poussée de Giafar, s'avança en maugréant vers le bassin d'or et, y plongeant lourdement toute sa main, en tira une poignée de billets à la fois. Mais Giafar, qui le surveillait, lui fit lâcher prise, et lui dit de n'en prendre qu'un seul. Et Khalife, le repoussant du coude, replongea sa main et ne retira cette fois qu'un seul billet, en disant : « Loin de moi toute idée de reprendre désormais à mon service ce joueur de clarinette aux joues gonflées, cet astrologue tireur d'horoscopes ! » Et, ce disant, il déplia le billet et, le tenant à rebours, car il ne savait pas lire, il le tendit au khalifat en lui disant : « Veux-tu me dire, ô clarinette, l'horoscope écrit sur ce billet ? Et surtout ne me cache rien ! » Et le khalifat prit le billet et, sans le lire, le tendit à son tour à Giafar, en lui disant : « Dis-nous à haute voix ce qui est écrit là-dessus ! » Et Giafar prit le billet et, l'ayant lu, leva les bras et s'écria : « Il n'y a de majesté et il n'y a de puissance qu'en Allah le Glorieux, l'Omnipotent ! » Et le khalifat, en souriant, demanda à Giafar : « De bonnes nouvelles, j'espère, ô Giafar ! Quoi ? Parle ! Faut-il que je descende du trône ? Faut-il y faire monter Khalife ? ou bien faut-il le pendre ? » Et Giafar répondit, d'un ton apitoyé : « Ô émir des Croyants, il y a, écrit sur ce billet : *Cent coups de bâton au pêcheur Khalife !* »

Alors le khalifat, malgré les cris et les protestations de Khalife, dit : « Qu'on exécute la sentence ! » Et le porte-glaive Massrour fit saisir le pêcheur, qui hurlait éperdument, et, l'ayant fait étendre sur le ventre, lui fit appliquer en mesure cent coups de bâton, pas un de plus, pas un de moins ! Et Khalife, bien qu'il ne ressentît aucune douleur, à cause de l'endurcissement qu'il avait acquis, poussait des cris épouvantables et lançait mille imprécations contre le joueur de clarinette. Et le khalifat riait extrêmement ! Et lorsqu'on eut fini de lui administrer les cent coups, Khalife se releva, comme si de rien n'était, et s'écria : « Qu'Allah maudisse ton jeu, ô bouffi ! Depuis quand les coups de bâton font-ils partie des plaisanteries entre les gens comme il faut ? » Et Giafar, qui avait une âme miséricordieuse et un cœur pitoyable, se tourna vers le khalifat, et lui dit : « Ô émir des Croyants, permets que le pêcheur tire encore un billet ! Peut-être que le sort lui sera plus favorable cette fois ! Et d'ailleurs, tu ne voudras pas que ton ancien maître s'éloigne du fleuve de ta libéralité, sans y avoir apaisé sa soif ! » Et le khalifat répondit : « Par Allah, ô Giafar, tu es bien imprudent ! Tu sais que les rois n'ont point l'habitude de revenir sur leur serment ou sur leur promesse ! Or, tu dois être sûr d'avance que si le pêcheur, ayant tiré un second billet, a comme lot la pendaison, il sera pendu sans recours ! Et tu auras été de la sorte la cause de sa mort ! » Et Giafar répondit : « Par Allah ! ô émir des Croyants, la mort du malheureux est préférable à sa vie ! » Et le khalifat dit : « Soit ! Qu'il tire donc un second billet ! » Mais Khalife, se tournant vers le khalifat, s'écria : « Ô clarinette de malheur, qu'Allah te récompense de ta libéralité ! Mais ne pourrais-tu pas, dis-moi, trouver dans Bagdad une autre personne que moi pour lui faire faire cette belle épreuve ? Ou bien n'y a-t-il plus que moi de disponible dans tout Bagdad ! » Mais Giafar s'avança vers lui et lui dit : « Prends encore un billet, et Allah te le choisira ! »

Alors Khalife plongea la main dans le bassin d'or et, au bout d'un moment, en tira un billet qu'il remit à Giafar. Et Giafar le déplia, le lut, et baissa les yeux sans parler. Et le khalifat, d'un ton calme, lui demanda : « Pourquoi donc ne parles-tu pas, ô fils de Yahia ? » Et Giafar répondit : « Ô émir des Croyants, il n'y a rien d'écrit sur ce billet ! C'est un billet blanc ! » Et le khalifat dit : « Tu vois bien ! La fortune de ce pêcheur ne l'attend pas chez nous ! Dis-lui donc maintenant de s'en aller au plus vite de devant mon visage ! J'en ai assez de le voir ! » Mais Giafar dit : « Ô émir des Croyants, je te conjure par les mérites sacrés de tes saints ancêtres, les Purs, de permettre au pêcheur de tirer encore un troisième billet ! Peut-être qu'ainsi il pourra y trouver de quoi ne pas mourir de faim ? » Et Al-Rachid répondit : « Bien ! Qu'il prenne donc un troisième billet, mais pas plus ! » Et Giafar dit à Khalife : « Allons ! ô pauvre, prends le troisième et dernier...

À ce moment de sa narration, Schahrazade vit apparaître le matin et, discrète se tut.

Mais lorsque fut la cinq cent soixante-neuvième nuit. Elle dit :

... Allons ! ô pauvre, prends le troisième et dernier ! » Et Khalife tira encore une fois, et Giafar, prenant le billet, lut à haute voix : « Un dinar au pêcheur ! » En entendant ces mots, Khalife le pêcheur s'écria : « Malédiction sur toi, ô clarinette de malheur ! Un dinar pour cent coups de bâton ! Quelle générosité ! Puisse Allah te le rendre au jour du Jugement ! » Et le khalifat se mit à rire de toute son âme et Giafar, qui avait en somme réussi à le distraire, prit le pêcheur Khalife par la main et le fit sortir de la salle du trône.

Lorsque Khalife arriva à la porte du palais, il rencontra l'eunuque Sandal qui l'appela et lui dit : « Viens, Khalife ! Viens nous faire un peu partager ce dont t'a gratifié la générosité de l'émir des Croyants ! » Et Khalife lui répondit : « Ah ! nègre de goudron, tu veux partager ? Viens donc recevoir la moitié de cent coups de bâton sur ta peau noire ! En attendant qu'Éblis te les administre dans l'enfer, tiens ! voici le dinar que m'a donné le joueur de clarinette, ton maître ! » Et il lui jeta à la figure le dinar que lui avait mis Giafar dans la main, et voulut franchir la porte pour s'en aller en sa voie. Mais l'eunuque courut derrière lui, et, tirant de sa poche une bourse de cent dinars, la tendit à Khalife en lui disant : « Ô pêcheur, prends ces dinars comme prix du poisson que je t'ai acheté hier ! Et va en paix ! » Et Khalife, à cette vue, se réjouit beaucoup et prit la bourse de cent dinars et aussi le dinar donné par Giafar, et, oubliant sa malchance et le traitement qu'il venait de subir, il prit congé de l'eunuque et s'en retourna chez lui, plein de gloire, et à la limite du ravissement.

Maintenant ! Comme Allah, quand Il a une fois décrété une chose, l'exécute toujours, et que cette fois son décret concernait précisément Khalife le pêcheur, sa volonté dut s'accomplir. En effet, en traversant les souks pour rentrer chez lui, Khalife fut arrêté, devant le marché des esclaves, par un cercle considérable de gens qui regardaient tous vers le même point. Et Khalife se demanda : « Que peut-elle bien regarder comme ça, cette foule attroupée ? » Et, poussé par la curiosité, il fendit la foule en bousculant marchands et courtiers, riches et pauvres, qui, le reconnaissant, se mirent à rire en se disant les uns aux autres :

« Place ! faites place à l'opulent gaillard qui va acheter tout le marché ! Place au sublime Khalife, maîtres des enculeurs ! » Et Khalife, sans se déconcerter, et fort de se sentir lesté des dinars d'or serrés dans sa ceinture, arriva jusqu'au milieu du premier rang et regarda pour voir l'affaire. Et il fit un vieillard qui avait devant lui un coffre sur lequel était assis un esclave. Et ce vieillard faisait une criée de haute voix, disant : « Ô marchands ! ô gens riches ! ô nobles habitants de notre ville, qui de vous veut placer son argent dans une affaire du cent pour cent, en achetant, avec son contenu de nous inconnu, ce coffre bien venu, venu du palais de Sett Zobéida fille de Kassem, épouse de l'émir des Croyants ? À vous d'offrir ! Et qu'Allah bénisse le plus offrant ! » Mais un silence général répondait à son appel, car les marchands n'osaient hasarder une somme d'argent sur ce coffre dont ils ignoraient le contenu, et ils craignaient beaucoup qu'il n'y eût là-dedans quelque supercherie ! Mais enfin, l'un deux éleva la voix et dit : « Par Allah ! ce marché est bien hasardeux ! Et le risque est bien grand ! Pourtant je vais faire une offre, mais qu'on ne me la reproche pas ! Donc je vais dire un mot, et pas de blâme à mon adresse ! Voici ! vingt dinars, pas un de plus ! » Mais un autre marchand renchérit immédiatement et dit : « À moi pour cinquante ! » Et d'autres marchands renchérirent ; et les offres arrivèrent à cent dinars. Alors le crieur cria : « Y a-t-il parmi vous renchérisseur, ô marchands ? Le dernier offrant ! Cent dinars ! Le dernier offrant ! » Alors Khalife éleva la voix et dit : « À moi ! Pour cent dinars et un dinar ! »

À ces paroles de Khalife, les marchands, qui le savaient aussi net d'argent qu'un tapis secoué et battu, crurent qu'il plaisantait, et se mirent à rire. Mais Khalife défit sa ceinture et répéta d'une voix haute et furieuse : « Cent dinars et un dinar ! » Alors le crieur, malgré les rires des marchands, dit : « Par Allah ! le coffre lui appartient ! Et moi je ne le vends qu'à lui ! » Puis il ajouta : « Tiens ! ô pêcheur, paie les cent et un, et prends le coffre avec son contenu ! Qu'Allah bénisse la vente ! Et que la prospérité soit sur toi à cause de ton achat ! » Et Khalife vida sa ceinture, qui contenait juste cent dinars et un dinar, entre les mains du crieur ; et la vente se fit du plein consentement mutuel des deux parties. Et le coffre devint dès lors la propriété de Khalife le pêcheur.

Alors tous les portefaix du souk, voyant la vente conclue, se précipitèrent sut le coffre en bataillant à qui réussirait à le porter, moyennant salaire. Mais cela ne faisait point l'affaire du malheureux Khalife qui s'était dépouillé, pour cet achat, de tout l'argent qu'il possédait, et qui n'avait plus sur lui de quoi acheter un oignon ! Et les portefaix continuèrent à se battre en s'arrachant le coffre à qui mieux mieux, jusqu'à ce que les marchands fussent intervenus pour les séparer et eussent dit : « C'est le portefaix Zoraïk qui est arrivé le premier ! C'est donc à lui que revient la charge ! » Et ils chassèrent tous les portefaix, à l'exception de Zoraïk et, malgré les protestations de Khalife qui voulait porter lui-même le coffre, ils chargèrent le coffre sur le dos du portefaix, et lui dirent de suivre, avec sa charge, son maître Khalife. Et le portefaix, avec le coffre sur le dos, se mit à marcher derrière Khalife…

À ce moment de sa narration, Schahrazade vit apparaître le matin et, discrète, se tut.

Mais lorsque fut la cinq cent soixante-dixième nuit. Elle dit :

… Et le portefaix, avec le coffre sur le dos, se mit à marcher derrière Khalife. Et Khalife se disait en son âme, tout en marchant : « Je n'ai plus sur moi ni or, ni argent, ni cuivre, pas même l'odeur de tout cela ! Et comment vais-je faire, en arrivant chez moi, pour payer ce maudit portefaix ? Et qu'avais-je besoin de portefaix ? Et qu'avais-je d'ailleurs besoin de ce coffre de malheur ? Et qui a bien pu me mettre en tête cette idée de l'acheter ! Mais ce qui est écrit doit courir ! Moi, en attendant, pour me tirer d'affaire avec ce portefaix, je vais le faire courir et marcher et perdre sa route à travers les rues, jusqu'à ce qu'il soit exténué de fatigue. Alors, de son plein gré, il s'arrêta et refusera d'avancer davantage. Et moi je profiterai de son refus pour lui refuser à mon tour de le payer, et je prendrai moi-même le coffre sur mon dos ! »

Et, ayant ainsi formé ce projet, il le mit immédiatement à exécution. Il commença à aller d'une rue à une autre rue et d'une place à une autre place, et à faire tourner avec lui le portefaix par toute la ville, et cela depuis midi jusqu'au coucher du soleil, si bien que le portefaix fut tout à fait exténué et finit par grogner et murmurer, et se décida à dire à Khalife : « Ô mon maître, où se trouve donc ta maison ? » Et Khalife répondit : « Par Allah ! hier encore je savais où elle se trouvait, mais aujourd'hui je l'ai tout à fait oublié ! Et me voici en train de chercher avec toi son emplacement ! » Et le portefaix dit : « Donne-moi mon salaire, et prends ton coffre ! » Et Khalife dit : « Attends encore un peu, en allant doucement, pour me donner le temps de rassembler mes souvenirs et de réfléchir sur la place où se trouve ma maison ! » Puis, au bout d'un certain temps, comme le portefaix se remettait à geindre et à grommeler entre ses dents, il lui dit : « Ô Zoraïk, je n'ai point d'argent sur moi pour te donner ici-même ton salaire ! J'ai, en effet, laissé mon argent à la maison, et la maison je l'ai oubliée ! »

Et, comme le portefaix s'arrêtait, n'en pouvant plus de marcher, et allait déposer sa charge, vint à passer une connaissance de Khalife qui lui tapa sur l'épaule et lui dit : « Tiens ! c'est toi, Khalife ? Que viens-tu faire dans ce quartier si éloigné de ton quartier ? Et que fais-tu ainsi porter à cet homme ? » Mais avant que Khalife, décontenancé, eût eu le temps de répondre, le portefaix Zoraïk se tourna vers le passant en question et lui demanda : « Ô oncle, où se trouve-t-elle donc la maison de Khalife ? » L'homme répondit : « Par Allah ! en voilà une question ! La maison de Khalife se trouve juste à l'autre bout de Bagdad, dans le khân en ruine situé près du marché aux poissons, dans le quartier des Rawassîn ! » Et il s'en alla en riant. Alors Zoraïk le portefaix dit à Khalife le pêcheur : « Allons ! marche, ô vilain ! Puisses-tu ne plus vivre ni marcher ! » Et il l'obligea à aller devant lui et à le conduire à son logis, dans le khân en ruine, près du marché aux poissons ! Et il ne cessa, jusqu'à l'arrivée, de l'invectiver et de lui reprocher sa conduite, en lui disant : « Ô toi, visage néfaste, puisse Allah te couper en ce monde le pain quotidien ! Que de fois n'avons-nous pas passé devant ton logis de désastre, sans que tu aies fait mine de m'arrêter ? Allons ! Aide-moi maintenant à descendre de mon dos ton coffre ! Et puisses-tu y être bientôt enfermé pour toujours ! » Et Khalife, sans dire un mot, l'aida à décharger le coffre, et Zoraïk, essuyant du revers de sa main les grosses gouttes de sueur de son front, dit : « Nous allons voir maintenant la capacité de ton âme et la générosité de ta main dans le salaire qui m'est dû après toutes ces fatigues que tu m'as fait endurer sans nécessité ! Et hâte-toi, pour me laisser aller en ma voie ! » Et Khalife lui dit : « Certes ! mon compagnon, tu seras rétribué largement ! Veux-tu donc que je t'apporte de l'or ou de l'argent ? C'est à ton choix ! » Et le portefaix répondit : « Tu sais mieux que moi ce qui est convenable ! »

Alors Khalife, laissant le portefaix à la porte avec le coffre, entra dans son logement, et en ressortit bientôt tenant à la main un redoutable fouet aux lanières cloutées chacune de quarante clous aigus, capables d'assommer un chameau d'un seul coup ! Et il se précipita sur le portefaix, le bras levé et le fouet tournoyant, et l'abattit sur son dos, et recommença et récapitula, si bien que le portefaix se mit à hurler de travers et, tournant le dos, fila droit devant lui, les mains en avant, et disparut à un tournant de rue.

Débarrassé de la sorte du portefaix, qui, en somme, s'était chargé du coffre de sa propre initiative, Khalife se mit en devoir de traîner ce coffre jusqu'à son logement. Mais, à tout ce bruit, les voisins se rassemblèrent et, voyant l'accoutrement étrange de Khalife avec la robe en satin coupée aux genoux et le turban de même qualité, et apercevant aussi le coffre qu'il traînait, lui dirent : « Ô Khalife, d'où te viennent cette robe et ce coffre si lourd ? » Il répondit : « De mon garçon, un apprenti, clarinette de sa profession, qui s'appelle Haroun Al-Rachid…

À ce moment de sa narration, Schahrazade vit apparaître le matin et, discrète, se tut.

Mais lorsque fut la cinq cent soixante et onzième nuit. Elle dit :

… De mon garçon, un apprenti, clarinette de sa profession, qui s'appelle Haroun Al-Rachid ! » À ces paroles, les habitants du khân, voisins de Khalife, furent saisis d'épouvante pour leur âme, et se dirent les uns aux autres : « Pourvu que personne ne l'entende parler ainsi, cet insensé ! Sinon il sera appréhendé par la police et pendu sans recours ! Et notre khân sera détruit tout à fait, et nous serons peut-être, nous aussi, à cause de lui, pendus à la porte du khân ou châtiés d'un terrible châtiment ! » Et terrifiés à l'extrême, ils l'obligèrent à renfermer sa langue dans sa bouche, et, pour en finir au plus vite, ils l'aidèrent à porter le coffre dans son logement, et poussèrent la porte sur lui.

Or le logement de Khalife était si exigu que le coffre le remplit en entier, exactement comme s'il avait été fait pour s'y emboîter. Et Khalife, ne sachant plus où se mettre pour passer la nuit, s'étendit de tout son long sur le coffre, et se mit ainsi à réfléchir sur ce qui était arrivé dans la journée. Et soudain il se demanda : « Mais, au fait ! qu'est-ce que j'attends pour ouvrir le coffre et en voir le contenu ? » Et il sauta sur ses deux pieds et travailla des mains tant qu'il put essayer de l'ouvrir, mais en vain. Et il se dit : « Qu'est-il donc arrivé à ma raison pour que je me sois ainsi décidé à acheter ce coffre que je ne puis même pas arriver à ouvrir ! » Et il essaya encore d'en casser le cadenas et de faire sauter la serrure, mais sans davantage réussir ! Alors il se dit : « Attendons à demain, pour mieux voir comment nous y prendre ! » Et il s'étendit de nouveau tout de son long sur la caisse, et ne tarda pas à s'endormir tout de son ronflement !

Or comme il était là depuis une heure de temps, il se réveilla soudain, en sursautant d'effroi, et se tapa la tête contre le plafond de son logement ! Il venait, en effet, de sentir quelque chose se mouvoir à l'intérieur du coffre. Et, du coup, le sommeil s'envola de sa tête avec sa raison, et il s'écria : « Il y a sans aucun doute des genn là-dedans ! Louanges à Allah qui m'a inspiré, en me faisant ne pas ouvrir le couvercle ! Car si je l'avais ouvert, ils seraient sortis sur moi au milieu de l'obscurité, et qui sait ce qu'ils m'auraient fait ! Certes ! je n'en aurais pas éprouvé grand bien, en tout cas ! » Mais, à l'instant même où il formulait de la sorte sa pensée de terreur, le bruit redoubla à l'intérieur du coffre, et jusqu'à ses oreilles parvint comme une sorte de gémissement. Alors Khalife, à la limite de l'épouvante, chercha d'instinct une lampe pour se faire de la lumière ; mais il oubliait que sa pauvreté l'avait toujours empêché d'en avoir une, et, tout en tâtonnant des mains contre les murs de son logement, il claquait des dents et se disait : « Cette fois, c'est terrible ! tout à fait terrible ! » Puis, sa peur redoublant, il ouvrit sa porte et se précipita au dehors, au milieu de la nuit, en criant à tue-tête : « À mon secours ! Ô habitants du khân ! ô voisins ! accourez ! À mon secours ! » Et les voisins, qui pour la plupart étaient plongés dans le sommeil, se réveillèrent bien émus et se montrèrent à lui, tandis que les femmes passaient leur tête à demi voilée par l'entrebâillement des portes. Et tous lui demandèrent : « Que t'arrive-t-il donc, ô Khalife ? » Il répondit : « Vite, donnez-moi vite une lampe, car les genn sont venus me visiter ! » Et les voisins se mirent à rire, et l'un d'eux finit tout de même par lui donner de la lumière. Et Khalife prit la lumière et rentra chez lui, plus sûr de lui-même. Mais soudain, comme il se penchait sur le coffre, il entendit une voix qui disait : « Ah ! où suis-je ? » Et, plus épouvanté que jamais, il lâcha tout et se précipita au-dehors comme un fou en s'écriant : « Ô voisins ! Secourez-moi ! » Et les voisins lui dirent : « Ô maudit Khalife ! quelle est donc ta calamité ? Vas-tu finir de nous troubler ? » Il répondit : « Ô braves gens, le genni est dans le coffre ! Il bouge et parle ! » Ils lui demandèrent : « Ô menteur, et que dit-il, ce genni ? » Il répondit : « Il m'a dit : « Où suis-je ? » Les voisins lui répondirent, en riant : « Mais en enfer, sans doute, ô maudit ! Puisses-tu ne jamais goûter de sommeil jusqu'à ta mort ! Tu troubles tout le khân et tout le quartier ! Si tu ne vas pas te taire, nous allons descendre te casser les os ! » Et Khalife, bien que déjà mourant de peur, se décida à rentrer encore une fois dans son logement, et, rassemblant tout son courage, il prit une grosse pierre et brisa la serrure du coffre, et fit sauter du coup le couvercle !

Et il vit, étendue au-dedans, languissante et les paupières entrouvertes, une adolescente belle comme une houri, et brillante de pierreries. C'était Force-des-Cœurs ! Et, en se sentant délivrée, et en respirant à pleine poitrine l'air frais, elle se réveilla tout à fait, et l'effet du bang soporifique cessa complètement. Et elle était là, pâle et si belle et si désirable, vraiment ! À cette vue, le pêcheur, qui de sa vie n'avait vu à découvert non seulement une pareille beauté mais simplement une femme du commun, tomba à genoux devant elle, et lui demanda : « Par Allah ! ô ma maîtresse, qui es-tu…

À ce moment de sa narration, Schahrazade vit apparaître le matin et, discrète, se tut.

Mais lorsque fut la cinq cent soixante-douzième nuit. Elle dit :

… Tomba à genoux devant elle, et lui demanda : « Par Allah ! ô ma maîtresse, qui es-tu ? » Elle ouvrit les yeux, des yeux noirs aux cils recourbés, et dit : « Où est Jasmin ? Où est Narcisse ? » Or c'étaient là les noms de deux jeunes filles esclaves qui la servaient au palais. Et Khalife, s'imaginant qu'elle lui demandait du jasmin et du narcisse, répondit : « Par Allah ! ô ma maîtresse, je n'ai ici pour le moment que quelques fleurs desséchées de henné ! » Et l'adolescente, en entendant cette réponse et cette voix, reprit complètement ses sens, et, ouvrant tout grands ses yeux, demanda : « Qui es-tu ? Et où suis-je ? » Et cela fut dit d'une voix plus douce que le sucre, accompagné d'un geste de la main si charmant ! Et Khalife, qui avait dans le fond une âme très délicate, fut très touché de ce qu'il voyait et entendait et répondit : « Ô ma maîtresse, ô vraiment très belle, moi je suis Khalife le pêcheur ; et toi, tu te trouves précisément chez moi ! » Et Force-des-Cœurs demanda : « Alors je ne suis plus au palais du khalifat Haroun

Al-Rachid ? » Il répondit : « Non, par Allah ! tu es chez moi, dans ce logement qui est un palais puisqu'il t'abrite ! Et tu es devenue mon esclave de par la vente et l'achat, car je t'ai achetée aujourd'hui même avec ton coffre, à la criée publique, pour cent dinars et un dinar ! Et je t'ai transportée chez moi, endormie dans ce coffre ! Et je n'ai appris ta présence que grâce à tes mouvements qui m'ont d'abord épouvanté ! Et, maintenant, je vois bien que mon étoile monte sous d'heureux auspices, alors que je la savais auparavant si basse et si néfaste ! » Et Force-des-Cœurs, à ces paroles, sourit et dit : « Ainsi tu m'as achetée au souk, ô Khalife, sans me voir ? » Il répondit : « Oui, par Allah ! sans même soupçonner ta présence ! » Et Force-des-Cœurs comprit alors que ce qui lui était arrivé avait été comploté contre elle par Sett Zobéida, et se fit raconter par le pêcheur tout ce qui était arrivé, depuis le commencement jusqu'à la fin. Et elle causa ainsi avec lui jusqu'au matin. Et alors elle lui dit : « Ô Khalife, n'as-tu donc rien à manger ? Car j'ai bien faim ! » Il répondit : « Ni à manger ni à boire, rien, rien du tout ! Et, moi, par Allah ! voilà déjà deux jours que je n'ai mis un morceau dans ma bouche ! » Elle demanda : « As-tu au moins quelque argent sur toi ? » Il dit : « De l'argent, ô ma maîtresse ? Qu'Allah me conserve ce coffre pour l'achat duquel, grâce à mon destin et à ma curiosité, j'ai mis ma dernière pièce de monnaie ! Et me voici en faillite sèche ! » Et l'adolescente, à ces paroles, se mit à rire, et lui dit : « Sors tout de même et rapporte-moi quelque chose à manger, en le demandant aux voisins qui ne te le refuseront pas ! Car les voisins se doivent à leurs voisins ! »

Alors Khalife se leva et sortit dans la cour du khân et, dans le silence du premier matin, se mit à crier : « Ô habitants du khân, ô voisins ! voici que le genni du coffre me réclame maintenant de quoi manger ! Et moi je n'ai rien sous la main à lui donner ! » Et les voisins, qui redoutaient sa voix, et qui aussi s'apitoyaient sur lui à cause de sa pauvreté, descendirent vers lui en lui apportant qui un demi-pain restant du repas de la veille, qui un morceau de fromage, qui un concombre, qui un radis. Et ils lui mirent tout cela dans le creux de sa robe relevée, et remontèrent chez eux. Et Khalife, content de son emplette, rentra dans son logement, et déposa tout cela entre les mains de l'adolescente, en lui disant : « Mange, mange ! » Et elle se mit à rire, et dit : « Comment pourrai-je manger, si je n'ai pas un petit broc ou une petite cruche d'eau pour boire ? Sinon, il est certain que les morceaux s'arrêteront dans mon gosier, et je mourrai ! » Et Khalife répondit : « Loin de toi le mal, ô parfaitement belle ! Je vais courir et te rapporterai non point une cruche, mais une jarre ! » Et il sortit dans la cour du khân, et, de tout son gosier, il cria : « Ô voisins ! ô habitants du khân ! » Et de tous les côtés les voix irritées l'invectivèrent et lui crièrent : « Eh bien ! ô maudit, qu'y a-t-il encore ? » Il répondit : « Le genni du coffre demande à présent à boire ! » Et les voisins descendirent vers lui, lui apportant qui une gargoulette, qui une cruche, qui un broc, qui une jarre ; et il les prit d'eux, en portant une pièce sur chaque main, une autre en équilibre sur sa tête, une autre sous son bras, et se hâta d'aller porter le tout à Force-des-Cœurs, en lui disant : « Je t'apporte ce que souhaite ton âme ! Désires-tu encore quelque chose ? » Elle dit : « Non ! les dons d'Allah sont nombreux ! » Il dit : « Alors, ô ma maîtresse, dis-moi à ton tour des paroles douces, et raconte-moi ton histoire que je ne connais pas ! »

Alors Force-des-Cœurs regarda Khalife, sourit et dit : « Sache donc, ô Khalife, que mon histoire se résume en deux mots ! La jalousie de ma rivale, El Sett Zobéida, l'épouse même du khalifat Haroun Al-Rachid, m'a jetée dans cette situation dont, heureusement pour ton destin, tu m'as sauvée ! Je suis, en effet, Force-des-Cœurs, la favorite de l'émir des Croyants ! Quant à toi, ton bonheur est désormais assuré ! » Et Khalife lui demanda : « Mais est-ce que ce Haroun est le même que celui auquel j'ai enseigné l'art de la pêche ? Est-ce cet épouvantail que j'ai vu dans le palais, assis sur une grande chaise ? » Elle répondit : « Précisément, c'est lui-même ! » Il dit : « Par Allah ! de ma vie je n'ai rencontré un si vilain joueur de clarinette, et un plus grand coquin ! Non seulement il m'a volé, ce misérable à la face bouffie, mais il m'a donné un dinar pour cent coups de bâton ! Si jamais je le rencontre encore, je l'éventre avec ce pieu. » Mais Force-des-Cœurs, lui imposant silence, lui dit : « Laisse désormais ce langage inconvenant, car dans la nouvelle situation où tu vas te trouver, il te faut avant tout ouvrir les yeux de ton esprit et cultiver la politesse et les bonnes manières ! Et, de la sorte, ô Khalife, tu feras passer sur ta peau le rabot de la galanterie, et tu deviendras un citadin de haute marque et un personnage doué de distinction et de délicatesse…

À ce moment de sa narration, Schahrazade vit apparaître le matin et, discrète, se tut.

Mais lorsque fut la cinq cent soixante-treizième nuit. Elle dit :

… Et, de la sorte, ô Khalife, tu feras passer sur ta peau le rabot de la galanterie, et tu deviendras un citadin de haute marque et un personnage doué de distinction et de délicatesse ! »

Lorsque Khalife eut entendu ces paroles de Force-des-Cœurs, il sentit une soudaine transformation s'opérer en lui, et s'ouvrir les yeux de son esprit, et s'élargir sa compréhension des choses, et s'affirmer son intelligence ! Et tout cela pour son bonheur ! Tant il est vrai que l'influence est grande des âmes fines sur les âmes grossières ! Ainsi, d'une minute à l'autre, à cause des douces paroles de Force-des-Cœurs, le pêcheur Khalife, insensé et brutal jusque-là, devint un citadin exquis, doué de manières excellentes et d'une langue éloquente.

En effet, lorsque Force-des-Cœurs lui eut, de la sorte, indiqué la conduite à tenir, surtout au cas où il serait de nouveau appelé à être en présence de l'émir des Croyants, le pêcheur Khalife répondit : « Sur ma tête et mes yeux ! Tes avis, ô ma maîtresse, sont ma règle de conduite, et ta bienveillance est l'ombre où je me plais ! J'écoute et j'obéis ! Qu'Allah te comble de ses bénédictions, et satisfasse les moindres de tes désirs ! Voici, entre tes mains, obéissant, et plein de déférence pour tes mérites, le plus dévoué de tes esclaves, Khalife le pêcheur ! » Puis il ajouta : « Parle, ô ma maîtresse ! Que puis-je faire pour te servir ? » Elle répondit : « Ô Khalife, il me faut seulement un calame, un encrier et une feuille de papier. » Et Khalife se hâta de courir chez un voisin qui lui procura ces divers objets ; et il les porta à Force-des-Cœurs qui aussitôt écrivit une longue lettre à l'homme d'affaires du khalifat, le joaillier Ibn Al-Kirnas, celui-là même qui l'avait autrefois achetée et offerte en cadeau au khalifat. Et, dans cette lettre, elle le mettait au courant de tout ce qui lui était arrivé, et lui expliquait qu'elle se trouvait dans le logement du pêcheur Khalife dont elle était devenue la propriété par la vente et l'achat. Et elle plia la lettre et la remit à Khalife, en lui disant : « Prends ce billet et va le remettre, dans le souk des joailliers, à Ibn Al-Kirnas, l'homme d'affaires du khalifat, dont tout le monde connaît la boutique ! Et n'oublie pas mes recommandations au sujet des bonnes manières et du langage ! » Et Khalife répondit par l'ouïe et l'obéissance, prit le billet, qu'il porta à ses lèvres puis à son front, et se hâta de courir au souk des joailliers où il s'informa de la boutique d'Ibn Al-Kirnas, qu'on lui indiqua. Et il s'approcha de la boutique et, avec des manières très choisies, s'inclina devant le joaillier et lui souhaita la paix. Et le joaillier lui rendit son souhait, mais du bout des lèvres, en le regardant à peine, et lui demanda : « Que veux-tu ? » Et Khalife, pour toute réponse, lui tendit le billet. Et le joaillier prit le billet du bout des doigts et le déposa sur le tapis à côté de lui, sans le lire ni même l'ouvrir, car il croyait que c'était une requête pour demander l'aumône, et que Khalife était un mendiant. Et il dit à un de ses serviteurs : « Donne-lui un demi-drachme ! » Mais Khalife repoussa cette aumône avec dignité, et dit au joaillier : « Je n'ai que faire de l'aumône ! Je te prie seulement de lire le billet ! » Et le joaillier ramassa le billet, le déplia et le lut ; et soudain il le baisa et le porta respectueusement sur sa tête, et invita Khalife à s'asseoir, et lui demanda : « Ô mon frère, où se trouve ta maison ? » Il répondit : « Dans tel quartier, telle rue, tel khân ! » Il dit : « C'est parfait ! » Et il appela ses deux principaux employés et leur dit : « Conduisez cet honorable à la boutique de mon changeur Mohsen, afin qu'il lui donne mille dinars d'or. Puis ramenez-le-moi au plus tôt ! » Et les deux employés conduisirent Khalife chez le changeur, auquel ils dirent : « Ô Mohsen, donne à cet honorable mille dinars d'or ! » Et le changeur pesa les mille dinars d'or et les remit à Khalife qui s'en revint avec les deux employés chez Ibn Al-Kirnas ; et il le trouva monté sur une mule magnifiquement harnachée, entouré de cent esclaves vêtus de riches habits. Et le joaillier lui montra une seconde mule, non moins belle, et lui dit de l'enfourcher et de le suivre. Mais Khalife dit : « Par Allah ! ô mon maître, de ma vie je ne suis monté sur une mule, et je ne sais guère aller ni à cheval ni à âne ! » Et le joaillier lui dit : « Il n'y a pas d'inconvénient à la chose ! Tu apprendras aujourd'hui, voilà tout ! » Et Khalife dit : « J'ai bien peur qu'elle ne me jette à terre et ne me brise les côtes ! » Il répondit : « Sois sans crainte et monte ! » Et Khalife dit : « Au nom d'Allah ! » Et il enfourcha la mule d'un saut, mais en se mettant à rebours, et il lui prit la queue au lieu de la bride. Et la mule qui était chatouilleuse à l'excès, se rebiffa et, se mettant à ruer de toutes ses forces, ne fut pas longue à le jeter à terre ! Et Khalife, endolori, se releva et dit : « Je savais bien que je ne pourrais jamais aller autrement que sur mes pieds ! » Mais ce fut là la dernière des tribulations de Khalife ! Et désormais sa destinée devait le conduire résolument dans le chemin des prospérités…

À ce moment de sa narration, Schahrazade vit apparaître le matin et, discrète, se tut.

Mais lorsque fut la cinq cent soixante-quatorzième nuit. Elle dit :

… Mais ce fut là la dernière des tribulations de Khalife ! Et désormais sa destinée devait le conduire résolument dans le chemin des prospérités.

En effet, le joaillier dit à deux de ses esclaves : « Conduisez votre maître que voici au hammam, et faites-lui donner un bain de première qualité ! Et ensuite menez-le dans ma maison où je le retrouverai ! » Et il alla tout seul au logement de Khalife chercher Force-des-Cœurs, pour la conduire également à sa maison.

Quant à Khalife, les deux esclaves le menèrent au hammam, où de sa vie il n'avait mis les pieds, et le confièrent au meilleur masseur et aux meilleurs baigneurs, qui se mirent aussitôt en devoir de le laver et de le frotter. Et ils retirèrent de sa peau et de ses cheveux des poids et des poids de toutes sortes de saletés, et des poux et des punaises de toutes les variétés ! Et ils le soignèrent et le rafraîchirent et, après l'avoir séché, le vêtirent d'une somptueuse robe de soie que les deux esclaves s'étaient hâtés d'aller acheter. Et, ainsi paré, ils le conduisirent à la demeure d'Ibn Al-Kirnas, leur maître, qui y était déjà arrivé avec Force-des-Cœurs.

Et Khalife, en entrant dans la grande salle de la maison, vit la jeune femme assise sur un beau divan, et entourée par la foule des servantes et des esclaves empressées à la servir. Et déjà, d'ailleurs, à la porte même de la maison, le portier en l'apercevant s'était empressé de se lever en son honneur et lui baiser respectueusement la main. Et tout cela jetait Khalife dans le plus grand étonnement. Mais il n'en fit rien voir, de peur de paraître mal élevé. Et même, lorsque tout le monde se fut empressé autour de lui pour lui dire : « Délicieux soit ton bain ! » il sut répondre avec urbanité et éloquence ; et ses propres paroles, frappant ses oreilles, l'émerveillaient et le flattaient agréablement.

Aussi, lorsqu'il fut en présence de Force-des-Cœurs, il s'inclina devant elle et attendit qu'elle lui adressât la parole la première ! Et Force-des-Cœurs se leva en son honneur et lui prit la main, et le fit s'asseoir tout à côté d'elle sur le divan. Puis elle lui présenta une porcelaine remplie de sorbet au sucre parfumé à l'eau de rose ; et il la prit et la but doucement, sans faire de bruit avec sa bouche, et, pour bien montrer sa civilité, il ne la vida qu'à moitié au lieu de la finir et d'y plonger ensuite le doigt pour la lécher, comme il l'eût certainement fait auparavant. Et même il la déposa, sans la casser, sur le plateau, et dit avec un parler très éloquent la formule de politesse que l'on dit, chez les gens bien élevés, quand on a accepté quelque chose à manger ou à boire : « Puisse-t-elle à jamais durer, l'hospitalité de cette maison ! » Et Force-des-Cœurs, charmée, lui répondit : « Aussi longtemps que ta vie ! » Et, après l'avoir régalé d'un excellent festin, elle lui dit : « Maintenant, ô Khalife, voici venu le moment où tu vas montrer toute ton intelligence et tes mérites ! Écoute-moi donc bien, et retiens ce que tu auras écouté ! Tu vas aller d'ici au palais de l'émir des Croyants, et tu demanderas une audience, qui te sera accordée, et, après les hommages dus au khalifat, tu lui diras : « Ô émir des Croyants, je te prie, en souvenir de l'enseignement que je t'ai donné, de m'accorder une faveur ! » Et il te l'accordera d'avance ! Et tu lui diras : « Je désire que tu me fasses l'honneur d'être mon invité, cette nuit ! » Voilà tout ! Et tu verras bien s'il accepte ou non ! »

Aussitôt Khalife se leva et sortit accompagné d'une suite nombreuse d'esclaves mis à son service, et vêtu d'une robe de soie qui pouvait bien valoir mille dinars. Et, de la sorte, la beauté native de ses traits ressortait pleinement ; et il était bien étonnant ! Car le proverbe dit : « Mets de beaux habits à une canne, et la canne sera une nouvelle mariée ! »

Lorsqu'il fut arrivé au palais, il fut aperçu de loin par le chef-eunuque Sandal qui fut stupéfait de sa transformation, et courut de toutes ses jambes à la salle du trône et dit au khalifat : « Ô émir des Croyants, je ne sais pas ! mais Khalife le pêcheur est devenu roi ! Car le voici qui s'avance vêtu d'une robe qui vaut bien mille dinars, et accompagné d'un cortège splendide ! » Et le khalifat dit : « Fais-le vite entrer ! »

Or donc, Khalife fut introduit dans la salle du trône, où se tenait au milieu de sa gloire Haroun Al-Rachid. Et il s'inclina, comme seuls savent s'incliner les plus grands d'entre les émirs, et dit : « La paix sur toi, ô commandeur des Croyants, ô Khalifat du Maître des Trois Mondes, défenseur du peuple des fidèles et de notre foi ! Qu'Allah le Très-Haut prolonge tes jours et honore ton règne et exalte ta dignité et l'élève jusqu'au plus haut rang ! »

Et le khalifat, voyant et entendant tout cela, fut à la limite de l'émerveillement. Et il ne comprenait point par quel chemin la fortune de Khalife était venue si rapidement. Et il demanda à Khalife : « Peux-tu d'abord me dire, ô Khalife, d'où te vient ce beau vêtement ? » Il répondit : « De mon palais, ô émir des Croyants ! » Il demanda : « Tu as donc un palais, ô Khalife ? » Il répondit : « Tu l'as dit, ô émir des Croyants ! Et précisément je viens t'inviter à l'illuminer cette nuit de ta présence ! Tu es donc mon invité. » Et Al-Rachid, de plus en plus stupéfait, finit par sourire, et demanda : « Ton invité ? Soit ! mais moi tout seul, ou bien moi et tous ceux qui sont avec moi ? » Il répondit : « Toi, et tous ceux que tu souhaites amener avec toi…

À ce moment de sa narration, Schahrazade vit apparaître le matin et, discrète, se tut.

Mais lorsque fut la cinq cent soixante-quinzième nuit. Elle dit :

… Toi, et tous ceux que tu souhaites amener avec toi ! » Et Haroun regarda Giafar, et Giafar s'avança vers Khalife et lui dit : « Nous serons cette nuit tes hôtes, ô Khalife ! L'émir des Croyants le désire ! » Et Khalife, sans ajouter un mot de plus, embrassa la terre entre les mains du khalifat et, après avoir donné à Giafar l'adresse de sa nouvelle demeure, s'en retourna auprès de Force-des-Cœurs à laquelle il rendit compte du succès de sa démarche.

Quant au khalifat, il était devenu bien perplexe ; et il dit à Giafar : « Comment peux-tu expliquer, ô Giafar, cette transformation si soudaine de Khalife, le risible bonhomme d'hier, en citadin si affiné et si éloquent, et en riche entre les plus riches des émirs ou des marchands ? » Et Giafar répondit : « Allah seul, ô émir des Croyants, connaît les raccourcis du chemin que suit la destinée ! »

Mais lorsque vint le soir, le khalifat, accompagné de Giafar, de Massrour et de quelques-uns de ses compagnons intimes, monta à cheval et se rendit à la demeure où il était invité. Et, en y arrivant, il vit tout le sol, depuis l'entrée jusqu'à la porte de réception, entièrement couvert de beaux tapis de prix, et les tapis jonchés de fleurs de toutes les couleurs. Et il aperçut, debout au pied des marches, Khalife souriant qui l'attendait, et qui se hâta de lui tenir l'étrier pour l'aider à descendre de cheval. Et il lui souhaita la bienvenue, en s'inclinant jusqu'à terre, et l'introduisit, en disant : « Bismillah ! »

Et le khalifat se trouva dans une grande salle, haute de plafond, somptueuse et riche, au milieu de laquelle se trouvait un trône carré en or massif et en ivoire, monté sur quatre pieds d'or, sur lequel Khalife le pria de s'asseoir. Et aussitôt entrèrent, porteurs d'immenses plateaux d'or et de porcelaine, de jeunes échansons beaux comme les lunes, qui leur présentèrent des coupes précieuses remplies de décoctions glacées, au musc pur, rafraîchissantes et délicieuses ! Puis d'autres jeunes garçons entrèrent, vêtus de blanc, et plus beaux que les précédents, qui leur servirent des mets aux couleurs admirables, des oies farcies, des poulets, des agneaux rôtis, et toutes sortes d'oiseaux à la broche. Ensuite, entrèrent d'autres esclaves blancs, jeunes et charmants, la taille serrée et si élégante, qui enlevèrent les nappes et servirent les plateaux des boissons et des dulcifications. Et les vins se coloraient en des vases de cristal et les hanaps d'or enrichis de pierreries ! Et lorsqu'ils coulèrent entre les mains blanches des échansons, ils dégagèrent un arôme à nul autre pareil, et tel qu'on pouvait, en vérité, leur appliquer ces vers du poète :

« Échanson, verse-moi de ce vieux vin, et verse aussi à mon camarade, cet enfant que j'aime.

Ô précieux vin ! quel nom te donnerais-je, digne de tes vertus ? Je t'appellerai « la liqueur de la nouvelle mariée ! »

Aussi le khalifat, de plus en plus émerveillé, dit à Giafar : « Ô Giafar, par la vie de ma tête ! je ne sais ce que je dois le plus admirer ici, de la magnificence de cette réception ou des manières raffinées, exquises et nobles de notre hôte ! En vérité, cela dépasse mon entendement ! » Mais Giafar répondit : « Tout ce que nous voyons là n'est rien en comparaison de ce que peut faire Celui qui n'a qu'à dire aux choses : « Soyez ! » pour qu'elles soient ! En tout cas, ô émir des Croyants, moi, ce que j'admire surtout en Khalife, c'est la sûreté de ses discours et sa sagesse consommée ! Et cela m'est un signe de la beauté de son destin ! Car Allah, quand Il distribue ses dons aux humains, accorde la sagesse à ceux que son choix élit entre tous, et Il la leur accorde de préférence aux biens de ce monde ! »

Sur ces entrefaites, Khalife, qui s'était absenté un moment, revint et, après de nouveaux souhaits de bienvenue, dit au khalifat : « L'émir des Croyants veut-il permettre à mon esclave de lui amener une chanteuse, joueuse de luth, pour charmer les heures de la nuit ? Car il n'y a point en ce moment à Bagdad chanteuse plus experte ou musicienne plus habile ! » Et le khalifat répondit : « Certes ! cela t'est permis ! » Et Khalife se leva et entra chez Force-des-Cœurs et lui dit que le moment était venu.

Alors Force-des-Cœurs, qui était déjà toute parée et parfumée, n'eut qu'à s'envelopper de son grand izar et à jeter sur sa tête et son visage la légère voilette de soie, pour être prête à se présenter. Et Khalife la prit par la main et l'introduisit, ainsi voilée, dans la salle, qui s'émut de sa démarche royale.

Et, après qu'elle eut embrassé la terre entre les mains du khalifat, qui ne pouvait deviner qui elle était, elle s'assit non loin de lui, harmonisa les cordes de son luth, et préluda par un jeu qui ravit en extase tous les auditeurs. Puis elle chanta :

« Le temps ramènera-t-il jamais à notre amour ceux que nous aimons ? Ah ! douce union des amants, te goûterai-je encore ?

Ô charme des nuits dans la demeure amoureuse, ô charme de mes nuits ! Sans ton espoir vivrais-je encore ! »

En entendant cette voix de jadis, dont les accents lui étaient si connus…

À ce moment de sa narration, Schahrazade vit apparaître le matin et, discrète, se tut.

Mais lorsque fut la cinq cent soixante-seizième nuit. Elle dit :

… Et entendant cette voix de jadis, dont les accents lui étaient si connus, le khalifat, dans une émotion d'une intensité extraordinaire, devint bien pâle et, dès les derniers mots du chant exhalés, il tomba évanoui ! Et tout le monde s'empressa autour de lui, lui prodiguant des soins empressés. Mais Force-des-Cœurs appela Khalife et lui dit : « Dis à tous ceux-là de se retirer un moment dans la salle voisine, et de nous laisser seuls ! » Et Khalife pria les invités de se retirer, afin que Force-des-Cœurs pût en liberté donner au khalifat les soins nécessaires. Et lorsqu'ils eurent quitté la salle, Force-des-Cœurs, d'un mouvement rapide, rejeta loin d'elle le grand izar qui l'enveloppait et la voilette qui lui cachait le visage, et apparut vêtue d'une robe en tous points semblable à celles qu'elle revêtait au palais, quand le khalifat était avec elle. Et elle s'approcha d'Al-Rachid étendu sans mouvement, et s'assit à côté de lui, et l'aspergea d'eau de rose et lui fit de l'air avec un éventail, et finit par le ranimer.

Et le khalifat ouvrit les yeux et, voyant Force-des-Cœurs à ses côtés, il faillit s'évanouir une seconde fois ; mais elle se hâta de lui baiser la main, en souriant, et les larmes aux yeux ; et le khalifat, à la limite de l'émotion, s'écria : « Sommes-nous au jour de la Résurrection, et les morts se réveillent-ils de leurs tombeaux, ou bien est-ce un rêve que je fais ? » Et Force-des-Cœurs répondit : « Ô émir des Croyants, ce n'est point le jour de la Résurrection, et tu ne rêves point ! Car je suis Force-des-Cœurs, et je vis ! Et ma mort n'a été qu'un simulacre ! » Et elle lui raconta, en quelques mots, tout ce qui lui était arrivé, depuis le commencement jusqu'à la fin. Puis elle ajouta : « Et tout ce qui nous arrive maintenant d'heureux, nous le devons à Khalife le pêcheur ! » Et Al-Rachid, en entendant tout cela, tantôt pleurait et sanglotait, tantôt riait de bonheur. Et lorsqu'elle eut fini de parler, il l'attira à lui, et l'embrassa sur les lèvres, longtemps, en la pressant contre sa poitrine. Et ils restèrent ainsi tous deux une heure de temps.

Alors Khalife se leva et dit : « Par Allah ! ô émir des Croyants, j'espère maintenant que tu ne me feras plus donner la bastonnade ! » Et le khalifat, tout à fait remis, se mit à rire et lui dit : « Ô Khalife, tout ce que je pourrais faire pour toi désormais ne serait rien en comparaison de ce que nous te devons ! Veux-tu, tout de même, être mon ami et gouverner une province de mon empire ? » Et Khalife répondit : « L'esclave peut-il refuser les offres de son maître magnanime ? » Alors Al-Rachid lui dit : « Eh bien, Khalife, non seulement tu es nommé gouverneur de province avec des émoluments de dix mille dinars par mois, mais je veux que Force-des-Cœurs te choisisse elle-même, à son goût, parmi les adolescentes du palais et les filles des émirs et des notables, une jeune fille qui deviendra ton épouse ! Et c'est moi-même qui me charge de son trousseau et de la dot que tu apporteras à son père ! Et je veux désormais te voir tous les jours, et t'avoir à mes côtés dans les festins, au premier rang de mes intimes ! Et tu auras un train de maison digne de tes fonctions, et tout ce que pourra souhaiter ton âme ! »

Et Khalife embrassa la terre entre les mains du khalifat. Et tout ce bonheur-là arriva, et bien d'autres félicités encore ! Et il cessa d'être célibataire, et vécut des années et des années avec la jeune épouse que lui avait choisie Force-des-Cœurs, et qui était la plus belle et la plus modeste des femmes de son temps. Ainsi ! Gloire à Celui qui accorde ses faveurs, sans compter, à ses créatures, et qui distribue à son gré les joies et les félicités ! »

Puis Schahrazade dit : « Mais ne crois point, ô Roi fortuné, que cette histoire soit plus admirable ou plus merveilleuse que celle que je te réserve pour finir cette nuit ! » Et le roi Schahriar s'écria : « Certes ! ô Schahrazade, je ne doute plus de tes paroles. Mais dis-moi vite le nom de cette histoire que tu as tenue en réserve pour cette nuit ! Car elle doit être extraordinaire si elle est plus admirable que celle de Khalife le pêcheur ! » Et Schahrazade sourit et dit : « Oui, ô Roi ! Cette histoire s'appelle...

LES AVENTURES DE HASSAN AL-BASSRI

Et Schahrazade dit au roi Schahriar :

Sache, ô Roi fortuné, que l'histoire merveilleuse que je vais te raconter a une origine extraordinaire qu'il faut que je te révèle, avant de commencer ; sinon il ne serait point aisé de comprendre comment elle est parvenue jusqu'à moi.

Il y avait, en effet, dans les années et les âges d'il y a bien longtemps, un roi d'entre les rois de la Perse et du Khorassân, qui avait sous sa domination les pays de l'Inde, du Sindh et de la Chine, ainsi que les peuples qui habitent au-delà de l'Oxus dans les terres barbares. Il s'appelait le roi Kendamir. Et c'était un héros au courage indomptable et un cavalier de grande vaillance, sachant manier la lance, et passionné de tournois, de chasses et de chevauchées guerrières ; mais il préférait, et de beaucoup, à toutes choses la causerie avec les gens délicieux et les personnes de choix, et donnait près de lui, dans les festins, la place d'honneur aux poètes et aux conteurs. Bien plus ! quand un étranger, après avoir accepté son hospitalité, et éprouvé les effets de ses largesses et de sa générosité, lui narrait quelque conte encore inconnu ou quelque belle histoire, le roi Kendamir le comblait de faveurs et de bienfaits, et ne le renvoyait dans son pays qu'une fois satisfaits ses moindres désirs, et il le faisait accompagner durant tout le voyage par un cortège splendide de cavaliers et d'esclaves à ses ordres. Quant à ses conteurs habituels et à ses poètes, il les traitait avec les mêmes égards que ses vizirs et ses émirs.

Et, de cette façon, le palais était devenu la demeure chérie de tous ceux qui savaient construire des vers, ordonner des odes ou faire revivre par la parole les passés abolis et les choses mortes.

Aussi, il ne faut point s'étonner que le roi Kendamir, au bout d'un certain temps, eût entendu tous les contes connus des Arabes, des Persans et des Indiens, et les eût conservés dans sa mémoire avec les passages les plus beaux des poètes et les enseignements des annalistes versés dans l'étude des peuples anciens. Si bien qu'après avoir récapitulé tout ce qu'il savait, il ne lui resta plus rien à apprendre et plus rien à écouter.

Quand il se vit dans cet état, il fut pris d'une tristesse extrême et plongé dans une grande perplexité ! Alors, ne sachant plus comment occuper ses loisirs habituels, il se tourna vers son chef eunuque et lui dit : « Va vite me chercher Abou-Ali ! » Or Abou-Ali était le conteur favori du roi Kendamir, et il était si éloquent et si bien doué qu'il pouvait faire durer un conte pendant une année entière, sans discontinuer et sans, une seule nuit, lasser l'attention de ses auditeurs. Mais déjà il avait, lui, comme tous ses compagnons, épuisé son savoir et ses ressources d'éloquence, et depuis très longtemps il se trouvait dans une pénurie d'histoires nouvelles.

L'eunuque se hâta donc d'aller le chercher et de l'introduire auprès du roi. Et le roi lui dit : « Voici, ô père de l'éloquence, que tu as épuisé ton savoir et que tu te trouves dans une pénurie d'histoires nouvelles ! Or, moi, je t'ai fait venir parce qu'il faut absolument qu'en dépit de tout tu me trouves un conte extraordinaire et de moi inconnu, et tel que jamais je n'aie entendu le pareil ! Car plus que jamais j'aime les histoires et le récit des aventures. Si donc tu réussis à me charmer par les belles paroles que tu me feras entendre, moi, en retour, je te ferai cadeau d'immenses terres dont tu seras le maître, et de châteaux forts et de palais, avec un firman qui te libérera de toutes taxes et redevances ; et je te nommerai aussi mon grand vizir et te ferai asseoir à ma droite ; et tu gouverneras comme tu l'entendras, avec autorité pleine et entière, au milieu de mes vassaux et des sujets de mes royaumes. Et même, si tu le souhaites, je te léguerai le trône, après ma mort, et, de mon vivant, tout ce qui m'appartient t'appartiendra ! Mais si ton destin est assez néfaste pour que tu ne puisses pas satisfaire au désir que je t'exprime, et qui me tient à l'âme bien plus que de posséder la terre entière, tu peux, dès à présent, aller faire tes adieux à tes parents et leur dire que le pal t'attend ! »

À ces paroles du roi Kendamir, le conteur Abou-Ali comprit qu'il était perdu sans recours, et répondit : « J'écoute et j'obéis ! » Et il baissa la tête, bien jaune de teint, en proie au désespoir sans remède. Mais au bout d'un certain temps il releva la tête et dit : « Ô roi du temps, ton esclave l'ignorant demande une grâce de ta générosité, avant de mourir ! » Et le roi demanda : « Et quelle est-elle ? » Il dit : « C'est de lui accorder seulement un délai d'un an pour lui permettre de trouver ce que tu lui demandes. Mais si, ce délai passé, le conte en question n'est pas trouvé, et si, trouvé, il n'est pas le plus beau, le plus merveilleux et le plus extraordinaire qui soit parvenu à l'oreille des hommes, je subirai, sans amertume en mon âme, le supplice du pal ! »

À ces paroles, le roi Kendamir se dit : « Ce délai est bien long ! Et nul homme ne sait s'il doit vivre encore le lendemain ! » Puis il ajouta : « Pourtant, mon désir est si grand d'entendre encore une histoire que je t'accorde ce délai d'un an ; mais c'est à condition que tu ne bouges pas de ta maison, durant ce laps de temps ! » Et le conteur Abou-Ali baisa la terre entre les mains du roi, et se hâta de s'en retourner à sa maison.

Là, après avoir longtemps réfléchi, il appela cinq de ses jeunes mamalik, qui savaient lire et écrire, et qui, en outre, étaient les plus sagaces, les plus dévoués, et les plus distingués d'entre tous ses serviteurs, et leur remit à chacun cinq mille dinars d'or. Puis il leur dit : « Moi, je ne vous ai élevés et soignés et nourris dans ma maison que pour un jour comme celui-ci ! À vous donc de me porter secours et de m'aider à me tirer d'entre les mains du roi ! » Ils répondirent : « Ordonne, ô notre maître ! Nos âmes t'appartiennent, et nous sommes ta rançon ! » Il dit : « Voici ! Que chacun de vous parte pour les pays étrangers, sur les voies différentes d'Allah ! Parcourez tous les royaumes et toutes les contrées de la terre à la recherche des savants, des sages, des poètes et des conteurs les plus célèbres ! Et demandez-leur, afin de me la rapporter, s'ils connaissent l'HISTOIRE DES AVENTURES DE HASSAN AL-BASSRI ! » Et si, par une faveur du Très-Haut, l'un deux la connaît, priez-le de vous la raconter ou de vous l'écrire, à quelque prix que ce soit ! Car ce n'est que grâce à cette histoire-là que vous pouvez sauver votre maître du pal qui l'attend ! » Puis il se tourna vers chacun d'eux en particulier, et dit au premier mamelouk : « Toi, tu t'en iras vers les pays des Indes et du Sindh, et les contrées et provinces qui en dépendent ! » Et il dit au second : « Toi, tu t'en iras vers la Perse et la Chine et les pays limitrophes ! » Et il dit au troisième : « Toi, tu parcoureras le Khorassân et ses dépendances ! » Et il dit au quatrième : « Toi, tu exploreras tout le Maghreb, de l'orient à l'occident ! » Et il dit au cinquième : « Quant à toi, ô Mobarak, tu visiteras le pays d'Égypte et la Syrie…

À ce moment de sa narration, Schahrazade vit apparaître le matin et, discrète, se tut.

Mais lorsque fut la cinq cent soixante-dix-septième nuit. Elle dit :

… Quant à toi, ô Mobarak, tu visiteras le pays d'Égypte et la Syrie ! »

Ainsi parla à ces cinq mamalik dévoués le conteur Abou-Ali. Et il leur choisit, pour le départ, un jour de bénédiction, et leur dit : « Partez en ce jour béni ! Et revenez-moi avec l'histoire dont dépendra ma rédemption ! » Et ils prirent congé de lui, et se dispersèrent en cinq différentes directions.

Or les quatre premiers, au bout de onze mois, revinrent l'un après l'autre, le nez bien long, et dirent à leur maître que le destin, malgré les recherches les plus exactes dans les pays lointains qu'ils venaient de parcourir, ne les avait point mis sur la piste du conteur ou du savant qu'ils souhaitaient, et qu'ils n'avaient rencontré partout, dans les villes et sous les tentes, que des conteurs et des poètes ordinaires, dont les histoires étaient universellement connues ; mais que, quant aux aventures de Hassân Al-Bassri, nul ne les connaissait !

À ces paroles, la poitrine du vieux conteur Abou-Ali se rétrécit à la limite du rétrécissement, et le monde noircit à ses yeux. Et il s'écria : « Il n'y a de recours et de force qu'en Allah l'Omnipotent ! Je vois bien à présent qu'il est écrit dans le livre de l'Ange que ma destinée m'attend sur le pal ! » Et il fit ses préparatifs et son testament avant d'aller mourir de cette mort de goudron ! Et voilà pour lui !

Mais pour ce qui est du cinquième mamelouk, qui s'appelait Mobarak, il avait déjà parcouru tout le pays d'Égypte et une partie notable de la Syrie, sans trouver trace de ce qu'il cherchait. Et même les conteurs fameux du Caire n'avaient pu le renseigner à ce sujet, bien que leur savoir dépasse l'entendement. Bien plus ! Ils n'avaient même jamais entendu parler, par leurs pères ou leurs grands-pères, conteurs comme eux, de l'existence de cette histoire-là ! Aussi le jeune mamelouk avait-il pris le chemin de Damas sans toutefois espérer réussir désormais dans cette entreprise.

Or, dès son arrivée à Damas, il fut sous le charme de son climat, de ses jardins, de ses eaux et de sa magnificence. Et son enchantement aurait été aux limites extrêmes s'il n'avait eu l'esprit si préoccupé par sa mission sans aboutissant. Et, comme c'était le soir, il parcourait les rues de la ville à la recherche de quelque khân où passer la nuit, quand il vit, en tournant dans les souks, une foule de portefaix, de balayeurs, d'âniers, de terrassiers, de marchands et de porteurs d'eau, ainsi qu'une quantité d'autres personnes, qui se hâtaient de courir dans une même direction, de toute leur vitesse. Et il se dit : « Qui sait où vont ces gens-là ? » Et comme il se disposait à courir avec eux, il fut violemment heurté par un jeune homme qui venait de trébucher en se prenant le pied dans les pans de sa robe, à cause de son ardeur à se hâter dans sa marche. Et il l'aida à se relever et, après lui avoir essuyé le dos, il lui demanda : « Pour où, comme ça ? Je te vois fort préoccupé et plein d'impatience, et je ne sais que penser en voyant aussi les autres faire comme toi ! » Le jeune homme répondit : « Je vois bien que tu es un étranger pour ignorer ainsi le but de notre course. Sache donc que, pour ma part, je veux arriver un des premiers là-bas, dans la salle voûtée où se tient le cheikh Ishak Al-Monabbi, le conteur sublime de notre ville, celui qui raconte les histoires les plus merveilleuses du monde. Et comme il y a toujours, au-dehors et au-dedans, une grande foule d'auditeurs, et que les derniers arrivés ne peuvent pas jouir comme il faut de l'histoire contée, je te prie d'excuser maintenant ma hâte de te quitter ! » Mais le jeune mamelouk s'attacha aux vêtements de l'habitant de Damas, et lui dit : « Ô fils des gens de bien, je te supplie de m'emmener avec toi, afin que je puisse trouver une bonne place près du cheikh Ishak. Car je souhaite, moi aussi, vivement l'entendre, et c'est pour lui précisément que je viens de mon pays, du profond lointain ! » Et l'adolescent répondit : « Suis-moi donc, et courons ! » Et tous deux, bousculant à droite et à gauche les gens paisibles qui rentraient dans leurs demeures, se ruèrent vers la salle où tenait ses séances le cheikh Ishak Al-Monabbi.

Or, en entrant dans cette salle au plafond voûté d'où descendait une fraîcheur douce, Mobarak aperçut, assis sur un siège au milieu du cercle silencieux des portefaix, des marchands, des notables, des porteurs d'eau et des autres, un vénérable cheikh au visage marqué par la bénédiction, au front auréolé de splendeur, qui parlait d'une voix grave, en continuant l'histoire qu'il avait commencée depuis plus d'un mois devant ses auditeurs fidèles. Mais la voix du cheikh ne tarda pas à s'animer, en racontant les exploits inégalables de son guerrier. Et, soudain, il se leva de son siège, ne pouvant plus maîtriser sa véhémence, et se mit à courir, entre ses auditeurs, d'un bout de la salle à l'autre bout, en faisant tournoyer le glaive du guerrier arracheur de têtes, et en taillant en mille pièces les ennemis ! Ainsi donc ! Qu'ils meurent les traîtres ! Et qu'ils soient maudits et brûlés dans les feux de la géhenne ! Et qu'Allah préserve le guerrier ! Il est préservé ! Mais non ! Où sont nos sabres, où sont nos gourdins pour voler à son secours ? Le voici ! Il sort triomphant de la mêlée, écrasant ses ennemis terrassés avec l'aide d'Allah ! Alors, gloire au Tout-Puissant, maître de la vaillance ! Et que le guerrier maintenant aille sous la tente où l'attend l'amoureuse, et que les beautés diverses de l'adolescente lui fassent oublier les périls courus pour elle ! Et louanges à Allah qui a créé la femme pour mettre le baume dans le cœur du guerrier et le feu dans ses entrailles !

Comme sur ces mots le cheikh Ishak terminait la séance ce soir-là, les auditeurs, à la limite de l'extase, se levèrent et, tout en répétant les dernières paroles du conteur, sortirent de la salle. Et le mamelouk Mobarak, émerveillé d'un art si admirable, s'approcha du cheikh Ishak et, après lui avoir baisé la main, lui dit : « Ô mon maître, je suis un étranger, et je désire te demander une chose…

À ce moment de sa narration, Schahrazade vit apparaître le matin et, discrète, se tut.

Mais lorsque fut la cinq cent soixante-dix-huitième nuit. Elle dit :

… Ô mon maître, je suis un étranger, et je désire te demander une chose ! » Et le cheikh lui rendit son salam et répondit : « Parle ! L'étranger ne nous est point étranger. Que te faut-il ? » Il répondit : « Je viens de bien loin pour t'offrir de la part de mon maître, le conteur Abou-Ali du Khorassân, un cadeau de mille dinars d'or ! Car il te considère comme le maître de tous les conteurs de ce temps, et veut te prouver son admiration ! » Le cheikh Ishak répondit : « Certes ! la renommée de l'illustre Abou-Ali du Khorassân, nul ne saurait l'ignorer. J'accepte donc de tout cœur amical le cadeau de ton maître, et je voudrais en retour lui envoyer quelque chose par ton intermédiaire. Dis-moi donc ce qu'il aime le mieux, afin que mon cadeau lui agrée davantage ! » À ces paroles si longtemps attendues, le mamelouk Mobarak se dit : « Me voici au but ! Et c'est ma dernière ressource ! » Et il répondit : « Qu'Allah, ô mon maître, te comble de ses bénédictions. Mais les biens de ce monde sont nombreux sur la tête d'Abou-Ali, et il ne souhaite qu'une chose, c'est d'orner son esprit de ce qu'il ne connaît pas ! Aussi, m'a-t-il dépêché vers toi pour te demander, comme une faveur, de lui apprendre quelque conte nouveau dont il pourrait dulcifier les oreilles de notre roi ! Ainsi, par exemple, rien ne saurait le toucher plus que d'apprendre de toi, si toutefois tu la connais, l'histoire qu'on nomme les « Aventures de Hassân Al-Bassri ! » Le cheikh répondit : « Sur ma tête et sur mes yeux ! ton souhait sera satisfait, et au-delà, car cette histoire m'est connue, et je suis d'ailleurs le seul conteur à la connaître, sur la face de la terre ! Et il a bien raison de la chercher, ton maître Abou-Ali, car c'est certainement l'une des plus extraordinaires histoires qui soient, et elle m'a été racontée autrefois par un saint derviche, mort maintenant, qui la tenait d'un autre derviche, mort également. Et moi, pour reconnaître la générosité de ton maître, non seulement je vais te la raconter, mais te la dicter dans tous ses détails, depuis le commencement jusqu'à la fin. Seulement, à cette donation de ma part, je mets une condition expresse que tu t'engageras, par serment, à remplir, si tu veux avoir cette copie ! » Le mamelouk répondit : « Je suis prêt à accepter toutes les conditions, même en exposant au péril mon âme ! » Il dit : « Eh bien, comme cette histoire est de celles qu'on ne raconte pas devant n'importe qui, et qu'elle n'est point faite pour tout le monde, mais seulement pour les personnes de choix, tu vas me jurer, en ton nom et au nom de ton maître, de ne jamais en dire un mot à cinq sortes de personnes : les ignorants, car ils ne sauraient l'estimer avec leur esprit grossier ; les hypocrites, qui en seraient offusqués ; les maîtres d'école, qui, impuissants et épais, ne la comprendraient pas ; les idiots, car ils sont comme les maîtres d'école ; et les mécréants, qui n'en pourraient tirer un enseignement profitable ! » Et le mamelouk s'écria : « Je le jure devant la face d'Allah et devant toi, ô mon maître ! » Puis il déroula sa ceinture et en tira un sac qui contenait mille dinars d'or, et le remit au cheikh Ishak. Et le cheikh, à son tour, lui présenta un encrier et un calame, et lui dit : « Écris ! » Et il se mit à lui dicter, mot par mot, toute l'histoire des Aventures de Hassân Al-Bassri, telle qu'elle lui avait été transmise par le derviche. Et cette dictée dura sept jours et sept nuits, sans discontinuer. Après quoi, le mamelouk relut ce qu'il avait écrit devant le cheikh, qui rectifia divers passages et en corrigea les fautes d'écriture. Et le mamelouk Mobarak, à la limite de la joie, baisa la main du cheikh et, après lui avoir fait ses adieux, se hâta de prendre le chemin du Khorassân. Et comme le bonheur le rendait léger, il ne mit, pour y arriver, que la moitié du temps qu'il fallait d'ordinaire aux caravanes.

Or il ne restait plus que dix jours pour que l'année fixée comme délai par le roi expirât, et pour que le pal fût dressé, pour le supplice d'Abou-Ali, devant la porte du Palais. Et l'espérance s'était tout à fait évanouie de l'âme de l'infortuné conteur, et il avait fait assembler tous ses parents et ses amis pour qu'ils l'aidassent à supporter, avec moins de terreur, l'heure effroyable qui l'attendait. Et voici qu'au milieu des lamentations, le mamelouk Mobarak, brandissant le manuscrit, fit son entrée et alla vers son maître, et, après lui avoir baisé la main, lui remit les feuillets précieux dont le premier portait, en grandes lettres, le titre : « HISTOIRE DES AVENTURES DE HASSÂN AL-BASSRI. »

À cette vue, le conteur Abou-Ali se leva et embrassa son mamelouk et le fit asseoir à sa droite et se dévêtit de ses propres habits pour l'en vêtir et le combla de marques d'honneur et de bienfaits ; puis, après l'avoir libéré, il lui donna, en cadeau, dix chevaux de noble race, cinq juments, dix chameaux, dix mulets, trois nègres et deux jeunes garçons. Après quoi il prit le manuscrit qui lui sauvait la vie, et le transcrivit lui-même, à nouveau, sur du magnifique papier, en lettres d'or, de sa plus belle calligraphie, en mettant de larges espaces entre les mots, de façon que la lecture en devînt agréable et aisée. Et il employa à ce travail neuf jours entiers, en prenant à peine le temps de fermer l'œil ou de manger une datte. Et le dixième jour, à l'heure marquée pour son empalement, il mit le manuscrit dans une cassette d'or et monta chez le roi…

À ce moment de sa narration, Schahrazade vit apparaître le matin et, discrète, se tut.

Mais lorsque fut la cinq cent soixante-dix-neuvième nuit. Elle dit :

… Et le dixième jour, à l'heure marquée pour son empalement, il mit le manuscrit dans une cassette d'or et monta chez le roi.

Aussitôt, le roi Kendamir réunit ses vizirs, ses émirs et ses chambellans, ainsi que les poètes et les savants, et dit à Abou-Ali : « La parole des rois doit courir ! Lis-nous donc cette histoire promise ! Et, à mon tour, je n'oublierai pas ce qui a été convenu entre nous dans le commencement ! » Et Abou-Ali tira le merveilleux manuscrit de la cassette d'or, et en déroula la première feuille et commença sa lecture. Et il déroula la seconde feuille, et la troisième feuille et beaucoup d'autres feuilles, et continua à lire, au milieu de l'admiration et de l'émerveillement de toute l'assemblée. Et l'effet en fut si extraordinaire sur le roi qu'il ne voulut point lever la séance ce jour-là ! Et l'on mangea et l'on but, et l'on recommença ; et ainsi de suite jusqu'à la fin.

Alors le roi Kendamir, ravi à la limite du ravissement, et sûr désormais de n'avoir jamais plus un instant d'ennui puisqu'il possédait une histoire pareille sous sa main, se leva en l'honneur d'Abou-Ali, et le nomma sur-le-champ son grand vizir, destituant l'ancien de sa charge, et, après l'avoir revêtu de son propre manteau royal, lui fit don, comme propriété héréditaire, d'une province entière de son royaume avec ses villes, villages et châteaux forts ; et il le garda auprès de lui pour compagnon intime et confident. Puis il fit serrer la cassette avec le manuscrit précieux dans l'armoire des papiers, pour l'en tirer ensuite et faire lire l'histoire toutes les fois que l'ennui se présenterait aux portes de son âme.

Et c'est justement, ô Roi fortuné, continua Schahrazade, cette histoire merveilleuse que je vais pouvoir te conter, grâce à une copie exacte qui est parvenue jusqu'à moi.

On raconte – mais Allah est plus savant et plus sage et plus bienfaisant ! – qu'il y avait – en ce qui se présenta et s'écoula des années d'il y a très longtemps –, dans la ville de Bassra, un adolescent qui était le plus gracieux, le plus beau et le plus délicat d'entre tous les jeunes garçons de son temps. Il s'appelait Hassân, et vraiment jamais nom n'avait si parfaitement convenu à un fils des hommes[1]. Et le père et la mère de Hassân l'aimaient d'un grand amour, car ils ne l'avaient eu que dans les jours de leur extrême sénilité, et cela grâce au conseil d'un savant lecteur de grimoires qui leur avait fait manger les morceaux situés entre la tête et la queue d'un serpent de la qualité des grands serpents, selon la prescription de notre seigneur Soleïmân (sur Lui la paix et la prière !). Or donc, au terme fixé, Allah le Tout-Entendeur, le Tout-Voyant, décréta l'admission du marchand, père de Hassân, dans le sein de Sa miséricorde ; et le marchand trépassa dans la paix de son Seigneur (qu'Allah l'ait toujours en Sa pitié !). Et, de la sorte, le jeune Hassân se trouva être l'unique héritier des biens de son père. Mais, comme il avait été très mal élevé par ses parents, qui le chérissaient, il se hâta de fréquenter les adolescents de son âge et, en leur compagnie, ne tarda pas à manger en festins et en dissipations les économies de son père. Et il ne lui resta plus rien entre les mains. Alors sa mère, dont le cœur était compatissant, ne put souffrir de le voir attristé, et, avec sa propre part d'héritage, lui ouvrit une boutique d'orfèvre dans le souk.

Or la beauté de Hassân attira bientôt vers la boutique, avec l'assentiment d'Allah les yeux de tous les passants ; et nul ne traversait le souk sans s'arrêter devant la porte pour contempler l'œuvre du Créateur, et s'en émerveiller. Et, de la sorte, la boutique de Hassân devint le centre d'un attroupement continu de marchands, de femmes et d'enfants, qui se réunissaient là, pour lui voir manier le marteau d'orfèvre et l'admirer tout à leur aise.

Or, un jour d'entre les jours, comme Hassân était assis à l'intérieur de sa boutique, et qu'au-dehors l'attroupement habituel commençait à s'épaissir, vint à passer par là un Persan avec une grande barbe blanche et un grand turban de mousseline blanche. Son maintien et sa démarche indiquaient assez que c'était un notable et un homme d'importance. Et il tenait à la main un vieux livre. Et il s'arrêta devant la boutique et se mit à regarder Hassân avec une attention soutenue. Puis il s'avança plus près de lui et dit, de façon à en être entendu : « Par Allah ! quel excellent orfèvre ! » Et il se mit à branler la tête avec les signes les plus évidents d'une admiration sans bornes. Et il resta là, sans bouger, jusqu'à ce que les parents se fussent dispersés pour la prière de l'après-midi. Alors il entra dans la boutique et il salua Hassân qui lui rendit le salam et l'invita courtoisement à s'asseoir. Et le Persan s'assit en lui souriant avec une grande tendresse, et lui dit : « Mon enfant, tu es, en vérité, un jeune homme bien avenant ! Et moi, comme je n'ai point de fils, je voudrais t'adopter afin de t'enseigner les secrets de mon art, unique dans le monde et que des milliers et des milliers de personnes m'ont inutilement supplié de leur enseigner. Et, maintenant, mon âme et l'amitié qui est née en mon âme pour toi me poussent à te révéler ce que j'ai jusqu'aujourd'hui soigneusement caché, pour que tu sois, après ma mort, le dépositaire de ma science. Et, de la sorte, je mettrai entre toi et la pauvreté un obstacle infranchissable, et je t'épargnerai ce travail fatigant du marteau et ce métier peu lucratif, indigne de ta personne charmante, ô mon fils, et que tu exerces au milieu de la poussière, du charbon et de la flamme ! » Et Hassân répondit : « Par Allah ! ô mon vénérable oncle, je ne souhaite que d'être ton fils et l'héritier de ta science ! Quand donc veux-tu commencer à m'initier ? » Il répondit : « Demain ! » Et, se levant aussitôt, il prit la tête de Hassân dans ses deux mains et l'embrassa. Puis il sortit sans ajouter un mot de plus...

À ce moment de sa narration, Schahrazade vit apparaître le matin et, discrète, se tut.

Mais lorsque fut la cinq cent quatre-vingtième nuit. Elle dit :

... Il prit la tête de Hassân dans ses deux mains et l'embrassa. Puis il sortit sans ajouter un mot de plus.

Alors Hassân, extrêmement troublé de tout cela, se hâta de fermer sa boutique, et courut à la maison raconter à sa mère ce qui venait de se passer. Et la mère de Hassân, fort émue, répondit : « Que me racontes-tu là, ya Hassân ? Et comment peux-tu croire aux paroles d'un Persan hérétique ? » Il dit : « Ce vénérable savant n'est point un hérétique, car son turban était en mousseline blanche comme celui des vrais Croyants ! » Elle répondit : « Ah ! mon fils, détrompe-toi ! Ces Persans sont des fourbes, des séducteurs ! Et leur science c'est l'alchimie ! Et Allah seul sait les complots qu'ils trament dans la noirceur de leur âme, et le nombre des tours qu'ils font pour dépouiller les gens ! » Mais Hassân se mit à rire et dit : « Ô ma mère, nous sommes de pauvres gens, et nous n'avons, en vérité, rien qui puisse tenter la cupidité d'autrui ! Quant à ce Persan, il n'y a pas dans toute la ville de Bassra quelqu'un qui ait un visage et un maintien plus avenants ! Et j'ai vu en lui les signes les plus évidents de la bonté et de la vertu ! Remercions plutôt Allah qui a fait compatir son cœur à ma condition ! » À ces paroles, la mère ne répondit plus rien. Et Hassân ne put fermer l'œil de cette nuit-là, tant il était perplexe et impatient.

Le lendemain, il se rendit de bonne heure au souk avec ses clefs, et ouvrit sa boutique avant tous les autres marchands. Et, aussitôt, il vit entrer le Persan ; et il se leva vivement en son honneur et voulut lui baiser la main ; mais il s'y refusa, et le serra dans ses bras et lui demanda : « Es-tu marié, ô Hassân ? » Il répondit : « Non, par Allah ! je suis célibataire, bien que ma mère ne cesse de me pousser du côté du mariage ! » Le Persan dit : « Alors, c'est excellent ! Car si tu avais été marié, tu n'aurais jamais pu entrer dans l'intimité de mes connaissances ! » Puis il ajouta : « Mon fils, as-tu du cuivre dans ta boutique ? » Il dit : « J'ai là un vieux plateau tout ébréché, en cuivre jaune ! » Il dit : « C'est cela même qu'il me faut ! Commence donc par allumer ton fourneau, mets ton creuset sur le feu et fais marcher tes soufflets ! Puis, prends ce vieux plateau de cuivre et coupe-le en petites pièces avec tes ciseaux ! » Et Hassân se hâta d'exécuter l'ordre. Et le Persan lui dit : « Mets à présent ces morceaux de cuivre dans le creuset, et active le feu jusqu'à ce que tout ce métal devienne liquide ! » Et Hassân jeta les morceaux de cuivre dans le creuset, activa le feu et se mit à souffler avec le roseau à air sur le métal, jusqu'à liquéfaction. Alors le Persan se leva et s'approcha du creuset et ouvrit son livre et lut sur le liquide bouillant des formules en une langue inconnue ; puis, élevant la voix, il cria : « *Hakh ! makh ! bakh !* Ô vil métal, que le soleil te pénètre de ses vertus ! *Hakh ! makh ! bakh !* Ô vil métal, que la vertu de l'or chasse tes impuretés ! *Hakh ! makh ! bakh !* ô cuivre, transmue-toi en or ! » Et, en prononçant ces paroles, le Persan leva la main vers son turban, et tira d'entre les plis de la mousseline un petit paquet de papier plié qu'il ouvrit ; et il y prit une pincée d'une poudre jaune comme le safran qu'il se hâta de jeter au milieu du cuivre liquide, dans le creuset ! Et, à l'instant, le liquide se solidifia et se transmua en une galette d'or, de l'or le plus pur !

À cette vue, Hassân fut stupéfait à la limite de la stupéfaction ; et sur un signe du Persan, il prit sa lime d'essai et en frotta, sur un coin, la galette brillante ; et il constata que c'était bien de l'or de la qualité la plus fine et la plus estimée. Alors, ravi d'admiration, il voulut prendre la main du Persan et la baiser ; mais celui-ci ne voulut pas le permettre et lui dit : « Ô Hassân, va vite au souk vendre cette galette d'or ! Et touches-en le prix, et retourne à ta maison serrer l'argent, sans dire un mot de ce que tu sais ! » Et Hassân alla au souk, et remit la galette au crieur public qui, après l'avoir contrôlée comme poids et qualité, la cria et en obtint d'abord mille dinars d'or, puis deux mille à la seconde criée. Et la galette fut adjugée à un marchand à ce prix-là, et Hassân prit les deux mille dinars et alla les porter à sa mère, en volant de joie. Et la mère de Hassân, à la vue de tout cet or, ne put d'abord prononcer une parole tant elle était remplie d'étonnement ; puis, comme Hassân, en riant, lui racontait que cela lui venait de la science du Persan, elle leva les mains et s'écria, terrifiée : « Il n'y a d'autre dieu qu'Allah, et il n'y a de force et de puissance qu'en Allah ! Qu'as-tu fait, ô mon fils avec ce Persan versé dans l'alchimie ? » Mais Hassân répondit : « Justement, ô mère, ce vénérable savant est en train de m'instruire dans l'alchimie ! Et il a commencé par me faire voir comment on change un vil métal en l'or le plus pur ! » Et, sans plus faire attention aux objurgations de sa mère, Hassân prit, dans la cuisine, le grand mortier en cuivre où sa mère pilait l'ail et l'oignon et confectionnait les boulettes de blé concassé, et courut à sa boutique retrouver le Persan qui l'y attendait. Et il posa par terre le mortier en cuivre, et se mit à activer le feu. Et le Persan lui demanda : « Que veux-tu donc en faire, ya Hassân ? » Il répondit : « Je voudrais transmuer en or le mortier de ma mère ! » Et le Persan éclata de rire et dit : « Tu es un insensé, Hassân, de vouloir te montrer deux fois dans la même journée au souk, avec des lingots d'or, pour éveiller de la sorte les soupçons des marchands, qui devineront que nous nous occupons d'alchimie, et attirer sur notre tête une bien fâcheuse affaire ! » Hassân répondit : « Tu as raison ! mais je voudrais tellement apprendre de toi le secret de la science ! » Et le Persan se mit à rire encore plus fort que la première fois, et dit : « Tu es un insensé, Hassân, de croire que la science et les secrets de la science s'apprennent comme ça, en pleine rue ou sur les places publiques, et qu'on peut faire son apprentissage au milieu du souk, sous l'œil de la police ! Mais, si vraiment, ya Hassân, tu as le ferme désir te t'instruire sérieusement, tu n'as qu'à ramasser tous tes outils et à me suivre à ma demeure ! » Et Hassân, sans hésiter, répondit : « J'écoute et j'obéis ! » et, se levant, il ramassa ses outils, ferma sa boutique, et suivit le Persan.

Or, en chemin, Hassân se rappela les paroles de sa mère au sujet des Persans, et, mille pensées venant envahir son esprit, il s'arrêta de marcher, sans savoir au juste ce qu'il faisait, et, la tête baissée, il se mit à réfléchir profondément. Et le Persan, s'étant retourné, le vit dans cet état et se prit à rire ; puis il lui dit : « Tu es un insensé, Hassân ! Car si tu avais autant de raison que tu as de gentillesse, tu ne t'arrêterais pas devant la belle destinée qui t'attend ! Comment ! je veux ton bonheur et tu hésites ! » Puis il ajouta : « Pourtant, mon fils, afin que tu n'aies point le plus léger doute sur mes intentions, je préfère te révéler les secrets de ma science dans ta propre maison ! » Et Hassân répondit : « Oui ! par Allah, cela tranquilliserait la mère ! » Et le Persan dit : « Précède-moi donc pour me montrer le chemin ! » Et Hassân se mit à marcher devant, et le Persan derrière ; et ils arrivèrent de la sorte chez la mère…

À ce moment de sa narration, Schahrazade vit apparaître le matin et, discrète, se tut.

Mais lorsque fut la cinq cent quatre-vingt et unième nuit. Elle dit :

… Et ils arrivèrent de la sorte chez la mère. Et Hassân pria le Persan d'attendre dans le vestibule, et, courant comme un jeune étalon qui bondit au printemps dans les prairies, il alla prévenir sa mère que le Persan était leur hôte. Et il ajouta : « Du moment qu'il va manger de notre nourriture, dans notre maison, il y aura entre nous le lien du pain et du sel, et tu ne pourras plus de la sorte avoir désormais l'esprit préoccupé à mon sujet. » Mais la mère répondit : « Qu'Allah nous protège, mon fils ! Le lien du pain et du sel est sacré chez nous ; mais ces Persans abominables, qui sont des adorateurs du feu, des pervertis, des parjures, ne le respectent guère ! Ah ! mon fils, quelle calamité nous poursuit ! » Il dit : « Lorsque tu auras vu ce vénérable savant, tu ne voudras plus le laisser partir de notre maison ! » Elle dit : « Non ! par la tombe de ton père, je ne resterai pas ici pendant le séjour de cet hérétique ! Et, lorsqu'il sera parti, je laverai les dalles de la chambre, et je brûlerai de l'encens, et je ne te toucherai pas toi-même pendant un mois entier, de peur de me souiller à ton contact ! » Puis elle ajouta : « Pourtant, comme il est déjà dans notre maison, et que nous avons de l'or qu'il nous a envoyé, je vais vous apprêter à tous deux de quoi manger, puis je me hâterai de m'en aller chez les voisins ! » Et, pendant que Hassân allait retrouver le Persan, elle tendit la nappe, et, après avoir fait de larges emplettes, elle leur mit sur les plateaux des poulets rôtis et des concombres et dix sortes de pâtisseries et de confitures, et se hâta d'aller se réfugier chez les voisins.

Alors Hassân introduisit son ami le Persan dans la salle du repas et l'invita à prendre place en lui disant : « Il faut qu'il y ait entre nous le lien du pain et du sel ! » Et le Persan répondit : « Certes ! ce lien-là est une chose inviolable ! » Et il s'assit à côté de Hassân, et se mit à manger avec lui, tout en causant. Et il lui dit : « Ô mon fils Hassân, par le lien sacré du pain et du sel, qui est maintenant entre nous, si je ne t'aimais d'un si vif amour, je ne t'apprendrais pas les choses secrètes pour lesquelles nous sommes ici ! » Et, ce disant, il tira de son turban le petit paquet de poudre jaune et, le lui montrant, ajouta : « Tu vois cette poudre-ci ! Eh bien, sache qu'au moyen d'une seule pincée, tu peux changer en or dix okes de cuivre. Car cette poudre n'est autre que l'élixir quintessencié, solidifié et pulvérisé que j'ai retiré de la substance de mille simples et mille ingrédients plus compliqués les uns que les autres. Et je ne suis arrivé à cette découverte qu'à la suite de travaux et de fatigues que tu connaîtras un jour ! » Et il remit le petit paquet à Hassân, qui se mit à le regarder avec une telle attention qu'il ne vit point le Persan retirer vivement de son turban un morceau de bang crétois et le mélanger à une pâtisserie. Et le Persan offrit la pâtisserie à Hassân qui, tout en continuant à regarder la poudre, l'avala pour rouler aussitôt à la renverse, sans connaissance, sa tête précédant ses pieds !

Aussitôt, le Persan, poussant un cri de triomphe, sauta sur ses deux pieds, disant : « Ah ! charmant Hassân, que d'années déjà je te cherche sans te trouver ! Mais te voici maintenant entre mes mains, et tu n'échapperas point à mon vouloir ! » Et il releva ses manches, se serra la taille et, s'approchant de Hassân, il le courba en deux, la tête près des genoux, et lui attacha dans cette position les bras avec les jambes, et les mains avec les pieds. Puis il prit un coffre à vêtements, le vida, et mit Hassân dedans, avec tout l'or qui était le produit de son opération d'alchimie. Puis il sortit appeler un portefaix, lui chargea le coffre sur le dos et le lui fit porter sur le bord de la mer où se trouvait un navire prêt à mettre à la voile. Et le capitaine, qui n'attendait plus que l'arrivée du Persan, leva l'ancre. Et le navire, poussé par la brise de terre, s'éloigna du rivage à pleines voiles ! Et voilà pour le Persan, ravisseur de Hassân et du coffre où était enfermé Hassân !

Mais pour ce qui est de la mère de Hassân, voici ! Lorsqu'elle se fut aperçue que son fils avait disparu avec le coffre et l'or, et que les vêtements étaient épars à travers la chambre, et que la porte de la maison était restée ouverte, elle comprit que Hassân était désormais perdu pour elle et que l'arrêt du destin était exécuté ! Alors elle s'abandonna au désespoir, se donna de grands coups au visage, déchira ses vêtements et se mit à gémir, à sangloter, à pousser des cris douloureux, et à verser des pleurs, en disant : « Hélas ! ô mon enfant, ah ! Hélas, le fruit vital de mon cœur, ah ! Et elle passa toute la nuit à courir, affolée, chez tous les voisins pour s'informer de son fils, mais sans résultat. Et les voisines cherchèrent à la consoler, mais elle était inconsolable. Et elle se mit, depuis lors, à passer ses jours et ses nuits dans les larmes et le deuil, auprès du tombeau qu'elle fit élever au milieu de sa maison et sur lequel elle écrivit le nom de son fils Hassân et la date du jour où il avait été enlevé à son affection. Et elle fit également graver ces deux vers sur le marbre du tombeau, afin de se les réciter sans cesse et de pleurer :

« Une forme trompeuse se présente la nuit pendant que je m'assoupis, et, triste, vient errer autour de ma couche et de ma solitude.

Je veux presser dans mes bras la forme aimée de mon enfant, et je m'éveille, hélas ! au milieu de la maison déserte, quand l'heure de la visite est déjà passée ! »

Et c'est ainsi que vivait la pauvre mère avec sa douleur.

Quant au Persan, parti sur le navire avec le coffre...

À ce moment de sa narration, Schahrazade vit apparaître le matin et, discrète, se tut.

Mais lorsque fut la cinq cent quatre-vingt-deuxième nuit. Elle dit :

... Quant au Persan, parti sur le navire avec le coffre, c'était réellement un magicien fort redoutable ; et il s'appelait Bahram le Guèbre, de son métier alchimiste. Et, chaque année, il choisissait parmi les fils des musulmans un adolescent bien fait, pour l'enlever et faire avec lui ce que le poussaient à faire sa mécréantise, sa perversion et sa race maudite ; car, comme a dit le Maître des proverbes, c'était « un chien, fils de chien, petit-fils de chien ; et tous ses ancêtres étaient des chiens ! Comment alors aurait-il été autre chose qu'un chien, ou fait autre chose que les actions d'un chien ? » Or donc, pendant tout le temps que dura le voyage par mer, il descendait une fois par jour au fond du navire, là où se trouvait le coffre, soulevait le couvercle et donnait à manger et à boire à Hassân, en lui mettant lui-même les aliments à la bouche, tout en le laissant toujours dans un état de somnolence. Et, lorsque le navire fut arrivé au bout du voyage, il fit débarquer le coffre et descendit lui-même à terre, tandis que le navire regagnait le large.

Alors le magicien Bahram ouvrit le coffre, défit les liens de Hassân et détruisit l'effet du bang en lui faisant respirer du vinaigre et en lui jetant dans les narines de la poudre d'anti-bang. Et Hassân recouvra aussitôt l'usage de ses sens, et regarda à droite et à gauche ; et il se vit étendu sur un rivage marin dont les galets et le sable étaient colorés en rouge, en vert, en blanc, en bleu, en jaune et en noir ; et il reconnut par là que ce n'était point le rivage de sa mer natale. Alors, bien étonné de se voir en ce lieu qu'il ne connaissait pas, il se leva et vit, assis derrière lui sur un rocher, le Persan qui le regardait avec un œil ouvert et un œil fermé. Et, rien qu'à cette vue, il eut le pressentiment qu'il avait été sa dupe, et qu'il était désormais en sa puissance. Et il se souvint des malheurs que lui avait prédits sa mère, et il se résigna aux décrets du destin, en se disant : « Je mets ma confiance en Allah ! » Puis il s'approcha du Persan, qui le laissait avancer sans bouger, et lui demanda d'une voix bien émue : « Que veut dire cela, mon père ? Et n'y a-t-il donc jamais eu entre nous le lien du pain et du sel ? » Et Bahram le Guèbre éclata de rire et s'écria : « Par le Feu et la Lumière ! Que me parles-tu de pain et de sel, à moi, Bahram, l'adorateur de la Flamme et de l'Étincelle, du Soleil et de la Lumière ? Et ne sais-tu pas que j'ai déjà eu, de cette façon, en ma puissance, neuf cent quatre-vingt-dix-neuf jeunes musulmans, que j'ai ravis, et que tu es le millième ? Mais toi, par le Feu et la Lumière ! tu es certes le plus beau d'entre tous ceux-là ! Et je ne croyais pas, ô Hassân, que tu tomberais si facilement dans mon filet ! Mais, gloire au Soleil ! te voici entre mes mains et tu verras bientôt combien je t'aime ! » Puis il ajouta : « Tu vas d'abord commencer par abjurer ta religion, et adorer ce que j'adore ! » À ces paroles, la surprise de Hassân se changea en une indignation sans limites, et il cria au magicien : « Ô cheikh de malédiction, qu'oses-tu me proposer là ? Et quelle abomination veux-tu me faire commettre ? » Lorsque le Persan vit Hassân dans une telle colère, comme il avait d'autres projets à son sujet, il ne voulut pas insister davantage ce jour-là, et il lui dit : « Ô Hassân, ce que je te proposais, en te demandant d'abjurer ta religion, n'était qu'une feinte de ma part pour mettre ta foi à l'épreuve, et t'en faire un grand mérite devant le Rétributeur ! » Puis il ajouta : « Mon seul but, en t'amenant ici, est de t'initier, dans la solitude, aux mystères de la science ! Regarde cette haute montagne à pic qui domine la mer ! C'est la Montagne-des-Nuages ! Et c'est là que se trouvent les éléments nécessaires à l'élixir des transmutations. Et si tu veux te laisser conduire sur son sommet, je te jure par le Feu et la Lumière que tu n'auras point à t'en repentir ! Car si j'avais voulu t'y conduire malgré toi, je l'eusse fait pendant ton sommeil ! Or, une fois que nous serons arrivés sur le sommet, nous recueillerons les tiges des plantes qui croissent dans cette région située au-dessus des nuages. Et je t'indiquerai alors ce qu'il faudra faire ! » Et Hassân, qui se sentait dominé malgré lui par les paroles du magicien, n'osa point refuser et dit : « J'écoute et j'obéis ! » Puis, se rappelant avec douleur sa mère et sa patrie, il se mit à pleurer amèrement.

Alors Bahram lui dit : « Ne pleure pas, Hassân ! Tu verras bientôt ce que tu gagneras à suivre mes conseils ! » Et Hassân demanda : « Mais comment pourrons-nous faire l'ascension de cette montagne à pic comme une muraille ? » Le magicien répondit : « Que cette difficulté ne t'arrête point ! Nous y arriverons avec plus d'aisance que l'oiseau ! »

Ayant dit ces paroles, le Persan tira de sa robe un petit tambour de cuivre sur lequel était étendue une peau de coq, et où étaient gravés des caractères talismaniques. Et, avec ses doigts, il se mit à battre sur ce petit tambour. Et aussitôt s'éleva un nuage de poussière du sein duquel se fit entendre un long hennissement ; et, en un clin d'œil, apparut devant eux un grand cheval noir ailé qui se mit à battre le sol de son sabot, en lançant la flamme de ses narines. Et le Persan l'enfourcha aussitôt, et aida Hassân à grimper derrière lui. Et, à l'instant, le cheval battit des ailes et s'envola ; et en moins de temps qu'il n'en faut pour ouvrir une paupière et fermer l'autre, il les déposa sur le sommet de la Montagne-des-Nuages. Puis il disparut.

Alors le Persan regarda Hassân avec le même mauvais œil que sur le rivage, et, lançant un grand éclat de rire, il s'écria...

À ce moment de sa narration Schahrazade vit apparaître le matin et, discrètement, se tut.

Mais lorsque fut la cinq cent quatre-vingt-troisième nuit. Elle dit :

... Alors le Persan regarda Hassân avec le même mauvais œil que sur le rivage et, lançant un grand éclat de rire, il s'écria : « Maintenant, Hassân, tu es définitivement en ma puissance ; et nulle créature ne saurait te porter secours ! Prépare-toi donc à satisfaire à tous mes caprices d'un cœur soumis et commence d'abord par abjurer ta religion et reconnaître comme seule puissance le Feu, père de la Lumière ! »

En entendant ces paroles, Hassân recula en s'écriant : « Il n'y a d'autre dieu qu'Allah ! Et Môhammad est l'Envoyé d'Allah ! Quant à toi, ô vil Persan, tu n'es qu'un impie et un mécréant ! Et le maître de la Toute-Puissance va te châtier par mon entremise ! » Et Hassân, rapide comme l'éclair, sauta sur le magicien et lui arracha le tambour des mains ; puis il le poussa vers le rebord de la montagne à pic, et, de ses deux bras, tendus avec force, il le précipita dans l'abîme. Et le magicien parjure et impie, tournoyant sur lui-même, alla se fracasser sur les rochers de la mer, et expira son âme dans la mécréantise. Et Éblis recueillit son souffle pour en attiser le feu de la Géhenne. Et voilà de quelle mort mourut Bahram le Guèbre, magicien trompeur et alchimiste.

Quant à Hassân, délivré de cette façon de l'homme qui voulait lui faire commettre toutes les abominations, il commença d'abord par examiner sur toutes ses faces le tambour magique sur lequel était tendue la peau de coq. Mais il préféra, ne sachant de quelle manière s'en servir, s'abstenir de le manier ; et il le suspendit à sa ceinture. Après quoi, il tourna les yeux tout autour de lui, et vit qu'en effet le sommet où il se trouvait était si haut qu'il dominait les nuages accumulés à sa base. Et une plaine immense s'étendait sur ce plateau élevé et formait, entre le ciel et la terre, comme une mer sans eau. Et tout au loin brûlait une grande flamme étincelante. Et Hassân pensa : « Là où se trouve le feu, se trouve un être humain ! » Et il se mit à marcher dans cette direction, en s'enfonçant au milieu de cette plaine où il n'y avait, pour toute présence, que la présence d'Allah ! Et, en s'approchant du but, il finit par distinguer que la flamme étincelante n'était que l'éclat, sous le soleil, d'un palais d'or au dôme d'or supporté par quatre hautes colonnes d'or.

À cette vue, Hassân se demanda : « Quel roi ou quel genni peut bien habiter dans de tels lieux ? » Et, comme il était bien fatigué de toutes les émotions qu'il venait d'avoir et de la longue marche qu'il venait de faire, il se dit : « Je vais, à la grâce d'Allah, entrer dans ce palais et demander au portier de me donner un peu d'eau et quelque nourriture, pour ne pas mourir de faim. Et, si c'est un homme de bien, il me logera peut-être pour une nuit dans un coin ! » Et, se fiant à la destinée, il arriva devant la grande porte, qui était taillée dans un bloc d'émeraude, et, franchissant le seuil, il pénétra dans la cour d'entrée.

Or, à peine Hassân avait-il fait quelques pas dans cette première cour, qu'il aperçut, assises sur un banc de marbre, deux jeunes filles, éblouissantes de beauté, qui jouaient aux échecs. Et, comme elles étaient très attentives à leur jeu, elles ne remarquèrent pas d'abord l'entrée de Hassân. Mais la plus jeune, entendant le bruit des pas, releva la tête et vit le beau Hassân qui s'était également arrêté, en les apercevant. Et elle se leva vivement et dit à sa sœur : « Regarde, ma sœur, le beau jeune homme ! Ce doit être certainement l'infortuné que le magicien Bahram amène chaque année sur la Montagne-des-Nuages ! Mais comment a-t-il pu faire pour échapper d'entre les mains de ce démon ? » À ces paroles, Hassân, qui n'osait d'abord bouger de sa place, s'avança vers les jeunes filles, et, se jetant aux pieds de la plus jeune, s'écria : « Oui, ô ma maîtresse, je suis cet infortuné-là ! » Et la jeune fille, de voir à ses pieds cet adolescent si beau qui avait des gouttes de larmes sur le bord de ses yeux noirs, fut émue, jusque dans ses entrailles ; et elle se leva, avec un visage compatissant, et dit à sa sœur, en lui montrant le jeune Hassân : « Sois témoin, ma sœur, que dès cet instant je jure, devant Allah et devant toi, que j'adopte ce jeune homme pour mon frère, et que je veux partager avec lui les plaisirs et les joies des beaux jours et les peines et les afflictions des jours moins heureux ! » Et elle prit la main de Hassân et l'aida à se lever et l'embrassa comme une sœur aimante embrasse son frère chéri. Puis, le tenant toujours par la main, elle le conduisit dans l'intérieur du palais où, avant toute chose, elle commença par lui donner, au hammam, un bain qu'il le rafraîchit parfaitement ; ensuite, elle le revêtit d'habits magnifiques, en jetant ses vieux effets salis par le voyage, et, aidée de sa sœur qui était venue les rejoindre au hammam, elle le conduisit dans sa propre chambre, en le soutenant sous un bras, tandis que sa sœur le soutenait sous l'autre. Et les deux jeunes filles invitèrent leur jeune hôte à s'asseoir entre elles deux pour prendre quelque nourriture. Après quoi, la plus jeune lui dit : « Ô mon frère bien-aimé, ô le chéri, toi dont la venue fait danser de joie les pierres de la demeure…

À ce moment de sa narration, Schahrazade vit apparaître le matin et, discrète, se tut.

Mais lorsque fut la cinq cent quatre-vingt-quatrième nuit. Elle dit :

… Ô mon frère bien-aimé, ô le chéri, toi dont la venue fait danser de joie les pierres de la demeure, veux-tu nous dire le nom charmant dont tu t'appelles, et le motif qui t'a conduit à la porte de notre demeure ? » Il répondit : « Sache, ô sœur qui m'interroges et toi aussi, notre grande, que je m'appelle Hassân. Mais, pour ce qui est du motif qui m'a conduit dans ce palais, c'est mon heureuse destinée ! Il est vrai toutefois que, si je suis ici, ce n'est guère qu'après avoir éprouvé de bien grandes tribulations ! » Et il raconta ce qui lui était arrivé avec le magicien Bahram le Guèbre, depuis le commencement jusqu'à la fin. Mais il n'y a point d'utilité à le répéter. Et les deux sœurs, indignées de la conduite du Persan, s'exclamèrent à la fois : « Ô le chien maudit ! Que sa mort est méritée, et que tu as bien fait, ô notre frère, de l'empêcher pour toujours de respirer l'air de la vie ! »

Après quoi, la plus âgée se tourna vers la plus jeune et lui dit : « Ô Bouton-de-Rose, à ton tour maintenant de raconter à notre frère, afin qu'il la retienne en sa mémoire, notre histoire ! » Et la charmante Bouton-de-Rose dit :

« Sache, ô frère mien, ô le plus beau, que nous sommes des princesses ! Moi, je m'appelle Bouton-de-Rose, et ma sœur que voici s'appelle Grain-de-Myrte, mais j'ai également cinq autres sœurs, encore plus belles que nous, qui sont en ce moment à la chasse, et qui ne vont pas tarder à rentrer. L'aînée de nous toutes s'appelle Étoile-du-Matin, la seconde s'appelle Étoile-du-Soir, la troisième Cornaline, la quatrième Émeraude, et la cinquième Anémone. Mais c'est moi qui suis la plus jeune des sept. Et nous sommes les filles du même père, mais non de la même mère ; et moi et Grain-de-Myrte nous sommes les filles de la même mère. Or notre père, qui est un des puissants rois des genn et des mareds, est un tyran si orgueilleux que, ne jugeant personne digne de devenir l'époux de ses filles, il jura de ne jamais nous marier. Et, pour avoir la certitude que sa volonté ne serait jamais trahie, il fit venir ses vizirs et leur demanda : « Ne connaîtriez-vous point un lieu qui ne fût fréquenté ni par les hommes ni par les genn, et pût servir d'habitation à mes sept filles ? » Les vizirs répondirent : « Et pourquoi donc, ô notre roi ? » Il dit : « Pour mettre mes sept filles à l'abri des hommes et des genn de l'espèce mâle ! » Ils dirent : « Ô notre roi, nous pensions que les femmes et les jeunes filles n'étaient créées par le Bienfaiteur que pour s'unir aux hommes par les organes délicats ! Et, d'ailleurs, le Prophète (sur Lui la prière et la paix !) a dit : « Aucune femme ne vieillira vierge dans l'Islam ! » Ce serait donc une grande honte sur la tête du roi si ses filles vieillissaient avec leur virginité ! Et puis, par Allah ! quel dommage pour leur jeunesse ! » Mais notre père répondit : « J'aime mieux les voir mourir que de les marier ! » Et il ajouta : « Si tout de suite vous ne m'indiquez l'endroit que je vous demande, votre tête sautera de votre cou ! » Alors les vizirs répondirent : « En ce cas, ô roi, sache qu'il y a un endroit tout trouvé pour mettre tes filles à l'abri : c'est la Montagne-des-Nuages, qui, dans les temps anciens, était habitée par les éfrits rebelles aux ordres de Soleïmân. Là s'élève un palais d'or, bâti autrefois par les éfrits rebelles, pour leur servir de refuge, mais qui depuis lors fut abandonné et reste désert. Et la région où il est situé est favorisée d'un climat admirable et abondante en arbres, en fruits et en eaux délicieuses plus fraîches que la glace et plus douces que le miel ! » À ces paroles, notre père se hâta de nous envoyer ici avec une escorte formidable de genn et de mareds qui, une fois qu'ils nous eurent mises en sûreté, s'en retournèrent au royaume de notre père.

Or, nous, dès notre arrivée, nous vîmes qu'en effet cette contrée, isolée de toutes les créatures d'Allah, était une contrée fleurie, riche en forêts, en pâturages luisants, en vergers et en sources d'eaux vives qui y coulaient avec abondance, semblables à des colliers de perles et à des lingots d'argent ; que les ruisseaux se poussaient les uns les autres pour regarder et pour mirer les fleurs qui leur souriaient ; que l'air était charmé de gazouillis et de parfums ; que les pigeons à collier et les tourterelles psalmodiaient sur les rameaux du printemps et chantaient les louanges du Créateur ; que les cygnes nageaient glorieusement sur les lacs, et que les paons, dans leurs splendides vêtements incrustés de corail et de pierreries aux couleurs par milliers, étaient semblables aux nouvelles mariées ; que la terre était une terre pure et camphrée, belle de toutes les beautés du Paradis ; et qu'enfin c'était un pays élu par les bénédictions !

« Aussi, ô frère mien, nous ne nous sentîmes guère malheureuses de vivre dans un tel pays, au milieu de ce palais d'or ; et, tout en remerciant le Rétributeur de ses faveurs, nous ne regrettions qu'une chose et c'est de n'avoir, pour nous tenir compagnie, aucun homme dont le visage fût agréable à voir à notre réveil du matin, et dont le cœur fût aimant et bien intentionné. C'est pourquoi, ô Hassân, tu nous vois maintenant si joyeuses de ta venue ! »

Et, après avoir ainsi parlé, la charmante Bouton-de-Rose combla Hassân de prévenances et de cadeaux, comme on se fait entre frères et entre amis, et continua à causer avec lui affectueusement. Sur ces entrefaites, arrivèrent les cinq autres princesses, sœurs de Bouton-de-Rose et de Grain-de-Myrte ; et, charmées et ravies de voir un si bel adolescent et un frère si délicieux, elles lui firent le plus gracieux et le plus cordial accueil. Et, après les salams et les premières formules et paroles, elles lui firent jurer de rester avec elles durant un long espace de temps. Et Hassân, qui n'y voyait aucun inconvénient…

À ce moment de sa narration, Schahrazade vit apparaître le matin et, discrète, se tut.

Mais lorsque fut la cinq cent quatre-vingt-cinquième nuit. Elle dit :

… Et Hassân, qui n'y voyait aucun inconvénient, le leur jura d'un cœur amical. Et il demeura auprès d'elles, dans ce palais plein de merveilles, et, dès cet instant, devint leur compagnon dans toutes leurs parties de chasse et dans leurs promenades. Et il se réjouissait et se félicitait d'avoir des sœurs si charmantes et si délicieuses ; et elles s'émerveillaient d'avoir un frère si beau et si miraculeux. Et ils passaient leurs journées à folâtrer ensemble dans les jardins et le long des ruisseaux ; et, le soir, ils s'instruisaient mutuellement, Hassân en leur racontant les usages de son pays natal, et les jeunes filles en lui racontant l'histoire des genn, des mareds et des éfrits. Et cette vie agréable le rendait plus beau de jour en jour, et donnait à son visage l'aspect de la lune, tout à fait. Et son amitié fraternelle avec les sept sœurs, surtout avec la jeune Bouton-de-Rose, se consolida à l'égal de la fraternité des enfants nés du même père et de la même mère.

Or un jour qu'ils étaient tous assis à chanter dans un bosquet, ils aperçurent un grand tourbillon de poussière qui emplissait le ciel et couvrait la face du soleil ; et il arrivait rapidement de leur côté, avec un bruit de tonnerre. Et les sept princesses, remplies d'effroi, dirent à Hassân : « Oh ! cours vite te cacher dans le pavillon du jardin ! » Et Bouton-de-Rose le prit par la main et alla le cacher dans le pavillon. Et voici que la poussière se dissipa et d'en dessous apparut un corps entier de genn et de mareds ! Or c'était une escorte qu'envoyait à ses filles le roi du Gennistân, pour les amener chez lui assister à de grandes fêtes qu'il avait l'intention de donner en l'honneur de l'un des rois ses voisins. Et, à cette nouvelle, Bouton-de-Rose courut retrouver Hassân en cachette ; et elle l'embrassa, les larmes aux yeux et la poitrine secouée de hoquets douloureux, et lui apprit son départ et celui de ses sœurs et lui dit : « Mais, ô mon frère bien-aimé, toi tu attendras notre retour dans ce palais, dont tu es le maître absolu ! Et voici les clefs de toutes les chambres ! » Et elle lui remit les clefs, en ajoutant : « Je te supplie seulement, ya Hassân, et te conjure par ton âme chérie, de ne point ouvrir la chambre dont la clef porte comme signe cette turquoise incrustée ! » Et elle lui montra la clef en question. Et Hassân, bien chagriné de son départ et de celui de ses sœurs, l'embrassa en pleurant et lui promit qu'il attendrait, sans bouger, leur retour, et qu'il n'ouvrirait pas la porte dont la clef portait comme signe la turquoise incrustée. Et la jeune fille et ses six sœurs, qui étaient venues en cachette la rejoindre, pour revoir leur frère avant le départ, firent à Hassân des adieux pleins de tendresse, et l'embrassèrent toutes, l'une après l'autre, puis s'en allèrent, au milieu de leur escorte, se mettre immédiatement en route pour le pays de leur père.

Quant à Hassân, lorsqu'il se vit seul dans le palais, il fut pris d'une grande mélancolie ; et, de se sentir dans la solitude après avoir été dans la charmante compagnie de ses sept sœurs, il devint fort rétréci quant à sa poitrine ; et, pour chercher à distraire et à calmer ses regrets, il se mit à visiter, l'une après l'autre, les chambres des jeunes filles. Et, en revoyant la place qu'elles occupaient et les beaux objets qui leur appartenaient, il s'exaltait l'âme et sentait son cœur palpiter d'émoi. Et il arriva de la sorte devant la porte qui s'ouvrait avec la clef qui portait comme signe la turquoise incrustée. Mais il ne voulut point s'en servir, et revint sur ses pas. Puis il pensa : « Qui sait pourquoi ma sœur Bouton-de-Rose m'a tellement recommandé de ne point ouvrir cette porte-là ? Et qu'est-ce qu'il peut bien y avoir, là-dedans, de si mystérieux pour qu'une telle défense m'ait été imposée ? Mais, puisque telle est la volonté de ma sœur, je n'ai qu'à répondre par l'ouïe et l'obéissance ! » Et il se retira, et, comme la nuit tombait et que la solitude lui pesait, il alla se coucher pour endormir son chagrin. Mais il ne put fermer les yeux, tant l'obsédait cette porte défendue ; et cette pensée le torturait si intensément qu'il se dit : « Si j'allais l'ouvrir tout de même ? » Mais il pensa : « Il vaut mieux attendre le matin ! » Puis, n'en pouvant plus d'attendre sans dormir, il se leva, en se disant : « Je préfère aller tout de suite ouvrir cette porte et voir ce que renferme l'appartement dont elle est l'entrée, dussé-je y trouver la mort ! » Et, se levant, il alluma un flambeau et se dirigea vers la porte défendue. Et il fit entrer la clef dans la serrure, qui céda sans difficulté ; et la porte s'ouvrit sans bruit, comme d'elle-même ; et alors Hassân pénétra dans la chambre où elle donnait accès.

Or il eut beau regarder de tous côtés, il ne vit d'abord rien du tout : aucun meuble, aucune natte, aucun tapis. Mais, en faisant le tour de la chambre, il vit dans un coin, adossé au mur, une échelle en bois noir dont le haut sortait par un grand trou ménagé dans le plafond. Et Hassân, sans hésiter, déposa à terre son flambeau, et, grimpant sur l'échelle, il monta jusqu'au plafond et de là s'engagea dans le trou. Et, une fois sa tête hors du trou, il se vit en plein air, à ras d'une terrasse qui donnait de plain-pied sur le plafond de la chambre.

Alors Hassân monta sur la terrasse, qui était couverte de plantes et d'arbustes comme un jardin, et là, sous la clarté miraculeuse de la lune, il vit se dérouler, au milieu du silence de la terre, le plus beau paysage qui ait jamais enchanté les yeux humains…

À ce moment de sa narration, Schahrazade vit apparaître le matin et, discrète, se tut.

Mais lorsque fut la cinq cent quatre-vingt-sixième nuit. Elle dit :

… Alors, Hassân monta sur la terrasse qui était couverte de plantes et d'arbustes comme un jardin et là, sous la clarté miraculeuse de la lune, il vit se dérouler, au milieu du silence de la terre, le plus beau paysage qui ait jamais enchanté les yeux humains. À ses pieds, endormi dans la sérénité, un grand lac s'étendait, où toute la beauté du ciel se regardait, où la rive, avec les rides heureuses de l'eau, souriait par les feuillages balancés des lauriers, par les myrtes en fleur, par les amandiers couronnés de leur neige, par les guirlandes des glycines, et chantait l'hymne de la nuit de tous les gosiers de ses oiseaux. Et la nappe de soie, resserrée entre les futaies, allait plus loin baigner le pied d'un palais, aux étranges architectures, aux dômes diaphanes, surgi dans la transparence et le cristal des cieux. Et de ce palais s'avançait jusque dans l'eau, par un escalier de marbre et de mosaïque, une estrade royale bâtie avec des rangs alternés de pierres de rubis, de pierres d'émeraude, de pierres d'argent et de pierres d'or. Et sur cette estrade s'étendait, soutenu par quatre légers piliers d'albâtre rose, un grand voile de soie verte qui protégeait de la douceur de son ombre un trône de bois d'aloès et d'or, d'un travail exquis, le long duquel grimpait une vigne aux lourdes grappes, dont les grains étaient des perles grosses comme des œufs de pigeon. Et le tout était entouré d'un treillage en lamelles d'or rouge et d'argent. Et une telle harmonie et une telle beauté vivaient sur ces choses pures, que nul homme, fût-il Khostoès ou Kaïssar, n'eût pu deviner ou réaliser de pareilles splendeurs.

Aussi, Hassân, ébloui, n'osait bouger de peur de troubler la paix délicieuse de ces lieux, quand, tout à coup, il vit se détacher sur le ciel et se rapprocher visiblement du lac un vol de grands oiseaux. Et voici qu'ils vinrent s'abattre sur le bord de l'eau ; et ils étaient au nombre de dix ; et leurs belles plumes blanches et touffues traînaient sur l'herbe, tandis qu'en marchant ils se balançaient avec nonchalance. Et ils semblaient obéir, en tous leurs mouvements, à un oiseau plus grand et plus beau qu'eux tous qui lentement s'était dirigé vers l'estrade et était monté sur le trône. Et, soudain, tous les dix ensemble, d'un gracieux mouvement, se dépouillèrent de leurs plumes. Et, ce manteau rejeté, il en sortit dix lunes de pure beauté, sous la forme de dix jeunes filles toutes nues. Et, rieuses, elles sautèrent dans l'eau qui les reçut avec un éclaboussement de pierreries. Et elles se baignèrent avec délices, en folâtrant entre elles ; et la plus belle les poursuivait, les attrapait et s'enlaçait à elles avec mille caresses, et les chatouillait et les mordait avec quels rires et quelles câlineries !

Lorsque leur bain fut terminé, elles sortirent du lac ; et la plus belle remonta sur l'estrade et alla s'asseoir sur le trône, n'ayant pour tout vêtement que sa chevelure. Et Hassân, en contemplant ses charmes, sentit sa raison s'envoler, et il pensa : « Ah ! je sais bien maintenant pourquoi ma sœur Bouton-de-Rose m'a défendu d'ouvrir cette porte ! Voici que mon repos est à jamais perdu ! » Et il continua à détailler les diverses beautés de l'adolescente nue. Quelles merveilles ! ah ! que ne vit-il pas ! En vérité, c'était, à n'en pas douter, la plus parfaite chose sortie des doigts du Créateur. Ô sa splendide nudité ! Elle surpassait les gazelles par la beauté de sa nuque et l'éclat de ses yeux noirs, et l'araka par la sveltesse de sa taille. Sa chevelure de ténèbres était une nuit d'hiver, épaisse et noire. La bouche imitant la rose était le sceau de Soleïmân. Ses dents de jeune ivoire étaient un collier de perles, ou des grêlons d'égale grosseur ; son cou était un lingot d'argent ; son ventre avait des coins et des recoins, et sa croupe des fossettes et des étages ; son nombril était assez vaste pour contenir une once de musc noir, ses cuisses étaient lourdes et à la fois fermes et élastiques comme des coussins bourrés de plumes d'autruche, et, à leur sommet, dans son nid chaud et charmant, semblable à un lapin sans oreilles, une histoire pleine de gloire, avec sa terrasse et son territoire, et ses vallons en entonnoir, où se laisser choir pour oublier les chagrins noirs. Et l'on pouvait également la prendre pour une coupole de cristal, ronde de tous les côtés et assise sur une base solide, ou pour une tasse d'argent reposant renversée. Et c'est à une telle adolescente que peuvent s'appliquer ces vers du poète :

« Elle vint à moi, la jeune fille, vêtue de sa beauté comme le rosier de ses roses, et les seins en avant, ô grenades ! Et je m'écriai : « Voici la rose et les grenades ! »

Je me trompais ! Comparer tes joues aux roses, ô jeune fille, et tes seins aux grenades, quelle erreur ! Car ni les roses des rosiers ni les grenades des jardins ne méritent la comparaison.

Car les roses, on peut les respirer, et les grenades on peut les cueillir, mais toi, ô virginale, qui peut se flatter de te sentir ou toucher ? »

Et telle était l'adolescente qui était montée s'asseoir, royale et nue, sur le trône, au bord du lac…

À ce moment de sa narration, Schahrazade vit apparaître le matin et, discrète se tut.

Mais lorsque fut la cinq cent quatre-vingt-septième nuit. Elle dit :

… Et telle était l'adolescente qui était montée s'asseoir, royale et nue, sur le trône au bord du lac.

Lorsqu'elle se fut reposée de son bain, elle dit à ses compagnes, couchées près d'elle sur l'estrade : « Donnez-moi mes vêtements de dessous ! » Et les jeunes filles s'approchèrent et lui mirent, pour tout vêtement, une écharpe d'or sur les épaules, une gaze verte sur les cheveux et une ceinture en brocart autour de la taille. Et ainsi elle fut parée ! Et elle était comme une nouvelle épousée, et plus merveilleuse qu'aucune merveille. Et Hassân la regardait, caché derrière les arbres de la terrasse, et malgré tout le désir qui le poussait à s'avancer, il ne parvenait point à faire un mouvement, tant il était immobilisé par l'admiration et anéanti par l'émotion. Et l'adolescente dit : « Ô princesses, voici le matin qui se lève, et il est temps que nous songions au départ, car notre pays est loin, et nous nous sommes assez reposées ! » Alors elles la vêtirent de sa robe de plumes, se vêtirent également de la même manière, et toutes ensemble s'envolèrent, mettant de la clarté dans le ciel du matin.

Tout cela ! Et Hassân, stupéfait, les suivait des yeux et, bien longtemps après qu'elles eurent disparu, il continua à fixer l'horizon lointain, en proie à la violence d'une passion que n'avait jamais allumée en son âme la vue de toute autre fille de la terre. Et les larmes de désir et d'amour coulèrent le long de ses joues, et il s'écria : « Ah ! Hassân, infortuné Hassân ! Voici ton cœur désormais entre les mains des filles des genn, toi que nulle beauté ne sut fixer dans ta patrie ! » Et, plongé dans une profonde rêverie, et la joue sur la main, il improvisa :

« Quel matin t'accueille, ô disparue, sous sa rosée ? De lumière vêtue et de beauté tu m'apparus pour torturer mon cœur et t'en aller.

Ils ont osé prétendre que l'amour est rempli de douceur ? Ah ! si ce martyre est doux, quelle serait donc l'amertume de la myrrhe ? »

Et il continua à soupirer de la sorte, sans fermer l'œil, jusqu'au lever du soleil. Puis il descendit sur le bord du lac, et se mit à errer de-ci de-là, respirant dans l'air frais les effluves qu'elles avaient laissés. Et il continua à se consumer tout le jour dans l'attente de la nuit, pour remonter alors sur la terrasse, espérant le retour des oiseaux. Mais rien ne vint cette nuit-là ni les autres nuits. Et Hassân, désespéré, ne voulut plus ni manger, ni boire, ni dormir, et ne fit que s'enivrer de plus en plus de sa passion pour l'inconnue. Et, de cette façon, il dépérit et jaunit ; et ses forces peu à peu l'abandonnèrent, et il se laissa tomber sur le sol, se disant : « La mort est encore préférable à cette vie de souffrance ! »

Sur ces entrefaites, les sept princesses, filles du roi du Gennistân, revinrent des fêtes où elles avaient été conviées par leur père. Et la plus jeune courut, avant même de changer ses vêtements de voyage, à la recherche de Hassân. Et elle le trouva dans sa chambre, étendu sur son lit, bien pâle et bien changé ; et il avait les paupières fermées, et des larmes coulaient lentement le long de ses joues. Et la jeune fille, à cette vue, poussa un cri douloureux et se jeta sur lui et l'entoura de ses bras, comme la sœur le fait pour son frère, et le baisa sur le front et sur les yeux, lui disant : « Ô mon frère bien-aimé, par Allah ! mon cœur se fend de te voir en cet état ! Ah ! dis-moi de quel mal tu souffres, pour que j'en trouve le remède ! » Et Hassân, la poitrine soulevée de sanglots, fit de la tête et de la main un signe qui signifiait : « Non ! » et ne prononça pas une parole. Et la jeune fille, tout en larmes, et avec des caresses infinies dans la voix, lui dit : « De grâce, mon frère Hassân, âme de mon âme, délices de mes paupières, de voir tes yeux enfoncés de maigreur dans leurs orbites, et effacées les roses de tes joues chéries, la vie m'est devenue étroite et sans charme ! Je te conjure, par l'affection sacrée qui nous lie, de ne point cacher tes peines et ton mal à une sœur qui voudrait racheter ta vie au prix de mille siennes ! » Et, éperdue, elle le couvrait de baisers et lui tenait les deux mains appuyées contre sa poitrine, et le suppliait ainsi à genoux près de sa couche. Et Hassân, au bout d'un certain temps, poussa plusieurs soupirs déchirants et, d'une voix éteinte, improvisa ces vers :

« Si tu regardais attentivement, tu trouverais, sans explication, la cause de mes souffrances. Mais à quoi bon connaître une maladie qui n'a point de remède ?...

Mon cœur a changé de place, et mes yeux ne savent plus dormir ! Et ce qui a été changé par l'amour ne peut être restauré que par l'amour ! »

Puis les larmes de Hassân coulèrent en abondance ; et il ajouta : « Ah ! ma sœur, quel secours peux-tu apporter à quelqu'un qui souffre de sa faute ? Et puis j'ai bien peur que tu ne puisses que me laisser mourir de mon chagrin et de mon infortune ! » Mais la jeune fille s'écria : « Le nom d'Allah sur toi et autour de toi, ô Hassân ! Que dis-tu là ? Dût mon âme quitter mon corps, je ne saurais faire autrement que de te venir en aide ! » Alors Hassân, avec des sanglots dans la voix, dit : « Sache donc, ô ma sœur Bouton-de-Rose, qu'il y a dix jours que je n'ai pris de nourriture et cela à cause de *telles* et *telles* choses qui me sont arrivées ! » Et il lui raconta toute son aventure, sans en omettre un détail !

Lorsque Bouton-de-Rose eut entendu le récit de Hassân, loin de s'en montrer formalisée, comme elle aurait pu l'être, elle compatit grandement à sa peine, et se mit à pleurer avec lui…

À ce moment de sa narration, Schahrazade vit apparaître le matin et, discrète, se tut.

Mais lorsque fut la cinq cent quatre-vingt-huitième nuit. Elle dit :

… Elle compatit grandement à sa peine, et se mit à pleurer avec lui. Puis elle lui dit : « Ô mon frère, calme ton âme chérie, rafraîchis tes yeux et sèche tes larmes ! Car, moi, je te jure que je suis prête à risquer ma chère vie et mon âme précieuse pour remédier à ce qui t'arrive et réaliser ton désir en te faisant posséder l'inconnue que tu aimes, inschallah ! Mais je te recommande, ô mon frère, de tenir la chose secrète et de ne pas en dire un mot à mes sœurs, sans quoi tu risques de te perdre et de me perdre avec toi. Et, si elles te parlent de la porte défendue et t'interrogent à ce sujet, dis-leur : « Je ne connais pas cette porte-là ! » Et si, désolées de te voir si languissant, elles te font des questions, tu leur diras : « Si je suis languissant, c'est d'avoir trop longtemps, dans cette solitude, souffert de votre absence ! Et mon cœur a beaucoup travaillé à votre sujet ! » Et Hassân répondit : « Certes ! c'est ainsi que je parlerai ! car ton idée est excellente ! » Et il embrassa Bouton-de-Rose, et sentit son âme se tranquilliser et sa poitrine se dilater d'être ainsi soulagé de la grande crainte qu'il avait de voir sa sœur se fâcher contre lui à cause de sa porte défendue ! Et, désormais rassuré, il respira à son aise et demanda à manger. Et Bouton-de-Rose l'embrassa encore une fois et se hâta d'aller, les larmes aux yeux, rejoindre ses sœurs auxquelles elle dit : « Hélas ! mes sœurs, mon pauvre frère Hassân est bien malade ! Depuis dix jours pas un aliment n'est descendu dans son estomac, fermé à cause de notre absence et du désespoir où il est plongé ! Nous l'avons laissé seul ici, le pauvre bien-aimé, sans personne pour lui tenir compagnie ; et alors il s'est rappelé sa mère et sa patrie, et ces souvenirs l'ont saturé d'amertume. Oh ! que son sort est pitoyable, mes sœurs ! »

À ce discours de Bouton-de-Rose, les princesses, qui étaient douées d'une âme charmante et facile à émouvoir, s'empressèrent de courir porter à manger et à boire à leur frère ; et elles s'efforcèrent de le consoler et de le ranimer par leur présence et leurs paroles ; et, pour le distraire, elles lui racontèrent toutes les fêtes et les merveilles qu'elles avaient vues au palais de leur père, dans le Gennistân. Et, pendant un mois entier, elles ne cessèrent de lui prodiguer les soins les plus attentifs et les plus tendres, sans parvenir toutefois à le guérir tout à fait.

Au bout de ce temps, les princesses, à l'exception de Bouton-de-Rose qui demanda à rester au palais pour ne point laisser Hassân seul, sortirent pour aller à la chasse, selon leur habitude ; et elles surent bon gré à leur jeune sœur de son attention pour leur hôte. Or, dès qu'elles furent parties, la jeune fille aida Hassân à se lever, le prit dans ses bras, et le conduisit sur la terrasse qui dominait le lac. Et, là, le prenant dans son sein, et lui faisant reposer la tête contre son épaule, elle lui dit : « Dis-moi maintenant, mon agneau, dans lequel de ces pavillons échelonnés sur le bord du lac tu as aperçu celle qui te cause tant d'alarmes. »

Et Hassân répondit : « Ce n'est point dans un de ces pavillons que je l'ai vue, mais c'est d'abord dans l'eau du lac et ensuite sur le trône de cette estrade ! » À ces paroles, la jeune fille devint fort pâle de teint et s'écria : « Ô notre malheur ! Mais alors, ô Hassân, c'est la fille même du roi des genn, qui règne sur le vaste empire dont mon père n'est qu'un des lieutenants ! Et le pays où notre roi réside est à une distance infranchissable et environné d'une mer que les hommes ni les genn ne peuvent traverser. Et il a sept filles, dont celle que tu as vue est la plus jeune. Et il a une garde composée uniquement d'adolescentes guerrières d'une naissance illustre, qui commandent chacune à un corps de cinq mille amazones. Or c'est précisément celle que tu as vue qui est la plus belle et la plus aguerrie de toutes les adolescentes royales ; et elle surpasse toutes les autres en courage et en adresse. Elle s'appelle Splendeur ! Elle vient ici se promener à chaque nouvelle lune, en compagnie des filles des chambellans de son père. Quant à leurs manteaux de plumes, qui les portent dans les airs comme des oiseaux, ils appartiennent à la garde-robe des génies ! Et c'est grâce à ces manteaux que nous allons pouvoir atteindre notre but. Sache, en effet, ô Hassân, que le seul moyen que tu aies de te rendre maître de sa personne, c'est de t'emparer de ce vêtement enchanté. Pour cela, tu n'as qu'à attendre ici son retour, en te cachant ; et tu profiteras du moment où elle sera descendue se baigner dans le lac, pour enlever le manteau et n'enlever rien que cela ! Et, du coup, tu la possèdes elle-même ! Et alors prends bien garde de céder à ses supplications, et de lui rendre son manteau, sinon tu es perdu sans recours, et nous serons toutes également les victimes de sa vengeance, et notre père avec nous ! Saisis-la plutôt par les cheveux, et entraîne-la avec toi ; et elle se soumettra à toi et t'obéira ! Et il arrivera ce qui arrivera…

À ce moment de sa narration, Schahrazade vit apparaître le matin et, discrète, se tut.

Mais lorsque fut la cinq cent quatre-vingt-neuvième nuit. Elle dit :

… Et il arrivera ce qui arrivera. »

À ce discours de Bouton-de-Rose, Hassân fut transporté de joie et sentit une vie nouvelle entrer en lui et lui rendre la plénitude de ses forces. Et il se leva debout sur ses pieds et prit dans ses mains la tête de sa sœur et l'embrassa tendrement, en la remerciant de son amitié. Et tous deux descendirent dans le palais et passèrent le reste du temps à s'entretenir doucement de choses et d'autres, en compagnie des autres jeunes filles.

Or, le lendemain, qui était précisément le jour de la nouvelle lune, Hassân attendit la nuit pour aller se cacher derrière l'estrade du bord du lac. Et il était à peine là depuis quelques instants, qu'un bruit d'ailes se fit entendre dans le silence nocturne et, à la clarté de la lune, les oiseaux, si impatiemment désirés, arrivèrent et descendirent dans le lac, après avoir ôté leurs manteaux de plumes et leurs soieries de dessous. Et la merveilleuse Splendeur, fille du roi des rois des genn, plongea, elle aussi, dans l'eau sa chair de gloire nue. Et elle était plus belle et plus désirable que la première fois. Et Hassân, malgré l'admiration et l'émoi où il se trouvait, put tout de même se glisser, sans être vu, jusqu'à l'endroit où étaient posés les vêtements, enlever le manteau de plumes de l'adolescente royale, et s'esquiver en toute hâte derrière l'estrade.

Lorsque la belle Splendeur fut sortie du bain, d'un coup d'œil elle s'aperçut, au désordre des vêtements épars sur le gazon, qu'une main étrangère avait profané leurs effets. Et elle s'approcha et constata que son manteau à elle avait disparu. Et elle poussa un grand cri de terreur et de désespoir, et se frappa le visage et la poitrine. Oh ! qu'elle était belle ainsi, sous la lune, la désespérée ! Mais ses compagnes, au cri entendu, se précipitèrent pour voir quelle était l'affaire, et, comprenant ce qui venait de se passer, elles prirent en hâte chacune son manteau et, sans songer à sécher leur nudité et à se vêtir de leurs soieries de dessous, elles s'enveloppèrent de leurs plumes volantes et, rapides comme des gazelles effarées ou des colombes poursuivies par un faucon, elles s'enfuirent éperdument à travers les airs. Et elles disparurent en un clin d'œil, laissant seule, au bord du lac, l'éplorée, la douloureuse, l'indignée Splendeur, fille de leur roi.

Alors, Hassân, bien que tremblant d'émotion, s'élança de sa cachette sur l'adolescente nue qui s'enfuit. Et il la poursuivit autour du lac, l'appelant par les noms les plus tendres, et l'assurant qu'il ne lui voulait aucun mal. Mais elle, telle une biche aux abois, courait, les bras en avant, haletante, les cheveux au vent, affolée d'être ainsi surprise dans sa chair intime de vierge. Mais Hassân, bondissant, finit par l'atteindre ; et il la saisit par sa chevelure qu'il enroula autour de son poignet, et la contraignit de le suivre. Alors elle ferma les yeux et, résignée à son sort, se laissa mener sans opposer de résistance. Et Hassân la conduisit dans sa chambre où, sans se laisser toucher par ses supplications et ses pleurs, il l'enferma pour courir sans retard prévenir sa sœur et lui annoncer la bonne nouvelle de son succès.

Aussitôt, Bouton-de-Rose se rendit à la chambre de Hassân et trouva l'éplorée Splendeur qui se mordait les mains de désespoir, et qui pleurait toutes les larmes de ses yeux. Et Bouton-de-Rose se jeta à ses pieds pour lui rendre hommage et, après avoir embrassé la terre, lui dit : « Ô ma souveraine, la paix sur toi et la grâce d'Allah et ses bénédictions ! Tu éclaires la demeure et la parfumes de ta venue ! » Et Splendeur répondit : « Comment ! c'est toi, Bouton-de-Rose ! c'est donc ainsi que tu permets que les enfants des hommes traitent la fille de ton roi ! Tu connais la puissance de mon père ; tu sais que les rois des genn lui sont soumis, et qu'il commande à des légions d'éfrits et de mareds, innombrables comme les grains du sable marin ; et tu as osé recevoir un homme dans ta demeure pour qu'il puisse me surprendre, et tu as trahi la fille de ton souverain ! Sinon, comment cet homme aurait-il trouvé le chemin du lac où je me baignais ? »

À ces paroles, la sœur de Hassân répondit : « Ô princesse, fille de notre souverain, ô la plus belle et la plus admirée des filles des genn et des humains ! Sache que celui qui t'a surprise dans ton bain, ô lustrale, est un adolescent à nul autre pareil. Et il est, en vérité, doué de manières trop charmantes pour avoir eu la moindre intention de te désobliger. Mais quand une chose a été fixée par la destinée, elle doit courir ! Et, justement, la destinée du beau jeune homme qui t'a surprise l'a rendu passionnément amoureux de ta beauté ; et les amoureux sont excusables ! Et de t'aimer comme il t'aime il ne peut être coupable à tes yeux ! Et, d'ailleurs, Allah n'a-t-il point créé les femmes pour les hommes ? Et celui-là n'est-il pas le plus charmant adolescent qui soit sur terre ? Si tu savais, ô ma maîtresse, comme il a été malade depuis le jour où pour la première fois il t'a vue ! Il a failli en perdre son âme ! Ainsi ! » Et elle continua à raconter à la princesse toute la violence de la passion allumée dans le cœur de Hassân, et termina, en disant : « Et n'oublie pas, ô ma maîtresse, qu'il t'a choisie au milieu de tes dix compagnes, comme la plus belle et la plus merveilleuse ! Et, pourtant, comme toi elles étaient nues, et comme toi faciles à surprendre dans leur bain ! »

En entendant ce discours de la sœur de Hassân, la belle Splendeur vit bien qu'elle devait renoncer à tout plan d'évasion, et se contenta de pousser un grand soupir de résignation. Et Bouton-de-Rose courut aussitôt lui apporter une magnifique robe dont elle la vêtit...

À ce moment de sa narration, Schahrazade vit apparaître le matin et, discrète, se tut.

Mais lorsque fut la cinq cent quatre-vingt-dixième nuit. Elle dit :

... Et Bouton-de-Rose courut aussitôt lui apporter une magnifique robe dont elle la vêtit. Ensuite elle lui servit à manger, et fit tous ses efforts pour bannir son chagrin. Et la belle Splendeur finit par se consoler un peu et dit : « Je vois bien qu'il était écrit dans ma destinée que je devais être séparée de mon père, de ma famille et des demeures de la patrie ! Et il faut que je me soumette aux arrêts du destin ! » Et la sœur de Hassân ne manqua pas de la maintenir dans cette résolution, et fit si bien que les larmes de la princesse s'arrêtèrent tout à fait et qu'elle se résigna à son sort. Alors, la sœur de Hassân s'absenta un moment pour courir auprès de son frère et lui dire : « Hâte-toi de te rendre à l'instant vers ta bien-aimée, car le moment est propice. Une fois que tu auras pénétré dans la chambre, commence par lui baiser les pieds, puis les mains, puis la tête. Et alors seulement adresse-lui la parole, et cela de la façon la plus éloquente et la plus gentille ! » Et Hassân, tremblant d'émotion, se rendit auprès de la princesse qui, l'ayant reconnu, le regarda attentivement et fut, malgré son dépit, touchée à l'extrême par sa beauté. Mais elle baissa les yeux, et Hassân lui embrassa les pieds et les mains et la baisa ensuite sur le front, entre les deux yeux, en lui disant : « Ô souveraine des plus belles, vie des âmes, joie des regards, jardin de l'esprit, ô reine, ô ma souveraine ! de grâce, tranquillise ton cœur, et rafraîchis tes yeux, car ton sort est plein de bonheur ! Moi, je n'ai pour tout dessein à ton sujet que d'être uniquement ton esclave fidèle, comme déjà ma sœur est ta servante. Et mon intention n'est point de te violenter, mais de t'épouser d'après la loi d'Allah et de son Envoyé ! Et alors je te conduirai à Bagdad, ma patrie, où je t'achèterai des esclaves des deux sexes, et une demeure digne de toi par sa magnificence. Ah ! si tu savais quel pays admirable que celui où s'élève Bagdad, la ville de paix, et comme ses habitants sont aimables, polis et accueillants, et comme leur abord est délicieux, et de bon augure ! Et puis, j'ai une mère qui est la meilleure des femmes et qui t'aimera comme sa fille, et qui te fera des plats merveilleux, car c'est certainement elle qui sait le mieux faire la cuisine dans tout le pays d'Irak ! »

Ainsi parla Hassân à l'adolescente Splendeur, fille du roi du Gennistân ! Et la princesse ne lui répondait ni par un mot, ni par une lettre, ni par un signe ! Et, soudain, on entendit frapper à la porte du palais. Et Hassân, qui était chargé d'ouvrir et de fermer les portes, dit : « Excuse-moi, ô ma maîtresse ! je vais m'absenter un moment ! » Et il courut ouvrir la porte. Or c'étaient ses sœurs qui revenaient de la chasse, et qui, le voyant de nouveau revenu à la santé et les joues éclairées, se réjouirent et furent ravies à la limite du ravissement. Et Hassân se garda bien de leur parler de la princesse Splendeur, et les aida à porter le produit de leur chasse, qui consistait en gazelles, en renards, en lièvres, en buffles, et en bêtes fauves de toutes les espèces. Et il fut avec elles d'une amabilité excessive, les embrassant l'une après l'autre sur le front, et les cajolant, et leur témoignant de l'amitié avec une effusion à laquelle elles n'étaient pas habituées de sa part, vu qu'il réservait toutes ses caresses à leur jeune sœur, Bouton-de-Rose ! Aussi furent-elles agréablement surprises de ce changement ; et même l'aînée des jeunes filles finit par soupçonner qu'il devait y avoir un motif qui occasionnait de tels transports ; et elle le regarda avec un sourire malicieux, cligna de l'œil et lui dit : « En vérité, ô Hassân, cette démonstration excessive nous étonne de ta part, toi qui jusqu'aujourd'hui acceptais nos caresses sans vouloir jamais nous les rendre ! Nous trouves-tu donc plus belles dans nos habits de chasse, ou bien nous aimes-tu mieux maintenant, ou bien sont-ce les deux motifs à la fois ? » Mais Hassân baissa les yeux, et poussa un soupir capable de fendre le cœur le plus endurci ! Et les princesses, étonnées, lui demandèrent : « Pourquoi donc soupires-tu de la sorte, ô notre frère ? Et qui peut troubler ta quiétude ? Veux-tu retourner auprès de ta mère, dans ta patrie ? Parle, Hassân, ouvre ton cœur à tes sœurs ! » Mais Hassân se tourna vers sa sœur Bouton-de-Rose, qui précisément venait d'arriver, et lui dit, en rougissant à l'extrême : « Parle plutôt, toi ! Car moi j'ai bien honte de leur dire la cause qui me trouble ! » Et Bouton-de-Rose dit : « Mes sœurs, ce n'est rien du tout ! Notre frère a simplement attrapé un bel oiseau de l'air, et désire, de vous autres, que vous l'aidiez à l'apprivoiser ! » Et toutes s'écrièrent : « Certes ! cela n'est rien du tout ! Mais pourquoi Hassân rougit-il tellement de cette chose-là ? » Elle répondit : « Voilà ! C'est que Hassân aime d'amour, et de quel amour ! cet oiseau-là. » Elles dirent : « Par Allah ! et comment feras-tu, ô Hassân, pour montrer ton amour à un oiseau de l'air ? » Et Bouton-de-Rose dit, alors que Hassân baissait la tête et rougissait encore bien plus : « Avec la parole, avec le geste et avec tout ce qui s'ensuit ! » Elles dirent : « Mais, alors, c'est qu'il est bien grand, l'oiseau de notre frère ! » Bouton-de-Rose dit : « Il est de notre taille ! Écoutez-moi plutôt ! » Et elle ajouta : « Sachez, ô mes sœurs, que l'esprit des fils d'Adam est très borné ! C'est pourquoi, lorsque nous eûmes laissé ici tout seul notre pauvre Hassân, comme il se sentait la poitrine fort rétrécie, il se mit à errer à travers le palais pour se distraire. Mais il avait l'esprit si troublé qu'il confondit les clefs des chambres et ouvrit, par mégarde, la porte de l'appartement défendu, où se trouve la terrasse ! Et il lui arriva *telle* et *telle* chose ! » Et elle raconta, mais en atténuant la faute de Hassân, toute l'histoire, en ajoutant : « En tout cas, notre frère est excusable, car l'adolescente est belle ! Ah ! si vous saviez, mes sœurs, comme elle est belle ! »

À ce discours de Bouton-de-Rose, ses sœurs lui dirent : « Si elle est aussi belle que tu le dis, commence, avant de nous la montrer, par nous la dépeindre à peu près ! » Bouton-de-Rose dit : « Vous la dépeindre, ya Allah ! qui le pourrait ! Des poils me pousseraient plutôt sur la langue, avant que je puisse vous dire ses charmes, même approximativement. Je veux bien pourtant essayer, ne fût-ce que pour vous empêcher, en la voyant, de tomber sur le dos !

« Bismillah, ô mes sœurs ! gloire à Celui qui a revêtu de splendeur sa nudité de jasmin ! Elle surpasse les gazelles par la beauté de sa nuque et par l'éclat de ses yeux noirs, et l'araka par la sveltesse de sa taille ! Sa chevelure est une nuit d'hiver, épaisse et noire ; sa bouche, imitant la rose, est le sceau même de Soleïmân ; ses dents de jeune ivoire sont un collier de perles, ou des grêlons d'égale grosseur ; son cou est un lingot d'argent ; son ventre a des coins et des recoins, et sa croupe des fossettes et des étages ; son nombril est assez vaste pour contenir une once de musc noir ; ses cuisses sont lourdes et à la fois fermes et élastiques comme des coussins bourrés de plumes d'autruche, et, à leur sommet, dans son nid chaud et charmant, semblable à un lapin sans oreilles, une histoire pleine de gloire, avec sa terrasse et son territoire, et ses vallons en entonnoir, où se laisser choir pour oublier les chagrins noirs. Et ne vous y trompez point, ô sœurs ! Car vous pourriez, en la voyant, la prendre également pour une coupole de cristal, ronde de tous les côtés et assise sur une base solide, ou pour une tasse d'argent reposant renversée. Et c'est à une telle adolescente que s'appliquent judicieusement ces vers du poète :

« Elle vint à moi, la jeune fille, vêtue de sa beauté comme le rosier de ses roses, et les seins en avant, ô grenades ! Et je m'écriai : « Voici la rose et les grenades ! »

Je me trompais ! comparer tes joues aux roses, ô jeune fille, et tes seins aux grenades, quelle erreur ! car ni les roses des rosiers ni les grenades des jardins ne méritent la comparaison.

Car les roses, on peut les respirer, et les grenades on peut les cueillir, mais toi, ô virginale, qui peut se flatter de te sentir ou toucher ? »

« Et voilà, ô mes sœurs, ce que, d'un coup d'œil, j'ai pu voir de la princesse Splendeur, fille du roi des rois du Gennistân.

À ce moment de sa narration, Schahrazade vit apparaître le matin et, discrète, se tut.

Mais lorsque fut la cinq cent quatre-vingt-onzième nuit. Elle dit :

... Et voilà ce que j'ai pu voir de la princesse Splendeur, fille du roi des rois du Gennistân ! »

Lorsque les jeunes filles eurent entendu ces paroles de leur sœur, elles s'écrièrent, émerveillées : « Que tu as raison, ô Hassân, d'être épris de cette adolescente splendide ! Mais, par Allah ! hâte-toi de nous conduire auprès d'elle, pour que nous la voyions de nos yeux ! » Et Hassân, rassuré du côté de ses sœurs, les conduisit au pavillon où se trouvait la belle Splendeur. Et elles, voyant sa beauté sans pareille, baisèrent la terre entre ses mains, et, après les salams de bienvenue, lui dirent : « Ô fille de notre roi, certes ! ton aventure avec l'adolescent, notre frère, est prodigieuse. Mais, nous toutes ici debout entre tes mains, nous te prédisons le bonheur dans le futur, et nous t'assurons que, durant toute ta vie, tu n'auras qu'à te louer grandement de cet adolescent, notre frère, et de la délicatesse de manières et de son adresse en tout, et de son affection ! Songe en outre qu'au lieu de se servir d'un intermédiaire il t'a lui-même déclaré sa passion, et ne t'a rien demandé d'illicite ! Et nous, si nous n'étions pas certaines que les jeunes filles ne peuvent se passer d'hommes, nous ne ferions pas auprès de toi, la fille de notre roi, une démarche aussi hardie ! Laisse-nous donc te marier avec notre frère, et tu seras contente de lui, nous te le certifions sur notre cou ! » Et, ayant dit ces paroles, elles attendirent la réponse. Mais, comme la belle Splendeur ne disait ni oui ni non, Bouton-de-Rose s'avança et lui prit la main dans ses mains et lui dit : « Avec ta permission ! ô notre maîtresse ! » et elle se tourna vers Hassân et lui dit : « Avance ta main, toi ! » Hassân avança la main, et Bouton-de-Rose la prit et l'unit dans les siennes à celle de la princesse Splendeur, en leur disant à tous deux : « Avec l'assentiment d'Allah et par la loi de son Envoyé, je vous marie ! » Et Hassân, à la limite du bonheur, improvisa ces vers :

« Ô mélange admirable réuni en toi, houria ! En voyant ton glorieux visage baigné dans l'eau de la beauté, qui pourrait en oublier la rayonnante splendeur !

Mes yeux te voient composée précieusement de rubis, pour toute la moitié de ton corps charmant, de perles pour le tiers, de musc noir pour le cinquième et d'ambre pour le sixième, ô toute dorée !

Parmi les vierges nées de l'Ève première, et parmi les beautés qui habitent les multiples jardins des cieux, il n'en est aucune qu'on puisse te comparer !
Veux-tu me donner la mort ? Ne me pardonne pas ! L'amour a fait bien d'autres victimes ! Veux-tu me rappeler à la vie, abaisse tes yeux vers moi, ô ornement du monde ! »

Et les jeunes filles, en entendant ces vers, s'écrièrent toutes ensemble, en se tournant vers Splendeur : « Ô princesse, nous blâmeras-tu maintenant de t'avoir amené un jouvenceau qui s'exprime d'une si belle façon, et en vers si beaux ? » Et Splendeur demanda : « Est-il donc poète ? » Elles dirent : « Mais certainement ! Il improvise et compose avec une facilité merveilleuse des poèmes et des odes de milliers de vers, où règne toujours un très vif sentiment ! » Ces paroles, qui montraient si clairement le nouveau mérite de Hassân, achevèrent enfin de gagner le cœur de la nouvelle épousée. Et elle regarda Hassân en souriant sous ses grands cils. Et Hassân, qui n'attendait qu'un signe de ses yeux, la prit dans ses bras et l'emporta dans sa chambre. Et là, avec sa permission, il ouvrit en elle ce qu'il y avait à ouvrir, et brisa ce qu'il y avait à briser, et décacheta ce qu'il y avait de scellé ! Et il se dulcifia de tout cela à la limite de la dulcification ; et elle également. Et ils éprouvèrent, tous deux, la somme de toutes les joies du monde en peu de temps. Et l'amour s'incrusta dans le cœur de Hassân pour la jouvencelle, au-delà de toutes les passions. Et il chanta longuement de tous ses oiseaux ! Or gloire à Allah qui unit ses Croyants dans les délices et ne leur calcule pas ses dons bienheureux ! C'est toi, Seigneur, que nous adorons, c'est toi dont nous implorons le secours ! Dirige-nous dans le sentier droit, dans le sentier de ceux que tu as comblés de tes bienfaits, et non pas de ceux qui ont encouru ta colère, ni de ceux qui sont dans l'égarement !

Or Hassân et Splendeur passèrent de la sorte ensemble quarante jours au sein de toutes les jouissances que procure l'amour. Et les sept princesses, surtout Bouton-de-Rose, s'efforcèrent de varier chaque jour les plaisirs des deux époux, et de leur rendre le séjour du palais le plus agréable qu'il leur fut possible. Mais, au bout du quarantième jour, Hassân vit en songe sa mère, qui lui reprochait de l'avoir oubliée, tandis qu'elle passait les jours et les nuits à pleurer sur le tombeau qu'elle lui avait fait élever dans la maison. Et il se réveilla les larmes aux yeux, et poussant des soupirs à fendre l'âme ! Et les sept princesses, ses sœurs, accoururent en l'entendant pleurer ; et Bouton-de-Rose, éplorée plus que toutes les autres, demanda à la fille du roi des genn ce qui était arrivé à son époux ! Et Splendeur répondit : « Je ne sais pas ! » Et Bouton-de-Rose dit : « Je vais alors moi-même m'informer du sujet de son trouble ! » Et elle demanda à Hassân : « Qu'as-tu, mon agneau ? » Et les larmes de Hassân ne firent que couler avec plus de violence ; et il finit par raconter son rêve, en se lamentant beaucoup…

À ce moment de sa narration, Schahrazade vit apparaître le matin et, discrète, se tut.

Mais lorsque fut la cinq cent quatre-vingt-douzième nuit. Elle dit :

… Et il finit par raconter son rêve, en se lamentant beaucoup. Alors, ce fut au tour de Bouton-de-Rose de pleurer et de gémir, tandis que ses sœurs disaient à Hassân : « En ce cas, ô Hassân, nous ne pouvons te retenir davantage ici ni t'empêcher de retourner dans ton pays revoir ta mère chérie. Seulement, nous te supplions de ne point nous oublier et de nous promettre de revenir nous faire une visite, une fois tous les ans ! » Et sa petite sœur Bouton-de-Rose se jeta à son cou en sanglotant, et finit par tomber évanouie de douleur. Et, lorsqu'elle reprit connaissance, elle récita tristement des vers d'adieu, et enfonça sa tête dans ses genoux, refusant toute consolation. Et Hassân se mit à l'embrasser et à la cajoler ; et il lui promit par serment de revenir la voir une fois tous les ans. Et pendant ce temps, sur la prière de Hassân, ses autres sœurs se mirent à faire les préparatifs du voyage. Et quand tout fut prêt, elles lui demandèrent : « De quelle manière veux-tu retourner à Bassra ? » Il dit : « Je ne sais pas ! » Puis soudain il se rappela le tambour magique qu'il avait enlevé au magicien Bahram et sur lequel était tendue la peau de coq. Et il s'écria : « Par Allah ! voilà l'affaire. Mais je ne sais point m'en servir ! » Alors Bouton-de-Rose, qui pleurait, sécha un moment ses larmes et, se levant, dit à Hassân : « Ô mon frère bien-aimé, moi je vais t'enseigner le moyen de te servir de ce tambour ! » Et elle prit le tambour, et, l'appuyant sur son flanc, elle fit le simulacre de battre des doigts sur la peau de coq. Puis elle dit à Hassân : « C'est comme ça qu'il faut faire ! » Et Hassân dit : « J'ai compris, ma sœur ! » Et il prit à son tour le tambour des mains de la jeune fille, et le battit de la même manière qu'il avait vu faire à Bouton-de-Rose, mais avec beaucoup de force. Et aussitôt, de tous les points de l'horizon surgirent de grands chameaux, des dromadaires de course, des mulets et des chevaux. Et tout le troupeau accourut au galop se ranger tumultueusement, sur une longue file, d'abord les chameaux, puis les dromadaires de course, puis les mulets et les chevaux.

Alors, les sept princesses choisirent les meilleures bêtes et congédièrent le reste. Et elles chargèrent sur celles qu'elles avaient choisies les ballots précieux, les cadeaux, les effets et les provisions de bouche. Et elles mirent sur le dos d'un grand dromadaire de course un magnifique palanquin à deux places pour les deux époux. Et alors commencèrent les adieux. Oh ! qu'ils furent douloureux ! Pauvre Bouton-de-Rose ! Tu fus triste, et tu pleurais ! Comme ton cœur fraternel se fendait en embrassant Hassân qui partait avec la fille du roi ! Et tu gémissais comme une tourterelle violemment séparée d'avec son tourtereau ! Ah ! tu ne savais pas encore, ô tendre Bouton-de-Rose, combien d'amertume renferme la coupe de la séparation ! Et tu ne te doutais pas que ton bien-aimé Hassân, dont tu préparais le bonheur, ô pleine de pitié, devait être si tôt enlevé à ton affection ! Mais tu le reverras, sois-en certaine ! Tranquillise donc ton âme chérie, et rafraîchis tes yeux ! À force de pleurer, tes joues sont devenues, de roses qu'elles étaient, semblables aux fleurs du grenadier ! Cesse tes pleurs, Bouton-de-Rose ! Tranquillise ton âme chérie et rafraîchis tes yeux ! Tu reverras Hassân, car ainsi le veut la destinée !

Or donc la caravane se mit en marche, au milieu des cris déchirants des adieux, et disparut au loin, tandis que Bouton-de-Rose retombait évanouie. Et, avec la rapidité de l'oiseau, elle traversa les montagnes et les vallées, les plaines et les déserts, et, avec l'assentiment d'Allah qui lui écrivit la sécurité, elle arriva sans encombre à Bassra.

Lorsqu'ils furent à la porte de la maison, Hassân entendit sa mère gémir et déplorer douloureusement l'absence de son fils ; et ses yeux se remplirent de larmes, et il frappa à la porte. Et, du dedans, la voix cassée de la pauvre vieille demanda : « Qui est à la porte ? » Et Hassân dit : « Ouvre-nous ! » Et elle vint, en tremblant sur ses pauvres jambes, ouvrir la porte et, malgré sa vue affaiblie par les larmes, elle reconnut son fils Hassân. Alors elle poussa un grand soupir et tomba évanouie ! Et Hassân lui prodigua ses soins, aidé de son épouse, et la fit revenir à elle. Alors il se jeta à son cou, et ils s'embrassèrent tendrement, en pleurant de joie. Et, après les premiers transports, Hassân dit à sa mère : « Ô mère, voici ta fille, mon épouse, que je t'amène pour te servir ! » Et la vieille regarda Splendeur, et, en la voyant si belle, elle fut éblouie et faillit voir s'envoler sa raison. Et elle lui dit : « Qui que tu sois, ma fille, sois la bienvenue dans la maison que tu illumines ! » Et elle demanda à Hassân : « Mon fils, comment s'appelle ton épouse ? » Il répondit : « Splendeur, ô ma mère ! » Elle dit : « Ô convenance du nom ! Qu'il fut bien inspiré celui qui t'a trouvé ce nom, ô fille de bénédiction ! Et elle la prit par la main et s'assit à côté d'elle sur le vieux tapis de la maison. Et Hassân alors se mit à raconter à sa mère toute son histoire, depuis sa disparition soudaine jusqu'à son retour à Bassra, sans oublier un seul détail. Et sa mère fut émerveillée de ce qu'elle entendait, à la limite de l'émerveillement, et ne sut plus comment faire pour honorer, selon son rang, la fille du roi des rois du Gennistân.

Or, pour commencer, elle se hâta d'aller au souk acheter toutes sortes de provisions de première qualité ; et elle alla ensuite au souk des soieries, et acheta dix robes splendides, ce qu'il y avait de plus cher chez les grands marchands ; et elle les apporta à l'épouse de Hassân et l'en vêtit, en les lui mettant toutes les dix à la fois, l'une au-dessus de l'autre, pour lui marquer de la sorte que rien n'était de trop pour son rang et son mérite. Et elle l'embrassa comme si c'eût été sa propre fille. Et elle se mit ensuite à lui cuisiner des mets extraordinaires et des pâtisseries à nulles autres pareilles. Et elle n'épargna rien pour la contenter, la comblant de soins et de délicates attentions. Après quoi, elle se tourna vers son fils et lui dit : « Je ne sais pas, Hassân, mais je crois bien que la ville de Bassra n'est pas digne du rang de ton épouse ; et il vaut mieux pour nous, sous tous les rapports, que nous allions vivre à Bagdad, la Cité de Paix, sous l'aile protectrice du khalifat Haroun Al-Rachid. Et puis, mon fils, nous voici devenus soudainement très riches, et je crains fort qu'en restant à Bassra, où nous sommes connus pour être pauvres, nous n'attirions l'attention d'une façon soupçonneuse, et soyons accusés, à cause de nos richesses, de pratiquer l'alchimie ! Le mieux, à mon avis, est de nous en aller au plus tôt à Bagdad, où, dès le commencement, nous serons connus pour être des princes ou des émirs du loin ! » Et Hassân répondit à sa mère : « L'idée est excellente ! » Et il se leva à l'heure et à l'instant, et vendit les meubles et la maison. Après quoi, il prit le tambour magique et fit résonner la peau de coq.

À ce moment de sa narration, Schahrazade vit apparaître le matin et, discrète, se tut.

Mais lorsque fut la cinq cent quatre-vingt-treizième nuit. Elle dit :

… Après quoi, il prit le tambour magique et fit résonner la peau de coq. Et, aussitôt, surgirent du fond des airs les grands dromadaires, qui vinrent se ranger en file le long de la maison. Et Hassân et la mère de Hassân et l'épouse de Hassân prirent ce qu'ils avaient gardé de mieux en fait de choses précieuses et légères de poids, et, montant en palanquin, mirent les dromadaires au pas de course. Et, en moins de temps qu'il n'en faut pour reconnaître la main droite de la main gauche, ils arrivèrent sur les bords du Tigre, aux portes de Bagdad. Et Hassân prit les devants, et alla quérir un courtier qui lui fit faire l'acquisition, au prix de cent mille dinars, d'un magnifique palais, propriété d'un vizir d'entre les vizirs. Et il se hâta d'y conduire sa mère et son épouse. Et il meubla le palais avec un luxe fastueux, et acheta des esclaves des deux sexes, et des jeunes garçons et des eunuques. Et il n'épargna rien pour que son train de maison fût le plus remarquable de toute la ville de Bagdad.

Ainsi installé, Hassân mena dès lors, dans la Cité de Paix, une vie délicieuse avec son épouse Splendeur, entourés tous deux des soins minutieux de la vénérable vieille mère qui s'ingéniait tous les jours à confectionner un mets nouveau et à exécuter les recettes de cuisine qu'elle apprenait de ses voisines, et qui différaient beaucoup des recettes de Bassra ; car, à Bagdad, il y avait beaucoup de plats qu'on ne pouvait réussir nulle part ailleurs sur la face de la terre. Aussi, au bout de neuf mois de cette vie charmante et de cette nourriture soignée, l'épouse de Hassân accoucha heureusement de deux enfants mâles et jumeaux, beaux comme les lunes. Et on appela l'un Nasser et l'autre Manssour.

Or, au bout d'un an, le souvenir des sept princesses s'offrit à la mémoire de Hassân avec le rappel du serment qu'il leur avait fait. Et il éprouva le plus vif désir de revoir surtout sa sœur Bouton-de-Rose. Il fit donc les préparatifs nécessaires pour ce voyage, acheta les plus belles étoffes et les plus belles choses, dignes d'être offertes en cadeaux, qu'il put trouver à Bagdad et dans tout l'Irak, et fit part à sa mère du projet qu'il avait formé, en ajoutant : « Je veux seulement te recommander une chose, pendant mon absence, à la limite de la recommandation : c'est de garder bien soigneusement le manteau de plumes de mon épouse Splendeur, que j'ai caché dans le lieu le plus secret de la maison. Car, ô ma mère, sache bien que si mon épouse chérie avait l'occasion, pour notre plus grand malheur, de revoir ce manteau, elle se rappellerait à l'instant son instinct originel, qui est le vol des oiseaux, et ne pourrait s'empêcher de s'envoler d'ici, même à son cœur défendant ! Prends donc bien garde, ma mère, de lui montrer ce manteau-là ! Car, si ce malheur arrivait, moi, certainement, ou je mourrais de chagrin ou je me tuerais ! Je te recommande, en outre, de bien la soigner, vu qu'elle est délicate et habituée au dorlotement, et de ne point craindre de la servir toi-même de préférence aux servantes qui ne savent pas, comme toi, ce qui sied et ce qui ne sied pas, ce qui convient et ce qui ne convient pas, ce qui est raffiné et ce qui est grossier. Et surtout, ma mère, ne la laisse pas mettre un pied hors de la maison, ni faire sortir sa tête d'une fenêtre, ni même monter sur la terrasse du palais ; car je crains beaucoup le grand air pour elle, et que l'espace ne la tente de quelque manière ou par quelque endroit. Ainsi donc, voilà mes recommandations ! Et si tu veux ma mort, tu n'as qu'à les négliger ! » Et la mère de Hassân répondit : « Qu'Allah me garde de te désobéir, ô mon enfant ! Prions sur le Prophète ! Est-ce que je serais devenue folle pour avoir besoin de tant de recommandations, ou pour enfreindre le moindre de tes ordres ! Pars donc tranquille, ô Hassân, et calme ton esprit ! Et, à ton retour, avec la grâce d'Allah, tu n'auras qu'à demander à Splendeur si tout a marché comme tu le voulais ! Mais, moi, à mon tour, je veux te demander une chose, ô mon enfant, et c'est de ne pas prolonger loin de nous ton absence plus que le temps nécessaire pour aller et revenir, après un court séjour auprès des sept princesses ! »

Ainsi se parlèrent l'un à l'autre Hassân et la mère de Hassân. Et ils ne savaient pas ce que leur réservait l'inconnu dans le livre de la destinée, alors que la belle Splendeur entendait toutes les paroles qu'ils se disaient et les fixait dans sa mémoire. Or donc Hassân promit à sa mère qu'il ne s'absenterait que juste le temps nécessaire, et lui fit ses adieux, et alla embrasser son épouse Splendeur, et ses deux fils Nasser et Manssour qui tétaient le sein de leur mère. Après quoi, il battit la peau de coq du tambour.

À ce moment de sa narration, Schahrazade vit apparaître le matin et, discrète, se tut.

Mais lorsque fut la cinq cent quatre-vingt-quatorzième nuit. Elle dit :

… Après quoi, il battit la peau de coq du tambour, et enfourcha le dromadaire de course qui se présenta ; et, après avoir réitéré une seconde fois à sa mère toutes ses recommandations, il lui baisa la main. Puis il parla au dromadaire accroupi, qui se releva aussitôt sur ses quatre jambes et fila dans les airs, plutôt que sur terre, livrant ses membres au vent, et anéantissant, sous ses pas, la distance. Et il ne fut plus qu'un point au loin dans l'espace.

Or il est, en vérité, sans utilité de dire l'intensité de joie qui accueillit Hassân à son arrivée chez les sept princesses, et surtout le bonheur de Bouton-de-Rose, et comment elles ornèrent le palais de guirlandes de fleurs et l'illuminèrent. Laissons-le plutôt raconter à ses sœurs tout ce qu'il a à leur raconter, surtout la naissance de ses deux fils jumeaux Nasser et Manssour ; laissons-le, en outre, se livrer avec elles à la chasse et aux amusements ; et faites-moi la grâce, ô mes honorables et généreux auditeurs qui m'entourez, de revenir avec moi au palais de Hassân, à Bagdad, où nous avons laissé la vieille mère de Hassân et son épouse Splendeur. Accordez-moi cette faveur, ô mes seigneurs à la main ouverte, et vous verrez et vous entendrez ce que vos oreilles honorables et vos yeux admirables n'ont de leur vie jamais ouï, entendu ou soupçonné ! Et que sur vous descendent les bénédictions du Distributeur et les mieux choisies de ses faveurs. Écoutez-moi bien, seigneurs !

Donc, ô très illustres, lorsque Hassân fut parti, son épouse Splendeur ne bougea pas et ne quitta pas un instant la mère de Hassân, et cela pendant deux jours. Mais, au matin du troisième jour, elle baisa la main de la vieille dame en lui souhaitant le bonjour, et lui dit : « Ô ma mère, je voudrais bien aller au hammam, depuis le temps que je ne prends plus de bains, à cause de l'allaitement de Nasser et de Manssour ! » Et la vieille dame dit : « Ya Allah ! ô les paroles inconsidérées, ma fille ! Aller au hammam, ô notre calamité ! Ne sais-tu pas que moi et toi nous sommes des étrangères qui ne connaissons pas du tout les hammams de cette ville-ci ! Et comment pourrais-tu y aller sans y être conduite par ton époux, qui t'y précéderait d'abord pour te retenir d'avance une salle, et s'assurer que tout est propre là-dedans et que les cancrelats, les blattes et les cafards ne tombent pas de la voûte ! Or ton époux est absent, et moi je ne connais personne qui puisse le remplacer dans une si grave occasion ; et je ne puis moi-même t'accompagner, à cause de mon grand âge et de ma faiblesse ! Mais, si tu veux, ma fille, je vais te faire chauffer de l'eau ici même, et je te laverai la tête et te donnerai un bain délicieux dans le hammam de notre maison ! J'ai précisément tout ce qu'il faut pour cela, et j'ai même reçu avant-hier une boîte de terre parfumée d'Alep, et de l'ambre, et de la pâte épilatoire, et du henné ! Ainsi donc, ma fille, tu peux être tranquille à ce sujet. Ce sera excellent ! » Mais Splendeur répondit : « Ô ma maîtresse, depuis quand refuse-t-on aux femmes la permission du hammam ? Par Allah ! si tu avais dit ces choses-là même à une esclave, elle ne les aurait pas supportées, et plutôt que de continuer à rester dans votre maison, elle t'aurait demandé à être vendue au souk, à la criée ! Mais, ô ma maîtresse, que les hommes sont insensés qui s'imaginent que toutes les femmes se ressemblent, et qu'il faut prendre contre elles mille précautions plus tyranniques les unes que les autres, pour les empêcher de faire les choses illicites ! Mais, toi, tu dois bien savoir pourtant que lorsqu'une femme a fermement résolu de faire une chose, elle trouve toujours moyen, en dépit de tous les empêchements, d'en venir à bout, et que rien ne peut l'arrêter dans ses desseins, fussent-ils irréalisables ou pleins de désastres ! Ah ! hélas sur ma jeunesse ! on me soupçonne, et on n'a plus aucune foi en ma chasteté ! Et il ne me reste plus qu'à mourir ! » Et, ayant dit ces paroles, elle se mit à verser des larmes, à sangloter et à appeler sur sa tête les plus noires calamités !

Alors la mère de Hassân finit par se laisser toucher par ses pleurs et ses gémissements, en comprenant, d'ailleurs, qu'il n'y avait plus moyen désormais de la détourner de son dessein. Elle se leva donc, malgré son grand âge et la défense expresse de son fils, et prépara tout ce qu'il fallait pour le bain, en fait de linge propre et de parfums. Puis elle dit à Splendeur : « Allons ! ma fille, viens et ne t'attriste plus ! Mais qu'Allah nous sauvegarde de la colère de ton époux ! » Et elle sortit avec elle du palais, et l'accompagna au hammam le plus renommé de la ville.

Ah ! comme elle aurait mieux fait, la mère de Hassân, de ne point se laisser toucher par les plaintes de Splendeur, et de ne pas franchir le seuil de ce hammam ! Mais qui peut lire dans le livre des destinées, en dehors du Seul Voyant ? Et qui peut dire d'avance ce qu'il compte faire entre deux pas de chemin ? Mais nous, qui sommes des musulmans, nous croyons et nous nous fions à la Volonté Suprême ! Et nous disons : « Il n'y a de Dieu qu'Allah, et Môhammad est l'Envoyé d'Allah ! » Priez sur le Prophète, ô Croyants, mes illustres auditeurs !

Lorsque la belle Splendeur, précédée par la mère de Hassân qui portait le paquet de linge propre, eut pénétré dans le hammam, les femmes qui étaient étendues dans la grande salle centrale d'entrée poussèrent toutes ensemble un cri d'admiration, tant elles furent ravies par sa beauté...

À ce moment de sa narration, Schahrazade vit apparaître le matin et, discrète, se tut.

Mais lorsque fut la cinq cent quatre-vingt-quinzième nuit. Elle dit :

... Lorsque la belle Splendeur, précédée par la mère de Hassân qui portait le paquet de linge propre, eut pénétré dans le hammam, les femmes qui étaient étendues dans la grande salle centrale d'entrée poussèrent toutes ensemble un cri d'admiration, tant elles furent ravies par sa beauté. Et elles ne la quittèrent plus des yeux ! Or tel fut leur éblouissement quand l'adolescente était encore enveloppée de ses voiles ! Mais quel ne fut point leur délire quand, s'étant dévêtue, elle eut achevé d'être nue ! Ô harpe de Daoud le Roi, qui enchantais le lion Saul ; et toi, fille du désert, amante d'Antara le guerrier crépu, ô vierge Alba aux belles hanches, qui soulevas de large en long, les faisant s'entrechoquer, toutes les tribus de l'Arabie ; et toi, Sett Boudour, fille du roi Ghaïour, maître d'El-Bouhour et d'El-Koussour, toi dont les yeux d'incendie troublèrent à l'extrême les genn et les éfrits ; et toi, musique des sources, et toi, chant printanier des oiseaux, que devîntes-vous devant la nudité de cette gazelle ? Louanges à Allah qui te créa, ô Splendeur, et mélangea en ton corps de gloire les rubis et le musc, l'ambre pur et les perles, ô toute d'or !

Ainsi donc, les femmes du hammam, pour la mieux considérer, quittèrent leur bain et leur nonchaloir, et la suivirent pas à pas. Et le bruit de ses charmes se répandit bientôt du hammam dans tout le voisinage, et, en un instant, les salles furent envahies, à ne pouvoir y circuler, de femmes attirées par la curiosité de voir cette merveille de beauté. Et, parmi ces femmes inconnues, se trouvait précisément une des esclaves de Sett Zobéida, épouse du khalifat Haroun Al-Rachid. Et cette jeune esclave, qui s'appelait Tohfa, fut encore plus stupéfaite que les autres de la beauté parfaite de cette lune magique ; et, les yeux grands ouverts, elle s'immobilisa au premier rang à la regarder se baigner dans le bassin. Et, lorsque Splendeur eut terminé son bain et se fut habillée, la petite esclave ne put faire autrement que de la suivre hors du hammam, attirée par elle comme par une pierre d'aimant, et se mit à marcher derrière elle dans la rue jusqu'à ce que Splendeur et la mère de Hassân fussent arrivées à leur demeure. Alors la jeune esclave Tohfa, ne pouvant entrer dans le palais, se contenta de porter ses doigts à ses lèvres et de lancer à Splendeur, en même temps qu'une rose, un baiser retentissant. Mais, malheureusement pour elle, l'eunuque de la porte vit la rose et le baiser, et, formalisé à l'extrême, se mit à lui dire d'épouvantables injures, en faisant des yeux blancs : ce qui la décida, mais en soupirant, à revenir sur ses pas. Et elle rentra au palais du khalifat, où elle se hâta de se rendre auprès de sa maîtresse, Sett Zobéida.

Or Sett Zobéida vit que son esclave préférée était toute pâle et bien émue ; et elle lui demanda : « Où donc as-tu été, ô gentille, pour me revenir dans cet état de pâleur et d'émotion ? » Elle dit : « Au hammam, ô ma maîtresse ! » Elle demanda : « Et qu'as-tu donc vu au hammam, ma Tohfa, pour me revenir sens dessus dessous, et avec des yeux si languissants ? » Elle répondit : « Et comment, ô ma maîtresse, mes yeux et mon âme ne languiraient-ils pas, et la mélancolie n'envahirait-elle pas mon cœur au sujet de celle qui m'a ravi la raison ? » Sett Zobéida se mit à rire et dit : « Que me racontes-tu là, ô Tohfa, et de qui me parles-tu ? » Elle dit : « Quel adolescent délicat ou quelle jouvencelle, quel faon ou quelle gazelle, ô ma maîtresse, égaleront jamais ses charmes et sa beauté ? » Sett Zobéida dit : « Ô folle Tohfa, veux-tu enfin te décider à me dire son nom ? » Elle dit : « Je ne le sais pas, mais ô ma maîtresse, je te le jure par les mérites de tes bienfaits sur ma tête ! nulle créature sur la face de la terre, dans le passé, dans le présent ou dans le futur, ne lui est comparable ! Tout ce que je sais d'elle, c'est qu'elle habite ce palais situé sur les bords du Tigre, et qui a une grande porte du côté de la ville et une autre porte du côté du fleuve. Et, de plus, on m'a dit au hammam qu'elle était l'épouse d'un riche marchand appelé Hassân Al-Bassri ! Ah ! ma maîtresse, si tu me vois toute tremblante entre tes mains, ce n'est point seulement de l'émoi suscité par sa beauté, mais de la crainte extrême qui m'envahit en songeant aux conséquences funestes qui résulteraient si, par malheur, notre maître le khalifat venait à en entendre parler. Sûrement, il ferait tuer le mari et, au mépris de toutes les lois de l'équité, il épouserait cette miraculeuse adolescente ! Et il vendrait de la sorte les biens inestimables de son âme immortelle pour la possession temporaire d'une créature belle mais périssable ! »

À ces paroles de sa petite esclave Tohfa, Sett Zobéida, qui savait combien elle était d'ordinaire sage et mesurée en ses discours, fut stupéfaite grandement, et lui dit : « Mais, ô Tohfa, es-tu au moins bien sûre que tu n'as pas vu en songe seulement une telle merveille de beauté ? » Elle répondit : « Je le jure sur ma tête et sur le poids de l'obligation que je dois à tes bontés pour moi, ô ma maîtresse, je viens, l'ayant vue, de jeter une rose et un baiser à cette adolescente dont nulle terre et nul climat, pas plus chez les Arabes que chez les Turcs ou les Persans, n'a vu naître la pareille ! » Et Sett Zobéida alors s'écria : « Par la vie de mes ancêtres les Purs ! il faut que moi aussi je contemple cette unique pierrerie, et que je la voie avec mes deux yeux ! » Aussitôt, elle fit appeler le porte-glaive Massrour et lui dit, après qu'il eut embrassé la terre entre ses mains…

À ce moment de sa narration, Schahrazade vit apparaître le matin et, discrète, se tut.

Mais lorsque fut la cinq cent quatre-vingt-seizième nuit. Elle dit :

… Aussitôt elle fit appeler le porte-glaive Massrour et lui dit, après qu'il eut embrassé la terre entre ses mains : « Ô Massrour, rends-toi en toute hâte au palais qui a deux portes, l'une donnant sur le fleuve et l'autre regardant du côté de la ville ! Et là tu demanderas l'adolescente qui l'habite, et tu me l'amèneras, au risque de ta tête ! » Et Massrour répondit : « Ouïr, c'est obéir ! » Et il sortit, la tête avant les pieds, et courut au palais en question, qui était, en effet, celui de Hassân. Et il franchit la grande porte devant l'eunuque, qui le reconnut et s'inclina devant lui jusqu'à terre. Et il arriva à la porte d'entrée à laquelle il frappa.

Aussitôt la vieille, mère de Hassân, vint elle-même ouvrir. Et Massrour entra dans le vestibule et souhaita la paix à la vieille dame. Et la mère de Hassân lui rendit son salam et lui demanda : « Que désires-tu ? » Il dit : « Je suis Massrour, le porte-glaive ! Je suis envoyé ici par El-Saiéda Zobéida, fille d'El-Kassem, épouse d'Al-Émir Al-Moumenîn Haroun Al-Rachid, le sixième des descendants d'Al-Abbas, oncle du Prophète (sur Lui la paix d'Allah et ses bénédictions !). Et je viens pour emmener avec moi au palais, auprès de ma maîtresse, la belle adolescente qui habite dans cette demeure ! » À ces paroles, la terrifiée et tremblante mère de Hassân s'écria : « Ô Massrour, nous sommes étrangères ici, et mon fils, l'époux de l'adolescente en question, est absent, en voyage ! Et, avant de partir, il m'a expressément défendu de la laisser sortir de la maison, pas plus avec moi qu'avec toute autre personne, et sous aucun prétexte ! Et j'ai bien peur qu'en la laissant sortir quelque accident ne survienne, à cause de sa beauté, qui obligera mon fils, à son retour, de se donner la mort ! Nous te supplions donc, ô bienfaisant Massrour, d'avoir pitié de notre détresse, et de ne point nous demander quelque chose qu'il est au-dessus de notre volonté et de nos moyens de t'accorder ! » Massrour répondit : « Ne crains donc rien, ma bonne dame ! Sois sûre qu'aucun accident regrettable n'arrivera à la jouvencelle ! Il s'agit simplement que ma maîtresse Sett Zobéida voie cette jeune beauté, pour s'assurer par ses propres yeux si la renommée n'exagère point la portée de ses charmes et de sa splendeur. Ce n'est d'ailleurs pas la première fois que je suis chargé d'un pareil message ; et je puis t'assurer que vous n'aurez, ni l'une ni l'autre, sujet de regretter votre soumission à un tel désir, bien au contraire ! Et, en outre, de même que je vais vous conduire en toute sécurité entre les mains de Sett Zobéida, de même je m'engage à vous reconduire saines et sauves à votre maison ! »

Lorsque la mère de Hassân vit de la sorte que toute résistance devenait inutile et même nuisible, elle laissa Massrour dans le vestibule, et entra habiller Splendeur et la parer, et habiller également les deux petits, Nasser et Manssour. Et elle prit les deux petits chacun sur un bras, et dit à Splendeur : « Puisqu'il nous faut céder devant le désir de Sett Zobéida, allons-nous-en ensemble ! » Et elle la précéda dans le vestibule et dit à Massrour : « Nous sommes prêtes ! » Et Massrour sortit et ouvrit la marche, suivi par la mère de Hassân qui portait les deux petits, suivie elle-même par Splendeur, complètement enveloppée de ses voiles. Et Massrour les conduisit de la sorte dans le palais du khalifat, jusque devant le large trône bas où était majestueusement assise, au repos, El-Saiéda Zobéida, entourée de la foule nombreuse de ses esclaves femmes et de ses favorites, au premier rang desquelles se tenait la petite Tohfa.

Alors la mère de Hassân, remettant les deux petits enfants à Splendeur, qui était toujours entièrement enveloppée de ses voiles, embrassa la terre entre les mains de Sett Zobéida et, après le salam, lui fit son compliment. Et Sett Zobéida lui rendit son salam, lui tendit la main, qu'elle porta à ses lèvres, et la pria de se relever. Puis elle se tourna vers l'épouse de Hassân et lui dit : « Pourquoi, ô bienvenue, ne te débarrasses-tu pas de tes voiles ? Il n'y a point d'hommes ici ! » Et elle fit signe à Tohfa qui s'approcha aussitôt, en rougissant, de Splendeur, et commença par toucher le pan de son voile, pour porter ensuite à ses lèvres et à son front ses doigts qui avaient frôlé l'étoffe. Puis elle l'aida à rejeter son grand voile, et lui releva elle-même son petit voile de visage.

Ô Splendeur ! Ni la lune qui sort dans son plein de dessous un nuage, ni le soleil dans tout son éclat, ni le tendre balancement du rameau dans la tiédeur du printemps, ni les brises du crépuscule, ni l'eau riante, ni rien de ce qui charme les humains par la vue, par l'ouïe et par l'entendement, n'aurait pu ravir, comme tu le fis, la raison de celles qui te regardaient ! Du rayonnement de ta beauté, tout le palais s'illumina et resplendit ! Dans la joie de ta présence, les cœurs bondissaient comme les agneaux et dansaient dans les poitrines ! Et la folie soufflait sur toutes les têtes ! Et les esclaves te contemplaient avec admiration, en chuchotant : « Ô Splendeur ! » Mais nous, ô mes auditeurs, nous disons : « Louanges à Celui qui forma le corps de la femme comme le lis de la vallée, et le donna à ses Croyants comme un signe du Paradis…

À ce moment de sa narration, Schahrazade vit apparaître le matin et, discrète, se tut.

Mais lorsque fut la cinq cent quatre-vingt-dix-septième nuit. Elle dit :

… Mais nous, ô mes auditeurs, nous disons : « Louanges à Celui qui forma le corps de la femme comme le lis de la vallée, et le donna à ses Croyants comme un signe du Paradis ! »

Lorsque Sett Zobéida fut revenue de l'éblouissement où elle se trouvait, elle se leva de son trône et s'approcha de Splendeur qu'elle entoura de ses bras et serra contre son sein en lui baisant les yeux. Puis elle la fit asseoir à ses côtés sur le large trône, et enleva, pour le lui passer au cou, un collier de dix rangs de grosses perles qu'elle portait elle-même depuis son mariage avec Al-Rachid. Puis elle lui dit : « Ô souveraine des enchantements, en vérité, elle s'est trompée, mon esclave Tohfa, qui m'a parlé de ta beauté ! Car ta beauté est au-dessus de toutes paroles ! Mais, dis-moi, ô accomplie, sais-tu le chant, la danse, ou la musique ? Car, lorsqu'on est comme toi, on excelle en toutes choses ! » Splendeur répondit : « En vérité, ô ma maîtresse, je ne sais point chanter, ni danser, ni jouer du luth et des guitares ; et je n'excelle dans aucun des arts que d'ordinaire connaissent les jeunes femmes ! Toutefois, je dois te le dire, je possède un seul talent, qui va peut-être te paraître merveilleux : c'est de voler dans les airs comme les oiseaux ! »

À ces paroles de Splendeur, toutes les femmes s'écrièrent : « Ô enchantement ! Ô prodige ! » Et Sett Zobéida dit : « Comment, bien qu'étonnée à l'extrême, ô charmante, hésiter à te croire douée d'un tel talent ? N'es-tu point déjà plus harmonieuse que le cygne et plus légère à notre vue que les oiseaux ?

Mais si tu voulais entraîner notre âme derrière toi, tu consentirais à faire, devant nos yeux, l'essai d'un envolement sans ailes ! » Elle dit : « Justement, ô ma maîtresse, je possède des ailes ; mais elles ne sont point sur moi ! Je puis pourtant les avoir, si telle est ta volonté ! Tu n'aurais pour cela qu'à demander à la mère de mon époux de m'apporter mon manteau de plumes ! »

Aussitôt, Sett Zobéida se tourna vers la mère de Hassân et lui dit : « Ô vénérable dame, notre mère, veux-tu aller nous chercher ce manteau de plumes, pour que j'en voie l'usage qu'en fait ta charmante fille ? » Et la pauvre femme pensa : « Nous voici tous perdus sans recours ! La vue de son manteau va lui remettre en mémoire son instinct originel, et Allah seul sait ce qui va arriver ! » Et elle répondit d'une voix tremblante : « Ô ma maîtresse, ma fille Splendeur est troublée par ta majesté, et ne sait plus ce qu'elle dit ! A-t-on jamais porté des habits de plumes, alors que cette sorte de vêtement ne convient qu'aux oiseaux ! » Mais Splendeur intervint et dit à Sett Zobéida : « Par ta vie, ô ma maîtresse, je te jure que mon manteau de plumes est enfermé dans un coffre caché dans notre maison ! » Alors Sett Zobéida enleva de son bras un bracelet précieux, qui valait tous les trésors de Khosroès et de Kaïssar, et le tendit à la mère de Hassân en lui disant : « Ô notre mère, par ma vie chez toi ! Je te conjure d'aller à la maison nous chercher ce manteau de plumes, simplement pour le voir une fois ! Et tu le reprendras ensuite comme il est. » Mais la mère de Hassân jura qu'elle n'avait jamais vu ce manteau de plumes ni rien de semblable. Alors Sett Zobéida cria : « Ya Massrour ! » Et aussitôt le porte-glaive du khalifat se présenta entre les mains de sa souveraine, qui lui dit : « Massrour, cours vite à la maison de ces dames, et cherche partout un manteau de plumes qui est enfermé dans un coffre caché ! » Et Massrour obligea la mère de Hassân à lui remettre les clefs de la maison, et courut faire partout des recherches jusqu'à ce qu'il eût fini par trouver le manteau de plumes dans un coffre caché sous terre. Et il le rapporta à Sett Zobéida, qui, après l'avoir longuement admiré et s'être émerveillée de l'art avec lequel il était façonné, le remit à la belle Splendeur.

Alors, Splendeur commença par l'examiner plume par plume, et constata qu'il était aussi intact que le jour où Hassân le lui avait enlevé. Et elle le déploya et entra dedans, en ramenant sur elle les deux pans, et en les ajustant. Et elle devint semblable à un grand oiseau blanc ! Et, ô émerveillement des assistants ! elle ébaucha d'abord un long glissement, revint sur ses pas, sans toucher le sol, et s'éleva en se balançant jusqu'au plafond ! Puis, elle redescendit légère et aérienne, et prit ses deux enfants, à califourchon, chacun sur une épaule, en disant à Sett Zobéida et aux dames : « Je vois que mes voltiges vous font plaisir. Je vais donc vous mieux satisfaire. Et elle prit son élan, et s'élança jusqu'à la fenêtre du haut, sur le rebord de laquelle elle se posa. Et, de là, elle s'écria : « Écoutez-moi ! car je vous quitte ! » Et Sett Zobéida, émue à l'extrême, lui dit : « Comment, ô Splendeur, tu nous quittes déjà, en nous frustrant pour toujours de ta beauté, ô souveraine des souveraines ! » Splendeur répondit : « Hélas ! oui, ô ma maîtresse. Qui part ne revient pas ! » Puis elle se tourna vers la pauvre mère de Hassân, l'éplorée, la sanglotante, l'affaissée sur les tapis, et lui dit : « Ô mère de Hassân, certes ! de partir ainsi je m'afflige beaucoup, et je m'attriste à cause de toi et de ton fils Hassân, mon époux, car les jours de la séparation déchireront son cœur, et noirciront votre vie ; mais, hélas ! je n'y puis rien ! Je sens l'ivresse de l'air envahir mon âme, et il faut que je m'envole dans l'espace. Mais si ton fils veut jamais me retrouver, il n'aura qu'à venir me chercher dans les îles Wak-Wak. Adieu donc, ô mère de mon époux ! » Et, ayant dit ces paroles, Splendeur s'éleva dans les airs et alla se poser un instant sur le dôme du palais pour lisser ses plumes. Puis elle reprit son vol, et disparut dans les nuages avec ses deux enfants...

À ce moment de sa narration, Schahrazade vit apparaître le matin et, discrète, se tut.

Mais lorsque fut la cinq cent quatre-vingt-dix-huitième nuit. Elle dit :

... Et, ayant dit ces paroles, Splendeur s'éleva dans les airs et alla se poser un instant sur le dôme du palais, pour lisser ses plumes. Puis elle reprit son vol, et disparut dans les nuages avec ses deux enfants.

Quant à la pauvre mère de Hassân, elle fut sur le point d'expirer de douleur, et resta affaissée sur le sol sans mouvement. Et Sett Zobéida se pencha sur elle, et lui prodigua elle-même les soins nécessaires ; et, l'ayant un peu ranimée, lui dit : « Ah ! ma mère, que ne m'as-tu plutôt prévenue, au lieu de tout nier, que Splendeur pouvait faire un semblable usage de cette robe enchantée, de ce manteau fatal ! Je me serais alors bien gardée de le mettre en son pouvoir ! Mais comment pouvais-je deviner que l'épouse de ton fils était de la race des genn aériens ? Je te prie donc, ma bonne mère, de me pardonner mon ignorance et de ne point trop blâmer un acte que je ne calculai point ! » Et la pauvre vieille dit : « Ô ma maîtresse, je suis la seule coupable ! Et l'esclave n'a point à pardonner à sa souveraine ! Chacun porte sa destinée attachée à son cou ! La mienne et celle de mon fils, c'est de mourir de douleur ! » Et, sur ces paroles, elle sortit du palais au milieu des pleurs de toutes les femmes, et se traîna jusqu'à sa maison. Et là elle chercha les petits enfants, et ne les trouva pas ; et elle chercha l'épouse de son fils, et elle ne la trouva pas ! Alors elle fondit en larmes et en sanglots, plus près de la mort que de la vie. Et elle fit élever dans la maison trois tombeaux, un grand et deux petits, auprès desquels elle passait les jours et les nuits à gémir et à pleurer. Et elle récitait ces vers et bien d'autres encore :

« Ô mes pauvres petits enfants ! comme la pluie sur les vieux rameaux des arbres, mes pleurs coulent sur mes joues ridées.

L'adieu de votre départ, c'est l'adieu à notre vie ! Votre perte est la perte de notre âme, ô mes petits enfants, et c'est moi, hélas ! qui reste.

Vous étiez mon âme ! Comment, mon âme m'ayant quittée, puis-je vivre encore, ô mes pauvres petits ! Et c'est moi qui reste ! »

Et voilà pour elle ! Mais pour ce qui est de Hassân, lorsqu'il eut passé trois mois avec les sept princesses, il songea à partir, pour ne point jeter dans l'inquiétude sa mère et son épouse. Et il battit la peau de coq du tambour ; et les dromadaires se présentèrent. Et ses sœurs en choisirent dix et renvoyèrent les autres. Et elles chargèrent cinq dromadaires de lingots d'or et d'argent et cinq de pierreries. Et elles lui firent promettre de revenir les voir au bout d'un an. Puis elles l'embrassèrent toutes, l'une après l'autre, en se mettant sur un rang ; et chacune à son tour lui adressa une ou deux strophes fort tendres, où elles lui exprimaient combien les affligeait son départ. Et elles se balançaient rythmiquement sur leurs hanches, en marquant la mesure des vers. Et Hassân leur répondit par ce poème improvisé :

« Mes larmes sont des perles dont je vous offre un collier, mes sœurs ! Voici qu'au jour du départ, affermi dans les étriers, je ne puis détourner les rênes !

Ô mes sœurs, comment m'arracher de vos bras aimants ? Mon corps s'éloigne, mais mon âme vous reste. Hélas ! hélas ! comment détourner les rênes, le pied déjà dans l'étrier ? »

Puis Hassân s'éloigna sur son dromadaire, à la tête du convoi, et arriva heureusement à Bagdad, la Cité de la Paix. Or, en entrant dans sa maison, Hassân eut peine à reconnaître sa mère, tant les larmes, le jeûne et les veilles l'avaient changée, l'infortunée. Et, comme il ne voyait point accourir son épouse avec les enfants, il demanda à sa mère : « Où est la femme ? Et où sont les enfants ? » Et sa mère ne put répondre que par ses sanglots. Et Hassân se mit à courir comme un fou à travers les pièces, et il vit, dans la salle de réunion, ouvert et vide, le coffre où il avait enfermé le manteau enchanté. Et il se retourna et vit, au milieu de la pièce, les trois tombeaux ! Alors il s'écroula tout de son long, le front sur la pierre, sans connaissance. Et, malgré les soins de sa mère qui avait volé à son secours, il resta dans cet état depuis le matin jusqu'à la nuit. Mais il finit par revenir à lui, et déchira ses vêtements et couvrit sa tête de cendres et de poussière. Puis soudain il se précipita sur son épée, et voulut s'en transpercer. Mais sa mère se jeta entre lui et son épée, en étendant les bras. Et elle lui prit la tête contre sa poitrine, et le fit s'asseoir, bien que, de désespoir, il se roulât par terre comme un serpent. Et elle se mit à lui raconter, peu à peu, tout ce qui s'était passé pendant son absence, et conclut en lui disant : « Tu vois, mon fils, que, malgré l'immensité de notre malheur, le désespoir ne doit pas encore entrer dans ton cœur, puisque tu peux retrouver ton épouse dans les îles Wak-Wak…

À ce moment de sa narration, Schahrazade vit apparaître le matin et, discrète, se tut.

Mais lorsque fut la cinq cent quatre-vingt-dix-neuvième nuit. Elle dit :

… Tu vois, mon fils, que, malgré l'immensité de notre malheur, le désespoir ne doit pas encore entrer dans ton cœur, puisque tu peux retrouver ton épouse dans les îles Wak-Wak. »

À ces paroles de sa mère, Hassân sentit un espoir soudain rafraîchir les éventails de son âme, et, se levant à l'instant, il dit à sa mère : « Je pars pour les îles Wak-Wak ! » Puis il pensa : « Où peuvent-elles bien être situées, ces îles dont le nom ressemble à un cri d'oiseau de proie ? Sont-elles dans les mers de l'Inde, ou du Sindh, ou de la Perse ou de la Chine ? » Et, pour éclairer son esprit à ce sujet, il sortit de la maison, bien que tout parût noir et sans aboutissant à ses yeux, et alla trouver les savants et les lettrés de la cour du khalifat, et leur demanda, à tour de rôle, s'ils connaissaient les mers où étaient situées les îles Wak-Wak. Et tous répondirent : « Nous ne le savons pas ! Et de notre vie nous n'avons entendu parler de l'existence de ces îles-là ! » Alors Hassân recommença à se désespérer, et retourna à la maison, la poitrine oppressée par le vent de la mort. Et il dit à sa mère, en se laissant tomber à terre : « Ô mère, ce n'est point aux îles Wak-Wak qu'il me faut aller, mais plutôt aux lieux où la Mère-des-Vautours[1] a déposé son bagage ! » Et il fondit en larmes, la tête dans les tapis. Mais soudain il se releva, et dit à sa mère : « Allah m'envoie la pensée de retourner auprès des sept princesses qui m'appellent leur frère, pour leur demander le chemin des îles Wak-Wak ! » Et, sans plus tarder, il fit ses adieux à la pauvre mère, en mêlant ses larmes aux siennes, et remonta sur le dromadaire qu'il n'avait pas encore congédié depuis son retour. Et il arriva heureusement au palais des sept sœurs, dans la Montagne-des-Nuages.

Lorsque ses sœurs le virent arriver, elles le reçurent avec les transports de la félicité la plus vive. Et elles l'embrassèrent en poussant des cris de joie et lui souhaitant la bienvenue. Et lorsque vint le tour de Bouton-de-Rose d'embrasser son frère, elle vit, avec les yeux de son cœur aimant, le changement opéré dans les traits de Hassân et le trouble de son âme. Et, sans lui faire la moindre question, elle fondit en larmes sur son épaule. Et Hassân pleura avec elle, et lui dit : « Ah ! Bouton-de-Rose, ma sœur, je souffre cruellement, et je viens près de toi chercher le seul remède qui puisse alléger mes maux ! » Ô parfums de Splendeur ! le vent ne vous apportera plus pour rafraîchir mon âme ! » Et Hassân, en prononçant ces mots, poussa un grand cri et tomba privé de sentiment.

À cette vue, les princesses effrayées s'empressèrent autour de lui en pleurant, et Bouton-de-Rose lui aspergea le visage d'eau de rose et l'arrosa de ses larmes. Et Hassân sept fois essaya de se relever, et sept fois il retomba par terre. Enfin, il put rouvrir les yeux après un évanouissement encore plus long que les autres, et il raconta à ses sœurs toute la triste histoire depuis le commencement jusqu'à la fin. Puis il ajouta : « Et maintenant, ô secourables sœurs, je viens vous demander le chemin qui conduit aux îles Wak-Wak ! Car mon épouse Splendeur, en partant, a dit à ma pauvre mère : « Si ton fils veut jamais me retrouver, il n'aura qu'à venir me chercher dans les îles Wak-Wak ! »

Lorsque les sœurs de Hassân eurent entendu ces dernières paroles, elles baissèrent la tête, en proie à une stupeur sans bornes, et se regardèrent longtemps sans parler. Enfin elles rompirent le silence et s'écrièrent toutes à la fois : « Lève ta main vers la voûte du ciel, ô Hassân, et tâche de l'atteindre ou de la toucher. Cela te serait encore plus aisé que de parvenir à ces îles Wak-Wak, où se trouve ta femme avec tes enfants ! »

À ces mots les larmes de Hassân coulèrent comme un torrent, et inondèrent ses vêtements. Et les sept princesses, de plus en plus émues de sa douleur, s'efforcèrent de le consoler. Et Bouton-de-Rose lui entoura tendrement le cou de ses bras, et lui dit, en l'embrassant : « Ô frère mien, calme ton âme et rafraîchis tes yeux, puis prends patience avec la destinée contraire, car le maître des Proverbes a dit : « La patience est la clef de la consolation, et la consolation fait parvenir au but ! » Et tu sais, ô mon frère, que toute destinée doit s'accomplir, mais jamais celui qui doit vivre dix ans ne meurt dans sa neuvième année ! Prends donc courage, et essuie tes larmes ; et moi, je vais faire tout ce qui est en mon pouvoir pour tâcher de te faciliter les moyens de parvenir auprès de ta femme et de tes enfants, si telle est la volonté d'Allah (qu'Il soit exalté !). Ah ! ce maudit manteau de plumes ! Que de fois n'ai-je pas eu l'idée de te dire de le brûler et chaque fois je m'arrêtais de peur de te contrarier. Enfin ! Ce qui est écrit, est écrit ! Nous allons tâcher de remédier, entre tous tes maux, à celui qui est le plus remédiable ! » Et elle se tourna vers ses sœurs, et se jeta à leurs pieds, et les conjura de se joindre à elle pour découvrir par quel moyen son frère pourrait trouver le chemin des îles Wak-Wak. Et ses sœurs le lui promirent de tout cœur amical.

Or les sept princesses avaient un oncle, frère de leur père, qui chérissait d'une manière toute particulière l'aînée des sœurs ; et il venait la voir régulièrement une fois tous les ans. Et cet oncle s'appelait Abd Al-Kaddous…

À ce moment de sa narration, Schahrazade vit apparaître le matin et, discrète, se tut.

Mais lorsque fut la six centième nuit. Elle dit :

... Or les sept princesses avaient un oncle, frère de leur père, qui chérissait d'une manière toute particulière l'aînée des sœurs ; et il venait la voir régulièrement une fois tous les ans. Et cet oncle s'appelait Abd Al-Kaddous. Et lors de sa dernière visite il avait donné à sa préférée, l'aînée des princesses, un petit sac rempli d'aromates, en lui disant qu'elle n'avait qu'à brûler un peu de ces aromates, s'il se présentait jamais quelque circonstance où elle crût avoir besoin de son secours. Aussi, lorsque Bouton-de-Rose l'eut tellement suppliée d'intervenir, l'aînée des princesses pensa que son oncle pourrait peut-être tirer le pauvre Hassân de son embarras. Et elle dit à Bouton-de-Rose : « Va vite me chercher le sac de parfums et la cassolette d'or ! » Et Bouton-de-Rose courut chercher les deux choses, et les remit à sa sœur, qui ouvrit le sac, y prit une pincée de parfum et la jeta dans la cassolette, au milieu de la braise, en pensant mentalement à son oncle Abd Al-Kaddous, et en l'appelant.

Or, dès que les fumées se dégagèrent de la cassolette, voici que s'éleva un tourbillon de poussière qui se rapprocha, et d'en dessous apparut, monté sur un éléphant blanc, le cheikh Abd Al-Kaddous. Et il descendit de son éléphant, et dit à l'aînée des sœurs et aux princesses, filles de son frère : « Me voici ! Pourquoi ai-je senti l'odeur du parfum ? Et en quoi puis-je t'être utile, à toi, ma fille ? » Et la jeune fille se jeta à son cou et lui baisa la main, et répondit : « Ô notre oncle chéri, voilà déjà plus d'un an que tu n'étais venu nous voir, et ton absence nous inquiétait et nous tourmentait. C'est pourquoi j'ai brûlé du parfum, pour te voir et être tranquillisée ! » Il dit : « Tu es la plus charmante des filles de mon frère, ô ma préférée. Mais ne crois point, parce que j'ai retardé cette année mon arrivée, que je t'ai oubliée. Justement je voulais venir te voir demain ! Mais ne me cache rien, car tu dois certainement avoir quelque chose à me demander ! » Elle répondit : « Qu'Allah te garde et prolonge tes jours, ô mon oncle ! Du moment que tu me le permets, je voudrais, en effet, te demander quelque chose ! » Il dit : « Parle ! Je te l'accorde d'avance ! » Alors l'adolescente lui raconta toute l'histoire de Hassân, et ajouta : « Et maintenant je te demande, pour toute faveur, de dire à notre frère Hassân comment il faut qu'il fasse pour arriver à ces îles Wak-Wak ! »

À ces paroles, le cheikh Abd Al-Kaddous baissa la tête, et mit un doigt dans sa bouche en réfléchissant profondément pendant une heure de temps. Puis il tira son doigt de sa bouche, releva la tête et, sans dire un mot, se mit à tracer plusieurs figures sur le sable. Enfin il rompit le silence et dit aux princesses, en hochant la tête : « Mes filles, dites à votre frère qu'il se tourmente inutilement ! Il est impossible qu'il puisse aller aux îles Wak-Wak ! » Alors les jeunes filles, avec des larmes dans les yeux, se tournèrent vers Hassân, et dirent : « Hélas ! ô notre frère ! » Mais Bouton-de-Rose le prit par la main, le fit approcher, et dit au cheikh Abd Al-Kaddous : « Mon bon oncle, fais-lui la preuve de ce que tu viens de nous dire, et donne-lui de sages conseils qu'il écoutera d'un cœur soumis ! » Et le vieillard donna sa main à baiser à Hassân et lui dit : « Sache, mon fils, que tu te tourmentes inutilement ! Il est impossible que tu puisses aller aux îles Wak-Wak, quand même toute la cavalerie volante des genn, les comètes vagabondes et les planètes tournoyantes viendraient à ton secours ! En effet, ces îles Wak-

Wak, mon fils, sont des îles habitées par des amazones vierges, et où règne précisément le roi des rois du Gennistân, père de ton épouse Splendeur. Et tu es, ici, séparé de ces îles-là, où personne n'est jamais allé et d'où personne n'est revenu, par sept vastes mers, sept vallées sans fond et sept montagnes sans sommet. Et elles sont situées aux confins extrêmes de la terre, au-delà desquels il n'y a plus rien de connu ! Aussi je ne crois pas que tu puisses arriver, par n'importe quel moyen, à franchir les obstacles divers qui t'en séparent. Et je pense que pour toi le plus sage parti à prendre est encore de t'en retourner chez toi, ou de rester ici avec tes sœurs, qui sont charmantes ! Mais quant aux îles Wak-Wak, n'y pense plus ! »

À ces paroles du cheikh Abd Al-Kaddous, Hassân devint jaune comme le safran, poussa un grand cri et tomba évanoui. Et ses princesses ne purent retenir leurs sanglots ; et la plus jeune déchira ses vêtements et se meurtrit le visage ; et toutes ensemble se mirent à gémir et à se lamenter autour de Hassân. Et, une fois qu'il eut repris connaissance, il ne dut que pleurer, la tête dans les genoux de Bouton-de-Rose. Et le vieillard finit par être ému de ce spectacle, et, compatissant à toute cette douleur, il se tourna vers les princesses qui ululaient lamentablement, et leur dit d'un ton bourru : « Taisez-vous ! » Et les princesses arrêtèrent soudain dans leur gosier les cris qui en sortaient, et attendirent avec anxiété ce qu'allait dire leur oncle. Et le cheikh Abd Al-Kaddous appuya sa main sur l'épaule de Hassân et lui dit : « Cesse tes gémissements, mon fils, et reprends courage ! Car avec l'aide d'Allah, je donnerai un meilleur tour à ton affaire. Lève-toi donc et suis-moi…

À ce moment de sa narration, Schahrazade vit apparaître le matin et, discrète, se tut.

Mais lorsque fut la six cent et unième nuit. Elle dit :

… Et le cheikh Abd Al-Kaddous appuya sa main sur l'épaule de Hassân et lui dit : « Cesse tes gémissements, mon fils, et reprends courage ! Car, avec l'aide d'Allah, je donnerai un meilleur tour à ton affaire. Lève-toi donc et suis-moi ! » Et Hassân, à qui ces paroles avaient soudain rendu la vie, se leva sur ses pieds, fit rapidement ses adieux à ses sœurs, embrassa plusieurs fois Bouton-de-Rose, et dit au vieillard : « Je suis ton esclave ! »

Alors, le cheikh Abd Al-Kaddous fit monter Hassân derrière lui, sur l'éléphant blanc, et parla à la bête immense qui se mouvementa. Et, rapide comme la grêle qui tombe, la foudre qui frappe et l'éclair qui brille, le grand éléphant livra ses membres au vent et s'envola et s'enfonça dans les plaines de l'espace, anéantissant sous ses pas la distance !

Or, en trois jours et trois nuits de cette rapidité, ils parcoururent un chemin de sept années. Et ils arrivèrent auprès d'une montagne bleue, dont tous les alentours étaient bleus, et au milieu de laquelle se trouvait une caverne dont l'entrée était fermée par une porte d'acier bleu. Et le cheikh Abd Al-Kaddous frappa à cette porte, et il en sortit un nègre bleu, qui tenait d'une main un sabre bleu, et de l'autre un bouclier de métal bleu. Et le cheikh, avec une promptitude incroyable, arracha ces armes des mains du nègre, qui aussitôt s'effaça pour le laisser passer ; et il entra, suivi de Hassân, dans la caverne dont le nègre bleu referma la porte derrière eux.

Alors ils marchèrent, environ l'espace d'un mille, dans une large galerie voûtée où la lumière était bleue et les roches transparentes et bleues, et au bout de laquelle ils se trouvèrent en face de deux énormes portes d'or. Et le cheikh Abd Al-Kaddous ouvrit l'une de ces portes, et dit à Hassân de l'attendre jusqu'à ce qu'il fût de retour. Et il disparut à l'intérieur. Mais, au bout d'une heure, il revint en tenant par la bride un cheval bleu, tout sellé et harnaché en couleurs bleues, sur lequel il fit monter Hassân. Et il ouvrit alors la seconde porte d'or, et devant eux se déploya soudain le grand espace bleu, et, à leurs pieds, une immense prairie sans horizon. Et le cheikh dit à Hassân : « Mon fils, es-tu toujours déterminé à partir et à affronter les dangers sans nombre qui t'attendent ? Ou bien n'aimerais-tu pas mieux, comme je te le conseille, revenir sur tes pas et retourner auprès des sept princesses, mes nièces, qui sauraient bien te consoler de la perte de ton épouse Splendeur ? » Hassân répondit : « Je préfère mille fois braver les dangers de la mort que de souffrir plus longtemps les tourments de l'absence ! » Le cheikh reprit : « Mon fils Hassân, n'as-tu point une mère pour laquelle ton absence sera une source inépuisable de larmes ? Et n'aimerais-tu pas mieux retourner auprès d'elle pour la consoler ? » Il répondit : « Je ne retournerai point auprès de ma mère sans mon épouse et mes enfants ! » Alors le cheikh Abd Al-Kaddous lui dit : « Eh bien donc, Hassân, pars sous la protection d'Allah ! » Et il lui remit une lettre où était écrite à l'encre bleue l'adresse suivante : *« Au très illustre et très glorieux cheikh des cheikhs, notre maître, le vénérable Père-des-Plumes ! »* Puis il lui dit : « Prends cette lettre, mon fils, et va où te conduira ton cheval. Il arrivera à une montagne noire, dont tous les alentours sont noirs, devant une caverne noire. Alors mets pied à terre et, après avoir attaché la bride à la selle, laisse entrer le cheval tout seul dans la caverne. Et tu attendras à la porte, et tu verras sortir un vieillard noir, habillé de noir, et noir partout, à l'exception d'une longue barbe blanche qui lui descend jusqu'aux genoux. Alors tu lui baiseras la main, tu placeras sur ta tête le pan de sa robe, et lui remettras cette lettre que je te donne pour te servir d'introduction auprès de lui. Car c'est lui le cheikh Père-des-Plumes ! Et il est mon maître et la couronne sur ma tête ! Et lui seul, sur la terre, peut t'aider dans ta téméraire entreprise ! Tu tâcheras donc de te le rendre favorable, et tu feras tout ce qu'il te dira de faire. Ouassalam ! »

Alors Hassân prit congé du cheikh Abd Al-Kaddous, et serra les flancs de son cheval bleu qui hennit et partit comme la flèche ! Et le cheikh Abd Al-Kaddous rentra dans la grotte bleue. Or pendant dix jours Hassân laissa aller le cheval à son gré, à une allure telle qu'il ne pouvait être devancé ni par le vol de l'oiseau ni par les tourbillons des tempêtes. Et il franchit de la sorte un espace de dix années en ligne droite ! Et il arriva enfin au pied d'une chaîne de montagnes noires, au sommet invisible, qui s'étendaient de l'orient à l'occident. Et, en approchant de ces montagnes, son cheval se mit à hennir, en ralentissant son allure…

À ce moment de sa narration, Schahrazade vit apparaître le matin et, discrète, se tut.

Mais lorsque fut la six cent deuxième nuit. Elle dit :

… Et, en approchant de ces montagnes, son cheval se mit à hennir, en ralentissant son allure. Et aussitôt, de tous les points à la fois, accoururent, plus innombrables que les gouttes de pluie, des chevaux noirs qui vinrent flairer le cheval bleu de Hassân et se frotter à lui. Et Hassân fut effrayé de leur nombre, et eut peur qu'ils ne voulussent lui défendre le chemin ; mais il poursuivit sa route et arriva à l'entrée de la caverne noire, au milieu des roches plus noires que l'aile de la nuit. Et c'était précisément la caverne dont lui avait parlé le cheikh Abd Al-Kaddous. Il descendit donc, et, après avoir attaché la bride au pommeau de la selle, il laissa son cheval entrer seul dans la caverne ; et il s'assit à l'entrée, ainsi que le lui avait ordonné le cheikh.

Or Hassân n'était pas là depuis une heure lorsqu'il vit sortir de la grotte un vénérable vieillard, vêtu de noir, et noir lui-même depuis les pieds jusqu'à la tête, à l'exception de la longue barbe blanche qui lui arrivait jusqu'à la ceinture. C'était le cheikh des cheikhs, le très glorieux Ali Père-des-Plumes, fils de la reine Balkis, épouse de Soleïmân (sur eux tous la paix d'Allah et ses bénédictions !). Et Hassân, à sa vue, se jeta à ses genoux, et lui baisa les mains et les pieds, et se plaça sur la tête le pan de sa robe, se mettant ainsi sous sa protection. Puis il lui présenta la lettre d'Abd Al-Kaddous. Et le cheikh Père-des-Plumes prit la lettre et, sans dire un seul mot, rentra dans la grotte. Et Hassân, ne le revoyant plus, commençait déjà à se désespérer, quand il parut, mais cette fois entièrement vêtue de blanc. Et il fit signe à Hassân de le suivre, et marcha devant lui dans la grotte. Et Hassân le suivit, et arriva derrière lui dans une immense salle carrée, pavée de pierreries, dont les quatre angles étaient occupés chacun par un vieillard vêtu de noir et assis sur un tapis, au milieu d'un nombre infini de manuscrits, avec une cassolette d'or où brûlaient des parfums devant lui ; et chacun de ces quatre sages était entouré par sept autres savants, ses disciples, qui transcrivaient les manuscrits et lisaient ou réfléchissaient. Mais lorsque le cheikh Ali Père-des-Plumes fut entré, tous ces vénérables personnages se levèrent en son honneur ; et les quatre savants principaux quittèrent leurs angles et vinrent s'asseoir auprès de lui, au milieu de la salle. Et lorsque tout le monde eut pris sa place, cheikh Ali se tourna vers Hassân et lui dit de raconter son histoire devant cette assemblée de sages.

Alors Hassân, bien ému, commença d'abord par verser des larmes en torrents ; puis, ayant pu les sécher, il se mit à raconter, d'une voix entrecoupée de sanglots, toute son histoire depuis son enlèvement par Bahram le Guèbre, jusqu'à sa rencontre avec le cheikh Abd Al-Kaddous, disciple du cheikh Père-des-Plumes et oncle des sept princesses. Et, pendant tout ce récit, les sages ne l'interrompirent point ; mais lorsqu'il eut fini, ils s'écrièrent tous à la fois, en se tournant vers leur maître : « Ô vénérable maître, ô fils de la reine Balkis, le sort de ce jeune homme est digne de pitié, car il souffre et comme époux et comme père. Et peut-être pouvons-nous contribuer à lui rendre cette jouvencelle si belle et ces deux enfants si beaux ! » Et le cheikh Ali répondit : « Mes vénérables frères, c'est là une grande affaire. Et vous savez comme moi combien il est difficile d'arriver aux îles Wak-Wak, et combien il est plus difficile encore d'en revenir. Et vous savez toute la difficulté qu'il y a, une fois que l'on est dans ces îles après tous les obstacles franchis, à approcher des amazones vierges, gardiennes du roi des rois des genn et de ses filles. Dans ces conditions comment voulez-vous que Hassân parvienne jusqu'à la princesse Splendeur, fille de leur puissant roi ? » Les cheikhs répondirent : « Vénérable père, tu as raison, qui peut le nier ? Mais ce jeune homme t'a été particulièrement recommandé par notre frère, l'honorable et illustre Abd Al-Kaddous, et tu ne peux ne point accueillir favorablement ses intentions ! »

Et Hassân, de son côté, en entendant ces paroles, se jeta aux pieds du cheikh, se couvrit la tête du pan de son manteau et, lui entourant les genoux de ses bras, le conjura de lui rendre son épouse et ses enfants. Et il baisa également les mains de tous les cheikhs, qui joignirent leurs prières aux siennes en suppliant leur maître à tous, le cheikh Père-des-Plumes, d'avoir pitié de l'infortuné jeune homme ! Et le cheikh Ali répondit : « Par Allah ! moi, de ma vie, je n'ai vu quelqu'un mépriser l'existence aussi résolument que ce jeune Hassân ! Il ne sait ce qu'il désire ni ce qui l'attend, ce téméraire ! Mais enfin, je veux bien faire pour lui ce qui dépendra de moi ! »

Ayant ainsi parlé, le cheikh Ali Père-des-Plumes réfléchit une heure de temps, au milieu de ses vieux disciples respectueux ; puis il releva la tête et dit à Hassân : « Avant tout, je vais te donner quelque chose qui te sauvegardera en cas de danger ! » Et il s'arracha de la barbe une touffe de poils, à l'endroit où ils étaient le plus longs, et les remit à Hassân en lui disant…

À ce moment de sa narration, Schahrazade vit apparaître le matin et, discrète, se tut.

Mais lorsque fut la six cent troisième nuit. Elle dit :

… Et il s'arracha de la barbe une touffe de poils, à l'endroit où ils étaient le plus longs, et les remit à Hassân en lui disant : « Voilà ce que je fais pour toi ! Si tu te trouves jamais au milieu d'un grand danger, tu n'as qu'à brûler un des poils de cette touffe, et je viendrai à l'instant à ton secours ! » Puis il leva la tête vers la voûte de la salle et frappa ses mains l'une contre l'autre, comme pour appeler quelqu'un. Et aussitôt se présenta entre ses mains, descendu de la voûte, un éfrit d'entre les éfrits ailés. Et le cheikh lui demanda : « Comment t'appelles-tu, ô éfrit ? » Il dit : « Ton esclave Dahnasch ben-Forktasch, ô cheikh Ali Père-des-Plumes ! » Et le cheikh lui dit : « Approche-toi ! » Et l'éfrit Dahnasch s'approcha du cheikh Ali qui appliqua sa bouche contre son oreille et lui dit quelque chose à voix basse. Et l'éfrit répondit par un signe de tête, qui signifiait : « Oui ! » Et le cheikh se tourna vers Hassân et lui dit : « Monte, mon fils, monte sur le dos de cet éfrit. Il te transportera dans la région des nuages, et de là te descendra sur une terre qui est de camphre blanc. Et c'est là, ô Hassân, que l'éfrit te laissera, car il ne peut aller plus loin. Et tu devras alors te diriger tout seul à travers cette terre de camphre blanc. Et une fois que tu en seras sorti, tu arriveras en face des îles Wak-Wak. Et, là, Allah pourvoira ! »

Alors Hassân baisa de nouveau les mains du cheikh Père-des-Plumes, fit ses adieux aux autres sages en les remerciant de leurs bontés, et monta à califourchon sur les épaules de Dahnasch qui s'éleva avec lui dans les airs. Et l'éfrit le porta dans la région des nuages, et de là descendit avec lui sur la terre de camphre blanc, où il le laissa, puis il disparut.

Ainsi, ô Hassân, ô natif de Bassra, toi que jadis on admirait dans les souks de ta ville natale, et qui faisais s'envoler tous les cœurs et se pâmer de ta beauté ceux qui te regardaient, toi qui vécus si longtemps heureux au milieu des princesses, et qui suscitas dans leurs âmes tant de tendresse et tant de douleur, voici que, poussé par ton amour pour Splendeur, tu abordes, sur les ailes de l'éfrit, à cette terre de camphre blanc, où tu vas éprouver ce que nul avant toi et nul après toi n'aura jamais éprouvé !

En effet, lorsque l'éfrit l'eut déposé sur cette terre, Hassân se mit à marcher droit devant lui, sur un sol brillant et parfumé. Et il marcha ainsi longtemps, et finit par distinguer au loin, au milieu d'une prairie, quelque chose qui ressemblait à une tente. Et il se dirigea de ce côté-là, et finit par arriver tout près de cette tente. Mais comme à ce moment il marchait dans un gazon très épais, il heurta du pied quelque chose qui y était caché ; et il regarda et vit que c'était un corps blanc comme une masse d'argent et grand comme une des colonnes de la cité d'Iram. Or c'était un géant, et la tente que Hassân voyait n'était autre chose que son oreille, laquelle lui servait de tente-abri contre le soleil. Et le géant, réveillé ainsi de son sommeil, se leva en mugissant, et se mit dans une telle colère qu'il se gonfla le ventre de son haleine, avec des efforts de cul si considérables que son fondement en gémit à travers : ce qui produisit, sous forme de tonnerre, une suite de pets extraordinaires, dont Hassân fut projeté la face contre terre, puis lancé en l'air avec, de terreur, les yeux à l'envers ! Et, avant qu'il fût retombé sur le sol, le géant l'attrapa au vol par le col, à l'endroit où la peau est la plus molle, et le tint, par la force de son bras, suspendu en l'air comme le moineau dans la serre du faucon. Et il se disposa, le faisant tournoyer à tour de bras, à l'aplatir contre terre en lui broyant les os et faisant ainsi entrer sa longueur dans sa largeur.

Lorsque Hassân vit ce qui allait lui arriver, il se débattit de toutes ses forces et s'écria : « Ah ! qui me sauvera ? Ah ! qui me délivrera ? Ô géant, aie pitié de moi ! » En entendant ces cris de Hassân, le géant se dit : « Par Allah ! Il ne chante pas mal, ce petit oiseau-là ! Et son gazouillement me plaît. Aussi vais-je de ce pas le porter à notre roi ! » Et il le tint délicatement par un pied, de peur de l'abîmer, et pénétra dans une épaisse forêt où, au milieu d'une clairière, assis sur un rocher qui lui tenait lieu de trône, se tenait le roi des géants de la terre de camphre blanc. Et il était environné de ses gardes, qui étaient cinquante géants hauts chacun de cinquante coudées. Et celui qui tenait Hassân s'approcha du roi, et lui dit : « Ô notre roi, voici un petit oiseau que j'ai attrapé par le pied, et que je t'apporte à cause de sa belle voix ! Car il gazouille agréablement ! » Et il donna de petits coups sur le nez de Hassân, en lui disant : « Chante un peu devant le roi ! » Et Hassân, qui ne comprenait pas le langage du géant, crut que sa dernière heure était arrivée, et se mit à se débattre, en s'écriant : « Ah ! qui me sauvera ? Ah ! qui me délivrera ? » Et le roi, en entendant cette voix, se convulsa et se trémoussa de joie, et dit au géant : « Par Allah ! il est charmant ! Et il faudra le porter sur-le-champ à ma fille qu'il enchantera ! » Et il ajouta, en se tournant vers le géant : « Oui ! hâte-toi de le mettre dans une cage, et d'aller le suspendre dans la chambre de ma fille, près de son lit, afin qu'il puisse la distraire par ses chants et son gazouillement...

À ce moment de sa narration, Schahrazade vit apparaître le matin et, discrète, se tut.

Mais lorsque fut la six cent quatrième nuit. Elle dit :

... Oui ! hâte-toi de le mettre dans une cage, et d'aller le suspendre dans la chambre de ma fille, près de son lit, afin qu'il puisse la distraire par ses chants et son gazouillement ! »

Alors le géant se hâta de mettre Hassân dans une cage, avec deux grandes tasses, une pour la nourriture et une pour l'eau. Et il lui mit également deux perchoirs, afin qu'il pût sauter et chanter à son aise ; et il le porta dans la chambre de la fille du roi, et le suspendit à son chevet.

Lorsque la fille du roi vit Hassân, elle fut charmée de sa figure et de ses formes jolies, et se mit à lui faire mille caresses et à le gâter de toutes les façons. Et elle lui parlait d'une voix très douce, pour l'apprivoiser, bien que Hassân ne comprît rien à son langage. Mais comme il voyait qu'elle ne lui voulait pas de mal, il essaya de l'attendrir sur sa destinée, en pleurant et en gémissant. Et la princesse prenait chaque fois ses gémissements et ses soupirs pour des chants harmonieux ; et elle en éprouvait un plaisir extrême. Et elle finit par éprouver pour lui une inclination extraordinaire ; et elle ne pouvait plus le quitter à aucune heure du jour ou de la nuit. Et elle sentait, en l'approchant, que tout son être travaillait à son sujet. Et elle ne comprenait pas ce que l'on pouvait bien faire avec un si petit oiseau, en fait de manifestations. Et souvent elle lui faisait des signes, et lui parlait par gestes ; mais, lui non plus, ne la comprenait pas, et il était loin de deviner tout le parti que l'on pouvait tirer d'une adolescente, géante, à la vérité, mais si avenante.

Or, un jour, la fille du roi tira Hassân de la cage pour le nettoyer et le changer d'habits. Et lorsqu'elle l'eut déshabillé, elle vit ô prodigieuse découverte ! qu'il n'était pas du tout dépourvu de ce qu'avaient les géants de son père, bien que tout cela fût, en proportion, extrêmement menu. Et elle pensa : « Par Allah ! c'est la première fois que je vois un oiseau avec des choses comme ça ! » Et elle se mit à manipuler Hassân et à le tourner et retourner dans tous les sens, en s'émerveillant de ce qu'elle découvrait en lui à chaque instant. Et Hassân était dans ses mains exactement comme un moineau entre les mains du chasseur. Et la jeune géante, voyant que sous ses doigts le concombre se changeait en courge, se mit à rire tellement qu'elle se renversa sur le côté. Et elle s'écria : « Quel oiseau étonnant ! Il chante comme les oiseaux, et se comporte avec les femmes aussi poliment que les hommes géants ! » Et comme elle voulait lui rendre égard pour égard, elle le prit tout contre elle, et se mit à le caresser partout comme s'il était un homme, lui faisant mille propositions, non en paroles, car un oiseau n'aurait pu les entendre, mais en gestes et en actions, si bien qu'il se comporta avec elle tout à fait comme un moineau avec sa moinelle. Et de ce moment Hassân devint l'oiseau de la fille du roi !

Or, Hassân, bien que cajolé et gâté et dorloté comme un oiseau, et en dépit de ce qu'il éprouvait au milieu des somptuosités de la géante, fille du roi, et de ce qu'il lui faisait d'ailleurs sentir, à son tour, et malgré tout le bien-être où il vivait dans sa cage, où la princesse l'enfermait chaque fois qu'elle avait fini sa chose avec lui, était loin d'oublier son épouse, Splendeur, fille du roi des rois du Gennistân, et les îles Wak-Wak, but de son voyage, dont il savait n'être plus très éloigné ! Et, pour se tirer d'embarras, il aurait volontiers fait usage du tambour magique et de la touffe de poils ; mais, en le changeant d'habits, la fille du roi des géants lui avait enlevé les objets précieux ; et il avait beau les réclamer par signes et par tous les gestes qu'on fait en arabe, elle ne comprenait point ce qu'il lui demandait, et croyait chaque fois qu'il demandait la copulation. Ce qui faisait que chaque fois qu'il demandait le tambour, c'était une copulation qu'il lui fallait exécuter, tant et tant, en vérité, qu'il fut, au bout de quelques jours, dans un état à nul autre pareil, et qu'il n'osait plus faire un geste ni le moindre signe, de peur de voir la réponse en action de la terrible géante.

Tout cela ! Et la situation de Hassân ne changeait pas ; et il dépérissait et jaunissait dans sa cage, ne sachant plus à quel parti se résoudre, quand un jour la géante, après les caresses multipliées plus qu'à l'ordinaire, s'assoupit pendant qu'elle le tenait contre elle, et le laissa s'échapper. Et Hassân se précipita aussitôt vers le coffre où se trouvaient ses vieux effets, et il prit la touffe de barbe dont il brûla un des poils, en appelant, dans sa pensée, le cheikh Ali Père-des-Plumes. Et voici que…

À ce moment de sa narration, Schahrazade vit apparaître le matin et, discrète, se tut.

Mais lorsque fut la six cent cinquième nuit. Elle dit :

… Et Hassân se précipita aussitôt vers le coffre où se trouvaient ses vieux effets, et il prit la touffe de barbe dont il brûla un des poils, en appelant, dans sa pensée, le cheikh Ali Père-des-Plumes. Et voici que le palais trembla, et le cheikh vêtu de noir sortit de terre devant Hassân, qui se jeta à ses genoux. Et le cheikh lui demanda : « Que veux-tu, Hassân ? » Et le jeune homme lui dit : « De grâce ! ne fais pas de bruit, ou celle-ci va se réveiller ! Et alors je serai sans recours entre ses mains pour faire l'oiseau ! » Et il lui montra du doigt la géante endormie. Alors le cheikh le prit par la main et, par la vertu de sa puissance cachée, le conduisit hors du palais. Puis il lui dit : « Raconte-moi ce qui t'est arrivé. » Et Hassân lui raconta tout ce qu'il avait fait depuis son arrivée dans la terre de camphre blanc, et il ajouta : « Et maintenant, par Allah ! si j'étais resté un jour de plus auprès de cette géante, mon âme serait sortie de mon nez ! » Et le cheikh dit : « Je t'avais pourtant prévenu de ce que tu allais éprouver ! Mais tout cela n'est que le commencement ! Et, de plus, je dois te dire, ô mon enfant, pour te décider une dernière fois à revenir sur tes pas, que dans les îles Wak-Wak la vertu de mes poils n'aura plus d'effet, et que tu seras abandonné à tes propres moyens ! » Et Hassân dit : « Il faut que j'aille tout de même retrouver mon épouse ! Et il me reste encore ce tambour magique qui pourra me servir en cas de danger pour me tirer d'embarras ! » Et le cheikh Ali regarda le tambour et dit : « Oh ! je le reconnais ! C'est celui qui appartenait à Bahram le Guèbre, un de mes anciens disciples, le seul qui ait cessé de marcher dans la voie d'Allah ! Mais, ô Hassân, sache que ce tambour-là, non plus, ne pourra guère te servir dans les îles Wak-Wak, où se défont tous les enchantements, et où les genn, habitants de l'île, n'obéissent qu'à leur seul roi ! » Et Hassân dit : « Celui qui doit vivre dix ans ne mourra pas dans sa neuvième année ! Si donc ma destinée est de mourir dans ces îles-là, il n'y a pas d'inconvénient ! Je te supplie donc, ô vénérable cheikh des cheikhs, de me dire le chemin que je dois suivre pour y aller ! » Et le cheikh Ali alors, pour toute réponse, le prit par la main, et lui dit : « Ferme les yeux et ouvre-les ! » Et Hassân ferma les yeux ; puis, l'instant d'après, il les ouvrit. Et tout avait disparu, aussi bien le cheikh Père-des-Plumes, que le palais de la fille du roi et que la terre de camphre blanc. Et il se vit sur le rivage d'une île dont les galets étaient des pierreries de couleurs différentes. Et il ne savait point s'il était enfin arrivé aux îles tant désirées.

Or Hassân avait à peine eu le temps de tourner un œil à droite et un œil à gauche, qu'aussitôt fondirent sur lui, sortis des galets marins et de l'écume des vagues, des bandes de grands oiseaux blancs, qui couvrirent le ciel d'un nuage dense et bas. Et le vol ennemi s'avança contre lui en tourbillon, avec un vacarme de becs menaçants et d'ailes agitées ; et tous les gosiers aériens poussèrent en même temps un cri rauque, mille fois répété, dans lequel Hassân reconnut enfin les syllabes Wak-Wak du nom des îles ! Alors il comprit qu'il était arrivé sur ces terres interdites, et que ces oiseaux le considéraient comme un intrus et cherchaient à le repousser vers la mer.

Et Hassân courut se réfugier dans une cabane qui s'élevait non loin de là, et se mit à réfléchir sur l'affaire.

Soudain, il entendit gronder la terre et la sentit trembler sous ses pieds ; et il prêta l'oreille, en retenant sa respiration, et vit au loin grossir un autre nuage, d'où peu à peu surgirent au soleil des pointes de lances et de casques, et brillèrent des armures. Les amazones ! Où fuir ? Et le galop furieux, rapide comme la grêle qui tombe, comme l'éclair qui brille, se rapprocha en un clin d'œil. Et devant lui apparurent, massées en un carré mouvant et formidable, des guerrières montées sur des cavales fauves comme l'or pur, à la queue longue, au jarret vigoureux, portant les rênes hautes et libres, plus promptes que le vent du nord lorsqu'il souffle avec violence de la mer tempétueuse. Et ces guerrières, armées pour le combat, portaient chacune un sabre pesant au côté, une longue lance dans une main et dans l'autre une masse d'armes qui épouvantait la pensée ; et elles tenaient, serrées sous leurs cuisses, quatre javelines qui montraient leurs têtes épouvantables.

Or dès que ces guerrières eurent aperçu l'insolite Hassân debout sur le seuil de la cabane, elles arrêtèrent net leurs cavales bondissantes. Et toute la masse des sabots fit, en s'abattant, voler dans le ciel les galets du rivage, et s'enfonça dans le sable, profondément. Et les naseaux larges ouverts des bêtes palpitantes frémissaient en même temps que les narines des guerrières adolescentes ; et les figures nues sous les casques aux visières hautes étaient belles comme des lunes ; et les croupes arrondies et pesantes se continuaient et se confondaient avec les croupes fauves des cavales. Et les longues chevelures, brunes, blondes, fauves et noires, se mêlaient, en ondoyant, aux grands crins des queues et des crinières. Et les têtes de métal et les cuirasses d'émeraude éclataient au soleil comme d'immenses joyaux, et flambaient sans se consumer. Mais alors, du milieu de ce carré de lumière, s'avança une amazone plus haute que toutes les autres…

À ce moment de sa narration, Schahrazade vit apparaître le matin et, discrète, se tut.

Mais lorsque fut la six cent sixième nuit. Elle dit :

… Mais alors, du milieu de ce carré de lumière, s'avança une amazone plus haute que toutes les autres, dont le visage était non point nu sous le casque, mais complètement recouvert de la visière baissée, et dont la poitrine, aux seins rebondissants, reluisait sous la protection d'une cotte de mailles d'or plus serrées que les ailes des sauterelles. Et elle arrêta sa cavale brusquement à quelques pas de Hassân. Et Hassân, ne sachant si elle lui était hostile ou hospitalière, commença par se jeter devant elle, le front dans la poussière, puis releva la tête et lui dit : « Ô ma souveraine, je suis un étranger que la destinée a conduit dans cette terre, et je me mets sous la protection d'Allah et sous ta sauvegarde ! Ne me repousse pas ! Ô ma souveraine, aie pitié du malheureux qui est à la recherche de son épouse et de ses enfants ! »

À ces paroles de Hassân, la cavalière sauta à bas de son cheval et, se tournant vers ses guerrières, d'un geste les congédia. Et elle s'approcha de Hassân, qui aussitôt lui baisa les pieds et les mains et porta à son front le bord de son manteau. Et elle l'examina avec attention ; puis, relevant sa visière, elle se montra à lui à découvert. Et Hassân, en la voyant, poussa un grand cri et recula épouvanté ; car au lieu d'une jeune femme pour le moins aussi belle que les guerrières adolescentes qu'il avait vues, il avait devant lui une vieille à l'aspect bien laid, qui possédait un nez gros comme une aubergine, des sourcils de travers, des joues ridées et tombantes, des yeux qui s'injuriaient l'un l'autre, et, dans chacun des neuf angles de sa figure, une calamité ! Ce qui faisait qu'elle ressemblait tout à fait à un cochon ! Aussi Hassân, pour n'être point obligé de regarder plus longtemps ce visage, se couvrit les yeux avec le pan de son vêtement. Et la vieille prit ce geste pour un grand signe de respect, se persuadant que Hassân ne le faisait que pour ne point paraître insolent en la regardant face à face ; et elle fut touchée à l'extrême de cette marque de respect et lui dit : « Ô étranger, calme ton inquiétude. Dès ce moment tu es sous ma protection ! Et je te promets mon assistance dans tout ce dont tu auras besoin ! » Puis elle ajouta : « Mais, avant toute chose, il faut que personne ne te voie dans cette île ! Et, dans ce but, et bien que je sois impatiente de connaître ton histoire, je vais courir t'apporter les objets nécessaires pour te déguiser en amazone, afin que tu ne puisses plus désormais être différencié d'avec les jeunes vierges guerrières, gardiennes du roi et des filles du roi ! » Et elle s'en alla, pour revenir au bout de quelques instants avec une cuirasse, un sabre, une lance, un casque et d'autres armes en tous points semblables à celles que portaient les amazones. Et elle les donna à Hassân qui s'en couvrit. Alors elle le prit par la main et le conduisit sur un rocher qui s'élevait au bord de la mer, et, s'y étant assise avec lui, lui dit : « Maintenant, ô étranger, hâte-toi de me raconter la cause qui t'a poussé jusque vers ces îles où nul adamite avant toi n'a osé aborder ! » Et Hassân répondit, après l'avoir remerciée pour ses bontés : « Ô ma maîtresse, mon histoire est celle d'un malheureux qui a perdu le seul bien qu'il possédât, et qui parcourt la terre dans l'espoir de le retrouver ! » Et il lui raconta ses aventures sans omettre un détail. Et la vieille amazone lui demanda : « Et comment s'appelle l'adolescente, ton épouse, et comment s'appellent tes enfants ? » Il dit : « Dans mon pays mes enfants s'appelaient Nasser et Manssour, et mon épouse s'appelait Splendeur ! Mais j'ignore quel nom ils portent dans le pays des genn ! » Et Hassân, ayant fini de parler, se mit à pleurer d'abondantes larmes.

Lorsque la vieille eut entendu cette histoire de Hassân et vu sa douleur, elle fut tout à fait gagnée par la compassion, et lui dit : « Je te fais le serment, ô Hassân, qu'une mère ne s'intéresse pas à son enfant plus que je ne veux m'intéresser à ton sort. Et puisque tu dis que ton épouse se trouve peut-être au milieu de mes amazones, je vais, dès demain, te les faire voir toutes nues dans la mer. Et je les ferai ensuite défiler devant toi une à une, pour que tu me dises si tu reconnais ton épouse parmi elles ! »

Ainsi parla la vieille Mère-des-Lances à Hassân Al-Bassri. Et elle le tranquillisa, en lui affirmant qu'ils ne manqueraient pas, par ce stratagème, de découvrir l'adolescente Splendeur ! Et elle passa cette journée-là avec lui, et le promena à travers l'île, en lui faisant admirer toutes les merveilles. Et elle finit par l'aimer d'un grand amour, et elle lui disait : « Calme-toi, mon enfant ! Je t'ai mis dans mes yeux ! Et si même tu me demandais, pour ton plaisir, toutes mes guerrières, qui sont des jeunes filles vierges, je te les donnerais de tout cœur amical ! » Et Hassân lui répondait : « Ô ma maîtresse, moi, par Allah ! je ne te quitterai que lorsque mon âme me quittera ! »

Or, le lendemain, selon sa promesse, la vieille Mère-des-Lances vint à la tête de ses guerrières, au son des tambours. Et Hassân, déguisé en amazone, était assis sur le rocher qui dominait la mer. Et, de la sorte, il ressemblait à quelque fille d'entre les filles des rois…

À ce moment de sa narration, Schahrazade vit apparaître le matin et, discrète, se tut.

Mais lorsque fut la six cent septième nuit. Elle dit :

… Or, le lendemain, selon sa promesse, la vieille Mère-des-Lances vint à la tête de ses guerrières, au son des tambours. Et Hassân, déguisé en amazone, était assis sur le rocher qui dominait la mer. Et, de la sorte, il ressemblait à quelque fille d'entre les filles des rois !

Cependant les guerrières adolescentes, descendues de leurs cavales à un signe de la vieille Mère-des-Lances qui les commandait en chef, se débarrassèrent de leurs armes et de leurs cuirasses. Et, fuselées et brillantes elles en sortirent, ô délice des lis et des roses ! comme les lis de leurs feuilles et les roses de leurs épines. Et, blanches et légères, elles descendirent dans la mer. Et l'écume se mêla à leurs chevelures libres et roulées, ou coiffées et hautes comme des tours. Et le gonflement des vagues continua le gonflement de leurs croupes vierges. Et elles étaient comme des corolles effeuillées sur les eaux.

Mais parmi tant de visages de lune et de tailles flexibles, d'yeux noirs et de dents blanches, de cheveux de couleurs différentes et de croupes de bénédiction, Hassân eut beau regarder, il ne reconnut point l'incomparable beauté de sa bien-aimée Splendeur. Et il dit à la vieille : « Ô ma bonne mère, Splendeur n'est point parmi elles ! » Et la vieille cavalière répondit : « Qui sait, mon fils ? peut-être que l'éloignement ne te permet pas de bien juger ! » Et elle frappa dans ses mains, et toutes les adolescentes sortirent de l'eau et vinrent se ranger sur le sable, humides encore de pierreries. Et, l'une après l'autre, flexibles et balancées, elles passèrent devant la roche où se tenait Hassân avec la Mère-des-Lances, n'ayant sur elles, pour toutes armures, que leurs cheveux épars dans le dos, et lourdes seulement des joyaux de leur chair nue.

C'est alors, ô Hassân, que tu vis ce que tu vis ! Ô lapins de toutes les couleurs et de toutes les variétés entre les cuisses des adolescentes filles de rois ! Vous étiez gras, vous étiez ronds, vous étiez dodus, vous étiez blancs, vous étiez comme des dômes, vous étiez gros, vous étiez voûtés, vous étiez hauts, vous étiez unis, vous étiez bombés, vous étiez fermés, vous étiez intacts, vous étiez comme des trônes, vous étiez comme des mulets, vous étiez lourds, vous étiez lippus, vous étiez muets, vous étiez comme des nids, vous étiez sans oreilles, vous étiez chauds, vous étiez comme des tentes, vous étiez sans poils, vous aviez des museaux, vous étiez sourds, vous étiez blottis, vous étiez petits, vous étiez fendus, vous étiez sensibles, vous étiez des gouffres, vous étiez secs, vous étiez excellents, mais, certes ! vous étiez point comparables à l'histoire de Splendeur.

Aussi Hassân laissa-t-il passer toutes les adolescentes, et dit à la vieille Mère-des-Lances : « Ô ma maîtresse, par ta vie sur moi ! il n'y a pas une seule parmi toutes ces jeunes filles qui, de près ou de loin, ressemble à Splendeur ! » Et la vieille guerrière, étonnée, lui dit : « Alors, ô Hassân, il ne reste plus, après toutes celles que tu as vues, que les sept filles de notre roi ! Veuille donc m'apprendre à quelles marques je puis, à l'occasion, reconnaître ton épouse, et me la dépeins dans ce qu'elle a de particulier ! Et moi je garderai tout cela dans ma mémoire ! Et je te promets que, renseignée de la sorte, je ne manquerai pas de retrouver celle que tu désires ! » Et Hassân répondit : « Te la dépeindre, ô ma maîtresse, c'est mourir d'impuissance ; car nulle langue ne saurait en exprimer toutes les perfections. Mais je veux bien t'en donner la ressemblance approximativement. Elle a, ô ma maîtresse, un visage aussi blanc qu'un jour de bénédiction ; une taille si fine que le soleil n'en saurait allonger l'ombre sur le sol ; une chevelure noire et longue sur le dos comme la nuit sur le jour ; des seins qui trouent les étoffes les plus dures ; une langue comme celle des abeilles ; une salive comme l'eau de la fontaine de Salsabil ; des yeux comme la source de Kausar ; une souplesse de rameau de jasmin ; des dents comme des grêlons ; un grain de beauté sur la joue droite et une envie sous le nombril ; une bouche comme une cornaline, qui dispense de la coupe et de l'aiguière ; des joues comme les anémones de Némân ; un ventre élastique et éblouissant, aussi vaste et aussi blanc qu'une cuve de marbre ; une croupe plus solide et mieux bâtie que la coupole du temple d'Iram ; des cuisses fondues dans le moule de la perfection, aussi douces que les jours de la réunion après l'absence amère, entre lesquelles est assis le trône du khalifat, sanctuaire du repos et de l'ivresse, et dont le logogriphe a été ainsi décrit par le poète :

« Mon nom, objet de tant d'émois, est composé de deux lettres fameuses ! Multipliez quatre par cinq et six par dix, et vous l'obtenez[1] ! »

Et, ayant dit ces paroles, Hassân ne put retenir ses larmes plus longtemps, et se mit à pleurer. Puis il s'écria : « Mon tourment, ô Splendeur, est aussi amer que le tourment du derviche qui a perdu son écuelle, ou la souffrance du pèlerin qui a une blessure au talon, ou la douleur de l'amputé qui a perdu ses jambes et ses bras ! »

Lorsque la vieille amazone eut entendu tout cela, elle baissa la tête un moment, plongée dans une profonde réflexion, puis elle dit à Hassân : « Quelle calamité, ô Hassân ! Tu te perds sans recours et tu me perds avec toi ! Car l'adolescente que tu viens de me dépeindre est certainement l'une des sept filles de notre puissant roi ! Quel leurre est le tien, et que ton audace est insensée ! Entre toi et elle, il y a la distance qu'il y a entre la terre et le ciel ! Si tu persistes dans ton vouloir, c'est à ta perte que tu te précipites ! Écoute-moi donc, Hassân ! Renonce à ce projet téméraire, et n'expose pas ton âme à la perdition…

À ce moment de sa narration, Schahrazade vit apparaître le matin et, discrète, se tut.

Mais lorsque fut la six cent huitième nuit. Elle dit :

… Écoute-moi donc, Hassân ! Renonce à ce projet téméraire, et n'expose pas ton âme à la perdition ! » À ces mots de la vieille, Hassân fut tellement bouleversé qu'il tomba évanoui ; et, lorsqu'il revint à lui, il pleura si amèrement que ses vêtements furent inondés de ses larmes, et, à la limite du désespoir, il s'écria : « Ainsi donc, ô ma secourable tante, il faut que je m'en retourne désespéré, après être venu si loin, et au moment où je suis prêt à atteindre le but ! Comment, après l'assurance que tu m'en avais donnée, aurais-je pu douter du succès de mon entreprise et de la portée de ta puissance ? N'est-ce point toi-même qui commandes en chef aux troupes de Sept Îles, et à qui aucune entreprise de ce genre n'est impossible ? » Elle répondit : « Certes, mon fils, je puis beaucoup sur mes troupes et sur chacune en particulier des amazones qui les composent ! Aussi je veux, pour te détourner de ton projet insensé, que tu choisisses, parmi toutes ces adolescentes guerrières, celle qui te plaît le mieux ; et moi je te la donnerai à la place de ton épouse ! Et ensuite tu retourneras avec elle dans ton pays, et tu seras à l'abri de la vengeance de notre roi ! Sinon ma perte et la tienne sont inévitables ! » Mais Hassân ne répondit à ce conseil de la vieille que par de nouvelles larmes et de nouveaux sanglots. Et la vieille, émue de l'excès de sa douleur, lui dit : « Par Allah sur toi, ô Hassân, que veux-tu donc que je fasse pour toi ? Si déjà l'on vient à découvrir que je t'ai laissé aborder dans nos îles, ma tête n'appartiendra plus à mes épaules. Et si jamais on vient à savoir que je t'ai fait voir dans le bain, toutes nues, mes guerrières adolescentes, des jeunes filles vierges que nul regard de mâle n'a effleurées et que nul doigt d'homme n'a touchées, mon âme ne m'appartiendra plus ! » Et Hassân s'écria : « Par Allah ! ô ma maîtresse, je t'assure que je n'ai point regardé d'une façon inconvenante ces jeunes filles, et je n'ai point prêté grande attention à leur nudité ! » Et la vieille dit : « Tu as eu tort justement, ô Hassân, car de ta vie entière tu n'auras encore pareil spectacle ! En tout cas, si aucune de ces vierges ne te tente, pour te décider à retourner dans ton pays et à sauvegarder ainsi ton âme, je te chargerai des richesses et des produits précieux de nos îles, et te comblerai de biens qui te rendront riche et heureux pour le restant de tes jours ! » Mais Hassân se précipita aux pieds de la vieille, lui embrassa les genoux et lui dit en pleurant : « Ô ma bienfaitrice, ô prunelle de mes yeux, ô ma souveraine, comment puis-je retourner dans mon pays après avoir souffert tant de fatigues et bravé tant de dangers ? Comment pourrais-je quitter cette île sans avoir vu la bien-aimée que j'y recherche ? Ah ! songe, ô ma maîtresse, que peut-être la volonté de la destinée est que je retrouve mon épouse après toutes les souffrances que j'ai endurées ! » Et, ayant dit ces paroles, Hassân ne put retenir l'élan de son âme, et il improvisa ces strophes :

« Ô reine de la beauté, aie pitié du prisonnier de deux paupières qui ont subjugué les royaumes des Khosroès.

Ni les roses, ni les nards, ni les essences aromatiques ne peuvent se passer, pour leurs vertus, de ton haleine.

La brise des plaines du paradis s'arrête dans tes cheveux pour embaumer les heureux qui la respirent.

Les pléiades qui brillent le soir prennent de tes yeux leur clarté, et les astres des nuits sont seuls dignes de servir de collier à ta gorge, ô blanche jeune femme ! »

Lorsque la vieille amazone eut entendu ces vers de Hassân, elle vit qu'il serait vraiment cruel de lui enlever pour toujours l'espoir de revoir son épouse, et elle compatit à sa douleur et lui dit : « Mon fils, éloigne de ta pensée l'affliction et le désespoir. Car maintenant je suis bien décidée à tout pour te rendre ton épouse ! » Puis elle ajouta : « Je vais à l'instant commencer à m'occuper avec mon âme de ton affaire, ô pauvre ! Car je vois bien que l'amoureux n'a ni ouïe ni entendement ! Je te quitte donc pour aller au palais de la reine de cette île où nous sommes, qui est l'une des sept îles Wak-Wak. Car il faut que tu saches que chacune de ces sept îles est habitée et gouvernée par l'une des sept filles de notre roi, qui sont des sœurs du même père et non de la même mère. Et celle qui nous gouverne ici est l'aînée des sœurs, et s'appelle la princesse Nour Al-Houda. Et moi je vais aller la trouver pour lui parler en ta faveur. Calme donc ton âme, rafraîchis tes yeux, et attends mon retour d'un cœur tranquille ! » Et elle prit congé de lui et se dirigea vers le palais de la princesse Nour Al-Houda.

Une fois arrivée en présence de la princesse, la vieille amazone, qui était respectée et aimée par les filles du roi et par le roi lui-même, à cause de sa sagesse et de l'éducation et des soins qu'elle avait donnés aux jeunes princesses, s'inclina et embrassa la terre entre les mains de Nour Al-Houda. Et la princesse se leva aussitôt en son honneur, et l'embrassa et la fit asseoir à côté d'elle, et lui dit : « Inschallah ! Puissent les nouvelles que tu m'apportes être de bon présage ! Et si tu as une demande à me faire, ou une faveur à me réclamer, parle ! Me voici attentive à t'écouter…

À ce moment de sa narration, Schahrazade vit apparaître le matin et, discrète, se tut.

Mais lorsque fut la six cent neuvième nuit. Elle dit :

… Parle ! Me voici attentive à t'écouter ! » La vieille Mère-des-Lances répondit : « Ô reine du siècle et du temps, ô ma fille, je viens chez toi pour t'annoncer un événement extraordinaire qui, je l'espère, te sera une distraction et un amusement. Sache, en effet, que j'ai trouvé, échoué sur le rivage de notre île, un jeune homme d'une beauté merveilleuse qui pleurait avec amertume. Et comme je l'interrogeais sur son état, il me répondit que sa destinée l'avait jeté sur nos côtes, alors qu'il était à la recherche de son épouse ! Et comme je le priais de me dire qui était son épouse, il me fit d'elle une description qui m'a jetée dans un grand émoi à ton sujet et au sujet des autres princesses, tes sœurs ! Et je dois également te révéler, ô ma reine, pour dire toute la vérité, que jamais mes yeux n'ont vu, chez les genn et les éfrits, un adolescent aussi beau que celui-là ! »

Lorsque la princesse Nour Al-Houda eut entendu ces paroles de la vieille, elle entra dans une colère terrible et cria à la vieille amazone : « Ô vieille de malédiction, ô fille des mille cornards de l'infamie, comment as-tu fait pour introduire un mâle au milieu de nos vierges, dans nos domaines ? Ah ! race d'impudicité, qui me servira à boire une gorgée de ton sang, ou à manger une bouchée de ta chair ? » Et la vieille guerrière se mit à trembler comme un roseau au milieu de la tempête, et tomba aux genoux de la princesse, qui lui cria : « Ne crains-tu donc pas la punition que t'attirent ma vengeance et mon courroux ? Par la tête de mon père, grand roi des genn ! je ne sais ce qui me retient en ce moment de te faire couper en morceaux, afin que tu serves d'exemple dans l'avenir aux guides d'infamie qui voudront introduire les voyageurs dans nos îles ! » Puis elle ajouta : « Mais, avant tout, hâte-toi d'aller me chercher cet adamite téméraire qui a osé violer nos frontières ! » Et la vieille se releva, ne sachant plus, dans sa terreur, distinguer sa main droite de sa main gauche, et sortit pour aller trouver Hassân. Et elle pensait : « Cette affreuse calamité, qu'Allah m'envoie par l'entremise de la reine, m'est tout entière suscitée par ce jeune Hassân ! Que ne l'ai-je plutôt obligé à quitter cette île, et à nous faire voir la largeur de son dos ! » Et elle arriva de la sorte à l'endroit où se trouvait Hassân et lui dit, dès qu'elle l'eut aperçu : « Lève-toi, ô celui dont le terme final est proche ! Et viens chez la reine qui a à te parler ! » Et Hassân suivit la vieille, en disant : « Ya salam ! Dans quel abîme vais-je être précipité ! » Et il arriva de la sorte dans le palais, entre les mains de la princesse. Et elle le reçut, assise sur son trône et le visage entièrement couvert de son voile. Et Hassân ne trouva rien de mieux à faire, dans cette pénible circonstance, que de commencer par embrasser la terre devant le trône et, après le salam, d'adresser un compliment en vers à la princesse. Alors elle se tourna vers la vieille et lui fit un signe qui signifiait : « Interroge-le ! » Et la vieille dit à Hassân : « Notre puissante reine te rend le salam et te demande, afin que tu lui répondes : « Quel est ton nom, quel est ton pays d'origine, quel est le nom de ton épouse et quel est le nom de tes enfants ? » Et Hassân, aidé par la destinée, répondit, en se tournant vers la princesse : « Reine de l'univers, souveraine du siècle et du temps, ô l'unique de l'époque et des âges, pour ce qui est de mon misérable nom, je m'appelle Hassân le rempli de tribulations, le natif de la ville de Bassra, dans l'Irak. Mais pour ce qui est de mon épouse, je ne connais pas son nom ! Quant à mes enfants, l'un s'appelle Nasser et l'autre Manssour ! » La reine lui demanda, par l'entremise de la vieille : « Et pourquoi ton épouse t'a-t-elle quitté ? » Il dit : « Par Allah, je ne le sais pas ! Mais ce doit être malgré elle ! » Elle lui demanda : « D'où est-elle partie ? Et par quel moyen ? » Il dit : « Elle est partie de Bagdad, du palais même du khalifat Haroun Al-Rachid, émir des Croyants ! Et elle n'a eu, pour cela, qu'à se vêtir de son manteau de plumes et à s'élever dans les airs ! » Elle demanda : « Et n'a-t-elle rien dit, en partant ? » Il répondit : « Elle a dit à ma mère : « Si ton fils, torturé par la douleur de mon absence, veut jamais me retrouver, il n'aura qu'à venir me chercher dans les îles Wak-Wak ! Et maintenant adieu, ô mère de Hassân ! Certes, de partir ainsi je m'afflige beaucoup, et je m'attriste en mon âme, car les jours de la séparation déchireront son cœur, et noirciront votre vie ; mais, hélas ! je n'y puis rien ! Je sens l'ivresse de l'air envahir mon âme, et il faut que je m'envole dans l'espace ! » Ainsi parla mon épouse ! Et elle s'envola ! Et depuis lors le monde est noir devant mes yeux, et ma poitrine est habitée par la désolation ! » La princesse Nour Al-Houda répondit, en hochant la tête : « Par Allah ! il est certain que si ton épouse ne voulait plus te revoir, elle n'aurait pas révélé à ta mère l'endroit où elle allait ! Mais, d'un autre côté, si elle t'aimait véritablement, elle ne t'aurait pas ainsi abandonné ! » Hassân jura alors, par les plus grands serments, que son épouse l'aimait véritablement, qu'elle lui avait donné mille preuves de son affection et de son dévouement, mais qu'elle n'avait pu résister à l'appel de l'air et à celui de son instinct originel, qui est le vol des oiseaux ! Et il ajouta : « Ô reine, je t'ai raconté ma triste histoire ! Et me voici devant toi, suppliant ta clémence de me pardonner ma démarche audacieuse, et de m'aider à retrouver mon épouse et mes enfants ! Par Allah sur toi, ô ma souveraine, ne me repousse pas ! »

Lorsque la princesse Nour Al-Houda eut entendu ces paroles de Hassân, elle réfléchit pendant une heure de temps ; puis elle releva la tête et dit à Hassân : « J'ai beau réfléchir sur le genre de supplice que tu as mérité, je n'en trouve pas un qui soit suffisant pour punir ta témérité ! » Alors la vieille, bien que terrifiée, se jeta aux pieds de sa maîtresse, et prit le pan de sa robe dont elle se couvrit la tête, et lui dit : « Ô grande reine...

À ce moment de sa narration, Schahrazade vit apparaître le matin et, discrète, se tut.

Mais lorsque fut la six cent dixième nuit. Elle dit :

... Alors la vieille, bien que terrifiée, se jeta aux pieds de sa maîtresse, et prit le pan de sa robe dont elle se couvrit la tête, et lui dit : « Ô grande reine, par mes titres de nourrice qui t'a élevée, ne te hâte point de le châtier, d'autant que tu sais maintenant que c'est un pauvre étranger, qui a affronté bien des périls et éprouvé bien des tribulations ! Et ce n'est que grâce à la longue vie que lui a octroyée le destin qu'il a pu résister aux tourmentes traversées. Et il est plus grand et plus digne de ta noblesse, ô reine, de lui pardonner, et de ne point violer à ses dépens les droits de l'hospitalité ! De plus, considère que c'est l'amour seul qui l'a jeté dans cette entreprise fatale, et que l'on doit beaucoup pardonner aux amoureux. Enfin, ô ma reine et la couronne sur notre tête, sache que si j'ai osé venir te parler de cet adolescent si beau, c'est que nul comme lui, parmi les fils des hommes, ne sait construire les vers et improviser les odes. Et, pour contrôler mon dire, tu n'auras qu'à lui montrer ton visage à découvert, et tu verras comme il saura célébrer ta beauté ! » À ces paroles de la vieille, la reine sourit et dit : « En vérité, il ne manquait plus que cela pour que la mesure soit comble ! » Mais, en secret, la princesse Nour, malgré la sévérité de son attitude, avait été remuée dans ses entrailles par la beauté de Hassân, et elle ne demandait pas mieux que d'expérimenter son savoir, aussi bien en vers qu'en ce qui s'ensuit toujours. Donc elle feignit de se laisser convaincre par les paroles de sa nourrice et, levant son voile, elle montra son visage à découvert.

À cette vue, Hassân jeta un si grand cri que le palais en fut ébranlé ; et il tomba sans connaissance. Et la vieille lui prodigua les soins nécessaires et le rappela à lui ; puis elle lui demanda : « Qu'as-tu donc, mon fils ? Et qu'as-tu vu pour être si troublé ? » Et Hassân répondit : « Ah ! qu'ai-je vu, ya Allah ! La reine elle-même est mon épouse, ou, du moins, elle ressemble à mon épouse comme la moitié d'une fève divisée ressemble à sa sœur ! » Et la reine, en entendant ces paroles, se mit à rire tellement qu'elle se renversa sur le côté, et dit : « Ce jeune homme est fou ! Il dit que je suis son épouse ! Par Allah, et depuis quand les vierges sont-elles fécondées sans le secours du mâle, et ont-elles des enfants de l'air du temps ? » Puis elle se tourna vers Hassân et lui dit en riant : « Ô mon chéri, veux-tu au moins me dire, afin que je l'apprenne, en quoi je ressemble à ton épouse, et en quoi je ne lui ressemble pas ? Car je vois que tout de même tu es dans une grande perplexité à mon sujet ! » Il répondit : « Ô souveraine des rois, asile des grands et des petits, c'est ta beauté qui m'a rendu fou ! Car tu ressembles à mon épouse par tes yeux plus lumineux que des étoiles, par la fraîcheur de ton teint, par l'incarnat de tes joues, par la forme droite de tes beaux seins, par la douceur de ta voix, par la légèreté et l'élégance de ta taille et par bien d'autres appas que je ne dirai pas, par respect pour ce qui est voilé ! Mais, à bien regarder tes charmes, je trouve entre toi et elle une différence, visible pour mes seuls yeux d'amoureux, et que je ne puis t'exprimer par la parole ! »

Lorsque la princesse Nour Al-Houda entendit ces paroles de Hassân, elle comprit que son cœur ne s'attacherait jamais à elle ; et elle en conçut un violent dépit, et jura de découvrir quelle était celle des princesses, ses sœurs, dont Hassân était devenu l'époux sans l'assentiment du roi, leur père ! Et elle se dit : « Je me vengerai de la sorte et sur Hassân et sur son épouse, en assouvissant sur eux deux mon juste ressentiment ! » Mais elle cacha ces pensées au fond de son âme et, se tournant vers la vieille, dit : « Ô nourrice, va vite trouver mes six sœurs, chacune en particulier dans l'île qu'elle habite, et dis-leur que leur absence me pèse à l'extrême depuis déjà plus de deux ans qu'elles ne m'ont visitée. Et invite-les de ma part à venir me voir, et amène-les-moi avec toi ! Mais surtout prends bien garde de leur dire un mot de ce qui est arrivé, ou de leur annoncer la venue parmi nous d'un jeune étranger qui est à la recherche de son épouse ! Va, et ne tarde pas ! »

Aussitôt la vieille, qui ne pouvait soupçonner les intentions de la princesse, sortit du palais et vola, rapide comme l'éclair, vers les îles où se trouvaient les six princesses, sœurs de Nour Al-Houda. Et elle réussit, sans difficulté, à décider les cinq premières à la suivre. Mais lorsqu'elle fut arrivée à la septième île, où la plus jeune princesse habitait avec son père, le roi des rois des genn, elle éprouva bien de la peine à faire accepter le désir de Nour Al-Houda. En effet, lorsque la plus jeune princesse, sur l'avis de la vieille, fut allée demander au roi son père la permission d'aller avec la Mère-des-Lances visiter sa sœur aînée, le roi, ému de cette demande à la limite de l'émotion, s'écria : « Ah ! ma fille bien-aimée, la préférée de mon cœur, j'ai dans mon âme quelque chose qui me dit que je ne te reverrai plus, si tu viens à t'éloigner désormais de ce palais. Et d'ailleurs j'ai fait cette nuit un songe terrifiant que je vais te conter. Sache donc, ma fille, ô prunelle de mes yeux…

À ce moment de sa narration, Schahrazade vit apparaître le matin et, discrète, se tut.

Mais lorsque fut la six cent onzième nuit. Elle dit :

… Sache donc, ma fille, ô prunelle de mes yeux, que cette nuit un songe pesa sur mon sommeil et oppressa ma poitrine. Je me promenais, en effet, dans mon rêve, au milieu d'un trésor caché à tous les regards, mais dont les richesses étaient étalées à mes seuls yeux. Et j'admirais tout ce que je voyais, mais mes regards ne s'arrêtaient que sur sept pierres précieuses qui brillaient au milieu de tout le reste, d'un éclat splendide. Mais c'était la plus petite qui était la plus belle et la plus attirante. Aussi, pour la mieux admirer et la mettre à l'abri des regards, je la pris dans ma main, la serrai contre mon cœur, et, l'ayant emportée, je sortis du trésor. Et comme je la tenais devant mes yeux, sous les rayons du soleil, soudain un oiseau d'une espèce extraordinaire, et comme on n'en voit jamais dans nos îles, fondit sur moi, m'arracha la pierre précieuse et s'envola. Et moi je restai plongé dans la stupeur et dans la plus vive douleur. Et, à mon réveil, après toute une nuit de tourments, je fis venir les interprètes des songes et leur demandai l'explication de ce que j'avais vu dans mon sommeil. Et ils me répondirent : « Ô notre roi, les sept pierres précieuses sont tes sept filles, et la pierre la plus petite, enlevée par l'oiseau d'entre tes mains, c'est ta fille la plus petite qui doit être ravie par la force à ton affection ! » Or moi, ma fille, j'ai bien peur maintenant de te laisser t'éloigner avec tes sœurs et la Mère-des-Lances pour aller chez ta grande sœur Nour Al-Houda ; car je ne sais point ce qui peut t'arriver de fâcheux en voyage, soit à aller soit au retour ! » Et Splendeur (car c'était elle-même, l'épouse de Hassân) répondit : « Ô mon souverain et père, ô grand roi, tu n'ignores pas que ma sœur la grande, Nour Al-Houda, a préparé pour moi une fête, et m'attend avec la plus vive impatience. Et voilà déjà plus de deux ans que je pense toujours à aller la voir, sans que la chose me soit permise ; et maintenant elle doit avoir toutes sortes de motifs d'être peu satisfaite de ma conduite. Mais ne crains rien, ô père mien ! Et n'oublie pas qu'il y a quelque temps, lorsque j'avais fait un voyage au loin avec mes compagnes, tu m'avais crue perdue pour toujours, et tu avais pris mon deuil. Et pourtant je te suis revenue sans encombre et en bonne santé ! De même cette fois, je m'absenterai tout au plus un mois, au bout duquel je te reviendrai, si Allah veut ! D'ailleurs, si c'était pour m'éloigner de notre royaume, je comprendrais ton émoi ; mais ici, dans nos îles, quel ennemi pourrais-je redouter ? Qui pourrait arriver jusqu'aux îles Wak-Wak, après avoir traversé la Montagne-des-Nuages, les Montagnes Bleues, les Montagnes Noires, les Sept Vallées, les Sept Mers et la Terre de Camphre blanc, sans perdre mille fois son âme en route ? Chasse donc toute inquiétude de ton esprit, ô mon père, rafraîchis tes yeux et rassure ton cœur ! »

Lorsque le roi des genn entendit ces paroles de sa fille, il voulut bien consentir à la laisser partir, mais bien à regret, et en lui faisant promettre de ne rester que quelques jours auprès de sa sœur. Et il lui donna une escorte de mille amazones, et l'embrassa avec tendresse. Et Splendeur prit congé de lui, et, après être allée embrasser, dans l'endroit où ils étaient en sûreté, ses deux enfants dont personne ne soupçonnait l'existence, vu que, dès son arrivée, elle les avait confiés à deux de ses esclaves dévouées, elle suivit la vieille et ses sœurs dans l'île où régnait Nour Al-Houda.

Or, pour recevoir ses sœurs, Nour Al-Houda s'était habillée d'une robe de soie rouge ornementée d'oiseaux d'or dont les yeux, le bec et les ongles étaient des rubis et des émeraudes ; et, lourde de parures et de pierreries, elle était assise sur le trône, dans la salle des audiences. Et devant elle se tenait Hassân debout ; et à sa droite étaient rangées des jeunes filles avec les épées nues ; et à sa gauche d'autres jeunes filles tenaient les longues lances pointues.

Ce fut à ce moment qu'arriva la Mère-des-Lances avec les six princesses. Et elle demanda l'audience, et, sur l'ordre de la reine, elle introduit d'abord la plus âgée qui s'appelait Noblesse-de-la-Race. Elle était vêtue d'une robe de soie bleue, et elle était encore plus belle que Nour Al-Houda. Et elle s'avança jusqu'au trône, et baisa la main de sa sœur qui se leva en son honneur et l'embrassa et la fit asseoir à côté d'elle. Puis elle se tourna vers Hassân et lui dit : « Dis-moi, ô adamite, est-ce celle-ci ton épouse ? » Et Hassân répondit : « Par Allah, ô ma maîtresse, celle-ci est merveilleuse et belle comme la lune à son lever ; elle a une chevelure de charbon, des joues délicates, une bouche souriante, des seins debout, des jointures fines et des extrémités exquises ; et, pour la célébrer en vers, je dirai :

« Elle s'avance vêtue de bleu, et telle qu'on la croirait un morceau détaché de l'azur des cieux.

Sur ses lèvres elle porte une ruche de miel, sur ses joues un parterre de roses, et sur son corps des corolles de jasmin.

À voir sa taille droite et fine et sa croupe monumentale, on la prendrait pour un roseau enfoncé dans un monticule de sable mouvant ! »

« Ainsi je la vois, ô ma maîtresse ! Mais il y a entre elle et mon épouse une différence que ma langue se refuse à exprimer ! »

Alors Nour Al-Houda fit signe à la vieille nourrice d'introduire sa seconde sœur. Et l'adolescente entra, vêtue d'une robe de soie couleur d'abricot. Et elle était encore plus belle que la première ; et elle s'appelait Fortune-de-la-Maison. Et sa sœur, après l'avoir embrassée, la fit asseoir à côté de la précédente, et demanda à Hassân s'il reconnaissait en elle son épouse. Et Hassân répondit…

À ce moment de sa narration, Schahrazade vit apparaître le matin et, discrète, se tut.

Mais lorsque fut la six cent douzième nuit. Elle dit :

… Et demanda à Hassân s'il reconnaissait en elle son épouse. Et Hassân répondit : « Ô ma souveraine, celle-ci ravit la raison de ceux qui la regardent, et enchaîne les cœurs de ceux qui l'approchent ; et voici les vers qu'elle m'inspire :

« La lune d'été au milieu d'une nuit d'hiver n'est point plus belle que ta venue, ô jeune fille !

Les nattes noires de tes cheveux, allongées jusqu'à tes chevilles, et les bandeaux ténébreux qui te ceignent le front, me font te dire :

« Tu assombris l'aurore avec l'aile de la nuit ! » Mais tu me réponds : « Non pas ! non pas ! simplement un nuage qui cache la lune ! »

« Ainsi je la vois, ô ma souveraine ! Mais il y a entre elle et mon épouse une différence que ma langue est impuissante à te dépeindre ! » Alors Nour Al-Houda fit signe à la Mère-des-Lances, qui se hâta d'introduire la troisième sœur. Et l'adolescente entra vêtue d'une robe de soie grenat ; et elle était encore plus belle que les deux premières, et s'appelait Lueur-Nocturne. Et sa sœur, après l'avoir embrassée, la fit asseoir à côté de la précédente, et demanda à Hassân s'il reconnaissait en elle son épouse. Et Hassân répondit : « Ô ma reine et la couronne sur ma tête, certes ! celle-ci fait s'envoler la raison des plus sages, et mon émerveillement à son sujet me fait improviser ces vers :

« Tu te balances, ô pleine de grâce, légère comme la gazelle, et tes paupières, à chaque mouvement, lancent les flèches mortelles.

Ô soleil de beauté ! ton apparition remplit de gloire les cieux et les terres, et ta disparition étend les ténèbres sur la face de l'univers. »

« Ainsi je la vois, ô reine du temps ! Mais tout de même mon âme se refuse à reconnaître en elle mon épouse, malgré la ressemblance extrême des traits et de la démarche ! » Alors la vieille amazone, sur un signe de Nour Al-Houda, introduisit la quatrième sœur, qui s'appelait Pureté-du-Ciel. Et l'adolescente était vêtue d'une robe de soie jaune, avec des dessins en large et en long. Et elle embrassa sa sœur, qui la fit asseoir à côté des autres. Et Hassân, en la voyant, improvisa ces vers :

« Elle apparaît comme la pleine lune dans une nuit heureuse, et ses regards magiques éclairent notre chemin.

Si je m'approche d'elle pour me réchauffer sous le feu de ses yeux, je suis aussitôt répoussé par les sentinelles qui la défendent, ses deux seins tendus et durs comme la pierre de granit. »

« Et je ne la dépeins pas tout entière, ce qui demanderait une ode de longue haleine. Pourtant, ô ma maîtresse, je dois te dire qu'elle n'est pas mon épouse, bien que la ressemblance soit frappante en bien des choses ! » Alors Nour Al-Houda fit entrer sa cinquième sœur, qui s'appelait Blanche-Aurore, et qui s'avança en mouvant ses hanches ; et elle était aussi souple qu'un rameau de bân et aussi légère qu'un jeune faon. Et, après avoir embrassé sa grande sœur, elle s'assit à la place qui lui fut assignée, à côté des autres, et arrangea les plis de sa robe de soie verte ouvragée d'or. Et Hassân, en la voyant, improvisa ces vers :

« La fleur rouge de la grenade n'est pas mieux voilée de ses feuilles vertes, ô jeune fille, que tu n'es vêtue de cette chemise charmante.

Et si je te demande : « Quel est ce vêtement qui va si bien à tes joues solaires ? » Tu me réponds : « Il n'a point de nom, car c'est ma chemise ! »

Et moi je m'écrie : « Ô sa merveilleuse chemise, cause de tant de blessures mortelles, je t'appellerai : la chemise crève-cœur !

N'es-tu pas toi-même plus merveilleuse encore, ô jouvencelle ? Si tu te lèves dans ta beauté pour éblouir les yeux humains, tes hanches te disent : « Reste ! reste ! Ce qui nous suit est trop lourd pour nos forces ! »

Et si je m'avance alors, en t'implorant ardemment, ta beauté me dit : « Fais-le ! fais-le ! Mais, comme je m'apprête, ta pudeur me dit : « Non pas ! non pas ! »

Lorsque Hassân eut récité ces vers, toute l'assistance fut émerveillée de son talent ; et la reine elle-même, malgré son ressentiment, ne put s'empêcher de lui marquer son admiration. Aussi la vieille amazone, protectrice de Hassân, profita-t-elle de la bonne tournure que prenait l'affaire pour essayer de remettre Hassân dans les bonnes grâces de la vindicative princesse, et lui dit : « Ô ma souveraine, t'avais-je trompée en te parlant de l'art admirable de ce jeune homme dans la construction des vers ? Et n'est-il point délicat et discret dans ses improvisations ? Je te prie donc de tout à fait oublier l'audace de son entreprise, et de l'attacher désormais à ta personne comme poète, en utilisant son talent pour les fêtes et les occasions solennelles ! » Mais la reine répondit : « Oui ! mais je voudrais d'abord en finir avec l'épreuve ! Fais vite entrer ma plus jeune sœur…

À ce moment de sa narration, Schahrazade vit apparaître le matin et, discrète, se tut.

Mais lorsque fut la six cent treizième nuit. Elle dit :

… Oui ! mais je voudrais d'abord en finir avec l'épreuve ! Fais vite entrer ma plus jeune sœur ! » Et la vieille sortit, et, un instant après, rentra, tenant par la main l'adolescente la plus jeune, celle que l'on nommait Ornement-du-Monde, et qui n'était autre que Splendeur !

Ainsi tu entras, ô Splendeur, et tu étais vêtue de ta seule beauté, dédaigneuse des parures et des voiles menteurs ! Mais quelle destinée pleine de calamités accompagnait tes pas ! Tu l'ignorais, ne sachant encore tout ce qui avait été écrit à ton sujet dans le livre du sort !

Lorsque Hassân, qui était debout au milieu de la salle, vit arriver Splendeur, il poussa un grand cri et tomba par terre, privé de sentiment. Et Splendeur, en entendant ce cri, se retourna et reconnut Hassân. Et, saisie de voir son époux qu'elle croyait si loin, elle s'affaissa tout de son long, en répondant par un autre cri, et perdit connaissance.

À cette vue, la reine Nour Al-Houda ne douta pas un instant que ce ne fût cette sœur-là qui était devenue l'épouse de Hassân, et ne put dissimuler plus longtemps sa jalousie et sa fureur. Et elle cria à ses amazones : « Ramassez cet adamite, et allez le jeter hors de la ville ! » Et les gardes exécutèrent l'ordre, et emportèrent Hassân et allèrent le jeter sur le rivage, hors de la ville. Puis la reine se tourna vers sa sœur, qu'on avait fait revenir de son évanouissement, et lui cria : « Ô débauchée ! comment as-tu fait pour connaître cet adamite ? Et quelle conduite criminelle tu as eue, de toutes les manières ! Tu t'es non seulement mariée sans le consentement de ton père et de ta famille, mais tu as encore abandonné ton époux et quitté ta maison ! Et tu as de la sorte avili ta race et la noblesse de ta race ! Or cette ignominie ne peut se laver que dans le sang ! » Et elle cria à ses femmes : « Apportez une échelle, et attachez-y cette criminelle par ses longs cheveux, et frappez-la de verges jusqu'au sang ! » Puis elle sortit avec ses sœurs de la salle des audiences, et alla dans sa chambre écrire au roi son père une lettre dans laquelle elle lui apprenait, dans tous ses détails connus, l'histoire de Hassân avec sa sœur, et lui apprenait, en même temps que la honte qui rejaillissait sur toute la race des genn, le châtiment qu'elle avait cru devoir infliger à la coupable. Et elle termina sa lettre en demandant à son père de lui répondre au plus tôt pour lui dire son avis sur la punition définitive à infliger à la fille criminelle. Et elle confia la lettre à une rapide messagère, qui se hâta d'aller la porter au roi.

Lorsque le roi lut la lettre de Nour Al-Houda, il vit le monde noircir devant ses yeux et, indigné à la limite de l'indignation de la conduite de sa plus jeune fille, il répondit à sa fille aînée que toute punition serait légère en comparaison du forfait, et qu'il fallait mettre à mort la coupable, mais qu'il abandonnait tout de même le soin d'exécuter cet ordre à sa sagesse et à sa justice.

Or pendant que Splendeur, livrée de la sorte entre les mains de sa sœur, gémissait attachée par les cheveux sur l'échelle, et attendait le supplice, Hassân, qui avait été jeté sur la plage, finit par revenir de son évanouissement, mais ce fut pour penser à la gravité de son malheur, dont il ne soupçonnait point d'ailleurs toute l'étendue. Que pouvait-il encore espérer ? Maintenant que nulle puissance ne pouvait le secourir, que pouvait-il tenter, et comment essaierait-il de sortir de cette île maudite ? Et il se leva, en proie au désespoir, et se mit à errer le long de la mer, espérant encore trouver quelque remède à ses maux. Et c'est alors que lui vinrent à la mémoire ces vers du poète :

« Quand tu n'étais qu'un germe dans le sein de ta mère, j'ai formé ta destinée dans le sens de Ma Justice et l'ai dirigée dans le sens de Ma Vision.

Laisse donc, ô créature, les événements suivre leur cours : tu ne peux t'y opposer.

Et si l'adversité fond sur ta tête, laisse à ton destin le soin de l'en détourner ! »

Ce précepte de sagesse ranima quelque peu le courage de Hassân qui continua à errer à l'aventure sur la plage, essayant de deviner ce qui avait pu arriver pendant son évanouissement, et pourquoi il avait été ainsi abandonné sur la grève. Et pendant qu'il réfléchissait de la sorte, il rencontra deux petites amazones d'une dizaine d'années, qui se battaient sur le sable à grands coups de poing. Et il vit, non loin d'elles, jeté par terre, un bonnet de cuir sur lequel étaient tracées des figures et des écritures. Et il s'approcha de ces petites filles, essaya de les séparer, et leur demanda la cause de leur querelle. Et elles lui dirent qu'elles se disputaient la possession de ce bonnet-là ! Alors Hassân leur demanda si elles voulaient le choisir pour arbitre et s'en rapporter à lui pour les mettre d'accord sur la possession de ce bonnet. Et, les petites filles ayant accepté, Hassân ramassa le bonnet et leur dit : « Eh bien ! je vais jeter une pierre en l'air, et celle d'entre vous deux qui me la rapportera aura le bonnet…

À ce moment de sa narration, Schahrazade vit apparaître le matin et, discrète, se tut.

Mais lorsque fut la six cent quatorzième nuit. Elle dit :

… Eh bien ! je vais jeter une pierre en l'air, et celle d'entre vous deux qui me la rapportera aura le bonnet ! » Et les petites amazones dirent : « L'idée est excellente ! » Alors Hassân ramassa un galet de la grève et le lança au loin de toutes ses forces. Et, pendant que les fillettes couraient pour attraper le caillou, Hassân mit le bonnet sur sa tête, pour l'essayer, et l'y laissa. Or au bout de quelques instants les petites filles revinrent et celle qui avait attrapé le caillou criait : « Où es-tu, ô homme ? C'est moi qui ai gagné ! » Et elle arriva jusqu'à l'endroit où se tenait Hassân, et se mit à regarder de tous les côtés, sans voir Hassân. Et sa sœur également regardait autour d'elle dans toutes les directions, mais ne voyait pas Hassân. Et Hassân se demandait : « Elle ne sont pourtant pas aveugles, ces petites amazones ! Comment se fait-il alors qu'elles ne me voient pas ? » Et il leur cria : « Je suis là ! Arrivez donc ! » Et les jeunes filles regardèrent la direction d'où partait la voix, mais elles ne virent pas Hassân ; et elles eurent peur, et se mirent à pleurer. Et Hassân s'approcha d'elles et les toucha à l'épaule et leur dit : « Me voici ! Pourquoi pleurez-vous, mes petites ? » Et les fillettes levèrent la tête, mais ne virent pas Hassân. Et elles furent alors si terrifiées, qu'elles se mirent à courir de toutes leurs forces, en jetant de grands cris, comme si elles étaient poursuivies par quelque genni de la mauvaise espèce. Et Hassân alors se dit : « Il n'y a plus de doute ! Ce bonnet est enchanté ! Et son enchantement consiste à rendre invisible celui qui le porte sur la tête ! » Et il se mit à danser de joie, en se disant : « C'est Allah qui me l'envoie ! Car je vais pouvoir, ce bonnet sur la tête, courir revoir mon épouse, sans être vu par personne ! » Et il retourna aussitôt à la ville, et, pour mieux expérimenter les vertus de ce bonnet, il voulut en essayer l'effet devant la vieille amazone. Et il la chercha partout et finit par la trouver dans une des chambres du palais, enchaînée, par ordre de la princesse, à un anneau enfoncé dans le mur. Alors, pour s'assurer si réellement il était invisible, il s'approcha d'une étagère sur laquelle étaient rangés des vases de porcelaine, et il fit tomber par terre le plus gros vase qui alla se briser aux pieds de la vieille. Et elle poussa alors un cri d'épouvante, croyant à quelque tour que lui jouait un des mauvais éfrits dévoués aux ordres de Nour Al-Houda. Et elle se mit en devoir de prononcer les formules conjuratoires, et dit : « Ô éfrit, je t'ordonne, par le nom gravé sur le sceau de Soleïman, de me dire ton nom ! » Et Hassân répondit : « Je ne suis point un éfrit, mais ton protégé Hassân Al-Bassri ! Et je viens te délivrer ! » Et en disant ces mots, il ôta son bonnet magique et se fit voir et reconnaître ! Et la vieille s'écria : « Ah ! malheur à toi, infortuné Hassân ! ne sais-tu donc que la reine a déjà regretté de ne t'avoir pas fait donner la mort sous ses yeux, et qu'elle a envoyé ses esclaves de toutes parts à ta poursuite, en promettant un quintal d'or comme récompense à celui qui te rapporterait à elle, mort ou vivant ! Ne perds donc pas un instant, et sauve ta tête par la fuite ! » Puis elle mit Hassân au courant des supplices terribles que la reine préparait pour faire mourir sa sœur, avec l'assentiment du roi des genn. Mais Hassân répondit : « Allah la sauvera et nous sauvera tous d'entre les mains de cette cruelle princesse ! Regarde ce bonnet ! Il est enchanté ! Et c'est grâce à lui que je puis partout marcher invisible ! » Et la vieille s'écria : « Louanges à Allah, ô Hassân, qui ranime les ossements des morts, et qui t'a envoyé ce bonnet pour notre salut ! Hâte-toi de me délivrer, afin que je te montre le cachot où est enfermée ton épouse ! » Et Hassân coupa les liens de la vieille, et la prit par la main, et se couvrit la tête du bonnet enchanté. Et aussitôt ils devinrent tous deux invisibles. Et la vieille le conduisit dans le cachot où gisait son épouse Splendeur attachée par les cheveux à une échelle, et attendant à chaque instant la mort dans les supplices. Et il l'entendit qui récitait à mi-voix ces vers :

« La nuit est obscure, et triste est ma solitude. Ô mes yeux, laissez couler la source de mes larmes. Mon bien-aimé est loin de moi ! D'où pourrait me venir l'espérance, alors que mon cœur et l'espérance sont partis avec lui.

Coulez, ô mes larmes, coulez de mes yeux ; mais, hélas ! réussirez-vous jamais à éteindre le feu qui dévore mes entrailles ?... Ô fugitif amant, ton image est ensevelie dans mon cœur, et les vers de la tombe eux-mêmes ne pourront l'effacer ! »

Et Hassân, bien qu'il eût souhaité ne point brusquer la reconnaissance afin d'éviter une émotion trop grande à son épouse, ne put, en entendant et en voyant sa bien-aimée Splendeur, résister plus longtemps aux tourments qui l'agitaient, et il enleva son bonnet et se précipita vers elle en l'entourant de ses bras. Et elle le reconnut, et s'évanouit contre sa poitrine. Et Hassân, aidé de la vieille, coupa ses liens, et la fit tout doucement revenir à elle, et la prit sur ses genoux en lui faisant de l'air avec la main. Et elle ouvrit les yeux, et, des larmes sur les joues, elle lui demanda : « Es-tu descendu du ciel, ou sorti du sein de la terre ? Ô mon époux, hélas ! hélas ! que pouvons-nous contre le destin ? Ce qui est écrit doit courir ! Hâte-toi donc, avant d'être découvert, de laisser ma destinée suivre sa voie, et retourne-t'en par où tu es venu, pour ne point me causer la douleur de te voir, toi aussi, victime de la cruauté de ma sœur ! » Mais Hassân répondit : « Ô bien-aimée, ô lumière de mes yeux, je suis venu pour te délivrer et t'emmener avec moi à Bagdad, loin de ce pays cruel ! » Mais elle s'écria : « Ah ! Hassân, quelle imprudence encore vas-tu commettre ? De grâce ! retire-toi, et n'ajoute pas encore à mes souffrances par les tiennes ! » Mais Hassân répondit : « Ô Splendeur, mon âme, sache que je ne sortirai de ce palais qu'avec toi et avec notre protectrice, la bonne tante que voici. Et si tu me demandes quel moyen je compte employer, je te montrerai ce bonnet…

À ce moment de sa narration, Schahrazade vit apparaître le matin et, discrète, se tut.

Mais lorsque fut la six cent quinzième nuit. Elle dit :

… Et si tu me demandes quel moyen je compte employer, je te montrerai ce bonnet ! » Et Hassân lui fit voir le bonnet enchanté, l'essaya devant elle, en disparaissant soudain dès qu'il l'eut mis sur la tête, puis lui raconta comment Allah l'avait jeté sur son chemin pour être la cause de leur délivrance ! Et Splendeur, les joues couvertes de larmes de joie et de repentir, dit à Hassân : « Ah ! tous les maux dont nous avons souffert viennent de ma faute à moi qui ai quitté notre demeure de Bagdad sans ta permission. Ô mon maître bien-aimé, épargne-moi, de grâce ! les reproches que je mérite, car je vois bien maintenant qu'une femme doit apprendre le prix de son époux ! Et pardonne-moi ma faute, dont j'implore la rémission devant Allah et devant toi ! Et excuse-moi un peu, vu que mon âme n'a pas su résister à l'émoi qui l'a remplie en revoyant le manteau de plumes ! » Et Hassân répondit : « Par Allah, ô Splendeur, c'est moi seul le coupable, moi qui t'avais laissée seule à Bagdad. J'aurais dû t'emmener avec moi chaque fois ! Mais à l'avenir il en sera ainsi, tu peux être tranquille ! » Et, ayant dit ces mots, il la prit sur son dos, prit également la main de la vieille, et se couvrit la tête du bonnet. Et ils devinrent invisibles tous les trois. Et ils sortirent du palais, et se dirigèrent en toute hâte vers la septième île, où étaient cachés leurs deux enfants, Nasser et Manssour.

Alors Hassân, bien qu'il fût à la limite de l'émotion de revoir ses deux enfants sains et saufs, ne voulut point perdre le temps en effusions de tendresse ; et il confia les deux petits à la vieille, qui les mit à califourchon chacun sur une épaule. Puis sans être vue de personne, Splendeur réussit à prendre trois manteaux de plumes, tout neufs ; et ils s'en vêtirent. Puis ils se tinrent tous trois par la main et, quittant sans regret les îles Wak-Wak, ils s'envolèrent vers Bagdad.

Or Allah leur écrivit la sécurité et, après un voyage par petites étapes, ils arrivèrent un matin dans la Ville de Paix. Et ils atterrirent sur la terrasse de leur demeure, et descendirent l'escalier et pénétrèrent dans la salle où se tenait la pauvre mère de Hassân, que les chagrins et les inquiétudes avaient depuis longtemps rendue infirme et presque aveugle. Et Hassân écouta un instant à la porte, et entendit à l'intérieur la pauvre femme qui gémissait et se désespérait. Alors il frappa, et la voix de la vieille demanda : « Qui est à la porte ? » Hassân répondit : « Ô ma mère, c'est le destin qui veut réparer ses rigueurs ! »

À ces mots, la mère de Hassân, ne sachant encore si c'était une illusion ou la réalité, courut sur ses pauvres jambes ouvrir la porte. Et elle vit son fils Hassân avec son épouse et ses enfants, et la vieille amazone qui restait derrière eux, discrètement. Et, l'émotion étant trop forte pour elle, elle tomba évanouie dans leurs bras. Et Hassân la fit revenir en la baignant de ses larmes, et la pressa tendrement sur son sein. Et Splendeur s'avança aussi vers elle et la combla de mille caresses, en lui demandant pardon de s'être laissé vaincre par son instinct originel. Puis ils firent avancer la Mère-des-Lances et la lui présentèrent comme leur protectrice et la cause de leur délivrance. Et alors Hassân raconta à sa mère toutes les aventures merveilleuses qui lui étaient arrivées, et qu'il est inutile de répéter. Et ils glorifièrent ensemble le Très-Haut qui avait permis leur réunion.

Et depuis lors ils vécurent tous ensemble dans la vie la plus délicieuse et la plus pleine de bonheur. Et chaque année ils ne manquèrent pas d'aller tous, en caravane, grâce au tambour magique, visiter les sept princesses, sœurs de Hassân, dans le palais au dôme vert, sur la Montage-des-Nuages.

Et c'est ainsi qu'après de très nombreuses années vint les visiter la Destructrice inexorable des joies et des plaisirs ! Mais louanges et gloire à Celui qui domine l'empire du visible et de l'invisible, le Vivant, l'Éternel, qui ne connaît pas la mort !

Lorsque Schahrazade eut raconté de la sorte cette histoire extraordinaire, la petite Doniazade sauta à son cou, et l'embrassa sur la bouche, et lui dit : « Ô ma sœur, que cette histoire est merveilleuse et pleine de goût, et qu'elle est charmante et délectable ! Ah ! combien j'aime Bouton-de-Rose, et comme je regrette que Hassân ne l'ait point prise comme épouse en même temps que Splendeur ! » Et le roi Schahriar dit : « Schahrazade, cette histoire est étonnante ! Et elle a failli me faire oublier bien des choses que je veux, dès demain, mettre à exécution ! » Et Schahrazade dit : « Oui, ô Roi, mais elle n'est rien, comparée à celle que je veux te raconter encore sur le PET HISTORIQUE *! » Et le roi Schahriar s'écria : « Que dis-tu, Schahrazade ? Et quel est ce pet historique que je ne connais pas ? » Schahrazade dit : « C'est celui que je vais soumettre au Roi, si je suis encore en vie ! » Et le roi Schahriar se dit : « Certes ! je ne la tuerai que lorsqu'elle m'aura instruit au sujet de ce qu'elle dit ! » Et Schahrazade, à ce moment, vit apparaître le matin et se tut discrètement.*

Mais lorsque fut la six cent seizième nuit. Elle dit : « Cette anecdote nous est transmise, ô Roi fortuné, par LE DIWAN DES GENS HILARES ET INCONGRUS. *Et je ne veux point différer davantage de te la raconter ! » Et Schahrazade dit :*

LE DIWAN DES GENS HILARES ET INCONGRUS

LE PET HISTORIQUE

Il est raconté – mais Allah est plus savant – qu'il y avait dans la ville de Kaukabân, dans le Yamân, un Bédouin de la tribu des Fazli, appelé Aboul-Hossein, qui, depuis déjà de longues années, avait abandonné la vie des Bédouins, et était devenu un citadin distingué et un marchand d'entre les marchands les plus opulents. Et il s'était une première fois marié au temps de sa jeunesse, mais Allah avait appelé l'épouse dans Sa miséricorde, au bout d'un an de mariage. Aussi les amis d'Aboul-Hossein ne cessaient-ils de le presser au sujet d'un nouveau mariage, en lui répétant les paroles du poète :

« Lève-toi, compagnon, et ne laisse pas s'écouler en vain la saison du printemps.

La jouvencelle est là ! Marie-toi ! Ne sais-tu qu'une femme dans la maison est un almanach excellent pour toute l'année ? »

Et Aboul-Hossein à la fin, ne pouvant plus résister à toutes les sollicitations de ses amis, se décida à engager les pourparlers avec les vieilles négociatrices des mariages ; et il finit par se marier avec une jouvencelle aussi belle que la lune quand elle brille sur la mer. Et, pour ses noces, il donna de grands festins auxquels il invita tous ses amis et connaissances, ainsi que les ulémas, les fakirs, les derviches et les santons. Et il ouvrit toutes grandes les portes de sa maison, et il fit servir à ses invités des mets de toutes les espèces, et, entre autres choses, du riz de sept couleurs différentes, et des sorbets, et des agneaux farcis de noisettes, d'amandes, de pistaches et de raisins secs, et un jeune chameau rôti en entier et servi d'une seule pièce. Et tout le monde mangea et but et entra en joie, en allégresse et en contentement. Et l'épousée fut promenée et montrée en parade sept fois de suite, habillée chaque fois d'une robe différente plus belle que la précédente. Et on la promena même une huitième fois au milieu de l'assistance pour la satisfaction des invités qui n'avaient pu suffisamment s'en rassasier les yeux. Après quoi les vieilles dames l'introduisirent dans la chambre nuptiale et la couchèrent sur un lit haut comme un trône, et la préparèrent de toutes les manières pour l'entrée de l'époux.

Alors, Aboul-Hossein, au milieu du cortège, pénétra chez l'épousée, lentement et avec dignité. Et il s'assit un instant sur le divan, pour se bien prouver à lui-même et montrer à son épouse et aux dames du cortège combien il était plein de tact et de mesure. Puis il se leva avec pondération, pour recevoir les vœux des dames et leur donner congé avant de s'approcher du lit où l'attendait modestement la jouvencelle, lorsque, voici ! il lâcha, ô calamité ! de son ventre qui était plein de viandes lourdes et de boisson, un pet bruyant à la limite du bruit, terrible et grand ! Éloigné soit le malin !

À ce bruit, chaque dame se tourna vers sa voisine, en parlant à haute voix et faisant semblant de n'avoir rien entendu, et la jouvencelle également, au lieu de rire ou de se moquer, se mit à faire résonner ses bracelets. Mais Aboul-Hossein, confus à la limite de la confusion, prétexta un pressant besoin et, la honte dans le cœur, descendit dans la cour, sella sa jument, sauta sur son dos, désertant sa maison et la noce et l'épousée, il s'enfuit à travers les ténèbres de la nuit. Et il sortit de la ville, et s'enfonça dans le désert. Et il arriva de la sorte au bord de la mer, où il vit un navire en partance pour l'Inde. Et il s'y embarqua et arriva sur la côte de Malabar.

Là, il fit la connaissance de plusieurs personnes originaires du Yamân, qui le recommandèrent au roi du pays. Et le roi lui donna une charge de confiance et le nomma capitaine de sa garde. Et il demeura en ce pays dix années, honoré et respecté, et dans la tranquillité d'une vie délicieuse. Et chaque fois que le souvenir du pet se présentait à sa mémoire, il le chassait comme on chasse les mauvaises odeurs.

Mais au bout de ces dix années, il fut pris de la tristesse du mal du pays natal ; et peu à peu il fut atteint de langueur ; et il soupirait sans cesse en pensant à sa maison et à sa ville ; et il faillit mourir de ce désir de rentrer. Mais un jour, ne pouvant plus résister aux sollicitations de son âme, il ne prit même pas le temps de demander congé au roi, et il s'évada et regagna le pays de Hadramont, dans le Yamân. Là, il se déguisa en derviche et gagna à pied la ville de Kaukabân ; et il arriva de la sorte, en taisant son nom et son cas, sur la colline qui dominait la ville. Et il vit, avec des yeux pleins de larmes, la terrasse de sa vieille maison et les terrasses avoisinantes, et il se dit : « Pourvu que personne ne me reconnaisse ! Fasse Allah qu'ils aient tous oublié mon histoire ! » Et, pensant ainsi, il descendit de la colline et prit des chemins détournés pour arriver à sa maison. Et, en route, il vit, assise sur le seuil de sa porte, une vieille femme qui enlevait les poux de la tête d'une petite fille de dix ans ; et la petite fille disait à la vieille : « Ô ma mère, je voudrais bien savoir mon âge, car une de mes compagnes veut tirer mon horoscope. Veux-tu donc me dire en quelle année je suis née ? » Et la vieille réfléchit un moment, et répondit : « Tu es née, ô ma fille, exactement la nuit de l'année où Aboul-Hossein lâcha le pet ! »

Lorsque le malheureux Aboul-Hossein entendit ces paroles, il rebroussa chemin et se mit à courir, livrant ses jambes au vent. Et il se disait : « Voilà que ton pet est devenu une date dans les annales ! Et il se transmettra à travers les âges aussi longtemps que les fleurs naîtront sur les palmiers ! » Et il ne cessa de courir et de voyager qu'en arrivant dans le pays de l'Inde. Et il vécut avec amertume dans l'exil jusqu'à sa mort. Que sur lui soient la miséricorde d'Allah et sa pitié !

Puis Schahrazade, cette nuit-là, dit encore :

LES DEUX DRÔLES

Il m'est revenu également, ô Roi fortuné, qu'il y avait autrefois dans la ville de Damas, en Syrie, un homme réputé pour ses bons tours, ses drôleries et ses indélicatesses et un autre au Caire, non moins fameux pour les mêmes qualités. Or le farceur de Damas, qui avait souvent entendu parler de son semblable du Caire, souhaitait fort le connaître, d'autant plus que ses clients habituels lui disaient sans cesse : « Il n'y a pas de doute ! l'Égyptien est certainement bien plus malin, plus intelligent, mieux doué et plus drôle que toi ! Et sa société est bien plus amusante que la tienne ! D'ailleurs, si tu ne veux pas nous croire, tu n'as qu'à aller le voir à l'œuvre, au Caire, et tu constateras sa supériorité ! » Et ils firent si bien que l'homme se dit : « Par Allah ! je vois qu'il ne me reste plus qu'à aller au Caire voir de mon œil ce que l'on dit à son sujet ! » Et il fit ses paquets et quitta Damas, sa ville, et partit pour le Caire où il arriva, avec l'assentiment d'Allah, en bonne santé. Et il s'informa, sans tarder, de la demeure de son rival, et alla lui rendre visite. Et il fut reçu avec tous les égards d'une large hospitalité, et honoré et hébergé, après les souhaits de bienvenue les plus cordiaux. Puis tous deux se mirent à se raconter mutuellement les affaires importantes du monde et passèrent la nuit à s'entretenir agréablement.

Or, le lendemain, l'homme de Damas dit à l'homme du Caire : « Par Allah, ô compagnon, moi, je ne suis venu de Damas au Caire que pour juger avec mon œil des bons tours et des farces que tu joues sans cesse par la ville ! Et je voudrais ne retourner dans mon pays qu'enrichi d'instruction ! Voudrais-tu donc me rendre témoin de ce que je souhaite si ardemment voir ? » L'autre dit : « Par Allah ! ô compagnon, ceux qui t'ont parlé de moi t'ont sans doute trompé ! Moi, c'est à peine si je sais différencier ma main gauche d'avec ma main droite ! Comment donc saurais-je instruire dans la délicatesse et l'esprit un noble Damasquin comme toi ? Mais puisqu'il est de mon devoir d'hôte de te faire voir les belles choses de notre ville, sortons nous promener ! » Il sortit donc avec lui et l'emmena, avant tout, voir la mosquée d'Al-Azhar, afin qu'il pût raconter aux habitants de Damas les merveilles de l'instruction et de la science. Et, en route, passant près des marchands de fleurs, il se composa un bouquet de fleurs, d'herbes aromatiques, d'œillets, de roses, de basilics, de jasmins, de branches de menthe et de marjolaine. Et ils arrivèrent ainsi tous deux à la mosquée, et pénétrèrent dans la cour. Or, en y entrant, ils aperçurent en face de la fontaine aux ablutions, accroupis dans les cabinets, des gens qui satisfaisaient de pressants besoins. Et l'homme du Caire dit à celui de Damas : « Eh bien, compagnon, toi, si tu avais à faire quelque plaisanterie à ces gens accroupis en file, comment t'y prendrais-tu…

À ce moment de sa narration, Schahrazade vit apparaître le matin et, discrète, se tut.

Mais lorsque fut la six cent dix-huitième nuit. Elle dit :

… Eh bien, compagnon, toi, si tu avais à faire quelque plaisanterie à ces gens accroupis en file, comment t'y prendrais-tu ? » L'autre répondit : « La chose est tout indiquée. J'irais derrière eux avec un balai d'épines, et, comme par inadvertance, tout en balayant, je leur piquerais le derrière ! » L'homme du Caire dit : « Le procédé, compagnon, est quelque peu lourd et grossier. Et c'est vraiment indélicat de faire de telles plaisanteries ! Voici ce que, moi, je ferais ! » Et, ayant ainsi parlé, il s'approcha d'un air aimable et engageant des gens accroupis dans les cabinets, et, à l'un après l'autre, il offrit une gerbe de fleurs, disant : « Avec ta permission, ô mon maître ! » Et chacun lui répondit, à la limite de la confusion et de la fureur : « Qu'Allah ruine ta maison, ô fils d'entremetteur ! Sommes-nous donc ici à un festin ? » Et tous les assistants assemblés dans la cour de la mosquée, en voyant la mine indignée des gens en question, riaient extrêmement.

Aussi, lorsque l'homme de Damas eut vu cela de ses propres yeux, il se tourna vers l'homme du Caire, et lui dit : « Par Allah, tu m'as vaincu, ô cheikh des farceurs ! Et le proverbe a raison qui dit : Fin comme l'Égyptien qui passe dans le trou de l'aiguille ! »

Puis Schahrazade, cette nuit-là, dit encore :

RUSE DE FEMME

Il m'est revenu, ô Roi fortuné, que, dans une ville d'entre les villes, une jeune femme de haut rang, dont le mari s'absentait souvent en voyages proches et lointains, finit par ne plus résister aux sollicitations de son tourment et se choisit, comme baume calmant, un jouvenceau qui n'avait pas son pareil parmi les jouvenceaux du temps. Et tous deux s'aimèrent d'un amour extraordinaire ; et ils se satisfaisaient mutuellement en toute joie et toute tranquillité, se levant pour manger, mangeant pour se coucher, et se couchant pour copuler. Et ils vécurent en cet état un long espace de temps.

Or, un jour, le jouvenceau fut sollicité de travers par un cheikh à barbe blanche, un perfide dédoublé, semblable au couteau du vendeur de colocases. Mais il ne voulut point se prêter à ce que l'autre lui demandait, et, se prenant de querelle avec lui, il lui donna de grands coups sur la figure et lui arracha sa barbe de confusion. Et le cheikh alla se plaindre au wali de la ville du mauvais traitement qu'il venait de subir ; et le wali fit saisir et jeter en prison le jouvenceau.

Sur ces entrefaites, la jeune femme apprit ce qui venait d'arriver à son amoureux, et, de le savoir en prison, elle conçut un très violent chagrin. Aussi elle ne tarda pas à arrêter son plan pour délivrer son ami, et, s'ornant de ses plus beaux atours, elle alla au palais du wali, sollicita l'audience et fut introduite dans la salle des requêtes. Or, par Allah ! rien qu'en se montrant ainsi dans sa souplesse, elle pouvait d'avance obtenir le gain de toutes les requêtes de la terre en large et en long. En effet, après les salams, elle dit au wali : « Ô notre seigneur le wali, le jouvenceau *Tel*, que tu as fait mettre en prison, est mon propre frère, et le seul soutien de ma maison. Et il a été calomnié par les témoins du cheikh et par le cheikh lui-même qui est un perfide, un débauché. Je viens donc solliciter de ta justice son élargissement, sans quoi ma maison va tomber en ruine ; et moi je mourrai de faim ! » Or, dès que le wali eut vu l'adolescente, son cœur travailla beaucoup à son sujet ; et il en tomba amoureux ; et il lui dit : « Certes ! je suis disposé à élargir ton frère ! Mais, auparavant, entre dans le harem de ma maison, et je viendrai te retrouver à la fin des audiences, pour causer avec toi de la chose ! » Mais elle, comprenant ce qu'il lui voulait, se dit : « Par Allah ! ô barbe de poix, tu ne me toucheras qu'au temps des abricots ! » Et elle répondit : « Ô notre seigneur le wali, il est préférable que tu viennes toi-même dans ma maison, où nous aurons tout loisir de causer de la chose avec plus de tranquillité qu'ici, où je ne suis qu'une étrangère ! » Et le wali, à la limite de la joie, lui demanda : « Et où se trouve ta maison ? » Elle dit : « Dans tel endroit ! Et je t'y attendrai ce soir, au coucher du soleil ». Et elle sortit de chez le wali, qu'elle laissa plongé dans une mer agitée, et alla trouver le kâdi de la ville.

Elle entra donc chez le kâdi, qui était un homme d'âge, et lui dit : « Ô notre maître le kâdi ! » Il dit : « Oui ! » Elle continua : « Je te supplie de jeter tes regards sur mon cas, et Allah t'en saura gré ! » Il demanda : « Qui t'a opprimée ? » Elle répondit : « Un cheikh perfide qui, grâce à ses faux témoins, a réussi à faire emprisonner mon frère, le seul soutien de ma maison. Et je viens te prier d'intercéder auprès du wali, pour qu'il fasse relâcher mon frère ! » Or, lorsque le kâdi vit et entendit l'adolescente, il en tomba éperdument amoureux, et lui dit : « Certes ! je veux bien m'occuper de ton frère. Mais commence par entrer dans le harem, pour attendre mon arrivée. Et alors nous causerons de la chose. Et tout arrivera selon ton désir ! » Et l'adolescente se dit : « Ah ! fils de l'entremetteur, tu m'auras au temps des abricots ! » Et elle répondit : « Ô notre maître, il vaut mieux que j'aille t'attendre dans ma maison, où nul ne nous dérangera ! » Il demanda : « Et où se trouve ta maison ? » Elle dit : « Dans tel endroit ! Et je t'y attends pour ce soir même, après le coucher du soleil ! » Et elle sortit de chez le kâdi et alla trouver le vizir du roi.

Lorsqu'elle fut devant le vizir, elle lui raconta l'emprisonnement du jouvenceau, qu'elle disait être son frère, et le supplia de donner l'ordre de le faire élargir. Et le vizir lui dit : « Il n'y a pas d'inconvénient ! Mais, en attendant, entre dans le harem où j'irai te rejoindre, pour causer de l'affaire ! » Elle dit : « Par la vie de ta tête, ô notre maître, je suis fort timide, et je ne saurais même pas me diriger dans le harem de ta seigneurie. Mais ma maison convient mieux aux causeries de cette nature, et je t'y attendrai ce soir même, une heure après le coucher du soleil ! » Et elle lui indiqua l'endroit où était située sa maison, et sortit de chez lui pour aller au palais trouver le roi de la ville.

Or, lorsqu'elle fut entrée dans la salle du trône, le roi, émerveillé de sa beauté, se dit : « Par Allah ! quel morceau à s'appliquer tout chaud à jeun ! » Et il lui demanda : « Qui t'a opprimée ? » Elle dit : « Je ne suis point opprimée, puisqu'il y a la justice du roi ! » Il dit : « Allah est le seul juste ! Mais que puis-je faire pour toi ? » Elle dit : « Donner l'ordre de faire élargir mon frère emprisonné injustement ! » Il dit : « La chose est aisée ! Va, ma fille, m'attendre dans le harem ! Et il n'arrivera que ce qui peut te convenir ! » Elle dit : « Dans ce cas, ô roi, j'irai plutôt t'attendre dans ma maison. Car notre roi sait que pour ces sortes de choses-là, une grande préparation est nécessaire, en fait de bain, de propreté et autres choses semblables. Et tout cela je ne puis le bien faire que dans ma propre maison, qui, d'être foulée par les pas de notre roi, sera à jamais honorée et bénie ! » Le roi dit : « Qu'il en soit donc ainsi ! » Et tous deux tombèrent d'accord sur l'heure et le lieu de la rencontre. Et l'adolescente sortit du palais et alla trouver un menuisier...

À ce moment de sa narration, Schahrazade vit apparaître le matin et, discrète, se tut.

Mais lorsque fut la six cent vingtième nuit. Elle dit :

... Et l'adolescente sortit du palais et alla trouver un menuisier auquel elle dit : « Tu vas m'envoyer ce soir à la maison une grande armoire à quatre étages superposés, et dont chaque étage aura une porte indépendante fermant solidement avec un cadenas ! » Le menuisier répondit : « Par Allah ! ô ma maîtresse, la chose n'est pas faisable d'ici à ce soir ! » Elle dit : « Je te paierai tout ce que tu voudras ! » Il dit : « Dans ce cas, elle sera prête. Mais, comme prix, je ne demande de toi ni or ni argent, ô ma maîtresse, mais seulement ce que tu sais ! Entre donc dans la pièce du fond, afin que je puisse causer avec toi ! » À ces paroles du menuisier l'adolescente répondit : « Ô menuisier de bénédiction, quel homme sans tact tu es ! Par Allah ! est-ce que cette misérable pièce du fond de ta boutique peut convenir à une causerie du genre de celle que tu voudrais tenir ? Viens plutôt ce soir dans ma maison, une fois que tu auras envoyé l'armoire, et tu me verras prête à causer avec toi jusqu'au matin ! » Et le menuisier répondit : « De tout cœur amical et comme hommages dus ! » Et l'adolescente continua : « Oui ! mais ce n'est plus une armoire à quatre étages qu'il te faudra faire, mais une à cinq ! Car c'est bien à cinq étages qu'il me la faut, pour y serrer tout ce que j'ai à serrer ! » Et, après lui avoir donné son adresse, elle le quitta et rentra chez elle. Là, elle sortit d'un coffre cinq robes de formes et de couleurs différentes, les rangea soigneusement, et fit apprêter les mets et les boissons, et ranger les fleurs et brûler les parfums. Et elle attendit de la sorte l'arrivée de ses invités.

Or, vers le soir, les portefaix du menuisier apportèrent l'armoire en question ; et l'adolescente la fit placer dans la salle de réunion. Puis elle congédia les portefaix, et, avant qu'elle eût le temps d'essayer les cadenas de l'armoire, on frappa à la porte. Et bientôt après, le premier des invités entra, qui était le wali de la ville. Et elle se leva en son honneur, et embrassa la terre entre ses mains et le fit asseoir, et lui présenta les rafraîchissements. Puis elle se mit à couler de son côté des yeux longs d'un empan et à lui lancer des regards brûlants, si bien que le wali se leva sur son séant, et, avec force gestes et tremblements, voulut la posséder à l'instant. Mais l'adolescente, se désenlaçant, lui dit : « Ô mon maître, que tu manques de raffinement ! Commence d'abord par te déshabiller pour être libre de tes mouvements ! » Et le wali dit : « Il n'y a pas d'inconvénient ! » Et il enleva ses vêtements. Et elle lui présenta, comme on fait d'ordinaire dans les festins des libertins, à la place de ses habits de couleur sombre, une robe de soie jaune et de forme extraordinaire, et un bonnet de la même couleur. Et le wali s'affubla de la robe jaune et du bonnet jaune, et s'apprêta à s'amuser. Mais, au même moment, on frappa à la porte, avec violence. Et le wali demanda, fort désappointé : « Attends-tu quelque voisine ou quelque pourvoyeuse ? » Elle répondit, terrifiée : « Non, par Allah ! mais j'avais oublié que mon époux revenait ce soir même de voyage ! Et c'est lui-même qui frappe à la porte en ce moment ! » Il demanda : « Et alors, moi, que vais-je devenir ? Et que me faut-il faire ? » Elle dit : « Il n'y a pour toi qu'un moyen de salut, c'est d'entrer dans cette armoire ! » Et elle ouvrit la porte du premier étage de l'armoire, et dit au wali : « Entre là-dedans ! » Il dit : « Et comment m'y prendrais-je ? » Elle dit : « En t'y accroupissant ! » Et le wali, ployé en deux, entra dans l'armoire, et s'y accroupit. Et l'adolescente ferma la porte à clef, et alla ouvrir à celui qui frappait.

Or c'était le kâdi. Et elle le reçut comme elle avait reçu le wali, et, au moment qu'il fallait, l'affubla d'une robe rouge de forme extraordinaire, et d'un bonnet de la même couleur ; et, comme il voulait foncer sur elle, elle lui dit : « Non, par Allah ! pas avant que tu n'aies écrit un billet pour ordonner l'élargissement de mon frère ! » Et le kâdi lui écrivit le billet en question, et le lui remit au moment même où l'on entendit frapper à la porte. Et l'adolescente, d'un air terrifié, cria : « C'est mon époux qui revient de voyage ! » et fit grimper le kâdi dans le second étage de l'armoire, et alla ouvrir à celui qui frappait à la porte de la maison.

Et c'était précisément le vizir. Et il lui arriva ce qui était arrivé aux deux autres ; et, affublé d'une robe verte et d'un bonnet vert, il fut poussé dans le troisième étage de l'armoire, au moment où arrivait à son tour le roi de la ville. Et le roi, de la même façon, fut affublé d'une robe bleue et d'un bonnet bleu, et, au moment où il voulait faire ce pour quoi il était venu, la porte résonna, et, devant la terreur de l'adolescente, il fut bien obligé de grimper dans le quatrième étage de l'armoire, où il s'accroupit dans une position fort pénible, vu qu'il était bien dodu.

Alors entra le menuisier, avec des yeux dévorateurs et, pour prix de l'armoire, il voulut immédiatement foncer sur l'adolescente. Mais elle lui dit : « Ô menuisier, pourquoi as-tu fait si petit le cinquième étage de l'armoire ! c'est à peine si on peut y enfermer le contenu d'un petit coffre ! » Il dit : « Par Allah ! cet étage-là peut me contenir et quatre autres encore plus gros que moi ! » Elle dit : « Essaie, pour voir, d'y entrer ! » Et le menuisier, grimpant sur des tabourets superposés, pénétra dans le cinquième étage, où aussitôt il fut enfermé à clef.

Aussitôt l'adolescente, prenant le billet que lui avait donné le kâdi, s'en fut trouver les gardiens de la prison, qui, sur le vu du cachet apposé au bas de l'écriture, relâchèrent le jouvenceau. Alors elle et lui regagnèrent la maison en grande hâte et, dans la joie de fêter leur réunion, ils copulèrent ferme et longtemps, avec beaucoup de bruit et de halètements. Et, au-dedans de l'armoire, les cinq enfermés entendaient tout cela, mais n'osaient et ne pouvaient bouger.

Or, lorsque l'adolescente et le jouvenceau eurent fini leurs ébats, ils ramassèrent dans la maison tout ce qu'ils purent ramasser en fait de choses précieuses, enfermèrent cela dans des coffres, vendirent tout le reste, et quittèrent cette ville-là pour une autre ville et un autre royaume. Et voilà pour eux !

Mais pour ce qui est des cinq, voici ! Au bout de deux jours qu'ils étaient là, ils furent pris tous les cinq d'un pressant besoin de pisser. Et le premier qui pissa fut le menuisier. Et, pissant ainsi, l'urine tomba sur la tête du roi. Et le roi, au même moment, pissa sur la tête de son vizir, qui pissa sur la tête du kâdi, lequel pissa sur la tête du wali. Alors tous élevèrent la voix, excepté le roi et le menuisier, en criant : « Ô souillure ! » Et le kâdi reconnut la voix du vizir, lequel reconnut la voix du kâdi. Et ils se dirent les uns les autres : « Nous voici tombés dans le piège ! Heureusement que le roi a été épargné ! » Mais, à ce moment, le roi, qui s'était tu par dignité, leur cria : « Taisez-vous donc ! Je suis là ! Et je ne sais pas quel ! est celui qui a pissé sur ma tête ! » Alors le menuisier s'écria : « Qu'Allah hausse la dignité du roi ! Je crois bien que c'est moi ! Car je suis au cinquième étage ! » Puis il ajouta : « Par Allah ! c'est moi qui suis la cause de tout cela, car l'armoire est mon ouvrage ! »

Sur ces entrefaites, l'époux de l'adolescente revint de voyage ; et les voisins, qui ne s'étaient pas aperçus du départ de l'adolescente, le virent arriver et frapper à sa porte inutilement. Et il leur demanda pourquoi personne ne lui répondait de l'intérieur. Et ils ne surent le renseigner à ce sujet. Alors tous ensemble, à bout d'attente, enfoncèrent la porte et pénétrèrent à l'intérieur ; mais ils virent la maison vide, et n'ayant pour tout meuble que l'armoire en question. Et ils entendirent à l'intérieur de l'armoire des voix d'hommes. Et ils ne doutèrent pas que l'armoire ne fût habitée par les genn…

À ce moment de sa narration, Schahrazade vit apparaître le matin et, discrète, se tut.

Mais lorsque fut la six cent vingt-deuxième nuit. Elle dit :

… Et ils entendirent à l'intérieur des voix d'hommes. Et ils ne doutèrent pas que l'armoire ne fût habitée par les genn. Et ils proposèrent, à haute voix, de mettre le feu à l'armoire et de la brûler avec ceux qu'elle pouvait contenir. Et, comme ils allaient mettre leur projet à exécution, la voix du kâdi se fit entendre du fond de l'armoire, criant : « Arrêtez, ô bonnes gens ! Nous ne sommes ni des genn ni des voleurs. Mais nous sommes *Tel* et *Tel* ! » Et, en quelques mots, il les mit au courant de la ruse dont ils avaient été tous victimes. Alors les voisins, avec l'époux en tête, brisèrent les cadenas et délivrèrent les cinq enfermés, qu'ils trouvèrent affublés des habits étranges que leur avait fait endosser l'adolescente. Et, à cette vue, nul ne put s'empêcher de rire de l'aventure. Et le roi, pour consoler l'époux du départ de sa femme, lui dit : « Je te nomme mon second vizir ! » Et telle est cette histoire. Mais Allah est plus savant !

*Et Schahrazade, ayant ainsi parlé, dit au roi Schahriar : « Mais ne crois point, ô Roi, que tout cela soit comparable à l'*HISTOIRE DU DORMEUR ÉVEILLÉ *! » Et, comme le roi Schahriar rapprochait ses sourcils à ce titre qui lui était inconnu, Schahrazade, sans tarder davantage, dit :*

HISTOIRE DU DORMEUR ÉVEILLÉ

Il m'est revenu, ô Roi fortuné, qu'il y avait autrefois à Bagdad, au temps du khalifat Haroun Al-Rachid, un jeune homme célibataire, appelé Aboul-Hassân, qui menait une vie bien étrange et bien extraordinaire. En effet, ses voisins ne le voyaient jamais fréquenter deux jours de suite la même personne ni inviter chez lui un habitant de Bagdad ; car tous ceux qui venaient chez lui étaient des étrangers.

Aussi les gens de son quartier, ne comprenant point ce qu'il pouvait bien faire, l'avaient-ils surnommé Aboul-Hassân le Débauché.

Tous les soirs il avait coutume d'aller se poster au bout du pont de Bagdad, et là il attendait qu'un étranger vînt à passer ; et dès qu'il en apercevait un, fût-il riche ou pauvre, jeune ou vieux, il s'avançait vers lui, souriant, et plein d'urbanité, et, après les salams et les souhaits de bienvenue, il l'invitait à accepter l'hospitalité de sa maison pour sa première nuit de séjour à Bagdad. Et il l'emmenait chez lui, et l'hébergeait le mieux qu'il pouvait ; et comme il était fort jovial et de caractère plaisant, il lui tenait compagnie toute la nuit et n'épargnait rien pour lui donner la meilleure idée de sa générosité. Mais le lendemain il lui disait : « Ô mon hôte, sache que si je t'ai invité chez moi, alors que dans cette ville Allah seul te connaissait, c'est que j'avais des raisons qui me poussaient à agir de la sorte. Mais j'ai fait le serment de ne jamais fréquenter deux jours de suite le même étranger, fût-il le plus charmant et le plus délicieux d'entre les fils des hommes. Ainsi donc me voici obligé de me séparer de toi ; et même je te prie, si jamais tu me rencontres dans les rues de Bagdad, de faire semblant de ne pas me reconnaître, pour ne point m'obliger à me détourner de toi ! » Et, ayant ainsi parlé, Aboul-Hassân conduisait son hôte à quelque khân de la ville, lui donnait tous les renseignements dont il pouvait avoir besoin, prenait congé de lui et ne le revoyait plus. Et si, par hasard, il lui arrivait, plus tard, de rencontrer dans les souks un des étrangers qu'il avait reçus chez lui, il feignait de ne pas le reconnaître, ou même il tournait la tête d'un autre côté, pour n'être point obligé de l'aborder ou de le saluer. Et il continua à agir de la sorte, sans jamais manquer un seul soir d'amener à sa maison un nouvel étranger.

Or, un soir, vers le coucher du soleil, comme il était assis, selon son habitude, au bout du pont de Bagdad, à attendre l'arrivée de quelque étranger, il vit s'avancer de son côté un riche marchand vêtu à la manière des marchands de Mossoul, et suivi d'un esclave de haute taille et d'aspect imposant. Or c'était le khalifat Haroun Al-Rachid lui-même, déguisé, comme il avait l'habitude de faire tous les mois, afin de voir et d'examiner avec ses propres yeux ce qui se passait dans Bagdad. Et Aboul-Hassân, en le voyant, fut loin de deviner qui il était ; et il se leva de l'endroit où il était assis et s'avança vers lui et, après le salam le plus gracieux et le souhait de bienvenue, il lui dit : « Ô mon maître, bénie soit ton arrivée parmi nous ! Fais-moi la grâce d'accepter pour cette nuit mon hospitalité, au lieu d'aller dormir au khân. Et demain matin il sera temps pour toi de chercher à ton aise un logement ! »

Et, pour le décider à accepter son offre, il lui raconta, en quelques mots, qu'il avait depuis longtemps l'habitude de donner l'hospitalité pour une nuit seulement au premier étranger qu'il voyait passer sur le pont. Puis il ajouta : « Allah est généreux, ô mon maître ! Dans ma maison tu trouveras large hospitalité, pain chaud et vin clarifié ! »

Lorsque le khalifat eut entendu les paroles d'Aboul-Hassân, il trouva l'aventure si étrange et Aboul-Hassân si singulier qu'il n'hésita pas un instant à satisfaire son envie de le connaître. Aussi, après s'être laissé prier un moment, pour la forme seulement et pour n'avoir pas l'air d'être un homme mal élevé, il accepta l'offre en disant : « Sur ma tête et sur mon œil ! qu'Allah augmente ses bienfaits sur toi, ô mon maître. Me voici prêt à te suivre ! » Et Aboul-Hassân montra le chemin à son hôte et l'emmena à sa maison, tout en causant avec lui fort agréablement.

Or la mère de Hassân, ce soir-là, avait préparé une cuisine excellente. Elle leur servit d'abord des galettes grillées au beurre et farcies de viande hachée et de graines de pin, puis un chapon bien gras, cantonné au milieu de quatre gros poulets, puis une oie farcie de raisins secs et de pistaches, et enfin un ragoût de pigeons. Et tout cela, en vérité, était exquis au goût et agréable à la vue…

À ce moment de sa narration, Schahrazade vit apparaître le matin et, discrète, se tut.

Mais lorsque fut la six cent vingt-quatrième nuit. Elle dit :

… Et tout cela, en vérité, était exquis au goût et agréable à la vue. Aussi tous deux, s'étant assis devant les plateaux, mangèrent de grand appétit ; et Aboul-Hassân choisissait, pour les donner à son hôte, les morceaux les plus délicats. Puis, quand ils eurent achevé de manger, l'esclave leur présenta l'aiguière et le bassin ; et ils se lavèrent les mains, tandis que la mère de Hassân enlevait les plateaux des mets pour servir les plateaux des fruits, emplis de raisins, de dattes et de poires, ainsi que d'autres plateaux où étaient les pots remplis de confitures, de pâtes d'amandes et de toutes sortes de choses délicieuses. Et ils mangèrent jusqu'à satiété, pour ensuite commencer à boire.

Alors Aboul-Hassân remplit de vin la coupe du festin et, la tenant en main, se tourna vers son hôte et lui dit : « Ô mon hôte, tu sais que le coq ne boit jamais avant qu'il ait, par de petits cris, appelé les poules pour venir boire avec lui. Or, moi, si je devais porter cette coupe à mes lèvres pour boire tout seul, la boisson s'arrêterait dans mon gossier, et sûrement je mourrais. Je te prie donc, pour cette nuit, de laisser la sobriété aux gens d'humeur chagrine, et de chercher avec moi la joie au fond de la coupe. Car, moi, en vérité, ô mon hôte, ma félicité est à sa limite extrême d'avoir dans ma maison un aussi honorable personnage que toi ! » Et le khalifat, qui ne voulait point le désobliger, et qui désirait en outre le faire parler, ne refusa point la coupe et se mit à boire avec lui. Et lorsque le vin eut commencé à alléger leurs âmes, le khalifat dit à Aboul-Hassân : « Ô mon maître, maintenant qu'entre nous il y a eu le pain et le sel, voudrais-tu me dire la cause qui te fait ainsi agir avec les étrangers que tu ne connais pas, et me raconter, afin que je l'entende, ton histoire qui doit être étonnante ? » Et Aboul-Hassân répondit : « Sache, ô mon hôte, que mon histoire n'est point étonnante, mais instructive seulement. Je m'appelle Aboul-Hassân, et suis le fils d'un marchand qui, à sa mort, me laissa de quoi vivre en toute aisance à Bagdad, notre ville. Or, moi, comme j'avais été tenu très sévèrement du vivant de mon père, je me hâtai de faire tout ce qui était en mon pouvoir pour, en peu de temps, regagner le temps perdu pour ma jeunesse. Mais, comme de ma nature j'étais doué de réflexion, je pris la précaution de partager mon héritage en deux parts, une que je réalisai en or, et une que je conservai en fonds. Et je pris l'or réalisé avec la première part, et me mis à le dépenser, la paume ouverte, dans la société des adolescents de mon âge que je régalais et entretenais pour mon plaisir avec une largesse et une générosité d'émir. Et je n'épargnai rien pour que notre vie fût pleine de délices et d'agrément.

Or, en agissant de la sorte, je trouvai qu'au bout d'une année il ne me restait plus un seul dinar au fond de la cassette, et je me tournai vers mes amis, mais ils avaient disparu. Alors je me mis à leur recherche, et leur demandai à mon tour de m'aider dans la situation pénible où je me voyais. Mais tous, l'un après l'autre, me donnèrent un prétexte qui les empêchait de me venir en aide, et nul d'entre eux ne consentit à m'offrir de quoi vivre, ne fût-ce qu'un seul jour. Alors moi je rentrai en moi-même, et compris combien mon défunt père avait eu raison de m'élever dans la sévérité. Et je revins à ma maison, et me mis à réfléchir sur ce qu'il me restait à faire. Et c'est alors que je m'arrêtai à une résolution que depuis lors je tins sans faiblir. Je jurai, en effet, devant Allah de ne jamais plus fréquenter les gens de mon pays, et de ne donner l'hospitalité de ma maison qu'aux étrangers ; mais, en outre, l'expérience m'apprit que l'amitié courte et chaude était de beaucoup préférable à l'amitié longue et qui finit mal, et je fis le serment de ne jamais fréquenter deux jours de suite le même étranger invité dans ma maison, fût-il le plus charmant et le plus délicieux d'entre les fils des hommes ! Car j'avais bien senti combien étaient cruels les liens de l'attachement, et combien ils empêchaient de goûter dans leur plénitude les joies de l'amitié. Ainsi donc, ô mon hôte, ne sois point étonné demain matin, après cette nuit où l'amitié se fait voir à nous sous l'aspect le plus engageant, si je suis obligé de te faire mes adieux. Et même si, plus tard, tu me rencontres dans les rues de Bagdad, ne trouve pas mauvais que je ne te reconnaisse plus ! »

Lorsque le khalifat eut entendu ces paroles d'Aboul-Hassân, il lui dit : « Par Allah ! ta conduite est une conduite merveilleuse, et de ma vie je n'ai vu un débauché se conduire avec autant de sagesse que toi ! Aussi mon admiration pour toi est à ses limites extrêmes : tu as su, avec le fonds que tu as gardé de la seconde part de ton héritage, mener une vie intelligente qui te permet d'avoir chaque nuit la société d'un homme nouveau avec qui tu peux toujours varier tes plaisirs et tes causeries, et dont tu ne saurais ni te lasser ni éprouver du désagrément ! » Puis il ajouta : « Mais, ô mon maître, ce que tu m'as dit au sujet de notre séparation pour demain me cause une peine extrême. Car j'eusse bien voulu reconnaître par quelque endroit ton bienfait sur moi et l'hospitalité de cette nuit. Je te prie donc dès maintenant de m'exprimer un désir, et, je te le jure sur la Kâaba sainte, je m'engage à le satisfaire. Parle-moi donc en toute sincérité, et ne crains point de grossir ta demande, car les biens d'Allah sont nombreux sur le marchand que je suis, et rien ne me sera difficile à réaliser, avec l'aide d'Allah…

À ce moment de sa narration, Schahrazade vit apparaître le matin et, discrète, se tut.

Mais lorsque fut la six cent vingt-cinquième nuit. Elle dit :

… Et rien ne me sera difficile à réaliser, avec l'aide d'Allah ! »

À ces paroles du khalifat déguisé en marchand, Aboul-Hassân, sans se troubler ou manifester le moindre étonnement, répondit : « Par Allah ! ô mon hôte, mon œil est déjà rassasié grâce à ta vue, et tes bienfaits seraient un supplément. Je te remercie donc de ton vouloir à mon égard, mais comme je n'ai aucun désir à satisfaire ni aucune ambition à réaliser, je suis fort perplexe pour répondre à tes avances ! Car mon sort me suffit, et je ne souhaite plus rien que de vivre comme je vis, sans avoir jamais besoin de personne ! » Mais le khalifat reprit : « Par Allah sur toi ! ô mon maître, ne repousse pas mon offre, et laisse ton âme exprimer un désir, afin que je le satisfasse ! Sinon je partirais d'ici le cœur bien torturé et bien humilié ! Car un bienfait que l'on a éprouvé est plus lourd à porter qu'un méfait, et l'homme bien né doit toujours rendre le bien en mesure double ! Ainsi donc parle et ne crains point de me rebuter ! »

Alors Aboul-Hassân, voyant qu'il ne pouvait faire autrement, baissa la tête et se mit à réfléchir profondément sur la demande qu'il se voyait obligé de faire ; puis soudain il releva la tête, et s'écria : « Eh bien, j'ai trouvé ! Mais c'est la demande d'un fou, sans aucun doute. Et je crois bien que je ne vais pas te la dire, pour ne point me séparer d'avec toi sur une si mauvaise idée de toi sur moi ! » Le kahlifat dit : « Par la vie de ma tête ! et quel est celui qui peut dire d'avance si une idée est folle ou raisonnable ! Moi, à la vérité, je ne suis qu'un marchand, mais je puis tout de même faire bien plus que mon métier ne donne à penser sur ma puissance ! Hâte-toi donc de parler ! » Aboul-Hassân répondit : « Je parlerai, ô mon maître, mais je te jure par les mérites de notre Prophète (sur Lui la paix et la prière !) qu'il n'y a que le khalifat qui puisse réaliser ce que je désire ! Ou encore il faudrait que je devinsse, fût-ce pour un seul jour, khalifat à la place de notre maître l'émir des Croyants, Haroun Al-Rachid ! » Le khalifat demanda : « Mais enfin, ya Aboul-Hassân, que ferais-tu si tu étais le khalifat pour un jour seulement ? » Il répondit : « Voici ! » Et Aboul-Hassân s'arrêta un moment ; puis il dit :

« Sache, ô mon maître, que la ville de Bagdad est divisée en quartiers, et que chaque quartier a à sa tête un cheikh qu'on appelle cheikh al-balad. Or, pour le malheur de ce quartier-ci que j'habite, le cheikh al-balad est un homme si laid et si plein d'horreur qu'il a dû naître, sans aucun doute, de la copulation d'une hyène avec un cochon. Son approche est pestilentielle, car sa bouche n'est point une bouche ordinaire, mais un cul malpropre comparable à une bouche de latrine ; ses yeux, couleur de poisson, dévient des deux côtés et risquent de tomber à ses pieds ; ses lèvres tuméfiées ont l'air d'une plaie de mauvaise nature, et lancent, quand il parle, des jets de salive ; ses oreilles sont des oreilles de porc ; ses joues flasques et fardées ressemblent au derrière d'un vieux singe ; ses mâchoires sont édentées à force d'avoir mâché les ordures ; son corps est atteint de toutes les maladies ; quant à son fondement il n'existe plus ; à force d'avoir servi de fosse aux outils des âniers, des vidangeurs et des balayeurs, il est tombé en pourriture et se trouve maintenant remplacé par les tampons de laine qui empêchent ses tripes de tomber.

« Or c'est précisément cette ignoble crapule qui, avec l'aide des deux autres crapules que je vais te dépeindre, se permet de jeter le trouble dans tout le quartier. En effet, il n'y a point de vilenie qu'il ne commette et de calomnie qu'il ne répande, et, comme il a une âme excrémenteuse, c'est sur les gens honnêtes, tranquilles et propres qu'il exerce sa méchanceté de vieille femme. Mais comme il ne peut se trouver partout pour infecter le quartier de sa pestilence, il a à son service deux aides tout aussi infâmes que lui.

« Le premier de ces infâmes est un esclave au visage glabre comme les eunuques, aux yeux et à la voix aussi désagréable que le son qui sort du derrière des ânes. Et cet esclave, fils de putain et de chien, se fait passer pour un noble Arabe alors qu'il n'est qu'un Roumi de la plus vile et de la plus basse extraction. Son métier consiste à aller tenir compagnie aux cuisiniers, aux domestiques et aux eunuques, chez les vizirs et les grands du royaume, pour surprendre les secrets des maîtres et les rapporter à son chef, le cheikh al-balad, et les colporter à travers les cabarets et les lieux mal famés. Nulle besogne ne lui répugne, et il lèche les culs quand sur les culs léchés il peut trouver un dinar d'or.

« Quant au second infâme, c'est une sorte de gros bouffon aux gros yeux, qui s'exerce à dire des facéties et des calembours à travers les souks, où il est connu pour son crâne chauve comme une pelure d'oignon et son bégaiement si pénible que l'on croirait, à chaque parole, qu'il va vomir ses boyaux. D'ailleurs, aucun des marchands ne l'invite à venir s'asseoir dans sa boutique, vu qu'il est si lourd et si massif que, lorsqu'il s'assied sur une chaise, la chaise aussitôt vole en éclats sous son poids ! Or celui-ci n'est pas aussi crapuleux que le premier, mais il est bien plus sot !

« Si donc, ô mon maître, je devenais pour un jour seulement émir des Croyants, je ne chercherais ni à m'enrichir ni à enrichir mes parents, mais je me hâterais de débarrasser notre quartier de ces trois horribles canailles, et je les balaierais dans la fosse aux ordures, une fois que je les aurais punis chacun suivant le degré de son ignominie. Et je rendrais de la sorte la tranquillité aux habitants de notre quartier. Et c'est là tout ce que je désire…

À ce moment de sa narration, Schahrazade vit apparaître le matin et, discrète, se tut.

Mais lorsque fut la six cent vingt-septième nuit. Elle dit :

… Et je rendrais de la sorte la tranquillité aux habitants de notre quartier. Et c'est là tout ce que je désire ! »

Lorsque le khalifat eut entendu ces paroles d'Aboul-Hassân, il lui dit : « En vérité, ya Aboul-Hassân, ton souhait est le souhait d'un homme qui est dans la voie droite et d'un cœur qui est un cœur excellent, car il n'y a que les hommes droits et les cœurs excellents qui ne peuvent pas souffrir que l'impunité soit l'apanage des méchants. Mais ne crois point que ton souhait soit aussi difficile à réaliser que tu me le donnais à croire ; car je suis bien persuadé que si l'émir des Croyants en était informé, lui qui n'aime rien tant que les aventures singulières, il se hâterait de remettre son pouvoir entre tes mains pour un jour et pour une nuit ! » Mais Aboul-Hassân se mit à rire et répondit : « Par Allah ! je vois bien maintenant que tout ce que nous disons là n'est qu'une plaisanterie ! Et je suis persuadé, à mon tour, que si le khalifat était informé de mon extravagance, il me ferait enfermer dans la maison des fous ! Ainsi donc, je te prie, si par hasard tes relations te mettaient en présence de quelque personnage du palais, de ne jamais parler de ce que nous venons de dire sous l'influence de la boisson ! » Et le khalifat, pour ne point désobliger son hôte, lui dit : « Je jure que je ne parlerai de la chose à personne ! » Mais, à part lui, il se promit de ne point laisser passer cette occasion de se divertir comme jamais il ne l'avait fait depuis le temps qu'il parcourait sa ville, déguisé sous toutes sortes de déguisements. Et il dit à Aboul-Hassân : « Ô mon hôte, il faut maintenant qu'à mon tour je te verse à boire ; car jusqu'à présent c'est toi-même qui prenais la peine de me servir ! » Et il prit la bouteille et la coupe, versa du vin dans la coupe, en y glissant adroitement une pincée de bang crétois de qualité pure, et offrit la coupe à Aboul-Hassân, en lui disant : « Que cela te soit sain et délicieux ! » Et Aboul-Hassân répondit : « Peut-on refuser la boisson que nous offre la main de l'invité ! Mais, par Allah sur toi, ô mon maître, comme je ne pourrai demain matin me lever pour t'accompagner hors de ma maison, je te prie de ne pas oublier, en sortant, de bien fermer la porte derrière toi ! » Et le khalifat le lui promit également. Aboul-Hassân, tranquille de ce côté-là, prit la coupe et la vida d'un seul trait. Mais aussitôt le bang fit son effet, et Aboul-Hassân roula à terre, la tête avant les pieds, d'une façon si rapide que le khalifat se mit à rire. Après quoi il appela l'esclave qui était resté à ses ordres, et lui dit : « Charge cet homme sur ton dos, et suis-moi ! » Et l'esclave obéit et, chargeant Aboul-Hassân sur son dos, il suivit le khalifat qui lui dit : « Rappelle-toi bien l'emplacement de cette maison, afin que tu puisses y retourner quand je te l'ordonnerai ! » Et ils sortirent dans la rue, en oubliant toutefois de refermer la porte, malgré la recommandation.

Lorsqu'ils furent arrivés au palais, ils y entrèrent par la porte secrète, et pénétrèrent dans l'appartement particulier où était située la chambre à coucher. Et le khalifat dit à son esclave : « Enlève les vêtements de cet homme, habille-le de mes habits de nuit, et étends-le sur mon propre lit ! » Et lorsque l'esclave eut exécuté l'ordre, le khalifat l'envoya chercher tous les dignitaires du palais, les vizirs, les chambellans et les eunuques, ainsi que toutes les dames du harem ; et lorsqu'ils furent tous présents entre ses mains, il leur dit : « Il faut que demain matin vous soyez tous dans cette chambre, et que chacun de vous soit empressé aux ordres de cet homme qui est là étendu sur mon lit et revêtu de mes habits. Et ne manquez point de lui rendre les mêmes égards qu'à moi-même, et de vous comporter vis-à-vis de lui, en toutes choses, exactement comme s'il était moi-même. Et vous lui donnerez, en répondant à ses questions, le titre d'émir des Croyants ; et vous prendrez bien soin de ne le contrarier dans aucun de ses désirs. Car si l'un de vous, fût-il mon propre fils, s'avisait de se méprendre sur les intentions que je vous indique, il serait pendu à l'heure et à l'instant à la grande porte du palais ! »

À ces paroles du khalifat, tous les assistants répondirent : « Ouïr, c'est obéir ! » et, sur un signe du vizir, ils se retirèrent en silence, comprenant que le khalifat, en leur donnant ces instructions, avait l'intention de se divertir d'une façon extraordinaire.

Lorsqu'ils furent partis, Al-Rachid se tourna vers Giafar et vers le porte-glaive Massrour, qui étaient restés dans la chambre, et leur dit : « Vous avez entendu mes paroles. Eh bien ! demain il faudra que vous soyez les premiers levés et arrivés dans cette chambre, pour être aux ordres de mon remplaçant que voici ! Et ne soyez étonnés d'aucune des choses qu'il vous dira ; et faites semblant de le prendre pour moi-même, quoi qu'il puisse vous dire pour vous tirer de votre erreur simulée. Et faites des libéralités à tous ceux qu'il vous indiquera, dussiez-vous épuiser tous les trésors du royaume ; et récompensez, et punissez, et pendez, et tuez, et nommez, et destituez, exactement selon ce qu'il vous dira de faire. Et vous n'avez point besoin, pour cela, de venir auparavant me consulter. D'ailleurs, je serai moi-même caché à proximité, et je verrai et j'entendrai tout ce qui va se passer ! Et, surtout, faites en sorte qu'il ne puisse point se douter un moment que tout ce qui lui arrive n'est qu'un divertissement combiné par mes ordres ! C'est tout ! Et qu'il en soit ainsi ! » Puis il ajouta : « Ne manquez pas, toutefois, une fois que vous serez réveillés, de venir me tirer moi aussi de mon sommeil, à l'heure de la prière du matin...

À ce moment de sa narration, Schahrazade vit apparaître le matin et, discrète, se tut.

Mais lorsque fut la six cent vingt-neuvième nuit. Elle dit :

... Ne manquez pas, toutefois, une fois que vous serez réveillés, de venir me tirer moi aussi de mon sommeil, à l'heure de la prière du matin ! »

Or le lendemain, à l'heure dite, Giafar et Massrour ne manquèrent pas de venir éveiller le khalifat qui aussitôt courut se placer derrière un rideau, dans la chambre même où était endormi Aboul-Hassân. Et de là il pouvait entendre et voir tout ce qui allait se passer, sans être exposé à être remarqué pas plus par Aboul-Hassân que par les assistants. Alors entrèrent Giafar et Massrour, ainsi que tous les dignitaires, les dames et les esclaves ; et chacun se plaça, suivant son rang, à la place habituelle. Et une gravité et un silence régnèrent dans la chambre tout comme s'il s'agissait du lever de l'émir des Croyants. Et lorsque tous furent ainsi rangés en bon ordre, l'esclave qui avait été d'avance désigné s'approcha d'Aboul-Hassân, toujours endormi, et plaça sous son nez un tampon trempé dans du vinaigre. Et aussitôt Aboul-Hassân éternua une première fois, une deuxième fois et une troisième fois, en jetant par le nez de longs filaments produits par l'effet du bang. Et l'esclave recueillit cette pituite dans un plateau d'or, pour qu'elle ne tombât pas sur le lit ou sur le tapis ; puis il essuya le nez et le visage d'Aboul-Hassân et l'aspergea d'eau de rose. Et Aboul-Hassân finit par sortir de son assoupissement et, s'éveillant, il ouvrit les yeux.

Et il se vit d'abord dans un lit magnifique dont la couverture était recouverte d'un brocart d'or rouge constellé de perles et de pierreries ! Et il leva les yeux et se vit dans une grande salle aux murs et au plafond recouverts de satin, avec des portières de soie, et, dans les angles, des vases d'or et de cristal ! Et il jeta les yeux autour de lui et se vit entouré de jeunes femmes et de jeunes esclaves inclinés, d'une beauté ravissante ; et, derrière eux, il aperçut la foule des vizirs, des émirs, des chambellans, des eunuques noirs et des joueuses d'instruments prêtes à toucher les cordes harmonieuses et à accompagner les chanteuses disposées en cercle sur une estrade. Et, tout près de lui, sur un tabouret, il reconnut, à leur couleur, les habits, le manteau et le turban de l'émir des Croyants.

Lorsque Aboul-Hassân eut vu tout cela, il referma les yeux pour se rendormir, tant il fut persuadé qu'il se trouvait sous l'effet d'un rêve. Mais, au même moment, le grand vizir Giafar s'approcha de lui et, après avoir embrassé la terre trois fois, lui dit d'un ton respectueux : « Ô émir des Croyants, permets à ton esclave de t'éveiller, car c'est l'heure de la prière du matin ! »

À ces paroles de Giafar, Aboul-Hassân se frotta les yeux à diverses reprises, puis se pinça le bras si cruellement qu'il poussa un cri de douleur, et se dit : « Non, par Allah ! je ne rêve pas ! Me voici devenu khalifat ! » Mais il hésita encore et dit à haute voix : « Par Allah ! tout cela est le fait de ma raison égarée par toute la boisson que j'ai bue hier avec le marchand de Mossoul, et aussi l'effet de ma folle conversation avec lui ! » Et il se tourna du côté du mur pour se rendormir. Et, comme il ne bougeait plus, Giafar s'approcha encore de lui et lui dit : « Ô émir des Croyants, permets à ton esclave de s'étonner de voir son seigneur manquer à son habitude de se lever pour la prière ! » Et, au même moment, sur un signe de Giafar, les joueuses d'instruments firent entendre un concert de harpes, de luths et de guitares, et les voix des chanteuses retentirent harmonieusement. Et Aboul-Hassân se retourna du côté des chanteuses, en se disant à haute-voix : « Et depuis quand, ya Aboul-Hassân, les dormeurs entendent-ils ce que tu entends et voient-ils ce que tu vois ? » Et il se leva sur son séant, à la limite de la stupéfaction et de l'enchantement, mais doutant toujours de la réalité de tout cela. Et il se mit les mains devant les yeux pour mieux distinguer et se mieux prouver ses impressions, et en se disant : « Ouallah ! N'est-ce pas étrange ? N'est-ce pas stupéfiant ! Où es-tu donc, Aboul-Hassân, ô fils de ta mère ? Rêves-tu ou ne rêves-tu pas ? Depuis quand es-tu le khalifat ? Depuis quand ce palais, ce lit, ces dignitaires, ces eunuques, ces femmes charmantes, ces joueuses d'instruments, ces chanteuses enchanteresses, et tout ceci, et tout cela ? » Mais, à ce moment, le concert cessa, et Massrour, le porte-glaive, s'approcha du lit, baisa la terre à trois reprises différentes, et, se levant, dit à Aboul-Hassân : « Ô émir des Croyants, permets au dernier de tes esclaves de te dire que l'heure de la prière est déjà passée, et qu'il est temps de venir au diwân pour les affaires du royaume ! » Et Aboul-Hassân, de plus en plus stupéfait, et ne sachant plus, dans sa perplexité, à quel parti se résoudre, finit par regarder Massrour entre les deux yeux, et lui dit avec colère : « Qui es-tu, toi ? Et qui suis-je, moi ? Massrour répondit, d'un ton respectueux : « Tu es notre maître l'émir des Croyants, le khalifat Haroun Al-Rachid, le cinquième des Bani-Abbas, le descendant de l'oncle du Prophète (sur Lui la prière et la paix !). Et l'esclave qui te parle est le pauvre, le méprisable, le rien du tout Massrour, l'honoré par la charge auguste de porter le glaive de la volonté de notre seigneur...

À ce moment de sa narration, Schahrazade vit apparaître le matin et, discrète, se tut.

Mais lorsque fut la six cent trentième nuit. Elle dit :

... Et l'esclave qui te parle est le pauvre, le méprisable, le rien du tout Massrour, l'honoré par la charge auguste de porter le glaive de la volonté de notre seigneur ! » En entendant ces paroles de Massrour, Aboul-Hassân lui cria : « Tu mens, fils de mille cornards ! » Mais Massrour, sans se troubler, répondit : « Ô mon seigneur, certes ! un autre que moi, en entendant ainsi parler le khalifat, mourrait de douleur ! Mais moi, ton vieil esclave, qui suis depuis de si longues années à ton service et qui vis à l'ombre de tes bienfaits et de ta bonté, je sais que le vicaire du Prophète ne me parle ainsi que pour éprouver ma fidélité ! De grâce donc, ô mon maître, je te supplie de ne point me mettre plus longtemps à l'épreuve ! Ou bien, si cette nuit un mauvais songe a fatigué ton sommeil, chasse-le et rassure ton esclave tremblant ! »

À ce discours de Massrour, Aboul-Hassân ne put se retenir plus longtemps, et, poussant un immense éclat de rire, il se renversa sur son lit, et se mit à tourner sur lui-même en s'entortillant dans les couvertures et en lançant ses jambes par-dessus sa tête. Et, derrière le rideau, Haroun Al-Rachid, qui entendait et voyait tout cela, se gonflait les joues pour étouffer le rire qui le secouait.

Lorsque Aboul-Hassân eut ri dans cette posture pendant une heure de temps, il finit par se calmer un peu, et, se levant sur son séant, il fit signe de s'approcher à un petit esclave noir, et lui dit : « Dis-moi, toi ! me reconnais-tu ? et peux-tu me dire qui je suis ? » Le petit noir baissa les yeux avec respect et modestie, et répondit : « Tu es notre maître l'émir des Croyants, Haroun Al-Rachid, le khalifat du Prophète (qu'Il soit béni !) et le vicaire sur la terre du Souverain de la Terre et du Ciel. » Mais Aboul-Hassân lui cria : « Tu mens, ô visage de poix, ô fils de mille entremetteurs ! »

Il se tourna alors vers une des jeunes esclaves qui étaient présentes, et, lui faisant signe d'approcher, lui tendit un doigt en lui disant : « Mords ce doigt ! Je verrai bien si je dors ou si je suis éveillé ! » Et l'adolescente, qui savait que le khalifat voyait et entendait tout ce qui se passait, se dit en elle-même : « Voilà pour moi l'occasion de montrer à l'émir des Croyants ce que je sais faire pour le divertir ! » Et, serrant les dents de toutes ses forces, elle mordit le doigt jusqu'à l'os. Et Aboul-Hassân, poussant un cri de douleur, s'écria : « Aïe ! Ah ! je vois bien que je ne dors pas ! Certes ! je ne dors pas ! » Et il demanda à la même jeune fille : « Peux-tu, toi, me dire si tu me reconnais, et si vraiment je suis celui qu'on a dit ? » Et l'esclave répondit, en étendant les bras : « Le nom d'Allah sur le khalifat et autour de lui ! Tu es, ô mon seigneur, l'émir des Croyants, Haroun Al-Rachid, le vicaire d'Allah ! »

À ces paroles, Aboul-Hassân s'écria : « Te voilà devenu en une nuit le vicaire d'Allah, ô Aboul-Hassân, ô fils de ta mère ! » Puis, se ravisant, il cria à la jeune fille : « Tu mens, ô chiffon ! Est-ce que je ne sais pas bien, moi, qui je suis ? » Mais, à ce moment, le chef eunuque s'approcha du lit et, après avoir embrassé trois fois la terre, se releva et, courbé en deux, s'adressa à Aboul-Hassân et lui dit : « Que notre maître me pardonne ! Mais c'est l'heure habituelle où notre maître va satisfaire ses besoins au cabinet ! » Et il passa le bras sous son aisselle, et l'aida à sortir du lit. Et, dès qu'il fut debout sur ses pieds, la salle et le palais retentirent du cri par lequel le saluaient tous les assistants : « Qu'Allah rende victorieux le khalifat ! » Et Aboul-Hassân pensait : « Par Allah ! n'est-ce pas une chose merveilleuse ? Hier j'étais Aboul-Hassân ! Et aujourd'hui je suis Haroun Al-Rachid ! » Puis il se dit : « Du moment que c'est l'heure d'aller pisser, allons pisser ! Mais je ne suis pas bien sûr maintenant si c'est bien l'heure aussi où je satisfais l'autre besoin également ! » Mais il fut tiré de ces réflexions par le chef eunuque qui lui tendit une paire de chaussures découvertes brodées d'or et de perles, et qui, hautes de talon, étaient spécialement réservées pour être chaussées au cabinet. Mais Aboul-Hassân, qui, de sa vie, n'avait vu pareille chose, prit les chaussures et, croyant que c'était quelque objet précieux dont on lui faisait cadeau, les mit dans l'une des larges manches de sa robe !

À cette vue, les assistants, qui jusque-là avaient réussi à retenir leurs rires, ne purent plus longtemps comprimer leur hilarité. Et les uns tournèrent la tête, tandis que les autres, faisant semblant d'embrasser la terre devant la majesté du khalifat, tombèrent sur les tapis, convulsés. Et, derrière le rideau, le khalifat était pris d'un tel rire silencieux qu'il était sur le flanc, étendu sur le sol.

Pendant ce temps, le chef eunuque, soutenant Aboul-Hassân par-dessous l'épaule, le conduisit à un cabinet pavé de marbre blanc, alors que toutes les autres pièces du palais étaient couvertes de riches tapis. Après quoi, il le ramena dans la chambre à coucher, au milieu des dignitaires et des dames, tous rangés sur deux files. Et aussitôt d'autres esclaves s'avancèrent, qui étaient spécialement chargés de l'habillement et qui lui enlevèrent ses effets de nuit et lui présentèrent le bassin d'or, rempli d'eau de rose, pour ses ablutions. Et lorsqu'il se fut lavé, en reniflant avec délices l'eau parfumée, ils le vêtirent des habits royaux, le coiffèrent du diadème, et lui remirent en main le sceptre d'or.

À cette vue, Aboul-Hassân pensa : « Voyons ! Suis-je ou ne suis-je pas Aboul-Hassân ? » Et il réfléchit un instant et, d'un ton résolu, il cria à haute voix, de façon à être entendu de toute l'assistance : « Je ne suis pas Aboul-Hassân ! Que l'on empale celui qui dit que je suis Aboul-Hassân ! Je suis Haroun Al-Rachid en personne ! » Et, ayant prononcé ces paroles, Aboul-Hassân, d'un ton de commandement aussi assuré que s'il fût né sur le trône, ordonna : « Marchez ! » Et aussitôt le cortège se forma ; et Aboul-Hassân, se plaçant le dernier, suivit le cortège qui le conduisit dans la salle du trône. Et Massrour l'aida à monter sur le trône, où il s'assit aux acclamations de tous les assistants. Et il posa le sceptre sur mes genoux, et regarda autour de lui. Il vit tout le monde rangé en bon ordre dans la salle aux quarante portes ; et il vit les gardes aux glaives brillants, et les vizirs, et les émirs, et les notables, et les représentants de tous les peuples de l'empire, et d'autres encore, en foule innombrable. Et il reconnut, dans la masse silencieuse, des figures qu'il connaissait bien : Giafar le vizir, Abou-Nowas, Al-Ijli, Al-Rakashi, Ibdân, Al-Farazadk, Al-Lauz, Al-Sakar, Omar Al-Tartis, Abou-Ishak, Al-Khalia et Jadim.

Or pendant qu'il promenait ainsi ses regards sur chaque figure, Giafar s'avança, suivi des principaux dignitaires, tous vêtus d'habits splendides ; et, arrivés devant le trône, ils se prosternèrent la face contre terre, et restèrent dans cette posture jusqu'à ce qu'il eût ordonné de se relever. Alors Giafar tira de dessous son manteau un grand paquet qu'il déplia et dont il tira une liasse de papiers qu'il se mit à lire l'un après l'autre, et qui étaient les requêtes ordinaires. Et Aboul-Hassân, bien qu'il ne se fût jamais trouvé à même d'entendre de pareilles affaires, ne fut pas un instant embarrassé ; et il se prononça sur chacune des affaires qui lui étaient soumises avec tant de tact et de justice que le khalifat, qui était venu se cacher derrière un rideau dans la salle du trône, fut tout à fait émerveillé.

Lorsque Giafar eut fini son rapport, Aboul-Hassân lui demanda : « Où est le chef de la police ? » Et Giafar lui désigna du doigt Ahmad-la-Teigne, chef de la police, et lui dit : « C'est celui-ci, ô émir des Croyants ! » Et le chef de la police, se voyant désigné, sortit aussitôt de la place qu'il occupait, et s'approcha gravement du trône, au pied duquel il se prosterna la face contre terre. Et Aboul-Hassân, après lui avoir permis de se relever, lui dit : « Ô chef de la police, prends avec toi dix gardes, et va à l'instant dans tel quartier, telle rue, telle maison ! Là tu trouveras un horrible cochon qui est le cheikh al-balad du quartier, et tu le trouveras assis entre ses deux compères, deux canailles non moins ignobles que lui. Saisis-toi de leurs personnes, et commence, pour les habituer à ce qu'ils vont subir, par leur donner à chacun quatre cents coups de bâton sur la plante des pieds…

À ce moment de sa narration, Schahrazade vit apparaître le matin et, discrète, se tut.

Mais lorsque fut la six cent trente-deuxième nuit. Elle dit :

… Saisis-toi de leurs personnes, et commence, pour les habituer à ce qu'ils vont subir, par leur donner à chacun quatre cents coups de bâton sur la plante des pieds. Après quoi, tu les hisseras sur un chameau galeux, vêtus de haillons et la face tournée vers la queue du chameau, et tu les promèneras par tous les quartiers de la ville, en faisant crier par le crieur public : « Voilà le commencement de la punition des calomniateurs, des salisseurs de femmes, de ceux qui troublent leurs voisins et bavent sur les honnêtes gens ! » Cela fait, tu feras empaler par la bouche le cheikh al-balad, vu que c'est par là qu'il a péché et vu qu'il n'a plus de fondement ; et tu jetteras son corps pourri en pâture aux chiens. Tu prendras ensuite l'homme glabre, aux yeux jaunes, le plus infâme des deux compères qui aidaient dans sa vile besogne le cheikh al-balad, et tu le feras noyer dans la fosse des excréments de la maison de Aboul-Hassân, son voisin. Puis ce sera le tour du second compère ! Celui-ci, qui est un bouffon et un sot ridicule, tu ne lui feras pas subir d'autre punition que la suivante : tu feras construire par un menuisier habile une chaise faite d'une façon telle qu'elle puisse voler en éclats chaque fois que l'homme en question viendra s'y asseoir, et tu le condamneras à s'asseoir toute sa vie sur cette chaise-là ! Va ! Et exécute mes ordres ! »

En entendant ces paroles, le chef de la police Ahmad-la Teigne, qui avait reçu de Giafar l'ordre d'exécuter tous les commandements qu'il recevrait d'Aboul-

Hassân, mit la main sur sa tête, pour bien indiquer par là qu'il était prêt à perdre lui-même la tête s'il n'exécutait pas ponctuellement les ordres reçus. Puis il embrassa la terre une seconde fois entre les mains d'Aboul-Hassân et sortit de la salle du trône.

Tout cela ! Et le khalifat, en voyant Aboul-Hassân s'acquitter avec tant de gravité des prérogatives de la royauté, éprouva un plaisir extrême. Et Aboul-Hassân continua à juger, à nommer, à destituer, et à terminer les affaires pendantes, jusqu'à ce que le chef de police fût de retour au pied du trône. Et il lui demanda : « As-tu exécuté mes ordres ? » Et le chef de la police, après s'être prosterné comme à l'ordinaire, tira un papier de son sein et le présenta à Aboul-Hassân qui le déplia et le lut en entier. Or c'était précisément le procès-verbal de l'exécution des trois compères, signé par les témoins légaux et par les personnes bien connues dans le quartier. Et Aboul-Hassân dit : « C'est bien ! Je suis satisfait ! Ainsi soient à jamais punis les calomniateurs, les salisseurs de femmes et tous ceux qui se mêlent des affaires d'autrui ! »

Après quoi Aboul-Hassân fit signe au chef trésorier de s'approcher, et lui dit : « Prends à l'instant dans le trésor un sac de mille dinars d'or, va au quartier même où j'ai envoyé le chef de la police, demande où se trouve la maison d'Aboul-Hassân, celui qu'on appelle le débauché. Et comme cet Aboul-Hassân, bien loin d'être un débauché, est plutôt un homme excellent et de bonne compagnie, et qu'il est bien connu dans son quartier, tout le monde s'empressera de t'indiquer sa maison. Alors tu entreras et tu demanderas à parler à sa vénérable mère ; et, après les salams et les égards dus à cette excellente vieille, tu lui diras : « Ô mère d'Aboul-Hassân, voici un sac de mille dinars d'or que t'envoie notre maître le khalifat. Et ce cadeau n'est rien au regard de tes mérites. Mais le trésor en ce moment est vide, et le khalifat regrette de ne pouvoir aujourd'hui mieux faire pour toi ! » Et, sans plus attendre, tu lui remettras le sac et tu reviendras me rendre compte de ta mission ! » Et le chef trésorier répondit par l'ouïe et l'obéissance et se hâta d'aller exécuter l'ordre.

Cela fait, Aboul-Hassân marqua, par un signe, au grand vizir Giafar qu'il fallait lever le diwân. Et Giafar transmit le signe aux vizirs, aux émirs, aux chambellans et aux autres assistants, et tous, après s'être prosternés au pied du trône, sortirent dans le même ordre que lorsqu'ils étaient entrés. Et seuls restèrent, auprès d'Aboul-Hassân, le grand vizir Giafar et le porte-glaive Massrour, qui s'approchèrent de lui et l'aidèrent à se lever, en le prenant l'un par-dessous le bras droit et l'autre par-dessous le bras gauche. Et ils le conduisirent jusqu'à la porte de l'appartement intérieur des femmes, où était servi le festin du jour. Et les dames de service vinrent aussitôt remplacer auprès de lui Giafar et Massrour, et l'introduisirent dans la salle du festin.

Aussitôt se fit entendre un concert de luths, de théorbes, de guitares, de flûtes, de hautbois et de clarinettes qui accompagnaient des voix fraîches d'adolescentes, avec tant de charme, de mélodie et de justesse qu'Aboul-Hassân, ravi à l'extrême limite du ravissement, ne savait plus à quoi se résoudre. Et il finit par se dire : « Maintenant je ne puis plus douter ! Je suis bien réellement l'émir des Croyants Haroun Al-Rachid. Car tout cela ne peut être un songe ! Sinon, pourrais-je voir, entendre, sentir et marcher comme je le fais ? Ce papier du procès-verbal de l'exécution des trois compères, je le tiens en main ; ces chants, ces voix, je les entends ; et tout le reste, et ces honneurs, et ces égards, c'est moi ! Je suis le khalifat…

À ce moment de sa narration, Schahrazade vit apparaître le matin et, discrète, se tut.

Mais lorsque fut la six cent trente-quatrième nuit. Elle dit :

… Je suis le khalifat ! » Et il regarda à sa droite et il regarda à sa gauche ; et ce qu'il vit le consolida encore davantage dans l'idée de sa royauté. Il était au milieu d'une salle splendide où l'or brillait sur toutes les parois, où les couleurs les plus agréables se dessinaient d'une façon variée sur les tentures et les tapis, et où, suspendus au plafond d'azur, sept lustres d'or à sept branches mettaient un éclat incomparable. Et au milieu de la salle, sur des tabourets bas, étaient sept grands plateaux d'or massif, couverts de mets admirables dont l'odeur embaumait l'air d'ambre et d'épices. Et autour de ces plateaux étaient debout, attendant un signe, sept adolescentes, d'une beauté incomparable, vêtues de robes de couleurs et de formes différentes. Et elles tenaient chacune à la main un éventail, prêtes à en rafraîchir l'air autour d'Aboul-Hassân.

Alors Aboul-Hassân, qui depuis la veille n'avait encore rien mangé, s'assit devant les plateaux ; et aussitôt les sept adolescentes se mirent à agiter toutes ensemble leurs éventails, pour faire de l'air autour de lui. Mais, comme il n'était point habitué à recevoir tant d'air en mangeant, il regarda les adolescentes l'une après l'autre, avec un sourire gracieux, et leur dit : « Par Allah, ô jouvencelles, je crois bien qu'une seule personne suffit pour me donner de l'air. Venez donc toutes vous asseoir autour de moi, pour me tenir compagnie. Et dites à cette négresse, qui est là, de venir nous faire de l'air ! » Et il les obligea à venir se placer à sa droite, à sa gauche et devant lui, de façon que, de quelque côté qu'il se tournât, il eût devant les yeux un spectacle agréable.

Alors il commença à manger ; mais, au bout de quelques instants, il s'aperçut que les adolescentes n'osaient point toucher à la nourriture, par égard pour lui ; et il les invita à plusieurs reprises à se servir sans contrainte, et il leur offrit même de sa propre main des morceaux choisis. Puis il les interrogea, chacune à son tour, sur leurs noms ; et elles lui répondirent : « Nous nous appelons Grain-de-Musc, Cou-d'Albâtre, Feuille-de-Rose, Cœur-de-Grenade, Bouche-de-Corail, Noix-Muscade, et Canne-à-Sucre ! » Et, en entendant des noms si gracieux, il s'écria : « Par Allah ! ces noms vous conviennent, ô jeunes filles ! Car ni le musc, ni l'albâtre, ni la rose, ni la grenade, ni le corail, ni la noix muscade, ni la canne à sucre ne perdent leurs qualités à travers votre grâce ! » Et il continua, durant le repas, à leur dire des paroles si exquises que le khalifat, caché derrière un rideau, et qui l'observait avec une grande attention, se félicita de plus en plus d'avoir organisé un tel divertissement.

Lorsque le repas fut terminé, les adolescentes avertirent les eunuques, qui aussitôt apportèrent de quoi se laver les mains. Et les adolescentes s'empressèrent de prendre des mains des eunuques le bassin d'or, l'aiguière et les serviettes parfumées et, se mettant à genoux devant Aboul-Hassân, elles firent couler l'eau sur ses mains. Puis elles l'aidèrent à se lever ; et, les eunuques ayant tiré une grande portière, une seconde salle apparut où étaient rangés les fruits sur les plateaux d'or. Et les adolescentes l'accompagnèrent jusqu'à la porte de cette salle, et se retirèrent.

Alors Aboul-Hassân, soutenu par deux eunuques, marcha jusqu'au milieu de cette salle qui était plus belle et mieux décorée que la précédente. Et dès qu'il se fut assis, un nouveau concert, donné par une autre troupe de musiciennes et de chanteuses, fit entendre des accords admirables. Et Aboul-Hassân, fort ravi, aperçut sur les plateaux dix rangées alternées des fruits les plus rares et les plus exquis ; et il y en avait sept plateaux ; et chaque plateau était sous un lustre suspendu au plafond ; et devant chaque plateau se tenait une adolescente, plus belle et mieux ornée que les précédentes ; et elle tenait également un éventail. Et Aboul-Hassân les examina l'une après l'autre et fut enchanté de leur beauté. Et il les invita à s'asseoir autour de lui ; et pour les encourager à manger, il ne manqua pas de les servir lui-même au lieu de les laisser le servir. Et il s'informa de leurs noms, et sut dire à chacune d'elles un compliment approprié, en leur présentant soit une figue, soit une grappe de raisin, soit une tranche de pastèque, soit une banane.

Et le khalifat, qui l'entendit, se divertissait à l'extrême et était de plus en plus satisfait de mieux voir chaque fois la mesure qu'il pouvait donner.

Lorsque Aboul-Hassân eut goûté de tous les fruits qui étaient sur les plateaux, et qu'il en eut fait goûter aux adolescentes, il se leva, aidé par les eunuques qui l'introduisirent dans une troisième salle, certainement plus belle que les deux premières…

À ce moment de sa narration, Schahrazade vit apparaître le matin et, discrète, se tut.

Mais lorsque fut la six cent trente-sixième nuit. Elle dit :

… Il se leva, aidé par les eunuques qui l'introduisirent dans une troisième salle, certainement plus belle que les deux premières. Or, c'était la salle des confitures. Il y avait, en effet, sept grands plateaux, chacun sous un lustre, et devant chaque plateau une adolescente debout ; et sur ces plateaux, dans des bocaux de cristal et des bassins de vermeil, étaient contenues des confitures excellentes. Et il y en avait de toutes les couleurs et de toutes les espèces. Il y avait des confitures liquides et des confitures sèches, et des gâteaux feuilletés, et tout ! Et Aboul-Hassân, au milieu d'un nouveau concert de voix et d'instruments, goûta un peu de toutes les douceurs parfumées, et en fit goûter aux adolescentes qu'il invita, de la même manière, à lui tenir compagnie. Et à chacune d'elles il sut dire un mot agréable en réponse au nom qu'il demandait.

Après quoi, il fut introduit dans la quatrième salle qui était la salle des boissons, et qui était de beaucoup la plus surprenante et la plus merveilleuse. Sous les sept lustres d'or du plafond étaient sept plateaux, où des flacons de toutes formes et de toutes grandeurs étaient rangés en lignes symétriques ; et des musiciennes et des chanteuses se faisaient entendre, qui étaient invisibles à l'œil du spectateur ; et devant les plateaux étaient debout sept adolescentes, non point vêtues de lourdes robes comme leurs sœurs des autres salles, mais simplement enveloppées d'une chemise de soie ; et elles étaient de couleurs différentes et d'aspect différent : la première était brune, la seconde noire, la troisième blanche, la quatrième blonde, la cinquième grasse, la sixième maigre, et la septième rousse. Et Aboul-Hassân les examina avec d'autant plus de plaisir et d'attention qu'il pouvait aisément juger de leurs formes et de leurs appas, sous la transparence de l'étoffe légère. Et ce fut avec un plaisir extrême qu'il les invita à s'asseoir autour de lui et à lui verser à boire. Et il se mit à demander son nom à chaque adolescente à son tour, à mesure qu'elle lui présentait la coupe. Et chaque fois qu'il vidait une coupe, il prenait de l'adolescente soit un baiser, soit une morsure, soit un pincement de fesse. Et il continua à jouer de la sorte avec elles, jusqu'à ce que l'enfant héritier se fût mis à crier. Alors, pour l'apaiser, il demanda aux sept adolescentes : « Par ma vie ! qui de vous veut se charger de cet enfant encombrant ! » Et les sept adolescentes, à cette demande, pour toute réponse, se jetèrent toutes à la fois sur le nourrisson, et voulurent lui donner à téter. Et chacune le tirait à elle de côté et d'autre, en riant et en poussant des cris, si bien que le père de l'enfant, ne sachant plus qui entendre ni qui exaucer, le rentra dans son sein, en disant : « Il s'est rendormi ! »

Tout cela ! Et le khalifat, qui suivait partout Aboul-Hassân et se dissimulait derrière les rideaux, jubilait en silence de ce qu'il voyait et entendait, et bénissait la destinée qui l'avait mis sur le chemin d'un homme tel que celui-ci. Mais, sur ces entrefaites, l'une des adolescentes, qui avait reçu de Giafar les instructions nécessaires, prit une coupe et y jeta adroitement une pincée de la poudre soporifique que le khalifat avait employée la nuit précédente pour endormir Aboul-Hassân. Puis elle tendit en riant la coupe à Aboul-Hassân, et lui dit : « Ô émir des Croyants, je te supplie de boire encore cette coupe qui peut-être réveillera le cher enfant ! » Et Aboul-Hassân, éclatant de rire, répondit : « Hé, ouallah ! » et il prit la coupe que lui tendait l'adolescente, et la but d'un seul coup. Puis il se tourna pour parler à celle qui lui avait servi à boire, mais il ne put qu'ouvrir la bouche en bégayant, et roula sur lui-même, la tête avant les pieds.

Alors le khalifat, qui s'était diverti de tout cela à la limite du divertissement, et qui n'attendait plus que ce sommeil d'Aboul-Hassân, sortit de derrière le rideau, ne pouvant plus se tenir debout à force d'avoir ri. Et il se tourna vers les esclaves accourus et leur ordonna de dépouiller Aboul-Hassân des habits royaux dont ils l'avaient revêtu le matin, et de le vêtir de ses habits ordinaires. Et lorsque cet ordre fut exécuté, il fit appeler l'esclave qui avait enlevé Aboul-Hassân, et lui ordonna de le recharger sur ses épaules, de le transporter à sa maison, et de le coucher sur son lit. Car le khalifat se dit en lui-même : « Si cela dure davantage, ou bien je vais mourir de rire, ou bien il deviendra fou ! » Et l'esclave, ayant chargé Aboul-Hassân sur son dos, l'emporta hors du palais en sortant par la porte secrète, et courut le déposer sur son lit, dans sa maison, dont cette fois il prit soin de fermer la porte en se retirant. Quant à Aboul-Hassân...

À ce moment de sa narration, Schahrazade vit apparaître le matin et, discrète, se tut.

Mais lorsque fut la six cent trente-septième nuit. Elle dit :

... Quant à Aboul-Hassân, il resta endormi dans un profond sommeil jusqu'au lendemain à midi, et il ne s'éveilla que lorsque l'effet du bang sur son cerveau se fut complètement dissipé. Et, avant que de pouvoir ouvrir les yeux, il pensa : « Celle que je préfère, réflexion faite, entre toutes les adolescentes, c'est certainement la jeune Canne-à-Sucre, et ensuite Bouche-de-Corail, et en troisième lieu seulement Bouquet-de-Perles, la blonde, celle qui m'a servi la dernière coupe, hier ! » Et il appela à haute voix : « Allons ! venez, ô jeunes filles ! Canne-à-Sucre, Bouche-de-Corail, Bouquet-de-Perles, Aube-du-Jour, Étoile-du-Matin, Grain-de-Musc, Cou-d'Albâtre, Face-de-Lune, Cœur-de-Grenade, Fleur-de-Pommier, Feuille-de-Rose ! Allons ! Accourez ! Hier j'étais un peu fatigué ! Mais aujourd'hui l'enfant se porte bien ! »

Et il attendit un moment. Mais comme personne ne répondait ni n'accourait à sa voix, il fut courroucé et, ouvrant les yeux, il se mit sur son séant. Et il se vit alors dans sa chambre, plus du tout dans le palais somptueux qu'il avait habité la veille, et où il avait commandé en maître à toute la terre. Et il s'imagina qu'il était sous l'effet d'un rêve, et, pour le dissiper, il se mit à crier de toutes ses forces : « Eh bien, Giafar, ô fils de chien, et toi, Massrour, l'entremetteur, où êtes-vous ? »

À ses cris, la vieille mère accourut, et lui dit : « Qu'as-tu, mon fils ? Le nom d'Allah sur toi et autour de toi ! Quel rêve fais-tu, ô mon fils, ô Aboul-Hassân ? » Et Aboul-Hassân, indigné de voir la vieille à son chevet, lui cria : « Qui es-tu, vieille femme ? Et qui ça, Aboul-Hassân ? » Elle dit : « Allah ! Je suis ta mère ! Et tu es mon fils, tu es Aboul-Hassân, ô mon enfant ! Quelles paroles étranges n'ai-je pas entendues de ta bouche ? Tu as l'air de ne pas me reconnaître ! » Mais Aboul-Hassân lui cria : « Arrière, ô maudite vieille ! Tu parles à l'émir des Croyants, le khalifat Haroun Al-Rachid ! Va-t'en de devant la face du vicaire d'Allah sur la terre ! » À ces paroles, la pauvre vieille se mit à se donner de grands coups sur la figure, en s'écriant : « Le nom d'Allah sur toi, ô mon enfant ! De grâce, n'élève pas la voix pour dire de pareilles folies ! Les voisins vont t'entendre, et nous serons perdus sans recours ! Puisse la sécurité et le calme descendre sur ta raison ! » Aboul-Hassân s'écria : « Je te dis de sortir à l'instant, ô vieille exécrable ! Tu es folle de me confondre avec ton fils ! Je suis Haroun Al-Rachid, émir des Croyants, maître de l'Orient et de l'Occident ! » Elle se donna des coups au visage, et dit, en se lamentant : « Qu'Allah confonde le Malin ! Et que la miséricorde du Très-Haut te délivre de la possession, ô mon enfant ! Comment une chose aussi insensée peut-elle entrer dans ton esprit ? Ne vois-tu pas que cette chambre où tu es est loin d'être le palais du khalifat, et que depuis ta naissance tu y as toujours vécu, et que jamais tu n'as habité ailleurs qu'ici, jamais avec d'autres personnes que ta vieille mère qui t'aime, mon fils, ya Aboul-Hassân ! Écoute-moi, chasse de ta pensée ces rêves vains et dangereux qui t'ont hanté cette nuit, et bois, pour te calmer, un peu de l'eau de cette gargoulette ! »

Alors Aboul-Hassân prit la gargoulette des mains de sa mère, but une gorgée d'eau, et dit, un peu calmé : « Il se peut bien, en effet, que je sois Aboul-Hassân ! » Et il baissa la tête et, la main appuyée sur la joue, il réfléchit pendant une heure de temps, et, sans lever la tête, il dit, se parlant à lui-même comme quelqu'un qui sort d'un profond sommeil : « Oui, par Allah ! il se peut bien que je sois Aboul-Hassân ! Je suis Aboul-Hassân, sans aucun doute ! Cette chambre est ma chambre, ouallahi ! Je la reconnais maintenant ! Et toi, tu es ma mère, et je suis ton fils ! Oui, je suis Aboul-Hassân ! » Et il ajouta : « Mais par quel sortilège ai-je donc pu avoir ma raison envahie par de telles folies ! »

En entendant ces paroles, la pauvre vieille pleura de joie, ne doutant plus que son fils ne se fût tout à fait calmé. Et, après avoir séché ses larmes, elle s'apprêtait à lui apporter à manger et à l'interroger sur les détails du rêve étrange qu'il venait de faire, quand Aboul-Hassân qui, depuis un moment, regardait fixement devant lui, bondit soudain comme un fou et, saisissant la pauvre femme par ses vêtements, se mit à la secouer en lui criant : « Ah ! infâme vieille, si tu ne veux pas que je t'étrangle, tu vas me dire à l'instant quels sont les ennemis qui m'ont détrôné, et quel est celui qui m'a enfermé dans cette prison, et qui tu es toi-même qui me gardes dans ce misérable taudis ! Ah ! crains les effets de ma colère, quand je reviendrai sur le trône ! Redoute la vengeance de ton auguste souverain, le khalifat que je reste, moi, Haroun Al-Rachid ! » Et, la secouant, il finit par la lâcher de ses mains. Et elle alla s'effondrer sur la natte, en sanglotant et en se lamentant. Et Aboul-Hassân, à la limite de la rage, se rejeta dans son lit, et se tint la tête dans les mains, en proie au tumulte de sa pensée.

Mais, au bout d'un certain temps, la vieille se releva et, comme son cœur était tendre pour son fils, elle n'hésita pas à lui apporter, bien qu'en tremblant, un peu de sirop à l'eau de rose, et le décida à en prendre une gorgée, et lui dit, pour le faire changer d'idée : « Écoute, mon fils, ce que j'ai à te raconter ! C'est une chose qui, j'en suis persuadée, va te faire un bien grand plaisir. Sache, en effet, que le chef de la police est venu hier, de la part du khalifat, arrêter le cheikh al-balad et ses deux compères ; et qu'après leur avoir fait donner à chacun quatre cents coups de bâton sur la plante des pieds, il les a fait promener, à rebours sur un chameau galeux, à travers les quartiers de la ville, sous les huées et les crachats des femmes et des enfants. Après quoi il a fait empaler par la bouche le cheikh al-balad, puis jeter le premier compère dans la fosse aux excréments de notre maison, et condamner le troisième à un supplice extrêmement compliqué qui consiste à le faire asseoir toute sa vie sur une chaise qui s'effondre sous lui…

À ce moment de sa narration, Schahrazade vit apparaître le matin et, discrète, se tut.

Mais lorsque fut la six cent trente-neuvième nuit. Elle dit :

… Un supplice extrêmement compliqué qui consiste à le faire asseoir toute sa vie sur une chaise qui s'effondre sous lui ! »

Lorsque Aboul-Hassân eut entendu ce discours qui, selon ce que pensait la bonne vieille, devait contribuer à chasser le trouble dont son âme était obscurcie, il fut plus persuadé que jamais de sa royauté et de sa dignité héréditaire d'émir des Croyants. Et il dit à sa mère : « Ô vieille de malheur, tes paroles, loin de me dissuader, ne font que me confirmer dans l'idée, que d'ailleurs je n'avais jamais abandonnée, que je suis Haroun Al-Rachid. Et, pour te prouver la chose à toi, sache que c'est moi-même qui ai donné l'ordre à mon chef de police, Ahmad-la-Teigne, de châtier les trois canailles de ce quartier ! Cesse donc de me dire que je rêve ou que je suis possédé du souffle du Cheitân. Prosterne-toi donc devant ma gloire, embrasse la terre entre mes mains, et demande-moi pardon des paroles inconsidérées et du doute que tu as émis à mon sujet ! »

À ces paroles de son fils, la mère n'eut plus aucun doute au sujet de la folie d'Aboul-Hassân, et elle lui dit : « Qu'Allah le miséricordieux fasse descendre la rosée de sa bénédiction sur ta tête, ô Aboul-Hassân, et qu'Il te pardonne et te fasse la grâce de redevenir un homme doué de raison et de bon sens ! Mais, je t'en supplie, ô mon fils, cesse de prononcer le nom du khalifat et de te l'appliquer, car les voisins peuvent t'entendre et rapporter tes paroles au wali qui te fera alors arrêter et pendre à la porte du palais ! » Puis, ne pouvant plus résister à son émotion, elle se mit à se lamenter et à se frapper la poitrine de désespoir.

Or cette vue, au lieu d'apaiser Aboul-Hassân, ne fit que l'exciter davantage ; et il se leva debout sur ses deux pieds, se saisit d'un bâton et se précipitant sur sa mère, dans l'égarement de sa fureur, il lui cria d'une voix terrifiante : « Je te défends, ô maudite, de m'appeler encore Aboul-Hassân ! Je suis Haroun Al-Rachid en personne, et, si tu en doutes encore, je te ferai entrer cette croyance dans la tête à coups de bâton ! » Et la vieille, à ces paroles, bien que toute tremblante de frayeur et d'émotion, n'oublia pas qu'Aboul-Hassân était son fils, et, le regardant comme une mère regarde son enfant, lui dit d'une voix douce : « Ô mon fils, je ne crois pas que la loi d'Allah et de Son Prophète se soit retirée de ton esprit au point que tu puisses oublier le respect qu'un fils doit à sa mère qui l'a porté neuf mois dans son sein et l'a nourri de son lait et de sa tendresse ! Laisse-moi plutôt te dire, une dernière fois, que tu as tort de laisser ta raison s'enfoncer dans cette étrange songerie, et de t'arroger ce titre auguste de khalifat qui n'appartient qu'à notre maître et souverain l'émir des Croyants, Haroun Al-Rachid. Et surtout, tu te rends coupable d'une bien grande ingratitude envers le khalifat, juste au lendemain du jour où il nous a comblés de ses bienfaits. Sache, en effet, que le chef trésorier du palais est venu hier dans notre maison, envoyé par l'émir des Croyants lui-même, et m'a remis de par son ordre un sac de mille dinars d'or, en l'accompagnant d'excuses pour la modicité de la somme, et en me promettant que ce ne serait pas le dernier cadeau de sa générosité ! »

En entendant ces paroles de sa mère, Aboul-Hassân perdit les derniers scrupules qu'il pouvait encore garder concernant son ancien état, et fut convaincu qu'il avait toujours été le khalifat, puisque c'était lui-même qui avait envoyé le sac de mille dinars à la mère d'Aboul-Hassân. Il regarda donc la pauvre femme avec de gros yeux menaçants et lui cria : « Prétends-tu, pour ton malheur, ô vieille calamiteuse, que ce n'est point moi qui t'ai envoyé le sac de l'or, et que ce n'est point par mon ordre que mon chef trésorier est venu te le remettre hier ? Et oseras-tu encore, après cela, m'appeler ton fils et me dire que je suis Aboul-Hassân le débauché ? » Et, comme sa mère se bouchait les oreilles pour ne point entendre ces paroles qui la bouleversaient, Aboul-Hassân, excité à la limite de la frénésie, ne put plus se retenir et se jeta sur elle, le bâton à la main, et se mit à la rouer de coups.

Alors la pauvre vieille, ne pouvant taire sa douleur et son indignation de ce traitement, se mit à hurler, appelant les voisins au secours, en criant : « Ô ma calamité ! Accourez, ô musulmans ! » Et Aboul-Hassân, que ces cris ne faisaient que davantage exciter, continua à faire tomber les coups de bâton sur la vieille, en lui criant de temps à autre : « Suis-je ou ne suis-je pas l'émir des Croyants ? » Et la mère répondait, malgré les coups : « Tu es mon fils ! Tu es Aboul-Hassân le débauché ! » Sur ces entrefaites, les voisins, accourus aux cris et au vacarme…

À ce moment de sa narration, Schahrazade vit apparaître le matin et, discrète, se tut.

Mais lorsque fut la six cent quarantième nuit. Elle dit :

… Sur ces entrefaites, les voisins, accourus aux cris et au vacarme, pénétrèrent dans la chambre, et s'interposèrent aussitôt entre la mère et le fils pour les séparer, et arrachèrent le bâton des mains d'Aboul-Hassân et, indignés de la conduite d'un tel fils, ils l'empoignèrent pour l'empêcher de bouger et lui demandèrent : « Es-tu donc devenu fou, Aboul-Hassân, pour ainsi lever la main sur ta mère, cette pauvre vieille ? Et as-tu complètement oublié les préceptes du Livre saint ? » Mais Aboul-Hassân, les yeux brillants de fureur, leur cria : « Qui ça, Aboul-Hassân ? Qui appelez-vous de ce nom ? » Et les voisins, à cette question, furent extrêmement perplexes, et finirent par lui demander : « Comment ? N'es-tu pas Aboul-Hassân le débauché ? Et cette bonne vieille n'est-elle pas ta mère, celle qui t'a élevé et nourri de son lait et de sa tendresse ? » Il répondit : « Ah ! fils de chiens, sortez de ma présence ! Je suis votre maître le khalifat Haroun Al-Rachid, émir des Croyants ! »

En entendant ces paroles d'Aboul-Hassân, les voisins furent tout à fait persuadés de sa folie ; et, ne voulant plus laisser libre de ses mouvements cet homme qu'ils avaient vu dans l'aveuglement de la fureur, ils lui lièrent les mains et les pieds, et envoyèrent l'un d'entre eux quérir le portier de l'hôpital des fous. Et, au bout d'une heure, le portier de l'hôpital des fous, suivi de deux solides gardiens, arriva avec tout un attirail de chaînes et de menottes, et tenant à la main une cravache en nerf de bœuf. Et comme Aboul-Hassân, à cette vue, faisait de grands efforts pour se débarrasser de ses liens et lançait des injures aux assistants, le portier commença par lui appliquer sur l'épaule deux ou trois coups de son nerf de bœuf. Après quoi, sans plus tenir compte de ses protestations et des titres qu'il se donnait, ils le chargèrent de chaînes de fer et le transportèrent à l'hôpital des fous, au milieu du grand rassemblement des passants qui lui donnaient les uns un coup de poing et les autres un coup de pied, en le traitant de fou.

Lorsqu'il fut arrivé à l'hôpital des fous, il fut enfermé dans une cage de fer, comme une bête féroce, et régalé d'une raclée de cinquante coups de nerf de bœuf, comme premier traitement. Et, depuis ce jour, il subit, une fois le matin et une fois le soir, une raclée de cinquante coups de nerf de bœuf, si bien qu'au bout de dix jours de ce traitement, il changea de peau comme un serpent. Alors il fit un retour sur lui-même et pensa : « Voilà en quel état je suis réduit maintenant ! Il faut bien que ce soit moi qui aie tort, puisque tout le monde me traite de fou ! Pourtant il n'est pas possible que tout ce qui m'est arrivé au palais ne soit que l'effet d'un rêve ! Enfin ! Je veux refuser d'approfondir davantage cette question ou d'essayer encore de la comprendre, sinon je deviendrai réellement fou. D'ailleurs, ce n'est point là la seule chose que la raison de l'homme ne peut arriver à comprendre, et je m'en remets à Allah pour la solution ! »

Or, pendant qu'il était plongé dans ces nouvelles pensées, sa mère arriva, toute en larmes, voir en quel état il se trouvait et s'il était revenu à des sentiments plus raisonnables. Et elle le vit si amaigri et si exténué qu'elle éclata en sanglots ; mais elle parvint à surmonter sa douleur et finit par pouvoir le saluer tendrement ; et Aboul-Hassân lui rendit le salam d'une voix tranquille, comme un homme sensé, en lui répondant : « Sur toi le salut et la miséricorde d'Allah et Ses bénédictions, ô mère mienne ! » Et la mère eut une grande joie de s'entendre appeler ainsi du nom de mère, et lui dit : « Le nom d'Allah sur toi, ô mon enfant ! Béni soit Allah qui t'a rendu la raison, et qui a remis à sa place ordinaire ta cervelle renversée ! » Et Aboul-Hassân, d'un ton fort contrit, répondit : « Je demande mon pardon d'Allah et de toi, ô ma mère ! En vérité, je ne comprends pas comment j'ai pu dire toutes les folies que j'ai dites, et me porter aux excès qu'un insensé seul est capable de faire ! C'est sans doute le Cheitân qui m'a possédé et m'a poussé à ces emportements ! Et il n'y a pas de doute qu'un autre que moi ne fût porté à des extravagances plus grandes encore ! Mais tout cela est bien fini, et me voici revenu de mon égarement ! » Et la mère sentit, à ces paroles, ses larmes de douleur se changer en larmes de bonheur, et s'écria : « Mon cœur est aussi joyeux, ô mon enfant, que si je venais de te mettre au monde une seconde fois. Béni soit Allah à jamais ! » Puis elle ajouta…

À ce moment de sa narration, Schahrazade vit apparaître le matin et, discrète se tut.

Mais lorsque fut la six cent quarante et unième nuit. Elle dit :

… Béni soit Allah à jamais ! » Puis elle ajouta : « Certes ! tu n'as aucune faute à te reprocher, ô mon enfant, car tout le mal qui nous est arrivé est dû à ce marchand étranger, que tu as invité la dernière nuit à manger et boire avec toi, et qui est parti au matin sans prendre la peine de fermer la porte derrière lui. Or tu dois savoir que chaque fois que la porte d'une maison est restée ouverte avant le lever du soleil, le Cheitân entre dans la maison et prend possession de l'esprit de ses habitants ! Et il arrive alors ce qui arrive ! Remercions donc Allah qui n'a pas permis de pires malheurs sur notre tête ! » Et Aboul-Hassân répondit : « Tu as raison, ô mère ! C'est l'œuvre de la possession du Cheitân ! Quant à moi, j'avais bien averti le marchand de Mossoul de ne point oublier de fermer la porte derrière lui, pour éviter l'entrée du Cheitân dans notre maison ; mais il a omis de le faire, et nous a causé de la sorte tous ces désagréments ! » Puis il ajouta : « Maintenant que je sens bien que ma cervelle n'est plus renversée et que les extravagances sont finies, je te prie, ô tendre mère, de parler au portier de l'hôpital des fous pour que je sois délivré de cette cage et des supplices que j'endure ici tous les jours ! » Et la mère d'Aboul-Hassân courut, sans différer davantage, avertir le portier que son fils avait recouvré la raison. Et le portier vint avec elle examiner Aboul-Hassân et l'interroger. Et comme les réponses étaient sensées, et qu'il reconnaissait être Aboul-Hassân et non plus Haroun Al-Rachid, le portier le tira de la cage et le délivra de ses chaînes. Et Aboul-Hassân, pouvant à peine se tenir sur ses jambes, regagna lentement sa maison, aidé par sa mère, et y resta couché plusieurs jours, jusqu'à ce que les forces lui fussent revenues, et que les effets des coups reçus se fussent un peu amendés. Alors, comme il commençait à s'ennuyer de sa solitude, il se décida à reprendre sa vie d'autrefois, et à aller, vers le coucher du soleil, s'asseoir au bout du pont pour attendre l'arrivée de l'hôte étranger que pouvait lui envoyer la destinée.

Or, précisément, ce soir-là était le premier du mois ; et le Khalifat Haroun Al-Rachid, qui selon son habitude se déguisait en marchand au commencement de chaque mois, était sorti en secret de son palais à la recherche de quelque aventure, et aussi pour voir par lui-même si le bon ordre régnait dans la ville comme il le souhaitait. Et il arriva de la sorte sur le pont, à l'extrémité duquel était assis Aboul-Hassân. Et Aboul-Hassân, qui guettait l'apparition des étrangers, ne fut pas long à apercevoir le marchand de Mossoul, qu'il avait déjà hébergé, et qui s'avançait de son côté, suivi, comme la première fois, d'un grand esclave.

À cette vue, Aboul-Hassân, soit parce qu'il considérait le marchand de Mossoul comme la cause première de ses malheurs, soit parce qu'il avait pour habitude de ne jamais faire semblant de reconnaître les personnes qu'il avait invitées chez lui, se hâta de tourner la tête dans la direction du fleuve, pour n'être point obligé de saluer son ancien hôte. Mais le khalifat, qui, par ses espions, avait appris tout ce qui était arrivé à Aboul-Hassân depuis son absence et le traitement qu'il avait subi à l'hôpital des fous, ne voulut point laisser passer cette occasion de se divertir encore davantage aux dépens d'un homme si singulier. Et, d'ailleurs, le khalifat, qui avait un cœur généreux et magnanime, avait également résolu de réparer un jour, autant qu'il serait en son pouvoir de le faire, le dommage subi par Aboul-Hassân, et de lui rendre d'une manière ou d'une autre, en bienfaits, le plaisir qu'il avait éprouvé en sa compagnie. Aussi, dès qu'il eut aperçu Aboul-Hassân, il s'approcha de lui, et pencha la tête par-dessus son épaule, vu qu'Aboul-Hassân tenait obstinément le visage tourné du côté du fleuve, et, le regardant dans les yeux, lui dit : « Le salam sur toi, ô mon ami Aboul-Hassân ! Mon âme désire t'embrasser ! » Mais Aboul-Hassân, sans le regarder et sans bouger, lui répondit : « Il n'y a pas de salam de moi à toi !

Marche ! Je ne te connais pas ! » Et le khalifat s'écria : « Comment, Aboul-Hassân ? Tu ne connais pas l'hôte que tu as hébergé toute une nuit chez toi ? » Il répondit : « Non, par Allah ! je ne te reconnais pas ! Va en ta voie ! » Mais Al-Rachid insista auprès de lui, et dit : « Pourtant, moi je te reconnais bien, et ne puis croire que tu m'aies si complètement oublié, alors qu'il y a à peine un mois d'écoulé depuis notre dernière entrevue et la soirée agréable que j'ai passée seul à seul avec toi, dans ta maison ! » Et, comme Aboul-Hassân continuait à ne pas répondre, en lui faisant signe de s'en aller, le khalifat lui jeta les bras autour du cou et se mit à l'embrasser, et lui dit : « Ô mon frère Aboul-Hassân, comme c'est mal à toi de me faire une telle plaisanterie ! Quant à moi, je suis bien décidé à ne pas te quitter avant que tu m'aies conduit une seconde fois dans ta maison et que tu m'aies raconté la cause de ton ressentiment contre moi. Car je vois bien que tu as quelque chose à me reprocher, à la manière dont tu me repousses ! » Aboul-Hassân, d'un ton indigné, s'écria : « Moi, te conduire une seconde fois à ma maison, ô visage de mauvais augure, après tout le mal dont ta venue chez moi a été la cause ? Allons ! tourne le dos et fais-moi voir la largeur de tes épaules ! » Mais le khalifat l'embrassa une seconde fois et lui dit : « Ah ! mon ami Aboul-Hassân, comme tu me traites durement ! S'il est vrai que ma présence chez toi t'a été une cause de malheur, sois bien persuadé que me voici prêt à réparer tout le dommage qu'involontairement je t'ai causé ! Raconte-moi donc ce qui s'est passé et le mal dont tu as pu souffrir, afin que je puisse y apporter un remède ! » Et, malgré les protestations d'Aboul-Hassân, il s'accroupit à côté de lui, sur le pont, et lui entoura le cou de son bras, comme un frère fait à son frère, et attendit la réponse…

À ce moment de sa narration, Schahrazade vit apparaître le matin et, discrète, se tut.

Mais lorsque fut la six cent quarante-troisième nuit. Elle dit :

… Et, malgré les protestations d'Aboul-Hassân, il s'accroupit à côté de lui sur le pont, et lui entoura le cou de son bras, comme un frère fait à son frère, et attendit la réponse.

Alors Aboul-Hassân, gagné par les caresses, finit par dire : « Je veux bien te raconter les choses étranges qui me sont arrivées depuis notre soirée, et les malheurs qui s'ensuivirent. Et tout cela à cause de cette porte que tu as omis de fermer derrière toi, et par où est entrée la Possession ! » Et il raconta tout ce qu'il avait cru voir en réalité et qu'il supposait être, sans aucun doute, une illusion suscitée par le Cheitân, et tous les malheurs et les mauvais traitements qu'il avait endurés dans la maison des fous, et le scandale causé dans le quartier par toute cette affaire, et la mauvaise réputation qu'il avait définitivement acquise auprès de tous les voisins ! Et il n'omit aucun détail, et apporta dans son récit une telle véhémence, et narra avec tant de crédulité l'histoire de sa prétendue Possession, que le khalifat ne put s'empêcher de pousser un grand éclat de rire ! Et Aboul-Hassân ne sut exactement à quoi attribuer ce rire, et lui demanda : « N'as-tu donc pas pitié du malheur qui s'est abattu sur ma tête, pour te moquer ainsi de moi ? Ou bien t'imagines-tu que c'est moi qui me moque de toi en te racontant une histoire imaginaire ? S'il en est ainsi, je vais lever tes doutes, et te donner les preuves de ce que j'avance ! » Et, ce disant, il retira les manches de sa robe et mit à nu ses épaules, son dos et son derrière, et montra de la sorte au khalifat les cicatrices et les colorations de sa peau meurtrie par les coups de nerf de bœuf.

À cette vue, le khalifat ne put s'empêcher de compatir réellement au sort du malheureux Aboul-Hassân. Il cessa dès lors d'avoir à son sujet nulle intention de raillerie, et l'embrassa cette fois avec beaucoup de véritable affection, et lui dit : « Par Allah sur toi, mon frère Aboul-Hassân, je te supplie de m'emmener à ta maison pour cette nuit encore, car je souhaite me réjouir l'âme de ton hospitalité. Et tu verras que demain Allah te rendra au centuple ton bienfait ! »

Et il continua à lui dire de si bonnes paroles et à l'embrasser si affectueusement qu'il le décida, malgré sa résolution de ne jamais recevoir deux fois la même personne, à l'emmener à sa maison. Mais, en chemin, il lui dit : « Je cède à tes importunités, mais bien à regret. Et en retour je ne veux te demander qu'une seule chose, c'est de ne pas oublier cette fois de fermer la porte, en sortant demain matin de ma maison ! » Et le khalifat, étouffant en son intérieur le rire qui le secouait à cette croyance qu'avait toujours Aboul-Hassân de l'entrée chez lui du Cheitân par la porte ouverte, lui promit par serment qu'il prendrait soin de la fermer. Et ils arrivèrent de la sorte à la maison.

Lorsqu'ils furent entrés, et qu'ils se furent un peu reposés, l'esclave les servit et, après le repas, leur apporta les boissons. Et, la coupe à la main, ils se mirent à s'entretenir agréablement de choses et d'autres, jusqu'à ce que la boisson eût fermenté dans leur raison. Alors le khalifat mit adroitement la causerie sur les choses de l'amour, et demanda à son hôte s'il lui était arrivé de s'éprendre violemment des femmes, ou s'il s'était déjà marié, ou s'il était toujours resté célibataire. Et Aboul-Hassân répondit : « Je dois te dire, ô mon maître, que jusqu'aujourd'hui je n'ai aimé véritablement que les gais compagnons, les mets délicats, les boissons et les parfums ; et je n'ai rien trouvé de supérieur dans la vie à la causerie, la coupe à la main, avec les amis. Mais cela ne signifie point que je ne sache pas à l'occasion reconnaître les mérites d'une femme, surtout si elle est semblable à l'une de ces merveilleuses adolescentes que le Cheitân m'avait laissé voir dans ces songes fantastiques qui m'avaient rendu fou ; une de ces adolescentes toujours de belle humeur, qui savent chanter, jouer des instruments, danser et calmer l'enfant dont nous sommes les héritiers ; qui consacrent leur vie à notre plaisir et s'étudient à nous plaire et à nous divertir. Certes ! si jamais je rencontrais une telle adolescente, je me hâterais de l'acheter à son père et de me marier avec elle et d'avoir pour elle un profond attachement. Mais cette espèce-là n'existe que chez l'émir des Croyants et tout au plus chez le grand vizir Giafar ! C'est pourquoi, ô mon maître, au lieu de tomber sur une femme qui risquerait de me gâter la vie par sa mauvaise humeur et ses imperfections, je préfère de beaucoup la société des amis de passage et des vieilles bouteilles que voici. De cette façon, ma vie est tranquille, et, si je deviens pauvre, je mangerai seul le pain noir de la misère ! »

Et, disant ces paroles, Aboul-Hassân vida d'un trait la coupe que lui tendait le khalifat, et roula aussitôt sur le tapis, la tête avant les pieds. Car le khalifat avait pris soin, cette fois encore, de mélanger au vin un peu de poudre de bang crétois. Et aussitôt l'esclave, sur un signe de son maître, chargea Aboul-Hassân sur son dos et sortit de la maison, suivi par le khalifat qui, cette fois, n'ayant plus l'intention de renvoyer Aboul-Hassân à sa maison, ne manqua pas de fermer soigneusement la porte derrière lui. Et ils arrivèrent au palais et, sans bruit, glissèrent à l'intérieur par la porte secrète, et pénétrèrent dans les appartements réservés…

À ce moment de sa narration, Schahrazade vit apparaître le matin et, discrète, se tut.

Mais lorsque fut la six cent quarante-quatrième nuit. Elle dit :

... Et ils arrivèrent au palais et, sans bruit, glissèrent à l'intérieur par la porte secrète, et pénétrèrent dans les appartements réservés.

Alors le khalifat fit étendre Aboul-Hassân sur son propre lit, comme la première fois, et le fit vêtir de la même manière. Et il donna les mêmes ordres que précédemment, et recommanda à Massrour de venir le réveiller de bon matin, avant l'heure de la prière. Et il alla se coucher dans une pièce voisine.

Or, le lendemain matin, à l'heure dite, le khalifat, éveillé par Massrour, se rendit à la chambre où était encore assoupi Aboul-Hassân, et fit venir en sa présence toutes les adolescentes qui, la première fois, s'étaient trouvées dans les différentes salles traversées par Aboul-Hassân, ainsi que toutes les musiciennes et les chanteuses. Et il les fit ranger en bon ordre, et leur donna ses instructions. Puis, après avoir fait respirer un peu de vinaigre à Aboul-Hassân, qui aussitôt rendit par le nez un peu de pituite en éternuant, il se cacha derrière le rideau, et donna le signal convenu.

Aussitôt les chanteuses mêlèrent en chœur leurs voix délicieuses au son des harpes, des flûtes et des hautbois, et firent entendre un concert semblable au concert des anges dans le paradis. Et Aboul-Hassân, à ce moment, sortit de son assoupissement, et, avant d'ouvrir les yeux, il entendit cette musique pleine d'harmonie qui acheva de l'éveiller. Et il ouvrit alors les yeux et se vit environné par les vingt-huit adolescentes qu'il avait rencontrées dans les quatre salles, sept par sept ; et il les reconnut en un clin d'œil, ainsi que le lit, la chambre, les tentures et les ornements. Et il reconnut également les mêmes voix qui l'avaient charmé les premières fois. Et alors il se leva, les yeux écarquillés, sur son séant, et passa à plusieurs reprises la main sur son visage, pour bien s'assurer de son état de veille.

À ce moment, ainsi qu'il avait été convenu, le concert cessa et un grand silence régna dans la chambre. Et toutes les dames baissèrent modestement les yeux devant les yeux augustes qui les regardaient. Alors Aboul-Hassân, à la limite de la stupéfaction, se mordit les doigts et s'écria, au milieu du silence : « Malheur à toi, ya Aboul-Hassân, ô fils de ta mère ! Maintenant, c'est l'illusion ; mais demain le nerf de bœuf, les chaînes, l'hôpital des fous et la cage de fer ! » Puis, il cria encore : « Ah ! infâme marchand de Mossoul, puisses-tu étouffer dans les bras du Cheitân, ton maître, au fond de l'enfer. C'est encore toi qui, sans doute, n'ayant pas fermé la porte, as laissé le Cheitân entrer dans ma maison et me posséder. Et maintenant le Malin me renverse la cervelle et me fait voir des choses extravagantes. Qu'Allah te confonde, ô Cheitân, toi, ainsi que tes suppôts et tous les marchands de Mossoul ! Et puisse la ville de Mossoul en entier s'écrouler sur ses habitants, et les étouffer sous ses décombres ! » Puis il ferma les yeux, et les ouvrit, et les referma encore et les rouvrit, et cela à plusieurs reprises, et il s'écria : « Ô pauvre Aboul-Hassân, ce que tu as de mieux à faire, c'est de te rendormir tranquille, et de ne te réveiller que lorsque tu auras bien senti que le Malin est sorti de ton corps et que ta cervelle s'est rétablie à sa place ordinaire ! Sinon gare, demain, ce que tu sais ! » Et, disant ces paroles, il se rejeta dans son lit, ramena la couverture par-dessus sa tête, et, pour se donner à lui-même l'illusion de dormir, se mit à ronfler comme un chameau en rut ou comme un troupeau de buffles dans l'eau. Or le khalifat, derrière le rideau, fut, de voir et d'entendre cela, secoué d'un rire tel qu'il faillit étouffer.

Quant à Aboul-Hassân, il ne put réussir à dormir, car la jeune Canne-à-Sucre, sa préférée, s'approcha, suivant les instructions qu'elle avait reçues, du lit où il ronflait sans dormir, et s'assit sur le bord du lit, et, d'une voix gentille, dit à Aboul-Hassân : « Ô émir des Croyants, je préviens Ta Hautesse que c'est le moment de se réveiller pour la prière du matin ! » Mais Aboul-Hassân, d'une voix sourde, cria de dessous la couverture : « Confondu soit le Malin ! Retire-toi, ô Cheitân ! » Canne-à-Sucre, sans se déconcerter, reprit : « Sans doute l'émir des Croyants est sous l'effet d'un mauvais rêve ! Ce n'est pas le Cheitân qui te parle, ô mon seigneur, c'est la petite Canne-à-Sucre ! Éloigné soit le Malin ! Je suis la petite Canne-à-Sucre, ô émir des Croyants…

À ce moment de sa narration, Schahrazade vit apparaître le matin et, discrète, se tut.

Mais lorsque fut la six cent quarante-cinquième nuit. Elle dit :

… Je suis la petite Canne-à-Sucre, ô émir des Croyants ! »

À ces paroles, Aboul-Hassân rejeta la couverture et, ouvrant les yeux, il vit en effet, assise sur le bord du lit, la petite Canne-à-Sucre, sa préférée, et, debout devant lui, sur trois rangs, les autres adolescentes qu'il reconnut une à une, Feuille-de-Rose, Cou-d'Albâtre, Bouquet-de-Perles, Étoile-du-Matin, Aube-du-Jour, Grain-de-Musc, Cœur-de-Grenade, Bouche-de-Corail, Noix-Muscade, Forces-des-Cœurs, et les autres ! Et, à cette vue, il se frotta les yeux à se les enfoncer dans le crâne, et s'écria : « Qui êtes-vous ? et qui suis-je ? » Et toutes répondirent en chœur sur des tonalités différentes : « Gloire à notre maître le khalifat Haroun Al-Rachid, émir des Croyants, roi du monde ! » Et Aboul-Hassân, à la limite de la stupéfaction, demanda : « Ne suis-je donc pas Aboul-Hassân le débauché ? » Elles répondirent en chœur, sur des tonalités différentes : « Éloigné soit le Malin ! Tu n'es pas Aboul-Hassân, mais Aboul-Hossn[1] ! Tu es notre souverain et la couronne sur notre tête ! » Et Aboul-Hassân, se dit : « Cette fois, je vais bien voir si je dors ou si je veille ! » Et se tournant vers Canne-à-Sucre, il lui dit : « La petite, viens-t'en par ici ! » Et Canne-à-Sucre avança la tête, et Aboul-Hassân lui dit : « Mords-moi l'oreille ! » Et Canne-à-Sucre enfonça ses petites dents dans le lobe de l'oreille d'Aboul-Hassân, mais si cruellement qu'il se mit à hurler de travers, d'une façon épouvantable. Puis il s'écria : « Certes ! je suis l'émir des Croyants, Haroun Al-Rachid en personne ! »

Aussitôt les instruments de musique se mirent à jouer en même temps, sur un mode entraînant, un pas de danse, et les chanteuses entonnèrent une vive chanson, en chœur. Et toutes les adolescentes, se prenant la main, formèrent un grand cercle, dans la chambre et, levant leurs pieds avec légèreté, se mirent à danser autour du lit, en répondant au chant principal par le refrain, et cela avec un tel entrain et une telle folie, qu'Aboul-Hassân, exalté soudain et pris d'enthousiasme, rejeta couvertures et coussins, lança son bonnet de nuit en l'air, sauta du lit, se déshabilla complètement en s'arrachant les vêtements, et, le zebb en avant, et le cul nu, il se jeta entre les adolescentes et se mit à danser avec elles, en faisant mille contorsions, et secouant son ventre, son zebb et son derrière, au milieu des éclats de rire et du tumulte grandissant. Et il fit tant de bouffonneries et exécuta de tels mouvements divertissants que le khalifat, derrière le rideau, ne put plus contenir l'explosion de son hilarité, et se mit à lancer une suite d'éclats de rire si forts qu'ils dominèrent le vacarme de la danse et le chant et le bruit des tambours de basque, des instruments à cordes et des instruments à vent ! Et il fut prit de hoquet, et tomba sur le derrière, et faillit perdre connaissance. Mais il parvint à se relever et, écartant le rideau, il avança la tête et cria : « Aboul-Hassân, ya Aboul-Hassân, as-tu donc juré de me faire mourir étouffé de rire ? »

À la vue du khalifat et au son de sa voix, la danse cessa tout d'un coup, les adolescentes se figèrent immobiles à la place où elles se trouvaient respectivement, et le bruit cessa si complètement que l'on eût entendu résonner la chute d'une aiguille sur le sol. Et Aboul-Hassân, stupéfait, s'arrêta comme les autres et tourna la tête dans la direction de la voix. Et il aperçut le khalifat, et, du même coup d'œil, reconnut en lui le marchand de Mossoul. Alors, rapide comme l'éclair qui brille, la compréhension de la cause de tout ce qui lui était arrivé lui traversa l'esprit. Et du coup il devina toute la plaisanterie. Aussi, loin de se déconcerter ou de se troubler, il fit semblant de ne point reconnaître la personne du khalifat ; et, voulant à son tour se divertir, il s'avança vers le khalifat et lui cria : « Ha ! ha ! te voilà donc, ô marchand de mon cul ! Attends ! tu vas voir comment je vais t'apprendre à laisser ouvertes les portes des honnêtes gens ! » Et le khalifat se mit à rire de tout son gosier, et répondit : « Par les mérites de mes saints aïeux, ô Aboul-Hassân, mon frère, je fais le serment, pour te dédommager de toutes les tribulations que nous t'avons causées de t'accorder tout ce que peut souhaiter ton âme ! Et tu seras désormais, dans mon palais, traité comme mon frère ! » Et il l'embrassa avec effusion, en le tenant serré contre sa poitrine.

Après quoi, il se tourna vers les adolescentes et leur ordonna de revêtir son frère Aboul-Hassân d'habits tirés de son armoire particulière, en lui choisissant ce qu'il y avait de plus riche et de plus somptueux. Et les adolescentes se hâtèrent d'exécuter l'ordre. Et quand Aboul-Hassân fut complètement habillé, le khalifat lui dit : « Aboul-Hassân, parle ! Tout ce que tu me demanderas te sera accordé à l'instant ! » Et Aboul-Hassân embrassa la terre entre les mains du khalifat, et répondit : « Je ne veux demander qu'une chose à notre généreux maître, c'est de m'accorder la faveur de vivre toute ma vie à son ombre ! » Et le khalifat, extrêmement touché de la délicatesse des sentiments d'Aboul-Hassân, lui dit : « J'apprécie beaucoup ton désintéressement, ya Aboul-Hassân ! Aussi, non seulement je te choisis dès cet instant comme mon compagnon de coupe et comme mon frère, mais je t'accorde l'entrée libre et la sortie libre, à toute heure du jour et de la nuit, sans demande d'audience et sans demande d'absence. Bien plus ! Je veux que même l'appartement de Sett Zobéida, la fille de mon oncle, ne te soit point interdit comme aux autres. Et lorsque j'y entrerai, tu seras avec moi, à n'importe quelle heure du jour et de la nuit ! »

En même temps, le khalifat assigna à Aboul-Hassân un splendide logement dans le palais, et commença par lui donner, comme premiers émoluments, dix mille dinars d'or. Et il lui promit qu'il veillerait lui-même à ne jamais le laisser manquer de rien. Après quoi, il le quitta pour aller au diwân régler les affaires du royaume…

À ce moment de sa narration, Schahrazade vit apparaître le matin et, discrète, se tut.

Mais lorsque fut la six cent quarante-septième nuit. Elle dit :

… Après quoi, il le quitta pour aller au diwân régler les affaires du royaume. Alors Aboul-Hassân ne voulut pas différer davantage d'aller informer sa mère de tout ce qui venait de lui arriver. Et il courut la trouver et lui raconta, par le détail, les faits étranges qui s'étaient produits, depuis le commencement jusqu'à la fin. Mais il n'y a pas d'utilité à les répéter. Et il ne manqua pas de lui expliquer, vu que son esprit à elle n'aurait pu tout seul arriver à cette compréhension, que c'était le khalifat lui-même qui lui avait joué tous ces tours, simplement pour se divertir. Et il ajouta : « Mais puisque tout a fini par tourner à mon avantage, qu'Allah le Bienfaiteur soit glorifié ! » Puis il se hâta de la quitter, en lui promettant qu'il reviendrait la voir tous les jours, et reprit le chemin du palais, tandis que le bruit de son aventure avec le khalifat et de sa situation nouvelle se répandait dans tout le quartier, et de là à travers tout Bagdad, pour ensuite gagner les provinces proches et reculées.

Quant à Aboul-Hassân, la faveur dont il jouissait auprès du khalifat, au lieu de le rendre arrogant ou désagréable, ne fit qu'exalter sa bonne humeur, son caractère jovial et sa gaieté. Et il ne se passait pas de jour où il ne divertît le khalifat et toutes les personnes du palais, les grands et les petits, par ses saillies pleines d'esprit et ses plaisanteries. Et le khalifat, qui ne pouvait plus se passer de sa société, le menait partout avec lui, même dans les appartements réservés, et chez son épouse, Sett Zobéida : ce qui était une faveur que jamais il n'avait accordée, même à son grand vizir Giafar.

Or Sett Zobéida ne tarda pas à remarquer qu'Aboul-Hassân, chaque fois qu'il se trouvait avec le khalifat dans l'appartement des femmes, s'obstinait à fixer les yeux sur une de ses suivantes, celle précisément qui s'appelait Canne-à-Sucre, et que la petite, sous les regards d'Aboul-Hassân, devenait toute rouge de plaisir. C'est pourquoi elle dit un jour à son époux : « Ô émir des Croyants, sans doute que tu as remarqué, comme moi, les signes péremptoires d'amour qu'échangent Aboul-Hassân et la petite Canne-à-Sucre. Que penses-tu donc d'un mariage entre eux ? » Il répondit : « Cela se peut. Et je n'y vois pas d'inconvénient. J'aurais dû d'ailleurs y penser moi-même depuis longtemps. Mais les affaires du règne m'ont fait oublier ce soin-là. Et j'en suis fort contrarié, car j'avais promis à Aboul-Hassân, lors de la seconde soirée dans sa maison, de lui trouver une épouse de choix. Or je vois que Canne-à-Sucre fera bien l'affaire. Et nous n'avons plus qu'à les interroger tous deux pour voir si le mariage est à leur goût. »

Aussitôt ils firent venir Aboul-Hassân et Canne-à-Sucre, et leur demandèrent s'ils consentaient à se marier ensemble. Et Canne-à-Sucre, pour toute réponse, se contenta de rougir à l'extrême, et se jeta aux pieds de Sett Zobéida, en lui baisant le pan de sa robe, en signe de remerciement. Mais Aboul-Hassân répondit : « Certes, ô émir des Croyants, ton esclave Aboul-Hassân est le noyé de ta générosité. Mais avant de prendre chez lui, comme épouse, cette charmante jouvencelle dont le nom seul peint déjà les exquises qualités, je voudrais, avec ta permission, que notre maîtresse Sett Zobéida lui posât une question… » Et Sett Zobéida sourit et dit : « Et quelle est cette question, ô Aboul-Hassân ? » Il répondit : « Ô ma maîtresse, je voudrais savoir si mon épouse aime ce que j'aime. Or, moi, je dois te l'avouer, ô ma maîtresse, les seules choses que j'estime sont la gaieté par le vin, le plaisir par les mets et la joie par le chant et les beaux vers ! Si donc Canne-à-Sucre aime ces choses-là, et que, en outre, elle soit sensible, et ne dise jamais non à ce que tu sais, ô ma maîtresse, je consens à l'aimer d'un grand amour. Sinon, par Allah ! je reste célibataire ! » Et Sett Zobéida, à ces paroles, se tourna en riant vers Canne-à-Sucre, et lui demanda : « Tu as entendu…

Qu'as-tu à répondre ? » Et Canne-à-Sucre répondit en faisant avec la tête un signe qui signifiait oui.

Alors, le khatifat fit venir, sans tarder, le kâdi et les témoins qui écrivirent le contrat de mariage. Et, à cette occasion, on donna au palais de grands festins et de grandes réjouissances, pendant trente jours et trente nuits, au bout desquels les deux époux purent jouir l'un de l'autre, en toute tranquillité. Et ils passaient leur vie à manger, à boire et à rire aux éclats, en dépensant sans compter ! Et les plateaux des mets, des fruits, des pâtisseries et des boissons n'étaient jamais vides dans leur maison, et la joie et les délices marquaient tous leurs instants. Aussi, au bout d'un certain temps, à force de dépenser leur argent en festins et en divertissements, il ne leur resta plus rien entre les mains. Et, comme le khalifat, à cause du souci des affaires, avait oublié de fixer des émoluments réguliers à Aboul-Hassân, ils se réveillèrent un matin dénués de tout argent, et ne purent, ce jour-là, régler les traiteurs qui leur faisaient toutes les avances. Et ils se trouvèrent bien malheureux, et n'osèrent, par discrétion, aller demander quoi que ce fût au khalifat ou à Sett Zobéida. Alors ils baissèrent la tête et se mirent à réfléchir sur la situation. Mais, le premier, Aboul-Hassân releva la tête et dit : « Certes, nous avons été bien prodigues ! Et je ne veux pas m'exposer à la honte d'aller demander de l'or, comme un mendiant. Et je ne veux pas davantage que tu ailles toi-même en demander à Sett Zobéida ! Aussi j'ai réfléchi à ce qu'il nous reste à faire, ô Canne-à-Sucre ! » Et Canne-à-Sucre répondit, en soupirant : « Parle ! Je suis prête à t'aider dans tes projets, car nous ne pouvons aller quémander, et, d'un autre côté, nous ne pouvons changer notre train de vie et diminuer nos dépenses, au risque de voir les autres nous regarder avec moins de considération ! » Et Aboul-Hassân dit : « Je savais bien, ô Canne-à-Sucre, que tu ne refuserais jamais de m'aider dans les diverses circonstances où nous nous trouverions de par les arrêts du destin ! Eh bien, sache qu'il n'y a plus pour nous qu'un seul moyen de nous tirer d'embarras, ô Canne-à-Sucre ! » Elle répondit : « Dis-le vite ! » Il dit : « C'est de nous laisser mourir...

À ce moment de sa narration, Schahrazade vit apparaître le matin et, discrète, se tut.

Mais lorsque fut la six cent quarante-huitième nuit. Elle dit :

... C'est de nous laisser mourir ! »

À ces paroles, la jeune Canne-à-Sucre, épouvantée, s'écria : « Non, par Allah ! moi je ne veux pas mourir ! Et tu peux employer pour toi seul ce moyen-là ! » Aboul-Hassân, sans s'émouvoir ni se fâcher, répondit : « Ah ! fille de la femme, je savais bien, quand j'étais célibataire, que rien ne valait sa solitude ! Et la faiblesse de ton jugement me le montre plus que jamais ! Si, au lieu de me répondre avec cette promptitude, tu avais pris la peine de me demander des explications, tu te serais réjouie à l'extrême de cette mort que je te proposais et que je te propose encore ! Ne comprends-tu donc pas qu'il s'agit pour nous, afin d'avoir de l'or pour tout le restant de notre vie, de mourir d'une mort feinte et non point d'une mort véritable ? » À ces paroles, Canne-à-Sucre se mit à rire et demanda : « Et comment cela ? » Il dit : « Écoute donc ! Et n'oublie rien de ce que je vais t'enseigner. Voici ! Une fois que je serai mort, ou plutôt une fois que j'aurai feint d'être mort, car c'est moi qui mourrai le premier, tu prendras un linceul et tu m'y enseveliras. Cela fait, tu me mettras au milieu de cette chambre où nous sommes, dans la position prescrite, le turban posé sur le visage, et le visage et les pieds tournés dans la direction de la Kâaba sainte, vers La Mecque. Puis tu te mettras à pousser des cris perçants, à hurler de travers, à verser les larmes ordinaires et extraordinaires, à déchirer tes vêtements, et à faire semblant de t'arracher les cheveux ! Et, quand tu te seras bien mise dans cet état-là, tu iras, toute en pleurs et les cheveux défaits, te présenter à ta maîtresse Sett Zobéida, et, par des paroles entrecoupées de sanglots et d'évanouissements divers, tu lui raconteras ma mort en des termes attendrissants, puis tu t'affaleras sur le sol où tu resteras une heure de temps pour ne reprendre tes sens qu'une fois noyée sous l'eau de rose dont on ne manquera pas de t'arroser. Et alors tu verras, ô Canne-à-Sucre, comment l'or entrera dans notre maison ! »

À ces paroles, Canne-à-Sucre répondit : « Certes ! cette mort-là est possible. Et je consens à t'aider à l'accomplir ! » Puis elle ajouta : « Mais, moi, quand et de quelle façon me faudra-t-il mourir ? » Il dit : « Commence d'abord par faire ce que je viens de te dire. Et ensuite Allah pourvoira ! » Et il ajouta : « Voici ! Je suis mort. » Et il s'étendit au milieu de la pièce, et fit le mort. Alors, Canne-à-Sure le déshabilla, l'ensevelit dans un linceul, lui tourna les pieds dans la direction de La Mecque, et lui posa le turban sur le visage. Après quoi, elle se mit à exécuter tout ce qu'Aboul-Hassân lui avait dit de faire en fait de cris perçants, de hurlements de travers, de larmes ordinaires et extraordinaires, de déchirement d'habits, d'arrachement de cheveux et de griffage de joues. Et, lorsqu'elle se fut mise dans l'état prescrit, elle alla, le visage jaune comme le safran et les cheveux épars, se présenter à Sett Zobéida, et commença par se laisser tomber tout de son long aux pieds de sa maîtresse, en poussant un gémissement capable de fendre le cœur de la roche.

À cette vue, Sett Zobéida, qui avait déjà entendu de son appartement les cris perçants et les hurlements de deuil qu'avait poussés Canne-à-Sucre dans le loin, ne douta plus, en voyant sa favorite Canne-à-Sucre dans cet état, que la mort n'eût fait son œuvre sur son époux Aboul-Hassân. Aussi, affligée à la limite de l'affliction, elle lui prodigua elle-même tous les soins que comportait son état, et la prit sur ses genoux, et réussit à la rappeler à la vie. Mais Canne-à-Sucre, éplorée et les yeux baignés de larmes, continua à gémir et à se griffer et à se tirer les cheveux et se frapper les joues et la poitrine, en soupirant, à travers ses sanglots, le nom d'Aboul-Hassân. Et elle finit par raconter, en mots entrecoupés, qu'il était mort, pendant la nuit, d'une indigestion. Et elle ajouta, en se donnant un dernier coup sur la poitrine : « Il ne me reste plus qu'à mourir à mon tour. Mais qu'Allah prolonge d'autant la vie de notre maîtresse ! » Et elle se laissa encore une fois tomber aux pieds de Sett Zobéida ; et elle s'évanouit de douleur.

À cette vue, toutes les femmes se mirent à se lamenter autour d'elle, et à regretter la mort de cet Aboul-Hassân qui les avait tant diverties de son vivant par ses plaisanteries et sa bonne humeur. Et, par leurs pleurs et leurs soupirs, elles témoignèrent à Canne-à-Sucre, revenue de son évanouissement à force d'avoir été aspergée d'eau de rose, la part qu'elles prenaient à son deuil et à sa douleur.

Quant à Sett Zobéida, qui pleurait elle aussi, avec ses suivantes, la mort d'Aboul-Hassân, elle finit, après toutes les formules de condoléances que l'on dit en pareille circonstance, par appeler sa trésorière, et elle lui dit : « Va vite prendre, sur ma cassette particulière, un sac de dix mille dinars d'or, et apporte-le à cette pauvre, cette éplorée Canne-à-Sucre, afin qu'elle puisse faire célébrer dignement les funérailles de son époux Aboul-Hassân ! » Et la trésorière s'empressa d'exécuter l'ordre et fit charger le sac d'or sur le dos d'un eunuque qui alla le déposer à la porte de l'appartement d'Aboul-Hassân. Ensuite Sett Zobéida embrassa sa suivante et lui dit encore de bien douces paroles, pour la consoler, et l'accompagna jusqu'à la sortie, en lui disant : « Qu'Allah te fasse oublier ton affliction, ô Canne-à-Sucre, et guérisse tes blessures, et prolonge ta vie de toutes les années qu'a perdues le défunt…

À ce moment de sa narration, Schahrazade vit apparaître le matin et, discrète, se tut.

Mais lorsque fut la six cent quarante-neuvième nuit. Elle dit :

… Qu'Allah te fasse oublier ton affliction, ô Canne-à-Sucre, et guérisse tes blessures, et prolonge ta vie de toutes les années qu'a perdues le défunt ! » Et l'éplorée Canne-à-Sucre baisa la main de sa maîtresse, en pleurant, et revint toute seule à son appartement.

Elle entra donc dans la pièce où Aboul-Hassân l'attendait, étendu toujours comme mort et enveloppé du linceul, et referma la porte en entrant, et commença par faire un éclat de rire de bon augure. Et elle dit à Aboul-Hassân : « Lève-toi donc d'entre les morts, ô père de la finesse, et viens traîner avec moi ce sac d'or, fruit de ta fourberie ! Par Allah, ce n'est pas encore aujourd'hui que nous mourrons de faim ! » Et Aboul-Hassân se hâta, aidé par sa femme, de se débarrasser du linceul, et, sautant sur ses deux pieds, il courut au sac de l'or et le traîna au milieu de la pièce, et se mit à danser autour, sur un seul pied.

Après quoi il se tourna vers son épouse et la félicita de la réussite de l'affaire et lui dit : « Mais ce n'est pas tout, ô femme ! À ton tour maintenant de mourir comme je l'ai fait, et à mon tour de gagner le sac ! Et nous verrons de la sorte si je serai aussi habile auprès du khalifat que tu l'as été auprès de Sett Zobéida. Car il faut bien que le khalifat, qui s'est tellement diverti à mes dépens autrefois, sache bien qu'il n'est pas le seul à réussir dans ses plaisanteries ! Mais il est inutile de perdre le temps en vains propos ! Allons ! tu es morte ! »

Et Aboul-Hassân accommoda sa femme dans le linceul où elle l'avait elle-même enseveli, la plaça au milieu de la pièce, là même où il avait été étendu, lui tourna les pieds dans la direction de La Mecque et lui recommanda de ne plus donner signe de vie, quoi qu'il arrivât ! Cela fait, il s'accommoda lui-même tout à rebours de sa mise ordinaire, défit à moitié son turban, se frotta les yeux d'oignon pour se faire pleurer à grandes larmes, et, se déchirant les habits et s'arrachant la barbe, et se frappant la poitrine à grands coups de poing, il courut trouver le khalifat qui, à ce moment, était entouré de son grand vizir Giafar, de Massrour et de plusieurs chambellans, au milieu du diwân. Et le khalifat, de voir en cet état d'affliction et d'égarement le même Aboul-Hassân qu'il savait d'ordinaire si jovial et si insouciant, fut à la limite de l'étonnement et de l'affliction et, interrompant la séance du diwân, il se leva de sa place et courut à Aboul-Hassân qu'il pressa de lui raconter la cause de sa douleur. Mais Aboul-Hassân, un mouchoir sur les yeux, ne répondit que par un redoublement de pleurs et de sanglots, pour enfin laisser échapper de ses lèvres, entre mille soupirs et mille feintes d'évanouissement, le nom de Canne-à-Sucre, disant : « Hélas ! ô pauvre Canne-à-Sucre ! hélas, ô modique de chance ! Que vais-je devenir sans toi ? »

À ces paroles et à ces soupirs, le khalifat comprit qu'Aboul-Hassân venait lui annoncer la mort de Canne-à-Sucre, son épouse, et il en fut extrêmement affecté. Et les larmes lui vinrent aux yeux, et il dit à Aboul-Hassân, en lui posant le bras sur l'épaule : « Qu'Allah l'ait en sa miséricorde ! Et qu'Il prolonge tes jours de tous ceux qui ont été enlevés à cette douce et charmante esclave ! Nous te l'avions donnée pour qu'elle fût pour toi un sujet de joie, et voici maintenant qu'elle te devient une cause de deuil ! La pauvre ! » Et le khalifat ne put s'empêcher de pleurer à chaudes larmes. Et il s'essuya les yeux avec son mouchoir. Et Giafar et les autres vizirs et les assistants pleurèrent également à chaudes larmes, et s'essuyèrent les yeux comme l'avait fait le khalifat.

Puis le khalifat eut la même idée que Sett Zobéida ; et il fit venir le trésorier, et lui dit : « Compte à l'instant dix mille dinars à Aboul-Hassân, pour les frais des funérailles de sa défunte épouse ! Et fais-les-lui porter à la porte de son appartement ! » Et le trésorier répondit par l'ouïe et l'obéissance, et se hâta d'aller exécuter l'ordre ! Et Aboul-Hassân, plus éploré que jamais, baisa la main du khalifat et se retira en sanglotant.

Lorsqu'il fut arrivé dans la pièce où l'attendait Canne-à-Sucre, toujours enveloppée du linceul, il s'écria : « Eh bien ! crois-tu être la seule à gagner autant de pièces d'or que tu as versé de larmes ? Tiens ! Regarde mon sac ! » Et il traîna le sac au milieu de la pièce, et, après avoir aidé Canne-à-Sucre à sortir du linceul, il lui dit : « Oui ! mais ce n'est pas tout, ô femme ! Il s'agit maintenant de faire en sorte que, lorsque notre fourberie sera connue, nous ne puissions pas attirer sur nous le courroux du khalifat et de Sett Zobéida ! Voici donc ce que nous allons faire… » Et il s'apprêta à instruire Canne-à-Sucre de ses intentions à ce sujet. Et voilà pour eux deux…

À ce moment de sa narration, Schahrazade vit apparaître le matin et, discrète, se tut.

Mais lorsque fut la six cent cinquantième nuit. Elle dit :

… Et voilà pour eux deux !

Quant au khalifat ! Lorsqu'il eut terminé la séance du diwân, que d'ailleurs il abrégea ce jour-là, il se hâta d'emmener Massrour et d'aller au palais de Sett Zobéida lui faire ses condoléances au sujet de la mort de son esclave favorite. Et il entrouvrit la porte de l'appartement de son épouse, et la vit, étendue sur son lit et entourée de ses suivantes qui lui séchaient les yeux et la consolaient. Et il s'approcha d'elle et lui dit : « Ô fille de l'oncle, puisses-tu vivre les années perdues par ta pauvre favorite Canne-à-Sucre ! » À ce compliment de condoléances, Sett Zobéida, qui attendait l'arrivée du khalifat pour lui dire elle-même ses compliments de condoléances au sujet de la mort d'Aboul-Hassân, fut extrêmement surprise, et, croyant que le khalifat avait été mal informé, s'exclama : « Préservée soit la vie de ma favorite Canne-à-Sucre, ô émir des Croyants ! C'est à moi plutôt de prendre part à ton deuil ! Puisses-tu vivre, et longtemps survivre à ton compagnon, le défunt Aboul-Hassân ! Si tu me vois, en effet, si affligée, ce n'est qu'à cause de la mort de ton ami, et non point de celle de Canne-à-Sucre qui est, béni soit Allah ! en bonne santé ! »

À ces paroles, le khalifat, qui avait toutes les raisons les meilleures pour croire qu'il avait été bien informé de la vérité, ne put s'empêcher de sourire ; et, se tournant vers Massrour, il lui dit : « Par Allah ! ô Massrour, que penses-tu de ces paroles de ta maîtresse ? Elle, si sensée et si sage d'ordinaire, voici qu'elle a des absences d'esprit, tout comme les autres femmes. Tant il est vrai qu'elles sont toutes les mêmes, en somme ! Je viens la consoler, et elle essaie de me faire de la peine et de me tromper en m'annonçant une nouvelle qu'elle sait être fausse ! Enfin, parle-lui, toi-même ! Et dis-lui ce que tu as vu et entendu comme moi !

Peut-être qu'alors elle changera de discours, et n'essaiera plus de vouloir nous donner le change ! » Et Massrour, pour obéir au khalifat, dit à la princesse : « Ô ma maîtresse, notre maître l'émir des Croyants a raison ! Aboul-Hassân est en bonne santé et en forces excellentes, mais il pleure et se lamente sur la perte de son épouse Canne-à-Sucre, ta favorite, morte cette nuit d'une indigestion ! Sache, en effet, qu'Aboul-Hassân vient de sortir à l'instant du diwân, où il était venu nous annoncer lui-même la mort de son épouse. Et il est retourné chez lui, bien désolé, et gratifié, grâce à la générosité de notre maître, d'un sac de dix mille dinars d'or, pour les frais des funérailles ! »

Ces paroles de Massrour, loin de persuader Sett Zobéida, ne firent que la confirmer dans la croyance que le khalifat voulait plaisanter, et elle s'écria : « Par Allah, ô émir des Croyants, ce n'est point aujourd'hui l'occasion de faire, selon ta coutume, des plaisanteries ! Je sais bien ce que je dis ; et ma trésorière te dira ce que les funérailles d'Aboul-Hassân me coûtent. Nous devrions plutôt prendre davantage part au deuil de notre esclave, et ne point rire, comme nous le faisons, sans tact et sans mesure ! » Et le khalifat, à ces paroles, sentit la colère l'envahir et s'écria : « Que dis-tu, ô fille de l'oncle ? Par Allah, serais-tu donc devenue folle, pour dire de pareilles choses ? Je te dis que c'est Canne-à-Sucre qui est morte ! Et d'ailleurs il est bien inutile que nous discutions plus longtemps à ce sujet ! Je vais te donner la preuve de ce que j'avance ! » Et il s'assit sur le divan et se tourna vers Massrour et lui dit : « Hâte-toi de te rendre à l'appartement d'Aboul-Hassân pour voir, bien que je n'aie point besoin d'autre preuve que celle qui m'est connue, quel est des deux époux celui qui est mort ! Et reviens vite nous dire ce qu'il en est ! » Et, pendant que Massrour se hâtait d'aller exécuter l'ordre, le khalifat se tourna vers Sett Zobéida et lui dit : « Ô fille de l'oncle, nous allons bien voir maintenant qui de nous deux a raison ! Mais, du moment que tu insistes tellement sur une chose si claire, je veux gager contre toi tout ce que tu voudras gager ! » Elle répondit : « J'accepte la gageure ! Et je veux gager ce que j'ai de plus cher au monde, à savoir mon pavillon des peintures, contre ce que tu veux me proposer, de quelque peu de valeur que cela puisse être ! » Il dit : « Je propose, contre ta gageure, ce que moi j'ai de plus cher au monde, à savoir mon palais des délices ! Je pense, de cette façon, que je n'abuse pas ! Car mon palais des délices est de beaucoup supérieur en valeur et en beauté à ton pavillon des peintures ! » Sett Zobéida, extrêmement offusquée, répondit : « Il ne s'agit pas de savoir maintenant, pour nous diviser davantage, si ton palais est supérieur à mon pavillon ! Là-dessus tu n'auras qu'à écouter ce que l'on dit derrière toi ! Mais plutôt il s'agit de donner une sanction à notre gageure. Que la Fatiha soit donc entre nous ! » Et le khalifat dit : « Oui, que la Fatiha du Korân soit entre nous ! » Et ils récitèrent ensemble le chapitre liminaire du livre saint, pour sceller leur gageure…

À ce moment de sa narration, Schahrazade vit apparaître le matin et, discrète, se tut.

Mais lorsque fut la six cent cinquante et unième nuit. Elle dit :

… Et ils récitèrent ensemble le chapitre liminaire du livre saint, pour sceller leur gageure. Et ils attendirent dans un silence ennemi le retour du porte-glaive Massrour. Et voilà pour eux !

Quant à Aboul-Hassân, qui était aux aguets pour surveiller tout ce qui pouvait arriver, il vit de loin s'avancer Massrour et comprit le dessein pour lequel il venait le trouver. Et il dit à Canne-à-Sucre : « Ô Canne-à-Sucre voici que Massrour vient droit à notre maison ! Et il doit, sans aucun doute, être expédié chez nous à cause du démêlé qui a certainement surgi, au sujet de notre mort, entre le khalifat et Sett Zobéida. Il nous faudra donc commencer par donner raison au khalifat contre Sett Zobéida. Hâte-toi de faire la morte encore une fois, afin que je t'ensevelisse sans tarder ! » Et Canne-à-Sucre fit aussitôt la morte ; et Aboul-Hassân l'ensevelit dans le linceul et la disposa comme la première fois, pour aussitôt s'asseoir à côté d'elle, le turban défait, le visage allongé et le mouchoir sur les yeux.

Or au même moment entra Massrour. Et, à la vue de Canne-à-Sucre ensevelie au milieu de la pièce et d'Aboul-Hassân plongé dans le désespoir, il ne put s'empêcher de s'émouvoir et il prononça : « Il n'y a d'autre dieu qu'Allah ! Mon affliction sur toi est bien grande, ô pauvre Canne-à-Sucre, notre sœur, ô toi jadis si gentille et si douce ! Comme ta destinée est douloureuse pour nous tous ! Et qu'il a été rapide pour toi l'ordre du retour vers Celui qui t'a créée ! Puisses-tu du moins être prise en compassion et en bonnes grâces par le Rétributeur ! » Puis il embrassa Aboul-Hassân et, bien triste, se hâta de prendre congé de lui pour aller rendre compte au khalifat de ce qu'il avait contrôlé. Et il n'était point fâché de faire voir de la sorte à Sett Zobéida combien elle avait été opiniâtre et fautive en contredisant le khalifat.

Il entra donc chez Sett Zobéida et, après avoir embrassé la terre, dit : « Qu'Allah prolonge la vie de notre maîtresse ! La défunte est ensevelie au milieu de la chambre, et son corps est déjà gonflé sous le linceul, et elle sent mauvais ! Quant au pauvre Aboul-Hassân, je crois bien qu'il ne survivra pas à son épouse ! » À ces paroles de Massrour, le khalifat se dilata d'aise et exulta de contentement ; puis, se tournant vers Sett Zobéida, devenue bien jaune de teint, il lui dit : « Ô fille de l'oncle, qu'attends-tu pour faire appeler le scribe qui doit écrire en mon nom le pavillon des peintures ? » Mais Sett Zobéida se mit à injurier Massrour, et, à la limite de l'indignation, dit au khalifat : « Comment peux-tu avoir confiance dans les paroles de cet eunuque, menteur et fils de menteur ? N'ai-je point vu moi-même, et mes esclaves n'ont-elles pas vu avec moi, ici, il y a une heure, ma favorite Canne-à-Sucre, éplorée et pleurant la mort d'Aboul-Hassân ? » Et, s'excitant à ses propres paroles, elle lança sa babouche à la tête de Massrour et lui cria : « Sors d'ici, ô fils de chien ! » Et Massrour, plus stupéfait encore que le khalifat, ne voulut point davantage irriter sa maîtresse, et, se courbant en deux, se hâta de déguerpir, en hochant la tête.

Alors Sett Zobéida, pleine de colère, se tourna vers le khalifat et lui dit : « Ô émir des Croyants, je n'aurais jamais imaginé qu'un jour tu serais d'intelligence avec cet eunuque pour me faire un si grand chagrin et me donner à croire ce qui n'est pas ! Car je ne puis plus douter que ce rapport de Massrour n'ait été d'avance concerté pour me faire de la peine. En tout cas, je veux, pour te bien prouver que c'est moi qui ai raison, envoyer à mon tour quelqu'un voir quel est de nous deux celui qui a perdu la gageure. Et si c'est toi qui dis la vérité, c'est que je suis une insensée et que toutes nos suivantes sont insensées comme leur maîtresse ! Si au contraire c'est moi qui ai raison, je veux que tu m'accordes, outre le gain de la gageure, la tête de l'impertinent eunuque de poix ! » Et le khalifat, qui savait, par expérience, combien sa cousine était irritable, donna immédiatement son consentement à tout ce qu'elle lui demandait. Et Sett Zobéida fit aussitôt venir la vieille nourrice qui l'avait élevée, et en laquelle elle avait toute confiance, et lui dit : « Ô nourrice, rends-toi, sans tarder, à la maison d'Aboul-Hassân, le compagnon de notre maître le khalifat, et vois simplement qui est mort dans cette maison, si c'est Aboul-Hassân ou si c'est son épouse Canne-à-Sucre. Et reviens vite me rapporter ce que tu auras vu et appris ! » Et la nourrice répondit par l'ouïe et l'obéissance et, malgré ses vieilles jambes, se mit à presser le pas dans la direction de la maison d'Aboul-Hassân.

Or Aboul-Hassân, qui surveillait d'un œil attentif les allées et venues devant sa maison, aperçut au loin la vieille nourrice qui s'avançait péniblement ; et il comprit le motif de son envoi, et il se tourna vers son épouse et s'écria, en riant : « Ô Canne-à-Sucre, je suis mort…

À ce moment de sa narration, Schahrazade vit apparaître le matin et, discrète, se tut.

Mais lorsque fut la six cent cinquante-deuxième nuit. Elle dit :

… Ô Canne-à-Sucre, je suis mort ! » Et, comme il n'y avait pas de temps à perdre, il s'ensevelit lui-même dans le linceul, il s'étendit par terre, les pieds dans la direction de La Mecque. Et Canne-à-Sucre lui posa le turban sur le visage ; et, la chevelure défaite, elle se mit à se frapper les joues et la poitrine en poussant les cris de deuil. Et, à ce moment, entra la vieille nourrice. Et elle vit ce qu'elle vit ! Et, fort triste, elle s'approcha de l'éplorée Canne-à-Sucre et lui dit : « Qu'Allah reporte sur ta tête les années perdues par le défunt ! Hélas, ma fille Canne-à-Sucre, te voilà seule, dans le veuvage au milieu de ton adolescence ! Que vas-tu devenir sans Aboul-Hassân, ô Canne-à-Sucre ? » Et elle se mit à pleurer avec elle un certain temps. Puis elle lui dit : « Hélas, ma fille, il faut que je te quitte, bien qu'il m'en coûte beaucoup. Mais je dois retourner en toute hâte auprès de ma maîtresse Sett Zobéida pour la délivrer de l'affligeante inquiétude où l'a plongée ce menteur effronté, l'eunuque Massrour, qui lui a affirmé que la mort t'avait frappée, toi, à la place de ton époux, Aboul-Hassân ! » Et Canne-à-Sucre dit, en gémissant : « Plût à Allah, ô ma mère, que cet eunuque eût dit vrai ! Je ne serais plus là pour le pleurer comme je le fais ! Mais d'ailleurs cela ne va plus tarder beaucoup ! Demain matin, au plus tard, on m'enterrera, morte de douleur. » Et, disant ces paroles, elle redoubla ses pleurs, ses soupirs et ses lamentations. Et la nourrice, plus attendrie que jamais, l'embrassa encore une fois et sortit lentement, pour ne point la troubler, et referma la porte derrière elle. Et elle alla rendre compte à sa maîtresse de ce qu'elle avait vu et entendu. Et, lorsqu'elle eut fini de parler, elle s'assit hors d'haleine d'en avoir tant fait pour son grand âge.

Lorsque Sett Zobéida eut entendu le rapport de sa nourrice, elle se tourna avec hauteur vers le khalifat et lui dit : « Avant tout, il faut pendre ton esclave Massrour, cet eunuque impertinent ! » Et le khalifat, à la limite de la perplexité, fit aussitôt venir Massrour en sa présence, et le regarda avec colère et voulut lui reprocher son mensonge. Mais Sett Zobéida ne lui en laissa pas le temps. Excitée par la présence de Massrour, elle se tourna vers sa nourrice et lui dit : « Répète, ô nourrice, devant ce fils de chien, ce que tu viens de nous dire ! » Et la nourrice, qui n'avait pu encore retrouver sa respiration, fut obligée de répéter son rapport devant Massrour. Et Massrour, irrité de ses paroles, ne put s'empêcher, malgré la présence du khalifat et de Sett Zobéida, de lui crier : « Ah ! vieille édentée, comment oses-tu mentir si impudemment, et avilir tes cheveux blancs ? Vas-tu me faire croire que je n'ai point vu de mes yeux Canne-à-Sucre morte et ensevelie ? » Et la nourrice, suffoquée, avança la tête avec fureur et lui cria : « Il n'y a de menteur que toi seul, ô nègre noir ! Ce n'est point par la pendaison qu'il faudrait te mettre à mort, mais en te coupant par morceaux et en te faisant manger ta propre chair ! » Et Massrour répliqua : « Tais-toi, vieille radoteuse ! Va raconter tes histoires aux filles du harem ! » Mais Sett Zobéida, outrée de l'insolence de Massrour, se mit soudain à éclater en sanglots, en lui jetant à la tête les coussins, les vases, les aiguières et les tabourets, et lui cracha à la figure, et finit par se jeter elle-même, anéantie, sur son lit, en pleurant.

Lorsque le khalifat eut vu et entendu tout cela, il fut à la limite de la perplexité, et frappa ses mains l'une contre l'autre, et dit : « Par Allah ! Massrour n'est pas le seul menteur ! Moi aussi je suis un menteur, et la nourrice aussi est une menteuse, et toi aussi tu es une menteuse, ô fille de l'oncle ! » Puis il baissa la tête et ne dit plus rien.

Mais, au bout d'une heure de temps, il releva la tête et dit : « Par Allah ! il nous faut de suite savoir la vérité. Il ne nous reste donc qu'à aller à la maison d'Aboul-Hassân voir par nous-mêmes quel est de nous tous le menteur et quel est le véridique ! » Et il se leva et pria Sett Zobéida de l'accompagner ; et, suivi de Massrour, de la nourrice et de la foule des femmes, il se dirigea vers l'appartement d'Aboul-Hassân.

Or, en voyant s'avancer ce cortège, Canne-à-Sucre ne put s'empêcher, bien qu'Aboul-Hassân l'eût d'avance prévenue que la chose pouvait bien arriver, de se montrer fort inquiète et agitée, et elle s'écria : « Par Allah ! ce n'est point chaque fois qu'on la jette que reste intacte la gargoulette ! » Mais Aboul-Hassân se mit à rire et dit : « Mourons tous deux, ô Canne-à-Sucre ! » Et il étendit sa femme par terre, l'ensevelit dans le linceul, s'accommoda lui-même dans une pièce de soie qu'il prit dans un coffre, et s'étendit à côté d'elle, en n'oubliant point de se poser son turban sur le visage, selon le rite. Et il avait à peine terminé ses préparatifs que la compagnie entra dans la salle.

Lorsque le khalifat et Sett Zobéida eurent vu le spectacle funèbre qui se présentait à leurs yeux, ils restèrent immobiles et muets. Puis soudain Sett Zobéida, que tant d'émotions en si peu de temps avaient complètement bouleversée, devint bien pâle, changea de visage et tomba évanouie dans les bras de ses femmes. Et lorsqu'elle fut revenue de son évanouissement, elle répandit un torrent de larmes et s'écria : « Hélas sur toi, ô Canne-à-Sucre ! tu n'as pu survivre à ton époux, et tu es morte de douleur ! » Mais le khalifat, qui ne voulait point l'entendre ainsi, et qui d'ailleurs pleurait également la mort de son ami Aboul-Hassân, se tourna vers Sett Zobéida et lui dit : « Non, par Allah ! ce n'est point Canne-à-Sucre qui est morte de douleur, mais c'est le pauvre Aboul-Hassân qui n'a pu survivre à son épouse ! Cela est certain…

À ce moment de sa narration, Schahrazade vit apparaître le matin et, discrète, se tut.

Mais lorsque fut la six cent cinquante-troisième nuit. Elle dit :

… Le khalifat qui ne voulait point l'entendre ainsi, et qui d'ailleurs pleurait également la mort de son ami Aboul-Hassân, se tourna vers Sett Zobéida et lui dit : « Non, par Allah ! ce n'est point Canne-à-Sucre qui est morte de douleur, mais c'est le pauvre Aboul-Hassân qui n'a pu survivre à son épouse ! Cela est certain ! » Et il ajouta : « Oui ! mais tu pleures et tu t'évanouis, et de la sorte tu penses avoir raison ! » Et Sett Zobéida répondit : « Et toi tu penses avoir raison contre moi parce que ce maudit esclave t'a menti ! » Et elle ajouta : « Oui ! mais où sont les serviteurs d'Aboul-Hassân ? Qu'on aille vite me les chercher ! Et ils sauront bien nous dire, puisque ce sont eux qui ont enseveli leurs maîtres, quel est d'entre les deux époux celui qui est mort le premier, et quel est celui qui est mort de douleur ! » Et le khalifat dit : « Tu as raison, ô fille de l'oncle ! Et moi, par Allah ! je promets dix mille dinars d'or à celui qui m'annoncera cette nouvelle ! »

Or à peine le khalifat avait-il prononcé ces paroles, qu'une voix se fit entendre de dessous le linceul de droite, qui disait : « Que l'on me compte les dix mille dinars ! J'annonce à notre maître le khalifat que c'est moi, Aboul-Hassân, qui suis mort le second, de douleur certainement ! » À cette voix, Sett Zobéida et les femmes, saisies d'épouvante, poussèrent un grand cri en se précipitant vers la porte, tandis que, au contraire, le khalifat, qui avait tout de suite compris le tour joué par Aboul-Hassân, était pris d'un tel rire qu'il se renversait sur le derrière, au milieu de la salle, et s'écriait : « Par Allah, ya Aboul-Hassân, c'est moi maintenant qui vais mourir, à force de rire ! »

Puis, lorsque le khalifat eut fini de rire et que Sett Zobéida fut revenue de sa terreur, Aboul-Hassân et Canne-à-Sucre sortirent de leur linceul et, au milieu de l'hilarité générale, se décidèrent à raconter le motif qui les avait poussés à faire cette plaisanterie.

Et Aboul-Hassân se jeta aux pieds du khalifat ; et Canne-à-Sucre embrassa les pieds de sa maîtresse ; et tous deux, d'un air fort contrit, demandèrent leur pardon.

Et Aboul-Hassân ajouta : « Tant que j'étais célibataire, ô émir des Croyants, je n'avais que du mépris pour l'argent ! Mais cette Canne-à-Sucre, que je dois à ta générosité, a un tel appétit qu'elle mange les sacs avec leur contenu, et, par Allah ! elle est capable de dévorer tout le trésor du khalifat avec le trésorier ! » Et le khalifat et Sett Zobéida se mirent de nouveau à rire aux éclats. Et ils leur accordèrent à tous deux le pardon et leur firent, en outre, compter, séance tenante, les dix mille dinars gagnés par la réponse d'Aboul-Hassân, et, en plus, dix autres mille, pour leur délivrance de la mort.

Après quoi, le khalifat, que cette petite tromperie avait éclairé au sujet des dépenses et des besoins d'Aboul-Hassân, ne voulut point que son ami manquât désormais de paie régulière. Et il donna l'ordre à son trésorier de lui verser mensuellement des émoluments égaux à ceux de son grand vizir. Et il voulut, bien plus que par le passé, qu'Aboul-Hassân restât son ami intime et son compagnon de coupe. Et ils vécurent tous dans la vie la plus délicieuse jusqu'à l'arrivée de la Séparatrice des amis, la Destructrice des palais et la Constructrice des tombeaux, l'Inexorable, l'Inévitable !

Et Schahrazade, cette nuit-là, ayant ainsi fini de raconter cette histoire, dit au roi Schahriar : « C'est là tout ce que je sais, ô Roi, au sujet du Dormeur éveillé. Mais, si tu me le permets, je veux te raconter une autre histoire qui surpasse de beaucoup, et de toutes les manières, celle que tu viens d'entendre ! » Et le roi Schahriar dit : « Je veux d'abord, avant de te le permettre, que tu me dises le titre de cette histoire-là, Schahrazade ! » Elle dit : « C'est l'histoire des AMOURS DE ZEIN AL-MAWASSIF *! Il dit : « Et quelle est cette histoire que je ne connais pas ? »*

Schahrazade sourit et dit :

LES AMOURS DE ZEIN AL-MAWASSIF

Il m'est revenu, ô Roi fortuné, qu'il y avait dans les âges et les années d'il y a très longtemps, un tout à fait bel adolescent qui s'appelait Anis, et qui, certainement, était le plus riche, le plus généreux, le plus délicat, le plus excellent et le plus délicieux adolescent de son temps. Et comme, en outre, il aimait tout ce qui est aimable sur la terre, les femmes, les amis, la bonne chère, la poésie, la musique, les parfums, la verdure, les belles eaux, les promenades et tous les plaisirs, il vivait dans l'épanouissement de la vie bienheureuse.

Or, un après-midi, le bel Anis faisait une agréable sieste, selon son habitude, couché sous un caroubier de son jardin. Et il eut un rêve où il se voyait jouer et se plaire avec quatre beaux oiseaux et une colombe d'une blancheur éblouissante. Et son plaisir devenait intense de les caresser, de lisser leur plumage et de les embrasser, quand soudain un vilain gros corbeau bondit, le bec menaçant, sur la colombe et l'enleva, en dispersant les quatre gentils oiseaux, ses camarades. Et Anis se réveilla bien affecté, et se leva et sortit à la recherche de quelqu'un qui pût lui expliquer ce songe. Mais il erra longtemps sans trouver personne. Et déjà il songeait à s'en retourner chez lui, quand il vint à passer près d'une demeure de fort belle apparence, d'où il entendit, à son approche, s'élever une voix de femme, charmante et mélancolique, qui chantait des vers :

« La douce odeur du matin frais émeut le cœur des amoureux. Mais mon cœur captif est-il le cœur libre des amoureux ?

Ô fraîcheur des matins, as-tu jamais calmé un amour égal à celui de mon cœur pour un jeune faon plus délicat que le flexible rameau du bân ? »

Et Anis se sentit l'âme pénétrée des accents de cette voix ; et, sollicité par le désir de connaître celle qui la possédait, il s'approcha de la porte qui se trouvait à moitié ouverte, et regarda à l'intérieur. Et il vit un jardin magnifique où, aussi loin que s'étendait le regard, il n'y avait que parterres hamonieux, berceaux fleuris et bosquets de roses, de jasmins, de violettes, de narcisses et de mille autres fleurs, où vivait, sous le ciel d'Allah, tout un peuple chanteur. Aussi, attiré par la pureté de ces lieux, Anis n'hésita point à franchir la porte et à s'avancer dans le jardin. Et il aperçut, tout au fond de la verdure, au bout d'une allée coupée par trois arceaux, un groupe blanc de jouvencelles en liberté…

À ce moment de sa narration, Schahrazade vit apparaître le matin et, discrète, se tut.

Mais lorsque fut la six cent cinquante-cinquième nuit. Elle dit :

… Et il aperçut, tout au fond de la verdure, au bout d'une allée coupée par trois grands arceaux, un groupe blanc de jouvencelles en liberté. Et il se dirigea de leur côté, et arriva sous le premier arceau où se lisait cette inscription gravée en caractères couleur de vermillon :

« Ô maison, puisse la tristesse ne jamais franchir ton seuil, et jamais le temps s'appesantir sur la tête de tes habitants !

Puisses-tu, ô maison, durer éternellement pour ouvrir tes portes à l'hospitalité, et ne te jamais trouver trop étroite aux amis ! »

Et il arriva au second arceau, et put lire cette inscription gravée en lettres d'or :

« Ô maison de bonheur, puisses-tu durer aussi longtemps que tes bosquets se réjouiront de l'harmonie de tes oiseaux !

Que les parfums de l'amitié t'embaument aussi longtemps que tes fleurs languiront de se savoir si belles !

Et que tes possesseurs vivent dans la sérénité aussi longtemps que tes arbres verront mûrir leurs fruits, et que dans la voûte des cieux luiront de nouvelles étoiles ! »

Il arriva de la sorte au-dessous du troisième arceau, où il put lire ces vers gravés en caractères d'azur ultra-marin :

« Ô maison du luxe et de la gloire, puisses-tu t'éterniser dans ta beauté, sous la chaude lumière et sous les ténèbres douces, malgré le temps et les mobilités ! »

Or, ayant franchi ce troisième arceau, il arriva au bout de l'allée ; et, devant lui, au pied des degrés de marbre lavé qui conduisaient à la demeure, il vit une jouvencelle qui devait être âgée de plus de quatorze ans, mais qui, sans aucun doute, n'avait pas atteint la quinzième année. Et elle était étendue sur un tapis de velours et appuyée sur des coussins. Et quatre autres jouvencelles l'entouraient et étaient à ses ordres. Et elle était belle et blanche comme la lune, avec des sourcils déliés aussi délicats qu'un arc formé de musc précieux, des yeux grands et noirs chargés de massacres et d'assassinats, une bouche de corail aussi petite qu'une noix muscade et un menton qui disait à la perfection : « Me voici ! » Et certes elle eût embrasé d'amour, par tant de charmes, les cœurs les plus froids et les plus endurcis.

Aussi le bel Anis s'avança vers la belle jouvencelle, s'inclina jusqu'à terre, porta sa main à son cœur, à ses lèvres et à son front, et dit : « Le salam sur toi, ô souveraine des pures ! » Mais elle lui répondit : « Comment as-tu osé, ô jeune impertinent, entrer dans un endroit défendu et qui ne t'appartient pas ! » Il répondit : « Ô ma maîtresse, la faute n'est point à moi, mais à toi et à ce jardin ! Par la porte à moitié ouverte j'ai vu ce jardin avec ses parterres de fleurs, ses jasmins, ses myrtes et ses violettes, et j'ai vu tout le jardin avec ses parterres et ses fleurs s'incliner devant la lune de beauté assise ici même où tu te trouves ! Et mon âme n'a pu résister au désir qui la poussait à venir s'incliner et rendre hommage avec les fleurs et les oiseaux ! » Et la jouvencelle se mit à rire et lui dit : « Comment t'appelles-tu ? » Il dit : « Ton esclave Anis, ô ma maîtresse ! » Elle dit : « Tu me plais infiniment, ya Anis ! Viens t'asseoir à côté de moi ! »

Elle le fit donc s'asseoir à côté d'elle et lui dit : « Ya Anis, j'ai bien envie de me distraire un peu ! Sais-tu jouer aux échecs ? » Il dit : « Oui, certes ! » Et elle fit signe à l'une des jeunes filles, qui aussitôt leur apporta un échiquier d'ébène et d'ivoire, aux coins d'or, dont les pions étaient rouges et blancs, les pions rouges taillés dans le rubis et les pions blancs taillés dans le cristal de roche. Et elle lui demanda : « Veux-tu les rouges ou les blancs ? » Il répondit : « Par Allah, ô ma maîtresse, je prendrai les blancs, car les rouges sont de la couleur des gazelles et, sous ce rapport et bien d'autres encore, ils te conviennent parfaitement ! » Elle dit : « Cela peut être ! » Et elle se mit à ranger les pions. Et le jeu commença.

Mais Anis, qui faisait bien plus attention aux charmes de sa partenaire qu'aux pions de l'échiquier, était ravi à l'extase de la beauté de ses mains qu'il trouvait semblables à la pâte d'amandes, et de l'élégance et de la finesse de ses doigts semblables à du camphre blanc. Et il finit par s'écrier : « Comment pourrais-je, ô ma maîtresse, jouer sans danger contre de pareils doigts ? » Mais elle, toute à son jeu, lui répondit : « Échec au roi ! Échec au roi, ya Anis ! Tu as perdu ! » Puis, comme elle voyait qu'Anis ne prêtait point son attention au jeu, elle lui dit : « Anis, pour te rendre plus attentif au jeu, nous allons mettre, pour chaque partie, une gageure de cent dinars ! » Il répondit : « Certainement ! » Et il rangea les pions. Et, de son côté, la jouvencelle, qui de son nom s'appelait Zein Al-Mawassif, enleva à ce moment le voile de soie qui lui couvrait les cheveux et apparut comme une éclatante colonne de lumière. Et Anis, qui ne pouvait réussir à arracher ses regards de sa partenaire, continuait à ne point savoir ce qu'il faisait : tantôt il prenait les pions rouges au lieu des pions blancs, et tantôt il les faisait marcher tout de travers, si bien qu'il perdit cinq parties de suite, de cent dinars chacune. Et Zein Al-Mawassif lui dit : « Je vois que tu n'es pas plus attentif qu'auparavant. Faisons une gageure plus forte ! Mille dinars la partie ! » Mais Anis, malgré la somme en jeu, ne se comporta pas mieux, et perdit la partie. Alors elle lui dit : « Jouons tout ton or contre tout le mien ! » Il accepta, et perdit. Alors il joua ses boutiques, ses maisons, ses jardins et ses esclaves, et il les perdit les uns après les autres. Et il ne lui resta plus rien entre les mains.

Alors Zein Al-Mawassif se tourna vers lui et dit : « Anis, tu es un insensé. Et je ne veux point que tu aies à te repentir d'être entré dans mon jardin et d'avoir fait ma connaissance. Je te rends donc tout ce que tu as perdu ! Lève-toi, Anis, et retourne en paix par où tu es venu ! » Mais Anis répondit : « Non, par Allah, ô ma souveraine, je n'ai aucun regret de ce que j'ai perdu ! Et si tu me demandes ma vie, elle t'appartiendra à l'instant. Mais, de grâce ! ne m'oblige point à te quitter ! » Elle dit : « Du moment que tu ne veux point reprendre ce que tu as perdu, va du moins trouver le kâdi et les témoins, et amène-les ici pour qu'ils dressent une donation en règle de ces biens que j'ai gagnés ! » Et Anis alla aussitôt chercher le kâdi et les témoins. Et le kâdi, bien que le calame eût failli lui tomber des doigts à la vue de la beauté de Zein Al-Mawassif, dressa l'acte de donation et y fit apposer leur sceau aux deux témoins. Puis il s'en alla…

À ce moment de sa narration, Schahrazade vit apparaître le matin et, discrète, se tut.

Mais lorsque fut la six cent cinquante-sixième nuit. Elle dit :

… Et le kâdi, bien que le calame eût failli lui tomber des doigts à la vue de la beauté de Zein Al-Mawassif, dressa l'acte de donation et y fit apposer leur sceau aux deux témoins. Puis il s'en alla.

Alors Zein Al-Mawassif se tourna vers Anis et lui dit, en riant : « Maintenant, Anis, tu peux t'en aller. Nous ne nous connaissons pas ! » Il dit : « Ô ma souveraine, me laisseras-tu donc partir sans la satisfaction du désir ? » Elle dit : « Je veux bien, Anis, satisfaire ce que tu dis, mais il me reste encore quelque chose à te demander ! Il faudra m'apporter encore quatre vessies de musc pur, quatre onces d'ambre gris, quatre mille pièces de brocart d'or de la plus belle qualité, et quatre mules harnachées ! » Il dit : « Sur ma tête, ô ma maîtresse ! » Elle demanda : « Comment feras-tu pour me les avoir ? Tu ne possèdes plus rien. » Il dit : « Allah pourvoira ! J'ai des amis qui me prêteront tout l'argent qu'il me faut. » Elle dit : « Alors, hâte-toi de m'apporter ce que je t'ai demandé. » Et Anis, ne doutant point que ses amis ne lui vinssent en aide, sortit pour aller les trouver.

Alors Zein Al-Mawassif dit à l'une de ses suivantes, qui s'appelait Houboub : « Sors derrière lui, ô Houboub, et épie ses démarches. Et lorsque tu auras vu que tous les amis dont il parle auront refusé de lui venir en aide et, sous un prétexte ou sous un autre, l'auront éconduit, tu t'approcheras de lui et tu lui diras : « Ô mon maître Anis, ma maîtresse, Zein Al-Mawassif m'envoie vers toi pour te dire qu'elle veut te voir à l'instant ! » Et tu l'emmèneras avec toi, et tu l'introduiras dans la salle de réception. Et alors il arrivera ce qu'il arrivera ! » Et Houboub répondit par l'ouïe et l'obéissance, et se hâta de sortir derrière Anis et de suivre ses démarches.

Quant à Zein Al-Mawassif, elle entra dans sa maison et commença par aller au hammam prendre un bain. Et ses suivantes lui donnèrent, après le bain, tous les soins nécessaires à une toilette extraordinaire ; puis elles épilèrent ce qu'elles avaient à épiler, frottèrent ce qu'elles avaient à frotter, parfumèrent ce qu'elles avaient à parfumer, allongèrent ce qu'elles avaient à allonger, et rétrécirent ce qu'elles avaient à rétrécir. Puis elles la vêtirent d'une robe brodée d'or fin, et placèrent sur sa tête une lame d'argent pour soutenir un riche diadème de perles, qui formait par-derrière un nœud dont les deux bouts, ornés chacun d'un rubis de la grosseur d'un œuf de pigeon, retombaient sur ses épaules éblouissantes comme le vierge argent. Puis elles achevèrent de natter ses beaux cheveux noirs, parfumés de musc et d'ambre, en vingt-cinq nattes qui lui traînaient jusqu'aux talons. Et lorsqu'elles eurent fini de l'orner, et qu'elle devint semblable à une nouvelle épousée, elles se jetèrent à ses pieds et lui dirent, d'une voix tremblante d'admiration : « Qu'Allah te conserve dans ta splendeur, ô notre maîtresse Zein Al-Mawassif, et éloigne de toi à jamais le regard de l'envieux, et te préserve du mauvais œil ! » Et, pendant qu'elle s'essayait à faire de jolis pas à travers la pièce, elles ne cessèrent de lui adresser, du fond de leur âme, mille et mille compliments.

Sur ces entrefaites, la jeune Houboub revint avec le bel Anis qu'elle avait entraîné, une fois que ses amis l'eurent éconduit en refusant de lui venir en aide. Et elle l'introduisit dans la salle où se trouvait sa maîtresse Zein Al-Mawassif. Lorsque le bel Anis eut aperçu Zein Al-Mawassif dans tout l'éclat de sa beauté, il s'arrêta ébloui et se demanda : « Est-ce bien elle ou bien l'une des nouvelles mariées qu'on ne voit qu'au paradis ? » Mais Zein Al-Mawassif, satisfaite de l'effet produit sur Anis, vint à lui en souriant, lui prit la main et le conduisit jusqu'au divan large et bas où elle s'asseyait, et le fit s'asseoir à côté d'elle. Puis elle fit signe à ses suivantes qui, aussitôt, apportèrent une grande table basse, faite d'un seul morceau d'argent et sur laquelle étaient gravés ces vers gastronomiques :

« Enfonce-toi, avec les cuillers, dans les grandes saucières, et réjouis tes yeux et réjouis ton cœur de toutes ces espèces admirables et variées :

Les ragoûts et les fricassées, les rôtis et les bouillis, les confitures et les gelées, les fritures et les compotes à l'air libre ou à l'étuvée.

Ô cailles, ô poulets, ô chapons, ô attendrissants, je vous adore !

Et vous, agneaux, si longtemps nourris de pistaches, et maintenant farcis de raisins sur ce plateau, ô excellences !

Moi, bien que vous n'ayez point d'ailes comme les cailles et les poulets et les chapons, je vous aime bien !

Quant à toi, ô kabab grillé, qu'Allah te bénisse ! Jamais ta dorure ne me verra lui dire non !

Et toi, salade de pourpier, qui bois dans cette écuelle l'âme même des oliviers, mon esprit t'appartient, ô mon amie !

Frémis de plaisir dans ma poitrine, ô mon cœur, à la vue de cette couple de poissons, assis sur la menthe fraîche, au fond du plat.

Et toi, ma bouche bienheureuse, tais-toi et songe à manger ces délices qu'à jamais rediront les annales ! »

Alors, les suivantes leur servirent les mets parfumés. Et ils mangèrent ensemble jusqu'à satiété et se dulcifièrent. Et on leur apporta les flacons de vin, et ils burent dans la même coupe. Et Zein Al-Mawassif se pencha vers Anis et lui dit : « Voici que nous avons mangé ensemble le pain et le sel, et tu es ainsi devenu mon hôte ! Ne crois donc pas que je puisse maintenant garder la plus petite chose de ce qui t'a appartenu. Aussi, que tu le veuilles ou non, je te rends tout ce que je t'ai gagné ! » Et Anis fut bien obligé d'accepter, en don, les biens qui lui avaient appartenu. Et il se jeta aux pieds de la jouvencelle, et la remercia beaucoup. Mais elle le releva et lui dit : « Si vraiment, Anis, tu veux me remercier de ce don, tu n'as qu'à me suivre dans mon lit. Et là tu me prouveras, sérieusement cette fois, si tu es un excellent joueur d'échecs…

À ce moment de sa narration, Schahrazade vit apparaître le matin et, discrète, se tut.

Mais lorsque fut la six cent cinquante-huitième nuit. Elle dit :

… Tu n'as qu'à me suivre dans mon lit. Et là tu me prouveras, sérieusement cette fois, si tu es un excellent joueur d'échecs ! » Et Anis, sautant sur ses deux pieds, répondit : « Par Allah, ô ma maîtresse, tu verras dans le lit que le roi blanc surpassera tous les cavaliers ! » Et, disant ces paroles, il l'emporta dans ses bras et, chargé de cette lune, courut dans la chambre à coucher dont la suivante Houboub lui ouvrit la porte. Et là il joua avec la jouvencelle une partie d'échecs, suivant toutes les règles d'un art consommé, et la fit suivre d'une seconde partie et d'une troisième partie, et ainsi de suite jusqu'à la quinzième partie, en faisant se comporter le roi, à tous les assauts, si vaillamment que la jouvencelle, émerveillée à la fois et hors d'haleine, s'avoua vaincue et s'écria : « Tu as excellé, ô père des lances et des cavaliers ! » Puis elle ajouta : « Par Allah sur toi, ô mon maître, dis au roi de se reposer ! » Et, riant, elle se leva et mit fin, pour ce soir-là, aux parties d'échecs.

Alors, l'âme et le corps nageant dans l'océan des délices, ils se reposèrent un moment dans les bras l'un de l'autre. Et Zein Al-Mawassif dit à Anis : « C'est l'heure des repos bien gagnés, ô invincible Anis ! Mais je veux, pour mieux encore juger de ta valeur, savoir de toi si tu es aussi excellent dans l'art des vers que dans le jeu d'échecs ! Pourrais-tu donc disposer rythmiquement les divers épisodes de notre rencontre et de notre jeu, de façon à nous les bien fixer dans la mémoire ? » Et Anis répondit : « La chose m'est aisée, ô ma maîtresse ! » Et il s'assit sur la couche parfumée, et, pendant que Zein Al-Mawassif avait le bras autour de son cou et le caressait gentiment, il improvisa cette ode sublime :

« Levez-vous pour écouter l'histoire d'une jouvencelle de quatorze ans et quart, que je rencontrai dans un paradis, plus belle que toutes les lunes dans le ciel d'Allah !

Elle se balançait, gazelle, dans le jardin, et les rameaux flexibles des arbres s'inclinaient vers elle, et les oiseaux la chantaient.

Et j'apparus et je lui dis : « Le salam sur toi, ô soyeuse de joues, ô souveraine ! Dis-moi, que je le sache, le nom de celle dont les regards causent ma folie ! »

D'un accent plus doux que le bruit des perles dans la coupe, elle me dit : « Ne pourrais-tu tout seul trouver mon nom ? Sont-elles donc si cachées mes qualités que mon visage ne puisse les refléter à tes yeux ? »

Je répondis : « Non, certes ! Non, certes ! Tu t'appelles, sans aucun doute Ornement des Qualités ! Fais-moi l'aumône, ô Ornement des Qualités[1] !

Et en retour, ô jouvencelle, voici du musc, voici de l'ambre, voici des perles, voici de l'or et des bijoux et toutes les gemmes et les soieries ! »

Alors l'éclair de son souvenir brilla sur ses jeunes dents, et elle me dit : « Me voici donc ! Me voici, mon œil chéri ! »

Extases de mon âme, ô sa ceinture dénouée, ô sa chemise apparue, ô sa chair mise à nu, ô diamants ! Assouvissement de mes désirs ! Émanations d'elle lors du baiser, parfums ! Odeur de peau suprême, chaleur de creux, ô fraîcheur, mille baisers !

Mais vous, censeurs, qui me blâmez, ah ! si vous la connaissiez ! Voici ! Je vous dirai toute mon ivresse, et peut-être comprendrez-vous !

Son immense chevelure, couleur de nuit, triomphale s'éploie sur la blancheur de son dos jusqu'à terre. Mais les roses, sur ses joues incendiaires, allumeraient l'enfer.

Ses sourcils déliés sont un arc précieux ; ses paupières, chargées de flèches, tuent ; et chacun de ses regards est un glaive.

Sa bouche est un flacon de vin vieux ; sa salive est une eau de fontaine ; ses dents sont un collier de perles fraîchement cueillies de la mer.

Son cou, comme le cou de l'antilope, est élégant et admirablement taillé ; sa poitrine est une table de marbre sur laquelle reposent deux coupes renversées.

Son ventre a un creux embaumant les parfums les plus riches ; et en dessous, frontière de mon attente, gras et dodu, haut comme un trône de roi, assis entre deux colonnes de gloire, celui-là qui est la folie des plus sages.

Tantôt lisse, tantôt barbu, il est si sensible qu'il s'effarouche, comme un mulet, quand on le touche.

Son œil est rouge, ses lèvres sont charnues et douces, son museau est frais et charmant.

Si tu t'en approches avec vaillance, tu le trouves chaud, solide, résolu et somptueux, ne redoutant ni les fatigues, ni les assauts, ni les batailles.

Ainsi tu es, ô Zein Al-Mawassif, complète, en charmes et en courtoisie. Et c'est pourquoi je n'oublierai ni les délices de nos nuits, ni la beauté de nos amours ! »

En entendant cette ode improvisée en son honneur, Zein Al-Mawassif fut transportée de plaisir et s'épanouit à la limite de l'épanouissement…

À ce moment de sa narration, Schahrazade vit apparaître le matin et, discrète, se tut.

Mais lorsque fut la six cent cinquante-neuvième nuit. Elle dit :

… En entendant cette ode improvisée en son honneur, Zein Al-Mawassif fut transportée de plaisir et s'épanouit à la limite de l'épanouissement. Et elle dit à Anis, en l'embrassant : « Ô Anis, quelle excellence ! Par Allah, je ne veux plus vivre qu'avec toi ! » Et ils passèrent ensemble le reste de la nuit, en ébats divers, caresses, copulations et autres choses semblables jusqu'au matin. Et ils passèrent la journée l'un près de l'autre, tantôt se reposant et tantôt mangeant et buvant et s'amusant jusqu'au soir. Et ils continuèrent à vivre de la sorte un mois durant, dans les transports de la joie et de la volupté.

Or, au bout du mois, la jeune Zein Al-Mawassif, qui était une femme mariée, reçut une lettre de son époux où il lui annonçait son prochain retour. Et l'ayant lue, elle s'écria : « Puisse-t-il se casser les jambes ! Éloignée soit la laideur ! Voilà que notre vie délicieuse de maintenant va être troublée par l'arrivée de ce visage de mauvais augure ! » Et elle montra la lettre à son ami et lui dit : « Quel parti allons-nous prendre, ô Anis ? » Il répondit : « Je m'en rapporte entièrement à toi, ô Zein ! Car, en fait de ruses et de finesses, les femmes ont toujours surpassé les hommes ! » Elle dit : « Oui ! Mais mon mari est un homme bien violent, et sa jalousie n'a point de limites ! Et ce nous sera bien difficile de ne point éveiller ses soupçons ! » Et elle réfléchit une heure de temps, et dit : « Je ne vois pas d'autre moyen de t'introduire dans la maison, après son arrivée maudite, que de te faire passer pour un marchand de parfums et d'épices ! Réfléchis donc sur ce métier, et surtout garde-toi bien, dans les marchandages, de le contrarier en quoi que ce soit ! » Et ils tombèrent tous deux d'accord sur les moyens à employer pour tromper le mari.

Sur ces entrefaites, le mari revint de voyage, et il fut à la limite de la surprise en voyant sa femme toute jaune, depuis les pieds jusqu'à la tête. Or, la coquine s'était mise elle-même dans cet état, en se frottant avec du safran. Et son mari lui demanda, bien effrayé, quelle maladie elle avait ; et elle répondit : « Si tu me vois si jaune, hélas ! c'est, non pas à cause d'une maladie, mais à cause de la tristesse et de l'inquiétude où j'ai été durant ton absence ! De grâce, ne voyage plus désormais sans prendre avec toi un compagnon, qui puisse te défendre ou te soigner ! Et de la sorte je serai plus tranquille à ton sujet ! » Il répondit : « De tout cœur, je le ferai ! Par ma vie, ton idée est sensée ! Tranquillise donc ton âme, et tâche de revenir à ton teint brillant d'autrefois ! » Puis il l'embrassa et se rendit à sa boutique, car c'était un grand marchand, juif de religion. Et son épouse également, la jouvencelle, était juive comme lui.

Or Anis, qui avait pris toutes les informations au sujet du nouveau métier qu'il devait exercer, attendait le mari à la porte de sa boutique. Et, pour lier tout de suite connaissance, il lui offrit des parfums et des épices, à un prix bien au-dessous du cours. Et le mari de Zein Al-Mawassif, qui avait l'âme endurcie des juifs, fut tellement satisfait de cette affaire et des procédés d'Anis et de ses bonnes manières qu'il devint son client habituel. Et il finit, au bout de quelques jours, par lui proposer de s'associer avec lui, s'il pouvait apporter un capital suffisant. Et Anis ne manqua pas d'accepter une offre qui devait le rapprocher, sans aucun doute, de sa bien-aimée Zein Al-Mawassif ; et il répondit qu'il avait ce même désir et qu'il souhaitait fort être l'associé d'un marchand aussi estimable. Et ils dressèrent, sans tarder, leur contrat d'association, et y apposèrent leurs sceaux, devant deux témoins d'entre les notables du souk.

Or le soir même, l'époux de Zein Al-Mawassif, pour fêter son contrat d'association, invita son nouvel associé à venir dans sa maison partager son repas. Et il l'emmena ; et, comme il était juif, et que les juifs n'ont pas de honte et ne gardent pas leurs femmes cachées aux regards des étrangers, il voulut lui faire connaître son épouse. Et il alla la prévenir de l'arrivée de son associé Anis, et lui dit : « C'est un jeune homme riche et de bonnes manières. Et je désire que tu viennes le voir ! » Et Zein Al-Mawassif, transportée de joie à cette nouvelle, ne voulut point tout de même laisser voir ses sentiments, et, feignant d'être extrêmement indignée, s'écria : « Par Allah ! comment oses-tu, ô père de la barbe, introduire les étrangers dans l'intimité de ta maison ! Et de quel œil prétends-tu m'imposer la dure nécessité de me montrer à eux, le visage découvert ou voilé ! Le nom d'Allah sur moi et autour de moi ! Dois-je oublier la modestie qui convient aux jeunes femmes, parce que tu as trouvé un associé ? Je me ferais plutôt couper en morceaux ! » Mais il répondit : « Quelles paroles inconsidérées tu dis là, ô femme ! Et depuis quand avons-nous résolu de faire comme les musulmans, dont c'est la loi de cacher leurs femmes ? Et quelle honte déplacée, et quelle modestie hors de saison ! Nous sommes des moïsites, et ta délicatesse à ce sujet est bien excessive pour une moïsite ! » Et il lui parla ainsi. Mais, en son âme, il pensait : « Quelle bénédiction d'Allah sur ma maison, d'avoir une épouse si chaste, si modeste, si sage et si pleine de retenue ! » Puis il se mit à lui parler avec tant d'éloquence qu'il finit par la persuader de venir rendre elle-même les devoirs de l'hospitalité à son nouvel associé.

Or Anis et Zein Al-Mawassif se gardèrent bien, en se voyant, de laisser paraître qu'ils se connaissaient. Et Anis, durant tout le repas, tint les yeux baissés fort honnêtement ; et il feignait une grande discrétion, et ne regardait que le mari. Et le juif, en lui-même, pensait : « Quel jeune homme excellent ! » Aussi, le repas terminé, il ne manqua pas d'inviter Anis à venir le lendemain lui tenir également compagnie à table. Et Anis revint le lendemain, et le jour suivant ; et chaque fois il se comportait, en tout, avec un tact et une discrétion admirables.

Mais déjà le juif avait été assez frappé d'une chose étrange qui se passait chaque fois qu'Anis se trouvait à la maison. Il y avait, en effet, dans la maison, un oiseau apprivoisé…

À ce moment de sa narration, Schahrazade vit apparaître le matin et, discrète, se tut.

Mais lorsque fut la six cent soixantième nuit. Elle dit :

… Il y avait, en effet, dans la maison un oiseau apprivoisé qui avait été élevé par le juif et qui reconnaissait et chérissait beaucoup son maître. Mais, pendant l'absence du juif, cet oiseau avait reporté son affection sur Anis et avait pris l'habitude de venir se poser sur sa tête et sur ses épaules et de lui faire mille caresses, si bien que, lorsque son maître, le juif, fut de retour de voyage, il ne voulut plus le reconnaître, le considérant comme un étranger. Et il n'avait plus de cris de joie, de battements d'ailes et de caresses que pour le jeune Anis, l'associé de son maître. Et le juif pensait en lui-même : « Par Moussa et Aâroun ! cet oiseau m'a oublié ! Et sa conduite à mon égard me rend encore bien plus précieux les sentiments de mon épouse qui, elle, est tombée malade de la douleur de mon absence ! » Ainsi il pensait ! Mais une autre chose étrange ne tarda pas à le frapper et à lui donner mille idées torturantes.

En effet, il remarqua que son épouse, si réservée et si modeste en présence d'Anis, avait, dès qu'elle était endormie, des rêves bien extraordinaires. Elle tendait les bras, haletait, soupirait et faisait mille contorsions en prononçant le nom d'Anis et en lui parlant comme parlent les amoureuses les plus passionnées. Et le juif fut extrêmement étonné de constater cette chose-là plusieurs nuits de suite, et pensa : « Par le Pentateuque ! cela est pour me démontrer que les femmes sont toutes les mêmes, et que lorsque l'une d'elles est vertueuse et chaste et continente comme mon épouse, il faut que, d'une façon ou d'une autre, elle satisfasse ses mauvais désirs, ne fût-ce qu'en rêvant ! Éloigné de nous soit le Malin ! Quelle calamité que ces créatures formées avec la flamme de l'enfer ! » Puis il se dit : « Il me faut mettre mon épouse à l'épreuve ! Si elle repousse la tentation et si elle reste chaste et réservée, c'est que le fait de l'oiseau et le fait des rêves ne sont qu'une coïncidence d'entre les coïncidences sans conséquences ! »

Or, quand vint l'heure du repas habituel, le juif annonça à son épouse et à son associé qu'il était invité à aller chez le wali pour une grande commande de marchandises ; et il les pria d'attendre son retour pour commencer le repas. Puis il les quitta et sortit dans le jardin. Mais, au lieu d'aller chez le wali, il se hâta de revenir sur ses pas et de monter à l'étage supérieur de la maison ; là, d'une chambre dont la fenêtre donnait sur la salle de réunion, il pouvait surveiller ce qui allait se passer.

Or il ne fut pas long à attendre le résultat, qui se manifesta de leur part sous forme de baisers et de caresses d'une intensité et d'une passion incroyables. Et, comme il ne voulait ni trahir sa présence ni leur laisser deviner qu'il n'était pas allé chez le wali, il fut obligé d'assister, pendant une heure de temps, aux manifestations forcenées des deux amants. Mais, après cette attente douloureuse, il descendit les retrouver et entra dans la salle, avec un visage souriant, tout comme s'il ne savait rien. Et, durant tout le repas, il se garda bien de leur laisser deviner ses sentiments, et eut beaucoup plus d'égards et d'attentions pour le jeune Anis, qui, d'ailleurs, se montra encore plus réservé et plus discret que d'habitude.

Mais lorsque le repas fut terminé et que le jeune Anis fut parti, le juif se dit : « Par les cornes de notre seigneur Moussa ! je vais brûler leur cœur par la séparation ! » Et il tira de son sein une lettre qu'il ouvrit et lut, puis s'écria : « Voici que je vais être encore obligé de partir pour un long voyage. Car cette lettre m'arrive de mes correspondants de l'étranger, et il faut que j'aille les voir pour arranger avec eux une grosse affaire commerciale ! » Et Zein Al-Mawassif sut dissimuler parfaitement la joie que lui causait cette nouvelle, et dit : « Ô mon époux bien-aimé, tu vas donc me laisser mourir pendant ton absence ! Dis-moi au moins pendant combien de temps tu vas rester loin de moi ! » Il dit : « Pendant trois ans ou peut-être quatre ans, mais pas moins ni plus ! » Et elle s'écria : « Ah ! pauvre Zein Al-Mawassif ! quel sort est le tien de ne jamais jouir de la présence de ton époux ! Ô désespoir de mon âme ! » Mais il lui dit : « Que cela ne te désespère plus ! Car, cette fois, pour ne point te laisser seule et t'exposer à la maladie et à la tristesse, je veux que tu viennes avec moi ! Lève-toi donc et fais-toi aider par tes suivantes Houboub, Khouboub, Soukoub et Roukoub pour faire tes paquets et tes ballots pour le départ ! »

À ces paroles, l'effrontée Zein Al-Mawassif devint bien jaune de teint, et ses yeux se mouillèrent de larmes, et elle ne put prononcer une seule parole. Et son mari qui, en son intérieur, se dilatait de contentement, lui demanda d'un ton bien affectueux : « Qu'as-tu, Zein ? » Elle répondit : « Rien, par Allah ! Je suis seulement un peu émue de cette agréable nouvelle, et sachant que je ne vais plus être séparée de toi ! »

Puis elle se leva et se mit à faire les préparatifs du départ, aidée de ses suivantes, sous l'œil du juif, son époux. Et elle ne savait pas comment faire savoir la triste nouvelle à Anis. Enfin elle put profiter d'un moment pour tracer sur la porte d'entrée ces vers d'adieu à son ami :

« À toi mes regrets, Anis ! Te voici demeuré seul, le cœur saignant de vives blessures.

La jalousie plus que la nécessité cause notre éloignement. Et la joie est entrée dans l'âme des envieux, à la vue de ma douleur et de mon désespoir.

Mais, j'en jure par Allah ! nul autre que toi, Anis, ne me possédera, vînt-il à moi accompagné de mille intercesseurs ! »

Après quoi, elle monta sur le chameau qui avait été préparé pour elle et, sachant qu'elle ne devait plus revoir Anis, elle s'enfonça dans sa litière en adressant des vers d'adieu à la maison et au jardin. Et toute la caravane se mit en marche, le juif en tête, Zein Al-Mawassif au milieu et les suivantes à la queue. Et voilà pour Zein et le juif, son époux…

À ce moment de sa narration, Schahrazade vit apparaître le matin et, discrète, se tut.

Mais lorsque fut la six cent soixante-deuxième nuit. Elle dit :

… Et voilà pour Zein et le juif, son époux.

Mais pour ce qui est du jeune Anis, voici ! Lorsque, le lendemain, il ne vit point venir au souk, selon son habitude, le marchand juif, son associé, il fut extrêmement surpris et attendit son arrivée jusqu'au soir. Mais ce fut en vain. Alors il se décida à aller voir par lui-même la cause d'une pareille absence. Et il arriva de la sorte devant la porte d'entrée, et lut l'inscription que Zein Al-Mawassif y avait elle-même gravée. Et il en comprit le sens et, bouleversé, il se laissa tomber à terre, en proie au désespoir. Et lorsqu'il fut revenu un peu de l'émotion que lui causait ce départ de sa bien-aimée, il s'informa d'elle auprès des voisins. Et il apprit ainsi que le juif, son époux, l'avait emmenée avec ses suivantes et un grand nombre de paquets et de ballots, sur dix chameaux, avec des provisions pour un très long voyage.

À cette nouvelle, Anis se mit a rôder comme un insensé à travers les solitudes du jardin ; et il improvisa ces vers :

« Arrêtons-nous pour pleurer au souvenir de la bien-aimée, ici, où se limitent les arbres de son jardin, où s'élève sa chère maison, où ses traces, comme dans mon cœur, ne peuvent être effacées ni par les vents du nord ni par les vents du sud.

Elle est partie ! mais mon cœur est avec elle, attaché à l'aiguillon qui presse la marche des chameaux.

Ah ! viens, ô nuit, viens refroidir mes joues brûlantes et calmer les feux qui consument mon cœur.

Ô brise du désert ! toi dont le souffle est parfumé de son haleine, ne t'a-t-elle ordonné aucun collyre pour sécher mes larmes, aucun remède pour ranimer mon corps glacé ?

Hélas ! hélas ! le conducteur de la caravane a donné le signal du départ pendant les ténèbres de la nuit, avant que le souffle du zéphyr matinal fût venu vivifier les vallons.

Les chameaux se sont agenouillés ; on a formé les ballots ; elle s'est placée dans la litière ; elle est partie.

Hélas ! elle est partie et m'a laissé égaré sur ses traces ! Je la suis de loin, en arrosant la poussière de mes larmes. »

Puis, comme il se laissait ainsi aller à ses réflexions et à ses souvenirs, il entendit croasser un corbeau qui avait son nid sur un des palmiers du jardin. Et il improvisa cette strophe :

« Ô corbeau ! que restes-tu faire dans le jardin de ma bien-aimée ? Viens-tu gémir, avec ta voix lugubre, sur les tourments de mon amour ! Hélas ! hélas ! cries-tu à mes oreilles ; et l'infatigable écho répète sans cesse : Hélas ! hélas ! »

Puis, Anis ne put plus résister à tant de peines et de tourments, et il s'étendit sur le sol et fut gagné par le sommeil. Et voici que sa bien-aimée lui apparut en songe ; et il se trouvait heureux avec elle ; et il la pressait dans ses bras, et elle, également. Mais soudain il se réveilla et l'illusion se dissipa. Et il ne put qu'improviser ces vers pour se consoler :

« Salut, image de la bien-aimée ! Tu m'apparais au milieu des ténèbres de la nuit, et tu viens un instant calmer la violence de mon amour.

Ah ! les songes sont le seul bonheur qui reste aux infortunés ! Mais combien plus amers les pleurs du réveil, quand s'évanouit la douce illusion !

Elle me parle, elle me sourit, elle me fait mille tendres caresses ; je tiens toute la félicité de la terre dans mes mains et je me réveille dans les larmes. »

Ainsi se lamentait le jeune Anis. Et il continua à vivre à l'ombre de la maison abandonnée, ne s'éloignant que pour prendre quelque nourriture dans son logis. Et voilà pour lui.

Quant à la caravane, lorsqu'elle fut arrivée à un mois de distance de la ville en question, elle fit halte. Et le juif fit dresser les tentes non loin d'une ville située sur la mer. Là, il dépouilla son épouse de ses riches habits, prit une longue baguette flexible, et lui dit : « Ah ! vile débauchée, ta peau salie ne pourra être nettoyée qu'avec ceci ! Qu'il vienne maintenant te délivrer d'entre mes mains, le jeune enculé Anis ! » Et, malgré ses cris et ses protestations, il la fustigea douloureusement, à tour de bras. Puis il jeta sur elle un vieux manteau en crin piquant, et alla à la ville chercher un maréchal, et dit au maréchal…

À ce moment de sa narration, Schahrazade vit apparaître le matin et, discrète, se tut.

Mais lorsque fut la six cent soixante-troisième nuit. Elle dit :

… Elle alla à la ville chercher un maréchal. Et il dit au maréchal : « Tu vas ferrer solidement les pieds de cette esclave ; après quoi tu lui ferreras les mains. Et elle me servira de monture ! » Et le maréchal, stupéfait, regarda le vieux et lui dit : « Par Allah ! c'est la première fois que je suis appelé pour ferrer des êtres humains ! Qu'a-t-elle donc fait, cette jeune esclave, pour mériter ce châtiment ? » Le vieux dit : « Par le Pentateuque ! c'est là le châtiment dont, nous autres juifs, nous punissons nos esclaves, quand nous avons à nous plaindre de leur conduite. » Mais le maréchal, ébloui par la beauté de Zein Al-Mawassif et impressionné à l'extrême par ses charmes, regarda le juif avec mépris et indignation, et lui cracha à la figure ; et, au lieu de toucher à la jouvencelle, il improvisa cette strophe :

« Puisses-tu, ô mulet, être ferré sur toute ta peau, avant que soient torturés ses pieds délicats ! Si tu étais sensé, ce serait avec des anneaux d'or que tu ornerais ses pieds charmants ! Car sois bien sûr qu'une si belle créature, en comparaissant devant le Souverain Juge, sera déclarée innocente et pure ! »

Puis le maréchal courut trouver le wali de la ville et lui raconta ce qu'il avait vu, en lui dépeignant la beauté merveilleuse de Zein Al-Mawassif et le traitement cruel que voulait lui faire éprouver le juif, son époux. Et le wali ordonna aux gardes d'aller immédiatement aux tentes et d'amener devant lui la belle esclave, le juif, et les autres femmes de la caravane. Et les gardes se hâtèrent d'exécuter l'ordre. Et, au bout d'une heure, ils revinrent, et introduisirent dans la salle des audiences, devant le wali, le juif, Zein Al-Mawassif et les quatre suivantes, Houboub, Khoutoub, Soukoub et Roukoub. Et le wali, ébloui par la beauté de Zein Al-Mawassif, lui demanda : « Comment t'appelles-tu, ma fille ? » Elle dit, en secouant ses hanches : « Ton esclave Zein Al-Mawassif, ô notre maître ! » Et il lui demanda : « Et cet homme, si laid, qui est-il ? » Elle répondit : « C'est un juif, ô mon maître, qui m'a enlevée à mon père et à ma mère, et m'a violentée, et a voulu, par toutes sortes de mauvais traitements, me forcer à abjurer la sainte foi des musulmans, mes pères ! Et, tous les jours, il me fait subir la torture, et essaie, par ce moyen, de vaincre ma résistance ! Et, comme preuve de ce que j'avance, ô notre maître, voici les traces des coups dont il ne cesse de m'accabler ! » Et elle découvrit, avec beaucoup de pudeur, le haut de ses bras, et montra les raies qui les marquaient. Puis elle ajouta : « Et d'ailleurs, ô notre maître, l'honorable maréchal témoignera du traitement barbare que ce juif voulait me faire subir ! Et mes suivantes confirmeront mes paroles ! Quant à moi, je suis une musulmane, une Croyante, et je témoigne qu'il n'y a de dieu qu'Allah et que Môhammad est l'Envoyé d'Allah ! »

À ces paroles, le wali se tourna vers les suivantes, Houboub, Khoutoub, Soukoub et Roukoub, et leur demanda : « Est-ce vrai, ce que dit votre maîtresse ? » Elles répondirent : « C'est vrai ! » Alors le wali se tourna vers le juif et, avec des yeux étincelants, lui cria : « Malheur à toi, ennemi d'Allah ! Pourquoi as-tu arraché cette adolescente à son père et à sa mère, à sa maison et à sa patrie, et l'as-tu torturée, et as-tu essayé de lui faire renier notre sainte religion et de la précipiter dans les horribles erreurs de ta croyance maudite ? » Le juif répondit : « Ô notre maître, par la vie de la tête d'Yâcoub, le Moussa et d'Aâroum ! je te jure que cette adolescente est mon épouse légale ! » Alors le wali s'écria : « Qu'on lui donne la bastonnade ! » Et les gardes le jetèrent par terre et lui appliquèrent sur la plante des pieds cent coups de bâton, et sur le dos cent coups de bâton, et sur les fesses cent coups de bâton. Et, comme il continuait à crier et à vociférer, en protestant et en affirmant que Zein Al-Mawassif lui appartenait légalement, le wali dit : « Du moment qu'il ne veut pas avouer, qu'on lui coupe les mains et les pieds, et qu'on le fustige ! »

En entendant cette terrible sentence, le juif s'écria : « Par les cornes sacrées de Moussa ! s'il ne faut que cela pour me sauver, eh bien ! j'avoue que cette femme n'est pas mon épouse et que je l'ai enlevée à sa famille ! » Alors le wali prononça : « Du moment qu'il avoue, qu'on le jette en prison ! Et qu'il y reste toute sa vie ! Ainsi soient punis les juifs mécréants ! » Et les gardes aussitôt exécutèrent l'ordre. Et ils traînèrent le juif en prison. Et c'est là qu'il mourra, certainement, dans sa mécréantise et sa laideur. Qu'Allah ne l'ait jamais en compassion ! Et qu'il précipite son âme juive dans les feux du dernier étage de l'enfer ! Mais nous, nous sommes des Croyants ! Et nous reconnaissons qu'il n'y a de dieu qu'Allah et que Môhammad est l'Envoyé d'Allah !

Quant à Zein Al-Mawassif, elle baisa la main du wali et, accompagnée de ses quatre suivantes, Houboub, Khoutoub, Soukoub et Roukoub, elle regagna les tentes et ordonna aux chameliers de lever le campement et de se mettre en route pour le pays de son bien-aimé Anis.

Or la caravane voyagea sans encombre et, vers le soir du troisième jour, elle arriva à un monastère chrétien qui était habité par quarante moines et par leur patriarche. Et ce patriarche, qui s'appelait Danis, était justement assis devant la porte du monastère, pour respirer le frais, lorsque la belle jouvencelle vint à passer sur son chameau, la tête hors de la litière. Et le patriarche, à la vue de ce visage de lune, sentit se rajeunir sa vieille chair morte ; et il frémit dans ses pieds, dans son dos, dans son cœur et dans sa tête. Et il se leva de son siège et fit signe à la caravane de s'arrêter, et, s'inclinant jusqu'à terre devant la litière de Zein Al-Mawassif, invita l'adolescente à descendre se reposer avec toute sa troupe. Et il l'engagea vivement à passer la nuit au monastère, en lui assurant que les chemins étaient infestés, la nuit, de brigands coupeurs de routes. Et Zein Al-Mawassif ne voulut point refuser l'offre de cette hospitalité, même de la part de chrétiens et de moines, descendit de sa litière, et entra au monastère suivie de ses quatre compagnes. Or le patriarche Danis, embrasé d'amour par la beauté et les charmes de Zein Al-Mawassif…

À ce moment de sa narration, Schahrazade vit apparaître le matin et, discrète, se tut.

Mais lorsque fut la six cent soixante-cinquième nuit. Elle dit :

… Or le patriarche Danis, embrasé d'amour par la beauté et les charmes de Zein Al-Mawassif, ne savait comment s'y prendre pour lui déclarer sa passion. Et la chose était, en effet, bien ardue. Enfin il crut trouver le bon moyen, qui fut d'envoyer à l'adolescente le moine le plus éloquent d'entre les quarante moines du monastère. Et ce moine arriva auprès de l'adolescente, dans l'intention de parler en faveur de son patriarche. Mais, à la vue de cette lune de beauté, il sentit sa langue se lier de mille nœuds dans sa bouche, et, au contraire, son doigt du ventre parler éloquemment sous sa robe, en se soulevant comme une trompe d'éléphant. Et, à cette vue, Zein Al-Mawassif se mit à rire de tout son gosier avec Houboub, Khoutoub, Soukoub et Roukoub. Puis, voyant que le moine, sans parler, restait avec son outil en l'air, elle fit signe à ses suivantes, qui aussitôt se levèrent et le poussèrent hors de la chambre.

Alors le patriarche Danis, voyant que le moine revenait d'un air bien piteux, se dit : « Sans doute, il n'a pas su la persuader ! » Et il dépêcha vers elle un second moine. Et le second moine alla auprès de Zein Al-Mawassif ; mais il lui arriva exactement ce qui était arrivé au premier. Et il fut chassé, et revint tête basse auprès du patriarche, qui alors envoya un troisième, puis un quatrième et un cinquième, et ainsi de suite jusqu'au quarantième. Et, chaque fois, le moine envoyé en pourparlers revenait sans résultat, n'ayant pu exposer la mission de son patriarche, et n'ayant manifesté sa présence que par le soulèvement de l'héritage paternel.

Lorsque le patriarche vit tout cela, il se ressouvint du proverbe qui dit : « Il n'est que de se gratter avec ses propres ongles et de marcher sur ses propres pieds ! » Et il résolut d'agir par lui-même.

Alors il se leva et entra d'un pas grave et mesuré dans la chambre où se tenait Zein Al-Mawassif. Et voici ! Exactement, comme à ses moines, il lui arriva tout ce qui leur était arrivé en fait de langue nouée en mille nœuds et d'éloquence d'outil. Et, devant le rire et les railleries de la jouvencelle et des compagnes, il sortit de la chambre, le nez allongé jusqu'à ses pieds.

Or dès qu'il fut sorti, Zein Al-Mawassif se leva et dit à ses compagnes : « Par Allah ! il nous faut déguerpir de ce monastère au plus vite, car j'ai bien peur que ces moines terribles et leur patriarche puant ne viennent nous violenter cette nuit, et nous salir de leur contact avilissant ! » Et, à la faveur des ténèbres, elles se glissèrent toutes les cinq hors du monastère, et, remontant sur leurs chameaux, continuèrent leur route pour leur pays. Et voilà pour elles.

Quant au patriarche et aux quatre moines, lorsqu'ils se furent réveillés le matin, et qu'ils se furent aperçus de la disparition de Zein Al-Mawassif, ils sentirent leurs boyaux se tordre de désespoir. Et ils se réunirent dans leur église, pour chanter comme des ânes, selon leur habitude. Mais, au lieu de chanter leurs antiennes et de réciter leurs prières ordinaires, voici ce qu'ils improvisèrent !

Le premier moine chanta :

« Rassemblez-vous, mes frères, avant que mon âme vous abandonne, car mon heure dernière est venue !

Le feu de l'amour consume mes os, la passion dévore mon cœur, et je brûle pour une beauté qui est venue dans cette région nous frapper tous des flèches mortelles lancées par les cils de ses paupières. »

Et le second moine répondit par ce chant :

« Ô toi qui voyages loin de moi, pourquoi, ayant ravi mon pauvre cœur, ne m'as-tu emmené avec toi ?

Tu es partie, en emportant mon repos ! Ah ! puisses-tu bientôt revenir pour me voir expirer dans tes bras ! »

Le troisième moine chanta :

« Ô toi dont l'image brille à mes yeux, remplit mon âme et habite mon cœur.

Ton souvenir est plus doux à mon esprit que le miel n'est doux aux lèvres de l'enfant ; et tes dents qui sourient à mes rêves sont plus brillantes que le glaive d'Azraël.

Comme une ombre tu as passé, en versant dans mes entrailles une flamme dévorante !

Si jamais en songe tu t'approchais de mon lit, tu le trouverais baigné de mes pleurs. »

Le quatrième moine répondit :

« Retenons nos langues, mes frères, et ne laissons plus échapper des paroles superflues qui affligeraient nos cœurs souffrants.

Ô pleine lune de la beauté ! ton amour a répandu ses brillants rayons sur ma tête obscure, et tu m'as incendié d'une passion infinie. »

Le cinquième moine, en sanglotant, chanta :

« Mon seul désir, c'est ma bien-aimée ! Sa beauté efface l'éclat de la lune ; sa salive est plus douce que l'eau précieuse des raisins ; l'ampleur de ses hanches loue leur Créateur.

Voici que mon cœur est consumé par la flamme de l'amour qu'elle m'a inspiré, et que mes larmes coulent de mes yeux comme les gouttes d'onyx. »

Le sixième moine, alors, poursuivit :

« Ô rameaux chargés de roses, ô étoiles des cieux, où est celle qui apparut sur notre horizon, et dont l'influence mortelle fait périr les hommes sans l'aide des armes, par son seul regard ? »

Ensuite le septième moine entonna ce chant :

« Mes yeux, qui l'ont perdue, se remplissent de larmes ; l'amour s'accroît et la patience diminue.

Ô douce enchanteresse apparue sur nos chemins ; l'amour s'accroît et la patience diminue. »

Et, ainsi de suite, tous les autres moines entonnèrent, chacun à son tour, un chant improvisé, jusqu'à ce que vînt le tour de leur patriarche qui alors, d'une voix sanglotante, chanta :

« Mon âme est pleine de trouble, et l'espoir m'a abandonné.

Une beauté ravissante a passé dans notre ciel, et m'a enlevé le repos.

Maintenant le sommeil fuit mes paupières et ma grande tristesse les consume.

Seigneur, je me plains à Toi de mes souffrances ! Seigneur, fais que, mon âme partie, mon corps s'évanouisse comme une ombre ! »

Lorsqu'ils eurent terminé leurs chants, les moines se jetèrent la face contre les dalles de leur église, et pleurèrent longtemps.

Après quoi ils résolurent de dessiner, de mémoire, le portrait de la fugitive, et de le placer sur l'autel de leur mécréantise. Mais ils ne purent accomplir leur projet, car la mort les surprit et mit un terme à leurs tourments, après qu'ils eurent creusé eux-mêmes leurs tombeaux, dans le monastère.

À ce moment de sa narration, Schahrazade vit apparaître le matin et, discrète, se tut.

Mais lorsque fut la six cent soixante-sixième nuit. Elle dit :

… Car la mort les surprit et mit un terme à leurs tourments, après qu'ils eurent creusé eux-mêmes leurs tombeaux, dans le monastère. Et voilà pour les quarante moines et pour leur patriarche !

Quant à la caravane, la vigilance d'Allah lui écrivit la sécurité et, après un voyage sans désagrément, elle arriva, en bonne santé, au pays natal. Et Zein Al-Mawassif, aidée de ses compagnes, descendit de sa litière et mit pied à terre dans son jardin. Et elle entra dans la demeure, et fit aussitôt tout préparer, et parfumer le lit à l'ambre précieux, avant d'envoyer Houboub prévenir de son retour son bien-aimé Anis.

Or, à ce moment, Anis, qui continuait à passer ses jours et ses nuits dans les larmes, était étendu, somnolent, sur sa couche, et faisait un rêve où il voyait distinctement sa bien-aimée de retour. Et, comme il avait foi dans les songes, il se leva bien ému et se dirigea aussitôt vers la maison de Zein Al-Mawassif pour s'assurer si le songe était véritable. Et il franchit la porte du jardin. Et aussitôt il sentit dans l'air le parfum de l'ambre et du musc de sa bien-aimée. Et il vola vers la demeure et entra dans la chambre où, déjà prête, Zein Al-Mawassif attendait son arrivée.

Et ils tombèrent dans les bras l'un de l'autre, et restèrent longtemps enlacés en se prodiguant des marques passionnées de leur amour. Et, pour ne point s'évanouir de joie et d'émotion, ils burent à une gargoulette pleine d'une boisson rafraîchissante au sucre, aux limons et à l'eau des fleurs. Après quoi ils s'épanchèrent mutuellement, en se racontant tout ce qui leur était arrivé pendant l'absence ; et ils ne s'interrompaient que pour se caresser et s'embrasser tendrement. Et Allah seul sait le nombre et l'intensité des preuves d'amour de cette nuit-là. Et, le lendemain, ils envoyèrent la jeune Houboub chercher le kâdi et les témoins, qui, séance tenante, écrivirent leur contrat de mariage. Et tous deux vécurent dans la vie bienheureuse, jusqu'à l'arrivée de la Faucheuse des adolescents et des jouvencelles ! Mais gloire et louange à Celui qui distribue, dans Sa justice, la beauté et les plaisirs ! Et la prière et la paix sur le Seigneur des Envoyés, Môhammad, qui a réservé à ses Croyants le paradis !

*Lorsque Schahrazade eut ainsi raconté cette histoire, la petite Doniazade s'écria : « Ô ma sœur, quelle saveur, quelles délices, quelle pureté et quelle excellence dans tes paroles ! » Et Schahrazade dit : « Mais qu'est tout cela comparé à ce que je veux encore raconter, si toutefois veut me le permettre le Roi, au sujet du jeune homme mou ? » Et le roi Schahriar dit : « Certes ! Schahrazade, je veux te le permettre encore cette nuit, car tes paroles m'ont satisfait, et je ne connais pas l'*HISTOIRE DU JEUNE HOMME MOU *! »*

Et Schahrazade dit :

HISTOIRE DU JEUNE HOMME MOU

Il est raconté – entre beaucoup d'autres choses – qu'un jour, comme le khalifat Haroun Al-Rachid était assis sur son trône, un jeune eunuque entra, qui tenait entre ses mains une couronne d'or rouge incrustée de perles, de rubis et de toutes les espèces les plus inestimables de gemmes et de pierreries. Et cet eunuque enfant embrassa la terre entre les mains du khalifat et dit : « Ô émir des Croyants, notre maîtresse Sett Zobéida m'envoie te transmettre ses salams et ses hommages et, en même temps, te dire que cette merveilleuse couronne que voici, et que tu connais bien, manque encore à son sommet d'une grosse gemme, et qu'on n'a jamais pu en trouver une assez belle pour cette place vide. Et elle a fait faire partout des recherches chez les marchands, et elle a fouillé dans ses propres trésors, mais jusqu'à présent elle n'a pu encore trouver la pierre digne de surmonter cette couronne ! » C'est pourquoi elle souhaite que tu fasses faire toi-même des recherches à ce sujet, pour satisfaire son désir. »

Alors, le khalifat se tourna vers ses vizirs, ses émirs, ses chambellans et ses lieutenants et leur dit : « Cherchez tous cette gemme, aussi grande et aussi belle que le souhaite Zobéida ! »

Or, ils cherchèrent tous cette gemme-là, parmi les pierreries de leurs épouses ; mais ils ne trouvèrent rien selon le souhait de Sett Zobéida. Et ils rendirent compte au khalifat de l'inutilité de leurs recherches. Et le khalifat se rétrécit fort de la poitrine, à cette nouvelle, et leur dit : « Comment se fait-il que je sois le khalifat et le roi des rois de la terre, et qu'il me soit impossible d'avoir une chose aussi misérable qu'une pierre ? Malheur à vos têtes ! Allez faire des recherches chez les marchands ! » Et ils firent des recherches chez tous les marchands, qui répondirent unanimement : « Ne cherchez pas davantage ! Notre seigneur le khalifat ne pourra trouver cette gemme que chez un jeune homme de Bassra, qui s'appelle Abou-Môhammad-les-Os-Mous ! » Et ils allèrent rendre compte au khalifat de ce qu'ils avaient fait et appris, en lui disant : « Notre seigneur le khalifat ne pourra trouver cette gemme que chez un jeune homme de Bassra, qui s'appelle Abou-Môhammad-les-Os-Mous ! »

Alors le khalifat ordonna à Giafar, son vizir, d'envoyer aviser l'émir de Bassra qu'il eût immédiatement à chercher cet Abou-Môhammad-les-Os-Mous, pour le faire conduire en toute diligence à Bagdad, entre ses mains…

À ce moment de sa narration, Schahrazade vit apparaître le matin et, discrète, se tut.

Mais lorsque fut la six cent soixante-septième nuit. Elle dit :

… Chercher cet Abou-Môhammad-les-Os-Mous pour le faire conduire en toute diligence à Bagdad, entre ses mains. Et Giafar écrivit aussitôt une missive à ce sujet, et chargea le porte-glaive Massrour d'aller en toute hâte la porter lui-même à Bassra, à l'émir El-Zobéidi, gouverneur de la ville. Et Massrour partit, sans tarder, remplir sa mission.

Lorsque le gouverneur de Bassra, l'émir El-Zobéidi, reçut la missive du khalifat, il répondit par l'ouïe et l'obéissance ; et, après avoir rendu à l'envoyé du khalifat tous les honneurs et les égards dus, il lui donna des gardes pour le conduire chez Abou-Môhammad-les-Os-Mous. Et Massrour arriva bientôt au palais habité par ce jeune homme ; et il fut reçu à la porte par une troupe d'esclaves richement vêtus, auxquels il dit : « Avisez votre maître que l'émir des Croyants le réclame à Bagdad ! » Et les esclaves entrèrent aviser de la chose leur maître.

Quelques instants après, le jeune Abou-Môhammad parut lui-même sur le seuil de sa demeure et vit l'envoyé du khalifat avec les gardes de l'émir de Bassra ; et il s'inclina jusqu'à terre devant lui et dit : « L'obéissance aux ordres de l'émir des Croyants ! » Puis il ajouta : « Mais je vous supplie, ô très honorables, d'entrer un instant honorer ma maison ! » Massrour répondit : « Nous ne pouvons pas trop nous attarder par ici, à cause des ordres pressés de l'émir des Croyants qui n'attend que ton arrivée à Bagdad ! » Il dit : « Il faut tout de même me donner le temps nécessaire pour faire mes préparatifs de voyage. Entrez donc vous reposer ! » Massrour et ses compagnons firent encore quelques difficultés, pour la forme, mais finirent par suivre le jeune homme.

Et ils virent, dès le vestibule, de magnifiques rideaux de velours bleu tissé d'or fin, et des marbres précieux, et des bois ouvragés, et toutes sortes de merveilles, et partout, aussi bien sur les tapisseries que sur les meubles, les murs ou les plafonds, des métaux précieux et des scintillements de pierreries. Et l'hôte les fit conduire à une salle de bains, éblouissante de propreté et parfumée comme un cœur de rosier, si splendide que le palais du khalifat ne possédait point la pareille. Et, après le bain, les esclaves les revêtirent tous de somptueuses robes de brocart vert, semées de motifs en perles, en or délié et en pierreries de toutes les couleurs. Et, en leur faisant leurs souhaits d'après le bain, les esclaves leur offrirent, sur des plateaux de porcelaine dorée, les coupes de sorbets et les rafraîchissements. Après quoi, entrèrent cinq jeunes garçons, beaux comme l'ange Harout, qui leur présentèrent à chacun, de la part du maître, après le souhait du bain, une bourse de cinq mille dinars, en cadeau. Et alors entrèrent les premiers esclaves qui les avaient menés au hammam ; et ils les prièrent de les suivre, et les conduisirent dans la salle de réunion où les attendait Abou-Môhammad, assis sur un divan de soie, et les bras appuyés sur les coussins ourlés de perles. Et il se leva en leur honneur et les fit asseoir à côté de lui, et mangea et but avec eux toutes sortes de mets admirables, et des boissons comme il n'y en a que dans les palais des Kaïssars.

Alors le jeune homme se leva et dit : « Je suis l'esclave de l'émir des Croyants ! Les préparatifs sont faits, et nous pouvons partir pour Bagdad ! » Et il sortit avec eux et, pendant qu'ils remontaient sur leurs chameaux, les esclaves, empressés à ses ordres, l'aidèrent à mettre le pied dans l'étrier et à enfourcher une mule blanche comme le vierge argent, dont la selle et les harnachements scintillaient de tous les feux des ors et des pierreries qui les agrémentaient. Et Massrour et le jeune Abou-Môhammad se mirent à la tête de l'escorte et sortirent de Bassra pour prendre la route de Bagdad. Et, après un heureux voyage, ils arrivèrent dans la Cité de Paix et entrèrent dans le palais de l'émir des Croyants.

Lorsqu'il fut introduit en présence du khalifat, il embrassa par trois fois la terre entre ses mains et prit une attitude pleine de modestie et de déférence. Et le khalifat l'invita à s'asseoir. Et il s'assit respectueusement sur le bord du siège, et, avec un langage fort distingué, il dit : « Ô émir des Croyants, ton esclave soumis a appris, sans qu'on le lui dît, le motif pour lequel il est appelé devant son souverain. C'est pourquoi, au lieu d'une seule gemme, il a cru de son devoir d'humble sujet d'apporter à l'émir des Croyants ce que le sort lui a fixé ! » Et, ayant dit ces paroles, il ajouta : « Si notre maître le khalifat me le permet, je vais faire ouvrir les coffres que j'ai apportés avec moi, en cadeau d'un féal à son souverain ! » Et le khalifat lui dit : « Je n'y vois point d'inconvénient. »

Alors Abou-Môhammad fit monter les coffres dans la salle de réception. Et il ouvrit le premier coffre, et en tira, entre autres merveilles qui ravissaient la raison, trois arbres d'or dont les tiges étaient en or, les branches et les feuilles en émeraudes et en algues-marines, et les fruits, des rubis, des perles et des topazes au lieu d'oranges, de pommes et de grenades. Puis, pendant que le khalifat s'émerveillait de la beauté de ces arbres, il ouvrit le second coffre et, entre autres splendeurs, en tira...

À ce moment de sa narration, Schahrazade vit apparaître le matin et, discrète, se tut.

Mais lorsque fut la six cent soixante-huitième nuit. Elle dit :

... Puis, pendant que le khalifat s'émerveillait de la beauté de ces arbres, il ouvrit le second coffre, et, entre autres splendeurs, en tira un pavillon de soie et d'or, incrusté de perles, d'hyacinthes, d'émeraudes, de rubis, de saphirs et de bien d'autres gemmes aux noms inconnus ; et le poteau central de ce pavillon était en bois d'aloès indien ; et tous les pans de ce pavillon étaient piqués de gemmes de toutes les couleurs, et l'intérieur en était ornementé de dessins d'un art merveilleux qui représentaient des ébats gracieux d'animaux et des vols d'oiseaux ; et tous ces animaux et ces oiseaux en or, en chrysolithes, en grenats, en émeraudes et en bien d'autres variétés de gemmes et de métaux précieux.

Et lorsque le jeune Abou-Môhammad eut tiré du coffre ces différents objets, qu'il disposait au fur et à mesure sur les tapis, pêle-mêle, il se tint debout et, sans bouger la tête, il éleva et abaissa ses sourcils. Et aussitôt le pavillon tout entier se dressa de lui-même au milieu de la salle avec autant de promptitude, d'ordre et de symétrie que s'il avait été manié par vingt personnes exercées ; et les trois arbres merveilleux vinrent d'eux-mêmes se planter à l'entrée du pavillon et le protéger de leur ombrage.

Alors, Abou-Môhammad regarda une seconde fois le pavillon et fit entendre un très léger sifflement. Et aussitôt tous les oiseaux gemmés de l'intérieur se mirent à chanter et les animaux d'or se mirent à leur répondre avec douceur et harmonie. Et Abou-Môhammad, au bout d'un instant, fit entendre un second sifflement, et le chœur tout entier se tut sur la note commencée.

Lorsque le khalifat et les assistants eurent vu et entendu ces choses extraordinaires, ils ne surent s'ils rêvaient ou s'ils veillaient. Et Abou-Môhammad embrassa encore une fois la terre entre les mains d'Al-Rachid, et dit : « Ô émir des Croyants, ne crois point que je t'apporte d'une âme intéressée ces petits cadeaux qui ont la chance de ne point te déplaire ; mais je te les apporte simplement en hommage d'un féal à son maître souverain. Et ils ne sont rien en comparaison de ceux que je pense encore t'offrir, si toutefois tu me le permets. »

Lorsque le khalifat fut un peu revenu de l'étonnement où l'avait plongé la vue de ces choses dont il n'avait jamais vu les pareilles, il dit au jeune homme : « Peux-tu me dire, ô jeune homme, d'où te viennent toutes ces choses-là, alors que tu es un simple sujet d'entre mes sujets ? Tu es connu sous le nom de Abou-Môhammad-les-Os-Mous, et je sais que ton père n'était qu'un simple ventouseur de hammam, mort sans te rien laisser en héritage ! Comment se fait donc que tu sois arrivé, en si peu de temps et bien jeune encore, à ce degré de richesse, de distinction et de puissance ? » Et Abou-Môhammad répondit : « Je te dirai donc mon histoire, ô émir des Croyants, qui est une histoire si pleine de faits extraordinairement prodigieux que si elle était écrite avec les aiguilles à tatouage sur le coin intérieur de l'œil, elle serait une leçon riche en profits à ceux qui voudraient en profiter ! » Et Al-Rachid, extrêmement intrigué, dit : « Hâte-toi alors de nous faire entendre ce que tu as à nous dire, ya Abou-Môhammad ! » Et le jeune homme dit :

« Sache donc, ô émir des Croyants (qu'Allah te hausse en puissance et en gloire !) que je suis, en effet, connu dans le commun sous le nom d'Abou-Môhammad-les-Os-Mous, et que je suis le fils d'un ancien pauvre ventouseur de hammam qui est mort sans nous laisser, à moi et à ma mère, de quoi suffire à notre subsistance. Ainsi, ceux-là qui t'ont appris ces détails te disaient la vérité ; mais ils ne t'ont point dit pourquoi ni comment m'était venu ce surnom ! Or, voici ! Dès mon enfance, ô émir des Croyants, j'étais le garçon le plus mou et le plus paresseux qui pût se rencontrer sur la face de la terre. Et, en vérité, si grandes étaient ma mollesse et ma paresse que si j'étais couché par terre et que le soleil tombât de tous ses feux sur mon crâne nu, en plein midi, je n'avais pas le courage de changer de place pour me mettre à l'ombre, et je me laissais cuire comme une colocase, plutôt que de remuer une jambe ou un bras. Aussi mon crâne devint bientôt à l'épreuve de tous les coups ; et tu peux maintenant, ô émir des Croyants, commander à Massrour, ton porte-glaive, de me fendre la tête, et tu verras son glaive s'ébrécher et voler en éclats sur les os de mon crâne.

Or à la mort de mon défunt père (qu'Allah l'ait en sa miséricorde) j'étais un garçon de quinze ans ; mais c'était comme si je n'avais que deux ans d'âge, car je continuais à ne vouloir ni travailler ni bouger de ma place ; et ma pauvre mère était obligée de servir les gens du quartier pour me nourrir, tandis que je passais mes journées étendu sur le flanc, et que je n'avais même pas la force de lever la main pour chasser les mouches qui avaient établi domicile dans tous les creux de ma figure…

À ce moment de sa narration, Schahrazade vit apparaître le matin et, discrète, se tut.

Mais lorsque fut la six cent soixante-neuvième nuit. Elle dit :

… Les mouches qui avaient établi domicile dans tous les creux de ma figure.

Or, un jour, par une coïncidence bien rare entre les coïncidences, ma mère, qui avait peiné tout un mois au service de ceux qui la faisaient travailler, entra auprès de moi en tenant dans sa main cinq pièces d'argent, fruit de tout son labeur. Et elle me dit : « Ô mon enfant, je viens d'apprendre que notre voisin le cheikh Mouzaffar va partir pour la Chine ! Or, tu sais, mon fils, que ce vénérable cheikh est un homme excellent, un homme de bien qui ne méprise pas les pauvres comme nous et ne les repousse pas. Prends donc les cinq drachmes d'argent et lève-toi pour m'accompagner chez le cheikh ; et tu lui remettras ces cinq drachmes et tu le prieras de t'en acheter, en Chine, des marchandises que tu revendras ensuite ici et dont (qu'Allah le veuille dans sa compassion sur nous !) tu feras, sans aucun doute, un bénéfice considérable. Voilà donc pour nous, ô mon fils, l'occasion de nous enrichir ! Et celui qui refuse le pain d'Allah est un mécréant ! »

Or moi, à ce discours de ma mère, j'augmentai encore en mollesse, et je fis le mort tout à fait. Et ma mère me supplia et me conjura de toutes les manières, par le nom d'Allah et par le tombeau de mon père, et par tout ! Mais ce fut en vain !

Car je fis semblant de ronfler. Alors elle me dit : « Par les vertus du défunt ! je jure, ô Abou-Môhammad-les-Os-Mous, que si tu ne veux pas m'écouter et m'accompagner chez le cheikh, je ne te donnerai plus à manger ni à boire, et que je te laisserai mourir d'inanition ! » Et elle dit ces paroles d'un ton si résolu, ô émir des Croyants, que je compris qu'elle mettrait cette fois ses paroles à exécution ; et je fis entendre un sourd grognement qui signifiait : « Aide-moi à m'asseoir ! » Et elle me prit le bras et m'aida à me lever et à m'asseoir. Alors moi, épuisé de fatigue, je me mis à pleurer, et, entre mes gémissements, je soupirai : « Donne-moi mes savates ! » Et elle me les apporta, et je lui dis : « Passe-les-moi aux pieds ! » Et elle me les passa aux pieds. Et je lui dis : « Aide-moi à me mettre debout ! » Et elle me souleva et me fit tenir debout. Et moi, gémissant à rendre l'âme, je lui dis : « Soutiens-moi pour que je marche ! » Et elle vint derrière moi et me soutint, en me poussant doucement pour me faire avancer. Et moi, je me mis à marcher d'un pas lent, en m'arrêtant à chaque pas pour souffler, et en penchant la tête sur mes épaules comme pour rendre l'âme. Et je finis par arriver sur le bord de la mer, en cette posture, auprès du cheikh Mouzaffar, entouré de ses proches et amis, qui se disposait à s'embarquer pour le départ. Et mon arrivée fut accueillie avec stupéfaction par tous les assistants qui s'écriaient, en me regardant : « Ô prodige ! C'est la première fois que nous voyons marcher Abou-Môhammad-les-Os-Mous ! Et c'est la première fois qu'il sort de sa maison ! »

Or moi, lorsque je fus arrivé auprès du cheikh, je lui dis : « Ô mon oncle, est-ce toi le cheikh Mouzaffar ? » Il me dit : « À tes ordres, ô Abou-Môhammad, ô fils de mon ami le défunt ventouseur (qu'Allah l'ait en Sa grâce et en Sa pitié !). » Je lui dis, en lui tendant les cinq pièces d'argent : « Prends ces cinq drachmes, ô cheikh, et achète-m'en des marchandises de la Chine ! Et peut-être qu'ainsi, par ton entremise, cela nous sera l'occasion de nous enrichir ! » Et le cheikh Mouzaffar ne refusa point de prendre les cinq drachmes ; et il les serra dans sa ceinture, en disant : « Au nom d'Allah ! » et me dit : « Sur la bénédiction d'Allah ! » Et il prit congé de moi et de ma mère ; et, accompagné de plusieurs marchands qui s'étaient joints à lui pour le voyage, il s'embarqua pour la Chine.

Or Allah écrivit la sécurité au cheikh Mouzaffar qui arriva sans encombre au pays de la Chine. Et il acheta, lui, ainsi que tous les marchands qui étaient avec lui, ce qu'il avait à acheter, et vendit ce qu'il avait à vendre, et trafiqua et fit ce qu'il avait à faire. Après quoi, il se rembarqua, pour le retour au pays, avec ses compagnons, sur le même navire qu'ils avaient affrété à Bassra. Et ils mirent à la voile et quittèrent la Chine.

Au bout de dix jours de navigation, le cheikh Mouzaffar, un matin, se leva soudain, et frappa de désespoir ses mains l'une contre l'autre, et s'écria : « Qu'on ramène les voiles ! » Et les marchands, fort surpris, lui demandèrent : « Quelle est l'affaire, ô cheikh Mouzaffar ? » Il dit : « Il faut que nous retournions en Chine ! » Et, à la limite de la stupéfaction, ils lui demandèrent : « Pourquoi cela, ô cheikh Mouzaffar ? » Il dit : « Sachez donc que j'ai oublié d'acheter la commande de marchandises par laquelle Abou-Môhammad-les-Os-Mous m'avait donné les cinq drachmes d'argent ! » Et les marchands lui dirent : « Par Allah sur toi, ô notre cheikh, ne nous oblige pas, après toutes les fatigues essuyées et les dangers courus et la déjà si longue absence de notre pays, à retourner en Chine pour si peu de chose ! » Il dit : « Il faut absolument que nous retournions en Chine ! Car ma foi est engagée par ma promesse à Abou Môhammad et à sa pauvre mère, la femme de mon ami, le défunt ventouseur ! » Ils dirent : « Que cela ne t'arrête point, ô cheikh ! Car nous sommes disposés à te payer, chacun, cinq dinars d'or comme intérêts des cinq pièces d'argent que t'a remises Abou-Môhammad-les-Os-Mous ! Et tu lui donneras tout cet or à notre arrivée ! » Il dit : « J'accepte pour lui votre offre ! » Alors les marchands payèrent chacun cinq dinars d'or, en mon nom, au cheikh Mouzaffar, et continuèrent leur voyage.

Or, en cours de route, le navire s'arrêta, pour faire des provisions, à une île d'entre les îles. Et les marchands et le cheikh Mouzaffar descendirent se promener à terre. Et le cheikh, après s'être promené et avoir respiré l'air de cette île, retournait s'embarquer quand il vit, sur le bord de la mer, un marchand de singes qui avait une vingtaine de ces animaux à vendre. Mais, parmi tous ces singes, il y en avait un qui était bien misérable d'aspect, pelé, grelottant et les larmes aux yeux. Et les autres singes, chaque fois que leur maître détournait la tête pour s'occuper des clients, ne manquaient pas de sauter sur leur misérable compagnon, et de le mordre et de le griffer et de lui pisser sur la tête. Et le cheikh Mouzaffar, qui avait le cœur compatissant, fut ému de l'état de ce pauvre singe et demanda au marchand : « À combien ce singe-là ? » Il dit : « Celui-là, ô mon maître, ne vaut pas cher. Je te le laisse, pour m'en débarrasser, à cinq drachmes seulement ! » Et le cheikh se dit : « C'est juste la somme que m'a donnée l'orphelin ! Et je vais lui acheter cet animal, afin qu'il puisse s'en servir pour le montrer dans les souks et gagner son pain et celui de sa mère ! » Et il paya les cinq drachmes au marchand, et fit prendre le singe par l'un des matelots du navire. Après quoi, il s'embarqua, avec ses compagnons les marchands, pour le départ.

Or, avant de mettre à la voile, ils virent des pêcheurs qui plongeaient jusqu'au fond de la mer, et sortaient, chaque fois, de l'eau en tenant dans leurs mains des coquillages remplis de perles. Et le singe vit cela également...

À ce moment de sa narration, Schahrazade vit apparaître le matin et, discrète, se tut.

Mais lorsque fut la six cent soixante-dixième nuit. Elle dit :

... Et le singe vit cela également. Et aussitôt il fit un bond et sauta dans la mer. Et il plongea jusqu'au fond de l'eau pour en sortir au bout d'un certain temps, en tenant entre ses mains et dans sa bouche des coquillages remplis de perles d'une grosseur et d'une beauté merveilleuses. Et il grimpa sur le navire et vint remettre sa pêche au cheikh. Puis il lui fit, avec la main, plusieurs signes qui signifiaient : « Attache-moi quelque chose au cou ! » Et le cheikh lui attacha un sac au cou, et le singe sauta de nouveau dans la mer, et ressortit avec le sac rempli de coquillages pleins de perles plus grosses et plus belles que les premières. Puis il sauta encore dans la mer plusieurs fois de suite, et chaque fois il revenait remettre au cheikh le sac plein de sa pêche merveilleuse.

Tout cela ! Et le cheikh et tous les marchands étaient à la limite de la stupéfaction. Et ils se disaient : « Il n'y a de puissance et de force qu'en Allah l'Omnipotent ! Ce singe possède des secrets que nous ne connaissons pas ! Mais tout cela est pour la chance d'Abou-Môhammad-les-Os-Mous, le fils du ventouseur ! » Après quoi ils mirent à la voile et quittèrent l'île des perles. Et, après une navigation excellente, ils arrivèrent à Bassra.

Or, dès qu'il eut mis pied à terre, le cheikh Mouzaffar vint frapper à notre porte. Et ma mère demanda de l'intérieur : « Qui est-là ? » Et il répondit : « C'est moi ! Ouvre, ô mère d'Abou-Môhammad ! Je reviens de la Chine ! » Et ma mère me cria : « Lève-toi, les-Os-Mous ! Voilà le cheikh Mouzaffar qui revient de la Chine ! Va lui ouvrir la porte, et le saluer et lui souhaiter la bienvenue ! Puis tu lui demanderas ce qu'il t'a apporté, dans l'espoir qu'Allah t'aura envoyé, par son entremise, de quoi suffire à nos besoins ! » Et je lui dis : « Aide-moi à me lever et à marcher ! » Et elle le fit. Et je me traînai, en me prenant les pieds dans les pans de ma robe, jusqu'à la porte, que j'ouvris.

Et le cheikh Mouzaffar, suivi de ses esclaves, entra dans le vestibule et me dit : « Le salam et la bénédiction sur celui dont les cinq drachmes ont porté bonheur à notre voyage ! Voici, ô mon fils, ce qu'ils t'ont rapporté ! » Et il fit ranger dans le vestibule les sacs de perles, me remit l'or que lui avaient donné les marchands et me mit dans la main la corde à laquelle était attaché le singe. Puis il me dit : « C'est là tout ce que t'ont rapporté les cinq drachmes ! Quant à ce singe, ô mon fils, ne le maltraite pas, car c'est un singe de bénédiction ! » Et il prit congé de nous et s'en alla avec ses esclaves.

Alors moi, ô émir des Croyants, je me tournai vers ma mère et lui dis : « Tu vois, ô mère, qui de nous deux a raison ! Tu m'as torturé la vie en me disant tous les jours : « Lève-toi, les-Os-Mous, et travaille ! » Et moi, je te disais : « Celui qui m'a créé me fera vivre ! » Et ma mère me répondit : « Tu as raison, mon fils ! Chacun porte sa destinée attachée à son cou, et, quoi qu'il fasse, il ne lui échappera pas ! » Puis elle m'aida à compter les perles et à les diviser suivant leur grosseur et leur beauté. Et moi j'abandonnai la mollesse et la fainéantise, et je me mis à aller tous les jours au souk vendre les perles aux marchands. Et je fis un bénéfice immense qui me permit d'acheter des terres, des maisons, des boutiques, des jardins, des palais et des esclaves hommes, et des esclaves femmes et des jeunes garçons.

Or le singe me suivait partout et mangeait de ce que je mangeais et buvait de ce que je buvais, et ne me quittait jamais des yeux. Mais un jour, comme j'étais assis dans le palais que je m'étais fait bâtir, le singe me fit signe qu'il voulait un encrier, un papier et un calame. Et je lui apportai les trois choses. Et il prit le papier, qu'il posa sur sa main gauche, comme font les scribes, et prit le calame qu'il plongea dans l'encrier, et écrivit : « Ô Abou-Môhammad, va me chercher un coq blanc ! Et viens me rejoindre dans le jardin ! » Et moi, ayant lu ces lignes, j'allai chercher un coq blanc, et courus au jardin le donner au singe, que je trouvai tenant un serpent entre ses mains. Et il prit le coq et le lâcha sur le serpent. Et aussitôt les deux animaux luttèrent entre eux, et le coq finit par vaincre le serpent et par le tuer. Puis, contrairement à ce que font les coqs, il le dévora jusqu'au bout.

Alors le singe prit le coq, lui arracha toutes les plumes, et les planta l'une après l'autre dans le jardin. Puis il tua le coq et arrosa de son sang toutes les plumes. Et il prit le gésier du coq, le nettoya, et le posa au milieu du jardin. Après quoi…

À ce moment de sa narration, Schahrazade vit apparaître le matin et, discrète, se tut.

Mais lorsque fut la six cent soixante et onzième nuit. La petite Doniazade dit à sa sœur : « Ô ma sœur, de grâce ! hâte-toi de nous dire ce que fit le singe d'Abou-Môhammad, après qu'il eut planté les plumes du coq dans le jardin et les eut arrosées avec le sang du coq ! » Et Schahrazade dit : « De tout cœur amical ! » et elle continua ainsi :

… Le singe prit le gésier du coq, le nettoya et le posa au milieu du jardin. Après quoi il alla devant chaque plume, fit claquer ses mâchoires en poussant quelques cris que je ne pus comprendre et revint près de moi, pour faire un saut prodigieux qui le souleva de terre et le fit disparaître à mes yeux, dans les airs. Et au même moment toutes les plumes du coq se changèrent, dans mon jardin, en arbres d'or avec des branches et des feuilles d'émeraudes et d'algues-marines qui portaient, comme fruits, des rubis, des perles et toutes sortes de pierreries. Et le gésier du coq fut changé en ce pavillon merveilleux que je me suis permis de t'offrir, ô émir des Croyants, avec trois des arbres de mon jardin !

Alors moi, riche désormais de ces biens inestimables dont chaque pierrerie valait un trésor, je demandai en mariage la fille du chérif de Bassra, le descendant de notre Prophète. Et le chérif, après avoir visité mon palais et mon jardin, m'accorda sa fille. Et je vis maintenant avec elle dans les délices et le bonheur ! Et tout cela, pour avoir, dans ma jeunesse, mis ma confiance dans la générosité sans bornes du Rétributeur, qui ne laisse jamais Ses Croyants dans le besoin ! »

Lorsque le khalifat Haroun Al-Rachid eut entendu cette histoire, il s'émerveilla à la limite de l'émerveillement et s'écria : « Les faveurs d'Allah sont illimitées ! » Et il retint Abou Môhammad auprès de lui, pour qu'il pût dicter cette histoire aux scribes du palais. Et il ne le laissa partir de Bagdad qu'après l'avoir comblé d'honneurs et de cadeaux d'une magnificence égale à celle dont son hôte avait fait preuve à son égard. Mais Allah est plus généreux et plus puissant !

Lorsque le roi Schahriar eut entendu cette histoire, il dit à Schahrazade : « Ô Schahrazade, cette histoire me satisfait par sa morale ! » Et Schahrazade dit : « Oui, ô Roi, mais elle n'est rien, comparée à celle que je veux encore te raconter ce soir ! »

Et elle dit...

HISTOIRE DU JEUNE NOUR AVEC LA FRANQUE HÉROÏQUE

Et Schahrazade dit :

Il m'est revenu, ô Roi fortuné, qu'il y avait en l'antiquité du temps et le passé de l'âge et du moment, dans le pays d'Égypte, un homme d'entre les notables, appelé Couronne, qui avait passé sa vie à voyager sur terre et sur mer, dans les îles et les déserts, et dans les contrées connues et inconnues, ne craignant ni les périls, ni les fatigues, ni les tourments, et affrontant des dangers si terribles qu'à les entendre seulement les cheveux en seraient devenus tout blancs même aux petits enfants. Mais, désormais riche, heureux et respecté, le marchand Couronne avait renoncé aux voyages pour vivre au milieu de son palais, dans la sérénité, assis à son aise sur le divan et le front ceint de son turban de mousseline blanche immaculée. Et rien ne manquait à la satisfaction de ses désirs. Car ses appartements, son harem, ses armoires et ses coffres, remplis de somptuosités, d'habits de Mordîn, d'étoffes de Baâlbeck, de soieries de Homs, d'armes de Damas, de brocarts de Bagdad, de gazes de Mossoul, de manteaux du Maghreb et de broderies de l'Inde, n'avaient pas leurs pareils en magnificence dans les palais des rois et des sultans. Et il possédait, en grand nombre, des esclaves nègres et des esclaves blancs, des mamelouk turcs, des concubines, des eunuques, des chevaux de race et des mulets, des chameaux de la Bactriane et des dromadaires de course, des jeunes garçons de Grèce et de Syrie, des jouvencelles de Circassie, des petits eunuques d'Abyssinie, et des femmes de tous les pays. Et il était ainsi, sans aucun doute, le marchand le plus satisfait et le plus honoré de son temps.

Mais le bien le plus précieux et la chose la plus splendide que possédât le marchand Couronne, c'était son propre fils, jouvenceau de quatorze ans, qui était certainement plus beau, et de beaucoup, que la lune à son quatorzième jour. Car rien, ni la fraîcheur du printemps, ni les rameaux flexibles de l'arbre bân, ni la rose dans son calice, ni l'albâtre transparent n'égalait la délicatesse de son adolescence heureuse, la souplesse de sa démarche, les tendres couleurs de son visage et la pure blancheur de son corps charmant. Et d'ailleurs le poète, inspiré de ses perfections, l'a ainsi chanté :

« Mon jeune ami, qui est si beau, m'a dit : « Ô poète, ton éloquence est en défaut ! » Je lui dis : « Ô mon seigneur, l'éloquence n'a rien à voir dans notre cas ! Tu es le roi de la beauté, et en toi tout est également parfait !

Mais – s'il m'est permis d'élire une préférence – oh ! qu'elle est belle, sur ta joue, la petite tache noire, goutte d'ambre sur une table de marbre blanc ! Et voici les glaives de tes paupières qui déclarent la guerre aux indifférents ! »

Et un autre poète a dit :

« Dans la rumeur d'un combat, je demandai à ceux qui s'entretuaient : « Pourquoi ce sang versé ? » Ils me dirent : « Pour les beaux yeux de l'adolescent ! »

Et un troisième a dit :

« Il vint lui-même me visiter et, me voyant tout ému et troublé, il me dit : « Qu'as-tu ? Qu'as-tu ? » Je lui dis : « Éloigne les flèches de tes yeux adolescents ! »

Et un autre a dit :

« Des lunes et des gazelles viennent concourir avec lui en charmes et en beauté ; mais je leur dis : « Ô gazelles, fuyez vite et ne vous comparez point à ce jeune faon ! Et vous, ô lunes, abstenez-vous ! Toutes vos peines sont inutiles ! »

Et un autre a dit :

« Le svelte jouvenceau ! Du noir de sa chevelure et de la blancheur de son front le monde est plongé tour à tour dans la nuit et dans le jour !

Oh ! Ne méprisez point le grain de beauté de sa joue ! La tendre anémone n'est belle dans sa rouge splendeur qu'à cause de la goutte noire qui orne sa corolle. »

Et un autre a dit :

« L'eau de la beauté se purifie au contact de son visage ! Et ses paupières fournissent les flèches aux archers pour percer le cœur de ses amoureux ! Mais louées soient trois perfections : sa beauté, sa grâce et mon amour !

Ses vêtements légers dessinent les contours de ses gracieuses fesses, comme les nuages transparents laissent apercevoir la douce image de la lune ! Louées soient les trois perfections : ses vêtements légers, ses gracieuses fesses et mon amour !

Les prunelles de ses yeux sont noires, noire la petite tache qui orne sa joue, et noires également mes larmes ! Louées soient-elles pour leur parfaite noirceur !

Son front, les traits si fins de son visage et mon corps consumé par son amour ressemblent au fin croissant de la lune : eux, pour leur éclat, et mon corps consumé, sous le rapport de la forme. Louées soient ses perfections !

Ses prunelles, quoiqu'abreuvées de mon sang, n'ont point rougi et restent douces comme le velours. Trois fois louées soient ses prunelles !

Il m'a désaltéré, au jour de notre union, de la pureté de ses lèvres et de son sourire ! Ah ! en retour je lui donne, pour qu'il en use licitement, mes biens, mon sang et ma vie ! Et qu'à jamais soient loués ses lèvres pures et son sourire ! »

Enfin un poète, entre mille autres qui l'ont chanté, a dit :

« Par les arcs voûtés qui gardent ses yeux, et par ses yeux qui dardent les traits enchanteurs de ses œillades ;

Par ses formes délicates ; par le tranchant cimeterre de ses regards ; par la suprême élégance de son allure ; par la couleur de sa noire chevelure ;

Par ses yeux languissants qui ravissent le sommeil et font la loi dans l'empire de l'amour ;

Par les boucles de ses cheveux, semblables à des scorpions, qui lancent dans les cœurs les traits du désespoir ;

Par les roses et les lis qui fleurissent sur ses joues ; par les rubis de ses lèvres où brille le sourire ; par ses dents de perles éblouissantes ;

Par la suave odeur de ses cheveux ; par les fleuves de vin et de miel qui coulent de sa bouche quand il parle ;

Par le rameau de sa taille flexible ; par sa démarche légère ; par sa croupe fastueuse qui tremble, qu'il soit en marche ou en repos ;

Par les soieries de sa peau d'abricot ; par les grâces et l'élégance qui accompagnent ses pas ;

Par l'affabilité de ses manières, la saveur de ses paroles, la noblesse de sa naissance et la grandeur de sa fortune ;

Par tous ces rares dons, je jure que le soleil, dans son midi, est moins resplendissant que son visage ; que la nouvelle lune n'est qu'une rognure de ses ongles ; que l'odeur du musc est moins douce que son haleine, et que la brise embaumée dérobe son parfum à sa chevelure ! »

Or un jour que l'admirable jouvenceau, fils de Couronne le marchand, était assis dans la boutique de son père, quelques adolescents de ses amis vinrent s'entretenir avec lui et lui proposèrent…

À ce moment de sa narration, Schahrazade vit apparaître le matin et, discrète, se tut.

Mais lorsque fut la six cent soixante-douzième nuit. Elle dit :

… Or un jour que l'admirable jouvenceau, fils de Couronne le marchand, était assis dans la boutique de son père, quelques adolescents de ses amis vinrent s'entretenir avec lui et lui proposèrent d'aller se promener dans un jardin qui appartenait à l'un d'eux, et lui dirent : « Ô Nour, tu verras comme ce jardin est beau ! » Et Nour leur répondit : « Je veux bien ! Mais il faut auparavant que j'en demande la permission à mon père. » Et il alla demander cette permission à son père. Et le marchand Couronne ne fit point trop de difficultés et, accordant à Nour l'autorisation, il lui donna, en outre, une bourse pleine d'or pour qu'il ne fût pas à la charge de ses camarades.

Alors Nour et les adolescents montèrent sur des mules et des ânes et arrivèrent à un jardin qui renfermait tout ce qui peut flatter les yeux et dulcifier la bouche. Et ils y entrèrent par une porte voûtée, belle comme la porte du Paradis, formée de rangs alternés de marbres de couleur, et ombragée de vignes grimpantes lourdes de raisins rouges et noirs, blancs et dorés, comme a dit le poète :

« Ô grappes de raisin gonflé de vin, délicieux comme des sorbets et vêtu de noir comme des corbeaux,

Votre éclat, à travers les sombres feuilles, vous montre semblables à de jeunes doigts féminins fraîchement teints de henné ;

Et de toute façon vous nous grisez : que vous pendiez avec grâce sur les ceps, et notre âme est ravie par votre beauté ; que vous reposiez au fond du pressoir, et vous voilà transformées en un miel enivrant. »

Et, comme ils entraient, ils virent, au haut de cette porte voûtée, ces vers gravés en beaux caractères d'azur :

« Viens, ami ! si tu veux jouir de la beauté d'un jardin, viens me regarder.

Ton cœur oubliera ses peines au frais contact de la brise qui vagabonde, fidèle à mes allées ; à la vue des fleurs qui m'habillent de beaux vêtements et qui sourient dans leurs manches de pétales.

Le ciel généreux arrose abondamment mes arbres aux branches penchées sous le fardeau de leurs fruits. Et tu verras, quand les rameaux se balanceront en dansant sous les doigts du zéphyr, les Pléiades ravies leur jeter à pleines mains l'or liquide et les perles des nuages.

Et si, fatigué de jouer avec les rameaux, le zéphyr les abandonne pour caresser l'onde des ruisseaux qui courent à sa rencontre, tu le verras les quitter bientôt pour aller baiser mes fleurs sur la bouche. »

Lorsqu'ils eurent franchi cette porte, ils aperçurent le gardien du jardin assis à l'ombre, sous le treillage en berceau des vignes grimpantes, et beau comme l'ange Rizwân qui garde les trésors du Paradis. Et il se leva en leur honneur, et vint au-devant d'eux, et, après les salams et les souhaits de bienvenue, il les aida à descendre de leur monture, et voulut leur servir lui-même de guide pour leur montrer, dans tous les détails, les beautés du jardin. Et ils purent ainsi admirer les belles eaux qui serpentaient à travers les fleurs et ne les quittaient qu'à regret, les plantes lourdes de leurs parfums, les arbres fatigués de leurs joyaux, les oiseaux chanteurs, les bosquets de fleurs, les arbustes à épices, et tout ce qui faisait de ce merveilleux jardin un morceau détaché des jardins édéniques. Mais ce qui les charmait au-dessus de toutes paroles, c'était la vue, à nulle autre pareille, des arbres fruitiers miraculeux, chantés tour à tour par tous les poètes, comme en font foi ces quelques poèmes entre mille :

LES GRENADES : « Délicieuses à l'écorce polie, grenades entrouvertes, mines de rubis encloses dans des cloisons d'argent, vous êtes les gouttes figées d'un sang virginal !

Ô grenades à la peau fine, seins des adolescentes debout, la poitrine en avant, en présence des mâles.

Coupoles ! quand je vous regarde, j'apprends l'architecture, et si je vous mange je guéris de toutes les maladies ! »

LES POMMES : « Belles au visage exquis, ô pommes douces et musquées, vous souriez en montrant dans vos couleurs, rouges et jaunes tour à tour, le teint d'un amant heureux et celui d'un amant malheureux ; et vous unissez, dans votre double visage, la couleur de la pudeur à celle d'un amour sans espoir ! »

LES ABRICOTS : « Abricots aux amandes savoureuses, qui pourrait mettre en doute votre excellence ? Jeunes encore vous étiez des fleurs semblables à des étoiles ; et fruits mûrs dans le feuillage, arrondis et tout en or, on vous prendrait pour de petits soleils ! »

LES FIGUES : « Ô blanches, ô noires, ô figues bienvenues sur mes plateaux ! je vous aime autant que j'aime les blanches vierges de Grèce, autant que j'aime les filles chaudes d'Éthiopie.

Ô mes amies de prédilection, vous êtes si sûres des désirs tumultueux de mon cœur à votre vue, que vous vous négligez dans votre mise, ô nonchalantes !

Si je vous aime tellement, c'est que peu de connaisseurs savent apprécier votre maturité, ô pleines d'expérience !

Tendres amies, déjà ridées par les désillusions sur les branches élevées qui vous balancent à tous les vents, vous êtes douces et odorantes comme la fleur fanée de la camomille.

Et vous seules, entre toutes vos sœurs, ô pleines de jus, savez laisser briller, au moment du désir, la goutte de suc faite de miel et de soleil ! »

LES POIRES : « Ô jeunes filles, encore vierges et quelque peu acides au goût, ô Sinaïtiques, ô Ioniennes, ô Aleppines,

Vous qui attendez, en vous balançant sur vos splendides hanches suspendues à une taille si fine, les amants qui, n'en doutez pas, vous mangeront,

Ô poires ! que vous soyez jaunes ou vertes, que vous soyez grosses ou allongées, que vous soyez sur les branches deux à deux ou solitaires,

Vous êtes toujours désirables et exquises à notre goût, ô fondantes, ô bonnes, vous qui nous réservez des surprises nouvelles chaque fois que nous touchons à votre chair ! »

LES PÊCHES : « Nous défendons nos joues par du duvet, pour que l'air vif ou chaud ne nous heurte pas ! Nous sommes de velours sur toutes nos faces, et rondes et rouges d'avoir longtemps roulé dans le sang des vierges.

C'est pourquoi nos nuances sont exquises, et si délicate notre peau. Goûte donc à notre chair, et mords-y de toutes tes dents, mais ne touche pas au noyau de notre cœur : il t'empoisonnerait ! »

LES AMANDES : « Elles me dirent : « Vierges timides, nous nous enveloppons de nos triples manteaux verts, comme les perles dans leur coquille.

Et quoique bien douces au-dedans, et si exquises pour qui sait vaincre notre résistance, nous aimons passer notre jeune temps amères et dures à la surface.

Mais l'âge avance, et la rigueur n'est plus de mise. Alors nous éclatons, et notre cœur, intact et blanc, s'offre dans sa fraîcheur au passant du chemin. »

Et je m'écriai : « Ô amandes candides, ô petites qui tenez toutes ensemble dans le creux de ma main, ô gentilles !

Votre vert duvet est la joue imberbe encore de mon ami, ses grands yeux allongés sont dans les deux moitiés de votre corps, et ses ongles empruntent leur belle forme à votre pulpe.

Même l'infidélité devient chez vous une qualité, car votre cœur, si souvent double et partagé, reste blanc malgré tout, à l'égal de la perle enchâssée dans une coque de jade. »

LES JUJUBES : « Regarde les jujubes en grappes, suspendus sur les branches avec des chaînes de fleurs, telles les clochettes d'or qui baisent les chevilles des femmes !

Ce sont les fruits de l'arbre Sidrah qui s'élève à la droite du trône d'Allah. Les houris reposent sous son ombrage. Son bois a servi à construire les tables de Moïse ; et c'est de son pied que jaillissent les quatre merveilleuses sources du Paradis. »

LES ORANGES : « Sur la colline, quand souffle le zéphyr, les orangers se dodelinent de tous leurs rameaux et rient avec grâce de tout le bruissement de leurs fleurs et de leurs feuilles.

Telles des femmes qui ont orné leurs jeunes corps de belles robes de brocart d'or rouge, un jour de fête, ô oranges,

Vous êtes fleurs par l'odeur et fruits par la saveur. Et globes de feu vous renfermez la fraîcheur de la neige ! Neige merveilleuse qui ne fond pas au milieu du feu ! Feu merveilleux sans flamme et sans chaleur !

Et si je contemple votre peau si luisante, puis-je ne point penser à mon amie, la jouvencelle aux belles joues, dont le derrière d'or est granulé ? »

LES CITRONS : « Les branches des citronniers s'abaissent vers la terre, alourdies par leurs richesses ;

Et les cassolettes d'or des citrons, au sein des feuilles, ont des parfums qui enlèvent le cœur, et des exhalaisons qui rendent l'âme aux agonisants.

LES LIMONS : « Regarde ces limons qui commencent à mûrir ! C'est la neige qui se teint des couleurs du safran ; c'est l'argent qui se transmue en or ; c'est la lune qui se change en soleil !

Ô limons, boules de chrysolithe, seins des vierges, camphre pur, ô limons ! ô limons !...

LES BANANES : « Bananes aux formes hardies, chair beurrée comme une pâtisserie,

Bananes à peau lisse et douce, qui dilatez les yeux des jeunes filles,

Bananes ! Quand vous coulez dans nos gosiers, vous ne heurtez point nos organes ravis de vous sentir !

Que vous pendiez, lourdes comme des lingots d'or, sur la tige poreuse de votre mère,

Ou que vous mûrissiez lentement à nos plafonds, ô fioles pleines d'odeur,

Vous savez toujours plaire à nos sens ! Et vous seules, entre tous les fruits, êtes douées d'un cœur compatissant, ô consolatrices des veuves et des divorcées ! »

LES DATTES : « Nous sommes les filles saines des palmiers, les Bédouines à la chair brune ! Nous grandissons en écoutant la brise jouer de ses flûtes dans nos chevelures.

Notre père le soleil nous a, dès l'enfance, nourries de lumière ; et longtemps nous avons sucé les pudiques mamelles de notre mère.

Nous sommes les préférées du peuple libre des tentes spacieuses, qui ne connaît pas les vestibules des citadins,

Le peuple des rapides cavales, des chamelles efflanquées, des ravissantes vierges, de la généreuse hospitalité et des solides cimeterres.

Et quiconque a goûté le repos à l'ombre de nos palmes souhaite nous entendre murmurer sur sa tombe ! »

Or tels sont, entre des milliers, quelques-uns des poèmes sur les fruits. Mais il faudrait toute une vie pour dire les vers sur les fleurs comme celles que renfermait ce merveilleux jardin, les jasmins, les jacinthes, les lis d'eau, les myrtes, les œillets, les narcisses et les roses dans toutes leurs variétés.

Mais déjà le gardien du jardin avait conduit les adolescents, à travers les allées, à un pavillon enfoui au milieu de la verdure. Et il les invita à y entrer se reposer, et les fit s'asseoir autour d'un bassin d'eau sur des coussins de brocart, en priant le jeune Nour de prendre la place du milieu. Et il lui offrit, pour se rafraîchir le visage, un éventail de plumes d'autruche, sur lequel ce vers était inscrit…

À ce moment de sa narration, Schahrazade vit apparaître le matin et, discrète, se tut.

Mais lorsque fut la six cent soixante-treizième nuit. Elle dit :

… Et il lui offrit, pour se rafraîchir le visage, un éventail de plumes d'autruche, sur lequel ce vers était inscrit :

« Aile blanche infatigable, mes bouffées parfumées, qui caressent le visage de celui que j'aime, donnent un avant-goût de la brise du Paradis ! »

Puis les adolescents, ayant ôté leurs manteaux et leurs turbans, se mirent à causer et à s'entretenir ensemble, et ils ne pouvaient détacher leurs regards de leur beau camarade Nour. Et le gardien leur servit lui-même le repas, qui était très splendide, composé de poulets, d'oies, de cailles, de pigeons, de perdrix et d'agneaux farcis, sans compter les corbeilles de fruits cueillis aux branches. Et, après le repas, les adolescents se lavèrent les mains avec du savon mêlé de musc et s'essuyèrent avec des serviettes de soie brodées d'or.

Alors le gardien entra avec un magnifique bouquet de roses, et dit : « Il convient, ô mes amis, qu'avant de toucher aux boissons vous disposiez votre âme au plaisir par les couleurs et le parfum des roses. » Et ils s'écrièrent : « Tu dis vrai, ô gardien ! » Il dit : « Oui. Mais je ne veux vous donner ces roses qu'en échange d'un beau poème sur cette fleur admirable ! »

Alors, l'adolescent auquel appartenait le jardin prit la corbeille de roses des mains du gardien, y plongea la tête, la respira longuement, puis fit de la main un signe pour demander le silence, et improvisa :

« Vierge odorante, mais si timide dans ta jeunesse quand tu cachais la rougeur de ton beau visage dans la soie verte de tes manches,

Ô rose souveraine ! tu es, entre toutes les fleurs, la sultane au milieu de ses esclaves, et le bel émir dans le cercle de ses guerriers.

Tu renfermes dans ta fragile corolle pleine de baume la quintessence de tous les flacons.

Ô rose amoureuse, tes pétales entrouverts sous le souffle du zéphyr sont les lèvres d'une jeune beauté qui s'apprête à donner un baiser à son ami !

Tu es plus douce, ô rose, dans ta fraîcheur, que la joue duvetée du jeune garçon, et plus désirable que la bouche vive d'une intacte jouvencelle !

Le sang délicat qui colore ta chair heureuse te rend comparable à l'aurore veinée d'or, à la coupe remplie d'un vin couleur de pourpre, à une floraison de rubis sur un rameau d'émeraude.

Ô rose voluptueuse, mais si cruelle envers les amants grossiers qui te heurtent sans délicatesse, tu les punis, ceux-là, avec les flèches de ton carquois d'or !

Ô merveilleuse, ô réjouissante, ô délectable ! tu sais également retenir les raffinés qui t'apprécient ! Pour eux tu vêts tes grâces de robes de couleurs différentes, et tu restes la bien-aimée dont on ne se lasse jamais. »

En entendant cette louange admirable de la rose, les adolescents ne purent retenir leur enthousiasme, et poussèrent mille exclamations et répétèrent en chœur, en dodelinant de la tête : « Et tu restes la bien-aimée dont on ne se lasse jamais ! » Et celui qui venait d'improviser le poème vida aussitôt la corbeille et couvrit de roses ses hôtes. Puis il remplit de vin la grande coupe et la fit circuler à la ronde. Et le jeune Nour, lorsque vint son tour, prit la coupe avec un certain embarras ; car il n'avait jamais encore bu de vin, et son palais ignorait le goût des boissons fermentées comme son corps le contact des femmes. Il était vierge, en effet, et ses parents ne lui avaient point encore, vu son jeune âge, fait cadeau d'une concubine, comme c'est la coutume chez les notables qui veulent, avant le mariage, donner de l'expérience et du savoir, en ces questions, à leurs fils pubères. Et ses compagnons connaissaient ce détail de la virginité de Nour, et s'étaient promis, en l'invitant à cette partie de jardin, de l'éveiller de ce côté-là !

Aussi, voyant qu'il tenait la coupe et hésitait comme devant une chose défendue, les adolescents se mirent à faire de grands éclats de rire, si bien que Nour, piqué et tant soit peu mortifié, finit par porter résolument la coupe à ses lèvres et la vida d'un trait jusqu'à la dernière goutte. Et les adolescents, à cette vue, poussèrent un cri de triomphe ; et le maître du jardin s'approcha de Nour, avec la coupe remplie à nouveau, et lui dit : « Que tu as raison, ô Nour, de ne point te priver plus longtemps de cette liqueur précieuse de l'ivresse ! Elle est la mère des vertus, le spécifique contre tous les chagrins, la panacée pour les maux du corps et de l'âme ! Aux pauvres elle donne la richesse, aux lâches le courage, aux faibles la force et la puissance ! Ô Nour, mon charmant ami, je suis, et nous tous ici nous sommes tes serviteurs et tes esclaves ! Mais prends cette coupe, de grâce, et bois ce vin qui est moins enivrant que tes yeux ! » Et Nour ne put refuser, et, d'un trait, vida la coupe que lui tendait son hôte.

Alors, le ferment de l'ivresse commença à circuler dans sa raison ; et l'un des jeunes gens s'écria, en s'adressant au maître du jardin : « Cela est bien, ô généreux ami ! mais notre plaisir saurait-il être complet sans le chant et sans la musique de lèvres féminines…

À ce moment de sa narration, Schahrazade vit apparaître le matin et, discrète, se tut.

Mais lorsque fut la six cent soixante-quatorzième nuit. Elle dit :

… Cela est bien, ô généreux ami ! mais notre plaisir saurait-il être complet sans le chant et sans la musique de lèvres féminines ? Et ne connais-tu les paroles du poète :

« Allons ! qu'on offre du vin à la ronde dans la petite coupe et dans la grande !

Et toi, mon ami, prends la liqueur des mains d'une beauté semblable à la lune.

Mais, pour vider ton verre, attends la musique : j'ai toujours vu le cheval boire avec plaisir quand on siffle à ses côtés. »

Lorsque le jeune homme, maître du jardin, eut entendu ces vers, il répondit par un sourire, puis se leva aussitôt et sortit de la salle de réunion pour, au bout d'un moment, revenir en tenant par la main une jouvencelle entièrement vêtue de soie bleue. Or, c'était une svelte Égyptienne admirablement taillée, droite comme la lettre aleph, aux yeux babyloniens, aux cheveux noirs comme les ténèbres, et blanche comme l'argent dans la mine ou comme une amande décortiquée. Et elle était si belle et si brillante dans sa robe sombre qu'on l'eût prise pour la lune d'été au milieu d'une nuit d'hiver. Avec cela comment n'aurait-elle pas eu des seins d'ivoire blanc, un ventre harmonieux, des cuisses de gloire et des fesses farcies comme des coussins, avec, au-dessous d'elles, lisse, rose et embaumé, quelque chose de semblable à un petit sachet plié dans un gros paquet ? Et n'est-ce point précisément de cette Égyptienne-là que le poète a dit :

« Comme la biche, elle s'avance traînant derrière elle les lions vaincus par les œillades acérées de l'arc de ses sourcils.

La belle nuit de sa chevelure étend sur elle, pour la protéger, une tente sans colonnes, une tente miraculeuse.

Elle cache les roses rougissantes de ses joues avec la manche de sa robe ; mais peut-elle empêcher les cœurs de s'enivrer de l'ambre de sa peau embaumée ?

Et si elle vient à soulever le voile qui cache son visage, alors honte sur toi, bel azur des cieux ! Et toi, cristal de roche, humilie-toi devant ses yeux de pierrerie ! »

Et le jeune maître du jardin dit à l'adolescente : « Ô belle souveraine des astres, sache que nous ne t'avons fait venir dans notre jardin que pour plaire à notre hôte et ami Nour, que voici, et qui nous honore aujourd'hui, pour la première fois, de sa visite ! »

Alors la jeune Égyptienne vint s'asseoir à côté de Nour, en lui lançant une œillade extraordinaire : puis elle tira de dessous son voile un sac de satin vert ; et elle l'ouvrit et y prit trente-deux petits morceaux de bois qu'elle joignit deux à deux, comme se joignent les mâles aux femelles et les femelles aux mâles, et finit par en former un beau luth indien. Et elle releva ses manches jusqu'aux coudes, découvrant ainsi ses poignets et ses bras, pressa le luth sur son sein, comme une mère presse son enfant, et le chatouilla avec les ongles de ses doigts. Et le luth, à ce toucher, frémit et gémit en résonnant ; et il ne put s'empêcher de songer tout à coup à sa propre origine et à sa destinée : il se rappela la terre où il avait été planté, arbre, les eaux, qui l'avaient arrosé, les lieux où il avait vécu dans l'immobilité de sa tige, les oiseaux qu'il avait abrités, les bûcherons qui l'avaient abattu, l'habile ouvrier qui l'avait façonné, le vernisseur qui l'avait revêtu d'éclat, le vaisseau qui l'avait apporté, et toutes les belles mains entre lesquelles il avait passé. Et, à ces souvenirs, il gémit et chanta avec harmonie, et sembla répondre dans son langage aux ongles qui l'interrogeaient, par ces couplets rythmés :

« Autrefois j'étais un rameau vert habité par les rossignols, et je les balançais amoureusement quand ils chantaient.

Ils me donnaient ainsi le sentiment de l'harmonie ; et je n'osais agiter mon feuillage, pour les écouter attentivement.

Mais une main barbare, un jour, me renversa par terre et me changea, comme vous le voyez, en un luth fragile. Pourtant, je ne me plains pas de ma destinée ; car, lorsque les fins ongles me touchent, je frémis de toutes mes cordes et souffre avec plaisir les coups d'une belle main.

En récompense de mon esclavage, je repose sur les seins des jeunes filles, et les bras des houris s'enlacent avec amour autour de ma taille.

Je sais charmer par mes accords les amis qui aiment les gaies réunions ; et, chantant comme autrefois mes oiseaux, j'enivre sans l'aide de l'échanson ! »

Après ce prélude sans paroles, où le luth s'était exprimé dans un langage sensible à l'âme seule, la belle Égyptienne cessa un moment de jouer ; puis, tournant ses regards vers le jeune Nour, elle chanta ces vers en s'accompagnant…

À ce moment de sa narration, Schahrazade vit apparaître le matin et, discrète, se tut.

Mais lorsque fut la six cent soixante-quinzième nuit. Elle dit :

… La belle Égyptienne, tournant ses regards vers le jeune Nour, chanta ces vers en s'accompagnant :

« La nuit est claire et transparente, et le rossignol, dans le fourré du voisinage, soupire ses transports comme un amant passionné.

Ah ! réveille-toi ! la nudité du ciel et sa fraîcheur invitent notre âme au plaisir, et la lune, ce soir, est pleine de sortilèges ! Viens !

Ne craignons point les jaloux, et profitons du sommeil de nos censeurs pour nous plonger sans contrainte au sein des voluptés. Les nuits ne sont pas toujours pleines d'étoiles et embaumées ! Viens !

N'as-tu point, pour goûter le plaisir tranquille, des myrtes, des roses, des fleurs d'or et des parfums ? Et ne possèdes-tu pas les quatre choses nécessaires à la jouissance idéale : un ami, une amante, une bourse pleine et du vin ?

Que faut-il de plus pour le bonheur ? Hâte-toi d'en profiter ! demain tout s'évanouira ! La coupe du plaisir, la voici ! »

En entendant ces vers, le jeune Nour, enivré de vin et d'amour, lança des regards enflammés sur la belle esclave, qui lui répondit par un sourire engageant. Alors, il se pencha sur elle, emporté par le désir ; et elle, aussitôt, poussa tout contre lui la pointe de ses seins, le baisa entre les yeux, et se livra toute entre ses mains. Et Nour, cédant au trouble de ses sens et à l'ardeur qui l'embrasait, colla ses lèvres sur la bouche de l'adolescente et la respira comme une rose. Mais elle, rappelée par les regards des autres adolescents, se dégagea de cette première étreinte du jouvenceau pour reprendre le luth et chanter :

« Par la beauté de ton visage, par tes joues, parterre de roses, par le vin précieux de ta salive,

Je jure que tu es l'esprit de mon esprit, la lumière de mes yeux, le baume de mes paupières, et que je n'aime que toi seul, ô vie des âmes ! »

En entendant cette brûlante déclaration, Nour, transporté d'amour, improvisa ceci à son tour :

« Ô toi dont le port est superbe comme celui d'un vaisseau de pirate sur la mer, belle au regard de faucon,

Ô jeune fille ceinte de grâce, à la bouche ornée de deux rangs de perles, aux joues épanouies de roses dans un parterre dont la clôture est difficile à franchir,

Ô propriétaire d'une chevelure de splendeur qui se déroule dans toute sa longueur, à droite et à gauche, noire comme un jeune nègre au milieu d'une vente à l'encan,

Tu es devenue la tyrannique pensée de mon âme ! À la vue de tes charmes, l'amour est entré tout droit dans mon cœur et l'a teint de la couleur foncée de la cochenille, de la teinte la plus indélébile ! Et son feu a consumé mon foie jusqu'à la folie.

Si bien que je veux te donner mes biens et toute mon âme. Et si tu me demandes : « Sacrifierais-tu pour moi ton sommeil ? » je répondrai : « Oui, certes ! et même mes yeux, ô magicienne ! »

Lorsque le jeune homme, maître du jardin, vit l'état dans lequel se trouvait son ami Nour, il jugea que le moment était venu de laisser la belle Égyptienne l'initier aux joies de l'amour. Et il fit signe aux adolescents, qui se levèrent l'un après l'autre et se retirèrent de la salle du festin, laissant Nour en tête à tête avec la belle Égyptienne.

Aussitôt que la jouvencelle se vit seule avec le beau Nour, elle se leva toute droite et se dépouilla de ses ornements et de ses habits pour se mettre entièrement nue, avec, pour tout voile, sa seule chevelure. Et elle vint s'asseoir sur les genoux de Nour, et le baisa entre les yeux et lui dit : « Sache, ô mon œil, que le cadeau est toujours proportionné à la générosité du donateur. Or moi, pour ta beauté, et parce que tu me plais, je te fais don de tout ce que je possède ! Prends mes lèvres, prends ma langue, prends mes seins, prends mon ventre et tout le reste ! » Et Nour accepta le merveilleux cadeau et lui fit don, en retour, d'un autre plus merveilleux encore. Et la jouvencelle, charmée à la fois et surprise de sa générosité et de son savoir, lui demanda, quand ils eurent fini : « Et pourtant, ô Nour, tes compagnons disaient que tu étais vierge ! » Il dit : « C'est vrai ! » Elle dit : « Que c'est étonnant ! Et comme tu as été expert dans ton premier essai ! » Il dit, en riant : « Quand on frotte le silex, le feu jaillit toujours ! »

Et c'est ainsi qu'au milieu des roses, de la gaieté et des ébats multipliés, le jeune Nour connut l'amour dans les bras d'une Égyptienne belle et saine comme l'œil du coq, et blanche comme l'amande décortiquée…

À ce moment de sa narration, Schahrazade vit apparaître le matin et, discrète, se tut.

Mais lorsque fut la six cent soixante-seizième nuit. Elle dit :

… Et c'est ainsi qu'au milieu des roses, de la gaieté et des ébats multipliés, le jeune Nour connut l'amour dans les bras d'une Égyptienne belle et saine comme l'œil du coq. Or il était écrit dans sa destinée qu'il devait en être ainsi, pour son initiation. Car comment, sans cela, comprendrait-on les choses plus merveilleuses encore qui allaient marquer ses pas dans la voie plane de la vie heureuse ?

Donc, une fois leurs ébats terminés, le jeune Nour se leva, car les étoiles commençaient à briller au ciel, et le souffle de Dieu s'élevait dans le vent de la nuit. Et il dit à l'adolescente : « Avec ta permission ! » Et, malgré ses supplications pour le retenir, il ne voulut pas s'attarder davantage, et la quitta pour remonter sur sa mule et s'en revenir au plus vite à sa maison où, anxieusement, l'attendaient son père Couronne et sa mère.

Or, dès qu'il eut franchi le seuil, sa mère, pleine d'inquiétude de cette absence inaccoutumée de son fils, courut à sa rencontre, le serra dans ses bras et lui dit : « Où as-tu été, mon chéri, pour tarder ainsi hors de la maison ? » Mais dès que Nour eut ouvert la bouche, sa mère s'aperçut qu'il était pris de vin et sentit l'odeur de son haleine. Et elle lui dit : « Ah ! malheureux Nour, qu'as-tu fait ? Si ton père vient à sentir ton odeur, quelle calamité ! » Car Nour, qui avait supporté la boisson tant qu'il était dans les bras de l'Égyptienne, avait été frappé par l'air vif du dehors, et sa raison disloquée le faisait tituber à droite et à gauche comme un ivrogne. Aussi sa mère se hâta-t-elle de l'entraîner vers son lit et de le coucher, en le couvrant chaudement.

Mais, à ce moment, arriva dans la chambre le marchand Couronne, lequel était un observateur fidèle de la loi d'Allah qui défend aux Croyants les boissons fermentées. Et voyant que son fils était couché pâle et le visage fatigué, il demanda à son épouse : « Qu'a-t-il ? » Elle répondit : « Il souffre d'un violent mal de tête occasionné par le grand air dans ce jardin où tu lui avais permis d'aller se promener avec ses camarades ! » Et le marchand Couronne, bien ennuyé de ce reproche de son épouse et du malaise de son fils, se pencha sur Nour pour lui demander comment il allait ; mais il sentit l'odeur de son haleine et, indigné, il secoua le bras de Nour et lui cria : « Comment, fils débauché ! tu as enfreint la loi d'Allah et de son Prophète, et tu oses entrer dans la maison sans purifier ta bouche ! » Et il continua à l'admonester durement.

Alors Nour, qui était dans un état d'ivresse complète, sans savoir au juste ce qu'il faisait, leva la main et envoya à son père, le marchand Couronne, un coup de poing qui l'atteignit à l'œil droit, et si violemment qu'il le renversa par terre.

Et le vieillard Couronne, à la limite de l'indignation, fit serment, par le divorce à la troisième puissance, de chasser dès le lendemain son fils Nour après lui avoir coupé la main droite. Puis il quitta la chambre.

Lorsque la mère de Nour eut entendu ce serment redoutable contre lequel il n'y avait pas de recours ou de remède possible, elle déchira ses habits, de désespoir, et passa toute la nuit à se lamenter et à pleurer au pied du lit de son fils plongé dans l'ivresse. Mais, comme la chose était pressante, elle réussit, en le faisant transpirer et pisser beaucoup, à dissiper les fumées du vin. Et, comme il ne se rappelait rien de tout ce qui s'était passé, elle lui apprit l'action qu'il avait commise et le terrible serment de son père Couronne. Puis elle lui dit : « Hélas sur nous ! les regrets maintenant sont inutiles ! Et le seul parti qui te reste à prendre, en attendant que la destinée ait changé la face des choses, c'est de t'éloigner au plus vite, ô Nour, de la maison de ton père ! Pars, mon fils, pour la ville d'Al-Iskandaria, et voici une bourse de mille dinars d'or et cent dinars ! Lorsque tu seras au bout de cet argent, tu m'en feras demander d'autre, en ayant soin de me donner de tes nouvelles. » Et elle se mit à pleurer, en l'embrassant.

Alors Nour, après avoir de son côté versé beaucoup de larmes de repentir, attacha la bourse à sa ceinture, prit congé de sa mère, et sortit en secret de la maison pour aussitôt gagner le port de Boulak et, de là, descendre le Nil, sur un navire, jusqu'à Al-Iskandaria, où il débarqua en bonne santé. Or Nour trouva qu'Al-Iskandaria était une ville merveilleuse, habitée par des gens tout à fait charmants, et dotée d'un climat délicieux, de jardins remplis de fruits et de fleurs, de belles rues et de souks magnifiques. Et il se plut ainsi à parcourir les divers quartiers de la ville et tous les souks, l'un après l'autre. Et, comme il passait dans le souk, particulièrement agréable, des marchands de fleurs et de fruits…

À ce moment de sa narration, Schahrazade vit apparaître le matin et, discrète, se tut.

Mais lorsque fut la six cent soixante-dix-septième nuit. Elle dit :

… Et, comme il passait dans le souk, particulièrement agréable, des marchands de fleurs et de fruits, il vit passer un Persan monté sur une mule avec, en croupe, une merveilleuse adolescente au maintien délicieux et à la taille de cinq palmes pleines. Elle était blanche comme le gland dans son écorce, comme l'ablette dans le bassin, comme le zerboa dans le désert. Son visage était plus éblouissant que l'éclat du soleil et, sous la garde des arcs tendus de ses sourcils, deux grands yeux noirs brillaient, originaires de Babylone. Et, de par l'étoffe transparente qui l'enveloppait, l'on devinait en elle des splendeurs à nulles autres pareilles : des joues polies comme le plus beau satin et plantées de roses ; des dents qui étaient deux colliers de perles ; des seins debout et menaçants ; des hanches onduleuses ; des cuisses semblables aux queues dodues des moutons de Syrie, et abritant, vers leur sommet de neige, un trésor incomparable, et supportant un derrière formé tout entier d'une pâte de perles, de roses et de jasmins. Gloire à son Créateur !

Aussi, lorsque le jeune Nour eut vu cette adolescente, qui surpassait en splendeurs la brune Égyptienne du jardin, il ne put s'empêcher de suivre la mule bienheureuse qui la portait. Et il se mit à marcher ainsi, derrière elle, jusqu'à ce qu'ils fussent arrivés sur la place du Marché aux Esclaves.

Alors le Persan descendit de la mule et, après avoir aidé l'adolescente à descendre à son tour, il la prit par la main et la remit au crieur public pour qu'il la criât sur le marché. Et le crieur, écartant la foule, fit asseoir l'adolescente sur un siège d'ivoire enrichi d'or, au centre de la place. Puis il promena ses regards sur ceux qui l'entouraient, et cria : « Ô marchands ! ô acheteurs ! ô maîtres de richesses ! Citadins et Bédouins ! ô assistants qui m'entourez de près ou de loin, ouvrez l'encan ! Nul blâme à l'ouvreur de l'encan ! Estimez et parlez ! Allah est omnipotent et omniscient ! Ouvrez l'encan ! »

Alors s'avança au premier rang un vieillard, qui était le syndic des marchands de la ville et devant qui nul n'osa élever la voix pour l'enchère. Et il fit lentement le tour du siège où était assise l'adolescente et, après l'avoir examinée avec une grande attention, il dit : « J'ouvre l'encan à neuf cent vingt-cinq dinars ! »

Aussitôt le crieur cria de toute sa voix : « L'encan s'ouvre à neuf cent vingt-cinq dinars ! Ô ouvreur ! Ô omniscient ! Ô généreux ! À neuf cent vingt-cinq dinars la mise à prix de la perle incomparable ! » Puis comme personne ne voulait augmenter l'enchère, par égard pour le vénérable syndic, le crieur se tourna vers l'adolescente et lui demanda : « Acceptes-tu, ô souveraine des lunes, d'appartenir à notre vénérable syndic ? » Et l'adolescente répondit, de dessous ses voiles : « Serais-tu fou, ô crieur, ou seulement atteint de dislocation dans ta langue, pour me faire une telle offre ? » Et le crieur, interdit, demanda : « Et pourquoi donc, ô souveraine des belles ? » Et l'adolescente, découvrant les perles de sa bouche dans un sourire, dit : « Ô crieur, n'as-tu pas honte devant Allah et sur ta barbe, de vouloir livrer les jeunes filles de ma qualité à un vieillard comme celui-ci, décrépit et sans vertu, auquel sa femme a dû, sans aucun doute, et plus d'une fois, reprocher sa frigidité en termes violents et indignés ! Et ne sais-tu que c'est précisément à ce vieillard-là que s'appliquent ces vers du poète :

« J'ai, m'appartenant en propre, un zebb calamiteux. Il est fait de cire fondante, car plus on le touche, plus il s'amollit.

J'ai beau lui parler raison, il s'entête à dormir quand il est nécessaire qu'il se réveille. C'est un zebb paresseux !

Mais que je sois seul à seul avec lui, et le voilà pris soudain d'un beau zèle guerrier ! Ah ! c'est un zebb calamiteux !

Il est avare quand il faut montrer de la générosité, et prodigue quand il faut économiser. Le fils de chien ! Si je dors, il s'éveille aussitôt ; et si je m'éveille, aussitôt il s'endort. C'est un zebb calamiteux. Maudit soit celui qui le prendra en pitié ! »

Lorsque les assistants eurent entendu ces paroles et ces vers de l'adolescente, ils furent extrêmement formalisés, à cause du manque d'égards et de l'irrespect témoignés au syndic. Et le crieur dit à l'adolescente : « Par Allah, ô ma maîtresse, tu fais noircir mon visage devant les marchands ! Comment peux-tu dire de telles choses de notre syndic, un homme respectable, un sage, un savant même ? Mais elle répondit : « Ah ! si c'est un savant, alors tant mieux ! Puisse la leçon lui être de quelque profit ! Des savants sans zebb, à quoi ça sert-il ? Allons ! Qu'il aille plutôt se cacher…

À ce moment de sa narration, Schahrazade vit apparaître le matin et, discrète, se tut.

Mais lorsque fut la six cent soixante-dix-huitième nuit. Elle dit :

… Des savants sans zebb, à quoi ça sert-il ? Allons ! Qu'il aille plutôt se cacher ! »

Le crieur alors, pour que l'adolescente ne pût continuer à invectiver le vieux syndic, se hâta de recommencer la criée, de toute sa voix, en clamant : « Ô marchands, ô acheteurs ! l'encan est ouvert et reste ouvert ! Au plus offrant, la fille des rois ! » Alors s'avança un autre marchand, qui n'avait pas assisté à ce qui venait de se passer et qui, ébloui par la beauté de l'esclave, dit : « À moi, pour neuf cent cinquante dinars ! » Mais l'adolescente, à sa vue, poussa un éclat de rire ; et, lorsqu'il se fut approché d'elle pour la mieux examiner, elle lui dit : « Ô cheikh, dis-moi, as-tu dans ta maison un solide couperet ? » Il répondit : « Oui, par Allah, ô ma maîtresse ! Mais que veux-tu en faire ? » Elle répondit : « Ne vois-tu donc pas qu'il faut, avant tout, te couper un notable morceau de l'aubergine que tu portes en guise de nez ? Et ignores-tu que c'est à toi, mieux qu'à personne, que s'appliquent ces paroles du poète :

« Sur son visage s'élève un immense minaret qui pourrait laisser s'engouffrer, par ses deux portes, tous les humains. Et du coup la terre serait dépeuplée ! »

Lorsque le marchand au gros nez eut entendu ces paroles de l'adolescente, il fut dans une telle colère qu'il éternua avec un grand éclat, puis, saisissant le crieur au collet, il lui assena plusieurs coups sur la nuque, en lui criant : « Maudit crieur ! ne nous as-tu amené cette impudente esclave que pour nous injurier et nous rendre un objet de risée ? » Et le crieur, bien marri, se tourna vers l'adolescente et lui dit : « Par Allah ! depuis le temps que j'exerce mon métier, jamais je n'ai eu une journée aussi néfaste que celle-ci ! Ne pourrais-tu réprimer les désordres de ta langue, et nous laisser gagner notre subsistance ? » Puis, pour mettre fin aux rumeurs, il continua la criée.

Alors survint un troisième marchand fortement barbu, qui voulut acheter la belle esclave. Mais avant qu'il eût ouvert la bouche pour faire son offre, l'adolescente se mit à rire et s'écria : « Regarde, ô crieur ! Chez cet homme l'ordre de la nature est interverti ; c'est un mouton à grosse queue, mais sa queue lui a poussé au menton ! Et, certes, tu ne songes pas à me céder à un homme qui possède une barbe si longue et par conséquent un esprit fort borné ! Car tu sais que l'intelligence et la raison sont en sens inverse de la longueur de la barbe ! »

À ces paroles, le crieur, à la limite du désespoir, ne voulut pas aller plus loin dans cette vente-là ! Et il s'écria : « Non, par Allah ! je n'exerce plus le métier aujourd'hui ! » Et, prenant l'adolescente par la main, avec un sentiment de terreur, il la remit au Persan, son ancien maître, en lui disant : « Elle est invendable pour nous ! Qu'Allah ouvre pour toi ailleurs la porte de la vente et de l'achat ! » Et le Persan, sans se troubler ni s'émouvoir, se tourna vers l'adolescente et lui dit : « Allah est le plus généreux ! Viens, ma fille ! nous finirons bien par trouver l'acheteur qui te sied ! » Et il l'emmena et s'en alla, la tenant par une main, tandis qu'il conduisait, de l'autre main, la mule par la bride, et que l'adolescente lançait de ses yeux, à ceux qui la regardaient, de longues flèches noires et acérées.

Or c'est alors seulement que tu aperçus le jeune Nour, ô merveilleuse, et qu'à sa vue tu sentis le désir te mordre le foie et l'amour te bouleverser les entrailles ! Et tu t'arrêtas soudain, et tu dis à ton maître le Persan : « C'est celui-ci que je veux ! Vends-moi à lui ! » Et le Persan se retourna et aperçut à son tour le jouvenceau orné de tous les charmes de la jeunesse et de la beauté, et élégamment enveloppé d'un manteau couleur de pruneau. Et il dit à l'adolescente : « Ce jeune homme était tout à l'heure parmi les assistants, et ne s'est point avancé pour l'enchère. Comment alors veux-tu que j'aille te proposer à lui, contre sa volonté ? Ne sais-tu que cette démarche te déprécierait à l'extrême sur le marché ? Elle répondit : « Il n'y a point d'inconvénient à la chose. Je ne veux appartenir qu'à ce bel adolescent. Et nul autre que lui ne me possédera. » Et elle s'avança résolument vers le jeune Nour et lui dit, en lui coulant un regard chargé de tentations : « Ne suis-je donc point belle, ô mon maître, pour que tu n'aies point daigné faire une offre aux enchères ? » Il répondit : « Ô ma souveraine, y a-t-il de par le monde une beauté comparable à toi ? » Elle demanda : « Pourquoi donc n'as-tu point voulu de moi, alors qu'on me proposait au plus offrant ? c'est que, sans doute, tu ne me trouves pas à ta convenance ! » Il répondit : « Qu'Allah te bénisse, ô ma maîtresse ! Certes, si j'étais dans mon pays, je t'aurais achetée moyennant toutes les richesses et tous les biens que possède ma main. Mais ici je ne suis qu'un étranger et je ne possède, pour toutes ressources, qu'une bourse de mille dinars ! » Elle dit : « Offre-la pour mon achat et tu ne le regretteras pas ! » Et le jeune Nour, ne pouvant résister à la magie du regard fixé sur lui, défit sa ceinture, où étaient serrés les mille dinars, et compta et pesa l'or devant le Persan. Et tous deux conclurent le marché, après avoir fait venir le kâdi et les témoins, pour la légalisation du contrat de vente et d'achat. Et, pour confirmer l'acte, l'adolescente déclara : « Je consens à ma vente à ce bel adolescent, moyennant les mille dinars donnés à mon maître le Persan ! » Et les assistants se dirent les uns aux autres : « Ouallah ! ils sont bien faits l'un pour l'autre ! » Et le Persan dit à Nour : « Puisse-t-elle être pour toi une cause de bénédictions ! Réjouissez-vous ensemble de votre jeunesse ! vous méritez également le bonheur qui vous attend…

À ce moment de sa narration, Schahrazade vit apparaître le matin et, discrète, se tut.

Mais lorsque fut la six cent soixante-dix-neuvième nuit. Elle dit :

… Vous méritez également le bonheur qui vous attend ! »

Alors le jeune Nour, suivi par l'adolescente aux hanches onduleuses, se dirigea vers le grand khân de la ville, et se hâta d'y louer une chambre où loger. Et il s'excusa auprès de l'adolescente de ne pouvoir lui offrir mieux, disant : « Par Allah, ô ma maîtresse, si j'étais au Caire, ma ville, je te logerais dans un palais digne de toi ! Mais, je te le répète, ici je ne suis qu'un étranger ! Et je n'ai plus sur moi, pour subvenir à nos besoins, que juste de quoi payer ce logement ! » Elle répondit, en souriant : « Sois sans inquiétude à ce sujet ! » Et elle tira de son doigt une bague où était enchâssé un rubis d'une grande valeur, et lui dit : « Prends ceci, et va le vendre au souk. Et achète-nous tout ce qu'il faut pour un festin à deux ; et dépense largement et achète ce qu'il y a de mieux en fait de vivres et de boissons, sans oublier les fleurs, les fruits et les parfums ! » Et Nour se hâta d'aller exécuter l'ordre, et ne tarda pas à revenir chargé de provisions de toute nature. Et il releva ses manches et sa robe, et tendit la nappe, et apprêta avec beaucoup de soin le festin. Puis il s'assit à côté de l'adolescente, qui le voyait faire en souriant ; et ils se mirent, pour commencer par bien manger et bien boire. Et lorsqu'ils se furent rassasiés et que la boisson eut commencé son effet, le jeune Nour, qui était un peu intimidé par les yeux brillants de son esclave, ne voulut point se laisser aller aux désirs tumultueux qui l'agitaient, avant de s'être informé du pays et de l'origine de l'adolescente. Et il lui prit la main et la baisa et lui dit : « Par Allah sur toi, ô ma maîtresse, ne pourrais-tu pas maintenant me dire ton nom et ton pays ? » Elle répondit : « Justement, ô Nour, j'allais moi-même t'en parler la première ! » Et elle s'arrêta un moment, et dit :

« Sache, ô Nour, que je m'appelle Mariam, et que je suis la fille unique du puissant roi des Francs qui règne dans la ville de Constantinia. Aussi ne sois point étonné de savoir que j'ai reçu, dans mon enfance, la plus belle éducation et que j'ai eu des maîtres dans tous les genres. On m'apprit également à manier l'aiguille et le fuseau, à faire des foulards et des broderies, à tisser des tapis et des ceintures, et à travailler les étoffes soit en or sur un fond d'argent, soit en argent sur un fond d'or. Et j'appris également tout ce qui pouvait orner l'esprit et ajouter à la beauté. Et je grandis de la sorte, au milieu du palais de mon père, loin de tous les regards. Et les femmes du palais disaient, en me regardant avec des yeux tendres, que j'étais la merveille du temps. Aussi, un grand nombre de princes et de rois, qui régnaient sur les terres et les îles, ne manquèrent pas de venir me demander en mariage ; mais le roi mon père rejeta toutes leurs propositions, ne voulant pas se séparer de sa fille unique, celle qu'il chérissait plus que sa vie et plus que les nombreux enfants mâles, mes frères !

Sur ces entrefaites, étant tombée malade, je fis vœu, si je recouvrais la santé, d'aller en pèlerinage à un monastère très vénéré parmi les Francs. Et lorsque je fus guérie, je voulus accomplir mon vœu, et je m'embarquai avec une de mes dames d'honneur, fille d'un grand d'entre les grands de la cour du roi mon père. Mais, dès que nous eûmes perdu la terre de vue, notre navire fut attaqué et pris par des pirates musulmans ; et moi, avec toute ma suite, je fus emmenée en esclavage, et conduite en Égypte où je fus vendue au marchand persan que tu as vu et qui, heureusement pour ma virginité, se trouvait être affligé d'eunuquat. Et, pour ma chance également et parce qu'ainsi le voulait ma destinée, mon maître éprouva, dès qu'il m'eut dans sa maison, une longue et dangereuse maladie, pendant laquelle je lui prodiguai les soins les plus attentifs. Aussi, dès qu'il eut recouvré la santé, il voulut me témoigner sa gratitude pour les marques d'attachement que je lui avais données pendant sa maladie, et me pria de lui demander tout ce que pouvait souhaiter mon âme. Et moi je réclamai de lui, pour toute faveur, de me vendre à quelqu'un qui pût utiliser ce qu'il y avait en moi à utiliser, mais de ne me céder qu'à celui que je choisirais moi-même. Et le Persan me le promit à l'instant, et se hâta d'aller me vendre sur la place du marché, où je pus de la sorte fixer mon choix sur toi, ô mon œil, à l'exclusion de tous les vieux et décrépits personnages qui me convoitaient ! »

Et, ayant ainsi parlé, la jeune Franque regarda Nour avec des yeux où flambait l'or des tentations, et lui dit : « Pouvais-je, telle que je suis, appartenir à un autre qu'à toi, ô jouvenceau ? » Et, d'un mouvement rapide, elle rejeta ses voiles et se dévêtit tout entière, pour apparaître dans sa native nudité. Béni soit le ventre qui l'a portée ! C'est alors seulement que Nour put juger de la bénédiction qui était descendue sur sa tête ! Et il vit que la princesse était une beauté douce et blanche comme un tissu de lin, et qu'elle répandait de toutes parts la suave odeur de l'ambre, telle la rose qui sécrète elle-même son parfum originel. Et il la pressa dans ses bras et trouva en elle, l'ayant explorée dans sa profondeur intime, une perle encore intacte. Et il jubila de cette découverte-là à la limite de la jubilation, et s'enflamma à la limite de l'inflammation. Et il se mit à promener sa main sur ses membres charmants et son cou délicat, et à l'égarer parmi les flots et les boucles de sa chevelure, en faisant claquer les baisers sur ses joues, comme des cailloux sonores dans l'eau ; et il se dulcifiait à ses lèvres, et faisait claquer ses paumes sur la tendreté rebondissante de ses fesses. Vraiment tout cela ! Et elle, de son côté, elle ne manqua pas de faire voir une partie considérable des dons qu'elle possédait et des merveilleuses aptitudes qui étaient en elle ; car elle unissait la volupté des Grecques aux amoureuses vertus des Égyptiennes, les mouvements lascifs des filles arabes à la chaleur des Éthiopiennes, la candeur effarouchée des Franques à la science consommée des Indiennes, l'expérience des filles de Circassie aux désirs passionnés des Nubiennes, la coquetterie des femmes du Yamân à la violence musculaire des femmes de la Haute-Égypte, l'exiguïté des organes des Chinoises à l'ardeur des filles du Hedjza, et la vigueur des femmes de l'Irak à la délicatesse des Persanes. Aussi les enlacements ne cessèrent de succéder aux embrassements, les baisers aux caresses et les copulations aux foutreries, pendant toute la nuit, jusqu'à ce que, un peu fatigués de leurs transports et de leurs multiples ébats, ils se fussent endormis enfin dans les bras l'un de l'autre, ivres de jouissances. Gloire à Allah qui n'a point créé de spectacle plus enchanteur que celui de deux amants heureux qui, après s'être grisés des délices de la volupté, reposent sur leur couche, les bras entrelacés, les mains unies et les cœurs battant en harmonie…

À ce moment de sa narration, Schahrazade vit apparaître le matin et, discrète, se tut.

Mais lorsque fut la sept centième nuit. Elle dit :

… Gloire à Allah qui n'a point créé de spectacle plus enchanteur que celui de deux amants heureux qui, après s'être grisés des délices de la volupté, reposent sur leur couche, les bras entrelacés, les mains unies et les cœurs battant en harmonie !

Lorsque, le lendemain, ils se furent réveillés, ils ne manquèrent pas de recommencer leurs ébats, avec encore plus d'intensité, de chaleur, de multiplicité, de répétitions, de vigueur et d'expérience qu'ils ne l'avaient fait la veille. Aussi la princesse franque, émerveillée à la limite de l'admiration de voir tant de vertus réunies chez les fils des musulmans, se dit : « Certes ! quand une religion inspire et développe chez ses croyants de tels actes de vaillance, d'héroïsme et de vertu, elle est sans conteste la meilleure, la plus humaine et la seule vraie entre toutes les religions ! » Et elle voulut sur-le-champ s'ennoblir de l'Islam. Elle se tourna donc vers Nour et lui demanda : « Que faut-il que je fasse, ô mon œil, pour m'ennoblir de l'Islam ? Car je veux devenir musulmane comme toi, vu que la paix de mon âme n'est point restée chez les Francs qui placent la vertu dans l'horrible continence et n'estiment rien à l'égard du prêtre émasculé ! Ce sont des pervertis qui ne connaissent point la valeur inestimable de la vie ! Ce sont des malheureux que le soleil ne réchauffe point de ses rayons ! Aussi, mon âme veut demeurer ici, où elle fleurira de toutes ses roses et chantera de tous ses oiseaux ! Dis-moi donc ce qu'il faut que je fasse pour devenir musulmane ! » Et Nour, plein de bonheur d'avoir ainsi contribué, dans la mesure de ses moyens, à convertir la princesse franque, lui dit : « Ô ma maîtresse, notre religion est simple et ne connaît point les complications extérieures ! Tôt ou tard tous les mécréants reconnaîtront la supériorité de nos croyances, et s'achemineront d'eux-mêmes vers nous comme on va des ténèbres à la lumière, de l'incompréhensible au clair et de l'impossible au naturel ! Quant à toi, ô princesse de bénédiction, tu n'as, pour finir de te laver de la crasse chrétienne, qu'à prononcer ces mots : « Il n'y a de Dieu qu'Allah et Môhammad est l'envoyé d'Allah ! » Et, à l'instant, tu deviens croyante et musulmane ! » À ces paroles, la princesse Mariam, fille du roi des Francs, leva le doigt et prononça : « J'atteste et certifie qu'il n'y a de Dieu qu'Allah et, que Môhammad est l'envoyé d'Allah ! » Et à l'instant elle s'ennoblit de l'Islam ! Gloire à Celui qui, par les moyens simples, ouvre les yeux des aveugles, sensibilise les oreilles des sourds, délie la langue des muets et ennoblit les cœurs des pervertis, le Maître des vertus, le Distributeur des grâces, le Bon pour Ses Croyants ! Amin !

Cet acte important ainsi accompli (qu'Allah soit loué !) ils se levèrent tous deux de leur lit de volupté, et allèrent aux cabinets, pour, ensuite, faire leurs ablutions et les prières prescrites. Après quoi ils mangèrent et burent et se mirent à causer avec beaucoup de charme et à s'entretenir amicalement. Et Nour s'émerveillait de plus en plus des connaissances nombreuses de la princesse et de sa sagesse et de sa sagacité. Or, dans l'après-midi, vers l'heure de la prière de l'asr, le jeune Nour se dirigea vers la mosquée, et la princesse Mariam alla se promener du côté de la Colonne du Mât. Et voilà pour eux !

Mais pour ce qui est du roi des Francs de Constantinia, père de Mariam, lorsqu'il l'eut appris la capture de sa fille par les pirates musulmans, il fut affligé à la limite de l'affliction et désespéré à mourir. Et il envoya de tous côtés des chevaliers et des patrices pour faire les recherches nécessaires et racheter la princesse et la sauver, de gré ou de force, d'entre les mains de ses ravisseurs. Mais tous ceux qu'il avait chargés de ces recherches revinrent au bout d'un certain temps, sans avoir rien appris. Alors il fit venir son vizir, chef de la police, un petit vieux, borgne de l'œil droit et boiteux de la jambe gauche, mais un véritable démon entre les espions ; car il était capable de démêler, sans les briser, les fils embrouillés d'une toile d'araignée, d'arracher les dents d'un dormeur sans le réveiller, de subtiliser les bouchées d'entre les lèvres d'un Bédouin affamé, et d'enculer un nègre trois fois de suite sans que ce nègre pût même se retourner. Et il lui donna l'ordre de parcourir tous les pays musulmans et de ne revenir auprès de lui qu'après avoir ramené la princesse. Et il lui promit toutes sortes d'honneurs et de prérogatives pour son retour, mais en lui faisant entrevoir, en cas d'insuccès, le pal. Et le vizir borgne et boiteux se hâta de partir. Et il se mit à voyager, sous un déguisement, à travers les pays amis et ennemis, sans trouver aucune piste, jusqu'à ce qu'il fût arrivé à Al-Iskandaria.

Et précisément, ce jour-là, il alla, avec les esclaves qui l'avaient accompagné, faire une partie de plaisir à la Colonne du Mât. Et le destin voulut ainsi qu'il rencontrât la princesse Mariam qui respirait l'air de ce côté-là. Aussi, dès qu'il l'eut reconnue, il se trémoussa de joie, et se précipita à sa rencontre. Et, arrivé devant elle, il mit un genou en terre et voulut lui baiser les mains. Mais la princesse, qui avait acquis toutes les vertus musulmanes et la décence vis-à-vis des hommes, appliqua un vigoureux soufflet au vizir franc, si laid, et lui cria : « Chien maudit ! que viens-tu faire en terre musulmane ? Et penses-tu me faire tomber en ta puissance…

À ce moment de sa narration, Schahrazade vit apparaître le matin et, discrète, se tut.

Mais lorsque fut la sept cent unième nuit. Elle dit :

… Mais la princesse, qui avait acquis toutes les vertus musulmanes et la décence vis-à-vis des hommes, appliqua un vigoureux soufflet au vizir franc, si laid, et lui cria : « Chien maudit ! que viens-tu faire en terre musulmane ? Et penses-tu me faire tomber en ta puissance ? » Le Franc répondit : « Ô Princesse, je ne suis point coupable en cette affaire. Il ne faut t'en prendre qu'au roi ton père, qui m'a menacé du pal si je ne te retrouvais pas ! Il faut donc que tu reviennes avec nous de gré ou de force, pour me sauver de ce supplice épouvantable. Et d'ailleurs ton père se meurt du désespoir de te savoir captive chez les infidèles, et ta mère est dans les larmes de songer aux mauvais traitements que tu as dû subir entre les mains de ces bandits perforateurs ! » Mais la princesse Mariam répondit : « Pas du tout ! La paix de mon âme, je l'ai trouvée ici même. Et je ne quitterai point cette terre de bénédiction ! Retourne donc là d'où tu es venu, ou crains que je ne te fasse précisément empaler ici même, au haut de la Colonne du Mât ! »

À ces paroles, le Franc boiteux comprit qu'il ne déciderait pas la princesse à le suivre de son plein gré, et lui dit : « Avec ta permission, ô ma maîtresse ! » Et il fit signe de se saisir d'elle à ses esclaves, qui, aussitôt, l'entourèrent, la bâillonnèrent et, bien qu'elle se défendît et les égratignât cruellement, la chargèrent sur leur dos et la transportèrent, à la tombée de la nuit, à bord d'un navire qui faisait voile pour Constantinia. Et voilà pour le vizir borgne et boiteux et pour la princesse Mariam !

Quant au jeune Nour, qui ne voyait point revenir au khân la princesse Mariam, il ne sut à quoi attribuer ce retard. Et, comme la nuit s'avançait et que son inquiétude augmentait, il sortit du khân et se mit à errer à travers les rues désertes, dans l'espoir de la retrouver, et finit par arriver au port. Là, quelques bateliers lui apprirent qu'un navire venait de partir et qu'ils avaient conduit à son bord une adolescente dont le signalement répondait exactement à celui qu'il leur donnait.

En apprenant ce départ de sa bien-aimée, Nour se mit à se lamenter et à pleurer, n'interrompant ses sanglots que par les cris de « Mariam ! Mariam ! » Alors un vieillard, qui le voyait se plaindre de la sorte, touché par sa beauté et son désespoir, s'approcha de lui et l'interrogea avec bonté sur la cause de ses larmes. Et Nour lui raconta le malheur qui venait de lui arriver. Alors le vieillard lui dit : « Ne pleure plus, mon enfant, et ne te désespère pas ! Le navire qui vient de partir a fait voile pour Constantinia, et précisément, moi aussi, qui suis capitaine marin, je vais faire voile pour cette ville-là, cette nuit, avec les cent musulmans que j'ai à mon bord. Tu n'as donc qu'à t'embarquer avec moi, et tu retrouveras l'objet de tes désirs ! » Et Nour, les larmes aux yeux, baisa la main du capitaine marin et se hâta de s'embarquer avec lui sur le navire qui s'envola, toutes voiles dehors, sur la mer.

Or Allah leur écrivit la sécurité et, au bout d'une navigation de cinquante et un jours, ils arrivèrent en vue de Constantinia où ils ne tardèrent pas à aborder. Mais aussitôt ils furent tous appréhendés par les soldats francs qui gardaient le rivage, et dépouillés et jetés en prison, suivant les ordres du roi, qui voulait ainsi se venger sur tous les marchands étrangers de l'affront fait à sa fille dans les pays musulmans.

En effet, la princesse Mariam était arrivée à Constantinia la veille même de ce jour. Et aussitôt que la nouvelle de son retour eut été répandue dans la ville, on avait décoré toutes les rues en son honneur, et toute la population était allée à sa rencontre. Et le roi et la reine montèrent à cheval avec tous les grands et dignitaires du palais, et vinrent la recevoir à son débarquement. Et la reine, après avoir tendrement embrassé sa fille, lui demanda anxieusement, avant toute chose, si elle était encore vierge ou si, pour son malheur et l'opprobre de son nom, elle avait perdu le sceau inestimable. Mais la princesse, éclatant de rire devant toute l'assistance, répondit : « Que me demandes-tu là, ô ma mère ? Crois-tu donc qu'on peut rester vierge dans le pays des musulmans ? Et ne sais-tu que dans les livres des musulmans, il est dit : « Nulle femme ne vieillira vierge dans l'Islam…

À ce moment de sa narration, Schahrazade vit apparaître le matin et, discrète, se tut.

Mais lorsque fut la sept cent deuxième nuit. Elle dit :

... Nulle femme ne vieillira vierge dans l'Islam ! »

Lorsque la reine – qui n'avait fait publiquement cette question à sa fille que pour répandre, dès son arrivée, la nouvelle que sa virginité était restée intacte et que leur honneur était sauf – eut entendu ces paroles si imprévues, et cela devant toute la cour, elle devint bien jaune de teint et tomba évanouie dans les bras de ses suivantes émues d'un si énorme scandale. Et le roi, également, bien furieux de cette aventure-là et surtout de la franchise avec laquelle sa fille convenait de ce qui lui était arrivé, sentit sa poche à fiel lui éclater au milieu du foie, et, indigné à la limite de l'indignation, il emmena la princesse et rentra en toute hâte au palais, au milieu de la consternation générale, des nez allongés des dignitaires, et des mines revêches des vieilles matrones suffoquées. Et là il convoqua d'urgence son conseil d'état, et demanda leur avis aux vizirs et aux patriarches. Et les vizirs et les patriarches consultés répondirent : « Nous sommes d'avis que, pour purifier la princesse de la souillure des musulmans, il n'y a qu'un seul moyen, et c'est de la laver dans leur sang. Il faut donc tirer de la prison cent musulmans, pas un de plus, pas un de moins, et leur couper la tête ! Et l'on recueillera le sang de leur cou, et on en baignera le corps de la princesse, comme pour un nouveau baptême ! »

En conséquence, le roi ordonna d'amener les cent musulmans qui venaient d'être jetés en prison, et parmi lesquels se trouvait, comme il a été dit, le jeune Nour. Et l'on commença par couper la tête au capitaine marin. Puis on coupa la tête à tous les marchands. Et l'on recueillait chaque fois, dans une grande bassine, le sang qui jaillissait des cous sans tête. Et ce fut le tour du jeune Nour. Et on le conduisit à l'endroit de l'exécution, on lui banda les yeux, on le plaça sur le tapis ensanglanté, et l'exécuteur brandit son glaive pour faire sauter sa tête de sur son cou, quand une vieille femme s'approcha du roi et lui dit : « Ô roi du temps, les cent têtes sont déjà coupées, et la bassine est pleine de sang ! Il faut donc épargner ce jeune musulman qui reste, et me le donner plutôt pour le service de l'église ! » Et le roi s'écria : « Par le Messie ! tu dis vrai ! Les cent têtes sont là, et la bassine est pleine. Prends donc celui-ci et utilise-le pour le service de l'église ! » Et la vieille, qui était la gardienne en chef de l'église, remercia le roi et, pendant qu'il se retirait avec ses vizirs pour procéder au baptême de sang de la princesse, elle emmena le jeune Nour. Et, enchantée de sa beauté, elle le conduisit sans retard à l'église.

Là, la vieille ordonna à Nour de se dévêtir, et lui donna une longue robe noire, un haut bonnet de prêtre, un grand voile noir pour en couvrir ce bonnet-là, une étole et une large ceinture. Et elle l'en habilla elle-même, pour lui enseigner comment il devait s'en servir ; et elle lui donna ses instructions pour qu'il fît, comme il fallait, le service de l'église. Et, pendant sept jours de suite, elle surveilla son travail et encouragea ses aptitudes, tandis qu'il se lamentait en son cœur de Croyant d'être obligé de faire une telle besogne au service des mécréants.

Or, au soir du septième jour, la vieille dit à Nour : « Sache, mon fils, que dans quelques instants la princesse Mariam, qui a été purifiée par le baptême du sang, va venir à l'église pour y passer toute la nuit dans la dévotion et se faire ainsi pardonner les actes de son passé. Je t'avise donc de son arrivée afin que, lorsque je serai partie me coucher, tu restes à la porte pour lui rendre tel service qu'elle pourra demander ou pour m'appeler au cas où elle tomberait évanouie de contrition à cause de ses anciens péchés. As-tu bien compris ? » Et Nour, dont les yeux étincelaient, répondit : « J'ai compris, ô ma maîtresse ! »

Sur ces entrefaites, la princesse Mariam, vêtue de noir de la tête aux pieds et le visage couvert d'un voile noir, arriva dans le vestibule de l'église et, après s'être inclinée profondément devant Nour qu'elle prenait pour un prêtre à cause de ses habits, pénétra dans l'église dont la vieille gardienne lui avait ouvert la porte, et, d'un pas lent, se dirigea vers une sorte d'oratoire intérieur bien ténébreux d'aspect. Alors la vieille, ne voulant point la déranger dans ses dévotions, se hâta de se retirer ; et, après avoir bien recommandé à Nour de veiller à la porte, elle monta dormir dans sa chambre…

À ce moment de sa narration, Schahrazade vit apparaître le matin et, discrète, se tut.

Mais lorsque fut la sept cent troisième nuit. Elle dit :

… Elle monta dormir dans sa chambre.

Lorsque Nour eut constaté que la vieille gardienne endormie ronflait comme une ogresse, il se glissa dans l'église et se dirigea vers l'endroit où se tenait la princesse Mariam, et qui était un oratoire éclairé par une petite lampe brûlant devant les images de l'impiété (que le feu les détruise !). Et il entra doucement dans cet oratoire et, d'une voix tremblante, dit : « Je suis Nour, ô Mariam ! » Et la princesse, ayant reconnu la voix de son bien-aimé, crut d'abord qu'elle rêvait, puis finit par se jeter dans ses bras. Et tous deux, à la limite de l'émotion, se mirent à s'embrasser longtemps en silence. Et, lorsqu'ils purent parler, ils se racontèrent mutuellement ce qui leur était arrivé depuis le jour de la séparation. Et ils rendirent ensemble grâces à Allah qui avait permis leur réunion.

Après quoi la princesse se hâta, pour fêter par la joie ce moment de leur réunion, d'enlever les habits de deuil que la reine, sa mère, l'avait obligée à porter pour lui rappeler sans cesse la perte de sa vigirnité. Et, s'étant entièrement dévêtue, elle s'assit sur les genoux de Nour qui, de son côté, avait jeté loin de lui sa robe et ses effets de prêtre chrétien. Et ils commencèrent une série de caresses extraordinaires, et telles que jamais ce lieu de perdition des âmes mécréantes n'avait vu se passer les pareilles. Et ils ne cessèrent, durant toute la nuit, de s'abandonner sans restrictions d'aucune sorte aux jouissances les plus diverses de la volupté, en se donnant mutuellement les marques les plus péremptoires du violent amour. Et Nour, en ce moment-là, se sentait revivre avec une telle intensité qu'il aurait pu égorger, sans arrêt, l'un après l'autre, mille prêtres avec leurs patriarches ! Qu'Allah extermine les impies et donne la force et le courage à Ses vrais Croyants !

Lorsque, vers l'aube, les cloches de l'église sonnèrent le premier appel des mécréants, la princesse Mariam se hâta, mais avec quelles larmes de regret ! de se vêtir de ses habits de deuil ; et Nour également s'habilla des vêtements de l'impiété (qu'Allah, qui voit le fond des consciences, l'excuse dans cette nécessité cruelle !). Mais, avant de se retirer et après l'avoir embrassé une dernière fois, la princesse dit à Nour : « Tu dois maintenant, ô Nour, depuis déjà sept jours que tu te trouves dans cette ville, connaître bien à fond les lieux et les environs de cette église ? » Et Nour répondit : « Oui, ô ma maîtresse ! » Elle dit : « Eh bien, alors, écoute bien mes paroles et retiens-les ! Je viens, en effet, de combiner en mon esprit un projet qui nous permettra de nous échapper pour toujours de ce pays ! Pour cela, demain, à la première veille de la nuit, toi, tu n'auras qu'à ouvrir la porte de l'église qui donne du côté de la mer, et à te rendre sans retard sur le rivage. Là, tu trouveras un petit navire avec dix hommes d'équipage dont le capitaine, en te voyant arriver, se hâtera de te tendre la main. Mais attends qu'il t'appelle par ton nom ; et surtout ne précipite rien ! Quant à moi, n'aie aucune inquiétude à mon sujet : je saurai te retrouver sans encombre. Et Allah nous délivrera d'entre leurs mains ! » Puis, avant de le quitter, elle ajouta encore : « N'oublie pas non plus, ô Nour, pour jouer un tour excellent aux patriarches, de dérober au trésor de l'église tout ce que tu y trouveras de lourd quant au prix et de léger quant au poids, et de vider, avant de t'en aller, le tronc où les infidèles déposent les offrandes en or qu'ils font aux chefs de leur imposture ! » Et la princesse, après avoir fait répéter à Nour, mot pour mot, les instructions qu'elle venait de lui donner, sortit de l'église et rentra, avec des yeux bien contrits, au palais où sa mère l'attendait pour lui prêcher le repentir et la continence ! Puissent les Croyants être à jamais préservés de la continence impure et n'avoir de repentir que pour le mal commis envers leur prochain ! Amin !

Donc, à la première veille de la nuit, Nour, après avoir surveillé les ronflements de la vieille ogresse de l'église, ne manqua pas de faire main basse sur toutes les choses précieuses du trésor souterrain et de vider dans sa ceinture de prêtre tout l'or et l'argent contenus dans le tronc des patriarches. Et, chargé de ces dépouilles des mécréants, il se rendit en toute hâte, par la porte qui lui avait été indiquée, sur le rivage de la mer. Et là, suivant ce que lui avait dit la princesse, il trouva le bâtiment, dont le capitaine, après lui avoir tendu la main et l'avoir appelé par son nom, le reçut en toute cordialité avec sa charge précieuse. Et aussitôt fut donné le signal du départ.

Or les matelots, au lieu d'obéir à l'ordre de leur capitaine et de défaire les amarres qui tenaient le navire attaché aux poteaux du rivage, se mirent à murmurer, et l'un d'eux éleva la voix et dit : « Ô capitaine, tu sais bien pourtant que nous avons reçu des ordres tout différents du roi, notre maître, qui veut faire embarquer demain son vizir sur notre navire, pour aller reconnaître des pirates musulmans signalés comme ayant menacé d'enlever la princesse Mariam ! » Mais le capitaine, à la limite de la fureur devant cette résistance, s'écria : « Qui ose résister à mes ordres ? » et, brandissant son sabre, il abattit, d'un seul coup, la tête de celui qui avait parlé. Et le sabre flamba, dans la nuit, rouge de sang, comme une torche. Mais cet acte de fermeté n'empêcha pas les autres matelots, hommes endurcis, de continuer leurs murmures. Aussi ils partagèrent tous, en un clin d'œil, sous le sabre rapide comme l'éclair, le sort de leur camarade, en perdant tous les dix, l'un après l'autre, la tête de leurs épaules. Et le capitaine repoussa du pied leurs corps dans la mer…

À ce moment de sa narration, Schahrazade vit apparaître le matin et, discrète, se tut.

Mais lorsque fut la sept cent quatrième nuit. Elle dit :

… Et le capitaine repoussa du pied leurs corps dans la mer.

Cela fait, il se tourna vers Nour, et, d'un ton de commandement qui ne comportait pas de réplique, lui cria : « Yallah ! Allons ! Défais les amarres, déploie les voiles et manœuvre les cordages, tandis que je vais me charger du gouvernail ! » Et Nour, dominé par l'ascendant du terrible capitaine, et d'ailleur sans armes pour se défendre et essayer de se sauver à terre, fut bien obligé d'obéir, et, quoique bien novice dans les choses de la mer, il exécuta, le mieux qu'il put, la manœuvre. Et le petit vaisseau, dirigé par la main ferme du capitaine à la barre, s'éloigna, toutes voiles dehors, vers le large, et, poussé par le vent favorable mit le cap sur Al-Iskandaria.

Pendant ce temps, le pauvre Nour se lamentait en son âme, sans oser se plaindre ouvertement devant le capitaine barbu qui le regardait avec des yeux étincelants ; et il se disait : « Quelle calamité s'est donc abattue sur ma tête au moment où je croyais finies mes tribulations ! Et chaque malheur est pire que celui qui l'a précédé ! Si encore je comprenais quelque chose à tout cela ! Et puis, que vais-je devenir avec cet homme féroce ? Sans doute je ne sortirai pas vivant d'entre ses mains ! » Et il continua à se laisser ainsi aller à ces désolantes pensées, pendant toute la nuit, en surveillant les voiles et les agrès.

Au matin, comme ils étaient en vue d'une ville où ils allaient atterrir pour prendre quelques nouveaux hommes d'équipage, le capitaine se leva soudain, comme en proie à une grande agitation, et commença par jeter son turban à ses pieds ! Puis, comme Nour, stupéfait, le regardait sans rien comprendre, il éclata de rire et, avec ses deux mains, il s'arracha la barbe et les moustaches, et, du coup, se transforma en une adolescente comme la lune à son lever sur la mer. Et Nour reconnut la princesse Mariam. Et, une fois son émotion calmée, il se jeta à ses pieds, à la limite de l'admiration et de la joie, et lui avoua qu'il avait eu une bien grande frayeur de ce terrible capitaine qui faisait si facilement sauter les têtes des gens de sur leurs épaules. Et la princesse Mariam rit beaucoup de sa terreur ; et, après qu'ils se furent embrassés, chacun se hâta de reprendre la manœuvre pour entrer dans le port de la ville. Et, une fois à terre, ils engagèrent plusieurs matelots, et reprirent la mer. Et la princesse Mariam, qui s'entendait à merveille à la navigation, et connaissait les routes maritimes et le jeu des vents et des courants, continua à donner les ordres nécessaires, durant le jour, tout le long du voyage. Mais, pendant la nuit, elle ne manquait pas d'aller se coucher auprès de son bien-aimé Nour, et de goûter avec lui, dans la fraîcheur marine, sous le ciel nu, toutes les voluptés de l'amour. Qu'Allah les garde et les conserve et augmente sur eux Ses faveurs !

Or Allah leur octroya, jusqu'à la fin du voyage, une navigation sans encombre, et ils aperçurent bientôt la Colonne du Mât. Et, après que le navire fut amarré dans le port et que les hommes de l'équipage furent descendus à terre, Nour dit à la princesse Mariam : « Nous voici enfin en terre musulmane ! Attends-moi seulement ici un moment, tandis que je vais t'acheter tout ce qui est nécessaire pour que tu entres décemment dans la ville ; car je vois que tu n'as ni robe, ni voile, ni babouches ! » Et Mariam répondit : « Oui, va m'acheter tout cela, mais ne tarde pas trop à revenir ! » Et Nour descendit à terre pour acheter ces objets-là. Et voilà pour eux !

Mais pour ce qui est du roi des Francs de Constantinia, voici ! Le lendemain du départ nocturne de la princesse Mariam, on vint lui annoncer sa disparition, et on ne put lui donner d'autre détail sinon qu'elle était allée faire ses dévotions dans la grande église patriarcale. Mais au même instant la vieille gardienne vint lui annoncer la disparition du nouveau servant de l'église, et, immédiatement après, on lui apprit aussi le départ du navire et la mort des dix matelots dont on avait trouvé les corps décapités, sur le rivage. Et le roi des Francs, bouillonnant d'une fureur concentrée dans son ventre, réfléchit pendant une heure de temps et dit : « Si mon navire a disparu, il n'y a pas de doute qu'il ait emporté ma fille ! » Et, sur-le-champ, il fit venir le capitaine du port et le vizir borgne et boiteux et leur dit : « Vous avez appris ce qui vient de se passer ! Or ma fille doit être, sans aucun doute, partie pour le pays des musulmans retrouver ses perforateurs. Si donc vous ne me la ramenez pas, vivante ou morte, rien ne vous sauvera, à votre tour, du pal qui vous attend ! Allez ! »

Alors le vieux vizir borgne et boiteux et le capitaine du port se hâtèrent d'armer un navire et firent voile, sans retard, pour Al-Iskandaria où ils arrivèrent au même instant que les deux fugitifs. Et ils reconnurent tout de suite le petit vaisseau amarré dans le port. Et ils aperçurent, à n'en pas douter, la princesse Mariam assise sur un tas de cordages sur le pont. Et aussitôt ils firent descendre dans une barque une troupe d'hommes armés, qui se jetèrent inopinément sur le navire de la princesse, réussirent à s'emparer d'elle à l'improviste, la bâillonnèrent et la transportèrent à leur bord, après avoir mis le feu au petit vaisseau. Et, sans perdre de temps, ils regagnèrent la haute mer et mirent le cap sur Constantinia, où ils furent assez heureux pour arriver sans encombre. Et ils se hâtèrent d'aller livrer la princesse Mariam au roi son père…

À ce moment de sa narration, Schahrazade vit apparaître le matin et, discrète se tut.

Mais lorsque fut la sept cent cinquième nuit. Elle dit :

… Et ils se hâtèrent d'aller livrer la princesse Mariam au roi son père.

Lorsque le roi des Francs vit entrer sa fille, et que ses yeux rencontrèrent ses yeux, il ne put contenir la violence de ses sentiments et, se penchant sur son trône, le poing en avant, il lui cria : « Malheur à toi, fille maudite ! Tu as, sans doute, abjuré la croyance de tes ancêtres pour ainsi abandonner les demeures de ton père et aller retrouver les mécréants qui t'ont descellée ! Certes ! ta mort peut à peine laver l'affront fait au nom chrétien et à l'honneur de notre race ! Ah ! maudite ! apprête-toi à être pendue à la porte de l'église ! » Mais la princesse Mariam, loin de se troubler, répondit : « Tu connais ma franchise, mon père. Or je ne suis pas la coupable que tu crois. Quel crime ai-je donc commis pour avoir voulu retourner vers une terre que le soleil réchauffe de ses rayons et dont les hommes sont des mâles solides et vertueux ? Et que serais-je restée faire ici au milieu des prêtres et des eunuques ? » À ces paroles, la colère du roi fut à ses limites extrêmes et il cria à ses bourreaux : « Ôtez de devant ma face cette fille ignominieuse, et emmenez-la pour la faire périr de la mort la plus cruelle ! »

Comme les bourreaux s'apprêtaient à se saisir de la princesse, le vieux vizir borgne s'avança en boitant jusque devant le trône et, après avoir embrassé la terre entre les mains du roi, dit : « Ô roi du temps, permets à ton esclave de formuler une prière avant la mort de la princesse ! » Le roi dit : « Parle, ô vieux vizir dévoué, ô le soutien de la chrétienté ! » Et le vizir dit : « Sache, ô roi, que ton esclave indigne est épris depuis fort longtemps des charmes de la princesse. C'est pourquoi je viens te prier de ne point la faire mourir et, comme seule récompense pour les preuves accumulées de mon dévouement aux intérêts de ton trône et de la chrétienté, de me l'accorder pour épouse. Et d'ailleurs je suis si laid que ce mariage, qui est une faveur pour moi, pourra servir en même temps de châtiment aux fautes de la princesse ! De plus je m'engage à la garder enfermée au fond de mon palais, à l'abri désormais de toute fuite et des entreprises des musulmans ! »

En entendant ces paroles de son vieux vizir, le roi dit : « Il n'y a pas d'inconvénient ! Mais que vas-tu faire, ô pauvre, de ce tison allumé aux feux de l'enfer ? Et ne crains-tu pas les conséquences cornufiantes de ce mariage-là ? Par le Messie ! moi, à ta place, je mettrais longtemps mon doigt à ma bouche pour réfléchir sur une affaire si grave ! » Mais le vizir répondit : « Par le Messie ! je n'ai guère d'illusions à ce sujet-là, et je n'ignore point la gravité de la situation. Mais je saurai agir avec assez de sagesse pour empêcher mon épouse de se porter à des excès répréhensibles ! » Et le roi des Francs, à ces paroles, éclatant de rire, se trémoussa sur son trône et dit au vieux vizir : « Ô père claudicant, je veux bien, moi, voir sur ta tête pousser deux défenses d'éléphant ! Mais je t'avise que si tu laisses échapper ma fille de ton palais ou si tu ne l'empêches pas d'ajouter une aventure de plus à des aventures si déshonorantes pour notre nom, ta tête sautera de sur tes épaules ! À cette seule condition je te donne mon consentement ! » Et le vieux vizir accepta la condition, et baisa les pieds du roi.

Aussitôt les prêtres, les moines et les patriarches, ainsi que tous les dignitaires de la chrétienté furent informés de ce mariage. Et, à cette occasion, on donna de grandes fêtes au palais. Et, les cérémonies terminées, le vieux vizir dégoûtant pénétra dans la chambre de la princesse. Qu'Allah empêche la laideur de porter atteinte à la splendeur ! Et puisse ce puant cochon expirer son âme avant de souiller les choses pures !

Mais nous le retrouverons ! Quant à Nour, qui était descendu à terre acheter les choses nécessaires à la toilette de la princesse, lorsqu'il revint avec le voile, la robe et une paire de babouches en cuir jaune citron, il vit une grande foule qui allait et venait sur le port. Et il s'informa de la cause de cette agitation ; et on lui dit que l'équipage d'un vaisseau franc venait de s'emparer à l'improviste d'un navire amarré non loin de là et de le brûler, après avoir enlevé une jeune fille qui s'y trouvait. Et, à cette nouvelle, Nour devint bien changé de teint et tomba sans connaissance sur le sol.

Lorsque, au bout d'un certain temps, il fut revenu de son évanouissement, il raconta aux assistants sa triste aventure. Mais il n'y a pas d'utilité à la répéter. Et tous se mirent à blâmer sa conduite et à lui adresser mille reproches, lui disant : « Tu n'as que ce que tu mérites ! Pourquoi l'avais-tu laissée seule ? Qu'avais-tu besoin d'aller lui acheter un voile et des babouches neuves en cuir jaune citron ? Ne pouvait-elle descendre à terre avec ses vieux effets et se couvrir le visage, en attendant, d'un morceau de toile à voile ou de tout autre étoffe ? Oui, par Allah, tu n'as que ce que tu mérites ! »

Sur ces entrefaites, survint un cheikh qui était le propriétaire du khân où avaient logé Nour et la princesse, lors de leur rencontre. Et il reconnut le pauvre Nour, et, le voyant dans un si pitoyable état, il lui en demanda la cause. Et lorsqu'il fut au courant de l'histoire, il lui dit : « Certes ! le voile était tout à fait superflu, ainsi que la robe neuve et les babouches jaunes. Mais il serait encore plus superflu d'en parler davantage.

Viens avec moi, mon fils ! Tu es jeune, et tu dois, au lieu de pleurer une femme et te désespérer, profiter plutôt de ta jeunesse et de ta santé. Viens ! La race des belles adolescentes n'est point encore éteinte dans notre pays ! Et nous saurons te trouver une Égyptienne belle et experte qui, sans aucun doute, te dédommagera et te consolera de la perte de cette princesse franque…

À ce moment de sa narration, Schahrazade vit apparaître le matin et, discrète, se tut.

Mais lorsque fut la sept cent sixième nuit. Elle dit :

... Et nous saurons te trouver une Égyptienne belle et experte qui, sans aucun doute, te dédommagera et te consolera de la perte de cette princesse franque ! » Mais Nour, continuant à pleurer, répondit : « Non, par Allah, mon bon oncle, rien ne pourra me dédommager de la perte de la princesse ni me faire oublier ma douleur ! » Le cheikh demanda : « Mais alors que vas-tu faire maintenant ? Le navire s'est éloigné avec la princesse, et tes pleurs n'y pourront rien ! » Il dit : « C'est pourquoi je veux retourner à la ville du roi des Francs, et en arracher ma bien-aimée ! » Il dit : « Ah ! mon fils, n'écoute point les suggestions de ton âme téméraire ! Si tu as réussi à l'emmener la première fois, prends bien garde à la seconde tentative, et n'oublie point le proverbe qui dit : « Ce n'est point toutes les fois qu'on la jette que reste intacte la gargoulette ! » Mais Nour répondit : « Je te remercie, mon oncle, de tes conseils de prudence, mais rien ne m'effraie, et rien ne m'empêchera d'aller reconquérir ma bien-aimée, même en exposant à la mort mon âme précieuse ! » Et comme, par la volonté du sort, il se trouvait dans le port un navire prêt à faire voile pour les îles des Francs, le jeune Nour se hâta de s'y embarquer ; et on leva l'ancre aussitôt.

Or le cheikh, propriétaire du khân, avait bien raison qui avait averti Nour des périls au milieu desquels il allait se jeter inconsidérément. En effet, le roi des Francs, depuis la dernière aventure de sa fille, avait juré par le Messie et par les livres de l'impiété d'exterminer, sur terre et sur mer, la race des musulmans ; et il avait fait armer cent navires de guerre pour aller donner la chasse aux vaisseaux des musulmans et ravager les côtes et semer partout la ruine, le carnage et la mort. Aussi, au moment où le navire où se trouvait Nour entrait dans la mer des îles, il fut rencontré par un de ces bâtiments de guerre, et capturé et conduit dans le port du roi des Francs, précisément le premier jour des fêtes que l'on donnait pour célébrer les noces du vizir borgne avec la princesse Mariam. Et le roi, pour mieux célébrer ces fêtes et assouvir sa vengeance, donna l'ordre de faire mourir sur le pal tous les prisonniers musulmans.

On exécuta donc cet ordre féroce, et tous les prisonniers, l'un après l'autre, furent empalés devant la porte du palais où se passait la noce. Et il ne restait plus que le jeune Nour à empaler, lorsque le roi, qui assistait avec toute sa cour à l'exécution, le regarda avec attention et dit : « Je ne sais pas ! mais, par le Messie ! je crois bien que c'est le jeune homme que j'avais cédé, il y a quelque temps, à la gardienne de l'église ! Comment se fait-il qu'il soit ici après s'être échappé la première fois ? » Et il ajouta : « Ha ! ha ! qu'on l'empale pour s'être échappé ! » Mais, à ce moment, le vizir borgne s'avança et dit au roi : « Ô roi du temps, moi également j'ai fait un vœu ! Et c'est d'immoler, à la porte de mon palais, pour attirer la bénédiction sur mon mariage, trois jeunes musulmans ! Je te prie donc de me donner les moyens d'accomplir mon vœu, en me laissant choisir trois prisonniers au milieu de la cargaison de prisonniers ! » Et le roi dit : « Par le Messie ! je ne connaissais point ton vœu ! Sans quoi, je t'aurais cédé non point trois, mais trente prisonniers ! Il ne me reste plus que celui-ci ; prends-le, en attendant qu'il en revienne d'autres ! » Et le vizir emmena Nour avec lui, dans l'intention d'arroser avec son sang le seuil de son palais ; mais, après avoir réfléchi que son vœu ne serait point entièrement rempli s'il ne sacrifiait pas les trois musulmans à la fois, il fit jeter Nour, tout enchaîné, dans l'écurie du palais, où, en attendant, il comptait le torturer par la faim et la soif.

Or le vizir borgne avait, dans son écurie, deux chevaux jumeaux d'une beauté miraculeuse, de la plus noble race d'Arabie et dont la généalogie était attachée à leur cou dans un petit sachet pendu à une chaîne de turquoises et d'or. L'un était blanc comme une colombe et s'appelait Sabik, et l'autre était noir comme un corbeau et s'appelait Lahik. Et ces deux merveilleux chevaux étaient fameux parmi les Francs et les Arabes, et excitaient l'envie des rois et des sultans. Cependant, un de ces chevaux avait une tache blanche sur l'œil ; et la science des plus habiles maréchaux n'avait pu parvenir à la faire disparaître. Et le vizir borgne avait, lui-même, essayé de le guérir, car il était versé dans les sciences et la médecine ; mais il n'avait fait qu'aggraver le mal et augmenter l'opacité de la tache.

Lorsque Nour, conduit par le vizir, fut arrivé dans l'écurie, il remarqua la tache sur l'œil du cheval, et se mit à sourire. Et le vizir le vit qui souriait ainsi et lui dit : « Ô musulman, pourquoi souris-tu ? » Il dit : « À cause de cette tache-là ! » Le vizir dit : « Ô musulman, je sais que les gens de ta race sont fort experts en chevaux et savent, mieux que nous, l'art de les soigner ! Serait-ce à cause de cela que tu souris ? » Et Nour, qui précisément connaissait à merveille l'art vétérinaire, répondit : « Tu l'as dit ! Il n'y a pas, dans tout le royaume des chrétiens, quelqu'un qui puisse guérir ce cheval ! Mais, moi, je le puis faire ! Que me donneras-tu donc si, demain, tu trouves ton cheval avec des yeux aussi sains que ceux de la gazelle ? » Le vizir répondit : « Je t'accorderai la vie et la liberté, et te nommerai sur-le-champ chef de mes écuries et vétérinaire du palais ! » Nour dit : « Dans ce cas, défais mes liens ! » Et le vizir défit les liens qui attachaient les bras de Nour ; et Nour, aussitôt, prit du suif, de la cire, de la chaux et de l'ail, les mélangea de jus concentré d'oignons, et en fit un emplâtre qu'il appliqua sur l'œil malade du cheval. Après quoi, il se coucha sur le grabat de l'écurie, et laissa à Allah le soin de la cure…

À ce moment de sa narration, Schahrazade vit apparaître le matin et, discrète, se tut.

Mais lorsque fut la sept cent septième nuit. Elle dit :

… Après quoi, il se coucha sur le grabat de l'écurie, et laissa à Allah le soin de la cure.

Le lendemain matin, le vizir borgne vint lui-même, en boitant, lever l'emplâtre. Et son étonnement et sa joie furent à leurs limites extrêmes lorsqu'il vit l'œil du cheval aussi net que la lumière du matin. Et ses transports furent tels qu'il revêtit Nour de son propre manteau et le nomma sur-le-champ chef de ses écuries et premier vétérinaire du palais. Et il lui donna, comme habitation, l'appartement situé au-dessus des écuries, en face même du palais où se trouvaient ses propres appartements, qui n'en étaient séparés que par la cour. Après quoi il rentra assister aux fêtes que l'on donnait pour ses noces avec la princesse. Et il ne savait pas que l'homme n'échappe jamais à sa destinée, et quels coups le sort réserve à ceux qui sont d'avance réservés pour servir d'exemple aux générations !

Or on était donc arrivé au septième jour des fêtes, et le soir même le vieux laid devait entrer prendre possession de la princesse (éloigné soit le Malin !). Or précisément la princesse était accoudée à sa fenêtre et entendait les derniers tumultes et les cris poussés au loin en son honneur. Et, bien triste, elle songeait à son bien-aimé Nour, le vigoureux et bel adolescent d'Égypte qui avait cueilli la fleur de sa virginité. Et une grande mélancolie baignait son âme, à ce souvenir, et lui faisait monter les larmes aux yeux. Et elle se disait : « Certes ! je ne me laisserai jamais approcher par le vieux dégoûtant ! je le tuerai plutôt et je me jetterai ensuite de ma fenêtre dans la mer ! » Et, pendant qu'elle se laissait imprégner par l'amertume de ces pensées, elle entendit, sous ses fenêtres, une belle voix d'adolescent qui chantait, dans le soir, des vers arabes sur la séparation des amants. Or c'était Nour qui, à ce moment, ayant fini de donner les derniers soins aux deux chevaux, était monté dans son appartement et s'était également accoudé à sa fenêtre pour songer à sa bien-aimée. Et il chantait ces paroles du poète :

« Ô félicité disparue ! je viens te chercher, loin de nos demeures, dans un pays cruel, ou me donner tout au moins l'illusion de te retrouver. Hélas sur moi !

Mes sens abusés aiment te reconnaître dans tout ce qui a quelque grâce ou quelque charme attrayant. Hélas sur moi !

Qu'une flûte, dans le loin, soupire ses mélodies ou que le luth lui réponde par ces accords harmonieux, des larmes me mouillent les yeux de penser à nous deux ! Hélas sur nous deux ! »

Lorsque la princesse Mariam eut entendu ce chant où le bien-aimé de son cœur exprimait les sentiments de son fidèle amour, elle reconnut aussitôt sa voix et fut émue à la limite de l'émotion. Mais, comme elle était sage et avisée, elle sut se dominer, pour ne point se trahir devant les suivantes qui l'entouraient, et commença par les congédier. Puis elle prit un papier et un calam et écrivit ce qui suit :

« Au nom d'Allah le Clément, le Miséricordieux ! Et ensuite ! Que la paix d'Allah soit sur toi, ô Nour, ainsi que Sa miséricorde et Sa bénédiction !

« Je veux te dire que ton esclave Mariam te salue et brûle du désir de se trouver réunie à toi ! Écoute donc ce qu'elle te dit ici, et fais ce qu'elle t'ordonne.

« À la première veille de la nuit, c'est l'heure propice aux amants, prends les deux coursiers Sabik et Lahik, et conduis-les hors de la ville, derrière la porte Sultanié, où tu m'attendras. Et si l'on te demande où tu conduis les chevaux, réponds que tu les mènes faire un tour de promenade ! »

Puis elle plia ce billet, le serra dans un mouchoir de soie et agita le mouchoir par la fenêtre, dans la direction de Nour. Et lorsqu'elle vit qu'il l'avait vue et qu'il s'était approché, elle jeta le mouchoir par la fenêtre. Et Nour le ramassa, l'ouvrit, et y trouva le billet qu'il lut, pour le porter ensuite à ses lèvres et à son front, en signe d'acquiescement. Et il se hâta de regagner les écuries, où il attendit avec la plus vive impatience la première veille de la nuit. Il sella alors les deux nobles bêtes et se rendit hors de la ville, sans que personne l'eût inquiété en route. Et il attendit la princesse, derrière la porte Sultanié, en tenant les deux chevaux par la bride.

Or c'était précisément à ce moment-là que, les fêtes terminées et la nuit venue, le vieux borgne si laid et si dégoûtant avait pénétré dans la chambre de la princesse, pour accomplir ce qu'il avait à accomplir. Et la princesse Mariam le vit entrer, en frissonnant d'horreur, tant son aspect était repoussant. Mais, comme elle avait un plan à suivre qu'elle ne voulait pas faire échouer, elle essaya de dominer ses sentiments de répulsion et, se levant en son honneur, elle l'invita à prendre place à côté d'elle sur le divan. Et le vieux boiteux lui dit : « Ô ma souveraine, tu es la perle de l'Orient et de l'Occident, et c'est à tes pieds que je devais plutôt me prosterner ! » Et la princesse répondit : « Soit ! mais faisons trêve de compliments. Où est le souper ? J'ai bien faim, et nous devrions, avant tout, commencer par manger ! »

Aussitôt le vieux appela les esclaves, et, en un instant, les plateaux furent servis que couvraient les mets les plus rares et les plus exquis, composés de tout ce qui vole dans les airs, nage dans les mers, marche sur les terres et pousse sur les arbres des vergers et les arbustes des parterres. Et tous deux se mirent à manger ensemble ; et la princesse se contraignait pour lui présenter les morceaux ; et le vieux était ravi de ses attentions et se dilatait quant à sa poitrine et se flattait d'arriver à ses fins bien plus aisément qu'il ne le pensait. Mais soudain, il tomba sur le dos, sa tête précédant ses pieds, sans connaissance. Car la princesse avait réussi à jeter subrepticement dans la coupe une pincée de bang marocain capable de renverser un éléphant en faisant entrer sa longueur dans sa largeur. Louange à Allah qui ne permet point à la laideur de souiller la pureté...

À ce moment de sa narration, Schahrazade vit apparaître le matin et, discrète, se tut.

Mais lorsque fut la sept cent huitième nuit. Elle dit :

... Une pincée de bang marocain capable de renverser un éléphant en faisant entrer sa longueur dans sa largeur. Louange à Allah qui ne permet point à la laideur de souiller la pureté !

Lorsque la princesse Mariam vit le vizir rouler de la sorte comme un cochon enflé, elle se leva à l'heure et à l'instant, prit deux sacs qu'elle remplit de pierreries et de joyaux, décrocha un glaive à la lame trempée dans le sang des lions, l'attacha à sa ceinture, se couvrit d'un grand voile et, au moyen d'une corde, se laissa glisser par la fenêtre dans la cour, pour de là sortir, sans être remarquée, du palais et courir dans la direction de la porte Sultanié, où elle arriva sans encombre. Et, dès qu'elle eut aperçu Nour, elle courut à lui, et, sans lui donner le temps même de l'embrasser, elle sauta sur le cheval Lahik et cria à Nour : « Monte sur Sabik, et suis-moi ! » Et Nour, renonçant à toute réflexion, sauta à son tour sur le second cheval et le lança au grand galop pour rattraper sa bien-aimée qui était déjà au loin. Et ils coururent de la sorte toute la nuit, jusqu'à l'aurore.

Lorsque la princesse eut jugé qu'elle avait mis une grande distance entre eux deux et ceux qui auraient pu les poursuivre, elle consentit à s'arrêter un moment pour se reposer et faire prendre haleine aux deux nobles bêtes. Et comme l'endroit où ils étaient arrivés était délicieux avec des prés verts, de l'ombrage, des arbres fruitiers, des fleurs et de l'eau courante, et que la fraîcheur de l'heure les invitait au plaisir tranquille, ils furent charmés de pouvoir enfin s'asseoir l'un à côté de l'autre, dans la paix de ces lieux, et de se raconter mutuellement ce qu'ils avaient souffert pendant leur séparation. Et, après avoir bu à même l'eau du ruisseau et s'être rafraîchis des fruits cueillis à même les arbres, ils firent leurs ablutions et s'étendirent dans les bras l'un de l'autre, frais, dispos et amoureux. Et, en une séance, ils réparèrent tout le temps perdu dans l'abstinence. Puis, gagnés par la douceur de l'air et le silence, ils se laissèrent aller au sommeil, sous les caresses de la brise du matin.

Or ils restèrent ainsi endormis jusque vers le milieu du jour et ne se réveillèrent qu'en entendant la terre résonner comme heurtée par des milliers de sabots. Et ils ouvrirent les yeux, et virent l'œil du soleil obscurci par un tourbillon de poussière, et, du milieu de cette densité, jaillir des éclairs comme d'un ciel orageux. Et ils distinguèrent bientôt le bruit des chevaux et le cliquetis des armes. Or c'était une armée entière qui était à leur poursuite !

En effet, le matin de ce jour, le roi des Francs s'était levé de très bonne heure pour aller prendre lui-même des nouvelles de la princesse, sa fille, et se tranquilliser à son sujet. Car il était loin d'être sans inquiétude sur l'issue de son mariage avec un vieux dont la moelle devait être sans doute depuis longtemps fondue. Mais sa surprise fut à ses limites extrêmes en ne trouvant pas sa fille et en voyant le vizir étendu par terre, privé de sentiment, sa tête entre ses pieds. Et, comme il voulait avant tout savoir ce qu'était devenue la princesse, il fit couler du vinaigre dans le nez du vizir, qui reprit aussitôt l'usage de ses sens. Et le roi, d'une voix terrifiante, lui cria : « Ô maudit, où est ma fille Mariam, ton épouse ? » Il répondit : « Ô roi, je ne sais pas ! » Alors le roi, plein de fureur, tira son sabre et, d'un seul coup, fendit la tête en deux à son vizir : et l'arme sortit, en brillant, par les mâchoires. Qu'Allah loge à jamais son âme mécréante dans le dernier étage de la Géhenne !

Au même moment, les palefreniers vinrent, en tremblant, annoncer au roi la disparition du nouveau vétérinaire et des chevaux Sabik et Lahik. Et le roi ne douta plus de la fuite de sa fille avec le chef des écuries, et aussitôt il fit appeler trois de ses premiers patrices et leur ordonna de se mettre chacun à la tête de trois mille hommes, et de l'accompagner pour aller à la recherche de sa fille. Et il annexa à cette armée les patriarches et les grands de sa cour, s'avança lui-même à la tête des troupes, et se mit à la poursuite de la fugitive, qu'il atteignit dans la prairie en question.

Lorsque Mariam vit s'approcher cette armée, elle sauta à cheval et cria à Nour : « Je veux, ô Nour, que tu restes en arrière, car je vais, à moi seule, attaquer nos ennemis, et te défendre et me défendre contre eux, bien qu'ils soient innombrables comme les grains de sable ! » Et, brandissant son glaive, elle improvisa ces vers :

« C'est aujourd'hui que je veux montrer ma vigueur et ma vaillance, et, à moi seule, écraser mes ennemis coalisés.

Je démolirai jusqu'à la base les remparts des Francs, et mon sabre affilé tranchera les têtes de leurs chefs.

La couleur de mon cheval est celle de la nuit, et ma bravoure est éclatante comme le jour.

Ce que je dis, on en verra aujourd'hui le commentaire : car je suis la cavalière unique parmi les mortels ! »

Elle dit, et s'élança au-devant de l'armée de son père...

À ce moment de sa narration, Schahrazade vit apparaître le matin et, discrète, se tut.

Mais lorsque fut la sept cent neuvième nuit. Elle dit :

... Lorsque la princesse eut improvisé ces vers, elle s'élança au-devant de l'armée de son père. Et le roi la vit arriver, en roulant dans ses orbites des yeux comme du vif argent. Et il s'écria : « Par la foi du Messie ! elle est assez insensée pour nous attaquer ! » Et il arrêta la marche de ses troupes, et s'avança seul vers sa fille, en lui criant : « Ô fille de perversité ! voici que tu oses m'affronter et faire mine d'attaquer l'armée des Francs ! Ô insensée, as-tu donc renoncé à toute pudeur et renié la religion de tes pères ? Et ignores-tu que, si tu ne te livres pas à ma clémence, une mort certaine t'attend ? » Elle répondit : « Ce qui est passé l'est irrévocablement, et c'est le mystère de la loi musulmane ! Je crois à Allah l'Unique et à Son envoyé Môhammad le Bénit, fils d'Abdallah ! Et je ne renoncerai jamais à ma croyance et à la fidélité de mon affection pour le jouvenceau d'Égypte, dussé-je avaler la coupe de ma ruine ! » Elle dit, et fit caracoler son cheval écumant sur le front de l'armée des Francs, et chanta ces strophes guerrières, en trouant l'air de son sabre étincelant :

« Qu'il est doux de combattre au jour de la bataille ! Viens à moi, si tu l'oses, vile cohue ! Venez, chrétiens, affronter mes coups qui écrasent !

Je plongerai dans la poussière vos têtes coupées, et j'atteindrai le cœur de votre puissance. Et les corbeaux croasseront sur vos demeures et annonceront votre destruction !

Vous boirez au tranchant de mon sabre des gorgées amères comme le suc de la coloquinte. Et je servirai à votre roi la coupe des calamités, pour le dégoûter à jamais de l'eau limpide !

Ho ! venez au-devant de moi, s'il est un brave parmi vous ! Venez alléger mon chagrin et guérir, dans votre sang, ma douleur !

Avancez-vous, si votre âme n'est point pétrie de lâcheté, pour voir comment vous accueillera la pointe de mon glaive, sous l'ombre de la poussière ! »

Ainsi chanta l'héroïque princesse. Et elle se pencha sur son cheval, le baisa sur le cou, le flatta de la main et lui dit à l'oreille : « C'est aujourd'hui, ô Lahik, le jour de ta race et de ta noblesse ! » Et le fils des Arabes frissonna et hennit, et bondit plus rapide que le vent du nord, en lançant le feu de ses naseaux. Et la princesse Mariam, poussant un rugissement effroyable, fit une charge sur l'aile gauche des Francs, et, au galop de son coursier, faucha de son sabre dix-neuf têtes de cavaliers. Puis elle revint au milieu de l'arène, et défia les Francs à grands cris.

À cette vue, le roi appela l'un des trois patrices, chefs de ses troupes, qui s'appelait Barbout. Or, c'était un habile guerrier, vif comme le feu ; il était le plus fort soutien du trône du roi franc, et le premier des grands de son royaume et de sa cour, par sa force et sa vaillance ; et la chevalerie était son essence. Et le patrice Barbout, à l'appel de son roi, s'avança, bouillant d'ardeur, monté sur un cheval de noble race, aux jarrets robustes ; et il était protégé par une cotte d'or surchargée d'ornements, aux mailles étroites comme des ailes de sauterelles. Et ses armes étaient un sabre affilé et destructeur, une lance énorme semblable au mât d'un vaisseau et dont un seul coup eût renversé une montagne, quatre javelines aiguës et une massue épouvantable hérissée de clous. Et ainsi bardé de fer et d'armes offensives et défensives, il était semblable à une tour.

Or le roi lui dit : « Ô Barbout, tu vois le carnage fait par cette fille dénaturée ! À toi de la vaincre et de me l'amener vivante ou morte ! » Puis il le fit bénir par les patriarches, couverts de vêtements bariolés et élevant des croix au-dessus de leur tête, qui lurent sur sa tête l'Évangile, en implorant en sa faveur les idoles de leur erreur et de leur impiété. Mais nous, musulmans, nous invoquons Allah l'Unique, qui est plein de force et de majesté !

Aussitôt que le patrice Barbout eut fini d'embrasser l'étendard de la croix, il s'élança dans l'arène en barrissant comme un éléphant en fureur, et vomissant, en sa langue, d'horribles injures contre la religion des Croyants. Qu'il soit maudit ! Mais, de son côté, la princesse le vit arriver sur elle, et rugit comme une lionne mère de lionceaux ; et grondant, mugissant et rapide comme l'oiseau de proie, elle lança son coursier Lahik au-devant de son adversaire. Et tous deux s'entrechoquèrent comme deux montagnes mouvantes, et se tinrent tête avec fureur, en hurlant avec la puissance des démons. Puis ils se séparèrent et firent mainte évolution, et revinrent avec rage pour un nouvel assaut, en parant les coups mutuels avec une adresse et une rapidité merveilleuses, qui frappaient les yeux de stupéfaction. Et la poussière soulevée sous les sabots les dérobait parfois aux regards ; et l'accablante chaleur était si forte que les pierres flambaient comme des buissons. Et la lutte dura une heure, avec un égal héroïsme de part et d'autre.

Mais, essoufflé le premier, le patrice Barbout voulut en finir ; et il porta sa masse d'armes de la main droite à la main gauche, saisit une de ses quatre javelines et la lança contre la princesse, en l'accompagnant d'un cri semblable au fracas du tonnerre. Et l'arme sortit de sa main comme l'éclair qui aveugle le regard. Mais la princesse la vit venir, attendit qu'elle fût proche et la détourna prestement du revers de son sabre ; et la javeline, en sifflant, alla s'enfoncer au loin dans le sable. Et toute l'armée vit cela et fut saisie d'étonnement.

Alors Barbout prit une seconde javeline, et la lança avec fureur en criant : « Qu'elle frappe et tue ! » Mais la princesse évita le trait et le rendit vain. Et les troisième et quatrième javelines eurent le même sort. Aussitôt Barbout, bouillant de fureur et fou d'humiliation, reprit sa massue de la main droite, rugit comme un lion, et la lança de toute la force de son bras, en visant son adversaire. Et l'énorme masse traversa lourdement l'air, et arriva sur Mariam qu'elle eût écrasé sans recours si l'héroïne ne l'avait saisie au vol et retenue dans la main : car Allah l'avait douée d'adresse, de ruse et de force. Et elle la brandit à son tour ! Et les regards de quiconque la vit furent aveuglés d'admiration. Et, comme une louve, elle courut sur le patrice et lui cria, tandis que sa respiration sifflait comme siffle la vipère à cornes : « Malheur à toi, maudit ! Viens apprendre à manier une masse d'armes…

À ce moment de sa narration, Schahrazade vit apparaître le matin et, discrète, se tut.

Mais lorsque fut la sept cent dixième nuit. Elle dit :

… Et, comme une louve, elle courut sur le patrice et lui cria, tandis que sa respiration sifflait comme siffle la vipère à cornes : « Malheur à toi, maudit ! Viens apprendre à manier une masse d'armes ! »

Lorsque le patrice Barbout vit son adversaire saisir de la sorte la masse en l'air, il crut que le ciel et la terre s'évanouissaient à ses yeux. Et, éperdu, oubliant tout courage et toute présence d'esprit, il tourna le dos, tout en protégeant sa fuite de son bouclier. Mais la princesse héroïque le suivit de près, le visa, et faisant tournoyer la pesante masse d'armes, la lança sur son dos. Et la masse retentissante alla tomber sur le bouclier, plus lourde qu'un roc lancé par une machine de guerre. Et elle renversa le patrice de cheval, en lui fracassant quatre côtes. Et il roula dans la poussière, se débattit dans son sang, et déchira la terre de ses ongles. Et sa mort fut sans agonie, car Azraël, l'ange de la mort, s'approcha de lui avec la dernière heure et lui arracha son âme qui alla rendre compte de ses erreurs et de sa mécréantise à Celui qui connaît tous les secrets et pénètre les sentiments.

Alors la princesse Mariam, au grand galop, plongea prestement le long du ventre de son cheval jusqu'à terre, ramassa l'énorme lance de son antagoniste tué et s'éloigna à quelque distance. Et là, elle planta sa lance en terre, profondément, et, faisant face à toute l'armée de son père, elle arrêta brusquement son cheval docile, s'appuya du dos sur la haute lance, et demeura immobile dans cette attitude, la tête haute, et provocatrice. Et de la sorte, ne faisant qu'un seul corps avec son cheval et sa lance fichée dans le sol, elle était inébranlable comme une montagne et immuable comme le Destin.

Lorsque le roi des Francs vit succomber de la sorte le patrice Barbout, dans sa douleur il se frappa le visage, déchira ses habits, et manda le second patrice, chef de son armée, qui s'appelait Bartous et était un héros réputé parmi les Francs pour son intrépidité et sa valeur dans les combats singuliers. Et il lui dit : « Ô patrice Bartous, à toi de venger la mort de Barbout, ton frère d'armes ! » Et le patrice Bartous répondit, en s'inclinant : « J'écoute et j'obéis ! » Et, lançant son cheval dans l'arène, il courut sus à la princesse.

Mais l'héroïne, toujours dans la même attitude, ne bougea pas ; et son coursier resta ferme et arc-bouté sur ses jambes comme un pont. Et voici qu'arriva sur elle le galop furieux du patrice, qui avait lâché les rênes à son cheval, et accourait en pointant sa lance dont le fer ressemblait à l'aiguillon du scorpion. Et le double choc se fit tumultueusement. Alors tous les guerriers eurent un pas en avant pour mieux voir les terribles merveilles de ce combat, dont jamais leurs yeux n'avaient contemplé le pareil. Et un frémissement d'admiration courait dans tous les rangs.

Mais déjà les adversaires, ensevelis sous une poussière épaisse, se heurtaient sauvagement et se distribuaient des coups dont gémissait l'air. Et ils combattirent ainsi longtemps, la rage dans l'âme, et se lançant des injures effroyables. Et le patrice ne tarda pas à reconnaître la supériorité de son antagoniste, et se dit : « Par le Messie ! c'est l'heure de manifester toute ma puissance ! » Et il saisit une pique messagère de la mort, la brandit et la lança en visant son adversaire et criant : « À toi ! » Mais il ne savait pas que la princesse Mariam était l'héroïne incomparable de l'Orient et de l'Occident, la cavalière des terres et des déserts, et la guerrière des plaines et des montagnes !

Or elle avait observé le mouvement du patrice et pénétré son dessein. Et quand la pique ennemie partit dans sa direction, elle attendit qu'elle vînt effleurer sa poitrine, la saisit au vol et, se retournant vers le patrice stupéfait, elle le frappa au milieu du ventre avec cette arme, qui sortit étincelante par les vertèbres du dos. Et il tomba comme une tour qui s'écroule ; et le bruit de ses armes fit retentir les échos. Et son âme alla rejoindre à jamais celle de son compagnon dans les flammes inextinguibles allumées par la colère du Juge Suprême…

À ce moment de sa narration, Schahrazade vit apparaître le matin et, discrète, se tut.

Mais lorsque fut la sept cent onzième nuit. Elle dit :

… Et il tomba comme une tour qui s'écroule ; et le bruit de ses armes fit retentir les échos. Et son âme alla rejoindre à jamais celle de son compagnon dans les flammes inextinguibles allumées par la colère du Juge Suprême.

Alors la princesse Mariam fit de nouveau caracoler son cheval Lahik autour de l'armée, en criant : « Où sont les esclaves ? Où sont les chevaliers ? Où sont les héros ? Où est le vizir borgne, ce chien boiteux ? Que le plus vaillant de vous paraisse, s'il a du courage ! Honte sur vous tous, ô chrétiens, qui tremblez devant le bras d'une femme ! »

En entendant et voyant tout cela le roi des Francs, extrêmement mortifié, et bien désespéré de la perte de ses deux patrices, fit venir le troisième, qui s'appelait Fassiân, c'est-à-dire le Péteur, vu qu'il était fameux pour ses vesses et ses pets, et qu'il était un pédéraste illustre, et lui dit : « Ô Fassiân, toi dont la pédérastie est la principale vertu, c'est à toi maintenant de combattre cette débauchée et de venger par sa mort celle de tes compagnons ! » Et le patrice Fassiân, ayant répondu par l'ouïe et l'obéissance, lança son cheval au galop en lâchant derrière lui un tonnerre de pets retentissants, capables de faire blanchir de terreur les cheveux d'un enfant au berceau, et de faire se gonfler les voiles d'un navire.

Mais déjà, de son côté, Sett Mariam avait pris du champ, et avait lancé Lahik en un galop plus rapide que l'éclair qui brille, que la grêle qui tombe. Et tous deux bondirent l'un sur l'autre comme deux béliers, et se heurtèrent avec une telle violence qu'on eût dit le choc de deux montagnes. Et le patrice, se précipitant sur la princesse, poussa un grand cri et lui porta un coup furieux. Mais elle l'évita avec prestesse, frappa adroitement la lance de son ennemi et la brisa en deux. Puis, au moment où le patrice Fassiân, emporté dans son élan, passait à côté d'elle, elle se retourna soudain en faisant une rapide volte-face, et, du talon de sa propre lance elle frappa son adversaire entre les deux épaules avec une telle violence qu'elle le désarçonna. Et, accompagnant ce mouvement d'un cri terrible, elle se précipita sur lui, tandis qu'il gisait renversé sur le dos, et, d'un seul coup, lui planta sa lance dans la bouche, et lui cloua la tête au sol, en fixant la pointe profondément à travers.

À cette vue, tous les guerriers restèrent d'abord muets de stupéfaction. Puis soudain ils sentirent passer sur leurs têtes le frisson de la panique ; car ils ne savaient plus si l'héroïne qui venait d'accomplir de tels exploits était une créature humaine ou un démon. Et, tournant le dos, ils cherchèrent leur salut dans la fuite, en livrant leurs jambes au vent. Mais Sett Mariam vola derrière eux, anéantissant sous ses pas la distance. Et elle les atteignait par groupes ou séparément, les frappait de son sabre tournoyant, et leur faisait boire la mort d'une gorgée, en les plongeant dans l'océan des destins. Et son cœur était si joyeux que le monde lui semblait ne pouvoir le contenir ! Et elle tua ceux qu'elle tua, et blessa ceux qu'elle blessa, et jonchа la terre de morts, en large et en long. Et le roi des Francs, les bras levés au ciel de désespoir, s'enfuyait avec ses guerriers, courant au centre de ses troupes débandées, de ses patriarches et de ses prêtres, comme un berger court, poursuivi par l'orage, au milieu d'un troupeau de moutons. Et la princesse ne cessa de les poursuivre de la sorte et d'en faire un grand carnage, jusqu'au moment où le soleil se couvrit entièrement du manteau de la pâleur.

Alors seulement la princesse Mariam songea à arrêter sa course victorieuse. Elle revint donc sur ses pas, et alla retrouver son bien-aimé Nour qui commençait à être bien inquiet à son sujet, et se reposa cette nuit-là dans ses bras, en oubliant, dans les caresses partagées et les voluptés de l'amour, les fatigues et les dangers qu'elle venait d'affronter pour le sauver et se délivrer à tout jamais de ses persécuteurs chrétiens. Et le lendemain, après avoir longtemps discuté ensemble sur l'endroit qui serait le plus agréable à habiter désormais, ils décidèrent d'aller essayer du climat de Damas. Et ils se mirent en route pour cette ville délicieuse-là. Et voilà pour eux !

Quant au roi des Francs ! Lorsque, le nez bien allongé et le sac de son estomac fort retourné à cause de la mort de ses trois patrices Barbout, Bartous et Fassiân, et à cause aussi de la défaite de son armée, il fut de retour dans son palais, à

Constantinia, il convoqua son conseil d'état, et, après avoir exposé sa disgrâce dans les moindres détails, il demanda quel parti il devait prendre. Et il ajouta : « Je ne sais pas maintenant où elle a pu aller, cette fille des mille cornards de l'impudeur ! Mais je penche à croire qu'elle a dû aller en pays musulman, là où elle dit que les hommes sont des mâles vigoureux et inlassables ! Car cette fille de putain est un tison enflammé originaire de l'enfer ! Et elle ne trouvait pas les chrétiens assez membrus pour calmer ses désirs incessants ! Je vous demande donc de me dire, ô patriarches, ce qu'il faut que je fasse dans cette fâcheuse situation ! » Et les patriarches et les moines et les grands du royaume réfléchirent durant une heure de temps, puis répondirent : « Nous pensons, ô roi du temps, qu'il ne te reste plus qu'un parti à prendre, après tout ce qui s'est passé, et c'est d'envoyer une lettre, avec des cadeaux, au puissant chef des musulmans, le khalifat Haroun Al-Rachid, qui est le maître des terres et des pays où vont arriver les deux fugitifs ; et, dans cette lettre que tu lui écriras de ta propre main, tu lui feras toutes sortes de promesses et de serments d'amitié pour qu'il consente à faire arrêter les fugitifs et à te les envoyer, sous escorte, à Constantinia. Et cela ne t'engagera et ne nous engagera à rien avec ce chef des mécréants, puisque, dès qu'il nous aura rendu les fugitifs, nous nous hâterons de massacrer les musulmans de l'escorte et d'oublier nos serments et nos engagements, comme nous avons l'habitude de le faire toutes les fois que nous avons un traité avec ces infidèles, sectateurs de Môhammad ! » Ainsi parlèrent les patriarches et les conseillers du roi des Francs. Qu'ils soient maudits en cette vie et dans l'autre, pour leur mécréantise et leur félonie…

À ce moment de sa narration, Schahrazade vit apparaître le matin et, discrète, se tut.

Mais lorsque fut la sept cent douzième nuit. Elle dit :

… Ainsi parlèrent les patriarches et les conseillers du roi des Francs. Qu'ils soient maudits en cette vie et dans l'autre, pour leur mécréantise et leur félonie !

Or le roi des Francs de Constantinia, qui avait l'âme aussi basse que celle de ses patriarches, ne manqua pas de suivre ce conseil plein de perfidie. Mais il ignorait que la perfidie tourne tôt ou tard contre ses auteurs, et que l'œil d'Allah veille toujours sur Ses Croyants et les défend contre les embûches de leurs puants ennemis ! Il prit donc un papier et un calam et écrivit, en caractères grecs, une lettre au khalifat Haroun Al-Rachid, où, après les formules les plus respectueuses et les plus remplies d'admiration et d'amitié, il lui disait :

« Ô puissant émir des musulmans nos frères, j'ai une fille dénaturée appelée Mariam, qui s'est laissé séduire par un jeune Égyptien du Caire qui me l'a enlevée et l'a conduite dans les pays qui sont sous ta dépendance et ta domination. Je te supplie, en conséquence, ô puissant émir des musulmans, de vouloir bien faire faire les recherches nécessaires pour la retrouver, et me la renvoyer au plus tôt sous une sûre escorte.

« Et moi, en retour, je comblerai d'honneurs et d'égards cette escorte que tu m'auras envoyée avec ma fille, et je ferai tout ce qui pourra t'être agréable ! Ainsi, pour te montrer ma reconnaissance et faire preuve de mes sentiments d'amitié, je te promets, entre autres choses, de faire bâtir une mosquée dans ma capitale, par des architectes que tu auras toi-même choisis. Et je t'enverrai, en outre, des richesses indescriptibles, dont l'homme ne vit jamais les pareilles : des jeunes filles semblables à des houris, des jeunes garçons imberbes, comme des lunes, des trésors que le feu ne saurait détruire, des perles, des pierreries, des chevaux, des juments et des poulains, des chamelles et de jeunes chameaux, et des charges précieuses de mulets contenant les plus belles productions de nos climats ! Et, si tout cela ne te suffit pas, je diminuerai les confins de mon royaume, pour augmenter tes domaines et tes frontières ! Et ces promesses je les scelle de mon sceau, moi, César, roi des adorateurs de la Croix ! »

Et le roi des Francs, après avoir scellé cette lettre, la remit au nouveau vizir qu'il avait nommé à la place du vieux borgne et boiteux, et lui adressa ces paroles : « Si tu obtiens audience de ce Haroun-là, tu lui diras : « Ô très puissant khalifat ! je viens réclamer auprès de toi notre princesse : car c'est là l'objet de l'importante mission qui nous est confiée. Si tu accueilles favorablement notre demande, tu peux compter sur la reconnaissance du roi, notre maître, qui t'enverra les plus riches présents ! » Puis, pour exciter encore le zèle de son vizir, qu'il envoyait ainsi comme ambassadeur, le roi des Francs lui promit, à lui également, si son ambassade avait un heureux succès, de lui donner sa fille en mariage et de le combler de richesses et de prérogatives.

Puis il lui donna congé et lui recommanda expressément de remettre la lettre au khalifat lui-même. Et le vizir, après avoir embrassé la terre entre les mains du roi, se mit en chemin.

Or après un long voyage il arriva, avec sa suite, à Bagdad, où il commença par prendre un repos de trois jours. Ensuite il demanda où était le palais du khalifat, et, lorsqu'on le lui eut indiqué, il s'y rendit pour demander audience à l'émir des Croyants. Et lorsqu'il fut introduit dans le diwân des réceptions, le vizir, se jetant aux pieds du khalifat, embrassa par trois fois la terre entre ses mains, lui dit en quelques mots l'objet de la mission qui lui était confiée et lui remit la lettre de son maître, le roi des Francs, père de la princesse Mariam. Et Al-Rachid décacheta la lettre, la lut et, après en avoir saisi toute la portée, il se montra favorable à la demande qu'elle contenait, bien qu'elle lui vînt d'un roi mécréant. Et il fit écrire sur-le-champ aux gouverneurs de toutes les provinces musulmanes pour leur donner le signalement de la princesse Mariam et de son compagnon, avec l'ordre exprès de faire toutes recherches nécessaires pour les retrouver, les menaçant des pires châtiments en cas d'insuccès ou de négligence, et de les envoyer sans retard, sous bonne escorte, à sa cour, aussitôt qu'on les aurait découverts. Et les courriers à cheval ou à dos de dromadaire de course partirent dans toutes les directions, chargés, chacun, d'une lettre pour un wali de province. Et, en attendant, le khalifat retint auprès de lui, au palais, l'ambassadeur franc et toute sa suite. Et voilà pour ce qui est de ces différents rois et de leurs pourparlers !

Mais pour ce qui est des deux amants, voici ! Lorsque la princesse eut mis en déroute, à elle seule, l'armée du roi des Francs, son père, et qu'elle eut donné en pâture aux vautours les trois patrices qui s'étaient mesurés avec elle, elle se mit en route, avec Nour, pour la Syrie, et arriva heureusement aux portes de Damas. Mais, comme ils voyageaient par petites étapes, s'arrêtant aux beaux endroits pour se livrer aux manifestations de leur amour, et qu'ils ne se souciaient point des embûches de leurs ennemis, ils arrivèrent à Damas quelques jours après que les rapides courriers du khalifat, qui les y avaient précédés, eurent communiqué au wali de la ville les ordres les concernant. Et, comme ils ne se doutaient point de ce qui les y attendait, ils donnèrent sans méfiance leurs noms aux espions de la police qui les reconnurent aussitôt et les firent arrêter par les gardes du wali. Les gardes, sans perdre de temps, leur firent rebrousser chemin, sans leur permettre l'entrée de la ville, et, les entourant d'armes menaçantes, les obligèrent à les accompagner à Bagdad où, après dix jours de marches forcées à travers le désert, ils arrivèrent exténués de fatigue. Et ils furent introduits dans le diwân des audiences, entourés par les gardes du palais…

À ce moment de sa narration, Schahrazade vit apparaître le matin et, discrète, se tut.

Mais lorsque fut la sept cent treizième nuit. Elle dit :

… Et ils furent introduits dans le diwân des audiences, entourés par les gardes du palais. Et lorsqu'ils furent en la présence auguste du khalifat, ils se prosternèrent devant lui, et embrassèrent la terre entre ses mains. Et le chambellan qui était alors de service dit : « Ô émir des Croyants, voici la princesse Mariam, fille du roi des Francs, et Nour, son ravisseur, fils du marchand Couronne, du Caire. Et c'est à Damas que, d'après les ordres du wali de la ville, on les a arrêtés tous deux ! » Alors le khalifat jeta les yeux sur Mariam, et fut ravi de l'élégance de sa taille et de la beauté de ses traits ; et il lui demanda : « Est-ce bien toi la nommée Mariam, fille du roi des Francs ? » Elle répondit : « Oui, c'est bien moi la princesse Mariam, ton esclave à toi seul, ô émir des Croyants, protecteur de la Foi, descendant du prince des envoyés d'Allah ! » Et le khalifat, bien étonné de la réponse, se tourna ensuite vers Nour, et fut également charmé des grâces de sa jeunesse et de sa bonne mine ; et il lui dit : « Et toi, es-tu le jeune Nour, fils de Couronne, le marchand du Caire ? » Il répondit : « Oui, c'est moi ton esclave, ô émir des Croyants, soutien de l'empire, défenseur de la Foi ! » Et le khalifat lui dit : « Comment as-tu osé enlever cette princesse franque, au mépris de la loi ? » Alors Nour, profitant de la permission de parler, raconta toute son aventure, dans ses moindres détails, au khalifat qui écouta son récit avec beaucoup d'intérêt. Mais il n'y a point d'utilité à le répéter.

Alors Al-Rachid se tourna vers la princesse Mariam et lui dit : « Sache que ton père, le roi des Francs, m'a envoyé cet ambassadeur que voici, avec une lettre écrite de sa propre main. Et il m'assure de sa gratitude et de son intention de bâtir une mosquée dans sa capitale si je consens à te renvoyer dans ses états ! Or, toi, qu'as-tu à répondre ? » Et Mariam releva la tête et, d'une voix à la fois ferme et délicieuse, répondit : « Ô émir des Croyants, tu es le représentant d'Allah sur la terre et celui qui maintient la loi de Son Prophète Môhammad (sur Lui à jamais la paix et la prière !). Or moi je suis devenue musulmane, et je crois à l'unité d'Allah, et je la professe en ton auguste présence, et je dis : Il n'y a de Dieu qu'Allah, et Môhammad est l'envoyé d'Allah ! Pourais-tu donc, ô émir des Croyants, me renvoyer dans le pays des infidèles qui donnent des égaux à Allah, croient à la divinité de Jésus fils de l'homme, adorent les idoles, révèrent la croix et rendent un culte superstitieux à toutes sortes de créatures mortes dans l'impiété et précipitées dans les flammes de la colère d'Allah ? Or si tu agis ainsi en me livrant à ces chrétiens, moi, au jour du Jugement, où toutes les grandeurs seront comptées pour rien et où les cœurs purs seront seuls regardés, je t'accuserai de ta conduite, devant Allah et devant notre Prophète, ton cousin (sur Lui la prière et la paix !).

Lorsque le khalifat eut entendu ces paroles de Mariam et sa profession de foi, il exalta en son âme de savoir musulmane une telle héroïne et, les larmes aux yeux, il s'écria : « Ô Mariam, ma fille, puisse Allah ne jamais permettre que je livre aux infidèles une musulmane qui croit à l'unité d'Allah et à Son Prophète !

Qu'Allah te garde et te conserve et répande sur toi sa miséricorde et ses bénédictions, en augmentant la conviction de ta foi ! Et maintenant, pour ton héroïsme et ta bravoure, tu peux réclamer tout de moi ; et je fais le serment de ne te refuser rien, fût-ce la moitié de mon empire ! Réjouis donc tes yeux, dilate ton cœur et bannis toute inquiétude ! Et dis-moi, afin que je fasse le nécessaire, si tu ne seras point satisfaite que ce jeune homme, fils de notre serviteur Couronne, le marchand du Caire, devienne ton époux légal ? » Et Mariam répondit : « Comment ne le désirerais-je point, ô émir des Croyants ? N'est-ce point lui qui m'a achetée ? N'est-ce point lui qui a cueilli ce qu'il y avait en moi à cueillir ? N'est-ce point lui qui a si souvent exposé sa vie pour moi ? Et n'est-ce point lui enfin qui a donné la paix à mon âme en me révélant la pureté de la foi musulmane ? »

Aussitôt le khalifat fit appeler le kâdi et les témoins, et dresser sur-le-champ le contrat de mariage. Puis il fit avancer le vizir, ambassadeur du roi des Francs, et lui dit : « Tu vois bien avec tes propres yeux et tu entends bien avec tes propres oreilles que je ne puis agréer la demande de ton maître, puisque la princesse Mariam, devenue musulmane, nous appartient. Sinon je commettrais une action dont je devrais rendre compte à Allah et à Son Prophète, au jour du Jugement ! Car il est écrit dans le Livre d'Allah : « Il ne sera jamais donné aux infidèles d'avoir le dessus sur les Croyants ! » Retourne donc auprès de ton maître, et apprends-lui ce que tu as vu et entendu…

À ce moment de sa narration, Schahrazade vit apparaître le matin et, discrète, se tut.

Mais lorsque fut la sept cent quatorzième nuit. Elle dit :

… Il ne sera jamais donné aux infidèles d'avoir le dessus sur les Croyants ! » Retourne donc auprès de ton maître, et apprends-lui ce que tu as vu et entendu ! »

Lorsque l'ambassadeur eut compris de la sorte que le khalifat ne voulait pas livrer la fille du roi des Francs, il osa s'emporter, plein de dépit et de superbe, car Allah l'avait aveuglé sur les conséquences de ses paroles ; et il s'écria : « Par le Messie ! fût-elle musulmane encore vingt fois davantage, il faudra que je la ramène à son père, mon maître ! Sinon il viendra envahir ton royaume et couvrira de ses troupes ton pays depuis l'Euphrate jusqu'au Yamân ! »

À ces paroles, le khalifat, à la limite de l'indignation, s'écria : « Comment ! ce chien de chrétien ose proférer des menaces ? Qu'on lui tranche la tête et qu'on la place à l'entrée de la ville, en crucifiant son corps, et que cela serve désormais d'exemple aux ambassadeurs des infidèles ! » Mais la princesse Mariam s'écria : « Ô émir des Croyants, ne souille pas ton sabre glorieux du sang de ce chien-là ! Je veux le traiter moi-même comme il le mérite ! » Et, ayant dit ces mots, elle arracha le sabre que le vizir franc portait au côté, et l'ayant brandi, d'un seul coup elle lui abattit la tête et la jeta par la fenêtre. Et elle repoussa du pied le corps en faisant signe aux esclaves de l'emporter.

À cette vue, le khalifat fut émerveillé de la promptitude avec laquelle la princesse s'était acquittée de cette exécution et la revêtit de son propre manteau. Et il fit également revêtir Nour d'une robe d'honneur, et les combla tous deux de riches présents ; et, selon le désir qu'ils lui exprimaient, il leur donna une magnifique escorte qui les accompagnerait jusqu'au Caire, et leur remit des lettres de recommandation pour le wali d'Égypte et les oulémas. Et Nour et la princesse Mariam retournèrent de la sorte en Égypte, chez les vieux parents. Et le marchand Couronne, en revoyant son fils qui amenait dans sa maison une princesse pour belle-fille, fut à la limite de la fierté et pardonna à Nour sa conduite d'autrefois. Et il invita, en son honneur, pour une grande fête, tous les grands du Caire, qui comblèrent de présents les jeunes époux, en se surpassant à l'envi les uns les autres.

Et le jeune Nour et la princesse Mariam vécurent de longues années à la limite de la dilatation et de l'épanouissement, ne se privant de rien du tout, et mangeant bien, et buvant bien, et copulant fort, sec et longtemps, au milieu des honneurs et de la prospérité, dans la vie la plus tranquille et la plus délicieuse, jusqu'à ce que vînt les visiter la Destructrice des félicités, la Séparatrice des amis et des sociétés, celle qui renverse les maisons et les palais et pourvoit les ventres des tombeaux ! Mais gloire au Seul Vivant qui ne connaît pas la mort et qui tient dans Ses mains les clefs du Visible et de l'Invisible ! Amin.

Lorsque le roi Schariar eut entendu cette histoire, il se leva soudain à demi et s'écria : « Ah ! Schahrazade, cette histoire héroïque, en vérité, me transporte ! » Et, ayant ainsi parlé, il s'accouda de nouveau sur les coussins, en se disant : « Je crois bien qu'elle n'a plus, après celle-là, d'autres histoires à me raconter ! Et je vais ainsi réfléchir sur ce qui me reste à faire, concernant sa tête ! » Mais Schahrazade, qui le voyait froncer les sourcils, se dit : « Il n'y a pas de temps à perdre ! » Et elle dit : « Oui, ô Roi, cette histoire héroïque est admirable, mais qu'est-elle en comparaison de celles que je veux encore te raconter, si toutefois tu me le permets ? » Et le Roi demanda : « Que dis-tu, Schahrazade ? Et quelles histoires encore penses-tu me raconter qui soient plus admirables ou plus étonnantes que celle-là ? » Et Schahrazade sourit et dit : « Le Roi jugera ! Mais, cette nuit, pour terminer notre veillée, je ne veux te dire qu'une courte anecdote, de celles qui ne sont pas fatigantes à écouter ! Elle est tirée des SÉANCES DE LA GÉNÉROSITÉ ET DU SAVOIR-VIVRE. *» Et aussitôt elle dit :*

LES SÉANCES DE LA GÉNÉROSITÉ ET DU SAVOIR-VIVRE

SALADIN ET SON VIZIR

Il m'est revenu, ô Roi fortuné, que le vizir du roi victorieux le sultan Saladin avait, lui appartenant, au nombre de ses esclaves favoris, un jeune garçon chrétien parfaitement beau qu'il aimait extrêmement, et si gracieux que les yeux des hommes n'avaient jamais rencontré le pareil. Or un jour qu'il se promenait avec cet enfant dont il ne pouvait se séparer, il fut remarqué par le sultan Saladin qui lui fit signe d'approcher. Et le sultan, après avoir jeté un regard charmé sur l'enfant, demanda au vizir : « D'où te vient ce jeune garçon ? » Et le vizir, un peu gêné, répondit : « De chez Allah, ô mon seigneur ! » Et le sultan Saladin sourit et dit, en continuant son chemin : « Voilà que maintenant, ô notre vizir, tu trouves le moyen de nous subjuguer par la beauté d'un astre et de nous rendre captif par les enchantements d'une lune ! »

Or cela donna à réfléchir au vizir qui se dit : « En vérité, il ne m'est plus possible de garder cet enfant, après que le sultan l'a remarqué ! » Et il prépara un riche cadeau, appela le bel enfant chrétien et lui dit : « Par Allah, ô jouvenceau, n'était la nécessité, mon âme ne se serait jamais séparée de toi ! » Et il lui remit le cadeau, disant : « Tu porteras ce cadeau de ma part à notre maître le sultan, et tu seras toi-même une partie de ce cadeau, car dès cet instant je te cède à notre maître ! » Et il lui donna en même temps, pour qu'il le remît au sultan Saladin, un billet où il avait tracé ces deux strophes :

« Voici, ô mon seigneur, une pleine lune pour ton horizon ; car il n'y a point sur terre d'horizon plus digne de cette lune !

Pour t'être agréable, je n'hésite point à me séparer, afin de te la donner, de mon âme précieuse, alors que – ô rareté sans pareille ! – je ne connais pas d'exemple d'un homme qui ait jamais consenti à se défaire volontairement de son âme ! »

Or le cadeau plut d'une façon toute particulière au sultan Saladin, qui, généreux et grand selon son habitude, ne manqua pas de dédommager son vizir de ce sacrifice, en le comblant de richesses et de faveurs, et en lui faisant sentir, à toute occasion, combien il était entré dans ses bonnes grâces et son amitié…

À ce moment de sa narration, Schahrazade vit apparaître le matin et, discrète, se tut.

Mais lorsque fut la sept cent quinzième nuit. Elle dit :

… Or le cadeau plut d'une façon toute particulière au sultan Saladin, qui, généreux et grand, selon son habitude, ne manqua pas de dédommager son vizir de ce sacrifice, en le comblant de richesses et de faveurs, et en lui faisant sentir, à toute occasion, combien il était entré dans ses bonnes grâces et son amitié.

Sur ces entrefaites, le vizir acquit, au nombre des adolescentes de son harem, une jeune fille d'entre les jeunes filles les plus délicieuses et les plus accomplies du temps. Et cette jeune fille, dès son arrivée, sut toucher le cœur du vizir ; mais avant de s'y attacher comme il avait fait pour le jeune garçon, il se dit : « Qui sait si la renommée de cette perle nouvelle n'arrivera pas aux oreilles du sultan ! Il vaut donc mieux pour moi, avant de laisser mon cœur s'attacher à cette jeune esclave, que j'en fasse également cadeau au sultan. De cette façon le sacrifice sera moins grand, et la perte me sera moins cruelle ! » Pensant ainsi, il fit venir la jouvencelle, la chargea pour le sultan d'un cadeau encore plus riche que la première fois, et lui dit : « Tu seras toi-même une partie du cadeau ! » Et il lui donna, pour qu'elle le remît au sultan, un billet où il avait tracé ces vers :

« Ô mon seigneur, une lune a déjà paru sur ton horizon, et maintenant voici le soleil.

Ainsi, sur le même ciel, s'unissent ces deux astres de lumière, pour former, réservée à ton règne, la plus belle des constellations. »

Or, de ce fait, le crédit du vizir redoubla dans l'esprit du sultan Saladin, qui ne manquait plus une occasion de témoigner, devant toute sa cour, l'estime et l'amitié qu'il ressentait pour lui. Et cela fit que le vizir eut de la sorte beaucoup d'ennemis et d'envieux qui, ayant comploté sa perte, résolurent de lui porter d'abord tort dans l'esprit du sultan. Ils firent donc entendre à Saladin, par diverses allusions et affirmations, que le vizir conservait toujours de l'inclination pour le jeune garçon chrétien, et qu'il ne cessait, notamment quand la brise fraîche du nord l'incitait au souvenir des promenades anciennes, de le désirer ardemment et de l'appeler de toute son âme. Et ils lui dirent qu'ainsi il se reprochait avec amertume de don qu'il avait fait, et que même, de dépit et de repentir, il se mordait les doigts et s'arrachait les molaires. Mais le sultan Saladin, loin de prêter grand crédit à ces allégations indignes du vizir en qui il avait mis sa confiance, cria d'une voix courroucée à ceux qui lui tenaient ces discours : « Assez mouvoir vos langues de perdition contre le vizir, ou vos têtes vont quitter à l'instant vos épaules ! » Puis, comme il était avisé et juste, il leur dit : « Je veux tout de même faire la preuve de vos mensonges et calomnies, et laisser vos propres armes se retourner contre vous ! Je vais donc éprouver la droiture d'âme de mon vizir ! » Et il appela l'enfant en question, et lui demanda : « Sais-tu écrire ? » Il répondit : « Oui, ô mon seigneur ! » Il dit : « Prends alors un papier et un calam et écris ce que je vais te dicter ! » Et il dicta, comme venant en propre de l'enfant lui-même la lettre suivante adressée au vizir :

« Ô mon ancien maître bien-aimé, tu sais, par les sentiments que tu dois toi-même éprouver à mon égard, la tendresse que j'ai pour toi et le souvenir que laissent en mon âme nos délices d'autrefois. C'est pourquoi je viens me plaindre à toi de mon sort actuel dans le palais, où rien ne réussit à me faire oublier tes bontés, surtout qu'ici la majesté du sultan et le respect que j'éprouve pour lui m'empêchent de goûter ses faveurs. Je te prie donc de trouver un expédient pour me reprendre au sultan, soit par un moyen soit par un autre. D'ailleurs le sultan jusqu'ici ne s'est point trouvé seul à seul avec moi, et tu me verras tel que tu m'as laissé ! »

Et cette lettre écrite, le sultan la fit porter par un petit esclave du palais, qui la remit au vizir en lui disant : « C'est ton ancien esclave, l'enfant chrétien, qui me charge de te remettre cette lettre de sa part. » Et le vizir prit la lettre, la regarda un moment et, sans même la décacheter pour la lire, écrivit ceci sur le revers :

« Depuis quand l'homme d'expérience expose-t-il, comme l'insensé, sa tête dans la gueule du lion ?

« Je ne suis point de ceux dont la raison se soumet et succombe à l'amour, ni de ceux dont se rient les envieux aux manœuvres sournoises.

« Si j'ai fait le sacrifice de mon âme, en la donnant, c'est que je savais bien qu'une fois l'âme sortie, elle ne doit plus revenir habiter le corps abandonné ! »

Au reçu de cette réponse, le sultan Saladin exulta, et ne manqua pas de la lire devant les nez allongés des envieux. Puis il fit appeler son vizir et, après lui avoir donné de nouvelles marques d'amitié, lui demanda : « Peux-tu nous dire, ô père de la sagesse, comment tu fais pour avoir tant de pouvoir sur toi-même ? » Et le vizir répondit : « Je ne laisse jamais mes passions arriver au seuil de ma volonté ! » Mais Allah est encore plus sage !

Puis Schahrazade dit : « Mais, ô Roi fortuné, maintenant que je t'ai raconté comment la volonté du sage l'aide à vaincre ses passions, je veux te raconter une histoire sur l'amour passionné ! » Et elle dit :

LE TOMBEAU DES AMANTS

Abdallah, fils d'Al-Kaïssi, nous rapporte, dans ses écrits, cette histoire. Il dit :

J'étais allé une année en pèlerinage à la maison sainte d'Allah. Et lorsque j'eus accompli tous mes devoirs de pèlerin, je retournai à Médine, pour visiter encore une fois la tombe du Prophète – sur Lui la paix et la bénédiction d'Allah ! Or, une nuit, comme j'étais assis dans un jardin, non loin de la tombe vénérée, j'entendis une voix qui chantait tout doucement dans le silence. Et charmé, je tendis toute mon attention et, écoutant ainsi, j'entendis ces vers qu'elle chantait :

« Ô rossignol de mon âme qui exhales tes chants au souvenir de la bien-aimée !... Ô tourterelle de sa voix, quand répondras-tu à mes gémissements ?

Ô nuit ! Combien tu parais longue à ceux que tourmente la fièvre de l'impatience, à ceux que torturent les soucis de l'absence !

Ô lumineuse apparue, ne brillas-tu sur mon chemin comme un phare que pour disparaître et me laisser errant à l'aveugle, dans les ténèbres ? »

Puis ce fut le silence. Et je regardais de tous côtés pour voir celui qui venait de chanter cette tirade passionnée, quand apparut devant moi le propriétaire de la voix. Et, à la clarté qui tombait du ciel nocturne, je vis que c'était un adolescent beau à ravir l'âme et dont le visage était baigné de larmes. Et je me tournai vers lui et ne pus m'empêcher de m'écrier : « Ya Allah ! quel beau jeune homme ! » Et je tendis mes deux bras dans sa direction. Et il me regarda et me demanda : « Qui es-tu, et que me veux-tu ? » Et je répondis, en m'inclinant devant sa beauté : « Que pourrais-je vouloir de toi, si ce n'est bénir Allah en te regardant ? Quant à ce qui est de moi et de mon nom, je suis ton esclave Abdallah, fils de Ma'amar Al-Kaïssi. Ô mon seigneur, comme mon âme désire te connaître ! Ton chant, tout à l'heure, m'a troublé à l'extrême et ta vue achève de me transporter. Et me voici prêt à te sacrifier ma vie, si elle peut t'être utile ! » Alors l'adolescent me regarda, ah ! avec quels yeux ! et me dit : « Assieds-toi donc près de moi ! » Et je m'assis tout près de lui, avec mon âme frémissante, et il me dit : « Écoute maintenant, puisque ton cœur travaille à mon sujet, ce qui vient de m'arriver ! » Et il continua en ces termes : « Je suis Otbah, fils d'Al-Houbab, fils d'Al-Moundhir, fils d'Al-Jamouh l'Ansarite. Or, hier matin, je faisais mes dévotions dans la mosquée de la tribu lorsque j'y vis entrer, ondulant sur leurs tailles et leurs hanches, plusieurs femmes belles à en mourir, qui accompagnaient une toute jeune adolescente dont les charmes effaçaient ceux de ses compagnes. Et, à un moment donné, cette lune s'approcha de moi au milieu de la foule des fidèles, sans être remarquée, et me dit : « Otbah ! il y a si longtemps que je guettais cette occasion de te parler ! Ô Otbah ! que dirais-tu de ton union avec celle qui est ton amante et désire être ton épouse ? » Puis, avant que j'eusse le temps d'ouvrir la bouche pour lui répondre, elle me quitta et disparut au milieu de ses compagnes. Puis toutes ensemble sortirent de la mosquée et se perdirent dans la foule des pèlerins.

Et moi, malgré tous mes efforts pour la retrouver, je ne pus la revoir depuis cet instant. Et mon âme et mon cœur sont auprès d'elle. Et jusqu'à ce qu'il me soit donné de la revoir, je ne pourrai goûter aucun bonheur, fussé-je au milieu des délices du paradis...

À ce moment de sa narration, Schahrazade vit apparaître le matin et, discrète, se tut.

Mais lorsque fut la sept cent dix-septième nuit. Elle dit :

... Et mon âme et mon cœur sont auprès d'elle. Et jusqu'à ce qu'il me soit donné de la revoir, je ne pourrai goûter aucun bonheur, fussé-je au milieu des délices du paradis ! »

Il parla ainsi, et ses joues duvetées rougissaient à mesure, et mon amour pour lui s'intensifiait d'autant. Et je lui dis, quand il se tut : « Ô Otbah, ô mon cousin ! mets ton espoir en Allah, et prie-le de t'accorder le pardon de tes fautes ! Quant à moi, me voici prêt à t'aider de tout mon pouvoir et de tous mes moyens pour te faire retrouver l'adolescente, objet de ta pensée. Car, en te voyant, je sentis mon âme se porter d'elle-même vers ta charmante personne, et désormais ce que je ferai pour toi sera uniquement pour voir tes yeux s'abaisser, contents, vers moi ! » Et, parlant de la sorte, je le serrai affectueusement contre moi et je l'embrassai comme un frère embrasse son frère ; et, toute la nuit, je ne cessai de calmer son âme chérie. Et certes ! de ma vie je n'oublierai ces moments délicieux et inassouvis passés amicalement à ses côtés.

Or, le lendemain, j'allai avec lui à la mosquée et l'y fis entrer le premier, par égard pour lui. Et nous y restâmes ensemble depuis le matin jusqu'à midi, heure où les femmes viennent d'ordinaire à la mosquée. Mais, à notre grand désappointement, nous remarquâmes que les femmes étaient toutes arrivées dans la mosquée et que l'adolescente ne se trouvait point parmi elles. Et moi, voyant le chagrin que causait cette découverte à mon jeune ami, je lui dis : « Que cela ne t'inquiète point ! Je vais m'informer de ta bien-aimée auprès de ces femmes, puisqu'elle était hier dans leur société ! »

Et aussitôt je me glissai jusqu'à ces femmes, et je réussis à apprendre d'elles que l'adolescente en question était une jeune fille vierge, de haute naissance, qu'elle se nommait Riya, et était la fille d'Al-Ghitrif, chef de la tribu des Bani-Soulaim. Et je leur demandai : « Ô femmes de bien, pourquoi n'est-elle point revenue aujourd'hui avec vous ? » Elles répondirent : « Et comment l'aurait-elle pu ? Son père, qui avait accordé sa protection aux pèlerins pour la traversée du désert depuis l'Irak jusqu'à La Mecque, s'en est retourné hier avec ses cavaliers vers sa tribu, aux bords de l'Euphrate, et a emmené avec lui sa fille Riya. » Et moi je les remerciai pour ces renseignements et revins auprès d'Otbah ; et je lui dis : « Les nouvelles que je t'annonce ne sont point, hélas ! selon mes désirs ! » Et je le mis au courant du départ de Riya, avec son père, vers la tribu. Puis je lui dis : « Mais tranquillise ton âme, ô Otbah, ô mon cousin ! car Allah m'a accordé des richesses nombreuses, et je suis prêt à les dépenser pour te faire arriver à tes fins. Et, dès cet instant, je vais m'occuper de ton affaire, et réussir, avec l'aide d'Allah ! » Et j'ajoutai : « Prends seulement la peine de m'accompagner ! » Et il se leva, et m'accompagna jusqu'à la mosquée des Ansarites, ses parents.

Là, nous attendîmes que le peuple fût rassemblé ; et je saluai l'assemblée, et je dis : « Ô Croyants Ansarites réunis ici ! quelle est votre opinion sur Otbah et sur le père d'Otbah ? » Et tous répondirent, d'une voix unanime : « Nous disons tous que ce sont des Arabes d'une illustre famille et d'une noble tribu ! » Et je leur dis : « Sachez donc qu'Otbah, fils d'Al-Houbab, est consumé par une passion violente. Et je viens justement vous prier d'unir vos efforts aux miens pour assurer son bonheur ! » Ils répondirent : « De tout cœur amical ! » Je dis : « En ce cas, il vous faut m'accompagner vers les tentes des Bani-Soulaim, chez le cheikh Al-Ghitrif, leur chef, afin de lui demander en mariage sa fille Riya pour votre cousin Otbah, fils d'Al-Houbab ! » Et tous répondirent par l'ouïe et l'obéissance. Alors je montai à cheval, ainsi qu'Otbah ; et toute l'assemblée en fit autant. Et nous poussâmes nos chevaux à toute vitesse, sans arrêt. Et nous réussîmes de la sorte à atteindre les tentes des cavaliers du cheikh Al-Ghitrif, à six journées de Médine.

Lorsque le cheikh Al-Ghitrif nous vit arriver, il sortit à notre rencontre jusqu'à la porte de sa tente ; et nous, après les salams, nous lui dîmes : « Nous venons te demander l'hospitalité, ô père des Arabes ! » Il répondit : « Soyez les bienvenus sous nos tentes, ô nobles hôtes ! » Et, parlant ainsi, il donna aussitôt à ses esclaves les ordres nécessaires pour nous bien recevoir. Et les esclaves étendirent en notre honneur les nattes et les tapis ; et l'on tua, pour nous offrir un splendide festin, des moutons et des chameaux…

À ce moment de sa narration, Schahrazade vit apparaître le matin et, discrète, se tut.

Mais lorsque fut la sept cent dix-huitième nuit. Elle dit :

… Et l'on tua, pour nous offrir un splendide festin, des moutons et des chameaux. Mais lorsque vint le moment de s'asseoir pour le festin, nous nous récusâmes tous ; et moi, au nom de toute l'assemblée, je déclarai au cheikh Al-Ghitrif : « Par le mérite sacré du pain et du sel et par la foi des Arabes ! nous ne toucherons à aucun de tes mets que tu ne nous aies accordé notre demande ! » Et Al-Ghitrif dit : « Et quelle est votre demande ? » Je répondis : « Nous venons te solliciter pour le mariage de ta noble fille Riya avec Otbah, fils d'Al-Houbab l'Ansarite, fils d'Al-Moundhir, fils d'Al-Jamouh, le brave, le bon, l'illustre, le victorieux, l'excellent ! » Et le père de Riya, devenu soudain bien changé quant à son teint et à ses yeux, nous dit d'une voix calme : « Ô frères arabes, celle que vous me faites l'honneur de me demander en mariage pour l'illustre Otbah, fils d'Al-Houbab, est seule maîtresse de la réponse. Et je ne contrarierai point sa volonté. C'est donc à elle de prononcer ! Et je vais à l'instant la trouver pour lui demander son avis ! » Et il se leva d'entre nous, bien jaune, avec de la colère plein le nez et un visage qui, à lui seul, démentait le sens de ses paroles.

Il s'en fut donc trouver, dans sa tente, sa fille Riya qui, effrayée de l'expression de son visage, lui demanda : « Ô père mien, pourquoi la colère émeut-elle si violemment ton âme intérieure ? » Et il s'assit auprès d'elle, en silence ; et, comme nous l'avons appris par la suite, il finit par lui dire : « Sache donc, ô Riya, ma fille, que je viens d'accorder l'hospitalité à des Ansarites, venus chez moi afin de te demander en mariage pour l'un d'eux ! » Elle dit : « Ô père, la famille des Ansarites est l'une des plus illustres parmi les Arabes ! Et ton hospitalité est à sa place, certes ! Mais, dis-moi ! et pour qui donc d'entre eux viennent-ils me demander en mariage ? » Il répondit : « Pour Otbah, fils de Houbab ! » Elle dit : « C'est un jeune homme connu ! Et il est digne d'entrer dans ta race ! » Mais il s'écria, plein de fureur : « Quelles paroles viens-tu de prononcer ? Aurais-tu déjà noué des rapports avec lui ? Or, moi, par Allah ! j'ai juré autrefois à mon frère de t'accorder à son fils, et nul, plus que le fils de ton oncle, n'est digne d'entrer dans ma généalogie ! » Elle dit : « Ô père, et que vas-tu répondre aux Ansarites ? Ce sont des Arabes pleins de noblesse et fort susceptibles sur toutes les questions de préséance et d'honneur ! Et si tu me refuses en mariage à l'un d'eux, tu vas attirer sur toi et la tribu leur ressentiment et l'effet de leur vengeance. Car ils se croiront méprisés par toi et ne te le pardonneront pas ! » Il dit : « Tu dis vrai ! Mais je vais déguiser mon refus en demandant, pour ton prix, une dot exorbitante. Car le proverbe dit : « Si tu ne veux point marier ta fille, exagère ta demande de dot ! »

Il quitta donc sa fille et revint auprès de nous pour nous dire : « La fille de la tribu, ô mes hôtes, ne s'oppose point à votre demande en mariage ; mais elle exige une dot qui soit digne de ses mérites. Qui donc d'entre vous pourra me donner le prix de cette perle incomparable ? » À ces paroles, Otbah s'avança et dit : « C'est moi ! » Il dit : « Eh bien ! ma fille demande mille bracelets en or rouge, cinq mille pièces d'or au coin de Hajar, un collier de cinq mille perles, mille pièces d'étoffes en soie indienne, douze paires de bottes en cuir jaune, dix sacs de dattes de l'Irak, mille têtes de bétail, une jument de la tribu des Anazi, cinq boîtes de musc, cinq flacons d'essence de roses, et cinq boîtes d'ambre gris ! » Et il ajouta, en se tournant vers Otbah : « Es-tu homme à consentir à cette demande ? » Et Otbah répondit : « Ô père des Arabes, en doutes-tu ? Non seulement je consens à payer la dot demandée, mais j'y ajouterai encore ! »

Alors, moi, je retournai à Médine, avec mon ami Otbah, et nous pûmes réussir, non sans bien des recherches et des peines, à rassembler toutes les choses demandées. Et moi je dépensai de mon argent, sans discontinuer, avec plus de plaisir que si j'eusse fait pour moi-même tous ces achats. Et nous revînmes aux tentes des Bani-Soulaim, avec tous nos achats, et nous nous hâtâmes de les livrer au cheikh Al-Ghitrif. Et le cheikh, ne pouvant plus de la sorte revenir sur sa parole, fut obligé de recevoir tous les Ansarites, ses hôtes, qui se réunirent pour lui faire leurs compliments sur le mariage de sa fille. Et les fêtes commencèrent et durèrent quarante jours. Et l'on égorgea nombre de chameaux et de moutons, et l'on fit cuire des chaudrons de mets de toutes sortes, où chaque membre de la tribu pouvait manger à sa faim.

Or, au bout de ce temps, nous préparâmes un palanquin somptueux, sur le dos de deux chameaux à la file, et nous y plaçâmes la nouvelle mariée. Et nous partîmes tous, à la limite de la joie, suivis d'une caravane entière de chameaux chargés de présents. Et mon ami Otbah exultait dans l'attente du jour de l'arrivée, où il allait enfin se trouver seul à seul avec sa bien-aimée. Et durant le voyage, il ne la quitta pas un instant et lui tint compagnie, dans son palanquin, d'où il ne descendit que pour venir me favoriser d'une causerie, en toute amitié, confiance et gratitude…

À ce moment de sa narration, Schahrazade vit apparaître le matin et, discrète, se tut.

Mais lorsque fut la sept cent dix-neuvième nuit. Elle dit :

… Et durant tout le voyage, il ne la quittait pas un instant, et lui tenait compagnie, dans son palanquin, d'où il ne descendait que pour venir me favoriser d'une causerie, en toute amitié, confiance et gratitude. Et, moi, je me réjouissais en mon âme et me disais : « Te voilà devenu, ô Abdallah, pour toujours l'ami d'Otbah ! car tu as su, oubliant tes propres sentiments, toucher son cœur en l'unissant à Riya ! Un jour, n'en doute pas, ton sacrifice sera compensé, et au-delà ! Et tu connaîtras, toi aussi, l'amour d'Otbah dans ce qu'il a de plus désirable et de plus exquis ! »

Or nous n'étions plus qu'à une journée de marche de Médine, et, à la tombée de la nuit, nous nous étions arrêtés dans une petite oasis, pour nous reposer. Et la paix était complète ; et la lumière de la lune riait à la joie de notre camp ; et, sur nos têtes, douze palmiers, comme des jeunes filles, accompagnaient du froissement de leurs palmes la chanson des brises de nuit. Et nous, comme les auteurs du monde aux jours anciens, nous jouissions de l'heure pleine de quiétude, de la fraîcheur de l'eau, de l'herbe grasse et de la douceur de l'air. Mais, hélas ! on ne peut échapper à la destinée, même si on la fuit avec des ailes. Et c'est mon ami

Otbah qui devait boire jusqu'à la lie, en une gorgée, la coupe inévitable ! En effet, nous fûmes soudain tirés de notre repos par une attaque terrible de cavaliers armés qui fondirent sur nous, en poussant des cris et des hurlements. Or c'étaient des cavaliers de la tribu des Bani-Soulaim, envoyés par le cheikh Al-Ghitrif pour enlever sa fille. Car il n'avait point osé violer, sous ses tentes, les lois de l'hospitalité, et avait attendu notre éloignement pour nous faire attaquer de la sorte, sans manquer aux coutumes du désert. Mais il comptait sans la valeur d'Otbah et de nos cavaliers qui, avec un grand courage, soutinrent l'attaque des Bani-Soulaim, et finirent, après en avoir tué un grand nombre, par les mettre en déroute. Mais, au milieu de la mêlée, mon ami Otbah reçut un coup de lance, et, quand il fut de retour au camp, il tomba mort dans mes bras.

À cette vue, la jeune Riya poussa un grand cri et vint s'abattre sur le corps de son amant. Et elle passa toute la nuit à se lamenter. Et quand vint le matin, nous la trouvâmes morte de désespoir. Qu'Allah les ait tous deux en Sa Miséricorde ! Et nous leur creusâmes dans le sable un tombeau, et nous les enterrâmes l'un à côté de l'autre. Et, l'âme en deuil, nous regagnâmes Médine. Et moi, ayant terminé ce que j'avais à terminer, je rentrai dans mon pays.

Mais, sept ans plus tard, le désir m'envahit de refaire un pèlerinage aux lieux saints. Et mon âme souhaita aller visiter le tombeau d'Otbah et de Riya. Et lorsque je fus arrivé au tombeau, je le vis ombragé par un bel arbre d'une espèce inconnue, que ceux de la tribu des Ansarites avaient pieusement planté. Et je m'assis, pleurant, sur la pierre, à l'ombre de l'arbre, l'âme attristée. Et je demandai à ceux qui m'accompagnaient : « Ô mes amis, dites-moi le nom de cet arbre qui pleure avec moi la mort d'Otbah et de Riya ! » Et ils me répondirent : « Il s'appelle l'Arbre des Amants. » Ah ! puisses-tu, ô Otbah, reposer dans la paix de ton Seigneur, à l'ombre de l'arbre qui se lamente sur ton tombeau !

« Et c'est là ce que je sais, ô Roi fortuné, sur le tombeau des amants ! » Puis, comme elle voyait le roi Schahriar assombri par cette histoire, elle se hâta, cette nuit-là, de raconter encore l'histoire de Hind, de son divorce et de son mariage.

LE DIVORCE DE HIND

Il est raconté que la jeune Hind, fille d'Al-Némân, était l'adolescente la plus belle entre les adolescentes de son temps, et tout à fait une gazelle par les yeux, la finesse et les charmes. Or la renommée de sa beauté parvint jusqu'aux oreilles d'Al-Hajage, gouverneur de l'Irak ; et celui-ci la demanda en mariage. Mais le père de Hind ne voulut la lui accorder que pour le prix d'une dot de deux cent mille drachmes d'argent, à payer avant le mariage, avec la condition de lui payer encore, en cas de divorce, deux cent mille autres drachmes. Et Al-Hajage accepta toutes les conditions et emmena Hind dans sa maison.

Or Al-Hajage, pour son amertume et sa calamité, était impuissant. Et il était venu au monde tout difforme quant à son zebb, avec l'anus obstrué. Et comme, ainsi bâti, l'enfant refusait la vie, le diable était apparu à sa mère, sous une forme humaine, et lui avait prescrit, si elle voulait que son enfant pût survivre, de lui donner à téter, au lieu du lait, du sang de deux chevreaux noirs, d'un bouc noir et d'un serpent noir. Et la mère avait suivi cette prescription et avait obtenu l'effet désiré. Seulement l'impuissance et la difformité, qui sont un don de Satan et non point d'Allah le Généreux, étaient restées l'apanage de l'enfant, devenu un homme.

Aussi Al-Hajage, une fois qu'il eut emmené Hind dans sa maison, resta un long temps sans oser l'approcher autrement que de jour et sans la toucher, malgré tout le désir qu'il en avait. Et Hind ne tarda pas à connaître le motif de cette continence et s'en lamenta beaucoup avec ses esclaves.

Or un jour Al-Hajage vint la voir, selon son habitude, pour se réjouir les yeux de sa beauté. Elle tournait le dos à la porte et était occupée à se regarder dans un miroir, en chantant ces vers :

« Hind, cavale issue de noble sang arabe, te voici condamnée à vivre avec un misérable mulet !

Oh ! qu'on me débarrasse de ces riches habits de pourpre, et qu'on me rende mes hardes en poil de chameau.

Je quitterai ces palais odieux pour retourner aux lieux où les tentes noires de la tribu claquent au vent de mon désert,

Là où la flûte et le zéphyr se répondent en mélopées à travers les trous de la tente, et me sont plus doux que la musique des luths et des tambours,

Et où les jeunes gens de la tribu, nourris du sang des lions, sont puissants et beaux comme les lions !

Ici, Hind mourra sans postérité aux côtés d'un misérable mulet ! »

Lorsque Al-Hajage entendit le chant où Hind le comparait à un mulet, il sortit, plein de désappointement, de la chambre, sans que son épouse se fût aperçue de sa présence et de sa disparition, et envoya chercher à l'instant le kâdi Abdallah, fils de Taher, pour faire prononcer son divorce. Et Abdallah se rendit auprès de Hind, et lui dit : « Ô fille d'Al-Némân, voici qu'Al-Hajage Abou-Môhammad t'envoie deux cent mille drachmes d'argent et me charge, en même temps, de remplir en son nom les formalités de son divorce avec toi ! » Hind s'écria : « Grâces à Allah, voilà mon vœu exaucé et me voilà libre de m'en retourner chez mon père ! Ô fils de Taher, tu ne pouvais m'annoncer une nouvelle plus agréable qu'en m'apprenant que je suis délivrée de ce chien importun. Garde donc pour toi ces deux cent mille drachmes, comme récompense de l'heureuse nouvelle que tu m'apportes…

À ce moment de sa narration, Schahrazade vit apparaître le matin et, discrète, se tut.

Mais lorsque fut la sept cent vingtième nuit. Elle dit :

… Garde donc pour toi les deux cent mille drachmes, comme récompense de l'heureuse nouvelle que tu m'apportes ! »

Sur ces entrefaites, le khalifat Abd Al-Malek ben-Merwân, qui avait entendu parler de l'incomparable beauté et de l'esprit de Hind, la désira et l'envoya demander en mariage. Mais elle lui répondit par une lettre où, après les louanges à Allah et les formules de respect, elle lui disait : « Sache, ô émir des Croyants, que le chien a souillé le vase, en le touchant avec le nez, pour le renifler ! » Et le khalifat, en recevant cette lettre, se mit à rire aux éclats et écrivit aussitôt cette réponse : « Ô Hind, si le chien a souillé le vase, en le touchant avec le nez, nous le laverons sept fois, et, par l'usage que nous en ferons, nous le purifierons ! »

Alors Hind, voyant que le khalifat, malgré les obstacles qu'elle lui opposait, continuait à la désirer ardemment, ne put faire autrement que de s'incliner. Elle accepta donc, mais en y mettant une condition, comme elle le lui écrivit dans une seconde lettre où, après les louanges et les formules, elle disait : « Sache, ô émir des Croyants, que je ne partirai qu'à une seule condition : c'est qu'Al-Hajage, pieds nus, conduise, pendant ce voyage, mon chameau par la bride jusqu'à ton palais ! »

Or cette lettre fit encore plus rire le khalifat que n'avait fait la première. Et il envoya sur-le-champ ordre à Al-Hajage de conduire par la bride le chameau de Hind. Et Al-Hajage, malgré tout son dépit, savait bien qu'il ne pouvait qu'obéir aux ordres du khalifat. Il se rendit donc, pieds nus, jusqu'à la demeure de Hind, et prit le chameau par la bride. Et Hind monta dans sa litière et ne manqua pas, durant toute la route, de s'égayer de toute son âme aux dépens de son conducteur. Et elle appela sa nourrice et lui dit : « Ô ma nourrice, écarte un peu les rideaux du palanquin ! » Et la nourrice écarta les rideaux ; et Hind mit la tête à la portière et jeta à terre un dinar d'or, au milieu de la boue. Et elle se tourna vers son ancien époux et lui dit : « Ô chancelier, rends-moi cette pièce d'argent ! » Et Al-Hajage ramassa la pièce et la tendit à Hind, en lui disant : « C'est un dinar d'or et non une pièce d'argent ! » Et Hind, éclatant de rire, s'écria : « Louanges à Allah qui fait se changer l'argent en or, malgré la souillure de la boue ! » Et Hajage vit bien, à ces paroles, que c'était encore là un tour de Hind pour l'humilier. Et il devint bien rouge de honte et de colère. Mais il baissa la tête et fut obligé de cacher son ressentiment contre Hind, devenue l'épouse du khalifat !

Lorsque Schahrazade eut raconté cette histoire, elle se tut. Et le roi Schahriar lui dit : « Ces anecdotes, Schahrazade, me plaisent. Mais j'aimerais entendre maintenant une histoire merveilleuse. Et si tu n'en connais plus, dis-le-moi afin que je le sache ! » Et Schahrazade s'écria : « Et où y a-t-il une histoire plus merveilleuse que celle que je vais précisément raconter tout de suite au Roi, si toutefois il me le permet ! » Et Schahriar dit : « Tu peux ! »

HISTOIRE MERVEILLEUSE DU MIROIR DES VIERGES

Et Schahrazade dit au roi Schahriar :

Il m'est revenu, ô Roi fortuné, ô doué d'idées excellentes, qu'il y avait, en l'antiquité du temps et le passé des âges et des moments, dans la ville de Bassra, un sultan qui était un adolescent admirable et délicieux, plein de générosité et de vaillance, de noblesse et de puissance, et il s'appelait le sultan Zein. Mais ce jeune et charmant sultan Zein était, malgré les grandes qualités et les dons de toutes sortes qui faisaient qu'il n'avait pas son pareil dans le monde en large et en long, un tout à fait extraordinaire dissipateur de richesses, un prodigue qui ne connaissait ni frein ni règles, et qui, par les largesses de sa paume ouverte à de jeunes favoris gloutons à l'extrême, et par ses dépenses pour les femmes innombrables de toutes les couleurs et de toutes les tailles qu'il entretenait dans des palais somptueux, et par l'achat ininterrompu d'adolescentes nouvelles qu'on lui procurait tous les jours, dans leur virginité, à des prix exorbitants, pour qu'il se les mît sous la dent, avait fini par épuiser complètement les immenses trésors accumulés, depuis des siècles, par les sultans et les conquérants, ses aïeux. Et son vizir vint un jour, après avoir embrassé la terre entre ses mains, lui annoncer que les coffres de l'or étaient à sec et que les fournisseurs du palais n'étaient pas payés pour le lendemain ; et, lui ayant annoncé cette mauvaise nouvelle, il se hâta, par crainte du pal, de s'en aller comme il était venu.

Lorsque le jeune sultan Zein eut appris de la sorte que toutes ses richesses étaient consumées, il se repentit de n'avoir pas eu la pensée d'en réserver une partie pour les jours noirs de la destinée ; et il s'attrista en son âme à la limite de la tristesse. Et il se dit : « Il ne te reste plus, sultan Zein, qu'à t'enfuir d'ici en cachette et, abandonnant à leur sort tes favoris tant aimés, tes concubines adolescentes, tes femmes et les affaires du gouvernement, à laisser le trône déchu du royaume de tes pères à qui veut s'en emparer. Car il est préférable d'être un mendiant sur le chemin d'Allah qu'un roi sans richesses et sans prestige, et tu connais le proverbe qui dit : Il vaut mieux être dans le tombeau que dans la pauvreté ! » Et, pensant ainsi, il attendit la tombée de la nuit pour se déguiser et, sans être remarqué, sortir par la porte secrète de son palais. Et il se disposait à prendre un bâton et à se mettre en route quand Allah le Tout-Voyant, le Tout-Entendeur, lui remit en mémoire les dernières paroles et recommandations de son père. Car son père, avant de mourir, l'avait appelé et, entre autres choses, lui avait dit : « Et surtout, ô mon fils, n'oublie pas que, si la destinée se tourne un jour contre toi, tu trouveras dans l'armoire des papiers un trésor qui te permettra de faire face à tous les coups du sort ! »

Lorsque Zein se fut rappelé ces paroles, qui s'étaient complètement effacées de sa mémoire, il courut, sans tarder, à l'armoire des papiers et l'ouvrit, en tremblant de joie. Mais il eut beau regarder, fouiller et examiner, en bouleversant les papiers et les registres et en mettant sens dessus dessous les annales du règne, il ne trouva dans cette armoire-là ni or, ni odeur d'or, ni argent, ni odeur d'argent, ni joyaux, ni pierreries, ni quoi que ce fût qui ressemblât de près ou de loin à ces choses-là. Et désespéré au-delà de ce que sa poitrine rétrécie pouvait contenir de désespoir, et bien furieux d'avoir été trompé dans son attente, il se mit à tout saccager et à lancer les papiers du règne dans toutes les directions, et à les fouler aux pieds avec rage, quand soudain il sentit résister à sa main dévastatrice un objet dur comme du métal. Et il le retira et, l'ayant regardé, il vit que c'était un pesant coffret en cuivre rouge. Et il se hâta de l'ouvrir ; et il n'y trouva qu'un petit billet plié et cacheté du sceau de son père. Alors, bien que fort dépité, il rompit le cachet et lut sur le papier ces mots tracés par la main même de son père : « Va, ô mon fils, à *tel* endroit du palais, avec une pioche, et creuse toi-même la terre avec tes mains, en invoquant Allah ! »

Lorsqu'il eut lu ce billet, Zein se dit : « Voilà que maintenant il va falloir que je fasse le travail pénible des laboureurs ! Mais puisque telle est la dernière volonté de mon père, je ne veux point désobéir ! » Et il descendit dans le jardin du palais, prit une pioche contre le mur de la maison du jardinier et alla à l'endroit désigné, qui était un souterrain situé au-dessous du palais…

À ce moment de sa narration, Schahrazade vit apparaître le matin et, discrète, se tut.

Mais lorsque fut la sept cent vingt et unième nuit. La petite Doniazade, sœur de Schahrazade, se leva du tapis où elle était blottie et s'écria : « Ô sœur mienne, que tes paroles sont douces et gentilles et savoureuses en leur fraîcheur ! » Et

Schahrazade dit, en baisant sa petite sœur sur les yeux : « Oui ! mais qu'est cela comparé à ce que je vais raconter cette nuit, si toutefois me le permet ce Roi bien élevé et doué de bonnes manières ! » Et le roi Schahriar dit : « Tu peux ! » Alors Schahrazade continua ainsi :

… Le jeune sultan Zein prit donc une pioche et alla au souterrain situé au-dessous du palais. Et il alluma une torche, et, à cette clarté, il commença par frapper, du manche de sa pioche, contre le sol du souterrain, et finit de la sorte par entendre une résonance profonde. Et il se dit : « C'est là qu'il faudra travailler ! » Et il se mit à piocher ferme ; et il leva plus de la moitié des carreaux du pavé sans apercevoir la moindre apparence du trésor. Et il quitta l'ouvrage pour se reposer, et, s'adossant contre le mur, il pensa : « Par Allah ! et depuis quand, sultan Zein, te faut-il courir derrière ta destinée et aller à sa recherche jusque dans les profondeurs de la terre, au lieu de l'attendre sans soucis, sans tracas et sans travail ? Ne sais-tu donc que ce qui est passé est passé, et que ce qui est écrit est écrit et devra courir ? » Néanmoins, lorsqu'il se fut un peu reposé, il continua sa besogne, en arrachant les carreaux, sans trop d'espoir, et voici que tout à coup il mit à découvert une pierre blanche qu'il souleva ; et dessous il trouva une porte sur laquelle était attaché un cadenas d'acier. Et il rompit ce cadenas à coups de pioche et ouvrit la porte.

Alors il se vit au haut d'un magnifique escalier de marbre blanc qui descendait vers une large salle carrée tout en porcelaine blanche de Chine et en cristal, et dont les lambris et le plafond et la colonnade étaient en lazulite céleste. Et, dans cette salle, il remarqua quatre estrades de nacre, sur chacune desquelles il y avait dix grandes urnes d'albâtre et de porphyre, alternées. Et il se demanda : « Qui sait ce que contiennent ces belles jarres-là ! Il est bien probable que mon défunt père les a fait remplir d'un vieux vin, qui maintenant doit être aux extrêmes limites de l'excellence ! » Et, pensant ainsi, il monta sur l'une des quatre estrades, s'approcha de l'une des urnes et en ôta le couvercle. Et, ô surprise ! ô joie ! ô danse ! il vit qu'elle était remplie, jusqu'au bord, de poudre d'or. Et, pour mieux s'en assurer, il y plongea le bras, sans pouvoir en atteindre le fond, et le retira tout doré et ruisselant de soleil. Et il se hâta d'enlever le couvercle d'une seconde urne, et vit qu'elle était pleine de dinars d'or et de sequins d'or de toutes les tailles. Et il visita, l'une après l'autre, les quarante urnes, et trouva que toutes celles en albâtre contenaient leur plein de poudre d'or, et toutes leurs sœurs en porphyre leur plein de dinars et de sequins d'or.

À cette vue, le jeune Zein se dilata et s'épanouit, et se trémoussa et se convulsa ; puis il se mit à crier de joie, et, après avoir enfoncé sa torche dans une cavité de la paroi de cristal, il inclina vers lui une des urnes d'albâtre, et fit couler sur sa tête, sur ses épaules, sur son ventre, et partout, la poudre d'or ; et il s'y baigna avec plus de volupté qu'il n'en avait jamais ressentie dans les plus délicieux hammams. Et il s'écriait : « Ha ! ha ! sultan Zein, déjà tu avais pris le bâton du derviche et tu te disposais à parcourir les chemins d'Allah, en mendiant ! Et voici que la bénédiction est descendue sur ta tête, parce que tu n'as point douté de la générosité du Donateur et que tu as dépensé, la paume large ouverte, les biens premiers qu'il t'avait donnés ! Rafraîchis donc tes yeux, et tranquillise ton âme chérie. Et ne crains point de puiser de nouveau, selon ta capacité, à même les dons incessants de Celui qui t'a créé ! » Et, en même temps, il inclinait toutes les autres urnes de porphyre ; et il en versait le contenu dans la salle de porcelaine. Et il fit de même pour les urnes d'albâtre, dont les dinars et les sequins faisaient tressaillir, de leurs chutes sonores et de leurs cliquetis, les échos de la porcelaine et l'harmonieux cristal. Et il plongea amoureusement son corps au milieu de cet amoncellement d'or, tandis que, sous la torche, la salle blanche et bleue mariait l'éclat de ses parois miraculeuses aux fulgurantes étincelles et aux gerbes glorieuses lancées du sein de ce froid incendie.

Lorsque le jeune sultan se fut ainsi baigné dans l'or, s'y exaltant pour oublier le souvenir de la misère qui avait menacé sa vie et failli lui faire abandonner le palais de ses pères, il se releva tout ruisselant de coulées enflammées, et, devenu plus calme, il se mit à examiner toutes choses avec une curiosité extrême, s'étonnant que le roi, son père, eût fait creuser ce souterrain et bâtir cette salle admirable si secrètement que nul dans le palais n'en avait jamais ouï parler. Et ses yeux attentifs finirent par remarquer, dans un petit coin, abrité entre deux colonnettes de cristal, un minuscule coffret de tous points semblable, mais en plus petit, à celui qu'il avait trouvé dans l'armoire des papiers…

À ce moment de sa narration, Schahrazade vit apparaître le matin et, discrète, se tut.

Mais lorsque fut la sept cent vingt-deuxième nuit. Elle dit :

… Et ses yeux attentifs finirent par remarquer, dans un petit coin, abrité entre deux colonnettes de cristal, un minuscule coffret de tous points semblable, mais en plus petit, à celui qu'il avait trouvé dans l'armoire des papiers. Et il l'ouvrit et trouva dedans une clef d'or incrustée de pierreries. Et il se dit : « Par Allah ! cette clef doit être celle qui ouvre le cadenas que j'ai brisé ! » Puis il réfléchit et pensa : « Mais alors comment se fait-il que le cadenas ait fermé du dehors ? Cette clef doit, par conséquent, servir à un autre usage. » Et il se mit à chercher partout, pour voir s'il ne découvrirait pas à quel usage elle était destinée. Et il examina toutes les parois de la salle avec une attention extrême, et finit par trouver, au milieu d'un lambris, une serrure. Et, jugeant qu'elle devait être celle dont il avait la clef, il en fit l'essai sur-le-champ. Et aussitôt une porte céda et s'ouvrit toute grande. Et il put ainsi pénétrer dans une seconde salle, encore plus merveilleuse que la précédente. En effet, du sol au plafond, elle était tout en faïence verte, d'un poli creusé d'or, et telle qu'on l'aurait crue taillée dans l'émeraude marine. Et elle était si belle vraiment, dans sa nudité de tout ornement, que nul rêve n'eût jamais imaginé la pareille. Et, au milieu de cette salle, sous la voûte, se tenaient debout six adolescentes comme des lunes et brillantes par elles-mêmes d'un tel éclat que la salle en était tout éclairée. Et elles se tenaient sur des piédestaux d'or massif, et ne parlaient pas. Et Zein, charmé à la fois et stupéfait, s'avança vers elles pour les voir de plus près et leur adresser son salam ; mais il s'aperçut qu'elles étaient non point vivantes, mais faites chacune d'un seul diamant.

À cette vue, Zein, à la limite de l'étonnement, s'écria : « Ya Allah ! comment mon défunt père avait-il pu faire pour posséder de pareilles merveilles ! » Et il les examina avec encore plus d'attention, et remarqua que, debout de la sorte sur leurs piédestaux, elles entouraient un septième piédestal, vide de toute adolescente de diamant, sur lequel était posée une tapisserie de soie où étaient écrits ces mots :

« Sache, ô mon fils Zein, que ces adolescentes de diamant m'ont coûté beaucoup de peine à acquérir. Mais quoiqu'elles soient des merveilles de beauté, ne crois point qu'elles soient ce qu'il y a de plus admirable sur terre. Il existe, en effet, une septième adolescente, plus brillante et infiniment plus belle, qui les surpasse et vaut mieux toute seule que mille comme celles que tu vois. Si donc tu souhaites la voir et t'en rendre possesseur, pour la placer sur le septième piédestal qui l'attend, tu n'as qu'à faire ce que la mort ne m'a pas permis d'accomplir. Va dans la ville du Caire, et cherches-y un de mes anciens esclaves fidèles, appelé Moubarak, que tu n'auras d'ailleurs nulle peine à découvrir. Et, après les salams, raconte-lui tout ce qui t'est arrivé. Et il te reconnaîtra pour mon fils, et il te conduira jusqu'au lieu où se trouve cette incomparable adolescente. Et tu en deviendras l'acquéreur. Et elle réjouira ta vue pour le restant de tes jours. Ouassalam, ya Zein ! »

Lorsque le jeune Zein eut lu ces paroles, il se dit : « Certes, je me garderai bien de différer ce voyage au Caire ! Il faut, en effet, que cette septième adolescente soit une pièce bien merveilleuse pour que mon père m'assure qu'elle vaut, à elle seule, toutes celles-ci réunies et mille autres pareilles ! » Et, ayant ainsi résolu son départ, il sortit un instant du souterrain pour y revenir avec une couffe qu'il remplit de dinars et de sequins d'or. Et il la transporta dans son appartement. Et il passa une partie de la nuit à transporter chez lui une partie de cet or, sans que personne eût remarqué ses allées et venues. Et il referma la porte du souterrain, et monta se coucher pour prendre quelque repos.

Or, le lendemain, il convoqua ses vizirs, ses émirs et les grands du royaume ; et il leur fit part de son intention d'aller en Égypte, pour changer d'air. Et il chargea son grand vizir, celui-là précisément qui avait redouté le pal pour la mauvaise nouvelle annoncée, de gouverner le royaume pendant son absence. L'escorte qui devait l'accompagner en voyage était composée d'un petit nombre d'esclaves d'élite soigneusement choisis. Et il partit sans pompe ni cortège. Et Allah lui écrivit la sécurité ; et il arriva sans encombre au Caire.

Là, il se hâta de demander des nouvelles de Moubarak ; et on lui apprit qu'on ne connaissait au Caire, sous ce nom, qu'un très riche marchand, syndic du souk, qui vivait en toute générosité et largesse dans son palais dont les portes étaient ouvertes aux pauvres et aux étrangers. Et Zein se fit conduire au palais de ce Moubarak-là ; et il trouva à la porte un grand nombre d'esclaves et d'eunuques qui se hâtèrent, après avoir prévenu leur maître, de lui souhaiter la bienvenue. Et ils lui firent passer une grande cour et traverser une salle magnifiquement ornée, où, assis sur un divan de soie, l'attendait le maître du lieu. Et ils se retirèrent.

Alors, Zein s'avança vers son hôte, qui se leva en son honneur et qui, après les salams, le pria de s'asseoir à ses côtés, en lui disant : « Ô mon maître, la bénédiction est entrée dans ma maison, avec tes pas ! » Et il l'entretint avec beaucoup de cordialité, se gardant bien de manquer aux devoirs de l'hospitalité en lui demandant son nom et le dessein qui motivait sa présence. Aussi ce fut Zein qui le premier interrogea son hôte, lui disant : « Ô mon maître, tel que je suis, je viens d'arriver de Bassra, mon pays, à la recherche d'un homme appelé Moubarak, qui avait été autrefois au nombre des esclaves du défunt roi, dont je suis le fils. Et si tu me demandes mon nom, je te dirai que je m'appelle Zein. Car c'est moi-même qui suis maintenant le sultan de Bassra...

À ce moment de sa narration, Schahrazade vit apparaître le matin et, discrète, se tut.

Mais lorsque fut la sept cent vingt-troisième nuit. Elle dit :

… Et si tu me demandes mon nom, je te dirai que je m'appelle Zein ! Car c'est moi-même qui suis maintenant le sultan de Bassra ! »

À ces paroles, le marchand Moubarak, à la limite de l'émotion, se leva sur le divan, et, se jetant aux genoux de Zein, embrassa la terre entre ses mains, et s'écria : « Louanges à Allah, ô mon seigneur, qui a permis la réunion du maître et de l'esclave ! Ordonne et je te répondrai par l'ouïe et l'obéissance ! Car c'est moi-même qui suis ce Moubarak, esclave du défunt roi, ton père ! L'homme qui engendre ne meurt point ! Ô fils de mon maître, ce palais est ton palais, et je suis ta propriété ! » Alors Zein, ayant relevé Moubarak, lui raconta tout ce qui lui était arrivé, depuis le commencement jusqu'à la fin, sans omettre un détail. Mais il n'y a point d'utilité à le répéter. Et il ajouta : « Je viens donc en Égypte pour que tu m'aides à trouver cette merveilleuse adolescente de diamant ! » Et Moubarak répondit : « De tout cœur féal et comme hommages dus ! Je suis l'esclave non libéré, et ma vie et mes biens t'appartiennent de droit. Mais, avant d'aller à la recherche de l'adolescente de diamant, ô mon seigneur, il est bon que tu te reposes des fatigues du voyage et que tu me permettes de donner un festin en ton honneur ! » Mais Zein répondit : « Sache, ô Moubarak, que pour ce qui est de ta qualité d'esclave, désormais tu peux te considérer comme libre ; car je t'affranchis et je retranche ta personne de mes biens et propriétés. Quant à ce qui est de l'adolescente de diamant, il faut que, sans retard, nous allions à sa recherche, car le voyage ne m'a pas fatigué, et l'impatience où je suis m'empêcherait de goûter le moindre repos ! » Alors Moubarak, voyant que la résolution du prince Zein était bien arrêtée, ne voulut point le contrarier ; et, après avoir embrassé une seconde fois la terre entre ses mains, pour le remercier du don qu'il venait de lui faire de sa liberté, et après avoir baisé le pan de son manteau et s'en être couvert la tête, il se leva et dit à Zein : « Ô mon seigneur, as-tu seulement réfléchi aux dangers que tu vas courir dans cette expédition ? En effet, l'adolescente de diamant se trouve dans le palais du Vieillard des Trois Îles ! Et les Trois Îles sont situées dans un pays dont le seuil est interdit au commun des hommes. Toutefois je puis t'y conduire, car je connais la formule qu'il faut prononcer pour y pénétrer. » Et le prince Zein répondit : « Je suis prêt à affronter tous les périls, pour acquérir cette merveilleuse adolescente de diamant, car rien n'arrivera que ce qui doit arriver. Et me voici avec tout mon courage, gonflant ma poitrine pour aller trouver le Vieillard des Trois Îles ! »

Alors Moubarak ordonna aux esclaves de tenir toutes choses prêtes pour le départ. Et, après avoir fait leurs ablutions et la prière, ils montèrent à cheval et se mirent en chemin. Et ils voyagèrent pendant des jours et pendant des nuits, à travers les plaines et les déserts, et dans des solitudes où il n'y avait que l'herbe et la présence d'Allah. Et ils étaient, durant ce voyage, sans cesse frappés par la vue des choses de plus en plus étranges qu'ils rencontraient pour la première fois de leur vie. Et ils finirent par arriver dans une prairie délicieuse, où ils descendirent de cheval ; et Moubarak, se tournant vers les esclaves qui les suivaient, leur dit : « Vous autres, demeurez dans cette prairie, jusqu'à notre retour, pour garder les chevaux et les provisions ! » Et il pria Zein de le suivre, et lui dit : « Ô mon seigneur, il n'y a de recours et de puissance qu'en Allah l'Omnipotent ! Nous voici sur le seuil des terres interdites, où se trouve l'adolescente de diamant. Or il faut que nous avancions tout seuls, sans avoir désormais un moment d'hésitation. Et c'est maintenant qu'il faut manifester notre fermeté et notre courage ! » Et le prince Zein le suivit ; et ils marchèrent longtemps, sans arrêt, jusqu'à ce qu'ils fussent arrivés au pied d'une haute montagne à pic qui barrait tout l'horizon de sa muraille inflexible.

Alors le prince Zein se tourna vers Moubarak et lui dit : « Ô Moubarak, et quelle est la puissance qui va maintenant nous faire gravir cette montagne inaccessible ? Et qui nous donnera des ailes pour arriver à son sommet ? » Et Moubarak répondit : « Nous n'avons point besoin de la gravir ou d'arriver à son sommet avec des ailes pour la franchir ! » Et il tira de sa poche un vieux livre, sur lequel étaient tracés, à rebours, des caractères inconnus, semblables à des pattes de fourmis ; et il se mit à lire à haute voix, devant la montagne, en dodelinant de la tête, des versets en une langue incompréhensible. Et aussitôt la montagne, roulant sur elle-même de deux côtés à la fois, se sépara en deux parties, en laissant à ras du sol un intervalle assez large pour permettre le passage à un seul homme. Et Moubarak prit le prince par la main, et s'engagea résolument, tout le premier, dans cet étroit intervalle. Et ils marchèrent de la sorte, l'un derrière l'autre, durant une heure de temps, et arrivèrent à l'autre bout du passage. Et dès qu'ils furent sortis, les deux moitiés de la montagne se rapprochèrent et s'unirent d'une façon si parfaite qu'elles ne laissèrent guère entre elles un interstice où pût pénétrer même la pointe d'une aiguille.

Et ils se trouvèrent, à leur sortie, sur le rivage d'un lac, grand comme la mer, du sein duquel émergeaient, dans le loin, trois îles couvertes de végétation. Et le rivage où ils étaient réjouissait la vue par les arbres, les arbustes et les fleurs qui se regardaient dans l'eau, et embaumaient l'air des plus douces senteurs, tandis que les oiseaux, sur des modes divers, chantaient des mélopées qui ravissaient l'esprit et capturaient le cœur.

Et Moubarak s'assit sur le rivage et dit à Zein : « Ô mon seigneur, tu vois, comme moi, ces îles dans le loin. Or c'est là précisément qu'il faut que nous allions ! » Et Zein, bien surpris, demanda : « Et comment pourrons-nous traverser ce lac, vaste comme la mer, pour nous rendre à ces îles-là ? » Il répondit : « Sois sans inquiétude à ce sujet. En effet, une barque, dans quelques instants, viendra nous prendre pour nous transporter dans ces îles, belles comme les terres promises par Allah à ses Croyants. Car c'est là que se trouve le Vieillard, propriétaire de l'adolescente de diamant. Seulement, ô mon seigneur, je te supplie, quoi qu'il puisse arriver et quoi que tu puisses voir, de ne point faire la moindre réflexion. Et surtout, ô mon seigneur, quelque singulière que puisse te paraître la figure du batelier, et quoi que tu puisses remarquer d'extraordinaire en lui, prends bien garde de bouger ! Car, si, une fois embarqué, tu as le malheur de prononcer un seul mot, la barque coulera avec nous tous sous les eaux ! » Et Zein, extrêmement impressionné, répondit : « Je garderai ma langue entre mes dents, et mes réflexions…

À ce moment de sa narration, Schahrazade vit apparaître le matin et, discrète, se tut.

Mais lorsque fut la sept cent vingt-quatrième nuit. Elle dit :

… Je garderai ma langue entre mes dents, et mes réflexions dans mon esprit ! »

Or, comme ils parlaient ainsi, ils virent tout à coup apparaître sur le lac une barque avec un batelier, et si proche d'eux qu'ils ne surent si elle était sortie du sein de l'eau ou si elle était descendue du fond de l'air. Et cette barque était en bois de santal rouge avec, en son milieu, un mât de l'ambre le plus fin, et des cordages de soie. Quant au batelier, il avait un corps d'être humain, fils d'Adam ;

mais sa tête ressemblait à celle d'un éléphant et possédait deux oreilles qui tombaient jusqu'à terre et pendaient derrière lui comme la traîne d'Agar.

Lorsque la barque ne fut plus qu'à cinq coudées du rivage, elle s'arrêta ; et le batelier à tête d'éléphant dressa sa trompe en l'air et saisit, l'un après l'autre, les deux compagnons ; et il les transporta dans sa barque, avec autant d'aisance que s'il se fût agi de deux plumes ; et il les y déposa bien doucement. Et aussitôt il plongea sa trompe dans l'eau, et, s'en servant à la fois comme de rames et de gouvernail, il s'éloigna du rivage. Et il releva ses immenses oreilles traînantes ; et il les déploya au-dessus de sa tête dans le vent, qui les gonfla comme des voiles, tumultueusement. Et il les manœuvra, les faisant tourner suivant le sens de la brise, avec plus de sûreté qu'un capitaine ne fait manœuvrer les agrès de son vaisseau. Et la barque, ainsi poussée, s'envola sur le lac, comme un grand oiseau.

Lorsqu'ils furent arrivés sur le rivage de l'une des îles, le batelier les reprit l'un après l'autre avec sa trompe, et les déposa sans heurt sur le sable, pour disparaître aussitôt avec sa barque. Alors Moubarak reprit le prince par la main et s'enfonça avec lui dans l'intérieur de l'île, en suivant un sentier pavé, au lieu de cailloux, de pierreries de toutes les couleurs. Et ils marchèrent ainsi jusqu'à ce qu'ils fussent arrivés devant un palais entièrement construit de pierres d'émeraude, entouré d'un large fossé sur les bords duquel, d'espace en espace, étaient plantés des arbres si hauts qu'ils couvraient de leur ombrage tout le palais. Et en face de la grande porte d'entrée, qui était d'or massif, il y avait un pont fait en écaille précieuse et ayant, pour le moins, six toises de long sur trois de large. Et Moubarak, n'osant point franchir ce pont, s'arrêta et dit au prince : « Nous ne pouvons aller plus avant. Mais si nous voulons voir le Vieillard des Trois Îles, il faut que nous fassions une conjuration magique ! » Et, parlant ainsi, il tira d'un sac qu'il avait caché sous sa robe quatre bandes de soie jaune. Et de l'une il s'entoura la taille, et en mit une autre sur son dos. Puis il donna les autres bandes au prince, qui en fit le même usage. Et Moubarak tira alors de son sac deux tapis de prière en soie légère, les déplia par terre, et répandit dessus quelques grains de musc et d'ambre, en marmottant des formules incantatoires. Ensuite il s'assit, les jambes repliées, au milieu de l'un de ces tapis, et dit au prince : « Mets-toi au milieu du second tapis ! » Et Zein exécuta l'ordre ; et Moubarak lui dit « Je vais maintenant conjurer le Vieillard des Trois Îles, qui habite ce palais. Or fasse Allah qu'il vienne à nous sans colère ! Car je t'avoue, ô mon seigneur, que je ne suis guère rassuré sur la façon dont il va nous recevoir ni sans inquiétude sur les conséquences de notre entreprise. En effet, si notre arrivée dans cette île ne lui agrée point, il paraîtra à nos yeux sous la forme d'un monstre effroyable ; mais s'il n'est pas offusqué de notre venue, il se montrera sous la forme d'un Adamite de la bonne qualité. Mais toi, dès qu'il sera devant nous, il faudra te lever en son honneur et, sans sortir du milieu du tapis, tu lui feras les salams les plus respectueux, et tu lui diras : « Ô puissant maître, souverain des souverains, nous voici debout dans l'enceinte de ta juridiction, et entrés sous la porte de ta protection ! Or moi, ton esclave, je suis Zein, sultan de Bassra, fils du défunt sultan qui a été emporté par l'ange de la mort, après avoir trépassé dans la paix de son Seigneur. Et je viens solliciter de ta générosité et de ta puissance les mêmes faveurs que tu avais accordées à mon défunt père, ton serviteur ! » Et s'il te demande quelle grâce tu veux qu'il t'accorde, tu lui répondras : « Ô mon souverain, c'est la septième adolescente de diamant que je viens solliciter de ta générosité ! » Et Zein répondit : « J'écoute et j'obéis ! »

Alors Moubarak, ayant fini de la sorte d'instruire le prince Zein, commença à faire des conjurations, des fumigations, des récitations, des adjurations et des incantations qui n'avaient pour Zein aucune signification. Et, aussitôt après, le soleil fut enseveli sous un amoncellement de nuages noirs, et toute l'île se couvrit d'épaisses ténèbres, et un long éclair brilla qui fut suivi d'un coup de tonnerre. Et il s'éleva un vent furieux qui souffla dans leur direction ; et ils entendirent un cri épouvantable qui ébranla l'air ; et la terre eut un tremblement pareil à celui que l'ange Israfil doit causer au jour du jugement.

Lorsque Zein eut vu et entendu tout cela, il se sentit pris d'une grande émotion, qu'il eut soin toutefois de ne pas laisser voir ; et il pensa en lui-même : « Par Allah ! c'est là un bien mauvais présage ! » Mais Moubarak, qui devinait ce qu'il ressentait, se mit à sourire et lui dit : « N'aie pas peur, ô mon seigneur ! Ces signes, au contraire, doivent nous rassurer ! Avec l'aide d'Allah, tout va bien ! » En effet, à l'instant même où il prononçait ces mots…

À ce moment de sa narration, Schahrazade vit apparaître le matin et, discrète, se tut.

Mais lorsque fut la sept cent vingt-cinquième nuit. Elle dit :

… En effet, à l'instant même où il prononçait ces mots, le Vieillard des Trois Îles apparut devant eux, sous la forme d'un Adamite à l'aspect vénérable, et si beau qu'il n'y avait, pour le surpasser en perfection, que Celui-là seul à qui appartient toute beauté, toute qualité et toute gloire ! (Qu'Il soit exalté !) Et il s'approcha de Zein, en lui souriant comme sourit un père à son enfant. Et Zein se hâta de se lever en son honneur, sans toutefois quitter le centre du tapis, pour ensuite s'incliner devant lui et embrasser la terre entre ses mains. Et il ne manqua point de lui faire les salams et les compliments que lui avait enseignés Moubarak. Et alors seulement il lui exposa le motif de sa venue dans l'île.

Lorsque le Vieillard des Îles eut entendu les paroles de Zein et qu'il en eut bien compris la signification, il sourit d'un sourire encore plus engageant, et dit à Zein : « Ô Zein, en vérité j'aimais ton père d'un grand amour ; et, toutes les fois qu'il venait me visiter, je lui faisais don d'une adolescente de diamant ; et je prenais soin de la lui faire transporter moi-même à Bassra, de crainte que les chameliers ne l'endommageassent. Mais ne crois point que j'aie moins d'amitié pour toi, ô Zein ! Sache, en effet, que c'est moi-même qui, de mon propre mouvement, ai voulu promettre à ton père de te prendre sous ma protection, et l'ai poussé à écrire les deux avertissements et à les cacher, l'un, dans l'armoire des papiers et, l'autre, dans le coffret du souterrain. Et me voici prêt à te donner l'adolescente de diamant qui vaut à elle seule toutes les autres réunies et mille autres pareilles. Seulement, ô Zein, je ne pourrai te faire ce cadeau merveilleux qu'en échange d'un autre que je veux te demander ! » Et Zein répondit : « Par Allah ! ô mon seigneur, tout ce qui m'appartient est ta propriété, et moi-même je suis compris dans ce qui t'appartient ! » Et le Vieillard sourit et répondit : « Oui, ô Zein, mais ma demande sera bien difficile à satisfaire ! Et je ne sais si tu pourras jamais réussir à me contenter ! » Il demanda : « Et quelle est-elle ? » Il dit : « C'est qu'il faut que tu me trouves, pour me l'amener dans cette île, une adolescente de quinze ans, qui soit à la fois une vierge intacte et une beauté sans rivale ! » Et Zein s'écria : « Si c'est là tout ce que tu me demandes, ô mon seigneur, par Allah ! il me sera bien aisé de te satisfaire. Car rien n'est plus commun dans nos pays que les adolescentes de quinze ans à la fois vierges et belles ! »

À ces paroles, le Vieillard regarda Zein et se mit à rire tellement qu'il se renversa sur le derrière. Et lorsqu'il se fut un peu calmé, il demanda à Zein : « Est-il donc si facile de trouver ce que je te demande, ô Zein ? » Et Zein répondit : « Ô mon seigneur, je puis te procurer non seulement une, mais dix adolescentes comme celle que tu me demandes ! Quant à moi, j'ai déjà eu dans mon palais un nombre considérable d'adolescentes de cette variété-là, et elles étaient bien intactes, et je me suis bien délecté en leur ravissant leur virginité ! » Et le Vieillard, en entendant ces paroles, ne put s'empêcher d'éclater de rire pour la seconde fois. Puis il dit, d'un ton plein de pitié, à Zein : « Sache, mon fils, que ce que je te demande est une chose si rare, que nul jusqu'aujourd'hui n'a pu me l'apporter. Et si tu penses que les adolescentes que tu as possédées étaient des vierges, tu te trompes et t'illusionnes ! Car tu ne sais pas que les femmes ont mille moyens de faire croire à leur virginité ; et elles réussissent à tromper les hommes les plus expérimentés en assauts. Mais, comme je vois, par l'assurance de tes paroles, que tu ne sais rien à leur sujet, je veux te fournir le moyen de contrôler leur état d'ouverture ou de fermeture, sans les toucher du doigt, sans les déshabiller et sans qu'elles puissent s'en douter ! Car du moment que je te demande une adolescente vierge, il est essentiel que nul homme ne l'ait touchée ni qu'il ait vu avec ses yeux ses organes délicats ! »

Lorsque le jeune Zein eut entendu ces paroles du Vieillard des Îles, il se dit : « Par Allah ! il doit être fou. Si, comme il le prétend, il est tellement difficile de savoir si une adolescente est intacte, comment veut-il que je puisse lui en trouver une sans la voir ni la toucher ! » Et il réfléchit pendant un moment, et tout à coup il s'écria : « Par Allah ! je le sais maintenant. Ce sera son odeur qui me mettra sur la voie ! » Le Vieillard sourit et dit : « La virginité n'a point d'odeur ! » Il dit : « Ce sera en la regardant fixement dans les yeux ! » Il dit : « La virginité ne se lit point dans les yeux ! » Il demanda : « Mais alors, comment faut-il que je fasse, ô mon seigneur ? » Il dit : « C'est cela précisément que je vais t'indiquer ! »

Et soudain il disparut à leurs yeux ; mais ce fut pour revenir au bout d'un moment ; et il tenait dans sa main un miroir. Et il se tourna vers Zein et lui dit : « Je dois te dire, ô Zein, qu'il est impossible à un fils d'Adam de reconnaître, à sa mine, si une fille d'Ève est vierge ou perforée. Et c'est une connaissance qui n'appartient qu'à Allah et aux élus d'Allah. Aussi, comme je ne puis m'en remettre à toi là-dessus, je t'apporte, pour te le donner, le miroir qui sera plus sûr que toutes les conjectures des hommes. Or, toi, dès que tu auras vu une adolescente de quinze ans parfaitement belle et que tu croiras vierge ou qu'on te donnera comme telle, tu n'auras qu'à regarder dans ce miroir. Et aussitôt tu y verras apparaître l'image de l'adolescente en question. Et, toi, ne crains pas de bien examiner cette image : car la vue d'une image dans un miroir ne porte point atteinte à la virginité d'un corps, comme le fait la vue directe du corps lui-même. Or, si l'adolescente n'est pas vierge, tu le verras bien à l'examen de son histoire qui t'apparaîtra grossie et béante comme un abîme ; et tu verras également le miroir se ternir comme d'une buée. Mais si, au contraire, Allah veut que l'adolescente soit restée vierge, tu verras t'apparaître une histoire pas plus grosse qu'une amande décortiquée ; et le miroir se conservera clair, pur et net de toute buée…

À ce moment de sa narration, Schahrazade vit apparaître le matin et, discrète, se tut.

Mais lorsque fut la sept cent vingt-sixième nuit. Elle dit :

… Mais si, au contraire, Allah veut que l'adolescente soit restée vierge, tu verras t'apparaître une histoire pas plus grosse qu'une amande décortiquée ; et le miroir se conservera clair, pur et net de toute buée ! »

Et, ayant ainsi parlé, le Vieillard des Îles remit le miroir magique à Zein, en ajoutant : « Je souhaite, ô Zein, que la destinée te fasse rencontrer au plus tôt la vierge de quinze ans que je te demande. Et n'oublie pas qu'il faut qu'elle soit parfaitement belle ! Car à quoi sert la virginité sans la beauté ? Et prends bien soin de ce miroir, dont la perte serait pour toi un dommage irréparable ! » Et Zein répondit par l'ouïe et l'obéissance, et, après avoir pris congé du Vieillard des Trois Îles, il reprit avec Moubarak le chemin du lac. Et le batelier à tête d'éléphant vint à eux avec sa barque et les repassa de la même manière qu'il les avait passés. Et la montagne s'ouvrit de nouveau pour leur livrer passage. Et ils se hâtèrent d'aller retrouver les esclaves qui gardaient les chevaux. Et ils retournèrent au Caire.

Or le prince Zein consentit à prendre enfin quelques jours de repos, dans le palais de Moubarak, pour se remettre des fatigues et des émotions du voyage. Et il pensait : « Ya Allah ! comme il est naïf, ce Vieillard des Îles qui n'hésite pas à me donner la plus merveilleuse de ses adolescentes de diamant en échange d'une Adamite vierge ! Et il s'imagine que la race des vierges s'est éteinte sur la face de la terre ! » Puis, lorsqu'il eut jugé qu'il avait pris le repos nécessaire, il appela Moubarak et lui dit : « Ô Moubarak, levons-nous et allons-nous-en à Bagdad et à Bassra, où les filles vierges sont innombrables comme les sauterelles. Et nous choisirons entre elles toutes la plus belle. Et nous reviendrons l'offrir, en échange de l'adolescente de diamant, au Vieillard des Trois Îles ! » Mais Moubarak répondit : « Et pourquoi donc, ô mon seigneur, aller si loin chercher ce que nous avons sous notre main ? Ne sommes-nous donc point au Caire, la ville des villes, le séjour préféré des gens délicieux et le rendez-vous de toutes les beautés de la terre ? Ne te préoccupe donc pas de cette recherche-là, et laisse-moi agir en conséquence ! » Il demanda : « Et comment vas-tu faire ? » Il dit : « Je connais, entre autres connaissances, une vieille rouée fort experte en adolescentes, et qui nous en procurera plus que nous n'en désirons. Je vais donc la charger de nous amener ici toutes les jeunes filles de quinze ans qui se trouvent non seulement au Caire, mais dans toute l'Égypte. Et je lui recommanderai, pour nous rendre la besogne plus facile, de faire elle-même un premier choix, en ne nous amenant ici que celles qu'elle aura jugées dignes d'être offertes en cadeau aux rois et aux sultans. Et je lui promettrai, pour attiser son zèle, un somptueux bakchich. Et de la sorte elle ne laissera pas en Égypte une jeune fille présentable qu'elle ne nous l'ait amenée, au su ou à l'insu de ses parents. Et nous, nous fixerons notre choix sur celle qui nous aura paru la plus belle parmi les Égyptiennes, et nous l'achèterons ; ou, si elle appartient à une famille de notables, je la demanderai pour toi en mariage et tu te marieras avec elle, pour la forme seulement ; car il sera entendu que tu ne la toucheras pas. Après quoi nous irons à Damas, puis à Bagdad et à Bassra ; et là nous ferons faire les mêmes recherches. Et dans chaque ville nous achèterons, ou nous nous procurerons, par le mariage apparent, celle qui nous aura le plus frappés par sa beauté, après que, bien entendu, nous aurons constaté sa virginité au moyen du miroir. Et alors seulement nous réunirons toutes les adolescentes que nous aurons eues de cette manière-là, et nous choisirons entre elles celle qui nous paraîtra, sans conteste, la plus merveilleuse. Et, de la sorte, mon seigneur, tu auras tenu ta promesse au Vieillard des Trois

Îles qui, à son tour, tiendra la sienne en te donnant, en échange de la merveilleuse vierge de quinze ans, l'adolescente de diamant ! » Et Zein répondit : « Ton idée, ô Moubarak est tout à fait excellente ! Et ta langue vient de sécréter les paroles de la sagesse et de l'éloquence ! »

Alors Moubarak alla trouver la vieille rouée en question, qui n'avait point sa pareille pour les expédients et artifices de toutes sortes, car elle était capable de donner des leçons de finesse, de fourberie et subtilité à Éblis lui-même. Et, après lui avoir mis dans la main, pour commencer, un bakchich d'une certaine importance, il lui exposa le motif qui l'amenait chez elle, et ajouta : « Car cette adolescente incomparablement belle et tout à fait vierge que je te demande à choisir entre toutes les adolescentes de quinze ans qui se trouvent en Égypte est destinée à devenir l'épouse du fils de mon maître. Et sois bien certaine que tes recherches et peines seront largement rétribuées. Et tu n'auras qu'à te louer de notre générosité ! » Et la vieille répondit : « Ô mon maître, tranquillise ton esprit et rafraîchis tes yeux, car moi, par Allah ! je vais me consacrer à satisfaire ton désir au-delà de ce que tu me demandes. Sache, en effet, que j'ai sous ma main des jeunes vierges de quinze ans, inégalables en grâces et en beauté et qui sont toutes filles d'hommes honorables et de notables. Et je te les amènerai toutes, l'une après l'autre ; et tu seras bien perplexe pour faire un choix entre toutes ces lunes plus merveilleuses les unes que les autres ! »

Ainsi parla la vieille rouée. Mais, malgré toute sa finesse et sa science, elle ne savait rien du tout au sujet du miroir. Aussi ce fut avec son assurance habituelle qu'elle sortit rôder à travers la ville, dans les voies et chemins de ses expédients, à la recherche des adolescentes…

À ce moment de sa narration, Schahrazade vit apparaître le matin et, discrète, se tut.

Mais lorsque fut la sept cent vingt-septième nuit. Elle dit :

… Aussi, ce fut avec son assurance habituelle qu'elle sortit rôder à travers la ville, dans les voies et chemins de ses expédients, à la recherche des adolescentes. Et effectivement elle ne tarda pas à amener au palais de Moubarak un premier lot, fort considérable, d'adolescentes de choix, toutes âgées de quinze ans, plutôt moins que plus, et toutes intactes quant à leur virginité. Et elle les introduisit l'une après l'autre, enveloppées de leurs voiles, les yeux modestement baissés, dans la salle où les attendait le prince Zein, muni de son miroir et assis à côté du marchand Moubarak. Et vraiment, à voir toutes ces paupières baissées et ces visages candides et ce maintien pudique, nul n'aurait pu douter de la pureté et de la virginité des adolescentes que la vieille introduisait. Mais voilà ! Il y avait le miroir, et rien ne pouvait tromper le miroir, ni les paupières baissées, ni les visages candides, ni le maintien pudique. En effet, chaque fois qu'entrait une adolescente, le prince Zein, sans prononcer une parole, tournait la face du miroir du côté de l'adolescente à inspecter, et regardait. Et elle apparaissait toute nue, malgré les nombreux vêtements qui la recouvraient ; et aucune partie de son corps ne restait invisible ; et son histoire se reflétait dans ses moindres détails, tout comme si elle était placée dans un coffret de cristal diaphane.

Or chaque fois que le prince Zein inspectait au miroir les adolescentes qui entraient, il était loin de voir une histoire minuscule en forme d'amande sans écorce ; et il s'étonnait prodigieusement de constater dans quel abîme sans fond il aurait pu inconsidérément se jeter ou jeter le Vieillard des Trois Îles, sans le secours du miroir magique. Et il renvoyait, après examen, toutes celles qui entraient, sans toutefois expliquer à la vieille le vrai motif de son abstention ; car il ne voulait pas faire tort à ces jeunes filles, en dévoilant ce qu'Allah avait voilé, et en révélant ce qui était ordinairement caché. Et il se contentait, chaque fois, d'essuyer du revers de sa manche l'épaisse buée qui venait, après que l'image avait apparu, ternir la face du miroir. Et la vieille, sans se décourager et excitée par l'espoir de la rémunération, lui amena un second lot encore plus important que le premier, et un troisième et un quatrième et un cinquième lot, mais sans plus de résultat que la première fois. Et de la sorte, ô Zein, tu vis les histoires des Égyptiennes, des Coptes, des Nubiennes, des Abyssines, des Soudaniennes, des Maghrébines, des Arabes et des Bédouines ! Et, certes, dans le nombre, il y en avait qui étaient excellentes au possible, et appartenaient à des propriétaires incomparablement belles et délicieuses. Mais pas une fois, au milieu de toutes ces histoires-là, tu ne vis l'histoire requise, vierge de tout contact, semblable à une amande décortiquée !

Et c'est pourquoi le prince et Moubarak, n'ayant pu trouver en Égypte, pas plus parmi les filles des grands que parmi celles du peuple, une adolescente remplissant les conditions nécessaires, jugèrent qu'il ne leur restait plus qu'à quitter ce pays pour aller d'abord en Syrie continuer leurs recherches. Et ils partirent pour Damas, et louèrent un magnifique palais dans le quartier le plus beau de la ville. Et Moubarak entra en rapport avec les vieilles femmes marieuses et avec les entremetteuses, et leur exposa ce qu'il avait à leur exposer. Et toutes lui répondirent par l'ouïe et l'obéissance. Et elles entrèrent en pourparlers avec les adolescentes, filles des grands et des petits, aussi bien avec les musulmanes qu'avec les juives et les chrétiennes. Et, ne se doutant pas des vertus du miroir magique, dont elles ignoraient d'ailleurs jusqu'à l'existence, elles les amenèrent à tour de rôle dans la salle réservée à l'inspection. Mais il arriva pour les Syriennes exactement ce qui était arrivé pour les Égyptiennes et les autres ; car, malgré leur maintien modeste et la pureté de leurs regards et leurs joues rougissantes de pudeur et leurs quinze ans, elles se trouvèrent toutes être perforées quant à leurs histoires. Et, dans ces conditions, aucune d'elles ne fut agréée. Et les entremetteuses et les autres vieilles furent obligées de s'en retourner avec leurs nez allongés jusqu'à leurs pieds. Et voilà pour elles !

Mais pour ce qui est du prince et de Moubarak, voici ! Lorsqu'ils eurent constaté que la Syrie, aussi bien que l'Égypte, était complètement dénuée d'adolescentes aux histoires encore scellées, ils furent bien stupéfaits ; et Zein pensa : « Cela est énorme ! » Et il dit à Moubarak : « Ô Moubarak, je crois que nous n'avons plus rien de commun avec ce pays, et qu'il nous faut chercher, dans d'autres contrées, ce que nous désirons. Car mon cœur et mon esprit travaillent beaucoup au sujet de la septième adolescente de diamant ; et je suis toujours prêt à continuer les recherches pour trouver la vierge de quinze ans qui doit être donnée, en échange de son cadeau, au Vieillard des Îles ! » Et Moubarak répondit : « J'écoute et j'obéis ! » Et il ajouta : « Mon avis est qu'il est inutile d'aller ailleurs que dans l'Irak. Car c'est là seulement que nous avons chance de rencontrer ce que nous cherchons. Préparons donc la caravane et allons à Bagdad, la cité de paix…

À ce moment de sa narration, Schahrazade vit apparaître le matin et, discrète, se tut.

Mais lorsque fut la sept cent vingt-huitième nuit. Elle dit :

… Préparons donc la caravane et allons à Bagdad, la cité de paix ! »

Et Moubarak fit les préparatifs du départ, et lorsque la caravane fut au complet, il prit avec le prince Zein le chemin qui, à travers le désert, conduit à Bagdad. Et Allah leur écrivit la sécurité ; et ils ne firent aucune rencontre de Bédouins coupeurs de routes ; et ils arrivèrent en bonne santé dans la cité de paix.

Or ils commencèrent, comme ils l'avaient fait à Damas, par louer un palais, situé sur le Tigre et qui avait une vue merveilleuse et un jardin semblable au Jardin-des-Délices du khalifat. Et ils y menèrent un train extraordinaire, faisant bonne chère et donnant des festins à nuls autres pareils. Et, une fois que leurs invités avaient mangé et bu jusqu'à satiété, ils faisaient distribuer les restes aux pauvres et aux derviches. Et parmi ces derviches il y en avait un qui s'appelait Abou-Bekr, et qui était une crapule, une canaille tout à fait détestable, qui haïssait les gens riches, précisément parce qu'ils étaient riches et qu'il était pauvre. Car la misère endurcit le cœur de l'homme doué d'une âme basse, tandis qu'elle ennoblit le cœur de l'homme doué d'une âme élevée. Et comme il voyait l'abondance et les biens d'Allah dans la demeure de nouveaux venus, il ne lui en fallut pas davantage pour les prendre tous deux en aversion. Aussi, un jour d'entre les jours, il vint à la mosquée pour la prière de l'après-midi, et il se tint au milieu du peuple assemblé, et s'écria : « Ô Croyants, vous devez savoir que dans notre quartier sont venus loger deux étrangers qui dépensent tous les jours des sommes immenses et font parade de leurs richesses, uniquement pour offusquer les yeux des pauvres comme nous. Or nous ne savons point qui sont ces étrangers-là, et nous ignorons si ce ne sont pas des scélérats qui ont volé dans leur pays des biens considérables, pour venir dépenser à Bagdad le produit de leurs larcins et l'argent des veuves et des orphelins ! Je vous adjure donc par le nom d'Allah et les méritres de notre seigneur Môhammad (sur Lui la prière et la paix !) de vous mettre en garde contre ces inconnus et de ne rien accepter de leur fausse générosité ! D'ailleurs, si notre maître le khalifat venait à apprendre qu'il y a des hommes de cette sorte dans notre quartier, il nous rendrait tous responsables de leurs méfaits et nous châtierait de ne l'en avoir pas averti. Mais, pour ce qui est de moi, je tiens à vous déclarer que je retire mes deux mains de cette affaire-là, et que je n'ai rien de commun avec ces étrangers et avec ceux qui acceptent leurs invitations et entrent dans leur maison ! » Et tous ceux qui étaient présents répondirent d'une seule voix : « Certes ! tu as raison, ô cheikh Abou-Bekr ! Et nous te chargeons de rédiger une plainte au khalifat à ce sujet-là, pour qu'il fasse examiner leur cas ! » Puis toute l'assemblée sortit de la mosquée.

Et le derviche Abou-Bekr rentra chez lui pour méditer sur le moyen de nuire aux deux étrangers.

Sur ces entrefaites, Moubarak ne tarda pas à apprendre, par un décret de la destinée, ce qui venait de se passer à la mosquée ; et il eut de grandes craintes au sujet des menées du derviche ; et il pensa que si la chose s'ébruitait, il ne pourrait plus inspirer confiance aux entremetteuses et aux marieuses. Aussi, sans perdre de temps, il mit cinq cents dinars d'or dans un sac et courut à la maison du derviche. Et il frappa à la porte ; et le derviche vint lui ouvrir et, l'ayant reconnu, il lui demanda d'un ton courroucé : « Qui es-tu ? Et que veux-tu ? » Et il répondit : « Je suis Moubarak, ton esclave, ô mon maître l'imam Abou-Bekr ! Et je viens te voir de la part de l'émir Zein qui a entendu parler de ta science, de tes connaissances et de ton influence dans la ville ; et il m'a envoyé pour te présenter ses hommages et se mettre à ton entière disposition. Et pour te marquer son bon vouloir, il m'a chargé de te remettre cette bourse de cinq cents dinars, comme hommage d'un féal à son souverain, en s'excusant auprès de toi de ce que le cadeau n'est guère proportionné à l'immensité de tes mérites. Mais, si Allah veut, il ne manquera pas, dans les jours à venir, de te prouver encore mieux combien il est ton obligé et le perdu dans le désert sans bornes de ta bienveillance ! »

Lorsque le derviche Abou-Bekr eut vu le sac de l'or et supputé son contenu, il devint bien tendre quant à ses yeux et bien doux quant à ses intentions. Et il répondit : « Ô mon seigneur, j'implore ardemment mon pardon de ton maître l'émir pour ce que ma langue a pu dire d'inconsidéré sur son compte ; et je me repens à la limite du repentir d'avoir failli à mes devoirs à son égard ! Je te prie donc d'être mon délégué auprès de lui pour lui exposer ma contrition pour le passé et mes dispositions pour l'avenir. Car dès aujourd'hui, si Allah veut, je veux réparer en public ce que j'ai pu commettre d'inconsidéré, et mériter de la sorte les faveurs de l'émir ! » Et Moubarak répondit : « Louanges à Allah qui remplit ton cœur de bonnes intentions, ô mon maître Abou-Bekr ! Mais je te supplie de ne point oublier de venir, après la prière, honorer notre seuil de ta présence et exalter notre esprit de ta société ! Car nous savons que la bénédiction accompagnera, dans notre demeure, les pas de ta sainteté ! » Et, ayant ainsi parlé, il baisa la main du derviche et s'en retourna à la maison.

Quant à Abou-Bekr, il ne manqua pas d'aller à la mosquée, à l'heure de la prière ; et là, debout au milieu des fidèles ressemblés, il s'écria : « Ô Croyants, mes frères, vous savez qu'il n'y a personne qui n'ait ses ennemis ; et vous savez également que l'envie s'attache principalement sur les traces de ceux sur qui sont descendues les faveurs et les bénédictions d'Allah ! Or je tiens aujourd'hui, pour libérer ma conscience, à vous dire que les deux étrangers dont je vous ai parlé hier inconsidérément sont des personnes douées de noblesse, de tact, de vertus et de qualités inestimables. De plus, les renseignements que j'ai pris sur leur compte m'ont permis d'établir que l'un d'eux est un émir de haut rang et de grand mérite ; et sa présence ne peut que faire du bien à notre quartier. Il faut donc que vous l'honoriez partout où vous le rencontrerez et que vous lui rendiez les honneurs dus à son rang et à sa qualité. Ouassalam ! »

Et le derviche Abou-Bekr détruisit ainsi dans l'esprit de ses auditeurs l'effet de ses paroles de la veille. Et il les quitta pour rentrer chez lui changer d'habits et se vêtir d'un caban tout neuf dont les pans traînaient jusqu'à terre et dont les larges manches s'allongeaient jusqu'à ses genoux. Et il alla rendre visite au prince Zein, et entra dans la salle réservée aux visiteurs…

À ce moment de sa narration, Schahrazade vit apparaître le matin et, discrète, se tut.

Mais lorsque fut la sept cent vingt-neuvième nuit. Elle dit :

… Et il alla rendre visite au prince Zein, et entra dans la salle réservée aux visiteurs. Et il s'inclina jusqu'à terre en présence du prince, qui lui rendit son salam et le reçut avec cordialité et l'invita à s'asseoir à côté de lui sur le divan. Puis il lui fit servir à manger et à boire, et lui tint compagnie, en partageant le repas avec lui et avec Moubarak. Et ils causèrent comme deux excellents amis. Et le derviche, complètement gagné par les manières du prince, lui demanda : « Ô mon seigneur Zein, penses-tu illuminer longtemps notre ville de ta présence ? » Et Zein qui, malgré son jeune âge, était fort avisé et savait tirer profit des occasions fournies par la destinée, lui répondit : « Oui, ô mon maître l'imam. Mon intention est de demeurer à Bagdad jusqu'à ce que mon but soit atteint ! » Et Abou-Bekr dit : « Ô mon seigneur l'émir, quel est le noble but que tu poursuis ? Ton esclave serait fort aise s'il pouvait t'aider en quelque chose, et il se dévouerait de tout cœur amical à tes intérêts ! » Et le prince Zein répondit : « Sache alors, ô vénérable cheikh Abou-Bekr, que mon souhait est le mariage. Je désire, en effet, trouver, pour la prendre comme épouse, une jeune fille de quinze ans qui soit à la fois excessivement belle et tout à fait vierge. Et il faut que sa beauté soit telle qu'elle n'ait pas sa pareille parmi les jeunes filles de son temps, et que sa virginité soit de bon aloi au-dehors comme au-dedans. Et c'est là le but que je poursuis, et le motif qui m'a conduit à Bagdad, après m'avoir fait séjourner en Égypte et en Syrie. » Et le derviche répondit : « Certes ! ô mon maître, c'est là une chose bien rare et bien difficile à trouver. Et, si Allah ne m'avait pas envoyé sur ton chemin, ton séjour à Bagdad n'aurait jamais vu son terme, et toutes les marieuses auraient perdu vainement leur temps dans les recherches. Or, moi, je sais où tu pourras trouver cette perle unique ; et je te le dirai, si toutefois tu le permets ! »

À ces paroles, Zein et Moubarak ne purent s'empêcher de sourire. Et Zein lui dit : « Ô saint derviche, es-tu donc bien sûr de la virginité de celle dont tu me parles ? Et, dans ce cas, comment as-tu fait pour avoir cette certitude ? Si tu as toi-même vu dans cette adolescente ce qui doit être caché, comment pourrait-elle être vierge ? Car la virginité réside aussi bien dans la conservation du sceau que dans son invisibilité ! » Et Abou-Bekr répondit : « Certes, je ne l'ai point vue ! Mais je me couperais la main droite si elle n'était pas comme je te l'indique ! Et d'ailleurs toi-même, ô mon seigneur, comment pourras-tu faire pour avoir, avant la nuit des noces, une certitude si complète ? » Et Zein répondit : « Ce sera fort simple : je n'aurai besoin que de la voir un instant, tout habillée et complètement enveloppée de ses voiles ! » Et le derviche, par égard pour son hôte, ne voulut point rire, et se contenta de répondre : « Notre maître l'émir doit se connaître en physionomies pour deviner de la sorte, en ne voyant que les yeux derrière le voile, l'état de la virginité chez une adolescente qu'il n'a jamais connue ! » Et Zein dit : « C'est ainsi ! Et tu n'as qu'à me faire voir l'adolescente, si vraiment tu penses que l'affaire est possible ! Et sois certain que je saurai reconnaître tes services et les estimer au-delà de leur valeur ! » Et le derviche répondit : « J'écoute et j'obéis ! » Et il sortit à la recherche de l'adolescente en question.

Or Abou-Bekr connaissait, en effet, une jeune fille qui pouvait présenter les conditions requises et qui n'était autre que la fille du cheikh des derviches de Bagdad. Et son père l'avait élevée loin de tous les regards, dans une vie simple et cachée, suivant les préceptes sublimes du Livre. Et elle avait grandi dans la demeure, ignorant la laideur, et poussé comme une fleur. Elle était blanche et élégante et d'une délicieuse tournure, étant sortie sans défaut du moule de la beauté. Et admirables étaient ses proportions, et noirs ses yeux, et polis comme des morceaux de lune ses membres délicats. Et elle était toute ronde d'un côté et toute fine au-dessus ! Quant à ce qui était situé entre les colonnes, nul ne saurait le décrire, ne l'ayant jamais vu. C'est pourquoi le miroir magique sera le seul qui l'aura, pour la première fois, reflété, et qui pourra en permettre la description avec l'assentiment d'Allah !

Le derviche Abou-Bekr alla donc à la maison du cheikh de la corporation et, après les salams et les compliments de part et d'autre, lui fit un long discours, appuyé sur divers textes du Livre saint, au sujet de la nécessité du mariage pour les jeunes filles pubères ; et il finit par lui exposer la situation dans tous ses détails, en ajoutant : « Or cet émir, si noble, si riche et si généreux, est prêt à te payer n'importe quelle dot que tu demanderas pour ta fille ; mais en retour, il exige, comme seule condition, de jeter un seul regard sur elle, tandis qu'elle sera tout habillée, voilée et complètement enveloppée de l'izar ! » Et le cheikh des derviches, père de la jeune fille, réfléchit pendant une heure de temps, et répondit : « Il n'y a point d'inconvénient ! » Et il alla trouver son épouse, mère de la jeune fille, et lui dit : « Ô mère de Latifah, lève-toi et prends notre fille Latifah et marche derrière notre fils, le derviche Abou-Bekr, qui te conduira dans un palais où la destinée de ta fille l'attend aujourd'hui...

À ce moment de sa narration, Schahrazade vit apparaître le matin et, discrète, se tut.

Mais lorsque fut la sept cent trentième nuit. Elle dit :

... Ô mère de Latifah, lève-toi et prends notre fille Latifah et marche derrière notre fils, le derviche Abou-Bekr, qui te conduira dans un palais où la destinée de ta fille l'attend aujourd'hui ! » Et l'épouse du cheikh des derviches obéit tout de suite et s'enveloppa de ses voiles et alla dans la chambre de sa fille et lui dit : « Ô ma fille Latifah, ton père désire qu'aujourd'hui, pour la première fois, tu sortes avec moi ! » Et, après l'avoir peignée et habillée, elle sortit avec elle et suivit, à dix pas de distance, le derviche Abou-Bekr qui les conduisit au palais où, assis sur le divan de la salle d'audience, les attendaient Zein et Moubarak.

Et tu entras, ô Latifah, avec de grands yeux noirs, bien étonnés sous le petit voile de ton visage. Car de ta vie tu n'avais vu d'autre figure d'homme que la figure vénérable du cheikh des derviches, ton père. Et tu ne baissas point les yeux, car tu ne connaissais ni la fausse modestie, ni la fausse pudeur, ni rien des choses qu'apprennent d'ordinaire les filles des hommes pour captiver les cœurs ! Mais tu regardas toutes choses avec tes beaux yeux noirs de gazelle tremblante, hésitante et charmante ! Et le prince Zein, à ton apparition, sentit sa raison s'envoler ; car parmi toutes les femmes de son palais de Bassra, et toutes les adolescentes d'Égypte et de Syrie, il n'avait point vu quelqu'une qui pût égaler, de près ou de loin, ta beauté. Et tu parus dans le miroir, reflétée et toute nue. Et il put ainsi voir, blottie au sommet des colonnes, semblable à une toute petite colombe, une miraculeuse histoire scellée du sceau intact de Soléimân (sur Lui la paix et la prière !). Et il la considéra plus attentivement, et, à la limite de la jubilation, il constata que ton histoire, ô Latifah, était en tous points semblable à une amande décortiquée. Gloire à Allah qui conserve les trésors et les réserves à ses Croyants !

Lorsque le prince Zein, grâce au miroir magique, eut ainsi trouvé l'adolescente qu'il cherchait, il chargea Moubarak d'aller faire immédiatement la demande en mariage. Et Moubarak, accompagné d'Abou-Bekr le derviche, alla aussitôt chez le cheikh des derviches, lui fit part de la demande du prince, et prit son consentement. Et il le conduisit au palais ; et on envoya chercher le kâdi et les témoins ; et l'on fit le contrat de mariage. Et l'on célébra les noces avec une pompe extraordinaire ; et Zein donna de grands festins et fit de grandes largesses aux pauvres du quartier. Et quand tous les invités furent partis, Zein retint auprès de lui le derviche Abou-Bekr et lui dit : « Sache, ô Abou-Bekr, que nous partons ce soir même pour un pays assez éloigné. Et, en attendant mon retour à Bassra, mon pays, voici pour toi dix mille dinars d'or, comme rémunération de tes bons services. Mais Allah est le plus grand ! et un jour je saurai te mieux prouver ma gratitude ! » Et il lui donna les dix mille dinars, se réservant de le nommer un jour grand chambellan, à son arrivée dans son royaume. Et, après que le derviche lui eut baisé les mains, il donna le signal du départ. Et l'adolescente vierge fut placée dans une litière, sur le dos d'un chameau. Et Moubarak ouvrit la marche, et Zein marcha le dernier. Et, accompagnés de leur suite, ils prirent le chemin des Trois Îles.

Or les Trois Îles étant fort loin de Bagdad, le voyage dura de longs mois, pendant lesquels le prince Zein se sentait tous les jours de plus en plus gagné par les charmes de la merveilleuse enfant virginale devenue son épouse légale. Et il l'aima, dans son cœur, pour ce qu'elle avait en elle de douceur, de charmes, de gentillesse et de vertus naturelles. Et, pour la première fois, il éprouva l'effet du véritable amour qu'il n'avait jamais soupçonné jusque-là. Aussi ce fut avec une grande amertume dans le cœur qu'il vit arriver le moment de la remettre au Vieillard des Trois Îles. Et il fut bien des fois tenté de rebrousser chemin et de s'en retourner à Bassra, en emmenant l'adolescente. Mais il se sentait retenu par le serment qu'il avait fait au Vieillard des Trois Îles ; et il ne pouvait pas ne point le tenir !

Sur ces entrefaites, ils entrèrent dans le territoire interdit, et, par le même chemin et les mêmes moyens qu'autrefois, ils parvinrent dans l'île où demeurait le Vieillard. Et, après les salams et les compliments, Zein lui présenta l'adolescente, toute voilée. Et il lui remit, en même temps, le miroir. Et le Vieillard des Îles la regarda avec attention, sans se servir du miroir ; et ses yeux semblaient être eux-mêmes deux miroirs. Et, au bout de quelques instants, il s'approcha de Zein et, se jetant à son cou, il l'embrassa avec beaucoup d'effusion, et lui dit : « Sultan Zein, je suis, en vérité, fort content de ta diligence à me satisfaire et du résultat de tes recherches. Car l'adolescente que tu m'amènes est tout à fait celle que je souhaitais ! Elle est admirablement belle et surpasse en charmes et en perfections toutes les adolescentes de la terre ! De plus, elle est vierge d'une virginité de bon aloi, vu qu'elle est comme scellée du sceau de notre maître Soléimân ben-Daoûd (sur eux deux la prière et la paix !). Quant à toi, tu n'as plus qu'à retourner dans tes états ; et, lorsque tu entreras dans la seconde salle en faïence où sont les six statues, tu y trouveras la septième que je t'ai promise et qui vaut, à elle seule, plus que mille autres réunies ! » Et il ajouta : « Fais maintenant comprendre à l'adolescente que tu me la laisses, et qu'elle n'a plus rien de commun avec toi ! » À ces paroles, la charmante Latifah, qui elle aussi s'était fort attachée au beau prince Zein, poussa un profond soupir et se mit à pleurer. Et Zein se mit à pleurer également. Et, bien triste, il lui expliqua tout ce qui s'était conclu entre lui et le Vieillard des Îles, et lui dit : « Tu es divorcée ! » Et, sanglotant, il sortit de chez le Vieillard des Îles, tandis que Latifah s'évanouissait de douleur. Et, après avoir baisé la main du Vieillard, il reprit avec Moubarak le chemin de Bassra. Et, durant tout le voyage, il ne cessait de penser à cette si charmante et si douce Latifah ; et il se reprochait amèrement de l'avoir trompée, en lui faisant croire qu'elle était devenue son épouse ; et il se regardait comme la cause de leur malheur à tous deux. Et il ne pouvait s'en consoler.

Or ce fut dans cet état de désolation qu'il arriva enfin à Bassra, où les grands et les petits, charmés de son retour, firent de grandes réjouissances. Mais le prince Zein, devenu bien triste, ne prenait point part à ces fêtes, et, malgré les instances de son fidèle Moubarak, se refusait à descendre dans le souterrain où devait se trouver l'adolescente de diamant si longtemps attendue, si longtemps souhaitée. Enfin, cédant aux conseils de Moubarak, qu'il avait nommé vizir dès son arrivée à Bassra, il consentit à descendre au souterrain. Et il traversa la salle de porcelaine et de cristal, toute rutilante de dinars et de poudre d'or, et pénétra dans la salle de faïence verte creusée d'or…

À ce moment de sa narration, Schahrazade vit apparaître le matin et, discrète, se tut.

Mais lorsque fut la sept cent trente et unième nuit. Elle dit :

… Et il traversa la salle de porcelaine et de cristal, toute rutilante de dinars et de poudre d'or, et pénétra dans la salle de faïence verte creusée d'or. Et il vit les six autres statues à leurs places respectives ; et il jeta un regard las sur le septième piédestal d'or. Et voici ! Debout et souriante se tenait une adolescente nue, plus brillante que le diamant, que le prince Zein, à la limite de l'émotion, reconnut pour celle qu'il avait conduite dans les Trois Îles. Et, immobilisé, il ne sut qu'ouvrir la bouche, sans pouvoir prononcer un seul mot. Et Latifah lui dit : « Oui ! c'est bien moi Latifah, celle que tu ne t'attendais pas à trouver ici ! Hélas ! tu venais dans l'espoir de posséder quelque chose de plus précieux que moi ! » Et Zein put enfin s'exprimer, et s'écria : « Non, par Allah ! ô ma maîtresse, je ne suis descendu ici que malgré mon cœur qui ne travaillait qu'à ton sujet ! Mais béni soit Allah qui a permis notre réunion ! »

Et comme il prononçait ces derniers mots, un coup de tonnerre se fit entendre qui fit trembler le souterrain, et, au même moment, parut le Vieillard des Îles. Et il souriait avec bonté. Et il s'approcha de Zein, lui prit la main et la mit dans la main de l'adolescente, en lui disant : « Ô Zein, sache que dès ta naissance je t'ai pris sous ma protection. Je devais donc assurer ton bonheur. Et je ne pouvais le mieux faire qu'en te donnant le seul trésor qui soit inestimable. Et ce trésor, c'est cette jeune fille vierge. Car la virginité, unie à la beauté du corps et à l'excellence de l'âme, est la thériaque qui dispense de tous les remèdes et tient lieu de toutes les richesses ! » Et, ayant ainsi parlé, il embrassa Zein et disparut.

Et le sultan Zein et son épouse Latifah, à la limite du bonheur, s'aimèrent d'un grand amour et vécurent de longues années dans la vie la plus délicieuse et la plus choisie, jusqu'à ce que vînt les visiter la Séparatrice inévitable des amis et des sociétés ! Gloire au Seul Vivant qui ne connaît pas la mort !

Lorsque Schahrazade eut fini de raconter cette histoire, elle se tut. Et le roi Schahriar dit : « Ce MIROIR DES VIERGES, *Schahrazade, est extrêmement étonnant ! » Et Schahrazade sourit et dit : « Oui, ô Roi ! Mais qu'est-il en comparaison de la* LAMPE MAGIQUE *? » Et le roi Schahriar demanda : « Quelle est cette lampe magique que je ne connais pas ? » Et Schahrazade dit : « C'est la lampe d'*ALADDIN *! Et je vais justement t'en parler ce soir ! » Et elle dit :*

HISTOIRE D'ALADDIN ET DE LA LAMPE MAGIQUE

Il m'est revenu, ô Roi fortuné, ô doué de bonnes manières, qu'il y avait – mais Allah est plus savant – en l'antiquité du temps et le passé des âges et des moments, dans une ville d'entre les villes de la Chine, dont je ne me rappelle pas le nom pour l'instant, un homme qui était tailleur de profession et pauvre de condition. Et cet homme avait un fils nommé Aladdin[1], qui était un garçon tout à fait à rebours comme éducation, et qui paraissait être, dès son enfance, un gamin bien fâcheux. Or, lorsqu'il eut atteint l'âge de dix ans, son père voulut d'abord lui faire apprendre quelque métier honorable ; mais, comme il était fort pauvre, il ne put subvenir aux frais de l'instruction et il dut se contenter de prendre avec lui l'enfant à la boutique, pour lui enseigner son propre métier, le travail à l'aiguille. Mais Aladdin, qui était un enfant dévoyé, habitué à jouer avec les jeunes garçons du quartier, ne put s'astreindre à rester un seul jour à la boutique. Au contraire ! Au lieu d'être attentif au travail, il guettait l'instant où son père était obligé soit de s'absenter pour quelque affaire, soit de tourner le dos pour s'occuper d'un client, et aussitôt il détalait en toute hâte et courait rejoindre dans les ruelles et les jardins les jeunes vauriens qui lui ressemblaient. Et telle était la conduite de ce garnement qui ne voulait ni obéir à ses parents ni apprendre le travail de la boutique. Aussi son père, fort chagriné et désespéré d'avoir un fils enclin à tous les vices, finit par l'abandonner à son libertinage ; et, dans sa douleur, il fit une maladie dont il mourut. Mais cela ne corrigea point Aladdin de sa mauvaise conduite, pas du tout !

Alors la mère d'Aladdin, voyant que son époux était mort et que son fils n'était qu'un vaurien dont il n'y avait rien à faire, se décida à vendre la boutique et tous les ustensiles de la boutique, afin de pouvoir subsister quelque temps avec le produit de la vente.

Mais comme cela fut bien vite épuisé, elle dut prendre l'habitude de passer ses jours et ses nuits à filer la laine et le coton pour tâcher de gagner quelque chose pour se nourrir et nourrir son fils, le garnement.

Quant à Alladin, lorsqu'il se vit délivré de la crainte de son père, il n'eut plus aucune sorte de retenue et s'enfonça bien plus dans la gaminerie et la perversité. Et il passait ainsi toutes ses journées hors de la maison, pour n'y rentrer que juste aux heures des repas. Et la pauvre mère, cette malheureuse, continua, malgré tous les torts de son fils à son égard et l'abandon où il la laissait, à le faire vivre du travail de ses mains et du produit de ses veilles, en pleurant toute seule des larmes bien amères.

Et ce fut ainsi qu'Aladdin atteignit l'âge de quinze ans. Et il était vraiment beau et bien fait, avec deux magnifiques yeux noirs, et un teint de jasmin, et un aspect séduisant, tout à fait.

Or, un jour d'entre les jours, comme il était au milieu de la place située à l'entrée des souks du quartier, uniquement occupé à jouer avec les petits gamins et les vagabonds de son espèce, un derviche maghrébin vint à passer par là, qui s'arrêta et regarda obstinément les enfants. Et il finit par attacher ses regards sur Aladdin et par l'observer d'une façon bien singulière et avec une attention toute particulière, sans plus s'occuper des autres petits garçons, ses camarades. Et ce derviche, qui venait du fin fond du Maghreb, des contrées de l'intérieur lointain, était un insigne magicien fort versé dans l'astrologie et la science des physionomies ; et il pouvait, par la puissance de sa sorcellerie, faire se mouvementer et se heurter les unes contre les autres les plus hautes montagnes. Il continua donc à observer Aladdin avec beaucoup d'insistance, en pensant : « Le voilà enfin le garçon qu'il me faut, celui que je cherche depuis si longtemps, et pour lequel je suis parti du Maghreb, mon pays…

À ce moment de sa narration, Schahrazade vit apparaître le matin et, discrète se tut.

Mais lorsque fut la sept cent trente-deuxième nuit. Elle dit :

… Le voilà enfin le garçon qu'il me faut, celui que je cherche depuis si longtemps, et pour lequel je suis parti du Maghreb, mon pays ! » Et il s'approcha doucement de l'un des petits garçons, sans toutefois perdre Aladdin de vue, le prit à part sans se faire remarquer, et s'informa minutieusement auprès de lui du père et de la mère d'Aladdin, ainsi que de son nom et de sa condition. Et, muni de ces renseignements il s'approcha d'Aladdin, en souriant, réussit à l'attirer dans un coin, et lui dit : « Ô mon enfant, n'es-tu point Aladdin, fils du tailleur *tel* ? » Et Aladdin répondit : « Oui, je suis Aladdin. Quant à mon père, il y a bien longtemps qu'il est mort ! » À ces paroles, le derviche maghrébin se jeta au cou d'Aladdin, et le prit dans ses bras, et se mit à le baiser sur les joues fort longtemps, en pleurant sur lui, à la limite de l'émotion. Et Aladdin, extrêmement surpris, lui demanda : « Quelle est la cause de tes larmes, seigneur ? Et d'où connais-tu le défunt, mon père ? » Et le Maghrébin, d'une voix triste et comme brisée, répondit : « Ah ! mon enfant, comment pourrais-je ne point verser les larmes du deuil et de la douleur, alors que je suis ton oncle, et que tu viens de me révéler, d'une manière si inattendue, la mort de mon pauvre frère, ton défunt père ? Ô fils de mon frère, sache, en effet, que j'arrive dans ce pays, après avoir quitté ma patrie et affronté les dangers d'un long voyage, uniquement dans l'espoir joyeux de revoir ton père et d'éprouver avec lui le bonheur du retour et de la réunion ! Et voici, hélas ! que tu m'apprends sa mort ! » Et il s'arrêta un instant, comme suffoqué d'émotion ; puis il ajouta : « D'ailleurs je dois te dire, ô fils de mon frère, que, sitôt que je t'ai aperçu, mon sang s'est de suite porté vers ton sang et m'a fait vite te reconnaître, sans hésitation, au milieu de tous tes camarades ! Et, bien qu'au moment où je quittai ton père, tu ne fusses pas encore né, vu qu'il n'était pas marié, je n'ai pas tardé à reconnaître en toi ses traits et sa ressemblance ! Et c'est cela précisément qui me console un peu de sa perte ! Ah ! calamité sur ma tête ! Où es-tu maintenant, mon frère, toi que j'espérais embrasser au moins une fois, après une si longue absence et avant que la mort vînt nous séparer à jamais ? Hélas ! qui peut se flatter d'empêcher d'être ce qui est ? Et qui peut fuir sa destinée ou éviter ce qui a été prescrit par Allah Très-Haut ? » Puis après un moment de silence, il reprit Aladdin dans ses bras, le serra contre sa poitrine, et lui dit : « Pourtant, ô mon fils, glorifié soit Allah qui me fait te rencontrer ! Tu vas désormais être ma consolation et tu remplaceras ton père dans mon affection puisque tu es son sang et sa descendance ; car le proverbe dit : Celui qui a laissé une postérité n'est pas mort ! »

Puis le Maghrébin tira de sa ceinture dix dinars d'or et les mit dans la main d'Aladdin, en lui demandant : « Ô mon fils Aladdin, où donc demeure-t-elle, ta mère, la femme de mon frère ? » Et Aladdin, tout à fait gagné par la générosité et la figure souriante du Maghrébin, le prit par la main, le conduisit jusqu'à l'extrémité de la place et lui montra du doigt le chemin de leur maison, en disant : « C'est par là qu'elle demeure ! » Et le Maghrébin lui dit : « Ces dix dinars que je t'ai donnés, ô mon enfant, tu les remettras à l'épouse de mon défunt frère, en lui transmettant mes salams. Et tu lui annonceras que ton oncle vient d'arriver de voyage, après sa longue absence à l'étranger, et que, dans la journée de demain, il espère, si Allah veut, pouvoir se présenter à la maison pour faire lui-même ses souhaits à l'épouse de son frère, et voir les lieux où le défunt a passé sa vie, et visiter son tombeau ! »

Lorsque Aladdin eut entendu ces paroles du Maghrébin, il voulut se montrer empressé dans l'exécution de ses souhaits et, après lui avoir baisé la main, il se hâta, dans sa joie, de courir au logis où il arriva, contrairement à ses habitudes, à une heure qui n'était guère celle du repas, et, en entrant, il s'écria : « Ô ma mère, je viens t'annoncer que mon oncle, après sa longue absence à l'étranger, vient d'arriver de voyage, et t'envoie ses salams ! » Et la mère d'Aladdin, fort étonnée de ce langage nouveau et de cette entrée inaccoutumée, répondit : « On dirait, mon fils, que tu veux te moquer de ta mère ! Quel est, en effet, cet oncle dont tu me parles ? Et d'où et depuis quand as-tu un oncle encore en vie ? » Et Aladdin dit : « Comment, ô ma mère, peux-tu dire que je n'ai point d'oncle ou de parent encore en vie, alors que l'homme en question est le frère de mon défunt père ? Et la preuve est qu'il me serra contre sa poitrine, et m'embrassa en pleurant et me chargea de venir t'annoncer la nouvelle et te mettre au courant ! » Et la mère d'Aladdin dit : « Oui, mon enfant, je sais bien que tu avais un oncle, mais il y a de longues années qu'il est mort. Et je ne sache pas que, depuis, tu aies jamais eu un second oncle ! » Et elle regarda avec des yeux bien étonnés son fils Aladdin qui déjà s'occupait d'autre chose. Et elle ne lui dit plus rien à ce sujet, ce jour-là. Et Aladdin, de son côté, ne lui parla pas du don du Maghrébin.

Or, le lendemain matin, dès la première heure, Aladdin sortit de la maison ; et le Maghrébin, qui était déjà à sa recherche, le rencontra au même endroit que la veille, déjà en train de s'amuser, selon sa coutume, avec les vagabonds de son âge. Et il s'approcha vivement de lui, lui prit la main, le serra sur con cœur, et l'embrassa tendrement. Puis il tira deux dinars de sa ceinture et les lui remit, en disant : « Va trouver ta mère et dis-lui, en lui donnant ces deux dinars : « Mon oncle a l'intention de venir ce soir prendre le repas avec nous ; c'est pourquoi il t'envoie cet argent, afin que tu puisses nous préparer des mets excellents ! » Puis il ajouta, en s'inclinant vers son visage : « Et maintenant, ya Aladdin, montre-moi une seconde fois le chemin de la maison ! » Et Aladdin répondit : « Sur ma tête et mes yeux, ô mon oncle ! » Et il marcha devant lui et lui montra le chemin de leur maison. Et le Maghrébin le quitta et s'en alla en sa voie…

À ce moment de sa narration, Schahrazade vit apparaître le matin et, discrète, se tut.

Mais lorsque fut la sept cent trente-troisième nuit. Elle dit :

… Et le Maghrébin le quitta et s'en alla en sa voie. Et Aladdin entra à la maison, raconta la chose à sa mère, et lui remit les deux dinars, en lui disant : « Mon oncle va venir ce soir manger avec nous ! »

Alors la mère d'Aladdin, voyant les deux dinars, se dit : « Je ne connais peut-être pas tous les frères du défunt ! » Et elle se leva et alla en toute hâte au souk où elle acheta les provisions nécessaires pour un bon repas, et revint pour se mettre aussitôt à préparer les mets. Mais comme cette pauvre n'avait point d'ustensiles de cuisine, elle alla emprunter chez ses voisines ce dont elle avait besoin en fait de casseroles, d'assiettes et de vaisselle. Et elle cuisina toute la journée ; et vers le soir, elle dit à Aladdin : « Mon fils, voici le repas qui est prêt, et peut-être que ton oncle ne connaît pas bien le chemin de notre maison. Tu feras donc bien d'aller à sa rencontre ou de l'attendre dans la rue ! » Et Aladdin répondit : « J'écoute et j'obéis ! » Et, comme il se disposait à sortir, on frappa à la porte. Et il courut ouvrir. Or c'était le Maghrébin. Et il était accompagné d'un portefaix qui avait sur la tête une charge de fruits, de pâtisseries et de boissons. Et Aladdin les introduisit tous deux. Et le portefaix, après avoir déposé sa charge dans la maison, fut payé et s'en alla en son état. Et Aladdin conduisit le Maghrébin dans la pièce où se tenait sa mère. Et le Maghrébin, d'une voix bien émue, s'inclina et dit : « Que la paix soit sur toi, ô épouse de mon frère ! » Et la mère d'Aladdin lui rendit le salam. Alors le Maghrébin se mit à pleurer en silence. Puis il demanda : « Où est l'endroit où avait coutume de s'asseoir le défunt ? » Et la mère d'Aladdin lui montra l'endroit en question ; et aussitôt le Maghrébin se jeta à terre et se mit à baiser cette place et à soupirer, avec des larmes aux yeux, et à dire : « Ah ! quelle chance est la mienne ! Ah ! mon misérable sort de t'avoir perdu, ô mon frère, ô veine de mon œil ! » Et il continua à pleurer et à se lamenter tellement, et avec une figure si altérée et un tel bouleversement d'entrailles, qu'il fut sur le point de s'évanouir, et que la mère d'Aladdin ne douta pas un instant que ce ne fût là le propre frère de son défunt mari. Et elle s'approcha de lui, le releva du sol et lui dit : « Ô frère de mon époux, tu vas te tuer sans fruit, à force de pleurer ! Hélas ! ce qui est écrit doit courir ! » Et elle continua à le consoler par de bonnes paroles jusqu'à ce qu'elle l'eût décidé à boire un peu d'eau pour se calmer, et à s'asseoir pour le repas.

Or, quand la nappe fut tendue, le Maghrébin commença à s'entretenir avec la mère d'Aladdin. Et il lui raconta ce qu'il avait à lui raconter, en lui disant : « Ô femme de mon frère, ne trouve pas extraordinaire que tu n'aies pas encore eu l'occasion de me voir et que tu ne m'aies point connu du temps de mon frère, le défunt. Il y a trente ans, en effet, que j'ai quitté ce pays et que je suis parti pour l'étranger, en renonçant à ma patrie. Et depuis lors je n'ai cessé de voyager dans les contrées de l'Inde et du Sindh, et de parcourir le pays des Arabes et les terres des autres nations. Et j'ai été aussi en Égypte et j'ai habité la ville magnifique de Masr, qui est le miracle du monde ! Et, après y avoir séjourné un long temps, je suis parti pour le pays du Maghreb central, où j'ai fini par me fixer pour vingt années.

« Sur ces entrefaites, ô femme de mon frère, comme, un jour d'entre les jours, j'étais assis dans ma maison, je me mis à penser à ma terre natale et à mon frère. Et en moi le désir augmenta de revoir mon sang ; et je me mis à pleurer et à me lamenter sur mon séjour en pays étranger. Et, à la fin, les regrets de ma séparation et de mon éloignement de l'être qui m'était cher devinrent si intenses que je me décidai à entreprendre le voyage vers la contrée qui avait vu apparaître ma tête de nouveau-né. Et je pensais en mon âme : « Ô homme ! que d'années écoulées depuis le jour où tu délaissas ta ville et ton pays et la demeure du seul frère que tu possèdes au monde ! Lève-toi donc et pars le revoir avant la mort ! Car qui sait les calamités du destin, les accidents des jours et les révolutions du temps ? Et ne serait-ce point misère suprême que de mourir avant de t'être réjoui les yeux de la vue de ton frère, maintenant surtout qu'Allah (glorifié soit-Il !) t'a donné la richesse et que ton frère est peut-être toujours dans une condition d'étroite pauvreté ! N'oublie donc pas qu'en partant tu ferais deux actions excellentes : revoir ton frère et le secourir ! »

« Or, moi, à ces pensées, ô femme de mon frère, je me levai sur l'heure et me préparai au départ. Et, après avoir récité la prière du vendredi et la Fatiha du Korân, je montai à cheval et me dirigeai vers ma patrie. Et, après bien des périls et les longues fatigues du chemin, je finis, avec l'aide d'Allah (glorifié et honoré soit-Il) par arriver en sécurité dans ma ville, celle-ci. Et je me mis aussitôt à parcourir les rues et les quartiers à la recherche de la maison de mon frère. Et Allah permit que je rencontrasse de la sorte cet enfant en train de jouer avec ses camarades. Et moi, par Allah le Tout-Puissant ! ô femme de mon frère, à peine le visje que je sentis mon cœur se fendre pour lui d'émoi ; et, comme le sang reconnaît le sang, je n'hésitai pas à voir en lui le fils de mon frère. Et, au même moment, j'oubliai mes fatigues et mes préoccupations, et je faillis m'envoler de joie…

À ce moment de sa narration, Schahrazade vit apparaître le matin et, discrète, se tut.

Mais lorsque fut la sept cent trente-quatrième nuit. Elle dit :

… Et, au même moment, j'oubliai mes fatigues et mes préoccupations, et je faillis m'envoler de joie. Mais hélas ! pourquoi me fallut-il bientôt apprendre de la bouche de cet enfant que mon frère avait trépassé dans la miséricorde d'Allah Très-Haut ? Ah ! la terrible nouvelle qui faillit me faire tomber à la renverse de saisissement et de douleur ! Mais, ô femme de mon frère, l'enfant a dû probablement te raconter comment il a réussi, par sa vue et sa ressemblance avec le défunt, à me consoler un peu en me faisant ainsi souvenir du proverbe qui dit : L'homme qui laisse une postérité ne meurt pas ! »

Ainsi parla le Maghrébin. Et il s'aperçut que la mère d'Aladdin, à ces souvenirs évoqués de son époux, pleurait amèrement. Et, pour lui faire oublier sa tristesse et changer ses idées noires, il se tourna vers Aladdin et pour engager la conversation lui demanda : « Mon fils Aladdin, qu'as-tu appris en fait de métier, et quel travail fais-tu pour venir en aide à ta mère, cette pauvre, et subsister tous deux ? »

En entendant cela, Aladdin, pris de honte pour la première fois de sa vie, baissa la tête en regardant par terre. Et comme il ne disait mot, sa mère répondit à sa place : « Un métier, ô frère de mon époux ! un métier pour Aladdin ? Et comment cela ? Par Allah, il ne sait rien du tout ! Ah ! un enfant comme ça, tout de travers, je n'en ai jamais vu ! Toute la journée il est à courir avec les enfants du quartier, des vagabonds, des garnements, des vauriens comme lui ! Et cela au lieu de suivre l'exemple des enfants gentils qui restent dans la boutique avec leur père ! Ah ! son père à lui n'est mort, ô regrets cuisants ! qu'à cause de lui ! Et d'ailleurs, moi aussi, maintenant, je suis réduite à un triste état de santé ! Et c'est à peine si je puis encore voir un peu avec mes yeux usés par les larmes et les veilles, travaillant sans relâche et passant mes journées et mes nuits à filer le coton pour arriver à avoir de quoi acheter deux galettes de maïs, juste de quoi nous nourrir tous deux. Et telle est ma condition ! Et je te jure par ta vie à toi, ô frère de mon époux, qu'il ne rentre à la maison que juste aux heures des repas ! Et puis c'est tout ! Aussi, des fois, quand il me délaisse de la sorte, moi, sa mère, je pense à fermer la porte de la maison et à ne plus la lui ouvrir, pour l'obliger à aller chercher quelque travail qui le fasse vivre ! Et puis je n'ai pas la force de le faire, car le cœur de la mère est pitoyable et miséricordieux ! Mais l'âge vient, et je deviens une femme bien vieille, ô frère de mon époux ! Et mes épaules ne supportent plus les fatigues comme autrefois ! Et c'est à peine maintenant si mes doigts consentent à tourner le fuseau ! Et je ne sais jusqu'à quand je vais pouvoir continuer une tâche pareille sans être trahie par la vie comme je suis délaissée par mon fils, cet Aladdin qui est là, devant toi, ô frère de mon époux ! »

Et elle se mit à sangloter. Alors le Maghrébin se tourna vers Aladdin et lui dit :

« Ah ! ô fils de mon frère, en vérité je ne savais pas tout cela sur ton compte ! Pourquoi marches-tu dans ce sentier du vagabondage ? Quelle honte sur toi, Aladdin ! Cela n'est guère convenable pour les hommes comme toi ! Tu es doué de raison, mon enfant, et tu es un fils de bonne famille ! N'est-ce point un déshonneur pour toi de laisser ainsi ta pauvre mère, une femme âgée, s'occuper de te faire vivre, alors que tu es un homme en âge de te créer une occupation capable de vous faire tous deux subsister ? Et puis, ô mon enfant, regarde ! grâce à Allah, il n'y a rien de plus nombreux dans notre ville que les maîtres des métiers ! Tu n'auras donc qu'à choisir toi-même le métier qui te plaît le mieux, et je prends sur moi de t'y placer ! Et de la sorte, quand tu seras devenu grand, mon fils, tu auras entre les mains un métier sûr qui te protègera contre les coups du sort ! Ainsi, parle ! Et si le métier de ton défunt père, le travail à l'aiguille, n'est pas à ta convenance, cherche autre chose, et m'en avise ! Et moi, je t'aiderai de tout mon possible, ô mon enfant ! »

Mais Aladdin, au lieu de répondre, continua à tenir la tête baissée et à garder le silence, pour marquer de la sorte qu'il ne voulait point d'autre métier que celui de vagabond. Et le Maghrébin comprit sa répugnance pour les métiers manuels, et essaya de le prendre autrement. Il lui dit donc : « Ô fils de mon frère, que mon insistance ne te formalise ni ne te fasse de la peine ! Laisse-moi seulement ajouter que, si les métiers te rebutent, je suis prêt, si toutefois il te plaît de devenir un honnête homme, à t'ouvrir une belle boutique de marchand de soieries dans le grand souk ! Et je te garnirai cette boutique-là des étoffes les plus chères et des brocarts de la qualité la plus fine. Et de la sorte tu te feras de belles relations dans le monde des grands marchands ! Et tu prendras l'habitude de vendre et d'acheter, de prendre et de donner. Et ta réputation sera excellente dans la ville. Et tu honoreras de la sorte la mémoire de ton défunt père ! Qu'en dis-tu, ô Aladdin, mon fils ? »

Lorsque Aladdin eut entendu cette proposition de son oncle et compris qu'il allait devenir un grand marchand dans le souk, un homme d'importance, habillé de beaux vêtements, avec un turban de soie et une jolie ceinture de couleur différente, il fut extrêmement réjoui. Et il regarda le Maghrébin en souriant et en penchant la tête de côté, ce qui, dans son langage, signifiait clairement : « J'accepte…

À ce moment de sa narration, Schahrazade vit apparaître le matin et, discrète, se tut.

Mais lorsque fut la sept cent trente-cinquième nuit. Elle dit :

… Et il regarda le Maghrébin en souriant et en penchant la tête de côté, ce qui, dans son langage, signifiait clairement : « J'accepte ! » Et le Maghrébin comprit de la sorte que sa proposition était agréée, et dit à Aladdin : « Du moment que tu veux bien devenir un personnage d'importance, un marchand dans une boutique, tâche désormais de te montrer digne de ta nouvelle situation. Et, dès maintenant, ô fils de mon frère, sois un homme ! Et moi, demain, si Allah veut, je t'emmènerai au souk, et je commencerai par t'acheter une belle robe neuve comme en portent les riches marchands, et tous les accessoires qu'elle comporte. Et, cela fait, nous chercherons ensemble une belle boutique pour t'y installer ! »

Tout cela ! Et la mère d'Aladdin, qui entendait ces exhortations et voyait cette générosité, bénissait Allah le Bienfaiteur qui lui envoyait d'une façon si inespérée un parent qui la sauvait de la misère et mettait dans la voie droite son fils

Aladdin. Et elle servit le repas d'un cœur léger, comme si elle avait rajeuni de vingt ans. Et l'on mangea et l'on but, en continuant à causer sur ce même sujet, qui les intéressait tous tellement ! Et le Maghrébin commença à initier Aladdin à la vie et aux manières des marchands, et à l'intéresser grandement à sa nouvelle condition. Puis, comme il voyait la nuit déjà à moitié écoulée, il se leva et prit congé de la mère d'Aladdin et embrassa Aladdin. Et il sortit, après leur avoir promis qu'il reviendrait le lendemain. Et cette nuit-là Aladdin, dans sa joie, ne put fermer l'œil et ne fit que penser à la vie charmante qui l'attendait.

Or, le lendemain, à la première heure, on frappa à la porte. Et la mère d'Aladdin alla elle-même ouvrir, et vit que c'était précisément le frère de son époux, le Maghrébin, qui tenait sa promesse de la veille. Toutefois il ne voulut point entrer, malgré les instances de la mère d'Aladdin, en prétextant que ce n'était pas l'heure des visites ; et il demanda seulement à emmener Aladdin avec lui au souk. Et Aladdin, déjà debout et habillé, courut avec empressement à son oncle, et lui souhaita le bonjour et lui baisa la main. Et le Maghrébin le prit par la main et s'en alla avec lui au souk. Et il entra avec lui dans la boutique du plus grand marchand et demanda une robe, qui fût la plus belle et la plus riche d'entre les robes, à la taille d'Aladdin. Et le marchand lui en fit voir plusieurs qui étaient plus belles les unes que les autres. Et le Maghrébin dit à Aladdin : « Choisis toi-même, mon fils, celle qui te plaît ! » Et Aladdin, extrêmement charmé de la générosité de son oncle, en choisit une qui était tout en soie rayée et luisante. Et il choisit également un turban en mousseline de soie rehaussée d'or fin, une ceinture de cachemire, et des bottes en cuir rouge brillant. Et le Maghrébin paya le tout sans marchander, et remit le paquet à Aladdin en lui disant : « Allons maintenant au hammam, car, avant de t'habiller à neuf, il faut que tu sois bien propre ! » Et il le conduisit au hammam, et entra avec lui dans une salle réservée, et le baigna de ses propres mains ; et il se baigna lui-même également. Puis il fit venir les rafraîchissements d'après le bain ; et ils burent tous deux avec délices et furent contents. Et alors Aladdin revêtit la somptueuse robe en question, en soie rayée et luisante, mit sur sa tête le beau turban, se serra la taille de la ceinture des Indes et se chaussa des bottes rouges. Et il devint de la sorte beau comme la lune et semblable à quelque fils de roi ou de sultan. Et, extrêmement charmé de se voir ainsi transformé, il s'avança vers son oncle et lui baisa la main et le remercia beaucoup pour sa générosité. Et le Maghrébin l'embrassa et lui dit : « Tout cela n'est que le commencement ! » Et il sortit avec lui du hammam, et le mena dans les souks les plus fréquentés, et lui fit visiter les boutiques des grands marchands. Et il lui faisait admirer les plus riches étoffes et les objets de prix, en lui apprenant le nom de chaque chose en particulier ; et il lui disait : « Il est nécessaire, comme tu vas être toi-même un marchand, que tu saches les détails des ventes et des achats ! » Puis il lui fit visiter les édifices remarquables de la ville et les mosquées principales et les khâns où logeaient les caravanes. Et il termina la tournée en lui faisant voir le palais du sultan et les jardins qui l'entouraient. Et il l'emmena enfin au grand khân, où il était descendu, et le présenta aux marchands, ses connaissances, en leur disant : « C'est le fils de mon frère ! » Et ils les invita tous à un repas qu'il donnait en l'honneur d'Aladdin, et les régala de mets les plus choisis, et resta avec eux et avec Aladdin jusqu'au soir.

Alors il se leva et prit congé de ses invités en leur disant qu'il allait reconduire Aladdin à sa maison. Et, de fait, il ne voulut pas laisser Aladdin s'en retourner seul, et il lui prit la main et s'achemina avec lui jusque chez sa mère. Et la mère d'Aladdin, en voyant son fils si magnifiquement habillé, faillit voir sa raison s'envoler de joie, la pauvre ! Et elle se mit à remercier et à bénir mille fois son beau-frère en lui disant : « Ô frère de mon époux, jamais je ne pourrai, même si je te remerciais durant toute la vie, reconnaître assez tes bienfaits ! » Et le Maghrébin répondit : « Ô femme de mon frère, en vérité, je n'ai aucun mérite à agir de la sorte, vraiment aucun mérite, car Aladdin est mon fils, et c'est mon devoir de lui servir de père à la place du défunt ! N'aie donc plus aucune préoccupation à son sujet et sois heureuse ! » Et la mère d'Aladdin dit, en levant les bras au ciel : « Je prie Allah, par l'honneur des saints, anciens et récents, de te garder et de te conserver, ô frère de mon époux, et de prolonger ta vie pour nous, afin que tu sois l'aile dont l'ombre protégera toujours cet enfant orphelin ! Et sois sûr que lui, de son côté, sera toujours obéissant à tes ordres et ne fera que ce que tu lui commanderas ! » Et le Maghrébin dit : « Ô femme de mon frère, Aladdin est devenu un homme sensé, car c'est un excellent garçon, fils de bonne famille. Et j'ai tout espoir qu'il sera le digne descendant de son père et qu'il te rafraîchira les yeux ! » Puis il ajouta : « Excuse-moi, ô femme de mon frère, si je ne puis demain, vendredi, lui ouvrir la boutique promise ; car tu sais que le vendredi les souks sont fermés et qu'on ne peut traiter les affaires. Mais, après-demain, samedi, la chose sera faite, si Allah veut ! Je viendrai pourtant demain prendre Aladdin pour continuer à l'instruire, et je lui ferai visiter les endroits publics et les jardins situés hors de la ville, où vont se promener les riches marchands, afin que de la sorte il puisse s'habituer à la vue du luxe et du beau monde. Car jusqu'aujourd'hui il n'a guère fréquenté que les enfants, et il faut qu'il connaisse enfin les hommes et qu'ils le connaissent ! » Et il prit congé de la mère d'Aladdin, embrassa Aladdin et se retira…

À ce moment de sa narration, Schahrazade vit apparaître le matin et, discrète, se tut.

Mais lorsque fut la sept cent trente-sixième nuit. Elle dit :

… Et il prit congé de la mère d'Aladdin, embrassa Aladdin et se retira. Et Aladdin songea durant la nuit à toutes les belles choses qu'il venait de voir et aux joies qu'il venait d'éprouver ; et il se promit de nouvelles délices pour le lendemain. Aussi, dès l'aurore, il se leva, sans avoir pu fermer l'œil, et s'habilla des beaux vêtements, et se mit à marcher en long et en large, tout en se prenant les pieds dans la robe longue à laquelle il n'était pas habitué. Puis, comme il pensait, dans son impatience, que le Maghrébin tardait trop à venir, il sortit l'attendre devant la porte, et finit par le voir apparaître. Et il courut au-devant de lui comme un jeune étalon et lui baisa la main. Et le Maghrébin l'embrassa et lui fit beaucoup de caresses, et lui dit d'aller avertir sa mère qu'il l'emmenait. Puis il le prit par la main et s'en alla avec lui. Et ils marchèrent ensemble en causant de choses et d'autres ; et ils franchirent les portes de la ville, d'où jamais n'était encore sorti Aladdin. Et devant eux commencèrent à paraître les belles maisons particulières et les beaux palais entourés de jardins ; et Aladdin les regardait avec émerveillement et trouvait le dernier plus beau que le précédent. Et ils avancèrent ainsi très avant dans la campagne, se rapprochant de plus en plus du but que se proposait le Maghrébin. Mais, à un moment donné, Aladdin commença à se fatiguer, et dit au Maghrébin : « Ô mon oncle, allons-nous encore longtemps marcher ? Voici que nous avons déjà dépassé les jardins, et il n'y a plus devant nous que la montagne ! Or je suis bien fatigué et je voudrais manger un morceau ! » Et le Maghrébin tira de sa ceinture un foulard où il y avait des fruits et des galettes et dit à Aladdin : « Voici, ô mon fils, pour ta faim et ta soif. Mais il faut encore marcher un peu pour atteindre l'endroit merveilleux que je veux te montrer et qui n'a pas son pareil dans le monde ! Raffermis donc tes forces et prends courage, Aladdin, maintenant que tu es un homme ! » Et il continua à l'encourager, tout en lui donnant des conseils sur sa conduite dans l'avenir, et en le poussant à se détacher de la fréquentation des enfants pour se rapprocher plutôt des hommes sages et prudents. Et il sut le distraire d'une telle manière qu'il finit par arriver avec lui au pied de la montagne, au fond d'une vallée déserte où il n'y avait, pour toute présence, que celle d'Allah !

Or c'était là précisément le but de voyage du Maghrébin ! Et c'était pour arriver dans cette vallée-là qu'il était parti du fond du Maghreb et était venu aux extrémités de la Chine ! Il se tourna donc vers Aladdin exténué de fatigue et lui dit en souriant : « Nous sommes arrivés au but, mon fils Aladdin ! » Et il s'assit sur un rocher et le fit s'asseoir à côté de lui et l'entoura de ses bras avec beaucoup de tendresse et lui dit : « Repose-toi un peu, Aladdin. Car je vais pouvoir enfin te montrer ce que jamais n'ont vu les yeux des hommes. Oui, Aladdin, tu vas voir tout à l'heure, ici même, un jardin plus beau que tous les jardins de la terre. Et c'est seulement après que tu auras admiré les merveilles de ce jardin que tu auras vraiment raison de me remercier, et que tu oublieras les fatigues de la marche, et que tu béniras le jour où tu m'as rencontré pour la première fois. » Et il le laissa se reposer un instant, avec des yeux tout ronds d'étonnement à la pensée de voir un jardin dans un endroit où il n'y avait que des rochers bouleversés et des buissons. Puis il lui dit : « Lève-toi maintenant, Aladdin, et ramasse parmi ces buissons, les tiges les plus sèches et les morceaux de bois que tu trouveras, et apporte-les-moi ! Et tu verras alors le spectacle gratuit auquel je te convie ! » Et Aladdin se leva et se hâta d'aller ramasser parmi les buissons et les broussailles une quantité de tiges sèches et de morceaux de bois, et les apporta au Maghrébin, qui lui dit : « C'est tout ce qu'il me faut. Retire-toi maintenant et viens te mettre derrière moi ! » Et Aladdin obéit à son oncle et vint se placer à une certaine distance derrière lui.

Alors le Maghrébin tira de sa ceinture un briquet qu'il battit et mit le feu à l'amas de branches et de tiges sèches, qui flambèrent en crépitant. Et aussitôt il tira de sa poche une boîte en écaille, l'ouvrit et y prit une pincée d'encens qu'il jeta au milieu du feu. Et une fumée fort épaisse s'éleva qu'il se mit à détourner de côté et d'autre avec ses mains, en marmottant des formules dans une langue tout à fait inconnue d'Aladdin. Et, au même moment, la terre trembla, et les rochers se mouvementèrent sur leur base, et le sol s'entrouvrit sur un espace large de dix coudées environ. Et tout au fond de ce trou apparut une plaque de marbre horizontale large de cinq coudées, avec, en son milieu, un anneau de bronze.

À cette vue, Aladdin épouvanté jeta un cri et, prenant le bas de sa robe entre ses dents, tourna le dos et prit la fuite, livrant ses jambes au vent. Mais le Maghrébin, d'un bond, fut sur lui et le rattrapa. Et il le regarda avec des yeux effrayants, le secoua en le tenant par une oreille, et leva la main et lui appliqua un soufflet si terrible qu'il faillit lui enfoncer les dents et qu'Aladdin en fut tout étourdi et s'affaissa sur le sol.

Or le Maghrébin ne l'avait traité de la sorte que pour le dominer une fois pour toutes, vu qu'il était nécessaire à son opération et que, sans lui, il ne pouvait tenter l'entreprise pour laquelle il était venu. Aussi, lorsqu'il le vit gisant hébété sur le sol, il le releva et lui dit d'une voix qu'il essaya de rendre fort douce : « Sache, Aladdin, que si je t'ai traité de la sorte, c'est pour t'apprendre à être un homme ! Car je suis ton oncle, le frère de ton père, et tu me dois l'obéissance ! » Puis il ajouta, d'une voix tout à fait douce : « Allons, Aladdin, écoute bien ce que j'ai à te dire, et n'en perds pas un mot ! Car, ce faisant, tu en retireras des avantages considérables, et tu oublieras bien vite les divers ennuis qui t'arrivent ! » Et il l'embrassa et, l'ayant désormais tout à fait réduit et dominé, il lui dit : « Tu viens de voir, mon enfant, comment le sol s'est entrouvert par la vertu de mes fumigations et des formules que j'ai prononcées ! Or il faut que tu saches que j'ai agi de la sorte uniquement pour ton bien ; car au-dessous de cette plaque de marbre que tu vois au fond du trou, avec un anneau de bronze, se trouve un trésor qui est écrit en ton nom et ne peut s'ouvrir que sur ton visage ! Et ce trésor, qui t'est destiné, te rendra plus riche que tous les rois ! Et, pour te bien prouver que ce trésor est bien destiné à toi et non à un autre, sache qu'il n'est possible qu'à toi seul au monde de toucher cette plaque de marbre et de la soulever ; car moi-même, malgré toute ma puissance qui est grande, je ne pourrais porter la main à l'anneau de bronze ni soulever la plaque, serais-je mille fois plus puissant et plus fort que je ne suis. Et, une fois la plaque soulevée, il ne m'est pas loisible non plus de pénétrer dans le trésor ou d'en descendre une marche seulement ! C'est donc à toi seul qu'il appartient de faire ce que je ne puis faire moi-même ! Et, pour cela, tu n'as qu'à exécuter à la lettre ce que je vais te dire ! Et tu seras ainsi le maître du trésor, que nous partagerons en toute équité, en deux parts égales, une pour toi et une pour moi ! »

À ces paroles du Maghrébin, Aladdin, ce pauvre, oublia et ses fatigues et le soufflet reçu, et répondit…

À ce moment de sa narration, Schahrazade vit apparaître le matin et, discrète, se tut.

Mais lorsque fut la sept cent trente-huitième nuit. Elle dit :

… À ces paroles du Maghrébin, Aladdin, ce pauvre, oublia et ses fatigues et le soufflet reçu, et répondit : « Ô mon oncle, commande-moi tout ce que tu veux, et je t'obéirai ! » Et le Maghrébin le prit dans ses bras et le baisa plusieurs fois sur les joues, et lui dit : « Ô Aladdin, tu es pour moi comme un fils et plus cher ! car je n'ai point sur terre d'autres parents que toi ; et c'est toi qui seras mon unique héritier et ma descendance, ô mon enfant ! Car enfin c'est pour toi, en somme, que je travaille en ce moment et que je suis venu de si loin. Et si je t'ai un peu brusqué, tu comprends maintenant que ce fut pour te décider à ne point laisser t'attendre en vain ta merveilleuse destinée. Voici donc ce que tu vas faire ! Commence d'abord par descendre avec moi au fond du trou, et là prends l'anneau de bronze et soulève la plaque de marbre ! » Et, ayant ainsi parlé, il sauta tout le premier dans le trou, et tendit la main à Aladdin pour l'aider à descendre. Et Aladdin, une fois descendu, lui dit : « Mais comment vais-je faire, ô mon oncle, pour soulever une plaque si lourde, alors que je ne suis qu'un tout jeune garçon ? Si au moins tu voulais m'aider, je m'y emploierais volontiers ! » Le Maghrébin répondit : « Ah non ! ah non ! Si, par malheur, j'y mettais la main, tu ne pourrais plus rien faire, et ton nom serait effacé à tout jamais du trésor ! Essaie tout seul et tu verras que tu soulèveras la plaque avec autant de facilité que si tu ramassais une plume d'oiseau ! Tu n'auras seulement qu'à prononcer, en prenant l'anneau, ton nom et le nom de ton père, et le nom de ton grand-père ! »

Alors Aladdin se pencha et prit l'anneau et le tira à lui en disant : « Je suis Aladdin, fils du tailleur Mustapha, fils du tailleur Ali ! » Et il souleva la plaque de marbre avec une grande facilité, et la posa aussitôt à côté. Et il aperçut un caveau qui, par douze degrés de marbre, descendait vers une porte à deux battants de cuivre rouge à gros clous. Et le Maghrébin lui dit : « Mon fils Aladdin, descends maintenant dans ce caveau. Et quand tu seras au bas de la douzième marche, tu entreras par cette porte de cuivre qui s'ouvrira d'elle-même devant toi. Et tu arriveras sous une grande voûte divisée en trois salles communiquant les unes avec les autres. Or tu trouveras dans la première salle quatre grandes cuves de bronze remplies d'or liquide, et dans la seconde salle quatre cuves d'argent remplies de poudre d'or, et enfin dans la troisième salle quatre grandes cuves d'or remplies de dinars d'or. Mais, toi, passe sans t'arrêter ! et lève bien haut ta robe et serre-la bien autour de ta taille, de peur qu'elle ne touche les parois des cuves : car si tu as le malheur de toucher avec tes doigts ou même d'effleurer avec tes vêtements l'une des cuves ou leur contenu, tu seras changé à l'instant en un bloc de pierre noire. Tu entreras donc dans la première salle, et bien vite tu passeras dans la seconde d'où, sans t'arrêter un instant, tu pénétreras dans la troisième, où tu trouveras une porte cloutée, semblable à celle de l'entrée, qui s'ouvrira aussitôt devant toi. Et tu la franchiras, et tu te trouveras soudain dans un jardin magnifique planté d'arbres pliant sous le poids de leurs fruits. Mais ne t'y arrête pas non plus ! Tu le traverseras, en marchant tout droit devant toi, et tu arriveras à un escalier à colonnes, de trente marches, que tu graviras pour aboutir à une terrasse. Or, quand tu seras sur cette terrasse, Aladdin, fais bien attention ! car tu verras, juste en face de toi, une sorte de niche à ciel ouvert ; et dans cette niche tu trouveras sur un piédestal de bronze une petite lampe de cuivre. Et cette lampe sera allumée. Or, toi, fais bien attention, Aladdin ! tu prendras cette lampe, tu l'éteindras, tu en verseras l'huile par terre, et tu la cacheras bien vite dans ton sein ! Et ne crains point de salir ta robe, car cette huile que tu auras jetée n'est pas de l'huile, mais un tout autre liquide qui ne laisse aucune trace sur les vêtements. Et tu reviendras vers moi, par le même chemin que tu auras suivi ! Et, au retour, tu pourras t'arrêter un peu dans le jardin, s'il te plaît, et cueillir autant que tu voudras des fruits de ce jardin. Et, une fois près de moi, tu me remettras la lampe, but et motif de notre voyage et cause de notre richesse et de notre gloire dans l'avenir, ô mon enfant ! »

Lorsque le Maghrébin eut ainsi parlé, il retira un anneau qu'il avait au doigt et le mit au pouce d'Aladdin, en lui disant : « Cet anneau, mon fils, te sauvegardera de tous les dangers et te préservera de tout mal. Enhardis donc ton âme, et remplis ta poitrine de courage, car tu n'es plus un enfant, mais un homme ! Et, avec l'aide d'Allah, il ne t'arrivera que du bien ! Et nous serons dans la richesse, grâce à la lampe, et dans les honneurs pour toute la vie ! » Puis, il ajouta : « Seulement, encore une fois, Aladdin, fais bien attention de relever très haut ta robe et de la serrer tout contre toi ! sinon, tu es perdu, et le trésor avec toi ! » Puis il l'embrassa, en lui donnant plusieurs petites tapes sur les joues, et lui dit : « Pars en sécurité ! »

Alors, Aladdin, extrêmement enhardi, descendit en courant les degrés de marbre, et, relevant sa robe jusque par-dessus sa ceinture, et la tenant bien serrée contre lui, il franchit la porte de cuivre dont les deux battants s'étaient d'eux-mêmes ouverts à son approche. Et, sans rien oublier des recommandations du Maghrébin, il traversa avec mille précautions la première, la deuxième et la troisième salle, en contournant les cuves remplies d'or, arriva devant la dernière porte, la franchit, traversa le jardin sans s'y arrêter, gravit les trente marches de l'escalier à colonnes, monta sur la terrasse et se dirigea tout droit vers la niche qui se trouvait en face de lui. Et il vit, sur le piédestal de bronze, la lampe allumée. Et il tendit la main…

À ce moment de sa narration, Schahrazade vit apparaître le matin et, discrète, se tut.

Mais lorsque fut la sept cent trente-neuvième nuit. Elle dit :

… Et il vit, sur le piédestal de bronze, la lampe allumée. Et il tendit la main et la prit. Et il en versa le contenu sur le sol, et, voyant que ses parois s'étaient aussitôt séchées, il la cacha bien vite dans son sein, sans craindre de salir sa robe. Et il descendit de la terrasse et arriva de nouveau dans le jardin.

Alors, délivré de son souci, il s'arrêta un instant sur la dernière marche de l'escalier à regarder le jardin et il se mit à considérer ces arbres dont il n'avait pas eu le temps de remarquer les fruits, à son arrivée. Et il vit, en effet, que les arbres de ce jardin pliaient sous le poids de leurs fruits, qui étaient extraordinaires de forme, de grosseur et de couleur. Et il vit que, contrairement aux arbres des vergers, chaque rameau de chacun des arbres portait des fruits de couleurs différentes. Il y en avait qui étaient blancs d'un blanc transparent comme le cristal, ou d'un blanc trouble comme le camphre, ou d'un blanc opaque comme la cire vierge. Et il y en avait qui étaient rouges, d'un rouge comme les grains de la grenade, ou d'un rouge comme l'orange sanguine. Et il y en avait qui étaient verts, d'un vert foncé et d'un vert tendre ; et d'autres qui étaient bleus et violets et jaunes ; et d'autres qui avaient des couleurs et des teintes d'une variété infinie. Et Aladdin, le pauvre, ne savait pas que les fruits blancs étaient des diamants, des perles, de la nacre et des pierres lunaires ; que les fruits rouges étaient des rubis, des escarboucles, des hyacinthes, du corail et des cornalines ; que les verts étaient des émeraudes, des béryls, des jades, des prases et des aigues-marines ; que les bleus étaient des saphirs, des turquoises, des lapis et des lazulites ; que les violets étaient des améthystes, des jaspes et des sardoines ; que les jaunes étaient des topazes, de l'ambre et des agates ; et que les autres, aux couleurs inconnues, étaient des opales, des aventurines, des chrysolithes, des cymophanes, des hématites, des tourmalines, des peridots, des jayets, et des chrysoprases ! Et le soleil tombait de tous ses rayons sur le jardin. Et les arbres, avec tous leurs fruits, flambaient sans se consumer.

Alors Aladdin, à la limite du plaisir, s'approcha de l'un de ces arbres et voulut en cueillir quelques fruits pour les manger. Et il constata alors qu'ils n'étaient pas du tout bons à se mettre sous la dent, et qu'ils ne ressemblaient guère que par leurs formes aux oranges, aux figues, aux bananes, aux raisins, aux pastèques, aux pommes et à tous les autres fruits excellents de la Chine. Et il fut bien déçu, en les touchant ; et il ne les trouva point du tout à son goût. Et il pensa qu'ils n'étaient que des boules de verre coloré, car de sa vie il n'avait eu l'occasion de voir des pierres précieuses. Toutefois, bien que fort dépité, il pensa à en cueillir quelques-uns pour en faire cadeau aux jeunes garçons, ses anciens camarades, et aussi à sa mère, cette pauvre ! Et il en prit plusieurs de chaque couleur, et en remplit sa ceinture, ses poches et le dedans de sa robe, entre la robe et la chemise, et entre la chemise et la peau ; et il s'en mit là-dedans une telle quantité qu'il avait l'air d'un âne chargé des deux côtés. Et, lourd de tout cela, il releva soigneusement sa robe, en la serrant étroitement autour de sa taille, et, plein de prudence et de précaution, il traversa avec légèreté les trois salles des cuves, et regagna l'escalier du caveau, à l'entrée duquel l'attendait anxieusement le Maghrébin.

Or dès qu'Aladdin eut franchi la porte de cuivre et fut monté sur la première marche de l'escalier, le Maghrébin, qui se trouvait au-dessus de l'ouverture, près de l'entrée même du caveau, n'eut pas la patience d'attendre qu'il fût arrivé au haut des marches et qu'il fût sorti tout à fait du caveau ; et il lui dit : « Eh bien, Aladdin, où est la lampe ? » Et Aladdin répondit : « Je l'ai là, dans mon sein ! » Il dit : « Hâte-toi de l'en tirer et de me la donner ! » Mais Aladdin lui dit : « Comment veux-tu que je te la donne tout de suite, ô mon oncle, alors qu'elle est embarrassée au milieu de toutes les boules de verre dont j'ai bourré mes vêtements de tous côtés ! Laisse-moi plutôt monter cet escalier, et aide-moi à sortir du trou ; et moi alors je me déchargerai de toutes ces boules, en lieu sûr, et non point sur ces degrés où elles risqueraient de rouler et de se briser ! Et, de la sorte, délivré de cette gêne insurmontable, je pourrai retirer la lampe de mon sein et te la donner ! D'ailleurs, elle a déjà glissé derrière mon dos, et me heurte violemment la peau ! et je serais fort aise d'en être débarrassé ! » Mais le Maghrébin, furieux de la résistance d'Aladdin et persuadé qu'Aladdin ne faisait ces difficultés que parce qu'il voulait garder pour lui la lampe, lui cria d'une voix effrayante comme celle d'un démon : « Ô fils de chien, veux-tu tout de suite me donner cette lampe ou mourir ? » Et Aladdin, qui ne sut guère à quoi attribuer ce changement de manières de son oncle, et terrifié de le voir dans une telle fureur, et redoutant de recevoir un second soufflet plus violent que le premier, se dit : « Par Allah ! il vaut mieux que je l'évite ! Et je vais rentrer dans le caveau, en attendant qu'il se soit calmé ! » Et il tourna le dos, et, relevant sa robe, il rentra prudemment dans le souterrain.

À cette vue, le Maghrébin poussa un cri de rage et, à la limite de la fureur, il trépigna et se convulsa, en s'arrachant la barbe, dans son désespoir et son impossibilité de courir derrière Aladdin dans ce caveau qui lui était interdit par les puissances magiques. Et il s'écria : « Ah ! maudit Aladdin, tu vas être puni comme tu le mérites ! » Et il courut au feu, qui n'était pas encore éteint, et il y jeta un peu de la poudre d'encens qu'il avait sur lui, en marmonnant une formule magique. Et aussitôt la plaque de marbre qui servait à fermer l'entrée du caveau se souleva d'elle-même et se remit à sa place première, en bouchant exactement le trou de l'escalier ; et la terre trembla et se referma ; et le sol devint aussi net qu'avant son ouverture. Et Aladdin se trouva de la sorte enfermé dans le souterrain.

Or le Maghrébin était, comme il a été déjà dit, un magicien insigne venu du fond du Maghreb, et non point l'oncle ni le parent de près ou de loin du jeune Aladdin. Et il était véritablement né en Afrique, qui est le pays et la souche des magiciens et des sorciers de la pire qualité…

À ce moment de sa narration, Schahrazade vit apparaître le matin et, discrète, se tut.

Mais lorsque fut la sept cent quarantième nuit. Elle dit :

… Et il était véritablement né en Afrique, qui est le pays et la souche des magiciens et des sorciers de la pire qualité. Et, dès sa jeunesse, il s'était appliqué avec entêtement à l'étude de la sorcellerie et des envoûtements, et à l'art de la géomancie, de l'alchimie, de l'astrologie, des fumigations et des enchantements. Et, au bout de trente années d'opérations magiques, il était parvenu, par la force de sa sorcellerie, à découvrir qu'il y avait, dans un endroit inconnu de la terre, une lampe extraordinairement magique dont la vertu était de rendre plus puissant que tous les rois et les sultans l'homme assez heureux pour en devenir le possesseur. Alors il avait redoublé de fumigations et de sorcellerie, et, par une dernière opération géomantique, il avait réussi à savoir que la lampe en question se trouvait dans un souterrain situé dans les environs de la ville de Kolo-ka-tsé, dans le pays de Chine. (Et cet endroit était précisément celui que nous venons de voir avec tous ses détails.) Et le magicien, sans tarder, s'était mis en route et, après un long voyage, était venu à Kolo-ka-tsé où il s'était mis aussitôt à explorer les environs et avait fini par délimiter exactement la situation du souterrain avec ce qu'il renfermait. Et, par sa table divinatoire, il avait appris que le trésor et la lampe magique étaient écrits, par les puissances souterraines, au nom d'Aladdin, fils de Mustapha, le tailleur, et que lui seul pouvait réussir à faire ouvrir le souterrain et à enlever la lampe, tandis que tout autre devait perdre infailliblement la vie s'il tentait la moindre entreprise de ce côté-là ! Et c'est pourquoi il s'était mis à la recherche d'Aladdin et avait usé, une fois qu'il l'eut trouvé, de tous les détours et expédients pour l'attirer à lui et le conduire dans cet endroit désert, sans éveiller ses soupçons ou ceux de sa mère. Et, une fois qu'Aladdin eut réussi dans l'entreprise, il ne lui avait si hâtivement réclamé la lampe que parce qu'il voulait la lui dérober et le murer à jamais dans le souterrain. Mais nous avons vu comment Aladdin, par crainte de recevoir un second soufflet, s'était enfui à l'intérieur du caveau où ne pouvait pénétrer le magicien, et comment le magicien, pour se venger, l'avait tout de même enfermé là-dedans, pour qu'il mourût de faim et de soif ! Or, cet acte accompli, le magicien, écumant et convulsé, s'en alla en sa voie, probablement vers l'Afrique, son pays. Et voilà pour lui ! Mais il est certain que nous le retrouverons.

Quant à Aladdin, voici ! Dès qu'il fut rentré dans le souterrain, il entendit le tremblement de terre causé par la magie du Maghrébin, et, terrifié, il eut peur que la voûte ne s'écroulât sur sa tête, et il se hâta de regagner l'entrée. Mais, en arrivant à l'escalier, il vit que la lourde plaque de marbre bouchait l'ouverture ; et il fut à l'extrême limite de l'émotion et du saisissement. Car, d'un côté, il ne pouvait comprendre la méchanceté de l'homme qu'il croyait être son oncle et qui l'avait tant caressé et cajolé, et, d'un autre côté, il ne pouvait songer à soulever la plaque de marbre, vu qu'il ne pouvait l'atteindre d'en bas. Dans ces conditions, le désespéré Aladdin se mit à pousser de grands cris, en appelant son oncle et en lui promettant, par toutes sortes de serments, qu'il était prêt à lui donner tout de suite la lampe. Mais il est clair que ses cris et ses sanglots ne furent guère entendus du magicien, qui était déjà bien loin. Et Aladdin, voyant que son oncle ne lui répondait pas, commença à avoir quelques doutes à son sujet, surtout en se rappelant qu'il l'avait appelé fils de chien, injure fort grave et qu'un véritable oncle n'aurait jamais adressée au fils de son frère. Quoi qu'il en soit, il résolut alors d'aller dans le jardin, où il y avait de la lumière, et de chercher une issue pour se sauver de ces lieux de ténèbres. Mais en arrivant à la porte qui donnait sur le jardin, il constata qu'elle était fermée et qu'elle ne s'ouvrait plus devant lui. Alors, affolé, il courut de nouveau à la porte du caveau et se jeta en pleurant sur les marches de l'escalier. Et il se voyait déjà enterré tout vif entre les quatre murs de ce caveau plein de noir et d'horreur malgré tout l'or qu'il contenait. Et il sanglota longtemps, abîmé dans sa douleur. Et, pour la première fois de sa vie, il se mit à penser à toutes les bontés de sa pauvre mère et à son dévouement inlassable, malgré la mauvaise conduite qu'il menait et son ingratitude. Et la mort dans ce caveau lui parut bien plus amère, de ce fait qu'il n'avait pu, durant sa vie, rafraîchir le cœur de sa mère par quelque amélioration dans son caractère et par quelques sentiments de reconnaissance. Et il soupira beaucoup à cette pensée-là, et se mit à se tordre les bras et à se frotter les mains, comme font d'ordinaire les désespérés, disant, en manière de renoncement à la vie : « Il n'y a de recours et de puissance qu'en Allah ! » Or, dans ce mouvement, Aladdin, sans le vouloir, frotta l'anneau qu'il avait au pouce et que lui avait prêté le magicien pour le prémunir contre les dangers du souterrain. Et il ne savait pas, ce Maghrébin maudit, que cet anneau devait précisément sauver la vie à Aladdin, sans quoi il ne le lui aurait certes pas confié, ou se serait hâté de le lui arracher, ou même il n'aurait fermé le souterrain qu'après le lui avoir fait rendre. Mais les magiciens sont tous, par leur essence même, semblables à ce Maghrébin, leur frère : malgré la puissance de leur sorcellerie et de leur science maudite, ils ne savent point prévoir les conséquences des actions les plus simples, et ne songent jamais à se prémunir contre les dangers que distinguent les hommes du commun. Car, dans leur orgueil et leur confiance en eux-mêmes, ils n'ont jamais recours au Maître des créatures, et leur esprit reste constamment obscurci d'une fumée plus épaisse que celle de leurs fumigations, et leurs yeux sont voilés d'un bandeau, et ils tâtonnent dans les ténèbres !

Donc, lorsque le désespéré Aladdin eut frotté, sans le vouloir, l'anneau qu'il avait au pouce et dont il ignorait la vertu…

À ce moment de sa narration, Schahrazade vit apparaître le matin et, discrète, se tut.

Mais lorsque fut la sept cent quarante et unième nuit. Elle dit :

… Donc, lorsque le désespéré Aladdin eut frotté, sans le vouloir, l'anneau qu'il avait au pouce et dont il ignorait la vertu, il vit soudain surgir devant lui, comme s'il sortait de terre, un immense et gigantesque éfrit, semblable à un nègre noir, avec une tête comme un chaudron et une figure épouvantable et des yeux rouges, énormes et flamboyants, qui s'inclina devant lui et, d'une voix aussi retentissante que le roulement du tonnerre, lui dit : « Entre tes mains, ici, ton esclave le voici ! Parle, que veux-tu ? Je suis le serviteur de l'anneau, sur la terre, dans les airs et sur l'eau ! »

À cette vue, Aladdin, qui n'était guère courageux, fut bien terrifié ; et, en tout autre lieu ou dans toute autre circonstance, il serait tombé évanoui ou aurait livré ses jambes au vent. Mais, dans ce caveau où il se voyait déjà mort de faim et de soif, l'intervention de cet effroyable éfrit lui parut d'un grand secours, surtout quand il eut entendu la question qu'il lui posait. Et il put remuer la langue et répondre : « Ô grand cheikh des éfrits de l'air, de la terre et de l'eau, fais-moi vite sortir de ce caveau ! »

Or à peine Aladdin eut-il prononcé ces mots que la terre se mouvementa et s'entrouvrit au-dessus de sa tête, et il se trouva en un clin d'œil transporté hors du caveau, à l'endroit même où le Maghrébin avait allumé le feu. Quant à l'éfrit, il avait disparu. Alors Aladdin, tout tremblant encore d'émotion, mais bien heureux d'être revenu à l'air libre, remercia Allah le Bienfaiteur qui l'avait délivré d'une mort certaine et sauvé des embûches du Maghrébin. Et il regarda autour de lui et vit, dans le loin, la ville au milieu de ses jardins. Et il se hâta de reprendre le chemin par où l'avait conduit le magicien, sans tourner la tête une seule fois en arrière, vers la vallée. Et il arriva au milieu de la nuit, exténué et à bout d'haleine, dans la maison où sa mère, bien anxieuse de son retard, l'attendait en se lamentant. Et elle courut lui ouvrir et eut juste le temps de le prendre dans ses bras où, n'en pouvant plus d'émotion, il était tombé évanoui.

Lorsque Aladdin, à force de soins, fut revenu de son évanouissement, sa mère lui donna de nouveau à boire un peu d'eau de rose. Puis, bien anxieuse, elle lui demanda ce qu'il éprouvait. Et Aladdin répondit : « Ô ma mère, j'ai bien faim ! Je te prie donc de me donner à manger, car depuis ce matin je n'ai rien pris ! » Et la mère d'Aladdin courut lui apporter tout ce qu'il y avait dans la maison. Et Aladdin se mit à manger avec tant de hâte que sa mère, craignant qu'il n'étouffât, lui dit : « Ne te presse pas, mon fils ! ton gosier va éclater ! Et si tu manges si vite pour me raconter plus tôt ce que tu as à me raconter, sache que nous en avons tout le temps ! Du moment que je te revois, je suis tranquille ! mais Allah sait quelle a été mon anxiété quand j'ai vu la nuit s'avancer sans que tu fusses de retour ! »

Puis elle s'interrompit pour lui dire : « Ah ! mon fils, modère-toi, de grâce ! prends des morceaux plus petits ! » Et Aladdin, qui avait eu tôt fait de dévorer tout ce qui était devant lui, demanda à boire, et prit la cruche d'eau et la vida dans son gosier, sans arrêt. Après quoi il fut content et dit à sa mère : « Je vais pouvoir enfin, ô mère, te raconter tout ce qui m'est arrivé avec l'homme que tu croyais être mon oncle et qui m'a fait voir la mort à deux doigts de mes yeux ! Ah ! tu ne savais pas que ce n'était pas du tout mon oncle, le frère de mon père, ce trompeur qui me faisait tant de caresses et m'embrassait si tendrement, ce maudit, ce Maghrébin, ce sorcier, ce menteur, ce fourbe, ce roué, cet entortilleur, ce chien, ce sale, ce démon qui n'a point son pareil parmi les démons, sur la face de la terre ! Éloigné soit le Malin ! » Puis il ajouta : « Écoute plutôt, ô mère, ce qu'il m'a fait ! » Et il dit encore : « Ah ! que je suis content d'être délivré d'entre ses mains ! » Puis il s'arrêta un moment, respira à plusieurs reprises et, soudain, tout d'une haleine, il se mit à raconter tout ce qui lui était arrivé, depuis le commencement jusqu'à la fin, y compris le soufflet, l'injure et le reste, sans omettre un seul détail. Mais il n'y a aucune utilité à le répéter.

Et, lorsqu'il eut fini son récit, il défit sa ceinture et laissa tomber sur le matelas étendu par terre la merveilleuse provision des fruits transparents et colorés qu'il avait cueillis dans le jardin. Et la lampe était également dans le tas, au milieu des boules de pierreries. Et il ajouta, pour terminer : « Voilà, ô mère, mon aventure avec ce magicien maudit, et voilà tout ce que m'a rapporté mon voyage au souterrain ! » Et, parlant ainsi, il montrait à sa mère les boules merveilleuses, mais avec une moue bien méprisante qui signifiait : « Je ne suis plus un enfant pour jouer avec des boules de verre ! »

Or, pendant tout le temps qu'avait parlé son fils Aladdin, la mère avait écouté en jetant, dans les endroits les plus surprenants ou les plus touchants du récit, des exclamations de colère contre le magicien et de commisération pour Aladdin. Et, sitôt qu'il eut fini de raconter cette étrange aventure, elle ne put se retenir davantage et éclata en injures contre le Maghrébin, l'appelant de tous les noms que l'indignation et la colère d'une mère qui a failli perdre son enfant peuvent trouver pour qualifier la conduite de l'agresseur. Et, lorsqu'elle se fut un peu déchargée, elle serra son fils Aladdin contre sa poitrine et l'embrassa en pleurant et dit : « Remercions Allah, ô mon fils, qui t'a tiré sain et sauf des mains de ce sorcier maghrébin ! Ah ! le traître, le maudit ! Il a voulu ta mort, sans aucun doute, pour posséder cette misérable lampe de cuivre qui ne vaut pas une demi-drachme ! Comme je le déteste ! Comme je l'abomine ! Mon pauvre enfant, mon fils Aladdin, je te retrouve ! Mais quel danger n'as-tu pas couru de ma propre faute, moi qui aurais dû pourtant deviner, aux yeux louches de ce Maghrébin, qu'il n'était ni ton oncle ni rien d'approchant, mais un magicien maudit et un mécréant ! »

Et, en parlant ainsi, la mère avait pris son fils Aladdin tout contre elle, sur le matelas, et l'embrassait et le berçait doucement. Et Aladdin, qui n'avait pas dormi depuis trois jours, occupé qu'il avait été par son aventure avec le Maghrébin, ne tarda pas, bercé de la sorte, à fermer les yeux et à s'endormir sur les genoux de sa mère. Et elle le coucha avec mille précautions sur le matelas et ne tarda pas, elle aussi, à se coucher auprès de lui et à s'endormir… Or, le lendemain, à leur réveil…

À ce moment de sa narration, Schahrazade vit apparaître le matin et, discrète, se tut.

Mais lorsque fut la sept cent quarante-deuxième nuit. Elle dit :

… Or, le lendemain, à leur réveil, ils commencèrent par s'embrasser beaucoup, et Aladdin dit à sa mère que son aventure l'avait corrigé à jamais de la gaminerie et du vagabondage, et qu'il allait désormais chercher du travail, comme un homme. Puis, comme il avait encore faim, il demanda à déjeuner, et sa mère lui dit : « Hélas ! mon fils, tout ce qu'il y avait dans la maison, je te l'ai donné hier au soir, et je n'ai plus un seul morceau de pain. Mais prends un peu de patience, jusqu'à ce que je puisse aller vendre le peu de coton que j'ai filé ces jours derniers et t'acheter quelque chose avec l'argent de la vente ! » Mais Aladdin répondit : « Laisse le coton pour une autre fois, ô mère, et aujourd'hui prends cette vieille lampe que j'ai rapportée du souterrain, et va la vendre dans le souk des marchands de cuivre. Et probablement tu en retireras quelque argent qui nous permettra de subsister toute cette journée ! » Et la mère d'Aladdin répondit : « Tu dis vrai, mon fils ! Et demain je prendrai les boules de verre que tu as également rapportées de ce lieu maudit, et j'irai les vendre dans le quartier des nègres qui me les achèteront un meilleur prix que les marchands ordinaires ! »

La mère d'Aladdin prit donc la lampe, pour aller la vendre ; mais elle la trouva bien sale, et dit à Aladdin : « Je vais d'abord mon fils, nettoyer cette lampe qui est sale, afin de la rendre luisante et de pouvoir en tirer le meilleur prix ! » Et elle alla à la cuisine, prit dans sa main un peu de cendre qu'elle mélangea avec de l'eau et se mit à nettoyer la lampe. Or elle avait à peine commencé à la frotter que soudain surgit devant elle, sorti d'on ne sait où, un effroyable éfrit, certainement plus laid que celui du souterrain, et si énorme que sa tête touchait le plafond. Et il s'inclina devant elle et dit d'une voix assourdissante : « Entre tes mains, ici, ton esclave le voici ! Parle, que veux-tu ? Je suis le serviteur de la lampe, soit que dans les airs je vole, soit que sur la terre je rampe ! »

Lorsque la mère d'Aladdin eut vu cette apparition à laquelle elle était loin de s'attendre, et comme elle n'était pas habituée à de telles choses, elle fut clouée sur place de terreur ; et sa langue se lia et sa bouche s'ouvrit ; et, folle d'épouvante et d'horreur, elle ne put supporter davantage d'avoir sous les yeux une figure aussi hideuse et épouvantable que celle-là, et elle tomba évanouie.

Alors Aladdin, qui se trouvait aussi dans la cuisine, et qui avait déjà été un peu habitué à des figures de cette sorte-là par celle, peut-être plus laide et monstrueuse, qu'il avait vue dans le caveau, ne fut pas aussi ému que sa mère. Et il comprit que cette lampe était la cause de l'apparition de l'éfrit ; et il se hâta de la prendre d'entre les mains de sa mère, toujours évanouie ; et il la tint d'une façon ferme entre les dix doigts, et dit à l'éfrit : « Ô serviteur de la lampe, j'ai bien faim, et je désire que tu m'apportes, pour que je les mange, des choses extrêmement excellentes ! » Et le genni disparut aussitôt, mais pour revenir, un instant après, portant sur sa tête un grand plateau d'argent massif, sur lequel étaient rangés douze plats d'or pleins de mets odorants et exquis au goût et à la vue, avec six pains tout chauds et blancs comme neige et dorés en leur milieu, deux grands flacons d'un vieux vin clair et excellent, et, entre ses mains, un tabouret d'ébène incrusté de nacre et d'argent et deux tasses d'argent. Et il posa le plateau sur le tabouret, rangea rapidement ce qui était à ranger et, discrètement, disparut.

Alors Aladdin, voyant que sa mère était toujours évanouie, lui jeta de l'eau de rose sur le visage et cette fraîcheur jointe aux délicieuses odeurs des mets fumants ne manqua pas de réunir les esprits qui s'étaient disjoints et de faire revenir à elle la pauvre femme. Et Aladdin se hâta de lui dire : « Allons, ô mère, cela n'est rien ! Lève-toi et viens manger ! Grâce à Allah, voici de quoi te remettre tout à fait le cœur et les sens et satisfaire notre faim ! De grâce, ne laissons pas refroidir ces mets excellents ! »

Lorsque la mère d'Aladdin eut vu le plateau d'argent posé sur ce beau tabouret, les douze plats d'or avec leur contenu, les six merveilleuses galettes, les deux flacons et les deux tasses, et que son odorat eut été touché par l'odeur sublime qui s'exhalait de toutes ces bonnes choses, elle oublia les circonstances de son évanouissement et dit à Aladdin : « Ô mon fils, qu'Allah protège la vie de notre sultan ! Il a sans doute entendu parler de notre pauvreté et nous a envoyé ce plateau par un de ses cuisiniers ! » Mais Aladdin répondit : « Ô ma mère, ce n'est pas le moment des suppositions ou des demandes ! Commençons d'abord par manger et je te raconterai ensuite ce qui est arrivé. »

Alors la mère d'Aladdin vint s'asseoir à côté de lui, en ouvrant des yeux pleins d'étonnement et d'admiration devant de si merveilleuses nouveautés ; et tous deux se mirent à manger de grand appétit. Et ils éprouvèrent un tel plaisir qu'ils restèrent longtemps autour du plateau, ne se lassant pas de goûter à des mets si bien apprêtés, tant et tant qu'ils finirent par joindre ensemble le repas du matin et celui du soir. Et lorsqu'ils eurent enfin fini, ils mirent de côté les restes du repas, pour le lendemain. Et ce fut la mère d'Aladdin qui alla serrer dans l'armoire de la cuisine les plats et leur contenu, mais pour revenir aussitôt près d'Aladdin écouter ce qu'il avait à lui raconter concernant ce généreux cadeau. Et Aladdin lui révéla alors ce qui s'était passé, et comment le genni serviteur de la lampe avait exécuté l'ordre, sans hésitation.

Alors la mère d'Aladdin, qui avait écouté le récit de son fils avec une épouvante de plus en plus grande, fut prise d'une grande agitation et s'écria : « Ah ! mon fils, je te conjure par le lait dont j'ai allaité ton enfance, de jeter loin de toi cette lampe magique et de te défaire de cet anneau, don des éfrits maudits ! Car, moi, je ne pourrai point une seconde fois supporter la vue de si laides et effroyables figures, et j'en mourrai certainement. D'ailleurs, je sens que ces mets que je viens de manger me remontent à la gorge et vont m'étouffer. Et puis notre prophète Môhammad (qu'Il soit béni !) nous a bien recommandé de nous tenir en garde contre les genn et les éfrits, et de ne jamais chercher leur société ! » Aladdin répondit : « Tes paroles, ma mère, sont sur ma tête et mes yeux ! Mais, vraiment, je ne puis me défaire ni de la lampe ni de l'anneau ! Car l'anneau m'a été d'un grand secours en me sauvant d'une mort certaine dans le caveau, et tu viens d'être témoin toi-même du service que nous a rendu cette lampe que voici et qui est si précieuse que le maudit Maghrébin n'a pas hésité à venir de très loin à sa recherche. Toutefois, ma mère, pour te faire plaisir et par égard pour toi, je vais cacher la lampe, afin que sa vue ne heurte pas tes yeux et ne soit pas pour toi un sujet de crainte dans l'avenir ! » Et la mère d'Aladdin répondit : « Fais ce que tu veux, mon fils. Mais, pour ma part, je déclare que je ne veux plus avoir affaire avec les éfrits, pas plus avec le serviteur de l'anneau qu'avec celui de la lampe ! Et je désire que tu ne m'en parles plus, quoi qu'il puisse arriver…

À ce moment de sa narration, Schahrazade vit apparaître le matin et, discrète, se tut.

Mais lorsque fut la sept cent quarante-troisième nuit. Elle dit :

… Et je désire que tu ne m'en parles plus, quoi qu'il puisse arriver ! »

Or, le lendemain, lorsque les excellentes provisions furent épuisées, Aladdin, ne voulant pas, pour éviter à sa mère de nouvelles frayeurs, recourir trop vite à la lampe, prit un des plats d'or, le cacha sous sa robe, et sortit dans l'intention de le vendre au souk et, avec l'argent de la vente, de rapporter les provisions nécessaires à la maison. Et il alla à la boutique d'un juif qui était plus rusé que le Cheitân. Et il tira de sa robe le plat d'or et le remit au juif, qui le prit, l'examina, le gratta et, d'un air détaché, demanda à Aladdin : « Combien demandes-tu de ça ? » Et Aladdin, qui de sa vie n'avait vu de plats d'or et était loin de connaître la valeur de pareilles marchandises, répondit : « Par Allah, ô mon maître, tu sais mieux que moi ce que peut valoir ce plat ; et je m'en rapporte là-dessus à ton estimation et à ta bonne foi ! » Et le juif, qui avait bien vu que le plat était de l'or le plus pur, se dit : « Voilà un garçon qui ignore le prix de ce qu'il possède. C'est une excellente aubaine que m'envoie aujourd'hui la bénédiction d'Abraham ! » Et il ouvrit un tiroir dissimulé dans le mur de la boutique et en tira une seule pièce d'or qu'il tendit à Aladdin et qui ne représentait pas la millième partie de la valeur du plat, et lui dit : « Tiens, mon fils, voici pour ton plat ! Par Moïse et Aaron ! jamais je n'aurais offert une pareille somme à un autre qu'à toi ! mais c'est seulement pour t'avoir comme client dans l'avenir ! » Et Aladdin prit le dinar d'or avec un grand empressement et, sans penser même à se retourner, il se hâta, tant il était content, de livrer ses jambes au vent. Et le juif, voyant la joie d'Aladdin et sa hâte à s'éloigner, regretta fort de ne lui avoir pas donné un prix encore plus modique et fut sur le point de courir derrière lui pour essayer de soutirer quelque chose de la pièce d'or ; mais il renonça à son projet en voyant qu'il ne pourrait pas le rattraper.

Quant à Aladdin, sans perdre de temps, il courut chez le boulanger, lui acheta du pain, fit de la monnaie avec le dinar d'or, et rentra à la maison pour donner à sa mère et le pain et la monnaie, en lui disant : « Ma mère, va maintenant nous acheter, avec cette monnaie, les provisions nécessaires ; car, moi, je ne m'y connais pas ! » Et la mère se leva et s'en alla au souk acheter tout ce dont ils avaient besoin. Et, ce jour-là, ils mangèrent et furent contents. Et Aladdin se mit depuis lors, chaque fois qu'ils n'avaient plus d'argent, à aller au souk vendre un plat d'or au même juif, qui lui remettait toujours un dinar, n'osant pas, lui ayant donné cette somme la première fois, lui donner moins, de peur de le voir aller proposer sa marchandise à d'autres juifs qui réaliseraient ainsi, à sa place, le bénéfice immense de l'affaire. Aussi Aladdin, qui continuait à ignorer la valeur de ce qu'il possédait, lui vendit de la sorte les douze plats d'or. Et il songea alors à lui porter le grand plateau d'argent massif ; mais comme il le trouvait très pesant, il alla quérir le juif qui vint à la maison, examina le plateau précieux et dit à Aladdin : « Celui-ci vaut deux pièces d'or ! » Et Aladdin, enchanté, consentit la vente, et prit l'argent que le juif ne voulut lui donner que moyennant la remise, par-dessus le marché, des deux tasses d'argent.

De cette façon, Aladdin et sa mère eurent encore de quoi subsister pendant quelques jours. Et Aladdin continua à aller dans les souks s'entretenir gravement avec les marchands et les gens de distinction ; car, depuis son retour, il s'était soigneusement abstenu de la fréquentation de ses anciens camarades, les jeunes garçons du quartier ; et il s'appliquait maintenant à s'instruire en écoutant les conversations des personnes âgées ; et il acquit, en peu de temps, vu qu'il était plein de sagacité, toutes sortes de notions précieuses que bien peu de jeunes gens de son âge étaient capables d'acquérir.

Sur ces entrefaites, l'argent vint de nouveau à manquer à la maison, et Aladdin, ne pouvant faire autrement, fut bien obligé, malgré toute la terreur de sa mère, de recourir à la lampe magique. Toutefois la mère, avertie du projet d'Aladdin, se hâta de sortir de la maison, ne pouvant souffrir de s'y trouver au moment de l'apparition de l'éfrit. Et Aladdin, libre alors d'agir à sa guise, prit la lampe à la main et chercha l'endroit précis qu'il fallait toucher, et qui était reconnaissable à l'impression laissée par le premier nettoyage avec la cendre ; et il le frotta, sans hâte, et fort légèrement. Et aussitôt apparut le genni, qui s'inclina et, d'une voix bien calme, à cause précisément de la légèreté du frottement, dit à Aladdin : « Entre tes mains, ici, ton esclave le voici ! Parle, que veux-tu ? Je suis le serviteur de la lampe, soit que dans les airs je vole, soit que sur la terre je rampe ! » Et Aladdin se hâta de répondre : « Ô serviteur de la lampe, j'ai bien faim, et je désire un plateau de mets en tous points semblable à celui que tu m'as apporté la première fois ! » Et le genni disparut, mais pour reparaître, en moins d'un clin d'œil, chargé du plateau en question qu'il posa sur le tabouret ; et il se retira on ne sait où.

Or, peu de temps après, revint la mère d'Aladdin ; et elle vit le plateau et son odorant et si charmant contenu ; et elle ne fut pas moins émerveillée que la première fois. Et elle s'assit à côté de son fils, et toucha aux mets qu'elle trouva encore plus exquis que ceux du premier plateau. Et, malgré la terreur que lui inspirait le genni serviteur de la lampe, elle mangea de grand appétit ; et elle ne put, pas plus elle qu'Aladdin, s'arracher de devant le plateau avant de s'être rassasiée complètement ; mais comme ces mets excitaient l'appétit en proportion même de la quantité qu'on en mangeait, elle ne se leva qu'à la nuit tombante, ayant ainsi uni le repas du matin avec celui de midi et celui du soir. Et Aladdin également. Lorsque les provisions du plateau furent épuisées…

À ce moment de sa narration, Schahrazade vit apparaître le matin et, discrète, se tut.

Mais lorsque fut la sept cent quarante-quatrième nuit. Elle dit :

… Lorsque les provisions du plateau furent épuisées, comme la première fois, Aladdin ne manqua pas de prendre un des plats d'or et d'aller au souk, selon son habitude, pour le vendre au juif, comme il l'avait déjà fait pour les autres plats. Et, comme il passait devant la boutique d'un vénérable cheikh musulman, orfèvre très estimé pour sa probité et sa bonne foi, il fut appelé par son nom et s'arrêta. Et le vénérable orfèvre lui fit signe de la main et l'invita à entrer un moment dans la boutique. Et il lui dit : « Mon fils, j'ai déjà eu bien des fois l'occasion de te voir passer dans le souk et j'ai remarqué que tu portais toujours sous ta robe quelque chose que tu cherchais à dissimuler ; et tu entrais dans la boutique de mon voisin le juif, pour ensuite sortir sans l'objet que tu cachais. Or, je dois te prévenir, mon fils, d'une chose que tu ignores peut-être, à cause de ton jeune âge ! Sache, en effet, que les juifs sont les ennemis nés des musulmans ; et ils considèrent que nos biens sont chose licite à dérober par tous les moyens possibles. Et, entre tous les juifs, celui-là précisément est le plus détestable, le plus adroit, le plus trompeur et le plus nourri de haine contre nous qui croyons en Allah l'Unique ! Si donc, ô mon enfant, tu as quelque chose à vendre, commence par me le montrer, et moi, par la vérité d'Allah Très-Haut ! je te l'estimerai à sa juste valeur, afin qu'en le cédant tu saches exactement ce que tu fais ! Montre-moi donc sans crainte ni défiance ce que tu caches sous ta robe ! et qu'Allah maudisse les trompeurs et confonde le Malin ! Éloigné soit-il à jamais ! »

En entendant ces paroles du vieil orfèvre, Aladdin, mis en confiance, n'hésita pas à tirer le plat d'or de dessous sa robe et à le lui montrer. Et le cheikh jugea au premier coup d'œil la valeur de l'objet et demanda à Aladdin : « Peux-tu maintenant me dire, mon fils, combien de plats de cette sorte tu as vendus à ce juif, et à quel prix tu les lui as cédés ? » Et Aladdin répondit : « Par Allah, ô oncle, je lui ai déjà donné douze plats semblables à celui-ci, à un dinar chacun ! » Et le vieil orfèvre, à ces paroles, fut à la limite de l'indignation et s'écria : « Ah ! le maudit juif, le fils de chien, la postérité d'Éblis ! » Et, en même temps, il mit le plat dans la balance, le pesa et dit : « Sache, mon fils, que ce plat est de l'or le plus fin et qu'il vaut, non point un dinar, mais exactement deux cents dinars ! Ce qui fait que le juif t'a volé, à lui tout seul, autant que le font, en une seule journée, au détriment des musulmans, tous les juifs réunis du souk ! » Puis il ajouta : « Hélas ! mon fils, ce qui est passé est passé, et nous ne pouvons, faute de témoins, faire empaler ce juif maudit ! En tout cas, pour l'avenir, tu sais à quoi t'en tenir ! Et, si tu veux, je vais te compter sur-le-champ deux cents dinars pour ton plat. Et même je préfère, avant de te l'acheter, que tu ailles le proposer et le faire estimer à d'autres marchands ; et s'ils t'en offrent davantage, je consens à payer le surplus, et quelque chose d'autre par-dessus le marché ! » Mais Aladdin, qui n'avait aucun motif de douter de la probité fort connue du vieil orfèvre, se trouva fort heureux de lui céder le plat à un si beau prix. Et il prit les deux cents dinars. Et, par la suite, pour vendre les onze autres plats et le plateau, il ne manqua pas de s'adresser au même honnête orfèvre musulman.

Or, devenus riches de la sorte, Aladdin et sa mère n'abusèrent point des bienfaits du Rétributeur. Et ils commencèrent à mener une vie modeste, en distribuant aux pauvres et aux besogneux le surplus de leurs besoins. Et Aladdin, pendant ce temps, ne manquait aucune occasion de continuer son instruction et d'affiner son esprit au contact des gens du souk, des marchands de distinction et des personnes de bon ton qui fréquentaient les souks. Et il prit de la sorte, en peu de temps, les manières du beau monde, et se mit en relations suivies avec les orfèvres et les joailliers dont il était devenu l'hôte assidu. Et il apprit de la sorte, en s'habituant à la vue des joyaux et des pierreries, que les fruits du jardin qu'il avait rapportés et qu'il s'imaginait être des boules de verre coloré, étaient des merveilles inestimables qui n'avaient pas leurs pareilles chez les plus puissants et les plus sages riches des rois et des sultans ! Et, comme il était devenu fort sage et intelligent, il eut la prudence de n'en parler à personne, pas même à sa mère. Seulement, au lieu de laisser ces fruits de pierrerie traîner derrière les coussins du divan et dans tous les coins, il les ramassa avec beaucoup de soin et les cacha dans un coffre qu'il acheta tout exprès.

Or il devait bientôt éprouver les effets de la sagesse de la manière la plus brillante et la plus splendide.

En effet, un jour d'entre les jours, comme il causait devant une boutique avec quelques marchands de ses amis…

À ce moment de sa narration, Schahrazade vit apparaître le matin et, discrète, se tut.

Mais lorsque fut la sept cent quarante-cinquième nuit. Elle dit :

… En effet, un jour d'entre tous les jours, comme il causait devant une boutique avec quelques marchands de ses amis, il vit circuler à travers les souks deux crieurs du sultan, armés de longs bâtons, et il les entendit qui criaient ensemble, à haute voix : « Ô vous tous, marchands et habitants ! de par l'ordre de notre maître magnanime, le roi du temps et le seigneur des siècles et des moments, sachez que vous devez fermer vos boutiques à l'instant et vous enfermer dans vos maisons, toutes portes closes au-dehors et au-dedans ! Car la perle unique, la merveilleuse, la bienfaisante, notre jeune maîtresse Badrou'l-Boudour, la pleine lune des pleines lunes, fille de notre glorieux sultan, va passer pour aller prendre son bain au hammam ! Que le bain lui soit délicieux ! Quant à ceux qui oseront enfreindre l'ordre et regarder à travers les portes ou les fenêtres, ils seront punis par le glaive, le pal ou le gibet ! Avis est donc donné à ceux qui tiennent à conserver leur sang dans leurs cous ! »

En entendant ce cri public, Aladdin fut pris de l'envie irrésistible de voir passer la fille du sultan, cette merveilleuse Badrou'l-Boudour dont s'entretenait toute la ville et dont on vantait la beauté de lune et les perfections. Aussi, au lieu de faire comme tout le monde et de courir s'enfermer dans sa maison, il eut l'idée d'aller en toute hâte au hammam et de se dissimuler derrière la grande porte, de façon à pouvoir, sans être vu, regarder à travers l'encoignure et admirer à son aise la fille du sultan, à son entrée dans le hammam.

Or il était à peine là depuis quelques instants qu'il vit arriver le cortège de la princesse, précédé par la foule des eunuques. Et il la vit elle-même au milieu de ses femmes, comme la lune au milieu des étoiles, couverte de ses voiles de soie. Mais, dès qu'elle fut arrivée au seuil du hammam, elle se hâta de se dévoiler le visage ; et elle apparut dans tout l'éclat solaire d'une beauté qui surpassait tout ce qu'on avait pu en dire. C'était, en effet, une adolescente de quinze ans, plutôt moins que plus, droite comme la lettre aleph, d'une taille qui défiait le jeune rameau de l'arbre bân, avec un front éblouissant comme le croissant de la lune au mois de Ramadân, des sourcils déliés et parfaitement tracés, des yeux noirs, grands et langoureux comme les yeux de la gazelle assoiffée, des paupières modestement baissées et tels deux pétales de rose, un nez sans défaut comme une lame de choix, une bouche toute menue avec deux lèvres incarnadines, un teint d'une blancheur lavée dans l'eau de la fontaine Salsabil, un menton souriant, des dents comme des grêlons d'égale grosseur, un cou de tourterelle, et le reste, qui ne se voyait pas, à l'avenant. Et c'est bien d'elle que le poète a dit :

« Ses yeux magiciens, avivés de kohl noir, percent les cœurs de leurs flèches acérées ;

C'est aux roses de ses joues qu'empruntent leurs couleurs les roses des bouquets :

Et sa chevelure est une nuit ténébreuse illuminée par le rayonnement de son front. »

Lorsque la princesse fut arrivée à la porte du hammam, et comme elle ne craignait plus les regards indiscrets, elle releva son petit voile de visage, et parut ainsi dans toute sa beauté. Et Aladdin la vit, et du coup il sentit son sang tourner trois fois plus vite dans sa tête. Et c'est alors seulement qu'il s'aperçut, lui qui n'avait jamais eu l'occasion de voir les visages des femmes à découvert, qu'il pouvait y avoir des femmes belles et des femmes laides, et qu'elles n'étaient pas toutes vieilles et semblables à sa mère. Et cette découverte, jointe à la beauté incomparable de la princesse, le stupéfia et l'immobilisa en extase, derrière la porte. Et la princesse était déjà depuis longtemps entrée dans le hammam qu'il restait encore là interdit et tout tremblant d'émotion. Et, lorsqu'il put rentrer un peu dans ses sens, il se décida à se glisser hors de sa cachette et à regagner sa maison, mais dans quel état de changement et de bouleversement ! Et il pensait : « Par Allah ! qui aurait jamais pu imaginer sur terre une créature si belle ! Béni soit Celui qui l'a formée et douée de la perfection ! » Et, tout plein d'une rumeur de pensées, il entra chez sa mère et, le dos cassé d'émotion et le cœur tout entier saisi d'amour, il se laissa tomber sur le divan, et ne bougea plus.

Or sa mère ne tarda pas à le voir dans cet état si extraordinaire, et elle s'approcha de lui et le questionna anxieusement. Mais il se refusa à faire la moindre réponse. Alors elle lui apporta le plateau des mets, pour le déjeuner ; mais il ne voulut point manger. Et elle lui demanda : « Qu'as-tu, ô mon enfant ? As-tu mal dans quelque endroit ? Dis-moi ! que t'est-il arrivé ? » Et il finit par répondre. « Laisse-moi ! » Et elle insista pour qu'il mangeât et le pressa tellement qu'il consentit à toucher aux mets ; mais il en mangea infiniment moins qu'à l'ordinaire ; et il tenait les yeux baissés, et gardait le silence, sans vouloir répondre aux questions inquiètes de sa mère. Et il resta dans cet état de songerie, de pâleur et d'abattement jusqu'au lendemain.

Alors la mère d'Aladdin, à la limite de l'anxiété, s'approcha de lui, avec les larmes aux yeux, et lui dit : « Ô mon fils, par Allah sur toi ! dis-moi ce que tu éprouves et ne torture pas davantage mon cœur par ton silence. Si tu as quelque maladie, ne me la cache pas ! et moi j'irai aussitôt te chercher le médecin. Et précisément nous avons aujourd'hui, de passage dans notre ville, un médecin fameux du pays des Arabes, que notre sultan a fait venir expressément pour le consulter. Et on ne parle que de sa science et de ses remèdes merveilleux ! Veux-tu donc que j'aille te le chercher…

À ce moment de sa narration, Schahrazade vit apparaître le matin et, discrète, se tut.

Mais lorsque fut la sept cent quarante-sixième nuit. Elle dit :

… Et on ne parle que de sa science et de ses remèdes merveilleux ! Veux-tu donc que j'aille te le chercher ? » Alors Aladdin releva la tête et, d'un ton de voix bien triste, il répondit : « Sache, ô mère, que je suis bien portant et ne souffre pas de maladie ! Et si tu me vois dans cet état de changement, c'est que jusqu'à présent je m'imaginais que toutes les femmes te ressemblaient ! Et ce n'est qu'hier seulement que je me suis aperçu qu'il en était tout autrement ! » Et la mère d'Aladdin leva les bras et s'écria : « Éloigné soit le Malin ! que dis-tu là, Aladdin ? » Il répondit : « Je sais bien, moi, ce que je dis, sois tranquille ! J'ai en effet, aperçu, à son entrée au hammam, la princesse Badrou'l-Boudour, fille du sultan ! et sa seule vue me révéla l'existence de la beauté ! Et je ne suis plus bon à rien ! Et c'est pourquoi je n'aurai de repos et ne pourrai rentrer en moi-même que lorsque je l'aurai obtenue en mariage du sultan son père ! »

En entendant ces paroles, la mère d'Aladdin pensa que son fils avait perdu l'esprit, et lui dit : « Le nom d'Allah sur toi, mon enfant ! rentre dans ta raison ! ah ! pauvre Aladdin, pense à ta condition, et laisse ces folies ! » Aladdin répondit : « Ô ma mère, je n'ai pas du tout à rentrer dans ma raison, car je ne suis pas du nombre des fous. Et tes paroles ne me feront point renoncer à mon idée de mariage avec El Sett Badrou'l-Boudour, la fille si belle du sultan ! Et mon intention est plus que jamais de la demander à son père ! » Elle dit : « Ô mon fils, par ma vie sur toi ! ne prononce pas de telles paroles, et prends bien garde que l'on ne t'entende dans le voisinage et que l'on aille rapporter tes paroles au sultan qui te ferait pendre sans recours. Et d'ailleurs, si vraiment tu as pris une si folle résolution, penses-tu pouvoir trouver quelqu'un que tu puisses charger de cette demande ? » Il répondit : « Et qui pourrais-je charger d'une mission si délicate, alors que tu es là, ô mère ? et en qui pourrais-je avoir plus de confiance qu'en toi ? Oui, certes ! c'est toi qui iras faire pour moi au sultan cette demande en mariage ! » Elle s'écria : « Qu'Allah me préserve d'une pareille entreprise, ô mon fils ! Je ne suis pas, comme toi, à la limite de la folie ! Ah ! je vois bien à présent que tu oublies que tu es le fils d'un tailleur des plus pauvres et des plus ignorés de la ville, et que moi aussi, ta mère, je ne suis guère d'une famille plus noble ou plus connue ! Comment donc as-tu osé penser à une princesse que son père n'accordera même pas aux fils des puissants rois et des sultans ? » Et Aladdin resta un moment silencieux, puis répondit : « Sache, ô mère, que j'ai déjà pensé et longuement réfléchi à tout ce que tu viens de me dire ; mais cela ne m'a pas empêché de prendre la résolution que je t'ai expliquée, bien au contraire ! Je viens donc te supplier, si vraiment je suis ton fils et si tu m'aimes, de me rendre le service que je te demande ! Sinon, ma mort serait préférable à ma vie ; et tu me perdrais bientôt, sans aucun doute ! Encore une fois, ô mère mienne, n'oublie pas que je suis toujours ton fils Aladdin ! »

En entendant ces paroles de son fils, la mère éclata en sanglots et dit, entre ses larmes : « Ô mon fils, oui, certes ! je suis ta mère, et tu es mon unique enfant, le noyau de mon cœur ! Et mon vœu le plus cher a toujours été de te voir un jour marié et de me réjouir de ton bonheur, avant de mourir ! Ainsi donc, si tu veux bien te marier, je m'empresserai d'aller te chercher une femme parmi les gens de notre condition ! Et encore faudra-t-il que je sache ce que je dois leur répondre quand ils me demanderont des renseignements sur toi, sur le métier que tu exerces, le gain que tu fais et les biens et les terres que tu possèdes ! Et cela me trouble beaucoup ! Mais que sera-ce s'il s'agit, non plus d'aller chez des gens de condition humble, mais de demander pour toi au sultan de la Chine sa fille unique El Sett Badrou'l-Boudour. Voyons, mon fils ! réfléchis un instant avec modération ! Je sais bien que notre sultan est plein de bienveillance et qu'il ne renvoie jamais aucun de ses sujets sans lui rendre la justice que nécessite son cas ! Et je sais également qu'il est généreux à l'excès et qu'il ne refuse jamais rien à celui qui a mérité ses grâces par quelque action d'éclat, quelque fait de bravoure ou quelque service grand ou petit ! Mais, toi, peux-tu me dire en quoi tu t'es fait remarquer jusqu'à présent, et quels titres tu peux avoir qui puissent te mériter cette faveur incomparable que tu sollicites ? Et encore ! où sont les cadeaux que tu dois, comme tout solliciteur de grâces, aller offrir au roi, en hommage d'un sujet féal à son suzerain ? » Il répondit : « Justement ! S'il ne s'agit que de faire un beau cadeau pour obtenir ce que souhaite tant mon âme, eh bien ! je crois que nul homme sur la terre ne peut lutter avec moi en pareille matière ! Sache, en effet, ô mère, que ces fruits de toutes les couleurs que j'ai rapportés du jardin souterrain et que je croyais être simplement des boules de verre sans valeur aucune et bons tout au plus à servir de jeu aux petits enfants, sont des pierreries inestimables dont nul sultan sur la terre ne possède les pareilles. Et d'ailleurs tu vas pouvoir toi-même en juger, malgré ton peu d'expérience en ces sortes de choses-là ! Tu n'as pour cela qu'à m'apporter de la cuisine un plat de porcelaine assez grand pour les contenir, et tu en verras alors l'effet merveilleux…

À ce moment de sa narration, Schahrazade vit apparaître le matin et, discrète, se tut.

Mais lorsque fut la sept cent quarante-septième nuit. Elle dit :

… Tu n'as pour cela qu'à m'apporter de la cuisine un plat de porcelaine assez grand pour les contenir, et tu en verras alors l'effet merveilleux. »

Et la mère d'Aladdin, bien que fort surprise de tout ce qu'elle entendait, alla à la cuisine chercher un grand plat de porcelaine blanche bien propre et le remit à son fils. Et Aladdin, qui avait déjà apporté les fruits en question, se mit à les ranger avec beaucoup d'art dans la porcelaine, en tenant compte de leurs couleurs différentes, de leurs formes et de leurs variétés. Et quand il eut fini, il les mit sous les yeux de sa mère, qui en fut absolument éblouie, tant à cause de leur éclat que de leur beauté. Et elle ne put s'empêcher, bien qu'elle ne fût guère habituée à la vue des pierreries, de s'écrier : « Ya Allah ! que c'est admirable ! » Et elle fut même obligée, au bout d'un moment, de fermer les yeux d'éblouissement. Et elle finit par dire : « Je vois à présent, mon fils, que le cadeau pourra être agréé du sultan ! C'est vrai ! Mais la difficulté n'est plus là ! Elle est dans la démarche que j'aurai à faire ; car je sens bien que je ne pourrai guère soutenir la majesté de la présence du sultan et que je resterai immobile, avec ma langue liée, ou peut-être même que je m'évanouirai d'émoi et de confusion ! Mais en supposant même que, me faisant violence à moi-même pour satisfaire ton âme pleine de ce désir, je puisse arriver à exposer ta demande au sultan concernant sa fille Badrou'l-Boudour, que va-t-il arriver ? Oui, que va-t-il arriver ? Eh bien, mon fils, ou l'on croira que je suis folle et l'on me chassera du palais, ou le sultan, irrité d'une telle demande, nous punira tous deux d'une façon terrible ! Si tout de même tu penses le contraire, et que le sultan donne suite à ta demande, encore va-t-il m'interroger sur ton état et ta condition. Et il me dira : « Oui ! ce cadeau est fort beau, ô femme ! Mais qui es-tu ? Et qui est ton fils Aladdin ? Et qu'est-ce qu'il fait ? Et qui est son père ? Et quel est son gain ? Et *telle chose*, et *telle autre chose* ? » Et alors, moi, je serai obligée de lui dire que tu n'exerces aucun métier et que ton père n'était qu'un pauvre tailleur d'entre les tailleurs du souk ! » Mais Aladdin répondit : « Ô mère, sois tranquille ! il est impossible que le sultan te fasse de pareilles questions lorsqu'il aura vu les merveilleuses pierreries rangées, comme des fruits, dans la porcelaine ! Sois donc sans crainte, et ne te préoccupe pas de ce qui ne va pas arriver. Au contraire, lève-toi seulement et va lui offrir le plat avec son contenu, et demande-lui pour moi, en mariage, sa fille Badrou'l-Boudour ! Et ne commence pas à appesantir tes pensées sur une affaire si aisée et si simple ! N'oublie pas, en effet, si tu as encore des doutes sur la réussite, que j'ai en ma possession une lampe qui suppléera pour moi à tous les métiers et à tous les gains ! »

Et il continua à parler à sa mère avec tant de chaleur et d'assurance qu'il finit par la convaincre complètement. Et il la pressa de mettre ses plus beaux habits ; et il lui remit le plat de porcelaine qu'elle se hâta d'envelopper dans un foulard en le liant par les quatre coins, pour le porter à la main. Et elle sortit de la maison et se dirigea vers le palais du sultan. Et elle pénétra dans la salle des audiences, avec la foule des solliciteurs. Et elle se plaça tout au premier rang, mais dans une attitude bien humble au milieu des assistants qui se tenaient les bras croisés et les yeux baissés avec le plus profond respect. Et la séance du diwân s'ouvrit quand le sultan eut fait son entrée, suivi de ses vizirs, de ses émirs et de ses gardes. Et le chef des scribes du sultan se mit à appeler, les uns après les autres, les demandeurs, selon l'ordre des requêtes. Et l'on jugea les affaires, séance tenante. Et les demandeurs s'en allèrent, les uns contents du gain de leur procès, les autres bien allongés quant à leur nez, et d'autres n'ayant pas été appelés, faute de temps. Et la mère d'Aladdin fut précisément au nombre de ces derniers.

Aussi, lorsqu'elle vit que la séance était terminée et que le sultan s'était retiré, suivi de ses vizirs, elle comprit qu'elle n'avait plus, elle aussi, qu'à s'en aller. Et elle sortit du palais et s'en retourna chez elle. Et Aladdin, qui, dans son impatience, l'attendait à la porte, la vit rentrer tenant toujours à la main le plat de porcelaine ; et il fut bien ému et bien perplexe et, craignant quelque malheur survenu ou quelque sinistre nouvelle, il ne voulut point lui poser de questions dans la rue et se hâta de l'entraîner dans la maison, où, bien jaune de teint, il l'interrogea du geste et des yeux, vu qu'il ne pouvait ouvrir la bouche d'émotion. Et la pauvre femme lui raconta ce qui était arrivé, en ajoutant : « Il faut excuser ta mère pour cette fois, mon fils ; car je n'ai point l'habitude des palais ; et la vue du sultan m'a tellement troublée que je n'ai pu avancer pour faire ma demande. Mais demain, si Allah veut, je retournerai au palais et j'aurai plus de courage que cette fois-ci ! » Et Aladdin, malgré toute son impatience, fut tout de même heureux d'apprendre qu'il n'y avait pas de motif plus grave du retour, entre les mains de sa mère, de la porcelaine. Et il fut même bien satisfait que la démarche la plus difficile eût été faite sans encombre et sans mauvaises conséquences pour sa mère et pour lui. Et il se consola à la pensée que le retard allait bientôt être réparé.

En effet, le lendemain la mère s'en alla au palais, en tenant par les quatre coins le foulard qui renfermait le présent de pierreries…

À ce moment de sa narration, Schahrazade vit apparaître le matin et, discrète, se tut.

Mais lorsque fut la sept cent quarante-huitième nuit. Elle dit :

… En effet, le lendemain la mère s'en alla au palais, en tenant par les quatre coins le foulard qui renfermait le présent de pierreries. Et elle était bien résolue à surmonter sa timidité et à faire sa demande. Et elle entra au diwân, et se plaça au premier rang, devant le sultan. Mais, comme la première fois, elle ne put faire un pas de plus ni un geste qui attirât sur elle l'attention du chef des scribes. Et la séance fut levée, sans résultat ; et elle s'en retourna, la tête basse, annoncer à Aladdin l'insuccès de sa tentative, mais en lui promettant la réussite pour la prochaine fois. Et Aladdin fut bien obligé de faire une nouvelle provision de patience, tout en admonestant sa mère pour son manque de courage et de fermeté. Mais cela ne servit pas à grand-chose car la pauvre femme, six jours de suite, se rendit au palais avec la porcelaine et se plaça toujours en face du sultan mais sans plus de courage ou de succès que la première fois. Et, certainement elle y serait retournée cent autres fois, aussi inutilement, et Aladdin serait mort de désespoir et d'impatience rentrée si le sultan lui-même, qui avait fini par la remarquer, vu qu'elle était au premier rang à chaque séance du diwân, n'avait eu la curiosité de s'informer d'elle et du motif de sa présence. En effet, le septième jour, après la fin du diwân, le sultan se tourna vers son grand vizir et lui dit : « Regarde cette vieille femme qui tient à la main quelque chose dans un foulard. Depuis plusieurs jours, elle vient régulièrement au diwân et se tient immobile sans rien demander. Peux-tu me dire ce qu'elle fait ici ou ce qu'elle désire ? » Et le grand vizir, qui ne connaissait guère la mère d'Aladdin, ne voulut point demeurer à court de réponse et dit au sultan : « Ô mon maître, c'est une vieille d'entre les nombreuses vieilles qui ne viennent au diwân que pour des futilités. Et celle-ci doit, sans aucun doute, avoir à se plaindre de ce qu'on lui a vendu de l'orge pourrie, par exemple, ou de ce que sa voisine lui a dit des injures, ou de ce que son mari l'a battue ! » Mais le sultan ne voulut point se contenter de cette explication et dit au vizir : « Je désire tout de même interroger cette pauvre femme. Fais-la avancer, avant qu'elle se retire avec les autres ! » Et le vizir répondit par l'ouïe et l'obéissance, en portant sa main à son front. Et il fit quelques pas vers la mère d'Aladdin et, de la main, lui fit signe d'avancer. Et la pauvre femme, toute tremblante, s'avança jusqu'au pied du trône, et tomba plutôt qu'elle ne se prosterna, et embrassa la terre entre les mains du sultan, comme elle l'avait vu faire aux autres assistants. Et elle demeura dans cette posture, jusqu'à ce que le grand vizir vînt lui toucher l'épaule et l'aider à se relever. Et elle se tint debout, pleine d'émoi ; et le sultan lui dit : « Ô femme, il y a déjà plusieurs jours que je te vois venir au diwân et rester immobile sans rien demander. Dis-moi donc ce qui t'amène ici, et ce que tu désires, afin que je te rende justice. » Et la mère d'Aladdin, un peu encouragée par la voix bienveillante du sultan, répondit : « Qu'Allah fasse descendre ses bénédictions sur la tête de notre maître le sultan. Quant à ta servante, ô roi du temps, elle te supplie, avant d'exposer sa demande, de daigner lui accorder la promesse de la sécurité, sinon j'aurai bien peur d'offenser les oreilles du sultan, vu que ma demande peut paraître étrange ou singulière ! » Or le sultan, qui était un homme bon et magnanime, se hâta de lui promettre la sécurité ; et même il donna l'ordre de faire complètement évacuer la salle, afin de permettre à la femme de lui parler en toute liberté. Et il ne garda auprès de lui que son grand vizir. Et il se tourna vers elle et lui dit : « Tu peux parler, la sécurité d'Allah est sur toi, ô femme ! » Mais la mère d'Aladdin, qui avait repris complètement courage à cause de l'accueil affable du sultan, répondit : « Je demande également d'avance à notre sultan le pardon pour ce qu'il pourra trouver d'inconvenant dans ma requête et pour l'audace extraordinaire de mes paroles ! » Et le sultan, de plus en plus intrigué, dit : « Hâte-toi de parler sans restriction, ô femme ! Le pardon d'Allah est sur toi et sa grâce pour tout ce que tu pourras dire et demander ! »

Alors la mère d'Aladdin, après s'être prosternée une seconde fois devant le trône et avoir appelé sur le sultan toutes les bénédictions et les faveurs du

Très-Haut, se mit à raconter ce qui était arrivé à son fils, depuis le jour où il avait entendu les crieurs publics proclamer l'ordre aux habitants de se cacher dans leurs maisons pour livrer passage au cortège de Sett Badrou'l-Boudour. Et elle ne manqua pas de lui dire l'état dans lequel se trouvait Aladdin qui avait menacé de se tuer s'il n'obtenait pas la princesse en mariage. Et elle raconta toute l'histoire dans ses détails, depuis le commencement jusqu'à la fin. Mais il n'y a point d'utilité à la répéter. Puis, ayant fini de parler, elle baissa la tête, en proie à une grande confusion, en ajoutant : « Et il ne me reste plus, ô roi du temps, qu'à supplier Ta Hautesse de ne point me tenir rigueur de la folie de mon fils, et de m'excuser si la tendresse de la mère m'a poussée à venir te transmettre une demande si singulière ! »

Lorsque le sultan, qui avait écouté ces paroles avec beaucoup d'attention, vu qu'il était juste et bienveillant, vit que la mère d'Aladdin s'était tue, loin de se montrer indigné de sa demande, il se mit à rire avec bonté et lui dit : « Ô pauvre, et que portes-tu donc dans ce foulard que tu tiens par les quatre coins…

À ce moment de sa narration, Schahrazade vit apparaître le matin et, discrète, se tut.

Mais lorsque fut la sept cent quarante-neuvième nuit. Elle dit :

… Il se mit à rire avec bonté et lui dit : « Ô pauvre, et que portes-tu donc dans ce foulard que tu tiens par les quatre coins ? »

Alors la mère d'Aladdin dénoua le foulard, en silence, et, sans ajouter un mot de plus, présenta au sultan le plat de porcelaine où étaient rangés les fruits en pierreries. Et aussitôt tout le diwân fut illuminé de leur éclat, bien plus que s'il avait été éclairé par les lustres et les flambeaux. Et le sultan fut ébloui de leur clarté et demeura interdit de leur beauté. Puis il prit la porcelaine des mains de la bonne femme et examina, l'une après l'autre, en les prenant entre ses doigts, les merveilleuses pierreries. Et il resta longtemps à les regarder et à les palper, à la limite de l'admiration. Et il finit par s'écrier, en se tournant vers son grand vizir : « Par la vie de ma tête ! ô mon vizir, que tout cela est beau, et que ces fruits sont merveilleux ! En as-tu jamais vu de pareils ou seulement as-tu jamais entendu parler de l'existence de choses si admirables sur la face de la terre ? Qu'en penses-tu ? dis-le-moi ! » Et le vizir répondit : « En vérité, ô roi du temps, je n'ai jamais vu et n'ai jamais entendu parler de choses si merveilleuses ! Certes, ces pierreries sont uniques en leur espèce ! Et les plus précieux joyaux de l'armoire de notre roi ne valent pas, réunis, le plus petit de ces fruits-là ! non, je ne le pense pas ! » Et le roi dit : « Et n'est-ce pas, ô mon vizir, que le jeune Aladdin qui m'envoie, avec sa mère, un si beau présent, mérite sans aucun doute, et bien plus que n'importe quel fils de roi, de voir agréer sa demande de mariage avec ma fille Badrou'l-Boudour ? »

À cette question du roi, à laquelle il était loin de s'attendre, le vizir devint bien changé de teint et bien lié de langue et bien chagriné ! Car le sultan lui avait promis, depuis fort longtemps, de n'accorder en mariage la princesse à d'autre qu'à un fils qu'il avait et qui brûlait d'amour pour elle depuis l'enfance. Aussi, après un long moment de perplexité, d'émoi et de silence, il finit par répondre d'une voix fort triste : « Oui, ô roi du temps ! Mais Ta Sérénité oublie qu'elle a promis la princesse au fils de ton esclave ! Je te demande donc en grâce, si ce cadeau d'un inconnu t'agrée vraiment, de m'accorder seulement un délai de trois mois, au bout duquel je m'engage à trouver moi-même un présent encore plus beau que celui-ci à offrir en dot, pour mon fils, à notre roi ! »

Or le roi, qui savait bien, à cause de ses connaissances en fait de joyaux et de pierreries, que nul homme sur la terre, fût-il fils de roi ou de sultan, n'était capable de trouver un cadeau qui approchât, de près ou de loin, de ces merveilles uniques en leur espèce, ne voulut point désobliger son vieux vizir en lui refusant la grâce qu'il sollicitait, quelque inutile qu'elle fût ; et, dans sa bienveillance, il lui répondit : « Certes ! ô mon vizir, je t'accorde le délai que tu demandes. Mais sache bien qu'au bout de ces trois mois, si tu n'as pas réussi à trouver, pour ton fils, une dot à m'offrir pour ma fille qui surpasse ou même seulement qui égale la dot que m'offre cette bonne femme au nom de son fils Aladdin, j'aurai fait pour ton fils tout le possible, à cause de tes bons et loyaux services ! » Puis il se tourna vers la mère d'Aladdin et lui dit, avec beaucoup d'affabilité : « Ô mère d'Aladdin, tu peux retourner en toute joie et sécurité auprès de ton fils, et lui dire que sa demande est agréée, et que ma fille est désormais en son nom ! Mais dis-lui que le mariage ne pourra se faire que dans trois mois seulement, pour nous donner le temps de faire préparer le trousseau de ma fille et exécuter l'ameublement qui convient à une princesse de sa qualité ! »

Et la mère d'Aladdin, extrêmement émue, leva les bras au ciel et fit des vœux pour la prospérité et la longueur de vie du sultan et prit congé pour aussitôt, une fois sortie du palais, s'envoler de joie vers sa maison. Et, dès qu'elle fut entrée, Aladdin vit son visage illuminé de bonheur et courut à elle et, bien troublé, lui demanda : « Eh bien, ô mère, dois-je vivre ou dois-je mourir ? » Et la pauvre femme, exténuée de fatigue, commença par s'asseoir sur le divan et enlever son voile de son visage, et dit : « Je t'annonce la bonne nouvelle, ô Aladdin ! La fille du sultan est désormais en ton nom ! Et ton cadeau, comme tu le vois, est agréé avec joie et contentement ! Seulement, ton mariage avec Badrou'l-Boudour ne pourra avoir lieu que dans trois mois ! Et ce retard est dû au grand vizir, cette barbe calamiteuse, qui a parlé en secret au roi et lui a suggéré de différer la cérémonie, je ne sais pour quelle raison ! Mais, inschallah ! il n'arrivera que du bien ! Et ton désir sera satisfait au-delà de toutes les prévisions, ô mon enfant ! » Puis, elle ajouta : « Quant à ce grand vizir, ô mon fils, qu'Allah le maudisse et le réduise au pire état ! Car je suis fort préoccupée de ce qu'il a pu dire à l'oreille du roi ! Sans lui, le mariage aurait eu lieu, apparemment, aujourd'hui ou demain, tant le roi était ravi des fruits en pierreries du plat de porcelaine ! »

Puis, sans s'arrêter et sans respirer, elle raconta à son fils tout ce qui était arrivé depuis son entrée au diwân jusqu'à sa sortie, et termina en disant : « Qu'Allah conserve la vie de notre glorieux sultan, et te garde pour le bonheur qui t'attend, ô mon fils Aladdin…

À ce moment de sa narration, Schahrazade vit apparaître le matin et, discrète, se tut.

Mais lorsque fut la sept cent cinquantième nuit. Elle dit :

… Qu'Allah conserve la vie de notre glorieux sultan, et te garde pour le bonheur qui t'attend, ô mon fils Aladdin ! »

Et Aladdin, en entendant ce que venait de lui annoncer sa mère, se trémoussa d'aise et de contentement et s'écria : « Glorifié soit Allah, ô mère, qui fait descendre Ses grâces sur notre maison et te donne pour fille une princesse du sang des plus grands rois ! » Et il baisa la main de sa mère, et la remercia beaucoup pour toutes les peines qu'elle s'était données dans la poursuite de cette affaire si délicate. Et sa mère l'embrassa tendrement et lui souhaita toutes sortes de prospérités et pleura en pensant que son époux le tailleur, père d'Aladdin, n'était plus là pour voir la fortune et les effets merveilleux de la destinée de son fils, le garnement d'autrefois !

Et, depuis ce jour, ils se mirent à compter, avec une impatience extrême, les heures qui les séparaient du bonheur qu'ils se promettaient, à l'expiration des trois mois. Et ils ne cessaient de s'entretenir de leurs projets et des fêtes et des largesses qu'ils comptaient donner aux pauvres, en songeant qu'hier encore ils étaient eux-mêmes dans la misère et que la chose la plus méritoire aux yeux du Rétributeur était, sans aucun doute, la générosité.

Or deux mois s'écoulèrent de la sorte. Et la mère d'Aladdin, qui sortait tous les jours pour faire les achats nécessaires d'avant les noces, était allée, un matin, au souk et commençait à entrer dans les boutiques, en faisant mille emplettes, grandes et petites quand elle s'aperçut d'une chose qu'elle n'avait pas remarquée en arrivant. Elle vit, en effet, que toutes les boutiques étaient décorées et ornées de feuillage, de lanternes et de banderoles multicolores qui allaient d'un bout de la rue à l'autre bout, et que tous les boutiquiers, les acheteurs et les gens du souk, les riches comme les pauvres, faisaient de grandes démonstrations de joie, et que toutes les rues étaient encombrées de fonctionnaires du palais, richement vêtus de leurs brocarts de cérémonie et montés sur des chevaux harnachés merveilleusement, et que tout le monde allait et venait avec une animation inaccoutumée. Aussi s'empressa-t-elle de demander au marchand d'huile, chez qui elle faisait ses provisions, quelle fête inconnue d'elle célébrait toute cette foule réjouie, et ce que signifiaient toutes ces démonstrations. Et le marchand d'huile, extrêmement formalisé d'une telle question, la regarda de travers et répondit : « Par Allah, on dirait que tu te moques ! Ou serais-tu une étrangère pour ignorer de la sorte le mariage du fils du grand vizir avec la princesse Badrou'l-Boudour, fille du sultan ? Et c'est justement l'heure où elle va sortir du hammam ! Et tous ces cavaliers richement vêtus d'habits d'or sont les gardes qui vont former son escorte jusqu'au palais ! »

Lorsque la mère d'Aladdin eut entendu ces paroles du marchand d'huile, elle ne voulut pas en apprendre davantage et, affolée et éplorée, elle se mit à courir à travers les souks, oubliant ses achats chez les marchands, et arriva à sa maison, où elle entra, et se jeta, hors d'haleine, sur le divan, où elle resta un moment sans pouvoir prononcer une parole. Et lorsqu'elle put parler, elle dit à Aladdin accouru : « Ah ! mon enfant, la destinée a tourné vers toi la page néfaste de son livre ! et voici que tout est perdu, et que le bonheur vers lequel tu marchais s'est évanoui avant qu'il se fût réalisé ! » Et Aladdin, fort alarmé de l'état où il voyait sa mère et des paroles qu'il entendait, lui demanda : « Qu'est-il donc arrivé de si néfaste, ô mère ? Hâte-toi de me le dire ! » Elle dit : « Hélas ! mon fils, le sultan a oublié la promesse qu'il nous a faite ! Et il marie aujourd'hui, précisément, sa fille Badrou'l-Boudour au fils du grand vizir, ce visage de goudron, ce calamiteux que je craignais tellement ! Et toute la ville est décorée, comme dans les grandes fêtes, pour les noces de ce soir ! » Et Aladdin, en entendant cette nouvelle, sentit la fièvre lui envahir le cerveau et faire tourner son sang à coups précipités. Et il resta un moment interdit et hébété, comme s'il allait tomber et mourir du coup. Mais il ne tarda pas à se dominer, en se souvenant de la lampe merveilleuse qu'il avait en sa possession et qui allait lui être, plus que jamais, d'un grand secours. Et il se tourna vers sa mère et lui dit, d'un ton fort tranquille : « Par ta vie, ô mère, je crois bien que le fils du vizir ne jouira pas cette nuit de toutes les délices qu'il se promet à ma place ! Sois donc sans crainte à ce sujet et, sans plus tarder, lève-toi, et prépare-nous à manger. Et nous verrons ensuite ce qu'il nous reste à faire, avec l'assistance du Très-Haut ! »

La mère d'Aladdin se leva donc et prépara le repas qu'Aladdin mangea de grand appétit, pour, aussitôt après, se retirer dans sa chambre, en disant : « Je désire rester seul et ne point être dérangé ! » Et il ferma sur lui la porte à clef, et tira la lampe magique de l'endroit où il la tenait cachée. Et il la prit et la frotta à l'endroit qu'il connaissait. Et, au même moment, l'éfrit esclave de la lampe parut devant lui et dit : « Entre tes mains, ici, ton esclave le voici ! Parle, que veux-tu ? Je suis le serviteur de la lampe, soit que dans les airs je vole, soit que sur la terre je rampe ! » Et Aladdin lui dit : « Écoute-moi bien, ô serviteur de la lampe ! car il ne s'agit plus maintenant de m'apporter de quoi manger et boire, mais de me servir dans une affaire d'une toute autre importance ! Sache, en effet, que le sultan m'a promis en mariage sa merveilleuse fille Badrou'l-Boudour, après avoir reçu de moi un présent de fruits en pierreries. Et il m'a demandé un délai de trois mois pour la célébration des noces. Et maintenant il a oublié sa promesse et, sans même songer à me renvoyer mon cadeau, il marie sa fille avec le fils du grand vizir ! Or il ne faut point que les choses se passent de la sorte ! Et je te demande de me servir dans l'accomplissement de mon projet ! » Et l'éfrit répondit : « Parle, ô mon maître Aladdin ! Et tu n'as guère besoin de me donner tant d'explications ! Ordonne et j'obéirai ! » Et Aladdin répondit : « Ce soir donc, dès que les deux nouveaux mariés seront couchés dans leur lit nuptial, et avant qu'ils aient le temps de seulement se toucher, tu les enlèveras avec leur lit et tu les transporteras ici même, où je verrai ce qu'il me reste à faire ! » Et l'éfrit de la lampe porta sa main à son front et répondit : « J'écoute et j'obéis ! » et disparut…

À ce moment de sa narration, Schahrazade vit apparaître le matin et, discrète, se tut.

Mais lorsque fut la sept cent cinquante et unième nuit. Elle dit :

… Et l'éfrit de la lampe porta sa main à son front et répondit : « J'écoute et j'obéis ! » et disparut. Et Aladdin alla retrouver sa mère et s'assit à côté d'elle et se mit à causer avec tranquillité de choses et d'autres, sans plus se préoccuper du mariage de la princesse que si rien de tout cela n'était arrivé. Et, le soir venu, il laissa sa mère libre d'aller se coucher, et rentra dans sa chambre où il s'enferma de nouveau à clef et attendit le retour de l'éfrit. Et voilà pour lui !

Quant aux noces du fils du grand vizir, voici ! Lorsque la fête et les festins et les cérémonies et les réceptions et les réjouissances furent à leur fin, le nouveau marié, précédé par le chef des eunuques pénétra dans la chambre nuptiale. Et le chef des eunuques se hâta de se retirer et de refermer la porte derrière lui. Et le nouveau marié, après s'être dévêtu, souleva la moustiquaire et entra se coucher dans le lit, pour y attendre l'arrivée de la princesse. Or elle ne tarda pas à faire son entrée, accompagnée de sa mère et des femmes de sa suite, qui la déshabillèrent, la vêtirent d'une simple chemise de soie et lui dénouèrent sa chevelure. Puis elles la mirent dans le lit comme par force, tandis que, selon l'usage des nouvelles mariées en pareille circonstance, elle faisait semblant de résister beaucoup et se contournait en tous sens, cherchant à s'échapper de leurs mains. Et lorsqu'elles l'eurent mise au lit, sans chercher à regarder le fils du vizir qui y était déjà couché, elles se retirèrent toutes ensemble, en faisant des vœux pour la consommation. Et la mère, qui sortit la dernière, ferma la porte de la chambre en poussant, selon l'usage, un grand soupir.

Or dès que les deux nouveaux mariés se trouvèrent seuls, et avant qu'ils eussent le temps de se faire la moindre caresse, ils se sentirent soudain soulevés avec leur lit, sans pouvoir se rendre compte de ce qui leur arrivait. Et, en un clin d'œil, ils se virent transportés hors du palais et déposés dans un endroit qu'ils ne connaissaient pas et qui n'était autre que la chambre d'Aladdin. Et, pendant qu'ils étaient plongés dans l'épouvante, l'éfrit vint se prosterner devant Aladdin et lui dit : « Ton ordre, ô mon maître, est exécuté. Et me voici prêt à t'obéir pour tout ce qu'il te reste à me commander ! » Et Aladdin lui répondit : « Il me reste à te demander d'enlever ce jeune entremetteur et d'aller l'enfermer, pour toute la nuit, dans le cabinet d'aisances ! Et, demain matin, reviens ici prendre mes ordres ! » Et le genni de la lampe répondit par l'ouïe et l'obéissance, et se hâta d'obéir. Il enleva donc brutalement le fils du vizir et alla l'enfermer dans les cabinets, en lui enfonçant la tête dans le trou. Et il jeta sur lui un souffle froid et puant qui l'immobilisa comme un morceau de bois dans la situation où il se trouvait. Et voilà pour lui !

Quant à Aladdin, lorsqu'il fut seul avec la princesse Badrou'l-Boudour, il ne songea pas un instant, malgré le grand amour qu'il éprouvait pour elle, à abuser de la situation. Et il commença par s'incliner devant elle, en tenant la main sur son cœur, et, d'une voix bien passionnée, il lui dit : « Ô princesse, sache qu'ici tu es plus en sécurité que dans le palais du sultan, ton père ! Si tu te trouves en cet endroit que tu ne connais pas, c'est seulement pour que tu ne subisses pas les caresses de ce jeune crétin, fils du vizir de ton père ! Et moi, bien que je sois celui auquel tu as été promise en mariage, je me garderai bien de te toucher, avant que le temps soit venu et avant que tu sois devenue mon épouse légitime, par le Livre et par la Sunnah ! »

À ces paroles d'Aladdin la princesse ne put rien comprendre, d'abord parce qu'elle était bien émue et parce que, ensuite, elle ignorait et la promesse ancienne de son père et toutes les particularités de l'affaire. Et, ne sachant que dire, elle se contenta de pleurer beaucoup. Et Aladdin, pour lui bien prouver qu'il n'avait aucune mauvaise intention à son sujet et pour la tranquilliser, se jeta tout habillé sur le lit, à la place même qu'occupait le fils du vizir, et prit la précaution de mettre un sabre nu entre elle et lui, pour bien montrer par là qu'il entendait se donner la mort plutôt que de la toucher, fût-ce du bout des doigts. Et même il tourna le dos du côté de la princesse, pour ne pas la gêner par n'importe quel endroit. Et il s'endormit en toute tranquillité, sans plus se soucier de la présence tant désirée de Badrou'l-Boudour, que s'il était seul dans son lit de célibataire.

Quant à la princesse, l'émotion que lui causait cette aventure si étrange, et la situation nouvelle où elle se trouvait, et les pensées tumultueuses qui l'agitaient, tantôt d'effroi et tantôt de stupéfaction, l'empêchèrent de fermer l'œil de toute la nuit. Mais, certes ! elle était encore bien moins à plaindre que le fils du vizir qui se trouvait dans les cabinets, la tête enfoncée dans le trou, et qui ne pouvait faire un mouvement à cause du souffle épouvantable que lui avait jeté l'éfrit pour l'immobiliser. Quoi qu'il en soit, le sort des deux époux, pour une première nuit de noces, n'avait rien que de bien affligeant et de bien calamiteux…

À ce moment de sa narration, Schahrazade vit apparaître le matin et, discrète, se tut.

Mais lorsque fut la sept cent cinquante-deuxième nuit. Elle dit :

… Le sort des deux époux, pour une première nuit de noces, n'avait rien que de bien affligeant et de bien calamiteux.

Le lendemain matin, sans qu'Aladdin eût besoin de frotter à nouveau la lampe, l'éfrit, selon l'ordre qui lui avait été donné, vint de lui-même attendre le réveil du maître de la lampe. Et, comme il tardait à se réveiller, il poussa plusieurs exclamations qui épouvantèrent la princesse, qui n'avait pas le pouvoir de l'apercevoir. Et Aladdin ouvrit les yeux ; et, dès qu'il eut reconnu l'éfrit, il se leva d'à côté de la princesse, et alla un peu à l'écart, pour n'être entendu que de l'éfrit, et lui dit : « Hâte-toi d'aller tirer des cabinets le fils du vizir ; et reviens le déposer dans le lit, à la place qu'il occupait. Puis transporte-les tous deux dans le palais du sultan, à l'endroit même où tu les as pris. Et, surtout, surveille-les bien pour les empêcher de se caresser ou même de se toucher ! » Et l'éfrit de la lampe répondit par l'ouïe et l'obéissance, et se hâta d'aller d'abord retirer le morfondu jeune homme des cabinets et de le déposer sur le lit, à côté de la princesse, pour aussitôt, en moins de temps qu'il n'en faut pour battre des paupières, les transporter tous deux dans la chambre nuptiale, au palais du sultan, sans qu'ils pussent ni voir ni comprendre ce qui leur arrivait, ni par quel moyen ils changeaient si rapidement de domicile. Et d'ailleurs c'est ce qui pouvait leur arriver de mieux, car la seule vue de l'effroyable genni, serviteur de la lampe, les eût, sans aucun doute, épouvantés jusqu'à en mourir.

Or à peine l'éfrit avait-il transporté les deux nouveaux mariés dans la chambre du palais que le sultan et son épouse, impatients de savoir comment la princesse leur fille avait passé cette première nuit de noces et désireux de la féliciter et d'être les premiers à la voir pour lui souhaiter le bonheur et la durée des délices, firent leur entrée matinale. Et ils s'approchèrent, bien émus, du lit de leur fille, et la baisèrent tendrement entre les deux yeux en lui disant : « Bénie soit ton union, ô fille de notre cœur ! Et puisses-tu voir germer de ta fécondité une longue suite de descendants beaux et illustres, qui perpétueront la gloire et la noblesse de ta race ! Ah ! dis-nous comment tu as passé cette nuit première, et de quelle manière s'est comporté ton époux envers toi ! » Et, ayant ainsi parlé, ils se turent, attendant sa réponse ! Et voici que soudain ils la virent, au lieu de montrer un visage frais et souriant, éclater en sanglots et les regarder avec de grands yeux tristes pleins de larmes.

Alors ils voulurent interroger son époux, et regardèrent du côté du lit où ils le croyaient encore couché ; mais il était précisément sorti de la chambre, juste au moment de leur entrée, pour aller se laver de tous les immondices qui lui barbouillaient la face. Et ils pensèrent qu'il était allé au hammam du palais prendre le bain d'usage après la consommation. Et ils se tournèrent de nouveau du côté de leur fille et l'interrogèrent anxieusement du geste, du regard et de la voix, sur le motif de ses larmes et de sa tristesse. Et comme elle continuait à se taire, ils crurent que seule la pudeur de la première nuit de noces l'empêchait de parler et que ses larmes étaient des larmes de circonstance ; et ils se tinrent un moment tranquilles, ne voulant pas trop insister, pour commencer. Mais comme cette situation menaçait de durer fort longtemps et que ses pleurs ne faisaient qu'augmenter, la reine ne put davantage patienter et, d'un ton plein d'humeur, finit par dire à la princesse : « Voyons, ma fille, veux-tu enfin me répondre et répondre à ton père ? Et vas-tu longtemps encore faire avec nous ces façons, qui durent depuis déjà trop longtemps ? Moi aussi, ma fille, j'ai été nouvelle mariée comme toi et avant toi ! mais j'ai su avoir le tact de ne pas faire trop durer ces manières de poule offusquée. Et tu oublies, en outre, que tu manques présentement au respect que tu nous dois, en continuant à ne pas répondre à nos questions ! »

À ces paroles de sa mère formalisée, la pauvre princesse, accablée de tous les côtés à la fois, se vit bien obligée de sortir du silence qu'elle gardait, et, poussant un grand et bien triste soupir, elle répondit : « Qu'Allah me pardonne si j'ai manqué au respect que je dois à mon père et à ma mère ! mais mon excuse est que je suis troublée à l'extrême et bien émue et bien triste et bien stupéfaite de tout ce qu'il m'est arrivé cette nuit ! Et elle se mit à raconter tout ce qui lui était arrivé, la nuit précédente, non point comme les choses s'étaient réellement passées, mais comme elle avait pu elle-même en juger seulement par ses yeux. Elle dit comment, à peine couchée dans son lit, à côté de son époux le fils du vizir, elle avait senti le lit se mouvementer au-dessous d'elle, comment elle s'était vue transportée en un clin d'œil de la chambre nuptiale dans une maison qu'elle n'avait jamais connue auparavant, comment son époux avait été séparé d'elle, sans qu'elle pût savoir de quelle manière il avait été enlevé et remis, comment il avait été remplacé, durant toute la nuit, par un beau jeune homme, fort respectueux d'ailleurs et extrêmement attentionné qui, pour ne point se voir exposé à abuser d'elle, avait mis son sabre nu entre eux deux et s'était endormi, le visage tourné du côté du mur, et comment enfin, au matin, une fois son époux de retour au lit, elle avait été de nouveau transportée avec lui, dans leur chambre nuptiale, au palais, où il s'était alors hâté de se lever pour de là courir au hammam se délivrer d'un tas d'horribles choses qui lui couvraient la figure ! » Et elle ajouta : « Et c'est à ce moment que je vous vis tous deux entrer, pour me souhaiter le bonjour et me demander de mes nouvelles ! Hélas sur moi ! Il ne me reste plus qu'à mourir ! » Et, ayant ainsi parlé, elle se cacha la tête dans les oreillers, en proie aux sanglots douloureux.

Lorsque le sultan et son épouse eurent entendu ces paroles de leur fille Badrou'l-Boudour, ils furent stupéfaits, et se regardèrent, avec des yeux blancs et des mines allongées, ne doutant pas qu'elle n'eût perdu l'esprit à cause de cette nuit où sa virginité avait été heurtée pour la première fois. Et ils ne voulurent ajouter foi à aucune de ses paroles ; et sa mère lui dit très bas et d'une voix chuchotante…

À ce moment de sa narration, Schahrazade vit apparaître le matin et, discrète, se tut.

Mais lorsque fut la sept cent cinquante-troisième nuit. Elle dit :

… Et ils ne voulurent ajouter foi à aucune de ses paroles ; et sa mère lui dit d'une voix chuchotante : « C'est toujours ainsi que les choses se passent, ma fille ! Mais garde-toi bien d'en rien dire à personne, car on ne raconte jamais ces choses-là ! Et les gens qui t'entendraient te prendraient pour une folle ! Lève-toi donc et ne te préoccupe plus à ce sujet, et fais en sorte de ne pas troubler, par ta mauvaise mine, les fêtes que l'on donne aujourd'hui au palais en ton honneur, et qui vont durer quarante jours et quarante nuits, non seulement dans notre ville mais dans tout le royaume. Allons, ma fille ! sois contente, et oublie les divers incidents de cette nuit ! »

Puis la reine appela ses femmes et les chargea du soin de la toilette de la princesse ; et elle sortit, avec le sultan, qui était fort perplexe, à la recherche de son gendre, le fils du vizir. Et ils finirent par le rencontrer qui revenait du hammam. Et la reine, pour être fixée sur les dires de sa fille, se mit à interroger le morfondu jeune homme sur ce qui s'était passé. Mais il ne voulut rien avouer de ce qu'il avait enduré, et, dissimulant toute l'aventure, de peur d'être tourné en dérision et rejeté par les parents de son épouse, il se contenta de répondre : « Par Allah ! et que s'est-il donc passé, pour que vous ayez, en m'interrogeant, cet air singulier ? » Et la sultane, alors, de plus en plus persuadée que tout ce que lui avait raconté sa fille était l'effet de quelque cauchemar, crut bien faire en n'insistant point auprès de son gendre, et lui dit : « Glorifié soit Allah de ce que tout se soit passé sans heurt ni douleur ! Je te recommande, mon fils, beaucoup de douceur vis-à-vis de ton épouse, car elle est délicate ! » Et elle le quitta, sur ces paroles, et alla dans ses appartements, surveiller les réjouissances et les divertissements de la journée. Et voilà pour elle et pour les nouveaux mariés !

Quant à Aladdin, qui se doutait bien de ce qui arrivait au palais, il passa sa journée à se délecter à la pensée du tour excellent qu'il venait de jouer au fils du vizir. Mais il ne se tint point pour satisfait et voulut jusqu'au bout savourer l'humiliation de son rival. Aussi jugea-t-il à propos de ne pas lui laisser un moment de répit ; et, dès que la nuit tomba, il prit sa lampe et la frotta. Et le genni parut devant lui, en prononçant la même formule que les précédentes fois. Et Aladdin lui dit : « Ô serviteur de la lampe, va au palais du sultan ! Et, dès que tu verras les nouveaux mariés couchés ensemble, enlève-les avec leur lit, et apporte-les-moi ici, comme tu l'as fait la nuit précédente ». Et le genni se hâta d'aller exécuter l'ordre, et ne tarda pas à revenir avec sa charge qu'il déposa dans la chambre d'Aladdin, pour aussitôt enlever le fils du vizir et le fourrer, tête première, dans les cabinets. Et Aladdin ne manqua pas de prendre la place vide et de se coucher aux côtés de la princesse, mais avec la même décence que la première fois. Et après avoir posé le sabre entre eux deux, il se tourna du côté du mur et s'endormit tranquillement. Et, le lendemain, les choses se passèrent exactement comme la veille, en ce sens que l'éfrit, suivant les ordres d'Aladdin, remit le morfondu auprès de Badrou'l-Boudour et les transporta tous deux, avec le lit, dans la chambre nuptiale, au palais du sultan.

Or le sultan, plus impatient que jamais d'avoir des nouvelles de sa fille après la seconde nuit, arriva à ce moment précis dans la chambre nuptiale, tout seul cette fois ; car il redoutait par-dessus tout la mauvaise humeur de la sultane, son épouse, et préférait interroger lui-même la princesse. Et dès que le fils du vizir, à la limite de la mortification, eut entendu les pas du sultan, il sauta du lit et s'enfuit hors de la chambre, pour courir se débarbouiller au hammam. Et le sultan entra et s'avança jusqu'au lit de sa fille ; et il souleva la moustiquaire ; et après avoir embrassé la princesse, il lui dit : « Dis-moi, ma fille ! j'espère bien que tu n'as pas eu cette nuit le même affreux cauchemar, dont tu nous as raconté, hier, les extravagantes péripéties ! Allons ! peux-tu me dire comment tu as passé cette nuit-ci ? » Mais la princesse, au lieu de répondre, éclata en sanglots, et se cacha le visage dans ses mains, pour ne pas voir les yeux irrités de son père qui ne comprenait plus rien à tout cela. Et il attendit un bon moment, pour lui donner le temps de se calmer ; mais comme elle continuait à pleurer et à hoqueter, il finit par se mettre en fureur et tira son sabre et s'écria : « Par ma vie, si tout de suite tu ne veux me dire la vérité, ta tête sautera de tes épaules ! »

Alors la pauvre princesse, doublement épouvantée, fut bien obligée d'arrêter ses larmes ; et, d'une voix brisée, elle dit : « Ô mon père bien-aimé, de grâce ! ne t'irrite pas contre moi ! Car si tu voulais bien m'écouter, maintenant que ma mère n'est plus là pour t'exciter contre moi, tu m'excuserais, sans aucun doute, et tu me plaindrais et tu prendrais les précautions nécessaires pour m'empêcher de mourir de confusion et d'épouvante ! Car, certainement, si j'éprouvais encore une fois les terribles choses que j'ai éprouvées cette dernière nuit, tu me trouverais, le lendemain, morte dans mon lit ! Aie donc pitié de moi, ô mon père, et fais que ton ouïe et ton cœur compatissent à mes peines et à mon émoi…

À ce moment de sa narration, Schahrazade vit apparaître le matin et, discrète, se tut.

Mais lorsque fut la sept cent cinquante-quatrième nuit. Elle dit :

… Aie donc pitié de moi, ô mon père, et fais que ton ouïe et ton cœur compatissent à mes peines et à mon émoi ! » Et le sultan, dont le cœur était pitoyable, et qui ne sentait plus la présence excitante de son épouse, se pencha vers sa fille, et l'embrassa et la cajola, et apaisa son âme chérie. Puis il lui dit : « Et maintenant, ma fille, calme ton esprit et rafraîchis tes yeux ! Et raconte en toute confiance, à ton père, dans leurs détails, les incidents qui t'ont mise, cette nuit, dans un tel état d'émotion et de terreur ! » Et la princesse, la tête dans le sein de son père, lui raconta, sans rien oublier, tout ce qui lui était arrivé de fâcheux pendant les deux nuits qu'elle venait de passer, et termina son récit en ajoutant : « Et puis, ô mon père bien-aimé, il vaut encore mieux que tu interroges le fils du vizir afin qu'il puisse te confirmer mes paroles ! »

Et le sultan, en entendant le récit de cette étrange aventure, fut à l'extrême limite de la perplexité, et partagea la peine de sa fille, et sentit ses yeux se mouiller de larmes, tant il l'aimait. Et il lui dit : « Certes ! ma fille, c'est moi seul qui suis la cause de tout ce qui t'arrive de fâcheux, puisque je t'ai mariée à un morfondu qui ne sait pas te défendre et te garantir de ces aventures singulières. Car, en vérité, c'est ton bonheur que j'ai voulu, par ce mariage, et non point ton malheur et ton dépérissement ! Or, par Allah ! je vais tout de suite faire venir le vizir et son fils, le crétin, et leur demander des explications sur toutes ces choses-là ! Mais, quoi qu'il en soit, tu peux être tout à fait tranquille, ma fille ! car ces faits ne se répéteront plus, je te le jure par la vie de ma tête ! » Puis il la quitta, la laissant aux soins de ses femmes, et rentra dans ses appartements, en bouillonnant de colère.

Et aussitôt il fit venir son grand vizir ; et dès qu'il se présenta entre ses mains, il lui cria : « Où est-il, ton fils, l'entremetteur ? Et que t'a-t-il dit au sujet des faits de ces deux dernières nuits ? » Le grand vizir, stupéfait, répondit : « Je ne sais, ô roi du temps, de quoi il s'agit ! Mon fils ne m'a rien dit qui puisse m'expliquer la colère de notre roi ! Mais, si tu me le permets, je vais tout de suite aller le trouver et l'interroger ! » Et le sultan dit : « Va ! Et reviens vite m'apporter la réponse ! » Et le grand vizir, le nez fort allongé, sortit en courbant le dos, et alla à la recherche de son fils qu'il trouva au hammam en train de se laver des immondices qui le couvraient. Et il lui cria : « Ô fils de chien, pourquoi m'as-tu caché la vérité ? Si tout de suite tu ne me mets pas au courant des faits de ces deux dernières nuits, ce jour sera ton dernier ! » Et le fils baissa la tête et répondit : « Hélas ! ô mon père, seule la honte m'a empêché jusqu'à présent de te révéler les fâcheuses aventures de ces deux nuits, et les inqualifiables traitements que j'ai subis, sans avoir la possibilité de me défendre, ou seulement de savoir comment et par la puissance de quelles forces ennemies tout cela nous arrivait à tous deux, dans notre lit ! » Et il raconta à son père toute l'histoire, dans ses détails, sans rien oublier. Mais il n'y a point d'utilité à la répéter. Et il ajouta : « Quant à moi, ô mon père, je préfère la mort à une telle vie ! Et, devant toi, je fais le triple serment du divorce définitif d'avec la fille du sultan ! Je te supplie donc d'aller trouver le sultan, et de lui faire agréer la déclaration de nullité de mon mariage avec sa fille Badrou'l-Boudour ! Car c'est le seul moyen de voir cesser ces mauvais traitements et d'avoir la tranquillité ! Et je pourrai alors m'endormir dans mon lit, au lieu de passer mes nuits dans les cabinets ! »

En entendant ces paroles de son fils, le grand vizir fut fort chagriné. Car le souhait de sa vie avait été de voir son fils marié à la fille du sultan, et cela lui coûtait beaucoup de renoncer à ce grand honneur. Aussi, bien que convaincu de la nécessité du divorce dans de telles conditions, il dit à son fils : « Certes, ô mon fils ! il n'est pas possible d'endurer davantage de pareils traitements. Mais songe à ce que tu vas quitter par ce divorce ! Ne vaut-il pas mieux prendre patience pendant encore une nuit, durant laquelle nous veillerons tous autour de la chambre nuptiale, avec les eunuques armés de sabres et de gourdins ! Qu'en dis-tu, mon fils ? » Il répondit : « Fais ce qui te plaît, ô mon père le grand vizir ! Quant à moi, je suis bien résolu à ne plus entrer dans cette chambre de goudron ! »

Alors le vizir laissa son fils, et alla retrouver le roi. Et il se tint debout entre ses mains, en baissant la tête. Et le roi lui demanda : « Qu'as-tu à me dire ? » Il répondit : « Par la vie de notre maître, ce qu'a raconté la princesse Badrou'l-Boudour est bien vrai ! Mais la faute n'est point à mon fils ! En tout cas, ô roi du temps, il ne faut pas que la princesse reste exposée à de nouveaux ennuis à cause de mon fils. Et, si tu le permets, il vaut mieux que les deux époux vivent désormais séparés par le divorce ! » Et le roi dit : « Par Allah ! tu as raison. Mais si l'époux de ma fille n'était point ton fils, c'eût été par la mort que j'en eusse délivré ma fille ! Qu'ils soient donc divorcés ! » Et aussitôt le sultan donna les ordres nécessaires pour faire cesser les réjouissances publiques, aussi bien dans le palais que dans la ville et par tout le royaume de la Chine ; et il fit proclamer le divorce de sa fille Badrou'l-Boudour d'avec le fils du grand vizir, en donnant bien à comprendre que rien n'avait été consommé, et que la perle restait vierge et imperforée.

À ce moment de sa narration, Schahrazade vit apparaître le matin et, discrète, se tut.

Mais lorsque fut la sept cent cinquante-cinquième nuit. Elle dit :

… Et il fit proclamer le divorce de sa fille Badrou'l-Boudour d'avec le fils du grand vizir, en donnant bien à comprendre que rien n'avait été consommé et que la perle restait vierge et imperforée. Quant au fils du grand vizir, le sultan, par égard pour le père, le nomma gouverneur d'une province éloignée de la Chine, et lui donna l'ordre de partir sans retard. Ce qui fut exécuté.

Lorsque Aladdin eut appris, en même temps que les habitants de la ville, par la proclamation des crieurs publics, le divorce de Badrou'l-Boudour, sans consommation du mariage, et le départ du morfondu, il se dilata à la limite de la dilatation et se dit : « Bénie soit cette lampe merveilleuse, cause première de toutes mes prospérités ! Il est encore préférable que le divorce ait eu lieu sans une intervention plus directe du genni de la lampe, qui, sans aucun doute, aurait abîmé sans recours le crétin ! » Et il se réjouit également de ce que sa vengeance eût eu ce succès, sans que personne, pas plus le roi que le grand vizir ou même sa mère, se fût douté de la part qu'il avait prise à toute l'affaire. Et, sans plus se préoccuper que si rien d'anormal n'était survenu depuis sa demande en mariage, il attendit, en toute tranquillité, que les trois mois du délai demandé par le sultan fussent écoulés, pour, le lendemain même du dernier jour, envoyer au palais sa mère, revêtue de ses plus beaux habits, rappeler au sultan sa promesse.

Or, dès que la mère d'Aladdin fut entrée dans le diwân, le sultan qui, selon son habitude, était en train de régler les affaires du règne, jeta les yeux de son côté et la reconnut aussitôt. Et elle n'eut pas besoin de parler, car il se rappela, de lui-même, la promesse qu'il lui avait faite et le délai qu'il avait fixé. Et il se tourna vers son grand vizir et lui dit : « Voici, ô vizir, la mère d'Aladdin ! C'est elle qui nous a apporté, il y a trois mois, la merveilleuse porcelaine pleine de pierreries. Et je crois bien qu'elle vient, à l'expiration du délai, me demander la réalisation de la promesse que je lui avais faite concernant ma fille ! Béni soit Allah qui n'a pas permis le mariage de ton fils, pour me faire souvenir de la parole donnée alors que j'avais oublié mes engagements à cause de toi ! » Et le vizir qui, en son âme, demeurait bien dépité de tout ce qui était arrivé, répondit : « Certes, ô mon maître, les rois ne doivent jamais oublier leurs promesses ! Mais, en vérité, quand on marie sa fille, on doit se renseigner sur l'époux ! et notre maître le roi n'a guère pris de renseignements sur cet Aladdin et sur sa famille ! Or, moi, je sais que c'est le fils d'un pauvre tailleur, mort dans la misère, et de basse condition ! D'où peut donc venir la richesse au fils d'un tailleur ? » Le roi dit : « La richesse vient d'Allah, ô vizir ! » Il dit : « Oui, ô roi ! Mais nous ne savons si cet Aladdin est réellement aussi riche que son présent nous le donnait à croire ! Pour nous en assurer, le roi n'aura qu'à demander, pour prix de la princesse, une dot si considérable que seul pourra la payer un fils de roi ou de sultan. Et de la sorte le roi ne mariera sa fille qu'à bon escient, sans risquer de lui donner, encore une fois, un époux indigne de ses mérites ! » Et le roi dit : « Ta langue sécrète l'éloquence, ô vizir ! Fais donc avancer la femme, pour que je lui parle ! » Et le vizir fit signe au chef des gardes, qui fit avancer la mère d'Aladdin jusqu'au pied du trône.

Alors la mère d'Aladdin se prosterna et embrassa la terre, par trois fois, entre les mains du roi, qui lui dit : « Sache, ô tante, que je n'ai point oublié ma promesse ! Mais jusqu'à présent je ne t'ai pas encore parlé de la dot exigée pour le prix de ma fille, dont les mérites sont très grands ! Tu diras donc à ton fils que son mariage avec ma fille, El Sett Boudrou'l-Boudour, aura lieu dès qu'il m'aura envoyé ce que j'exige comme dot pour ma fille, à savoir : quarante grands plats d'or massif, remplis jusqu'aux bords des mêmes espèces de pierreries, en forme de fruits de toutes les couleurs et de toutes les tailles, qu'il m'avait déjà envoyées dans le plat de porcelaine ; et ces plats d'or seront portés au palais par quarante esclaves adolescentes, belles comme des lunes, qui seront conduites par quarante esclaves nègres, jeunes et robustes ; et tous marcheront en cortège, habillés très magnifiquement et viendront déposer entre mes mains quarante plats de pierreries ! Et voilà toute ma demande, ma bonne tante ! Car je ne veux pas exiger davantage de ton fils, eu égard au présent qu'il m'a déjà envoyé ! »

Et la mère d'Aladdin, bien atterrée de cette demande exorbitante, se contenta de se prosterner une seconde fois devant le trône, et se retira pour aller rendre compte à son fils de sa mission. Et elle lui dit : « Ah ! mon fils, je t'avais bien conseillé, dès le commencement, de ne pas penser à ce mariage avec la princesse Badrou'l-Boudour ! » Et, avec force soupirs, elle raconta à son fils la manière, d'ailleurs affable, dont le roi l'avait reçue, et les conditions qu'il exigeait avant de consentir définitivement au mariage ! Et elle ajouta : « Quelle folie est la tienne, ô mon enfant ! Passe encore pour les plats d'or et pour les pierreries exigées ! car j'imagine que tu seras assez insensé pour aller au souterrain dépouiller tous les arbres de leurs fruits enchantés ! Mais pour ce qui est des quarante esclaves adolescentes et des quarante jeunes nègres, comment vas-tu faire, dis-le-moi ? Ah ! mon fils, c'est encore la faute à ce maudit vizir, si cette demande est si exorbitante ; car je l'ai vu, à mon entrée, se pencher à l'oreille du roi, et lui parler en secret ! Crois-moi, Aladdin, renonce à ce projet qui te conduira à ta perte, sans recours ! » Mais Aladdin se contenta de sourire et répondit à sa mère : « Par Allah ! ô mère, en te voyant entrer avec ce visage de travers, j'ai pensé que tu allais m'annoncer une fort mauvaise nouvelle ! Mais je vois bien à présent que tu te préoccupes toujours de choses qui n'en valent vraiment pas la peine ! Sache, en effet, que tout ce que le roi vient de me demander pour prix de sa fille n'est rien en comparaison de ce que je pourrai réellement lui donner ! Rafraîchis donc tes yeux et tranquillise ton esprit. Et ne songe, pour ta part, qu'à nous préparer le repas, vu que j'ai bien faim. Et laisse-moi le soin de satisfaire le roi…

À ce moment de sa narration, Schahrazade vit apparaître le matin et, discrète, se tut.

Mais lorsque fut la sept cent cinquante-sixième nuit. Elle dit :

… Et ne songe, pour ta part, qu'à nous préparer le repas, vu que j'ai bien faim. Et laisse-moi le soin de satisfaire le roi ! »

Or dès que la mère fut sortie pour aller au souk acheter les provisions nécessaires, Aladdin se hâta d'entrer s'enfermer dans sa chambre. Et il prit la lampe et la frotta à l'endroit qu'il connaissait. Et aussitôt apparut le genni, qui, après s'être incliné devant lui, dit : « Entre tes mains, ici, ton esclave le voici ! Parle, que veux-tu ? Je suis le serviteur de la lampe soit que dans les airs je vole, soit que sur la terre je rampe ! » Et Aladdin lui dit : « Sache, ô éfrit, que le sultan veut bien m'accorder sa fille, la merveilleuse Badrou'l-Boudour que tu connais, mais c'est à condition que je lui envoie au plus tôt quarante plats d'or massif, de qualité pure, remplis jusqu'aux bords de fruits en pierreries semblables à ceux du plat en porcelaine, que j'avais cueillis aux arbres du jardin, là même où j'ai trouvé la lampe dont tu es le serviteur. Mais ce n'est pas tout ! Il me demande, en outre, pour lui porter ces plats d'or remplis de pierreries, quarante esclaves adolescentes, belles comme des lunes, qui soient conduites par quarante jeunes nègres, beaux, solides, et très magnifiquement habillés. Voilà donc ce que j'exige de toi, à mon tour ! Hâte-toi donc de me satisfaire, en vertu du pouvoir que j'ai sur toi comme maître de la lampe ! » Et le genni répondit : « J'écoute et j'obéis ! » et disparut, mais pour revenir au bout d'un moment.

Et il était accompagné des quatre-vingts esclaves en question, tant hommes que femmes, qu'il rangea dans la cour, le long du mur de la maison. Et les esclaves femmes portaient sur la tête, chacune un grand bassin d'or massif plein jusqu'au bord de perles, de diamants, de rubis, d'émeraudes, de turquoises et de mille autres espèces de pierreries, en forme de fruits de toutes les couleurs et de toutes les tailles. Et chaque bassin était recouvert d'une gaze de soie tissée de fleurons d'or. Et vraiment les pierreries étaient plus merveilleuses, et de beaucoup, que celles présentées au sultan dans la porcelaine. Et le genni, une fois qu'il eut fini de ranger contre le mur les quatre-vingts esclaves, vint s'incliner devant Aladdin et lui demanda : « As-tu encore, ô mon maître, quelque chose à exiger du serviteur de la lampe ? » Et Aladdin lui dit : « Non, rien d'autre pour le moment ! » Et aussitôt l'éfrit disparut.

Or à ce moment entra la mère d'Aladdin, chargée des provisions qu'elle avait achetées au souk. Et elle fut bien surprise de voir sa maison envahie par tant de monde ; et elle crut, au premier moment, que c'était le sultan qui envoyait saisir Aladdin pour le punir de l'insolence de sa demande. Mais Aladdin ne tarda pas à l'en dissuader, car avant qu'elle eût le temps d'ôter son voile de visage, il lui dit : « Ne perds pas le temps à enlever ton voile, ô mère, car tu vas être obligée de ressortir, sans retard, pour aller accompagner au palais ces esclaves que tu vois rangés dans notre cour ! Les quarante esclaves femmes portent, comme tu peux le remarquer, la dot réclamée par le sultan pour prix de sa fille ! Je te prie donc, avant même de préparer le repas, de me rendre le service d'accompagner le cortège, pour le présenter au sultan ! »

Aussitôt la mère d'Aladdin fit sortir en bon ordre de sa maison les quatre-vingts esclaves, en les plaçant l'un derrière l'autre, par groupes de deux : une esclave adolescente précédée immédiatement par un jeune nègre, et ainsi de suite jusqu'au dernier groupe. Et chaque groupe était séparé du précédent par un intervalle de dix pieds. Et lorsque le dernier groupe eut franchi la porte, la mère d'Aladdin marcha derrière le cortège. Et Aladdin, fort rassuré sur le résultat, ferma la porte et alla dans sa chambre attendre tranquillement le retour de sa mère.

Or dès que le premier groupe fut arrivé dans la rue, les passants commencèrent à s'attrouper ; et, lorsque le cortège fut au complet, la rue fut remplie d'une foule immense pleine de rumeurs et d'exclamations. Et tout le souk accourut autour du cortège pour admirer un spectacle si magnifique et si extraordinaire. Car chaque groupe, à lui seul, était une merveille finie ! car sa mise admirable de goût et de splendeur, sa beauté, composée d'une beauté blanche de femme et d'une beauté noire de nègre, son bel air, son maintien avantageux, sa marche grave et cadencée, à distance égale, l'éclat du bassin de pierreries que portait sur la tête chaque adolescente, les feux lancés par les joyaux enchâssés dans les ceintures d'or des nègres, les étincelles qui jaillissaient de leurs bonnets de brocart, où se balançaient des aigrettes, tout cela formait un spectacle ravissant, à nul autre pareil, qui faisait que le peuple ne doutait pas un instant qu'il ne s'agissait de l'arrivée au palais de quelque étonnant fils de roi ou de sultan.

Et le cortège, au milieu de l'ébahissement de tout un peuple, finit par arriver au palais. Et dès que les gardes et les portiers eurent aperçu le premier groupe, ils furent dans un tel émerveillement que, saisis de respect et d'admiration, ils formèrent spontanément la haie sur son passage. Et leur chef, à la vue du premier nègre, persuadé que le sultan des nègres en personne venait en visite chez le roi, s'avança vers lui et se prosterna et voulut lui baiser le bas de la robe ; mais il vit alors la file merveilleuse qui le suivait. Et, en même temps, le premier nègre lui dit en souriant, car il avait reçu les instructions nécessaires de l'éfrit : « Je ne suis, et nous tous ne sommes que les esclaves de celui qui viendra, quand le moment sera venu ! » Et, ayant ainsi parlé, il franchit la porte, suivi de l'adolescente qui portait le bassin d'or, et de toute la file des groupes harmonieux. Et les quatre-vingts esclaves franchirent la première cour et allèrent se ranger en bon ordre dans la seconde cour, qui donnait de plain-pied sur le diwân de réception.

Or dès que le sultan, qui présidait à ce moment aux affaires du royaume, vit dans la cour ce cortège magnifique qui effaçait par sa splendeur l'éclat de tout ce qu'il possédait au palais, il fit immédiatement évacuer le diwân et donna l'ordre de recevoir les nouveaux arrivés.

Et ils entrèrent gravement, deux par deux, et se rangèrent avec lenteur, en formant un grand croissant devant le trône du sultan. Et les esclaves adolescentes, aidées par leurs compagnons nègres, déposèrent chacune, sur le tapis, le bassin qu'elles portaient. Puis les quatre-vingt, tous ensemble se prosternèrent et embrassèrent la terre entre les mains du sultan, pour se relever aussitôt, et tous à la fois, découvrir d'un même geste adroit les bassins débordants de leurs fruits merveilleux. Et, les bras croisés sur la poitrine, ils demeurèrent debout, dans l'attitude du plus profond respect.

Alors seulement la mère d'Aladdin, qui venait la dernière, s'avança jusqu'au milieu du croissant formé par les quarante groupes alternés, et, après les prosternations et les salams d'usage, elle dit au roi, qui était devenu tout à fait muet de ce spectacle sans pareil : « Ô roi du temps, mon fils Aladdin, ton esclave, m'envoie avec la dot que tu as demandée comme prix de Sett Badrou'l-Boudour, ta fille honorable ! Et il me charge de te dire que tu t'es trompé dans l'appréciation de la valeur de la princesse, et que tout cela est bien au-dessous de ses mérites ! Mais il espère que tu l'excuseras pour le peu, et que tu agréeras ce faible tribut, dans l'attente de ce qu'il fera à l'avenir ! »

Ainsi parla la mère d'Aladdin. Mais le roi, qui n'était guère en état de bien saisir ce qu'elle lui disait, restait ébahi et les yeux écarquillés devant le spectacle qui s'offrait à sa vue. Et il regardait alternativement les quarante bassins, le contenu des quarante bassins, les esclaves adolescentes qui avaient porté les bassins, et les jeunes nègres qui avaient accompagné les porteuses des bassins. Et il ne savait ce qu'il devait le plus admirer, de ces joyaux qui étaient les plus extraordinaires qu'il eût jamais vus au monde, ou de ces esclaves adolescentes qui étaient comme autant de lunes, ou de ces esclaves nègres qui étaient comme autant de rois !

Et il resta ainsi une heure de temps, sans pouvoir prononcer une parole ni détacher ses regards des merveilles qu'il avait devant lui. Et il finit enfin, au lieu de s'adresser à la mère d'Aladdin pour lui exprimer ses sentiments au sujet de ce qu'elle lui apportait, par se tourner vers son grand vizir et lui dire : « Par ma vie ! que deviennent les richesses que nous possédons et que devient mon palais devant une telle magnificence ? Et que devons-nous penser de l'homme qui peut, en moins de temps qu'il n'en faut pour les souhaiter, réaliser de telles splendeurs et nous les envoyer ? Et que deviennent les mérites de ma fille elle-même devant une telle profusion de beauté ? » Et le vizir, malgré tout le dépit et le ressentiment qu'il éprouvait de tout ce qui était arrivé à son fils, ne put s'empêcher de dire : « Oui, par Allah ! tout cela est beau ; mais, tout de même, ne vaut pas le trésor unique qu'est la princesse Badrou'l-Boudour ! » Et le roi dit : « Par Allah ! ça la vaut et ça en dépasse de beaucoup la valeur ! C'est pourquoi je ne crois plus faire un marché de dupe en l'accordant en mariage à un homme aussi riche, aussi généreux et aussi magnifique que l'est le seigneur Aladdin, notre fils ! » Et il se tourna vers les autres vizirs et les émirs et les notables qui l'entouraient, et les interrogea du regard. Et tous répondirent en s'inclinant profondément jusqu'à terre par trois fois, pour bien marquer leur acquiescement aux paroles de leur roi. Alors le roi n'hésita plus…

À ce moment de sa narration, Schahrazade vit apparaître le matin et, discrète, se tut.

Mais lorsque fut la sept cent cinquante-huitième nuit. Elle dit :

… Et tous répondirent en s'inclinant profondément jusqu'à terre par trois fois, pour bien marquer leur acquiescement aux paroles de leur roi.

Alors le roi n'hésita plus. Et, sans davantage se préoccuper de savoir si Aladdin possédait toutes les qualités requises de la part de quelqu'un destiné à devenir l'époux d'une fille de roi, il se tourna vers la mère d'Aladdin et lui dit : « Ô vénérable mère d'Aladdin, je te prie d'aller dire à ton fils que, dès cet instant, il est entré dans ma race et dans ma descendance, et je n'attends plus que de le voir, pour l'embrasser comme un père embrasse son enfant, et pour l'unir, par le Livre et la Sunnah, à ma fille Badrou'l-Boudour ! »

Et la mère d'Aladdin, après les salams de part et d'autre, se hâta de se retirer pour aussitôt, défiant la rapidité du vent, s'envoler vers sa maison et mettre son fils au courant de ce qui venait de se passer. Et elle le pressa de se hâter d'aller se présenter au roi, qui était dans la plus vive impatience de le voir. Et Aladdin, dont cette nouvelle satisfaisait tous les vœux, après une si longue attente, ne voulut point laisser voir combien il était ivre de joie. Et, d'un air fort calme et d'un accent mesuré, il répondit : « Tout ce bonheur me vient d'Allah et de ta bénédiction, ô mère, et de ton zèle inlassable ! » Et il lui baisa les mains, et la remercia beaucoup, et lui demanda la permission de se retirer dans sa chambre, pour se préparer à aller chez le sultan.

Or, dès qu'il se trouva seul, Aladdin prit la lampe magique, qui lui avait été jusque-là d'un si grand secours, et la frotta comme à l'ordinaire. Et à l'instant parut l'éfrit qui, après s'être incliné devant lui, lui demanda, par la formule habituelle, quel service il pouvait lui rendre. Et Aladdin répondit : « Ô éfrit de la lampe, je désire prendre un bain ! Et, après le bain, je veux que tu m'apportes une robe qui n'ait point sa pareille en magnificence chez les plus grands sultans de la terre, et si belle que les connaisseurs puissent l'estimer à plus de mille milliers de dinars d'or, pour le moins ! Et c'est tout pour le moment ! »

Alors l'éfrit de la lampe, après s'être incliné en signe d'obéissance, courba l'échine complètement, et dit à Aladdin : « Monte, ô maître de la lampe, sur mes épaules ! » Et Aladdin monta sur les épaules de l'éfrit, en faisant pendre ses jambes sur sa poitrine ; et l'éfrit l'enleva dans les airs, en le rendant invisible comme lui, et le transporta dans un hammam si beau qu'on ne pouvait en trouver le frère chez les rois et les kaïssars. Et le hammam était tout en jade et en albâtre transparent, avec des bassins en cornaline rose et en corail blanc et des ornementations en pierre d'émeraude d'une délicatesse charmante. Et les yeux et les sens pouvaient là-dedans véritablement se délecter à leur aise, car rien n'y pouvait heurter la vue soit par l'ensemble, soit par les détails ! Et la fraîcheur y était délicieuse, et la tiédeur y était égale, et la chaleur y était mesurée et harmonieuse. Et pas un baigneur n'était là pour troubler par sa présence ou sa voix la paix des voûtes blanches. Mais dès que le genni eut déposé Aladdin sur l'estrade de la salle d'entrée, un jeune éfrit de toute beauté, semblable, mais en plus séduisant, à une jouvencelle, parut devant lui et l'aida à se déshabiller, et lui jeta une grande serviette parfumée sur les épaules, et le soutint avec beaucoup de précaution et de douceur et le conduisit dans la plus belle des salles, qui était toute pavée de pierreries de couleurs diversifiées. Et aussitôt d'autres jeunes éfrits, non moins beaux et non moins séduisants, vinrent le prendre des mains de leur compagnon et l'assirent commodément sur un banc de marbre, et se mirent à le frotter et à le laver avec plusieurs sortes d'eaux de senteurs ; et ils le massèrent avec un art admirable, et le relavèrent à l'eau de rose musquée. Et leurs soins savants lui donnèrent un teint aussi frais qu'un pétale de rose et blanc et vermeil à souhait. Et il se sentit devenir léger à pouvoir s'envoler comme les oiseaux. Et le jeune et bel éfrit qui l'avait amené vint le reprendre et le reconduire sur l'estrade, où il lui offrit, comme rafraîchissement, un délicieux sorbet à l'ambre gris. Et il trouva le genni de la lampe qui tenait entre ses mains un habit d'une somptuosité incomparable. Et aidé par le jeune éfrit aux mains si douces, il revêtit cette magnificence, et devint semblable, avec plus de prestance encore, à quelque fils de roi d'entre les grands rois ! Et l'éfrit le reprit sur ses épaules et le reporta dans la chambre de sa maison, sans secousse.

Alors Aladdin se tourna vers l'éfrit de la lampe et lui dit : « Et maintenant, sais-tu ce qu'il te reste à faire ? » Il répondit : « Non, ô maître de la lampe ! Mais ordonne et j'obéirai, soit que dans les airs je vole, soit que sur la terre je rampe ! » Et Aladdin dit : « Je désire que tu m'amènes un cheval de race pure, qui n'ait point un frère en beauté, pas plus dans les écuries du sultan que chez les plus puissants monarques du monde. Et il faut que son harnachement, à lui seul, vaille pour le moins mille milliers de dinars d'or. En même temps, tu m'amèneras quarante-huit jeunes esclaves de belle tournure, de taille avantageuse et pleins de grâce, habillés avec beaucoup de propreté, d'élégance et de richesse, pour que vingt-quatre d'entre eux, rangés en deux files de douze, puissent ouvrir la marche devant mon cheval, tandis que les vingt-quatre autres suivront derrière moi, sur deux files de douze, également. En outre, tu n'oublieras pas surtout de trouver, pour le service de ma mère, douze jeunes filles comme des lunes, uniques en leur espèce, habillées avec beaucoup de goût et de magnificence, et portant sur leurs bras, chacune, une robe d'étoffe et de couleur différentes, et telle que pourrait s'en vêtir, en toute confiance, une fille de roi ! Enfin, tu donneras à chacun de mes quarante-huit esclaves, pour qu'il le passe à son cou, un sac de cinq mille dinars d'or, afin que je puisse en faire l'usage qui me plaît. Et voilà tout ce que je désire de toi, pour aujourd'hui…

À ce moment de sa narration, Schahrazade vit apparaître le matin et, discrète, se tut.

Mais lorsque fut la sept cent cinquante-neuvième nuit. Elle dit :

… Et voilà tout ce que je désire de toi, pour aujourd'hui ! »

Or à peine Aladdin avait-il fini de parler que le genni, après la réponse de l'ouïe et l'obéissance, se hâta de disparaître, mais pour revenir au bout d'un moment avec le cheval, les quarante-huit jeunes esclaves, les douze jeunes filles, les quarante-huit sacs de cinq mille dinars chacun, et les douze robes d'étoffe et de couleur différentes. Et le tout était tout à fait de la qualité demandée, sinon d'une plus belle encore. Et Aladdin prit possession de tout et congédia le genni, en lui disant : « Je t'appellerai dès que j'aurai besoin de toi ! » Et, sans perdre de temps, il prit congé de sa mère, dont il embrassa encore une fois les mains, et mit à son service les douze esclaves adolescentes en leur recommandant de ne rien épargner pour contenter leur maîtresse et pour lui enseigner la façon de mettre les belles robes qu'elles avaient apportées.

Après quoi Aladdin se hâta de monter à cheval, et de sortir de la cour de sa maison. Et bien que ce fût pour la première fois qu'il se trouvait sur le dos d'un cheval, il sut s'y tenir avec une élégance et une fermeté que lui auraient enviées les cavaliers les plus accomplis. Et il se mit en marche, selon le plan du cortège qu'il avait imaginé, précédé de vingt-quatre esclaves, rangés sur deux files de douze, accompagné, sur les deux côtés, de quatre esclaves qui tenaient les cordons de la housse du cheval, et suivi des autres, qui fermaient la marche.

Or dès que le cortège se fut engagé dans les rues, une foule immense, bien plus considérable que celle qui était accourue au-devant du premier cortège, s'amassa de tous les côtés, aussi bien dans les souks que sur les fenêtres et les terrasses. Et les quarante-huit esclaves se mirent alors, suivant les ordres qui leur avaient été donnés par Aladdin, à prendre de l'or dans leurs sacs et à le jeter par poignées, tantôt à droite et tantôt à gauche, au peuple qui se pressait sur leurs pas. Et les acclamations retentissaient par toute la ville, tant à cause de la générosité du magnifique donateur qu'à cause de la beauté du cavalier et de ses esclaves splendides. Car Aladdin, sur son cheval, était vraiment bien beau à voir, avec son visage rendu encore plus charmant par la vertu de la lampe magique, son maintien royal et l'aigrette de diamant qui se balançait sur son turban. Et ce fut ainsi qu'au milieu des acclamations et de l'émerveillement de tout un peuple Aladdin arriva au palais, où l'avait déjà précédé la rumeur de sa venue, et où tout avait été préparé pour le recevoir avec tous les honneurs dus à l'époux de la princesse Badrou'l-Boudour.

Or le sultan l'attendait précisément sur le haut de l'escalier d'honneur qui s'ouvrait sur la seconde cour. Et dès qu'Aladdin, aidé par le grand vizir lui-même qui lui tenait l'étrier, eut mis pied à terre, le sultan descendit deux ou trois marches en son honneur. Et Aladdin monta vers lui et voulut se prosterner entre ses mains ; mais il en fut empêché par le sultan qui, émerveillé de sa prestance, de son bel air et de la richesse de son habillement, le reçut dans ses bras et l'embrassa comme s'il était son propre enfant. Et, au même moment, l'air retentit des acclamations poussées par tous les émirs, les vizirs et les gardes, et du son des trompettes, des clarinettes, des hautbois et des tambours. Et le sultan, le bras passé autour du cou d'Aladdin, le conduisit dans la grande salle des réceptions, et le fit s'asseoir à côté de lui sur le lit du trône, et l'embrassa une seconde fois et lui dit : « Par Allah, ô mon fils Aladdin, je regrette beaucoup que ma destinée ne m'ait pas fait te rencontrer avant ce jour, et d'avoir ainsi différé pendant trois mois ton mariage avec ma fille Badrou'l-Boudour, ton esclave ! » Et Aladdin sut répondre à cela d'une façon si charmante que le sultan sentit augmenter son amour pour lui et lui dit : « Certes ! ô Aladdin, quel roi ne pourrait souhaiter t'avoir comme époux de sa fille ! » Et il se mit à causer avec lui et à l'interroger avec beaucoup d'affection, et à admirer la sagesse de ses réponses et l'éloquence et la finesse de ses discours. Et il fit préparer, dans la salle même du trône, un festin magnifique, et mangea seul avec Aladdin, en se faisant servir par le grand vizir, dont le nez, de dépit, s'allongeait à la limite de l'allongement, et par les émirs et les autres hauts dignitaires.

Lorsque le repas fut terminé, le sultan, qui ne voulait pas davantage différer la réalisation de sa promesse, fit appeler le kâdi et les témoins, et leur ordonna d'écrire sur-le-champ le contrat de mariage d'Aladdin et de sa fille la princesse Badrou'l-Boudour. Et le kâdi, en présence des témoins, se hâta d'exécuter l'ordre, et d'écrire le contrat dans toutes les formes requises par le Livre et la Sunnah. Et lorsqu'il eut fini, le sultan embrassa Aladdin, et lui dit : « Ô mon fils, est-ce cette nuit même que tu veux pénétrer dans la chambre nuptiale pour la consommation ? » Et Aladdin répondit : « Ô roi du temps, certes ! si je n'écoutais que le grand amour que j'éprouve pour mon épouse, c'est ce soir même que je pénétrerais pour la consommation. Mais je désire que la chose soit faite dans un palais digne de la princesse et qui lui appartienne en propre. Permets-moi donc de différer la pleine réalisation de mon bonheur jusqu'à ce que j'aie fait bâtir le palais que je lui destine. Et, à cet effet, je te prie de m'accorder la concession d'un vaste terrain situé en face même de ton palais, afin que mon épouse ne soit pas trop éloignée de son père et que je puisse moi-même être toujours près de toi, à te servir ! Et, moi, pour ma part, je me charge de faire bâtir ce palais dans le plus bref délai ! » Et le sultan répondit : « Ah ! mon fils tu n'as guère besoin de me demander cette permission ! Prends, en face de mon palais, tout le terrain qu'il te faut. Mais hâte-toi, je t'en prie, que ce palais soit achevé au plus tôt ; car je voudrais bien jouir de la postérité de ma descendance, avant de mourir ! » Et Aladdin sourit et dit : « Que le roi tranquillise son esprit à ce sujet. Le palais sera bâti avec plus de diligence qu'il ne peut en souhaiter ! » Et il prit congé du sultan, qui l'embrassa tendrement, et s'en retourna à sa maison avec le même cortège qui l'avait accompagné, au milieu des acclamations du peuple et des vœux de bonheur et de prospérité.

Or, dès qu'il fut rentré dans sa maison, il mit sa mère au courant de ce qui s'était passé, et se hâta de se retirer, tout seul, dans sa chambre. Et il prit la lampe magique et la frotta, comme à l'ordinaire…

À ce moment de sa narration, Schahrazade vit apparaître le matin et, discrète, se tut.

Mais lorsque fut la sept cent soixantième nuit. Elle dit :

… Et il prit la lampe magique et la frotta, comme à l'ordinaire. Et l'éfrit ne manqua pas de paraître et de se mettre à ses ordres. Et Aladdin lui dit : « Ô éfrit de la lampe, j'ai d'abord à te louer pour le zèle que tu as déployé à mon service. Et ensuite j'ai à te demander quelque chose de plus difficile, je crois, à réaliser que ce que tu as fait pour moi jusqu'aujourd'hui, en vertu du pouvoir qu'exercent sur toi les vertus de ta maîtresse, cette lampe que j'ai en ma possession. Or, voici ! je veux que, dans le plus court délai possible, tu me bâtisses, en face même du palais du sultan, un palais qui soit digne de mon épouse El Sett Badrou'l-Boudour ! Et, pour cela, je laisse à ton bon goût et à tes connaissances déjà éprouvées le soin de tous les détails d'ornementation et le choix des matériaux précieux, tels que pierres de jade, de porphyre, d'albâtre, d'agate, de lazulite, de jaspe, de marbre et de granit ! Prends soin seulement de m'élever, au milieu de ce palais, un grand dôme de cristal construit sur des colonnes d'or massif et d'argent, alternativement, et percé de quatre-vingt-dix-neuf fenêtres enrichies de diamants, de rubis, d'émeraudes et d'autres pierreries, mais en veillant à ce que la quatre-vingt-dix-neuvième fenêtre reste imparfaite, non point d'architecture mais d'ornementation. Car j'ai un projet à ce sujet. Et n'oublie pas de tracer un beau jardin, avec des bassins et des jets d'eau, et des cours spacieuses. Et surtout, ô éfrit, ménage-moi, dans un souterrain dont tu m'indiqueras l'emplacement, un très grand trésor rempli de dinars d'or. Et pour tout le reste, ainsi que pour les cuisines, les écuries, et les serviteurs, je te laisse pleine liberté, me fiant à ta sagacité et à ton bon vouloir ! » Et il ajouta : « Dès que tout sera prêt, tu viendras m'en aviser ! » Et le genni répondit : « J'écoute et j'obéis ! » et disparut.

Or, le lendemain, à la pointe du jour, Aladdin était encore dans son lit, quand il vit paraître devant lui l'éfrit de la lampe, qui, après les salams d'usage, lui dit : « Ô maître de la lampe, tes ordres sont exécutés. Et je te prie de venir en contrôler la réalisation ! » Et Aladdin acquiesça à la chose, et l'éfrit le transporta aussitôt à l'endroit désigné et lui montra, vis-à-vis du palais du sultan, au milieu d'un magnifique jardin, et précédé de deux immenses cours de marbre, un palais bien plus beau que celui qu'il attendait. Et le genni, après lui en avoir fait admirer l'architecture et l'aspect général, lui en fit visiter, en détail, tous les endroits. Et Aladdin trouva que les choses avaient été faites avec un faste, une splendeur et une magnificence inimaginables ; et il trouva, dans un immense souterrain, un trésor qui s'étageait jusqu'à la voûte, formé de sacs superposés remplis de dinars d'or. Et il visita également les cuisines, les offices, les magasins des provisions et les écuries, qu'il trouva tout à fait à son goût, dans une grande propreté ; et il admira les chevaux et les juments qui mangeaient dans des mangeoires d'argent, tandis que les palefreniers les soignaient et les pansaient. Et il passa en revue les esclaves des deux sexes et les eunuques rangés en bon ordre, suivant l'importance de leurs fonctions. Et lorsqu'il eut tout vu et tout examiné, il se tourna vers l'éfrit de la lampe, qui n'était visible que pour lui seul et qui l'accompagnait partout, et le félicita de la diligence, du bon goût et de l'intelligence dont il avait fait preuve dans cette œuvre parfaite. Puis il ajouta : « Tu as seulement oublié, ô éfrit, d'étendre, de la porte de mon palais à celle du sultan, un grand tapis qui permette à mon épouse de ne pas se fatiguer les pieds en traversant l'intervalle ! » Et le genni répondit : « Ô maître de la lampe, tu as raison ! Mais dans un instant cela sera fait ! » Et, en effet, en un clin d'œil, un magnifique tapis de velours se trouva étendu dans l'intervalle qui séparait les deux palais, avec des couleurs qui s'unissaient à ravir aux tons des pelouses et des corbeilles.

Alors Aladdin, à la limite de la satisfaction, dit à l'éfrit : « Maintenant tout est parfait ! Ramène-moi à la maison ! » Et l'éfrit l'enleva et le transporta dans sa chambre, tandis que dans le palais du sultan les gens de service commençaient à ouvrir les portes pour vaquer à leurs occupations.

Or, dès qu'ils eurent ouvert les portes, les esclaves et les portiers furent à la limite de la stupéfaction, en constatant que la vue était complètement bouchée du côté où la veille encore se voyait un immense meidân pour les tournois et les cavalcades. Et ils virent d'abord le magnifique tapis de velours qui s'étendait entre les pelouses fraîches et mariait ses couleurs aux teintes naturelles des fleurs et des arbustes. Et ils aperçurent alors, en accompagnant ce tapis du regard, à travers les pelouses du jardin miraculeux, le superbe palais bâti en pierres précieuses et dont le dôme de cristal brillait comme le soleil. Et, ne sachant que penser, ils préférèrent aller rapporter la chose au grand vizir qui, à son tour, après avoir regardé du côté du nouveau palais, alla prévenir de la chose le sultan, en lui disant : « Il n'y a pas de doute, ô roi du temps ! L'époux de Sett Badrou'l-Boudour est un insigne magicien ! » Mais le sultan lui répondit : « Tu m'étonnes beaucoup, ô vizir, en voulant insinuer que le palais dont tu me parles est l'œuvre de la magie ! Tu sais bien pourtant que l'homme qui m'a déjà fait don de si merveilleux présents est bien capable, moyennant les richesses qu'il doit posséder et le nombre considérable d'ouvriers qu'il a dû employer grâce à sa fortune, de faire construire tout un palais en une seule nuit ! Pourquoi donc hésites-tu à croire qu'il ait obtenu ce résultat par le moyen des forces naturelles ? Et n'est-ce point plutôt ta jalousie qui t'aveugle et te fait mal juger des faits et te pousse à médire de mon gendre Aladdin ? » Et le vizir, comprenant par ces paroles que le sultan aimait Aladdin, n'osa pas insister, de peur de se faire du tort à lui-même, et se fit muet par prudence. Et voilà pour lui ! Quant à Aladdin…

À ce moment de sa narration, Schahrazade vit apparaître le matin et, discrète, se tut.

Mais lorsque fut la sept cent soixante et unième nuit. Elle dit :

… Quant à Aladdin, une fois transporté dans sa vieille maison par l'éfrit de la lampe, il dit à l'une des douze esclaves adolescentes d'aller réveiller sa mère, et leur donna à toutes l'ordre de lui mettre l'une des belles robes qu'elles avaient apportées, et de la parer du mieux qu'elles pouvaient. Et lorsque sa mère fut habillée comme il le désirait, il lui dit que le moment était venu d'aller au palais du sultan pour prendre la nouvelle mariée et la conduire au palais qu'il lui avait fait bâtir. Et la mère d'Aladdin, après avoir reçu à ce sujet toutes les instructions nécessaires, sortit de sa maison, accompagnée par ses douze esclaves, et fut bientôt suivie par Aladdin à cheval au milieu de son cortège. Mais, arrivés à une certaine distance du palais, ils se séparèrent pour aller, Aladdin à son nouveau palais, et sa mère chez le sultan.

Or dès que les gardes du sultan eurent aperçu la mère d'Aladdin, au milieu des douze jeunes filles qui lui faisaient cortège, ils coururent prévenir le sultan qui se hâta de venir à sa rencontre. Et il la reçut avec les marques du respect et les égards dus à son nouveau rang. Et il donna l'ordre au chef des eunuques de l'introduire dans le harem, auprès de Sett Badrou'l-Boudour. Et dès que la princesse l'eut aperçue et eut appris qu'elle était la mère de son époux Aladdin, elle se leva en son honneur et alla l'embrasser. Puis elle la fit s'asseoir à côté d'elle, et la régala de diverses confitures et friandises, et acheva de se faire habiller par ses femmes et parer des joyaux les plus précieux dont lui avait fait présent son époux Aladdin. Et peu après entra le sultan, et, pour la première fois, il put, grâce à la nouvelle parenté, voir à découvert le visage de la mère d'Aladdin. Et il remarqua, à la délicatesse de ses traits, qu'elle avait dû être bien avenante dans sa jeunesse, et que maintenant, vêtue comme elle l'était d'une belle robe et arrangée à son avantage, elle avait plus grand air que beaucoup de princesses et d'épouses de vizirs et d'émirs. Et il lui fit beaucoup de compliments à ce sujet, ce qui toucha et remua profondément le cœur de la pauvre femme du défunt tailleur Mustapha, si longtemps malheureuse, et lui remplit les yeux de larmes.

Après quoi, ils se mirent tous trois à causer en toute cordialité faisant ainsi plus ample connaissance, jusqu'à l'arrivée de la sultane, mère de Badrou'l-Boudour. Or la vieille sultane était loin de voir d'un bon œil ce mariage de sa fille avec le fils de gens inconnus ; et elle était du parti du grand vizir qui continuait, en secret, à être bien mortifié de la bonne tournure que prenait toute l'affaire à son détriment. Cependant elle n'osa pas, malgré le désir qu'elle en avait, faire trop mauvaise figure à la mère d'Aladdin ; et, après les salams de part et d'autre, elle s'assit avec les autres, sans toutefois s'intéresser à la conversation.

Or, lorsque vint le moment des adieux pour le départ au nouveau palais, la princesse Badrou'l-Boudour se leva et embrassa avec beaucoup de tendresse son père et sa mère, en mêlant ses baisers de beaucoup de larmes, pour la circonstance. Puis, soutenue par la mère d'Aladdin, qui se tenait à sa gauche, et précédée de dix eunuques vêtus de leurs habits de cérémonie, et suivie de cent jeunes filles esclaves habillées avec une magnificence de libellules, elle se mit en marche vers le nouveau palais, au milieu de deux files de quatre cents jeunes esclaves blancs et noirs alternés, rangés entre les deux palais, et qui tenaient chacun un flambeau d'or où brûlait une grande bougie d'ambre et de camphre blanc. Et, lentement, la princesse s'avança au milieu de ce cortège, en traversant le tapis de velours, tandis que, sur son passage, un concert admirable d'instruments se faisait entendre, aussi bien dans les allées du jardin que sur le haut des terrasses du palais d'Aladdin. Et, dans le loin, les acclamations retentissaient, poussées par tout le peuple accouru autour des deux palais, et mêlaient leur rumeur d'allégresse à toute cette gloire. Et la princesse finit par arriver à l'entrée du nouveau palais, où l'attendait Aladdin. Et il vint en souriant à sa rencontre ; et elle fut charmée de le voir si beau et si brillant. Et elle entra avec lui dans la salle du festin, sous le grand dôme aux fenêtres de pierreries. Et ils s'assirent tous les trois devant les plateaux d'or servis par les soins de l'éfrit de la lampe ; et Aladdin était assis au milieu, entre son épouse à droite et sa mère à gauche. Et ils commencèrent leur repas, aux sons d'une musique qu'on ne voyait pas, et qui était jouée par un chœur d'éfrits des deux sexes. Et Badrou'l-Boudour, enchantée de tout ce qu'elle voyait et entendait, se disait en elle-même : « De ma vie je n'ai imaginé de si merveilleuses choses ! » Et même elle s'arrêta de manger, pour mieux écouter les chants et le concert des éfrits. Et Aladdin et sa mère ne cessaient de la servir et de lui verser à boire des boissons, dont elle pouvait d'ailleurs se passer, tant elle était déjà ivre d'émerveillement. Et ce fut pour eux une journée splendide, qui n'avait pas eu sa pareille aux temps d'Iskandar et de Soleïmân…

À ce moment de sa narration, Schahrazade vit apparaître le matin et, discrète, se tut.

Mais lorsque fut la sept cent soixante-deuxième nuit. Elle dit :

… Et ce fut pour eux une journée splendide, qui n'avait pas eu sa pareille aux temps d'Iskandar et de Soleïmân.

Et lorsque vint la nuit, le repas fut desservi, et aussitôt une troupe de danseuses fit son entrée dans la salle du dôme. Et elle était composée de quatre cents adolescentes, filles de mareds et d'éfrits, habillées comme des fleurs et légères comme des oiseaux. Et, aux sons d'une musique aérienne, elles se mirent à danser plusieurs sortes de motifs et de pas de danses comme on n'en peut voir que dans les régions du paradis. Et ce fut alors qu'Aladdin se leva et, prenant son épouse par la main, s'achemina avec elle, d'un pas cadencé, vers la chambre nuptiale. Et les esclaves adolescentes, précédées par la mère d'Aladdin, les suivirent en bon ordre. Et on déshabilla Badrou'l-Boudour ; et on ne lui mit sur le corps que juste ce qui était nécessaire pour la nuit. Et elle devint ainsi semblable à un narcisse qui sort de son calice. Et, après qu'on leur eut souhaité les délices et la joie, on les laissa seuls dans la chambre nuptiale. Et Aladdin, à la limite du bonheur, put enfin s'unir à Badrou'l-Boudour, la fille du roi. Et leur nuit, de même que leur journée, n'eut point sa pareille aux temps d'Iskandar et de Soleïmân.

Or, le lendemain, après toute une nuit de délices, Aladdin sortit des bras de son épouse Badrou'l-Boudour, pour aussitôt se faire revêtir d'une robe plus magnifique encore que celle de la veille, et se disposer à aller chez le sultan. Et il se fit amener un superbe cheval des écuries pourvues par l'éfrit de la lampe, et le monta et se dirigea vers le palais du père de son épouse, au milieu d'une escorte d'honneur. Et le sultan le reçut avec les marques de la plus vive réjouissance, et l'embrassa et lui demanda, avec beaucoup d'intérêt, de ses nouvelles, et des nouvelles de Badrou'l-Boudour. Et Aladdin lui fit à ce sujet la réponse qu'il fallait, et lui dit : « Je viens sans retard, ô roi du temps, t'inviter à venir aujourd'hui illuminer ma demeure de ta présence et partager avec nous le premier repas d'après les noces ! Et je te prie de te faire accompagner, pour visiter le palais de ta fille, du grand vizir et des émirs ! » Et le sultan, pour bien lui marquer son estime et son affection, ne fit aucune difficulté à accepter l'invitation, et se leva à l'heure et à l'instant, et, suivi de son grand vizir et de ses émirs, il sortit avec Aladdin.

Or à mesure que le sultan approchait du palais de sa fille, son admiration augmentait considérablement, et ses exclamations se faisaient plus vives, plus accentuées et plus rapprochées. Et tout cela quand il n'était encore qu'au-dehors du palais. Mais quand il y fut entré, quel émerveillement ! Il ne voyait partout que splendeurs, somptuosités, richesses, bon goût, harmonie et magnificence ! Et ce qui acheva de l'éblouir, ce fut la salle du dôme de cristal, dont il ne pouvait se lasser d'admirer l'architecture aérienne et l'ornementation. Et il voulut compter le nombre des fenêtres enrichies de pierreries, et trouva qu'en effet elles étaient au nombre de quatre-vingt-dix-neuf, pas une de plus, pas une de moins. Et il s'en étonna énormément. Mais il remarqua également que la quatre-vingt-dix-neuvième fenêtre était restée inachevée et n'avait aucune sorte d'ornement ; et, bien surpris, il se tourna vers Aladdin et lui dit : « Ô mon fils Aladdin, voici certainement le plus merveilleux palais qui ait jamais existé sur la face de la terre ! Et je suis dans l'admiration de tout ce que je vois ! Mais peux-tu me dire le motif qui t'a empêché d'achever le travail de cette fenêtre qui dépare ainsi, par son imperfection, la beauté de ses autres sœurs ? » Et Aladdin sourit et répondit : « Ô roi du temps, je te prie de ne point croire que ce soit par oubli ou par économie ou par simple négligence que j'ai laissé cette fenêtre en l'état imparfait où tu la vois ; car c'est bien à dessein que je l'ai ainsi voulue. Et le motif était de laisser à Ta Hautesse le soin de faire achever ce travail, pour sceller de la sorte dans la pierre de ce palais ton nom glorieux et le souvenir de ton règne. C'est pourquoi je te supplie de consacrer, par ton consentement, la construction de cette demeure qui, toute convenable qu'elle soit, reste indigne des mérites de ta fille, mon épouse ! » Et le roi, extrêmement flatté de cette délicate attention d'Aladdin, le remercia et voulut qu'à l'instant ce travail commençât. Et, à cet effet, il donna l'ordre à ses gardes de faire venir au palais, sans retard, les joailliers les plus habiles et les mieux fournis en pierreries, pour achever les incrustations de la fenêtre. Et, en attendant leur arrivée, il alla voir sa fille et lui demander des nouvelles de sa première nuit de noces. Et, rien qu'au sourire qu'elle lui fit et à son air satisfait, il comprit qu'il serait superflu d'insister. Et il embrassa Aladdin, en le félicitant beaucoup et alla avec lui dans la salle où le repas était préparé avec toute la splendeur qui convenait. Et il mangea de tout, et trouva que les mets étaient les plus excellents qu'il eût jamais goûtés, et que le service était bien supérieur à celui de son palais.

Sur ces entrefaites, arrivèrent les joailliers et les orfèvres…

À ce moment de sa narration, Schahrazade vit apparaître le matin et, discrète, se tut.

Mais lorsque fut la sept cent soixante-troisième nuit. Elle dit :

… Sur ces entrefaites, arrivèrent les joailliers et les orfèvres, que les gardes étaient allés quérir par toute la capitale ; et on vint prévenir le roi, qui aussitôt remonta sous le dôme aux quatre-vingt-dix-neuf fenêtres. Et il montra la fenêtre inachevée aux orfèvres, en leur disant : « Il faut que, dans le plus bref délai, vous finissiez le travail que nécessite cette fenêtre, en fait d'incrustations de perles et de pierreries de toutes les couleurs ! » Et les orfèvres et les joailliers répondirent par l'ouïe et l'obéissance et se mirent à examiner avec beaucoup de minutie le travail et les incrustations des autres fenêtres, en se regardant entre eux avec des yeux bien dilatés d'étonnement. Et, après s'être concertés entre eux, ils revinrent auprès du sultan et, après les prosternations, lui dirent : « Ô roi du temps, nous n'avons point dans nos boutiques, malgré tous nos lots de pierres précieuses, de quoi orner la centième partie de cette fenêtre ! » Et le roi dit : « Je vous fournirai tout ce qu'il faudra ! » Et il fit apporter les fruits en pierres précieuses qu'Aladdin lui avait donnés en présent, et leur dit : « Employez le nécessaire, et rendez-moi le reste ! » Et les joailliers prirent leurs mesures et firent leurs calculs, en les répétant plusieurs fois, et répondirent : « Ô roi du temps, tout ce que tu nous donnes et tout ce que nous possédons, ne suffira pas à orner la dixième partie de la fenêtre ! »

Et le roi se tourna vers ses gardes et leur dit : « Allez envahir les maisons de mes vizirs, grands et petits, de mes émirs et de tous les gens riches de mon royaume, et faites-vous remettre, de gré ou de force, toutes les pierres précieuses qu'ils possèdent ! » Et les gardes se hâtèrent d'aller exécuter l'ordre.

Or, en attendant leur retour, Aladdin, qui voyait bien que le roi commençait à être inquiet sur l'issue de l'entreprise et qui, en son âme, se réjouissait à l'extrême de la chose, voulut le distraire par un concert. Et il fit signe à l'un des jeunes éfrits, ses esclaves, qui aussitôt fit entrer une troupe de chanteuses si belles que chacune d'elles pouvait dire à la lune : « Lève-toi, que je m'asseye à ta place ! » et douées d'une voix enchanteresse qui pouvait dire au rossignol : « Tais-toi pour m'entendre chanter ! » Et, en effet, elles réussirent, par l'harmonie, à faire prendre un peu patience au roi.

Mais dès que les gardes furent arrivés, le sultan remit aussitôt aux joailliers et aux orfèvres les pierreries qui provenaient de la dépouille des gens riches en question, et leur dit : « Eh bien ! que dites-vous maintenant ? » Ils répondirent : « Par Allah, ô notre maître, nous sommes encore bien loin du compte ! Et il nous faudra huit fois plus de matériaux que nous n'en possédons présentement ! De plus, pour mener à bien ce travail, il nous faut, pour le moins, trois mois de délai, si nous poursuivons jour et nuit l'ouvrage ! »

À ces paroles, le roi fut à la limite du désappointement et de la perplexité, et sentit son nez s'allonger jusqu'à ses pieds de la honte qu'il avait de se voir impuissant dans des circonstances si pénibles pour son amour-propre. Alors Aladdin, ne voulant pas prolonger davantage l'épreuve à laquelle il le soumettait et se tenant pour satisfait, se tourna vers les orfèvres et les joailliers et leur dit : « Reprenez ce qui vous appartient, et sortez ! » Et il dit aux gardes : « Rendez les pierreries à leurs maîtres ! » Et il dit au roi : « Ô roi du temps, il ne sied point que je te reprenne ce que je t'ai une première fois donné ! Je te prie donc de tenir pour agréable que je te restitue ces fruits en pierreries, et que je te remplace dans ce qui reste à faire pour mener à bien l'ornementation de cette fenêtre ! Je te prie seulement de m'attendre dans l'appartement de mon épouse Badrou'l-Boudour, car je ne puis travailler ni donner aucun ordre pendant que je sais que l'on me regarde ! » Et le roi se retira chez sa fille Badrou'l-Boudour, pour ne pas gêner Aladdin.

Alors Aladdin tira du fond d'une armoire de nacre, la lampe magique qu'il s'était bien gardé d'oublier dans le déménagement de sa vieille maison au palais ; et il la frotta comme il avait coutume de le faire. Et l'éfrit parut à l'instant et s'inclina devant Aladdin, attendant ses ordres. Et Aladdin lui dit : « Ô éfrit de la lampe, je t'ai fait venir pour que tu rendes la quatre-vingt-dix-neuvième fenêtre en tous points semblable à ses sœurs ! » Et il avait à peine formulé cette demande, que l'éfrit disparut. Et Aladdin entendit comme une infinité de coups de marteaux et de bruits de limes sur la fenêtre en question ; et, en moins de temps qu'il n'en faut à l'altéré pour avaler un verre d'eau fraîche, il vit apparaître et se parachever la miraculeuse ornementation en pierreries de la fenêtre. Et il ne put guère la différencier d'avec les autres. Et il alla trouver le sultan et le pria de l'accompagner dans la salle du dôme.

Lorsque le sultan fut arrivé en face de la fenêtre qu'il avait vue si imparfaite quelques instants auparavant, il crut s'être trompé de côté, ne la reconnaissant pas. Mais quand, après avoir fait plusieurs fois le tour du dôme, il eut constaté que le travail avait été fait en si peu de temps, alors que tous les joailliers et orfèvres réunis avaient demandé trois mois entiers pour le finir, il fut à la limite de l'émerveillement, et il embrassa Aladdin entre les deux yeux et lui dit : « Ah ! mon fils Aladdin, plus je te connais, plus je te trouve admirable…

À ce moment de sa narration, Schahrazade vit apparaître le matin et, discrète, se tut.

Mais lorsque fut la sept cent soixante-quatrième nuit. Elle dit :

… Et il embrassa Aladdin entre les deux yeux et lui dit : « Ah ! mon fils Aladdin, plus je te connais, plus je te trouve admirable ! » Et il envoya chercher le grand vizir, et lui montra du doigt la merveille qui l'exaltait et lui dit, d'un ton ironique : « Eh bien ! vizir, après cela que penses-tu ? » Et le vizir, qui n'oubliait point son ancienne rancune, fut de plus en plus persuadé, en voyant la chose, qu'Aladdin était un sorcier, un hérétique et un philosophe alchimiste. Mais il se garda bien de rien laisser paraître de ses pensées au sultan, qu'il savait fort attaché à son nouveau gendre, et, sans entrer en contestation avec lui, il le laissa dans son émerveillement et se contenta de répondre : « Allah est le plus grand ! »

Or, depuis ce jour, le sultan ne manqua pas de venir passer chaque soir, après le diwân, quelques heures en compagnie de son gendre Aladdin et de sa fille Badrou'l-Boudour, pour contempler les merveilles du palais, où, chaque fois, il trouvait de nouvelles choses, plus admirables que les précédentes et qui l'émerveillaient et le transportaient.

Quant à Aladdin, loin de se laisser enfler ou amollir par sa nouvelle vie, il eut soin de se consacrer, pendant les heures qu'il ne passait pas avec son épouse Badrou'l-Boudour, à faire le bien autour de lui et à s'informer des gens pauvres, pour les soulager. Car il n'oubliait pas son ancienne condition et la misère où il avait vécu, avec sa mère, pendant les années de son enfance. Et, en outre, chaque fois qu'il sortait à cheval, il se faisait escorter par quelques esclaves qui, d'après ses ordres, ne manquaient pas de jeter, sur tout le parcours, des poignées de dinars d'or à la foule accourue. Et, tous les jours, après le repas de midi et celui du soir, il faisait distribuer aux pauvres les restes de sa table, qui suffisaient à nourrir plus de cinq mille personnes. Aussi sa conduite si généreuse et sa bonté et sa modestie lui gagnèrent l'affection de tout le peuple et attirèrent vers lui les bénédictions de tous les habitants. Et il n'y en avait pas un qui ne jurât par son nom et par sa vie. Mais ce qui acheva de lui gagner les cœurs et de mettre le comble à sa renommée, ce fut une grande victoire qu'il remporta sur des tribus révoltées contre le sultan, et où il avait fait preuve d'un courage merveilleux et de qualités guerrières qui laissaient loin derrière elles les exploits des héros les plus fameux. Et Badrou'l-Boudour ne l'en aima que mieux, et se félicita de plus en plus de son heureuse destinée qui lui avait donné comme époux le seul homme qui la méritait vraiment. Et Aladdin vécut de la sorte plusieurs années de bonheur parfait, entre son épouse et sa mère, entouré de l'affection et du dévouement des grands et des petits, et plus aimé et plus respecté que le sultan lui-même qui, d'ailleurs, continuait à le tenir en haute estime et à avoir pour lui une admiration illimitée. Et voilà pour Aladdin !

Quant au magicien maghrébin, qui s'était trouvé à l'origine de tous ces événements et qui, sans le vouloir, avait été la cause initiale de la fortune d'Aladdin, voici ! Lorsqu'il eut laissé Aladdin dans le souterrain, pour le faire mourir de soif et de faim, il s'en retourna dans son pays, au fond du Maghreb lointain. Et il passa tout ce temps à s'attrister de la mauvaise tournure de son expédition et à regretter les peines et les fatigues qu'il s'était données si vainement pour conquérir la lampe magique. Et il songeait à la fatalité qui lui avait enlevé d'entre les lèvres la bouchée qu'il avait pris tant de soin à confectionner. Et pas un jour ne s'écoulait sans que le souvenir plein d'amertume de ces choses lui revînt à la mémoire et lui fît maudire Aladdin et le moment où il avait rencontré Aladdin. Et il finit, un jour qu'il était plus qu'à l'ordinaire plein de cette tenace rancune, par avoir la curiosité de savoir les détails de la mort d'Aladdin. Et, à cet effet, comme il était fort versé dans la géomancie, il prit sa table de sable divinatoire, qu'il tira du fond d'une armoire, s'assit sur une natte carrée, au milieu d'un cercle tracé en rouge, égalisa le sable, rangea les points mâles et les points femelles, les mères et les enfants, marmotta les formules géomantiques, et dit : « Voyons, ô sable, voyons ! Qu'est devenue la lampe magique ? Et comment est-il mort, ce fils d'entremetteur, ce coquin qui s'appelait Aladdin ? » Et, en prononçant ces mots, il agita le sable selon le rite. Et voici que les figures naquirent et que l'horoscope se forma. Et le Maghrébin, à la limite de la stupéfaction, découvrit, à n'en pas douter un instant, après un examen détaillé des figures de l'horoscope, qu'Aladdin n'était point mort mais bien vivant, qu'il était le maître de la lampe magique, et qu'il était dans la splendeur, les richesses et les honneurs, marié à la princesse Badrou'l-Boudour, fille du roi de la Chine, qu'il aimait et qui l'aimait, et qu'enfin il n'était plus connu, par tout l'empire de la Chine et jusqu'aux frontières du monde, que sous le nom de l'émir Aladdin !

Lorsque le magicien eut appris de la sorte, par les opérations de sa géomancie et de sa mécréantise, ces choses auxquelles il était loin de s'attendre, il écuma de rage et cracha en l'air et par terre, en disant : « Je crache sur ta figure, ô fils des bâtards et des chiffons ! Je pisse sur ta tête, ô Aladdin l'entremetteur, ô chien, fils de chien, ô oiseau de pendaison, ô visage de poix et de goudron…

À ce moment de sa narration, Schahrazade vit apparaître le matin et, discrète, se tut.

Mais lorsque fut la sept cent soixante-cinquième nuit. Elle dit :

… Je crache sur ta tête, ô fils des bâtards et des chiffons ! Je pisse sur ta tête, ô Aladdin l'entremetteur, ô chien, fils de chien, ô oiseau de pendaison, ô visage de poix et de goudron ! » Et il se mit, pendant une heure de temps, à cracher en l'air et par terre, à fouler aux pieds un imaginaire Aladdin, et à l'accabler de jurons atroces et d'insultes de toutes les variétés, jusqu'à ce qu'il se fût un peu calmé. Mais alors il résolut, coûte que coûte, de se venger d'Aladdin et de lui faire expier les félicités dont il jouissait à son détriment par la possession de cette lampe magique qui lui avait coûté, à lui magicien, tant d'efforts et tant de peines inutiles. Et, sans hésiter un instant, il se mit en route pour la Chine. Et, comme la rage et le désir de la vengeance lui donnaient des ailes, il voyagea sans s'arrêter, en réfléchissant longuement sur les meilleurs moyens à employer pour venir à bout d'Aladdin ; et il ne tarda pas à arriver dans la capitale du royaume de Chine. Et il descendit dans un khân, où il loua un logement. Et, dès le lendemain de son arrivée, il se mit à parcourir les endroits publics et les lieux les plus fréquentés ; et, partout, il n'entendit parler que de l'émir Aladdin, de la beauté de l'émir Aladdin, de la générosité de l'émir Aladdin et de la magnificence de l'émir Aladdin. Et il se dit : « Par le feu et par la lumière ! bientôt ce nom ne sera prononcé que pour la sentence de mort ! » Et il arriva de la sorte devant le palais d'Aladdin, et s'écria, en voyant son aspect imposant : « Ah ! ah ! c'est là qu'habite maintenant le fils du tailleur Mustapha, celui qui n'avait pas un morceau de pain pour s'en nourrir à la fin de la journée ! Ah ! ah ! Aladdin, tu verras bientôt si ma destinée ne vaincra pas la tienne, et si je n'obligerai pas ta mère à filer, comme autrefois, la laine, pour ne pas mourir de faim, et si je ne creuserai pas de mes propres mains la fosse où elle viendra te pleurer ! » Puis il s'approcha de la grande porte du palais et, après avoir lié conversation avec le portier, il réussit à savoir de lui qu'Aladdin était allé à la chasse pour plusieurs jours. Et il pensa : « Voilà déjà le commencement de la chute d'Aladdin ! Je vais pouvoir agir ici plus librement pendant son absence ! Mais il faut que je sache, avant tout, si Aladdin a emporté la lampe avec lui à la chasse, ou s'il l'a laissée au palais ! » Et il se hâta de retourner à sa chambre du khân, où il prit sa table géomantique et l'interrogea. Et l'horoscope lui révéla que la lampe avait été laissée par Aladdin au palais.

Alors le Maghrébin, ivre de joie, alla au souk des chaudronniers et entra dans la boutique d'un marchand de lanternes et de lampes de cuivre, et lui dit : « Ô mon maître, j'ai besoin d'une douzaine de lampes de cuivre toutes neuves et bien polies ! » Et le marchand répondit : « J'ai ce qu'il te faut ! » Et il rangea devant lui douze lampes bien brillantes, et lui en demanda un prix que le magicien lui paya sans marchander. Et il les prit et les mit dans un panier qu'il avait acheté chez le vannier. Et il sortit du souk. Et il se mit à parcourir les rues, avec le panier de lampes au bras, et en criant : « Lampes neuves ! Les lampes neuves ! J'échange des lampes neuves contre des vieilles ! Qui veut de cet échange vienne prendre la neuve ! » Et il se dirigea de cette manière vers le palais d'Aladdin.

Or dès que les petits gamins des rues eurent entendu ce cri inaccoutumé et vu le large turban du Maghrébin, ils s'arrêtèrent de jouer et accoururent en troupe. Et ils se mirent à gambader derrière le Maghrébin, en le huant, et en criant en chœur : « Ho ! le fou ! ho ! le fou ! » Mais lui, sans prêter la moindre attention à leurs gamineries, continuait à lancer son cri, qui dominait leurs huées : « Lampes neuves ! Les lampes neuves ! J'échange des lampes neuves contre des vieilles ! Qui veut de cet échange vienne prendre la neuve ! »

Et il arriva de la sorte, suivi par la foule hurlante des petits enfants, sur la place qui s'étendait devant la porte du palais, et se mit à la parcourir d'un bout à l'autre, pour, de nouveau, revenir sur ses pas et recommencer, en répétant son cri de plus en plus fort, sans se lasser. Et il fit si bien que la princesse Badrou'l-Boudour, qui se trouvait à ce moment-là dans la salle aux quatre-vingt-dix-neuf fenêtres, entendit cette rumeur inaccoutumée et ouvrit l'une des fenêtres et regarda sur la place. Et elle vit la foule gambadante et hurlante des petits gamins et entendit le cri étrange du Maghrébin. Et elle se mit à rire. Et ses femmes entendirent le cri et se mirent également à rire avec elle. Et l'une d'elles lui dit : « Ô ma maîtresse, j'ai justement remarqué aujourd'hui, sur un tabouret, en nettoyant la chambre de mon maître Aladdin, une vieille lampe de cuivre ! Permets-moi donc d'aller la prendre et de la montrer à ce vieux Maghrébin, pour voir s'il est réellement aussi fou que son cri nous le donne à entendre, et s'il consentira à nous l'échanger contre une lampe neuve ! » Or la vieille lampe dont parlait cette esclave était précisément la lampe magique d'Aladdin. Et, par un malheur écrit par la destinée, il avait oublié, avant de partir, de l'enfermer dans l'armoire de nacre où il la tenait ordinairement cachée et l'avait laissée sur le tabouret ! Mais peut-on lutter contre les arrêts de la destinée ?

Or la princesse Badrou'l-Boudour ignorait complètement et l'existence de cette lampe et ses vertus merveilleuses. Aussi elle ne vit aucun inconvénient à l'échange dont lui parlait son esclave et répondit : « Mais certainement ! Prends cette lampe et remets-la à l'agha des eunuques afin qu'il aille l'échanger contre une lampe neuve et que nous puissons rire aux dépens de ce fou ! »

Alors la jeune esclave alla à la chambre d'Aladdin, prit la lampe magique sur le tabouret et la remit à l'agha des eunuques. Et l'agha descendit aussitôt sur la place, appela le Maghrébin, lui fit voir la lampe qu'il tenait et lui dit : « Ma maîtresse désire échanger cette lampe contre une des neuves que tu as dans ce panier ! » Lorsque le magicien eut vu la lampe, il la reconnut au premier coup d'œil et se mit à trembler d'émotion. Et l'eunuque lui dit : « Qu'as-tu ? Peut-être que tu trouves cette lampe-ci trop vieille pour l'échanger ! » Mais le magicien, qui déjà avait dominé son agitation, tendit la main avec la rapidité du vautour qui fond sur la tourterelle, saisit la lampe que lui tendait l'eunuque et la fit disparaître dans son sein. Puis il présenta le panier à l'eunuque, en disant : « Prends celle qui te plaît le mieux ! » Et l'eunuque choisit une lampe bien polie et battant neuf, et se hâta d'aller la porter à sa maîtresse Badrou'l-Boudour, en éclatant de rire et en se moquant de la folie du Maghrébin…

À ce moment de sa narration, Schahrazade vit apparaître le matin et, discrète, se tut.

Mais lorsque fut la sept cent soixante-sixième nuit. Elle dit :

… Et l'eunuque choisit une lampe bien polie et battant neuf, et se hâta d'aller la porter à sa maîtresse Badrou'l-Boudour, en éclatant de rire et en se moquant de la folie du Maghrébin. Et voilà pour l'agha des eunuques et pour l'échange de la lampe magique, pendant l'absence d'Aladdin !

Quant au magicien, il se mit aussitôt à courir, en lançant son panier avec son contenu à la tête des gamins qui continuaient à le huer, pour les empêcher de le suivre. Et, débarrassé de la sorte, il franchit l'enceinte des palais et des jardins et s'enfonça à travers les ruelles de la ville, en faisant mille détours afin que sa trace fût perdue pour ceux qui auraient voulu continuer à le poursuivre. Et, arrivé dans un quartier tout à fait désert, il tira la lampe de son sein et la frotta. Et l'éfrit de la lampe répondit à cet appel, en paraissant aussitôt devant lui, et en disant : « Entre tes mains, ici, ton esclave le voici ! Parle, que veux-tu ? Je reste le serviteur de la lampe, soit que dans les airs je vole, soit que sur la terre je rampe ! » Car l'éfrit obéissait indistinctement à quiconque était le possesseur de cette lampe-là, fût-il, comme le magicien, dans la voie de la scélératesse et de la perdition.

Alors le Maghrébin lui dit : « Ô éfrit de la lampe, je t'ordonne d'enlever le palais que tu as bâti pour Aladdin et de le transporter avec tous les êtres et toutes les choses qu'il contient dans mon pays que tu connais, au fond du Maghreb, parmi les jardins. Et tu m'y transporteras moi également avec le palais ! » Et le mared, esclave de la lampe, répondit : « J'écoute et j'obéis ! Ferme un œil et ouvre un œil, et tu te trouveras dans ton pays, au milieu du palais d'Aladdin ! » Et, effectivement, en un clin d'œil, la chose fut faite. Et le Maghrébin se trouva transporté, avec le palais d'Aladdin, au milieu de son pays, dans le Maghreb africain. Et voilà pour lui !

Mais pour ce qui est du sultan, père de Badrou'l-Boudour, le lendemain, à son réveil, il sortit de son palais pour aller, selon son habitude, visiter sa fille qu'il aimait. Et il ne vit, à la place où s'élevait le merveilleux palais, qu'un large meidân coupé par les fossés vides des fondations. Et, à la limite de la perplexité, il ne sut s'il ne perdait pas la raison ; et il se mit à se frotter les yeux pour mieux se rendre compte de ce qu'il voyait. Et il constata qu'avec la clarté du soleil levant et la limpidité du matin il n'y avait pas moyen de se tromper, et que le palais n'était plus là ! Mais il voulut se mieux convaincre de cette affolante réalité, et remonta à l'étage supérieur, et ouvrit la fenêtre qui donnait du côté de sa fille. Et il ne vit ni palais ni trace de palais, ni jardins ni trace de jardins, rien qu'un immense meidân où les cavaliers auraient pu, n'eussent été les fossés, jouter tout à leur aise.

Alors le malheureux père, déchiré d'anxiété, se mit à frapper ses mains l'une contre l'autre et à s'arracher la barbe en pleurant, bien qu'il ne pût se rendre bien compte de la nature et de l'étendue de son malheur. Et, pendant qu'il était écroulé de la sorte sur le divan, son grand vizir entra pour lui annoncer, selon sa coutume, l'ouverture de la séance de justice. Et il le vit dans l'état où il était, et ne sut qu'en penser. Et le sultan lui dit : « Approche ici ! » Et le vizir s'approcha, et le sultan lui dit : « Qu'est devenu le palais de ma fille ? » Il dit : « Qu'Allah garde le sultan ! mais je ne comprends pas ce qu'il veut dire ! » Il dit : « On dirait, ô vizir, que tu n'es pas au courant de la triste affaire ! » Il répondit : « Pas du tout, ô mon seigneur, par Allah ! je ne sais rien du tout, absolument rien ! » Il dit : « C'est qu'alors tu n'as pas regardé du côté du palais d'Aladdin ! » Il dit : « J'ai été hier au soir me promener dans les jardins qui l'entourent, et je n'y ai rien remarqué de particulièrement singulier ! sinon que la grande porte en était fermée à cause de l'absence de l'émir Aladdin ! » Il dit : « Dans ce cas, ô vizir, regarde par cette fenêtre et dis-moi si tu ne remarques rien de particulièrement singulier dans ce palais dont tu as vu hier la grande porte fermée ! » Et le vizir mit sa tête à la fenêtre et regarda, mais ce fut pour lever les bras au ciel en s'écriant : « Éloigné soit le Malin ! le palais a disparu ! » Puis il se tourna vers le sultan et lui dit : « Et maintenant, ô mon seigneur, hésites-tu à croire que ce palais, dont tu admirais tellement l'architecture et l'ornementation, soit autre chose que l'œuvre de la plus admirable sorcellerie ? » Et le sultan baissa la tête et réfléchit pendant une heure de temps. Après quoi il releva la tête, et son visage était rouge de fureur. Et il s'écria : « Où est-il, ce scélérat, cet aventurier, ce magicien, cet imposteur, ce fils de mille chiens qui s'appelle Aladdin ? » Et le vizir, le cœur dilaté de triomphe, répondit : « Il est absent, à la chasse ! mais il a annoncé son retour pour aujourd'hui, avant la prière de midi ! Et, si tu veux, je me charge d'aller moi-même m'informer auprès de lui de ce qu'est devenu le palais avec son contenu ? » Et le roi se récria, disant : « Non, par Allah ! Il faut qu'on le traite comme les voleurs et les menteurs ! Que les gardes aillent et me l'amènent chargé de chaînes…

À ce moment de sa narration, Schahrazade vit apparaître le matin et, discrète, se tut.

Mais lorsque fut la sept cent soixante-septième nuit. Elle dit :

… Il faut qu'on le traite comme les voleurs et les menteurs ! Que les gardes aillent et me l'amènent chargé de chaînes ! »

Aussitôt le grand vizir sortit communiquer l'ordre du sultan au chef des gardes, en l'instruisant de quelle manière il devait s'y prendre pour qu'Aladdin ne réussît pas à leur échapper. Et le chef des gardes, accompagné de cent cavaliers, sortit de la ville sur le chemin par où devait revenir Aladdin, et le rencontra à cinq pharasanges des portes. Et il le fit aussitôt environner par les cavaliers, et lui dit : « Émir Aladdin, ô notre maître, excuse-nous, de grâce ! mais le sultan, dont nous sommes les esclaves, nous a donné l'ordre de t'arrêter et de t'amener entre ses mains chargé de chaînes, comme les criminels ! Et nous ne pouvons désobéir à un ordre royal ! Mais, encore une fois, excuse-nous de te traiter de la sorte, après que nous avons tous été les noyés de ta générosité ! »

À ces paroles du chef des gardes, la langue d'Aladdin se lia de surprise et d'émotion. Mais il finit par pouvoir parler, et dit : « Ô braves gens, savez-vous au moins pour quel motif le sultan vous a donné un ordre pareil, alors que je suis innocent de tout crime envers lui ou envers l'État ! » Et le chef des gardes répondit : « Par Allah ! nous ne le savons pas ! » Alors Aladdin descendit de son cheval, et dit : « Faites de moi ce qui vous a été ordonné par le sultan ! car les ordres du sultan sont sur la tête et sur l'œil ! » Et les gardes se saisirent, mais bien à regret, d'Aladdin, lui lièrent les bras, lui passèrent au cou une chaîne fort grosse et fort lourde, dont ils lui entourèrent également le milieu du corps, et le traînèrent vers la ville par le bout de cette chaîne, en le faisant suivre à pied, pendant qu'ils continuaient leur route à cheval.

Lorsque les gardes furent arrivés aux premiers faubourgs de la ville, les passants qui virent Aladdin traité de cette manière ne doutèrent pas que le sultan, pour une cause qu'ils ignoraient, ne se disposât à lui faire couper la tête. Et comme Aladdin, par sa générosité et son affabilité, avait gagné l'affection de tous les sujets du royaume, ceux qui le virent se hâtèrent de marcher derrière lui, en s'armant les uns de sabres, des autres de gourdins et d'autres de pierres et de bâtons. Et leur nombre augmenta, à mesure que le convoi s'approchait du palais, si bien qu'à l'arrivée sur la place du meidân ils étaient devenus milliers et milliers. Et tous criaient et protestaient, en brandissant leurs armes et en menaçant les gardes qui eurent les plus grandes peines à les contenir et à pénétrer dans le palais sans être maltraités. Et, pendant qu'ils continuaient à vociférer et à hurler sur le meidân, en demandant qu'on leur rendît sain et sauf leur maître Aladdin, les gardes introduisirent Aladdin, toujours chargé de chaînes, dans la salle où, assis dans sa colère et son anxiété, l'attendait le sultan.

Or, dès qu'Aladdin fut en sa présence, le sultan, pris d'une fureur inimaginable, ne se donna même pas le temps de lui demander ce qu'était devenu le palais qui contenait sa fille Badrou'l-Boudour, et cria au porte-glaive : « Coupe tout de suite la tête de cet imposteur maudit ! » Et il ne voulut ni l'entendre ni le voir un instant de plus. Et le porte-glaive emmena Aladdin sur la terrasse qui dominait le meidân où était amassée la foule tumultueuse, fit s'agenouiller Aladdin sur le cuir rouge des exécutions, après lui avoir bandé les yeux, lui ôta la chaîne qu'il avait au cou et autour du corps, et lui dit : « Fais ton acte de foi, avant de mourir ! » Et il se disposa à lui donner le coup de la mort, en tournant trois fois autour de lui et en faisant flamboyer le sabre par trois fois, en l'air. Mais, à ce moment précis, la foule, voyant que le porte-glaive allait exécuter Aladdin, se mit en mesure, en poussant des cris terribles, d'escalader les murs du palais et de forcer les portes. Et le sultan vit cela, et, craignant quelque événement funeste, il fut prit d'une grande épouvante. Et il se tourna vers le porte-glaive et lui dit : « Diffère, pour l'instant, de couper la tête à ce criminel ! » Et il dit au chef des gardes : « Fais crier au peuple que je lui accorde la grâce du sang de ce maudit ! » Et l'ordre, aussitôt crié du haut des terrasses, calma le tumulte et la fureur de la foule, et fit abandonner leur dessein à ceux qui forçaient les portes et à ceux qui escaladaient les murs du palais.

Alors Aladdin, à qui on avait pris soin d'enlever ostensiblement le bandeau des yeux, et dont on avait défait les liens qui lui attachaient les mains derrière le dos, se leva du cuir des exécutions où il était agenouillé, et leva la tête vers le sultan, et, les yeux pleins de larmes, il lui demanda : « Ô roi du temps, je supplie Ta Hautesse de me dire seulement quel crime j'ai pu commettre pour encourir ta colère et cette disgrâce ! » Et le sultan, bien jaune de teint et d'une voix pleine de colère contenue, lui dit : « Ton crime, misérable ? Tu feins donc de l'ignorer ? Mais tu ne feindras plus, lorsque je te l'aurai fait constater avec tes yeux ! » Et il lui cria : « Suis-moi ! » Et il marcha devant lui, et le conduisit vers l'autre bout du palais, du côté du second meidân, où s'élevait naguère le palais de Badrou'l-Boudour entouré de ses jardins, et lui dit : « Regarde par cette fenêtre, et dis-moi, puisque tu dois bien le savoir, ce qu'est devenu le palais qui contenait ma fille ? » Et Aladdin mit sa tête à la fenêtre et regarda. Et il ne vit ni palais, ni jardin, ni trace de palais ou de jardin, mais l'immense meidân désert tel qu'il était au jour où il avait donné l'ordre à l'éfrit de la lampe d'y construire la demeure merveilleuse. Et il fut dans une telle stupéfaction et une telle douleur et un tel saisissement qu'il fut sur le point de tomber évanoui. Et il ne put prononcer une seule parole. Et le sultan lui cria : « Eh bien, maudit imposteur, où est le palais et où est ma fille, le noyau de mon cœur, mon unique enfant ? » Et Aladdin poussa un gros soupir et fondit en larmes ; puis il dit : « Ô roi du temps, je ne le sais pas ! » Et le sultan lui dit : « Écoute-moi bien ! Je ne veux pas te demander de restituer ton maudit palais, mais je t'ordonne de me rendre ma fille. Et si tu ne le fais pas à l'instant, ou si tu ne veux pas me dire ce qu'elle est devenue, par ma tête ! je te ferai couper la tête ! » Et Aladdin, à la limite de l'émotion, baissa les yeux et réfléchit pendant une heure de temps. Puis il releva la tête et dit : « Ô roi du temps, nul n'échappe à sa destinée. Et si ma destinée est que ma tête soit coupée pour un crime que je n'ai pas commis, aucune puissance ne pourra me sauver ! Je te demande seulement, avant de mourir, un délai de quarante jours pour faire les recherches nécessaires au sujet de mon épouse bien-aimée, qui a disparu avec le palais pendant que j'étais à la chasse, et sans que j'aie pu me douter de quelle manière est survenue cette calamité, je te le jure par la vérité de notre foi et les mérites de notre seigneur Môhammad (sur Lui la prière et la paix !). » Et le sultan répondit : « Soit, je veux bien t'accorder ce que tu me demandes. Mais sache que, ce délai passé, rien ne pourra te sauver d'entre mes mains, si tu ne me ramènes pas ma fille ! Car, en quelque endroit de la terre où tu pourras te cacher, je saurai bien t'atteindre et te punir ! » Et Aladdin, à ces paroles, sortit de la présence du sultan et, la tête bien basse, il traversa le palais, au milieu des dignitaires qui avaient de la peine à le reconnaître, tant il était subitement changé par l'émotion et la douleur. Et il arriva au milieu de la foule et se mit à demander, avec des yeux hagards : « Où est mon palais ? Où est mon épouse ? » Et tous ceux qui le voyaient et l'entendaient se dirent : « Le pauvre ! il a perdu la raison ! C'est la disgrâce du sultan et la vue de la mort qui l'ont rendu fou ! » Et Aladdin, voyant qu'il n'était plus pour tout le monde qu'un objet de compassion, s'éloigna rapidement, sans que personne eût le cœur de le suivre. Et il sortit de la ville, et se mit à errer, sans savoir ce qu'il faisait, à travers la campagne…

À ce moment de sa narration, Schahrazade vit apparaître le matin et, discrète, se tut.

Mais lorsque fut la sept cent soixante-huitième nuit. Elle dit :

… Et il sortit de la ville, et se mit à errer, sans savoir ce qu'il faisait, à travers la campagne. Et il arriva de la sorte sur le bord d'un grand fleuve, en proie au désespoir, et en se disant : « Où chercheras-tu ton palais, Aladdin, et ton épouse Badrou'l-Boudour, ô pauvre ? En quel pays inconnu iras-tu la trouver, si elle est encore vivante ? Et sais-tu seulement de quelle manière elle a disparu ? » Et, l'âme obscurcie par ces pensées, et ne voyant plus que ténèbres et tristesse devant ses yeux, il voulut se jeter à l'eau et y noyer sa vie et sa douleur. Mais, à ce moment, il se souvint qu'il était musulman, un croyant, un pur ! Et il témoigna de l'unité d'Allah et de la mission de Son Envoyé. Et, réconforté par son acte de foi et son abandon à la volonté du Très-Haut, il se mit en devoir, au lieu de se jeter à l'eau, de faire ses ablutions pour la prière du soir. Et il s'accroupit sur le bord du fleuve, et prit l'eau dans le creux de ses mains, et se mit à s'en frotter les doigts et les extrémités. Or, en faisant ces mouvements, il frotta l'anneau que lui avait donné, dans le caveau, le Maghrébin. Et, au même moment, apparut l'éfrit de l'anneau, qui se prosterna devant lui, en disant : « Entre tes mains, ici, ton esclave le voici ! Parle, que veux-tu ? Je suis le serviteur de l'anneau, sur la terre, dans les airs et sur l'eau ! » Et Aladdin reconnut parfaitement, à son aspect hideux et à sa voix terrifiante, l'éfrit qui l'avait autrefois délivré du souterrain. Et, agréablement surpris d'une apparition à laquelle il était si loin de s'attendre, dans l'état misérable où il se trouvait, il interrompit ses ablutions et se leva sur ses deux pieds et dit à l'éfrit : « Ô éfrit de l'anneau, ô secourable, ô excellent ! Qu'Allah te bénisse et t'ait en ses bonnes grâces ! Mais hâte-toi de me rapporter mon palais et mon épouse la princesse Badrou'l-Boudour ! » Mais l'éfrit de l'anneau lui répondit : « Ô maître de l'anneau, ce que tu me demandes là n'est guère de ma compétence, car, sur la terre, dans les airs et sur l'eau, je ne suis serviteur que de l'anneau ! Et je suis bien fâché de ne pouvoir te satisfaire sur ce point qui est du ressort du serviteur de la lampe ! Pour cela, tu n'as qu'à t'adresser à cet éfrit-là ; et il te satisfera ! » Alors Aladdin, fort perplexe, lui dit : « Dans ce cas, ô éfrit de l'anneau, et puisque tu ne peux t'immiscer dans ce qui ne te regarde pas en transportant ici le palais de mon épouse, je t'ordonne, par les vertus de l'anneau que tu sers, de me transporter moi-même jusqu'à l'endroit de la terre où se trouve mon palais, et de me déposer, sans secousse, sous les fenêtres de la princesse Badrou'l-Boudour, mon épouse ! »

Or à peine Aladdin eut-il formulé cette demande que l'éfrit de l'anneau répondit par l'ouïe et l'obéissance et, le temps de seulement fermer un œil et d'ouvrir un œil, il le transporta au fond du Maghreb au milieu d'un jardin magnifique où s'élevait, avec sa beauté architectural, le palais de Badrou'l-Boudour. Et il le déposa bien doucement au-dessous des fenêtres de la princesse, et disparut.

Alors Aladdin, à la vue de son palais, sentit se dilater son cœur et se tranquilliser son âme et se rafraîchir ses yeux. Et l'espoir entra de nouveau en lui avec la joie. Et de même que celui qui confie une tête au vendeur de têtes cuites au four est préoccupé et ne dort pas, de même Aladdin, malgré ses fatigues et ses chagrins, ne voulut prendre aucun repos. Il éleva seulement son âme vers son Créateur pour le remercier de ses bontés et reconnaître que ses desseins sont impénétrables aux créatures bornées. Après quoi, il se leva et se mit bien en évidence sous les fenêtres de son épouse Badrou'l-Boudour.

Or depuis son enlèvement avec le palais par le magicien maghrébin, la princesse, dans sa douleur d'avoir été séparée d'avec son père et son époux bien-aimé, et par suite de toutes les violences qu'elle endurait, sans toutefois céder, de la part du maudit Magrébin, avait l'habitude de se lever de son lit tous les jours, dès la première aube, et passait son temps à pleurer et ses nuits à veiller, pleine de ses tristes pensées. Et elle ne dormait, ni ne mangeait, ni ne buvait. Or, ce soir-là, par un décret de la destinée, sa servante était entrée chez elle pour essayer de la distraire. Et elle ouvrit une des fenêtres de la salle de cristal et regarda au-dehors, en disant : « Ô ma maîtresse, viens voir comme ce soir les arbres sont beaux et comme l'air est délicieux ! » Puis, soudain, elle poussa un grand cri, en s'exclamant : « Ya setti, Ya setti ! Voilà mon maître Aladdin, voilà mon maître Aladdin ! Il se trouve sous les fenêtres du palais…

À ce moment de sa narration, Schahrazade vit apparaître le matin et, discrète, se tut.

Mais lorsque fut la sept cent soixante-neuvième nuit. Elle dit :

… Ya setti, ya setti ! Voilà mon maître Aladdin, voilà mon maître Aladdin ! Il se trouve sous les fenêtres du palais ! »

À ces paroles de sa servante, Badrou'l-Boudour se précipita à la fenêtre et vit Aladdin, qui la vit également. Et ils faillirent tous deux s'envoler de joie. Et, la première, Badrou'l-Boudour put ouvrir la bouche, et cria à Aladdin : « Ô mon chéri, viens vite, viens vite ! ma servante descend t'ouvrir la porte secrète ! Tu peux monter ici sans crainte. Le magicien maudit est absent pour le moment ! » Et, la servante lui ayant ouvert la porte secrète, Aladdin monta à l'appartement de son épouse et la reçut sur son sein. Et ils s'embrassèrent, ivres de joie, en pleurant et en riant. Et, lorsqu'ils se furent un peu calmés, ils s'assirent l'un à côté de l'autre, et Aladdin dit à son épouse : « Ô Badrou'l-Boudour, je désire, avant toute chose, te demander ce qu'est devenue la lampe en cuivre que j'avais laissée dans ma chambre, sur un tabouret, avant mon départ pour la chasse ! » Et la princesse s'écria : « Ah ! mon chéri, c'est précisément cette lampe-là qui est la cause de notre malheur ! Mais c'est par ma faute, à moi seule, que tout cela est arrivé ! » Et elle raconta à Aladdin tout ce qui était arrivé au palais, lors de son absence, et comment, dans le but de rire de la folie du vendeur de lampes, elle avait échangé la lampe du tabouret contre une lampe neuve, et tout ce qui s'était ensuivi, sans oublier un détail. Mais il n'y a point d'utilité à le répéter. Et elle conclut, en disant : « Et ce n'est qu'après notre transport ici, avec le palais, que le maudit Maghrébin est venu me révéler qu'il avait, par la puissance de sa sorcellerie et les vertus de la lampe échangée, réussi à m'enlever à ton affection, pour me posséder. Et il me dit qu'il était Maghrébin et que nous étions dans le Maghreb, son pays ! » Alors Aladdin, sans lui faire le moindre reproche lui demanda : « Et que désire faire de toi ce maudit ? » Elle dit : « Chaque jour, une fois, sans plus, il vient me faire une visite et essaie par tous les moyens de me séduire. Et, comme il est plein de perfidie, il n'a cessé, pour vaincre ma résistance, de m'affirmer que le sultan t'avait fait couper la tête comme imposteur, et que tu n'étais, après tout, que le fils de pauvres gens, d'un misérable tailleur nommé Mustapha, et que tu ne devais qu'à lui seul la fortune et les honneurs où tu étais parvenu ! Mais, jusqu'à présent, il n'a reçu de moi, pour toute réponse, que le silence, du mépris et le détournement du visage. Et il est obligé, chaque fois, de se retirer l'oreille rabattue et le nez allongé ! Et je craignais, chaque fois, qu'il n'eût recours à la violence ! Mais te voici, Allah soit loué ! » Et Aladdin lui dit : « Dis-moi maintenant, ô Badrou'l-Boudour, en quel endroit du palais se trouve cachée, si tu le sais, la lampe qu'a réussi à m'enlever ce maudit Maghrébin ? » Elle dit : « Il ne la laisse jamais au palais ; mais il la porte continuellement dans son sein. Que de fois ne la lui ai-je pas vu sortir en ma présence, pour me la montrer comme un trophée. » Alors Aladdin lui dit : « C'est bien ! mais, par ta vie ! il ne la montrera pas longtemps encore ! » Puis il ajouta : « Je connais le moyen de châtier notre perfide ennemi ! dans ce but, je te demanderai seulement de me laisser seul un instant dans cette chambre ! Et je t'appellerai quand il en sera temps ! » Alors Badrou'l-Boudour sortit de la salle et alla rejoindre ses suivantes.

Alors Aladdin frotta l'anneau magique qu'il avait au doigt et dit à l'éfrit qui se présenta : « Ô éfrit de l'anneau, connais-tu les diverses espèces de poudres soporifiques ? » Il répondit : « C'est ce que je connais le mieux ! » Il dit : « Dans ce cas, je t'ordonne de m'apporter une once de bang crétois, dont une seule prise est capable de renverser un éléphant ! » Et l'éfrit disparut, mais pour revenir au bout d'un moment, en tenant entre ses doigts un petit étui qu'il remit à Aladdin, en disant : « Voilà, ô maître de l'anneau, du bang crétois de la qualité la plus fine ! » Et il s'en alla. Et Aladdin appela son épouse Badrou'l-Boudour et lui dit : « Ô ma maîtresse Badrou'l-Boudour, si tu veux que nous triomphions de ce maudit Maghrébin, tu n'as qu'à suivre le conseil que je vais te donner. Et le temps presse, puisque tu m'as dit que le Maghrébin était sur le point d'arriver ici, pour essayer de te séduire ! Voici donc ce que tu vas être obligée de faire ! » Et il lui dit : « Tu feras *telle* et *telle* chose, et tu lui diras *telle* et *telle* chose ! » Et il l'instruisit longuement de la conduite qu'elle devait tenir vis-à-vis du magicien. Et il ajouta : « Quant à moi, je vais me cacher dans cette armoire. Et j'en sortirai quand le moment sera venu ! » Et il lui remit l'étui de bang, en disant : « N'oublie pas le moyen que je viens de t'indiquer ! » Et il la quitta pour aller s'enfermer dans l'armoire.

Alors la princesse Badrou'l-Boudour, malgré la répugnance qu'elle avait à remplir le rôle en question, ne voulut pas perdre l'occasion de tirer vengeance du magicien, et se mit en devoir de suivre les instructions de son époux Aladdin. Elle se leva donc et se fit peigner par ses femmes et coiffer de la manière qui allait le mieux à son visage de lune, et se fit habiller de la plus belle robe de ses armoires. Ensuite elle se serra la taille avec une ceinture d'or incrustée de diamants et s'orna le cou d'un collier de perles nobles de la même grosseur, sauf celle du milieu qui était du volume d'une noix ; et elle se passa aux poignets et aux chevilles des bracelets d'or dont les pierreries se mariaient merveilleusement aux couleurs des autres atours. Et parfumée et semblable à quelque houria choisie, et plus brillante que les plus brillantes des reines et des sultanes, elle se regarda avec attendrissement dans son miroir, pendant que ses femmes s'émerveillaient de sa beauté et s'exclamaient d'admiration. Et elle s'étendit nonchalamment sur ses coussins, en attendant l'arrivée du magicien…

À ce moment de sa narration, Schahrazade vit apparaître le matin et, discrète, se tut.

Mais lorsque fut la sept cent soixante-dixième nuit. Elle dit :

… Et elle s'étendit nonchalamment sur ses coussins, en attendant l'arrivée du magicien.

Or il ne manqua pas de venir à l'heure annoncée. Et la princesse, contre ses habitudes, se leva en son honneur et l'invita, avec un sourire, à s'asseoir à côté d'elle sur le divan. Et le Maghrébin, fort ému de cette réception, et ébloui de l'éclat des beaux yeux qui le regardaient et de la beauté ravissante de cette princesse tant désirée, ne voulut s'asseoir, par mesure de politesse et de déférence, que sur le bord du divan. Et la princesse, toujours souriante, lui dit : « Ô mon maître, ne sois point étonné de me voir aujourd'hui dans cet état de changement, car mon tempérament, qui est de sa nature fort opposé à la tristesse, a fini par prendre le dessus sur mon chagrin et mon inquiétude. Et d'ailleurs j'ai réfléchi sur tes paroles au sujet de mon époux Aladdin, et je suis maintenant persuadée qu'il est mort par l'effet du terrible courroux du roi mon père. Or ce qui est écrit doit courir ! Et ni mes larmes ni mes regrets ne redonneront la vie à un mort. C'est pourquoi j'ai renoncé à la tristesse et au deuil et résolu de ne plus repousser tes avances et tes bontés. Et tel est le motif de mon changement d'humeur ! » Puis elle ajouta : « Mais je ne t'ai pas encore fait offrir les rafraîchissements de l'amitié ! » Et elle se leva, dans son éblouissante beauté, et se dirigea vers le grand tabouret sur lequel était posé le plateau des vins et des sorbets, et, tout en appelant une de ses suivantes pour servir le plateau, elle jeta une pincée du bang crétois dans la coupe d'or du plateau. Et le Maghrébin ne savait comment la remercier pour ses faveurs. Et quand la jeune suivante se fut avancée avec le plateau des sorbets, il prit la coupe et dit à Badrou'l-Boudour : « Ô princesse, cette boisson, quelque délicieuse qu'elle soit, ne saurait me rafraîchir autant que le sourire de tes yeux ! » Et, ayant ainsi parlé, il approcha la coupe de ses lèvres et la vida d'un seul trait, sans respirer. Mais ce fut pour rouler à l'instant, sur le tapis, aux pieds de Badrou'l-Boudour, la tête avant les jambes !

Or, au bruit de sa chute, Aladdin poussa un cri de triomphe et sortit de l'armoire pour courir aussitôt vers le corps inerte de son ennemi. Et il se précipita sur lui, ouvrit le haut de sa robe et tira de son sein la lampe qui y était cachée. Et il se tourna vers Badrou'l-Boudour, qui, à la limite de la joie, accourait pour l'embrasser, et lui dit : « Je te prie de me laisser seul encore une fois ! Car il faut que tout soit terminé aujourd'hui ! » Et lorsque Badrou'l-Boudour se fut éloignée, il frotta la lampe à l'endroit qu'il connaissait bien et vit aussitôt apparaître l'éfrit de la lampe qui, après la formule habituelle, attendit l'ordre. Et

Aladdin lui dit : « Ô éfrit de la lampe, je t'ordonne, par les vertus de cette lampe, ta maîtresse, de transporter ce palais, avec tout ce qu'il contient, dans la capitale du royaume de la Chine, au même endroit exactement d'où tu l'avais enlevé pour l'apporter ici ! Et fais en sorte que ce transport ait lieu sans heurt, sans encombre et sans secousse ! » Et le genni répondit : « Ouïr, c'est obéir ! » et disparut. Et au même moment, le temps de seulement fermer un œil et d'ouvrir un œil, le transport se fit, sans que personne s'en fût douté ; car il ne se fit sentir que par à peine deux légères agitations, l'une au départ et l'autre à l'arrivée.

Alors Aladdin, après avoir constaté que le palais était réellement arrivé et posé bien en face du palais du sultan, à la place qu'il occupait autrefois, alla trouver son épouse Badrou'l-Boudour, et l'embrassa beaucoup et lui dit : « Nous voici arrivés dans la ville de ton père ! Mais, comme il fait déjà nuit, il vaut mieux que nous attendions à demain matin pour aller annoncer notre retour au sultan ! Pour le moment ne pensons qu'à nous réjouir de notre triomphe et de notre réunion, ô Badrou'l-Boudour ! » Et comme Aladdin, depuis la veille, n'avait encore rien mangé, ils s'assirent tous deux et se firent servir par les esclaves un repas succulent, dans la salle aux neuf cent quatre-vingt-dix-neuf croisées. Puis ils passèrent ensemble cette nuit-là, dans les délices et le bonheur.

Or, le lendemain, le sultan sortit de son palais pour aller, selon son habitude, pleurer sa fille à l'endroit où il croyait ne trouver que les fossés des fondations. Et, bien triste et bien endolori, il jeta les yeux de ce côté-là, et demeura stupéfait en voyant la place du meidân occupée de nouveau par le palais magnifique, et non point vide comme il se l'imaginait. Et il crut d'abord que c'était l'effet de quelque brouillard ou de quelque imagination de son esprit inquiet, et se frotta les yeux à plusieurs reprises. Mais comme la vision subsistait toujours, il ne put plus douter de sa réalité, et, sans se soucier de sa dignité de sultan, il se mit à courir en agitant les bras et en poussant des cris de joie, et, bousculant gardes et portiers, il monta l'escalier d'albâtre sans, malgré son grand âge, reprendre haleine, et entra sous la voûte de cristal, dans la salle aux quatre-vingt-dix-neuf fenêtres, où précisément, attendaient sa venue, en souriant, Aladdin et Badrou'l-Boudour. Et ils se levèrent tous deux en le voyant, et coururent à sa rencontre. Et il embrassa sa fille en versant des larmes de joie, à la limite de l'attendrissement ; et elle également...

À ce moment de sa narration, Schahrazade vit apparaître le matin et, discrète, se tut.

Mais lorsque fut la sept cent soixante et onzième nuit. Elle dit :

... Et il embrassa sa fille, en versant des larmes de joie, à la limite de l'attendrissement ; et elle également. Et, lorsqu'il put ouvrir la bouche et prendre la parole, il dit : « Ô ma fille, je vois avec étonnement que ton visage n'est guère plus changé ou plus jaune de teint, du fait de tout ce qui t'est arrivé, que le jour où je t'ai vue pour la dernière fois ! Pourtant, ô fille de mon cœur, tu as dû beaucoup souffrir de ton éloignement, et ce n'est pas sans de grandes alarmes et de terribles angoisses que tu as dû te voir transporter d'un endroit à un autre avec tout le palais ! Car moi-même, rien que d'y penser, je me sens envahi par le tremblement de l'épouvante ! Hâte-toi donc, ô ma fille, de me dire le motif de si peu de changement en ta physionomie, et de me raconter, sans me rien cacher, tout ce qui t'est arrivé depuis le commencement jusqu'à la fin ! » Et Badrou'l-Boudour répondit : « Ô père mien, sache que si je suis si peu changée de visage et si peu jaune de teint, c'est que j'ai regagné ce que j'avais perdu par mon éloignement de toi et de mon époux Aladdin. Car c'est la joie de vous retrouver tous deux qui me rend ma fraîcheur et mon teint d'autrefois. Mais j'ai bien souffert et bien pleuré, autant d'être ravie à ton affection et à celle de mon époux bien-aimé que d'être tombée en la puissance d'un maudit magicien maghrébin, qui est la cause de tout ce qui est arrivé, et qui me tenait des discours qui ne me plaisaient pas et voulait me séduire, après m'avoir enlevée. Mais tout cela est dû à mon étourderie qui m'a poussée à céder à autrui ce qui ne m'appartenait pas ! » Et elle raconta sans arrêt, à son père, toute l'histoire, dans ses moindres détails, sans rien oublier. Mais il n'y a aucune utilité à la répéter. Et quand elle eut fini de parler, Aladdin, qui jusque-là n'avait pas ouvert la bouche, se tourna vers le sultan stupéfait à la limite de la stupéfaction et lui montra, derrière un rideau, le corps inerte du magicien, dont le visage était tout noir par la violence du bang, et lui dit : « Le voilà l'imposteur, cause de notre malheur passé et de ma disgrâce ! Mais Allah l'a puni ! »

À cette vue, le sultan, entièrement convaincu de l'innocence d'Aladdin, l'embrassa bien tendrement, en le serrant contre son sein, et lui dit : « Ô mon fils Aladdin, ne me blâme pas trop pour ma conduite à ton égard, et pardonne-moi les mauvais procédés dont j'ai usé contre toi ! Car je mérite un peu que tu m'excuses, à cause de l'affection que j'éprouve pour ma fille unique Badrou'l-Boudour, et parce que tu sais bien que le cœur du père est plein de tendresse et que moi, en particulier, j'eusse préféré perdre tout mon royaume qu'un cheveu de la tête de ma fille bien-aimée ! » Et Aladdin répondit : « C'est vrai, ô père de Badrou'l-Boudour, tu es bien excusable ! car seule ton affection pour ta fille, que tu croyais perdue par ma faute, t'a fait user de procédés expéditifs à mon égard. Et je n'ai pas le droit de te reprocher quoi que ce soit. C'était à moi, en effet, à prévenir les desseins perfides de cet infâme magicien, et à prendre toutes les précautions contre lui. Et tu ne pourras comprendre réellement sa malice que lorsque, une fois que j'en aurai le temps, je t'aurai fait le récit de toute mon histoire avec lui ! » Et le sultan embrassa encore une fois Aladdin et lui dit : « Certes ! ô Aladdin, il faut absolument que tu trouves bientôt le loisir de me raconter tout cela. Mais il est plus urgent, à l'heure qu'il est, de nous débarrasser de la vue de ce corps maudit qui gît inanimé à nos pieds, et de nous réjouir ensemble de ton triomphe ! » Et Aladdin donna l'ordre à ses éfrits adolescents d'enlever le corps du Maghrébin et de le brûler au milieu de la place du meidân sur un lit de fumier, et d'en jeter les cendres dans la fosse aux ordures. Ce qui fut exécuté ponctuellement, en présence de toute la ville assemblée, qui se réjouissait de cette punition méritée et du retour de l'émir Aladdin dans les bonnes grâces du sultan.

Après quoi, le sultan fit annoncer par les crieurs, au milieu des joueurs de clarinettes, de timbales et de tambours, qu'il accordait la liberté aux prisonniers, en signe de réjouissance publique ; et il fit distribuer de grands secours aux pauvres et aux besogneux. Et le soir il fit illuminer toute la ville ainsi que son palais et celui d'Aladdin et de Badrou'l-Boudour. Et c'est ainsi qu'Aladdin, grâce à la bénédiction qu'il avait sur lui, échappa pour la seconde fois au danger de la mort. Et c'est cette même bénédiction qui devait le sauver encore pour la troisième fois, comme vous allez l'entendre, ô mes auditeurs !

En effet, il y avait déjà quelques mois qu'Aladdin était de retour et qu'il menait avec son épouse, sous l'œil attendri et vigilant de sa mère, devenue maintenant une dame vénérable à l'air imposant mais dénué de fierté et d'arrogance, une vie tout à fait délectable, quand son épouse entra un jour, avec un visage un peu triste et dolent, dans la salle à la voûte de cristal, où il se tenait d'ordinaire pour jouir de la vue des jardins, et s'approcha de lui et lui dit : « Ô mon maître Aladdin, Allah, qui nous a comblés tous deux de ses faveurs, me refuse jusqu'à présent la consolation d'avoir un enfant. Car il y a déjà assez longtemps que nous sommes mariés, je ne sens pas mes entrailles fécondées par la vie. Or je viens te supplier de me permettre de faire venir au palais une sainte vieille nommée Fatmah, arrivée depuis quelques jours dans notre ville, et que tout le monde vénère pour les guérisons et les cures merveilleuses qu'elle fait et la fécondité qu'elle donne aux femmes stériles, rien que par l'imposition de ses mains…

À ce moment de sa narration, Schahrazade vit apparaître le matin et, discrète, se tut.

Mais lorsque fut la sept cent soixante-douzième nuit. Elle dit :

… Or je viens te supplier de me permettre de faire venir au palais une sainte vieille nommée Fatmah, arrivée depuis quelques jours dans notre ville, et que tout le monde vénère pour les guérisons et les cures merveilleuses qu'elle fait et la fécondité qu'elle donne aux femmes stériles, rien que par l'imposition de ses mains ! » Et Aladdin, qui ne voulait point contrarier son épouse Badrou'l-Boudour, ne fit aucune difficulté d'accéder à sa demande, et donna l'ordre à quatre eunuques d'aller trouver la vieille sainte et de l'amener au palais. Et les eunuques exécutèrent l'ordre et ne tardèrent pas à revenir avec la sainte vieille, le visage voilé d'un voile fort épais et le cou entouré d'un immense chapelet à trois tours qui lui descendait jusqu'au bas de la poitrine. Et elle tenait à la main un grand bâton sur lequel elle appuyait sa marche cassée par l'âge et les pratiques de la piété. Et dès que la princesse l'eut vue, elle alla vivement à sa rencontre, lui baisa la main avec ferveur et lui demanda sa bénédiction. Et la sainte vieille, d'un accent bien pénétré, appela sur elle les bénédictions d'Allah et ses grâces, et fit pour elle une longue prière afin de demander à Allah de continuer et d'augmenter en elle la prospérité et le bonheur et de satisfaire ses moindres désirs. Et Badrou'l-Boudour la pria de s'asseoir à la place d'honneur sur le divan, et lui dit : « Ô sainte d'Allah, je te remercie de tes bons vœux et de tes prières ! Et comme je sais qu'Allah ne te refusera rien de ce que tu lui demanderas, j'espère que j'obtiendrai de sa bonté, par ton intercession, ce qui est le souhait le plus cher de mon âme ! » Et la sainte répondit : « Je suis la plus humble des créatures d'Allah ! mais il est l'Omnipotent, l'Excellent ! ne crains donc pas, ô ma maîtresse Badrou'l-Boudour, de formuler ce que souhaite ton âme ! » Et Badrou'l-Boudour devint bien rouge de teint, baissa la voix et, d'un accent bien ardent, dit : « Ô sainte d'Allah, je désire avoir de la générosité d'Allah un enfant ! Dis-moi ce qu'il faut que je fasse pour cela, et quels bienfaits et quelles bonnes actions il me faudra accomplir pour mériter une telle faveur ! Parle ! Je suis prête à tout pour obtenir ce bien qui m'est plus cher que ma propre vie ! Et moi, en retour, pour te montrer ma gratitude, je te donnerai tout ce que tu peux souhaiter ou désirer, non point pour toi qui, je le sais, ô notre mère à tous, es à l'abri des besoins des créatures faibles, mais pour le soulagement des infortunés et des pauvres d'Allah ! »

À ces paroles de la princesse Badrou'l-Boudour, les yeux de la sainte, qui jusque-là étaient restés baissés, s'ouvrirent et s'illuminèrent sous le voile d'un éclat extraordinaire, et son visage rayonna comme d'un feu du dedans, et tous ses traits exprimèrent le sentiment d'une extase de jubilation. Et elle regarda la princesse pendant un moment, sans prononcer un mot : puis elle étendit ses bras vers elle, lui fit sur la tête l'imposition des mains, en remuant les lèvres dans une prière comme intérieure, et finit par lui dire : « Ô ma fille, ô ma maîtresse Badrou'l-Boudour, les saints d'Allah viennent de me dicter le moyen infaillible que tu dois employer pour voir la fécondité habiter dans tes entrailles ! Mais, ô ma fille, je crois que ce moyen est bien difficile, sinon impossible à employer, car il faut une puissance surhumaine pour réaliser ce qu'il réclame de force et de vaillance ! » Et la princesse Badrou'l-Boudour, en entendant ces paroles, ne put retenir davantage son émotion, et se jeta aux genoux de la sainte en les entourant de ses bras, et lui dit : « De grâce, ô notre mère, indique-moi ce moyen quel qu'il soit ! car rien n'est impossible à réaliser pour mon époux bien-aimé, l'émir Aladdin ! Ah ! parle, ou je vais mourir à tes pieds de désir rentré ! » Alors la sainte leva un doigt en l'air et dit : « Ma fille, il faut, pour que la fécondité pénètre en toi, que tu aies, suspendu à la voûte de cristal de cette salle, un œuf de l'oiseau rokh, qui habite au plus grand sommet du mont Caucase. Et la vue de cet œuf, que tu regarderas aussi longtemps que tu le pourras, durant des journées, modifiera ta nature intime et remuera le fond inerte de ta maternité ! Et c'est là ce que j'avais à te dire ma fille ! » Et Badrou'l-Boudour s'écria : « Par ma vie ! ô notre mère, je ne sais pas ce qu'est l'oiseau rokh, et je n'ai jamais vu de ses œufs, mais je ne doute pas qu'Aladdin ne puisse, en un instant, me procurer un de ses œufs fécondants, fût-il dans son nid au plus haut sommet du mont Caucase ! » Puis elle voulut retenir la sainte, qui déjà se levait pour s'en aller ; mais elle lui dit : « Non, ma fille, laisse-moi maintenant m'en aller soulager d'autres infortunes et des douleurs plus grandes encore que la tienne. Mais demain, inschallah, je viendrai de moi-même te visiter et prendre de tes nouvelles qui me sont précieuses ! » Et, malgré tous les efforts et les prières de Badrou'l-Boudour pleine de gratitude, qui voulait lui faire don de plusieurs colliers et joyaux d'une valeur inestimable, elle ne voulut pas s'arrêter un moment de plus au palais, et s'en alla, comme elle était venue, en refusant tous les cadeaux.

Or, quelques moments après le départ de la sainte, Aladdin revint auprès de son épouse, et l'embrassa tendrement, comme il le faisait chaque fois qu'il s'était absenté, ne fût-ce qu'un instant ; mais il lui sembla bien qu'elle avait l'air fort préoccupée ; et il lui en demanda la cause, avec beaucoup d'anxiété…

À ce moment de sa narration, Schahrazade vit apparaître le matin et, discrète, se tut.

Mais lorsque fut la sept cent soixante-treizième nuit. Elle dit :

… Mais il lui sembla bien qu'elle avait l'air fort distraite et préoccupée ; et il lui en demanda la cause, avec beaucoup d'anxiété. Alors Sett Badrou'l-Boudour, tout d'une haleine, lui dit : « Je mourrai certainement si je n'ai pas au plus tôt un œuf de l'oiseau rokh, qui habite au plus haut sommet du mont Caucase ! » Et Aladdin, à ces paroles, se mit à rire et dit : « Par Allah, ô ma maîtresse Badrou'l-Boudour, s'il ne s'agit que d'avoir cet œuf-là pour t'empêcher de mourir, rafraîchis tes yeux ! Mais dis-moi seulement, afin que je le sache, ce que tu entends faire de l'œuf de cet oiseau-là ! » Et Badrou'l-Boudour répondit : « C'est la sainte vieille qui vient de m'en prescrire la vue, comme souverainement efficace pour guérir la stérilité des femmes ! Et je veux l'avoir pour le suspendre au milieu de la voûte de cristal de la salle aux neuf cent quatre-vingt-dix-neuf fenêtres ! » Et Aladdin répondit : « Sur ma tête et sur mes yeux, ô ma maîtresse Badrou'l-Boudour ! Tu vas avoir cet œuf de rokh à l'instant ! »

Aussitôt il quitta son épouse et alla s'enfermer dans sa chambre. Et il tira de son sein la lampe magique qu'il portait toujours sur lui, depuis le terrible danger qu'il avait couru par sa négligence, et il la frotta. Et, au même moment, parut devant lui l'éfrit de la lampe, prêt à exécuter ses ordres. Et Aladdin lui dit : « Ô excellent éfrit, qui m'obéit grâce aux vertus de ta maîtresse la lampe, je te demande de m'apporter à l'instant, pour le suspendre au milieu de la voûte de cristal, un œuf du gigantesque oiseau rokh, qui habite au plus haut sommet du mont Caucase ! »

Or à peine Aladdin avait-il prononcé ces mots que l'éfrit se convulsa d'une façon épouvantable, et ses yeux flamboyèrent, et il lança à la figure d'Aladdin un cri si effrayant que le palais en fut ébranlé dans ses fondements et qu'Aladdin en fut projeté, comme une pierre de fronde, contre le mur de la salle et si violemment que sa longueur faillit entrer dans sa largeur. Et l'éfrit, de sa voix pleine de tonnerre, lui cria : « Misérable Adamite, qu'as-tu osé me demander ? Ô le plus ingrat des gens de basse condition, voici que maintenant, malgré tous les services que je t'ai rendus en toute ouïe et toute obéissance, tu as le front de m'ordonner d'aller te chercher le fils de mon maître suprême, le rokh, pour le pendre à la voûte de ton palais ! Ignores-tu, insensé, que, moi et la lampe et tous les genn serviteurs de la lampe, nous sommes les esclaves du grand rokh, père des œufs ? Ah ! tu as de la chance d'être sous la sauvegarde de ma maîtresse, la lampe, et de porter au doigt cet anneau plein de vertus salutaires ! Sinon ta longueur serait déjà entrée dans ta largeur ! » Et Aladdin, stupide et immobile contre le mur, dit : « Ô éfrit de la lampe, par Allah ! ce n'est point de moi que vient cette demande, mais elle a été suggérée à mon épouse Badrou'l-Boudour par la sainte vieille, mère de la fécondation et guérisseuse de la stérilité ! » Alors l'éfrit se calma soudain et reprit son ton ordinaire envers Aladdin, et lui dit : « Ah ! je ne le savais pas ! Ah ! c'est comme ça ! c'est donc de cette créature-là que vient l'attentat ! Tu es bien heureux, Aladdin, de n'être pour rien là-dedans ! Sache, en effet, que c'est ta destruction et celle de ton épouse et celle de ton palais qu'on voulait obtenir par ce moyen-là ! La personne que tu appelles une sainte vieille n'est point une sainte ni une vieille, mais un homme déguisé en femme. Et cet homme n'est autre que le propre frère du Maghrébin, ton ennemi exterminé. Et il ressemble à son frère, comme la moitié d'une fève ressemble à sa sœur. Et le proverbe est vrai qui dit : « Le frère cadet du chien est plus immonde que son aîné, car la postérité d'un chien va toujours en s'abâtardissant ! » Et ce nouvel ennemi, que tu ne connaissais pas, est encore plus versé dans la magie et la perfidie que son frère aîné. Et lorsqu'il apprit, par les opérations de sa géomancie, que son frère avait été exterminé par toi et brûlé par ordre du sultan, père de ton épouse Badrou'l-Boudour, il résolut de le venger sur vous tous, et vint ici du Maghreb, déguisé en vieille sainte, pour arriver jusqu'à ce palais. Et il réussit à s'y introduire et à suggérer à ton épouse cette demande pernicieuse qui est le plus grand attentat contre mon maître suprême, le rokh ! Je t'avise donc de ses projets perfides, afin que tu puisses t'en garer. Ouassalam ! » Et l'éfrit, après avoir ainsi parlé à Aladdin, disparut.

Alors Aladdin, à la limite de la colère, se hâta d'aller dans la salle aux neuf cent quatre-vingt-dix-neuf fenêtres retrouver son épouse Badrou'l-Boudour. Et, sans rien lui révéler de ce que l'éfrit venait de lui apprendre, il lui dit : « Ô

Badrou'l-Boudour, mes yeux ! il m'est absolument nécessaire, avant de t'apporter l'œuf de l'oiseau rokh, que j'entende de mes propres oreilles la sainte vieille qui t'a prescrit ce remède. Je te prie donc de l'envoyer chercher en toute diligence, et, pendant que je serai caché derrière le rideau, de lui faire répéter sa prescription, sous prétexte que tu ne te souviens plus de sa teneur exacte ! » Et Badrou'l-Boudour répondit : « Sur ma tête et sur mon œil ! » et envoya aussitôt chercher la sainte vieille.

Or, dès qu'elle fut entrée dans la salle à la voûte de cristal et que, toujours voilée de son épais voile de visage, elle se fut approchée de Badrou'l-Boudour…

À ce moment de sa narration, Schahrazade vit apparaître le matin et se tut discrètement.

Mais lorsque fut la sept cent soixante-quatorzième nuit. Elle dit :

… Or, dès qu'elle fut entrée dans la salle à la voûte de cristal et que, toujours voilée de son épais voile de visage, elle se fut approchée de Badrou'l-Boudour, Aladdin bondit sur elle, hors de sa cachette, le glaive à la main, et, avant qu'elle pût dire : « Bem ! » d'un seul coup, il lui fit sauter la tête des épaules !

À cette vue, Badrou'l-Boudour, terrifiée, s'écria : « Ô mon maître Aladdin, quel attentat ! » Mais Aladdin se contenta de sourire et, pour toute réponse, il se baissa, prit, par le toupet du milieu, la tête coupée, et la montra à Badrou'l-Boudour. Et, à la limite de la stupéfaction et de l'horreur, elle vit que la tête était rasée comme celle des hommes, sauf le toupet du milieu, et que le visage en était barbu prodigieusement. Et Aladdin, ne voulant pas l'épouvanter plus longtemps, lui raconta la vérité au sujet de la prétendue Fatmah, fausse sainte et fausse vieille, et conclut : « Ô Badrou'l-Boudour, rendons grâces à Allah qui nous a délivrés à jamais de nos ennemis ! » Et tous deux se jetèrent dans les bras l'un de l'autre, en remerciant Allah de ses faveurs.

Et depuis lors ils vécurent de la vie bien heureuse, avec la bonne vieille, mère d'Aladdin, et avec le sultan, père de Badrou'l-Boudour. Et ils eurent des enfants beaux comme des lunes. Et Aladdin, à la mort du sultan, régna sur le royaume de la Chine. Et plus rien ne manqua à leur bonheur, jusqu'à l'arrivée inévitable de la Destructrice des délices et de la Séparatrice des amis.

*Et Schahrazade, ayant ainsi raconté cette histoire, dit : « Et voilà, ô Roi fortuné, tout ce que je sais au sujet d'Aladdin et de la lampe magique ! Mais Allah est plus savant ! » Et le roi Schahriar dit : « Cette histoire, Schahrazade, est admirable. Mais elle m'étonne beaucoup par sa discrétion ! » Et Schahrazade dit : « Dans ce cas, ô Roi, permets-moi de te raconter l'*HISTOIRE DE KAMAR ET DE L'EXPERTE HALIMA. *» Et le roi Schahriar s'écria : « Certainement, Schahrazade ! » Mais elle sourit et répondit : « Oui, ô Roi ! Mais auparavant, pour te révéler la valeur de l'admirable vertu de patience et te faire attendre, sans colère contre ta servante, le sort plein de félicité qu'Allah destine à ta race par mon entremise, je veux tout de suite te raconter ce que nous ont transmis nos pères, les Anciens, sur le moyen d'acquérir* LA VRAIE SCIENCE DE LA VIE… *Et le roi dit : « Ô fille de mon vizir, hâte-toi de m'indiquer le moyen de faire cette acquisition-là. Mais, ô Schahrazade, quel est le sort qu'Allah, par ton entremise, destine à ma race, alors que je n'ai point de postérité ? » Et Schahrazade dit : « Permets, ô Roi, à ta servante Schahrazade, de ne point te parler encore de ce qui s'est passé de mystérieux pendant les vingt nuits de silence que ta bonté lui* *a accordées pour se reposer d'une indisposition, et durant lesquelles s'est révélée à ta servante la splendeur de ta destinée ! » Et, sans plus rien ajouter à ce sujet, Schahrazade, la fille du vizir, dit :*

LA PARABOLE DE LA VRAIE SCIENCE DE LA VIE

On raconte que dans une ville d'entre les villes, où l'on enseignait toutes les sciences, un jeune homme vivait qui était beau et studieux. Et bien que rien ne manquât à la félicité de sa vie, il était possédé du désir de toujours apprendre davantage. Or il lui fut un jour révélé, grâce au récit d'un marchand voyageur, qu'il existait, dans un pays fort éloigné, un savant qui était l'homme le plus saint de l'Islam et qui possédait à lui seul autant de science, de sagesse et de vertu que tous les savants réunis du siècle. Et il apprit que ce savant, malgré sa renommée, exerçait simplement le métier de forgeron qu'avant lui avaient exercé son père et son grand-père. Et, ayant entendu ces paroles, il rentra à sa maison, prit ses sandales, sa besace et son bâton, et quitta sur-le-champ sa ville et ses amis. Et il se dirigea vers le pays lointain où vivait le saint maître, dans le but de se mettre sous sa direction et d'acquérir un peu de sa science et de sa sagesse. Et il marcha pendant quarante jours et quarante nuits, et, après bien des dangers et des fatigues, il arriva, grâce à la sécurité que lui écrivit Allah, dans la ville du forgeron. Et il alla aussitôt au souk des forgerons et se présenta à celui dont tous les passants lui avaient indiqué la boutique. Et, après avoir baisé le pan de sa robe, il se tint debout devant lui dans l'attitude de la déférence. Et le forgeron, qui était un homme d'âge, au visage marqué par la bénédiction, lui demanda : « Que désires-tu, mon fils ? » Il répondit : « Apprendre la science ! » Et le forgeron, pour toute réponse, lui mit entre les mains la corde du soufflet de forge et lui dit de tirer. Et le nouveau disciple répondit par l'ouïe et l'obéissance, et se mit aussitôt à tirer et à relâcher la corde du soufflet, sans discontinuer, depuis le moment de son arrivée jusqu'au coucher du soleil. Et le lendemain il s'acquitta du même travail, ainsi que les jours suivants, pendant des semaines, des mois et toute une année, sans que personne dans la forge, pas plus le maître que les nombreux disciples qui avaient chacun une besogne aussi rude que lui-même, lui adressât une seule fois la parole, et sans que personne se plaignît ou seulement murmurât de ce dur travail silencieux. Et cinq années passèrent de la sorte. Et le disciple, un jour, bien timidement se hasarda à ouvrir la bouche, et dit : « Maître ! » Et le forgeron s'arrêta dans son travail. Et tous les disciples, à la limite de l'anxiété, firent de même. Et, dans le silence de la forge, il se tourna vers le jeune homme, et lui demanda : « Que veux-tu ? » Il dit : « La science ! » Et le forgeron dit : « Tire la corde ! » Et, sans un mot de plus, il reprit le travail de la forge. Et cinq autres années s'écoulèrent, durant lesquelles, du matin au soir, le disciple tira la corde du soufflet, sans répit, et sans que personne lui adressât une seule fois la parole. Mais si quelqu'un d'entre les disciples avait besoin d'être éclairé sur une question de n'importe quel domaine, il lui était loisible d'écrire la demande et de la présenter au maître, le matin, en entrant dans la forge. Et le maître, sans jamais lire l'écrit, le jetait au feu de la forge ou bien le mettait dans les plis de son turban. S'il jetait l'écrit au feu, c'est, sans doute, que la demande ne valait pas une réponse. Mais si le papier était placé dans le turban, le disciple qui l'avait présenté trouvait, le soir, la réponse du maître écrite en caractères d'or sur le mur de sa cellule.

Lorsque les dix années furent écoulées, le vieux forgeron s'approcha du jeune homme et lui toucha l'épaule. Et le jeune homme, pour la première fois depuis dix années, lâcha la corde du soufflet de forge. Et une grande joie descendit en lui. Et le maître lui parla, disant : « Mon fils ! tu peux retourner vers ton pays et ta demeure, avec toute la science du monde et de la vie dans ton cœur. Car tout cela tu l'as acquis en acquérant la vertu de patience ! » Et il lui donna le baiser de paix. Et le disciple s'en retourna illuminé dans son pays, au milieu de ses amis ; et il vit clair dans la vie.

Et le roi Schahriar s'écria : « Ô Schahrazade, que cette parabole est admirable ! Et comme elle me donne à réfléchir ! » Et il resta un instant plongé dans ses pensées. Puis il ajouta : « Hâte-toi maintenant, ô Schahrazade, de me raconter l'histoire de Kamar et de l'experte Halima ! » Mais Schahrazade dit : « Permets-moi, ô Roi, de différer encore le récit de cette histoire-là ; car mon esprit, ce soir, n'est point incliné vers elle, et permets-moi plutôt de te commencer l'histoire la plus aimable, la plus fraîche et la plus pure que je connaisse ! » Et le roi dit : « Certes ! ô Schahrazade, je suis disposé à t'écouter, car, moi aussi, mon esprit est tourné ce soir vers les choses aimables. Et puis, cette attente me permettra de faire mon profit de la parabole sur la patience ! »

Alors Schahrazade dit :

FARIZADE AU SOURIRE DE ROSE

Il m'est revenu, ô Roi fortuné, ô doué de bonnes manières, qu'il y avait aux jours d'autrefois, il y a bien longtemps de cela – mais Allah est le seul savant –, un roi de Perse nommé Khosrou Schah que le Rétributeur avait doué de puissance, de jeunesse et de beauté, et dans le cœur duquel il avait mis un tel sentiment de justice que, sous son règne, le tigre et le chevreau marchaient côte à côte et buvaient au même ruisseau. Et ce roi, qui aimait à se rendre toujours compte, par ses propres yeux, de tout ce qui se passait dans la ville de son trône, avait coutume de se promener la nuit, déguisé en marchand étranger, en compagnie de son vizir ou de l'un des dignitaires de son palais.

Or, une nuit, comme il se trouvait en tournée dans un quartier de pauvres gens, il entendit, en passant par une ruelle, de jeunes voix qui se faisaient entendre tout au fond. Et il s'approcha, avec son compagnon, de l'humble demeure d'où venaient les voix, et, appliquant son œil à une fente de la porte, il regarda au-dedans. Et il aperçut, autour d'une lumière, assises sur une natte, trois jeunes filles qui, leur repas terminé, s'entretenaient. Et ces trois jeunes filles, qui se ressemblaient comme se ressemblent des sœurs, étaient parfaitement belles. Et la plus jeune était visiblement, et de beaucoup, la plus belle.

Et la première disait : « Moi, mes sœurs, mon souhait, puisqu'il s'agit de faire un souhait, serait de devenir l'épouse du pâtissier du sultan. Car vous savez combien j'aime les pâtisseries, surtout ces admirables et délicates et délicieuses bouchées feuilletées, qu'on appelle « bouchées du sultan ». Et il n'y a que le pâtissier-chef du sultan pour les réussir à point ! Ah ! mes sœurs, c'est alors que vous me jalouserez dans votre cœur, en voyant combien ce régime de fines pâtisseries arrondira mes formes de graisse blanche, et m'embellira, et me reposera le teint ! »

Et la seconde disait : « Moi, mes sœurs, je ne suis pas aussi ambitieuse. Je me contenterais, simplement, de devenir l'épouse du cuisinier du sultan. Ah ! comme je le souhaite ! Cela me permettrait de satisfaire mes envies rentrées, depuis le temps que je désire goûter à tant de mets extraordinaires, comme on n'en mange qu'au palais ! Il y a surtout, entre autres choses, ces plateaux de concombres farcis et cuits au four, dont, rien qu'à les voir passer sur la tête des porteurs, aux jours des festins donnés par le sultan, je me sens le cœur tout plein d'émoi ! Oh ! Ce que j'en mangerais ! Toutefois, je n'oublierai pas de vous convier, de temps à autre, si mon époux, le cuisinier, me le permet ; mais je crois qu'il ne me le permettra pas ! »

Et lorsque les deux sœurs eurent ainsi exprimé leurs souhaits, elles se tournèrent vers leur plus jeune sœur, qui gardait le silence, et lui demandèrent, se moquant d'elle : « Et toi, ô petite, que souhaites-tu ? Et pourquoi baisses-tu les yeux et ne dis-tu rien ? Mais, sois tranquille ! nous te promettons, lorsque nous aurons les époux de notre choix, de tâcher de te marier soit à un des palefreniers du sultan, soit à quelque autre dignitaire de même rang, afin que tu sois toujours près de nous ! Parle, qu'en penses-tu ? »

Et la petite, confuse et rougissante, répondit d'une voix douce comme l'eau de source : « Ô mes sœurs ! » Et elle ne put en dire davantage. Et les deux jeunes filles, riant de sa timidité, la pressèrent de questions et de plaisanteries, tant qu'elles la décidèrent à parler. Et, sans lever les yeux, elle dit : « Ô mes sœurs, je souhaiterais devenir l'épouse de notre maître le sultan ! Et je lui donnerais une postérité bénie. Et les fils qu'Allah ferait naître de notre union seraient dignes de leur père. Et la fille, que j'aimerais avoir devant mes yeux, serait un sourire du ciel même ; ses cheveux seraient d'or d'un côté et d'argent de l'autre ; ses larmes, si elle pleurait, seraient autant de perles qui tomberaient ; ses rires, si elle riait, seraient des dinars d'or qui tinteraient ; et ses sourires, si seulement elle souriait, seraient autant de boutons de rose qui sur ses lèvres écloraient ! »

Tout cela ! Et le sultan Khosrou Schah et son vizir voyaient et entendaient. Mais, craignant de se faire remarquer, ils se décidèrent à s'éloigner sans en apprendre davantage. Et Khosrou Schah, amusé à l'extrême, sentit naître en son âme le désir de satisfaire les trois souhaits ; et, sans rien communiquer de son dessein à son compagnon, il lui donna l'ordre de bien remarquer la maison afin d'y venir, le lendemain, prendre les trois jeunes filles et de les lui amener au palais. Et le vizir répondit par l'ouïe et l'obéissance, et se hâta, le lendemain, d'exécuter l'ordre du sultan, en amenant les trois sœurs en sa présence.

Et le sultan, qui était assis sur son trône, leur fit avec la tête et les yeux un signe qui voulait dire : « Approchez ! » Et elles s'approchèrent toutes tremblantes, en trébuchant dans leurs pauvres robes de toile ; et le sultan leur dit, avec un sourire de bonté : « Que la paix soit sur vous, ô jeunes filles ! C'est aujourd'hui le jour de votre destinée, et celui où s'accomplira votre souhait ! Et ce souhait, ô jeunes filles, je le connais : car rien ne reste caché aux rois ! Et d'abord toi, la plus âgée, ton souhait sera exaucé, et le pâtissier-chef deviendra, aujourd'hui même, ton époux. Et toi, la seconde, tu auras pour époux mon cuisinier-chef ! » Et le roi s'arrêta, ayant ainsi parlé, et se tourna vers la plus jeune qui, émue à l'extrême, sentait son cœur s'arrêter et était sur le point de s'affaisser sur les tapis. Et il se leva sur ses deux pieds et, lui prenant la main, il la fit asseoir près de lui sur le lit du trône, en lui disant : « Tu es la reine ! Et ce palais est ton palais, et je suis ton époux ! »

Et effectivement les noces des trois sœurs eurent lieu le jour même, celles de la sultane avec une splendeur sans précédent, et celles de l'épouse du cuisinier et de l'épouse du pâtissier selon les usages ordinaires des mariages du commun. Aussi la jalousie et le dépit pénétrèrent dans le cœur des deux aînées ; et, dès ce moment, elles complotèrent la perte de leur sœur cadette. Toutefois elles se gardèrent bien de rien laisser paraître de leurs sentiments et acceptèrent avec une gratitude feinte les marques d'affection que ne cessa de leur prodiguer la sultane, leur sœur, qui les admettait, contrairement aux usages des rois, dans son intimité, malgré leur rang obscur. Et loin d'être satisfaites du bonheur qu'Allah leur octroyait, elles éprouvaient, en face du bonheur de leur cadette, les pires tortures de la haine et de l'envie.

Et neuf mois passèrent de la sorte, au bout desquels la sultane donna naissance, avec l'aide d'Allah, à un enfant princier, beau comme le croissant de la nouvelle lune. Et les deux sœurs aînées qui, à la demande de la sultane, l'assistaient dans ses couches et remplissaient le rôle de sages-femmes, loin d'être touchées par les bontés de leur cachette à leur égard et par la beauté du nouveau-né, trouvèrent enfin l'occasion qu'elles cherchaient de broyer le cœur de la jeune mère. Elles prirent donc l'enfant, pendant que la mère était encore dans les douleurs, le mirent dans une petite corbeille en osier, qu'elles cachèrent pour le moment, et le remplacèrent par un petit chien mort, qu'elles produisirent devant toutes les femmes du palais, en le donnant comme le résultat des couches de la sultane. Et le sultan Khosrou Schah, à cette nouvelle, vit le monde noircir devant son visage ; et, à la limite du chagrin, il alla s'enfermer dans ses appartements, refusant de s'occuper des affaires du règne. Et la sultane fut plongée dans l'affliction, et son âme fut humiliée et son cœur fut broyé.

Quant au nouveau-né, il fut abandonné par ses tantes dans la corbeille, au courant de l'eau du canal qui passait au pied du palais. Et le sort voulut que l'intendant des jardins du sultan, qui se promenait le long du canal, aperçût la corbeille qui flottait au fil de l'eau. Et il attira la corbeille vers le bord du canal, à l'aide d'une bêche, l'examina, et découvrit le bel enfant. Et il fut dans l'étonnement qu'éprouva la fille du pharaon en voyant Moïse dans les roseaux.

Or il y avait de longues années que l'intendant des jardins était marié et souhaitait avoir un enfant ou deux ou trois, qui béniraient leur Créateur. Mais ses vœux et ceux de son épouse n'avaient point jusqu'alors été pris en considération par le Très-Haut. Et ils souffraient tous deux du stérile isolement où ils vivaient. Aussi, quand l'intendant des jardins eut fait la découverte de cet enfant, dont la beauté était sans pareille, il le prit dans la corbeille et, à la limite de la joie, il courut jusqu'au bout du jardin, où se trouvait sa maison, et entra dans l'appartement de sa femme et, d'une voix émue, lui dit : « La paix sur toi, ô fille de l'oncle ! Voici le don du Généreux en ce jour béni ! Que cet enfant que je t'apporte soit notre enfant, comme il est l'enfant du destin. » Et il lui raconta comment il l'avait trouvé dans la corbeille, flottant sur l'eau du canal ; et il lui affirma que c'était Allah qui le leur envoyait, ayant enfin exaucé, de cette manière, la constance de leurs prières. Et l'épouse de l'intendant des jardins prit l'enfant et l'aima. Or, gloire à Allah qui a mis dans le sein des femmes stériles le sentiment de la maternité comme il a placé dans le cœur des poules malheureuses le désir de couver les cailloux…

À ce moment de sa narration, Schahrazade vit apparaître le matin et, discrète, se tut.

Mais lorsque fut la sept cent soixante-quinzième nuit. Elle dit :

… Gloire à Allah qui a mis dans le sein des femmes stériles le sentiment de la maternité comme il a placé dans le cœur des poules malheureuses le désir de couver les cailloux !

Or, l'année suivante, la pauvre mère, si impitoyablement frustrée du fruit de sa fécondité, accoucha, avec la permission du Donateur, d'un autre fils, plus beau que le précédent. Mais les deux sœurs veillaient à l'accouchement, avec des yeux pleins d'intérêt au-dehors et de haine au-dedans ; et, sans avoir plus de pitié que la première fois pour leur sœur et son nouveau-né, elles prirent en cachette l'enfant et l'exposèrent, comme elles avaient fait pour l'aîné, dans une corbeille sur le canal. Et elles produisirent devant tout le palais un jeune chat, en proclamant que la sultane venait d'en accoucher. Et la consternation entra dans tous les cœurs. Et le sultan, à la limite de la honte, se fût sans aucun doute laissé aller au ressentiment et à la fureur s'il n'eût pratiqué en son âme la vertu d'humilité devant les décrets de l'insondable justice. Et la sultane fut plongée dans l'amertume et la désolation, et son cœur pleura toutes les larmes des douleurs.

Mais pour ce qui est de l'enfant, Allah, qui veille sur la destinée des petits, le mit sous le regard de l'intendant qui se promenait sur le canal. Et, comme la première fois, l'intendant le sauva des eaux et le porta à son épouse qui l'aima comme son propre enfant et l'éleva avec les mêmes soins que le premier.

Or, afin que les souhaits de Ses Croyants ne restent jamais inexaucés, Allah mit la fécondité dans les flancs de la sultane, qui accoucha pour la troisième fois. Mais ce fut d'une princesse. Et les deux sœurs, dont la haine, loin de s'assouvir, leur avait fait comploter la perte sans recours de leur cadette, firent subir à la fillette le même traitement. Mais elle fut recueillie par l'intendant au cœur pitoyable, comme les deux princes ses frères, avec lesquels elle fut soignée, nourrie et bien aimée.

Mais, cette fois, lorsque les deux sœurs, leur acte accompli, eurent produit, à la place de l'enfant nouveau-né, une jeune souris aveugle, le sultan, malgré toute sa magnanimité, ne put se contenir plus longtemps, et s'écria : « Allah maudit ma race, à cause de la femme que j'ai épousée. C'est un monstre que j'ai pris pour mère de ma postérité ! Et il n'y a que la mort qui puisse en débarrasser ma demeure ! » Et il prononça contre la sultane l'arrêt de mort, et commanda à son porte-glaive de remplir son office. Mais lorsqu'il vit devant lui, affaissée dans les larmes et la douleur sans bornes, celle que son cœur avait aimée, le sultan sentit descendre en lui une grande pitié. Et, détournant la tête, il ordonna de l'éloigner et de l'enfermer, pour le reste de ses jours, dans un réduit, tout au fond du palais. Et, dès ce moment, la laissant à ses larmes, il cessa de la voir. Et la pauvre mère connut toutes les douleurs de la terre. Et les deux sœurs connurent toutes les joies de la haine satisfaite, et purent goûter, sans trouble désormais, les mets et les pâtisseries que confectionnaient leurs époux.

Et les jours et les années passèrent, avec la même rapidité, sur la tête des innocents et sur la tête des coupables, apportant aux uns et aux autres la suite de leur destinée. Or lorsque les trois enfants adoptifs de l'intendant des jardins eurent atteint l'adolescence, ils devinrent un éblouissement pour les yeux. Et ils s'appelaient : l'aîné Farid, le second Farouz, et la fille Farizade.

Et Farizade était un sourire du ciel même. Ses cheveux étaient d'or d'un côté et d'argent de l'autre ; ses larmes, quand elle pleurait, étaient des perles qui tombaient ; ses rires, quand elle riait, étaient des dinars d'or qui tintaient ; et ses sourires, des boutons de rose éclos sur ses lèvres vermeilles. C'est pourquoi tous ceux qui l'approchaient, ainsi que son père, sa mère et ses frères, ne pouvaient s'empêcher, quand ils l'appelaient par son nom, disant : « Farizade ! » d'ajouter : « au sourire de rose ! » mais le plus souvent on l'appelait tout simplement « Au sourire de rose ».

Et tous s'émerveillaient de sa beauté, de sa sagesse, de sa douceur, de sa dextérité dans les exercices, quand elle montait à cheval pour accompagner ses frères à la chasse, tirer de l'arc, et lancer la canne ou le javelot ; de l'élégance de ses manières, de ses connaissances de la poésie et des sciences secrètes, et de la splendeur de sa chevelure qui était d'or d'un côté et d'argent de l'autre. Et, de la voir si belle à la fois et si parfaite, les amies de sa mère pleuraient d'émotion.

Et c'est ainsi qu'avaient grandi les nourrissons de l'intendant des jardins du roi. Et lui-même, entouré de leur affection et de leur respect, et les yeux rafraîchis par leur beauté, ne tarda pas à entrer dans l'extrême vieillesse. Et son épouse, ayant vécu son lot de vie, le précéda bientôt dans la miséricorde du Rétributeur. Et cette mort fut pour eux tous une cause de tant de regrets et de chagrin que l'intendant ne put se résoudre à habiter plus longtemps la maison où la défunte avait été source de leur sérénité de leur bonheur. Et il alla se jeter aux pieds du sultan, et le supplia d'avoir pour agréable qu'il se démît, entre ses mains, des fonctions qu'il remplissait depuis de si longues années. Et le sultan, fort peiné de l'éloignement d'un si fidèle serviteur, ne lui accorda sa demande qu'avec beaucoup de regret. Et il ne le laissa partir qu'après lui avoir fait don d'un magnifique domaine, à proximité de la ville, avec de grandes dépendances en terres labourables, en bois et en prairies, avec un palais richement meublé, avec un jardin d'un art parfait tracé par l'intendant lui-même et avec un parc d'une vaste étendue enclos de hautes murailles et peuplé d'oiseaux de toutes couleurs et d'animaux sauvages ou apprivoisés.

Et ce fut là que cet homme de bien alla vivre dans la retraite, avec ses enfants adoptifs. Et c'est là qu'entouré de leurs soins affectueux, il trépassa dans la paix de son Seigneur. Qu'Allah l'ait en sa compassion ! Et il fut pleuré par ses enfants adoptifs, comme jamais père véritable ne fut pleuré. Et il emporta avec lui, sous la pierre qui ne s'ouvre pas, le secret de leur naissance, que d'ailleurs il n'avait qu'imparfaitement connu de son vivant.

Et ce fut dans ce domaine merveilleux que continuèrent à vivre les deux adolescents, en compagnie de leur jeune sœur. Et, comme ils avaient été élevés dans la sagesse et la simplicité, ils n'avaient guère d'autre rêve ou d'autre ambition que de continuer, durant toute leur existence, à vivre dans cette union parfaite et dans ce bonheur tranquille.

Or Farid et Farouz allaient souvent à la chasse dans les bois et les prairies qui entouraient leurs domaines. Et Farizade au sourire de rose aimait surtout à parcourir ses jardins. Et un jour, comme elle se disposait à s'y rendre, selon son habitude, ses esclaves vinrent lui dire qu'une bonne vieille, au visage marqué par la bénédiction, sollicitait la faveur de se reposer une heure ou deux à l'ombre de ces beaux jardins. Et Farizade, dont le cœur était secourable autant que belle était son âme et que beau était son visage, voulut elle-même recevoir la bonne vieille. Et elle lui offrit à manger et à boire, et lui présenta un plateau de porcelaine garni de beaux fruits, de pâtisseries, de confitures sèches et de confitures dans leur jus. Après quoi elle l'emmena dans ses jardins, sachant qu'il est toujours profitable de tenir compagnie aux personnes d'expérience, et d'entendre les paroles de sagesse.

Et elles se promenèrent ensemble dans les jardins. Et Farizade au sourire de rose soutenait les pas de la bonne vieille. Et, arrivées toutes deux sous le plus bel arbre des jardins, Farizade la fit asseoir à l'ombre de ce bel arbre. Et, de discours en discours, elle finit par demander à la vieille ce qu'elle pensait du lieu où elle était et si elle le trouvait à son gré.

Alors la vieille, après avoir réfléchi une heure de temps, leva la tête et répondit : « Certes, ô ma maîtresse, j'ai passé ma vie à parcourir les terres d'Allah en large et en long, et jamais je ne me suis reposée en un lieu plus délicieux. Mais, ô ma maîtresse, de même que tu es unique sur la terre, comme la lune et le soleil le sont dans le ciel, de même je voudrais que tu eusses dans ce beau jardin, afin qu'il fût également unique en son espèce, les trois choses incomparables qui lui manquent ! » Et Farizade au sourire de rose fut extrêmement étonnée de savoir que trois choses incomparables manquaient à son jardin et dit à la vieille : « De grâce, ma bonne mère, hâte-toi de me dire, afin que je le sache, quelles sont ces trois choses incomparables que je ne connais pas ? » Et la vieille répondit : « Ô ma maîtresse, c'est pour reconnaître l'hospitalité que tu viens d'exercer avec un cœur si pitoyable à l'égard d'une vieille inconnue que je veux te révéler l'existence de ces trois choses. » Et elle se tut encore un instant ; puis elle dit :

« Sache donc que la première de ces trois choses incomparables, ô ma maîtresse, si elle était dans ces jardins, tous les oiseaux de ces jardins viendraient la regarder, et, l'ayant vue, en chœur ils chanteraient. Car les rossignols et les pinsons, les alouettes et les fauvettes, les chardonnerets et les tourterelles, ô ma maîtresse, et toutes les races infinies des oiseaux reconnaissent la suprématie de sa beauté. Et c'est, ô ma maîtresse, Bulbul el-Hazar, l'Oiseau-Parleur !

« La seconde de ces choses incomparables, ô ma maîtresse, si elle était dans ces jardins, la brise qui fait chanter les arbres de ces jardins s'arrêterait pour l'écouter ; et les luths et les harpes et les guitares de ces demeures verraient leurs cordes se briser. Car la brise qui fait chanter les arbres des jardins, les luths et les harpes et les guitares, ô ma maîtresse, reconnaissent la suprématie de sa beauté. Et c'est l'Arbre-Chanteur ! Car ni la brise dans les arbres, ô ma maîtresse, ni les luths, ni les harpes, ni les guitares ne rendent une harmonie comparable au concert des mille invisibles bouches qui sont dans les feuilles de l'Arbre-Chanteur.

« Et la troisième de ces choses incomparables, ô ma maîtresse, si elle était dans ces jardins, toutes les eaux de ces jardins s'arrêteraient dans leur murmurante marche, et la regarderaient. Car toutes les eaux, celles de la terre et celles des mers, celles des sources et celles des fleuves, celles des villes et celles des jardins, reconnaissent la suprématie de sa beauté. Et c'est l'Eau couleur d'Or ! Car, ô ma maîtresse, une goutte seulement de cette eau, si elle est versée dans un bassin vide, se gonfle et s'élève en foisonnant en gerbes d'or, et ne cesse de jaillir et de retomber, sans que le bassin déborde jamais. Et c'est à cette eau toute d'or, et transparente comme la topaze transparente, qu'aime à se désaltérer Bulbul el-Hazar, l'Oiseau-Parleur ; et c'est à cette eau toute d'or, et fraîche comme la topaze est fraîche, qu'aiment à s'abreuver les mille invisibles bouches de l'arbre aux chantantes feuilles !...

À ce moment de sa narration, Schahrazade vit apparaître le matin et, discrète, se tut.

Mais lorsque fut la sept cent soixante-seizième nuit. Elle dit :

... Les mille invisibles bouches de l'arbre aux chantantes feuilles. »

Et, ayant ainsi parlé, la vieille ajouta : « Ô ma maîtresse, ô princesse, si ces choses merveilleuses étaient dans ces jardins, que ta beauté en serait exaltée, ô propriétaire d'une chevelure de splendeur ! »

Lorsque Farizade au sourire de rose eut entendu ces paroles de la vieille, elle s'écria : « Ô visage de bénédiction, ma mère, que tout cela est admirable ! Mais tu ne m'as pas dit en quel lieu se trouvent ces trois choses incomparables ? » Et la vieille répondit, en se levant déjà pour s'en aller : « Ô ma maîtresse, ces trois merveilles, dignes de tes yeux, se trouvent dans un endroit situé vers les frontières de l'Inde. Et la route qui y conduit passe précisément derrière ce palais que tu habites. Si donc tu veux y envoyer quelqu'un te les chercher, tu n'auras qu'à lui dire de suivre cette route pendant vingt jours, et, le vingtième jour, de demander au premier passant qu'il rencontrera : « Où sont l'Oiseau-Parleur, l'Arbre-Chanteur et l'Eau couleur d'Or ? » Et ce passant ne manquera pas de le renseigner à ce sujet. Et puisse Allah rémunérer ton âme généreuse par la possession de ces choses créées pour ta beauté. Ouassalam, ô bienfaisante, ô bénie ! » Et la vieille, ayant ainsi parlé, acheva de ramener ses voiles autour d'elle, et se retira en murmurant des bénédictions.

Or déjà elle avait disparu, quand Farizade, revenue de la songerie où l'avait plongée la connaissance de choses si extraordinaires, eut l'idée de la rappeler ou de courir derrière elle pour lui demander des renseignements plus précis sur le lieu qui les recélait et sur les moyens d'y accéder. Mais, voyant qu'il était trop tard, elle se mit à se remémorer mot à mot les quelques indications qu'elle avait entendues, afin de n'en rien oublier. Et elle sentait ainsi grandir en son âme l'irrésistible désir de posséder ou seulement de voir de telles merveilles, bien qu'elle essayât de n'y plus penser. Et elle se mit alors à parcourir les allées de ses jardins, et les coins familiers qui lui étaient si chers ; mais ils lui parurent sans charme et pleins d'ennui ; et elle trouva les voix de ses oiseaux, qui la saluaient au passage, importunes. Et Farizade au sourire de rose devint toute triste et pleura par les allées. Et, marchant ainsi, avec ses larmes qui tombaient, elle laissait derrière elle, sur le sable, les gouttes, figées en perles, de ses yeux.

Sur ces entrefaites, Farid et Farouz, ses frères, revinrent de la chasse et, ne trouvant pas leur sœur Farizade sous le berceau de jasmins où d'ordinaire elle attendait leur retour, ils furent peinés de sa négligence et se mirent à sa recherche. Et ils virent sur le sable des allées les perles figées de ses yeux et se dirent : « Oh que triste est notre sœur ! Et quel sujet de peine est entré en son âme, pour la faire ainsi pleurer ? » Et ils suivirent ses traces, d'après les perles des allées, et la trouvèrent tout en larmes au fond des bosquets. Et ils coururent vers elle et l'embrassèrent et la câlinèrent, pour calmer son âme chérie. Et ils lui dirent : « Ô Farizade, petite sœur, où sont les roses de ta joie et l'or de ta gaieté ? Ô petite sœur, réponds-nous ! » Et Farizade leur sourit, car elle les aimait ; et un tout petit bouton de rose naquit soudain, vermeil, sur ses lèvres ; et elle leur dit : « Ô mes frères ! » et n'osa, toute honteuse de son premier désir, en dire davantage. Et ils lui dirent : « Ô Farizade au sourire de rose, ô notre sœur, quels émois inconnus troublent ainsi ton âme ? Mais raconte-nous tes peines, si tu ne doutes pas de notre amour ! » Et Farizade, se décidant enfin à parler, leur dit : « Ô frères miens, je n'aime plus mes jardins ! » Et elle fondit en larmes, et les perles ruisselèrent de ses yeux. Et, comme ils se taisaient, anxieux, et attristés d'une nouvelle si grave, elle leur dit : « Oh ! je n'aime plus mes jardins ! Il y manque l'Oiseau-Parleur, l'Arbre-Chanteur et l'Eau couleur d'Or ! » Et Farizade, se laissant soudain aller à l'intensité de son désir, raconta tout d'un trait, à ses frères, la visite de la bonne vieille, et leur expliqua, d'un ton excité à l'extrême, en quoi consistait l'excellence de l'Oiseau-Parleur, de l'Arbre-Chanteur, et de l'Eau couleur d'Or.

Et ses frères, l'ayant écoutée, furent à la limite de l'étonnement, et lui dirent : « Ô notre sœur bien-aimée, calme ton âme et rafraîchis tes yeux. Car ces choses seraient sur l'inaccessible sommet de la montagne Kaf que nous irions te les conquérir. Mais, pour nous faciliter les recherches, peux-tu seulement nous dire en quel lieu on peut les trouver ? » Et Farizade, toute rougissante d'avoir ainsi exprimé son premier désir, leur expliqua ce qu'elle savait au sujet de l'endroit où ces choses devaient se trouver. Et elle ajouta : « C'est là tout ce que je sais, et rien de plus ! » Et ils s'écrièrent tous deux à la fois : « Ô notre sœur, nous allons partir à leur recherche ! » Mais elle leur cria, effarée : « Oh, non ! oh, non ! Ne partez pas ! » Et Farid, l'aîné, dit : « Ton désir est sur notre tête et sur nos yeux, ô Farizade. Mais c'est à moi l'aîné de le réaliser. Mon cheval est encore sellé et me conduira sans faiblir vers les frontières de l'Inde, là où se trouvent ces trois merveilles que je t'apporterai, si Allah veut ! » Et il se tourna vers son frère Farouz et lui dit : « Toi, mon frère, tu resteras ici pour veiller, pendant mon absence, sur notre sœur. Car il ne convient pas que nous la laissions toute seule dans la maison ! » Et il courut à l'heure même vers son cheval, sauta sur son dos et, se baissant, il embrassa son frère Farouz et sa sœur Farizade, qui lui dit, tout éplorée : « Ô notre grand, de grâce ! laisse là un voyage plein de dangers et descends de cheval. J'aime mieux, plutôt que de souffrir de ton absence, ne jamais voir ni posséder l'Oiseau-Parleur, l'Arbre-Chanteur et l'Eau couleur d'Or ! » Mais Farid lui dit, en l'embrassant encore : « Ô petite sœur mienne, laisse là tes craintes, car mon absence ne sera pas de longue durée et, avec l'aide d'Allah, il ne m'arrivera aucun accident ni rien de fâcheux pendant ce voyage. Et d'ailleurs, afin que l'inquiétude ne te tourmente pas durant mon absence, voici un couteau que je te confie ! » Et il tira de sa ceinture un couteau, dont la poignée était incrustée des premières perles tombées des yeux de Farizade enfant, et le lui remit en disant : « Ce couteau, ô Farizade, te renseignera sur mon état. De temps en temps tu le tireras de sa gaine et tu en examineras la lame. Si tu la vois aussi nette et brillante qu'elle l'est en ce moment, ce sera une marque que je suis toujours en vie et plein de santé ; mais si tu la vois terne ou rouillée, tu sauras qu'un grave accident m'est arrivé ou que je suis réduit en captivité ; et si tu vois qu'il en dégoutte du sang, tu auras la certitude que je ne suis plus au nombre des vivants ! Et, dans ce cas, toi et mon frère, vous appellerez sur moi la compassion du Très-Haut ! » Il dit, et, sans vouloir rien entendre, il partit au galop de son cheval sur la route qui conduisait vers l'Inde.

Et il voyagea pendant vingt jours et vingt nuits, dans les solitudes où il n'y avait, pour toute présence, que celle de l'herbe verte et celle d'Allah. Et le vingtième jour de son voyage il arriva à une prairie, au pied d'une montagne. Et dans cette prairie il y avait un arbre. Et sous l'arbre était assis un très vieux cheikh. Et le visage de ce très vieux cheikh disparaissait en entier sous ses longs cheveux, sous les touffes de ses sourcils, et sous les poils d'une barbe qui était prodigieuse et blanche comme la laine nouvellement cardée. Et ses bras et ses jambes étaient d'une maigreur extrême. Et ses mains et ses pieds se terminaient par des ongles d'une longueur extraordinaire. Et il égrenait de la main gauche un chapelet, tandis qu'il tenait la main droite immobile à la hauteur de son front, avec l'index levé, selon le rite, pour attester l'Unité du Très-Haut. Et c'était, à n'en pas douter, un vieil ascète retiré du monde, qui sait depuis quels temps inconnus ?

Et comme c'était précisément le premier homme qu'il rencontrait, en ce vingtième jour de son voyage, le prince Farid mit pied à terre et, tenant son cheval par la bride, s'avança jusqu'au cheikh et lui dit : « Le salam sur toi, ô saint homme ! » Et le vieillard lui rendit son salam, mais d'une voix si étouffée par l'épaisseur de ses moustaches et de sa barbe que le prince Farid ne put percevoir que des paroles inintelligibles.

Alors le prince Farid, qui ne s'était arrêté que pour avoir des éclaircissements au sujet de ce qu'il venait chercher si loin de son pays, se dit : « Il faudra bien qu'il se fasse entendre ! » Et il tira des ciseaux de sa besace de voyage, et dit au cheikh : « Ô vénérable oncle, permets-moi de te donner les quelques soins dont tu n'as pas le temps de t'occuper toi-même, plongé que tu es sans cesse dans les pensées de sainteté ! » Et, comme le vieux cheikh n'opposait ni refus ni résistance, Farid se mit à couper, à tailler et à rogner à même la barbe, les moustaches, les sourcils, les cheveux et les ongles, tant et tant que le cheikh en sortit rajeuni de vingt ans, pour le moins. Et, ayant rendu ce service au vieillard, il lui dit, selon la coutume des barbiers : « Que cela te soit un rafraîchissement et un délice ! »

Lorsque le vieux cheikh se sentit de la sorte allégé de tout ce qui lui encombrait le corps, il se montra satisfait à l'extrême et sourit au voyageur. Puis il lui dit, d'une voix devenue plus claire que celle d'un enfant : « Qu'Allah fasse descendre sur toi ses bénédictions, ô mon fils, pour le bienfait que te doit le vieillard ancien que je suis. Mais aussi, qui que tu sois, ô voyageur de bien, je suis prêt à t'aider de mes conseils et de mon expérience ! » Et Farid se hâta de lui répondre : « Je viens de bien loin à la recherche de l'Oiseau-Parleur, de l'Arbre-Chanteur et de l'Eau couleur d'Or. Peux-tu donc me dire en quel lieu je puis les trouver ? Ou bien ne sais-tu rien à leur sujet ? »

Entendant ces paroles du jeune voyageur, le cheikh cessa d'égrener son chapelet, tant il se trouvait ému. Et il ne répondit pas. Et Farid lui demanda : « Mon bon oncle, pourquoi ne parles-tu pas ? Hâte-toi de me dire, afin que je ne laisse pas mon cheval se refroidir ici, si tu sais ce que je te demande ou si tu ne le sais pas ! » Et le cheikh finit par lui dire : « Certes, ô mon fils, je connais et le lieu où se trouvent ces trois choses-là, et le chemin qui y conduit. Mais le service que tu m'as rendu est si grand à mes yeux que je ne puis me décider à t'exposer, en retour, aux terribles dangers d'une telle entreprise ! » Puis il ajouta : « Ah ! mon fils, hâte-toi plutôt de revenir sur tes pas et de t'en retourner vers ton pays ! Combien de jeunes gens, avant toi, ont passé par ici, que jamais plus je n'ai vus revenir ! » Et Farid, plein de courage, dit : « Mon bon oncle, indique-moi seulement la route à suivre et ne te préoccupe pas du reste. Car Allah m'a doué de bras qui savent défendre leur propriétaire ! » Et le cheikh, lentement, demanda : « Mais comment le défendront-ils contre l'Invisible, ô mon enfant, surtout quand Ceux de l'Invisible sont des milliers et des milliers ? » Et Farid secoua la tête et répondit : « Il n'y a de force et de puissance qu'en Allah l'Exalté, ô vénérable cheikh ! Ma destinée est à mon cou, et, si je la fuis, elle me poursuivra ! Dis-moi donc, puisque tu le sais, ce qu'il me reste à faire ! Et de la sorte tu m'obligeras ! »

Lorsque le Vieillard de l'Arbre vit qu'il ne pouvait réussir à détourner le jeune voyageur de son entreprise, il mit la main dans un sac qu'il avait autour de sa taille, et en tira une boule de granit rouge…

À ce moment de sa narration, Schahrazade vit apparaître le matin et, discrète, se tut.

Mais lorsque fut la sept cent soixante-dix-septième nuit. Elle dit :

… Lorsque le Vieillard de l'Arbre vit qu'il ne pouvait réussir à détourner le jeune voyageur de son entreprise, il mit la main dans un sac qu'il avait autour de la taille, et en tira une boule de granit rouge. Et il tendit cette boule-là au voyageur, en lui disant : « Elle te conduira où il faut qu'elle te conduise. Toi, monte à cheval et jette-la devant toi. Et elle roulera et tu la suivras jusqu'à l'endroit où elle s'arrêtera. Alors tu mettras pied à terre et tu attacheras ton cheval par la bride à cette boule, et il demeurera à la même place en attendant ton retour. Et tu graviras cette montagne dont tu aperçois d'ici le sommet. Et, de tous côtés, sur tes pas, tu verras de grosses pierres noires, et tu entendras des voix qui ne seront ni les voix des torrents ni celles des vents dans les abîmes ; mais ce seront les voix de Ceux de l'Invisible. Et elles te hurleront des paroles qui glacent le sang des hommes. Mais tu ne les écouteras pas. Car si, effrayé, tu détournais la tête pour regarder derrière toi, tandis qu'elles t'appellent tantôt de près et tantôt de loin, tu serais changé, à l'instant même, en une pierre noire semblable aux pierres noires de la montagne ; mais si, résistant à cet appel, tu arrives au sommet, tu y trouveras une cage et, dans la cage, l'Oiseau-Parleur. Et tu lui diras : « Le salam sur toi, ô Bulbul el-Hazar ! Où est l'Arbre-Chanteur ? Où est l'Eau couleur d'Or ? » Et l'Oiseau-Parleur te répondra. Ouassalam ! » Et le vieux cheikh, ayant ainsi parlé, poussa un grand soupir. Et rien de plus.

Alors Farid se hâta de sauter à cheval : et, de toutes ses forces, il jeta la boule devant lui. Et la boule de granit rouge roula, roula, roula. Et le cheval de Farid, un éclair parmi les coureurs, avait peine à la suivre à travers les buissons qu'elle franchissait, les creux qu'elle sautait, et les obstacles qu'elle surmontait. Et elle continua de rouler ainsi, avec une vitesse jamais lassée, jusqu'à ce qu'elle eût heurté les premiers rochers de la montagne. Alors elle s'arrêta.

Et le prince Farid descendit de cheval, et enroula la bride autour de la boule de granit. Et le cheval s'immobilisa sur ses quatre jambes, et ne branla pas plus que s'il eût été cloué au sol. Et aussitôt le prince Farid commença à gravir la montagne. Et il n'entendit d'abord rien. Mais à mesure qu'il montait, il voyait le sol se couvrir de blocs de basalte noir, qui figuraient des humains pétrifiés. Et il ne savait pas que c'étaient les corps des jeunes seigneurs qui l'avaient précédé en ces lieux de désolation. Et soudain, d'entre les rochers, un cri se fit entendre qu'il n'avait jamais de sa vie entendu, et qui fut bientôt suivi, à droite et à gauche, par d'autres cris qui n'avaient rien d'humain. Et ce n'étaient ni les hurlements des vents sauvages dans les solitudes, ni les mugissements des eaux des torrents, ni le bruit des cataractes qui s'engouffrent dans les abîmes, car c'étaient les voix de Ceux de l'Invisible. Et les unes disaient : « Que veux-tu ? Que veux-tu ? » Et d'autres disaient : « Arrêtez-le ! Tuez-le ! » Et d'autres disaient : « Poussez-le ! Précipitez-le ! » Et d'autres le raillaient, criant : « Ho ! Ho ! Le mignon ! Le mignon ! Ho ! Ho ! Viens ! Viens ! »

Mais le prince Farid, sans se laisser détourner par ces voix, continua à monter avec constance et fermeté. Et les voix se firent bientôt si nombreuses et si terribles, et, parfois, leur souffle passait si près de son visage, et si effrayant devenait leur vacarme, tant à droite qu'à gauche, en avant qu'en arrière, et si menaçantes elles étaient et si pressant se faisait leur appel, que le prince Farid fut saisi malgré lui de tremblement et, oubliant l'avis du Vieillard de l'Arbre, il tourna la tête sous un souffle plus fort de l'une des voix. Et, au même moment, un épouvantable hurlement poussé par des milliers de voix fut suivi par un grand silence. Et le prince Farid fut changé en une pierre de basalte noir. Et, au bas de la montagne, la même chose arriva au cheval, qui fut changé en un bloc sans forme. Et la boule de granit rouge reprit en roulant le chemin de l'Arbre du Vieillard.

Or, ce jour-là, la princesse Farizade tira, selon son habitude, le couteau de la gaine qu'elle tenait constamment à sa ceinture. Et pâle et tremblante elle fut, en voyant la lame, encore si nette la veille et si brillante, devenue maintenant toute ternie et rouillée. Et, affaissée dans les bras du prince Farouz, accouru à son appel, elle s'écria : « Ah ! mon frère, où es-tu ? Pourquoi t'ai-je laissé partir ? Qu'es-tu devenu dans ces pays étrangers ? Malheureuse que je suis ! Ô coupable Farizade, je ne t'aime plus ! » Et les sanglots l'étouffaient et soulevaient sa poitrine. Et le prince Farouz, non moins affligé que sa sœur, se mit à la consoler ; puis il dit : « Ce qui est arrivé est arrivé, ô Farizade, puisque tout ce qui est écrit doit courir. Mais c'est maintenant à moi d'aller à la recherche de notre frère, et en même temps, de t'apporter les trois choses qui ont causé la captivité où il doit être réduit en ce moment. Et Farizade, suppliante, s'écria : « Non, non ! de grâce, ne pars pas, si c'est pour aller à la recherche de ce qu'a souhaité mon âme insatiable. Ô mon frère, si quelque accident te survenait, je mourrais ! » Mais ses plaintes et ses larmes n'ébranlèrent pas le prince Farouz dans sa résolution. Et il monta à cheval et, après avoir fait ses adieux à sa sœur, il lui tendit un chapelet de perles, qui étaient les secondes larmes pleurées par Farizade enfant, et lui dit : « Si ces perles, ô ma sœur, cessaient de couler sous tes doigts les unes après les autres, comme si elles étaient collées, ce serait un signe que j'aurais subi le même sort que notre frère ! » Et Farizade, bien triste, dit en l'embrassant : « Fasse Allah, ô mon bien-aimé, qu'il n'en soit rien ! Et puisses-tu revenir dans la demeure avec notre grand ! » Et, à son tour, le prince Farouz prit la route qui conduisait vers l'Inde.

Et, le vingtième jour de son voyage, il trouva le Vieillard de l'Arbre, qui était assis, comme l'avait vu le prince Farid, l'index de la main droite levé à la hauteur de son front. Et, après les salams, le vieillard, interrogé, renseigna le prince sur le sort de son frère, et fit tous ses efforts pour le détourner de son entreprise. Mais, voyant qu'il ne viendrait pas à bout de son insistance il lui remit la boule de granit rouge. Et elle le mena au pied de la montagne fatale.

Et le prince Farouz s'engagea résolument dans la montagne, et les voix s'élevèrent sur ses pas. Mais il ne les écoutait pas. Et aux injures, aux menaces et aux appels, il ne répondait pas. Et déjà il était parvenu au milieu de son ascension, quand il entendit soudain crier derrière lui : « Mon frère ! mon frère ! ne fuis pas devant moi ! » Et Farouz, oubliant toute prudence, se retourna à cette voix, et fut changé à l'instant en un bloc de basalte noir.

Et, dans son palais, Farizade, qui ne quittait le chapelet de perles ni le jour ni la nuit et en faisait sans cesse couler les grains sous ses doigts, s'aperçut aussitôt qu'ils n'obéissaient plus au mouvement qu'elle leur imprimait et vit qu'ils s'étaient collés les uns aux autres. Et elle s'écria : « Ô mes pauvres frères, dévoués à mes caprices, je vous rejoindrai ! » Et elle comprima toute sa douleur en elle-même et, sans perdre de temps en lamentations inutiles, elle se déguisa en cavalier, s'arma, s'équipa, et partit à cheval, en prenant le même chemin que ses frères.

Et, le vingtième jour, elle rencontra le vieux cheikh, assis sous l'arbre, au bord du chemin. Et elle le salua avec respect, et lui dit : « Ô saint vieillard, mon père, n'as-tu pas vu passer, à vingt jours de distance, deux jeunes et beaux seigneurs qui cherchaient l'Oiseau-Parleur, l'Arbre-Chanteur et l'Eau couleur d'Or ? » Et le vieillard répondit : « Ô ma maîtresse Farizade au sourire de rose, je les ai vus et je les ai renseignés. Et ils ont été, hélas ! comme tant d'autres seigneurs avant eux, arrêtés dans leur entreprise par Ceux de l'Invisible ! » Et Farizade, voyant que le saint homme l'appelait par son nom, fut à la limite de la perplexité, et le vieillard lui dit : « Ô maîtresse de la splendeur, ils ne t'ont point trompée ceux qui t'ont parlé des trois choses incomparables à la recherche desquelles sont déjà venus tant de princes et de seigneurs. Mais ils ne t'ont pas dit les dangers qu'il y a à tenter une aventure aussi singulière que celle que tu poursuis ! » Et il fit connaître à Farizade tout ce à quoi elle s'exposait en allant à la recherche de ses frères et des trois merveilles. Et Farizade lui dit : « Ô saint homme, mon âme intérieure est toute troublée par tes paroles, car elle est si facile à effrayer ! Mais comment reculerais-je quand il s'agit de retrouver mes frères ? Ô saint homme, écoute la prière d'une sœur aimante, et indique-moi les moyens de les délivrer de l'enchantement ! » Et le vieux cheikh répondit : « Ô Farizade, fille de roi, voici la boule de granit qui te conduira sur leurs traces. Mais tu ne pourras les délivrer qu'après t'être rendue maîtresse des trois merveilles. Et puisque tu n'exposes ton âme qu'à cause de l'amour de tes frères, et non parce que tu es poussée par le désir de conquérir l'impossible, l'impossible sera ton esclave. Sache donc que nul parmi les fils des hommes ne peut résister à l'appel des voix de l'Invisible. C'est pourquoi, pour vaincre l'Invisible, il faut se prémunir contre lui d'adresse, car Il possède la force. Et l'adresse des fils des hommes vaincra toutes les forces de l'Invisible ! »

Et, ayant ainsi parlé, le Vieillard de l'Arbre remit la boule de granit rouge à Farizade ; puis il tira de sa ceinture un flocon de laine, et dit : « Avec ce léger flocon de laine, ô Farizade, tu vaincras tous Ceux de l'Invisible ! » Et il ajouta : « Penche vers moi la gloire de ta tête, ô Farizade ! » Et elle pencha vers le Vieillard sa tête dont les cheveux étaient d'or d'un côté et d'argent de l'autre. Et le Vieillard dit : « Que la fille des hommes, avec ce flocon léger, triomphe des forces de Ceux des airs et de toutes les embûches de l'Invisible ! » Et, divisant le flocon en deux parts, il en mit à Farizade chaque morceau dans une oreille, et, de la main, lui fit signe de partir. Et Farizade quitta le Vieillard et lança hardiment la boule dans la direction de la montagne.

Et lorsqu'elle fut parvenue aux premières roches et qu'ayant mis pied à terre elle se fut avancée vers les hauteurs, les voix s'élevèrent sous ses pas, d'entre les blocs de basalte noir, avec un tintamarre épouvantable. Mais elle n'entendait qu'à peine un vague bourdonnement, ne saisissait aucune parole, ne percevait aucun appel et, par suite, n'éprouvait aucune crainte. Et elle monta sans arrêt, bien qu'elle fût délicate et que ses pieds n'eussent jamais foulé que le sable fin des allées. Et elle parvint sans faiblir sur le sommet de la montagne. Et elle aperçut, au milieu du plateau de ce sommet, une cage d'or, devant elle, sur un socle d'or. Et dans la cage elle vit l'Oiseau-Parleur.

Et Farizade s'élança, et mit la main sur la cage, en s'écriant : « Oiseau ! Oiseau ! je te tiens ! je te tiens ! Et tu ne m'échapperas pas ! » Et, en même temps, elle arracha, les jetant loin d'elle, les flocons de laine, désormais inutiles, qui l'avaient rendue sourde aux appels et aux menaces de l'Invisible. Car déjà s'étaient tues toutes les voix de l'Invisible, et un grand silence dormait sur la montagne. Et, du sein de ce grand silence, dans la transparente sonorité, s'éleva la voix de l'Oiseau-Parleur…

À ce moment de sa narration, Schahrazade vit apparaître le matin et, discrète, se tut.

Mais lorsque fut la sept cent soixante-dix-huitième nuit. Elle dit :

… Et, du sein de ce grand silence, dans la transparente sonorité, s'éleva la voix de l'Oiseau-Parleur. Et elle disait – avec toutes les harmonies en elle réunies –, elle disait, en chantant en sa langue d'oiseau :

« Comment, comment,
Ô Farizade, Farizade,
Au sourire de rose,
Ah ! ah ! – Ah, ah !
Comment pourrais-je
Avoir l'envie,
Ô nuit ! Les yeux !
Avoir l'envie
De t'échapper ?
Ah, ah ! – Ô nuit !
Ah, ah ! – Les yeux !
Je sais, je sais
Mieux que toi, mieux que toi
Qui tu es, qui tu es,
Farizade, Farizade !
Ah, ah ! – Ah, ah !
Les yeux ! ô nuit ! Les yeux !
Mieux que toi, je sais
Qui tu es, qui tu es,
Farizade, Farizade !
Les yeux ! les yeux ! les yeux !
Farizade, Farizade !
Ton esclave je suis,
Ton esclave fidèle,
Farizade ! Farizade ! »

Ainsi chanta, ô luths ! l'Oiseau-Parleur. Et Farizade, ravie à la limite du ravissement, en oublia ses peines, et ses fatigues ; et, prenant au mot le miraculeux Oiseau qui venait de se déclarer son esclave, elle se hâta de lui dire : « Ô Bulbul el-Hazar, ô merveille de l'air, si tu es mon esclave, prouve-le, prouve-le ! » Et Bulbul, en réponse, chanta :

« Farizade, Farizade,
Ordonne, ordonne !
Farizade, ordonne !
Car t'ouïr, car t'ouïr, car t'ouïr,
Pour moi c'est t'obéir ! »

Alors Farizade lui dit qu'elle avait plusieurs choses à demander et commença par le prier de lui indiquer d'abord où se trouvait l'Arbre-Chanteur. Et Bulbul, par son chant, lui dit de se tourner vers l'autre versant de la montagne. Et Farizade se tourna vers le versant opposé à celui qu'elle avait franchi, et regarda. Et elle vit au milieu de ce versant un arbre si immense que son ombre aurait pu abriter toute une armée. Et elle s'étonna en son âme, et ne sut comment elle pourrait faire pour déraciner et emporter un tel arbre. Et Bulbul, qui voyait sa perplexité, lui exprima, en chantant, qu'il n'était guère besoin de déraciner le vieil arbre, mais qu'il suffisait d'en casser la moindre branche, et de la planter en tel lieu qu'il lui plairait, pour la voir aussitôt prendre racine et devenir un aussi bel arbre que celui qu'elle voyait. Et Farizade se dirigea vers l'Arbre et entendit le chant qui s'en exhalait. Et elle comprit qu'elle se trouvait en présence de l'Arbre-Chanteur ! Car ni la brise dans les jardins de Perse, ni les luths indiens, ni les harpes de Syrie, ni les guitares d'Égypte n'avaient jamais rendu une harmonie comparable au concert des mille invisibles bouches qui étaient dans les feuilles de cet Arbre musicien.

Et lorsque Farizade, revenue du ravissement où l'avait plongée cette musique, eut cueilli une branche de l'Arbre-Chanteur elle revint vers Bulbul et le pria de lui indiquer où se trouvait l'Eau couleur d'Or. Et l'Oiseau-Parleur lui dit de se tourner vers l'occident, et d'aller regarder derrière le rocher bleu qu'elle y verrait. Et Farizade se tourna vers l'occident, et vit un rocher qui était de turquoise tendre. Et elle se dirigea de ce côté, et, derrière le rocher de turquoise tendre, elle vit sourdre un mince ruisselet, semblable à de l'or en fusion. Et cette eau, toute d'or, du ruisselet transpiré par le rocher de turquoise, était encore plus admirable de se trouver transparente et fraîche comme l'eau même des topazes.

Et sur la roche, dans un creux, était posée une urne de cristal. Et Farizade prit l'urne et la remplit de l'eau splendide. Et elle s'en revint auprès de Bulbul, avec l'urne de cristal sur son épaule et la branche chantante à la main.

Et c'est ainsi que Farizade au sourire de rose posséda les trois choses incomparables. Et elle dit à Bulbul : « Ô le plus beau, il me reste encore une prière à t'adresser. Et c'est pour la voir exaucer que je suis venue si loin à ta recherche ! » Et comme l'Oiseau l'invitait à parler, elle dit d'une voix tremblante : « Mes frères ! ô Bulbul, mes frères ! »

Lorsque Bulbul entendit ces paroles, il parut fort gêné. Car il savait qu'il n'était pas en son pouvoir de lutter contre Ceux de l'Invisible et leurs enchantements, et que lui-même leur était soumis depuis toujours. Mais il se dit bientôt que, le sort ayant fait triompher la princesse, il pouvait désormais, sans crainte, la servir à l'exclusion de ses anciens maîtres. Et, en réponse, il chanta :

« Avec des gouttes, des gouttes, des gouttes
De l'Eau de l'urne de cristal,
Ô Farizade, ô Farizade !
Avec des gouttes, des gouttes, des gouttes

Arrose, ô rose, ô rose,
Arrose les pierres de la montagne,
Avec des gouttes, des gouttes, des gouttes,
Ô Farizade, ô Farizade ! »

Et Farizade prit d'une main l'urne de cristal, et de l'autre la cage d'or de Bulbul et la branche chantante, et elle redescendit le sentier. Et chaque fois qu'elle rencontrait une pierre de basalte noir, elle l'aspergeait avec quelques gouttes de l'Eau couleur d'Or. Et la pierre prenait vie et se changeait en homme. Et Farizade, n'en ayant omis aucune, retrouva de la sorte ses frères.

Et Farid et Farouz, ainsi délivrés, coururent embrasser leur sœur. Et tous les seigneurs, qu'elle avait tirés de leur sommeil de pierre, vinrent lui baiser la main. Et ils se déclarèrent ses esclaves. Et tous ensemble redescendirent vers la plaine, et remontèrent sur leurs chevaux, après que Farizade les eut également délivrés de l'enchantement. Et ils prirent la direction de l'Arbre du Vieillard.

Mais le Vieillard n'était plus dans la prairie, et l'Arbre aussi n'était plus dans la prairie. Et Bulbul, comme Farizade l'interrogeait, lui répondit d'une voix qui se fit grave soudain : « Pourquoi veux-tu revoir le Vieillard, ô Farizade ? Il a donné à la fille des hommes l'enseignement du flocon de laine qui triomphe des voix méchantes, des voix haineuses, des voix importunes et de toutes les voix qui troublent l'âme intérieure et l'empêchent de parvenir aux sommets. Et de même que le maître s'efface devant son enseignement, de même le Vieillard de l'Arbre a disparu quand il t'a transmis sa sagesse, ô Farizade ! Et désormais les maux qui affligent la plupart des hommes n'auront guère de prise sur ton âme. Car tu sauras ne plus prêter ton âme aux événements extérieurs, qui n'existent qu'à cause de ce prêt. Et tu as appris à connaître la sérénité qui est la mère de tous les bonheurs ! »

Ainsi s'exprima l'Oiseau-Parleur, à l'endroit où s'élevait naguère l'Arbre du Vieillard. Et tous s'émerveillèrent de la beauté de son langage et de la profondeur de ses pensées.

Et la troupe qui faisait cortège à Farizade continua son chemin. Mais bientôt elle commença à diminuer, car les seigneurs délivrés de l'enchantement par Farizade venaient, l'un après l'autre, à mesure qu'ils se retrouvaient sur le chemin par où ils étaient arrivés, lui réitérer l'expression de leur gratitude et, lui baisant la main, ils prenaient congé d'elle et de ses frères. Et le soir du vingtième jour la princesse Farizade et les princes Farid et Farouz arrivèrent, en sécurité, dans leur demeure.

Or, dès qu'elle eut mis pied à terre, Farizade se hâta de suspendre la cage dans son jardin, sous un berceau. Et aussitôt que Bulbul eut jeté la première note de sa voix, tous les oiseaux accoururent le regarder, et l'ayant vu, ils le saluèrent en chœur. Car les rossignols et les pinsons, les alouettes et les fauvettes, les chardonnerets et les tourterelles, et toutes les races infinies des oiseaux qui habitent dans les jardins reconnurent à l'instant la suprématie de sa beauté. Et à voix haute et à voix basse, comme des almées, ils accompagnèrent de leur ramage ses couplets solitaires. Et chaque fois qu'il en achevait un par un trille savant, ils manifestaient leur ravissement par des acclamations pleines d'harmonie, dans la langue des oiseaux.

Et Farizade s'approcha du grand bassin d'albâtre, où elle avait coutume de mirer ses cheveux qui étaient d'or d'un côté et d'argent de l'autre, et y versa une goutte de l'eau contenue dans l'urne de cristal. Et la goutte d'or se gonfla et s'éleva et foisonna en étincelantes gerbes, et ne cessa de jaillir et de retomber, mettant une fraîcheur de grotte marine dans l'air incandescent.

Et Farizade planta, de ses propres mains, la branche de l'Arbre-Chanteur. Et la branche prit aussitôt racine et devint, en quelques instants, un aussi bel arbre que celui dont elle était issue. Et un chant s'en exhala, si beau que ni la brise dans les jardins de Perse, ni les luths indiens, ni les harpes de Syrie, ni les guitares d'Égypte n'auraient pu en rendre la céleste harmonie. Et, pour écouter les mille invisibles bouches des feuilles musiciennes, les ruisseaux s'arrêtèrent dans leur murmurante marche, les oiseaux eux-mêmes retinrent leurs voix, et la vagabonde brise des allées ramassa ses soieries.

Et la vie recommença, dans la demeure, ses jours d'heureuse monotonie. Et Farizade reprit ses promenades dans les jardins, en s'arrêtant de longues heures à s'entretenir avec l'Oiseau-Parleur, à écouter l'Arbre-Chanteur et à regarder l'Eau couleur d'Or. Et Farid et Farouz s'adonnèrent à leurs parties de chasse et à leurs chevauchées.

Or un jour, dans un sentier de la forêt, si étroit qu'ils ne purent s'écarter à temps, les deux frères se rencontrèrent avec le sultan qui chassait…

À ce moment de sa narration, Schahrazade vit apparaître le matin et, discrète, se tut.

Mais lorsque fut la sept cent soixante-dix-neuvième nuit. Elle dit :

… Or un jour, dans un sentier de la forêt, si étroit qu'ils ne purent s'écarter à temps, les deux frères se rencontrèrent avec le sultan qui chassait. Et ils descendirent de cheval, en toute hâte, et se prosternèrent le front contre terre. Et le sultan, à la limite de la surprise en voyant dans cette forêt deux cavaliers de lui inconnus, habillés aussi richement que s'ils étaient de sa suite, eut la curiosité de voir leur visage, et leur dit de se relever. Et les deux frères se mirent debout, et se tinrent entre les mains du sultan, avec un air plein de noblesse qui s'alliait merveilleusement avec leur contenance respectueuse. Et le sultan fut frappé de leur beauté, et les admira quelque temps, sans parler, en les considérant depuis la tête jusqu'aux pieds. Puis il leur demanda qui ils étaient et où ils demeuraient. Car son cœur s'était porté vers eux et s'était ému. Et ils répondirent : « Ô roi du temps, nous sommes les fils de ton esclave défunt, l'ancien intendant des jardins. Et nous demeurons, non loin d'ici, dans la maison que nous devons à ta générosité ! » Et le sultan se réjouit fort de connaître les fils de son fidèle serviteur ; mais il s'étonna qu'ils ne se fussent pas présentés au palais jusqu'à ce jour, pour être de sa suite. Et il leur demanda le motif de leur abstention. Et ils répondirent : « Ô roi du temps, pardonne-nous si nous nous sommes abstenus, jusqu'à ce jour, de nous présenter entre tes généreuses mains ; mais nous avons une sœur, notre cadette, qui est pour nous la recommandation dernière de notre père, et sur laquelle nous veillons avec un tel amour que nous ne pouvons songer à la quitter ! » Et le sultan fut touché à l'extrême de cette union fraternelle, et se loua de plus en plus de sa rencontre, se disant : « Jamais je n'eusse cru qu'il y eût dans mon royaume deux jeunes gens si accomplis à la fois et si dénués d'ambition ! » Et le désir lui vint, irrésistible, de les visiter dans leur demeure, pour se mieux rafraîchir les yeux de leur vue. Et il s'en ouvrit tout de suite aux deux adolescents qui répondirent par l'ouïe et l'obéissance, et se hâtèrent de lui faire escorte. Et le prince Farid prit bientôt les devants pour aller avertir sa sœur Farizade de l'arrivée du sultan.

Et Farizade, qui n'était guère accoutumée à recevoir, ne sut comment s'y prendre pour faire dignement les honneurs de leur maison au sultan. Et, dans cette perplexité, elle ne trouva rien de mieux que d'aller consulter son ami Bulbul, l'Oiseau-Chanteur. Et elle lui dit : « Ô Bulbul, le sultan nous fait l'honneur de venir voir notre maison, et nous devons le régaler. Hâte-toi donc de m'enseigner comment nous pourrons nous en acquitter, de manière qu'il sorte de chez nous content ! » Et Bulbul répondit : « Ô ma maîtresse, il est inutile de faire préparer, par la cuisinière, des plateaux et des plateaux de mets. Car il n'y a qu'un seul plat qui convienne aujourd'hui au sultan, et il faut le lui servir. Et c'est un plat de concombres farcis de perles ! » Et Farizade fut étonnée, et, croyant que la langue de l'Oiseau lui avait fourché, se récria, disant : « Oiseau ! Oiseau ! tu n'y penses pas ! Des concombres farcis de perles ! Mais c'est un ragoût inouï. Si le roi nous fait l'honneur de prendre un repas chez nous, c'est sans doute pour manger, et non pour avaler des perles ! Tu veux certainement dire "un plat de concombres avec une farce de riz", ô Bulbul ! » Mais l'Oiseau-Parleur s'écria, impatienté : « Pas du tout ! Pas du tout ! Pas du tout ! Une farce de perles, de perles, de perles ! Mais pas de riz, pas de riz, pas de riz ! »

Et Farizade, qui avait toute confiance dans le miraculeux Oiseau, se hâta d'aller donner l'ordre à la vieille cuisinière de préparer le plat de concombres aux perles. Et, comme les perles ne manquaient pas dans la demeure, il ne fut point difficile d'en trouver en assez grande quantité pour apprêter le plat.

Sur ces entrefaites, le sultan, accompagné du prince Farouz, fit son entrée dans le jardin. Et Farid, qui l'attendait sur le seuil, lui tint l'étrier et l'aida à mettre pied à terre. Et Farizade au sourire de rose, voilée pour la première fois (car Bulbul le lui avait recommandé), vint lui baiser la main. Et le sultan fut touché à l'extrême de sa bonne grâce et de la pureté de jasmin qui s'exhalait d'elle toute et, pensant à sa vieillesse sans postérité, il pleura. Puis il dit, en la bénissant : « Celui qui laisse une postérité ne meurt pas ! Qu'Allah t'accorde, ô père de si beaux enfants, une place de choix à Sa droite parmi les Fortunés ! » Puis il ajouta, en abaissant de nouveau ses regards sur Farizade inclinée : « Mais toi, ô fille de mon serviteur, ô tige parfumée, conduis-nous vers quelque délicieux bosquet où nous abriter contre la chaleur ! » Et le sultan, précédé par la tremblante Farizade, et suivi des deux frères, s'avança vers la fraîcheur.

Et la première chose qui frappa les yeux du sultan Khosrou Schah fut la gerbe d'eau couleur d'or. Et il s'arrêta un moment à la regarder avec admiration, et il s'écria : « Eau merveilleuse, qui fais tant de plaisir à voir ! » Et il s'avança pour la considérer de plus près, et soudain il perçut le concert de l'Arbre-Chanteur. Et il prêta une oreille ravie à cette musique qui tombait du ciel, et longtemps il l'écouta. Puis il s'écria : « Oh ! musique que je n'ai jamais entendue ! » Et comme, pour la mieux écouter, il s'avançait du côté où il pensait la trouver, voici qu'elle cessa et qu'un grand silence fit dormir tout le jardin. Et du sein de ce grand silence s'éleva la voix de l'Oiseau-Parleur, en un chant solitaire, éclatant et éperdu. Et elle disait : « Bienvenu – le sultan – Khosrou Schah ! Bienvenu ! bienvenu ! bienvenu ! » Et, avec la dernière note émise par cette voix qui enchantait l'air, tout le cœur des oiseaux répondit, en son langage : « Bienvenu ! bienvenu ! bienvenu ! »

Et le sultan Khosrou Schah fut émerveillé de tout cela, et son âme, déjà si émue par tout ce qu'elle avait senti en si peu de temps, fut dans un extrême attendrissement. Et il s'écria : « C'est ici la maison du bonheur ! Oh ! je donnerais ma puissance et mon trône pour habiter avec vous, ô fils de mon intendant ! » Puis, comme il s'apprêtait à interroger Farizade et ses frères sur la provenance des merveilles dont il ne parvenait pas à faire le compte exact, ils lui montrèrent l'Arbre-Chanteur et l'Oiseau-Parleur. Et Farizade lui dit : « Pour ce qui est de la source de ces merveilles, c'est une histoire que je raconterai à notre maître le sultan quand il se sera reposé ! »

Et elle invita le sultan à s'asseoir sous le berceau même qui servait à Bulbul, et où le repas venait d'être apporté sur un grand plateau. Et le sultan s'assit, sous le berceau, à la place d'honneur. Et on lui offrit les concombres aux perles, sur un plat d'or. Et le sultan qui aimait, en effet, les concombres farcis, quand il en vit sur le plat que Farizade elle-même lui offrait, fut sensible à cette attention qu'il ne s'expliquait pas. Mais il fut bientôt à la limite de l'étonnement de voir qu'au lieu d'être farcis, comme à l'ordinaire, de riz et de pistaches, les concombres étaient accommodés aux perles. Et il dit à Farizade et à ses frères : « Par ma vie ! quelle nouveauté dans l'accommodement des concombres ! Et depuis quand les perles remplacent-elles le riz et les pistaches ? » Et Farizade était déjà sur le point de lâcher le plat et de s'enfuir de confusion, quand l'Oiseau-Parleur, élevant la voix, appela le sultan par son nom, disant : « Ô notre maître Khosrou Schah ! » Et le sultan leva la tête vers l'Oiseau, qui continua d'une voix grave : « Ô notre maître Khosrou Schah ! Et depuis quand les enfants d'une sultane de Perse peuvent-ils être changés en animaux, à leur naissance ? Si donc, ô roi du temps, tu as cru jadis à une chose si incroyable, tu n'as pas le droit de t'étonner devant une chose aussi simple que celle d'aujourd'hui ! » Puis il ajouta : « Souviens-toi, ô notre maître, des paroles qu'il y a vingt ans tu entendis un soir dans une humble demeure ! Si tu les as oubliées, ô notre maître, permets à l'esclave de Farizade de te les répéter ! »

Et l'Oiseau, d'une voix semblable au doux parler des vierges, dit : « Ô mes sœurs ! quand je serai l'épouse du sultan, je lui donnerai une postérité bénie ! Car les fils qu'Allah fera naître de notre union en tous points seront dignes de leur père ; et la fille qui rafraîchira nos yeux sera un sourire du ciel même ! Ses cheveux seront d'or d'un côté et d'argent de l'autre ; ses larmes, si elle pleure, seront des perles, ses rires des dinars d'or et ses sourires des boutons de rose ! » Et le sultan, à ces paroles, se cacha la tête dans les mains, et sanglota. Et sa douleur ancienne se fit plus vive qu'aux jours amers du passé. Et toutes les pensées refoulées au fond de son âme désespérée affluèrent tout d'un coup dans son cœur, et le déchirèrent.

Mais bientôt la voix de Bulbul s'éleva à nouveau, chantante d'allégresse. Et elle disait : « Lève tes voiles, ô Farizade, devant ton père ! » Et Farizade, qui ne pouvait désobéir à la voix de son ami, leva ses voiles. Et, avec eux, tomba le bandeau qui retenait sa chevelure. Et le sultan vit cela et, les bras en avant, se leva en poussant un grand cri. Et la voix de Bulbul lui cria : « Ta fille, ô roi ! » Car d'or sur un côté étaient les cheveux de la jeune fille, et d'argent sur l'autre côté ; et deux perles de joie étaient sur ses paupières, et un bouton de rose sur sa bouche.

Et le roi, au même moment, regarda les deux frères, qui étaient beaux. Et il se reconnut en eux. Et la voix de Bulbul lui cria : « Tes fils, ô roi ! »

Et pendant que le sultan Khosrou Schah était encore immobilisé par l'émotion, l'Oiseau-Parleur lui raconta rapidement, ainsi qu'à ses enfants, leur histoire véritable, depuis le commencement jusqu'à la fin, sans oublier un détail. Mais il n'y a point d'utilité à la répéter. Et il n'avait pas encore achevé son récit que le sultan et ses enfants, réunis dans les bras les uns des autres, mêlaient leurs larmes et leurs baisers. Louanges à Allah, le Très-grand, l'Insondable ! qui réunit après avoir séparé.

Et lorsqu'ils furent un peu revenus de leur émotion, le sultan dit : « Ô mes enfants, allons en toute hâte retrouver votre mère ! » Mais, ô mes auditeurs, renonçons à décrire ce qui se passa lorsque la pauvre mère, qui vivait solitaire au fond de son réduit, eut revu le sultan, son époux, et se fut reconnue la mère de Farizade au sourire de rose et des deux splendides adolescents, ses frères. Et grâces soient rendues à Allah dont la bonté est infinie et dont la justice n'est jamais en défaut, qui fit mourir de rage, au jour du triomphe, les deux sœurs jalouses, et qui octroya les longues délices et la vie la plus pleine de bonheur au roi Khosrou Schah, à la sultane son épouse, au beau prince Farid, au beau prince Farouz et à la belle princesse Farizade, jusqu'à l'arrivée de la Sépératrice des amis et de la Destructrice des sociétés. Et gloire à Celui qui, dans son éternité, ne connaît pas le changement !

Et telle est la merveilleuse histoire de Farizade au sourire de rose. Mais Allah est plus savant !

*Lorsque Schahrazade eut raconté cette histoire, la petite Doniazade s'écria : « Ô ma sœur, que tes paroles sont douces et charmantes et fraîches et savoureuses ! Et comme cette histoire est admirable ! » Et le roi Schahriar dit : « C'est vrai ! » Et Doniazade crut voir les yeux du Roi mouillés, et dit tout bas à Schahrazade : « Ô ma sœur, je vois comme une larme dans l'œil gauche du Roi, et comme une seconde larme dans son œil droit ! » Et Schahrazade regarda le Roi d'un regard furtif, sourit et dit, en embrassant la petite : « Puisse le Roi ne point éprouver moins de plaisir à entendre l'*HISTOIRE DE KAMAR ET DE L'EXPERTE HALIMA *! » Et le roi Schahriar dit : « Je ne connais pas cette histoire, Schahrazade, et tu sais que je l'attends et que je la désire ! » Elle dit : « Si Allah veut, et si le roi me le permet, je la commencerai demain ! » Et le roi Schahriar, qui se souvenait de la parabole de la vraie science, se dit : « Je veux bien patienter jusqu'à demain, pour entendre cette histoire-là ! »*

Et à ce moment de sa narration, Schahrazade vit apparaître le matin et, discrète, se tut.

*Mais lorsque fut la sept cent quatre-vingtième nuit. La petite Doniazade s'écria : « Ô ma sœur Schahrazade, par Allah sur toi ! hâte-toi de nous raconter l'*HISTOIRE DE KAMAR ET DE L'EXPERTE HALIMA *! » Et Schahrazade dit :*

HISTOIRE DE KAMAR ET DE L'EXPERTE HALIMA

Il est raconté qu'il y avait, en l'antiquité du temps, – mais Allah est plus savant ! – un marchand fort estimé, nommé Abd el-Rahmân, qu'Allah le Généreux avait favorisé d'une fille et d'un fils. Il avait donné le nom d'Étoile-du-Matin à la fille à cause de sa parfaite beauté, et de Kamar au garçon parce qu'il était comme la lune, tout à fait. Mais lorsqu'ils eurent grandi, le marchand Abd el-Rahmân, voyant tout ce qu'Allah leur avait octroyé en charme et en perfection, eut infiniment peur pour eux du mauvais œil des envieux et des ruses des corrompus, et les tint renfermés dans sa maison jusqu'à l'âge de quatorze ans, ne permettant de les voir à personne d'autre qu'à la vieille esclave qui les avait soignés enfants. Mais, un jour que le marchand Abd el-Rahmân était, contre sa coutume, en humeur d'épanchement, son épouse, mère des enfants, lui dit : « Ô père de Kamar, voici que notre fils Kamar vient d'atteindre sa nubilité et peut désormais se comporter comme les hommes. Mais, toi, qu'en penses-tu ? Est-il une fille ou un garçon, dis-le-moi ! » Et le marchand Abd el-Rahmân, extrêmement étonné, lui répondit : « Un garçon ! » Elle dit : « Dans ce cas, pourquoi t'obstines-tu à le tenir caché, comme une fille, aux yeux de tout le monde, et ne le mènes-tu avec toi au souk, et ne le fais-tu asseoir près de toi dans la boutique, pour qu'il fasse la connaissance du monde et que le monde le connaisse et sache au moins, de la sorte, que tu as un fils capable de te succéder et de mener à bien les affaires de la vente et de l'achat ? Sinon, après la longue vie (puisse Allah te l'octroyer sans fin !), nul ne se sera douté de l'existence de ton héritier, qui aura beau dire aux gens : « Je suis le fils du marchand Abd el-Rahmân ! » ; il ne s'entendra répondre qu'avec une incrédulité indignée, et à bon droit : « Nous ne t'avons jamais vu ! Et nous n'avons jamais entendu dire que le marchand Abd el-Rahmân ait laissé de fils ou quelque chose qui, de loin ou de près ait ressemblé à un fils ! » Et alors, ô calamité sur notre tête ! le gouvernement viendra mettre la main sur tes biens et frustrera ton fils de son dû ! » Et, ayant ainsi parlé avec beaucoup d'animation, elle continua sur le même ton : « Et de même pour notre fille Étoile-du-Matin ! Je voudrais la faire connaître à nos relations, dans l'espoir qu'elle sera demandée en mariage par la mère de quelque jeune homme de sa condition, et que nous puissions, à notre tour, nous réjouir de ses noces ! Car le monde, ô père de Kamar, est fait de vie et de mort, et nous ignorons le jour de notre destin ! »

À ces paroles de son épouse, le marchand Abd el-Rahmân réfléchit une heure de temps, puis releva la tête et répondit : « Ô fille de l'oncle, certes ! nul ne peut fuir la destinée attachée à son cou. Mais tu sais bien que je n'ai ainsi gardé les enfants à la maison que parce que je redoutais pour eux le mauvais œil ! Pourquoi donc me reprocher ma prudence et oublier ma sollicitude ? » Elle dit : « Éloigné soit le Malin, le Maléfique ! Prie sur le Prophète, ô cheikh ! » Il dit : « Que la bénédiction d'Allah soit sur Lui et sur tous les siens ! » Elle reprit : « Et maintenant, mets ta confiance en Allah qui saura sauvegarder notre enfant des mauvaises influences et de l'œil néfaste. Et, d'ailleurs, voici le turban en soie blanche de Mossoul que j'ai confectionné pour Kamar, et dans lequel j'ai pris soin de coudre l'étui d'argent où se trouve renfermé le rouleau de versets saints, préservatif de tout maléfice ! Tu peux donc, en toute sécurité, emmener aujourd'hui Kamar, pour lui faire visiter le souk et lui montrer enfin la boutique de son père ! » Et, sans attendre l'assentiment de son époux, elle alla chercher le jeune garçon qu'elle avait déjà pris soin de vêtir de ses plus beaux effets, et le conduisit entre les mains de son père qui se dilata et s'épanouit à sa vue, et murmura : « Maschallah ! Le nom d'Allah sur toi et autour de toi, ya Kamar ! » Puis, persuadé par son épouse, il se leva, le prit par la main…

À ce moment de sa narration, Schahrazade vit apparaître le matin et, discrète, se tut.

Mais lorsque fut la sept cent quatre-vingt-unième nuit. Elle dit :

… Il se leva, le prit par la main, et sortit avec lui.

Or, dès qu'ils eurent franchi le seuil de leur maison et fait quelques pas dans la rue, ils se virent entourés par les passants qui s'arrêtaient sur leur passage, troublés, à l'extrême limite du trouble, par l'adolescent et par sa beauté pleine de damnation pour les âmes. Mais ce fut bien autre chose quand ils arrivèrent à la porte du souk. Là, les passants cessèrent entièrement de circuler, et les uns s'approchaient pour baiser les mains de Kamar, après les salams au père, et les autres s'écriaient : « Ya Allah ! Le soleil se lève une seconde fois, ce matin ! Le jeune croissant de Ramadân brille sur les créatures d'Allah ! La nouvelle lune apparaît sur le souk, aujourd'hui ! » Et ils s'exclamaient ainsi de toutes parts, ravis d'admiration, et faisaient des vœux pour l'adolescent, en se pressant en foule autour de lui. Et le père, plein de colère concentrée et de confusion, avait beau les apostropher et les rudoyer, ils n'en faisaient cas, tout à la contemplation de la beauté extraordinaire qui faisait sa miraculeuse entrée dans le souk, en ce jour de bénédiction. Et ils donnaient ainsi raison au poète, en s'appliquant à eux-mêmes ses paroles :

« Seigneur, Tu as créé la Beauté pour nous enlever la raison, et Tu nous dis : « Craignez ma réprobation ! »

Seigneur, Tu es la source de toute beauté, et Tu aimes ce qui est beau ! Comment feraient tes créatures pour s'empêcher d'aimer la beauté ou réprimer leur désir devant ce qui est beau ? »

Lorsque le marchand Abd el-Rahmân se vit ainsi au milieu des rangs serrés des hommes et des femmes debout entre ses mains et immobiles à contempler son enfant, il fut à la limite de la perplexité, et se mit, en son âme, à charger son épouse de malédictions et à l'injurier de toutes les injures qu'il eût voulu lancer à ces importuns, la rendant responsable de ce qui lui arrivait de si notoirement contrariant.

Puis, à bout d'arguments, il repoussa avec rudesse ceux qui l'entouraient et gagna en hâte sa boutique, qu'il ouvrit pour, aussitôt, y installer Kamar, mais de façon à ce que les importunités des passants ne pussent l'atteindre que de loin. Et la boutique devint le point d'arrêt de tout le souk ; et l'attroupement des grands et des petits devint plus intense d'heure en heure : car ceux qui avaient vu voulaient voir davantage, et ceux qui n'avaient pas vu s'appliquaient de toutes leurs forces à voir quelque chose.

Et voici que, sur ces entrefaites, s'avança du côté de la boutique un derviche au regard extatique qui, sitôt qu'il eut aperçu le beau Kamar assis près de son père, et si beau, s'arrêta en poussant de profonds soupirs et, d'une voix extrêmement émue, récita cette strophe :

« Je vois le rameau de l'arbre bân qui se balance sur une tige de safrân, où luit la lune de Ramadân.

Et je lui demande : « Quel est ton nom ? quel est ton nom ? » Il me répond : « *Lou-lou !* » Et je m'écrie : « *Li ! li !* » Mais il me dit : « *La ! la*[1] *!* »

Après quoi le vieux derviche, tout en se caressant la barbe, qu'il avait longue et blanche, s'approcha de la devanture, entre les rangs des assistants qui se rangeaient sur son passage, par respect pour son grand âge.

Et il regarda le jeune garçon avec des yeux pleins de larmes et lui offrit une branche de basilic doux. Puis il s'assit sur le banc de la devanture, à la place la plus proche du jeune garçon. Et l'on pouvait en toute conscience, le voyant dans un tel état, lui appliquer ces paroles du poète :

« Tandis que le garçon au beau visage se tenait dans la place, et que son beau visage était la lune apparue aux jeûneurs de Ramadan.

Eh là, voyez ! À pas lents s'avance un cheikh d'aspect vénérable et ascétique.

Longuement il étudia l'amour, le travaillant de nuit et de jour ; et il acquit un singulier savoir dans le licite et l'illicite.

Il cultiva à la fois jouvenceaux et jouvencelles, qui le rendirent plus maigre qu'un cure-dent. Vieux os sous une vieille peau !

Cheikh pédéraste comme un Maghrébin, toujours suivi par son mignon ;

Mais pour les femmes, plutôt superficiel, à ce que l'on dit, bien que versé dans l'étude du sexe acide et du sexe doux ; car, à un moment donné, entre le jeune Zeid et la jeune Zeinab il ne voit point la différence.

Le cœur tendre et le reste dur comme le granit, qu'il est prodigieux ! Pour le bouc et pour la chèvre, pour l'imberbe et le barbu, toujours debout !

Pédéraste le cheikh comme un Maghrébin ! »

Lorsque les gens, qui se pressaient émerveillés devant la boutique, virent l'état d'extase du derviche, ils se firent part de leurs réflexions les uns aux autres, disant : « Ouallah ! tous les derviches se ressemblent ! Ils sont comme le couteau du marchand de colocases : ils ne différencient pas le mâle d'avec la femelle ! » Et d'autres s'exclamaient : « Éloigné soit le Malin ! Le derviche brûle pour le joli garçon ! Qu'Allah confonde les derviches de son espèce ! »

Quant au marchand Abd el-Rahmân, père du jeune Kamar, il se dit, en voyant tout cela : « Le plus sensé est de nous en retourner à la maison plus tôt qu'à d'ordinaire. » Et, pour décider le derviche à s'en aller, il tira de sa ceinture quelque monnaie et la lui offrit en disant : « Prends ta chance d'aujourd'hui, ô derviche ! » Et il se tourna, en même temps, vers son fils Kamar et lui dit : « Ah ! mon fils, qu'Allah traite ta mère comme elle le mérite, qui nous cause tant de désagréments, aujourd'hui ! » Mais comme le derviche ne bougeait pas de sa place et ne tendait pas la main pour prendre la monnaie offerte, il lui dit : « Lève-toi, l'oncle, que nous fermions notre boutique et nous en allions en notre voie ! » Et, parlant ainsi, il se tint debout sur ses deux pieds, et se mit en devoir de fermer les deux battants. Alors le derviche fut obligé de se lever du banc sur lequel il s'était cloué, et descendit dans la rue, mais sans pouvoir détacher un instant ses regards du jeune Kamar. Et lorsque le marchand et son fils, après avoir fermé la boutique, eurent fendu la foule et se furent dirigés du côté de la sortie, il les suivit hors du souk et marcha, ses pieds derrière les leurs, et son bâton rythmant ses pas, jusqu'à la porte de leur maison. Et le marchand, voyant la ténacité du derviche et n'osant pas l'injurier, par respect pour la religion, et à cause aussi des gens qui les regardaient, se tourna vers lui et lui demanda : « Que veux-tu, ô derviche ? » Il répondit : « Ô mon maître, je désire fort être ton invité, cette nuit, et tu sais que l'invité est l'hôte d'Allah – qu'Il soit exalté ! » Et le père de Kamar dit : « Bienvenu soit l'hôte d'Allah ! Entre donc, ô derviche ! » Mais il se dit, à part lui : « Par Allah ! je vais bien voir ce qu'il en est. Si ce derviche est mal intentionné au sujet de mon fils, et si son mauvais destin le pousse à tenter quelque chose, en gestes ou en paroles, pour sûr je le tuerai et l'enterrerai dans le jardin, en crachant sur sa tombe ! Quoi qu'il en soit, je vais commencer par lui faire donner à manger, ce qui est la chance de tout hôte trouvé sur la voie d'Allah ! » Et il l'introduisit dans la maison et lui fit porter par la négresse l'aiguière et le bassin pour les ablutions, et de quoi manger et boire. Et le derviche, une fois ses ablutions faites en invoquant le nom d'Allah, se mit dans l'attitude de la prière, et n'en sortit que pour réciter tout le « chapitre de la Vache », qu'il fit suivre du chapitre de « la Table » et de celui de « l'Immunité ». Après quoi il formula le « Bismillah » et toucha aux aliments servis dans le plateau, mais avec discrétion et dignité. Et il remercia Allah pour ses bienfaits.

Lorsque le marchand Abd el-Rahmân eut appris par la négresse que le derviche avait terminé son repas, il se dit : « C'est le moment d'éclaircir l'affaire ! » Et il se tourna vers son fils et lui dit : « Ô Kamar, va trouver notre hôte le derviche, et demande-lui s'il a tout ce qu'il lui faut, et entretiens-toi quelque temps avec lui, car les paroles des derviches qui parcourent la terre en large et en long sont souvent agréables à écouter, et leurs histoires profitables à l'esprit de l'écouteur. Assieds-toi donc tout près de lui, et s'il te prend la main, ne la lui retire pas, car celui qui enseigne aime sentir entre lui et son disciple un lien direct, qui aide à mieux transmettre l'enseignement. Et, en toutes choses, aie pour lui les égards et l'obéissance que t'imposent sa qualité d'hôte et son grand âge ! » Et, ayant ainsi prêché son fils, il l'envoya près du derviche, et se hâta d'aller se poster à l'étage supérieur, à un endroit d'où il pouvait, sans être remarqué, tout voir et tout écouter dans la salle où se tenait le derviche.

Or, dès que sur le seuil apparut le bel adolescent, le derviche fut en proie à une telle émotion que les larmes lui jaillirent des yeux et qu'il se prit à soupirer comme une mère qui a perdu et retrouvé son enfant. Et Kamar s'approcha de lui et, d'une voix douce à changer en miel l'amertume de la myrrhe, il lui demanda s'il ne manquait de rien et s'il avait eu sa part des biens d'Allah sur Ses créatures. Et il vint s'asseoir tout près de lui, avec grâce et élégance, et, en s'asseyant, il découvrit, sans le faire exprès, sa cuisse qui était blanche et tendre comme une pâte d'amandes. Et c'est alors que le poète aurait pu dire en toute vérité, sans crainte d'être démenti :

« Une cuisse, ô Croyants, toute de perles et d'amandes ! Ne vous étonnez donc pas si c'est aujourd'hui la Résurrection, car on ne surgit jamais mieux que lorsque les cuisses sont à jour ! »

Mais le derviche, en se voyant seul avec le jouvenceau, loin de se laisser aller envers lui à des privautés de quelque ordre que ce fût, recula de quelques pas de l'endroit où il était, pour aller s'asseoir un peu plus loin sur la natte, dans une attitude incontestable de décence et de respect de soi-même. Et là il continua à le regarder en silence, avec des larmes pleins les yeux, et en proie à la même émotion qui l'avait immobilisé sur le banc de la boutique. Et Kamar fut bien surpris de cette façon d'agir du derviche ; et il lui demanda pourquoi il l'évitait et s'il avait à se plaindre de lui, ou de l'hospitalité de leur maison. Et le derviche, pour toute réponse, récita d'une manière très sentie ces belles paroles du poète :

« Mon cœur est épris de la Beauté, car c'est par l'amour de la Beauté qu'on atteint au sommet de la perfection.

Mais mon amour est sans désir et libre de tout ce qui tient aux sens. Et j'abhorre tous ceux qui aiment d'une autre manière. »

Tout cela ! Et le père de Kamar voyait et entendait, et était à la limite de la perplexité. Et il se disait : « Je m'humilie devant Allah que j'ai offensé, en soupçonnant d'intentions perverses ce sage derviche ! Qu'Allah confonde le Tentateur qui suggère à l'homme de telles pensées sur ses semblables ! » Et, édifié sur le compte du derviche, il descendit en toute hâte et entra dans la salle. Et il fit ses salams et ses souhaits à l'hôte d'Allah et il finit par lui dire : « Par Allah sur toi, ô mon frère, je t'adjure de me raconter la cause de ton émotion et de tes larmes, et pourquoi la vue de mon fils te fait pousser de si profonds soupirs. Car un tel effet doit certainement avoir une cause ! » Le derviche dit : « Tu dis vrai, ô père de l'hospitalité ! » Il dit : « En ce cas ne me fais pas tarder davantage à apprendre de toi cette cause ! » Il dit : « Ô mon maître, pourquoi me forcer à aviver une blessure qui se ferme, et à retourner le couteau dans ma chair ? » Il dit : « Par les droits acquis de l'hospitalité, je te prie, ô mon frère, de satisfaire ma curiosité ! » Alors le derviche dit : « Sache donc, ô mon maître…

À ce moment de sa narration, Schahrazade vit apparaître le matin et, discrète, se tut.

Mais lorsque fut la sept cent quatre-vingt-deuxième nuit. Elle dit :

… Alors le derviche dit :

« Sache donc, ô mon maître, que je suis un pauvre derviche qui pérégrine continuellement sur les terres et les contrées d'Allah, en s'émerveillant de l'œuvre du Créateur du jour et de la nuit.

« Or un jour de vendredi, au matin, je fus conduit par ma destinée dans la ville de Bassra. Et, en y entrant, je constatai que les souks et les boutiques et les magasins étaient ouverts, avec toutes les marchandises exposées aux étalages ainsi que toutes les victuailles et, d'une manière générale, tout ce qui se vend et s'achète, tout ce qui se mange et se boit ; mais je constatai également que ni dans les souks ni dans les boutiques ne se voyait trace de marchand ou d'acheteur, de femme ou de fillette, de passant ou de badaud ; et tout était si abandonné et si désert qu'il n'y avait, dans aucune rue, pas même un chien ou un chat ou quelque jeu d'enfants ; mais partout la solitude et le silence, et rien que la seule présence d'Allah. Et moi je m'étonnai de tout cela, et je dis en mon âme : « Qui sait en quel endroit ont bien pu aller les habitants de cette ville, avec leurs chats et leurs chiens, pour ainsi abandonner, sur les étalages, toutes ces marchandises ! » Mais, comme une grande faim me torturait l'intérieur, je ne m'attardai pas longtemps en ces réflexions et, avisant le plus bel étalage de pâtissier, j'en mangeai ce qui était ma chance et la satisfaction de mon désir sur les pâtisseries. Après quoi, je me dirigeai vers l'étalage d'un rôtisseur, et je mangeai deux ou trois ou quatre brochettes d'agneau gras et un ou deux poulets rôtis tout chauds encore du four, avec quelques galettes soufflées, comme de ma vie de derviche pèlerin ma langue n'en avait goûté ni n'en avaient mes narines senti ; et je remerciai Allah pour Ses dons sur la tête de Ses pauvres. Puis je montai dans la boutique d'un marchand de sorbets, et je bus une ou deux gargoulettes d'un sorbet parfumé au nadd et au benjoin, de quoi seulement apaiser les sollicitations premières de mon gosier depuis si longtemps déshabitué des boissons de riches citadins. Et je rendis grâces au Bienfaiteur qui n'oublie pas Ses Croyants et leur donne sur terre un avant-goût de la fontaine Salsabil.

« Lorsque j'eus ainsi mis quelque tranquillité dans mon intérieur, je me remis à réfléchir sur l'étrange situation de cette ville qui, à n'en pas douter, ne devait avoir été que d'il y a quelques instants à peine abandonnée par ses habitants. Et ma perplexité augmentait avec mes réflexions ; et je commençai à avoir grand-peur de l'écho de mes pas dans cette solitude, quand j'entendis résonner un bruit d'instruments de musique qui, à bien l'écouter, s'avançait précisément de mon côté.

« Alors moi, l'esprit un peu troublé par les choses étonnantes dont j'étais le seul témoin, je ne doutai pas que je ne fusse là dans une ville ensorcelée, et que le concert que j'entendais ne fût donné par les éfrits et les genn malfaisants – qu'Allah les confonde ! Et, pris d'une peur affreuse, je me précipitai tout au fond d'un magasin de grainetier, et je me cachai derrière un sac de fèves. Mais comme de ma nature, ô mon maître, j'étais sous la domination du vice de la curiosité – qu'Allah me pardonne ! – je me plaçai tout de même de façon à pouvoir regarder dans la rue, de derrière mon sac, et voir sans être vu. Et j'avais à peine fini de me tasser dans la position la moins fatigante que je vis s'avancer dans la rue un cortège éblouissant, non pas de genn ou d'éfrits, mais certainement de hourias du Paradis. Elles étaient là quarante adolescentes, au visage de lune, qui s'avançaient dans leur beauté sans voile, sur deux rangs, d'un pas qui à lui seul était une musique. Et elles étaient précédées d'un groupe de joueuses d'instruments et de danseuses qui rythmaient sur la musique leurs mouvements d'oiseaux. Car oiseaux elles étaient, en toute vérité, et plus blanches que les colombes et plus légères, certainement. Car les filles des hommes pouvaient-elles être si harmonieuses et aériennes ? Et n'étaient-elles pas plutôt quelques variétés venues du palais d'Iram-aux-Colonnes, ou des jardins d'Éden, pour enchanter de leur séjour la terre ?

« Quoi qu'il en soit, ô mon maître, leur dernier couple avait à peine dépassé la boutique, où j'étais caché derrière le sac de fèves, que je vis s'avancer, sur une jument au front étoilé, dont la bride était tenue par deux jeunes négresses, une dame parée de tant de jeunesse et de tant de beauté que sa vue acheva de me disloquer la raison et que j'en perdis la respiration et faillis tomber sur le dos, derrière le sac de fèves, ô mon maître ! Et elle était d'autant plus éblouissante que ses vêtements étaient semés de pierreries, et que ses cheveux, son cou, ses poignets et ses chevilles disparaissaient sous l'éclat des diamants et sous les colliers et les bracelets de perles et de gemmes précieuses. Et à sa droite marchait une esclave qui tenait à la main un sabre nu dont la poignée était faite d'une seule émeraude. Et la jument qui la portait s'avançait comme une reine fière de la couronne qu'elle porte sur la tête. Et la vision de splendeur s'éloigna, en cadence, me laissant un cœur poignardé par la passion, et une âme à jamais réduite en esclavage, et des yeux qui se souviennent et disent à toute beauté : « Qu'es-tu en comparaison ? »

« Lorsque le cortège fut tout à fait hors de vue, et que la musique des joueuses d'instruments ne parvint plus qu'en sons lointains jusqu'à moi, je me décidai à sortir de derrière le sac de fèves, et de la boutique dans la rue. Et bien m'en prit, car au même moment, à ma surprise extrême, je vis les souks s'animer et tous les marchands sortir comme de dessous terre, pour venir reprendre leurs places respectives à leurs étalages, et le propriétaire de la boutique où je m'étais caché, le grainetier, apparaître, surgi de je ne sais où, et s'occuper de vendre ses grains aux nourrisseurs de volailles et autres acheteurs. Et moi, de plus en plus perplexe, je me décidai à aborder l'un des passants et à lui demander ce que signifiait le spectacle dont j'avais été le témoin, et le nom de la dame merveilleuse qui montait la jument au front étoilé. Mais, à mon grand étonnement, l'homme me jeta un regard affolé, devint bien jaune de teint et, relevant les pans de sa robe, il me tourna le dos et livra ses jambes au vent, en une course plus rapide que s'il était poursuivi par l'heure de son destin. Et moi j'abordai un second passant, et lui posait la même question. Mais au lieu de me répondre, il fit semblant de ne m'avoir ni vu ni entendu, et continua son chemin, en regardant du côté opposé. Et j'interrogeai encore une quantité d'autres personnes : mais pas une ne voulut répondre à mes questions ; et tout le monde me fuyait comme si je sortais d'une fosse d'excréments ou comme si je brandissais une épée coupeuse de têtes. Alors moi, je me dis en moi-même : « Ô derviche *Un tel*, il ne te reste plus, pour éclaircir l'affaire, qu'à entrer dans la boutique d'un barbier, pour te faire raser la tête, et en même temps interroger le barbier. Car, tu le sais, les gens qui exercent ce métier ont la langue chatouilleuse, et la parole toujours sur le bout de la langue. Et lui seul peut-être t'apprendra ce que tu cherches à savoir ! » Et, ayant réfléchi de la sorte, j'entrai chez un barbier et, après l'avoir généreusement payé avec tout ce que je possédais, je lui parlai de ce que j'avais tant à cœur de savoir, et lui demandai quelle était la dame à la beauté surnaturelle. Et le barbier, assez terrifié, roula des yeux à droite et à gauche et finit par répondre : « Par Allah, ô mon oncle le derviche, si tu tiens à garder ta tête sur ton cou, et ton cou sain et sauf, garde-toi bien de parler à qui que ce soit de ce que tu as eu la malchance de voir. Et même tu feras bien, pour plus de sûreté, de quitter sur-le-champ notre ville, ou tu es perdu sans recours ! Et c'est là tout ce que je puis te dire à ce sujet ; car c'est un mystère qui met à la torture toute la ville de Bassra, où les gens meurent comme des sauterelles, s'ils ont le malheur de ne point se cacher avant l'arrivée du cortège. L'esclave, en effet, qui tient le glaive nu tranche la tête des indiscrets qui ont la curiosité de regarder passer le cortège, ou qui ne se cachent pas sur son passage. Et voilà tout ce que je puis t'en dire ! »

« Alors moi, ô mon maître, dès que le barbier eut fini de me raser la tête, je quittai la boutique et me hâtai de sortir de la ville, et n'eus de tranquillité que lorsque je fus hors des murs. Et je voyageai, par les terres et les déserts, jusqu'à ce que je fusse arrivé dans votre ville. Et j'avais toujours l'âme habitée par la beauté entrevue, et j'y pensais le jour et la nuit, tant que j'en oubliais souvent le manger et le boire. Et c'est dans ces dispositions que j'arrivai aujourd'hui devant la boutique de ta seigneurie, et que j'aperçus ton fils Kamar, dont la beauté me rappela d'une façon précise celle de l'adolescente surnaturelle de Bassra, à qui il ressemble comme un frère ressemble à son frère. Et je fus tellement ému de cette ressemblance que je n'ai pu retenir mes larmes, ce qui est, sans doute, le fait d'un insensé ! Et telle est, ô mon maître, la cause de mes soupirs et de mon émotion ! »

Et lorsque le derviche eut terminé de la sorte son récit, il fondit de nouveau en larmes, en regardant le jeune Kamar ; et il ajouta, au milieu de ses sanglots : « Par Allah sur toi, ô mon maître, maintenant que je t'ai raconté ce que j'avais à te raconter, et comme je ne veux pas abuser de l'hospitalité que tu as accordée à un serviteur d'Allah, ouvre-moi la porte de sortie et laisse-moi m'en aller en l'état de ma voie. Et, si j'ai un souhait à formuler sur la tête de mes bienfaiteurs, puisse Allah, qui a créé deux créatures aussi parfaites que ton fils et l'adolescente de Bassra, achever Son ouvrage en permettant leur réunion ! » Et, ayant ainsi parlé, le derviche se leva, malgré la prière du père de Kamar qui le pressait de rester, et appela encore une fois la bénédiction sur ses hôtes, et s'en alla, en soupirant, comme il était venu. Et voilà pour lui.

Quant au jeune Kamar, il ne put fermer l'œil toute cette nuit-là, tant il était préoccupé par le récit du derviche, et tant la description de l'adolescente l'avait impressionné. Et, dès le lendemain, à l'aube, il entra chez sa mère et la réveilla, et lui dit : « Ô mère, fais-moi un paquet d'effets, car il faut que je parte à l'instant pour la ville de Bassra, où m'attend ma destinée ! » Et sa mère, à ces paroles, se mit à se lamenter, en pleurant, et appela son époux et lui fit part de cette nouvelle si étonnante et si inattendue. Et le père de Kamar essaya, mais en vain, de raisonner son fils qui ne voulut écouter aucun raisonnement et qui, en manière de conclusion, dit : « Si je ne pars pas tout de suite pour Bassra, je mourrai certainement ! » Et le père et la mère de Kamar, devant ce langage péremptoire et une résolution si arrêtée, ne purent que soupirer en acceptant ce qui était écrit par la destinée. Et le père de Kamar ne manqua pas de rejeter sur son épouse tout ce qui leur arrivait de contrariant depuis l'heure où il avait écouté ses conseils et avait conduit Kamar au souk. Et il se disait : « Voilà à quoi ont abouti tes soins et ta prudence, ya Abd el-Rahmân ! Il n'y a de recours et de force qu'en Allah le Tout-Puissant ! Ce qui est écrit doit courir, et nul ne peut lutter contre les arrêts du sort ! » Et la mère de Kamar, doublement attristée, et pour être ainsi en butte aux reproches de son époux et à cause de la douleur que lui occasionnait le projet de son fils, fut bien obligée de lui faire ses préparatifs de départ. Et elle lui donna un petit sac dans lequel elle avait enfermé quarante grosses pierres précieuses, telles que rubis, diamants et émeraudes, en lui disant : « Garde bien soigneusement sur toi ce petit sac, ô mon fils. Il pourra te servir, si tu viens à manquer d'argent. » Et son père lui donna quatre-vingt-dix mille dinars d'or pour ses frais de voyage et son séjour à l'étranger. Et tous deux l'embrassèrent, en pleurant, et lui firent leurs adieux. Et son père le recommanda au chef de la caravane qui partait pour l'Irak. Et Kamar, après avoir baisé la main de son père et de sa mère, s'en alla vers Bassra, accompagné par les vœux de ses parents. Et Allah lui écrivit la sécurité ; et il arriva sans encombre dans cette ville-là…

À ce moment de sa narration, Schahrazade vit apparaître le matin et, discrète, se tut.

Mais lorsque fut la sept cent quatre-vingt-troisième nuit. Elle dit :

… Et il arriva sans encombre dans cette ville-là.

Or il advint que précisément ce jour de son arrivée était un vendredi matin ; et Kamar put constater que tout ce que lui avait raconté le derviche était l'exacte vérité. Il vit, en effet, que les souks étaient vides, les rues désertes, et les boutiques ouvertes mais sans vendeurs ni acheteurs. Et, comme il avait faim, il mangea et but de ce que lui convenait, jusqu'à satiété. Et il avait à peine fini son repas qu'il entendit la musique et se hâta de se cacher comme avait fait le derviche. Et il vit bientôt apparaître la dame adolescente avec ses quarante suivantes. Et il fut saisi, à la vue de sa beauté, d'une émotion si forte qu'il tomba évanoui dans son coin.

Lorsqu'il eut repris ses sens, il vit que les souks étaient animés et remplis de passants et de badauds, tout comme si jamais la vie des affaires ne s'était interrompue. Et, tout en détaillant dans son esprit les charmes surnaturels de l'adolescente, il commença par aller s'acheter des habits magnifiques, tout ce qu'il put trouver de plus riche et de plus somptueux chez les principaux marchands. Et il se rendit ensuite au hammam d'où, après un bain prolongé et minutieux, il sortit brillant comme un jeune roi. Et alors seulement il se mit à la recherche de la boutique du barbier qui avait autrefois rasé la tête du derviche, et ne tarda pas à la trouver. Et il entra dans la boutique et, après les salams de part et d'autre, il dit au barbier : « Ô père des mains légères, je désire t'entretenir en secret. Je te prie donc de fermer ta boutique aux clients que tu as l'habitude de recevoir, et voici de quoi te dédommager de la perte de ton temps ! » Et il lui remit une bourse remplie de dinars d'or que le barbier se hâta, après l'avoir soupesée d'un léger mouvement de main, de serrer dans sa ceinture. Et, lorsqu'ils furent tous deux seuls dans la boutique, il lui dit : « Ô père des mains légères, je suis étranger à cette ville. Et je désire seulement apprendre de toi le motif de l'abandon matinal des souks, en ce jour de vendredi ! » Et le barbier, gagné par la générosité du jeune homme et par son air d'émir, lui répondit : « Ô mon maître, c'est là un secret que je n'ai jamais cherché à pénétrer, bien que moi aussi je fasse comme tout le monde et prenne soin de me cacher tous les vendredis matin. Mais puisque cette affaire te tient à cœur, je veux faire pour toi ce que je ne ferais pas pour mon frère. Je te mettrai donc en rapport avec ma femme qui connaît tout ce qui se passe dans la ville, car c'est elle qui est la marchande de parfums de tous les harems de Bassra et des palais des grands et du sultan. Et comme je vois, à ton air, que tu es impatient d'être éclairé sur l'affaire et que, d'autre part, ma proposition t'agrée, je cours à l'instant trouver la fille de mon oncle, et lui soumettre le cas. Attends-moi donc tranquillement dans la boutique jusqu'à mon retour ! »

Et le barbier laissa Kamar dans la boutique et se hâta d'aller trouver sa femme à qui il expliqua le motif qui l'amenait ; et il lui remit en même temps la bourse pleine de dinars d'or. Et l'épouse du barbier, qui avait l'esprit fertile et le cœur serviable, répondit : « Qu'il soit le bienvenu dans notre ville. Me voici prête à le servir avec ma tête et mes yeux ! Va le retrouver et conduis-le-moi ici pour que je le mette au courant de ce qu'il cherche à savoir ! » Et le barbier retourna à sa boutique, où il trouva Kamar assis à l'attendre, et lui dit : « Ô mon fils, lève-toi et viens-t'en avec moi auprès de ta mère, la fille de mon oncle, qui me charge de te dire : « L'affaire est faisable ! » Et il le prit par la main et le conduisit à sa maison, où son épouse lui souhaita la bienvenue d'un air affable et engageant, et le fit asseoir à la place d'honneur, sur le divan, et lui dit : « Famille et aisance à l'hôte charmant ! La maison est ta maison, et tes esclaves sont les maîtres de la maison ! Tu es sur notre tête et sur nos yeux, ordonne ! Ouïr c'est obéir ! » Et elle se hâta de lui offrir, sur un plateau de cuivre, les rafraîchissements et les confitures de l'hospitalité, et l'obligea à prendre une cuillerée de chaque espèce, disant chaque fois le souhait de circonstance : « Délices et réconfort sur le cœur de notre hôte ! »

Alors Kamar prit une grosse poignée de dinars d'or et la mit sur les genoux de l'épouse du barbier, disant : « Excuse-moi pour le peu ! Mais, inschallah ! je saurai mieux reconnaître tes bontés ! » Puis il lui dit : « Maintenant, ma mère, raconte-moi tout ce que tu sais au sujet de ce que tu sais ! » Alors l'épouse du barbier dit :

« Sache, ô mon fils, ô lumière de l'œil et couronne de la tête, que le sultan de Bassra reçut un jour en cadeau, du sultan de l'Inde, une perle si belle qu'elle devait être née d'un rayon de soleil figé sur quelque œuf miraculeux de la mer. Elle était blanche et dorée à la fois, selon la façon de la regarder, et semblait mouvoir en son sein un incendie dans du lait. Et le roi la contempla toute une journée durant, et désira, pour ne s'en jamais séparer, la porter attachée à son cou par un ruban de soie. Mais comme elle était vierge et imperforée, il fit venir tous les joailliers de Bassra et leur dit : « Je désire que vous perciez adroitement cette perle souveraine. Et celui qui saura le faire sans endommager la merveilleuse substance, celui-là pourra me demander tout ce qu'il peut souhaiter ; et il sera exaucé et au-delà ! Mais s'il ne réussit pas parfaitement ou si son mauvais destin la lui fait endommager le moins du monde, il peut s'attendre à la pire des morts ; car je lui ferai couper la tête, après lui avoir fait endurer tous les supplices que lui aura mérités sa maladresse sacrilège ! Qu'en dites-vous, ô joailliers ! »

« En entendant ces paroles du sultan, et en voyant à quoi ils exposaient leurs âmes, les joailliers furent émus d'une peur extrême et répondirent : « Ô roi du temps, c'est une chose bien délicate qu'une perle comme celle-là ! Et nous savons que déjà pour percer les perles ordinaires il faut une habileté et un doigté bien rares, et que peu de maîtres joailliers arrivent à un bon résultat sans quelques accidents inévitables. Nous te supplions donc de ne point nous imposer ce que nos faibles moyens ne peuvent supporter, car nous reconnaissons qu'une habileté telle que celle qu'il nous faudra déployer ne pourra jamais sortir de nos mains. Toutefois nous pouvons t'indiquer quelqu'un qui saura accomplir ce prodige d'art, et c'est notre cheikh ! » Et le roi demanda : « Et qui est votre cheikh ? » Ils répondirent : « C'est le maître joaillier Obeid ! Il est infiniment plus habile que nous, et il a un œil au bout de chaque doigt, et une délicatesse extrême dans chaque œil ! » Et le roi dit : « Allez me le chercher, et ne tardez pas ! » Et les joailliers se hâtèrent d'obéir et revinrent avec leur cheikh, le maître Obeid, qui, après avoir embrassé la terre entre les mains du roi, se tint debout dans l'attente des ordres. Et le roi lui raconta quel travail il exigeait de lui et quelle récompense ou quel châtiment l'attendait selon la réussite ou la non-réussite. Et, en même temps, il lui montra la perle. Et le joaillier Obeid prit la merveilleuse perle et l'examina une heure de temps, et répondit : « Je veux bien mourir si je ne la perce pas ! » Et, séance tenante, il s'accroupit, avec la permission du roi, et, tirant de sa ceinture quelques fins outils, il mit la perle entre les deux orteils de ses pieds rapprochés, et, avec une habileté et une légèreté incroyables, il manœuvra ses outils comme un enfant ferait d'une toupie, et, en moins de temps qu'il n'en faut pour percer un œuf, il perfora la perle de part en part, sans une bavure ni le moindre éclat, en deux trous égaux et symétriques. Puis il l'essuya du revers de sa manche et la tendit au roi, qui se dilata et se trémoussa d'aise et de contentement. Et il la passa à son cou, au moyen d'un cordon de soie, et monta s'asseoir sur son trône. Et il regardait de tous côtés avec des yeux illuminés de joie, tandis que la perle était comme un soleil pendu à son cou.

« Après quoi, il se tourna vers le joaillier Obeid et lui dit : « Ô maître Obeid, à toi maintenant le souhait ! » Et le joaillier réfléchit une heure de temps et répondit : « Qu'Allah prolonge les jours du roi ! mais l'esclave, dont les mains percluses ont eu l'honneur insigne de toucher la perle merveilleuse et de la remettre à notre maître, perforée selon son désir, possède une épouse toute jeune qu'il est obligé de ménager beaucoup, vu qu'il est bien vieux et que les hommes sur le retour, qui ne veulent pas se rendre défavorables à leurs épouses, doivent les traiter avec toutes sortes d'égards et ne rien faire sans les consulter. Or tel est précisément le cas de ton esclave, ô roi du temps. Je voudrais aller prendre l'avis de mon épouse, au sujet de la demande que lui permet de faire notre maître magnanime, et voir si elle n'a pas elle-même un souhait à formuler préférable à celui que je pourrais imaginer. Car Allah l'a douée non seulement de jeunesse et de charme, mais d'un esprit fertile et perspicace et d'un jugement à toute épreuve ! » Et le roi dit : « Hâte-toi, Osta-Obeid, d'aller consulter ton épouse et de revenir m'apporter la réponse ; car je n'aurai de repos d'esprit que lorsque j'aurai rempli ma promesse ! » Et le joaillier sortit du palais et alla trouver son épouse et lui soumit le cas. Et la femme adolescente s'écria : « Glorifié soit Allah qui fit arriver mon jour avant son temps ! J'ai, en effet, un souhait à formuler et une idée, singulière il est vrai, à mettre à exécution ! Nous sommes déjà, grâce aux bienfaits d'Allah et à la prospérité de tes affaires, riches et à l'abri du besoin pour le reste de nos jours. Nous n'avons donc rien à désirer de ce côté-là, et le souhait que je veux satisfaire ne coûtera pas une drachme au trésor du règne. Voici ! Va demander au roi qu'il m'accorde simplement la permission de me promener tous les vendredis, avec un cortège semblable à celui des filles des rois, à travers les souks et les rues de Bassra, sans que personne ose se montrer alors dans les rues, sous peine de perdre la tête ! Et voilà tout ce que je souhaite du roi en récompense de ton travail au sujet de la perle perforée ! »

« En entendant ces paroles de sa jeune épouse, le joaillier fut à la limite de l'étonnement, et il se dit : « Allah karim ! Est bien fin celui qui peut se vanter de savoir ce qui se passe dans la cervelle d'une femme ! » Mais comme il aimait son épouse, et qu'il était vieux et d'ailleurs fort laid, il ne voulut pas la contrarier et se contenta de répondre : « Ô fille de l'oncle, ton désir est sur la tête et sur l'œil. Mais si les marchands des souks abandonnent leurs boutiques pour aller se cacher, lors du passage du cortège, les chiens et les chats dévasteront les devantures et commettront des dégâts qui alourdiront notre conscience ! » Elle dit : « Qu'à cela ne tienne, on donnera l'ordre à tous les habitants et aux gardiens des souks d'enfermer ce jour-là tous les chiens et tous les chats. Car je désire que les boutiques restent ouvertes lors du passage de mon cortège ! Et tout le monde, grands et petits, ira se cacher dans les mosquées dont on refermera les portes, afin que personne ne puisse passer sa tête et regarder ! »

« Alors le joaillier Obeid alla trouver le roi et, extrêmement confus, lui fit part du souhait de son épouse. Et le roi dit : « Il n'y a pas d'inconvénient ! » Et il fit aussitôt proclamer par les crieurs publics, à travers toute la ville, l'ordre aux habitants de laisser leurs boutiques ouvertes, tous les vendredis, deux heures avant la prière, et d'aller se cacher dans les mosquées et de se bien garder de montrer dans les rues leurs têtes, sous peine de les voir sauter de leurs épaules. Et il leur fit signifier qu'ils eussent à enfermer les chiens et les chats, les ânes et les chameaux, et toutes les bêtes de somme qui pourraient circuler dans les souks. Et depuis ce temps-là, l'épouse du joaillier se promène ainsi tous les vendredis, deux heures avant la prière de midi, sans que ni homme, ni chien, ni chat ose se montrer dans les rues. Et c'est elle-même, précisément, ya sidi Kamar, que tu as vue ce matin, dans sa beauté surnaturelle, vraiment, au milieu de son cortège d'adolescentes, précédée de la jeune esclave tenant le sabre nu pour trancher la tête de quiconque aurait osé la regarder passer ! »

Et l'épouse du barbier, ayant ainsi raconté à Kamar ce qu'il voulait savoir, se tut un moment, l'observa en souriant et ajouta : « Mais je vois bien, ô propriétaire du visage charmant, ô mon maître béni, que ce récit ne te suffit pas, et que tu désires de moi autre chose encore, par exemple que je t'indique quelque moyen de revoir la merveilleuse adolescente, épouse du vieux joaillier ! » Et Kamar répondit : « Ô ma mère, tel est, en effet, le désir intime de mon cœur. Car c'est pour la voir que je suis venu de mon pays, après avoir quitté la demeure où mon absence laisse dans les pleurs un père et une mère qui m'aiment bien. » Et l'épouse du barbier dit : « Dans ce cas, mon fils, dis-moi un peu ce que tu possèdes en fait de choses précieuses et de valeur ! » Il dit : « Ô ma mère, j'ai avec moi, entre autres belles choses, des pierres précieuses de quatre sortes : les pierres de la première sorte valent, chacune, cinq cents dinars d'or ; celles de la seconde sorte valent, chacune, sept cents dinars d'or ; celles de la troisième, huit cent cinquante, et celles de la quatrième, mille dinars d'or, pour le moins, chacune ! » Elle demanda : « Et ton âme est-elle prête à céder quatre de ces pierres, chacune d'une sorte différente ? » Il répondit : « Mon âme est volontiers prête à céder toutes les pierres que je possède et tout ce que j'ai sous la main ! » Elle dit : « Eh bien, lève-toi, ô fils, ô couronne sur la tête des plus généreux, et va trouver, dans le souk des bijoutiers et des orfèvres, le joaillier Osta-Obeid, et fais exactement ce que je vais te dire ! »

Et elle lui indiqua tout ce qu'elle voulait indiquer pour le faire arriver au but désiré, et ajouta : « En toutes choses, il faut de la prudence et de la patience, mon fils. Mais, toi, après avoir fait ce que je viens de t'indiquer, n'oublie pas de venir m'en rendre compte, et d'apporter avec toi cent dinars d'or pour le barbier, mon époux, qui est un pauvre homme…

À ce moment de sa narration, Schahrazade, la fille du vizir, vit apparaître le matin et, discrète, se tut.

Mais lorsque fut la sept cent quatre-vingt-quatrième nuit. Elle dit :

… Et d'apporter avec toi cent dinars d'or pour le barbier, mon époux, qui est un pauvre homme ! » Et Kamar répondit par l'ouïe et l'obéissance, et sortit de la maison du barbier en se répétant, pour les bien graver dans sa mémoire, les instructions de la vendeuse de parfums, épouse du barbier. Et il bénissait Allah qui avait mis sur sa route, comme pierre indicatrice, cette femme de bien.

Et il arriva de la sorte au souk des bijoutiers et orfèvres, où tout le monde se hâta de lui indiquer la boutique du cheikh des joailliers, Osta-Obeid. Et il entra dans la boutique et vit, au milieu de ses apprentis, le joaillier qu'il salua avec la plus grande déférence, en portant la main sur son cœur, sur ses lèvres et sur sa tête, et disant : « La paix sur toi ! » Et Osta-Obeid lui rendit son salam et le reçut avec empressement et le pria de s'asseoir. Et Kamar sortit alors de sa bourse une gemme choisie, mais de l'espèce la moins belle des quatre qu'il possédait, et lui dit : « Ô maître, je souhaite vivement que tu me fasses, pour cette gemme, une monture digne de tes capacités, mais de la manière la plus simple et du poids d'un *miskal*, sans plus ! » Et il lui remit en même temps vingt pièces d'or, en disant : « Ceci, ô maître, n'est qu'une faible avance sur ce dont je compte rémunérer le travail que tu me feras ! » Et il remit également une pièce d'or à chacun des nombreux apprentis, en guise d'entrée, et aussi à chacun des nombreux mendiants qui avaient fait leur apparition dans la rue dès qu'ils avaient vu entrer dans la boutique le jeune étranger somptueusement habillé. Et, s'étant comporté de cette façon-là, il se retira en laissant tout ce monde émerveillé de sa libéralité, de sa beauté et de ses manières distinguées.

Quant à Osta-Obeid, il ne voulut point apporter le moindre retard à la confection de la bague, et, comme il était doué d'une dextérité extraordinaire et qu'il avait à sa disposition des moyens que nul autre joaillier au monde ne possédait, il la commença et la termina, toute ciselée et nettoyée, à la fin de sa journée. Et comme le jeune Kamar ne devait revenir que le lendemain, il la prit avec lui, le soir, pour la montrer à son épouse, l'adolescente en question, tant il en trouvait merveilleuse la pierre, et d'une eau limpide à donner envie de s'en mouiller la bouche.

Lorsque l'adolescente, épouse d'Osta-Obeid, eut vu la bague, elle la trouva bien belle et demanda : « Pour qui ? » Il répondit : « Pour un jeune homme étranger qui est plus éblouissant, et de beaucoup, que cette merveilleuse gemme.

Sache, en effet, que le maître de cette bague, qui m'a déjà été payée d'avance comme jamais travail ne m'a été payé, est beau et charmant, avec des yeux qui blessent de désir, des joues comme les pétales de l'anémone sur un parterre jonché de jasmins, une bouche comme le sceau de Soleimân, des lèvres trempées dans le sang des cornalines, et un cou tel le cou de l'antilope, qui porte gracieusement sa tête fine comme une tige porte sa corolle. Et, pour résumer ce qui est au-dessus de toute louange, il est beau, vraiment beau, et charmant autant qu'il est beau, ce qui fait qu'il te ressemble non seulement par ses perfections, mais aussi par son âge tendre et les traits de son visage. »

Ainsi le joaillier dépeignit à son épouse le jeune Kamar, sans voir que ses paroles venaient d'allumer dans le cœur de l'adolescente une passion soudaine et d'autant plus vive que son objet était invisible. Et il oubliait, ce propriétaire d'un front où, comme des concombres sur un terrain fumé, allaient pousser les cornes, qu'il n'existe point de pire entremettage, ni de plus certain de la réussite, que celui d'un mari qui vante devant son épouse, sans prendre garde aux conséquences, les mérites et la beauté d'un inconnu. C'est ainsi que lorsque Allah Très-Haut veut faire marcher les décrets arrêtés au sujet de ses créatures, il les fait tâtonner dans les ténèbres de l'aveuglement.

Or la jeune épouse du joaillier entendit ces paroles et les retint au fond de son esprit, mais sans rien montrer des sentiments qui l'agitaient. Et elle dit à son époux d'un ton indifférent : « Fais voir cette bague-là ! » Et Osta-Obeid la lui remit, et elle la regarda d'un air détaché et la passa nonchalamment à son doigt. Puis elle dit : « On dirait qu'elle a été faite pour mon doigt ! Regarde comme elle me va bien ! » Et le joaillier répondit : « Vivent les doigts des houris ! Par Allah, ô ma maîtresse, le propriétaire de cette bague est doué de générosité et de prévenance, et dès demain je le prierai de me la vendre à n'importe quel prix, et je te l'apporterai ! »

Pendant ce temps-là, Kamar était allé rendre compte à l'épouse du barbier de la manière dont il avait agi, selon ses instructions ; et il lui remit cent pièces d'or en cadeau pour le barbier, ce pauvre ! Il demanda à sa protectrice ce qui lui restait à faire. Et elle lui dit : « Voici ! Lorsque tu verras le joaillier, ne prends pas la bague qu'il t'aura faite. Mais feins qu'elle est trop étroite pour ton doigt et fais-en-lui cadeau ; et présente-lui une autre gemme beaucoup plus belle que la première, de celles qui valent sept cents dinars pièce, et dis-lui de te la monter d'une façon soignée. En même temps, donne-lui soixante dinars d'or pour lui, et deux pour chacun de ses ouvriers, comme gratification. Et n'oublie pas non plus les mendiants de la porte. Et, ce faisant, les choses tourneront à ta satisfaction. Et n'oublie pas, ô fils, de revenir me rendre compte de l'affaire, et d'apporter avec toi quelque chose pour mon époux le barbier, ce pauvre ! » Et Kamar répondit : « J'écoute et j'obéis ! »

Il sortit donc de chez la femme du barbier, et, le lendemain, il ne manqua pas d'aller trouver au souk le joaillier Osta-Obeid qui, sitôt qu'il l'eut aperçu, se leva en son honneur et, après les salams et compliments, lui présenta la bague. Et Kamar fit semblant de l'essayer, et dit ensuite : « Par Allah, ô maître Obeid, la bague est fort bien faite, mais elle est un peu étroite pour mon doigt. Tiens ! je te la donne afin que tu en fasses présent à n'importe laquelle des nombreuses esclaves de ton harem ! Maintenant voici une autre gemme, que je préfère à la précédente et qui sera bien plus belle, montée simplement. » Et, parlant ainsi, il lui remit une gemme de sept cents dinars d'or ; et, en même temps, il lui donna soixante dinars d'or pour lui et deux pour chacun de ses apprentis, en disant :

« Simplement pour vous rafraîchir d'un sorbet ! mais j'espère que si le travail est promptement achevé, vous serez tous satisfaits de la manière dont il sera rémunéré ! » Et il distribua, à droite et à gauche, des pièces d'or aux mendiants assemblés devant la porte de la boutique.

Lorsque le joaillier vit tant de libéralité chez son jeune client, il fut extrêmement surpris. Et, le soir, une fois rentré dans sa maison, il ne pouvait assez louer, devant son épouse, ce généreux étranger, dont il disait : « Par Allah ! il ne se contente pas d'être beau, comme ne le furent jamais les plus beaux, mais il a la paume ouverte des fils des rois ! » Et plus il parlait, plus il faisait s'incruster dans le cœur de sa femme l'amour ressenti pour le jeune Kamar. Et lorsqu'il lui eut remis la bague, don de son client, elle la passa à son doigt lentement, et demanda : « Et ne t'en a-t-il pas commandé une seconde ? » Il dit : « Mais oui ! Et j'y ai travaillé tout le jour, tant que la voici achevée. » Elle dit : « Fais voir ! » Et elle la prit, la regarda en souriant et dit : « Je voudrais bien la garder ! » Il dit : « Qui sait ? Il est bien capable de me la laisser, comme il a fait pour sa sœur ! »

Pendant ce temps, Kamar était allé se concerter avec l'épouse du barbier sur ce qui s'était passé et ce qu'il y avait à faire. Et il lui remit quatre cents dinars d'or pour son époux le barbier, ce pauvre ! Et elle lui dit : « Mon fils, ton affaire est dans la meilleure voie. Lorsque tu verras le joaillier, ne reprends point la bague commandée ; mais plutôt feins qu'elle est trop grande et laisse-la-lui en cadeau. Puis remets-lui une autre pierre précieuse, de celles qui valent près de neuf cents dinars pièce ; et, en attendant que le travail soit achevé, donne cent dinars pour le maître et trois pour chacun des apprentis. Et n'oublie pas mon fils, en revenant me rendre compte de la marche de l'affaire, d'apporter à mon époux le barbier, ce pauvre ! de quoi s'acheter un morceau de pain ! Et qu'Allah te garde et prolonge tes jours précieux, ô fils de la générosité ! »

Or Kamar suivit ponctuellement le conseil de la vendeuse de parfums. Et le joaillier ne trouva plus de mots ou d'expression pour peindre à sa femme la libéralité du bel étranger. Et elle lui dit, en essayant la nouvelle bague : « N'es-tu pas honteux, ô fils de l'oncle, de n'avoir pas encore invité dans ta maison un homme qui s'est montré si généreux envers toi ? Et pourtant tu n'es, grâce aux bienfaits d'Allah, ni avare ni issu d'une ascendance d'avares ; mais il me semble bien que tu manques quelquefois aux convenances ! Ainsi, il est absolument de ton devoir de prier cet étranger de venir demain goûter le sel de ton hospitalité ! »

De son côté, Kamar, après avoir consulté la femme du barbier, à laquelle il remit huit cents dinars de gratification pour le barbier, ce pauvre ! de quoi seulement s'acheter un morceau de pain, ne manqua pas de se rendre à la boutique du joaillier pour essayer la troisième bague. Aussi, après l'avoir passée à son doigt, il l'en retira, la regarda un instant avec quelque dédain et dit : « Elle va assez bien ; mais cette pierre ne me plaît pas du tout. Garde-la donc pour une de tes esclaves, et monte-moi cette autre gemme, comme il sied ! Et voici pour toi une avance de deux cents dinars, et quatre pour chacun de tes apprentis. Et pardonne-moi tout l'embarras que je te cause ! » Et, ce disant, il lui remit une gemme blanche et merveilleuse, qui valait mille dinars d'or. Et le joaillier, à la limite de la confusion, lui dit : « Ô mon maître, voudrais-tu honorer ma maison de ton approche, et m'accorder la grâce de venir ce soir souper avec moi ? Car tes bienfaits sont sur moi, et mon cœur s'est attaché à ta main généreuse ! » Et Kamar répondit : « Sur ma tête et sur mes yeux ! » Et il lui donna son adresse au khân où il était descendu.

Or, le soir venu, le joaillier se rendit au khân en question, pour prendre son invité. Et il le conduisit à sa maison…

À ce moment de sa narration, Schahrazade vit apparaître le matin et, discrète, se tut.

Mais lorsque fut la sept cent quatre-vingt-cinquième nuit. Elle dit :

… Et il le conduisit à sa maison, où il le fêta par une réception somptueuse et un splendide festin. Et, après la levée des plateaux des mets et des boissons, une esclave leur servit les sorbets qu'avait préparés de ses propres mains l'hôtesse adolescente. Toutefois, malgré le désir qu'elle en avait, elle ne voulut point enfreindre les usages des réceptions où les femmes ne prennent jamais part aux repas, et resta dans le harem. Et il lui fallut attendre là que sa ruse produisît son effet.

Or, à peine Kamar et son hôte eurent-ils goûté au délicieux sorbet, qu'ils tombèrent tous deux dans un profond sommeil ; car l'adolescente avait pris soin de jeter dans les coupes une poudre somnifère. Et l'esclave qui les servait se retira aussitôt qu'elle les vit étendus sans mouvement.

Alors l'adolescente, vêtue de sa chemise seulement, et préparée tout entière comme pour la première entrée nuptiale, souleva la portière et pénétra dans la salle du festin. Et quiconque eût vu cette adolescente dans sa beauté, avec ses yeux chargés d'assassinats, aurait senti son cœur s'émietter et sa raison s'envoler. Elle s'avança donc jusqu'à Kamar, qu'elle n'avait jusqu'alors qu'entrevu par la fenêtre, comme il entrait dans la maison, et se mit à le contempler. Et elle vit qu'il était tout à fait à sa convenance. Et elle commença par s'asseoir tout contre lui, et se mit à lui caresser doucement le visage avec la main. Et soudain cette poulette affamée se jeta goulûment sur le jouvenceau et se mit à lui becqueter les lèvres et les joues si violemment que le sang en jaillisait. Et ces becquées cruelles durèrent un certain temps et furent remplacées par de tels mouvements qu'Allah seul pouvait savoir ce qui pouvait bien se passer sous toute cette agitation de la poulette à califourchon sur le jeune coq endormi.

Et la nuit entière s'écoula dans ce jeu. Mais lorsque apparut le matin, cette chaude jouvencelle se décida à se lever ; et elle tira de son sein quatre osselets d'agneau et les mit dans la poche de Kamar. Et, cela fait, elle le quitta et rentra dans le harem. Et elle dépêcha vers lui l'esclave confidente qui exécutait d'ordinaire ses ordres, celle-là même qui tenait le glaive nu lors de la marche du cortège à travers les souks de Bassra. Et l'esclave, pour dissiper le sommeil du jeune Kamar et du vieux joaillier, leur souffla dans les narines une poudre qui était un puissant antidote. Et l'effet de cette poudre ne tarda pas à se produire ; car les deux endormis se réveillèrent, aussitôt après avoir éternué. Et la jeune esclave dit au joaillier : « Ô notre maître, notre maîtresse Halima m'envoie te réveiller et te dit : « C'est l'heure de la prière du matin, et voici le muezzin qui fait l'appel aux Croyants, sur le minaret. Et voici, en outre, le bassin et l'eau pour les ablutions ! » Et le vieux, encore étourdi, s'écria : « Par Allah ! comme on dort lourdement dans cette pièce ! Chaque fois que je couche ici, je ne me réveille qu'au grand jour ! » Et Kamar ne sut que répondre. Mais, s'étant levé pour faire ses ablutions, il sentit qu'il avait les lèvres et le visage, sans compter ce qui ne se voyait pas, brûlants comme du feu. Et il s'en étonna à l'extrême, et il dit au joaillier : « Je ne sais pas, mais je sens que mes lèvres et mon visage sont brûlants comme du feu, et me cuisent comme des charbons ardents. Qu'est-ce donc que cela ? » Et le vieux répondit : « Oh ! ce n'est rien du tout. De simples piqûres de moustiques ! Car nous avons commis l'imprudence de dormir sans moustiquaire ! » Et Kamar dit : « Oui, mais comment se fait-il que je ne voie point trace de piqûres de moustiques sur ton visage, alors que tu as dormi à côté de moi ? » Il répondit : « Par Allah, c'est vrai ! Seulement il faut que tu saches, ô beau visage, que les moustiques aiment les jeunes joues vierges de poil, et détestent les visages barbus. Et tu vois bien quel sang délicat circule sous ton beau visage, et quelle longueur de barbe descend de mes deux joues. » Cela dit, ils firent leurs ablutions, s'acquittèrent de la prière et déjeunèrent ensemble. Après quoi, Kamar prit congé de son hôte et sortit pour aller trouver la femme du barbier.

Or il la trouva qui l'attendait. Et elle l'accueillit en riant, et lui dit : « Allons, ô fils, raconte-moi l'aventure de cette nuit, bien que je la voie écrite par mille signes sur ton visage ! » Il dit : « Pour ce qui est de ces signes, ce sont de simples piqûres de moustiques, ma mère, et rien de plus ! » Et la femme du barbier, à ces paroles, rit encore plus fort et dit : « Vraiment, des piqûres de moustiques ? Et ta visite dans la maison de celle que tu aimes n'a pas eu d'autres résultats ? » Il répondit : « Non, par Allah ! si ce n'est ces quatre osselets, avec lesquels jouent les enfants, et que j'ai trouvés dans ma poche, sans savoir de quelle façon ils y sont entrés ! » Elle dit : « Montre-les-moi ! » Et elle les prit, les considéra un moment, et continua, disant : « Tu es bien simple, mon fils, de n'avoir pas deviné que tu portes encore sur ta figure la trace, non de piqûres de moustiques, mais des baisers passionnés de celle que tu aimes. Quant à ces osselets, qu'elle-même t'a mis dans la poche, ils sont un reproche qu'elle t'adresse d'avoir passé ton temps à dormir, tandis que tu pouvais mieux l'employer avec elle. Elle a voulu te dire par là : « Tu es un enfant qui passe son temps à dormir. Voici des osselets comme il convient à des enfants qui ne savent point s'amuser à d'autre jeu. » Or c'est bien là l'explication de ces osselets, mon fils. Et c'est parler assez clairement, pour une première fois. Et tu n'as d'ailleurs qu'à en faire l'épreuve ce soir même. Tu profiteras en effet de l'invitation du joaillier, qui, je n'en doute pas, t'engagera encore une fois à souper, et tu n'oublieras pas, j'espère, de te comporter de manière à te satisfaire, à la satisfaire, et à rendre heureuse ta mère qui t'aime, mon enfant ! Et songe, ô prunelle de l'œil, lors de ton retour chez moi, à la misérable condition de mon époux, le barbier, ce très pauvre ! » Et Kamar répondit : « Sur la tête et sur l'œil ! » et s'en retourna au khân où il logeait. Et voilà pour lui.

Quant à la jeune Halima, elle demanda à son époux, le vieux, quand il alla la trouver au harem : « Comment t'es-tu comporté à l'égard du jeune étranger, ton hôte ? » Il répondit : « Avec toutes les prévenances et tous les égards, ô *Une telle !* Mais il a dû passer une fort mauvaise nuit, car les moustiques l'ont piqué avec acharnement ! » Elle dit : « C'est bien de ta faute, puisque tu ne l'as pas fait dormir sous la moustiquaire. Mais la nuit prochaine il sera, sans doute, moins incommodé. Car j'espère bien que tu vas l'inviter encore une fois. Et c'est le moins que tu puisses faire envers lui pour reconnaître toutes les marques de générosité dont il t'a comblé ! » Et le joaillier ne put répondre que par l'ouïe et l'obéissance, d'autant plus que, lui également, il ressentait une grande affection pour l'adolescent.

Aussi, lorsque Kamar vint à la boutique, il ne manqua pas de l'inviter, et tout se passa cette nuit-là comme la précédente, malgré la moustiquaire. Car toute la nuit, une fois que la boisson assoupissante eut produit son effet, la jeune

Halima, plus chaude que jamais, ne cessa de s'agiter et de se mouvoir, à califourchon sur le jeune coq endormi, d'une manière encore plus extraordinaire que la première fois. Et lorsque le jeune Kamar, au matin, grâce à la poudre soufflée dans ses narines, fut sorti de son lourd sommeil, il se sentit le visage brûlant et le corps tout meurtri des succions, des morsures et autres choses semblables de son ardente amoureuse. Mais il n'en laissa rien voir au joaillier qui l'interrogeait sur la manière dont il avait dormi, et, après avoir pris congé de lui, il sortit pour aller rendre compte à la femme du barbier de ce qui s'était passé. Et, en regardant dans sa poche, il trouva un couteau qu'on y avait mis. Et il montra ce couteau à sa protectrice, en lui mettant cinq cent dinars d'or de gratification, pour son époux le barbier, ce pauvre ! Et la vieille, après lui avoir baisé la main, s'écria en voyant le couteau : « Qu'Allah vous garde du malheur, ô mon enfant. Voici que ta bien-aimée est irritée et qu'elle te menace de te tuer, si elle te trouve encore endormi. Car c'est là l'explication de ce couteau-là trouvé dans ta poche ! » Et Kamar, fort perplexe, demanda : « Mais comment pourrais-je faire pour ne pas m'endormir ? Déjà j'avais bien résolu de veiller coûte que coûte, la nuit dernière, mais sans y avoir réussi ! » Elle répondit : « Eh bien, pour cela, tu n'auras qu'à laisser boire le joaillier seul ; et, feignant d'avoir vidé la coupe de sorbet dont tu auras jeté le contenu derrière toi, tu feras semblant de dormir en présence de l'esclave. Et de la sorte tu atteindras le but désiré ! » Et Kamar répondit par l'ouïe et l'obéissance, et ne manqua pas de suivre exactement cet excellent avis.

Or les choses se passèrent de la manière prévue par la vieille. Car le joaillier, sur le conseil de son épouse, invita Kamar pour le troisième souper, selon l'usage qui veut que l'hôte soit invité trois nuits de suite. Et lorsque l'esclave qui avait apporté les sorbets vit les deux hommes endormis, elle se retira pour annoncer à sa maîtresse que l'effet était produit.

À cette nouvelle, l'ardente Halima, furieuse de voir que le jeune homme n'avait rien compris à ses avertissements, entra dans la salle du festin, le couteau à la main, prête à l'enfoncer dans le cœur de l'imprudent. Mais tout à coup Kamar, rieur, se leva sur ses pieds et s'inclina jusqu'à terre devant l'adolescente qui lui demanda : « Ah ! et qui t'a enseigné une semblable ruse ? » Et Kamar ne lui cacha point qu'il avait agi d'après les conseils de la femme du barbier. Et elle sourit et dit : « Elle a excellé, la vieille ! Mais désormais tu n'auras affaire qu'à moi seule. Et tu ne t'en plaindras pas ! » Et, ce disant, elle attira à elle le jouvenceau à la chair vierge de tout contact de femme, et le manipula d'une si experte manière…

À ce moment de sa narration, Schahrazade vit apparaître le matin et, discrète, se tut.

Mais lorsque fut la sept cent quatre-vingt-sixième nuit. Elle dit :

… Et le manipula d'une si experte manière que du coup il apprit à décliner tous les cas sans hésitation, à placer le régime passif à l'accusatif, et à ériger le régime direct dans son rôle actif. Et il se comporta, dans cette bataille des jambes et des cuisses, avec une telle vaillance et un tel agencement de chocs en aller et de chocs en retour que cette nuit-là fut par excellence la nuit du coq ! Louanges à Allah qui donne les ailes au premier vol des oiseaux, qui fait danser le chevreau dès sa naissance, qui fait se développer le cou du jeune lion, qui fait bondir le fleuve à sa sortie du rocher, et qui met dans le cœur de Ses Croyants un instinct invincible et beau comme le chant du coq dans l'aurore !

Lorsque l'experte Halima eut, au moyen de ce vaillant jouteur frais éclos de l'œuf, apaisé l'ardeur qui la consumait, elle lui dit, entre mille caresses : « Sache, ô fruit de mon cœur, que je ne saurais plus me passer de toi. C'est pourquoi il ne faut pas croire qu'une ou deux nuits, une ou deux semaines, un ou deux mois, une ou deux années me suffiront ! Je veux passer ma vie tout entière avec toi, en abandonnant le vieil époux si laid, et en te suivant dans ta patrie. Écoute-moi donc, et, si tu m'aimes et si l'expérience de cette nuit te convient, fais ce que je vais te dire. Voici ! Si mon vieil époux t'invite encore une fois, réponds-lui : « Par Allah, mon oncle, Ibn-Adam est fort pesant de sa nature, et il a le sang bien lourd ! Et quand il réitère les visites chez autrui, il fait se dégoûter de lui les riches aussi bien que les pauvres ! Excuse-moi donc de ne pouvoir accepter ta gracieuse offre, car je craindrais de commettre une indiscrétion en te retenant ainsi trois ou quatre nuits de suite hors de ton harem ! » Et, lui ayant ainsi parlé, tu le prieras de te louer une maison dans le voisinage de la nôtre, sous prétexte que vous pourrez ainsi tous les deux vous voir commodément et passer tour à tour une partie de la nuit ensemble, sans qu'il en résulte d'incommodité ni pour l'un ni pour l'autre. Or mon mari, je le sais, viendra me consulter là-dessus, et je le confirmerai dans ce projet. Et lorsque nous en serons là, Allah se chargera du reste ! » Et le jeune Kamar répondit : « Ouïr c'est obéir ! » Et il lui jura de se conformer à tous ses désirs, et, pour sceller son serment, il fit avec elle une répétition, en fait de régimes, encore plus détaillée que la première. Et certes ! cette nuit-là, le bâton du pèlerin fonctionna avec zèle sur le chemin aplani déjà par la première marche du cavalier.

Cela fait, Kamar, sur le conseil de son amoureuse, alla s'étendre auprès du joaillier, comme si rien ne se fût passé. Et le matin, lorsque le joaillier, fut réveillé par la poudre antidote, Kamar voulut prendre congé de lui, selon sa coutume. Mais il le retint de force, et l'invita à revenir encore partager avec lui le repas du soir. Et Kamar n'oublia pas la recommandation de son amoureuse, et ne voulut point accepter l'invitation du joaillier ; mais il lui fit part du plan qui avait été concerté, et lui dit que c'était le seul moyen de ne point se déranger l'un l'autre désormais. Et le vieux joaillier répondit : « Il n'y a pas d'inconvénient ! » Et, sans plus tarder, il se leva et alla louer la maison contiguë à la sienne, la meubla richement et y installa son jeune ami. Et, de son côté, l'experte Halima prit soin, en grand secret, de faire pratiquer dans le mur de séparation une ouverture qui se trouvait cachée des deux côtés par une armoire.

Aussi, le lendemain, Kamar fut extrêmement étonné en voyant, comme si elle sortait de l'invisible, son amoureuse entrer dans sa chambre. Mais elle, après l'avoir comblé de caresses, lui découvrit le mystère de l'armoire, et, séance tenante, lui fit signe de remplir son office de coq. Et Kamar s'exécuta avec empressement et célérité, et mania sept fois de suite le bâton du pèlerinage. Après quoi, la jeune Halima, moite d'ardeur satisfaite, tira de son sein un poignard splendide appartenant à son époux le joaillier, qui l'avait travaillé lui-même avec le plus grand soin, et dont il avait orné la poignée de belles pierres précieuses ; et elle le remit à Kamar, en lui disant : « Mets ce poignard à ta ceinture, et rends-toi à la boutique d'Osta-Obeid, mon mari ; montre-lui le poignard et demande-lui s'il le trouve à sa convenance, et combien il vaut. Et il te demandera de qui tu le tiens ; alors dis-lui qu'en passant par le souk des armuriers, tu as entendu deux hommes qui parlaient ensemble, et dont l'un disait à l'autre : « Vois le présent que m'a fait mon amoureuse, qui me donne les objets appartenant à son vieux mari, le plus laid et le plus dégoûtant des vieux maris ! » Et ajoute que l'homme qui parlait ainsi s'étant approché, tu as acheté le poignard. Quitte ensuite la boutique, et reviens en toute hâte à la maison, où tu me retrouveras dans l'armoire pour reprendre le poignard ! » Et Kamar, ayant pris le poignard, se rendit à la boutique du joaillier, où il joua le rôle que son amoureuse lui avait indiqué.

Lorsque le joaillier vit le poignard et entendit les paroles de Kamar, il fut dans un grand trouble, et il répondit par des mots entrecoupés comme un homme dont l'esprit est égaré. Et Kamar, voyant l'état du joaillier, sortit de la boutique et courut rapporter le poignard à son amoureuse qui l'attendait déjà dans l'armoire. Et il lui peignit l'état cruel et l'égarement où il avait laissé le joaillier, son mari.

Quant au malheureux Osta-Obeid, il courut, de son côté, à la maison, en proie aux tourments de la jalousie, et sifflant comme un serpent en fureur. Et il entra, avec les yeux hors de la tête, en s'écriant : « Où est mon poignard ? » Et Halima, de l'air le plus innocent, répondit avec de grands yeux interloqués : « Il est à sa place dans la cassette. Mais par Allah ! ô fils de l'oncle, je vois que tu as l'esprit égaré, et je me garderai bien de te le donner, de peur que tu ne veuilles en frapper quelqu'un ! » Et le joaillier insista, jurant qu'il ne voulait en frapper personne. Alors, ouvrant la cassette, elle lui présenta le poignard. Et il s'écria : « Ô prodige ! » Elle demanda : « Qu'y a-t-il donc de surprenant ? » Il dit : « Je croyais avoir vu à l'instant ce poignard à la ceinture de mon jeune ami ! » Elle dit : « Par ma vie ! aurais-tu pu avoir quelques faux soupçons sur ton épouse, ô le plus indigne des hommes ! » Et le joaillier lui demanda pardon, et fit tous ses efforts pour apaiser sa colère.

Or, le lendemain, Halima, après avoir joué avec son amoureux une partie d'échecs en sept divisions, songea aux moyens d'amener le vieux joaillier à divorcer d'avec elle, et dit à Kamar : « Tu vois que le premier moyen ne nous a pas réussi. Or je vais m'habiller en esclave, et tu me conduiras à la boutique de mon mari. Et tu lèveras mon voile en lui disant que tu viens de m'acheter au marché. Et nous verrons bien si cela lui ouvrira les yeux ! » Et elle se leva et s'habilla effectivement en esclave, et accompagna son amoureux à la boutique de son mari. Et Kamar dit au vieux joaillier : « Voici une esclave que je viens d'acheter mille dinars d'or. Vois si elle te plaît ! » Et, parlant ainsi, il leva son voile. Et le joaillier faillit s'évanouir en reconnaissant sa femme, ornée des magnifiques pierreries qu'il avait travaillées lui-même, et portant au doigt les bagues dont Kamar lui avait fait présent. Et il s'écria : « Comment s'appelle cette esclave ? » Et Kamar répondit : « Halima ! » Et le joaillier, à ces paroles, sentit sa gorge se dessécher, et tomba à la renverse. Et Kamar et l'adolescente profitèrent de son évanouissement pour se retirer.

Lorsque Osta-Obeid fut revenu de son évanouissement, il courut chez lui de toutes ses forces, et il faillit cette fois mourir de surprise et d'effroi en trouvant son épouse avec la même parure qu'il venait de lui voir, et il s'écria : « Il n'y a de force et de protection qu'en Allah l'Omniscient ! » Et elle lui dit : « Eh bien, ô fils de l'oncle, de quoi t'étonnes-tu donc ? » Il dit : « Qu'Allah confonde le Malin ! Je viens de voir une esclave qu'a achetée mon jeune ami et qui paraît être une autre toi-même tant elle te ressemble ! » Et Halima, comme suffoquée d'indignation, s'écria : « Comment, ô calamiteux à barbe blanche ! tu oses m'outrager par des soupçons si honteux ? Va te convaincre par tes propres yeux, et cours chez ton voisin pour voir si tu ne vas pas y trouver l'esclave ! » Il dit : « Tu as raison ! Il n'y a aucun soupçon qui ne cède à une telle preuve ! » Et il descendit l'escalier, et sortit de sa maison pour se rendre chez son ami Kamar.

Or Halima, ayant passé par l'armoire, se trouvait déjà là lorsque entra son époux. Et l'infortuné, confondu par une ressemblance si grande, ne sut que murmurer : « Allah est grand ! Il crée les jeux de la nature, et tout ce qui lui plaît ! » Et il s'en revint chez lui, à la limite du trouble et de la perplexité ; et, trouvant sa femme comme il l'avait laissée, il ne put que la combler d'éloges et lui demander pardon. Puis il s'en retourna à sa boutique.

Quant à Halima, passant par l'armoire, elle vint rejoindre Kamar, et lui dit : « Tu vois qu'il n'y a pas moyen d'ouvrir les yeux à ce père de la barbe honteuse ! Il ne nous reste donc plus qu'à nous en aller d'ici sans retard. Mes mesures sont déjà prises, et les chameaux chargés sont prêts ainsi que les chevaux ; et la caravane n'attend que nous pour partir ! » Et elle se leva, et, s'enveloppant de ses voiles, elle le décida à l'emmener vers le lieu où se tenait la caravane. Et tous deux montèrent sur les chevaux qui les attendaient, et ils partirent. Et Allah leur écrivit la sécurité et ils arrivèrent en Égypte sans aucun accident fâcheux.

Lorsqu'ils furent arrivés à la maison du père de Kamar, et que le vénérable marchand eut appris le retour de son fils, la joie dilata tous les cœurs, et Kamar fut reçu au milieu des larmes du bonheur. Et lorsque Halima fut entrée dans la maison, tous les yeux furent éblouis de sa beauté. Et le père de Kamar demanda à son fils : « Ô mon fils, est-ce que c'est une princesse ? » Il répondit : « Ce n'est pas une princesse, mais c'est celle dont la beauté a été la cause de mon voyage. Car c'est d'elle que nous avait parlé le derviche. Et je me propose maintenant de l'épouser d'après la Sunnah et la loi ! » Et il raconta à son père toute son histoire, depuis le commencement jusqu'à la fin. Mais il n'y a pas d'utilité à la répéter.

En apprenant cette aventure de son fils, le vénérable marchand Abd el-Rahmân s'écria : « Ô mon fils, que ma malédiction soit sur toi dans ce monde-ci et dans l'autre, si tu persistes à vouloir épouser cette femme sortie de l'enfer ! Ah ! crains, ô mon enfant, qu'elle ne se conduise un jour envers toi d'une manière aussi éhontée qu'envers son premier mari ! Laisse-moi plutôt te chercher ici une épouse parmi les jeunes filles de bonne famille ! » Et il l'admonesta longuement et lui parla si sagement que Kamar répondit : « Je ferai ce que tu désires, ô mon père ! » Et le vénérable marchand embrassa son fils, à ces paroles, et ordonna aussitôt d'enfermer Halima dans un pavillon retiré, en attendant qu'il prît une décision à son sujet.

Après quoi, il s'occupa de chercher dans toute la ville une épouse convenable pour son fils. Et, après des démarches nombreuses de la mère de Kamar auprès des femmes des notables et des riches marchands, on célébra les fiançailles de Kamar avec la fille du kâdi, qui était certainement la plus belle jouvencelle du Caire. Et à cette occasion, pendant quarante jours entiers, on n'épargna ni les festins, ni les illuminations, ni les danses, ni les jeux. Et le dernier jour fut une fête spécialement réservée pour les pauvres, qu'on prit soin de convier à prendre place autour des plateaux servis pour eux, en toute générosité.

Or Kamar, qui surveillait lui-même les serviteurs pendant ce festin, remarqua parmi les pauvres un homme plus mal vêtu que les plus pauvres et brûlé par le soleil, avec, sur sa figure, les traces de longues fatigues et de cuisants chagrins. Et, arrêtant sur lui ses regards pour l'appeler, il reconnut le joaillier Osta-Obeid. Et il courut faire part de sa découverte à son père qui lui dit : « C'est le moment de réparer, autant qu'il est en notre pouvoir, le mal que tu as commis à l'instigation de la dévergondée que j'ai enfermée ! » Et il s'avança du côté du vieux joaillier qui était sur le point de s'éloigner, et, l'appelant par son nom, il l'embrassa tendrement et l'interrogea sur le motif qui l'avait réduit à un tel état de pauvreté. Et Osta-Obeid lui raconta qu'il était parti de Bassra, afin que son aventure ne fût pas ébruitée et ne pût fournir à ses ennemis l'occasion de se moquer de lui, mais qu'il était tombé, dans le désert, entre les mains des Arabes pilleurs qui l'avaient dépouillé de tout ce qu'il possédait ! Et le vénérable Abd el-Rahmân se hâta de le faire conduire au hammam et, après le bain, de le faire vêtir de riches habits ; puis il lui dit : « Tu es mon hôte, et je te dois la vérité ! Sache donc que ton épouse Halima est ici, enfermée par mes ordres dans un pavillon retiré. Et je pensais te la renvoyer sous escorte à Bassra ; mais puisque Allah t'a conduit jusqu'ici, c'est que le sort de cette femme était marqué d'avance. Je vais donc te conduire chez elle, et tu lui pardonneras ou tu la traiteras comme elle le mérite. Car je ne dois pas te cacher que je connais toute la pénible aventure, où ta femme est seule coupable ; car l'homme qui se laisse séduire par une femme n'a rien à se reprocher, vu qu'il ne peut résister à l'instinct qu'Allah a mis en lui ; mais la femme n'est point constituée de la même manière et si elle ne repousse pas l'approche et l'attaque des hommes, elle est toujours coupable. Ah ! mon frère, il faut une grande réserve de sagesse et de patience à l'homme qui possède une femme ! » Et le joaillier dit : « Tu as raison, mon frère ! Ma femme est seule coupable en cette affaire-là. Mais où est-elle ? » Et le père de Kamar dit : « Dans ce pavillon que tu vois devant toi, et dont voici les clefs ! » Et le joaillier prit les clefs avec une grande joie et alla au pavillon dont il ouvrit les portes, et entra chez sa femme. Et il s'avança sur elle sans dire un mot, et de ses deux mains, soudain abattues sur son cou, il l'étrangla, en s'écriant : « Ainsi meurent les dévergondées de ton espèce…

À ce moment de sa narration, Schahrazade vit apparaître le matin et, discrète, se tut.

Mais lorsque fut la sept cent quatre-vingt-septième nuit. Elle dit :

… Il l'étrangla, en s'écriant : « Ainsi meurent les dévergondées de ton espèce ! »

Et le marchand Abd el-Rahmân, pour achever de réparer les torts de son fils Kamar à l'égard du joaillier, trouva équitable et méritoire devant Allah Très-Haut de marier, le jour même des noces de Kamar, sa fille Étoile-du-Matin avec Osta-Obeid. Mais Allah est plus grand et plus généreux !

*Et Schahrazade, ayant ainsi raconté cette histoire, se tut. Et le roi Schahriar s'écria : « Fasse Allah, ô Schahrazade, que toutes les femmes dévergondées subissent le sort de l'épouse du joaillier. Car c'est ainsi qu'auraient dû se terminer plusieurs histoires parmi celles que tu m'as racontées ! Souvent, en effet, j'ai été irrité en mon âme, Schahrazade, de voir que certaines femmes avaient eu une fin contraire à mes idées et à mon penchant. Car, pour ma part, tu sais bien comment j'ai traité l'épouse éhontée et si maligne – qu'Allah ne l'ait point en Sa compassion ! – ainsi que toutes ses esclaves infidèles ! » Mais Schahrazade, ne voulant pas que le Roi s'arrêtât longtemps sur de telles pensées, se garda bien de répondre à ce sujet, et se hâta de commencer, comme suit, l'*HISTOIRE DE LA JAMBE DE MOUTON.

HISTOIRE DE LA JAMBE DE MOUTON

Il est raconté – mais Allah est plus savant ! – qu'il y avait au Caire, sous le règne d'un roi d'entre les rois de ce pays, une femme douée de tant de ruse et de tant d'adresse que boire une gorgée d'eau ou passer dans le trou d'une aiguille de la plus petite espèce était pour elle chose aussi aisée. Or Allah – qui distribue où Il veut les qualités et les défauts – avait mis en cette femme une telle ardeur de tempérament que s'il lui avait fallu être l'une des quatre épouses d'un Croyant et partager avec justice les nuits en quatre lots, un pour chacune, elle serait morte de désir rentré. Aussi elle avait su si bien mener ses affaires qu'elle était parvenue à être non seulement l'épouse unique d'un homme, mais à se marier avec deux hommes à la fois, tous deux de la race des coqs de la Haute-Égypte, qui peuvent contenter vingt poules l'une après l'autre. Et elle avait usé de tant de finesse, et si bien su prendre ses mesures, qu'aucun des deux ne se doutait d'un partage si contraire à la loi et aux coutumes des vrais Croyants. Et, d'ailleurs, elle était aidée dans son manège par la profession même qu'exerçaient ses deux maris, car l'un était voleur de nuit, et l'autre escamoteur de jour. Ce qui faisait que lorsque l'un rentrait le soir au logis, une fois sa besogne terminée, l'autre était déjà sorti à la quête de quelque travail conséquent. Quant à ce qui est de leurs noms, ils s'appelaient : le voleur Haram et l'escamoteur Akil.

Et les jours et les mois passèrent, et le voleur Haram et l'escamoteur Akil s'acquittaient avec excellence de leur métier de coq, dans la maison, et de renard, hors de la maison.

Or, un jour d'entre les jours, le voleur Haram, après que l'héritier de son père eut contenté la fille de l'oncle, encore plus excellemment que d'habitude, dit à la femme : « Une affaire de grande importance, ô femme, m'oblige à m'absenter pour quelque temps. Puisse Allah m'écrire la réussite, afin que je sois au plus tôt de retour près de toi ! » Et la femme répondit : « Le nom d'Allah sur toi et autour de toi, ô tête des hommes ! Mais que va devenir la malheureuse pendant l'absence de son gaillard ? » Et elle se désola beaucoup et lui dit mille paroles de regret, et ne le laissa partir qu'après les marques les plus chaudes de son attachement. Et le voleur Haram chargé d'un sac de provisions de bouche, que l'adolescente avait pris soin de lui préparer pour la route, s'en alla en sa voie, ravi et faisant claquer sa langue de contentement.

Or il y avait à peine une heure de temps qu'il était parti quand rentra Akil l'escamoteur. Et le sort voulut qu'ayant un motif de quitter la ville, il vînt précisément annoncer son départ à son épouse. Et l'adolescente ne manqua pas de témoigner à son second mari toute la peine que lui causait son éloignement, et, après les preuves diverses et multipliées d'une passion extraordinaire, elle lui remplit un sac de provisions de bouche pour le voyage, et lui fit ses adieux en appelant sur sa tête les bénédictions d'Allah – qu'Il soit exalté ! Et l'escamoteur Akil partit de sa maison en se louant d'avoir une épouse si chaude et si attentionnée, et faisant claquer sa langue de contentement.

Et comme la destinée de chaque créature l'attend d'ordinaire à quelque tournant de chemin, les deux maris devaient trouver la leur au moment où ils y pensaient le moins. En effet, à la fin de sa journée, l'escamoteur Akil entra dans un khân qui se trouvait sur la route, se proposant d'y passer la nuit. Et, en entrant dans le khân, il n'y trouva qu'un seul voyageur, avec lequel, après les salams et compliments de part et d'autre, il lia bientôt conversation. Or c'était précisément le voleur Haram, qui avait pris le même chemin que l'associé qu'il ne connaissait pas. Et le premier dit au second : « Ô compagnon, tu parais bien fatigué ! » Et l'autre répondit : « Par Allah, j'ai fait aujourd'hui tout d'une traite la route du Caire ! Mais toi, compagnon, d'où viens-tu ? » Il répondit : « Du Caire également ! Et glorifié soit Allah qui met sur ma route un compagnon aussi agréable pour continuer le voyage. Car le Prophète – sur Lui la prière et la paix ! – a dit : « Un compagnon est la meilleure provision de route ! » Mais, en attendant, pour sceller notre amitié, rompons ensemble le même pain et goûtons au même sel ! Voici, ô compagnon, mon sac de provisions, où j'ai, pour te les offrir, des dattes fraîches et du rôti à l'ail ! » Et l'autre répondit : « Qu'Allah augmente tes biens, ô compagnon ! j'accepte l'offre de tout cœur amical. Mais permets-moi d'apporter aussi mon écot ! » Et pendant que le premier tirait du sac ses provisions, il déploya les siennes sur la natte où ils étaient assis.

Lorsque tous les deux eurent fini de poser sur la natte ce qu'ils avaient à offrir, ils s'aperçurent qu'ils avaient exactement les mêmes provisions : des galettes de pain au sésame, des dattes et la moitié d'une jambe de mouton. Et ils furent bientôt étonnés à la limite extrême de l'étonnement lorsqu'ils eurent constaté que les deux moitiés de la jambe de mouton se rejoignaient avec une parfaite exactitude. Et ils s'écrièrent : « *Allahou akbar !* il était écrit que cette jambe de mouton verrait ses deux moitiés se réunir, malgré la mort, le four et l'assaisonnement ! » Puis l'escamoteur demanda au voleur : « Par Allah sur toi, ô compagnon, puis-je savoir d'où vient ce morceau de jambe de mouton ? » Et le voleur répondit : « C'est la fille de mon oncle qui me l'a donné avant mon départ ! Mais par Allah sur toi, ô compagnon, puis-je savoir à mon tour où tu as pris cette moitié de jambe-là ? » Et l'escamoteur dit : « C'est également la fille de l'oncle qui me l'a mise dans le sac ! Mais peux-tu me dire dans quel quartier se trouve ton honorable maison ? » Il dit : « Près de la porte des Victoires ! » Et l'autre s'écria : « Et moi aussi ! » Et bientôt, de questions en questions, les deux larrons finirent par acquérir la conviction que, depuis le jour de leur mariage, ils étaient les associés sans le savoir de la même couche et du même tison. Et ils s'écrièrent : « Éloigné soit le Malin ! Voici que nous sommes les dupes de la maudite ! » Puis, bien que cette découverte eût failli d'abord les inciter à quelque violence, ils finirent, parce qu'ils étaient avisés et sages, par penser que le meilleur parti à prendre était encore de revenir sur leurs pas et d'éclaircir, par leurs propres yeux et par leurs propres oreilles, ce qui était à éclaircir avec la rouée. Et, étant tombés d'accord à ce sujet, ils reprirent tous les deux la route du Caire, et ne tardèrent pas à arriver à leur logis commun.

Lorsque, leur ayant ouvert la porte, l'adolescente eut aperçu ensemble ses deux maris, elle ne put guère douter qu'elle ne fût découverte quant à sa rouerie, et, comme elle était sage et avisée, elle pensa que ce serait en vain, cette fois, qu'elle chercherait quelque prétexte pour cacher plus longtemps la vérité. Et elle pensa : « Le cœur de l'homme le plus dur ne peut résister aux larmes de la femme aimée ! » Et soudain, fondant en sanglots et défaisant ses cheveux, elle se jeta aux pieds de ses deux maris, en implorant leur miséricorde.

Or tous deux l'aimaient, et leur cœur était lié à ses charmes. Aussi, malgré sa notoire perfidie, ils sentirent que leur attachement pour elle n'avait point été affaibli ; et ils la relevèrent et lui accordèrent son pardon, mais après lui avoir toutefois fait des remontrances, avec des yeux écarquillés. Puis, comme elle se tenait silencieuse avec un air fort contrit, ils lui dirent que ce n'était pas tout, mais qu'il fallait bien que cessât, sans retard, cet état si contraire aux coutumes et aux mœurs des Croyants. Et ils ajoutèrent : « Il faut absolument que tu te décides, sur l'heure, à choisir celui de nous deux que tu veux garder pour époux ! »

À ces paroles de ses deux maris, l'adolescente baissa la tête et réfléchit profondément. Et ils eurent beau la presser de prendre sans retard une détermination, il fut impossible de lui faire désigner celui qu'elle préférait, car elle les trouvait tous deux égaux en vaillance, force et résistance. Mais comme, impatientés de son silence, ils lui criaient d'une voix menaçante qu'il lui fallait faire son choix, elle finit par relever la tête et dit : « Il n'y a de recours et de miséricorde qu'en Allah le Très-Haut, le Tout-Puissant ! Ô hommes, puisque vous m'obligez à choisir entre vous et à prendre un parti qui coûte à l'affection que je vous ai vouée également, et comme, réflexion faite et conséquences pesées, je n'ai aucun motif de préférer l'un à l'autre, voici ce que je vous propose ! Vous vivez tous deux de votre adresse, et en cela votre conscience est en repos, et Allah qui juge les actions de Ses créatures d'après les aptitudes qu'il a mises dans leur cœur ne vous repoussera pas du sein de Sa bonté. Toi, Akil, tu escamotes, le jour, et toi, Haram, tu voles, la nuit. Eh bien, je déclare devant Allah et devant vous que je garderai pour époux celui de vous deux qui aura donné la meilleure preuve d'adresse et accompli la plus fine prouesse ! » Et tous deux répondirent par l'ouïe et l'obéissance, en agréant tout de suite la proposition, et se préparèrent aussitôt à lutter de dextérité.

Or ce fut l'escamoteur Akil qui débuta, en se rendant avec son associé Haram dans le souk des changeurs. Et là, il lui montra du doigt un vieux Juif qui se promenait d'une boutique à l'autre avec lenteur, et dit : « Tu vois, ô Haram, ce fils de chien ! Or, moi, avant qu'il ait achevé sa tournée de changeur, je me fais fort de le forcer à me donner son sac, rempli d'or, de changeur ! » Et, ayant ainsi parlé, il s'approcha, léger comme une plume, du Juif en tournée, et lui subtilisa le sac rempli de dinars d'or qu'il portait avec lui. Et il s'en revint vers son compagnon qui d'abord, pris d'une peur extrême, voulut l'éviter pour ne pas risquer d'être arrêté avec lui comme complice, mais qui, ensuite, émerveillé d'un coup si adroit, se mit à le féliciter de la dextérité dont il venait de faire preuve, et lui dit : « Par Allah ! je crois bien que jamais je ne pourrai, de mon côté, accomplir un exploit si brillant ! Je croyais que voler un Juif était une chose au-dessus des forces d'un Croyant ! » Mais l'escamoteur se prit à rire et lui dit : « Ô pauvre ! cela n'est qu'un commencement, car ce n'est pas ainsi que je prétends m'approprier le sac du Juif ! Car la justice pourrait un jour ou l'autre être mise sur ma piste et me forcer à rendre gorge. Mais je veux devenir le propriétaire légal du sac avec son contenu, en m'y prenant de manière à ce que le kâdi lui-même m'adjuge le bien de ce Juif farci d'or ! » Et, ce disant, il s'en alla dans un coin retiré du souk, ouvrit le sac, compta les pièces d'or qu'il contenait, en ôta dix dinars et mit à leur place un anneau de cuivre qui lui appartenait. Après quoi il referma soigneusement le sac, et, rejoignant le Juif dépouillé, il le lui glissa adroitement dans la poche de son kaftân, comme si de rien n'était. L'adresse est un don d'Allah, ô Croyants !

Or à peine le Juif eut-il fait quelques pas que de nouveau l'escamoteur s'élança vers lui, mais bien ostensiblement cette fois, en lui criant : « Misérable fils d'Aâron, ton châtiment est proche ! Rends-moi mon sac, ou bien à nous deux chez le kâdi ! » Et le juif, à la limite de la surprise de se voir ainsi pris à partie par un homme qu'il ne connaissait ni de père ni de mère et qu'il n'avait jamais vu de sa vie, commença d'abord, pour éviter les coups, par se confondre en excuses, et jura par Ibrahim, Ishak et Yâcoub que son agresseur se trompait de personne, et que, pour sa part, il n'avait jamais songé à lui enlever son sac ! Mais Akil, sans vouloir rien entendre de ses protestations, ameuta contre lui tout le souk et finit par le prendre par son kaftân, en lui criant : « Moi et toi chez le kâdi ! » Et, comme il résistait, il le saisit par la barbe et le traîna, au milieu des huées, devant le kâdi.

Et le kâdi demanda : « Quelle est l'affaire ? » Et Akil aussitôt répondit : « Ô notre maître le kâdi, ce Juif, de la tribu des Juifs, que j'amène entre tes mains dispensatrices de la justice, est certainement le voleur le plus audacieux qui soit encore entré dans la salle de tes décrets. Voici qu'après m'avoir volé mon sac plein d'or, il ose se promener dans le souk avec la tranquillité du musulman irréprochable ! » Et le Juif, la barbe à moitié arrachée, gémit : « Ô notre maître le kâdi, je proteste ! Jamais je n'ai vu ni connu cet homme qui m'a brutalisé et réduit en l'état lamentable où je suis, après avoir ameuté le souk contre moi et détruit à jamais mon crédit et ruiné ma réputation de changeur irréprochable ! » Mais Akil s'écria : « Ô maudit fils d'Israël, depuis quand la parole d'un chien de ta race prévaut-elle contre la parole d'un Croyant ? Ô notre maître le kâdi, ce fourbe nie son vol avec autant d'audace que ce marchand des Indes dont je pourrais raconter l'histoire à ta seigneurie, si elle ne la connaît pas ! » Et le kâdi répondit : « Je ne connais pas l'histoire du marchand des Indes ! Mais que lui est-il arrivé ? Dis-le moi brièvement ! » Et Akil dit : « Sur ma tête et sur mon œil ! Ô notre maître, pour parler brièvement, ce marchand des Indes était un homme qui avait réussi à inspirer tant de confiance aux gens du souk qu'un jour un gros dépôt d'argent lui fut confié, sans demande de reçu. Et il profita de cette circonstance pour nier le dépôt, le jour où le propriétaire vint de lui réclamer. Et, comme il n'y avait contre lui ni témoins ni écritures, il aurait certainement mangé en toute tranquillité le bien d'autrui si le kâdi de la ville n'eût réussi, par sa finesse, à lui faire avouer la vérité. Et, cet aveu obtenu, il lui fit appliquer deux cents coups de bâton sur la plante des pieds et le chassa de la ville ! » Puis Akil continua : « Et maintenant j'espère d'Allah, ô notre maître le kâdi, que ta seigneurie pleine de sagacité et de finesse trouvera aisément le moyen de démontrer la duplicité de ce Juif ! Et, d'abord, permets à ton esclave de te prier de vouloir bien donner l'ordre de fouiller mon voleur, pour le convaincre de son vol ! »

Lorsque le kâdi eut entendu ce discours d'Akil, il ordonna aux gardes de fouiller le Juif. Et ils ne mirent pas longtemps pour trouver sur lui le sac en question. Et l'accusé, gémissant, soutint que le sac était sa propriété légitime. Et de son côté Akil assurait, avec force serments et injures à l'adresse du mécréant, qu'il reconnaissait parfaitement le sac qui lui avait été dérobé. Et le kâdi, en juge avisé, ordonna alors que chacune des parties déclarât ce qu'elle devait avoir déposé dans le sac en litige. Et le Juif déclara : « Il y a dans mon sac, ô notre maître, cinq cents dinars d'or, pas un de plus, pas un de moins, que j'y ai déposés ce matin ! » Et Akil s'écria : « Tu mens, ô chien des Juifs ! à moins que, contrairement à l'habitude de ceux de ta race, tu ne rendes plus que l'on ne t'a prêté ! Or, moi, je déclare qu'il n'y a dans le sac que quatre cent quatre-vingt-dix dinars, pas un plus, pas un de moins. Et, en outre, un anneau en cuivre, qui porte mon cachet, doit s'y trouver renfermé, à moins que tu ne l'aies déjà enlevé ! » Et le kâdi ouvrit le sac, devant les témoins, et son contenu ne put que donner raison à l'escamoteur. Et aussitôt le kâdi remit le sac à Akil, et ordonna qu'on administrât sur-le-champ la bastonnade au Juif, que la stupéfaction avait rendu muet !

Lorsque le voleur Haram vit la réussite du tour d'adresse de son associé Akil, il le félicita et lui dit qu'il lui serait bien difficile de le surpasser. Il convint pourtant avec lui d'un rendez-vous pour le soir même, auprès du palais du sultan, afin qu'il pût tenter, à son tour, quelque exploit qui ne fût pas trop indigne du merveilleux tour dont il venait d'être le témoin.

Aussi, à la tombée de la nuit, les deux associés étaient déjà au rendez-vous fixé. Et Haram dit à Akil : « Compagnon, tu es parvenu à rire de la barbe d'un Juif et de celle du kâdi. Or, moi, c'est au sultan lui-même que je veux m'adresser. Voici donc une échelle de corde au moyen de laquelle je vais pénétrer dans l'appartement du sultan ! Mais il faut que tu m'y accompagnes, pour être témoin de ce qui va se passer ! » Et Akil, qui n'était point habitué au vol mais simplement à l'escamotage, fut d'abord bien effrayé de la témérité de cette tentative ; mais il eut honte de reculer devant son associé, et l'aida à jeter l'échelle de corde au-dessus de la muraille du palais. Et ils y grimpèrent tous deux, descendirent du côté opposé, traversèrent les jardins, et s'engagèrent dans le palais même, à la faveur des ténèbres.

Et ils se glissèrent, à travers les galeries, jusqu'à l'appartement même du sultan ; et Haram, soulevant une portière, fit voir à son compagnon le sultan endormi, auprès duquel se trouvait un jeune garçon qui lui chatouillait la plante des pieds…

À ce moment de sa narration, Schahrazade vit apparaître le matin et, discrète, se tut.

Mais lorsque fut la sept cent quatre-vingt-huitième nuit. Elle dit :

… Un jeune garçon qui lui chatouillait la plante des pieds. Et ce jeune garçon qui, au moyen de cette manœuvre, favorisait le dormir du roi, paraissait lui-même accablé de sommeil et, pour ne pas se laisser aller à l'assoupissement, mâchait un morceau de mastic.

À cette vue, Akil, pris de peur, faillit tomber sur le dos, et Haram lui dit à l'oreille : « Pourquoi t'effraies-tu de la sorte, compagnon ? Tu as parlé au kâdi et, à mon tour, je veux parler au roi ! » Et, le laissant derrière le rideau, il s'approcha du jeune garçon avec une agilité merveilleuse, le bâillonna, le ficela et le suspendit, comme un paquet, au plafond. Puis il s'assit à sa place, et se mit à chatouiller la plante des pieds du roi, avec la science d'un masseur de hammam. Et, au bout d'un moment, il manœuvra de manière à réveiller le sultan, qui se prit à bâiller. Et Haram, imitant la voix d'un jeune garçon, dit au sultan : « Ô roi du temps ! puisque ta Hautesse ne dort pas, veut-elle que je lui raconte quelque chose ? » Et le sultan ayant répondu : « Tu peux ! » Haram dit : « Il y avait, ô roi du temps, dans une ville d'entre les villes, un voleur nommé Haram et un escamoteur nommé Akil, qui luttaient ensemble d'audace et d'adresse. Or voici ce qu'un jour chacun d'eux entreprit ! » Et il raconta au sultan le tour d'Akil, dans tous ses détails, et poussa l'audace jusqu'à lui apprendre ce qui se passait dans son propre palais, en changeant seulement le nom du sultan et le lieu de la scène. Et, lorsqu'il eut terminé son récit, il dit : « Et maintenant, ô roi du temps, lequel des deux compagnons ta seigneurie trouve-t-elle le plus habile ? » Et le sultan répondit :

« C'est, sans contredit, le voleur qui s'est introduit dans le palais du roi ! » Lorsqu'il eut entendu cette réponse, Haram prétexta un pressant besoin d'uriner, et sortit comme pour aller aux cabinets. Et il alla rejoindre son compagnon qui, pendant tout le temps qu'avait duré la conversation, sentait son âme s'envoler de terreur de son nez. Et ils reprirent le chemin qu'ils avaient déjà parcouru, et sortirent du palais aussi heureusement qu'ils y étaient entrés.

Or, le lendemain, le sultan, qui avait été bien étonné de ne pas revoir son favori qu'il croyait aux cabinets, fut à la limite de la surprise en le voyant suspendu au haut du plafond, tout comme dans l'histoire qu'il avait entendu raconter. Et bientôt il acquit la certitude qu'il venait d'être lui-même la dupe de l'audacieux voleur. Mais, loin d'être irrité contre celui qui l'avait ainsi joué, il voulut le connaître ; et, dans ce but, il fit publier par les crieurs publics qu'il pardonnait à celui qui s'était introduit de nuit dans son palais, et qu'il lui promettait une grande récompense s'il se présentait devant lui. Et Haram, sur la foi de cette promesse, se rendit au palais et se présenta entre les mains du sultan, qui le loua beaucoup pour son courage et, pour récompenser tant d'adresse, le nomma sur l'heure chef de la police du royaume. Et, de son côté, l'adolescente ne manqua pas, en apprenant la chose, de choisir Haram pour unique époux, et vécut avec lui dans les délices et la joie. Mais Allah est plus savant !

Et Schahrazade, cette nuit-là, ne voulut pas laisser le Roi sur l'impression de cette histoire, et commença immédiatement à lui raconter la prodigieuse histoire suivante. Elle dit :

LES CLEFS DU DESTIN

Il m'est revenu, ô Roi fortuné, que le khalifat Môhammad ben-Theiloun, sultan d'Égypte, était un souverain aussi sage et bon que son père Theiloun était cruel et oppresseur. Car, loin d'agir comme lui, en torturant ses sujets pour leur faire payer trois et quatre fois les mêmes impôts, et en leur faisant administrer la bastonnade pour les forcer à déterrer les quelques drachmes qu'ils enfouissaient dans la terre par crainte des percepteurs, il se hâta de faire renaître la tranquillité et de ramener la justice parmi son peuple. Et il employait les trésors que son père Theiloun avait amassés par la violence, à protéger les poètes et les savants, à récompenser les vaillants, et à venir en aide aux pauvres et aux malheureux. Aussi le Rétributeur fit tout réussir sous son règne béni : car jamais les crues du Nil ne furent aussi régulières et abondantes, jamais les moissons ne furent aussi riches et multipliées, jamais les champs de luzerne et de lupin ne furent aussi verts, et jamais les marchands ne virent affluer autant d'or dans leurs boutiques.

Or, un jour d'entre les jours, le sultan Môhammad fit venir en sa présence tous les dignitaires de son palais pour les interroger, chacun à tour de rôle, sur leurs fonctions, leurs services passés, et la paie qu'ils recevaient du trésor. Car il voulait, de la sorte, contrôler par lui-même leur conduite et leurs moyens d'existence, en se disant : « Si je trouve quelqu'un avec un emploi pénible et une paie légère, je diminuerai sa charge et j'augmenterai ses appointements ; mais si j'en trouve un avec une paie considérable et un emploi facile, je diminuerai ses appointements et j'augmenterai son travail. »

Et les premiers qui se présentèrent entre ses mains furent ses vizirs, qui étaient au nombre de quarante, tous des vieillards vénérables, avec de longues barbes blanches et un visage marqué par la sagesse. Et ils portaient sur la tête des tiares enturbannées, enrichies de pierres précieuses ; et ils s'appuyaient sur de longues verges à bout d'ambre, signe de leur pouvoir. Puis vinrent les walis des provinces, les chefs de l'armée, et tous ceux qui, de près ou de loin, avaient à maintenir la tranquillité et à rendre la justice. Et, les uns après les autres, ils s'agenouillèrent et embrassèrent la terre entre les mains du khalifat, qui les interrogea longuement, et les rétribua ou les destitua, selon ce qu'il lui apparaissait de leurs mérites.

Et le dernier qui se présenta fut l'eunuque porte-glaive, exécuteur de la justice. Et bien qu'il fût gras comme un homme bien nourri qui n'a rien à faire, il était bien triste d'aspect, et, au lieu de marcher fièrement, avec son glaive nu sur l'épaule, il avait la tête baissée et tenait son glaive dans le fourreau. Et quand il fut entre les mains du sultan Môhammad ben-Theiloun, il embrassa la terre et dit : « Ô notre maître et la couronne sur notre tête, voici que le jour de la justice va luire enfin pour l'esclave exécuteur de ta justice ! Ô mon seigneur, ô roi du temps, depuis la mort de ton défunt père, le sultan Theiloun – qu'Allah l'ait en Sa miséricorde – j'ai vu chaque jour diminuer les occupations de ma charge et disparaître les profits que j'en tirais. Et ma vie, qui était jadis heureuse, s'écoule maintenant morne et inutile. Et si l'Égypte continue de la sorte à jouir de la tranquillité et de l'abondance, je cours grand risque de mourir de faim, en ne laissant même pas de quoi m'acheter un linceul – qu'Allah prolonge la vie de notre maître ! »

Lorsque le sultan Môhammad ben-Theiloun eut entendu ces paroles de son porte-glaive, il réfléchit pendant un bon moment, et reconnut que ses plaintes étaient justifiées, car les plus gros profits de sa charge lui venaient, non de sa paie qui était peu considérable, mais de ce qu'il tirait, en dons ou en héritages, de ceux qu'il exécutait. Et il s'écria : « Nous venons d'Allah et vers Lui nous retournerons ! Il est donc bien vrai que le bonheur de tous est une illusion, et que ce qui fait la joie de l'un peut faire couler les larmes de l'autre ! Ô porte-glaive, tranquillise ton âme et rafraîchis tes yeux, car désormais, pour t'aider à vivre, maintenant que tes fonctions ne sont guère rétribuées, tu recevras chaque année deux cents dinars d'émoluments ! Et fasse Allah que, durant tout mon règne, ton glaive reste aussi inutile qu'il l'est en ce moment, et se couvre de la rouille pacifique du repos ! » Et le porte-glaive baisa le pan de la robe du khalifat et rentra dans le rang. Or, tout cela est pour prouver quel souverain juste et clément était le sultan Môhammad.

Et, comme la séance allait être levée, le sultan aperçut, derrière les rangs des dignitaires, un cheikh d'âge, au visage chargé de rides et au dos voûté, qu'il n'avait pas encore interrogé. Et il lui fit signe de s'approcher, et lui demanda quel était son emploi dans le palais. Et le cheikh répondit : « Ô roi du temps, mon emploi consiste, en tout et pour tout, à veiller simplement sur un coffret qui m'a été remis en garde par le défunt sultan, ton père. Et, pour cet emploi, il m'est alloué, sur le trésor, dix dinars d'or tous les mois ! » Et le sultan Môhammad s'étonna de cela, et dit : « Ô cheikh, c'est une bien grosse paie pour un emploi si aisé ! Mais qu'y a-t-il dans le coffret ? » Il répondit : « Par Allah, ô notre maître, il y a quarante ans déjà que je l'ai en garde, et j'ignore ce qu'il contient ! » Et le sultan dit : « Va et l'apporte au plus vite ! » Et le cheikh se hâta d'exécuter l'ordre.

Or le coffret que le cheikh apporta devant le sultan était en or massif et richement ouvragé. Et le cheikh, sur l'ordre du sultan, l'ouvrit pour la première fois. Or il ne contenait qu'un manuscrit tracé en lettres brillantes sur de la peau de gazelle teinte en pourpre. Et il y avait, tout au fond, une petite quantité de terre rouge. Et le sultan prit le manuscrit en peau de gazelle, qui était écrit en caractères brillants, et voulut lire ce qu'il disait. Mais, bien qu'il fût fort versé dans l'écriture et dans les sciences, il ne put déchiffrer un seul mot des caractères inconnus dont il était tracé. Et ni les vizirs ni les ulémas qui étaient présents ne réussirent guère davantage. Et le sultan fit venir, les uns après les autres, tous les savants renommés de l'Égypte, de la Syrie, de la Perse et des Indes ; mais aucun d'eux ne put seulement dire en quelle langue était écrit ce manuscrit. Car les savants ne sont d'ordinaire que de pauvres ignorants affublés de gros turbans, pour tout acquis. Et le sultan Môhammad fit alors publier par tout l'empire qu'il accorderait la plus grande des récompenses à celui qui pourrait seulement lui indiquer l'homme assez instruit pour déchiffrer les caractères inconnus.

Or, peu de temps après la publication de cet avis, un vieillard à turban blanc se présenta à l'audience du sultan et dit, après avoir obtenu la permission de parler : « Qu'Allah prolonge la vie de notre maître le sultan ! L'esclave qui est entre tes mains est un ancien serviteur de ton père, le défunt sultan Theiloun, et vient aujourd'hui même de rentrer de l'exil auquel il avait été condamné ! Qu'Allah ait le défunt en sa compassion, qui m'a condamné à cette relégation ! Or je me présente entre tes mains, ô notre maître souverain, pour te dire qu'un seul homme peut lire le manuscrit en peau de gazelle ! Et c'est son maître légitime le cheikh Hassân Abdallah, fils d'El-Aschar, qui, il y a quarante ans, a été jeté dans un cachot, par ordre du défunt sultan. Et Allah sait s'il y gémit encore ou s'il est mort ! » Et le sultan demanda : « Et pour quel motif le cheikh Hassân Abdallah a-t-il été enfermé dans un cachot ? » Il répondit : « Parce que le défunt sultan voulait obliger par la force le cheikh à lui lire le manuscrit, après qu'il l'en eut dépossédé ! »

Et le sultan Môhammad, à ces paroles, envoya aussitôt les chefs des gardes visiter toutes les prisons, dans l'espoir d'y trouver le cheikh Hassân Abdallah encore en vie, et de l'en faire sortir. Et le sort voulut que le cheikh fût encore vivant. Et les chefs des gardes, d'après l'ordre du sultan, le revêtirent d'une robe d'honneur, et l'amenèrent entre les mains de leur maître. Et le sultan Môhammad vit que c'était un homme d'aspect vénérable et au visage ravagé par les souffrances. Et il se leva en son honneur, et le pria de pardonner l'injuste traitement que lui avait fait subir le khalifat Theiloun, son père. Puis il le fit asseoir près de lui et, lui remettant le manuscrit en peau de gazelle, il lui dit : « Ô vénérable cheikh, je ne voudrais point garder plus longtemps cet objet qui ne m'appartient pas, dût-il me faire posséder tous les trésors de la terre ! »

En entendant ces paroles du sultan, le cheikh Hassân Abdallah versa d'abondantes larmes, et, tournant ses paumes vers le ciel, il s'écria : « Seigneur, Tu es la source de toute sagesse, Toi qui fais produire au même sol et le poison et la plante salutaire ! Voici quarante ans de ma vie passés au fond d'un cachot ! et c'est au fils de mon oppresseur que je dois maintenant de mourir au soleil ! Seigneur, louanges et gloire à Toi, dont les décrets sont insondables ! » Puis il se tourna vers le sultan, et dit : « Ô notre maître souverain, ce que j'ai refusé à la violence, je l'accorde à la bonté ! Ce manuscrit, pour la possession duquel j'ai risqué plusieurs fois ma vie, t'appartient désormais en propriété légitime ! Il est le commencement et la fin de toute science, et il est le seul bien que j'aie rapporté de la ville de Scheddad ben-Aâd, la cité mystérieuse où nul humain ne peut pénétrer, Iram-aux-Colonnes ! »

Et le khalifat embrassa le vieillard, et lui dit : « Ô mon père, hâte-toi, de grâce, de me dire ce que tu sais au sujet de ce manuscrit en peau de gazelle, et de la cité de Scheddad ben-Aâd, Iram-aux-Colonnes ! » Et le cheikh Hassân Abdallah répondit : « Ô roi, l'histoire de ce manuscrit est l'histoire de toute ma vie. Et si elle était écrite avec les aiguilles sur le coin intérieur de l'œil, elle servirait de leçon à qui la lirait avec respect ! » Et il raconta :

« Sache, ô roi du temps, que mon père était l'un des marchands les plus riches et les plus respectés du Caire. Et je suis son fils unique. Et mon père n'épargna rien pour mon instruction et me donna les meilleurs maîtres de l'Égypte. Aussi, à vingt ans, j'étais déjà renommé, parmi les ulémas, pour mon savoir et mes connaissances dans les livres des Anciens. Et mon père et ma mère, voulant se réjouir de mes noces, me donnèrent comme épouse une jeune vierge aux yeux pleins d'étoiles, à la taille flexible et gracieuse, et gazelle pour l'élégance et la légèreté. Et mes noces furent magnifiques. Et je coulai avec mon épouse des jours d'épanouissement et des nuits de bonheur. Et je vécus de la sorte dix années, aussi belles que la première nuit nuptiale.

Mais, ô mon maître, qui peut savoir ce que lui réserve le sort du lendemain ? Or, moi, au bout de ces dix années, qui passèrent comme le songe d'une nuit tranquille, je devins la proie de la destinée, et tous les fléaux à la fois s'abattirent sur le bonheur de ma maison. Car, en l'espace de quelques jours, la peste fit périr mon père, le feu dévora ma maison, et les eaux de la mer engloutirent les navires qui trafiquaient au loin de mes richesses. Et pauvre, et nu comme l'enfant au sortir du sein de sa mère, je n'eus, pour toute ressource, que la miséricorde d'Allah et la pitié des Croyants. Et je me mis à fréquenter la cour des mosquées, avec les mendiants d'Allah ; et je vivais dans la compagnie des santons aux belles paroles. Et il m'arrivait souvent, dans les plus mauvais jours, de rentrer au gîte sans un morceau de pain, et, après avoir jeûné toute la journée, de n'avoir rien à manger pour la nuit. Et je souffrais à l'extrême de ma propre misère et de celle de ma mère, de mon épouse et de mes enfants.

Or un jour qu'Allah n'avait envoyé aucune aumône à son mendiant, mon épouse ôta son dernier vêtement et me le remit en pleurant, et me dit : « Va essayer de le vendre au souk, afin d'acheter à nos enfants un morceau de pain. » Et moi je pris le vêtement de la femme et sortis pour aller le vendre, sur la chance de nos enfants…

À ce moment de sa narration, Schahrazade vit apparaître le matin et, discrète, se tut.

Mais lorsque fut la sept cent quatre-vingt-neuvième nuit. Elle dit :

… Et moi je pris le vêtement de la femme et sortis pour aller le vendre, sur la chance de nos enfants. Et, comme je me dirigeais vers le souk, je rencontrai un Bédouin monté sur une chamelle rouge. Et le Bédouin arrêta soudain sa chamelle, en m'apercevant, la fit s'agenouiller, et me dit : « Le salam sur toi, ô mon frère ! Ne pourrais-tu pas m'indiquer la maison d'un riche marchand qui s'appelle le cheikh Hassân Abdallah, fils d'Al-Achar ? » Et moi, ô mon maître, j'eus honte de ma pauvreté, bien que la pauvreté, comme la richesse, nous vienne d'Allah, et je répondis, en baissant la tête : « Et sur toi le salam et la bénédiction d'Allah, ô père des Arabes ! Mais il n'y a point, que je sache, au Caire, d'homme du nom que tu viens de prononcer ! » Et je voulus continuer mon chemin. Mais le Bédouin sauta du dos de sa chamelle, et, prenant mes mains dans les siennes, me dit, sur le ton du reproche : « Allah est grand et généreux, ô mon frère ! Mais n'es-tu point le cheikh Hassân Abdallah, fils d'Al-Achar ? Et se peut-il que tu renvoies l'hôte qu'Allah t'envoie, en cachant ton nom ? » Alors, moi, à la limite de la confusion, je ne pus retenir mes larmes, et, tout en le priant de me pardonner, je lui pris les mains pour les baiser ; mais il ne voulut pas me laisser faire et me serra dans ses bras, comme un frère fait pour son frère. Et je le conduisis vers ma maison.

Et, marchant ainsi avec le Bédouin, qui conduisait sa chamelle par le licou, mon cœur et mon esprit étaient torturés par l'idée que je n'avais rien pour traiter l'hôte. Et quand j'arrivai, je me hâtai d'apprendre à la fille de mon oncle la rencontre que je venais de faire ; et elle me dit : « L'étranger est l'hôte d'Allah, et le pain même des enfants est à lui ! Retourne donc vendre la robe que je t'ai donnée, et, avec l'argent que tu en tireras, achète de quoi nourrir notre hôte. Et s'il laisse des restes, nous en vivrons ! » Et moi, pour sortir, je dus passer par le vestibule où j'avais laissé le Bédouin. Et comme je cachais la robe, il me dit : « Mon frère, qu'as-tu donc sous ton habit ? » Et je répondis, en baissant la tête de confusion : « Ce n'est rien ! » Mais il insista, disant : « Par Allah sur toi, ô mon frère, je te supplie de me dire ce que tu portes sous ton vêtement. » Et moi, bien embarrassé, je répondis : « C'est la robe de la fille de mon oncle, que je porte chez notre voisine, dont le métier est de raccommoder les robes ! » Et le Bédouin insista encore, et me dit : « Fais voir cette robe, ô mon frère ! » Et moi, rougissant, je lui montrai la robe ; et il s'écria : « Allah est clément et généreux, ô mon frère ! Voici que tu vas aller vendre à la criée la robe de ton épouse, la mère de tes enfants, pour accomplir envers l'étranger les devoirs de l'hospitalité ! » Et il m'embrassa et me dit : « Tiens, ya Hassân Abdallah, voici dix dinars d'or, de chez Allah, afin que tu les dépenses et nous en achètes ce qui est nécessaire à nos besoins et à ceux de ta maison ! » Et moi je ne pus refuser l'offre de l'hôte, et je pris les pièces d'or. Et l'abondance et le bien-être rentrèrent dans ma maison.

Or, chaque jour, le Bédouin, mon hôte, me remettait la même somme et, d'après ses ordres, je la dépensais de la même façon. Et cela dura quinze jours. Et je glorifiais le Rétributeur pour ses bienfaits.

Or, au matin du seizième jour, le Bédouin, mon hôte, me dit après les salams : « Ya Hassân Abdallah, veux-tu te vendre à moi ? » Et moi je répondis : « Ô mon maître, je suis déjà ton esclave, et je t'appartiens par la reconnaissance ! » Mais il me dit : « Non, Hassân Abdallah, ce n'est pas ainsi que je l'entends ! Si je te demande de te vendre à moi, c'est que je désire t'acheter réellement. Ainsi, je ne veux point marchander ta vente, et je te laisse le soin de fixer toi-même le prix auquel tu veux être vendu ! » Et moi je ne doutai pas un instant qu'il ne parlât ainsi pour plaisanter, et je répondis, par manière de rire : « Le prix d'un homme libre, ô mon maître, est fixé par le Livre à mille dinars, s'il est tué d'un seul coup. Mais si on le tue en s'y prenant à plusieurs fois, en lui faisant deux ou trois ou quatre blessures, ou si on le coupe en plusieurs parts, alors son prix revient à mille cinq cents dinars ! » Et le Bédouin me dit : « Il n'y a point d'inconvénient,

Hassân Abdallah ! je te paierai cette dernière somme, si tu veux consentir à ta vente ! » Et moi, comprenant alors que mon hôte ne plaisantait pas, mais qu'il était sérieusement décidé à m'acheter, je pensai en mon âme : « C'est Allah qui t'envoie ce Bédouin pour sauver tes enfants de la faim et de la misère, ya cheikh Hassân ! Si ta destinée est d'être coupé en morceaux, tu ne peux lui échapper ! » Et je répondis : « Ô frère Arabe, j'agrée ma vente ! Mais permets-moi seulement de consulter ma famille à ce sujet ! » Et il me répondit : « Fais-le ». Et il me quitta et sortit pour aller à ses affaires.

Or moi, ô roi du temps, j'allai trouver ma mère, mon épouse et mes enfants, et je leur dis : « Allah vous sauve de la misère ! » Et je leur racontai la proposition du Bédouin. Et, en entendant mes paroles, ma mère et mon épouse se meurtrirent le visage et la poitrine en s'écriant : « Ô calamité sur notre tête ! Que veut te faire ce Bédouin ? » Et les enfants coururent à moi et s'attachèrent à mes vêtements. Et tous pleuraient. Et mon épouse, qui était sage et de bon conseil, reprit : « Qui sait si ce Bédouin maudit ne va pas, si tu t'opposes à ta vente, réclamer ce qu'il a dépensé ici. Aussi, pour n'être pas pris au dépourvu, il faut que tu ailles au plus vite trouver quelqu'un qui consente à acheter cette chétive maison, le dernier bien qui te reste, et, avec l'argent qu'elle te rapportera, tu t'acquitteras envers ce Bédouin. Et de la sorte tu ne lui devras rien, et tu restes libre de ta personne. » Et elle éclata en sanglots, pensant voir déjà nos enfants sans asile, dans la rue. Et moi, je me mis à réfléchir sur la situation, et j'étais à la limite de la perplexité. Et je pensais sans cesse : « Ô Hassân Abdallah, ne dédaigne pas l'occasion qu'Allah t'envoie ! Avec la somme que t'offre le Bédouin pour ta vente, tu assures le pain de ta maison ! » Puis je pensais : « Certes ! Certes ! mais pourquoi veut-il t'acheter ? Et que veut-il faire de toi ? Si encore tu étais jeune et imberbe ! Mais ta barbe est comme la traîne d'Agar ! et tu ne tenterais même pas un indigène de la Haute-Égypte ! C'est donc qu'il veut ta mort en plusieurs fois, puisqu'il te paie suivant la seconde condition ! »

Pourtant, quand le Bédouin, vers le soir, fut rentré à la maison, mon parti était pris et ma décision arrêtée. Et je le reçus d'un visage souriant, et, après les salams, je lui dis : « Je t'appartiens ! » Alors il défit sa ceinture, en tira mille cinq cents dinars d'or, et me les compta, en disant : « Prie sur le Prophète, ya Hassân Abdallah ! » Et je répondis : « Sur lui la prière, la paix et les bénédictions d'Allah ! » Et il me dit : « Eh bien, mon frère, maintenant que tu es vendu, tu peux être sans crainte, car ta vie sera sauve et ta liberté entière. J'ai seulement désiré, en faisant ton acquisition, avoir un compagnon agréable et fidèle pour le long voyage que je veux entreprendre. Car tu sais que le Prophète – qu'Allah l'ait en Sa grâce – a dit : « Un compagnon est la meilleure provision pour la route ! »

Alors moi, bien joyeux, j'entrai dans la chambre où se tenaient ma mère et mon épouse, et je mis devant elles, sur la natte, les mille cinq cents dinars de ma vente. Et elles, à cette vue, sans vouloir écouter mes explications, se mirent à jeter les hauts cris, en s'arrachant les cheveux et en se lamentant, comme on fait sur le cercueil des morts. Et elle s'écriaient : « C'est le prix du sang ! Ô malheur ! ô malheur ! Jamais nous ne toucherons au prix de ton sang ! Et plutôt mourir de faim, avec les enfants ! » Et moi, voyant l'inutilité de mes efforts à les calmer, je les laissai quelque temps épancher leur douleur. Puis je me mis à les raisonner, en leur jurant que le Bédouin était un homme de bien, aux intentions excellentes ; et je finis par faire diminuer un peu leurs lamentations. Et je profitai de cette accalmie pour les embrasser, ainsi que les enfants, et leur faire mes adieux. Et, le cœur meurtri, je les laissai dans les larmes de la désolation. Et je quittai la maison, en compagnie du Bédouin, mon maître.

Et, dès que nous fûmes au souk des bestiaux, j'achetai, sur ses indications, une chamelle renommée pour sa vitesse. Et, sur l'ordre de mon maître, je remplis les sacs des provisions nécessaires pour un long voyage. Et, tous nos préparatifs terminés, j'aidai mon maître à monter sur sa chamelle, je montai sur la mienne, et, après avoir invoqué le nom d'Allah, nous nous mîmes en route.

Et nous voyageâmes sans discontinuer, et gagnâmes bientôt le désert, où, pour toute présence, il n'y avait que celle d'Allah, et où aucune trace ne se voyait de voyageurs sur le sable mobile. Et mon maître le Bédouin se guidait, dans ces vastitudes, par des indications connues de lui seul et de sa monture. Et nous marchâmes ainsi, sous un soleil brûlant, pendant dix jours, dont chacun me parut plus long qu'une nuit de cauchemars.

Or, le onzième jour au matin, nous arrivâmes à l'entrée d'une plaine immense, dont le sol brillant semblait formé de paillettes d'argent…

À ce moment de sa narration, Schahrazade vit apparaître le matin et, discrète, se tut.

Mais lorsque fut la sept cent quatre-vingt-dixième nuit. Elle dit :

… Or, le onzième jour au matin, nous arrivâmes à l'entrée d'une plaine immense, dont le sol brillant semblait formé de paillettes d'argent. Et au milieu de cette plaine s'élevait une très haute colonne de granit. Et sur le sommet de la colonne était debout un jeune homme en cuivre rouge, dont la main droite, tendue et ouverte, laissait pendre, de chacun de ses cinq doigts, une clef. Et la première clef était d'or, la seconde d'argent, la troisième de cuivre chinois, la quatrième de fer et la cinquième de plomb. Et chacune de ces clefs était un talismam. Et l'homme qui pouvait devenir le maître de l'une de ces clefs devait subir le sort qui y avait été attaché. Car elles étaient les clefs du destin : la clef d'or était la clef des misères, la clef d'argent celle des souffrances, la clef de cuivre chinois celle de la mort, la clef de fer celle de la gloire, et la clef de plomb celle de la sagesse et du bonheur.

Mais moi, ô mon seigneur, en ce temps-là j'ignorais ces choses que mon maître était seul à connaître. Et mon ignorance fut la cause de tous mes malheurs. Mais les malheurs, comme les bonheurs, nous viennent d'Allah le Rétributeur. Et la créature doit les accepter avec humilité.

Donc, ô roi du temps, lorsque nous fûmes arrivés au pied de la colonne, mon maître le Bédouin fit agenouiller sa chamelle et mit pied à terre. Et je fis comme lui. Et là, mon maître tira de son étui un arc d'une forme étrangère, et y plaça une flèche. Et il banda l'arc et lança la flèche vers le jeune homme en cuivre rouge. Mais, soit par maladresse réelle, soit par maladresse feinte, la flèche n'atteignit pas la hauteur du but. Et le Bédouin me dit alors : « Ya Hassân Abdallah, c'est maintenant que tu peux t'acquitter envers moi, et, si tu le veux, racheter ta liberté. Je sais, en effet, que tu es fort et adroit, et toi seul peux atteindre le but. Prends donc cet arc et fais en sorte d'abattre ces clefs ! »

Alors moi, ô mon seigneur, heureux de pouvoir m'acquitter de ma dette et racheter ma liberté à ce prix, je n'hésitai pas à obéir à mon maître. Et je pris l'arc et, l'ayant examiné, je reconnus qu'il était de fabrique indienne et sorti des mains d'un ouvrier habile. Et, désireux de montrer à mon maître mon savoir et mon adresse, je bandai l'arc avec force et visai la main du jeune homme de la colonne. Et de ma première flèche je fis tomber une clef ; et c'était la clef d'or. Et, bien fier et joyeux, je la ramassai et la présentai à mon maître. Mais il ne voulut point la prendre et, se récusant, me dit : « Garde-la pour toi, ô pauvre ! c'est le prix de ton adresse ! » Et moi je le remerciai, et mis la clef d'or dans ma ceinture. Et je ne savais pas qu'elle était la clef des misères.

Ensuite, d'un second coup, je fis tomber encore une clef, qui était la clef d'argent. Et le Bédouin ne voulut point la toucher, et je la mis dans ma ceinture auprès de la première. Et je ne savais pas qu'elle était la clef des souffrances. Après quoi, de deux autres flèches, je fis encore se décrocher deux clefs : la clef de fer et la clef de plomb. Et l'une était celle de la gloire, et l'autre celle de la sagesse et du bonheur. Mais je ne le savais pas. Et mon maître, sans me donner le temps de les lui ramasser, s'en empara en poussant des exclamations de joie, et en s'écriant : « Béni soit le sein qui t'a porté, ô Hassân Abdallah ! Béni soit celui qui a dressé ton bras et exercé ton coup d'œil ! » Et il me serra dans ses bras, et me dit : « Désormais tu es ton propre maître ! » Et je lui baisai la main et voulus de nouveau lui rendre la clef d'or et la clef d'argent. Mais il refusa, en disant : « Elles sont à toi ! »

Alors, moi, je tirai de l'étui une cinquième flèche, et m'apprêtai à abattre la dernière clef, celle en cuivre chinois, que je ne savais pas être la clef de la mort. Mais mon maître s'opposa vivement à mon dessein, en m'arrêtant le bras et s'écriant : « Que vas-tu faire, malheureux ? » Et moi, tout saisi, je laissai par inadvertance tomber la flèche à terre. Et précisément elle atteignit mon pied gauche et me le perça en y faisant une douloureuse blessure. Et ce fut le début de la série de mes malheurs !

Lorsque mon maître, affligé de mon accident, eut pansé le mieux qu'il put ma blessure, il m'aida à remonter sur ma chamelle. Et nous continuâmes notre route. Or, après trois jours et trois nuits d'une marche fort pénible pour mon pied blessé, nous arrivâmes à une prairie où nous nous arrêtâmes pour passer la nuit. Et dans cette prairie il y avait des arbres d'une espèce que je n'avais jamais vue. Et ces arbres portaient de beaux fruits mûrs dont l'apparence fraîche et charmante excitait la main à les cueillir. Et moi, pressé par la soif, je me traînai vers l'un de ces arbres et me hâtai de cueillir un de ces fruits. Et il était d'une couleur rouge doré, et d'un parfum délicieux. Et je le portai à ma bouche et y mordis. Et là ! Voici que mes dents s'y attachèrent avec tant de force que mes mâchoires ne purent se desserrer. Et je voulus crier, mais il ne sortit de ma bouche qu'un son inarticulé et sourd. Et j'étouffais horriblement. Et je me mis à courir de côté et d'autre, avec ma jambe boiteuse et le fruit dans mes mâchoires serrées, et à gesticuler comme un fou. Puis je me roulai par terre, avec les yeux hors de la tête.

Alors mon maître le Bédouin, me voyant dans cet état, eut d'abord bien peur. Et lorsqu'il comprit la cause de mon tourment, il s'approcha de moi et essaya de délivrer mes mâchoires. Mais ses efforts ne servirent qu'à augmenter mon mal. Et, voyant cela, il me laissa et alla ramasser, au pied des arbres, quelques-uns des fruits qui y étaient tombés. Et il les considéra attentivement, et finit par en choisir un et jeter les autres. Et il revint vers moi et me dit : « Regarde ce fruit, Hassân Abdallah ! Tu vois les insectes qui le rongent et le minent ! Eh bien ! ce sont ces insectes qui vont être le remède à ton mal. Mais il faut du calme et de la patience ! » Et il ajouta : « J'ai, en effet, calculé qu'en posant sur le fruit qui ferme ta bouche quelques-uns de ces insectes, ils se mettront à le ronger et, dans deux ou trois jours au plus, tu seras délivré ! » Et, comme c'était un homme d'expérience, je le laissai faire, tout en pensant : « Ya Allah ! trois jours et trois nuits d'un pareil supplice ! Oh ! que la mort est préférable ! » Et mon maître, s'étant assis près de moi, à l'ombre, fit ce qu'il avait dit, en posant sur le fruit maudit les insectes secourables.

Et, pendant que les insectes rongeurs commençaient leur œuvre, mon maître tira du sac à provisions des dattes et du pain sec, et se mit à manger. Et il s'interrompait de temps en temps, pour m'engager à la patience, me disant : « Tu vois, ya Hassân Abdallah, comme ta gourmandise m'arrête en chemin et retarde l'exécution de mes projets. Mais je suis sage et ne me tourmente pas outre mesure de ce contretemps ! Fais comme moi ! » Et il s'arrangea pour dormir, et me conseilla d'en faire autant.

Mais moi, hélas ! je passai la nuit et le jour suivant dans la torture. Et, outre les douleurs de mes mâchoires et de mon pied, j'étais torturé par la soif et par la faim. Et le Bédouin, pour me consoler, m'assurait que le travail des insectes avançait. Et, de la sorte, il me fit prendre patience jusqu'au troisième jour. Et, au matin de ce troisième jour, je sentis enfin mes mâchoires se desserrer. Et, en invoquant et bénissant le nom d'Allah, je rejetai le fruit maudit avec les insectes sauveurs.

Alors, délivré de la sorte, mon premier soin fut de fouiller le sac aux provisions, et de palper l'outre qui contenait l'eau. Mais je constatai que mon maître les avait épuisés pendant les trois jours de mon supplice, et je me mis à pleurer, en l'accusant de mes souffrances. Mais, sans s'émouvoir, il me dit avec douceur : « Es-tu juste, Hassân Abdallah ? Et devais-je moi aussi me laisser mourir de faim et de soif ? Mets donc plutôt ta confiance en Allah et en Son Prophète, et lève-toi à la recherche d'une source où te désaltérer ! »

Et moi je me levai alors et me mis à chercher de l'eau ou quelque fruit qui me fût connu. Mais, en fait de fruits, il n'y avait là que l'espèce pernicieuse dont j'avais éprouvé les effets. Enfin, à force de recherches, je finis par découvrir, dans le creux d'un rocher, une petite source dont l'eau brillante et fraîche invitait à se désaltérer. Et je me mis à genoux, et j'en bus, et j'en bus, et j'en bus ! Et je m'arrêtai un instant, et j'en bus de nouveau.

Après quoi, un peu calmé, je consentis à me mettre en route, et suivis mon maître qui déjà s'était éloigné sur sa chamelle rouge. Mais ma monture n'avait pas fait cent pas que je me sentis l'intérieur pris de coliques si violentes que je crus avoir tous les feux de l'enfer dans les entrailles. Et je me mis à crier : « Ô ma mère ! Ya Allah ! Ô ma mère ! » Et j'essayai, mais en vain, de modérer l'allure de ma chamelle, qui, à grandes enjambées, courait de toute sa vitesse derrière sa rapide compagne. Et, des sauts qu'elle faisait, et de tout ce cahotage, mon supplice devint si grand que je mis à pousser des hurlements épouvantables, et à lancer de telles imprécations contre ma chamelle, contre moi-même et contre tout que le Bédouin finit par m'entendre et, revenant vers moi, il m'aida à arrêter ma chamelle et à mettre pied à terre. Et je m'accroupis sur le sable et – daigne excuser la privauté de ton esclave, ô roi du temps ! – je donnai libre cours à la poussée de mon dedans. Et je sentis comme si toutes mes entrailles s'écroulaient. Et toute une tempête se mouvementa dans mon pauvre ventre, avec tous les tonnerres de la création, tandis que mon maître le Bédouin me disait : « Ya Hassân Abdallah, sois patient ! » Et moi, de tout cela, je tombai sur le sol, évanoui.

Et je ne sais combien de temps dura mon évanouissement. Mais lorsque je revins à moi, je me vis de nouveau sur le dos de la chamelle qui suivait sa compagne. Et c'était le soir. Et le soleil se couchait derrière une haute montagne, au pied de laquelle nous arrivions. Et nous nous arrêtâmes pour le repos. Et mon maître me dit : « Allah soit loué qui ne permet pas que nous restions à jeun aujourd'hui ! Mais toi, ne te préoccupe de rien, et reste tranquille, car mon expérience du désert et des voyages me fera trouver une nourriture saine et rafraîchissante là où tu ne pourrais recueillir que des poisons ! » Et, ayant ainsi parlé, il alla vers un buisson formé de plantes aux feuilles épaisses, charnues et couvertes d'épines, dont il se mit à couper quelques-unes avec son sabre. Et il les dépouilla de leurs enveloppes, et en retira une chair jaune et sucrée semblable, par le goût, à celle des figues. Et il m'en donna tant que je voulus ; et j'en mangeai jusqu'à ce que je fusse rassasié et rafraîchi.

Alors je commençai un peu à oublier mes souffrances : et j'espérai pouvoir enfin passer tranquillement la nuit dans un sommeil dont j'avais depuis si longtemps oublié le goût. Et, au lever de la lune, j'étendis à terre mon manteau en poil de chameau et m'apprêtais déjà à dormir quand le Bédouin, mon maître, me dit : « Ya Hassân Abdallah, c'est maintenant que tu vas pouvoir me prouver si réellement tu m'as quelque gratitude…

À ce moment de sa narration, Schahrazade vit apparaître le matin et, discrète, se tut.

Mais lorsque fut la sept cent quatre-vingt-onzième nuit. Elle dit :

… Ya Hassân Abdallah, c'est maintenant que tu vas pouvoir me prouver si réellement tu m'as quelque gratitude ! Je désire, en effet, que cette nuit tu fasses l'ascension de cette montagne, et que, parvenu à son sommet, tu y attendes le lever du soleil. Alors, te tenant debout vers l'orient, tu réciteras la prière du matin ; puis tu descendras. Et c'est là le service que je te demande ! Mais prends bien garde, ô fils d'El-Aschar, de te laisser surprendre par le sommeil. Car les émanations de cette terre sont malfaisantes à l'extrême, et ta santé en serait détériorée sans recours ! »

Alors moi, ô mon seigneur, malgré mon état de fatigue excessive et mes souffrances de toute espèce, je répondis par l'ouïe et l'obéissance, car je n'oubliai pas que le Bédouin avait donné du pain aux enfants, à l'épouse et à la mère ; et je pensai aussi que peut-être, si je refusais de lui rendre cet étrange service, il m'abandonnerait dans ces lieux sauvages.

Mettant donc ma confiance en Allah, je gravis la montagne, et, malgré l'état de mon pied et de mon ventre, j'arrivai au sommet vers le milieu de la nuit. Et le sol en était blanc et dénudé, sans un arbuste ni le moindre brin d'herbe. Et le vent glacé qui soufflait violemment sur ce sommet, et la fatigue de tous ces jours calamiteux, me jetèrent dans un engourdissement tel que je ne pus m'empêcher de me laisser tomber à terre et, malgré les efforts de toute ma volonté, de m'endormir jusqu'au matin. Lorsque je me réveillai, le soleil venait d'apparaître à l'horizon. Et je voulus aussitôt remplir les instructions du Bédouin. Je fis donc un effort pour sauter sur mes deux pieds, mais je retombai aussitôt, inerte, sur le sol ; car mes jambes, devenues grosses comme les jambes d'un éléphant, étaient flasques et douloureuses, et refusaient absolument de soutenir mon corps et mon ventre qui étaient enflés comme une outre. Et ma tête me pesait plus sur mes épaules que si elle était tout en plomb ; et je ne pouvais soulever mes bras paralysés. Alors, dans ma crainte de déplaire au Bédouin, j'obligeai mon corps à obéir à l'effort de ma volonté et, malgré les souffrances horribles que j'éprouvais, je réussis à me tenir debout. Et je me tournai vers l'orient, et récitai la prière du matin. Et le soleil levant éclairait mon pauvre corps, et étendait son ombre démesurée vers l'occident.

Or, mon devoir accompli de la sorte, je songeai à descendre de la montagne. Mais sa pente était si rapide et j'étais si faible qu'au premier pas que j'essayai, mes jambes fléchirent sous mon poids, et je tombai et roulai, comme une boule, avec une rapidité effrayante. Et les pierres et les épines, auxquelles désespérément j'essayais de m'accrocher, loin d'arrêter ma course, ne faisaient qu'arracher des lambeaux de ma chair et de mes vêtements. Et je ne cessai de rouler de la sorte, arrosant le sol de mon sang, que tout au bas de la montagne, à l'endroit où se trouvait mon maître le Bédouin.

Or il était penché vers la terre et traçait des lignes sur le sable avec une si grande attention, qu'il ne s'aperçut guère de ma présence et ne vit point de quelle manière j'arrivais. Et lorsque mes gémissements répétés l'eurent arraché au travail où il était absorbé, il s'écria, sans se retourner vers moi et sans me regarder : « *Al hamdou lillah !* Nous sommes nés sous une heureuse influence et tout nous réussit ! Voici que grâce à toi, ya Hassân Abdallah, j'ai enfin pu découvrir ce que je cherchais depuis de longues années, en mesurant l'ombre que projetait ta tête du haut de la montagne ! »

Puis il ajouta, toujours sans relever la tête : « Hâte-toi de venir m'aider à creuser le sol, là où j'ai planté ma lance ! » Mais comme je ne répondais que par un silence entrecoupé de lamentables gémissements, il finit par lever la tête, et se tourner de mon côté. Et il vit en quel état j'étais, immobile par terre et ramassé sur moi-même comme une boule. Et il s'avança vers moi, et me cria : « Imprudent Hassân Abdallah, voilà que tu as désobéi, et que tu as dormi sur la montagne. Et les vapeurs malfaisantes sont passées dans ton sang et t'ont empoisonné ! » Et, comme je claquais des dents et que j'étais pitoyable à voir, il se calma et me dit : « Oui ! mais ne désespère pourtant pas de ma sollicitude ! Je vais te guérir ! » Et, parlant ainsi, il tira de sa ceinture un couteau à la lame mince et tranchante, et, avant que je n'eusse pu m'opposer à ses desseins, il m'incisa profondément, en plusieurs endroits, le ventre, les bras, les cuisses et les jambes. Et aussitôt il en sortit de l'eau en abondance ; et je désenflai comme une outre vidée. Et ma peau devint flottante sur mes os, comme un vêtement trop large acheté à l'encan. Mais aussi je ne tardai pas à être quelque peu soulagé ; et je pus alors, malgré ma faiblesse, me lever et aider mon maître dans le travail qu'il me réclamait.

Nous nous mîmes donc à creuser la terre à l'endroit précis où était enfoncée la lance du Bédouin. Et nous ne tardâmes pas à découvrir un cercueil de marbre blanc. Et le Bédouin souleva le couvercle du cercueil, et y trouva quelques ossements humains et le manuscrit en peau de gazelle teinte en pourpre, que tu as entre les mains, ô roi du temps, et sur lequel étaient tracés des caractères d'or qui brillaient.

Et mon maître prit, en tremblant, le manuscrit, et, bien qu'il fût écrit en une langue inconnue, il se mit à le lire avec attention. Et, au fur et à mesure qu'il le lisait, son front pâle se colorait de plaisir et ses yeux étincelaient de joie. Et il finit par s'écrier : « Je connais maintenant le chemin de la cité mystérieuse ! Ô Hassân Abdallah, réjouis-toi ! bientôt nous entrerons dans Aram-aux-Colonnes, où nul

Adamite n'est jamais entré. Et c'est là que nous trouverons le principe des richesses de la terre, germe de tous les métaux précieux, le soufre rouge ! »

Or moi, que cette idée de voyager encore effrayait à la limite extrême de la frayeur, je m'écriai, en entendant ces paroles : « Ah ! seigneur, pardonne à ton esclave ! Car, bien qu'il partage ta joie, il trouve que les trésors lui sont peu profitables, et il aime mieux être pauvre et en bonne santé au Caire que riche et souffrant toutes les misères dans Aram-aux-Colonnes ! » Et mon maître, à ces paroles, me regarda avec pitié, et me dit : « Ô pauvre ! Je travaille aussi bien pour ton bonheur que pour le mien ! Et jusqu'à présent, j'ai toujours fait ainsi ! » Et je m'écriai : « Cela est vrai, par Allah ! Mais, hélas ! c'est moi seul qui ai eu la mauvaise part ! et le destin est déchaîné contre moi ! »

Et mon maître, sans plus prêter attention à mes doléances et à mes récriminations, fit une grande provision de la plante à la chair semblable, pour le goût, à la chair des figues. Puis il monta sur sa chamelle. Et je fus bien obligé de faire comme lui. Et nous continuâmes notre route du côté de l'orient, en contournant les flancs de la montagne.

Et nous voyageâmes encore pendant trois jours et trois nuits. Et le quatrième jour, au matin, nous aperçûmes devant nous, à l'horizon, comme un large miroir qui reflétait le soleil. Et, en approchant, nous vîmes que c'était un fleuve de mercure qui nous barrait la route. Et il était traversé par un pont de cristal sans balustrade, si étroit, si rapide et si glissant qu'un homme doué de raison ne pouvait essayer d'y passer.

Mais mon maître le Bédouin, sans hésiter un moment, mit pied à terre et m'ordonna de faire de même, et de desseller les chamelles pour les laisser brouter l'herbe en liberté. Puis il prit, dans la besace, des babouches de laine, dont il se chaussa, et m'en donna une paire, m'ordonnant de l'imiter. Et il me dit de le suivre, sans regarder à droite ni à gauche. Et, d'un pas ferme, il passa le pont de cristal. Et moi, tout tremblant, je fus bien obligé de le suivre. Et Allah, cette fois, ne m'écrivit pas la mort par noyade dans le mercure. Et j'arrivai avec moi-même en entier sur l'autre bord.

Or, après quelques heures de marche dans le silence, nous arrivâmes à l'entrée d'une vallée noire, environnée de tous côtés de rochers noirs, et où ne croissaient que des arbres noirs. Et, à travers le feuillage noir, je vis glisser d'épouvantables gros serpents noirs couverts d'écailles noires. Et, saisi de terreur, je tournai le dos pour fuir ce lieu d'horreur. Mais je ne pus découvrir le côté par où j'étais entré, car partout autour de moi les rochers noirs s'élevaient comme les parois d'un puits.

À cette vue, je me laissai tomber par terre, en pleurant, et je criai à mon maître : « Ô fils des gens de bien, pourquoi m'as-tu conduit à la mort par la route des souffrances et des misères ? Hélas sur moi ! jamais je ne reverrai les enfants et leur mère et ma mère ! Ah ! pourquoi m'as-tu enlevé à ma vie pauvre, mais si tranquille ? Je n'étais, il est vrai, qu'un mendiant sur le chemin d'Allah, mais je fréquentais la cour des mosquées, et j'entendais les belles sentences des santons…

À ce moment de sa narration, Schahrazade vit apparaître le matin et, discrète, se tut.

Mais lorsque fut la sept cent quatre-vingt-douzième nuit. Elle dit :

… Et j'entendais les belles sentences des santons ! » Et mon maître, sans se fâcher, me dit : « Sois un homme, Hassân Abdallah, et reprends courage.

Car tu ne mourras pas ici, et bientôt tu retourneras au Caire, non plus pauvre parmi les pauvres, mais riche comme le plus riche des rois ! »

Et, ayant ainsi parlé, mon maître s'assit par terre, ouvrit le manuscrit en peau de gazelle et se mit à le feuilleter en se mouillant le pouce, et à y lire, aussi tranquillement que s'il eût été au milieu de son harem. Puis, au bout d'une heure de temps, il leva la tête, m'appela et me dit : « Veux-tu, ya Hassân Abdallah, que nous sortions d'ici au plus tôt et que nous soyons au but de notre voyage ? » Et je m'écriai : « Ya Allah ! si je le veux ! Mais certainement ! » Et j'ajoutai : « Dis-moi seulement, de grâce ! ce qu'il faut que je fasse pour cela. Faut-il que je récite tous les chapitres du korân ? Ou bien faut-il que je répète tous les noms et tous les attributs sacrés d'Allah ? Ou bien faut-il que je fasse vœu d'aller en pèlerin, dix années de suite, à La Mecque et à Médine ? Parle, ô mon maître, je suis prêt à tout, et à plus que tout ! »

Alors mon maître, me regardant toujours avec bonté, me dit : « Non, Hassân Abdallah, non ! Ce que je veux te demander est bien plus aisé que tout cela. Tu n'as seulement qu'à prendre cet arc et cette flèche que voici, et à parcourir cette vallée jusqu'à ce que tu rencontres un grand serpent à cornes noires. Et, comme tu es adroit, tu le tueras d'un seul coup, et tu m'en apporteras la tête et le cœur ! Et c'est tout ce qu'il faut que tu fasses si tu veux sortir de ces lieux de désolation ! » Et moi, à ces paroles, je m'écriai : « Haï ! Haï ! Est-ce là cette chose si facile ? Pourquoi alors, ô mon maître, ne fais-tu cela toi-même ? Pour ma part, je déclare que je vais me laisser mourir à ma place, sans plus bouger de ma misérable vie ! » Mais le Bédouin me toucha l'épaule et me dit : « Souviens-toi, ô Hassân Abdallah, de la robe de ton épouse et du pain de ta maison ! » Et moi, à ce souvenir, je fondis en larmes, et reconnus en mon âme que je n'avais rien à refuser à l'homme qui avait sauvé ma maison et ceux de ma maison. Et je pris en tremblant l'arc et la flèche, et je me dirigeai vers les rochers noirs où je voyais rouler les reptiles terrifiants. Et je ne fus pas longtemps sans découvrir celui que je cherchais, et que je reconnus aux cornes qui surmontaient sa tête noire et hideuse. Et, invoquant le nom d'Allah, je l'ajustai et lançai la flèche. Et le serpent bondit sous la blessure, s'agita en se tortillant d'une manière terrible, et se détendit, pour tomber ensuite immobile sur le sol. Et quand j'eus la certitude qu'il était bien mort, je lui coupai la tête avec mon couteau, et, lui ouvrant le ventre, j'en tirai le cœur. Et je portai les deux morceaux à mon maître le Bédouin.

Et mon maître me reçut avec affabilité, prit les deux morceaux du serpent, et me dit : « Maintenant, viens m'aider à faire du feu ! » Et, moi, je rassemblai des herbes sèches et de menues branches, que je lui portai. Et il en forma un gros tas. Puis il tira de sa poitrine un diamant, le tourna vers le soleil, qui était au plus haut point du ciel, et en fit jaillir un rayon de lumière qui mit aussitôt le feu au tas de bois sec.

Or, le feu allumé, le Bédouin tira de dessous sa robe un petit vase de fer et une fiole qui était taillée dans un seul morceau de rubis, et qui contenait une matière rouge. Et il me dit : « Tu vois cette fiole de rubis, Hassân Abdallah ! mais tu ne sais ce qu'elle contient ! » Et il s'arrêta un moment et ajouta : « C'est le sang du Phénix ! » Et, parlant ainsi, il déboucha la fiole, en versa le contenu dans le vase de fer, et y joignit le cœur et la cervelle du serpent à cornes. Et il mit le vase sur le feu, et, ouvrant le manuscrit en peau de gazelle, il lut des paroles inintelligibles pour mon entendement.

Et soudain il se leva sur ses deux pieds, se dépouilla les épaules comme le font les pèlerins de La Mecque au départ, et, trempant un bout de sa ceinture dans le sang du Phénix mélangé à la cervelle et au cœur du serpent, il m'ordonna de lui en frotter le dos et les épaules. Et je me mis en devoir d'exécuter l'ordre. Et, au fur et à mesure que je le frottais, je vis la peau de son dos et de ses épaules se gonfler et éclater, pour en laisser lentement sortir des ailes qui, grandissant à vue d'œil, descendirent bientôt jusqu'à terre. Et le Bédouin les agita avec force, à même le sol, et tout d'un coup, prenant son élan, il s'éleva dans les airs. Et moi, préférant mille morts plutôt que d'être abandonné en ces lieux sinistres, je fis appel à ce qui me restait de force et de courage, et je me cramponnai fortement à la ceinture de mon maître, dont le bout pendait par bonheur. Et je fus emporté avec lui hors de cette vallée noire d'où je n'espérais plus sortir. Et nous arrivâmes dans la région des nuages.

Or je ne puis te dire, ô mon seigneur, combien de temps dura notre course aérienne. Mais je sais que nous nous trouvâmes bientôt au-dessus d'une plaine immense dont l'horizon était au loin fermé par une enceinte de cristal bleu. Et le sol de cette plaine semblait formé de poudre d'or, et ses cailloux de pierres précieuses. Et au milieu de cette plaine s'élevait une ville remplie de palais et de jardins.

Et mon maître s'écria : « Voici Aram-aux-Colonnes ! » Et, cessant de mouvoir ses ailes, et les étendant largement immobiles, il se laissa descendre, et moi avec lui. Et nous touchâmes le sol au pied même des murailles de la cité de Scheddad, fils d'Aâd. Et les ailes de mon maître diminuèrent peu à peu et disparurent.

Or ces murailles étaient construites de briques d'or alternées de briques d'argent, et huit portes s'y ouvraient, semblables aux portes du Paradis. La première était de rubis, la deuxième d'émeraude, la troisième d'agate, la quatrième de corail, la cinquième de jaspe, la sixième d'argent et la septième d'or. Et nous pénétrâmes dans la cité par la porte d'or, et nous avançâmes en invoquant le nom d'Allah. Et nous traversâmes des rues bordées de palais à colonnades d'albâtre et des jardins où l'air respiré était de lait et les ruisseaux d'eaux embaumées. Et nous arrivâmes à un palais qui dominait la ville, et qui était construit avec un art et une magnificence inimaginables, et dont les terrasses étaient soutenues par mille colonnes d'or, avec des balustrades formées de cristaux de couleur et des murs incrustés d'émeraudes et de saphirs. Et au centre du palais se glorifiait un jardin enchanté, dont la terre, odorante comme le musc, était arrosée par trois rivières de vin pur, d'eau de rose et de miel. Et au milieu du jardin s'élevait un pavillon dont la voûte, formée d'une seule émeraude, abritait un trône d'or rouge incrusté de rubis et de perles. Et sur le trône il y avait un petit coffret d'or. Or c'est précisément ce coffret, ô roi du temps, qui est maintenant entre tes mains.

Et le Bédouin, mon maître, prit le coffret et l'ouvrit. Et il y trouva une poudre rouge, et s'écria : « Voici le Soufre rouge, ya Hassân Abdallah ! C'est la Kimia des savants et des philosophes, qui sont tous morts sans la trouver ! » Et moi je dis : « Jette cette vile poussière, ô mon maître, et remplissons plutôt ce coffret avec les pierreries dont regorge ce palais ! » Et mon maître me regarda avec commisération et me dit : « Ô pauvre ! Cette poussière-là est la source même de toutes les richesses de la terre ! Et un seul grain de cette poussière suffit pour transmuer en or les plus vils métaux. C'est la Kimia ! C'est le Soufre rouge, ô pauvre ignorant ! Avec cette poudre, si je veux, je construirai des palais plus beaux que celui-ci, je fonderai des villes plus magnifiques que celle-ci, j'achèterai la vie des hommes et la conscience des purs, je séduirai la vertu elle-même, et je me ferai roi fils de roi ! » Et je lui dis : « Et peux-tu, ô mon maître, avec cette poudre-là, prolonger ta vie d'un seul jour, ou effacer une heure de ton existence passée ? » Et il me répondit : « Allah seul est grand ! »

Et moi, n'étant pas certain de l'efficacité des vertus de ce Soufre rouge là, je préférai plutôt ramasser les pierres précieuses et les perles. Et j'en avais déjà rempli ma ceinture, mes poches et mon turban, quand mon maître me cria : « Malheur sur toi, homme à l'esprit grossier ! Que fais-tu là ? Ignores-tu que si nous dérobions une seule des pierres de ce palais et de cette terre, nous serions à l'instant frappés de mort ? » Et il sortit à grands pas du palais, en emportant le coffret. Et moi, bien à regret, je vidai mes poches, ma ceinture et mon turban, et suivis mon maître, non sans tourner bien des fois la tête vers ces richesses incalculables. Et je rejoignis dans le jardin mon maître qui me prit par la main, pour traverser la ville, de peur que je ne me laissasse tenter par tout ce qui s'offrait à ma vue et était à la portée de mes doigts. Et nous sortîmes de la ville par la porte de rubis.

Et quand nous approchâmes de l'horizon de cristal bleu, il s'ouvrit devant nous et nous laissa passer. Et lorsque nous l'eûmes franchi, nous nous retournâmes pour regarder une dernière fois la plaine miraculeuse et la cité d'Aram ; mais plaine et cité avaient disparu. Et nous nous trouvâmes au bord du fleuve de mercure que nous traversâmes, comme la première fois, sur le pont de cristal.

Et nous trouvâmes, sur l'autre bord, nos chamelles qui broutaient l'herbe de compagnie. Et j'allai vers la mienne comme vers un vieil ami. Et, après que j'eus resserré les courroies de nos selles, nous montâmes sur nos bêtes ; et mon maître me dit : « Nous retournons en Égypte ! » Et je levai les bras, en remerciant Allah pour cette bonne nouvelle.

Mais, ô mon seigneur, la clef d'or et la clef d'argent étaient toujours dans ma ceinture, et je ne savais pas qu'elles étaient les clefs des misères et des souffrances…

À ce moment de sa narration, Schahrazade vit apparaître le matin et, discrète, se tut.

Mais lorsque fut la sept cent quatre-vingt-treizième nuit. Elle dit :

… Et je ne savais pas qu'elles étaient les clefs des misères et des souffrances.

Aussi durant tout le voyage, jusqu'à notre arrivée au Caire, je subis bien des misères et bien des privations, et je souffris tous les maux que m'occasionnait ma santé détruite. Mais, par une fatalité dont j'ignorais toujours la cause, moi seul j'étais en butte aux accidents du voyage, tandis que mon maître, tranquille, épanoui et à la limite de la dilatation, semblait prospérer de tous les maux qui m'éprouvaient. Et il passait à travers les périls et les fléaux en souriant, et marchait dans la vie comme sur un tapis de soie.

Et nous arrivâmes de la sorte au Caire, et mon premier soin fut de courir aussitôt vers ma maison. Et j'en trouvai la porte brisée et ouverte ; et les chiens errants avaient fait leur asile de ma demeure. Et nul n'était là pour me recevoir. Et je ne vis point de trace de ma mère, de mon épouse et de mes enfants. Et un voisin, qui m'avait vu entrer et qui entendait les cris de mon désespoir, ouvrit la porte et me dit : « Ya Hassân Abdallah, que tes jours soient prolongés des jours qu'ils ont perdus ! Tout le monde est mort dans ta maison ! » Et moi, à cette nouvelle, je tombai sur le sol, inanimé.

Or, quand je revins de mon évanouissement, je vis près de moi mon maître le Bédouin qui me soignait et me jetait de l'eau de rose sur le visage. Et moi, étouffant de mes larmes et de mes sanglots, je ne pus, cette fois, m'empêcher de faire des imprécations contre lui et de l'accuser d'être la cause de tous mes malheurs. Et longtemps je le chargeai de toutes les injures, le rendant responsable des maux qui s'appesantissaient et s'acharnaient contre moi. Mais lui, sans rien perdre de sa sérénité et sans se départir de son calme, me toucha l'épaule et me dit : « Tout nous vient d'Allah et vers Allah tout s'en va ! » Et, me prenant par la main, il m'entraîna hors de ma maison.

Et il me conduisit dans un palais magnifique, sur les bords du Nil, et me força d'y habiter avec lui. Et, comme il voyait que rien ne réussissait à distraire mon âme de ses maux et de ses peines, il voulut, dans l'espoir de me consoler, partager avec moi tout ce qu'il possédait. Et, poussant la générosité jusqu'à ses limites extrêmes, il se mit à m'enseigner les sciences mystérieuses, et m'apprit à lire dans les livres d'alchimie et à déchiffrer les manuscrits cabalistiques. Et souvent il faisait apporter devant moi des quintaux de plomb qu'il mettait en fusion, et, y jetant alors une parcelle du soufre rouge du coffret, il transmuait le vil métal en l'or le plus pur.

Mais moi, au milieu des trésors, et entouré par la joie et les fêtes que donnait tous les jours mon maître, j'avais le corps affligé de douleurs et l'âme malheureuse. Et je n'arrivais même pas à supporter le poids ni le contact des riches habits et des étoffes précieuses dont il me forçait à me couvrir. Et l'on me servait les mets les plus délicats et les boissons les plus délicieuses, mais c'était bien en vain, car je n'éprouvais que du dégoût et de la répugnance pour tout. Et j'avais des appartements superbes, et des lits de bois odorant, et des divans de pourpre ; mais le sommeil ne fermait pas mes yeux. Et les jardins de notre palais, rafraîchis par la brise du Nil, étaient plantés des arbres les plus rares amenés à grands frais de l'Inde, de la Perse, de la Chine et des Îles ; et des machines construites avec art élevaient l'eau du Nil et la faisaient retomber en gerbes rafraîchissantes dans des bassins de marbre et de porphyre ; mais je ne goûtais aucun charme à toutes ces choses, car un poison sans antidote avait saturé ma chair et mon esprit.

Quant à mon maître le Bédouin, ses jours coulaient au sein des plaisirs et des voluptés, et ses nuits étaient une anticipation des joies du Paradis. Et il habitait, non loin de moi, dans un pavillon tendu d'étoffes de soie brochées d'or, où la lumière était douce comme celle de la lune. Et ce pavillon était au milieu des bosquets d'orangers et de citronniers auxquels se mêlaient les jasmins et les roses. Et c'est là que chaque nuit il recevait de nouveaux convives qu'il traitait magnifiquement. Et quand leurs cœurs et leurs sens étaient préparés à la volupté, par les vins exquis et par la musique et les chants, il faisait passer devant leurs yeux des adolescentes, belles comme les houris, achetées au poids de l'or dans les marchés de l'Égypte, de la Perse et de la Syrie. Et quand l'un des convives jetait un regard de désir sur l'une d'elles, mon maître la prenait par la main et, la présentant à celui qui la désirait, il lui disait : « Ô mon seigneur, oblige-moi en conduisant cette esclave dans ta maison ! » Et de la sorte, tous ceux qui l'approchaient devenaient ses amis. Et on ne l'appelait plus que l'Émir Magnifique.

Or un jour, mon maître, qui venait souvent me visiter dans le pavillon où mes souffrances me forçaient à vivre solitaire, arriva à l'improviste, amenant avec lui une jeune fille nouvelle. Et il avait une figure éclairée par l'ivresse et le plaisir, et des yeux exaltés qui brillaient d'un feu extraordinaire. Et il vint s'asseoir tout près de moi, prit la jeune fille sur ses genoux, et me dit : « Ya Hassân Abdallah, je vais chanter ! Tu n'as pas encore entendu ma voix. Écoute ! » Et, me prenant la main, il se mit à chanter ces vers d'une voix extatique, en dodelinant de la tête :

« Jeune fille, viens ! Le sage est celui qui laisse la joie seule occuper sa vie.

Que les gens religieux gardent l'eau pour la prière,

Toi, verse-moi de ce vin qui rendra plus exquise la rougeur de tes joues,

J'en veux boire jusqu'à perdre la raison !

Mais bois d'abord, bois sans crainte, et donne-moi la coupe que tes lèvres parfument,

Nous n'avons pour témoins que les orangers qui jettent leur parfum aux vents, et les ruisseaux rieurs qui s'enfuient.

Que ta voix me chante des choses passionnées, et les rossignols jaloux seront muets,

Mais bois d'abord, bois sans crainte, et donne-moi la coupe que tes douces lèvres parfument,

Et tu n'entendras d'autre bruit que celui des roses qui s'ouvrent, et le battement de mon cœur,

Je suis seul à t'écouter, je suis seul à te voir, oh ! laisse tomber ton voile,

Nous n'avons pour témoins de nos plaisirs que la lune et ses compagnes,

Et penche-toi, et laisse-moi baiser ton front ! Laisse-moi baiser ta bouche et tes yeux, et ton sein blanc comme la neige.

Ah ! penche-toi sans crainte, nous n'avons pour témoins que les jasmins et les roses,

Viens dans mes bras, l'amour m'embrase, je n'en peux plus !

Mais avant tout, baisse ton voile, car Allah, s'il nous voyait, serait jaloux. »

Et, ayant ainsi chanté, le Bédouin, mon maître, poussa un grand soupir de bonheur, pencha la tête sur sa poitrine et parut s'endormir. Et l'adolescente qui était sur ses genoux se désenlaça de ses bras, pour ne pas troubler son repos, et s'esquiva légèrement. Et moi, je m'approchai de lui pour le couvrir et soutenir sa tête d'un coussin, et je m'aperçus que son souffle avait cessé ; et je me penchai vers lui, à la limite de l'anxiété, et je constatai qu'il avait trépassé comme les prédestinés, en souriant à la vie ! Qu'Allah l'ait en sa compassion.

Alors, moi, le cœur serré de la disparition de mon maître qui, malgré tout, avait toujours été pour moi plein de sérénité et de bienveillance, et oubliant que tous les malheurs s'étaient appesantis sur ma tête du jour où je l'avais rencontré, j'ordonnai qu'on lui fît des funérailles magnifiques. Je lavai moi-même son corps dans les eaux odoriférantes, je fermai soigneusement avec du coton parfumé toutes ses ouvertures naturelles, je l'épilai, je peignis avec soin sa barbe, je teignis ses sourcils, je noircis ses cils, et je rasai sa tête. Puis je le recouvris, en guise de linceul, d'un tissu merveilleux qui avait été ouvragé pour un roi de la Perse, et je le mis dans un cercueil de bois d'aloès incrusté d'or.

Après quoi, je convoquai les nombreux amis que mon maître s'était faits par sa générosité ; et j'ordonnai à cinquante esclaves, tous revêtus d'habits de circonstance, de porter tour à tour le cercueil sur leurs épaules. Et, le convoi formé, nous sortîmes vers le cimetière. Et un nombre considérable de pleureuses, que j'avais payées à cet effet, suivaient le convoi, en jetant des cris plaintifs et agitant leurs mouchoirs au-dessus de leurs têtes, tandis que les lecteurs du korân ouvraient la marche en chantant les versets sacrés auxquels la foule répondait, en répétant : « Il n'y a de Dieu qu'Allah ! Et Môhammad est l'envoyé d'Allah ! »

Et tous les musulmans qui passaient s'empressaient de venir aider à porter le cercueil, ne fût-ce qu'en le touchant de la main. Et nous l'ensevelîmes au milieu des lamentations de tout un peuple. Et je fis égorger sur son tombeau un troupeau entier de moutons et de jeunes chameaux.

Or, ayant rempli de la sorte mon devoir à l'égard de mon défunt maître et fini de présider au festin des funérailles, je m'isolai dans le palais pour commencer à mettre en ordre les affaires de la succession. Et mon premier soin fut de commencer par ouvrir le coffret d'or, pour voir s'il renfermait encore de la poudre de Soufre rouge. Mais je n'y trouvai que le peu qui y reste maintenant, et que tu as sous les yeux, ô roi du temps. Car mon maître avait déjà, grâce à ses prodigalités inouïes, tout épuisé pour transmuer en or des quintaux et des quintaux de plomb. Mais le peu qui se trouvait encore dans le coffret pouvait suffire à enrichir le plus puissant des rois. Et je n'étais point inquiet à ce sujet. Et d'ailleurs je ne me souciais plus guère des richesses, dans l'état pitoyable où je me trouvais. Toutefois, je voulus savoir ce que contenait le manuscrit mystérieux en peau de gazelle, que mon maître n'avait jamais voulu me laisser lire, bien qu'il m'eût enseigné à déchiffrer les caractères talismaniques. Et je l'ouvris et le parcourus. Et c'est alors seulement, ô mon seigneur, que j'appris, entre autres choses extraordinaires que je te dirai un jour, les vertus fastes et néfastes des cinq clefs du destin. Et je compris que le Bédouin ne m'avait acheté et emmené avec lui que pour se soustraire aux tristes propriétés des deux clefs d'or et d'argent, en usant sur moi leurs mauvaises influences. Et je dus appeler à mon aide toutes les belles pensées du Prophète – sur Lui la prière et la paix ! – pour ne pas maudire le Bédouin et cracher sur son tombeau.

Aussi je me hâtai de tirer de ma ceinture les deux clefs fatales, et, pour m'en débarrasser à jamais, je les jetai dans un creuset et j'allumai le feu pour les faire dissoudre et volatiliser. Et, en même temps, je me mis à la recherche des deux clefs, de la gloire, de la sagesse et du bonheur. Mais j'eus beau fouiller tout le palais dans ses moindres recoins, je ne les trouvai pas. Et je m'en revins vers le creuset, et surveillai la fusion des deux clefs maudites. Or pendant que j'étais occupé à ce travail…

À ce moment de sa narration, Schahrazade vit apparaître le matin et, discrète, se tut.

Mais lorsque fut la sept cent quatre-vingt-quatorzième nuit. Elle dit :

… Or pendant que j'étais occupé à ce travail et que j'espérais, grâce à l'anéantissement des deux clefs néfastes, être à jamais débarrassé de mon mauvais destin, et tandis que j'activais le feu pour aider à cette destruction qui ne se faisait pas trop vite à mon gré, je vis soudain le palais envahi par les gardes du khalifat qui se précipitèrent sur moi et me traînèrent entre les mains de leur maître.

Et le khalifat Theiloun, ton père, ô mon seigneur, me dit avec sévérité qu'il savait que je possédais le secret de l'alchimie et qu'il fallait que, sur l'heure, je le lui révélasse et l'en fisse profiter. Mais moi, sachant, hélas ! que le khalifat Theiloun, oppresseur du peuple, emploierait la science contre la justice et pour le mal, je refusai de parler. Et le khalifat, à la limite de la colère, me fit charger de chaînes et jeter dans le plus noir des cachots. Et, en même temps, il fit saccager et détruire notre palais, de fond en comble, et s'empara du coffret d'or qui contenait le manuscrit en peau de gazelle et les quelques parcelles de la poudre rouge. Et il chargea de la garde du coffret ce vénérable cheikh qui l'a apporté entre tes mains, ô roi du temps. Et tous les jours il me faisait mettre à la torture, espérant ainsi obtenir de la faiblesse de ma chair l'aveu de mon secret. Mais Allah me donnait la vertu de patience. Et pendant des années et des années j'ai vécu de la sorte, attendant de la mort ma délivrance. Et maintenant, ô mon seigneur, je mourrai consolé, puisque mon persécuteur est allé rendre compte à Allah de ses actions, et que j'ai pu approcher aujourd'hui du plus juste et du plus grand des rois ! »

Lorsque le sultan Môhammad ben-Theiloun eut entendu ce récit du vénérable Hassân Abdallah, il se leva de son trône et embrassa le vieillard, en s'écriant : « Louanges à Allah qui permet à son serviteur de réparer l'injustice et de calmer les maux ! » Et il nomma sur-le-champ Hassân Abdallah grand vizir, et le revêtit de son propre manteau royal. Et il le confia aux soins des médecins les plus experts du royaume, afin qu'ils aidassent à sa guérison. Et il ordonna aux scribes les plus habiles du palais d'écrire soigneusement, en lettres d'or, cette histoire extraordinaire, et de la conserver dans l'armoire du règne.

Après quoi, le khalifat, ne doutant pas de la vertu du Soufre rouge, voulut sans retard en expérimenter l'effet. Et il fit jeter et mettre en fusion dans de vastes chaudières en terre cuite mille quintaux de plomb ; et il y mêla les quelques parcelles de Soufre rouge qui restaient au fond du coffret, en prononçant les paroles magiques que lui dicta le vénérable Hassân Abdallah. Et aussitôt tout le plomb se transmua en l'or le plus pur.

Alors le sultan, ne voulant pas que tout ce trésor fût dépensé en choses futiles, résolut de l'employer à une œuvre qui fût agréable au Très-Haut. Et il décida la construction d'une mosquée qui n'eût pas sa pareille dans tous les pays musulmans. Et il fit venir les architectes les plus renommés de son empire, et leur ordonna de tracer, sur ses indications, les plans de cette mosquée, sans s'arrêter aux difficultés de l'exécution, ni à l'idée des sommes d'argent qu'elle pourrait coûter. Et les architectes tracèrent, au pied de la colline qui domine la ville, un carré immense dont chaque face était tournée vers l'un des quatre points principaux du ciel. Et dans chaque angle ils placèrent une tour d'une proportion admirable, dont le sommet était orné d'une galerie et couronné d'un dôme d'or. Et sur chaque face de la mosquée, ils élevèrent mille pilastres qui supportaient des arceaux d'une courbe élégante et solide, et y établirent une terrasse dont la balustrade était d'or merveilleusement ajouré. Et, au centre de l'édifice, ils élevèrent une coupole immense dont la construction était si légère et aérienne qu'elle semblait posée sans appui entre le ciel et la terre. Et la voûte de la coupole fut recouverte d'émail couleur d'azur et parsemée d'étoiles d'or. Et des marbres rares formèrent le pavé. Et la mosaïque des murs fut faite de jaspe, de porphyre, d'agates, de nacre perlée et de gemmes précieuses. Et les piliers et les arceaux furent couverts de versets du korân entrelacés, sculptés et peints de couleurs pures. Et pour que ce merveilleux édifice fût à l'abri du feu, nul bois ne fut employé dans sa construction. Et sept années entières et sept mille hommes et sept mille quintaux de dinars d'or furent employés pour l'achèvement de cette mosquée. Et on l'appela la mosquée du sultan Môhammad ben-Theiloun. Et, sous ce nom, elle est encore connue de nos jours.

Quant au vénérable Hassân Abdallah, il ne tarda pas à recouvrer sa santé et ses forces, et vécut, honoré et respecté, jusqu'à l'âge de cent vingt années, qui fut le terme marqué par son destin. Mais Allah est plus savant ! Il est le seul vivant !

Et Schahrazade, ayant ainsi raconté cette histoire, se tut. Et le roi Schahriar dit : « Certes ! nul ne peut fuir sa destinée ! Mais, ô Schahrazade, comme cette histoire m'a attristé ! » Et Schahrazade dit : « Que le Roi me pardonne, mais c'est pour cette raison que je vais tout de suite raconter l'histoire des BABOUCHES INUSABLES, *tirée du* DIWAN DES FACILES FACÉTIES ET DE LA GAIE SAGESSE *du cheikh Magid-Eddîn Abou-Taher Môhammad – qu'Allah le couvre de Sa Miséricorde et l'ait en Ses bonnes grâces ! »*

Et Schahrazade dit :

LE DIWAN DES FACILES FACÉTIES ET DE LA GAIE SAGESSE

LES BABOUCHES INUSABLES

On raconte qu'il y avait au Caire un droguiste nommé Abou-Cassem Et-Tambouri, qui était fort célèbre pour son avarice. Or, bien qu'Allah lui octroyât la richesse et la prospérité dans ses affaires de vente et d'achat, il vivait et s'habillait comme le plus pauvre des mendiants ; et les vêtements qu'il portait sur lui n'étaient que pièces et morceaux ; et son turban était si vieux et si sale que l'on ne pouvait plus en distinguer la couleur ; mais de tout son habillement ses babouches étaient encore ce qui distinguait sa ladrerie ; car non seulement elles étaient armées de gros clous, et résistantes comme une machine de guerre, avec des semelles plus épaisses que la tête de l'hippopotame, et mille fois raccommodées, mais les empeignes en étaient tellement rapiécetées que depuis vingt ans que les babouches étaient babouches les plus habiles savetiers et corroyeurs du Caire avaient épuisé leur art pour en rapprocher les débris. Et, de tout cela, les babouches d'Abou-Cassem étaient devenues si pesantes que depuis longtemps elles avaient passé en proverbe par toute l'Égypte ; car lorsque l'on voulait exprimer quelque chose de lourd, elles étaient toujours l'objet de comparaison. Ainsi, qu'un invité s'attardât trop dans la maison de son hôte, on disait de lui : « Il a le sang lourd comme les babouches d'Abou-Cassem ! » Et qu'un maître d'école, de l'espèce des maîtres d'école affligés de pédantisme, voulût faire montre d'esprit, on disait de lui : « Éloigné soit le Malin ! Il a l'esprit lourd comme les babouches d'Abou-Cassem ! » Et qu'un portefaix fût accablé sous le poids de sa charge, il soupirait en disant : « Qu'Allah maudisse le propriétaire de cette charge ! Elle est lourde comme les babouches d'Abou-Cassem ! » Et qu'une vieille matrone, dans un harem, de l'espèce maudite des vieilles renfrognées, voulût empêcher les jeunes épouses de son maître de s'amuser entre elles, on disait : « Qu'Allah éborgne la calamiteuse ! Elle est lourde comme les babouches d'Abou-Cassem ! » Et qu'un mets trop indigeste bouchât les intestins et créât une tempête dans l'intérieur du ventre, on disait : « Allah me délivre ! Ce mets maudit est lourd comme les babouches d'Abou-Cassem ! » Et, ainsi de suite, dans toutes les circonstances où la lourdeur faisait sentir son poids.

Or, un jour, Abou-Cassem ayant fait une affaire de vente et d'achat plus avantageuse encore qu'à l'ordinaire, fut mis de très belle humeur. Aussi, au lieu de donner quelque festin, grand ou petit, selon l'usage des marchands qu'Allah a favorisés d'une réussite dans un marché, il trouva plus expédient d'aller prendre un bain au hammam, où, de mémoire d'homme, il n'avait mis le pied. Et, ayant fermé sa boutique, il se dirigea vers le hammam, en chargeant ses babouches sur son dos, au lieu de s'en chausser ; car il agissait ainsi depuis longtemps, pour économiser leur usure. Et, arrivé au hammam, il déposa ses babouches sur le seuil, avec toutes les chaussures qui s'y trouvaient rangées, selon l'usage. Et il entra prendre son bain.

Or Abou-Cassem avait une peau tellement infiltrée de crasse que les frotteurs et les masseurs eurent une peine extrême pour en venir à bout ; et ils n'y réussirent que vers la fin de la journée, quand tous les baigneurs étaient déjà partis. Et Abou-Cassem put enfin sortir du hammam, et chercha ses babouches ; mais elles n'étaient plus là, et, à leur place, il y avait une paire de belles pantoufles en cuir jaune citron. Et Abou-Cassem se dit : « Sans doute, c'est Allah qui me les envoie, sachant que je songe depuis longtemps à en acheter de semblables. Ou c'est peut-être quelqu'un qui les a troquées contre les miennes, par inadvertance ! » Et, plein de joie de se voir épargner le chagrin d'en acheter d'autres, il les prit et s'en alla.

Or les pantoufles en cuir jaune citron appartenaient au kâdi, qui se trouvait encore au hammam. Et quant aux babouches d'Abou-Cassem, l'homme préposé à la garde des chaussures ayant vu cette horreur qui puait et empestait l'entrée du hammam, s'était hâté de les ramasser et de les cacher dans un coin. Puis, comme la journée était écoulée et que l'heure de sa garde était passée, il était parti, sans songer à les remettre à leur place.

Aussi, quand le kâdi se fut baigné, les serviteurs du hammam, qui s'empressaient à ses ordres, cherchèrent en vain ses pantoufles ; et ils finirent par trouver, dans un coin, les fabuleuses babouches qu'ils reconnurent aussitôt pour celles d'Abou-Cassem. Et ils s'élancèrent à sa poursuite, et, l'ayant rattrapé, le ramenèrent au hammam, avec, sur ses épaules, le corps du délit. Et le kâdi, après avoir pris ce qui lui appartenait, lui fit rendre ses babouches, et, malgré ses protestations, l'envoya en prison. Et Abou-Cassem, pour ne pas mourir en prison, dut, bien à contrecœur, se montrer généreux de bakchiches aux gardiens et aux officiers de police ; car, comme on savait qu'il était aussi farci d'argent que pourri d'avarice, on ne l'en tint pas quitte à si bon marché. Et Abou-Cassem put, de la sorte, sortir de prison ; mais affligé et dépité à l'extrême, et, attribuant son malheur à ses babouches, il courut les jeter au Nil, pour s'en débarrasser.

Or, quelques jours après, des pêcheurs, retirant à grand-peine leur filet plus lourd que de coutume, y trouvèrent des babouches qu'ils reconnurent aussitôt pour celles d'Abou-Cassem. Et ils constatèrent, pleins de fureur, que les clous dont elles étaient garnies, avaient endommagé les mailles de leur filet. Et ils coururent à la boutique d'Abou-Cassem, et jetèrent violemment les babouches à l'intérieur, en maudissant leur propriétaire. Et les babouches, lancées avec force, atteignirent les flacons d'eau de rose et d'autres eaux qui étaient sur les étagères, et les renversèrent en les fracassant en mille morceaux.

À cette vue, la douleur d'Abou-Cassem fut à sa limite extrême, et il s'écria : « Ah ! babouches maudites, filles de mon cul, vous ne me causerez plus de dommage ! » Et il les ramassa, et s'en alla dans son jardin et se mit à creuser un trou pour les y enfouir. Mais un de ses voisins, qui avait à se plaindre de lui, saisit l'occasion de se venger, et courut aussitôt avertir le wali qu'Abou-Cassem était en train de déterrer un trésor dans son jardin. Et le wali, connaissant la richesse et l'avarice du droguiste, ne douta pas de la réalité de cette nouvelle, et envoya aussitôt les gardes se saisir d'Abou-Cassem et l'amener en sa présence. Et le malheureux Abou-Cassem eut beau jurer qu'il n'avait point trouvé de trésor, mais qu'il avait seulement voulu enterrer ses babouches, le wali ne voulut point croire à une chose si étrange et si contraire à l'avarice légendaire du prévenu ; et comme il comptait, de n'importe quelle façon, sur de l'argent, il força l'affligé Abou-Cassem, pour obtenir sa liberté, de lui verser une fort grosse somme d'argent. Et Abou-Cassem, relâché après cette douloureuse formalité…

À ce moment de sa narration, Schahrazade vit apparaître le matin et, discrète, se tut.

Mais lorsque fut la sept cent quatre-vingt-quinzième nuit. Elle dit :

… Et Abou-Cassem, relâché après cette douloureuse formalité, se mit à s'arracher la barbe de désespoir, et, prenant ses babouches, il jura de s'en débarrasser coûte que coûte. Et il erra longtemps, en réfléchissant au meilleur moyen de réussite, et finit par se décider à aller les jeter dans un canal situé loin dans la campagne. Et il crut que cette fois il n'en entendrait plus parler. Mais le sort voulut que l'eau du canal entraînât les babouches jusqu'à l'entrée d'un moulin, dont ce canal faisait tourner les roues. Et les babouches s'engagèrent dans les roues, et les firent sauter, en dérangeant leur jeu. Et les maîtres du moulin accoururent pour réparer le dommage, et trouvèrent que la cause en était due aux énormes babouches qu'ils trouvèrent engagées dans l'engrenage, et qu'ils reconnurent aussitôt pour les babouches d'Abou-Cassem. Et le malheureux droguiste fut de nouveau jeté en prison et condamné cette fois à payer une très grosse amende aux propriétaires du moulin, pour le dommage qu'il leur avait causé. Et, en outre, il dut payer de très forts bakchiches pour recouvrer sa liberté. Mais, en même temps, on lui rendit ses babouches.

Alors, à la limite de la perplexité, il se rendit à sa maison et, montant sur sa terrasse, il s'accouda et se mit à réfléchir profondément sur ce qui lui restait à faire. Et il avait déposé les babouches non loin de lui, sur la terrasse ; mais il leur tournait le dos, afin de ne pas les voir. Et, précisément à ce moment, un chien des voisins aperçut les babouches et s'élançant de la terrasse de ses maîtres sur celle d'Abou-Cassem, il prit dans sa gueule une des babouches et se mit à en jouer. Et, dans ce jeu du chien avec la babouche, celle-ci fut soudain lancée au loin, et le destin funeste la fit tomber de la terrasse sur la tête d'une vieille qui passait dans la rue. Et le poids formidable de la babouche bardée de fer écrasa la vieille, en faisant entrer sa longueur dans sa largeur. Et les parents de la vieille reconnurent la babouche d'Abou-Cassem, et allèrent porter plainte au kâdi, en réclamant le prix du sang de leur parente, ou la mort d'Abou-Cassem. Et l'infortuné fut obligé de payer le prix du sang, selon la loi. Et, en outre, pour échapper à la prison, il dut payer de gros bakchiches aux gardes et aux officiers de police.

Mais, cette fois, sa résolution était arrêtée. Il retourna donc à sa maison, prit les deux babouches fatales, et, revenant chez le kâdi, il éleva les deux babouches au-dessus de sa tête et s'écria avec une véhémence qui fit rire le kâdi, les témoins et tous les assistants : « Ô seigneur kâdi, voilà la cause de mes tribulations ! Et bientôt je vais être réduit à mendier dans la cour des mosquées. Je te supplie donc de daigner rendre un arrêt qui déclare qu'Abou-Cassem n'est plus le propriétaire des babouches, qu'il les lègue à qui veut les prendre, et qu'il n'est plus responsable des malheurs qu'elles occasionneront dans l'avenir ! » Et, ayant ainsi parlé, il jeta les babouches au milieu de la salle des séances, et s'enfuit pieds nus, tandis que tous les assistants, à force de rire, tombaient sur leurs derrières. – Mais Allah est plus savant !

Et Schahrazade, sans s'arrêter, raconta encore :

BAHLOUL, BOUFFON D'AL-RACHID

Il m'est parvenu que le khalifat Haroun al-Rachid avait, vivant avec lui dans son palais, un bouffon chargé de le divertir dans ses moments d'humeur sombre. Et ce bouffon s'appelait Bahloul le Sage. Et le khalifat, un jour lui dit : « Ya Bahloul, sais-tu le nombre de fous qu'il y a dans Bagdad ? » Et Bahloul répondit : « Ô mon seigneur, la liste en serait un peu longue ! » Et Haroun dit : « Je te charge de la faire. Et j'entends qu'elle soit exacte ! » Et Bahloul fit sortir de sa gorge un long rire. Et le khalifat lui demanda : « Qu'as-tu ? » Et Bahloul dit : « Ô mon seigneur, je suis ennemi de tout travail fatigant. C'est pourquoi, pour te satisfaire, je vais tout de suite dresser la liste des sages qu'il y a dans Bagdad ! Car c'est là un travail qui me demandera à peine le temps de boire une gorgée d'eau. Et par cette liste, qui sera bien courte, tu sauras par Allah ! quel est le nombre de fous de la capitale de ton empire ! »

Et c'est ce même Bahloul qui s'étant assis, un jour, sur le trône du khalifat, reçut, pour cette témérité, de la part des huissiers, une volée de coups de bâton. Et les cris épouvantables qu'il poussa dans cette circonstance mirent en émoi tout le palais et attirèrent le khalifat lui-même. Et Haroun, voyant que son bouffon pleurait à chaudes larmes, entreprit de le consoler. Mais Bahloul lui dit : « Hélas, ô émir des Croyants, ma douleur est sans consolation, car ce n'est pas sur moi que je pleure, mais sur mon maître le khalifat ! Si, en effet, j'ai reçu tant de coups pour avoir occupé un instant son trône, quelle grêle le menace là-bas, lui qui l'aura occupé des années et des années ! »

Et c'est toujours le même Bahloul qui fut assez sage pour avoir le mariage en horreur. Et Haroun, pour lui jouer un mauvais tour, lui fit épouser de force une adolescente d'entre ses esclaves, en l'assurant qu'elle le rendrait heureux et qu'il s'en portait lui-même garant. Et Bahloul fut bien obligé d'obéir, et entra dans la chambre nuptiale où l'attendait sa jeune épouse, qui était d'une beauté de choix. Mais à peine s'était-il étendu à ses côtés qu'il se leva soudain avec terreur et s'enfuit, hors de la chambre, comme s'il était poursuivi par des ennemis invisibles, et se mit à courir comme un fou à travers le palais. Et le khalifat, informé de ce qui venait de se passer, fit venir Bahloul en sa présence, et lui demanda, d'une voix sévère : « Pourquoi, ô maudit, as-tu fait cette offense à ton épouse ? » Et Bahloul répondit : « Ô mon seigneur, la terreur est un mal sans remède ! Or, moi, je n'ai, certes ! aucun reproche à faire à l'épouse que tu as eu la générosité de m'accorder, car elle est belle et modeste. Mais, ô mon seigneur, à peine étais-je entré dans le lit nuptial que j'entendis distinctement plusieurs voix qui sortaient à la fois du sein de mon épouse. Et l'une me demandait une robe, et l'autre me réclamait un voile de soie ; et celle-ci des babouches, et celle-là une veste brodée, et cette autre d'autres choses encore. Alors, moi, je ne pus maîtriser mon effroi, et, malgré tes ordres et les charmes de la jeune fille, je m'enfuis de toutes mes forces, de peur de devenir plus fou et plus malheureux encore que je ne le suis ! »

Et c'est le même Bahloul qui refusa un jour un cadeau de mille dinars que, par deux fois, lui offrait le khalifat. Et comme le khalifat, extrêmement étonné de ce désintéressement, lui en demandait la raison, Bahloul, qui était assis, une jambe étendue et une jambe repliée, se contenta, pour toute réponse, d'étendre bien ostensiblement, devant le visage d'Al-Rachid, les deux jambes à la fois. Et, à la vue de cette incivilité suprême et de ce manque de respect à l'égard du khalifat, le chef eunuque voulut le violenter et le châtier ; mais Al-Rachid l'en empêcha d'un signe, et demanda à Bahloul le motif de cet oubli des convenances. Et Bahloul répondit : « Ô mon seigneur, si j'avais étendu la main pour recevoir ton cadeau, j'aurais à jamais perdu le droit d'étendre les jambes ! »

Et c'est enfin Bahloul lui-même qui, étant entré un jour sous la tente d'Al-Rachid qui revenait d'une expédition guerrière, le trouva altéré et demandant à grands cris un verre d'eau. Et Bahloul se hâta de courir lui apporter un verre d'eau fraîche, et, en le lui présentant, lui dit : « Ô émir des Croyants, je te prie de me dire, avant que de boire, à quel prix tu aurais acheté ce verre d'eau si, par hasard, il eût été introuvable ou difficile à se procurer ! » Et Al-Rachid dit : « J'aurais certainement donné, pour l'avoir, la moitié de mon empire ! » Et Bahloul dit : « Bois-le maintenant, et qu'Allah le rende plein de délices sur ton cœur ! » Et lorsque le khalifat eut fini de boire, Bahloul lui dit : « Et si, ô émir des Croyants, maintenant que tu as bu, ce verre d'eau refusait de sortir de ton corps, à cause de quelque rétention de l'urine dans ta vessie honorable, à quel prix achèterais-tu le moyen de l'en faire sortir ? » Et Al-Rachid répondit : « Par Allah ! je donnerais bien, dans ce cas, tout mon empire en large et en long ! » Et Bahloul, devenu bien triste soudain, dit : « Ô mon seigneur, un empire qui ne pèse pas dans la balance plus qu'un verre d'eau ou qu'un jet d'urine ne devrait pas comporter tous les soucis qu'il te donne et les guerres sanglantes qu'il nous occasionne ! » Et Haroun, entendant cela, se prit à pleurer.

Et Schahrazade, cette nuit-là, dit encore :

L'INVITATION À LA PAIX UNIVERSELLE

Il est raconté qu'un vénérable cheikh de village avait, dans sa ferme, une belle basse-cour à laquelle il donnait tous ses soins, et qui était bien pourvue de volailles mâles et de volailles femelles qui lui produisaient de beaux œufs et de superbes poulets bons à manger. Or, parmi ses volailles mâles, il possédait un grand et merveilleux coq à la voix claire, au plumage brillant et doré, et qui, avec toutes les qualités de la beauté extérieure, était doué de vigilance, de sagesse et d'expérience dans les affaires du monde, les changements du temps et les revers de la vie. Et il était plein de justice et d'attention pour ses épouses, et remplissait ses devoirs auprès d'elles avec autant de zèle que d'impartialité, pour ne pas laisser la jalousie entrer dans leurs cœurs et l'animosité dans leurs regards. Et il était cité, parmi tous les sujets de la basse-cour, comme le modèle des maris, pour la puissance et la bonté. Et son maître l'avait appelé Voix-de-l'Aurore.

Or, un jour, Voix-de-l'Aurore, pendant que ses épouses vaquaient aux soins de leurs petits et se faisaient les plumes, sortit visiter les terres de la ferme. Et, tout en s'émerveillant de ce qu'il voyait, il piquait et becquetait à même le sol, à mesure qu'il rencontrait sur son passage des grains de froment ou d'orge ou de maïs ou de sésame ou de sarrasin ou de millet. Et, entraîné plus loin qu'il ne l'eût voulu, par ses trouvailles et ses recherches, il se vit à un moment donné hors de portée du village et de la ferme, et tout à fait isolé dans un endroit sauvage qu'il n'avait jamais vu. Et il eut beau regarder à droite et à gauche, il n'aperçut aucun visage ami ni aucun être familier. Et il commença à être perplexe, et fit entendre quelques cris brefs d'inquiétude. Et, pendant qu'il prenait ses dispositions pour retourner sur ses pas…

À ce moment de sa narration, Schahrazade vit apparaître le matin et, discrète, se tut.

Mais lorsque fut la sept cent quatre-vingt-seizième nuit. Elle dit :

… Et, pendant qu'il prenait ses dispositions pour retourner sur ses pas, voici que son regard tomba sur un renard qui, de loin, venait vers lui à grandes enjambées. Et, voyant cela, il trembla pour sa vie et, tournant le dos à son ennemi, il prit son élan, de toute la force de ses ailes étendues, et gagna le sommet d'un mur en ruine où il n'y avait que juste la place pour se percher et où le renard ne pouvait l'atteindre d'aucune manière.

Et le renard arriva essoufflé au pied du mur, en reniflant et en jappant. Mais voyant qu'il n'y avait pas moyen de grimper jusqu'au volatile de son désir, il leva la tête vers lui et lui dit : « La paix sur toi, ô visage de bon augure, ô mon frère, ô charmant camarade ! » Mais Voix-de-l'Aurore ne lui rendit pas son salam et ne voulut même pas le regarder. Et le renard, voyant cela, lui dit : « Ô mon ami, ô tendre, ô beau, pourquoi ne veux-tu point me favoriser d'un salut ou d'un regard, alors que je désire tellement t'annoncer une grande nouvelle ? » Mais le coq déclina par son silence toute avance et toute courtoisie, et le renard reprit : « Ah ! mon frère, si tu savais seulement ce que je suis chargé de t'annoncer, tu descendrais au plus vite m'embrasser et me baiser sur la bouche ! » Mais le coq continuait à feindre l'indifférence et la distraction ; et, sans rien répondre, il regardait au loin avec des yeux ronds et fixes. Et le renard reprit : « Sache donc, ô mon frère, que le sultan des animaux, qui est le seigneur Lion, et le sultan des oiseaux, qui est le seigneur Aigle, viennent de se donner rendez-vous au milieu d'une verdoyante prairie, agrémentée de fleurs et de ruisseaux, et ont rassemblé autour d'eux les représentants de toutes les bêtes de la création, les tigres, les hyènes, les léopards, les lynx, les panthères, les chacals, les antilopes, les loups, les lièvres, les animaux domestiques, les vautours, les éperviers, les corbeaux, les pigeons, les tourterelles, les cailles, les perdrix, les volailles et tous les oiseaux. Et nos deux suzerains, quand les représentants de tous leurs sujets furent entre leurs mains, proclamèrent, par décret seigneurial, que désormais, sur toute l'étendue de la terre habitable, la sécurité, la fraternité et la paix devaient régner en maîtresses ; que l'affection, la sympathie, la camaraderie et l'amour devaient être les seuls sentiments permis entre les tribus des bêtes sauvages, des animaux domestiques et des oiseaux ; que l'oubli devait effacer les vieilles inimitiés et les haines de races ; et que le bonheur général et individuel était le but vers lequel devaient tendre tous les efforts. Et ils décidèrent que quiconque transgresserait cet état de choses serait traduit sans retard devant le tribunal suprême et jugé et condamné sans recours. Et ils me nommèrent comme héraut du présent décret, et me chargèrent d'aller proclamer, par toute la terre, la décision de l'assemblée, avec ordre de leur rapporter les noms des récalcitrants, afin qu'ils fussent punis suivant la gravité de leur rébellion. Et c'est pourquoi, ô mon frère coq, tu me vois présentement au pied de ce mur où tu es perché, car c'est moi, en vérité, moi avec mon propre œil, moi et non pas un autre, qui suis le représentant, le commissionnaire, le héraut et le fondé de pouvoir de nos seigneurs et suzerains. Et c'est pourquoi, tout à l'heure, je t'ai abordé avec le souhait de paix et les paroles de l'amitié, ô mon frère ! »

Tout cela ! Mais le coq, sans plus guère prêter attention à toute cette éloquence que s'il ne l'entendait pas, continuait à regarder au loin d'un air indifférent et avec des yeux arrondis et vagues qu'il fermait de temps en temps, en dodelinant de la tête. Et le renard, dont le cœur brûlait du désir de broyer délicieusement cette proie, reprit : « Ô frère mien, pourquoi ne veux-tu pas m'honorer d'une réponse ou condescendre à m'adresser un mot ou seulement abaisser ton regard vers moi qui suis l'émissaire de notre sultan le Lion, souverain des animaux, et de notre sultan l'Aigle, souverain des oiseaux ? Or permets-moi de te rappeler que si tu persistes dans ton silence à mon égard, je serai obligé de rapporter la chose au conseil ; et il serait beaucoup à craindre que tu tombasses sous le coup de la nouvelle loi qui est inexorable dans son désir d'établir la paix universelle, au risque même de faire égorger la moitié des vivants. Je te prie donc une dernière fois, ô mon frère charmant, de me dire seulement pourquoi tu ne me réponds pas ! »

Alors le coq, qui jusque-là s'était cantonné dans sa hautaine indifférence, tendit le cou, et, inclinant la tête de côté, abaissa le regard de son œil droit vers le renard, et lui dit : « En vérité, ô mon frère, tes paroles sont sur ma tête et sur mes yeux, et je t'honore en mon cœur comme l'envoyé et le commissaire et le messager et le fondé de pouvoir et l'ambassadeur de notre sultan l'Aigle. Mais, si je ne te répondais pas, ne va pas croire que ce fût par arrogance ou par rébellion ou par tout autre sentiment répréhensible, non ! par ta vie, non ! c'était seulement parce que j'étais fort troublé par ce que je voyais et continue à voir au loin, là-bas, devant moi ! » Et le renard demanda : « Par Allah sur toi, ô mon frère, et que voyais-tu et continues-tu à voir comme ça ? Éloigné soit le Malin ! Rien de grave, j'espère, ni de calamiteux ? » Et le coq tendit encore plus fort le cou et dit : « Comment ! ô mon frère, n'aperçois-tu donc pas ce que j'aperçois, alors qu'Allah t'a mis au-dessus de ton honorable nez deux yeux perçants bien qu'un peu louches – soit dit sans t'offenser ! » Et le renard demanda avec inquiétude : « Mais enfin qu'aperçois-tu, dis-le-moi, de grâce ! Car moi j'ai un peu mal aux yeux aujourd'hui, bien que je ne me sache pas louche en aucun degré – soit dit sans te contrarier ! » Et le coq Voix-de-l'Aurore dit : « En vérité, je vois un nuage de poussière s'élevant, et dans l'air une bande de faucons de chasse en cercle tournoyant ! » Et le renard, à ces paroles, commença à trembler et demanda, à la limite de l'anxiété : « Est-ce là tout ce que tu aperçois, ô visage de bon augure ? Et sur le sol ne vois-tu rien courir ? » Et le coq fixa longuement son regard sur l'horizon, en imprimant à sa tête un mouvement de droite et de gauche, et finit par dire : « Oui ! je vois quelque chose qui court à quatre jambes sur le sol, haut sur pattes, long, mince, avec une tête fine et pointue et de longues oreilles rabattues. Et ce quelque chose-là s'approche rapidement de notre côté ! » Et le renard tremblant de tous ses membres, demanda : « N'est-ce point un chien lévrier que tu vois, ô mon frère ? Qu'Allah nous protège ! » Et le coq dit : « Je ne sais si c'est un lévrier, car je n'en ai pas encore vu de cette espèce, et Allah seul le sait ! Mais je crois bien, en tout cas, que c'est un chien, ô beau visage ! »

Lorsque le renard eut entendu ces mots, il s'écria : « Je suis obligé, ô mon frère, de prendre congé de toi ! » Et, parlant ainsi, il tourna le dos et livra ses jambes au vent, se fiant à la Mère-de-la-Sûreté. Et le coq lui cria : « Hé, là ! hé, là ! mon frère, je descends, je descends ! Pourquoi ne m'attends-tu pas ! » Et le renard dit : « C'est que, vois-tu, j'ai une grande antipathie pour le chien lévrier, qui n'est ni de mes amis ni de mes relations ! » Et le coq reprit : « Mais, ô visage de bénédiction, ne m'as-tu pas dit à l'instant que tu venais en commissaire et en héraut de la part de nos souverains, pour proclamer le décret de la paix universelle, décidée dans l'assemblée plénière des représentants de nos tribus ? » Et le renard répondit de fort loin : « Oui, certes ! oui, certes ! ô mon frère coq, seulement ce lévrier entremetteur – qu'Allah le maudisse ! – s'était abstenu d'aller au congrès, et sa race n'y avait point envoyé de représentant, et son nom n'a point été prononcé lors de la proclamation des tribus adhérentes à la paix universelle. Et c'est pourquoi, ô coq plein de tendreté, il y a toujours inimitié entre ma race et la sienne, et aversion entre mon individu et le sien ! Et Qu'Allah te conserve en bonne santé, jusqu'à mon retour ! »

Et le renard, ayant ainsi parlé, disparut au loin. Et le coq échappa de la sorte aux dents de son ennemi, grâce à sa finesse et à sa sagacité. Et il se hâta de descendre du haut du mur et de regagner la ferme, en glorifiant Allah qui le ramenait en sécurité dans sa basse-cour. Et il s'empressa de raconter à ses épouses et à ses voisins le bon tour qu'il venait de jouer à leur ennemi héréditaire. Et tous les coqs de la basse-cour lancèrent dans l'air l'appel sonore de leur joie pour célébrer le triomphe de Voix-de-l'Aurore.

Et Schahrazade, cette nuit-là, dit encore :

LES AIGUILLETTES NOUÉES

On raconte qu'un roi d'entre les rois était un jour assis sur son trône, au milieu de son diwân, et donnait audience à ses sujets, quand entra un cheikh, cultivateur de son métier, qui portait sur sa tête un panier de beaux fruits et de légumes divers, primeurs de la saison. Et il embrassa la terre entre les mains du roi, appela sur lui les bénédictions et lui offrit en cadeau le panier de primeurs. Et le roi, après lui avoir rendu son salam, lui demanda : « Et qu'y a-t-il dans ce panier couvert de feuilles, ô cheikh ? » Et le cultivateur dit : « Ô roi du temps, ce sont des légumes frais et des fruits, les premiers poussés sur mes terres, que je t'apporte comme primeurs de la saison ! » Et le roi dit : « De cœur amical ! Ils sont acceptés ! » Et le roi enleva les feuilles qui préservaient du mauvais œil le contenu du panier et vit qu'il y avait là-dedans de magnifiques concombres frisés, des gombos bien tendres, des bananes, des aubergines, des limons et divers autres fruits et légumes hors de saison. Et il s'écria : « Maschallah ! » et prit un concombre frisé et le croqua avec beaucoup de plaisir. Puis il dit aux eunuques de porter le reste au harem. Et les eunuques se hâtèrent d'exécuter l'ordre. Et les femmes, elles aussi, éprouvèrent beaucoup de délices à manger de ces primeurs. Et elles prirent, chacune, ce qu'elles voulaient, en se congratulant mutuellement, disant : « Que les primeurs de l'an prochain nous apportent la santé et nous trouvent en vie et en beauté ! » Puis elles distribuèrent aux esclaves ce qui resta dans la corbeille. Et, d'un commun accord, elles dirent : « Par Allah ! ces primeurs sont quelque chose d'exquis ! Et il faut bien donner un bakchiche au bonhomme qui les a apportées ! » Et elles envoyèrent au fellah, par l'intermédiaire des eunuques, cent dinars d'or. Et le roi, également, était extrêmement satisfait du concombre frisé qu'il avait mangé, et il ajouta encore deux cents dinars au don de ses femmes. Et le fellah toucha de la sorte, pour sa corbeille de primeurs, trois cents dinars d'or. Mais ce ne fut pas tout. Car le sultan, lui ayant posé diverses questions sur les choses de l'agriculture et sur d'autres choses encore, l'avait trouvé tout à fait à sa convenance et s'était plu à ses réponses ; car le fellah avait la parole élégante, la langue diserte, la réplique sur les lèvres, l'esprit fertile, le geste bien façonné et le langage poli et distingué. Et le sultan voulut en faire immédiatement son commensal et lui dit : « Ô cheikh, sais-tu comment on tient compagnie aux rois ? » Et le fellah répondit : « Je sais. » Et le sultan lui dit : « C'est bien, ô cheikh ! Retourne vite dans ton village porter à ta famille ce qu'Allah t'a accordé aujourd'hui pour lot, et reviens en toute hâte me trouver, pour être désormais mon commensal ! » Et le fellah répondit par l'ouïe et l'obéissance ; et, après être allé porter à sa famille les trois cents dinars qu'Allah lui avait envoyés, il revint retrouver le roi, qui, à ce moment, prenait son repas du soir. Et le roi le fit asseoir à côté de lui, devant le plateau, et le fit manger et boire suivant sa capacité. Et il le trouva encore plus plaisant que la première fois, et l'aima tout à fait, et lui demanda : « Tu dois certainement connaître des histoires belles à raconter et à écouter, ô cheikh ! » Et le fellah répondit : « Oui, par Allah ! Et la nuit prochaine, j'en raconterai au roi ! » Et le roi, à cette nouvelle, fut à la limite de la jubilation et se trémoussa de contentement. Et, pour donner à son commensal une marque de sa sollicitude et de son amitié, il fit venir de son harem la plus jeune et la plus belle des suivantes de la sultane, une jeune fille vierge et scellée…

À ce moment de sa narration, Schahrazade vit apparaître le matin et, discrète, se tut.

Mais lorsque fut la sept cent quatre-vingt-dix-septième nuit. Elle dit :

… Il fit venir de son harem la plus jeune et la plus belle des suivantes de la sultane, une jeune fille vierge et scellée, et la lui donna en cadeau, bien qu'il l'eût fait mettre de côté pour lui-même, dès le jour de l'achat, se la réservant comme un morceau de choix. Et il mit à la disposition des nouveaux mariés un bel appartement, dans le palais, proche voisin du sien, et magnifiquement meublé et pourvu de toutes les commodités. Et, après leur avoir souhaité toutes les délices pour la nuit, il les laissa seuls, et rentra dans son harem.

Or la jeune fille s'étant dévêtue attendit, couchée, que vînt à elle son nouveau seigneur. Et le cheikh cultivateur, qui de sa vie n'avait vu ni goûté de la chair blanche, s'émerveilla de ce qu'il voyait et glorifia en son cœur Celui qui forme la chair blanche. Et il s'approcha de la jeune fille, et se mit à folâtrer avec elle de toutes les folâtreries usuelles en un cas comme celui-là. Et voilà que, sans qu'il pût savoir ni comment ni pourquoi, l'enfant de son père ne voulut pas lever la tête, et resta assoupi avec un œil sans vie et tourné en bas. Et le fruitier eut beau l'admonester et l'encourager, il ne voulut rien entendre et resta insoumis, opposant à toutes les exhortations une inertie et un entêtement inexplicables. Et le pauvre fruitier fut à la limite de la confusion et s'écria : « En vérité, c'est là une affaire prodigieuse ! » Et la jeune fille, dans le but de réveiller les désirs de l'enfant, se mit à badiner avec lui et à jouer avec lui à la main chaude, et à le câliner de toutes les câlineries, et à le raisonner tantôt par les caresses et tantôt par les bourrades, mais elle ne réussit guère davantage à le décider au réveil. Et elle finit par s'écrier : « Ô mon maître, puisse Allah développer le progrès ! » Et, voyant que rien ne servait de rien, elle dit : « Ô mon maître, je crois bien que tu ne sais pas pourquoi l'enfant de son père ne veut pas se réveiller ! » Il dit : « Non par Allah ! je ne sais pas ! » Elle dit : « Parce que précisément son père est noué quant à ses aiguillettes ! » Il demanda : « Et comment, ô perspicace, doit-on faire pour guérir le nouement de ces aiguillettes-là ! » Elle dit : « Ne t'en préoccupe pas. Je sais m'y prendre ! » Et elle se leva à l'heure et à l'instant, prit de l'encens mâle et, le jetant dans un brûle-parfum, se mit à faire des fumigations à son époux, comme on en fait sur le corps des morts, en disant : « Qu'Allah réveille les morts ! Qu'Allah réveille les endormis ! » Et, cela fait, elle prit une cruche remplie d'eau et se mit à arroser l'enfant de son père, comme on fait pour les corps des morts avant de les couvrir du linceul. Et l'ayant ainsi baigné elle prit un foulard de mousseline et en recouvrit l'enfant endormi comme on recouvre les morts du linceul. Et, ayant accompli toutes ces cérémonies préparatoires d'un ensevelissement qu'elle faisait par simulacre, elle appela les nombreuses esclaves que le sultan avait mises à son service et à celui de son époux et leur montra ce qu'elle leur montra du pauvre fruitier qui était étendu immobile, le corps à moitié recouvert du foulard, et enveloppé par un nuage d'encens. Et, à cette vue, les femmes, poussant des cris d'hilarité et des éclats de rire, s'enfuirent à travers le palais, en racontant ce qu'elles venaient de voir à toutes celles qui n'avaient pas vu.

Or le matin, le sultan, levé de meilleure heure que de coutume, envoya chercher le fruitier, son commensal, et lui fit les souhaits du matin, et lui demanda : « Comment s'est passée ta nuit, ô cheikh ? » Et le fellah raconta au sultan tout ce qu'il avait éprouvé, sans lui cacher un détail. Et le sultan, en entendant cela, se mit à rire tellement qu'il se renversa sur le derrière ; puis il s'écria : « Par Allah ! la jeune fille qui a traité de cette façon judicieuse le nouement de tes aiguillettes est une jeune fille douée de science, de finesse et d'esprit ! Et je la reprends pour mon usage personnel ! Et il la fit venir et lui ordonna de lui raconter ce qui s'était passé.

Et la jeune fille répéta au roi la chose telle qu'elle était arrivée, et lui narra dans tous leurs détails les efforts qu'elle avait faits pour dissiper le sommeil de l'entêté fils de son père, et le traitement qu'elle avait fini par lui appliquer, sans résultat ! » Et le roi, à la limite de la jubilation, se tourna vers le fellah et lui demanda : « Est-ce vrai, cela ? » Et le fellah fit de la tête un signe affirmatif, et baissa les yeux. Et le roi, riant de toute sa gorge, lui dit : « Par ma vie sur toi, ô cheikh ! raconte-moi encore ce qui s'est passé ! » Et lorsque le pauvre homme eut répété son récit, le sultan se mit à pleurer de joie, et s'écria : « Ouallah ! c'est là une chose prodigieuse ! » Puis, comme le muezzin venait de faire sur le minaret l'appel à la prière, le sultan et le fruitier remplirent leurs devoirs envers leur Créateur, et le sultan dit : « Maintenant, ô cheikh des hommes délicieux, hâte-toi, pour compléter ma joie, de me raconter les histoires promises ! » Et le fruitier dit : « De tout cœur amical et comme hommages dus à notre généreux maître ! » Et, s'étant assis, les jambes repliées, en face du roi, il raconta :

HISTOIRE DES DEUX MANGEURS DE HACHISCH

Sache, ô mon seigneur et la couronne sur ma tête, qu'il y avait, dans une ville d'entre les villes, un homme, pêcheur de son métier, et mangeur de hachisch de son occupation. Or lorsqu'il avait réalisé le produit d'une journée de travail, il mangeait une partie de son gain en provisions de bouche, et le reste en cette herbe hilarante dont l'extrait est le hachisch. Et il mangeait trois prises de hachisch par jour : une qu'il avalait à jeun, le matin, une à midi et une au coucher du soleil. Et de la sorte il passait sa vie dans la gaieté et dans l'extravagance. Et cela ne l'empêchait pas de vaquer à son travail, qui était la pêche ; mais souvent il le faisait d'une manière bien singulière. Ainsi ! Un soir, ayant pris une dose de hachisch plus forte que d'habitude, il commença par allumer une chandelle de suif, et s'assit devant elle et se mit à se parler à lui-même, faisant les questions et les réponses, et jouissant de toutes les délices du rêve et du plaisir tranquille. Et il resta longtemps ainsi, et ne fut tiré de sa rêverie merveilleuse que par la fraîcheur de la nuit et la clarté de la lune dans son plein. Et il dit alors, se parlant à lui même : « Ho, *Un tel*, regarde ! la rue est silencieuse, la brise est fraîche et la clarté de la lune invite à la promenade. Tu feras donc bien de sortir prendre l'air et regarder la face du monde, pendant que les gens ne circulent pas et ne peuvent te déranger dans ton plaisir et ton faste solitaire ! » Et, pensant ainsi, le pêcheur sortit de sa maison, et dirigea sa promenade du côté de la rivière. Or c'était le quatorzième jour de la lune, et la nuit en était tout illuminée. Et le pêcheur, voyant sur le pavé le reflet du disque argenté, prit cet éclat de la lune pour de l'eau, et son extravagante imagination lui dit : « Par Allah, ô pêcheur *Un tel*, te voici arrivé sur le bord de la rivière, et aucun autre pêcheur que toi ne se trouve sur la berge. Tu feras donc bien de retourner vite prendre ta ligne et de revenir te mettre à pêcher ce que te donnera ta chance de cette nuit ! » Ainsi il pensa, dans sa folie, et ainsi il fit. Et, ayant apporté sa ligne, il vint s'asseoir sur une borne et se mit à pêcher au milieu du clair de lune, jetant le fil hameçonné sur la nappe blanche réfléchie par le pavé.

Or voici qu'un énorme chien, attiré par l'odeur des viandes qui servaient d'appât, vint se jeter sur la ligne et l'avala. Et le hameçon s'arrêta dans son gosier et lui occasionna une telle gêne qu'il se mit à donner des secousses désespérées sur le fil pour parvenir à se détacher. Et le pêcheur, qui croyait amener un poisson monstrueux, tirait tant qu'il pouvait ; et le chien, dont la souffrance devenait insupportable, tirait de son côté en poussant des hurlements de travers ; si bien que le pêcheur, ne voulant pas laisser échapper sa proie, finit par être entraîné et roula à terre. Et alors, croyant qu'il allait se noyer dans la rivière que lui montrait son hachisch, il se mit à pousser des cris épouvantables en appelant au secours. Et, à ce bruit, les gardiens du quartier accoururent, et le pêcheur, les voyant, leur cria : « À mon secours, ô musulmans ! Aidez-moi à tirer le monstrueux poisson des profondeurs de la rivière où il va m'entraîner ! Yallah, yallah ! à la rescousse, mes gaillards ! Je me noie ! » Et les gardiens, fort surpris, lui demandèrent : « Qu'as-tu, ô pêcheur ? Et de quelle rivière parles-tu ? Et de quel poisson s'agit-il ? » Et il leur dit : « Qu'Allah vous maudisse, ô fils de chiens ! Est-ce le moment de plaisanter, ou bien de m'aider à sauver mon âme de la noyade, et à tirer le poisson hors de l'eau ? » Et les gardiens, qui riaient d'abord de son extravagance, s'irritèrent contre lui, en l'entendant les traiter de fils de chiens, et se jetèrent sur lui et, après l'avoir roué de coups, le conduisirent chez le kâdi. Or le kâdi était également, par la permission d'Allah, fort adonné au hachisch…

À ce moment de sa narration, Schahrazade vit apparaître le matin et, discrète, se tut.

Mais lorsque fut la sept cent quatre-vingt-dix-huitième nuit. Elle dit :

… Or le kâdi était également, par la permission d'Allah, fort adonné au hachisch. Et lorsqu'il eut reconnu, d'un seul regard jeté sur le pêcheur, que l'homme que les gardiens accusaient d'avoir troublé le repos du quartier était sous la puissance de l'hilarante drogue qu'il prisait lui-même si fort, il se hâta d'admonester sévèrement les gardiens et de les renvoyer. Et il recommanda à ses esclaves d'avoir grand soin du pêcheur et de lui donner un bon lit où passer la nuit en toute tranquillité. Et il se promit, à part lui, de le prendre pour compagnon du plaisir qu'il comptait se donner le lendemain.

En effet, après qu'il eut passé toute la nuit dans le repos et le calme, et toute la journée du lendemain dans la bonne chère, le pêcheur fut appelé le soir près du kâdi, qui le reçut en toute cordialité et le traita comme un frère. Et, après avoir soupé avec lui, il s'assit tout près de lui, en face des chandelles allumées, et, lui présentant du hachisch, se mit à en prendre avec lui. Et, à eux deux, ils en consommèrent une dose capable de renverser les quatre pieds en l'air un éléphant fils de cent années. Lorsque le hachisch se fut bien dilué dans leur raison, il exalta les dispositions naturelles de leur caractère. Et, s'étant dévêtus, ils se mirent complètement nus, et commencèrent à danser, à chanter et à faire mille extravagances.

Or, à ce moment, le sultan et son vizir se promenaient dans la ville, tous deux déguisés en marchands. Et ils entendirent tout le bruit qui s'élevait de la maison du kâdi ; et, comme les portes n'étaient point fermées, ils entrèrent et trouvèrent le kâdi et le pêcheur dans le délire de la joie. Et le kâdi et son compagnon, en voyant entrer les hôtes du destin, s'arrêtèrent de danser et leur souhaitèrent la bienvenue et les firent asseoir avec cordialité, sans paraître autrement embarrassés de leur présence. Et le sultan, voyant le kâdi de la ville danser ainsi tout nu en face d'un homme tout aussi nu, et dont le zebb était d'une longueur qui n'en finissait pas et noir et mouvementé, écarquilla ses yeux et, se penchant à l'oreille de son vizir, lui dit : « Par Allah ! notre kâdi n'est pas aussi bien outillé que son noir compagnon. » Et le pêcheur se tourna vers lui et dit : « Qu'as-tu, toi, à parler ainsi à l'oreille de cet autre ? Asseyez-vous tous deux, je vous l'ordonne, moi, votre maître, le sultan de la ville ! Sinon, je vais vous faire trancher la tête, à l'instant, par mon vizir, le danseur. Car vous n'ignorez pas, je pense, que je suis le sultan en personne, que celui-ci est mon vizir, et que je tiens le monde entier, comme un poisson, dans la paume de ma main droite ! » Et le sultan et le vizir, à ces paroles, comprirent qu'ils étaient en présence de deux mangeurs de hachisch, de la variété la plus extraordinaire. Et le vizir, pour amuser le sultan, dit au pêcheur : « Et depuis quand, ô mon maître, es-tu devenu le sultan de la ville ? Et peux-tu me dire ce qu'est devenu notre ancien maître, ton prédécesseur ? » Il dit : « En vérité, je l'ai déposé, en lui disant : « Va-t'en ! » Et il s'en alla. Et je me suis mis à sa place ! » Il demanda : « Et le sultan n'a pas protesté ? » Il répondit : « Pas du tout ! Et même il s'est fort réjoui de se décharger sur moi du lourd fardeau du règne. Et moi, pour lui rendre ses gracieusetés, je l'ai gardé près de moi pour me servir. Et je compte lui raconter des histoires, s'il regrette sa démission ! »

Et, ayant ainsi parlé, le pêcheur ajouta : « J'ai une grande envie de pisser ! » Et, soulevant son interminable outil, il s'approcha du sultan et fit mine de se décharger sur lui. Et de son côté le kâdi dit : « J'ai également bien envie de pisser ! » Et il s'approcha du vizir, et voulut également faire comme le pêcheur. Et, voyant cela, le sultan et le vizir, au comble de l'hilarité, se levèrent en sautant sur leurs pieds et s'enfuirent en s'écriant : « Qu'Allah maudisse les mangeurs de hachisch de votre espèce ! » Et ils eurent tous deux beaucoup de peine à échapper aux deux extravagants compagnons.

Or, le lendemain, le sultan qui voulait compléter l'amusement de sa soirée de la veille, ordonna aux gardes de prévenir le kâdi de la ville qu'il eût à se présenter au palais avec l'hôte de sa maison. Et le kâdi, accompagné du pêcheur, ne tarda pas à arriver entre les mains du sultan qui lui dit : « Je t'ai fait venir, ô représentant de la loi, afin que tu puisses, avec ton compagnon, m'enseigner quel est le moyen le plus commode de pisser ! Faut-il, en effet, comme le prescrit le rite, s'accroupir en relevant soigneusement sa robe et ses effets ? Ou bien est-il préférable de faire comme les malpropres mécréants qui pissent debout ? Ou bien faut-il pisser contre ses semblables, en se mettant tout nu, ainsi que le firent hier au soir deux mangeurs de hachisch que je connais ? »

Lorsque le kâdi eut entendu ces paroles du sultan, et comme, d'autre part, il savait que le sultan avait l'habitude de se promener déguisé, la nuit, il comprit que son extravagance et son délire de la veille avaient eu pour témoin le sultan lui-même, et il fut à la limite de l'effroi en pensant qu'il avait manqué de respect au sultan et au vizir. Et il tomba à genoux, criant : « Amân ! Amân ! ô mon seigneur, c'est le hachisch qui m'a induit à la grossièreté et à l'indélicatesse ! » Mais le pêcheur, qui, à cause des doses journalières de hachisch, continuait à se trouver en état d'ébriété, dit au sultan : « Et puis quoi ! Si tu es dans ton palais, nous, hier au soir, nous étions dans le nôtre ! » Et le sultan, extrêmement réjoui des manières du pêcheur, lui dit : « Ô le plus délicieux hurluberlu de mon royaume, puisque tu es un sultan et que je le suis également, je te prie de me tenir compagnie désormais dans mon palais. Et puisque tu sais raconter des histoires, j'espère que tu voudras dulcifier notre ouïe avec l'une d'elles ! » Et le pêcheur répondit : « De tout cœur amical et comme hommages dus ! Mais, certes ! pas avant que tu aies pardonné à mon vizir qui est à genoux à tes pieds ! » Et le sultan se hâta de donner au kâdi l'ordre de se lever, et lui pardonna son extravagance de la veille et lui dit de retourner à sa maison et à ses fonctions. Et il garda auprès de lui le pêcheur seulement, qui, sans plus attendre, lui raconta, comme suit, l'HISTOIRE DU KÂDI PÈRE-AU-PET !

HISTOIRE DU KÂDI PÈRE-AU-PET

On raconte qu'il y avait dans la ville de Trablous de Syrie, du temps du khalifat Haroun al-Rachid, un kâdi qui exerçait les fonctions de sa charge avec une sévérité et une rigueur extrêmes. Et cela était notoire parmi les hommes.

Or ce kâdi de malheur avait, pour le servir, une vieille négresse à la peau rude et épaisse comme le cuir d'un buffle du Nil. Et c'était tout ce qu'il possédait comme femme dans son harem. Qu'Allah le repousse de Sa miséricorde ! Car ce kâdi était d'une ladrerie extrême qui ne pouvait être égalée que par sa rigueur dans les jugements qu'il rendait. Qu'Allah le maudisse ! Et bien qu'il fût riche, il ne vivait que de pain rassis et d'oignons. Et, avec cela, il était plein d'ostentation et avait l'avarice honteuse ; car il voulait toujours faire preuve de faste et de générosité, alors qu'il vivait avec la parcimonie d'un chamelier à bout de provisions. Et, pour faire croire à un luxe que sa maison ignorait, il avait l'habitude de couvrir le tabouret des repas d'une nappe garnie de franges d'or. Et, de la sorte, lorsque quelqu'un, par hasard, entrait pour affaire à l'heure des repas, le kâdi ne manquait pas d'appeler sa négresse et de lui dire à haute voix : « Mets la nappe à franges d'or ! » Et il pensait ainsi donner à croire aux gens que sa table était somptueuse et que des mets équivalaient en qualité et en quantité à la beauté de la nappe à franges d'or. Mais jamais personne n'avait été invité à l'un de ces repas servis sur la nappe splendide ; et personne n'ignorait, en revanche, la vérité sur l'avarice sordide du kâdi. Si bien que l'on disait communément, quand on avait mal mangé à un festin : « Il était servi sur la nappe du kâdi ! » Et ainsi cet homme, qu'Allah avait doté de richesses et d'honneurs, vivait d'une vie dont ne se seraient pas contentés les chiens de la rue. Qu'il soit à jamais confondu !

Or, un jour, quelques personnes qui voulaient se le rendre favorable dans un jugement lui dirent : « Ô notre maître le kâdi, pourquoi ne prends-tu pas épouse ? Car la vieille négresse que tu as dans ta maison n'est pas digne de tes mérites ! » Et il répondit : « Est-il quelqu'un de vous qui veuille me trouver une femme ? » Et l'un des assistants répondit : « Ô notre maître, j'ai une fille très belle, et tu honorerais ton esclave si tu voulais la prendre pour épouse. » Et le kâdi accepta l'offre ; et on célébra promptement le mariage ; et la jeune fille fut conduite le soir même dans la maison de son époux. Et l'adolescente était fort étonnée qu'on ne lui préparât point de repas, et qu'il n'en fût pas même question ; mais, comme elle était discrète et avait beaucoup de réserve, elle ne fit aucune réclamation, et, voulant se conformer aux usages de son époux, elle essaya de se distraire. Quant aux témoins du mariage et aux invités, ils présumaient que cette union du kâdi allait donner lieu à quelque fête ou du moins à un repas ; mais leur attente et leurs espoirs furent vains, et les heures se passèrent sans que le kâdi eût fait d'invitation. Et chacun se retira en maudissant le ladre.

Mais pour ce qui est de la jeune épouse, après avoir souffert cruellement d'un jeûne aussi rigoureux et aussi prolongé, elle entendit enfin son époux appeler la négresse à peau de buffle et lui ordonner de dresser le tabouret des repas, en y mettant la nappe à franges d'or et les plus beaux ornements. Et l'infortunée espéra alors pouvoir enfin se dédommager du jeûne pénible auquel elle venait d'être condamnée, elle qui avait toujours vécu, dans la maison de son père, au milieu de l'abondance, du luxe et du bien-être. Mais hélas sur elle ! que devint-elle lorsque la négresse eut apporté, pour tout plateau de mets, un bassin dans lequel étaient trois morceaux de pain bis et trois oignons ? Et, comme elle n'osait faire un mouvement et ne comprenait rien, le kâdi prit avec componction un morceau de pain et un oignon, donna une part égale à la négresse, et invita sa jeune épouse à faire honneur au festin, en lui disant : « Ne crains point d'abuser des dons d'Allah ! » Et il commença lui-même par en manger avec un empressement qui démontrait combien il goûtait l'excellence de ce repas. Et la négresse également ne fit qu'une bouchée de l'oignon, vu que c'était l'unique repas de la journée. Et la pauvre épouse abusée voulut essayer de faire comme eux ; mais, habituée qu'elle était aux mets les plus délicats, elle ne put avaler une bouchée. Et elle finit par se lever de table, à jeun, maudissant en son âme la noirceur de son destin. Et trois jours se passèrent de la sorte dans l'abstinence, avec le même appel à l'heure du repas, les mêmes beaux ornements sur la table, la même nappe à franges d'or, le pain bis et les tristes oignons. Mais le quatrième jour, le kâdi entendit des cris affreux…

À ce moment de sa narration, Schahrazade vit apparaître le matin et, discrète, se tut.

Mais lorsque fut la sept cent quatre-vingt-dix-neuvième nuit. Elle dit :

… Mais le quatrième jour, le kâdi entendit des cris affreux partir du harem. Et la négresse vint lui annoncer, en levant les bras au ciel, que sa maîtresse s'était révoltée contre tout le monde, à la maison, et qu'elle venait d'envoyer chercher son père. Et le kâdi, furieux, entra chez elle avec des yeux flamboyants, lui cria toutes sortes d'injures, et, l'accusant de s'être livrée à toutes les variétés de débauches, lui coupa les cheveux de force et la répudia, en lui disant : « Tu es divorcée par trois fois ! » Et il la chassa violemment et referma la porte derrière elle. Qu'Allah le maudisse ! Il mérite la malédiction.

Or, peu de jours après son divorce, le ladre fils de ladre trouva, à cause de ses fonctions qui le rendaient indispensable à beaucoup de gens, un autre client qui lui proposa sa fille en mariage. Et il épousa la jeune fille, qui fut servie de la même manière, et qui, n'ayant pu endurer au-delà de trois jours le régime des oignons, se révolta et fut également répudiée. Mais cela ne servit pas de leçon aux autres personnes ; car le kâdi trouva encore plusieurs jeunes filles à marier, et les épousa successivement, pour les répudier au bout d'un jour ou deux, à cause de leur rébellion contre le pain et les oignons. Mais, quand les divorces se furent multipliés d'une façon si exagérée, le bruit de la ladrerie du kâdi arriva aux oreilles qui n'avaient pas jusque-là entendu, et sa conduite à l'égard de ses femmes devint le sujet de toutes les conversations dans les harems. Et il perdit tous les crédits possibles auprès des entremetteuses et cessa tout à fait d'être mariable.

Or, un soir, le kâdi, tourmenté par l'héritage de son père, vu qu'aucune femme n'en voulait plus, se promenait hors de la ville, quand il vit venir une dame montée sur une mule couleur étourneau. Et il fut frappé par sa tournure élégante et ses riches vêtements. Aussi, ayant relevé le bout de ses moustaches, il s'avança vers elle avec une galante courtoisie, lui fit une profonde révérence et, après les salams, lui dit : « Ô toi, noble dame, d'où viens-tu ? » Elle répondit : « De la route qui est derrière moi ! » Et le kâdi sourit et dit : « Oui certes ! oui certes ! je sais cela, mais de quelle ville ? » Elle répondit : « De Mossoul ! » Il demanda : « Es-tu célibataire ou mariée ? » Elle dit : « Je suis encore célibataire. » Il demanda : « Veux-tu, en ce cas, me servir d'épouse désormais, et que moi, en retour, je devienne pour toi l'homme ? » Elle répondit : « Dis-moi où tu habites et je te ferai parvenir ma réponse dès demain. » Et le kâdi lui expliqua qui il était et où il habitait. Mais elle le savait ! Et elle le quitta en lui coulant le plus engageant des sourires, du coin de l'œil.

Or, le lendemain matin, l'adolescente envoya un message au kâdi, pour l'informer qu'elle consentait à l'épouser, moyennant un douaire de cinquante dinars. Et le ladre, faisant un violent effort sur son avarice, à cause de la passion qu'il éprouvait pour la jeune fille, lui fit compter et remettre les cinquante dinars, et chargea la négresse d'aller la chercher. Et l'adolescente, ne manquant pas à ses engagements, vint, en effet, dans la maison du kâdi ; et le mariage fut promptement conclu devant les témoins qui s'en allèrent aussitôt après, sans avoir été autrement régalés.

Et le kâdi, fidèle à son régime, dit à la négresse, d'un ton emphatique : « Étends la nappe à franges d'or ! » Et, comme à l'ordinaire, sur la table somptueusement ornée, furent servis, pour tout mets, les trois pains secs et les trois oignons. Et la jeune épouse prit la troisième portion, d'un air fort content, et, lorsqu'elle eut fini, elle dit : « *Alhamdou lillah !* Louange à Allah ! Quel excellent repas je viens de faire ! » Et elle accompagna cette exclamation d'un sourire d'extrême satisfaction. Et le kâdi, entendant et voyant cela, s'écria : « Glorifié soit le Très-Haut qui m'a enfin octroyé, dans Sa générosité, une épouse qui réunit en elle toutes les perfections, et sait se contenter du présent, en remerciant son Créateur pour le beaucoup et pour le peu ! » Mais l'aveugle ladre, le cochon – qu'Allah le confonde ! –, ne savait pas ce que le sort avait décrété pour lui, dans la cervelle maligne de sa jeune épouse.

Or, le lendemain matin, le kâdi fut au diwân, et l'adolescente, pendant son absence, se mit à visiter, l'une après l'autre, toutes les chambres de la maison. Et elle arriva de la sorte à un cabinet dont la porte soigneusement fermée, et cadenassée par trois énormes cadenas, et consolidée par trois fortes barres de fer, lui inspira une vive curiosité. Et, après avoir longtemps tourné tout autour et bien examiné ce qu'il y avait à examiner, elle finit par apercevoir une fente dans une des moulures, de la largeur d'à peu près un doigt. Et elle regarda par cette fente, et fut extrêmement surprise et joyeuse de voir que le trésor du kâdi était accumulé là-dedans, en or et en argent, dans de larges vases de cuivre posés sur le sol. Et aussitôt l'idée lui vint de profiter sans retard de cette découverte inespérée ; et elle courut chercher une longue baguette, une tige de palmier, en enduisit l'extrémité de pâte gluante et l'insinua à travers la fente de la moulure. Et, à force de tourner la baguette, plusieurs pièces d'or s'y attachèrent, qu'elle retira aussitôt. Et elle s'en alla en son appartement, appela la négresse et lui dit, en lui tendant les pièces d'or : « Va promptement au souk et rapporte-nous-en des galettes toutes chaudes du four, avec du sésame dessus, du riz au safran, de la viande délicate d'agneau, et tout ce que tu peux trouver de meilleur en fait de fruits et de pâtisseries ! » Et la négresse, étonnée, répondit par l'ouïe et l'obéissance, et se hâta d'exécuter les ordres de sa maîtresse qui, à son retour du souk, lui fit dresser les plateaux et partagea avec elle les succulentes choses apportées. Et la négresse qui, pour la première fois de sa vie, faisait un si excellent repas, s'écria : « Qu'Allah t'entretienne, ô ma maîtresse, et te fasse acquérir en graisse de bonne qualité les délicieuses choses dont tu viens de me nourrir. Par ta vie ! tu m'as fait manger, en ce seul repas dû à la générosité de ta paume, des succulences que je n'ai jamais goûtées pendant toute la durée de mon service chez le kâdi ! » Et l'adolescente lui dit : « Eh bien, si tu désires tous les jours une nourriture semblable et même supérieure à celle d'aujourd'hui, tu n'as qu'à obéir à tout ce que je te dirai, et à garder ta langue enfermée dans ta bouche en présence du kâdi ! » Et la négresse appela sur elle les bénédictions, la remercia et lui baisa la main, lui promettant obéissance et dévouement. Car il n'y avait pas à hésiter un instant dans le choix entre largesse et bonne chère d'un côté, et, de l'autre, privation et sordide parcimonie.

Et lorsque, vers midi, le kâdi fut rentré à la maison, il cria à la négresse : « Ô esclave, étends la nappe à franges d'or ! » Et lorsqu'il se fut assis, sa femme se leva et lui servit elle-même les restes de l'excellent repas. Et il mangea de grand appétit et se réjouit d'une si bonne chère et demanda : « D'où viennent ces provisions ? » Et elle répondit : « Ô mon maître, j'ai dans cette ville un grand nombre de parentes, et c'est l'une d'elles qui m'a envoyé aujourd'hui ce régal auquel je n'ai attaché de prix que dans l'idée de le partager avec mon maître ! » Et le kâdi se loua, en son âme, d'avoir épousé une femme qui avait des parents si précieux.

Or, le lendemain, la baguette en tige de palmier œuvra comme la première fois et amena du trésor du kâdi quelques pièces d'or avec lesquelles l'épouse du kâdi fit acheter des provisions admirables, dont un agneau farci de pistaches, et invita quelques-unes de ses voisines à partager avec elle l'excellent repas. Et elles passèrent le temps entre elles de la manière la plus agréable, jusqu'à l'heure du retour du kâdi. Et les femmes se séparèrent alors, sur la promesse que cette journée de bénédictions se renouvellerait en toute amabilité. Et le kâdi, dès son entrée, cria à la négresse : « Étends la nappe à franges d'or ! » Et, lorsque le repas fut servi, le ladre – qu'Allah le maudisse ! – fut bien étonné de voir, sur les plateaux, des viandes et des provisions plus délicates et plus recherchées encore que celles de la veille. Et, plein d'inquiétude, il demanda : « Par ma tête ! d'où viennent ces choses si coûteuses ? » Et l'adolescente, qui le servait elle-même, répondit : « Ô maître, tranquillise ton âme et rafraîchis tes yeux, et, sans te tourmenter davantage au sujet des biens qu'Allah nous envoie, ne pense qu'à bien manger et à te réjouir l'intérieur. Car c'est une de mes tantes qui m'a envoyé ces plateaux de mets, et je me tiens heureuse si mon maître est satisfait ! » Et le kâdi, à la limite de la joie d'avoir une épouse si bien apparentée et si aimable et si attentionnée, ne pensa plus qu'à profiter le plus qu'il pouvait de tant de bonheur gratuit. Aussi, au bout d'une année de ce régime, il fit tant de graisse, et son ventre se développa d'une façon si notoire, que les habitants de la ville, quand ils voulaient établir un point de comparaison pour une chose énorme, disaient : « C'est gros comme le ventre du kâdi ! » Mais le ladre – éloigné soit le Malin ! – ne savait pas ce qui l'attendait, et que sa femme avait fait le serment de venger toutes les pauvres femmes qu'il avait épousées pour les faire presque mourir d'inanition et les chasser, après leur avoir coupé les cheveux et les avoir répudiées par le divorce définitif des trois. Et voici comment l'adolescente s'y prit pour atteindre son but et jouer son tour.

Parmi les voisines qu'elle nourrissait tous les jours se trouvait une pauvre femme enceinte, déjà mère de cinq enfants, et dont le mari était un portefaix qui gagnait à peine de quoi subvenir aux nécessités urgentes de la maison. Et l'épouse du kâdi lui dit un jour : « Ô ma voisine, Allah t'a donné une nombreuse famille, et l'homme n'a pas de quoi la nourrir. Et te voici de nouveau enceinte de par la volonté du Très-Haut ! Veux-tu donc, lorsque tu auras accouché de ton prochain nouveau-né, me le donner, afin que je le soigne et l'élève comme mon propre enfant, moi qu'Allah ne favorise pas de la fécondité ? Et je te promets, en retour, que tu ne manqueras jamais de rien et que la prospérité favorisera ta maison ! Mais je te demande seulement de ne parler de la chose à personne et de me remettre l'enfant en cachette, afin que personne dans le quartier ne se doute de la vérité ! » Et la femme du portefaix accepta l'offre et promit le secret. Et le jour de son accouchement, qui eut lieu en grand secret, elle remit à l'épouse du kâdi l'enfant nouveau-né qui était un garçon aussi gros que deux garçons de son espèce.

Or, ce jour-là, l'adolescente prépara elle-même, pour l'heure du repas, un plat composé d'un mélange de fèves, de pois, de haricots blancs, de choux, de lentilles, d'oignons, de gousses d'ail, de farines diverses et de toutes sortes de graines lourdes et d'épices pilées. Et quand le kâdi fut rentré, bien affamé à cause de son gros ventre qui était complètement vide, elle lui servit ce ragoût bien assaisonné, qu'il trouva délicieux et dont il mangea goulûment. Et il en reprit plusieurs fois et finit par dévorer tout le plat, en disant : « Je n'ai jamais mangé de mets aussi facile à glisser dans le gosier ! Je désire, ô femme, que tu m'en prépares tous les jours un plat plus grand que celui-ci ! Car j'espère bien que tes parents ne vont pas s'arrêter dans leur générosité ! » Et l'adolescente répondit : « Que cela te soit délicieux et de facile digestion ! » Et le kâdi la remercia pour son souhait, et se loua une fois de plus d'avoir une épouse si parfaite et si soigneuse de ses plaisirs.

Mais une heure s'était à peine écoulée depuis le repas que le ventre du kâdi se mit à enfler et à grossir à vue d'œil ; et un grand vacarme, comme un bruit de tempête, se fit entendre dans son intérieur ; et de sourds grondements, comme un tonnerre menaçant, ébranlèrent ses parois, bientôt accompagnés de terribles coliques, de spasmes et de douleurs. Et il devint bien jaune de teint, et se mit à geindre et à se rouler par terre comme une jarre, en se tenant le ventre à deux mains et en s'écriant : « Ya Allah ! une tempête est dans mon ventre ! Ah ! qui me délivrera ! » Et bientôt il ne put s'empêcher de pousser des hurlements, sous la poussée des crises plus fortes de son ventre devenu plus gonflé qu'une outre pleine. Et aux cris qu'il faisait, son épouse accourut et, cherchant à le soulager, lui fit avaler une poignée de poudre d'anis et de fenouil, qui devaient bientôt produire leur effet. Et, en même temps, pour le consoler et l'encourager, elle se mit à le caresser partout comme on caresse un enfant malade, et à lui masser doucement sa partie affligée, en y passant la main avec régularité. Et tout d'un coup elle s'arrêta dans son massage, en jetant un cri perçant, suivi d'exclamations répétées de surprise et d'effarement, disant : « Youh ! youh ! le miracle ! le prodige ! ô mon maître ! ô mon maître ! » Et le kâdi, malgré les violentes douleurs qui le faisaient se contorsionner, demanda : « Qu'as-tu ? Et de quel miracle s'agit-il ? » Elle dit : « Youh ! youh ! ô mon maître, ô mon maître ! » Il demanda : « Qu'as-tu, dis-le moi ! » Et elle répondit : « Le nom d'Allah sur toi et autour de toi ! » Et elle passa de nouveau la main sur son ventre tempétueux, en ajoutant : « Que le Très-Haut soit exalté ! Il peut et fait tout ce qu'Il veut ! Que Ses secrets soient accomplis, ô mon maître ! » Et le kâdi, entre deux hurlements, demanda : « Qu'as-tu ô femme ? Parle ! Qu'Allah te maudisse, pour me torturer de la sorte ! » Elle dit : « Ô mon maître, ô mon maître, que Sa volonté s'accomplisse ! Tu es enceinte ! Et l'accouchement est proche de la délivrance ! »

À ces paroles de son épouse, le kâdi se releva, malgré les coliques et les spasmes, et s'écria : « Es-tu folle, ô femme ? Et depuis quand les hommes deviennent-ils enceintes ? » Elle dit : « Par Allah, je ne sais ! Mais l'enfant se mouvemente dans ton ventre. Et j'en sens les coups de pied, et j'en touche la tête avec mes mains ! » Et elle ajouta : « Allah jette les grains de la fécondité où Il veut ! Qu'Il soit exalté ! Prie sur le Prophète, ô homme ! » Et le kâdi, en proie aux convulsions, dit : « Sur lui les bénédictions et toutes les grâces ! » Et, ses douleurs augmentant, il recommença à se rouler, en hurlant de travers ; et il se tordait les mains, et ne pouvait plus respirer, tant était violent le combat qui se livrait dans son ventre. Et soudain voici le soulagement ! Long et résonnant, un pet épouvantable se délivra de son intérieur, et fit trembler toute la maison, et évanouir le kâdi sous la violente poussée de son choc. Et une série nombreuse d'autres pets, en graduation atténuée, continua à rouler à travers l'air troublé de la maison. Puis, sur un dernier vacarme, semblable au bruit du tonnerre, le silence rentra dans la demeure. Et peu à peu le kâdi revint à lui-même et aperçut, étendu sur un petit matelas, devant lui, un nouveau-né entouré de langes, qui piaillait en faisant des grimaces. Et il vit son épouse qui disait : « Louanges à Allah et à Son Prophète pour cette heureuse délivrance ! *Alhamdou lillah*, ô homme ! » Et elle se mit à marmotter tous les noms sacrés sur la couche du petit et sur la tête de son époux. Et le kâdi ne savait s'il dormait, s'il veillait, ou si les douleurs qu'il avait ressenties avaient détruit ses facultés intellectuelles. Cependant il ne pouvait démentir le témoignage de ses sens ; et la vue de cet enfant nouveau-né, et la cessation de ses douleurs, et le souvenir de la tempête qui s'était dégagée de son ventre le forçaient de croire à son étonnante délivrance. Et l'amour maternel fut le plus fort et lui fit accepter l'enfant et dire : « Allah jette les grains et crée où Il veut ! Et même les hommes, s'ils y sont prédestinés, peuvent devenir enceintes et accoucher à terme ! » Puis il se tourna vers son épouse, et lui dit : « Ô femme, il faut que tu te charges de procurer une nourrice à cet enfant ! Car, moi, je ne puis l'allaiter ! » Et elle répondit : « J'y ai déjà songé. Et la nourrice est là qui attend, dans le harem ! Mais es-tu sûr, ô mon maître, que tes seins ne se sont pas développés et que tu ne peux allaiter cet enfant ? Car, tu sais bien, rien n'est meilleur que le lait de la mère ! » Et le kâdi, de plus en plus ahuri, se tâta la poitrine avec anxiété et répondit : « Non, par Allah ! ils sont comme ils étaient, sans rien dedans ! »

Tout cela ! Et la maligne jeune femme se réjouissait en son âme de la réussite de son stratagème. Puis, voulant pousser sa ruse jusqu'au bout, elle obligea le kâdi à se mettre au lit et à y rester, comme les femmes en couches, quarante jours et quarante nuits, sans en sortir. Et elle se mit à lui faire les boissons que l'on donne d'ordinaire aux accouchées et à le soigner et à le dorloter de toutes les manières. Et le kâdi, extrêmement fatigué des douloureuses coliques qu'il avait éprouvées et de tout le bouleversement de son intérieur, ne tarda pas à s'endormir profondément, pour ne s'éveiller que longtemps après, sain de corps mais bien malade d'esprit…

À ce moment de sa narration, Schahrazade vit apparaître le matin et, discrète, se tut.

Mais lorsque fut la huit centième nuit. Elle dit :

… Pour ne s'éveiller que longtemps après, sain de corps mais bien malade d'esprit. Et son premier soin fut de prier son épouse de garder soigneusement le secret sur cette aventure, lui disant : « Ô notre calamité, si les gens venaient à savoir que le kâdi a accouché d'un enfant viable ! » Et la maligne, loin de le tranquilliser à ce sujet, se plut à augmenter son inquiétude en lui disant : « Ô mon maître, nous ne sommes pas les seuls à connaître cet événement merveilleux et béni ! Car toutes nos voisines le savent déjà par la nourrice qui est allée, malgré mes recommandations, révéler le miracle et babiller à droite et à gauche ; et il est bien difficile d'empêcher une nourrice de bavarder, comme aussi d'arrêter maintenant l'extension de cette nouvelle à travers la ville ! »

Et le kâdi, extrêmement mortifié de se savoir le sujet de toutes les conversations et un objet de commentaires plus ou moins désobligeants, passa les quarante jours des couches immobile dans le lit, n'osant pas bouger par crainte des complications et des saignements, et réfléchissant, avec les sourcils contractés, à sa triste situation. Et il se disait : « Pour sûr ! la malignité de mes ennemis, qui sont nombreux, doit m'accuser de choses plus ou moins ridicules, par exemple de m'être laissé enculer d'une extraordinaire manière, en disant : « Le kâdi est un enculé ! Certainement le kâdi n'est qu'un enculé ! Ah ! c'était bien la peine vraiment de se montrer si sévère dans ses jugements s'il devait aboutir à l'enculage et à l'accouchement ! Par Allah ! notre kâdi est un étrange enculé ! » Or, moi, par Allah ! il y a bien longtemps que je ne connais plus cette chose-là, et ce n'est pas à mon âge que je puis tenter les amateurs ! »

Ainsi pensait le kâdi, ne sachant pas que c'était seule sa ladrerie qui lui attirait ce retour des choses. Et plus il réfléchissait, plus le monde noircissait devant son visage, et plus sa position lui paraissait risible et pitoyable. Aussi, dès que son épouse eut jugé qu'il pouvait se lever sans craindre les complications d'après les couches, il se hâta de sortir du lit et de se laver, mais sans oser quitter sa maison pour aller au hammam. Et, pour éviter les moqueries et les allusions qu'il ne devait pas manquer d'entendre désormais, s'il continuait à habiter la ville, il résolut de quitter Trablous et s'ouvrit de ce projet à son épouse qui, tout en feignant un grand chagrin de le voir s'éloigner de sa maison et de quitter sa situation de kâdi, ne manqua pas d'abonder dans son sens et de l'encourager à s'en aller, lui disant : « Certes ! ô mon maître, tu as raison de quitter cette ville maudite habitée par les mauvaises langues, mais pour un temps seulement, jusqu'à ce que cette aventure soit oubliée. Et tu reviendras alors, pour élever cet enfant dont tu es à la fois le père et la mère, et que nous appellerons, si tu le veux, pour nous rappeler sa merveilleuse naissance, Source-des-Miracles ! » Et le kâdi répondit : « Il n'y a pas d'inconvénient ! » Et, pendant la nuit, il se glissa hors de sa maison, en y laissant sa femme pour prendre soin de Source-des-Miracles et des effets et des meubles de la maison. Et il sortit de la ville, en évitant les rues fréquentées, et partit dans la direction de Damas.

Et il arriva à Damas, après un voyage fatigant, mais en se consolant à la pensée que, dans cette ville, personne ne le connaissait ni ne connaissait son histoire. Mais il eut la malchanche d'y entendre raconter son histoire dans tous les endroits publics par les conteurs aux oreilles de qui elle était déjà arrivée. Et, comme il le craignait, les conteurs de la ville ne manquaient pas, chaque fois qu'ils la racontaient, d'y ajouter un détail nouveau et, pour faire rire leurs écouteurs, d'attribuer au kâdi des organes extraordinaires, et de les charger de tous les outils des muletiers de Trablous, et de lui donner le nom qu'il redoutait tant, en l'appelant fils, petit-fils et arrière-petit-fils du nom qu'il ne se prononçait pas à lui-même. Mais, heureusement pour lui, personne ne connaissait sa figure, et il put de la sorte passer inaperçu. Et, le soir, quand il traversait les endroits où stationnaient les conteurs, il ne pouvait s'empêcher de s'arrêter pour écouter son histoire, qui, dans leur bouche, était devenue prodigieuse ; car ce n'était plus un enfant qu'il avait eu, mais une portée d'enfants à la file les uns des autres ; et il finissait lui-même, tant l'hilarité était grande au milieu de l'assistance, par rire de sa propre histoire avec les autres, heureux de n'être pas reconnu, et se disant : « Par Allah ! qu'on me traite de tout ce que l'on voudra, mais qu'on ne me reconnaisse pas ! » Et il vécut de la sorte, très retiré, dans une parcimonie plus grande encore que par le passé. Et, malgré tout, il finit par épuiser la provision d'argent qu'il avait emportée avec lui, et finit par vendre, pour vivre, ses vêtements ; car il ne voulait pas se résoudre à demander, par un courrier, de l'argent à sa femme, pour ne pas se voir obligé de lui révéler le lieu où se trouvait son trésor. Car il ne se doutait guère, le pauvre ! que ce trésor était découvert depuis longtemps. Et il s'imaginait que son épouse continuait à vivre sur le dos de ses parentes et de ses voisines, comme elle le lui avait fait croire. Et son état de misère arriva à un tel degré qu'il fut obligé, lui, l'ancien kâdi, de se louer à un maçon, à la journée, comme porteur de mortier.

Et quelques années s'écoulèrent de la sorte. Et le malheureux, qui supportait le poids de toutes les malédictions lancées contre lui par les victimes de ses jugements et les victimes de sa ladrerie, était devenu maigre comme un chat oublié dans un grenier. Et il songea alors à retourner à Trablous, espérant que les années avaient effacé le souvenir de son aventure. Et il partit de Damas et, après un voyage fort dur pour son corps affaibli, il arriva à l'entrée de Trablous, sa ville. Et, au moment où il en franchissait la porte, il vit des enfants qui jouaient entre eux, et entendit l'un d'eux qui disait à l'autre : « Comment veux-tu gagner au jeu, toi qui es né en l'année néfaste du kâdi Père-au-Pet ? » Et l'infortuné fut heureux d'entendre cela, en pensant : « Par Allah ! ton aventure est oubliée, puisque c'est un autre kâdi que toi qui sert maintenant de proverbe aux enfants ! » Et il s'approcha de celui qui avait parlé de l'année du kâdi Père-au-pet, et lui demanda : « Quel est ce kâdi dont tu parles, et pourquoi l'appelle-t-on Père-au-pet ? » Et l'enfant raconta toute l'histoire de la malice de l'épouse du kâdi, dans tous ses détails, depuis le commencement jusqu'à la fin. Mais il n'y a point d'utilité à la répéter.

Lorsque le vieux ladre eut entendu le récit de l'enfant, il ne douta plus de son malheur, et comprit qu'il avait été le jouet et la risée de la malice de son épouse. Et, quittant les enfants qui continuaient leur jeu, il se précipita dans la direction de sa maison, voulant, dans sa fureur, châtier l'audacieuse qui s'était moquée de lui si cruellement. Mais, en arrivant à sa maison, il la trouva les portes ouvertes à tous les vents, le plafond effondré, les murs à moitié écroulés, et dévastée de fond en comble ; et il courut au trésor, mais il n'y avait plus ni trésor, ni trace de trésor, ni odeur de trésor, plus rien du tout. Et les voisins, accourus en le voyant arriver, lui apprirent, au milieu de l'hilarité générale, qu'il y avait longtemps que son épouse était partie, le croyant mort, et qu'elle avait emporté avec elle, on ne savait dans quel pays lointain, tout ce qui se trouvait dans la maison. Et, en se voyant le centre de la risée publique, le vieux ladre se hâta de quitter sa ville, sans tourner la tête. Et l'on n'entendit jamais plus parler de lui. Et telle est, ô roi du temps, continua le mangeur de hachisch, l'histoire du kâdi Père-au-pet, qui est parvenue jusqu'à moi. Mais Allah est plus savant ! »

Et le sultan, en entendant cette histoire, se trémoussa d'aise et de contentement, et fit don au pêcheur d'une robe d'honneur, et lui dit : « Par Allah sur toi, ô bouche de sucre, raconte-moi encore une histoire d'entre les histoires que tu connais ! » Et le mangeur de hachisch répondit : « J'écoute et j'obéis ! » Et il raconta :

LE BAUDET KÂDI

« Il m'est revenu, ô Roi fortuné, qu'il y avait, dans une ville du pays d'Égypte, un homme qui était collecteur des taxes de sa profession et qui était obligé, par conséquent, de s'absenter souvent de sa maison. Et, comme il n'était point doué de vaillance, quant à ce qu'on appelle le vaillant compagnon, son épouse ne manquait pas de profiter de ses absences pour recevoir son amoureux, qui était un jouvenceau beau comme la lune et toujours prêt à satisfaire ses désirs. Aussi l'aimait-elle à l'extrême, et, en retour des plaisirs qu'il lui donnait, elle ne se contentait pas de lui faire goûter à tout ce qui était bon dans son jardin, mais, comme il n'était pas riche et ne savait pas encore gagner de l'argent dans les affaires de vente et d'achat, elle dépensait pour lui tout ce qui était nécessaire, ne lui demandant jamais de la rembourser autrement qu'en caresses, foutreries et autres choses semblables. Et ils vivaient ainsi tous deux de la vie la plus délicieuse, se gavant et s'entr'aimant selon leurs capacités.

Gloire à Allah qui donne aux uns la puissance et afflige les autres d'impotence ! Ses décrets sont insondables.

Or, un jour, le collecteur des taxes, époux de l'adolescente, devant partir pour son service, prépara son baudet, remplit sa besace de papiers d'affaires et de vêtements, et dit à son épouse de lui remplir l'autre œil de la besace de provisions pour la route. Et l'adolescente, heureuse de se débarrasser de lui, se hâta de lui donner tout ce qu'il désirait mais ne put lui trouver du pain ; car la provision de la semaine était épuisée, et la négresse était précisément en train d'en pétrir pour une nouvelle semaine. Alors le collecteur des taxes, ne pouvant attendre que le pain de la maison fût cuit, s'en alla au souk pour s'en procurer. Et il laissa, pour le moment, tout bâté dans l'écurie, devant sa mangeoire, le baudet…

À ce moment de sa narration, Schahrazade vit apparaître le matin et, discrète, se tut.

Mais lorsque fut la huit cent unième nuit. Elle dit :

… Et il laissa, pour le moment, tout bâté dans l'écurie, devant sa mangeoire, le baudet. Et son épouse resta dans la cour, pour être là à son retour, et soudain elle vit entrer son amoureux qui croyait déjà parti le collecteur des taxes. Et il dit à l'adolescente : « J'ai un pressant besoin d'argent. Et il faut que tu me donnes tout de suite trois cents drachmes ! » Et elle répondit : « Par le Prophète ! Je ne les ai pas aujourd'hui, et je ne sais où les prendre ! » Et le jouvenceau dit : « Il y a le baudet, ô ma sœur ! Tu peux bien me donner le baudet de ton mari, que je vois là tout bâté, devant sa mangeoire, afin que je le vende. Et il me rapportera, pour sûr, les trois cents drachmes qui me sont nécessaires, absolument nécessaires ! » Et l'adolescente, fort surprise, s'écria : « Par le Prophète ! tu ne sais ce que tu dis ! Et mon mari qui va rentrer et qui ne trouvera plus son baudet ? Tu n'y songes pas ! Il m'accusera certainement d'avoir perdu le baudet, puisqu'il m'a chargée de rester là, et il me battra ! » Mais le jouvenceau prit un air si malheureux et la pria avec tant d'éloquence de lui donner le baudet qu'elle ne put résister à ses prières, et, malgré toute la terreur que lui inspirait son époux le collecteur, elle le laissa emmener le baudet, mais seulement après qu'il l'eut débarrassé de son harnachement.

Or, quelques instants après, le mari rentra avec les galettes de pain sous le bras, et alla à l'étable, pour les mettre dans la besace et prendre le baudet. Et il vit la têtière de l'animal pendue à un clou, et le bât et la besace déposés sur la paille, mais pas de baudet, ni trace de baudet, ni odeur de baudet. Et, extrêmement surpris, il revint vers son épouse et lui dit : « Ô femme, qu'est devenu le baudet ? » Et son épouse, sans se troubler, répondit d'une voix tranquille : « Ô fils de l'oncle, le baudet vient de sortir, et, sur le pas de la porte, il se tourna vers moi et me dit qu'il allait tenir audience dans le diwân de justice de la ville ! » En entendant ces paroles, le collecteur, plein de colère, leva le poing contre son épouse et lui cria : « Ô dévergondée, tu oses te moquer de moi ! Et ne sais-tu que d'un seul coup je puis faire entrer ta longueur dans ta largeur ? » Et elle dit, sans rien perdre de sa tranquillité : « Le nom d'Allah sur toi et sur moi, et autour de toi et autour de moi ! Pourquoi me moquerais-je de toi, ô fils de l'oncle ? Et depuis quand suis-je capable de te tromper en quoi que ce soit ? Et, d'ailleurs, voudrais-je l'oser que ta perspicacité et ta finesse d'esprit auraient tôt fait de déjouer mes grossières et lourdes inventions. Mais, avec ta permission, ô fils de l'oncle, il faut que je te dise enfin une chose que jusqu'ici je n'ai pas osé te raconter, craignant que sa révélation attirât sur nous quelque malheur sans recours ! Sache, en effet, que ton baudet est ensorcelé, et que, de temps à autre, il se transforme en kâdi ! » Et le collecteur, entendant cela, s'écria : « Ya Allah ! » Mais la jeune femme, sans lui laisser le temps de pousser d'autres exclamations, ni de réfléchir, ni de parler, continua sur le même ton d'assurance tranquille : « En effet, la première fois que je vis tout d'un coup sortir de l'étable un homme inconnu que je n'avais point vu y entrer, et que je n'avais jamais aperçu auparavant, j'ai eu une peur effroyable et, lui tournant le dos et me couvrant vivement le visage du bas de ma robe que je relevai, n'ayant point de voile à ce moment sur la tête, je voulus livrer mes jambes au vent et chercher la sécurité dans la fuite, puisque tu étais absent de la maison. Mais l'homme s'approcha de moi et me dit d'une voix pleine de gravité et de bonté, sans lever ses yeux vers moi, par crainte d'offusquer ma pudeur : « Tranquillise ton âme, ma fille, et rafraîchis tes yeux ! Je ne suis point pour toi un inconnu, puisque je suis le baudet du fils de ton oncle ! Mais, de ma nature, réelle, je suis un être humain, kâdi de ma profession. Et j'ai été transformé en baudet par des ennemis que j'ai, qui sont versés dans la sorcellerie et les enchantements. Et, comme je ne connais pas leurs sciences occultes, je me trouve sans recours et sans armes contre eux. Mais comme ils sont tout de même des Croyants, ils permettent que de temps en temps, aux jours des séances de justice, je reprenne ma forme humaine, de baudet que j'étais, pour aller tenir audience dans le diwân. Et je dois vivre de la sorte, tantôt baudet et tantôt kâdi, jusqu'à ce qu'Allah Très-Haut veuille bien me délivrer des incantations de mes ennemis et briser la sorcellerie qu'ils m'ont écrite ! Mais de grâce ! ô secourable, je te supplie par ton père, par ta mère et par tous les tiens, de ne point parler à personne de mon état, même pas au fils de ton oncle, mon maître, le collecteur des taxes. Car s'il connaissait mon secret, il serait capable, parce qu'il est un homme d'une foi éclairée et un observateur rigoureux de la religion, de se débarrasser de moi, pour ne plus avoir dans sa maison un être qui est sous la puissance des sorciers ; et il me vendrait à quelque fellah qui me maltraiterait du matin au soir, et me donnerait à manger des fèves pourries, alors qu'ici je suis si bien sous tous les rapports ! » Puis il ajouta : « J'ai encore une chose à te demander, ô ma maîtresse ! ô bonne ! ô secourable ! c'est de prier mon maître le collecteur, le fils de ton oncle, de ne pas m'aiguillonner trop fort le cul, quand il est pressé, car j'ai cette partie de mon individu affligée, pour mon malheur, d'une extrême sensibilité et d'une délicatesse inimaginable ! »

« Et, ayant ainsi parlé, notre baudet, devenu kâdi, me laissa dans une grande perplexité et s'en alla présider le diwân. Et c'est là que tu le trouveras, si tu veux. Or, moi, ô fils de l'oncle, je ne pouvais garder plus longtemps pour moi seule ce lourd secret, surtout maintenant que je suis en cause, et que je risque d'encourir ta colère et ta disgrâce ! Et je demande pardon à Allah de manquer de la sorte à la promesse que j'ai faite au pauvre kâdi de ne jamais parler à personne de son état de baudet ! Et, du moment que la chose est faite, permets-moi, ô mon maître, de te donner un conseil, et c'est de ne point te défaire de ce baudet, qui, non seulement est un excellent animal plein de zèle, sobre, ne pétant jamais, plein de décence, ne montrant que fort rarement son outil quand on le regarde, mais qui, le cas échéant, pourrait te donner de fort bons conseils sur les questions délicates de la jurisprudence et sur la légalité de telle ou de telle procédure ! »

Lorsque le collecteur des taxes eut entendu ces paroles de son épouse, qu'il avait écoutée avec un air de plus en plus ébahi, il fut à la limite de la perplexité, et dit : « Oui, par Allah ! cette affaire est étonnante ! Mais que dois-je faire maintenant que je n'ai plus de baudet sous la main, et qu'il faut que je m'en aille collecter les taxes de tel et de tel village des environs ? Mais sais-tu du moins à quelle heure il va revenir ? Ou bien ne t'a-t-il rien dit à ce sujet ? » Et l'adolescente répondit : « Non, il ne m'a pas précisé l'heure. Il m'a seulement dit qu'il allait tenir audience dans le diwân ! Or, moi, je sais bien ce que je ferais si j'étais à ta place ! Mais je n'ai guère besoin de donner des conseils à plus intelligent et à plus incontestablement fin et perspicace que moi ! » Et le bonhomme dit : « Sors toujours ce que tu as. Je verrai bien si tu n'es pas tout à fait sotte ! » Elle dit : « Eh bien ! moi, à ta place, j'irais tout droit au diwân où siège le kâdi, je prendrais dans ma main une poignée de fèves, et, lorsque je serais en présence du malheureux ensorcelé qui préside le diwân, je lui montrerais de loin les fèves que j'ai à la main, et je lui ferais comprendre, par signes, que j'ai besoin de ses services en tant que baudet. Et il me comprendrait, et, comme il a le sens du devoir, il sortirait du diwân et me suivrait, d'autant plus qu'il verrait les fèves, sa nourriture favorite, et ne pourrait s'empêcher de marcher derrière moi ! »

Or le collecteur des taxes, en entendant ces paroles, trouva fort raisonnable l'idée de son épouse, et dit : « Je crois que c'est ce que j'ai de mieux à faire. Décidément tu es une femme de bon conseil. » Et il sortit de la maison, après avoir pris une poignée de fèves, afin que s'il ne pouvait amener le baudet par la persuasion, il pût du moins s'en rendre maître par l'attrait de la gourmandise, son vice principal. Et, comme il s'en allait, sa femme lui cria encore : « Et surtout, ô fils de l'oncle, garde-toi bien, dans tous les cas, de t'emporter contre lui et de le maltraiter ; car tu sais bien qu'il est susceptible et, en outre, il est, en tant que baudet et kâdi, doublement têtu et vindicatif ! » Et, sur ce dernier conseil de son épouse, le collecteur des taxes s'en alla dans la direction du diwân et entra dans la salle d'audience où, sur son estrade, siégeait le kâdi.

Et il s'arrêta tout au bout de la salle, derrière les assistants, et élevant sa main qui tenait la poignée de fèves, il se mit à faire au kâdi, avec l'autre main, des signes d'invitation pressante qui voulaient signifier clairement : « Viens vite ! J'ai besoin de te parler ! Viens ! » Et le kâdi finit par apercevoir ces signaux, et reconnaissant en l'homme qui les faisait un collecteur principal des taxes, il crut qu'il voulait lui dire en particulier des choses importantes ou lui faire quelque communication urgente de la part du wali. Et il se leva à l'instant, en suspendant la séance de justice, et suivit dans le vestibule le collecteur qui, pour mieux l'amorcer, marchait devant, en lui montrant les fèves et en l'encourageant du geste et de la voix, comme on fait pour les baudets.

Or, dès qu'ils furent tous deux dans le vestibule, le collecteur se pencha à l'oreille du kâdi et lui dit : « Par Allah, ô mon ami, je suis bien contrarié et bien peiné et bien fâché de la sorcellerie qui te tient enchanté. Et, certes, ce n'est pas pour te contrarier que je viens ici te chercher, mais il faut absolument que je parte tout de suite pour mon service, et je ne puis attendre que tu finisses ta journée ici. Je te prie donc de te transformer sans retard en baudet et de me laisser monter sur ton dos ! » Et, voyant que le kâdi reculait avec effroi à mesure qu'il l'entendait, le collecteur prit un ton de grande commisération, et ajouta : « Je te jure par le Prophète – sur Lui la prière et la paix ! – que si tu veux me suivre tout de suite, jamais plus je ne te piquerai le derrière avec l'aiguillon, car je sais que tu es fort sensible et fort délicat quant à cette partie-là de ta personne ! Allons, viens, mon cher baudet, mon bon ami ! Et tu auras, ce soir, une double ration de fèves et de luzerne fraîche ! »

Tout cela ! Et le kâdi, croyant avoir affaire à quelque fou échappé du maristân, reculait de plus en plus vers l'entrée de la salle, au comble de la stupéfaction et de la terreur, et devenu plus jaune que le safran. Mais le collecteur, voyant qu'il allait lui échapper, exécuta une volte rapide et se mit entre lui et la porte du diwân, bouchant ainsi l'issue. Et le kâdi, ne voyant aucun garde ni personne à appeler à son secours, prit le parti d'user de douceur, de prudence et de ménagement, et dit au collecteur : « Tu parais, ô mon maître, avoir perdu ton baudet, je crois, et désireux de le remplacer. Or rien n'est plus juste, à mon avis. Voici donc, de ma part, trois cents drachmes que je te donne afin que tu puisses en acheter un autre. Et, comme c'est aujourd'hui jour de marché au souk des bestiaux, il te sera facile de choisir, pour ce prix, le plus beau des ânes. Ouassalam ! » Et, ce disant, il tira de sa ceinture les trois cents drachmes, les remit au collecteur, qui accepta l'offre, et rentra dans la salle d'audience, en prenant un air grave et réfléchi, comme s'il venait d'avoir communication d'une affaire de grande importance. Et il se disait en lui-même : « Par Allah ! c'est de ma faute si j'ai perdu de la sorte les trois cents drachmes ! Mais cela vaut mieux que si j'avais provoqué un scandale devant mes justiciables. Et, d'ailleurs, je saurai bien rentrer dans mon argent en exploitant mes plaideurs ! » Et il s'assit à sa place et continua la séance de justice. Et voilà pour lui.

Quant au collecteur, voici ! Lorsqu'il fut arrivé au souk des bestiaux, pour acheter un baudet, il se mit à examiner avec attention, et, en prenant son temps, toutes les bêtes l'une après l'autre. Et il finit par apercevoir un fort bon baudet qui lui parut remplir toutes les conditions requises, et il s'en approcha pour l'examiner de près, et soudain il reconnut que c'était son propre baudet. Et le baudet le reconnut également et, ramenant ses oreilles en arrière, il se mit à renifler et à braire de joie. Mais le collecteur, fort offusqué de son outrecuidance, après tout ce qui était arrivé, recula en secouant ses mains, et s'écria : « Non, par Allah ! ce ne sera pas toi que j'achèterai, si j'ai besoin d'un baudet fidèle, car tantôt kâdi et tantôt baudet, tu ne peux vraiment faire mon affaire ! » Et il s'éloigna outré de l'audace de son baudet, qui osait l'inviter à l'emmener. Et il alla en acheter un autre, et se hâta de rentrer à sa maison pour le harnacher et le monter, après avoir raconté à son épouse tout ce qui venait de lui arriver.

Et, de la sorte, grâce à l'esprit plein de ressources de l'adolescente, épouse du collecteur, tout le monde fut satisfait, et nul ne fut lésé. Car si l'amoureux avait eu l'argent dont il avait besoin, le mari s'était procuré un meilleur baudet sans dépenser un drachme de sa poche, et le kâdi n'avait pas tardé à rentrer dans son argent en gagnant honnêtement, sur ses justiciables reconnaissants, le double de ce qu'il avait donné au collecteur.

Et c'est là, ô roi fortuné, tout ce que je sais au sujet du baudet kâdi. Mais Allah est plus savant ! »

Lorsque le sultan eut entendu cette histoire, il s'écria : « Ô bouche de sucre, ô le plus délicieux des compagnons, je te nomme mon grand chambellan ! » Et il le fit revêtir sur l'heure des insignes de sa charge, et le fit asseoir plus près de lui, et lui dit : « Par ma vie sur toi, ô mon grand chambellan, tu dois certainement connaître encore une histoire. Et j'aimerais bien t'entendre me la raconter ! » Et le pêcheur, mangeur de hachisch, devenu chambellan du palais par le décret du destin, répondit : « De tout cœur amical et comme hommages dus ! » Et, dodelinant la tête, il raconta...

À ce moment de sa narration, Schahrazade vit apparaître le matin et, discrète, se tut.

Mais lorsque fut la huit cent deuxième nuit. Elle dit :

... Et le pêcheur, mangeur de hachisch, devenu chambellan du palais par le décret du destin, répondit : « De tout cœur amical et comme hommages dus ! » Et, dodelinant de la tête, il raconta :

LE KÂDI ET L'ÂNON

« Il m'est revenu, ô roi fortuné, qu'il y avait, dans une ville d'entre les villes, un homme et son épouse qui étaient de pauvres gens, marchands ambulants de maïs grillé, et qui avaient une fille belle comme la lune, en âge d'être mariée. Et Allah voulut qu'un kâdi la fit demander en mariage et l'obtint de ses parents, qui donnèrent avec empressement leur consentement, bien que le kâdi fût d'une grande laideur, avec des poils de barbe rudes comme les épines du hérisson, et louche d'un œil, et si vieux qu'il aurait pu passer pour être le père de la jeune fille. Mais il était riche et jouissait d'une grande considération. Et les parents de la jeune fille, ne visant qu'à l'amélioration que ce mariage devait apporter à leur état et condition, ne songèrent guère que si la richesse contribue au bonheur, elle n'en constitue pas le fond. Mais d'ailleurs c'était le kâdi qui devait bientôt en faire l'expérience à ses risques et dépens.

Il commença donc, pour tâcher de se rendre agréable malgré les désavantages attachés à sa personne de par la vieillesse et la laideur, par combler tous les jours de nouveaux présents sa jeune épouse et par satisfaire ses moindres caprices. Mais il oubliait que ni les cadeaux ni la satisfaction des caprices ne valent l'amour jeune qui éteint les désirs. Et il se plaignait en son âme de ne point trouver ce qu'il attendait de son épouse qui, d'ailleurs sans expérience, ne pouvait lui donner ce qu'elle ne connaissait pas par manque d'expérience.

Or le kâdi avait sous sa main un jeune scribe qu'il aimait beaucoup et dont il ne pouvait s'empêcher de parler parfois à son épouse. Et, également, il ne pouvait s'empêcher, bien que cela fût contraire à la coutume, d'entretenir le jouvenceau de la beauté de son épouse et de l'amour qu'il éprouvait pour elle, et de la froideur de son épouse à son égard, malgré tout ce qu'il faisait pour elle. Car c'est ainsi qu'Allah aveugle la créature qui mérite la perdition ! Bien plus ! Pour que les décrets fussent accomplis, le kâdi poussa sa folie et son aveuglement jusqu'à montrer un jour l'adolescent, par la croisée, à sa jeune épouse. Et comme il était beau et aimable, l'adolescente aima l'adolescent. Et, comme deux cœurs qui se cherchent finissent toujours par se trouver et s'unir, malgré tous les obstacles, les deux jeunes gens purent tromper la vigilance du kâdi et endormir sa jalousie en éveil. Et la jouvencelle aima le jouvenceau plus que la prunelle de ses yeux, et, lui donnant son âme, elle s'abandonna à lui de tout son corps. Et le jeune scribe le lui rendit bien, et lui fit éprouver ce que le vieux kâdi n'avait jamais réussi à produire. Et tous deux vécurent de la sorte à la limite du bonheur, se voyant fréquemment, et s'aimant tous les jours davantage. Et le kâdi se montrait satisfait de voir son épouse devenir encore plus belle de jeunesse, de santé et de fraîcheur. Et tout le monde était heureux à sa manière.

Or l'adolescente, pour pouvoir se rencontrer en toute sécurité avec son amoureux, avait convenu avec lui que si le mouchoir qui pendait à la fenêtre qui avait vue sur le jardin était blanc, il pouvait entrer lui tenir compagnie, mais si le mouchoir était rouge, il devait s'abstenir et s'en aller, car ce signal devait signifier que le kâdi était à la maison.

Mais le destin voulut qu'un jour, comme elle venait de déployer le mouchoir blanc, après le départ du kâdi pour le diwân, elle entendit des coups précipités à la porte et des cris ; et elle vit bientôt entrer son mari, appuyé sur les bras des eunuques, et bien jaune, et bien changé de teint et d'aspect. Et les eunuques lui expliquèrent que le kâdi avait été pris, au diwân, d'un malaise subit, et qu'il s'était hâté de venir à la maison se faire soigner, et se reposer. Et, en effet, le pauvre vieux avait l'air si pitoyable que l'adolescente, son épouse, malgré tout le contretemps qu'il apportait et le trouble qu'il jetait, se mit à l'asperger d'eau de rose et à lui prodiguer ses soins. Et, l'ayant aidé à se déshabiller, elle le coucha dans le lit, qu'elle lui prépara elle-même, et où, soulagé par les soins de son épouse, il ne tarda pas à s'endormir. Et l'adolescente voulut mettre à profit le loisir que lui apportait cette rentrée subite de son mari, pour aller prendre un bain au hammam. Et, dans la contrariété où elle se trouvait, elle oublia de retirer le mouchoir blanc des entrevues et de déployer celui des empêchements. Et, ayant pris un paquet de linge parfumé, elle sortit de la maison et alla au hammam.

Or le jeune scribe, voyant à la fenêtre le mouchoir blanc, gagna d'un pied léger la terrasse voisine d'où, selon son habitude, il sautait sur celle du kâdi, et pénétra dans la chambre où d'ordinaire il trouvait son amoureuse qui l'attendait toute nue sous les couvertures du lit. Et comme les croisées de la chambre étaient complètement fermées et qu'une grande obscurité régnait dans la pièce, précisément pour favoriser le sommeil du kâdi, et comme souvent l'adolescente, pour jouer, le recevait en silence et ne donnait pas signe de présence, il s'approcha du lit en riant et, soulevant les couvertures, il porta vivement sa main, comme pour la chatouiller, sur l'histoire présumée de l'adolescente. Et, holà hé ! voici que sa main tomba – éloigné soit le Malin ! – sur quelque chose de flasque et de mou qui nageait au milieu d'un buisson, et qui n'était autre que le vieil outil du kâdi. Et, à ce contact, il retira sa main avec horreur et épouvante, mais pas assez rapidement pour que le kâdi, réveillé en sursaut, et soudain remis de son malaise, ne saisît cette main qui lui avait fourragé le ventre et ne se précipitât avec fureur sur son propriétaire. Et, la colère lui donnant des forces, tandis que la stupeur clouait dans l'immobilité le propriétaire de la main, il le renversa d'un croc-en-jambe, au milieu de la chambre, et se saisissant de lui et le soulevant à bras-le-corps, dans l'obscurité, il le jeta dans la grande caisse où l'on renferme les matelas pendant le jour, et qui se trouvait ouverte et vide par suite de la sortie des matelas. Et il abaissa vivement le couvercle, et ferma la caisse à clef, sans prendre le temps de reconnaître la figure de l'enfermé. Après quoi, cette excitation, qui lui avait fait tourner rapidement le sang, ayant produit sur lui une réaction salutaire, il retrouva complètement ses forces, et, s'étant habillé, il s'informa auprès de l'eunuque de l'endroit où son épouse était allée, et courut attendre sa sortie devant le seuil du hammam. Car il se disait : « Avant de tuer l'intrus, il faut que je sache s'il est de connivence avec mon épouse. C'est pourquoi je vais attendre là qu'elle soit sortie, et je l'amènerai à la maison, et, devant les témoins, je la confronterai avec l'enfermé. Car il faut, puisque je suis le kâdi, que les choses se fassent légalement. Et je verrai bien alors s'il y a un coupable seulement, ou s'il y a deux complices. Dans le premier cas j'exécuterai l'enfermé, de ma propre main, devant les témoins ; et, dans le second cas, j'étranglerai les deux avec mes dix doigts ! »

Et, réfléchissant ainsi et se répétant dans sa cervelle ces projets de vengeance, il se mit à arrêter, à tour de rôle, les baigneuses qui entraient au hammam, en disant à chacune d'elles : « Par Allah sur toi ! tu diras à ma femme *Une telle*, de sortir sur l'heure, car j'ai besoin de lui parler ! » Mais il leur disait ces paroles avec tant de brusquerie et d'excitation, et il avait les yeux si flamboyants, et le teint si jaune, et les gestes si désordonnés, et la voix si tremblante, et l'air empreint de tant de fureur, que les femmes, terrifiées, se sauvaient en poussant des cris aigus, le prenant pour un fou. Et la première d'entre elles qui fit tout haut la commission, au milieu de la salle du hammam, rappela soudain à la mémoire de l'adolescente, épouse du kâdi, le souvenir de sa négligence et de son oubli au sujet du mouchoir blanc laissé à la fenêtre. Et elle se dit : « Pour sûr ! je suis perdue sans recours ! Et Allah seul sait ce qui est arrivé à mon amoureux ! » Et elle se hâta de finir de prendre son bain, pendant que, dans la salle, les commissions des baigneuses qui entraient se succédaient rapidement et que son mari, le kâdi, devenait le seul sujet de conversation des femmes effarées. Mais, heureusement, aucune d'elles ne connaissait l'adolescente, qui d'ailleurs faisait semblant de ne point s'intéresser à ce qui se disait, tout comme si la chose ne la concernait pas. Et lorsqu'elle se fut habillée, elle alla dans la salle d'entrée où elle vit une pauvre marchande assise devant son tas de pois chiches, qu'elle vendait aux baigneuses. Et elle l'appela et lui dit : « Ma bonne tante, voici un dinar d'or pour toi si tu veux me prêter, pour une heure, ton voile bleu et le panier vide qui est à côté de toi ! » Et la vieille, heureuse de cette aubaine, lui donna le panier d'osier et le pauvre voile en étoffe grossière. Et l'adolescente s'enveloppa du voile, prit le panier à la main, et ainsi déguisée, sortit du hammam.

Et, dans la rue, elle aperçut son mari qui allait et venait en gesticulant, devant la porte, et qui maudissait à haute voix les hammams et celles qui allaient aux hammams et les propriétaires des hammams et les constructeurs des hammams. Et les yeux lui sortaient de la tête et l'écume de la bouche. Elle s'approcha de lui et, déguisant sa voix, et imitant celle des vendeuses ambulantes, et lui demanda s'il voulait acheter des pois chiches. Et alors il se mit à maudire les pois chiches et les vendeuses de pois chiches et les planteurs de pois chiches et les mangeurs de pois chiches. Et l'adolescente, riant de sa folie, s'éloigna dans la direction de sa maison, sans être reconnue sous son déguisement. Et elle entra, monta rapidement à sa chambre et entendit des gémissements. Et, ne voyant personne dans la chambre dont elle s'était hâtée d'ouvrir les fenêtres, elle prit peur et se disposait déjà à appeler l'eunuque afin qu'il la tranquillisât quand elle entendit distinctement que les gémissements sortaient de la caisse aux matelas. Et elle courut à cette caisse, dont la clef n'avait pas été enlevée, et l'ouvrit en s'écriant : « Au nom d'Allah le Clément, le Miséricordieux…

À ce moment de sa narration, Schahrazade vit apparaître le matin et, discrète, se tut.

Mais lorsque fut la huit cent troisième nuit. Elle dit :

… Et elle courut à cette caisse, dont la clef n'avait pas été enlevée, et l'ouvrit en s'écriant : « Au nom d'Allah le Clément, le Miséricordieux ! » Et elle vit son amoureux qui était prêt d'expier par manque d'air. Et, malgré toute l'émotion qu'elle ressentait, elle ne put s'empêcher d'éclater de rire en le voyant affaissé sur lui-même, avec les yeux de travers. Mais elle se hâta de l'asperger d'eau de rose et de le revivifier. Et lorsqu'elle le vit bien remis et à son aise, elle se fit rapidement expliquer tout ce qui était arrivé ; et aussitôt elle arrêta son plan pour tout arranger.

Il y avait, en effet, dans leur écurie, une ânesse qui venait, depuis la veille, de mettre bas un petit ânon. Et l'adolescente courut à l'écurie, prit le gentil petit ânon dans ses bras et, le transportant dans sa chambre, elle le plaça dans la caisse où avait été enfermé son amoureux, et ferma le couvercle à clef. Et, après avoir embrassé son amoureux elle le congédia, en lui disant de ne revenir qu'en voyant le signal du mouchoir blanc. Et, de son côté, elle se hâta de retourner au hammam, et vit son mari qui continuait à se promener de long en large, en maudissant les hammams et tout ce qui s'ensuit. Et, en la voyant entrer, il la héla et lui dit : « Ô vendeuse de pois chiches, dis à ma femme *Une telle* que, si elle tarde encore de sortir, je jure par Allah que je la tuerai avant ce soir, et que je ferai crouler le hammam sur sa tête ! » Et l'adolescente, riant en son âme, entra dans le vestibule du hammam, remit le voile et le panier à la vendeuse de pois chiches et sortit aussitôt après, avec son paquet sous le bras, en mouvant ses hanches.

Or sitôt que le kâdi, son mari, l'eut aperçue, il s'avança vers elle et cria : « Où es-tu, où es-tu ? Je t'attends ici depuis deux heures de temps ! Allons, suis-moi ! Viens, ô maligne, ô perverse ! Viens ! » Et l'adolescente, s'arrêtant de marcher, répondit : « Par Allah ! qu'as-tu ? Le nom d'Allah sur moi ! Qu'as-tu, ô homme ? Es-tu devenu subitement fou, pour faire ainsi du scandale dans la rue, toi le kâdi de la ville ? Ou bien ta maladie t'a-t-elle obstrué la raison et perverti le jugement pour manquer d'égards en public, et dans la rue, à la fille de ton oncle ? » Et le kâdi répliqua : « Assez de paroles inutiles ! Tu diras ce que tu voudras à la maison ! Suis-moi ! » Et il se mit à marcher devant elle, en gesticulant, en criant et en épanchant sa bile au-dehors, sans toutefois s'adresser directement à son épouse, qui le suivait silencieusement, à dix pas de distance. Et lorsqu'ils furent arrivés à leur maison, le kâdi enferma son épouse dans la chambre du haut, et alla quérir le cheikh du quartier et quatre témoins légaux, ainsi que tous ceux qu'il put rencontrer en fait de voisins. Et il les amena tous dans la chambre au coffre, où se trouvait enfermée son épouse, et où il voulait qu'ils fussent témoins de ce qui allait arriver.

Lorsque le kâdi et tous ceux qui l'accompagnaient furent entrés dans la chambre, ils virent la jeune femme, encore couverte de ses voiles, qui s'était retirée tout au fond, dans un coin, et qui se parlait à elle-même mais de manière à être entendue de tous. Et elle disait : « Ô notre calamité ! hélas ! hélas ! mon pauvre époux ! Cette indisposition l'a rendu fou ! Certainement il faut qu'il soit devenu tout à fait fou pour me couvrir ainsi d'injures et pour introduire dans le harem des hommes étrangers ! Ô notre calamité ! Des étrangers, dans notre harem, qui vont me regarder ! Hélas ! hélas ! il est fou, complètement fou ! »

Et, en effet, le kâdi était dans un tel état de fureur, de jaunisse et de surexcitation qu'il avait tout l'air, avec sa barbe qui tremblait et ses yeux qui flamboyaient, d'être atteint de fièvre chaude et de délire. Aussi, quelques-uns de ceux qui l'accompagnaient cherchaient-ils à le calmer et lui conseillaient de rentrer en lui-même ; mais leurs paroles ne faisaient que l'exciter davantage, et il leur criait : « Entrez ! entrez ! N'écoutez pas la coquine ! Ne vous laissez pas attendrir par les doléances de la perfide ! Vous allez voir ! Vous allez voir ! C'est son dernier jour ! C'est l'heure de la justice ! Entrez ! Entrez ! »

Or, lorsque tout le monde fut entré, le kâdi ferma la porte et se dirigea vers le coffre aux matelas et en enleva le couvercle ! Et voici que le petit ânon sortit sa tête, agita ses oreilles, regarda tout le monde avec ses grands yeux noirs et doux, respira bruyamment et, soulevant sa queue et la tenant toute droite, se mit à braire, dans sa joie de revoir le jour, pour appeler sa mère. À cette vue, le kâdi arriva à la limite extrême de la rage et de la fureur et fut pris de convulsions et de spasmes ; et soudain il se précipita sur son épouse, cherchant à l'étrangler. Et elle se mit à crier, en courant à travers la pièce : « Par le Prophète ! il veut m'étrangler. Arrêtez le fou, ô musulmans ! À mon secours ! »

Et les assistants voyant, en effet, l'écume de la rage sur les lèvres du kâdi ne doutèrent plus de sa folie et s'interposèrent entre lui et son épouse, le saisirent dans leurs bras et le maintinrent de force sur les tapis, tandis qu'il articulait des mots inintelligibles et cherchait à leur échapper pour tuer sa femme. Et le cheikh du quartier, extrêmement affecté de voir le kâdi de la ville dans un tel état, ne put tout de même s'empêcher, en voyant sa folie furieuse, de dire aux assistants : « Il faut hélas ! le garder à vue, immobile comme il est, jusqu'à ce qu'Allah le calme et le fasse rentrer dans sa raison ! » Et tous s'exclamèrent : « Qu'Allah le guérisse ! Un homme si respectable ! Quelle mauvaise maladie ! » Et quelques-uns disaient : « Comment peut-on être jaloux d'un ânon ! » Et d'autres demandaient : « Comment cet ânon est-il entré dans ce coffre à matelas ? » Et d'autres disaient : « Hélas ! c'est lui-même qui a enfermé là-dedans cet ânon, le prenant pour un homme ! » Et le cheikh du quartier ajouta, pour conclure : « Qu'Allah lui vienne en aide ! et qu'Il éloigne le Malin ! » Et tous répondirent : « Éloigné soit le Malin ! » Et tout le monde se retira, à l'exception de ceux qui tenaient le kâdi immobile sur les tapis. Mais d'ailleurs ils ne restèrent pas longtemps là, car le kâdi fut tout d'un coup pris d'une crise si violente de fureur et se mit à crier si fort des paroles inintelligibles et à se débattre avec tant d'acharnement, cherchant toujours à s'élancer sur son épouse qui, de loin, lui faisait en secret des grimaces et des signes de moquerie, que les veines de son cou se rompirent et, crachant un flot de sang, il mourut. Qu'Allah l'ait en sa compassion ! Car non seulement il était un kâdi intègre, mais il laissa à son épouse, l'adolescente en question, assez de richesses pour qu'elle pût vivre à son aise et se marier avec le jeune scribe qu'elle aimait et qui l'aimait ! » Et, ayant ainsi raconté cette histoire, le pêcheur, mangeur de hachisch, voyant que le roi l'écoutait avec ravissement, se dit : « Je vais lui raconter autre chose encore ! » Et il dit :

LE KÂDI AVISÉ

« On raconte qu'il y avait au Caire un kâdi qui avait commis tant de prévarications et rendu tant de jugements intéressés qu'il avait été destitué de ses fonctions et était obligé, pour ne pas mourir de faim, de vivre d'expédients. Or, un jour, il eut beau chercher dans sa tête, il ne trouva aucun moyen de faire quelque argent, car il avait épuisé toutes les ressources de son esprit comme il avait mis à sec celles de sa vie. Et, se voyant réduit à cette extrémité, il appela le seul esclave qui lui restait, et lui dit : « *Ô Un tel*, je suis bien malade aujourd'hui, et ne puis sortir de la maison, mais, toi, tâche d'aller nous trouver quelque chose à manger, ou de m'envoyer quelques personnes en quête de consultations juridiques. Et je saurai bien leur faire payer ma peine ! » Et l'esclave, qui était un garnement aussi rompu que son maître dans les roueries et les expédients, et qui était aussi intéressé que lui dans la réussite du projet, sortit en se disant : « Je vais aller molester, l'un après l'autre, quelques passants et me prendre de dispute avec eux. Et, comme tout le monde ne sait pas que mon maître est destitué, je les entraînerai auprès de lui, sous prétexte de régler le différend, et je leur ferai vider leur ceinture entre ses mains ! » Et, pensant ainsi, il avisa un promeneur qui se trouvait devant lui et qui marchait tranquillement avec son bâton appuyé des deux mains sur la nuque, et d'un croc-en-jambe adroit il l'envoya rouler dans la boue. Et le pauvre homme, les vêtements salis et les savates écorchées, se releva furieux avec l'intention de châtier son agresseur. Mais reconnaissant en lui l'esclave du kâdi, il ne voulut point se mesurer avec lui, et, tout penaud, se contenta de dire, en se retirant au plus vite : « Qu'Allah confonde le Malin ! »

Et l'esclave, ce roué, voyant que la première affaire n'avait pas réussi, continua sa route, en se disant : « Ce moyen n'est pas bon. Nous allons en trouver un autre, car tout le monde connaît mon maître et me connaît ! » Et comme il réfléchissait à ce qu'il devait faire, il aperçut un serviteur qui portait sur sa tête un plateau où se trouvait une superbe oie farcie et garnie tout autour de tomates, de courgettes et d'aubergines, le tout savamment arrangé. Et il suivit le porteur qui se dirigeait vers le four public pour y faire cuire l'oie ; et il vit entrer et livrer le plateau au maître du four, en lui disant : « Je viendrai le prendre dans une heure ! » Et il s'en alla.

Alors l'esclave du kâdi se fit : « Voilà l'affaire ! » Et, au bout d'un certain temps, il entra au four, et dit : « Le salam sur toi, ya hagg Moustapha ! » Et le maître du four reconnut l'esclave du kâdi, qu'il n'avait pas revu depuis longtemps, vu que dans la maison du kâdi il n'y avait jamais rien à envoyer au four ; et répondit : « Et sur toi le salam, ô mon frère, Moubarak ! D'où viens-tu comme ça ? Il y a si longtemps que mon four ne flambe plus pour notre maître le kâdi ! Que puis-je aujourd'hui pour ton service, et que m'apportes-tu ? » Et l'esclave dit : « Rien de plus que ce que tu as déjà ; car je viens prendre l'oie farcie qui est au four ! » Et le fournier répondit : « Mais cette oie, ô mon frère, n'est pas à toi ! » Il dit : « Ne parle pas ainsi ô cheikh ! cette oie n'est pas à moi, dis-tu ? Mais c'est moi qui l'ai vue sortir de l'œuf, qui l'ai nourrie, qui l'ai égorgée, qui l'ai farcie et qui l'ai préparée ! » Et le fournier dit : « Par Allah, je veux bien. Mais que faut-il que je dise à celui qui me l'a apportée, lorsqu'il reviendra ? » Il répondit : « Je ne crois pas qu'il revienne ! En tout cas, tu lui diras simplement, en manière de plaisanterie, car c'est un homme fort plaisant et qui aime à rire : « Ouallah, ô mon frère, au moment où je poussais le plateau au four, l'oie soudain a lancé un cri strident, et s'est envolée…

À ce moment de sa narration, Schahrazade vit apparaître le matin et, discrète, se tut.

Mais lorsque fut la huit cent quatrième nuit. Elle dit :

… Ouallah, ô mon frère, au moment où je poussais le plateau au four, l'oie soudain a lancé un cri strident et s'est envolée ! » Et il ajouta : « Donne-moi maintenant l'oie qui doit être suffisamment cuite ! » Et le fournier, riant de ces paroles qu'il venait d'entendre, tira le plateau du foyer et le remit en toute confiance à l'esclave du kâdi, qui se hâta d'aller le porter à son maître et de manger l'oie avec lui, en se léchant les doigts.

Sur ces entrefaites, le porteur de l'oie revint au four et demanda son plateau, en disant : « L'oie doit être à point maintenant, ô maître ! » Et le fournier répondit : « Ouallah ! au moment où je la mettais au four, elle a poussé un cri strident et s'est envolée ! » Et l'homme qui, en réalité, était loin d'être un plaisant compagnon, entra en fureur, persuadé que le fournier voulait se moquer de lui, et s'écria : « Comment oses-tu rire sur ma barbe, ô rien du tout ? » Et de paroles en paroles, et d'injures en injures, les deux hommes en vinrent aux coups. Et la foule ne tarda pas à se rassembler au-dehors, en entendant les cris, et à envahir bientôt le four. Et on se disait les uns aux autres : « Le hagg Moustapha se bat avec un homme à cause de la résurrection d'une oie farcie ! » Et la plupart prenaient fait et cause pour le maître du four, dont la bonne foi et l'honnêteté leur étaient connues depuis longtemps, tandis que quelques-uns seulement se permettaient d'émettre des doutes sur cette résurrection-là.

Or parmi les gens qui se pressaient de la sorte autour des deux hommes qui se battaient, se trouvait une femme enceinte que la curiosité avait poussée au premier rang. Mais ce fut pour sa malchance, car au moment où le fournier se reculait pour mieux atteindre son adversaire, elle reçut en plein ventre le coup terrible qui était destiné à tout autre qu'à elle. Et elle tomba sur le sol, en poussant un cri de poule violentée et avorta à l'heure et à l'instant.

Or, l'époux de la femme en question, qui demeurait dans une boutique de fruitier du voisinage, fut aussitôt prévenu, et accourut avec un énorme gourdin, et en criant : « Je vais enculer le fournier et le père du fournier et son grand-père, et déraciner son existence ! » Et le fournier, déjà exténué de sa première lutte, et voyant arriver sur lui cet homme furieux et armé d'un terrible gourdin, ne put tenir plus longtemps et livra ses jambes au vent, en se sauvant dans la cour. Et, voyant qu'il était poursuivi, il escalada un pan de mur, grimpa sur une terrasse voisine, et de là se laissa choir à terre. Et la destinée voulut qu'il tombât précisément sur un Maghrébin qui dormait, au bas de la maison, roulé dans ses couvertures. Et le fournier, qui tombait de haut et était fort pesant, lui défonça toutes les côtes. Et le Maghrébin, sans hésiter, expira du coup. Et tous ses proches, les autres Maghrébins du souk, accoururent et arrêtèrent le fournier, en le rouant de coups, et se disposèrent à le traîner devant le kâdi. Et, de son côté, le porteur de l'oie, voyant le fournier arrêté, se hâta de se joindre aux Maghrébins. Et, au milieu des cris et des vociférations, tout ce monde prit la route du diwân de justice.

Or, à ce moment, le domestique du kâdi, mangeur de l'oie, qui, mêlé à la foule, était revenu voir ce qui se passait, dit à tous les plaignants : « Suivez-moi, ô braves gens ! je vais vous montrer la route ! » Et il les conduisit chez son maître. Et le kâdi, avec un air grave, commença par faire payer une double taxe à tous les plaignants. Puis il se tourna vers l'accusé, contre lequel tous les doigts étaient dirigés, et lui dit : « Qu'as-tu à répondre au sujet de l'oie, ô fournier ? » Et le bonhomme comprenant qu'il valait mieux, dans le cas présent, à cause de l'esclave du kâdi, maintenir sa première affirmation, répondit : « Par Allah, ô notre maître le kâdi, la bête a poussé un cri strident, et, toute farcie, s'est levée d'entre la garniture et s'est envolée ! » Et le porteur, en entendant cela, s'écria : « Ah ! fils de chien, tu oses encore prétendre cela devant le seigneur kâdi ! » Et le kâdi, prenant un air indigné, dit au porteur : « Et toi, ô mécréant, ô impie, comment oses-tu ne pas croire que Celui qui ressuscitera toutes les créatures, au Jour de la Rétribution, en faisant se réunir leurs os épars sur toute la surface de la terre, ne puisse pas rendre la vie à une oie qui a tous ses os et à qui seules les plumes font défaut ? » Et la foule, à ces paroles, s'écria : « Gloire à Allah qui ressuscite les morts ! » et elle se mit à huer le malheureux porteur de l'oie, qui s'en alla tout repentant de son manque de foi.

Après quoi le kâdi se tourna vers le mari de la femme avortée et lui dit : « Et toi, qu'as-tu à dire contre cet homme ? » Et lorsqu'il eut écouté la plainte, il dit : « La cause est entendue, et ne souffre pas d'hésitation. Certes ! le fournier est coupable d'être la cause de l'avortement. Et la loi du talion lui est strictement applicable ! » Et il se tourna vers le mari, et lui dit : « La loi te donne raison, et je te donne le droit d'amener ta femme chez le coupable afin qu'il te la rende enceinte. Et tu la laisseras à sa charge pendant les six premiers mois de la grossesse, puisque l'avortement a eu lieu au sixième mois ! » Et le mari, en entendant ce jugement, s'écria : « Par Allah, ô seigneur kâdi, je me désiste de ma plainte, et qu'Allah pardonne à mon adversaire ! » Et il s'en alla.

Alors le kâdi dit aux parents du Maghrébin mort : « Et vous, ô Maghrébins, quel est le sujet de votre plainte contre cet homme, fournier de sa profession ? » Et les Maghrébins, avec force gestes et un flot de paroles, exposèrent leur plainte et montrèrent le corps inanimé de leur parent, en réclamant le prix du sang. Et le kâdi leur dit : « Certes, ô Maghrébins, le prix du sang vous est dû, car les preuves abondent contre le fournier. Ainsi, vous n'avez qu'à me dire si vous voulez que ce prix vous soit payé en nature, c'est-à-dire sang contre sang, ou en indemnité ! » Et les Maghrébins, fils d'une race féroce, répondirent en chœur : « En nature, ô seigneur kâdi ! » Et il leur dit : « Qu'il en soit donc ainsi ! Prenez ce fournier, entortillez-le dans les couvertures de votre parent mort, et placez-le sous le minaret de la mosquée du sultan Hassân. Et, cela fait, que le frère de la victime monte sur le minaret et se laisse tomber du sommet sur le fournier, pour l'écraser comme il a écrasé son frère ! » Et il ajouta : « Où donc es-tu, ô frère de la victime ? » Et un Maghrébin sortit d'entre les Maghrébins, à ces paroles, et s'écria : « Par Allah, ô seigneur kâdi, je me désiste de ma plainte contre cet homme ! Et Qu'Allah lui pardonne ! » Et il s'en alla, suivi des autres Maghrébins.

Et la foule, qui avait assisté à tous ces débats, se retira émerveillée de la science juridique du kâdi, de son esprit d'équité, de sa compétence et de sa finesse. Et le bruit de cette histoire étant arrivé jusqu'aux oreilles du sultan, le kâdi rentra en grâce et fut replacé dans ses fonctions, tandis que celui qui l'avait remplacé se voyait destitué, sans avoir rien fait pour cela, uniquement parce qu'il manquait des ressources d'esprit du mangeur de l'oie. »

Et le pêcheur, mangeur de hachisch, voyant que le roi l'écoutait toujours, se sentit extrêmement flatté dans son amour-propre, et raconte encore :

LA LEÇON DU CONNAISSEUR EN FEMMES

« Il m'est revenu, ô roi fortuné, qu'il y avait au Caire deux jeunes gens, l'un marié et l'autre célibataire, qui étaient fort liés d'amitié. Celui qui était marié s'appelait Ahmad, et celui qui ne l'était pas s'appelait Mahmoud. Or Ahmad, qui était de deux ans plus âgé que Mahmoud, profitait de l'ascendant que cette différence d'âge lui donnait pour faire l'éducateur et le maître auprès de son ami, particulièrement en ce qui concernait la connaissance des femmes. Et continuellement il lui parlait à ce sujet, lui racontant mille traits de son expérience, et lui disant toujours pour conclure : « Maintenant, ô Mahmoud, tu peux dire que tu as connu dans ta vie quelqu'un qui connaît à fond ces créatures malicieuses ! Et tu dois t'estimer bien heureux de m'avoir comme ami, pour te prévenir de toutes leurs roueries ! » Et Mahmoud était, de jour en jour, plus émerveillé de la science de son ami, et il était persuadé que jamais une femme, quelque rusée qu'elle pût être, ne serait capable de le tromper ou seulement de prendre en défaut sa vigilance. Et souvent il lui disait : « Ô Ahmad, que tu es admirable ! » Et Ahmad se rengorgeait, d'un air protecteur, en tapant sur l'épaule de son ami, et lui disant : « Je t'enseignerai à être comme moi ! »

Or, un jour, comme Ahmad lui répétait : « Je t'enseignerai à être comme moi, car on s'instruit auprès de celui qui a essayé et non auprès de celui qui enseigne sans avoir essayé ! » le jeune Mahmoud lui dit : « Par Allah, avant que de m'enseigner comment il faut que je déjoue les malices des femmes, ne pourrais-tu pas, ô mon ami, m'enseigner comment il faut que je fasse pour entrer en relation avec l'une d'elles…

À ce moment de sa narration, Schahrazade vit apparaître le matin et, discrète, se tut.

Mais lorsque fut la huit cent cinquième nuit. Elle dit :

… Ne pourrais-tu pas, ô mon ami, m'enseigner comment il faut que je fasse pour entrer en relation avec l'une d'elles ? » Et Ahmad répondit, de son ton de maître d'école : « Par Allah, c'est la chose la plus simple ! Tu n'auras qu'à aller demain à la fête du Mouled el-Nabi, sous les tentes, et à bien observer les femmes qui y abondent. Et tu en choisiras une qui soit accompagnée d'un petit enfant, et qui ait en même temps une belle allure et de beaux yeux brillants sous son voile de visage. Et, ton choix ainsi établi, tu achèteras des dattes et des pois chiches habillés de sucre, et tu en offriras à l'enfant, et tu joueras avec lui, en te gardant bien de lever les yeux vers sa mère ; et tu le caresseras gentiment, et tu l'embrasseras. Et lorsque l'enfant se sera bien apprivoisé avec toi, alors seulement tu demanderas à sa mère, mais sans la regarder, la faveur de porter l'enfant à sa place. Et, durant tout le chemin, tu chasseras les mouches de sur le visage de l'enfant, et tu lui parleras dans sa langue en lui racontant mille folies. Et la mère finira bien par t'adresser la parole. Et, si elle le fait, tu es sûr d'être le coq ! » Et, ayant ainsi parlé, il le quitta.

Et Mahmoud, à la limite de l'admiration pour son ami, passa toute cette nuit-là à se répéter la leçon qu'il venait d'entendre.

Or, le lendemain, de bonne heure, il se hâta d'aller au Mouled, où, avec une obéissance qui prouvait combien il était confiant dans l'expérience de son ami, il mit en pratique le conseil de la veille. Et, à son grand émerveillement, le résultat passa son attente. Et le sort voulut que la femme qu'il accompagna chez elle, et dont il portait l'enfant sur ses épaules, fût précisément l'épouse même de son ami Ahmad. Et, en allant chez elle, il était loin de penser qu'il trahissait son ami, car d'un côté il n'était jamais venu dans sa maison, et d'un autre côté il ne pouvait deviner, ne l'ayant jamais vue à découvert ni à couvert, que cette femme était l'épouse d'Ahmad. Quant à la jeune femme, elle était dans la joie de faire enfin l'expérience du degré de divination de son mari, qui la poursuivait également de sa science des femmes et de sa connaissance de leur malice.

Or cette première rencontre entre le jeune Mahmoud et l'épouse d'Ahmad se passa fort agréablement pour tous les deux. Et l'adolescent, qui était encore vierge et inexpérimenté, goûta dans sa plénitude le plaisir d'être pris entre les bras et les jambes d'une Égyptienne versée dans le métier. Et ils furent si contents l'un de l'autre qu'ils répétèrent bien des fois la manœuvre les jours suivants. Et la femme se réjouissait d'humilier de la sorte, sans qu'il le sût, son époux présomptueux ; et l'époux s'étonnait de ne plus rencontrer son ami Mahmoud aux heures où il avait l'habitude de le rencontrer, et se disait : « Il a dû trouver une femme, en profitant de mes leçons et de mes conseils ! »

Cependant, au bout d'un certain temps, comme il allait un vendredi à la mosquée, il aperçut dans la cour, près de la fontaine aux ablutions, son ami Mahmoud. Et il s'approcha de lui et, après les salams et salutations, il lui demanda d'un air entendu s'il avait réussi dans ses recherches, et si la femme était jolie. Et Mahmoud, extrêmement heureux de s'ouvrir à son ami, s'écria : « Ya Allah ! si elle est jolie ! Du beurre et du lait ! Et grasse et blanche ! Du musc et du jasmin ! Et quelle intelligence ! Et quelle cuisine elle fait pour me régaler, à chacune de nos rencontres ! Mais le mari, ô mon ami Ahmad, me paraît être un sot irrémédiable et un entremetteur ! » Et Ahmad se mit à rire et dit : « Par Allah ! la plupart des maris sont ainsi ! Allons ! je vois bien que tu as su bien profiter de mes conseils. Continue de la sorte, ô Mahmoud ! » Et ils entrèrent ensemble à la mosquée, pour la prière, et se perdirent ensuite de vue.

Or Ahmad, à sa sortie de la mosquée, en ce jour de vendredi, ne sachant comment passer le temps, vu que les boutiques étaient fermées, alla en visite chez un voisin, qui habitait porte à porte, et monta s'asseoir avec lui à la fenêtre qui donnait sur la rue. Et soudain il vit arriver son ami Mahmoud, lui-même, avec sa propre personne et son propre œil, qui entra aussitôt dans la maison sans même frapper, ce qui était la preuve irrécusable qu'on était de connivence avec lui, à l'intérieur, et qu'on attendait sa venue. Et Ahmad, stupéfait de ce qu'il venait de voir, pensa d'abord se précipiter directement à sa maison et surprendre son ami avec sa femme, et les châtier tous deux. Mais il réfléchit qu'au bruit qu'il ferait en frappant à la porte, son épouse, qui était une rouée, saurait bien cacher le jeune homme ou le faire évader par la terrasse ; et il se décida à entrer dans sa maison d'une autre manière, sans éveiller l'attention.

Il y avait, en effet, dans sa maison une citerne communicante, divisée en deux moitiés, l'une des moitiés lui appartenant et se trouvant dans sa cour, et l'autre moitié appartenant au voisin chez lequel il était assis, et débouchant dans sa cour. Et Ahmad se dit : « C'est par là que j'irai les surprendre ! » Et il dit à son voisin : « Par Allah, ô voisin, je me souviens maintenant que j'ai laissé tomber ce matin ma bourse dans le puits. Et je te demande la permission d'y descendre pour la chercher. Et je remonterai ensuite chez moi par le côté qui est dans ma cour. » Et le voisin répondit : « Il n'y a pas d'inconvénient ! Et je vais même t'éclairer, ô mon frère ! » Mais Ahmad ne voulut pas accepter ce service, préférant descendre dans l'obscurité, pour que la lumière sortant du puits ne donnât pas l'éveil chez lui. Et, après avoir pris congé de son ami, il descendit dans le puits.

Or les choses allèrent fort bien durant la descente ; mais quand il fallut remonter de l'autre côté, la fatalité s'y opposa d'une bien singulière façon. En effet,

Ahmad avait déjà grimpé, s'aidant des bras et des jambes, jusqu'à moitié hauteur, quand la servante négresse qui venait puiser de l'eau dans le puits, entendant quelque bruit dans le trou, s'y pencha et regarda. Et elle vit cette forme noire qui se mouvait dans la demi-obscurité, et, loin de reconnaître son maître, elle fut saisie de terreur et, lâchant de ses mains la corde du seau, elle s'enfuit en criant éperdument : « L'éfrit ! L'éfrit ! Il sort du puits, ô musulmans ! Au secours ! » Et le seau, lâché de la sorte, alla tomber de tout son poids sur la tête d'Ahmad, l'assommant à demi.

Lorsque l'éveil fut ainsi donné par la négresse, l'épouse d'Ahmad se hâta de faire évader son amoureux, et descendit dans la cour et, se penchant sur la margelle, demanda : « Qui est dans le puits ? » Et elle reconnut alors la voix de son mari qui, malgré son accident, trouvait la force de lancer mille injures épouvantables contre le puits et contre les propriétaires des puits et ceux qui descendent dans le puits et ceux qui puisent l'eau dans le puits. Et elle lui demanda : « Par Allah et par le Nabi ! que pouvais-tu faire au fond du puits ? » Et il répondit : « Tais-toi donc, ô maudite ! C'est seulement pour la bourse que j'y ai laissé tomber ce matin ! Au lieu de me poser des questions tu ferais mieux de m'aider à sortir de là-dedans ! » Et la jeune femme, riant en son âme, car elle avait compris la vraie raison de la descente dans le puits, alla quérir les voisins qui vinrent retirer, au moyen de cordes, le malheureux Ahmad qui ne pouvait remuer tant le coup du seau lui avait été pénible. Et il se fit porter dans son lit, sans rien dire, sachant qu'il était bien plus prudent, en la circonstance, de taire son ressentiment. Et il se sentait fort humilié, non seulement dans sa dignité, mais surtout dans son expérience des femmes et sa connaissance de leurs malices. Et il résolut bien d'être plus circonspect la prochaine fois, et se mit à réfléchir sur les moyens à employer pour surprendre la maligne.

Aussi, lorsqu'au bout d'un certain temps il put se lever, il n'eut plus d'autre soin que de se poster à l'affût de sa vengeance. Et, un jour qu'il était caché dans un coin de la rue, il aperçut son ami Mahmoud qui venait de se glisser dans la maison, dont la porte entrebâillée fut aussitôt fermée après qu'il fut entré. Et il se précipita et se mit à frapper à coups redoublés sur la porte…

À ce moment de sa narration, Schahrazade vit apparaître le matin et, discrète, se tut.

Mais lorsque fut la huit cent sixième nuit. Elle dit :

… Et il se précipita et se mit à frapper à coups redoublés sur la porte. Et sa femme, sans hésiter, dit à Mahmoud : « Lève-toi et suis-moi ! » Et elle descendit avec lui, et, après l'avoir mis dans le coin, derrière la porte même de la rue, elle ouvrit à son époux, en lui disant : « Par Allah ! qu'y a-t-il donc pour frapper de la sorte ! » Mais Ahmad, la saisissant par la main et l'entraînant vivement à l'intérieur, en vociférant, courut à la chambre du haut, pour attraper Mahmoud qui, pendant ce temps, avait tranquillement ouvert la porte derrière laquelle il était caché et s'était enfui. Et Ahmad, voyant combien ses recherches étaient vaines, faillit mourir de rage et résolut de répudier sa femme sur-le-champ. Puis il réfléchit qu'il valait mieux patienter encore quelque temps, et il avala son ressentiment en silence.

Or l'occasion qu'il cherchait ne tarda pas à se présenter d'elle-même, quelques jours après cet incident. En effet, l'oncle d'Ahmad, père de son épouse, donnait un festin à l'occasion de la circoncision d'un enfant qu'il venait d'avoir dans sa vieillesse. Et Ahmad et son épouse étaient invités à aller passer chez lui la journée et la soirée. Et il pensa alors à mettre à exécution un projet qu'il avait formé. Il alla donc à la recherche de son ami Mahmoud, qui continuait à être le seul à ignorer qu'il trompait son ami, et, l'ayant rencontré, il l'invita à l'accompagner pour prendre part au festin de l'oncle. Et tout le monde s'assit devant les plateaux chargés de mets, au milieu de la cour illuminée et tendue de tapis et ornée de banderoles et de bannières. Et les femmes pouvaient ainsi voir des fenêtres du harem tout ce qui se faisait dans la cour, sans être vues, et entendre ce qui s'y disait. Et Ahmad, pendant le repas, amena la conversation sur les anecdotes licencieuses qu'affectionnait tout particulièrement le père de son épouse. Et lorsque chacun eut raconté ce qu'il savait sur ce sujet hilarant, Ahmad dit, en montrant son ami Mahmoud : « Par Allah ! notre frère Mahmoud que voici m'a raconté autrefois une anecdote vraie, dont il est lui-même le héros, et qui est autrement réjouissante que tout ce que nous venons d'entendre. » Et l'oncle s'écria : « Raconte-la-nous, ô saïd Mahmoud ! » Et tous les assistants ajoutèrent : « Oui par Allah sur toi, raconte-la-nous ! » Et Ahmad lui dit : « Oui ! tu sais bien ! l'histoire de la jeune femme grasse et blanche comme le beurre ! » Et Mahmoud, flatté d'être ainsi le but de toutes les demandes, se mit à raconter sa première entrevue avec la jeune femme qui était accompagnée de son enfant, sous les tentes, au Mouled. Et il se mit à donner des détails si précis sur la jeune femme et sa maison que l'oncle d'Ahmad ne tarda pas à reconnaître qu'il s'agissait de sa propre fille. Et Ahmad jubilait déjà en lui-même, persuadé qu'il allait pouvoir enfin faire la preuve, devant des témoins, de l'infidélité de son épouse, et la répudier, en la frustrant de ses droits à la dot du mariage. Et l'oncle, les sourcils froncés, allait déjà se lever pour faire qui sait quoi, lorsqu'un cri strident et douloureux se fit entendre, comme d'un enfant qui était pincé ; et Mahmoud, soudain rappelé à la réalité par ce cri, eut la présence d'esprit de changer le fil de l'histoire, en terminant ainsi : « Or, moi, comme je portais l'enfant de la jeune femme sur mes épaules, je voulus, une fois dans la cour, monter dans le harem avec l'enfant. Mais – éloigné soit le Malin ! – j'étais, pour mon malheur, tombé sur une femme honnête qui, comprenant mon audace, m'arracha l'enfant des bras et m'envoya un coup de poing à la figure, dont je porte encore la trace. Et elle me chassa en me menaçant d'appeler les voisins ! Qu'Allah la maudisse ! »

Et l'oncle, père de la jeune femme, en entendant cette fin de l'histoire, se mit à rire aux éclats, ainsi que tous les assistants. Mais seul Ahmad n'avait pas envie de rire, et se demandait, sans pouvoir en comprendre le motif, pourquoi Mahmoud avait ainsi changé la fin de son histoire. Et, le repas terminé, il s'approcha de lui, et lui demanda : « Par Allah sur toi, peux-tu me dire pourquoi tu n'as pas raconté la chose comme elle s'est passée ? » Et Mahmoud répondit : « Écoute ! C'est que je viens de comprendre, par ce cri de l'enfant que tout le monde a entendu, que cet enfant et sa mère se trouvaient dans le harem, et que par conséquent le mari devait se trouver également au nombre des invités. Et je me suis hâté d'innocenter la femme, pour ne pas nous attirer à tous deux une désagréable aventure ! Mais n'est-ce pas, ô mon frère, que mon histoire, arrangée de la sorte, a beaucoup amusé ton oncle ? » Mais Ahmad, devenu bien jaune, quitta son ami sans répondre à sa question. Et, dès le lendemain, il répudia sa femme et partit pour La Mecque, pour se sanctifier avec les pèlerins. Et, de la sorte, Mahmoud put, après le délai légal, se marier avec son amoureuse, et vivre heureux avec elle, car il n'avait aucune prétention à la connaissance des femmes et à l'art de déjouer leurs roueries et de prévenir leurs fourberies. Mais Allah est le seul savant ! »

Et, ayant ainsi raconté cette histoire, le pêcheur, mangeur de hachisch, qui était devenu chambellan, se tut. Et le sultan, à la limite du ravissement, s'écria : « Ô mon chambellan, ô langue de miel, je te nomme mon grand vizir ! » Et comme, précisément à ce moment-là, deux plaideurs entraient dans la salle des audiences, réclamant justice auprès du sultan, le pêcheur, devenu grand vizir, fut chargé, séance tenante, d'écouter leur plainte, de régler leur différend et de prononcer sur l'affaire un jugement. Et le nouveau grand vizir, revêtu des insignes de sa charge, dit aux deux plaideurs : « Approchez-vous, et racontez le sujet qui vous amène entre les mains de notre maître le sultan. » Et voici leur histoire :

LE JUGEMENT DU MANGEUR DE HACHISCH

« Lorsque, ô Roi fortuné – continua le cultivateur qui avait apporté les concombres –, le nouveau grand vizir eut ordonné aux deux plaignants de parler, le premier dit : « Ô mon seigneur, j'ai une plainte contre cet homme ! » Et le vizir demanda : « Et quelle est ta plainte ? » Il dit : « Ô mon seigneur, j'ai là, en bas, à l'entrée du diwân, une vache avec son veau. Or, ce matin, j'allais avec eux à mon champ de luzerne pour les faire paître ; et ma vache marchait devant moi, et son veau la suivait en gambadant, lorsque je vis arriver de notre côté cet homme que voici, monté sur une jument qui était accompagnée de sa fille, une petite pouliche contrefaite et pitoyable, un avorton.

« Or mon petit veau, en voyant la pouliche, courut faire connaissance avec elle et se mit à sauter autour d'elle et à la careser sous le ventre avec son museau, à la renifler, à jouer avec elle de mille manières, tantôt en s'en éloignant pour ruer gentiment, et tantôt en lançant en l'air, avec ses petits sabots, les cailloux de la route.

« Et, soudain, ô mon seigneur, cet homme que voici, qui est un brutal, ce propriétaire de la jument, descendit de sa bête et s'approcha de mon veau le frétillant, le joli, et lui passa une corde autour du cou, en me disant : « Je l'emmène ! Car je ne veux pas que mon veau se pervertisse en jouant avec cette misérable petite pouliche, fille de ta vache et sa postérité ! » Et il se tourna vers mon veau et lui dit : « Viens, ô fils de ma jument et sa descendance ! » Et, malgré mes cris d'étonnement et mes protestations, il emmena mon veau, me laissant la misérable petite pouliche qui est là, en bas, avec sa mère, et me menaçant de m'assommer si je tentais de reprendre ce qui est mon bien et ma propriété devant Allah qui nous voit, et devant les hommes ! »

Alors le nouveau grand vizir, qui était le pêcheur mangeur de hachisch, se tourna vers l'autre plaideur et lui dit : « Et toi, ô homme, qu'as-tu à dire au sujet des paroles que tu viens d'entendre ? » Et l'homme répondit : « Ô mon seigneur, il est notoire, en vérité, que le veau est le produit de ma jument, et que la pouliche est la descendance de la vache de cet homme ! » Et le vizir dit : « Est-il donc bien certain que maintenant les vaches peuvent mettre bas des pouliches, et que les chevaux peuvent enfanter des veaux ? Car c'est une chose qui jusqu'aujourd'hui ne pouvait guère être admise par un homme doué de bon sens ! » Et l'homme répondit : « Ô mon seigneur, ne sais-tu que rien n'est impossible à Allah qui crée ce qu'Il veut et sème où Il veut, et que la créature n'a qu'à s'incliner, à Le louer et à Le glorifier ? » Et le vizir dit : « Certes ! certes ! tu dis vrai, ô homme, rien n'est impossible à la puissance du Très-Haut, qui peut faire descendre les veaux des juments, et les poulains des vaches ! » Puis il ajouta : « Mais, avant de te laisser le veau, fils de ta jument, et de rendre à ton plaignant ce qui lui appartient, je veux également vous rendre tous deux témoins d'un autre effet de la toute-puissance du Très-Haut ! »

Et le vizir ordonna qu'on lui apportât une souris et un gros sac de blé. Et il dit aux deux plaideurs : « Regardez attentivement ce qui va arriver, et ne prononcez plus un mot ! » Puis il se tourna vers le second plaideur et lui dit : « Toi, ô maître du veau fils de la jument, prends ce sac de blé et charge-le sur le dos de cette souris ! » Et l'homme s'écria : « Ô mon seigneur, comment pourrais-je faire tenir ce gros sac de blé sur cette souris sans qu'elle soit écrasée ? » Et le vizir lui dit : « Ô homme de peu de foi, comment oses-tu douter de la toute-puissance du Très-Haut qui a fait naître le veau de la jument ? » Et il ordonna aux gardes de se saisir de l'homme, à cause de son ignorance et de son impiété, et de lui appliquer la bastonnade.

Et il fit rendre au premier plaideur le veau avec sa mère, et lui donna également la pouliche avec sa mère ! »

Et telle est, ô roi du temps, continua le cultivateur qui avait apporté le panier de fruits, l'histoire complète du pêcheur mangeur de hachisch, devenu le grand vizir du sultan.

Et ce dernier trait est pour prouver combien sa sagesse était grande, comment il savait produire la vérité par la réduction à l'absurde, et combien le sultan avait eu raison en le nommant grand vizir et en le prenant pour commensal, et en le comblant d'honneurs et de prérogatives. Mais Allah est plus généreux et plus sage et plus magnanime et plus bienfaisant ! »

Lorsque le sultan eut entendu de la bouche du fruitier cette série d'anecdotes, il se leva sur ses deux pieds, à la limite de la jubilation, et s'écria : « Ô cheikh des hommes délicieux, ô langue de sucre et de miel, qui donc plus que toi mérite d'être grand vizir, toi qui sais penser avec justesse, parler avec harmonie et conter avec saveur, délices et perfection ? » Et il le nomma sur l'heure grand vizir, et en fit son commensal intime, et ne s'en sépara plus, jusqu'à l'arrivée de la Séparatrice des amis et de la Destructrice des sociétés.

Et voilà, continua Schahrazade en parlant au roi Schahriar, tout ce que j'ai lu, ô Roi fortuné, dans le Le Diwân des faciles facéties et de la gaie sagesse *! Et sa sœur Doniazade s'écria : « Ô ma sœur, que tes paroles sont douces et savoureuses et délectables et réjouissantes et délicieuses en leur fraîcheur ! » Et Schahrazade dit : « Mais qu'est cela comparé à ce que je raconterai demain, au sujet de* LA BELLE PRINCESSE NOURENNAHAR, *si toutefois je suis en vie et me le permet notre maître le Roi ! » Et le roi Schahriar se dit : « Certes ! je veux bien entendre cette histoire que je ne connais pas ! »*

Mais lorsque fut la huit cent septième nuit. La petite Doniazade dit à sa sœur : « Ô ma sœur, de grâce ! hâte-toi de nous commencer l'histoire promise, puisque te le permet notre maître, ce Roi doué de bonnes manières ! » Et Schahrazade dit : « De tout cœur amical et comme hommages dus à ce Roi bien élevé ! » Et elle raconta :

HISTOIRE DE LA PRINCESSE NOURENNAHAR ET DE LA BELLE GENNIA

Il m'est revenu, ô Roi fortuné, qu'il y avait, en l'antiquité du temps et le passé des âges et des moments, un roi valeureux et puissant qui avait été doté par Allah le Généreux de trois fils comme des lunes et qui s'appelaient : l'aîné Ali, le second Hassân et le petit Hôssein. Et ces trois princes avaient été élevés, dans le palais de leur père, avec la fille de leur oncle, la princesse Nourennahar, qui était orpheline de père et de mère, et qui n'avait pas sa pareille en beauté, en esprit, en charmes et en perfections parmi les filles des hommes, étant semblable par les yeux à la gazelle effarée, par la bouche aux corolles des roses et aux perles, par les joues aux narcisses et aux anémones, et par la taille au flexible rameau de l'arbre bân. Et elle avait grandi avec les trois princes, fils de son oncle, en toutes joies et félicités, jouant avec eux, mangeant avec eux et dormant avec eux.

Or le sultan, oncle de Nourennahar, s'était toujours dit en son esprit que, lorsqu'elle serait devenue pubère, il la donnerait en mariage à quelque fils de roi d'entre ses voisins. Mais quand elle eut mis le voile de la puberté, il ne tarda pas à s'apercevoir que les trois princes, ses fils, l'aimaient passionnément d'un égal amour, et désiraient en leur cœur la conquérir et la posséder. Et il fut bien troublé en son âme et bien perplexe, et il se dit : « Si je donne la princesse Nourennahar à l'un de ses cousins, de préférence aux deux autres, ceux-ci ne seront pas contents et murmureront contre ma décision ; et mon cœur ne pourra pas endurer de les voir attristés et blessés ; et si je la marie à quelque prince étranger, mes trois fils en seront à la limite du chagrin et de la détresse, et leur âme en sera noircie et endolorie ; et qui sait, dans ce cas, s'ils ne se tueront pas de désespoir ou s'ils ne fuiront pas notre demeure pour quelque guerre dans un pays lointain !

En vérité, l'affaire est pleine de trouble et de périls, et elle est loin d'être facile à résoudre ! » Et le sultan se mit à réfléchir un long temps sur la question et soudain il releva la tête et s'écria : « Par Allah ! l'affaire est résolue ! » Et il appela sur-le-champ les trois princes Ali, Hassân et Hôssein, et leur dit : « Ô mes fils, vous avez à mes yeux les mêmes mérites, exactement, et je ne puis me résoudre à préférer l'un de vous, au détriment de ses frères, en lui accordant en mariage la princesse Nourennahar ; et je ne puis non plus la marier à vous trois à la fois. Aussi ai-je trouvé un moyen propre à vous satisfaire également, sans léser l'un de vous, et à maintenir entre vous la concorde et l'affection. À vous donc de m'écouter attentivement, et d'exécuter ce que vous allez entendre. Or voici le plan auquel mon esprit s'est arrêté : que chacun de vous aille voyager dans un pays différent et qu'il m'en rapporte la rareté qu'il jugera la plus singulière et la plus extraordinaire. Et moi je donnerai la princesse, fille de votre oncle, à celui qui sera revenu avec la plus étonnante merveille ! Aussi, si vous consentez à exécuter ce plan que je vous soumets, je suis prêt à vous donner autant d'or qu'il sera nécessaire pour votre voyage et pour l'achat de l'objet de votre choix ! »

Or les trois princes, qui avaient toujours été des fils soumis et respectueux, adhérèrent d'un commun accord à ce projet de leur père, chacun d'eux étant persuadé qu'il rapporterait la rareté la plus merveilleuse, et qu'il deviendrait l'époux de sa cousine Nourennahar. Et le sultan, les voyant dans cette disposition, les amena au trésor et leur donna autant de sacs d'or qu'ils voulurent. Et, après leur avoir recommandé de ne pas trop prolonger leur séjour dans les pays étrangers, il leur fit ses adieux en les embrassant et en appelant sur leur tête les bénédictions. Et, déguisés en marchands voyageurs, et suivis d'un seul esclave chacun, ils sortirent de leur demeure dans la paix d'Allah, et montés sur des chevaux de noble race.

Et ils commencèrent ensemble leur voyage, en se rendant à un khân situé à un endroit où le chemin se partageait en trois. Et là, après s'être régalés d'un repas que les esclaves leur avaient préparé, ils convinrent que leur absence durerait un an, pas un jour de plus, pas un jour de moins. Et ils se donnèrent rendez-vous au même khân, pour le retour, à la condition que le premier qui arriverait attendrait ses frères, afin qu'ils pussent tous trois se présenter ensemble devant le sultan, leur père. Et, leur repas terminé, ils se lavèrent les mains ; et, après s'être embrassés et souhaité réciproquement un heureux retour, ils remontèrent à cheval, et chacun d'eux prit un chemin différent.

Or le prince Ali, qui était l'aîné des trois frères, après trois mois de voyage à travers les plaines et les montagnes, les prairies et les déserts, arriva dans un pays de l'Inde maritime, qui était le royaume de Bischangar. Et il alla se loger dans le grand khân des marchands, et retint la plus vaste et la plus propre des pièces, pour lui et pour son esclave. Et, dès qu'il se fut reposé des fatigues du voyage, il sortit pour examiner la ville qui avait trois enceintes, et qui était large de deux parasanges en tous sens. Et il se dirigea sans retard vers le souk, qu'il trouva admirable, formé qu'il était de plusieurs grandes rues qui aboutissaient à une place centrale, avec un beau bassin de marbre au milieu. Et toutes ces rues étaient voûtées et fraîches et bien éclairées par les ouvertures percées dans leur haut. Et chaque rue était occupée par des marchands d'une espèce différente, mais chacune d'elles réunissait le même corps de métiers. Car dans l'une on ne voyait que les toiles fines des Indes, les étoffes peintes de couleurs vives et pures avec des dessins représentant des animaux, des paysages, des forêts, des jardins et des fleurs, les brocarts de la Perse et les soies de la Chine ; tandis que dans un autre on voyait les belles porcelaines, les faïences brillantes, les vases aux belles formes, les plateaux ouvragés et les tasses de toutes grandeurs ; alors que dans celle d'à côté on voyait les grands châles du Cachemire qui, une fois pliés, pouvaient tenir dans le creux de la main, tant leur étoffe était fine et délicate ; les tapis de prière, et d'autres tapis de toutes les tailles ; et, plus vers la gauche, fermée des deux côtés par des portes d'acier, la rue des joailliers et des bijoutiers, étincelante de pierreries, de diamants et d'ouvrages en or et en argent, d'une prodigieuse profusion. Et, en se promenant à travers ces souks éblouissants, il remarqua avec surprise que dans cette foule d'Indiens et d'Indiennes, qui se pressaient aux devantures des boutiques, les femmes du peuple elles-mêmes portaient des colliers, des bracelets et des ornements aux jambes, aux pieds, aux oreilles et même au nez ; et que plus le teint des femmes était blanc, plus leur rang était élevé et plus leurs bijoux étaient précieux et splendides, bien que le teint noir des autres eût cet avantage de faire mieux ressortir l'éclat des joyaux et la blancheur des perles.

Mais ce qui surtout charma le prince Ali, ce fut le grand nombre de jeunes garçons qui vendaient des roses et des jasmins, et l'air engageant avec lequel ils offraient ces fleurs, et la fluidité avec laquelle ils traversaient la foule toujours compacte dans les rues. Et il admira la prédilection singulière des Indiens pour les fleurs, qui allait si loin que non seulement ils en avaient partout sur eux, aussi bien dans les cheveux qu'à la main, mais encore sur les oreilles et dans les narines. Et d'ailleurs toutes les boutiques étaient garnies de vases pleins de ces roses et de ces jasmins ; et le souk en était embaumé, et l'on s'y promenait comme dans un jardin suspendu.

Lorsque le prince Ali se fut ainsi réjoui les yeux de la vue de toutes ces belles choses, il voulut se reposer un peu, et accepta l'invitation d'un marchand qui, assis à la devanture de sa boutique, l'engageait du geste et du sourire à entrer s'asseoir. Et, dès qu'il fut entré, le marchand lui donna la place d'honneur, lui offrit des rafraîchissements et ne lui posa aucune question oiseuse ou indiscrète, et ne le poussa à aucun achat, tant il était plein de civilité et doué de belles manières. Et le prince Ali apprécia extrêmement tout cela, et se dit : « Quel pays charmant ! Et quels habitants délicieux ! »

Et il voulut sur l'heure, tant il était séduit par la politesse et le savoir-vivre du marchand, lui acheter tout ce qu'il avait dans sa boutique. Puis il réfléchit qu'il ne saurait que faire ensuite de toutes ces marchandises, et se contenta pour le moment de lier plus ample connaissance avec le marchand.

Or, pendant qu'il causait avec lui et l'interrogeait sur les coutumes et les mœurs des Indiens, il vit passer devant la boutique un crieur qui tenait sur son bras un petit tapis de six pieds carrés. Et soudain le crieur, s'arrêtant, tourna sa tête à droite et à gauche, et cria : « Ô gens du souk, ô acheteurs ! qui achètera ne perdra pas ! À trente mille dinars d'or le tapis ! Le tapis de prière, ô acheteurs, à trente mille dinars d'or ! Qui achètera ne perdra pas ! »

En entendant cette criée, le prince Ali se dit : « Quel pays prodigieux ! un tapis de prière à trente mille dinars d'or, voilà une chose dont je n'avais jamais entendu parler ! Mais peut-être que ce crieur veut plaisanter ? » Puis voyant que le crieur répétait son cri, en se tournant de son côté d'un air convaincu, il lui fit signe d'approcher et lui dit de lui montrer le tapis de plus près. Et le crieur étala le tapis, sans dire un mot ; et le prince Ali l'examina longuement, et finit par dire : « Ô crieur, par Allah ! je ne vois point en quoi ce tapis de prière peut valoir le prix exorbitant auquel tu le cries ! » Et le crieur sourit et dit : « Ô mon maître, ne te hâte point de t'étonner de ce prix, qui n'est point excessif en comparaison du prix réel qu'il vaut ! Et, d'ailleurs, ton étonnement sera bien plus grand lorsque je t'aurai dit que j'ai ordre de faire monter ce prix jusqu'à quarante mille dinars d'or, et de ne livrer le tapis qu'à celui qui me paiera cette somme au comptant ! » Et le prince Ali s'écria : « Certes, ô crieur, il faut, par Allah ! que ce tapis, pour valoir un tel prix, soit admirable par quelque endroit que j'ignore ou que je ne distingue pas...

À ce moment de sa narration, Schahrazade vit apparaître le matin et, discrète, se tut.

Mais lorsque fut la huit cent huitième nuit. Elle dit :

... Certes, ô crieur, il faut, par Allah ! que ce tapis, pour valoir un tel prix, soit admirable par quelque endroit que j'ignore ou que je ne distingue pas ! » Et le crieur dit : « Tu l'as dit, seigneur ! Sache, en effet, que ce tapis est doué d'une vertu invisible qui fait qu'en s'y asseyant on est aussitôt transporté où l'on souhaite aller, et avec une rapidité telle qu'on n'a pas le temps de fermer un œil et d'ouvrir l'autre ! Et aucun obstacle n'est capable d'arrêter sa marche, car devant lui la tempête s'éloigne, l'orage fuit, les montagnes et les murailles s'entrouvrent, et les cadenas les plus solides deviennent par là même inutiles et vains. Et telle est, ô mon seigneur, la vertu invisible de ce tapis de prière ! »

Et le crieur, ayant ainsi parlé, sans ajouter un mot de plus commença à plier le tapis comme pour s'en aller, quand le prince Ali, à la limite de la joie, s'écria : « Ô crieur de bénédiction, si vraiment ce tapis est aussi vertueux que tes paroles me le font entendre, je suis prêt à te payer non seulement les quarante mille dinars d'or que tu demandes, mais mille autres encore en cadeau pour toi, comme courtage ! Seulement, il faut que je voie avec mon œil et que je touche avec ma main ! » Et le crieur, sans s'émouvoir, répondit : « Où sont les quarante mille dinars d'or, ô mon maître ? Et où sont les mille autres que tu me promets dans ta générosité ? » Et le prince Ali répondit : « Ils sont au grand khân des marchands, où je suis logé avec mon esclave ! Et je vais y aller avec toi, pour te les compter, une fois que j'aurai vu et touché ! » Et le crieur répondit : « Sur ma tête et sur mes yeux ! Mais le grand khân des marchands est assez éloigné, et nous y serons bien plus vite rendus sur ce tapis que sur nos pieds ! » Et, se tournant vers le maître de la boutique, il lui dit : « Avec ta permission ! » Et il alla à l'arrière-fond de la boutique, et, y étendant le tapis, il pria le prince de s'y asseoir. Et s'étant assis à côté de lui, il lui dit : « Ô mon seigneur, forme en ton esprit le souhait d'être transporté à ton khân, dans ton propre logement ! » Et le prince Ali formula en son âme le souhait. Et, avant qu'il eût le temps de prendre congé du maître de la boutique, qui l'avait reçu si civilement, il se vit transporté dans son propre appartement, sans secousse et sans malaise, dans la situation même qu'il occupait, et sans pouvoir se rendre compte s'il avait traversé les airs ou s'il avait passé par-dessous terre. Et le crieur était toujours à côté de lui, souriant et satisfait. Et son esclave était déjà accouru entre ses mains pour se mettre à ses ordres. En acquérant la certitude de la vertu merveilleuse du tapis, le prince Ali dit à son esclave : « Compte à l'instant à cet homme béni quarante bourses de mille dinars, et remets-lui, dans son autre main, une bourse de mille dinars ! » Et l'esclave exécuta l'ordre. Et le crieur, laissant le tapis au prince Ali, lui dit : « Bonne acquisition, ô mon maître ! » et s'en alla en sa voie.

Quant au prince Ali, devenu de la sorte le possesseur du tapis enchanté, il fut à la limite de la satisfaction et de la joie, en songeant qu'il avait trouvé une rareté si extraordinaire dès son arrivée dans cette ville et ce royaume de Bischangar. Et il s'écria : « *Maschallah ! Ahhamdou lillah !* Voici que j'ai atteint sans peine le but de mon voyage ; et je ne doute pas maintenant du gain sur mes frères ! Et c'est moi qui deviendrai l'époux de la fille de mon oncle, la princesse Nourennahar ! Et puis, quelle ne sera pas la joie de mon père et l'étonnement de mes frères quand je leur aurai fait constater ce que peut faire d'extraordinaire ce tapis vertueux ! Car il est impossible que mes frères, quelque favorable que soit leur destin, réussissent à trouver un objet qui de près ou de loin puisse être comparé à celui-ci ! » Et, pensant ainsi, il se dit : « Mais, au fait, si je partais tout de suite pour mon pays, maintenant que pour moi la distance ne compte pas ? » Puis, réflexion faite, il se souvint du délai d'un an dont il était convenu avec ses frères, et comprit que s'il partait à l'instant il risquerait de les attendre trop longtemps dans le khân des trois chemins, lieu du rendez-vous. Et il se dit : « Attendre pour attendre, je préfère passer le temps ici que dans le khân désert des trois chemins. Je vais donc me distraire dans ce pays admirable, et en même temps m'instruire de ce que je ne connais pas. » Et, dès le lendemain, il reprit ses visites aux souks et ses promenades à travers la ville de Bischangar.

Et il put, de la sorte, admirer les curiosités véritablement singulières de ce pays de l'Inde. Entre autres choses remarquables, il vit, en effet, un temple d'idoles tout en airain, avec un dôme, posé sur une terrasse, haut de cinquante coudées, et gravé et coloré de trois rangs de peintures fort vives et d'un goût délicat ; et tout le temple était orné de bas-reliefs d'un travail exquis, et de dessins entrelacés ; et il était situé au milieu d'un vaste jardin planté de roses et d'autres fleurs belles à sentir et à regarder. Mais ce qui faisait le principal attrait de ce temple d'idoles – qu'elles soient confondues et brisées ! –, c'était une statue d'or massif, de la hauteur d'un homme, dont les yeux étaient deux rubis mobiles et arrangés avec tant d'art qu'ils semblaient des yeux vivants et qu'ils regardaient celui qui était devant eux, en suivant tous ses mouvements. Et, le matin et le soir, les prêtres des idoles célébraient dans le temple les cérémonies de leur culte mécréant, et les faisaient suivre de jeux, de concerts d'instruments, de tours de baladins, de chants d'almées, de danses de ballerines et de festins. Et ces prêtres ne subsistaient d'ailleurs que par les offrandes que la foule des pèlerins leur apportait continuellement du fond des pays les plus éloignés.

Et le prince Ali, durant son séjour à Bischangar, put encore être spectateur d'une grande fête qui se célébrait tous les ans, dans ce pays, et à laquelle assistaient les walis de toutes les provinces, les chefs de l'armée, les brahmes, qui sont les prêtres des idoles et les chefs du culte mécréant, et une foule innombrable de peuple. Et toute cette assemblée se tenait dans une plaine immense, dominée par un bâtiment d'une hauteur prodigieuse, qui abritait le roi et sa cour, soutenu par quatre-vingts colonnes et peint au-dehors de paysages, d'animaux, d'oiseaux, d'insectes et même de mouches et de moucherons, et le tout au naturel. Et, à côté de ce grand bâtiment, il y avait trois ou quatre estrades d'une étendue considérable, où était assis le peuple. Et tous ces bâtiments avaient cela de singulier qu'ils étaient mobiles et qu'on les transformait d'heure en heure, en les changeant de face et de décoration. Et le spectacle commença par des tours de jongleurs, d'une ingéniosité extrême, et par des jeux d'escamoteurs et des danses de fakirs. Puis on vit s'avancer, en ordre de bataille, rangés à peu de distance les uns des autres, mille éléphants harnachés somptueusement et chargés chacun d'une tour carrée en bois doré, avec des baladins et des joueuses d'instruments dans chaque tour. Et la trompe de ces éléphants et leurs oreilles étaient peintes de vermillon et de cinabre, leurs défenses étaient entièrement dorées, et sur leurs corps étaient dessinées, en couleurs vives, des figures chargées de milliers de jambes et de bras, dans des contorsions effrayantes ou grotesques. Et lorsque cette troupe formidable fut arrivée devant les spectateurs, deux éléphants, qui n'étaient point chargés de tours, et qui étaient les plus gros du millier, sortirent des rangs et s'avancèrent jusqu'au milieu du cercle formé par les estrades. Et l'un d'eux, au son des instruments, se mit à danser en se tenant debout tantôt sur ses deux pieds et tantôt sur ses deux mains. Puis il grimpa avec dextérité jusqu'au sommet d'un poteau enfoncé perpendiculairement, et, y posant sur l'extrémité ses pieds et ses mains à la fois, se mit à battre l'air de sa trompe et à faire sauter ses oreilles et à mouvoir sa tête en tous sens, au rythme des instruments, tandis que le second éléphant, juché sur l'extrémité d'une autre poutre, posée horizontalement par son milieu sur un support, et son poids contrebalancé par une pierre d'une grosseur prodigieuse placée sur l'extrémité opposée, était en train de se balancer tantôt en s'élevant et tantôt en descendant, alors qu'avec sa tête il marquait la cadence de la musique.

Et le prince Ali fut émerveillé de tout cela, et de bien d'autres choses encore. Aussi, ce fut avec un intérêt croissant qu'il se mit à étudier les habitudes de ces Indiens, si différents des gens de son pays, et qu'il continua ses promenades et ses visites aux marchands et aux notables du royaume. Mais bientôt, comme il était continuellement tourmenté par son amour pour sa cousine Nourennahar, et quoique l'année ne fût pas écoulée, il ne put rester plus longtemps éloigné de son pays, et résolut de quitter l'Inde pour se rapprocher de l'objet de ses pensées, persuadé qu'il serait plus heureux en ne se sentant pas séparé de lui par une si grande distance. Et, après que son esclave eut réglé au portier le prix de la chambre, il s'assit avec lui sur le tapis enchanté, et se recueillit en lui-même, souhaitant sérieusement d'être transporté au khân des trois chemins. Et, comme il ouvrait les yeux qu'il avait fermés un instant pour réfléchir, il s'aperçut qu'il était arrivé au khân en question. Et il se leva du tapis, et entra dans le khân, sous ses habits de marchand, et se disposa à y attendre tranquillement le retour de ses frères. Et voilà pour lui !

Quant au prince Hassân, le second des trois frères, voici ! Dès qu'il se fut mis en route, il rencontra une caravane qui se rendait en Perse. Et il se joignit à cette caravane et, après un long voyage à travers les plaines et les montagnes, les déserts et les prairies, il arriva avec elle dans la capitale du royaume de Perse, qui était la ville de Schiraz. Et il descendit, sur l'indication des marchands de la caravane avec lesquels il s'était lié d'amitié, dans le grand khân de la ville. Et, dès le lendemain de son arrivée, pendant que ses anciens compagnons de route ouvraient leurs ballots et étalaient leurs marchandises, il se hâta de sortir pour voir ce qu'il y avait à voir. Et il se fit conduire au souk que, dans ce pays-là, on appelle le Bazistân, et où l'on vendait les joyaux, les pierreries, les brocarts, les belles étoffes de soie, les toiles fines et toutes les marchandises précieuses. Et il se mit à se promener à travers le Bazistân, en s'émerveillant de la quantité prodigieuse de belles choses qu'il découvrait dans les boutiques. Et partout il voyait des courtiers et des crieurs qui allaient et venaient en tous sens, en étalant de belles pièces d'étoffes, de beaux tapis et d'autres belles choses qu'ils criaient à l'encan.

Or, parmi tous ces hommes si affairés, le prince Hassân en vit un qui tenait à la main un tuyau d'ivoire, long d'environ un pied de la grosseur du pouce. Et cet homme, au lieu d'avoir l'air avide et pressé des autres crieurs et courtiers, se promenait avec lenteur et gravité, en tenant ce tuyau d'ivoire comme un roi tient le sceptre de son empire, et plus majestueusement encore…

À ce moment de sa narration, Schahrazade vit apparaître le matin et, discrète, se tut.

Mais lorsque fut la huit cent neuvième nuit. Elle dit :

… Et cet homme, au lieu d'avoir l'air avide et pressé des autres crieurs et courtiers, se promenait avec lenteur et gravité, en tenant ce tuyau d'ivoire comme un roi tient le sceptre de son empire, et plus majestueusement encore. Et le prince Hassân se dit : « Voilà un courtier qui m'inspire confiance ! » Et déjà il allait se diriger de son côté pour le prier de lui montrer le tuyau qu'il tenait d'une façon si respectueuse quand il l'entendit crier, mais d'une voix empreinte d'une grande fierté et d'une magnifique emphase : « Ô acheteurs ! qui achètera ne perdra pas ! À trente mille dinars d'or le tuyau d'ivoire ! Celui qui l'a fait est mort, et jamais plus ne se fera voir ! Voilà le tuyau d'ivoire ! Il fait voir ce qu'il fait voir ! Qui l'achètera ne perdra pas ! Qui veut voir pourra voir ! Il fait voir ce qu'il fait voir ! Voilà le tuyau d'ivoire ! »

En entendant ce cri, le prince Hassân, qui avait déjà fait un pas en avant, recula d'étonnement et, se tourna vers le marchand contre la boutique duquel il était adossé, il lui dit : « Par Allah sur toi ! ô mon maître, dis-moi si cet homme qui crie ce petit tuyau d'ivoire, à un prix si exorbitant, a l'esprit sain ou s'il a perdu tout bon sens, ou s'il agit de la sorte par jeu seulement ? » Et le maître de la boutique répondit : « Par Allah, ô mon maître, je puis te certifier que cet homme est le plus honnête et le plus sage de nos crieurs ; et c'est lui que les marchands emploient le plus souvent, à cause de la confiance qu'il leur inspire, et parce qu'il est le plus ancien dans le métier ! Et je réponds de son bon sens, à moins qu'il ne l'ait perdu depuis ce matin ; mais je ne crois pas ! Il faut donc que ce tuyau vaille les trente mille dinars et même davantage, pour qu'il le crie à ce prix-là ! Et il doit les valoir par quelque endroit qui ne paraît pas ! D'ailleurs, si tu le désires, je vais l'appeler ; et tu l'interrogeras toi-même ! Je te prie donc de monter t'asseoir dans ma boutique, et de te reposer un moment. »

Et le prince Hassân accepta l'offre obligeante du marchand ; et dès qu'il se fut assis, le crieur s'approcha de la boutique, ayant été appelé par son nom. Et le marchand lui dit : « Ô crieur *Un tel*, le seigneur marchand que voici est bien étonné de t'entendre crier à trois mille bourses ce petit tuyau d'ivoire ; et moi-même j'en serais tout aussi étonné si je ne te connaissais pour un homme doué d'une exacte probité. Réponds donc à ce seigneur afin qu'il n'ait plus de toi une opinion désavantageuse ! » Et le crieur se tourna vers le prince Hassân et lui dit : « En vérité, ô mon maître, le doute est permis à qui n'a pas vu ! Mais quand tu auras vu, tu ne douteras plus ! Quant à ce qui est du prix du tuyau, il est non pas de trente mille dinars, qui est le prix de mise en vente, mais de quarante mille. Et j'ai ordre de ne pas le laisser à moins, et de ne le céder qu'à celui qui le paiera au comptant ! » Et le prince Hassân dit : « Je veux bien te croire sur parole, ô crieur, mais encore faut-il que je sache par quel endroit ce tuyau mérite une telle considération, et par quelle singularité il se recommande à l'attention ! » Et le crieur dit : « Sache, ô mon maître, que si tu regardes dans ce tuyau par l'extrémité qui est garnie de ce cristal, quoi que tu puisses souhaiter de voir, tu es satisfait sur l'heure, et tu vois ! » Et le prince Hassân dit : « Si tu dis vrai, ô crieur de bénédiction, non seulement je te paierai le prix que tu demandes, mais encore mille dinars de courtage pour toi ! » Et il ajouta : « Hâte-toi de me montrer l'extrémité que je dois appliquer sur mon œil ! » Et le crieur la lui montra.

Et le prince regarda à travers, en souhaitant de voir la princesse Nourennahar. Et soudain il la vit, assise dans la baignoire de son hammam, entre les mains de ses esclaves qui procédaient à sa toilette. Et elle riait, en jouant avec l'eau, et se regardait dans son miroir. Et de la voir si belle et si proche de lui, le prince Hassân, à la limite de l'émotion, ne put s'empêcher de jeter un grand cri, et faillit laisser tomber le tuyau de sa main.

Et, ayant ainsi acquis la preuve que ce tuyau était la chose la plus merveilleuse qu'il y eût au monde, il n'hésita pas un instant à l'acheter, persuadé qu'il ne rencontrerait jamais une pareille rareté à rapporter de son voyage, dût ce voyage durer dix années, et dût-il parcourir tout l'univers. Et il fit signe au crieur de le suivre. Et, après avoir pris congé du marchand, il alla au khân où il logeait, et fit compter au crieur, par son esclave, les quarante bourses, en y ajoutant une autre pour le courtage. Et il devint le possesseur du tuyau d'ivoire.

Et lorsque le prince Hassân eut fait cette précieuse acquisition, il ne douta pas de sa prééminence sur ses frères, et de sa victoire sur eux, et de la conquête de sa cousine Nourennahar. Et, plein de joie, il songea, comme il avait du temps devant lui, à prendre connaissance des coutumes et des mœurs des Persans, et à voir les curiosités de la ville de Schiraz. Et il passa ses journées à se promener, en regardant et en écoutant. Et, comme il avait l'esprit bien doué et l'âme sensible, il fréquenta les hommes instruits et les poètes, et apprit par cœur les poèmes persans les plus beaux. Et c'est alors seulement qu'il résolut de retourner vers son pays ; et, profitant du départ de la même caravane, il se joignit aux marchands qui la composaient et se mit en chemin. Et Allah lui écrivit la sécurité, et il arriva sans accident au khân des trois chemins, lieu du rendez-vous. Et il y trouva son frère, le prince Ali. Et il resta là, avec lui en attendant le retour de leur troisième frère. Et voilà pour lui !

Mais pour ce qui est du prince Hôssein, qui était le plus jeune des trois princes, je te prie, ô Roi fortuné, d'incliner vers moi ton ouïe, car voici :

Après un long voyage, qui n'eut rien de vraiment extraordinaire, il arriva à une ville qu'on lui dit être Samarcande. Et c'était, en effet, Samarcande al-Ajam, la ville même où règne maintenant ton glorieux frère Schahzamân, ô Roi du temps. Et, dès le lendemain de son arrivée, le prince Hôssein se rendit au souk qu'on appelle, dans la langue du pays, le Bazar. Et il trouva que ce bazar-là était fort beau. Et comme il était très occupé à s'y promener en regardant de tous côtés avec ses deux yeux, soudain, à deux pas devant lui, il vit un crieur qui tenait à la main une pomme. Et cette pomme était si admirable, rouge d'un côté et dorée de l'autre, et grosse comme une pastèque, que le prince Hôssein désira aussitôt l'acheter, et demanda à celui qui la portait :

« À combien cette pomme, ô crieur ? » Et le crieur dit : « À trente mille dinars d'or, ô mon maître, comme mise à prix. Mais j'ai ordre de ne la céder qu'à quarante mille, et au comptant ! » Et le prince Hôssein s'écria : « Par Allah, ô homme, cette pomme est fort belle, et je n'ai jamais vu la pareille de ma vie ! Mais, sans doute, tu veux rire en demandant un prix si exorbitant ! » Et le crieur répondit : « Non, par Allah ! ô mon seigneur, ce prix que je demande n'est rien en comparaison de la valeur réelle de cette pomme. Car, quelque belle et admirable que soit sa vue, elle n'est rien en comparaison de son odeur. Et son odeur, ô mon maître, quelque bonne et délicieuse qu'elle soit, n'est rien en comparaison de ses vertus ! Et ses vertus, ô couronne de ma tête, ô mon beau seigneur, quelque merveilleuses qu'elles soient, ne sont rien en comparaison des effets et des usages qu'on en retire pour le bien des hommes ! » Et le prince Hôssein dit : « Ô crieur, hâte-toi, puisqu'il en est ainsi, de m'en faire sentir d'abord l'odeur. Et tu me diras ensuite quels en sont les vertus, les usages et les effets ! » Et le crieur, avançant la main, mit la pomme sous le nez du prince, qui la respira. Et il en trouva l'odeur si pénétrante et si suave qu'il s'écria : « Ya Allah ! toute ma fatigue du voyage est oubliée, et c'est comme si je venais de sortir du sein de ma mère ! Ah ! quelle odeur ineffable ! » Et le crieur dit : « Eh bien, seigneur, sache, puisque tu viens d'éprouver sur toi-même, en sentant l'odeur de cette pomme, des effets si inattendus, que cette pomme n'est pas naturelle mais fabriquée par la main de l'homme ; et elle n'est pas le fruit d'un arbre aveugle et insensible, mais le fruit de l'étude et des veilles d'un grand savant, d'un philosophe très célèbre, qui a passé toute sa vie dans les recherches et les expériences sur les vertus des plantes et des minéraux. Et il a abouti à la composition de cette pomme, qui renferme en elle la quintessence de tous les simples, de toutes les plantes utiles et de tous les minéraux curatifs. En effet, il n'y a pas de malade affligé de quelque calamité que ce soit, fût-ce de la peste, de la fièvre pourprée ou de la lèpre, qui, même moribond, ne recouvre la santé, rien qu'en la flairant. Et, d'ailleurs, tu viens de ressentir toi-même un peu de son effet, puisque tes fatigues du voyage se sont évanouies à son odeur. Mais je veux, pour que la chose soit mieux avérée, qu'un malade atteint d'un mal incurable soit guéri devant tes yeux, afin que tu sois fixé sur ses vertus et ses propriétés, comme le sont tous les habitants de cette ville. Tu n'as, en effet, qu'à interroger les marchands qui sont ici rassemblés, et la plupart d'entre eux te diront que s'ils sont encore en vie, c'est uniquement grâce à cette pomme que tu vois ! »

Or, pendant que le crieur parlait ainsi, plusieurs personnes s'étaient arrêtées et l'avaient environné, en disant : « Oui, par Allah ! tout cela est vrai ! Cette pomme est la reine des pommes, et le plus excellent des remèdes ! Et elle fait revenir les malades les plus désespérés des portes de la mort ! » Et, comme pour confirmer tout le bien qu'ils en disaient, un pauvre homme, aveugle et paralytique, vint à passer porté dans une hotte sur le dos d'un porteur. Et le crieur s'avança vivement de son côté et lui mit la pomme sous le nez. Et soudain l'infirme se souleva dans la hotte et, sautant par-dessus la tête de son porteur, comme un jeune chat, livra ses jambes au vent, en ouvrant des yeux comme des tisons. Et tout le monde le vit et en rendit témoignage.

Alors le prince Hôssein, convaincu de l'efficacité de cette pomme merveilleuse, dit au crieur : « Ô visage de bon augure, je te prie de me suivre à mon khân ! » Et il le mena au khân où il logeait, et lui paya les quarante mille dinars, et lui donna une bourse de mille dinars comme cadeau de courtage. Et, devenu possesseur de la pomme merveilleuse, il attendit avec patience le départ de quelque caravane, pour retourner à son pays. Car il était persuadé qu'avec cette pomme il triompherait aisément de ses deux frères et deviendrait l'époux de la princesse Nourennahar. Et, lorsque la caravane fut prête, il partit de Samarcande, et, malgré les fatigues d'un long voyage, il arriva, avec la permission d'Allah, en sécurité au khân des trois chemins, où l'attendaient ses deux frères Ali et Hassân. Et les trois princes, après s'être embrassés avec beaucoup de tendresse et félicités mutuellement de leur bonne arrivée…

À ce moment de sa narration, Schahrazade vit apparaître le matin et, discrète, se tut.

Mais lorsque fut la huit cent dixième nuit. Elle dit :

… Et les trois princes, après s'être embrassés avec beaucoup de tendresse et félicités mutuellement de leur bonne arrivée, s'assirent pour manger en commun. Et, après le repas, le prince Ali, qui était l'aîné, prit la parole et dit : « Ô mes frères, nous avons devant nous toute la vie pour nous entretenir des particularités de notre voyage. Maintenant il s'agit de nous montrer les uns aux autres la rareté rapportée, qui est le but et le fruit de notre entreprise, afin que nous puissions nous faire justice par avance, et voir en faveur de qui le sultan, notre père, donnera la préférence au sujet de notre cousine, la princesse Nourennahar ! » Et il se tut un moment, et ajouta : « Pour ma part, comme je suis votre aîné, je vais vous révéler ma trouvaille. Sachez donc que mon voyage s'est fait dans l'Inde maritime, au royaume de Bischangar. Et tout ce que j'en ai rapporté est ce tapis de prière sur lequel vous me voyez assis, et qui est d'une laine commune et d'une apparence sans éclat. Mais c'est grâce à ce tapis que j'espère conquérir notre cousine ! » Et il raconta à ses frères toute l'histoire du tapis volant, et ses vertus, et comment il s'en était servi pour revenir en un clin d'œil du royaume de Bischangar. Et, pour donner plus de valeur à ses paroles, il pria ses frères de s'asseoir sur le tapis à côté de lui et leur fit faire en l'air un voyage de la durée d'un clin d'œil qu'avec d'autres véhicules il eût fallu plusieurs mois pour mener à bien. Puis il ajouta : « J'attends maintenant que vous m'appreniez si ce que vous avez apporté peut être comparé à mon tapis ! » Et, ayant fini de la sorte d'exalter l'excellence de l'objet qu'il possédait, il se tut.

Et le prince Hassân, à son tour, prit la parole et dit : « En vérité, ô mon frère, ce tapis volant est une chose prodigieuse, et de ma vie je n'en ai vu de semblable. Mais, quelque admirable qu'il soit, vous conviendrez tous deux avec moi qu'il peut y avoir d'autres choses dans le monde qui soient dignes d'attention, et, pour vous en donner la preuve, voici ce tuyau d'ivoire qui, à première vue, ne paraît pas une rareté si extraordinaire. Croyez cependant qu'il m'a coûté ce qu'il m'a coûté, et qu'en dépit de son apparence modeste, c'est un objet tout à fait merveilleux. Et vous n'hésiterez pas à me croire lorsque vous aurez appliqué votre œil sur l'extrémité de ce tuyau, où vous voyez ce cristal. Tenez ! faites comme je vais vous montrer ! »

Et il appliqua le tuyau d'ivoire sur son œil droit, en fermant son œil gauche, et en disant : « Ô tuyau d'ivoire, fais-moi tout de suite voir la princesse Nourennahar ! » Et il regarda à travers le cristal. Et ses deux frères, qui avaient les yeux sur lui, furent à la limite de l'étonnement de le voir soudain changer de visage et devenir bien jaune de teint, comme sous le coup d'une grande affliction ! Et, avant qu'ils aient eu le temps de l'interroger, il s'écria : « Il n'y a de force et de recours qu'en Allah ! Ô mes frères, c'est en vain que tous trois nous avons entrepris un voyage si pénible, dans l'espoir du bonheur ! Hélas ! dans quelques instants notre cousine ne sera plus en vie, car je viens de la voir dans son lit, entourée par ses femmes en pleurs, et par les eunuques désespérés. Vous allez d'ailleurs juger par vous-mêmes de l'état pitoyable où elle se trouve réduite, ô notre calamité ! » Et, parlant ainsi, il remit le tuyau d'ivoire au prince Ali, en lui disant de formuler en son esprit le souhait de voir la princesse. Et le prince Ali regarda à travers le cristal et recula, aussi affligé que son frère. Et le prince Hôssein prit le tuyau de ses mains, et vit le même spectacle attristant. Mais, loin de se montrer aussi affligé que ses frères, il se prit à rire et dit : « Ô mes frères, rafraîchissez vos yeux et calmez votre âme, car bien que la maladie de notre cousine soit d'une grande gravité, par ce qui nous apparaît, elle ne saurait résister à la vertu de cette pomme que voici, et dont la seule odeur ramène les morts du fond de leurs tombeaux ! » Et il leur raconta, en peu de mots, l'histoire de la pomme et ses vertus, et les effets de ses vertus, et les assura qu'elle guérirait sans faute leur cousine.

En entendant ces paroles, le prince Ali s'écria : « Dans ce cas, ô mon frère, nous n'avons qu'à nous transporter en toute diligence à notre palais, par le moyen de mon tapis. Et tu expérimenteras sur notre bien-aimée cousine la vertu salvatrice de cette pomme-là. »

Et les trois princes donnèrent l'ordre à leurs esclaves d'aller les rejoindre à cheval, et les congédièrent. Puis, s'étant assis sur le tapis, ils formulèrent ensemble le même souhait d'être transportés dans la chambre de la princesse Nourennahar. Et, en un clin d'œil, ils se trouvèrent, assis sur le tapis, au milieu de la chambre de la princesse.

Aussi, lorsque les femmes et les eunuques de Nourennahar eurent aperçu soudain les trois princes dans la chambre, sans comprendre comment ils y étaient arrivés, ils furent saisis d'effroi et d'étonnement. Et les eunuques, les méconnaissant d'abord et les prenant pour des étrangers, étaient sur le point de se jeter sur eux, quand ils revinrent de leur méprise. Et les trois frères se levèrent aussitôt de dessus le tapis ; et le prince Hôssein s'approcha vivement du lit où était étendue Nourennahar à l'agonie, et lui mit la pomme merveilleuse sous les narines. Et la princesse ouvrit les yeux, tourna la tête de côté et d'autre, en regardant avec des yeux étonnés les personnes qui l'environnaient, et se mit sur son séant. Et elle sourit à ses cousins et leur donna sa main à baiser, en leur souhaitant la bonne arrivée, et s'informa de leur voyage. Et ils lui apprirent combien ils étaient heureux d'être arrivés assez à temps pour contribuer à sa guérison, avec l'aide d'Allah. Et ses femmes lui dirent comment ils étaient arrivés, et comment le prince Hôssein l'avait ramenée à la vie, en lui faisant respirer l'odeur de la pomme. Et Nourennahar les remercia tous ensemble, et le prince Hôssein en particulier. Puis, comme elle demandait à s'habiller, ses cousins prirent congé d'elle, en faisant des vœux pour la longue durée de sa vie, et se retirèrent.

Et, laissant leur cousine aux soins de ses femmes, les trois frères allèrent se jeter aux pieds du sultan, leur père, et lui présentèrent leurs respects. Et le sultan, qui avait déjà été prévenu par les eunuques de leur arrivée et de la guérison de la princesse, les releva et les embrassa et se réjouit avec eux de les voir revenus en bonne santé. Et, après qu'ils eurent épanché de la sorte leur mutuelle affection, les trois princes présentèrent au sultan la rareté que chacun d'eux avait rapportée. Et, après qu'ils lui eurent expliqué ce qu'ils avaient à lui expliquer à ce sujet, ils le supplièrent de donner son avis et de marquer sa préférence.

Lorsque le sultan eut entendu tout ce que ses fils voulurent lui représenter à l'avantage de ce qu'ils avaient apporté, et que, sans les interrompre, il eut écouté ce qu'ils lui racontaient au sujet de la guérison de leur cousine, il demeura quelque temps silencieux, en réfléchissant profondément. Après quoi il releva la tête et leur dit : « Ô mes fils, l'affaire est bien délicate, et elle est encore bien plus difficile à résoudre qu'avant votre départ. Car d'un côté je trouve que les raretés que vous apportez se valent, en toute justice, et que, d'autre part, elles ont contribué, chacune pour sa part, à la guérison de votre cousine. En effet, c'est le tuyau d'ivoire qui, le premier, vous a éclairés sur le cas de la princesse ; et c'est le tapis qui vous a transportés en toute diligence auprès d'elle ; et c'est la pomme qui l'a guérie. Mais ce merveilleux résultat ne se serait pas produit, avec l'assentiment d'Allah, si l'une de ces raretés avait fait défaut. Aussi vous voyez votre père encore plus embarrassé qu'auparavant pour marquer son choix. Et vous-mêmes, doués du sens de la justice comme vous l'êtes, vous devez être aussi embarrassés et aussi perplexes que je le suis ! »

Et, ayant parlé de la sorte avec sagesse et impartialité, le sultan se remit à réfléchir sur la situation. Et, au bout d'une heure de temps, il s'écria : « Ô mes fils, un seul moyen me reste pour sortir d'embarras. Et je vais vous l'indiquer. Voici, ô mes enfants : comme vous avez encore du temps jusqu'à la nuit, prenez chacun un arc et une flèche et, rendez-vous hors de la ville, au meidân qui sert pour les joutes des cavaliers, et je m'y rendrai avec vous. Et je déclare que je donnerai la princesse Nourennahar pour épouse à celui de vous qui aura tiré le plus loin ! » Et les trois princes répondirent par l'ouïe et l'obéissance. Et tous ensemble, suivis des nombreux officiers du palais, se rendirent au meidân.

Et le prince Ali, étant l'aîné, prit son arc et une flèche et tira le premier ; et le prince Hassân tira le second, et sa flèche alla tomber plus loin que celle de son aîné. Et le troisième qui tira, fut le prince Hôssein ; mais aucun des officiers placés de distance en distance, sur un très long parcours, ne vit tomber sa flèche, qui traversa les airs en ligne droite et se perdit dans le loin. Et on courut et on chercha ; mais malgré toutes les recherches, et quelque attention que l'on y apportât, il ne fut pas possible de retrouver la flèche.

Alors le sultan, devant tous ses officiers réunis, dit aux trois princes : « Ô mes fils, vous le voyez, le sort se prononce ! Bien qu'il apparaisse que c'est toi, ô

Hôssein, qui aies tiré le plus loin, néanmoins tu n'es point le vainqueur, puisqu'il est nécessaire que la flèche soit trouvée pour rendre la victoire évidente et certaine. Et je me vois dans l'obligation de déclarer vainqueur mon second fils Hassân, dont la flèche est tombée plus loin que celle de son aîné. Alors donc, ô mon fils Hassân, c'est toi, sans conteste, qui deviens l'époux de la fille de ton oncle, la princesse Nourennahar. Car telle est sa destinée ! »

Et, ayant décidé de la sorte, le sultan donna aussitôt les ordres pour les préparatifs et les cérémonies des noces de son fils Hassân avec la princesse Nourennahar. Et, peu de jours après, on célébra les noces avec une grande magnificence. Et voilà pour le prince Hassân et son épouse Nourennahar !

Quant au prince Ali, l'aîné, il ne voulut pas assister aux cérémonies du mariage, et, comme sa passion pour sa cousine était très vive et désormais sans aboutissant, il ne put se résoudre à vivre au palais, et, en séance publique, il renonça de son plein gré à la succession au trône de son père. Et il revêtit l'habit de derviche, et alla se placer sous la direction spirituelle d'un cheikh réputé pour sa sainteté, sa science, et sa vie exemplaire, au fond de la plus retirée des solitudes. Et voilà pour lui ! Mais pour ce qui est du prince Hôssein, dont la flèche s'était perdue dans le loin, voici…

À ce moment de sa narration, Schahrazade vit apparaître le matin et, discrète, se tut.

Mais lorsque fut la huit cent onzième nuit. Elle dit :

… Pour ce qui est du prince Hôssein, dont la flèche s'était perdue dans le loin, voici !

De même que son frère Ali s'était abstenu d'assister aux noces du prince Hassân et de la princesse Nourennahar, de même il s'abstint, lui aussi, d'y prendre part. Mais il ne revêtit point comme lui l'habit de derviche et, loin de renoncer à la vie du monde, il résolut de prouver qu'il avait été frustré de son dû, et se mit, dans ce but, à la recherche de la flèche qu'il ne croyait pas irrémédiablement disparue. Et, sans tarder, pendant que les fêtes continuaient au palais à l'occasion des noces, il se déroba à ses gens et se rendit à l'endroit du meidân où l'expérience avait eu lieu. Et là il se mit à marcher droit devant lui, dans la direction suivie par la flèche, en regardant avec attention à droite et à gauche, à chaque pas. Et il alla de la sorte extrêmement loin, sans rien découvrir. Mais, loin de se décourager, il continua à marcher encore et encore, toujours en ligne droite, jusqu'à ce qu'il fût arrivé à un amas de rochers qui barrait complètement l'horizon. Et il se dit que si la flèche devait se trouver quelque part, elle ne pouvait être ailleurs que là, vu qu'elle n'aurait pu percer cet amas de rochers. Et il avait à peine fini de formuler en lui-même cette pensée qu'il aperçut par terre, couchée avec la pointe en avant et non point enfoncée dans le sol, la flèche marquée à son nom, celle-là même qu'il avait lancée de sa propre main. Et il se dit : « Ô prodige ! *Ouallahi* ! ni moi ni personne au monde ne pourrait, par ses propres forces, tirer une flèche si loin. Et voici que non seulement elle est arrivée à cette distance inouïe, mais encore qu'elle a dû donner avec vigueur contre le rocher pour avoir été ainsi renvoyée par sa résistance. Voilà une chose extraordinaire ! Et qui sait quel mystère il y a dans tout cela ? »

Et, ayant ramassé la flèche, comme il était en train tantôt de la considérer et tantôt de regarder le rocher où elle avait frappé, il remarqua dans ce rocher un enfoncement taillé en forme de porte. Et il s'en approcha et vit que c'était réellement une porte masquée, sans cadenas ni serrure, taillée à même le rocher, et apparente seulement par la légère séparation qui en faisait le tour. Et, par un mouvement tout naturel en pareil cas, il la poussa, sans trop penser qu'elle allait s'ouvrir sous la pression. Et il fut bien étonné en constatant qu'elle cédait sous sa main et tournait sur elle-même, tout comme si elle reposait sur des gonds fraîchement graissés. Et, sans trop réfléchir à ce qu'il faisait, il entra, sa flèche à la main, dans la galerie en pente douce à laquelle cette porte donnait accès. Mais dès qu'il en eut franchi le seuil, la porte, comme mue par ses propres forces, revint sur elle-même et boucha complètement l'entrée de la galerie. Et il se trouva dans les épaisses ténèbres. Et il eut beau essayer de rouvrir la porte, il ne réussit qu'à s'endolorir les mains et à s'écorcher les ongles.

Alors, comme il n'y avait plus à songer à sortir, et comme il était doué d'un grand courage, il n'hésita pas à s'enfoncer en avant à travers les ténèbres en suivant la pente douce de la galerie. Et bientôt il vit poindre une lumière vers laquelle il se hâta ; et il se trouva à la sortie de la galerie. Et il se vit soudain sous le ciel nu, en face d'une plaine verdoyante au milieu de laquelle s'élevait un magnifique palais. Et, avant qu'il ait eu le temps d'admirer l'architecture de ce palais, une dame en sortit qui s'avança vers lui, entourée d'une troupe d'autres dames dont, à n'en pas douter, elle était la maîtresse, à en juger seulement par sa beauté miraculeuse et son port majestueux. Et elle était vêtue d'étoffes qui n'avaient rien de réel, et portait ses cheveux dénoués qui flottaient jusqu'à ses pieds. Et elle s'avança d'un pas léger jusqu'à l'entrée de la galerie, et, étendant la main d'un geste plein de cordialité, elle dit : « Sois ici le bienvenu, ô prince Hôssein ! »

Et le jeune prince, qui s'était profondément incliné en la voyant, fut à la limite de l'étonnement de s'entendre ainsi appeler de son nom par une dame qu'il n'avait jamais vue et qui vivait dans un pays dont il n'avait jamais ouï parler, bien qu'il fût si proche de la capitale de leur royaume ! Et comme déjà il ouvrait la bouche pour exprimer sa surprise, la merveilleuse jouvencelle lui dit : « Ne m'interroge pas ! Je satisferai moi-même ta légitime curiosité lorsque nous serons dans mon palais ! » Et, souriante, elle lui prit la main et le conduisit, à travers les allées, vers la salle de réception qui s'ouvrait par un portique de marbre sur le jardin. Et elle le fit asseoir à côté d'elle sur le sofa, au milieu de cette salle splendide. Et, lui tenant la main dans les deux siennes, elle lui dit : « Ô charmant prince Hôssein, ta surprise cessera quand tu sauras que je te connais depuis ta naissance, et que j'ai souri sur ton berceau. Je suis, en effet, une gennia princesse, fille du roi des genn. Et ma destinée est écrite sur toi. Et c'est moi qui ai fait mettre en vente à Samarcande la pomme miraculeuse que tu as achetée, et à Bischangar le tapis de prière que ton frère Ali en a rapporté et à Schiraz le tuyau d'ivoire que ton frère Hassân y a trouvé. Et cela doit suffire pour te faire comprendre que je n'ignore rien de ce qui te concerne. Et j'ai jugé, puisque ma destinée est attachée à la tienne, que tu étais digne d'un bonheur plus grand que celui d'être l'époux de ta cousine Nourennahar. Et c'est pourquoi j'ai fait disparaître ta flèche et l'ai conduite jusqu'ici, afin de t'y acheminer toi-même. Et il ne tient maintenant qu'à toi de ne point laisser de tes doigts échapper le bonheur ! »

Et, ayant prononcé ces dernières paroles d'un ton empreint d'une grande tendresse, la belle princesse gennia baissa les yeux en rougissant beaucoup. Et sa jeune beauté n'en devint que plus exquise. Et le prince Hôssein, qui savait bien que sa cousine Nourennahar ne pouvait plus lui appartenir, et voyant de combien la princesse gennia lui était supérieure en beauté, en appas, en agréments, en esprit et en richesses, autant du moins qu'il le pouvait conjecturer par ce qu'il venait de voir et par la magnificence du palais où il se trouvait, ne put que bénir sa destinée qui l'avait conduit, comme par la main, jusqu'à ces lieux si proches et si ignorés ; et, s'inclinant devant la belle gennia, il lui dit : « Ô princesse des genn, ô dame de la beauté, ô souveraine ! que le bonheur d'être l'esclave de tes yeux et l'enchaîné de tes perfections me soit venu sans mérites de ma part, voilà qui est fait pour ravir la raison de l'être humain que je suis ! Ah ! comment une fille des genn peut-elle jeter ses regards sur un adamite inférieur, et le préférer aux rois invisibles qui gouvernent les pays de l'air et les contrées souterraines ? Mais peut-être, ô princesse, es-tu fâchée avec tes parents, et es-tu venue, par bouderie, habiter ce palais où tu me reçois sans le consentement du roi des genn, ton père, et de la reine des genn ta mère, et de tous tes autres parents ? Et peut-être que, dans ce cas, je vais être pour toi une cause de tracas et un objet de gêne et d'ennui ! » Et, parlant ainsi, le prince Hôssein s'inclina jusqu'à terre et baisa le bas de la robe de la gennia princesse qui lui dit, en le relevant et en lui prenant la main : « Sache, ô prince Hôssein, que je suis ma seule maîtresse et que j'agis toujours à ma guise, ne souffrant jamais que personne parmi les genn se mêle de ce que je fais ou compte faire. Tu peux donc être tranquille à ce sujet ; et rien ne nous arrivera que d'heureux ! » Et elle ajouta : « Veux-tu devenir mon époux et m'aimer beaucoup ? » Et le prince Hôssein s'écria : « Ya Allah ! si je le veux ? Mais je donnerais ma vie entière pour passer un jour non seulement comme ton époux mais comme le dernier de tes esclaves ! » Et, ayant ainsi parlé, il se jeta aux pieds de la belle gennia qui le releva et dit : « Puisqu'il en est ainsi, je t'accepte comme époux, et je suis désormais ton épouse ! » Et elle ajouta : « Et maintenant, comme tu dois avoir faim, allons prendre ensemble notre premier repas ! »

Et elle le conduisit dans une seconde salle, encore plus splendide que la première, illuminée d'une infinité de bougies parfumées d'ambre, placées dans une symétrie qui faisait plaisir à voir. Et elle s'assit avec lui devant un admirable plateau d'or chargé de mets d'un aspect réjouissant pour le cœur. Et aussitôt se fit entendre, au son des instruments d'harmonie, un chœur de voix de femmes qui semblait descendre du ciel même. Et la belle gennia se mit à servir de ses propres mains son nouvel époux, en lui offrant les morceaux les plus délicats de mets qu'elle lui nommait à mesure. Et le prince trouvait exquis ces mets dont il n'avait jamais entendu parler, ainsi que les vins, les fruits, les pâtisseries et les confitures, toutes choses dont jamais il n'avait goûté les pareilles dans les fêtes et les noces des êtres humains.

Et lorsque le repas fut terminé, la belle gennia princesse et son époux allèrent s'asseoir dans une troisième salle, creusée en dôme, et plus belle que la précédente. Et ils avaient le dos appuyé à des coussins de soie à grands fleurons de différentes couleurs, ouvragés à l'aiguille avec une délicatesse merveilleuse. Et aussitôt un grand nombre de ballerines, filles de genn, entrèrent dans la salle, et dansèrent un pas ravissant, avec la légèreté des oiseaux. Et une musique se faisait en même temps entendre, invisible mais présente, et tombant de haut. Et la danse continua jusqu'à ce que la belle gennia se fût levée, ainsi que son époux. Et les ballerines, sur un rythme de pas harmonieux, sortirent de la salle comme un vol d'écharpes, et marchèrent devant les nouveaux mariés jusqu'à la porte de la chambre où était préparé le lit nuptial. Et elles se rangèrent en haie pour qu'ils entrassent, et se retirèrent ensuite, les laissant libres de se coucher ou de dormir.

Et les deux jeunes époux se couchèrent dans le lit parfumé, et ce fut non point pour dormir mais pour se réjouir…

À ce moment de sa narration, Schahrazade vit apparaître le matin et, discrète, se tut.

Mais lorsque fut la huit cent douzième nuit. Elle dit :

… Et les deux jeunes époux se couchèrent dans le lit parfumé, et ce fut non point pour dormir mais pour se réjouir. Et le prince Hôssein put de la sorte goûter et comparer. Et il trouva dans cette gennia vierge une excellence dont n'avaient jamais approché, ni de près ni de loin, les plus merveilleuses adolescentes filles des humains. Et quand il voulut de nouveau goûter à ses appas incomparables, il trouva la place aussi intacte que s'il n'y avait pas touché. Et il comprit alors que la virginité chez les filles des genn se reconstituait au fur et à mesure. Et il se délecta de cette trouvaille-là à la limite de la délectation. Et il se loua de plus en plus de sa destinée qui l'avait conduit par la main vers cette histoire inespérée. Et il passa cette nuit-là, et bien d'autres nuits et d'autres journées, dans les délices des prédestinés. Et son amour, loin de diminuer par la possession, ne faisait qu'augmenter par ce qu'il découvrait sans cesse de nouveau en sa belle gennia princesse, aussi bien dans les charmes de son esprit que dans les perfections de sa personne.

Or, au bout de six mois de cette vie heureuse, le prince Hôssein, qui avait toujours eu une grande affection filiale pour son père, songea que son absence prolongée devait l'avoir plongé dans une douleur sans bornes, d'autant plus qu'elle était inexplicable, et il éprouva l'ardent désir de le revoir. Et il s'en ouvrit sans détours à son épouse la gennia, qui fut d'abord fort alarmée de cette résolution, tant elle craignait que ce fût un prétexte pour l'abandonner. Mais le prince Hôssein lui avait donné et continuait à lui donner tant de preuves d'attachement et tant de marques de violente passion, et il lui parla de son vieux père avec une telle tendresse et une telle éloquence qu'elle ne voulut pas s'opposer à son penchant filial. Et elle lui dit, en l'embrassant : « Ô mon bien-aimé, certes ! si je n'écoutais que mon cœur, je ne pourrais me résoudre à te voir t'éloigner de nos demeures, ne fût-ce que pour une journée ou moins encore. Mais je suis maintenant tellement convaincue de ton attachement pour moi, et j'ai une si grande confiance en la fermeté de ton amour et en la vérité de tes paroles que je ne veux pas te refuser la permission d'aller voir le sultan, ton père. Mais c'est à condition que ton absence ne sera pas de longue durée, et que tu m'en fasses le serment, dans le but de me tranquilliser ! » Et le prince Hôssein se jeta aux pieds de son épouse la gennia, pour lui marquer combien il était pénétré de reconnaissance pour sa bonté à son égard, et lui dit : « Ô ma souveraine, ô dame de la beauté, je connais tout le prix de la grâce que tu m'accordes, et quoi que je puisse t'en dire pour te remercier, sois persuadée que j'en pense encore davantage. Et je te fais le serment, sur ma tête, que mon absence sera de courte durée. Et d'ailleurs pourrais-je, t'aimant comme je t'aime, la prolonger au-delà du temps nécessaire pour aller chez mon père et revenir ? Tranquillise donc ton âme et rafraîchis tes yeux, car je penserai tout le temps à toi ; et rien de désagréable ne m'arrivera, *inschallah* ! »

Et ces paroles du prince Hôssein achevèrent de calmer l'émoi de la charmante gennia, qui répondit, en embrassant de nouveau son époux : « Pars donc, ô mon bien-aimé, sous la sauvegarde d'Allah, et reviens-moi en bonne santé. Mais, auparavant, je te prie de ne point trouver mauvais que je te donne quelques avis sur la manière dont il faut que tu te comportes durant l'absence, au palais de ton père. Et, d'abord, je pense qu'il faut bien te garder de parler de notre mariage au sultan, ton père, ou à tes frères, ni de ma qualité de fille du roi des genn, ni du lieu où nous habitons, ni du chemin qui y conduit. Mais dis-leur seulement à tous de se contenter d'apprendre que tu es parfaitement heureux, que tous tes désirs sont satisfaits, que tu ne souhaites rien plus que de vivre dans le bonheur où tu vis, et que le seul motif qui te ramène auprès d'eux est celui de faire simplement cesser les inquiétudes où ils pouvaient être au sujet de ta destinée ! »

Et, ayant ainsi parlé, la gennia donna à son époux vingt cavaliers genn bien armés, bien montés et bien équipés, et lui fit amener un cheval si beau que nul dans le palais et le royaume de son père ne possédait le pareil. Et le prince Hôssein, quand tout fut prêt, prit congé de son épouse la gennia princesse, en l'embrassant et en renouvelant la promesse qu'il lui avait faite de revenir incessamment. Puis il s'approcha du beau cheval frémissant, le flatta de la main, lui parla à l'oreille, le baisa et sauta en selle avec grâce. Et son épouse le vit et l'admira. Et après qu'ils se furent fait le dernier adieu, il partit à la tête de ses cavaliers.

Et comme le chemin qui conduisait à la capitale de son père n'était pas long, le prince Hôssein ne tarda pas à arriver à l'entrée de la ville. Et le peuple, qui le reconnut, fut heureux de le revoir, et le reçut avec acclamations et l'accompagna, avec des cris de joie, jusqu'au palais du sultan. Et son père, en le voyant, fut dans le bonheur et le reçut dans ses bras, en pleurant et en se plaignant, dans sa tendresse paternelle, de la douleur et de l'affliction où l'avait jeté une si longue et inexplicable absence. Et il lui dit : « Ah ! mon fils, je croyais bien n'avoir plus la consolation de te revoir ! J'avais, en effet, lieu de craindre qu'à la suite de la décision du sort, à l'avantage de ton frère Hassân, tu ne te fusses porté à quelque acte de désespoir ! » Et le prince Hôssein répondit : « Certes, ô mon père, la perte me fut cruelle de la princesse Nourennahar, ma cousine, dont la conquête avait été l'unique objet de mes souhaits. Et l'amour est une passion qu'on n'abandonne pas quand on le veut, surtout lorsque c'est un sentiment qui vous domine, vous maîtrise et ne vous donne pas le temps de recourir aux conseils de la raison. Mais, ô mon père, tu n'as sans doute pas oublié qu'en tirant ma flèche, lors du concours avec mes frères dans le meidân, il m'arriva cette chose extraordinaire et inexplicable que ma flèche, tirée dans une plaine unie et dégagée, devant toi et devant les autres assistants, ne put être retrouvée, malgré toutes les recherches. Or, moi, vaincu de la sorte par la destinée contraire, je ne voulus point perdre le temps en plaintes, avant d'avoir complètement satisfait mon esprit inquiet sur cette aventure que je ne comprenais pas. Et je m'éloignai, pendant les cérémonies des noces de mon frère, sans que personne s'en fût aperçu, et je retournai seul au meidân pour essayer de retrouver ma flèche. Et je me mis à la chercher en marchant en ligne droite, dans la direction présumée qu'elle avait dû suivre, et en regardant de tous côtés, en deçà et au-delà, à ma droite et à ma gauche. Mais toutes mes recherches furent inutiles, sans toutefois me rebuter. Et je poursuivis ma marche en avant, toujours en jetant les yeux de côté et d'autre, et en prenant la peine de reconnaître et d'examiner la moindre chose qui de près ou de loin pouvait ressembler à une flèche. Et je parcourus de la sorte une très longue distance, et je finis par réfléchir qu'il n'était pas possible qu'une flèche, fût-elle lancée par un bras mille fois plus fort que le mien, pût arriver si loin, et par me demander si j'avais perdu, en même temps que ma flèche, tout mon bon sens. Et déjà je me disposais à abandonner mon entreprise, surtout en me voyant arrivé à une ligne de rochers qui barrait complètement l'horizon, quand soudain, au pied même de l'un de ces rochers, j'aperçus ma propre flèche, non point enfoncée dans le sol par la pointe, mais couchée à une certaine distance de l'endroit où elle avait dû frapper. Et cette découverte me jeta dans une grande perplexité, au lieu de me réjouir. Car raisonnablement je ne pouvais m'imaginer que j'étais capable de lancer si loin une flèche. Et c'est alors, ô mon père, que j'eus l'explication de ce mystère, et de tout ce qui m'était arrivé dans mon voyage à Samarcande. Mais c'est là un secret que je ne puis, hélas ! te révéler sans manquer à mon serment. Et tout ce que je puis t'en dire, ô mon père, est que, depuis ce moment, j'oubliai et ma cousine et ma défaite et tous mes ennuis, et j'entrai dans la voie plane du bonheur. Et pour moi commença une vie de délices, qui n'était troublée que par l'éloignement où je me trouvais d'un père que j'affectionne par-dessus tout au monde, et par le sentiment que j'avais qu'il devait être dans l'inquiétude à mon sujet. Et je crus alors de mon devoir de fils de venir te voir et te tranquilliser. Et tel est, ô mon père, l'unique motif de ma venue ! »

Lorsque le sultan eut entendu ces paroles de son fils, et compris de la sorte qu'il possédait le bonheur, et rien de plus, il répondit : « Ô mon fils, que peut souhaiter de plus pour son enfant un père affectueux ? Certes ! j'eusse beaucoup mieux aimé te voir vivre dans ce bonheur, auprès de moi, lors de mes vieilles années, plutôt que dans un endroit dont j'ignore la situation et même l'existence. Mais au moins, mon fils, ne peux-tu m'apprendre où il faut que je m'adresse désormais pour avoir fréquemment de tes nouvelles, et n'être plus dans l'état d'inquiétude où m'avait plongé ton absence ? » Et le prince Hôssein répondit : « Pour ce qui est de ta tranquillité, ô mon père, sache que j'y veillerai moi-même, en me rendant si fréquemment auprès de toi que je craindrai presque de me rendre importun. Mais pour ce qui est de t'indiquer l'endroit où l'on peut avoir de mes nouvelles, je te supplie de me dispenser de te le révéler, car c'est là un mystère de la foi que j'ai jurée et du serment que je tiens à tenir. » Et le sultan, ne voulant pas insister davantage à ce sujet, dit au prince Hôssein : « Ô mon fils, qu'Allah me garde de pénétrer plus avant, contre ton gré, dans le secret. Tu peux, quand tu veux, retourner à ce séjour de délices où tu habites. Seulement je veux te demander de me faire également, à moi, ton père, une promesse, et c'est de revenir me voir une fois tous les mois, sans crainte de m'importuner, comme tu dis, ou de me déranger. Car quelle occupation plus chère peut avoir un père aimant, sinon de se réchauffer le cœur de l'approche de ses enfants et de se rafraîchir l'âme de leur présence, et de se réjouir les yeux de leur vue ? » Et le prince Hôssein répondit par l'ouïe et l'obéissance, et, ayant fait le serment demandé, resta au palais trois jours entiers, au bout desquels il prit congé de son père, et partit le matin du quatrième jour, à l'aube, à la tête de ses cavaliers, fils des genn, comme il était venu…

À ce moment de sa narration, Schahrazade vit apparaître le matin et, discrète, se tut.

Mais lorsque fut la huit cent treizième nuit. Elle dit :

… Et le prince Hôssein répondit par l'ouïe et l'obéissance, et, ayant fait le serment demandé, resta au palais trois jours entiers, au bout desquels il prit congé de son père, et partit le matin du quatrième jour, à l'aube, à la tête de ses cavaliers, fils des genn, comme il était venu.

Et ce fut avec infiniment de joie que le reçut son épouse la belle gennia, et avec un plaisir d'autant plus vif qu'elle ne s'attendait pas à le voir revenir si promptement. Et ils célébrèrent ensemble cet heureux retour, en s'aimant beaucoup, sur les modes les plus agréables et les plus divers. Et la belle gennia n'épargna rien, à partir de ce jour, pour rendre le plus attrayant possible à son époux le séjour de la demeure enchantée. Et ce furent des variations continuelles dans la façon de respirer l'air, de se promener, de manger, de boire, de s'amuser, de voir danser les ballerines, d'entendre chanter les almées, d'écouter les instruments d'harmonie, de réciter des poésies, de sentir le parfum des roses, de se parer avec les fleurs du jardin, de cueillir les beaux fruits mûrs à même les branches, et de jouer à l'incomparable jeu des amants, qui est le jeu d'échecs sur le lit, en tenant compte de toutes les savantes combinaisons dont est susceptible ce jeu délicat.

Et au bout d'un mois de cette délicieuse vie-là, le prince Hôssein, qui avait déjà mis son épouse au courant de la promesse qu'il avait faite au sultan, son père, fut bien obligé d'interrompre leurs plaisirs, et de prendre congé de l'attristée gennia. Et épuipé et habillé plus magnifiquement que la première fois, il monta sur son beau cheval et se mit à la tête des fils des genn, ses cavaliers, pour aller rendre visite au sultan, son père.

Or, pendant son absence, lorsqu'il était parti la première fois du palais de son père, les conseillers favoris du sultan, qui jugeaient de la puissance du prince Hôssein et de ses richesses inconnues par les échantillons qu'il en avait fait paraître durant les trois jours qu'il avait passés au palais, ne manquèrent pas d'abuser de la liberté que le sultan leur donnait de lui parler et de l'ascendant qu'ils avaient acquis sur son esprit, pour essayer de faire naître en lui des soupçons contre son fils, et lui faire croire que le prince lui portait ombrage. Et ils lui représentèrent que la prudence la plus élémentaire lui commandait de savoir au moins en quel lieu se trouvait la retraite de son fils, et où il puisait tout l'or nécessaire pour des dépenses semblables à celles qu'il avait faites durant son séjour, et pour le faste dont il s'était plu à faire parade, uniquement dans l'intention, disaient-ils, de braver son père et de montrer qu'il n'avait pas besoin de ses libéralités ou de sa tutelle pour vivre en prince. Et ils lui dirent qu'il était fort à craindre qu'il ne se rendît populaire et ne soulevât les fidèles sujets contre leur souverain, pour le détrôner et se mettre à sa place.

Mais le sultan, bien que ces paroles l'eussent déjà quelque peu ému, ne voulut point croire que son fils Hôssein, son préféré, fût capable de comploter contre lui, en formant un dessein aussi perfide que celui-là. Et il répondit à ses conseillers favoris : « Ô vous dont la langue sécrète le doute et la suspicion, ignorez-vous donc que mon fils Hôssein m'aime, et que je suis d'autant plus sûr de sa tendresse et de sa fidélité que je ne lui ai jamais donné le moindre sujet d'être mécontent de moi ? » Mais le plus écouté des favoris reprit : « Ô roi du temps, qu'Allah t'accorde une longue vie ! Mais crois-tu que le prince Hôssein ait si vite oublié ce qu'il croit être une injustice de ta part, en ce qui concerne la décision du sort au sujet de la princesse Nourennahar ? Et ne penses-tu pas, par ce qui en paraît clairement, que le prince Hôssein n'a pas eu le bon esprit d'accepter avec soumission le décret du destin, au lieu d'imiter l'exemple de son frère aîné qui, plutôt que de se révolter contre la chose écrite, a préféré revêtir l'habit de derviche et aller se mettre sous la direction spirituelle d'un saint cheikh versé dans la connaissance du Livre ? Et puis, ô notre maître, n'as-tu pas déjà observé, avant nous, que, lors de l'arrivée du prince Hôssein, lui et ses gens sont frais, et leurs habits et les ornements et les housses de leurs chevaux ont le même éclat que s'ils ne faisaient que de sortir de la main de l'ouvrier ? Et n'as-tu pas remarqué que les chevaux eux-mêmes ont le poil sec et luisant, et ne sont pas plus harassés que s'ils ne venaient que d'une simple promenade ? Or, tout cela, ô roi du temps, est pour te prouver que le prince Hôssein a établi sa résidence secrète tout près de ta capitale, pour être plus à même d'exécuter ses plans pernicieux et de fomenter les troubles parmi le peuple et de se livrer à ses menées subversives ! Nous aurions donc manqué à notre devoir, ô grand roi, si nous n'avions pris sur nous la cruelle obligation d'éveiller ton attention sur une affaire qui est aussi délicate qu'elle est importante et grave, afin que tu te décides à veiller sur ta propre conservation et sur le bien de tes sujets fidèles ! »

Lorsque le favori eut achevé ce discours plein de malice et de suspicion, le sultan lui dit : « Je ne sais, en vérité, ce que je dois croire ou ne pas croire de ces choses surprenantes. En tout cas, je vous suis obligé à tous de votre avis ; et j'ouvrirai mieux les yeux à l'avenir ! » Et il les congédia, sans trop leur montrer combien, en son âme, il était impressionné et alarmé de leurs paroles. Et il résolut, afin de pouvoir un jour soit les confondre, soit les remercier de leur conseil bien intentionné, de surveiller les actes et les démarches de son fils Hôssein, lors de son prochain retour.

Or le prince Hôssein ne tarda pas à arriver, selon sa promesse. Et le sultan, son père, le reçut avec la même joie et la même satisfaction que la première fois, se gardant bien de lui faire part des soupçons qu'avaient éveillés en son esprit les vizirs intéressés à sa perte. Mais, le lendemain, il appela une vieille, fameuse dans le palais pour sa sorcellerie et sa malice, et qui était capable de débrouiller, sans les briser, les fils d'une toile d'araignée. Et lorsqu'elle fut entre ses mains, il lui dit : « Ô vieille de bénédiction, voici le jour où tu vas pouvoir faire preuve de ton dévouement aux intérêts de ton roi. Sache donc que, depuis que j'ai retrouvé mon fils Hôssein, je n'ai pu obtenir de lui qu'il m'apprenne en quel lieu il est établi. Et je n'ai pas voulu, pour ne pas le gêner, user de mon autorité et lui faire révéler son secret malgré lui. Aussi t'ai-je fait appeler, ô reine des sorcières, parce que je te crois assez habile pour faire en sorte que ma curiosité soit satisfaite, sans que ni mon fils ni personne au palais puisse se douter de quoi que ce soit. Je te demande donc d'user de toute ta finesse et de ton intelligence, qui n'ont pas d'égales, pour observer mon fils lors de son départ, qui aura lieu demain matin à l'aube. Ou peut-être encore feras-tu mieux de t'en aller dès aujourd'hui, sans perdre de temps, à l'endroit où il a trouvé sa flèche, près de la ligne de rochers qui barre la plaine vers l'orient. Car c'est là qu'il a trouvé, en même temps que la flèche, sa destinée ! » Et la vieille sorcière répondit par l'ouïe et l'obéissance et sortit pour se rendre près des rochers, et s'y cacher de façon à tout voir sans être vue.

Or, le lendemain, le prince Hôssein partit du palais avec ses cavaliers, dès la pointe du jour, pour ne pas éveiller l'attention des officiers et des passants. Et, arrivé devant l'excavation où était la porte de pierre, il y disparut avec tous ceux qui l'accompagnaient. Et la vieille sorcière vit tout cela et fut étonnée à l'extrême limite de l'étonnement. Et lorsqu'elle fut revenue de son émotion, elle sortit de sa cachette, et alla droit à l'enfoncement où elle avait vu disparaître gens et chevaux. Mais, malgré sa diligence, et bien qu'elle regardât de tous les côtés, en allant et en revenant plusieurs fois sur ses pas, elle n'aperçut aucune ouverture ni aucune entrée. Car la porte de pierre, qui avait été visible pour le prince Hôssein lors de son arrivée première, n'était apparente que pour certains hommes seulement dont la présence était agréable à la belle gennia, mais jamais, et en aucun cas, cette porte n'était apparente pour les femmes, et surtout pour les vieilles laides et horribles à regarder. Et, dans sa rage de ne pouvoir pousser plus loin ses investigations, elle ne put se soulager autrement qu'en lançant un pet qui fit sauter les cailloux et lever un nuage de poussière. Et, le nez allongé jusqu'à ses pieds, elle s'en revint chez le sultan et lui rendit compte de tout ce qu'elle avait vu, en ajoutant : « Ô roi du temps, j'ai tout espoir de mieux réussir la prochaine fois. Et je te demande seulement de me faire crédit de quelque patience et de ne point t'informer des moyens dont j'ai dessein de me servir ! » Et le sultan, qui était déjà assez satisfait de ce premier résultat, répondit à la vieille : « Tu as toute liberté d'agir comme tu l'entends ! Va, sous la protection d'Allah, et moi j'attendrai ici avec patience l'effet de tes promesses ! » Et, comme encouragement à bien faire, il lui donna en cadeau un merveilleux diamant, et lui dit : « Accepte ceci comme une marque de ma satisfaction. Mais sache que ce n'est rien en comparaison de ce dont je pense récompenser ta réussite ! » Et la vieille embrassa la terre entre les mains du roi, et s'en alla en sa voie.

Or, un mois après cet événement, le prince Hôssein sortit comme la dernière fois par la porte de pierre, avec sa suite de vingt cavaliers superbement équipés. Et comme il côtoyait les rochers, il aperçut une pauvre vieille qui était couchée sur le sol, et geignait d'une façon lamentable, comme une personne atteinte de quelque mal violent. Et elle était vêtue de haillons et pleurait. Et le prince Hôssein, saisi de compassion, arrêta son cheval et demanda doucement à la vieille quel était son mal, et ce qu'il pouvait faire pour la soulager. Et la vieille artificieuse, qui était précisément venue se poster là pour parvenir au but qu'elle se proposait, répondit, sans lever la tête, d'une voix entrecoupée de gémissements et d'arrêts de respiration : « Ô mon secourable seigneur, c'est Allah qui t'envoie pour faire creuser ma tombe, car je vais mourir ! Ah ! mon âme va sortir ! Ô mon seigneur, j'étais partie de mon village pour aller à la ville, et, en route, j'ai été prise d'une fièvre rouge qui m'a jetée ici sans forces, loin de tout être humain et sans espérance d'être secourue ! » Et le prince Hôssein, dont le cœur était pitoyable, dit à la vieille : « Ma bonne tante, permets à deux de mes hommes de te soulever et de te porter à l'endroit où je vais retourner moi-même, pour t'y faire soigner ! » Et il fit signe à deux de ses gens de soulever la vieille. Et ils le firent ; et l'un deux ensuite la mit en croupe derrière lui. Et le prince rebroussa chemin et arriva avec ses cavaliers à la porte de pierre qui s'ouvrit et les laissa entrer…

À ce moment de sa narration, Schahrazade vit apparaître le matin et, discrète, se tut.

Mais lorsque fut la huit cent quatorzième nuit. Elle dit :

… Et le prince rebroussa chemin et arriva avec ses cavaliers à la porte de pierre qui s'ouvrit et les laissa entrer.

Et la princesse gennia, les voyant tous revenir de la sorte sur leurs pas, et ne comprenant point le motif qui les y avait obligés, se hâta de venir à la rencontre du prince Hôssein, son époux, qui, sans descendre de cheval, lui montra du doigt la vieille qui avait l'air d'une agonisante, et que deux cavaliers venaient de mettre à terre en la soulevant par-dessous les bras, et lui dit : « Ô ma souveraine, cette pauvre vieille a été mise par Allah sur notre chemin, dans l'état pitoyable où tu la vois, et il faut que nous lui portions secours et assistance. Je la recommande donc à ta compassion, en te priant de lui faire donner tous les soins que tu jugeras nécessaires ! » Et la gennia princesse, qui tenait ses regards attachés sur la vieille, donna l'ordre à ses femmes de la prendre d'entre les mains des cavaliers et de la mener dans un appartement réservé, en la traitant avec les mêmes égards et la même attention qu'elles auraient pour sa propre personne. Et lorsque les femmes se furent éloignées avec la vieille, la belle gennia dit à son époux, en baissant la voix : « Qu'Allah te rende ta compassion, qui part d'un cœur généreux ! Mais tu peux dès à présent être tranquille au sujet de cette vieille, car elle n'est pas plus malade que mon œil, et je sais la cause qui l'a amenée ici, et quelles sont les personnes qui l'y ont poussée, et le but qu'elle s'est proposé en s'apostant sur ton chemin. Mais sois sans crainte à cet égard, et persuade-toi bien que quoi que l'on puisse tramer contre toi, dans l'intention de te mortifier et de te faire du mal, je saurai te défendre, en rendant vaines toutes les embûches que l'on dressera contre toi ! » Et, l'ayant embrassé de nouveau, elle lui dit : « Pars sous la protection d'Allah ! » Et le prince Hôssein, habitué déjà à ne pas trop demander d'explications à son épouse la gennia, prit congé d'elle et reprit son chemin vers la capitale de son père, où il ne tarda pas à arriver avec sa suite. Et le sultan le reçut comme à l'ordinaire, en ne faisant rien paraître, devant lui et devant ses conseillers, des sentiments qui l'agitaient.

Quant à la vieille sorcière, les deux suivantes de la belle gennia la conduisirent donc dans un bel appartement réservé, et l'aidèrent à se coucher sur un lit dont les matelas étaient de satin brodé, les draps de soie fine et les couvertures de drap d'or. Et l'une d'elles lui offrit une tasse remplie de l'eau de la fontaine des Lions, en lui disant : « Voici une tasse d'eau de la fontaine des Lions, qui guérit les maladies les plus tenaces et rend la santé aux moribonds ! » Et la vieille but la tasse, et, quelques instants après, s'écria : « Ô liqueur admirable ! Voici que je suis guérie, comme si on avait extrait mon mal avec des tenailles ! De grâce, hâtez-vous de me conduire à votre maîtresse, afin que je la remercie de sa bonté et que je lui marque ma gratitude ! »

Et elle se leva sur son séant, en feignant d'être rétablie d'un mal dont elle n'avait jamais souffert. Et les deux suivantes la menèrent, à travers plusieurs appartements, tous plus magnifiques les uns que les autres, jusque dans la salle où se tenait leur maîtresse.

Or la belle gennia était assise sur un trône d'or massif, enrichi de pierreries, et entourée d'un grand nombre de ses dames d'honneur, qui étaient toutes charmantes et habillées d'une façon aussi merveilleuse que leur maîtresse. Et la vieille sorcière, éblouie de tout ce qu'elle voyait, se prosterna au pied du trône, en balbutiant des remerciements. Et la gennia lui dit : « Je suis bien aise, ô bonne femme, que tu sois guérie. Et tu es libre maintenant de rester dans mon palais tout le temps que tu voudras. Et mes femmes vont se mettre à ta disposition pour te montrer mon palais ! » Et la vieille, après avoir embrassé la terre une seconde fois, se releva et se laissa emmener par les deux jeunes femmes, qui se mirent à lui faire visiter le palais, dans tous ses détails merveilleux. Et, lorsqu'elles eurent fini de la promener, elle se dit qu'il valait mieux pour elle se retirer, maintenant qu'elle avait vu ce qu'elle voulait voir. Et elle en exprima le désir aux deux jeunes femmes, après les avoir remerciées de leur obligeance. Et elles la firent sortir par la porte de pierre, en lui souhaitant un heureux voyage. Et dès qu'elle fut au milieu des rochers, elle se retourna pour bien observer l'emplacement de la porte et pouvoir la reconnaître ; mais comme la porte était invisible pour les femmes de son espèce, elle la chercha en vain ; et elle fut obligée de s'en retourner sans pouvoir réussir à en trouver le chemin.

Et lorsqu'elle fut arrivée en présence du sultan, elle lui rendit compte de tout ce qu'elle avait fait, de tout ce qu'elle avait vu, et de l'impossibilité où elle avait été de retrouver l'entrée du palais. Et le sultan, assez satisfait de ses explications, convoqua ses vizirs et ses favoris et les mit au courant de la situation, en leur demandant leur avis. Et les uns lui conseillèrent de mettre à mort le prince Hôssein, en lui représentant qu'il complotait contre son trône, et les autres furent d'avis qu'il valait mieux peut-être se saisir de lui et l'enfermer pour le restant de ses jours. Et le sultan se tourna vers la vieille et lui demanda : « Et toi, qu'en penses-tu ? » Elle dit : « Ô roi du temps, moi, je pense qu'il vaut mieux utiliser les relations que ton fils entretient avec cette gennia pour faire demander et obtenir d'elle des merveilles comme il s'en trouve dans son palais. Et s'il refuse ou si elle lui refuse, alors seulement il faudra songer au moyen violent que viennent de t'indiquer les vizirs ! » Et le roi dit : « Il n'y a pas d'inconvénient ! » Et il fit venir son fils et lui dit : « Ô mon fils, puisque te voici devenu plus riche et plus puissant que ton père, ne peux-tu pas m'apporter, la prochaine fois, quelque chose qui me fasse plaisir, par exemple une belle tente qui puisse me servir à la chasse ou à la guerre ? » Et le prince Hôssein fit la réponse qu'il fallait, en assurant son père de la joie qu'il aurait de le satisfaire à ce sujet.

Et lorsqu'il fut de retour auprès de son épouse la gennia, il lui fit part du désir de son père ; et elle répondit : « Par Allah ! cette chose que le sultan nous demande est une bagatelle ! » Et elle appela sa trésorière et lui dit : « Va prendre le pavillon le plus grand qui soit dans mon trésor ! Et dis à votre gardien Schaïbar de me l'apporter ! » Et la trésorière se hâta d'exécuter l'ordre. Et, quelques instants après, elle revint accompagnée du gardien du trésor qui était un genni d'une espèce toute particulière. Il était, en effet, haut d'un pied et demi, avait une barbe de trente pieds, une moustache épaisse et retroussée jusqu'aux oreilles, et des yeux comme les yeux du cochon, enfoncés profondément dans sa tête qui était aussi grosse que son corps ; et il portait sur son épaule une barre de fer pesant cinq fois plus que lui, et dans son autre main il portait un petit paquet plié. Et la gennia lui dit : « Ô Schaïbar, tu vas accompagner tout de suite mon époux, le prince Hôssein, auprès du sultan, son père. Et tu feras ce que tu dois faire ! » Et Schaïbar répondit par l'ouïe et l'obéissance, et demanda : « Et faut-il aussi, ô ma maîtresse, que j'y porte le pavillon que je tiens dans ma main ? » Elle dit : « Certes ! mais auparavant déploie-le ici, afin que le prince Hôssein puisse le voir ! » Et Schaïbar alla au jardin, et déplia le paquet qu'il tenait. Et il en sortit un pavillon qui pouvait, déployé entièrement, abriter toute une armée, et qui avait la propriété de s'agrandir et de se rapetisser en proportion de ce qu'il devait couvrir. Et, l'ayant exposé de la sorte, il le replia et en fit un paquet qui tenait au fond de sa main. Et il dit au prince Hôssein : « Allons-nous-en chez le sultan ! »

Or lorsque le prince Hôssein, précédé de Schaïbar à pied, fut arrivé dans la capitale de son père, tous les passants, saisis d'épouvante à la vue du genni nain qui s'avançait avec sa lame de fer sur l'épaule, coururent se cacher dans les maisons et dans les boutiques dont ils se hâtèrent de fermer les portes. Et, à leur arrivée au palais, les portiers, les eunuques et les gardes se sauvèrent poussant des cris de terreur. Et tous deux entrèrent au palais et se présentèrent devant le sultan qui était entouré de ses vizirs et de ses favoris, et s'entretenait avec la vieille sorcière. Et Schaïbar, s'avançant jusqu'au pied du trône, attendit que le prince Hôssein eût salué son père, et dit : « Ô roi du temps, je t'apporte le pavillon ! » Et il le déploya au milieu de la salle et se mit à l'agrandir et à le rapetisser, en se tenant à une certaine distance. Puis soudain il brandit la barre de fer, et la déchargea sur la tête du grand vizir et l'assomma du coup. Puis il assomma de la même manière les autres vizirs et les favoris, tandis qu'immobilisés par l'épouvante ils n'avaient pas la force de lever un bras pour se défendre. Et il assomma ensuite la vieille sorcière, en lui disant : « C'est pour t'apprendre à faire l'agonisante ! » Et lorsqu'il eut assommé de la sorte tout le monde, il remit la barre de fer sur son épaule et dit au roi : « Je les ai châtiés pour les punir de leurs mauvais conseils ! Quant à toi, ô roi, comme tu as l'esprit faible, et que tu n'as songé à tuer ou à emprisonner le prince Hôssein que parce que tu y étais poussé par ceux-là, je t'épargne le même sort. Mais je te destitue de ta royauté. Et si quelqu'un dans la ville songe à protester, je l'assommerai ! Et j'assommerai même toute la ville, si elle refuse de reconnaître le prince Hôssein pour son roi ! Et maintenant, descends et va-t'en, ou je t'assomme ! » Et le roi se hâta d'obéir et, descendant de son trône, sortit de son palais et s'en alla vivre dans la solitude, auprès de son fils Ali, sous l'obédience du saint derviche.

Quant au prince Hassân et à son épouse Nourennahar, comme ils n'avaient pris aucune part à la conspiration, le prince Hôssein, devenu roi, leur assigna pour apanage la plus belle province du royaume et continua à être avec eux dans les meilleurs termes. Et le prince Hôssein vécut avec son épouse la belle gennia, dans les délices et la prospérité. Et ils laissèrent tous deux une nombreuse postérité, qui régna après leur mort, durant des années et des années. Mais Allah est plus savant !

Et Schahrazade, ayant ainsi raconté cette histoire, se tut. Et sa sœur Doniazade lui dit : « Ô ma sœur, que tes paroles sont douces et savoureuses et délectables ! » Schahrazade sourit et dit : « Mais qu'est cela comparé à ce que je vous raconterai encore, si le Roi me le permet ! » Et le roi Schahriar se dit : « Que peut-elle me raconter encore que je ne connaisse pas ? » Et il dit à Schahrazade : « Tu as la permission ! »

Et Schahrazade dit :

HISTOIRE DE GERBE-DE-PERLES

Et Schahrazade dit au roi Schahriar :

Il est raconté, dans les annales des savants et les livres du passé, que l'émir des Croyants Al-Môtazid Bi'llah, seizième khalifat de la maison d'Abbas, petit-fils d'Al-Môtawakkil, petit-fils de Haroun Al-Rachid, était un prince doué d'une âme haute, d'un cœur intrépide, et de sentiments élevés, plein de charme et d'élégance, de noblesse et de grâce, de bravoure et de vaillance, de majesté et d'intelligence, égalant les lions pour la force et le courage, et, avec cela, d'un génie si affiné qu'il était considéré comme le plus grand poète de son temps. Et il avait à Bagdad, sa capitale, pour l'aider à diriger les affaires de son immense empire, soixante vizirs pleins d'un zèle infatigable qui veillaient aux intérêts du peuple avec la même inlassable activité que leur maître. Ce qui faisait que rien, pas même l'événement le plus futile en apparence, ne lui restait caché de tout ce qui se passait sous son règne, dans les pays qui s'étendaient depuis le désert de Scham jusqu'aux confins du Maghreb, et depuis les montagnes du Khorassân et la mer occidentale jusqu'aux limites profondes de l'Inde et de l'Afghanistan.

Or un jour qu'il se promenait avec Ahmad Ibn-Hamdoun le conteur, son intime et préféré compagnon de coupe, celui-là même à qui nous devons la transmission orale de tant de belles histoires et de poèmes merveilleux de nos pères anciens, il arriva devant une demeure d'apparence seigneuriale, enfouie délicieusement au milieu des jardins, et dont l'harmonieuse architecture disait les goûts de son propriétaire bien plus délicatement que ne l'eût fait la langue la plus éloquente. Car pour qui avait, comme le khalifat, les yeux sensibles et l'âme attentive, cette demeure était l'éloquence même.

Et comme ils s'étaient tous deux assis sur le banc de marbre qui faisait face à la demeure, et qu'ils s'y reposaient de leur promenade en respirant la brise qui s'en venait vers eux embaumée de l'âme des lys et des jasmins, ils virent apparaître devant eux, sortis de l'ombre du jardin, deux adolescents beaux comme la lune à son quatorzième jour. Et ils causaient entre eux, sans remarquer la présence des deux étrangers assis sur le banc de marbre. Et l'un disait à son compagnon : « Fasse le ciel, ô mon ami, qu'en ce jour de splendeur, des hôtes de hasard viennent visiter notre maître ! Il est attristé que l'heure du repas soit arrivée sans que personne soit là pour lui tenir compagnie, alors que d'ordinaire il a toujours à ses côtés des amis et des étrangers qu'il régale avec délices et qu'il héberge magnifiquement ! » Et l'autre adolescent répondit : « Certes ! c'est la première fois que pareille chose arrive, et que notre maître se trouve seul dans la salle des festins. Il est bien étrange que, malgré la douceur de cette journée de printemps, aucun promeneur n'ait choisi, comme but de repos, nos jardins si beaux qu'on vient d'ordinaire les visiter du fond des provinces. »

En entendant ces paroles des deux adolescents, Al-Môtazid fut extrêmement étonné de savoir que non seulement il existait dans sa capitale un seigneur de haut rang dont la demeure lui était inconnue, mais que ce seigneur menait une vie aussi singulière et qu'il n'aimait pas la solitude pendant les repas. Et il pensa : « Par Allah ! moi qui suis le khalifat, j'aime souvent être seul à seul avec moi-même, et je mourrais dans le plus bref délai s'il fallait sentir à perpétuité une vie étrangère à côté de la mienne ! car la solitude est si inestimable, quelquefois ! »

Puis il dit à son fidèle commensal : « Ô Ibn-Hamdoun, ô conteur à la langue de miel, toi qui connais toutes les histoires du passé et n'ignores rien des événements contemporains, savais-tu l'existence de l'homme propriétaire de ce palais ? Et ne penses-tu pas qu'il est urgent que nous fassions la connaissance de l'un de nos sujets dont la vie est si différente de la vie des autres hommes, et si étonnante de faste solitaire ? Et, d'ailleurs, cela ne me donnera-t-il pas l'occasion d'exercer, à l'égard de l'un de mes nobles sujets, une générosité que je voudrais plus magnifique encore que celle avec laquelle il doit traiter ses hôtes de hasard ? » Le conteur Ibn-Hamdoun répondit : « L'émir des Croyants n'aura certainement pas à regretter sa visite à ce seigneur de nous inconnu. Je vais donc, puisque tel est le désir de mon maître, appeler ces deux charmants adolescents et leur annoncer notre visite au propriétaire de ce palais ! » Et il se leva du banc, ainsi qu'Al-Môtazid qui était, selon sa coutume, déguisé en marchand. Et il apparut devant les deux beaux garçons, auxquels il dit : « Allez, par Allah sur vous deux ! prévenir votre maître qu'à sa porte deux marchands étrangers sollicitent l'entrée de sa demeure, et réclament l'honneur de se présenter entre ses mains. » Et les deux adolescents, sitôt qu'ils eurent entendu ces paroles, s'envolèrent joyeux vers la demeure, sur le seuil de laquelle ne tarda pas à apparaître le maître du lieu, en personne.

Et c'était un homme au clair visage, aux traits fins et délicats, à l'aspect élégant et à l'attitude pleine de bonne grâce...

À ce moment de sa narration, Schahrazade vit apparaître le matin et, discrète, se tut.

Mais lorsque fut la huit cent quinzième nuit. Elle dit :

... Et c'était un homme au clair visage, aux traits fins et délicats, à l'aspect élégant et à l'attitude pleine de bonne grâce. Et il était vêtu d'une tunique en soie de Nischabour, avait sur les épaules un manteau en velours frangé d'or, et portait au doigt un anneau de rubis. Et il s'avança vers eux, avec un sourire de bienvenue sur les lèvres et la main gauche sur le cœur, et leur dit : « Le salam et la cordialité aux seigneurs bienveillants qui nous favorisent d'une faveur suprême par leur venue ! » Et ils entrèrent dans la demeure, et, d'en avoir vu la merveilleuse disposition, ils la crurent un morceau même du Paradis, car sa beauté intérieure surpassait, et de beaucoup, sa beauté du dehors, et sans aucun doute eût fait perdre à l'amoureux torturé le souvenir de son bien-aimé.

Et dans la salle de réunion, un petit jardin se mirait au bassin d'albâtre, où chantait le jet de diamant, et, de par ses limites mêmes, était un frais délice et un enchantement. Car si le grand jardin faisait à la demeure, de toutes les fleurs et de tous les feuillages qui ornent la terre d'Allah, une ceinture, et si par sa splendeur il était la folie de la végétation, le petit jardin en était visiblement la sagesse. Et les plantes qui le composaient étaient quatre fleurs, oui, elles étaient en vérité quatre fleurs seulement, mais comme l'œil humain n'en avait contemplé qu'aux jours premiers de la terre.

Or la première fleur était une rose, inclinée sur sa tige et toute seule, non pas celle des rosiers, mais la rose originelle, dont la sœur avait fleuri dans l'Éden, avant la descente courroucée de l'ange. Et elle était, éclairée par elle-même, une flamme d'or rouge, un feu de joie attisé par en dedans, une riche aurore, vive, incarnadine, veloutée, fraîche, virginale, immaculée, éblouissante. Et dans sa corolle elle contenait de pourpre ce qu'il en faut pour la tunique d'un roi. Quant à son odeur, elle faisait s'entrouvrir d'une bouffée les éventails du cœur, disait à l'âme : « Enivre-toi ! » et prêtait des ailes au corps, lui disant : « Envole-toi ! »

Et la seconde fleur était une tulipe, droite sur sa tige et toute seule, non pas une tulipe de quelque parterre royal, mais la tulipe ancienne, arrosée du sang des dragons, celle dont la race abolie fleurissait dans Iram-aux-Colonnes, et dont la couleur disait à la coupe pleine de vieux vin : « J'enivre sans que les lèvres me touchent ! » et au tison enflammé : « Je brûle mais ne me consume pas ! »

Et la troisième fleur était une hyacinthe, droite sur sa tige et toute seule, non pas celle des jardins, mais l'hyacinthe mère des lys, celle d'un blanc pur, la délicate, l'odorante, la fragile, la candide hyacinthe qui disait au cygne sortant de l'eau : « Je suis plus blanche que toi ! »

Et la quatrième fleur était un œillet incliné sur sa tige et tout seul, non pas, oh ! non pas l'œillet des terrasses qu'au soir les jeunes filles arrosent, mais un globe incandescent, une parcelle de soleil effondré à l'Occident, un flacon d'odeur renfermant l'âme volatile des poivres, l'œillet même dont le frère fut offert par le roi des genn à Soleïmân, pour qu'il en ornât la chevelure de Balkis, et qu'il en préparât l'Élixir de longue vie, le Baume spirituel, l'Alcali royal et la Thériaque.

Et l'eau du bassin, d'être seule à toucher, ne fut-ce que par leur image, ces quatre fleurs, avait, même quand se taisait le jet musical et que cessait la pluie de diamant, de nombreux frissons d'émoi. Et les quatre fleurs, de se savoir si belles, se penchaient souriantes sur leurs tiges, et se regardaient attentivement.

Et rien n'ornait cette salle de marbre blanc et de fraîcheur, hormis ces quatre fleurs sur ce bassin. Et le regard s'y reposait ravi, sans demander rien de plus.

Or lorsque le khalifat et son compagnon se furent assis sur le divan tendu de tapis du Khorassân, l'hôte les invita, après de nouveaux souhaits de bienvenue, à partager avec lui le repas, composé de choses exquises que venaient d'apporter, sur des plateaux d'or, les serviteurs, et qu'ils posaient sur des tabourets de bambou. Et le repas se passa dans la cordialité dont usent les amis pour leurs amis, et fut égayé par l'entrée, sur un signal de l'hôte, de quatre adolescentes au visage de lune qui étaient, la première une joueuse de luth, la seconde une joueuse de cymbales, la troisième une chanteuse, et la quatrième une danseuse. Et tandis que par la musique, par le chant et par la grâce des mouvements, elles complétaient, à elles quatre, l'harmonie de cette salle et enchantaient l'air, l'hôte et ses deux invités goûtaient aux vins dans les coupes, et se dulcifiaient aux fruits cueillis avec leurs branches, si beaux qu'ils ne pouvaient venir que des arbres du Paradis.

Et le conteur Ibn-Hamdoun, bien qu'habitué à être somptueusement traité par son maître, se sentait l'âme si exaltée par les vins généreux et par tant de beautés réunies, qu'il se tourna avec des yeux inspirés vers le khalifat, et, la coupe à la main, il récita un poème qui venait d'éclore en lui au souvenir avivé d'un jeune ami qu'il possédait. Et de sa belle voix rythmée, il dit :

« Ô toi dont la joue est modelée sur la rose sauvage, et moulée comme celle d'une idole de la Chine.

Ô jouvenceau aux yeux de jais, aux formes de houri, quitte tes poses paresseuses, ceins tes reins et, dans la coupe, fais rire ce vin couleur de la tulipe nouvelle.

Car il est des heures pour la sagesse et d'autres pour la folie. Aujourd'hui verse-moi de ce vin. Car tu sais que j'aime le sang tiré de la gorge des jarres, quand il est pur comme ton cœur.

Et ne me dis pas que cette liqueur est perfide. Qu'importe l'ivresse à celui qui est né ivre ? Mes souhaits aujourd'hui sont compliqués à l'égal de tes boucles.

Et ne me dis pas que le vin est funeste aux poètes. Car tant que la tunique du ciel sera, comme aujourd'hui, d'azur, et verte la robe de la terre, je veux boire à en mourir.

Afin que les jeunes gens au beau visage qui iront visiter ma tombe, de respirer l'odeur de vin, victorieuse de la terre, qu'exhaleront mes cendres, puissent, par le seul effet de cette odeur, se sentir déjà ivres. »

Et ayant fini d'improviser ce poème, le conteur Ibn-Hamdoun leva les yeux vers le khalifat, pour juger sur son visage de l'effet produit par les vers. Mais au lieu de la satisfaction qu'il s'attendait à y voir, il y remarqua une telle expression de contrariété et de colère concentrée, qu'il laissa tomber de sa main la coupe pleine de vin. Et il trembla en son âme, et se serait cru perdu sans recours s'il n'avait également remarqué que le khalifat n'avait pas l'air d'avoir entendu les vers récités, et s'il ne lui avait vu les yeux égarés et comme perdus dans la résolution d'un problème insondable. Et il se dit : « Par Allah ! il y a un instant son visage était épanoui, et le voilà maintenant noir de contrariété et tel que jamais je ne lui en ai vu d'aussi orageux. Et pourtant habitué comme je le suis à lire ses pensées d'après l'expression de ses traits, et à deviner ses sentiments, je ne sais trop à quoi attribuer ce changement subit ! Qu'Allah éloigne le Malin, et nous préserve de ses maléfices ! » Comme il se torturait de la sorte l'esprit pour arriver à pénétrer le motif de cette colère, le khalifat soudain lança à son hôte un regard chargé de méfiance, et contrairement à toutes les règles de l'hospitalité, et en dépit de la coutume qui veut que jamais l'hôte et l'invité ne s'interrogent sur leurs noms et qualités, il demanda au maître du lieu d'une voix qui se contenait d'éclater : « Qui es-tu, ô homme ? » Et l'hôte, devenu soudain à cette question bien changé de teint et mortifié à l'extrême, ne voulut point pourtant se refuser à répondre, et dit : « On me nomme communément Abou'l Hassân Ali ben-Ahmad Al-Khorassani. » Et le khalifat reprit : « Et sais-tu qui je suis ? » Et l'hôte répondit, plus pâle encore : « Non, par Allah ! je n'ai point cet honneur, ô mon maître ! »

Alors Ibn-Hamdoun, sentant combien la situation devenait pénible, se leva et dit au jeune homme : « Ô notre hôte, tu es en présence de l'émir des Croyants, le khalifat Al-Môtazid Bi'llah, petit-fils d'Al-Môtawakkil Ala'llah. »

En entendant ces paroles le maître du lieu se leva à son tour, à la limite de l'émotion, et embrassa la terre entre les mains du khalifat, en tremblant, et dit : « Ô émir des Croyants, je te conjure, par les vertus de tes ancêtres les méritants, de pardonner à ton esclave les torts qu'il a pu avoir, à son insu, envers ton auguste personne, ou le manque de politesse dont il a pu se rendre fautif, ou le manque d'égards, ou le manque de générosité, sans aucun doute ! » Et le khalifat répondit : « Ô homme, je n'ai à te reprocher aucun manquement de ce genre. Tu as fait preuve, au contraire, à notre égard, d'une générosité que t'envieraient les plus munificents parmi les rois. Mais si je t'ai interrogé, c'est qu'apparemment une cause fort grave m'y a poussé soudain, alors que je ne songeais qu'à te remercier pour tout ce que j'avais vu de beau dans ta maison ! » Et l'hôte, bouleversé, dit : « Ô mon maître souverain, de grâce ! ne fais point peser ta colère sur ton esclave, sans l'avoir convaincu de son crime ! » Et le khalifat dit : « J'ai remarqué tout d'un coup, ô homme, que tout dans cette maison, depuis les meubles jusqu'aux habits mêmes que tu as sur toi, porte le nom de mon grand-père Al-Môtawakkil Ala'llah ! Or, peux-tu m'expliquer un fait aussi étrange ? Et ne dois-je point penser à quelque pillage clandestin du palais de mes saints aïeux ? Parle sans réticence, ou la mort t'attend sur l'heure. » Et l'hôte, au lieu de se troubler, retrouva son air affable et son sourire, et de sa voix la plus paisible, il dit : « Que les grâces et la protection du Tout-Puissant soient sur toi, ô mon seigneur ! Certes, je parlerai sans réticence, car la vérité est ton vêtement intérieur, la sincérité ta robe extérieure, et nul ne saurait s'exprimer autrement qu'avec véracité, en ta présence…

À ce moment de sa narration, Schahrazade vit apparaître le matin et, discrète, se tut.

Mais lorsque fut la huit cent seizième nuit. Elle dit :

… Certes, je parlerai sans réticence, car la vérité est ton vêtement intérieur, la sincérité ta robe extérieure, et nul ne saurait s'exprimer autrement qu'avec véracité, en ta présence ! » Et le khalifat lui dit : « En ce cas, assieds-toi et parle ! » Abou'l Hassân, sur un signe du khalifat, s'assit à sa place, et dit : « Sache donc, ô émir des Croyants, – puisse Allah te continuer les triomphes et les faveurs ! – que je ne suis, comme on pourrait le supposer, ni un fils de roi, ni un chérif, ni un fils de vizir, ni quoi que ce soit qui approche de près ou de loin de la noblesse de naissance. Mais mon histoire est une histoire si étrange que si elle était écrite avec les aiguilles sur le coin intérieur de l'œil, elle servirait d'enseignement à qui la lirait avec respect et attention. Car, bien que je ne sois point noble, fils de noble, ni d'une famille anoblie, je crois pouvoir, sans mentir, affirmer à mon seigneur que s'il veut bien incliner vers moi son ouïe, cette histoire le satisfera et fera tomber sa colère accumulée contre l'esclave qui lui parle. »

Abou'l Hassân s'arrêta un instant de parler, rassembla ses souvenirs, les précisa dans sa pensée, et continua de la sorte : « Je suis né à Bagdad, ô émir des Croyants, d'un père et d'une mère qui n'avaient que moi pour toute postérité. Et mon père était un simple marchand du souk. Il est vrai toutefois que c'était le plus riche d'entre les marchands et le plus respecté. Et il n'était pas marchand dans un souk seulement, mais il avait dans chaque souk une boutique qui était la plus belle, aussi bien dans le souk des changeurs que dans celui des droguistes et que dans celui des marchands d'étoffes. Et il avait, dans chacune de ses boutiques, un représentant habile aux opérations de vente et d'achat. Et il possédait, donnant sur chaque arrière-boutique, un appartement privé où il pouvait, à l'abri des allées et venues, se mettre à son aise à l'époque des chaleurs, et faire la sieste, tandis que pour le rafraîchir durant son sommeil un esclave avait pour fonctions de lui faire de l'air avec un éventail, en lui éventant, avec respect, spécialement les testicules. Car mon père avait les testicules sensibles à la chaleur, et rien ne leur faisait autant de bien que la brise de l'éventail.

Or comme j'étais son fils unique, il m'aimait tendrement, ne me privait de rien et n'épargnait aucune dépense pour mon éducation. Et d'ailleurs ses richesses se multipliaient d'année en année, grâce à la bénédiction, et devenaient difficiles à dénombrer. Et ce fut alors que, l'heure de son destin étant arrivée, il mourut – puisse Allah le couvrir de Sa miséricorde, l'admettre dans Sa paix, et allonger des jours qu'a perdus le défunt la vie de l'émir des Croyants. Quant à moi, ayant hérité des biens immenses de mon père, je continuai à faire marcher, comme de son vivant, les affaires du souk. Et d'ailleurs je ne me privais de rien, mangeant, buvant et m'amusant à ma capacité avec les amis de mon choix. Et je trouvais que la vie était excellente, et je tâchais de la rendre aux autres aussi agréable qu'elle était pour moi. C'est pourquoi mon bonheur était sans reproche et sans amertume, et je souhaitais rien de mieux que ma vie de tous les jours. Car ce que les hommes appellent ambition, et ce que les vaniteux appellent gloire, et ce que les pauvres d'esprit appellent renommée, et les honneurs, et le bruit, tout cela m'était un sentiment insupportable. Et je me préférais à tout cela. Et je préférais aux satisfactions du dehors la tranquillité de mon existence, et aux fausses grandeurs mon simple bonheur caché au milieu de mes amis aux doux visages.

Mais, ô mon seigneur, une vie, quelque simple et limpide qu'elle puisse être, n'est jamais à l'abri des complications. Et je devais moi-même, à l'exemple de mes semblables, en faire bientôt l'expérience. Et ce fut sous l'aspect le plus enchanteur qu'entra dans ma vie la complication. Car, par Allah ! y a-t-il sur terre un enchantement comparable à celui de la beauté, quand elle élit, pour se manifester, le visage et les formes d'une adolescente de quatorze ans ? Et y a-t-il, ô mon seigneur, adolescente plus séduisante que celle qu'on n'attend pas, lorsque, pour nous brûler le cœur, elle emprunte le visage et les formes d'un jouvenceau de quatorze ans ? Car ce fut sous cet aspect-là, et non point sous un autre, que m'apparut, ô émir des Croyants, celle qui devait à jamais me sceller la raison du sceau de son empire.

J'étais en effet, un jour, assis sur le devant de ma boutique, et causais de choses et d'autres avec mes amis habituels, quand je vis s'arrêter en face de moi une dansante et souriante jeune fille parée de deux yeux babyloniens, qui me jeta un regard, un seul regard, et rien de plus. Et moi, comme sous la piqûre d'une flèche acérée, je tressaillis dans mon âme et dans ma chair, et je sentis tout mon être en émoi comme devant l'arrivée même de mon bonheur. Et la jeune fille, au bout d'un instant, s'avança de mon côté et me dit : « Est-ce bien ici la boutique privée du seigneur Abou'l Hassân Ali ibn-Ahmad Al-Khorassani ? » Et cela, ô mon seigneur, elle me le demanda d'une voix d'eau de source ; et elle était svelte devant moi et flexible dans sa grâce ; et sa bouche de vierge enfant, sous le voile de mousseline, était une corolle de pourpre qui s'ouvrait sur deux rangs humides de grêlons. Et moi je répondis, en me levant en son honneur : « Oui, ô ma maîtresse, c'est la boutique de ton esclave. » Et mes amis, par discrétion, se levèrent tous et s'en allèrent.

Alors la jouvencelle entra dans la boutique, ô émir des Croyants, en traînant ma raison derrière sa beauté. Et elle s'assit comme une reine sur le divan, et me demanda : « Et où est-il ? » Je répondis, mais tout de travers, tant ma langue fourchait d'émotion : « C'est moi-même, ya setti. » Et elle sourit du sourire de sa bouche et me dit : « Dis alors à ton employé que voici de me compter trois cents dinars d'or. » Et moi, à l'instant, je me tournai vers mon premier garçon de comptoir et lui donnai l'ordre de peser trois cents dinars et de les remettre à cette dame surnaturelle. Et elle prit le sac d'or que lui remettait mon employé, et, se levant, elle s'en alla, sans un mot de remerciement ni un geste d'adieu. Et, certes ! ô émir des Croyants, ma raison ne put faire autrement que de continuer à la suivre, attachée à ses pas. Or quand elle eut disparu, mon employé me dit respectueusement : « Ô mon maître, au nom de qui dois-je écrire la somme avancée ? » Je répondis : « Eh ! comment le saurais-je, ô un tel ? Et depuis quand les humains inscrivent-ils sur leurs livres de comptes les noms des houris ? Si tu le veux, inscris : « Avancé la somme de trois cents dinars à la Subtilisatrice-des-Cœurs. »

Lorsque mon premier garçon de comptoir eut entendu ces paroles, il se dit : « Par Allah ! mon maître qui est d'ordinaire si mesuré n'agit avec tant d'inconséquence que pour mettre à l'épreuve ma sagacité et mon savoir. Je vais donc courir derrière l'inconnue et lui demander son nom ! » Et sans me consulter à ce sujet, il s'élança, plein de zèle, hors de la boutique, et se mit à courir derrière la jeune fille qui était déjà hors de vue. Et au bout d'un certain temps, il revint à la boutique, mais en tenant la main sur son œil gauche, et le visage baigné de larmes. Et la tête basse, il alla reprendre sa place au comptoir, en s'essuyant les joues. Et je lui demandai : « Qu'as-tu ? » Il me répondit : « Éloigné soit le Malin, ô mon maître ! Je crus bien faire en suivant, dans l'intention de lui demander son nom, la jeune dame qui était ici. Mais dès qu'elle se sentit suivie, elle se retourna brusquement vers moi, et m'assena sur l'œil gauche un coup de poing qui faillit me défoncer la tête. Et me voici avec un œil abîmé par une main plus solide que celle d'un forgeron. » Tout cela ! Or, louanges à Allah, ô mon seigneur, qui cache tant de force dans les mains des gazelles, et met tant de promptitude dans leurs mouvements !

Et moi je restai toute cette journée-là l'esprit enchaîné par le souvenir de ces yeux d'assassinat, et l'âme à la fois torturée et rafraîchie par le passage de la ravisseuse de ma raison.

Or le lendemain à la même heure, tandis que je m'égarais dans son amour, je vis l'enchanteresse debout devant ma boutique, qui me regardait en souriant. Et à sa vue, le peu de raison qui me restait faillit s'envoler de joie. Et comme j'ouvrais la bouche pour lui souhaiter la bienvenue, elle me dit : « N'est-ce pas, ya Abou'l Hassân, que tu as dû te dire en ton esprit, pensant à moi : « Quelle sorte de rouée n'est-elle point celle-là qui a pris ce qu'elle a pris, pour détaler ! » Mais je répondis : « Le nom d'Allah sur toi et autour de toi, ô ma souveraine ! Tu n'as fait que prendre ce qui t'appartenait, puisque tout ici est ta propriété, le contenant et le contenu ! Quant à ton esclave, son âme n'est pas à lui depuis ta venue, et se trouve comprise avec le lot d'objets sans valeur de cette boutique ! » Et la jeune fille, entendant cela, releva son petit voile de visage et se pencha, rose sur la tige du lys, et s'assit en riant, avec un bruit de bracelets et de soieries. Et avec elle, dans la boutique, entra l'odeur baumifiante de tous les jardins. Puis elle me dit : « Puisqu'il en est ainsi, ya Abou'l Hassân, compte-moi cinq cents dinars ! » Et je répondis : « J'écoute et j'obéis ! » Et ayant fait peser les cinq cents dinars, je les lui donnai. Et elle les prit, et s'en alla. Et ce fut tout. Et moi, comme la veille, je continuai à me sentir le prisonnier de ses charmes, et le captif de sa beauté. Et ne sachant quel sortilège m'avait si complètement rendu sans pensée ni raisonnement, je ne pouvais me résoudre à prendre un parti ou à faire un effort pour me tirer de l'état d'hébétude où j'étais plongé.

Mais comme le jour suivant j'étais plus que jamais dans la pâleur et l'inactivité, elle apparut en face de moi, avec ses longs yeux de flamme et de ténèbres et son sourire affolant. Et cette fois, sans prononcer une parole, elle mit le doigt sur un carré de velours, où pendaient des joyaux inestimables, et accentua simplement son sourire…

À ce moment de sa narration, Schahrazade vit apparaître le matin et, discrète, se tut.

Mais lorsque fut la huit cent dix-septième nuit. Elle dit :

… Sans prononcer une parole, elle mit le doigt sur un carré de velours où pendaient des joyaux inestimables, et accentua simplement son sourire. Et moi, à l'instant, ô émir des Croyants, je détachai le carré de velours, le pliai avec tout ce qu'il contenait, et le remis à l'ensorceleuse, qui le prit et s'en alla, sans rien de plus. Or cette fois, je ne pus, la voyant disparaître, me résoudre à rester davantage dans l'immobilité, et surmontant une timidité qui me faisait craindre un affront semblable à celui dont avait souffert mon garçon de comptoir, je me levai et marchai sur ses traces. Et j'arrivai de la sorte, marchant derrière elle, sur les bords du Tigre, où je la vis s'embarquer sur un petit bateau qui, à rames rapides, gagna le palais de marbre de l'émir des Croyants Al-Môtawakkil, ton grand-père, ô mon seigneur. Et moi, à cette vue, je fus à la limite de l'inquiétude, et pensai en mon âme : « Te voilà maintenant, ya Abou'l Hassân, engagé dans les aventures et emporté dans le moulin de la complication ! » Et je songeai, malgré moi, à cette parole du poète :

« Le bras blanc si doux de la bien-aimée, qui te semble plus moelleux, pour y reposer ton front, que le duvet des cygnes, examine-le bien et prends garde ! »

Et je restai longtemps pensif à regarder, sans la voir, l'eau du fleuve, et toute ma vie sans heurt et si doucement monotone du passé défila devant mes yeux, dans des barques successives et toutes semblables, au fil de cette eau. Et soudain reparut devant mes yeux la barque tendue de pourpre où avait pris place la jeune fille, amarrée maintenant au bas de l'escalier de marbre, et vide de ses rameurs. Et je m'écriai : « Hé, par Allah ! n'as-tu pas honte de ta vie somnolente, ya Abou'l Hassân ? Et comment oses-tu hésiter entre cette pauvre vie-là et la vie ardente que mènent ceux qui ne redoutent point la complication ? Et ne connais-tu donc point cette autre parole du poète :

« Lève-toi, ami, et secoue ta torpeur. La rose du bonheur ne fleurit pas dans le sommeil. Ne laisse point passer sans les brûler les instants de cette vie. Tu auras ensuite des siècles pour dormir. »

Et réconforté par ces vers et le souvenir de l'émouvante jeune fille, je résolus, maintenant que je savais où elle habitait, de ne rien négliger pour arriver jusqu'à elle. Et plein de ce projet, j'allai à la maison, et entrai dans l'appartement de ma mère, qui m'aimait de toute sa tendresse, et lui racontai sans lui rien cacher ce qui survenait dans ma vie. Et ma mère, épouvantée, me serra sur son cœur, et me dit : « Qu'Allah te sauvegarde, ô mon enfant, et préserve ton âme de la complication ! Ah ! mon fils Abou'l Hassân, unique attache de ma vie, où vas-tu risquer ton repos et le mien ? Si cette jeune fille habite le palais de l'émir des Croyants, comment peux-tu t'obstiner à vouloir la rencontrer ! Ne vois-tu pas l'abîme où tu cours, en osant te diriger, ne fût-ce que par la pensée, du côté de la demeure de notre maître le khalifat ? Ô mon fils, je te supplie, par les neuf mois durant lesquels j'ai couvé ta vie, d'abandonner le projet de revoir cette inconnue, et de ne pas laisser en ton cœur s'imprimer une passion funeste ! » Et je répondis, essayant de la tranquilliser : « Ô mère mienne, apaise ton âme chérie et rafraîchis tes yeux. Rien n'arrivera que ce qui doit arriver. Et ce qui est écrit doit courir. Et Allah est le plus grand ! »

Et le lendemain, étant allé à ma boutique du souk des joailliers, je reçus la visite de mon représentant qui dirigeait les affaires de ma boutique du souk des droguistes. Et c'était un homme d'âge, en qui mon défunt père avait une confiance illimitée, et qu'il consultait pour toutes les affaires difficiles ou compliquées. Et après les salams et souhaits d'usage, il me dit : « Ya sidi, pourquoi ce changement que je vois dans ta physionomie, et cette pâleur de teint et cet air soucieux ? Qu'Allah nous préserve des mauvaises affaires et des clients de mauvaise foi ! Mais quel que soit le malheur qui a pu survenir, il n'est point sans recours, puisque tu es en bonne santé ! » Et je lui dis : « Non, par Allah, ô vénérable oncle, je n'ai point fait de mauvaises affaires, et n'ai point été la dupe de la mauvaise foi d'autrui. Mais ma vie a changé de face tout simplement. Et la complication est entrée chez moi avec le passage d'une jouvencelle de quatorze ans. »

Et je lui racontai ce qui m'était arrivé, sans en oublier un détail. Et je lui dépeignis, comme si elle se fût trouvée là, la ravisseuse de mon cœur.

Et le vénérable cheikh, après avoir réfléchi un moment, me dit : « Certes ! l'affaire est compliquée. Mais elle n'est pas au-dessus du savoir-faire de ton vieil esclave, ô mon maître. J'ai en effet, parmi mes connaissances, un homme qui loge dans le palais même du khalifat Al-Môtawakkil, vu qu'il est le tailleur des fonctionnaires et des eunuques. Je vais donc aller te présenter à lui ; et tu lui commanderas quelque travail que tu rémunéreras généreusement. Et il te sera alors d'une grande utilité ! » Et sans tarder, il me conduisit au palais et entra avec moi chez le tailleur, qui nous reçut avec affabilité. Et moi, pour inaugurer mes commandes de vêtements, je lui montrai une de mes poches que j'avais pris soin de découdre en route, et le priai de me la recoudre d'urgence. Et le tailleur s'exécuta de bonne grâce. Et moi, pour rémunérer son travail, je lui glissai dans la main dix dinars d'or, en m'excusant du peu, et lui promettant de le dédommager largement à la seconde commande. Et le tailleur ne sut que penser de ma manière de faire ; mais me regardant avec stupéfaction, il me dit : « Ô mon maître, tu es habillé comme un marchand, et tu es loin d'en avoir les manières. D'ordinaire un marchand regarde à la dépense et ne sort un drachme que s'il est sûr d'en gagner dix. Et toi, pour un travail insignifiant, tu me donnes le prix d'une robe d'émir ! » Puis il ajouta : « Il n'y a que les amoureux pour être si magnifiques ! Par Allah sur toi, ô mon maître, serais-tu amoureux ? » Je répondis, en baissant les yeux : « Comment ne le serais-je pas, après avoir vu ce que j'ai vu ? » Il me demanda : « Et qui est l'objet de tes tourments ? Est-ce un jeune faon ou une gazelle ? » Je répondis : « Une gazelle ! » Il me dit : « Il n'y a pas d'inconvénient. Et me voici prêt, ô mon maître, à te servir de guide, si sa demeure est ce palais, puisque c'est une gazelle, et qu'ici se trouvent les plus belles variétés de cette espèce ! » Je dis : « Oui, c'est ici qu'elle habite ! » Il dit : « Et quel est son nom ? » Je dis : « Allah seul le connaît, et toi-même peut-être ! » Il dit : « Dépeins-la-moi, alors. » Et je la lui dépeignis du mieux que je pus, et il s'écria : « Hé, par Allah, c'est notre maîtresse Gerbe-de-Perles, la luthière de l'émir des Croyants Al-Môtawakkil Ala'llah ! » Et il ajouta : « Voici précisément son petit eunuque qui s'avance de notre côté. Toi, ô mon maître, ne laisse pas s'échapper l'occasion de le séduire pour en faire ton introducteur auprès de sa maîtresse Gerbe-de-Perles ! »

Et effectivement, ô émir des Croyants, je vis entrer chez le tailleur un tout jeune esclave blanc, aussi beau que la lune du mois de Ramadân. Et, après qu'il nous eut gentiment salué, il dit au tailleur, en lui montrant une petite veste de brocart : « Combien cette veste de brocart, ô cheikh Ali ? J'en ai précisément besoin, afin d'accompagner dans ses courses ma maîtresse Gerbe-de-Perles ! » Et moi aussitôt je détachai la veste de l'endroit où elle était, et la lui remis en disant : « Elle est payée, et t'appartient ! » Et l'enfant me regarda en souriant de côté, tout comme sa maîtresse, et me dit en me prenant par la main et en s'écartant avec moi : « Tu es sans aucun doute Abou'l Hassân Ali ibn-Ahmad Al-Khorassani. » Et moi, à la limite de l'étonnement de voir tant de sagacité déjà chez un enfant, et de m'entendre appeler par mon nom, je lui mis au doigt un anneau de prix, que je retirai du mien, et répondis : « Tu dis vrai, ô charmant jouvenceau. Mais qui t'a révélé mon nom ? » Il dit : « Par Allah, comment ne le connaîtrais-je pas, alors que ma maîtresse le prononce tant de fois par jour devant moi, depuis le temps qu'elle est amoureuse d'Abou'l Hassân Ali, le magnifique seigneur ? Par les mérites du Prophète – sur Lui les grâces et les bénédictions – si tu es aussi amoureux de ma maîtresse qu'elle l'est de toi, tu me trouveras tout prêt à te seconder pour arriver jusqu'à elle ! » Alors moi, ô émir des Croyants, je jurai à l'enfant, par les serments les plus sacrés, que j'étais éperdument amoureux de sa maîtresse, et que certainement je mourrais si je ne la voyais pas tout de suite…

À ce moment de sa narration, Schahrazade vit apparaître le matin et, discrète, se tut.

Mais lorsque fut la huit cent dix-huitième nuit. Elle dit :

… Alors moi, ô émir des Croyants, je jurai à l'enfant, par les serments les plus sacrés, que j'étais éperdument amoureux de sa maîtresse, et que certainement je mourrais si je ne la voyais pas tout de suite. Et l'eunuque enfant me dit : « Puisqu'il en est ainsi, ô mon maître Abou'l Hassân, je te suis tout acquis. Et je ne veux pas tarder davantage à t'aider à avoir une entrevue avec ma maîtresse ! » Et il me quitta en me disant : « Je vais revenir dans un instant. »

Et en effet il ne tarda pas à venir me retrouver chez le tailleur. Et il tenait un paquet qu'il déplia ; et il en fit sortir une tunique de lin brodée d'or fin et un manteau qui était un des manteaux du khalifat lui-même, comme j'ai pu le remarquer par les signes qui le distinguaient et par le nom inscrit sur la trame, en lettres d'or, et qui était le nom d'Al-Môtawakkil Ala'llah. Et le petit eunuque me dit : « Je t'apporte, ô mon maître Abou'l Hassân, l'habillement dont se vêt le khalifat lorsqu'il se rend le soir dans le harem. » Et il m'obligea à m'en vêtir, et me dit : « Une fois arrivé dans la longue galerie intérieure, où sont les appartements privés des favorites, tu auras bien soin, en passant, de prendre dans le flacon que voici un grain de musc, et de le mettre devant la porte de chaque appartement ; car telle est, tous les soirs, l'habitude du khalifat lorsqu'il traverse la galerie du harem. Et une fois que tu seras arrivé devant la porte dont le seuil est de marbre bleu, tu l'ouvriras sans frapper, et tu seras dans les bras de ma maîtresse ! » Puis il ajouta : « Quant à ta sortie de là, après l'entrevue, Allah y pourvoira ! » Et m'ayant donné ces instructions, il me quitta en me souhaitant la réussite, et disparut.

Alors moi, ô mon seigneur, bien que je ne fusse pas habitué à ces sortes d'aventures et que ce fût mon début dans la complication, je n'hésitai pas à me revêtir de l'habillement du khalifat et, comme si j'eusse habité toute ma vie le palais et que j'y fusse né, je me mis hardiment en marche à travers les cours et les colonnades, et j'arrivai dans la galerie des appartements réservés au harem. Et aussitôt je tirai de ma poche le flacon qui contenait les grains de musc, et selon les instructions du petit eunuque, je ne manquai pas, en arrivant devant chaque porte de favorite, de déposer un grain de musc sur le petit plateau de porcelaine qui était placé là à cet effet. Et j'arrivai de la sorte devant la porte dont le seuil était de marbre bleu. Et je me disposais à la pousser pour pénétrer chez la tant désirée, en me félicitant de n'avoir jusque-là été reconnu par personne, quand j'entendis tout à coup une grande rumeur et, au même moment, j'aperçus la clarté d'un grand nombre de flambeaux. Or c'était le khalifat Al-Môtawakkil, en personne, entouré de la foule de ses courtisans et de sa suite habituelle. Et je n'eus que le temps de revenir sur mes pas, en sentant mon cœur soulevé d'émotion. Et dans ma fuite à travers la galerie, j'entendais les voix des favorites qui, de l'intérieur, s'exclamaient, disant : « Par Allah, quelle chose étonnante ! voici l'émir des Croyants qui repasse pour la seconde fois aujourd'hui dans la galerie. Certainement c'est lui qui passa, il y a un moment, en déposant dans la soucoupe de chacune le grain de musc habituel. Et nous l'avons d'ailleurs reconnu au parfum de ses vêtements ! »

Et moi je continuai à fuir éperdument, et dus bientôt m'arrêter, ne pouvant aller plus loin dans la galerie sans risquer de donner l'éveil. Mais j'entendais toujours la rumeur de l'escorte, et voyais se rapprocher les flambeaux. Alors ne voulant point, même au risque de mourir, être surpris dans cette posture et sous ce déguisement, je poussai la première porte qui s'offrit à ma main, et me précipitai à l'intérieur, oubliant que j'étais déguisé en khalifat, et tout ce qui s'en suit. Et je me trouvai en présence d'une jeune femme aux longs yeux effarés qui, se levant en sursaut des tapis où elle était étendue, poussa un grand cri de terreur et de confusion et, d'un geste rapide, releva le pan de sa robe de mousseline et s'en couvrit le visage et les cheveux.

Et moi je restai là, devant elle, assez hébété, assez perplexe, et souhaitant en mon âme, pour échapper à cette situation, que la terre s'entrouvrît à mes pieds afin d'y disparaître. Ah ! cela certes, je me le souhaitais ardemment et, en outre, je maudissais la confiance inconsidérée que j'avais eue en ce petit eunuque de perdition qui, à n'en pas douter, allait être la cause de ma mort par noyade ou par empalement. Et retenant mon souffle, j'attendais de voir sortir de la bouche de cette adolescente effarouchée les cris d'appel qui allaient faire de moi un objet de pitié et un exemple du châtiment réservé aux amateurs de complications. Et voici que les jeunes lèvres remuèrent sous le pan de mousseline, et la voix qui en sortit était charmante et me disait : « Sois le bienvenu dans mon appartement, ô Abou'l Hassân, puisque tu es celui qui aime ma sœur Gerbe-de-Perles, et qui en est aimé ! » Et moi, à ces paroles inespérées, ô mon seigneur, je me jetai la face contre terre entre les mains de l'adolescente, et lui baisai le bas des vêtements, et me couvris la tête de son voile protecteur. Et elle me dit : « La bienvenue et la longue vie aux hommes généreux, ya Abou'l Hassân ! Que tu as excellé dans tes procédés avec ma sœur Gerbe-de-Perles ! Et comme tu es sorti à ton avantage des épreuves auxquelles elle t'a soumis ! Aussi, elle ne cesse de me parler de toi et de la passion que tu as su lui inspirer. Tu peux donc bénir ta destinée qui t'a poussé chez moi, alors qu'elle aurait pu te conduire à ta perte, déguisé comme tu es sous cet habillement du khalifat. Et tu peux être tranquille à ce sujet, car je vais tout arranger pour que rien n'arrive que ce qui est marqué du cachet de la prospérité ! » Et moi, ne sachant comment la remercier, je continuai à lui baiser en silence le pan de sa tunique. Et elle ajouta : « Seulement, ya Abou'l Hassân, je voudrais, avant d'intervenir dans ton intérêt, être bien fixée sur tes intentions à l'égard de ma sœur. Car il ne faut pas qu'il y ait de malentendu à ce sujet ! » Et moi je répondis, en levant les bras : « Qu'Allah te garde et te conserve dans la voie de la rectitude, ô ma maîtresse secourable ! Hé, par la vie ! mes intentions pourraient-elles donc être autrement que pures et désintéressées ? Je ne souhaite en effet qu'une chose, et c'est de revoir ta bienheureuse sœur Gerbe-de-Perles, simplement pour que mes yeux se réjouissent de sa vue et que mon cœur languissant revienne à la vie. Cela seulement, et rien de plus ! Et Allah le Tout-Voyant est témoin de mes paroles et n'ignore rien de mes pensées ! » Alors elle me dit : « En ce cas, ya Abou'l Hassân, je n'épargnerai rien pour te faire parvenir au but licite de tes souhaits ! »

Et ayant ainsi parlé, elle frappa dans ses mains, et dit à la petite esclave qui accourut à ce signal : « Va trouver ta maîtresse Gerbe-de-Perles, et dis-lui : « Ta sœur Pâte-d'Amandes t'envoie le salam et te prie d'aller la trouver sans retard, car elle se sent, cette nuit, la poitrine rétrécie, et il n'y a que ta seule présence pour la lui dilater. Et en outre, il y a entre toi et elle un secret ! » Et l'esclave se hâta d'aller exécuter l'ordre. Et bientôt, ô mon seigneur, je la vis entrer dans sa beauté, avec sa grâce tout entière. Et elle était enveloppée, pour tout vêtement, d'un grand voile de soie bleue ; et elle avait les pieds nus et les cheveux écroulés.

Or elle ne m'aperçut pas d'abord, et dit à sa sœur Pâte-d'Amandes : « Me voici, ma chérie. Je sors du hammam, et n'ai pu encore me vêtir. Mais dis-moi vite quel est le secret qui est entre moi et toi ! » Et pour toute réponse ma protectrice me montra du doigt à Gerbe-de-Perles, en me faisant signe d'approcher. Et je sortis de l'ombre où je me tenais.

En me voyant, ma bien-aimée ne montra ni honte ni embarras, mais elle vint à moi, blanche et émouvante, et se jeta dans mes bras comme un enfant dans les bras de sa mère. Et je crus tenir contre mon cœur toutes les houris du Paradis. Et je ne savais, ô mon seigneur, tant elle était tendre de partout et fondante, si elle n'était point une motte de beurre fin ou une pâte d'amandes. Béni soit Celui qui l'a formée ! Mes bras n'osaient appuyer sur le corps enfantin. Et une vie nouvelle de cent ans entra en moi avec son baiser. Et nous restâmes ainsi enlacés je ne sais pendant combien de temps. Car je crois bien que je devais être dans l'extase ou quelque chose d'approchant…

À ce moment de sa narration, Schahrazade vit apparaître le matin et, discrète, se tut.

Mais lorsque fut la huit cent dix-neuvième nuit. Elle dit :

… Et nous restâmes ainsi enlacés je ne sais pendant combien de temps. Car je crois bien que je devais être dans l'extase ou quelque chose d'approchant. Mais lorsque je revins à la réalité, je voulus lui raconter tout ce que j'avais souffert pour elle, quand nous entendîmes une rumeur grandissante dans la galerie. Et c'était le khalifat lui-même, qui venait voir sa favorite Pâte-d'Amandes, sœur de Gerbe-de-Perles. Et je n'eus que le temps de me lever et de sauter dans un grand coffre, qu'elles refermèrent sur moi comme si de rien n'était. Et le khalifat Al-Môtawakkil, ton grand-père, ô mon seigneur, entra dans l'appartement de sa favorite, et ayant aperçu Gerbe-de-Perles, il lui dit : « Par ma vie, ô Gerbe-de-Perles, je me réjouis de te rencontrer aujourd'hui chez ta sœur Pâte-d'Amandes. Où donc étais-tu ces jours derniers, que je ne te voyais plus nulle part dans le palais, et que je n'entendais plus ta voix qui me plaît tellement ? » Et il ajouta, sans attendre de réponse : « Prends vite le luth que tu as délaissé et chante-moi quelque chose de passionné, en t'y accompagnant ! » Et Gerbe-de-Perles, qui savait le khalifat amoureux à l'extrême d'une jeune esclave nommée Benga, n'eut point de peine à trouver la chanson qu'il fallait ; car amoureuse elle-même, elle se laissa simplement aller au cours de ses sentiments, et accordant son luth, elle s'inclina devant le khalifat, et chanta :

« Le bien-aimé que j'aime, – ah ! ah !
Sa joue duvetée – ô nuit !
Surpasse en douceur – ô les yeux !
La joue lavée des roses – ô nuit !
Le bien-aimé que j'aime, – ah ! ah !
Est un frais jouvenceau – ô nuit !
Dont l'amoureux regard – ah ! ah !
Eût ensorcelé – ô les yeux !
Les rois de Babylone – ô nuit !
Et tel est – ah ! ah !
Le bien-aimé que j'aime ! »

Lorsque le khalifat Al-Môtawakkil eut entendu ce chant, il fut extrêmement ému, et, se tournant vers Gerbe-de-Perles, il lui dit : « Ô jeune fille bénie, ô bouche de rossignol, je veux, pour te donner une preuve de mon contentement, que tu m'exprimes un souhait. Et – je le jure par les mérites de mes glorieux ancêtres, les méritants ! – ce serait la moitié de mon royaume que je te l'accorderais ! » Et Gerbe-de-Perles répondit, en baissant les yeux : « Qu'Allah prolonge la vie de notre maître ! mais je ne souhaite rien que la continuation des bonnes grâces de l'émir des Croyants sur ma tête et celle de ma sœur Pâte-d'Amandes ! » Et le khalifat dit : « Il faut, Gerbe-de-Perles, que tu me demandes quelque chose ! » Alors elle dit : « Puisque notre maître me l'ordonne, je lui demanderai de me libérer et de me laisser, pour tout bien, les meubles de cet appartement et tout ce qui est contenu dans cet appartement ! » Et le khalifat lui dit : « Tu en es la maîtresse, ô Gerbe-de-Perles ! Et Pâte-d'Amandes, ta sœur, aura désormais comme appartement le plus beau pavillon du palais. Et comme tu es libérée, tu peux rester ou partir ! »

Et se levant, il sortit de chez sa favorite, pour aller retrouver la jeune Benga, sa favorite du moment.

Or dès qu'il fut parti, mon amie envoya quérir par son eunuque les portefaix et les déménageurs, et fit transporter chez moi tous les meubles de l'appartement, les étoffes, les coffres et les tapis. Et le coffre où j'étais enfermé sortit le premier sur le dos des portefaix, et arriva sans encombre – grâce à la Sécurité – dans ma maison. Et le jour même, ô émir des Croyants, j'épousai Gerbe-de-Perles devant Allah, en présence du kâdi et des témoins. Et le reste est le mystère de la foi musulmane ! Et tel est, ô mon seigneur, l'histoire de ces meubles, de ces étoffes et de ces vêtements marqués au nom de ton glorieux grand-père le khalifat Al-Môtawakkil Ala'llah ! Et – j'en fais le serment sur ma tête ! – je n'ai point ajouté à cette histoire une syllabe, ni ne l'ai diminuée d'une syllabe. Et l'émir des Croyants est la source de toute générosité et la mine de tous les bienfaits ! »

Et, ayant ainsi parlé, Abou'l Hassân se tut. Et le khalifat Al-Môtazid Bi'llah s'écria : « Ta langue a sécrété l'éloquence, ô notre hôte, et ton histoire est une merveilleuse histoire ! Aussi, pour te marquer la joie que j'en éprouve, je te prie de m'apporter un calam et une feuille de papier ! » Et Abou'l Hassân ayant apporté le calam et le papier, le khalifat les remit au conteur Ibn-Hamdoun et lui dit : « Écris sous ma dictée ! » Et il lui dicta : « Au nom d'Allah le Clément, le Miséricordieux ! Par ce firman, signé de notre main et cacheté de notre cachet, nous exemptons d'impôts, toute sa vie durant, notre fidèle sujet Abou'l Hassân Ali ben-Ahmad Al-Khorassani. Et nous le nommons notre principal chambellan ! » Et après avoir cacheté le firman, il le lui remit, et ajouta : « Et je souhaiterais te voir dans mon palais comme mon fidèle commensal et mon ami ! » Et depuis lors, Abou'l Hassân fut le compagnon inséparable du khalifat Al-Môtazid Bi'llah. Et ils vécurent tous dans les délices, jusqu'à l'inévitable séparation qui fait habiter les tombeaux à ceux mêmes qui habitaient les palais les plus beaux. Gloire au Très-Haut qui habite un palais qui est au-dessus de tous les niveaux !

*Et Schahrazade, ayant ainsi raconté son histoire, ne voulut point laisser passer cette nuit-là sans commencer l'*HISTOIRE DES DEUX VIES DU SULTAN MAHMOUD.

LES DEUX VIES DU SULTAN MAHMOUD

Elle dit :

Il m'est revenu, ô Roi fortuné, que le sultan Mahmoud, qui fut un des plus sages et des plus glorieux d'entre les sultans d'Égypte, s'asseyait souvent seul dans son palais, en proie à des accès de tristesse sans cause, durant lesquels le monde entier noircissait devant son visage. Et à ces moments-là, la vie lui semblait pleine de fadeur et dénuée de toute signification. Et pourtant rien ne lui manquait des choses qui eussent fait le bonheur des créatures ; car Allah lui avait, sans compter, octroyé la santé, la jeunesse, la puissance et la gloire, et lui avait donné comme capitale de son empire, la ville la plus délicieuse de l'univers, où il avait, pour se réjouir l'âme et les sens, l'aspect de la beauté de la terre, de la beauté du ciel et de la beauté des femmes dorées comme les eaux du Nil. Mais tout cela s'effaçait à ses yeux durant ses royales tristesses ; et il enviait alors le sort des fellahs courbés sur les sillons de la terre, et celui des nomades perdus dans les déserts sans eau.

Or un jour que les yeux noyés dans le noir des songes il était dans un abattement plus accentué qu'à l'ordinaire, refusant de manger, de boire et de s'occuper des affaires du règne et ne souhaitant que mourir, le grand vizir entra dans la chambre où il était étendu, la tête dans les mains, et, après les hommages rendus, il lui dit : « Ô mon maître souverain, voici qu'à la porte, sollicitant une audience, se trouve un très vieux cheikh venu des pays de l'extrême Occident, du fond du Maghreb lointain. Et si je dois en juger par ma conversation avec lui et par les quelques paroles que j'ai entendues de sa bouche, il est, sans aucun doute, le savant le plus prodigieux, le médecin le plus extraordinaire et le magicien le plus étonnant qui ait vécu parmi les hommes. Et c'est parce que je sais mon souverain en proie à la tristesse et l'abattement, que je voudrais que ce cheikh obtînt la permission d'entrer, dans l'espoir que son approche contribuera à chasser les pensées qui pèsent sur les visions de notre roi ! » Et le sultan Mahmoud fit de la tête un signe d'assentiment, et aussitôt le grand vizir introduisit dans la salle du trône le cheikh étranger…

À ce moment de sa narration, Schahrazade vit apparaître le matin et, discrète, se tut.

Mais lorsque fut la huit cent vingtième nuit. Elle dit :

… Et aussitôt le grand vizir introduisit dans la salle du trône le cheikh étranger. Et certes ! l'homme qui entra était plutôt l'ombre d'un homme qu'une créature vivante d'entre les créatures. Et si un âge pouvait lui être donné, il eût fallu calculer par centaines d'années. Pour tout vêtement, une barbe prodigieuse flottait sur sa grave nudité, tandis qu'une large ceinture en cuir souple mettait une barre unie autour des vieux reins parcheminés. Et on l'eût pris pour quelque très ancien corps semblable à ceux que retiraient parfois des sépultures granitiques les laboureurs d'Égypte, si, dans la face, au-dessous des sourcils terribles, n'eussent brûlé deux yeux où vivait l'intelligence.

Et le pur vieillard, sans s'incliner devant le sultan, dit d'une voix sourde qui n'avait rien des voix de la terre : « La paix sur toi, sultan Mahmoud ! Je suis envoyé vers toi par mes frères, les santons de l'extrême Occident. Je viens te rendre conscient des bienfaits du Rétributeur sur ta tête ! » Et sans un geste, il s'avança vers le roi d'un pas solennel et, le prenant par la main, il l'obligea à se lever et à l'accompagner jusqu'à l'une des fenêtres de la salle du trône.

Or cette salle du trône avait quatre fenêtres, et chacune de ces fenêtres était sur la ligne d'un point astronomique. Et le vieux cheikh dit au sultan : « Ouvre la fenêtre ! » Et le sultan obéit comme un enfant, et ouvrit la première fenêtre. Et le vieux cheikh lui dit simplement : « Regarde ! » Et sultan Mahmoud mit la tête à la fenêtre et vit une immense armée de cavaliers qui, l'épée nue, se précipitaient, à toute bride, des hauteurs de la citadelle du mont Makattam. Et les premières colonnes de cette armée, arrivées déjà au pied même du palais, avaient mis pied à terre et commençaient à en escalader les murailles, en poussant des clameurs de guerre et de mort. Et le sultan, à cette vue, comprit que ses troupes s'étaient mutinées et venaient le détrôner. Et devenu bien changé de teint, il s'écria : « Il n'y a de dieu qu'Allah ! Voici l'heure de ma destinée ! » Aussitôt le cheikh referma la fenêtre, mais pour la rouvrir lui-même l'instant d'après. Et toute l'armée avait disparu. Et seule la citadelle s'élevait pacifiquement dans le loin, trouant de ses minarets le ciel de midi.

Alors le cheikh, sans donner le temps au roi de revenir de sa profonde émotion, le conduisit à la seconde fenêtre qui plongeait sur la ville immense, et lui dit : « Ouvre-la, et regarde ! » Et sultan Mahmoud ouvrit la fenêtre, et le spectacle qui s'offrit à sa vue le fit reculer d'horreur. Les quatre cents minarets qui dominaient les mosquées, les coupoles des mosquées, les dômes des palais, et les terrasses qui s'étageaient par milliers jusqu'aux confins de l'horizon n'étaient plus qu'un brasier fumant et flamboyant, d'où, avec les hurlements de l'épouvante, déferlaient vers la moyenne région de l'air les nuages noirs qui aveuglaient l'œil du soleil. Et un vent sauvage poussait les flammes et les cendres vers le palais même, qui bientôt se trouva enveloppé d'une mer de feu, dont il n'était plus séparé que par la nappe fraîche de ses jardins. Et le sultan, à la limite de la douleur de voir sa belle ville anéantie, laissa retomber ses bras, et s'écria : « Allah seul est grand ! Les choses ont leur destinée comme toutes les créatures ! Demain le désert rejoindra le désert à travers les plaines sans nom d'une terre qui fut illustre entre toutes ! Gloire au seul Vivant ! » Et il pleura sur sa ville et sur lui-même. Mais le cheikh referma aussitôt la fenêtre, et la rouvrit au bout d'un instant. Et toute trace d'incendie avait disparu. Et la ville du Caire s'étendait dans sa gloire intacte, au milieu de ses vergers et de ses palmes, tandis que les quatre cents voix des muezzins annonçaient l'heure de la prière aux Croyants et se confondaient dans une même élévation vers le Seigneur de l'univers.

Et le cheikh, emmenant aussitôt le roi, le conduisit vers la troisième fenêtre, qui donnait sur le Nil, et la lui fit ouvrir. Et sultan Mahmoud vit le fleuve qui débordait de son lit et dont les vagues, envahissant la ville et dépassant bientôt les terrasses les plus élevées, venaient battre avec furie contre les murailles du palais. Et une vague, plus forte que les précédentes, fit d'un coup s'écrouler tous les obstacles sur son passage et vint s'engouffrer dans l'étage inférieur du palais. Et l'édifice, fondant comme un morceau de sucre dans l'eau, s'affaissa d'un côté, et il était déjà presque effondré quand le cheikh referma soudain la fenêtre et la rouvrit. Et tout débordement fut comme s'il n'avait pas été. Et le beau fleuve continua, comme par le passé, à se promener avec majesté entre les champs infinis de luzernes, en dormant dans son lit. Et le cheikh fit ouvrir par le roi la quatrième fenêtre, sans lui donner le temps de se remettre de sa surprise. Or cette quatrième fenêtre avait vue sur l'admirable plaine verdoyante qui s'étend aux portes de la ville à perte de vue, pleine d'eaux courantes et de troupeaux heureux, celle qu'ont chantée tous les poètes depuis Omar, où des étendues de roses, de basilics, de narcisses et de jasmins alternent avec des bosquets d'orangers, où les arbres sont habités par des tourterelles et des rossignols tombés en pâmoison à force de plaintes amoureuses, où la terre est aussi riche et parée que dans les antiques jardins d'Iram-aux-Colonnes, et aussi embaumée que les pelouses d'Éden. Et au lieu des prairies et des bois d'arbres fruitiers, sultan Mahmoud ne vit plus qu'un affreux désert rouge et blanc, brûlé par un soleil inexorable, un désert pierreux et sablonneux, qui servait de refuge aux hyènes et aux chacals et de champ de course aux serpents et aux bêtes malfaisantes. Et cette sinistre vision ne tarda pas, comme les précédentes, à s'effacer, quand le cheikh eut, de sa propre main, fermé et rouvert la fenêtre. Et de nouveau la plaine se fit magnifique, et sourit au ciel de toutes les fleurs de ses jardins. Tout cela, et sultan Mahmoud ne savait s'il dormait, s'il veillait ou s'il n'était point sous la puissance de quelque sortilège ou hallucination.

Mais le cheikh, sans le laisser se calmer de toutes les violentes sensations qu'il venait d'éprouver, le prit de nouveau par la main, sans qu'il eût même l'idée d'opposer la moindre résistance, et le conduisit auprès d'un petit bassin qui rafraîchissait la salle de son murmure d'eau. Et il lui dit : « Penche-toi sur le bassin et regarde ! » Et sultan Mahmoud se pencha sur le bassin, pour regarder, quand, d'un mouvement brusque, le cheikh lui plongea la tête tout entière dans l'eau. Et sultan Mahmoud se vit naufragé au pied d'une montagne qui dominait la mer. Et il était encore, comme au temps de sa splendeur, revêtu de ses attributs royaux avec sa couronne sur la tête. Et non loin de là, des fellahs le regardaient comme un objet nouveau, et se faisaient mutuellement des signes à son sujet, en riant beaucoup. Et sultan Mahmoud, à cette vue, entra dans une fureur sans bornes, plus encore contre le cheikh que contre les fellahs, et s'écria : « Ah ! maudit magicien, cause de mon naufrage, puisse Allah me ramener dans mon royaume pour que je te châtie selon ton crime ! Pourquoi m'avoir trahi si lâchement ? Et que vais-je devenir dans ce pays étranger ? » Puis, se ravisant, il s'approcha des fellahs, et leur dit d'un ton solennel : « Je suis le sultan Mahmoud ! Allez-vous-en ! » Mais ils continuèrent à rire, en ouvrant des bouches jusqu'aux oreilles. Ah ! quelles bouches ! des grottes ! des grottes ! Et pour éviter d'y être englouti vivant, il voulut lui-même s'enfuir, quand celui qui paraissait être le chef des fellahs s'approcha de lui, lui enleva sa couronne et ses attributs, qu'il jeta dans la mer en disant : « Ô pauvre ! pourquoi toute cette ferraille ! Il fait bien chaud pour se couvrir ainsi ! Tiens, ô pauvre ! voici des vêtements semblables aux nôtres ! » Et l'ayant mis nu, il le revêtit d'une robe en cotonnade bleue, lui passa aux pieds une paire de vieilles babouches jaunes à semelles en cuir d'hippopotame, et le coiffa d'un tout petit bonnet en feutre couleur d'étourneau. Et il lui dit : « Allons, ô pauvre, viens travailler avec nous, si tu ne veux pas mourir de faim ici, où tout le monde travaille ! » Mais sultan Mahmoud dit : « Je ne sais pas travailler ! » Et le fellah lui dit : « En ce cas, tu nous serviras de portefaix et d'âne, tout à la fois…

À ce moment de sa narration, Schahrazade vit apparaître le matin et, discrète, se tut.

Mais lorsque fut la huit cent vingt et unième nuit. Elle dit :

… Tu nous serviras de portefaix et d'âne, tout à la fois ! » Et, comme ils avaient déjà fini leur journée de travail, ils furent bien aises de charger un autre dos que le leur du poids de leurs instruments de labour. Et sultan Mahmoud, ployant sous le faix des bêches, des herses, des pioches et des râteaux, et pouvant à peine se traîner, fut bien obligé de suivre les fellahs. Et il arriva avec eux, fourbu et pouvant à peine respirer, dans le village, où il fut en butte aux poursuites des petits enfants qui couraient tout nus derrière lui, en lui faisant subir mille avanies. Et pour lui faire passer la nuit, on le poussa dans une étable abandonnée, où on lui jeta, pour son repas, un pain moisi et un oignon. Et le lendemain, il était devenu âne pour de bon, âne avec une queue, des sabots et des oreilles. Et on lui passa une corde au cou, et on lui mit un bât sur le dos, et on l'emmena aux champs traîner la charrue. Mais comme il se rebiffait, on alla le confier au meunier du village qui eut bientôt fait de le mettre à la raison, en lui faisant tourner la roue du moulin, après lui avoir bandé les yeux. Et cinq années il tourna la roue du moulin, ne se reposant que juste le temps de manger sa ration de fèves et de boire un seau. Et cinq années de coups de bâton, de piqûres d'aiguillon, d'injures humiliantes et de privations. Et il ne lui restait, pour toute consolation et pour tout soulagement, que les séries de pets qu'il lâchait du matin au soir, comme réponse aux injures, en tournant le moulin. Et voici que tout à coup le moulin s'écroula et il se vit de nouveau sous sa forme première d'homme, et non plus âne. Et il se promenait dans les souks d'une ville qu'il ne connaissait pas ; et il ne savait pas trop où aller. Et comme il était déjà las de marcher, il cherchait de l'œil un endroit pour se reposer, quand un vieux marchand, qui jugeait à son air qu'il était étranger, l'invita poliment à entrer dans sa boutique. Et, voyant qu'il était fatigué, il le fit asseoir sur un banc, et lui dit : « Ô étranger, tu es jeune et tu ne seras pas malheureux dans notre ville, où les jeunes gens sont fort cotés et très recherchés, surtout quand ils sont, comme toi, de solides gaillards. Dis-moi donc si tu es disposé à habiter notre ville, dont les coutumes sont très favorables aux étrangers qui veulent s'y établir. » Et sultan Mahmoud répondit : « Par Allah, je ne demande pas mieux que de demeurer ici, pourvu que je puisse y trouver à manger autre chose que les fèves dont on m'a nourri pendant cinq ans ! » Et le vieux marchand lui dit : « Que parles-tu de fèves, ô pauvre ! Ici tu seras nourri de choses exquises et fortifiantes, pour la besogne qu'il te faut accomplir ! Écoute-moi donc avec attention, et suis le conseil que je vais te donner ! » Et il ajouta : « Hâte-toi d'aller de ce pas te poster à la porte du hammam de la ville, qui est là, au tournant de la rue. Et à chaque femme qui sortira tu demanderas, en l'abordant, si elle a un mari. Et celle qui te dira qu'elle n'en a pas sera ton épouse sur l'heure, selon la coutume du pays ! Et surtout prends garde d'omettre de poser la question à toutes les femmes sans exception que tu verras sortir du hammam, sinon tu cours grand risque d'être chassé de notre ville ! » Et sultan Mahmoud alla se poster à la porte du hammam, et il n'était pas là depuis longtemps quand il vit sortir une splendide jouvencelle de treize ans. Et il pensa, en la voyant : « Par Allah, avec celle-ci je me consolerais bien de tous mes malheurs ! » Et il l'arrêta et lui dit : « Ô ma maîtresse, es-tu mariée ou célibataire ? » Et elle répondit : « Je suis mariée de l'année dernière. » Et elle continua son chemin. Et voici sortir du hammam une vieille d'une laideur effroyable. Et sultan Mahmoud frémit d'horreur à sa vue, et pensa : « Certes ! j'aime mieux mourir de faim et redevenir âne ou portefaix que d'épouser cette vieille antiquité ! Mais puisque le vieux marchand m'a dit de poser la question à toutes les femmes, il faut bien que je me décide à interroger la calamiteuse ! » Et il l'aborda et lui dit, en détournant la tête : « Es-tu mariée ou célibataire ? » Et l'effrayante vieille répondit, en bavant : « Je suis mariée, ô mon cœur ! » Ah ! quel soulagement ! Et il dit : « J'en suis bien aise, ô ma tante ! » Et il pensa : « Qu'Allah ait en Sa miséricorde le malheureux étranger qui m'a précédé ! » Et la vieille continua son chemin, et voici sortir du hammam une antiquité bien plus dégoûtante que la précédente et bien plus horrible. Et sultan Mahmoud s'approcha d'elle en tremblant, et lui demanda : « Es-tu mariée ou célibataire ? » Et elle répondit, en se mouchant dans ses doigts : « Je suis célibataire, ô mon œil ! » Et sultan Mahmoud s'écria : « Hé, là ! hé, là ! je suis un âne, ô ma tante, je suis un âne ! Regarde mes oreilles, et ma queue, et mon zebb ! Ce sont les oreilles et la queue et le zebb d'un âne. On ne se marie pas avec les ânes ! » Mais l'horrible vieille s'approcha de lui, et voulut l'embrasser. Et sultan Mahmoud, à la limite du dégoût et de la terreur, se mit à crier : « Hé, là ! hé, là ! je suis un âne, ya setti, je suis un âne ! De grâce, ne m'épouse pas ! Je suis un pauvre âne de moulin, hé, là ! hé, là ! » Et faisant un effort surhumain, il sortit sa tête du bassin.

Et sultan Mahmoud se vit au milieu de la salle du trône de son palais, ayant à sa droite son grand vizir et à sa gauche le cheikh étranger. Et devant lui une de ses favorites lui présentait, sur un plateau d'or, une coupe de sorbet qu'il avait demandée quelques instants avant l'entrée du cheikh. Hé, là ! hé, là ! il est donc le sultan ! il est donc le sultan ! Et toute cette funeste aventure n'avait duré que le temps de plonger sa tête dans le bassin et de la retirer ! Et il ne pouvait arriver à croire à un pareil prodige ! Et il se mit à regarder autour de lui, en se tâtant et en se frottant les yeux. Hé, là ! hé, là ! Il était bel et bien le sultan, le sultan Mahmoud lui-même, et non point le pauvre naufragé, ni le portefaix, ni l'âne du moulin, ni l'époux de la redoutable antiquité ! Hé, par Allah ! qu'il était bon de se retrouver sultan après ces tribulations ! Et comme il ouvrait la bouche pour demander l'explication d'un si étrange phénomène, la voix sourde du pur vieillard s'éleva, qui lui disait : « Sultan Mahmoud, je suis venu vers toi, envoyé par mes frères les santons de l'extrême Occident, pour te rendre conscient des bienfaits du Rétributeur sur ta tête ! » Et ayant ainsi parlé, le cheikh maghrébin disparut, sans que l'on sût s'il était sorti par la porte ou s'il s'était envolé par les fenêtres.

Et sultan Mahmoud, quand son émotion fut calmée, comprit la leçon de son Seigneur. Et il comprit que sa vie était belle, et qu'il aurait pu être le plus malheureux des hommes. Et il comprit que tous les malheurs qu'il avait entrevus, sous le regard dominateur du vieillard, auraient pu, si l'avait voulu la destinée, être les malheurs réels de sa vie. Et il tomba à genoux en fondant en larmes. Et depuis lors il chassa toute tristesse de son cœur. Et vivant dans le bonheur, il répandit le bonheur autour de lui. Et telle est la vie réelle du sultan Mahmoud, et telle fut la vie qu'il aurait pu mener à un simple détour de la destinée. Car Allah est le maître Tout-Puissant !

Et Schahrazade, ayant ainsi raconté cette histoire, se tut.

Et le roi Schahriar s'écria : « Quel enseignement pour moi, ô Schahrazade ! » Et la fille du vizir sourit et dit : « Mais cet enseignement, ô Roi, n'est rien en comparaison de celui du TRÉSOR SANS FOND *! » Et Schahriar dit : « Je ne connais pas ce trésor, Schahrazade ! »*

LE TRÉSOR SANS FOND

Et Schahrazade dit :

Il m'est revenu, ô Roi fortuné, ô doué de bonnes manières, que le khalifat Haroun Al-Rachid, qui était le prince le plus généreux de son époque et le plus magnifique, avait quelquefois la faiblesse – Allah seul est sans faiblesse ! – de laisser entendre, en parlant, que nul homme parmi les vivants ne l'égalait en générosité et en largesse de paume.

Or un jour, comme il s'était laissé aller à se louer ainsi des dons que ne lui avait, en somme, octroyés le Rétributeur que pour qu'il en usât précisément avec générosité, le grand vizir Giafar ne voulut point, en son âme délicate, que son maître continuât plus longtemps à manquer au devoir de l'humilité envers Allah. Et il résolut de prendre la liberté de lui ouvrir les yeux. Il se prosterna donc entre ses mains et, après avoir embrassé par trois fois la terre, il lui dit : « Ô émir des Croyants, ô couronne sur nos têtes, pardonne à ton esclave s'il ose élever la voix en ta présence pour te représenter que la principale vertu du Croyant est l'humilité devant Allah et qu'elle est la seule chose dont puisse être fière la créature. Car tous les biens de la terre et tous les dons de l'esprit et toutes les qualités de l'âme ne sont pour l'homme qu'un simple prêt du Très-Haut – qu'Il soit exalté ! Et l'homme ne doit pas plus s'enorgueillir de ce prêt que l'arbre d'être chargé de fruits ou la mer de recevoir les eaux du ciel. Quant aux louanges que te mérite ta munificence, laisse-les plutôt faire à tes sujets qui remercient sans cesse le ciel de les avoir fait naître dans ton empire, et qui n'ont d'autre plaisir que de prononcer ton nom avec gratitude ! » Puis il ajouta : « D'ailleurs, ô mon seigneur, ne crois point que tu sois le seul qu'Allah ait couvert de ses inestimables dons ! Sache, en effet, qu'il y a dans la ville de Bassra un jeune homme qui, bien que simple particulier, vit avec plus de faste et de magnificence que les plus puissants rois. Il s'appelle Aboulcassem, et nul prince au monde, y compris l'émir des Croyants lui-même, ne l'égale en largesse de paume et en générosité…

À ce moment de sa narration, Schahrazade vit apparaître le matin et, discrète, se tut.

Mais lorsque fut la huit cent vingt-deuxième nuit. Elle dit :

… Il s'appelle Aboulcassem, et nul prince au monde, y compris l'émir des Croyants lui-même, ne l'égale en largesse de paume et en générosité ! » Lorsque le khalifat eut entendu ces dernières paroles de son vizir, il se sentit extrêmement dépité ; et il devint bien rouge de teint, avec des yeux enflammés ; et regardant Giafar avec hauteur, il lui dit : « Malheur à toi, ô chien d'entre les vizirs ! comment oses-tu mentir devant ton maître, en oubliant qu'une telle conduite entraîne ta mort sans recours ? » Et Giafar répondit : « Par la vie de ta tête ! ô émir des Croyants, les paroles que j'ai osé prononcer en ta présence sont des paroles de vérité. Et si j'ai perdu tout crédit en ton esprit, tu pourras les faire contrôler, et me punir ensuite si tu trouves qu'elles sont mensongères. Quant à moi, ô mon maître, je ne crains pas de t'affirmer que j'ai été, lors de mon dernier voyage à Bassra, l'hôte ébloui du jeune Aboulcassem. Et mes yeux n'ont pas encore oublié ce qu'ils ont vu, mes oreilles ce qu'elles ont entendu, et mon esprit ce qui l'a charmé. C'est pourquoi, même au risque de m'attirer la disgrâce de mon maître, je ne puis m'empêcher de proclamer qu'Aboulcassem est l'homme le plus magnifique de son temps ! »

Et Giafar, ayant ainsi parlé, se tut. Et le khalifat, à la limite de l'indignation, fit signe au chef des gardes d'arrêter Giafar. Et l'ordre fut exécuté sur-le-champ. Et, cela fait, Al-Rachid sortit de la salle et, ne sachant comment exhaler sa colère, alla dans l'appartement de Sett Zobéida, son épouse, qui pâlit d'effroi en lui voyant le visage des jours noirs.

Et Al-Rachid, les sourcils contractés et les yeux dilatés, alla s'étendre, sans prononcer une parole, sur le divan. Et Sett Zobéida, qui savait comment l'aborder dans ses moments d'humeur, se garda bien de l'importuner de questions oiseuses ; mais prenant un air d'extrême inquiétude, elle lui apporta une coupe remplie d'eau parfumée à la rose et, la lui offrant, lui dit : « Le nom d'Allah sur toi, ô fils de l'oncle ! Que cette boisson te rafraîchisse et te calme ! La vie est formée de deux couleurs, blanche et noire. Puisse la blanche marquer seule tes longs jours ! » Et Al-Rachid dit : « Par le mérite de nos ancêtres, les glorieux ! c'est la noire qui marquera ma vie, ô fille de l'oncle, tant que je verrai devant mes yeux le fils du Barmécide, ce Giafar de malédiction, qui se plaît à critiquer mes paroles, à commenter mes actions et à donner la préférence sur moi à d'obscurs particuliers d'entre mes sujets ! » Et il apprit à son épouse ce qui venait de se passer, et se plaignit à elle de son vizir, dans des termes qui lui firent comprendre que la tête de Giafar courait cette fois le plus grand danger. Aussi elle ne manqua pas d'abonder d'abord dans son sens, en exprimant son indignation de voir que le vizir se permettait de telles libertés à l'égard de son souverain. Puis, très habilement, elle lui représenta qu'il était préférable de différer la punition le temps seulement d'envoyer quelqu'un à Bassra pour vérifier la chose. Et elle ajouta : « Et c'est alors que tu pourras t'assurer de la vérité ou de la fausseté de ce que t'a raconté Giafar, et le traiter en conséquence. » Et Haroun, que le langage plein de sagesse de son épouse avait déjà à moitié calmé, répondit : « Tu dis vrai, ô Zobéida. Certes ! je dois cette justice à un homme tel que le fils de mon serviteur Yahia. Et même, comme je ne puis avoir pleine confiance dans le rapport que me ferait celui que j'enverrais à Bassra, je veux aller moi-même dans cette ville, contrôler la chose. Et je ferai connaissance avec cet Aboulcassem-là. Et je jure qu'il en coûtera la tête de Giafar s'il m'a exagéré la générosité de ce jeune homme, ou s'il m'a fait un mensonge. »

Et sans tarder davantage à exécuter son projet, Haroun se leva à l'heure et à l'instant, et, sans vouloir écouter ce que lui disait Sett Zobéida pour l'engager à ne point faire tout seul ce voyage, il se déguisa en marchand de l'Irak, recommanda à son épouse de veiller pendant son absence aux affaires du royaume et, sortant du palais par une porte secrète, il quitta Bagdad. Et Allah lui écrivit la sécurité ; et il arriva à Bassra sans encombre, et descendit dans le grand khân des marchands. Et là, avant même de prendre le temps de se reposer et de manger un morceau, il se hâta d'interroger le portier du khân sur ce qui l'intéressait, en lui demandant, après les formules du salam : « Est-il vrai, ô cheikh, qu'il y a dans cette ville un jeune homme appelé Aboulcassem, qui surpasse les rois en générosité, en largesse de paume et en magnificence ? » Et le vieux portier, hochant la tête d'un air pénétré, répondit : « Allah fasse descendre sur lui Ses bénédictions ! Quel est l'homme qui n'a pas ressenti les effets de sa générosité ? Pour ma part, ya sidi, quand j'aurais dans ma figure cent bouches et dans chacune cent langues, et sur chaque langue un trésor d'éloquence, je ne pourrais te conter comme il sied l'admirable générosité du seigneur Aboulcassem ! » Puis, comme d'autres marchands voyageurs arrivaient avec leurs ballots, le portier du khân n'eut pas le loisir d'en dire plus long. Et Haroun fut bien obligé de s'éloigner, et monta se restaurer et prendre quelque repos, cette nuit-là.

Mais le lendemain, de grand matin, il sortit du khân et alla se promener dans les souks. Et lorsque les marchands eurent ouvert leurs boutiques, il s'approcha de l'un d'eux, celui qui lui paraissait le plus important, et le pria de lui indiquer le chemin qui conduisait à la demeure d'Aboulcassem. Et le marchand, bien étonné, lui dit : « De quel pays lointain peux-tu bien arriver, pour ignorer la demeure du seigneur Aboulcassem. Il est plus connu ici que jamais roi ne l'a été au milieu de son propre empire ! » Et Haroun convint qu'il arrivait en effet de fort loin, mais que le but de son voyage était précisément de faire la connaissance du seigneur Aboulcassem. Alors le marchand ordonna à un de ses garçons de lui servir de guide, en lui disant : « Conduis cet honorable étranger au palais de notre magnifique seigneur ! »

Or ce palais était un admirable palais. Et il était entièrement bâti de pierres de taille en marbre jaspé, avec des portes de jade vert. Et Haroun fut émerveillé de l'harmonie de sa construction ; et il vit, en entrant dans la cour, une foule de jeunes esclaves, blancs et noirs, élégamment habillés, qui s'amusaient à jouer en attendant les ordres de leur maître. Et il aborda l'un d'entre eux et lui dit : « Ô jeune homme, je te prie d'aller dire au seigneur Aboulcassem : « Ô mon maître, il y a dans la cour un étranger qui a fait le voyage de Bagdad à Bassra, dans le seul but de se réjouir les yeux de ton visage béni ! » Et le jeune esclave jugea aussitôt au langage et à l'air de celui qui s'adressait à lui que ce n'était pas un homme du commun. Et il courut en avertir son maître, qui vint jusque dans la cour recevoir l'hôte étranger. Et, après les salams et les souhaits de bienvenue, il le prit par la main et le conduisit dans une salle qui était belle de sa propre beauté et de sa parfaite architecture.

Et, dès qu'ils furent assis sur le large divan en soie brodée d'or qui faisait tout le tour de la salle, l'on vit entrer douze jeunes esclaves blancs fort beaux chargés de vases d'agate et de cristal de roche. Et les vases étaient enrichis de gemmes et de rubis et pleins de liqueurs exquises. Puis entrèrent douze jeunes filles belles comme des lunes, qui portaient les unes des bassins de porcelaine remplis de fruits et de fleurs, et les autres de grandes coupes d'or remplies de sorbets à la neige hachée, d'un goût excellent. Et ces jeunes esclaves et ces jeunes filles firent d'abord l'essai des liqueurs, des sorbets et des autres rafraîchissements avant de les présenter à l'hôte de leur maître. Et Haroun goûta à ces diverses boissons, et, quoique accoutumé aux plus délicieuses choses de tout l'Orient, il s'avoua qu'il n'avait jamais rien bu de comparable. Après quoi, Aboulcassem fit passer son convive dans une seconde salle, où était servie une table couverte des mets les plus délicats dans des plats d'or massif. Et il lui offrit de ses propres mains les morceaux de choix. Et Haroun trouva que l'accommodement de ces mets était extraordinaire.

Puis, le repas fini, le jeune homme prit Haroun par la main et le mena dans une troisième salle plus richement meublée que les deux autres. Et des esclaves, plus beaux que les précédents, apportèrent une prodigieuse quantité de vases d'or incrustés de pierreries et pleins de toutes sortes de vins, ainsi que de larges tasses de porcelaine remplies de confitures sèches, et des plateaux couverts de pâtisseries délicates. Et, pendant qu'Aboulcassem servait son convive, il entra des chanteuses et des joueuses d'instruments, qui commencèrent un concert qui eût sensibilisé le granit. Et Haroun, à la limite du ravissement, se disait : « Certes ! dans mes palais j'ai des chanteuses aux voix admirables, et même des chanteurs comme Ishak qui n'ignorent rien des ressources de l'art, mais personne ne saurait prétendre entrer en comparaison avec celles-ci ! Par Allah ! comment un simple particulier, un habitant de Bassra, a-t-il pu faire pour réunir un tel choix de choses parfaites ? »

Et tandis que Haroun était particulièrement attentif à la voix d'une almée dont la douceur l'enchantait, Aboulcassem sortit de la salle et revint un moment après, tenant d'une main une baguette d'ambre et de l'autre un petit arbre dont la tige était d'argent, les branches et les feuilles d'émeraudes et les fruits de rubis. Et sur le sommet de cet arbre était perché un paon d'or d'une beauté qui glorifiait celui qui l'avait façonné. Et Aboulcassem, ayant posé cet arbre aux pieds du khalifat, frappa de sa baguette la tête du paon. Et aussitôt le bel oiseau étendit ses ailes et déploya la splendeur de sa queue, et se mit à tourner avec vitesse sur lui-même. Et à mesure qu'il tournait, des parfums d'ambre, de nadd, d'esprit d'aloès et d'autres senteurs dont il était rempli sortaient de tous côtés en jets ténus et embaumaient toute la salle.

Mais brusquement, pendant que Haroun était occupé à considérer l'arbre et le paon et à s'en émerveiller, Aboulcassem les prit l'un et l'autre et les emporta. Et Haroun se sentit fort piqué de cette action inattendue, et dit en lui-même : « Par Allah ! quelle chose étrange ! Et que signifie tout cela ? Est-ce ainsi que se comportent les hôtes à l'égard de leurs invités ? Ce jeune homme, ce me semble, ne sait pas si bien faire les choses que Giafar me le donnait à penser. Il m'enlève cet arbre et ce paon quand il me voit précisément occupé à les regarder. Il doit, sans aucun doute, avoir peur que je le prie de m'en faire présent. Ah ! je ne suis pas fâché de contrôler par moi-même cette fameuse générosité qui, d'après mon vizir, n'a pas sa pareille dans le monde ! » Pendant que ces pensées se présentaient à son esprit, le jeune Aboulcassem rentra dans la salle. Et il était accompagné d'un petit esclave aussi beau que le soleil. Et cet aimable enfant avait une robe de brocart d'or relevé de perles et de diamants. Et il tenait dans sa main une coupe faite d'un seul rubis et remplie d'un vin couleur de pourpre. Et il s'approcha de Haroun, et, après avoir embrassé la terre entre ses mains, il lui présenta la coupe. Et Haroun la prit et la porta à ses lèvres. Mais quel ne fut point son étonnement lorsque, après en avoir bu le contenu, il s'aperçut, en la rendant au bel esclave, qu'elle était encore pleine jusqu'au bord ! Aussi la reprit-il des mains de l'enfant et, l'ayant portée à sa bouche, il la vida jusqu'à la dernière goutte. Puis il la remit au petit esclave, tout en constatant qu'elle se remplissait à nouveau sans que personne versât rien dedans. À cette vue, Haroun fut à la limite de la surprise…

À ce moment de sa narration, Schahrazade vit apparaître le matin et, discrète, se tut.

Mais lorsque fut la huit cent vingt-troisième nuit. Elle dit :

… À cette vue, Haroun fut à la limite de la surprise, et ne put s'empêcher de demander comment cela pouvait se faire. Et Aboulcassem répondit : « Seigneur, il n'y a rien d'étonnant en cela. Cette coupe est l'ouvrage d'un ancien savant qui possédait tous les secrets de la terre ! » Et, ayant prononcé ces paroles, il prit l'enfant par la main et sortit de la salle avec précipitation. Et l'impétueux

Haroun en fut cette fois indigné. Et il pensa : « Par la vie de ma tête ! ce jeune homme a perdu la raison, ou, ce qui est encore pis, il n'a jamais dû connaître les égards que l'on doit à l'hôte et les bonnes manières. Il m'apporte toutes ces curiosités sans que je l'en prie, il les offre à mes yeux, et quand il s'aperçoit que je prends le plus de plaisir à les voir, il me les enlève. Par Allah ! je n'ai jamais rien vu de si malhonnête et de si grossier. Maudit Giafar ! je t'apprendrai bientôt, si Allah veut, à mieux juger les hommes et à tourner ta langue dans ta bouche avant de parler ! »

Pendant que Al-Rachid se faisait ces réflexions sur le caractère de son hôte, il le vit rentrer dans la salle pour la troisième fois. Et il était suivi à quelques pas d'une adolescente comme on n'en trouve que dans les jardins d'Éden. Elle était toute couverte de perles et de pierreries, et plus parée encore de sa beauté que de ses atours. Et Haroun, à sa vue, oublia l'arbre, le paon et la coupe inépuisable, et se sentit l'âme pénétrée d'enchantement. Et la jeune fille, après lui avoir fait une profonde révérence, vint s'asseoir entre ses mains, et, sur un luth composé de bois d'aloès, d'ivoire, de sandal et d'ébène, se mit à jouer de vingt-quatre manières différentes, avec un art si parfait qu'Al-Rachid ne put retenir son admiration, et s'écria : « Ô jeune homme que ton sort est digne d'envie ! » Mais dès qu'Aboulcassem eut remarqué que son convive était enchanté de l'adolescente, il la prit aussitôt par la main et la mena hors de la salle, avec promptitude.

Lorsque le khalifat vit cette conduite de son hôte, il fut extrêmement mortifié, et ne voulut pas, de peur de laisser éclater son ressentiment, rester plus longtemps dans une demeure où on le recevait d'une si étrange manière. Aussi dès que le jeune homme fut revenu dans la salle, il lui dit, en se levant : « Ô généreux Aboulcassem, je suis, en vérité, bien confus de la façon dont tu m'as traité, sans connaître mon rang et ma condition. Permets-moi donc de me retirer et de te laisser en repos, sans abuser plus longtemps de ta munificence. » Et le jeune homme ne voulut point, par crainte de le gêner, s'opposer à son dessein, et, lui ayant fait une révérence d'un air gracieux, le conduisit jusqu'à la porte de son palais en lui demandant pardon de ne l'avoir pas reçu aussi magnifiquement qu'il le méritait.

Et Haroun reprit le chemin de son khân, en pensant avec amertume : « Quel homme plein d'ostentation que cet Aboulcassem ! Il se fait un plaisir d'étaler ses richesses aux yeux des étrangers, pour satisfaire son orgueil et sa vanité. Si c'est là de la largesse de paume, je ne suis plus qu'un insensé et un aveugle. Mais non ! Dans le fond, cet homme n'est qu'un avare, et un avare de la plus détestable espèce. Et Giafar saura bientôt ce qu'il en coûte de tromper son souverain par le plus vulgaire mensonge ! » Et, tout en réfléchissant de la sorte, Al-Rachid arriva à la porte du khân. Et il aperçut dans la cour d'entrée un grand cortège en forme de croissant, composé d'un nombre considérable de jeunes esclaves blancs et noirs, les blancs d'un côté et les noirs de l'autre. Et au centre du croissant se tenait la belle adolescente au luth, qui l'avait enchanté au palais d'Aboulcassem, avec, à sa droite, l'aimable enfant chargé de la coupe de rubis, et, à sa gauche, un autre garçon, non moins aimable et beau, chargé de l'arbre d'émeraude et du paon.

Or dès qu'il eut franchi la porte du khân, tous les esclaves se prosternèrent sur le sol, et l'exquise jeune fille s'avança entre ses mains et lui présenta, sur un coussin de brocart, un rouleau de papier de soie. Et Al-Rachid, bien que fort surpris de tout cela, prit la feuille, la déroula, et vit qu'elle contenait ces lignes :

« La paix et la bénédiction sur l'hôte charmant dont la venue honora notre demeure et la parfuma. Et ensuite ! Puisses-tu, ô père des convives gracieux, abaisser ta vue vers les quelques objets sans valeur qu'envoie vers ta seigneurie notre main de peu de portée, et les agréer de notre part comme le faible hommage de notre féalité à l'égard de celui qui a illuminé notre toit. Nous avons en effet remarqué que les divers esclaves qui forment le cortège, les deux jeunes garçons et la jeune fille, ainsi que l'arbre, la coupe et le paon n'ont pas déplu d'une façon particulière à notre convive ; et c'est pourquoi nous le supplions de les considérer comme lui ayant toujours appartenu. D'ailleurs tout vient d'Allah et vers Lui tout retourne. Ouassalam ! »

Lorsqu'Al-Rachid eut achevé de lire cette lettre, et qu'il en eut compris tout le sens et toute la portée, il fut extrêmement émerveillé d'une telle largesse de paume, et s'écria : « Par les mérites de mes ancêtres – qu'Allah honore leurs visages ! – je conviens que j'ai bien mal jugé du jeune Aboulcassem ! Qu'es-tu, libéralité d'Al-Rachid, à côté d'une telle libéralité ? Que les bénédictions du Très-Haut soient sur ta tête, ô mon vizir Giafar, toi qui es cause que je sois revenu de mon faux orgueil et de ma suffisance ! Voici qu'en effet un simple particulier, sans se donner la moindre peine et sans que cela ait l'air de le gêner en quelque chose, vient de l'emporter en générosité et en munificence sur le plus riche monarque de la terre ! » Il dit. Puis, soudain se reprenant, il pensa : « Oui, par Allah ! mais comment se fait-il qu'un simple particulier puisse faire de pareils présents, et où a-t-il pu se procurer ou trouver tant de richesses ? Et comment est-il possible que dans mes états, un homme mène une vie plus fastueuse que celle des rois sans que je sache par quel moyen il est arrivé à un tel degré de richesse ? Certes ! il faut que, sans tarder, même au risque de paraître importun, j'aille l'engager à me découvrir comment il a pu faire une fortune si prodigieuse ! »

Et aussitôt Al-Rachid, dans son impatience de satisfaire sa curiosité, laissant dans le khân ses nouveaux esclaves et ce qu'ils lui apportaient, retourna au palais d'Aboulcassem. Et lorsqu'il fut en présence du jeune homme, il lui dit, après les salams : « Ô mon généreux maître, qu'Allah augmente sur toi Ses bienfaits et fasse durer les faveurs dont tu es comblé ! Mais les présents que m'a faits ta paume bénie sont si considérables, que je crains, en les acceptant, d'abuser de ma qualité de convive et de ta générosité sans égale. Permets donc que, sans crainte de t'offenser, il me soit loisible de te les renvoyer et que, charmé de ton hospitalité, j'aille publier à Bagdad, ma ville, ta magnificence ! » Mais Aboulcassem, d'un air fort affligé, répondit : « Seigneur, tu as sans doute, pour parler de la sorte, sujet de te plaindre de ma réception, ou peut-être que mes présents t'ont déplu par leur peu d'importance ? Sans quoi, tu ne serais pas revenu de ton khân pour me faire subir cet affront. » Et Haroun, toujours déguisé en marchand, répondit : « Allah me garde de répondre à ton hospitalité par un tel procédé, ô trop généreux Aboulcassem ! La cause de ma venue tient uniquement au scrupule où je suis de te voir prodiguer ainsi à des étrangers que tu as vus pour la première fois des objets si rares, et à ma crainte de voir s'épuiser, sans que tu en recueilles la satisfaction que tu mérites, un trésor qui, quelque inépuisable qu'il puisse être, doit avoir un fond ! »

À ces paroles d'Al-Rachid, Aboulcassem ne put s'empêcher de sourire, et répondit : « Calme tes scrupules, ô mon maître, si vraiment un tel motif m'a procuré le plaisir de ta venue. Sache, en effet, que tous les jours d'Allah, je me libère de mes dettes à l'égard du Créateur – qu'Il soit glorifié et exalté ! – en faisant à ceux qui frappent à ma porte un ou deux ou trois cadeaux équivalents à ceux qui sont entre tes mains. Car le trésor que m'octroya le Distributeur des richesses est un trésor sans fond. » Et, comme il voyait un grand étonnement marquer les traits de son hôte, il ajouta : « Je vois, ô mon maître, qu'il faut que je te fasse la confidence de certaines des aventures de ma vie, et que je te raconte l'histoire de ce trésor sans fond, qui est une histoire si étonnante et si prodigieuse que si elle était écrite avec les aiguilles sur le coin intérieur de l'œil, elle servirait d'enseignement à qui la lirait avec attention ! » Et, ayant ainsi parlé, le jeune Aboulcassem prit son hôte par la main, et le conduisit dans une salle pleine de fraîcheur, où plusieurs cassolettes très douces parfumaient l'air et où se voyait un large trône d'or avec de riches tapis de pied. Et le jeune homme fit monter Haroun sur le trône, s'assit à ses côtés et commença de la manière suivante son histoire :

« Sache, ô mon maître – Allah est notre maître à tous ! – que je suis fils d'un grand joaillier, originaire du Caire, qui s'appelait Abdelaziz. Mais mon père, bien que né au Caire comme son père et son grand-père, n'a point vécu toute sa vie dans sa ville natale. Car il possédait tant de richesses que, craignant d'attirer sur lui l'envie et la cupidité du sultan d'Égypte qui, en ce temps-là, était un tyran sans remède, il se vit obligé de quitter son pays et de venir s'établir dans cette ville de Bassra, à l'ombre tutélaire des Bani-Abbas – qu'Allah répande sur eux Ses bénédictions ! Et mon père ne tarda pas à épouser la fille unique du plus riche marchand de la ville. Et je suis né de ce mariage béni. Et avant moi et après moi nul autre fruit ne vint s'ajouter à la généalogie. De telle sorte que, jouissant de tous les biens de mon père et de ma mère après leur mort – qu'Allah leur accorde le salut et soit satisfait d'eux ! – j'eus, tout jeune encore, à gérer une grande fortune en biens de toutes sortes et en richesses…

À ce moment de sa narration, Schahrazade vit apparaître le matin et, discrète, se tut.

Mais lorsque fut la huit cent vingt-quatrième nuit. Elle dit :

… J'eus, tout jeune encore, à gérer une grande fortune consistant en biens de toutes sortes et en richesses. Mais, comme j'aimais la dépense et la prodigalité, je me mis à vivre avec tant de profusion, qu'en moins de deux ans tout mon patrimoine se trouva dissipé. Car, ô mon maître, tout nous vient d'Allah et tout à Lui retourne ! Alors moi, me voyant dans un état de complet dénuement, je me mis à réfléchir sur ma conduite passée. Et je résolus, après la vie et la figure que j'avais faites à Bassra, de quitter ma ville natale pour aller traîner ailleurs de misérables jours ; car la pauvreté est plus supportable devant les yeux des étrangers. Je vendis donc ma maison, le seul bien qui me restât, et me joignis à une caravane de marchands, avec lesquels j'allai d'abord à Mossoul et ensuite à Damas. Après quoi, je traversai le désert, pour aller faire le pèlerinage de La Mecque ; et de là je me rendis au grand Caire, le berceau de notre race et de notre famille.

Or lorsque je fus dans cette ville des belles maisons et des mosquées innombrables, je me remémorai que c'était bien là qu'avait pris naissance Abdelaziz, le riche joaillier, et ne pus m'empêcher, à ce souvenir, de pousser de profonds soupirs et de pleurer. Et je me représentai la douleur de mon père s'il voyait la déplorable situation de son fils unique, l'héritier. Et occupé de ces pensées qui m'attendrissaient, j'arrivai, en me promenant, sur les bords du Nil, derrière le palais du sultan. Et voici qu'à une fenêtre apparut une tête ravissante de jeune femme ou jeune fille, je ne savais, qui m'immobilisa à la regarder. Mais soudain elle se retira, et je ne vis plus rien. Et moi, je restai là en béatitude jusqu'au soir, à attendre vainement une nouvelle apparition. Et je finis par me retirer, mais bien à contrecœur, et aller passer la nuit dans le khân où j'étais descendu.

Mais le lendemain, comme les traits de la jouvencelle s'offraient sans cesse à mon esprit, je ne manquai pas de me rendre sous la fenêtre en question. Mais mon espoir et mon attente furent bien vains ; car le délicieux visage ne se montra pas, bien que le rideau de la fenêtre eût quelque peu frémi, et que j'eusse cru deviner une paire d'yeux babyloniens derrière le grillage. Et cette abstention m'affligea fort, sans pourtant me rebuter, car je ne manquai pas de retourner à ce même endroit, le jour suivant. Or quelle ne fut pas mon émotion, quand je vis le grillage s'entrebâiller, et le rideau s'écarter pour laisser apparaître la pleine lune de son visage ! Et je me hâtai de me prosterner la face contre terre ; et, après m'être relevé, je dis : « Ô dame souveraine, je suis un étranger arrivé depuis peu au Caire et qui a inauguré son entré dans cette ville par la vue de ta beauté. Puisse la destinée qui m'a conduit jusqu'ici par la main achever son œuvre selon le souhait de ton esclave ! » Et je me tus, attendant la réponse. Et l'adolescente, au lieu de me répondre, prit un air si effrayé que je ne sus si je devais rester là ou livrer mes jambes au vent. Et je me décidai à rester encore sur place, insensible à tous les périls que je pouvais courir. Or bien m'en prit, car soudain l'adolescente se pencha sur le rebord de sa fenêtre et me dit d'une voix tremblante : « Reviens vers le milieu de la nuit. Mais fuis au plus vite ! » Et à ces mots, elle disparut avec précipitation et me laissa à la limite de l'étonnement, de l'amour et de la joie. Et j'oubliai à l'instant mes malheurs et mon dénuement. Et je me hâtai de rentrer à mon khân, pour faire appeler le barbier public qui s'occupa à me raser la tête, les aisselles et l'aine, à me parer et à m'embellir. Puis j'allai au hammam des pauvres où, pour quelque menue monnaie, je pris un bain parfait et me parfumai et me rafraîchis, pour sortir de là complètement dispos, le corps léger comme une plume.

Aussi quand vint l'heure indiquée, je me rendis à la faveur des ténèbres sous la fenêtre du palais. Et je trouvai à cette fenêtre une échelle de soie qui pendait jusqu'à terre. Et moi, sans hésiter, n'ayant d'ailleurs rien à perdre sinon une vie qui n'avait plus aucun lien ni aucun sens, je grimpai sur l'échelle et pénétrai par la fenêtre dans l'appartement. Je traversai rapidement deux chambres, et j'arrivai dans une troisième où, sur un lit d'argent, était étendue souriante celle que j'espérais. Ah ! seigneur marchand, mon hôte, quel enchantement en cette œuvre du Créateur ! Quels yeux et quelle bouche ! À sa vue, je sentis ma raison s'envoler, et je ne pus prononcer une parole. Mais elle se leva à demi et, d'une voix plus douce que le sucre candi, me dit de prendre place à côté d'elle sur le lit d'argent. Puis elle me demanda avec intérêt qui j'étais. Et je lui contai mon histoire, en toute sincérité, depuis le commencement jusqu'à la fin, sans omettre un détail. Mais il n'y a point d'utilité à la répéter.

Or l'adolescente, qui m'avait écouté fort attentivement, parut réellement touchée de la situation où m'avait réduit la destinée. Et moi, voyant cela, je m'écriai : « Ô ma maîtresse, quelque malheureux que je sois, je cesse d'être à plaindre, puisque tu es assez bonne pour compatir à mes malheurs ! » Et elle fit à cela la réponse qu'il fallait, et insensiblement nous nous engageâmes dans un entretien qui se fit de plus en plus tendre et intime. Et elle finit par m'avouer que, de son côté, elle avait eu, en me voyant, un penchant de mon côté. Et je m'écriai : « Louanges à Allah qui attendrit les cœurs et adoucit les yeux des gazelles ! » Ce à quoi elle fit également la réponse qu'il fallait, et ajouta : « Puisque tu m'as appris qui tu es, Aboulcassem, je ne veux point que tu ignores davantage qui je suis ! »

Et, après être restée un moment silencieuse, elle me dit : « Sache, ô Aboulcassem, que je suis l'épouse favorite du sultan, et que je m'appelle Sett Labiba. Or malgré tout le luxe où je vis ici, je ne suis pas heureuse. Car, outre que je suis entourée de rivales jalouses et prêtes à me perdre, le sultan qui m'aime ne peut arriver à me satisfaire, vu qu'Allah, qui distribue la puissance aux coqs, l'a oublié lors de la distribution. Et c'est pourquoi, t'ayant vu sous ma fenêtre, et te voyant plein de courage et dédaigneux du péril, je jugeais que tu étais un homme puissant. Et je t'ai appelé pour l'expérience. À toi donc maintenant de me prouver que je ne me suis pas trompée dans mon choix, et que ta vaillance est égale à ta témérité ! »

Alors moi, ô mon maître, qui n'avais nul besoin d'être poussé pour agir, vu que je n'étais là que pour l'action, je ne voulus point perdre un temps précieux à chanter des vers, comme c'est l'habitude dans ces circonstances, et m'apprêtai à l'assaut. Mais au moment même où nos bras s'enlaçaient, on frappa rudement à la porte de la chambre. Et la belle Labiba, fort effrayée, me dit : « Nul n'a le droit de frapper ainsi, si ce n'est le sultan. Nous sommes trahis et perdus sans recours ! » Aussitôt je pensai à l'échelle de la fenêtre pour me sauver par où j'étais monté. Mais le sort voulut que le sultan arrivât précisément de ce côté-là ; et il ne me restait aucune chance de fuite. Aussi, prenant le seul parti qui me restât, je me cachai sous le lit d'argent, cependant que la favorite du sultan se levait pour ouvrir. Et, dès que la porte fut ouverte, le sultan entra suivi de ses eunuques, et avant même que je pusse me rendre compte de ce qui allait arriver, je me sentis saisi d'en dessous du lit par vingt mains terribles et noires qui m'attirèrent comme un paquet et me soulevèrent du sol. Et ces eunuques coururent chargés de moi jusque vers la fenêtre, alors que d'autres eunuques noirs, chargés de la favorite, exécutaient le même mouvement vers une autre fenêtre. Et toutes les mains à la fois lâchèrent leur charge, nous précipitant tous deux du haut du palais dans le Nil.

Or il était écrit dans ma destinée que je devais échapper à la mort par noyade. C'est pourquoi, quoique étourdi de ma chute, je réussis, après être allé au fond du lit du fleuve, à remonter à la surface de l'eau, et à gagner, à la faveur de l'obscurité, le rivage opposé au palais. Et échappé à un si grand péril, je ne voulus point m'en aller sans avoir essayé de repêcher celle dont mon imprudence avait causé la perte, et je rentrai dans le fleuve avec plus d'ardeur que je n'en étais sorti, et je plongeai et replongeai à diverses reprises pour essayer de la retrouver. Mais mes efforts restèrent vains et, comme mes forces me trahissaient, je me vis dans la nécessité, pour sauver mon âme, de regagner la terre. Et, bien triste, je me lamentai sur la mort de cette charmante favorite, me disant que je n'aurais pas dû m'approcher d'elle alors que j'étais sous le coup de la mauvaise chance, et que la mauvaise chance est contagieuse. Aussi, pénétré de douleur et accablé de remords, je me hâtai de fuir le Caire et l'Égypte, et de prendre la route de Bagdad, la cité de paix. Or Allah m'écrivit la sécurité, et j'arrivai sans encombre à Bagdad, mais dans une situation fort triste, car j'étais sans argent, et de toute ma fortune passée il me restait juste un dinar d'or au fond de ma ceinture. Et, dès que je fus dans le souk des changeurs, je changeai mon dinar en petite monnaie et, pour gagner ma vie, j'achetai un plateau en osier et des sucreries, des pommes de senteur, des baumes, des confitures sèches et des roses. Et je me mis à débiter ma marchandise à la porte des boutiques, vendant tous les jours et gagnant de quoi me suffire pour la journée du lendemain.

Or ce petit commerce me réussissait, car j'avais une belle voix et débitais ma marchandise non point comme les marchands de Bagdad, mais en la chantant au lieu de la crier. Et, comme un jour je la chantais d'une voix plus claire encore que d'habitude, un vénérable cheikh, propriétaire de la plus belle boutique du souk, m'appela, choisit une pomme de senteur dans mon plateau et, après en avoir respiré le parfum à plusieurs reprises, tout en me regardant avec attention, m'invita à m'asseoir auprès de lui. Et je m'assis, et il me fit diverses questions, me demandant qui j'étais et comment on me nommait. Mais moi, fort gêné par ses questions, je répondis : « Ô mon maître, dispense-moi de parler de choses dont je ne puis me souvenir sans aviver des blessures que le temps commence à fermer. Car rien que de prononcer mon propre nom, ce me serait une souffrance ! » Et je dus prononcer ces paroles en soupirant sur un ton tellement triste que le vieillard ne voulut point insister ni me presser à ce sujet. Il changea aussitôt de discours, en mettant l'entretien sur les questions de vente et d'achat de mes sucreries ; puis, en me donnant congé, il tira de sa bourse dix dinars d'or qu'il me mit entre les mains avec beaucoup de délicatesse, et m'embrassa comme un père embrasse son fils…

À ce moment de sa narration, Schahrazade vit apparaître le matin et, discrète, se tut.

Mais lorsque fut la huit cent vingt-cinquième nuit. Elle dit :

Il tira de sa bourse dix dinars d'or qu'il me mit entre les mains avec beaucoup de délicatesse, et m'embrassa comme un père embrasse son fils.

Or, moi, je louai en mon âme ce vénérable cheikh dont la libéralité m'était plus précieuse dans mon dénuement, et je songeai que les plus considérables seigneurs à qui j'avais coutume de présenter mon plateau d'osier ne m'avaient jamais donné la centième partie de ce que je venais de recevoir de cette main que je ne manquai point de baiser par respect et gratitude. Et le lendemain, bien que je ne fusse pas bien fixé sur les intentions de mon bienfaiteur de la veille, je ne manquai point de me rendre au souk. Et lui, dès qu'il m'eut aperçu, me fit signe d'approcher, et prit un peu d'encens dans mon plateau. Puis il me fit asseoir tout près de lui et, après quelques demandes et réponses, m'invita avec tant d'intérêt à lui raconter mon histoire, que je ne pus cette fois m'en défendre sans le formaliser. Je lui appris donc qui j'étais et tout ce qui m'était arrivé, sans lui rien cacher. Et, après que je lui eus fait cette confidence, il me dit, avec une grande émotion dans la voix : « Ô mon fils, tu retrouves en moi un père plus riche qu'Abdelaziz – qu'Allah soit satisfait de lui ! – et qui n'aura pas moins d'affection pour toi. Comme je n'ai point d'enfant ni d'espérance d'en avoir, je t'adopte. Ainsi, ô mon fils, calme ton âme et rafraîchis tes yeux, car, si Allah veut, tu vas oublier près de moi tes malheurs passés ! »

Et, ayant ainsi parlé, il m'embrassa et me serra contre son cœur. Puis il m'obligea à jeter mon plateau d'osier avec son contenu, ferma sa boutique et, me prenant par la main, me conduisit dans sa demeure, où il me dit : « Demain nous partirons pour la ville de Bassra, qui est également ma ville et où je veux vivre avec toi désormais, ô mon enfant ! » Et, de fait, le lendemain nous prîmes ensemble le chemin de Bassra, ma ville natale, où nous arrivâmes sans encombre, grâce à la sécurité d'Allah. Et tous ceux qui me rencontraient et me reconnaissaient se réjouissaient de me voir devenu le fils adoptif d'un si riche marchand.

Quant à moi, il n'est pas besoin de te dire, seigneur, que je m'attachai de toute mon intelligence et de tout mon savoir à plaire au vieillard. Et il était charmé de mes complaisances à son égard, et me disait souvent : « Aboulcassem, quel jour béni que celui de notre rencontre à Bagdad ! Comme ma destinée est belle qui t'a mis sur ma route, ô mon enfant ! Et comme tu es digne de mon affection, de ma confiance et de ce que j'ai fait pour toi et pense faire pour ton avenir ! » Et moi, j'étais si touché des sentiments qu'il me marquait que, malgré la différence d'âge, je l'aimais véritablement et allais audevant de tout ce qui pouvait lui faire plaisir. Ainsi, par exemple, au lieu d'aller m'amuser avec des jeunes gens de mon âge, je lui tenais compagnie, sachant qu'il aurait pris ombrage de la moindre chose ou du moindre geste qui ne lui eût pas été destiné.

Or au bout d'une année, mon protecteur fut atteint, par l'ordre d'Allah, d'une maladie qui le mit à l'extrémité, tous les médecins ayant désespéré de le guérir. Aussi se hâta-t-il de me mander près de lui ; et il me dit : « La bénédiction est sur toi, ô mon fils Aboulcassem. Tu m'as donné du bonheur pendant l'espace d'une année entière, alors que la plupart des hommes peuvent à peine compter un jour heureux durant toute leur vie. Il est donc temps, avant que la Séparatrice vienne s'arrêter à mon chevet, que je sois quitte de trop grandes dettes envers toi. Sache donc, mon fils, que j'ai à te révéler un secret dont la possession va te rendre plus riche que tous les rois de la terre. Si, en effet, je n'avais pour tout bien que cette maison avec les richesses qu'elle contient, je croirais ne te laisser qu'une fortune trop minime ; mais tous les biens que j'ai amassés pendant le cours de ma vie, quoique considérables pour un marchand, ne sont rien en comparaison du trésor que je veux te découvrir. Je ne te dirai pas depuis quel temps, par qui ni de quelle manière le trésor se trouve dans notre maison, car je l'ignore. Tout ce que je sais, c'est qu'il est fort ancien. Mon aïeul, en mourant, le découvrit à mon père, qui me fit aussi la même confidence peu de jours avant sa mort ! »

Et, ayant ainsi parlé, le vieillard se pencha à mon oreille, tandis que je pleurais en voyant la vie s'en aller de lui, et m'apprit dans quel endroit de la demeure était le trésor. Puis il m'assura que quelque grande idée que je pusse me former des richesses qu'il renfermait, je les trouverais encore plus considérables que je ne me les représenterais. Et il ajouta : « Et te voici, ô mon fils, le maître absolu de tout cela. Que ta paume soit large ouverte, sans craindre d'arriver jamais à épuiser ce qui n'a point de fond. Sois heureux ! Ouassalam ! » Et ayant prononcé ces dernières paroles, il trépassa dans la paix – qu'Allah l'ait en miséricorde et répande sur lui Ses bénédictions !

Or, moi, après que, comme unique héritier, je lui eus rendu les derniers devoirs, je pris possession de tous ses biens et, sans tarder, j'allai voir le trésor. Et, à mon éblouissement, je pus constater que mon défunt père adoptif n'avait guère exagéré son importance ; et je me disposai à en faire le meilleur usage possible. Quant à tous ceux qui me connaissaient et avaient assisté à ma première ruine, ils furent du coup persuadés que j'allais me ruiner une seconde fois. Et ils se dirent entre eux : « Quand même le prodigue Aboulcassem aurait tous les trésors de l'émir des Croyants, il les dissiperait sans hésiter. » Aussi quel ne fut point leur étonnement lorsque, au lieu de voir dans mes affaires le moindre désordre, ils se furent aperçus qu'elles devenaient au contraire de jour en jour plus florissantes. Et ils n'arrivaient pas à concevoir comment je pouvais augmenter mon bien en le prodiguant, d'autant moins qu'ils voyaient que je faisais des dépenses de plus en plus extraordinaires, et que j'entretenais à mes frais tous les étrangers de passage à Bassra, en les hébergeant comme des rois.

Aussi le bruit se répandit bientôt dans la ville que j'avais trouvé un trésor, et il n'en fallut pas davantage pour attirer vers moi la cupidité des autorités. En effet, le chef de la police ne tarda pas à venir me trouver, un jour, et, après avoir pris son temps, me dit : « Seigneur Aboulcassem, mes yeux voient et mes oreilles entendent ! Mais comme j'exerce mes fonctions pour vivre, alors que tant d'autres vivent pour exercer des fonctions, je ne viens point te demander compte de la vie fastueuse que tu mènes et t'interroger sur un trésor que tu as tout intérêt à cacher. Je viens simplement te dire que si je suis un homme avisé, je le dois à Allah et ne m'en orgueillis pas. Seulement le pain est cher, et notre vache ne donne plus de lait. » Et moi, ayant compris le but de sa démarche, je lui dis : « Ô père des hommes d'esprit, combien te faut-il par jour pour acheter du pain à ta famille et remplacer le lait que ne donne plus ta vache ? » Il répondit : « Pas plus de dix dinars d'or par jour, ô mon seigneur. » Je dis : « Ce n'est pas assez, je veux t'en donner cent par jour. Et, pour cela, tu n'as qu'à venir ici au commencement de chaque mois, et mon trésorier te comptera les trois mille dinars nécessaires à ta subsistance ! » Là-dessus il voulut m'embrasser la main, mais je m'en défendis, n'oubliant pas que tous les dons sont un prêt du Créateur. Et il s'en alla, en appelant sur moi les bénédictions.

Or, le lendemain de la visite du chef de la police, le kâdi me fit appeler chez lui et me dit : « Ô jeune homme, Allah est le maître des trésors, et le quint Lui revient de droit. Paie donc le quint de ton trésor, et tu seras le tranquille possesseur des quatre autres parties ! » Je répondis : « Je ne sais trop ce que veut signifier notre maître le kâdi à son serviteur. Mais je m'engage à lui donner tous les jours, pour les pauvres d'Allah, mille dinars d'or, à condition qu'on me laisse en repos. » Et le kâdi approuva fort mes paroles, et accepta ma proposition.

Mais, quelques jours plus tard, un garde vint me chercher de la part du wali de Bassra. Et lorsque je fus arrivé en sa présence, le wali, qui m'avait accueilli d'un air engageant, me dit : « Me crois-tu assez injuste pour t'enlever ton trésor, si tu me le montrais ? » Et je répondis : « Qu'Allah prolonge de mille ans les jours de notre maître le wali ! Mais dût-on m'arracher la chair avec des tenailles brûlantes, je ne découvrirai point le trésor qui est en effet en ma possession. Toutefois je consens à payer chaque jour à notre maître le wali, pour les malheureux de sa connaissance, deux mille dinars d'or. » Et le wali, devant une offre qui lui parut si considérable, n'hésita pas à accepter ma proposition, et me renvoya, après m'avoir comblé de prévenances.

Et, depuis ce temps, je paie fidèlement à ces trois fonctionnaires la redevance journalière que je leur ai promise. Et, en retour, ils me laissent mener la vie de largesse et de générosité pour laquelle je suis né. Et telle est, ô mon seigneur, l'origine d'une fortune qui t'étonne, je le vois, et dont personne autre que toi ne soupçonne l'étendue ! »

Lorsque le jeune Aboulcassem eut fini de parler, le khalifat, à la limite du désir de voir le merveilleux trésor, dit à son hôte : « Ô généreux Aboulcassem, est-il réellement possible qu'il y ait au monde un trésor que ta générosité ne soit pas capable d'épuiser bientôt ? Non, par Allah ! je ne puis le croire, et si ce n'était pas trop exiger de toi, je te prierais de me le montrer, en te jurant par les droits sacrés de l'hospitalité sur ma tête et par tout ce qui peut rendre un serment inviolable, que je n'abuserai point de ta confiance et que tôt ou tard je saurai reconnaître cette faveur unique. »

À ces paroles du khalifat, Aboulcassem devint bien changé quant à son teint et à sa physionomie, et répondit d'un ton attristé : « Je suis bien affligé, seigneur, que tu aies cette curiosité que je ne puis satisfaire qu'à des conditions fort désagréables, puisque je ne puis me résoudre à te laisser partir de ma maison avec un désir rentré et un souhait inexaucé. Ainsi, il faudra que je te bande les yeux et que je te conduise, toi sans armes et la tête nue, et moi le cimeterre à la main, prêt à t'en frapper si tu essaies de violer les lois de l'hospitalité. D'ailleurs je sais bien que, même en agissant de la sorte, je commets une grande imprudence, et que je ne devrais pas céder à ton envie. Enfin, qu'il soit fait selon ce qui est écrit pour nous en ce jour béni ! Es-tu prêt à accepter mes conditions ? » Il répondit : « Je suis prêt à te suivre, et j'accepte ces conditions et mille autres semblables. Et je te jure par le Créateur du ciel et de la terre que tu ne te repentiras pas d'avoir satisfait ma curiosité. D'ailleurs j'approuve tes précautions, et suis loin de t'en savoir mauvais gré ! »

Là-dessus, Aboulcassem lui mit un bandeau sur les yeux et, le prenant par la main, le fit descendre, par un escalier dérobé, dans un jardin d'une vaste étendue. Et là, après plusieurs détours dans les allées qui s'entrecroisaient, il le fit pénétrer dans un profond et spacieux souterrain dont une grande pierre, à ras du sol, couvrait l'entrée. Et d'abord ce fut un long corridor en pente, qui s'ouvrait dans une grande salle sonore. Et Aboulcassem ôta le bandeau au khalifat qui vit avec émerveillement cette salle éclairée par la seule lumière des escarboucles dont toutes les parois ainsi que le plafond étaient incrustés. Et un bassin d'albâtre blanc, de cent pieds de circonférence, se voyait au milieu de cette salle, plein de pièces d'or et de tous les joyaux que peut rêver le cerveau le plus exalté. Et tout autour de ce bassin douze colonnes d'or, qui soutenaient autant de statues en gemmes de douze couleurs, jaillissaient comme des fleurs sorties d'un sol miraculeux.

Et Aboulcassem conduisit le khalifat au bord du bassin et lui dit : « Tu vois cet amas de dinars d'or et de joyaux de toutes les formes et de toutes les couleurs. Eh bien, il n'a encore baissé que de deux travers de doigt, alors que la profondeur du bassin est insondable ! Mais ce n'est pas fini ! » Et il le conduisit dans une seconde salle, semblable à la première par l'étincellement de ses parois, mais plus vaste encore, avec, en son milieu, un bassin plein de pierres taillées et de pierres en cabochons, et ombragé par deux rangées d'arbres semblables à celui dont il lui avait fait présent. Et au milieu de la voûte de cette salle courait, en lettres brillantes, cette inscription : « Que le maître de ce trésor ne craigne point de l'épuiser ; il ne saurait en venir à bout. Qu'il s'en serve plutôt pour mener une vie agréable et pour acquérir des amis ; car la vie est une et ne revient pas, et la vie, sans les amis, n'est pas la vie ! »

Après quoi, Aboulcassem fit encore visiter à son hôte plusieurs autres salles qui ne le cédaient en rien aux précédentes ; puis, voyant qu'il était déjà fatigué d'avoir vu tant de choses éblouissantes, il le reconduisit hors du souterrain, après lui avoir toutefois bandé les yeux. Une fois rentré dans le palais, le khalifat dit à son guide : « Ô mon maître…

À ce moment de sa narration, Schahrazade vit apparaître le matin et, discrète, se tut.

Mais lorsque fut la huit cent vingt-sixième nuit. Elle dit :

… Une fois rentrés dans le palais, le khalifat dit à son guide : « Ô mon maître, après ce que je viens de voir, et à en juger par la jeune esclave et les deux aimables garçons que tu m'as donnés, tu dois être non seulement l'homme le plus riche de la terre, mais certainement l'homme le plus heureux. Car tu dois posséder dans ton palais les plus belles filles de l'Orient et les plus belles adolescentes des îles de la mer ! » Et le jeune homme répondit tristement : « Certes, ô mon seigneur, j'ai en grand nombre, dans ma demeure, des esclaves d'une beauté remarquable, mais puis-je les aimer, moi dont la chère disparue remplit la mémoire, la douce, la charmante, celle qui fut précipitée, à cause de moi, dans les eaux du Nil ? Ah ! j'aimerais mieux n'avoir pour toute fortune que celle contenue dans la ceinture d'un portefaix de Bassra et posséder Sabiba, la sultane favorite, que de vivre sans elle avec tous mes trésors et tout mon harem ! » Et le khalifat admira la constance de sentiment du fils d'Abdelaziz, mais il l'exhorta à faire tous ses efforts pour surmonter ses regrets. Puis il le remercia de la magnifique réception qu'il lui avait faite et prit congé de lui pour s'en retourner à son khân, s'étant assuré de la sorte, par lui-même, de la vérité des assertions de son vizir Giafar qu'il avait fait jeter dans un cachot. Et il reprit le lendemain le chemin de Bagdad avec tous les serviteurs, l'adolescente, les deux jeunes garçons et tous les présents qu'il devait à la générosité sans pareille d'Aboulcassem.

Or, dès qu'il fut de retour au palais, Al-Rachid se hâta de remettre en liberté son grand vizir Giafar, et, pour lui prouver combien il regrettait de l'avoir puni d'une façon préventive, lui fit cadeau des deux jeunes garçons, et lui rendit toute sa confiance. Puis, après lui avoir raconté le résultat de son voyage, il lui dit : « Et maintenant, ô Giafar, dis-moi ce que je dois faire pour reconnaître les bons procédés d'Aboulcassem ! Tu sais que la reconnaissance des rois doit surpasser le plaisir qu'on leur a fait. Si je me contente d'envoyer au magnifique Aboulcassem ce que j'ai de plus rare et de plus précieux dans mon trésor, ce sera fort peu de chose pour lui. Comment donc pourrai-je le vaincre en générosité ? » Et Giafar répondit : « Ô émir des Croyants, le seul moyen dont tu disposes pour payer ta dette de reconnaissance, c'est de nommer Aboulcassem roi de Bassra ! » Et Al-Rachid répondit : « Tu dis vrai, ô mon vizir, c'est là le meilleur moyen de m'acquitter envers Aboulcassem. Et tu vas tout de suite partir pour Bassra et lui remettre les patentes de sa nomination, puis le conduire ici afin que nous puissions le fêter dans notre palais ! » Et Giafar répondit par l'ouïe et l'obéissance, et partit sans retard pour Bassra. Et Al-Rachid alla trouver Sett Zobéida dans son appartement, et lui fit présent de la jeune fille, de l'arbre et du paon, ne gardant pour lui que la coupe. Et Zobéida trouva la jeune fille si charmante, qu'elle dit à son époux, en souriant, qu'elle l'acceptait avec plus de plaisir encore que les autres présents. Puis elle se fit narrer les détails de ce voyage étonnant.

Quant à Giafar, il ne tarda pas à revenir de Bassra avec Aboulcassem, qu'il avait pris soin de mettre au courant de ce qui était arrivé et de l'identité de l'hôte qu'il avait hébergé dans sa demeure. Et quand le jeune homme fut entré dans la salle du trône, le khalifat se leva en son honneur, s'avança au-devant de lui, en souriant, et l'embrassa comme un fils. Et il voulut aller lui-même au hammam avec lui, honneur qu'il n'avait encore accordé à personne depuis son avènement au trône. Et après le bain, pendant qu'on leur servait des sorbets, des blancs-mangers et des fruits, une esclave vint chanter, qui était nouvellement arrivée au palais. Mais Aboulcassem n'eut pas plus tôt regardé au visage la jeune esclave, qu'il poussa un grand cri et tomba évanoui. Et Al-Rachid, prompt à le secourir, le prit entre ses bras et lui fit peu à peu reprendre ses sens.

Or la jeune chanteuse n'était autre que l'ancienne favorite du sultan du Caire, qu'un pêcheur avait retirée des eaux du Nil et avait vendue à un marchand d'esclaves. Et ce marchand, après l'avoir tenue longtemps cachée dans son harem, l'avait conduite à Bagdad et vendue à l'épouse de l'émir des Croyants.

Et c'est ainsi qu'Aboulcassem, devenu roi de Bassra, retrouva sa bien-aimée et put désormais vivre avec elle dans les délices, jusqu'à l'arrivée de la Destructrice des plaisirs, la Bâtisseuse inexorable des tombeaux !

*Mais ne crois point, ô Roi fortuné, continua Schahrazade, que cette histoire soit de près ou de loin aussi étonnante et aussi pleine d'utilité morale que l'*HISTOIRE COMPLIQUÉE DE L'ADULTÉRIN SYMPATHIQUE ! » *Et le roi Schahriar, fronçant ses sourcils, demanda : « De quel adultérin veux-tu parler, Schahrazade ? » Et la fille du vizir répondit : « De celui précisément dont je vais, ô Roi, te conter la vie mouvementée ! »*

Et elle dit :

HISTOIRE COMPLIQUÉE DE L'ADULTÉRIN SYMPATHIQUE

Il est raconté – mais Allah est plus savant ! – qu'il y avait, dans une ville d'entre les villes de nos pères Arabes, trois amis qui étaient généalogistes de profession. Or, cela sera expliqué, si Allah veut. Et ces trois amis étaient, en même temps, des braves entre les braves et des subtils entre les subtils. Et leur subtilité était telle qu'ils pouvaient, en s'amusant, dépouiller un avare de sa bourse sans le faire s'en apercevoir. Et tous les jours ils avaient coutume de se réunir dans une chambre d'un khân isolé, qu'ils avaient louée à cet effet, et où ils pouvaient, sans être dérangés, se concerter à leur aise sur le bon tour à jouer aux habitants de la ville, ou sur l'exploit à préparer pour passer gaiement leur journée. Mais, il faut bien le dire, leurs faits et gestes étaient, d'ordinaire, plutôt dénués de méchanceté et pleins d'à-propos, comme leurs manières étaient d'ailleurs distinguées et leur visage avenant. Et comme ils étaient liés d'une amitié de frères tout à fait, ils mettaient leur gain en commun et se le partageaient en toute équité, considérable fût-il ou modique. Et ils dépensaient toujours la moitié de ce gain en achat de provisions de bouche, et l'autre moitié en achat de haschich, pour se griser la nuit, après la journée bien remplie. Et leur griserie, devant les chandelles allumées, était toujours de bon aloi, et ne dégénérait jamais en rixes ou en paroles malséantes, bien au contraire ! Car le haschich exaltait plutôt leurs qualités de fond et avivait leur intelligence. Et, dans ces moments-là, ils trouvaient des expédients merveilleux qui, en vérité, eussent fait les délices de l'écouteur.

Or, un jour, le haschich, ayant fermenté dans leur raison, leur suggéra un expédient d'une audace sans précédent. Car, une fois leur plan combiné, ils se rendirent de bon matin devant le jardin qui entourait le palais du roi. Et là ils se mirent ostensiblement à se quereller et à s'invectiver, en se lançant mutuellement, contre leur habitude, les imprécations les plus violentes, et en se menaçant, avec force gestes et de gros yeux, de s'entretuer ou, pour le moins, de s'entr'enculer. Lorsque le sultan, qui se promenait dans son jardin, eut entendu leurs cris et le tumulte qui s'élevait, il dit : « Qu'on m'amène les individus qui font tout ce bruit ! » Et aussitôt les chambellans et les eunuques coururent se saisir d'eux et les traînèrent, en les rassasiant de coups, entre les mains du sultan.

Or, dès qu'ils furent en sa présence, le sultan, qui avait été dérangé dans sa promenade matinale par leurs cris intempestifs, leur demanda avec colère : « Qui êtes-vous, ô chenapans ? Et pourquoi vous querelliez-vous sans vergogne sous les murs du palais de votre roi ? » Et ils répondirent : « Ô roi du temps, nous sommes des maîtres en notre art. Et chacun de nous exerce une profession différente. Quant à la cause de notre altercation – que notre maître nous pardonne ! – c'était précisément notre art. Car nous discutions sur l'excellence de nos professions, et comme nous possédons notre art à la perfection, chacun de nous prétendait être supérieur aux deux autres. Et, d'un mot à un autre mot, nous nous étions laissé envahir par la colère ; et de là aux invectives et aux grossièretés la distance a été vite parcourue. Et c'est ainsi que, oublieux de la présence de notre maître le sultan, nous nous sommes mutuellement traités d'enculés et de fils de putain et d'avaleurs de zebb ! Éloigné soit le Malin ! La colère est mauvaise conseillère, ô notre maître, et elle fait perdre aux gens bien élevés le sentiment de leur dignité ! Quelle honte sur notre tête ! Nous méritons, sans conteste, d'être traités sans clémence par notre maître le sultan ! » Et le sultan leur demanda : « Quelles sont donc vos professions ? » Et le premier des trois amis embrassa la terre entre les mains du sultan et, s'étant relevé, il dit : « Pour moi, ô mon seigneur, je suis généalogiste en pierres fines, et on reconnaît assez généralement que je suis un savant doué du talent le plus distingué dans la science des généalogies lapidaires ! » Et le sultan, fort étonné, lui dit : « Par Allah ! tu as plutôt, à en juger par ton regard de travers, l'air d'un gredin que d'un savant. Et ce serait la première fois que je verrais réunies, dans le même homme, la science et la diablerie !

Mais quoi qu'il en soit, peux-tu du moins m'expliquer en quoi consiste la généalogie lapidaire...

À ce moment de sa narration, Schahrazade vit apparaître le matin et, discrète, se tut.

Mais lorsque fut la huit cent vingt-septième nuit. Elle dit :

... Mais, quoi qu'il en soit, peux-tu du moins me dire en quoi consiste la généalogie lapidaire ? » Et il répondit : « C'est la science de l'origine et de la race des pierres précieuses, et c'est l'art de les différencier, du premier coup d'œil, d'avec les pierres fausses et de les distinguer les unes des autres par la vue et par le toucher. » Et le sultan s'écria : « Quelle étrange chose ! Mais je saurai bien mettre à l'épreuve sa science et juger de son talent ! » Et il se tourna vers le second mangeur de haschich et lui demanda : « Et toi, quelle est ta profession ? » Et le second homme, ayant embrassé la terre entre les mains du sultan, se releva et dit : « Pour ma part, ô roi du temps, je suis généalogiste de chevaux. Et on s'accorde à me considérer comme l'homme le plus savant parmi les Arabes dans la connaissance de la race et de l'origine des chevaux. Car je puis, du premier coup d'œil, et sans jamais me tromper, juger si un cheval vient de la tribu des Anazeh ou de la tribu des Mouteyr ou de chez les Beni-Khaled ou de la tribu des Dafir ou du Jabal-Schammar. Et je puis deviner, à coup sûr, s'il a été élevé sur les hauts plateaux du Nejed ou au milieu des pâturages des Nefouds, et s'il est de la race des Kehilân El-Ajouz, ou des Seglawi-Jedrân, ou des Seglawi-Scheyfi, ou des Hamdani-Simri ou des Kehilân El-Krousch. Et je puis dire la distance exacte, en pieds, que peut parcourir ce cheval en un temps donné, soit au galop, soit à l'amble, soit au trot accéléré. Et je puis révéler les maladies cachées de la bête et ses maladies futures, et dire de quel mal sont morts le père, la mère et les ancêtres jusqu'à la cinquième génération ascendante. Et je puis guérir les maladies chevalines réputées incurables, et remettre sur pied une bête à l'agonie. Et voilà, ô roi du temps, une partie seulement de ce que je sais, car je n'ose, craignant d'exagérer mes mérites, t'énumérer les autres détails de ma science. Mais Allah est plus savant ! » Et, ayant ainsi parlé, il baissa les yeux avec modestie, en s'inclinant devant le sultan.

Et le sultan, entendant et écoutant, s'écria : « Par Allah ! être savant à la fois et chenapan, quel prodige étonnant ! Mais je saurai bien contrôler son dire et éprouver sa science généalogique ! » Puis il se tourna vers le troisième généalogiste et lui demanda : « Et toi, ô troisième, quelle est ta profession ? » Et le troisième mangeur de haschich, qui était le plus subtil des trois, répondit, après les hommages rendus : « Ô roi du temps, ma profession est la plus noble sans conteste, et la plus difficile. Car si mes compagnons, ces deux savants-là, sont des généalogistes en pierres et en chevaux, moi je suis le généalogiste de l'espèce humaine. Et si mes compagnons sont des savants d'entre les plus distingués, moi je passe pour être la couronne sur leur tête, incontestablement. Car, ô mon seigneur et la couronne sur ma tête, j'ai le pouvoir de connaître la véritable origine de mes semblables, non point l'origine indirecte mais la directe, celle que la mère de l'enfant peut à peine connaître et que le père ignore, généralement. Sache, en effet, qu'à la seule vue d'un homme, et à la seule audition du timbre de sa voix, je puis, sans hésitation, lui dire s'il est fils légitime ou s'il est adultérin, et lui dire, en outre, si son père et sa mère ont été des enfants légitimes ou des produits d'illicite copulation, et lui révéler le licite ou l'illicite de la naissance des membres de sa famille, en remontant jusqu'à notre père Ismaël ben-Ibrahim – sur eux les grâces d'Allah et la plus choisie des bénédictions ! Et j'ai pu de la sorte, grâce à la science dont m'a doué le Rétributeur – qu'Il soit exalté ! – détromper bon nombre de grands seigneurs sur la noblesse de leur naissance, et leur prouver, par les preuves les plus péremptoires, qu'ils n'étaient que le résultat d'une copulation de leur mère avec tantôt un chamelier, tantôt un ânier, tantôt un cuisinier, tantôt un faux eunuque, tantôt un nègre noir, et tantôt un esclave d'entre les esclaves, ou quelque chose de semblable. Et si, ô mon seigneur, la personne que j'examine est une femme, je puis également, rien qu'en la regardant à travers son voile de visage, lui dire sa race, son origine, et jusqu'à la profession de ses parents ! Et voilà, ô roi du temps, une partie seulement de ce que je sais, car la science de la généalogie humaine est si étendue, qu'il me faudrait, pour t'en énumérer rien que les diverses branches, passer ici toute une journée de ma lourde présence sur les yeux de notre maître le sultan. Ainsi, ô mon seigneur, tu vois bien que ma science est plus admirable, et de beaucoup, que celle de mes compagnons, ces deux savants-ci ; car nul homme, sur la face de la terre, ne possède cette science que moi seul, et personne ne l'a jamais possédée avant moi. Mais toute science nous vient d'Allah, toute connaissance est un prêt de Sa générosité, et le meilleur de Ses dons est encore la vertu de l'humilité ! »

Et, ayant ainsi parlé, le troisième généalogiste baissa les yeux avec modestie, en s'inclinant de nouveau, et recula au milieu de ses compagnons rangés devant le roi. Et le roi, à la limite de l'étonnement, se dit : « Par Allah, quelle chose énorme ! Si les assertions de ce troisième-là sont justifiées, il est, sans aucun doute, le savant le plus extraordinaire de ce temps et de tous les temps ! Je vais donc garder ces trois généalogistes dans mon palais, jusqu'à ce qu'une occasion se présente qui nous permette d'essayer leur étonnant savoir. Et si leurs prétentions sont démontrées sans fondement, le pal les attend ! »

Et, ayant ainsi parlé avec lui-même, le sultan se tourna vers son grand vizir et lui dit : « Qu'on garde à vue ces trois savants, en leur donnant une chambre dans le palais, ainsi qu'une ration de pain et de viande par jour, et de l'eau à discrétion. » Et l'ordre fut exécuté à l'heure et à l'instant. Et les trois amis se regardèrent, en se disant avec les yeux : « Quelle générosité ! Nous n'avons jamais entendu dire qu'un roi ait été aussi munificent que ce roi, et aussi sagace ! Mais, par Allah ! nous ne sommes pas généalogistes pour rien. Et notre heure viendra, en se pressant ou sans se presser. »

Mais pour ce qui est du sultan, l'occasion qu'il désirait ne tarda pas à s'offrir. En effet, un roi voisin lui envoya des présents fort rares, parmi lesquels se trouvait une pierre précieuse d'une merveilleuse beauté, blanche et transparente, et d'une eau plus pure que l'œil du coq. Et le sultan, se rappelant les paroles du généalogiste lapidaire, l'envoya chercher et, après qu'il lui eut montré la pierre, il lui demanda de l'examiner et de lui dire ce qu'il en pensait. Mais le généalogiste lapidaire répondit : « Par la vie de notre maître le roi, je n'ai guère besoin d'examiner cette pierre sous toutes ses faces, soit par transparence soit par réflexion, ni de la prendre dans ma main, ni même de la regarder. Car, pour en juger la valeur et la beauté, je n'ai besoin que de la toucher du bout du petit doigt de ma main gauche, en tenant les yeux fermés ! » Et le roi, encore plus étonné que la première fois, se dit : « Voici enfin le moment où nous allons pouvoir faire la mesure de ses prétentions ! » Et il présenta la pierre au généalogiste lapidaire qui, les yeux fermés, tendit le petit doigt et l'effleura. Et aussitôt il recula vivement, et secoua sa main comme si elle avait été mordue ou brûlée, et dit : « Ô mon seigneur, cette pierre n'est d'aucune valeur, car, non seulement elle n'est pas de la race pure des pierres précieuses, mais elle contient un ver dans son cœur ! »

Et le sultan, à ces paroles, sentit la fureur lui remplir le nez, et s'écria : « Que dis-tu là, ô fils d'entremetteur ? Ne sais-tu que cette pierre est d'une eau admirable, transparente à souhait et pleine d'éclat, et qu'elle me vient en cadeau d'un roi d'entre les rois ? » Et, n'écoutant que son indignation, il appela le fonctionnaire du pal, et lui dit : « Perce le fondement de cet indigne menteur ! » Et le fonctionnaire du pal, qui était un géant extraordinaire, saisit le généalogiste et l'enleva comme un oiseau, et se mit en devoir de l'embrocher, en lui perçant ce qu'il y avait à percer, quand le grand vizir, qui était un vieillard plein de prudence et de modération et de bon sens, dit au sultan : « Ô roi du temps, certes ! cet homme a dû exagérer ses mérites, et l'exagération en tout est condamnable. Mais peut-être que ce qu'il avance n'est pas tout à fait dénué de vérité et, dans ce cas, sa mort ne serait pas suffisamment justifiée devant le Maître de l'univers. Or, ô mon seigneur, la vie d'un homme quel qu'il soit est plus précieuse que la pierre la plus précieuse, et pèse davantage dans la balance du Peseur ! C'est pourquoi il vaut mieux différer le supplice de cet homme jusques après la preuve. Et la preuve ne peut être obtenue qu'en brisant cette pierre en deux. Et alors si le ver se trouve dans le cœur de cette pierre, l'homme sera justifié ; mais si la pierre est intacte et sans carie interne, le châtiment de cet homme sera prolongé et accentué par le fonctionnaire du pal. »

Et le sultan, ayant reconnu la justesse des paroles de son grand vizir, dit : « Qu'on partage cette pierre en deux ! » Et la pierre fut rompue à l'instant. Et le roi et tous les assistants furent à l'extrême limite de l'étonnement en voyant sortir un ver blanc du cœur même de la pierre. Et ce ver, dès qu'il fut à l'air, prit feu de lui-même et se consuma en un instant, sans laisser la moindre trace de son existence.

Or lorsque le sultan fut revenu de son émotion, il demanda au généalogiste : « Par quel moyen as-tu pu t'apercevoir de l'existence, dans le cœur de la pierre, de ce ver que nul de nous ne pouvait voir ? » Et le généalogiste répondit avec modestie : « Par la subtilité de la vue de l'œil que j'ai au bout de mon petit doigt, et par la sensibilité de ce doigt à la chaleur et au froid de cette pierre ! »

Et le sultan, émerveillé de sa science et de sa subtilité, dit au fonctionnaire du pal : « Lâche-le ! » Et il ajouta : « Qu'on lui donne aujourd'hui une double ration de pain et de viande, et de l'eau à discrétion ! »

Et voilà pour le généalogiste lapidaire !

Mais pour ce qui est du généalogiste des chevaux, voici :

Quelque temps après cet événement de la gemme habitée par le ver, le sultan reçut de l'intérieur de l'Arabie, comme marque de féalité de la part d'un puissant chef de tribu, un cheval bai-brun, d'une beauté admirable. Et, enchanté de ce présent, il passait des jours entiers dans l'écurie à l'admirer. Et comme il n'oubliait pas la présence dans le palais du généalogiste des chevaux, il lui fit transmettre l'ordre de se présenter devant lui. Et lorsqu'il fut entre ses mains, il lui dit : « Ô homme, prétends-tu toujours t'y connaître en chevaux, de la manière que tu nous as racontée il n'y a pas longtemps ? Et te sens-tu prêt à nous prouver ta science de l'origine et de la race des chevaux ? » Et le second généalogiste répondit : « Mais certainement, ô roi du temps ! » Et le sultan s'écria : « Je jure par la vérité de Celui qui me plaça comme souverain sur les cous de Ses serviteurs, et qui dit aux êtres et aux choses : « Soyez ! » pour qu'ils fussent, que s'il y a la moindre erreur, fausseté ou confusion dans ta déclaration, je te ferai mourir de la pire mort ! » Et l'homme répondit : « J'entends et je me soumets ! » Et le sultan dit alors : « Qu'on amène le cheval devant ce généalogiste ! » Et lorsque la noble bête fut devant lui, le généalogiste jeta sur elle un coup d'œil, un seul, puis se contracta quant à sa figure, sourit et dit en se tournant vers le sultan : « J'ai vu et j'ai su ! » Et le sultan demanda : « Qu'as-tu vu, ô homme, et qu'as-tu su...

À ce moment de sa narration, Schahrazade vit apparaître le matin et, discrète, se tut.

Mais lorsque fut la huit cent vingt-huitième nuit. Elle dit :

... Le généalogiste des chevaux jeta donc sur la noble bête un coup d'œil, un seul, se contracta quant à sa figure, sourit et dit en se tournant vers le sultan : « J'ai vu et j'ai su ! » Et le sultan lui demanda : « Qu'as-tu vu, ô homme, et qu'as-tu su ? » Et le généalogiste répondit : « J'ai vu, ô roi du temps, que ce cheval est effectivement d'une beauté rare et d'une excellente race, que ses proportions sont harmonieuses et son allure pleine de fierté, que sa puissance est très grande, et son action idéale ; que l'épaule est très fine, l'encolure superbe, la selle haute, les jambes d'acier, la queue levée et formant un arc parfait, et la crinière lourde, épaisse et balayant le sol ; et, quant à la tête, elle a toutes les marques distinctives qui sont essentielles dans la tête d'un cheval du pays des Arabes, elle est large, et non petite, développée dans les hautes régions, avec une grande distance des oreilles aux yeux, une grande distance d'un œil à l'autre, et une toute petite distance d'une oreille à l'autre ; et le devant de cette tête est convexe ; et les yeux sont à fleur de tête, et sont beaux comme les yeux des gazelles ; et l'espace autour des yeux est sans poil et laisse à nu, dans leur voisinage immédiat, le cuir noir, fin et lustré ; et l'os des joues est grand et maigre, et celui de la mâchoire est en relief ; et la face, vers le bas, se fait tout de suite étroite et tourne presque en pointe jusqu'à l'extrémité de la lèvre ; et la narine, au repos, reste de niveau avec la face et ne paraît être qu'une fente pincée ; et la bouche a la lèvre inférieure plus large que la lèvre supérieure ; et les oreilles sont larges, longues, fines et délicatement coupées comme les oreilles de l'antilope ; enfin c'est une bête en tous points splendide. Et sa couleur bai-brun est la reine des couleurs. Et, sans aucun doute, cette bête serait le premier cheval de la terre, et nulle part on ne pourrait trouver son égale, si elle n'avait une tare que viennent de découvrir mes yeux, ô roi du temps ! »

Lorsque le sultan eut entendu cette description du cheval qu'il aimait, il fut d'abord émerveillé, surtout étant donné le simple regard négligemment jeté sur la bête par le généalogiste. Mais lorsqu'il eut entendu parler d'une tare, ses yeux flambèrent et sa poitrine se rétrécit et, d'une voix que la colère faisait trembler, il demanda au généalogiste : « Que dis-tu là, ô fourbe maudit ? Et que parles-tu de tare au sujet d'une bête si merveilleuse et qui est le dernier rejeton de la plus noble race d'Arabie ? » Et le généalogiste, sans s'émouvoir, répondit : « Du moment que le sultan s'émeut des paroles de son esclave, l'esclave ne dira plus rien ! » Et le sultan s'écria : « Dis ce que tu as à dire ! » Et l'homme reprit : « Je ne parlerai que si le roi m'en donne la liberté ! » Et le roi dit : « Parle donc, et ne me cache rien ! » Alors il dit : « Sache, ô roi, que ce cheval est d'une race pure et véritable, par son père, mais rien que par son père ! Quant à sa mère, je n'ose en parler ! » Et le roi, le visage convulsé, cria : « Qui donc est sa mère, hâte-toi de nous le dire ! » Et le généalogiste dit : « Par Allah, ô mon seigneur, la mère de ce cheval superbe est d'une race d'animal tout à fait différente. Car ce n'est pas une jument, mais une femelle de buffle marin ! »

À ces paroles du généalogiste, le sultan s'encoléra à la limite extrême de la colère et se tuméfia puis se dégonfla, et ne put d'abord prononcer un mot. Et il finit par s'écrier : « Ô chien des généalogistes, ta mort est préférable à ta vie ! » Et il fit signe au fonctionnaire du pal, en lui disant : « Perce le fondement de ce généalogiste-là ! Et le géant, maître du pal, enleva le généalogiste dans ses bras, et, le posant par le fondement sur la pointe perforante en question, allait l'y laisser tomber de tout son poids, pour ensuite tourner le vilebrequin ascendant, quand le grand vizir, l'homme doué du sens de la justice, supplia le roi de différer de quelques instants le supplice, en lui disant : « Ô mon maître souverain, ce généalogiste est certainement affligé d'un esprit imprudent et d'un faible jugement, pour ainsi prétendre faire descendre ce pur cheval d'une mère qui serait une femelle de buffle marin. Aussi, pour lui bien prouver que son supplice est mérité, il vaut mieux faire appeler ici l'écuyer qui a amené ce cheval de la part du chef des tribus arabes. Et notre maître le sultan l'interrogera en présence de ce généalogiste, et lui demandera de nous remettre le sachet qui contient l'acte de naissance de ce cheval et qui témoigne de sa race et de son origine ; car nous savons que tout cheval de sang noble doit porter attaché à son cou un sachet en forme d'étui qui contient ses titres et sa généalogie ! » Et le sultan dit : « Il n'y a pas d'inconvénient ! » et donna l'ordre d'amener en sa présence l'écuyer en question.

Lorsque l'écuyer fut entre les mains du sultan et qu'il eut entendu et compris ce qu'on lui demandait, il répondit : « J'écoute et j'obéis ! Et voici l'étui ! » Et tirant de son sein un sachet en cuir ouvragé et incrusté de turquoises, il le remit au sultan qui en défit aussitôt les cordons, et en tira un parchemin sur lequel étaient empreints les cachets de tous les chefs de la tribu où était né le cheval, et les attestations de tous les témoins présents à la saillie de la mère par le père. Et ce parchemin portait, en définitive, que le jeune poulain en question avait eu pour père un étalon pur sang de la race des Seglawi-Jedrân, et pour mère une femelle de buffle marin que l'étalon avait rencontrée, un jour qu'il voyageait au bord de la mer, et qu'il avait saillie à trois reprises, après avoir henni sur elle d'une façon péremptoire. Et il y était dit que cette femelle de buffle marin, ayant été capturée par les cavaliers, avait mis bas à terme ce poulain bai-brun, et qu'elle l'avait elle-même allaité pendant un an, au milieu de la tribu.

Et tel était le résumé du contenu du parchemin.

Lorsque le sultan eut entendu la lecture que lui avait faite le grand vizir lui-même de ce document, et l'énumération des noms des cheikhs et des témoins qui l'avaient cacheté, il fut extrêmement confondu d'un fait aussi étrange, et, en même temps, fort émerveillé de la science divinatoire et infaillible du généalogiste des chevaux. Et il se tourna vers le fonctionnaire du pal, et lui dit : « Retire-le de dessus la planche du vilebrequin ! » Et, une fois qu'il fut de nouveau debout entre ses mains, il lui demanda : « Comment as-tu pu, d'un seul coup d'œil, juger de la race, de l'origine, des qualités et de la naissance de ce poulain ? Car ton assertion s'est trouvée vraie, par Allah ! et prouvée d'une manière irréfutable. Hâte-toi donc de m'éclairer sur les signes auxquels tu as reconnu la tare de cette bête splendide ! » Et le généalogiste répondit : « La chose est aisée, ô mon seigneur ! Je n'ai eu qu'à regarder les sabots du cheval. Et notre maître n'a qu'à faire comme j'ai fait. » Et le roi regarda les sabots de la bête et vit qu'ils étaient fourchus, épais et longs, comme ceux des buffles, au lieu d'être unis, légers et ronds comme ceux des chevaux. Et le sultan, à cette vue, s'écria : « Allah est Tout-Puissant ! » Et il se tourna vers les serviteurs et leur dit : « Qu'on donne aujourd'hui à ce savant généalogiste une double ration de viande ainsi que deux galettes de pain, et de l'eau à discrétion ! »

Et voilà pour lui ! Mais pour ce qui est du généalogiste de l'espèce humaine, ce fut bien autre chose.

En effet, lorsque le sultan eut vu se passer ces deux événements extraordinaires, dus à la découverte par les deux généalogistes de la gemme qui contenait un ver dans son cœur et du poulain né d'un étalon pur sang et d'une femelle de buffle marin, et qu'il eut contrôlé par lui-même la science prodigieuse des deux hommes, il se dit : « Par Allah ! je ne sais pas, mais je crois que le troisième gredin doit être un savant plus prodigieux encore ! Et qui sait ce qu'il va découvrir que nous ne savons pas ! » Et il le fit amener sur-le-champ en sa présence, et lui dit : « Tu dois bien te souvenir, ô homme, de ce que tu as avancé en ma présence au sujet de ta science de la généalogie quant à l'espèce humaine, qui te fait découvrir l'origine directe des hommes, celle que la mère de l'enfant peut à peine connaître et que le père ignore, généralement. Et tu dois également te souvenir que tu as avancé une pareille assertion au sujet des femmes. Je désire donc savoir de toi si tu persistes dans tes affirmations, et si tu es prêt à les démontrer devant nos yeux ? » Et le généalogiste de l'espèce humaine, qui était le troisième mangeur de haschich, répondit : « J'ai ainsi parlé, ô roi du temps, et je persiste dans mes affirmations. Et Allah est le plus grand ! »

Alors le sultan se leva de son trône et dit à l'homme : « Marche derrière moi ! » Et l'homme marcha derrière le sultan, qui le conduisit dans son harem, contrairement à la coutume, mais après avoir toutefois fait prévenir les femmes par les eunuques qu'elles eussent à s'envelopper de leurs voiles et à se couvrir le visage. Et lorsqu'ils furent tous deux arrivés dans l'appartement réservé à la favorite du moment, le sultan se tourna vers le généalogiste et lui dit : « Embrasse la terre en présence de ta maîtresse, et regarde-la ensuite pour me dire ce que tu auras vu ! » Et le mangeur de haschich dit au sultan, après avoir embrassé la terre entre les mains de la favorite : « Je l'ai examinée, ô roi du temps ! » Or il n'avait fait que jeter sur elle un regard, un seul, et rien de plus. Et le sultan lui dit : « En ce cas, marche derrière moi ! » Et il sortit, et le généalogiste marcha derrière lui, jusqu'à ce qu'ils fussent arrivés dans la salle du trône. Et le sultan, ayant fait évacuer la salle, resta seul avec son grand vizir et le généalogiste, à qui il demanda : « Qu'as-tu découvert dans ta maîtresse ? » Et il répondit : « Ô mon seigneur, j'ai vu quelqu'une qui était ornée de grâces, de charmes, d'élégance, de fraîcheur, de modestie et de tous les attributs et de toutes les perfections de la beauté. Et, certes ! on ne saurait rien souhaiter de plus en elle, car elle a tous les dons qui peuvent enchanter le cœur et rafraîchir les yeux, et, de quelque côté qu'on la regarde, elle est pleine de proportion et d'harmonie ; et certes ! si je dois en juger par son extérieur et par l'intelligence qui anime son regard, elle doit posséder dans son centre intérieur toutes les qualités désirables de finesse et de compréhension. Et voilà ce que j'ai vu en cette dame souveraine, ô mon seigneur ! Et Allah est omniscient ! » Mais le sultan se récria, disant : « Il ne s'agit pas de tout ça, ô généalogiste, mais il s'agit de me dire ce que tu as découvert au sujet de l'origine de ta maîtresse, mon honorable favorite…

À ce moment de sa narration, Schahrazade vit apparaître le matin et, discrète, se tut.

Mais lorsque fut la huit cent vingt-neuvième nuit. Elle dit :

… Lorsque le généalogiste eut dit au sultan : « Et voilà ce que j'ai vu en cette dame souveraine, ô mon seigneur ; mais Allah est omniscient ! » le sultan lui dit : « Il ne s'agit pas de tout ça, ô généalogiste, mais il s'agit de me dire ce que tu as découvert au sujet de l'origine de ta maîtresse, mon honorable favorite ! » Et le généalogiste, prenant soudain un air réservé et discret, répondit : « C'est là une chose délicate, ô roi du temps, et je ne sais si je dois parler ou me taire ! » Et le sultan s'écria : « Hé, par Allah ! je ne t'ai fait venir que pour que tu parles ! Allons, sors ce que tu as, et pèse tes paroles, ô gredin ! » Et le généalogiste, sans s'émouvoir, dit : « Par la vie de notre maître, cette dame serait l'être le plus parfait parmi les créatures d'Allah, si elle n'avait un défaut originel qui dépare ses perfections personnelles ! »

En entendant ces dernières paroles et ce mot de défaut, le sultan fronça les sourcils et envahi par la fureur, tira tout à coup son cimeterre et sauta sur le généalogiste, pour lui trancher la tête, en criant : « Ô chien, fils de chien, tu vas certainement me dire que ma favorite est une descendante de quelque buffle marin ou qu'elle contient un ver dans son œil ou ailleurs ! Ah ! fils des mille cornards de l'impudicité, que cette lame fasse entrer ta longueur dans ta largeur ! » Et il lui eût infailliblement fait boire la mort d'une gorgée, si le vizir prudent et judicieux ne se fût trouvé là pour détourner son bras, et lui dire : « Ô mon seigneur, il vaut mieux ne pas ôter la vie à cet homme avant d'être convaincu de son crime ! » Et le sultan demanda à l'homme qu'il avait renversé et qu'il tenait sous son genou : « Eh bien, parle ! Quel est ce défaut que tu as trouvé à ma favorite ? » Et le généalogiste de l'espèce humaine répondit du même ton tranquille : « Ô roi du temps, ma maîtresse, ton honorable favorite, est un objet de beauté et de perfections, mais sa mère était une danseuse publique, une femme libre de la tribu errante des Ghaziyas, une fille de prostituée ! »

À ces paroles, la fureur du sultan devint si intense que les cris restèrent au fond de sa gorge. Et ce ne fut qu'au bout d'un bon moment qu'il put s'exprimer, disant à son grand vizir : « Va vite et m'amène ici le père de ma favorite, qui est l'intendant de mon palais ! » Et il continua à tenir sous son genou le généalogiste, qui était le troisième mangeur de haschich. Et lorsque le père de sa favorite fut arrivé, il lui cria : « Tu vois ce pal, n'est-ce pas ? Et bien, hâte-toi, si tu ne veux pas te voir au-dessus de sa pointe, de me dire la vérité au sujet de la naissance de ta fille, ma favorite ! » Et l'intendant du palais, père de la favorite, répondit : « J'écoute et j'obéis ! » Et il dit : « Sache, ô mon maître souverain, que je vais te dire la vérité, car elle est le seul salut. Dans ma jeunesse, je vivais la vie libre du désert et je voyageais en escortant les caravanes qui me payaient la redevance du passage sur le territoire de ma tribu. Or un jour que nous étions campés près des puits de Zobéida – que les grâces et la miséricorde d'Allah soient sur elle ! – vint à passer une troupe de femmes de la tribu errante des Ghaziyas, dont les filles, une fois à l'âge de la puberté, se prostituent aux hommes du désert, en voyageant d'une tribu à l'autre, et d'un campement à l'autre, offrant leurs grâces et leur science de l'amour aux jeunes cavaliers. Et cette troupe resta au milieu de nous pendant quelques jours, et nous quitta ensuite pour aller trouver les hommes de la tribu voisine. Et voici qu'après son départ, alors qu'elle était déjà hors de vue, je découvris, blottie sous un arbre, une petite fille de cinq ans que sa mère, une Ghaziya, avait dû perdre ou oublier dans l'oasis, auprès des puits de Zobéida. Et, en vérité, ô mon maître souverain, cette fillette, brune comme la datte mûre, était si mignonne et si jolie que je déclarai, séance tenante, que je la prenais à ma charge. Et, malgré qu'elle fût effarouchée comme une jeune biche à sa première sortie dans les bois, je réussis à l'apprivoiser, et la confiai à la mère de mes enfants qui l'éleva comme si elle avait été sa propre fille. Et elle grandit au milieu de nous et se développa si bellement, qu'à sa puberté nulle fille du désert, quelque merveilleuse qu'elle fût, ne pouvait lui être comparée. Et moi, ô seigneur, je sentais mon cœur épris d'elle, et, ne voulant point m'unir à elle par l'illicite, je la pris pour ma femme légitime, en l'épousant, malgré son origine inférieure. Et grâce à la bénédiction, elle me donna la fille que tu as daigné élire pour ta favorite, ô roi du temps ! Et telle est la vérité sur la mère de ma fille, et sur sa race et son origine. Et je jure, par la vie de notre prophète Môhammad – sur Lui la lumière et la paix ! –, que je n'ai point ajouté une syllabe à la vérité et que je n'en ai point retranché une syllabe. Mais Allah est plus véridique et le seul infaillible ! »

Lorsque le sultan eut entendu cet aveu sans artifice, il se sentit soulagé d'un souci torturant et d'une inquiétude pleine de douleur. Car il s'était imaginé que sa favorite était la fille d'une prostituée d'entre les filles Ghaziyas, et il venait d'apprendre précisément le contraire, puisque, bien que Ghaziya, la mère était restée vierge jusqu'à son mariage avec l'intendant du palais. Et il se laissa alors aller à la surprise que lui causait la science du perspicace généalogiste. Et il lui demanda : « Comment t'y es-tu pris pour deviner, ô savant, que ma favorite était une fille de Ghaziya, fille de danseuse, fille elle-même de prostituée ? » Et le généalogiste mangeur de haschich répondit : « Voici ! D'abord c'est ma science – Allah est plus savant ! – qui m'a mis sur la voie de cette découverte. Et c'est ensuite le fait que les femmes de race Ghaziya ont toutes, comme ta favorite, les sourcils fort épais et se rejoignant à la racine du nez, et ont, comme elle également, les yeux les plus intensément noirs d'Arabie ! » Et le roi, émerveillé de ce qu'il venait d'entendre, ne voulut point congédier le généalogiste sans lui donner une marque probante de sa satisfaction. Il se tourna donc vers les serviteurs qui étaient rentrés, et leur dit : « Donnez aujourd'hui à ce savant distingué une double ration de viande et deux galettes du jour, ainsi que de l'eau à discrétion ! »

Et voilà pour le généalogiste de l'espèce humaine ! Mais ce n'est pas tout, car ce n'est pas fini.

En effet, le lendemain, le sultan, ayant passé sa nuit à réfléchir sur ce qu'avaient fait les trois compagnons et sur la profondeur de leur science dans les diverses branches de la généalogie, se dit en lui-même : « Par Allah ! après ce que m'a dit ce généalogiste de l'espèce humaine sur l'origine de la race de ma favorite, il n'y a plus qu'à le déclarer l'homme le plus savant de mon royaume. Mais auparavant je voudrais bien savoir ce qu'il pourrait me dire sur mon origine, moi, le sultan, qui suis le descendant authentique de tant de rois ! » Et sa pensée devint action à l'instant même, et il fit amener de nouveau entre ses mains le généalogiste de l'espèce humaine, et lui dit : « Maintenant, ô père de la science, que je n'ai aucun motif de douter de tes paroles, je voudrais bien t'entendre me parler de mon origine et de l'origine de ma race royale ! » Et il répondit : « Sur ma tête et sur mon œil, ô roi du temps, mais certainement pas avant que tu m'aies promis la sécurité. Car le proverbe dit : « *Entre la colère du sultan et ton cou, mets de l'espace, et fais-toi plutôt exécuter par contumace !* » Or moi, ô mon maître, je suis sensible et délicat, et je préfère le pal par contumace au pal efficace qui vous enchâsse et vous outrepasse la crevasse pour une question de race ! » Et le sultan lui dit : « Par ma tête ! je t'accorde la sécurité, et, quoi que tu puisses dire, tu es d'avance absous ! » Et il lui jeta le mouchoir de la sauvegarde. Et le généalogiste ramassa le mouchoir de la sauvegarde, et dit : « En ce cas, ô roi du temps, je te prie de ne laisser dans cette salle personne d'autre que nous deux ! » Et le roi demanda : « Pourquoi, ô homme ! » Il dit : « Parce que, ô mon maître, Allah Tout-Puissant possède parmi ses noms bénis le surnom de « Voileur », vu qu'il aime voiler des voiles du mystère les choses dont la divulgation serait nuisible ! » Et le sultan ordonna de sortir à tout le monde, même à son grand vizir. Alors le généalogiste, se trouvant seul à seul avec le sultan, s'avança vers lui et, se penchant à son oreille, il lui dit : « Ô roi du temps, tu n'es qu'un enfant adultérin, et de mauvaise qualité…

À ce moment de sa narration, Schahrazade vit apparaître le matin et, discrète, se tut.

Mais lorsque fut la huit cent trentième nuit. Elle dit :

… Alors le généalogiste, se trouvant seul à seul avec le sultan, s'avança vers lui et, se penchant à son oreille, il lui dit : « Ô roi du temps, tu n'es qu'un enfant adultérin, et de mauvaise qualité ! » En entendant ces terribles paroles, dont l'audace était inouïe, le sultan devint bien jaune de couleur et changea de contenance ; et ses membres tombèrent déliés ; et il perdit l'ouïe et la vue ; et il devint semblable à un ivrogne sans vin ; et il chancela, avec de l'écume sur ses lèvres ; et il finit par s'abattre défaillant sur le sol, et resta longtemps dans cette situation, sans que le généalogiste sût exactement s'il était mort du coup, ou demi-mort, ou vivant encore. Mais il finit par revenir à lui, et, s'étant relevé et ayant tout à fait recouvré ses sens, il se tourna vers le généalogiste, et lui dit : « Maintenant, ô homme, par la vérité de Celui qui me plaça sur les cous de Ses serviteurs, si tes paroles me sont prouvées véridiques, et si j'acquiers la certitude là-dessus, par des preuves positives, je veux, sans retour possible et sûrement, abdiquer un trône dont je serai indigne, et me démettre de mon pouvoir royal en ta faveur. Car tu es le plus méritant, et nul ne saura comme toi se rendre digne de cette situation. Mais si je trouve le mensonge au bout de tes paroles, je t'égorgerai ! » Et le généalogiste répondit :

« J'écoute et j'obéis ! Et il n'y a point d'inconvénient ! »

Alors le sultan, se levant sur ses deux pieds, sans délai ni retard, se précipita vers l'appartement de la sultane mère, l'épée à la main, et pénétra chez elle, et lui dit : « Par Celui qui éleva le ciel et le sépara de l'eau, si tu ne me réponds pas par la vérité sur ce que je vais te demander, je te couperai en tout petits morceaux, avec ceci ! » Et il brandit son arme, en roulant des yeux d'incendie, et en bavant de fureur. Et la sultane mère, effarée à la fois et suffoquée d'un langage si peu habituel, s'écria : « Le nom d'Allah sur toi et autour de toi ! Calme-toi, ô mon enfant, et interroge-moi sur tout ce que tu désires savoir, car je ne te répondrai que selon les préceptes du Véridique ! » Et le sultan lui dit : « Hâte-toi alors de me dire, sans aucun préambule ni entrée en matière, si je suis le fils du sultan, mon père, et si je suis de la race royale de mes ancêtres. Car toi seule tu peux me le révéler ! » Et elle répondit : « Je te dirai donc, sans préambule, que tu es le fils authentique d'un cuisinier. Et, si tu veux savoir comment, voici !

« Lorsque le sultan, ton prédécesseur, celui que jusqu'ici tu croyais ton père, m'eut prise pour épouse, il cohabita avec moi selon l'usage. Mais Allah ne le favorisa pas de la fécondité, et je ne pus lui donner une postérité qui lui apportât de la joie et assurât le trône à sa race. Et, quand il vit qu'il n'avait pas d'enfants, il fut plongé dans une tristesse qui lui fit perdre l'appétit, le sommeil et la santé. Et il fut travaillé par sa mère qui le poussait à prendre sur moi une autre épouse. Et il prit sur moi une seconde épouse. Mais Allah ne le favorisa pas de la fécondité. Et il fut de nouveau conseillé par sa mère pour une troisième femme. Alors, moi, voyant que j'allais finir par être reléguée au dernier rang, et que d'ailleurs cela n'avancerait en rien l'état du sultan, je résolus de sauver mon influence en sauvant, du même coup, l'héritage du trône. Et je n'attendis que l'occasion propice pour réaliser cette excellente intention.

« Or, un jour, le sultan, qui continuait à n'avoir aucun appétit et à maigrir, eut une grande envie de manger un poulet farci. Et il donna l'ordre au cuisinier d'égorger un des volatiles qui étaient enfermés dans des cages sous les fenêtres du palais. Et l'homme vint pour prendre la volaille dans sa cage. Alors moi, ayant bien examiné ce cuisinier, je le trouvai tout à fait convenable pour l'œuvre projetée, car c'était un gaillard jeune, carré et gigantesque. Et, me penchant à la fenêtre, je lui fis signe de monter par la porte secrète. Et je le reçus dans mon appartement. Et ce qui se passa entre moi et lui ne dura qu'un temps fort restreint, car, aussitôt qu'il eut fini son affaire, je lui plongeai dans le cœur un poignard. Et il tomba à la renverse, sa tête précédant ses pieds, mort. Et je le fis ramasser par mes fidèles servantes et enterrer en secret dans une fosse creusée par elles dans le jardin. Et, ce jour-là, le sultan ne mangea pas de poulet farci, et entra dans une grande colère à cause de la disparition inexpliquée de son cuisinier. Mais, neuf mois plus tard, jour pour jour, je te mis au monde, bien portant, comme tu continues à l'être. Et ta naissance fut une cause de joie pour le sultan, qui retrouva sa santé et son appétit, et combla de faveurs et de présents ses vizirs, ses favoris et tous les habitants du palais, et donna de grandes fêtes et des réjouissances publiques qui durèrent quarante jours et quarante nuits. Et telle est la vérité sur ta naissance, ta race et ton origine. Et je jure par le Prophète – sur Lui la prière et la paix ! – que je n'ai dit que ce que je savais. Et Allah est omniscient ! »

En entendant ce récit, le sultan se leva et sortit de chez sa mère, en pleurant. Et il entra dans la salle du trône, et s'assit par terre, en face du troisième généalogiste, sans dire un mot. Et les larmes continuaient à couler de ses yeux, et se glissaient dans les interstices de sa barbe qu'il avait fort longue. Et, au bout d'une heure de temps, il releva la tête et dit au généalogiste : « Par Allah sur toi, ô bouche de vérité, dis-moi comment tu as pu découvrir que j'étais un adultérin de mauvaise qualité ! » Et le généalogiste répondit : « Ô mon maître, lorsque chacun de nous trois eut prouvé les talents qu'il possédait, et que tu fus extrêmement satisfait, tu ordonnas qu'il nous fût donné pour récompense une double ration de viande et de pain, et de l'eau à discrétion. Et je jugeai, d'après la mesquinerie d'une telle largesse et la nature même de cette générosité, que tu ne devais être que le fils d'un cuisinier, la postérité d'un cuisinier et le sang d'un cuisinier. Car les rois fils de rois n'ont pas coutume de reconnaître le mérite par des distributions de viande ou autre chose semblable, mais ils récompensent les méritants par de magnifiques présents, des robes d'honneur et des richesses sans calcul. Aussi, je ne pus faire autrement que de deviner ta basse extraction adultérine par cette preuve sans réplique. Et il n'y a point de mérite à cette découverte ! »

Lorsque le généalogiste eut cessé de parler, le sultan se leva et lui dit : « Ôte tes habits ! » Et le généalogiste obéit, et le sultan se dépouillant de ses habits et de ses attributs royaux, l'en revêtit de ses propres mains. Et il le fit monter sur le trône, et se courbant devant lui, il embrassa la terre entre ses mains, et lui rendit les hommages d'un vassal à son suzerain. Et, à l'heure et à l'instant, il fit entrer le grand vizir, les autres vizirs et tous les grands du royaume, et le fit reconnaître par eux pour leur légitime souverain. Et le nouveau sultan envoya aussitôt chercher ses amis, les deux autres généalogistes mangeurs de haschich, et nomma l'un gardien de sa droite et l'autre gardien de sa gauche. Et il conserva l'ancien grand vizir dans ses fonctions, à cause de son sentiment de la justice. Et il fut un grand roi.

Et voilà pour les trois généalogistes !

Mais, pour ce qui est de l'ancien sultan, son histoire ne fait que commencer. Car voici…

À ce moment de sa narration, Schahrazade vit apparaître le matin et, discrète, se tut.

Et sa sœur, la petite Doniazade, qui, de jour en jour et de nuit en nuit, se faisait plus jolie et plus développée et plus compréhensive et plus attentive et plus silencieuse, se leva à demi du tapis où elle était blottie, et lui dit : « Ô ma sœur, que tes paroles sont douces et savoureuses et réjouissantes et délectables ! » Et Schahrazade lui sourit, l'embrassa et lui dit : « Oui, mais qu'est cela comparé à ce que je vais raconter la nuit prochaine, si toutefois veut bien me le permettre notre maître le Roi ! » Et le sultan Schahriar dit : « Ô Schahrazade, n'en doute pas ! Tu peux, certes ! nous dire demain la suite de cette histoire prodigieuse qui ne fait qu'à peine commencer. Et tu peux, si tu n'es pas fatiguée, la continuer cette nuit même, tant je désire savoir ce qui va arriver à l'ancien sultan, ce fils adultérin ! Qu'Allah maudisse les femmes exécrables ! Toutefois je dois avouer qu'ici l'épouse du sultan, mère de l'adultérin, n'a forniqué avec le cuisinier que dans un but excellent, et non pour satisfaire les sollicitations de son intérieur. Qu'Allah étende sur elle Sa miséricorde ! Mais pour ce qui est de la maudite, de la dévergondée, de la fille de chien qui a fait ce qu'elle a fait avec le nègre Massâoud, ce n'était point pour assurer le trône à mes descendants, la maudite ! Puisse Allah ne l'avoir jamais en Sa compassion ! » Et le roi Schahriar, ayant ainsi parlé, en fronçant terriblement les sourcils et en regardant avec des yeux blancs et de côté, ajouta : « Quant à toi Schahrazade, je commence à croire que peut-être tu n'es pas comme toutes ces éhontées dont j'ai fait trancher la tête ! » Et Schahrazade s'inclina devant le Roi farouche, et dit : « Qu'Allah prolonge la vie de notre maître, et m'accorde de vivre jusqu'à demain pour te raconter ce qu'il advint de l'Adultérin sympathique ! » Et, ayant ainsi parlé, elle se tut.

Mais lorsque fut la huit cent trente et unième nuit, la petite Doniazade dit à Schahrazade : « Par Allah sur toi, ô ma sœur, si tu n'as pas sommeil, de grâce ! hâte-toi de nous dire ce que devint l'ancien sultan, fils adultérin du cuisinier ! » Et Schahrazade dit : « De tout cœur, et comme hommage dû à ce Roi magnanime, notre maître ! » Et elle continua l'histoire en ces termes :

… Pour ce qui est de l'ancien sultan, son histoire ne fait que commencer, car voici !

Une fois qu'il eut abdiqué son trône et sa puissance entre les mains du troisième généalogiste, l'ancien sultan revêtit l'habit de derviche pèlerin et, sans s'attarder à des adieux, devenus pour lui fort négligeables, et sans rien emporter avec lui, il se mit en route vers le pays d'Égypte, où il comptait vivre dans l'oubli et la solitude, en réfléchissant sur sa destinée. Et Allah lui écrivit la sécurité, et, après un voyage plein de fatigues et de périls, il arriva dans la ville splendide du Caire, cette immense cité si différente des villes de son pays, et dont le tour demande pour le moins trois journées et demie de marche. Et il vit qu'elle était vraiment une des quatre merveilles du monde, en comptant le pont de Sanja, le phare d'Al-Iskandaria et la mosquée des Ommiades à Damas. Et il trouva qu'il était loin d'avoir exagéré les beautés de cette ville et de ce pays, le poète qui a dit : « Égypte ! terre merveilleuse dont la poussière est d'or, dont le fleuve est une bénédiction, et dont les habitants sont délectables, tu appartiens au victorieux qui sait te conquérir ! »

Et se promenant, et regardant, et s'émerveillant, sans se lasser, l'ancien sultan se sentait, sous ses habits de derviche pauvre, tout heureux de pouvoir admirer à son aise, et marcher à sa guise, et s'arrêter à son gré, débarrassé des ennuis et des charges de la souveraineté. Et il pensait : « Louange à Allah le Rétributeur ! Il donne aux uns la puissance avec les fardeaux et les soucis, et aux autres la pauvreté avec l'insouciance et la légèreté de cœur. Et ce sont les derniers qui sont les plus favorisés ! Qu'il soit béni ! » Et il arriva de la sorte, riche de visions charmantes, devant le palais même du sultan du Caire, qui était alors le sultan Mahmoud. Et il s'arrêta sous les fenêtres du palais, et, appuyé sur son bâton de derviche, il se mit à réfléchir sur la vie que pouvait mener en cette demeure imposante le roi du pays, et sur le cortège de préoccupations, d'inquiétudes et d'ennuis divers où il devait être constamment plongé, sans compter sa responsabilité devant le Très-Haut qui voit et juge les actions des rois. Et il se réjouissait en son âme d'avoir songé à se libérer, grâce à sa naissance dévoilée, d'une vie si lourde et si compliquée, et de l'avoir échangée contre une existence de plein air et de liberté, n'ayant pour tout bien et pour tout revenu que sa chemise, son manteau de laine et son bâton. Et il sentait une grande sérénité qui lui rafraîchissait l'âme et achevait de lui faire oublier ses émotions passées.

Or, à ce moment précis, le sultan Mahmoud, revenant de la chasse, rentrait dans son palais. Et il aperçut le derviche appuyé sur son bâton, ne voyant point ce qui l'entourait et le regard perdu dans la contemplation des choses lointaines. Et il fut frappé de la tournure noble de ce derviche et de son attitude distinguée et de son air détaché. Et il se dit : « Par Allah, voilà le premier derviche qui ne tende pas la main sur le passage des riches seigneurs ! Sans aucun doute son histoire doit être une singulière histoire ! » Et il dépêcha vers lui un des seigneurs de sa suite, pour l'inviter à entrer au palais, parce qu'il désirait l'entretenir. Et le derviche ne put faire autrement que d'obéir à la prière du sultan. Et ce fut pour lui le second tournant de la destinée. Et le sultan Mahmoud, après s'être un peu reposé des fatigues de la chasse, fit entrer le derviche en sa présence, et le reçut avec affabilité, et le questionna avec bonté sur son état, lui disant : « La bienvenue sur toi, ô vénérable derviche d'Allah ! À en juger par ton air, tu dois être un fils des nobles Arabes du Hedjaz ou de l'Yémen ! » Et le derviche répondit : « Allah seul est noble, ô mon seigneur ! Moi, je ne suis qu'un pauvre homme, un mendiant. » Et sultan Mahmoud reprit : « Il n'y a point d'inconvénient ! Mais quel est le motif de ta venue dans ce pays et de ta présence sous les murs de ce palais, ô derviche ? Ce doit être, certainement, une étonnante histoire ! » Et il ajouta : « Par Allah sur toi, ô derviche béni, raconte-moi ton histoire, sans m'en rien cacher ! » Et le derviche, à ces paroles du sultan, ne put s'empêcher de laisser tomber une larme de ses yeux, et une grande émotion étreignit son cœur. Et il répondit : « Je ne te cacherai rien, seigneur, de mon histoire, bien qu'elle me soit un souvenir plein d'amertume et de douceur. Mais permets-moi de ne point te la raconter en public ! » Et sultan Mahmoud se leva de son trône, descendit vers le derviche et, lui prenant la main, il le conduisit dans une salle retirée, où il s'enferma avec lui. Puis il lui dit : « Maintenant tu peux parler sans crainte, ô derviche ! »

Alors l'ancien sultan, assis sur le tapis en face du sultan Mahmoud, dit : « Allah est le plus grand ! Voici mon histoire ! » Et il raconta tout ce qui lui était arrivé, depuis le commencement jusqu'à la fin, sans oublier un détail, et comment il avait abdiqué le trône et s'était déguisé en derviche, pour voyager et tâcher d'oublier ses malheurs. Mais il n'y a point d'utilité à le répéter.

Lorsque le sultan Mahmoud eut entendu les aventures du derviche supposé, il se jeta à son cou et l'embrassa avec effusion, et lui dit : « Gloire à Celui qui abaisse et qui élève, qui humilie et qui honore, par les décrets de Sa sagesse et de

Sa toute-puissance ! » Puis il ajouta : « En vérité, ô mon frère, ton histoire est une grande histoire et son enseignement est un grand enseignement ! Sois donc remercié pour m'en avoir ennobli les oreilles et enrichi l'entendement. La douleur, ô mon frère, est un feu qui purifie, et les retours du temps guérissent les yeux aveugles de naissance. » Puis il dit : « Et maintenant que la sagesse a élu ton cœur pour domicile, et que la vertu d'humilité devant Allah t'a donné plus de titres de noblesse que n'en donne aux fils des rois un millénaire de domination, me serait-il permis d'exprimer un souhait, ô le plus grand ? » Et l'ancien sultan dit : « Sur ma tête et sur mes yeux, ô roi magnanime ! » Et sultan Mahmoud dit : « J'aimerais être ton ami ! » Et, ayant ainsi parlé, il embrassa de nouveau l'ancien sultan, devenu derviche, et lui dit : « Quelle vie admirable sera la nôtre désormais, ô mon frère ! Ensemble nous sortirons, ensemble nous rentrerons, et, la nuit, nous irons parcourir, sous le déguisement, les divers quartiers de la ville, pour le bénéfice moral que pourront nous donner ces promenades. Et, dans ce palais, tout t'appartiendra par moitié, en toute cordialité. De grâce ! ne me refuse pas, car le refus est une des formes de la parcimonie ! »

Et, le sultan-derviche ayant accepté d'un cœur ému l'offre amicale, sultan Mahmoud ajouta : « Ô mon frère et mon ami, sache à ton tour que, moi aussi, j'ai dans ma vie une histoire. Et cette histoire est si étonnante que, si elle était écrite avec les aiguilles sur le coin intérieur de l'œil, elle servirait de leçon salutaire à qui la lirait avec déférence. Et je ne veux pas davantage tarder à te la raconter, afin que tu saches, au début même de notre amitié, ce que je suis et ce que j'ai été ! »

Et le sultan Mahmoud, ayant rassemblé vers un seul point ses souvenirs, dit au sultan-derviche, devenu son ami :

HISTOIRE DU SINGE JOUVENCEAU

« Sache, ô mon frère, que le début de ma vie a été de tous points semblable à la fin de ta carrière, car si toi tu as commencé par être d'abord sultan pour revêtir ensuite les habits de derviche, moi j'ai fait juste le contraire. Car j'ai d'abord été derviche, et le plus pauvre des derviches, pour arriver ensuite à être roi, et à m'asseoir sur le trône du sultanat d'Égypte. Je suis né, en effet, d'un père fort pauvre qui exerçait, dans les rues, le métier d'arroseur. Et tous les jours il portait sur son dos son outre en peau de chèvre remplie d'eau, et, se courbant sous son poids, il arrosait le devant des boutiques et des maisons, moyennant un bien mince salaire. Et moi-même, quand je fus en âge de travailler, je l'aidai dans sa besogne, et je portai sur mon dos une outre d'eau proportionnée à mes forces, et plutôt plus lourde qu'il ne fallait. Et quand mon père trépassa dans la miséricorde de son Seigneur, j'eus pour tout héritage, toute succession et tout bien la grosse outre en peau de chèvre de l'arrosage. Et je fus bien obligé, afin de pourvoir à ma subsistance, d'exercer le métier de mon père, qui était fort estimé par les marchands dont il arrosait le devant des boutiques, et par les portiers des riches seigneurs.

Mais, ô mon frère, le dos du fils n'est jamais aussi solide que celui de son père, et je dus bientôt, tant était lourde la grosse outre paternelle, abandonner le travail pénible de l'arrosage, pour ne pas me fracturer les os du dos, ou me voir irrémédiablement bossu. Et, n'ayant ni biens, ni apanage, ni l'odeur de ces choses-là, je dus me faire derviche mendiant, et tendre la main aux passants, dans la cour des mosquées et dans les endroits publics. Et, quand venait la nuit, je m'étendais tout de mon long, à l'entrée de la mosquée de mon quartier, et m'endormais après avoir mangé mon faible gain de la journée, me disant, comme tous les malheureux de mon espèce : « La journée de demain sera, si Allah veut, plus prospère que celle-ci ! » Et je n'oubliais pas non plus que tout homme a fatalement son heure sur la terre, et que la mienne devait tôt ou tard arriver, que je le voulusse ou pas. Mais l'important était de ne pas être distrait ou somnolent lors de son passage. Et c'est pourquoi sa pensée ne me quittait pas, et je veillais sur elle comme le chien en arrêt sur le gibier.

Mais, en attendant, je vivais la vie du pauvre, dans l'indigence et le dénuement, et ne connaissant aucun des plaisirs de l'existence. Aussi, la première fois que j'eus entre les mains cinq drachmes d'argent, don inespéré d'un généreux seigneur à la porte de qui j'étais allé mendier le jour de ses noces, et dès que je me vis possesseur de cette somme, je me promis bien de faire bonne chère et de me payer quelque plaisir délicat. Et, serrant dans ma main les bienheureux cinq drachmes, je m'envolai vers le souk principal, en regardant avec mes yeux et en flairant avec mon nez, de tous côtés, pour fixer mon choix sur ce que je devais acheter. Or, voici que tout à coup j'entendis, dans le souk, de grands éclats de rire…

À ce moment de sa narration, Schahrazade vit apparaître le matin et, discrète, se tut.

Mais lorsque fut la huit cent trente-deuxième nuit. Elle dit :

… Or, voici que tout à coup j'entendis, dans le souk, de grands éclats de rire, et je vis une foule de gens au visage épanoui et aux bouches ouvertes, qui étaient rassemblés autour d'un homme qui conduisait, au bout d'une chaîne, un jeune gros singe au derrière rose. Et ce singe, tout en marchant de travers, faisait avec ses yeux, avec sa figure et avec ses mains des signes nombreux à ceux qui l'entouraient, dans le but évident de s'amuser à leurs dépens et de se faire donner des pistaches, des pois chiches et des noisettes.

Et moi, à la vue de ce singe, je me dis : « Ya Mahmoud, qui sait si ta destinée n'est pas attachée au cou de ce singe ? Te voici maintenant riche de cinq drachmes d'argent, que tu vas dépenser sur ton ventre, en une fois ou deux fois ou trois fois tout au plus ! Ne ferais-tu pas mieux plutôt, moyennant cet argent, d'acheter ce singe à son maître, pour te faire montreur de singe, et gagner sûrement ton pain journalier, au lieu de continuer à mener cette vie de mendicité à la porte d'Allah ? » Et, ayant ainsi pensé, je profitai d'un moment où la foule s'était éclaircie pour m'approcher du propriétaire du singe et je lui dis : « Veux-tu me vendre ce singe avec sa chaîne, pour trois drachmes d'argent ! » Et il me répondit : « Il m'a coûté à moi dix drachmes sonnants, mais, pour toi, je te le laisserai à huit ! » Je dis : « Quatre ! » Il dit : « Sept ! » Je dis : « Quatre et demi ! » Il dit : « Le dernier mot, cinq ! Et prie sur le Prophète ! » Et je répondis : « Sur Lui les bénédictions, la prière et la paix d'Allah ! J'accepte le marché, et voici les cinq drachmes ! » Et, desserrant mes doigts qui tenaient les cinq drachmes enfermés dans le creux de ma main plus sûrement que dans une cassette d'acier, je lui remis la somme qui était tout mon avoir et tout mon capital, et, en retour, je pris le jeune gros singe, et je l'emmenai par le bout de sa chaîne.

Mais alors je réfléchis que je n'avais ni domicile ni réduit pour l'abriter, et que je ne pouvais songer à le faire entrer avec moi dans la cour de la mosquée où j'habitais en plein air, car j'en eusse été chassé par le gardien avec force injures à mon adresse et à l'adresse de mon singe. Et alors je me dirigeai vers une vieille maison en ruine, qui n'avait plus que trois murs debout et je m'y installai pour passer la nuit avec mon singe. Et la faim commençait à me torturer cruellement, et sur cette faim venait s'ajouter l'envie rentrée que je n'avais pu satisfaire sur les friandises du souk, et qu'il m'était désormais impossible d'apaiser, puisque l'acquisition du singe m'avait tout enlevé. Et mon embarras, déjà extrême, se doublait maintenant du souci de nourrir mon compagnon, mon futur gagne-pain. Et déjà je commençais à regretter mon achat, quand soudain je vis mon singe se secouer, en faisant plusieurs mouvements singuliers. Et, au même moment, sans que j'eusse le temps de bien me rendre compte de la chose, je vis, à la place du hideux animal au derrière luisant, un jouvenceau comme la lune à son quatorzième jour. Et de ma vie je n'avais vu une créature qui pût lui être comparée en beauté, en grâces et en élégance. Et, debout dans une attitude charmante, il s'adressa à moi d'une voix douce comme le sucre, disant : « Mahmoud, tu viens de dépenser, pour m'acheter, les cinq drachmes d'argent qui étaient tout ton capital et toute ta fortune, et, dans cet instant même, tu ne sais comment faire pour te procurer quelque nourriture qui puisse nous suffire, à moi et à toi ! » Et je répondis : « Par Allah, tu dis vrai, ô jouvenceau ! Mais comment tout ça ? Et qui es-tu ? Et d'où viens-tu ? Et que veux-tu ? Et il me dit, en souriant : « Mahmoud, ne me fais pas de questions. Mais prends plutôt ce dinar d'or, et achète tout ce qui est nécessaire pour nous régaler. Et sache, Mahmoud, que ta destinée est, en effet, comme tu l'as pensé, attachée à mon cou, et que je viens à toi porteur de la bonne fortune et du bonheur ! » Puis il ajouta : « Mais hâte-toi, Mahmoud, d'aller nous acheter de quoi manger, car nous sommes bien affamés, moi et toi ! » Et j'exécutai aussitôt ses ordres et nous ne tardâmes pas à faire ensemble un repas d'une qualité excellente, le premier de cette espèce depuis ma naissance. Et, comme la nuit était déjà fort avancée, nous nous couchâmes à côté l'un de l'autre. Et moi, voyant qu'il était certainement plus délicat que moi, je le couvris de mon vieux manteau en laine de chameau. Et il s'endormit tout contre moi, comme s'il n'avait fait que cela toute sa vie. Et je n'osai faire le moindre mouvement, de peur de l'effaroucher ou de lui faire croire à des intentions *telles* et *telles* de ma part, et de le voir alors reprendre sa forme première de gros singe au derrière écorché. Et, par ma vie ! je trouvai qu'entre le contact délicieux de ce corps de jouvenceau et la peau de chèvre des outres qui m'avaient servi d'oreillers dès le berceau, il y avait vraiment de la différence ! Et je m'endormis, de mon côté, en pensant que je dormais aux côtés de mon destin. Et je bénissais le Donateur qui me l'accordait sous un aspect si beau et si séduisant.

Or, le lendemain, le jouvenceau, levé de meilleure heure que moi, me réveilla et me dit : « Mahmoud ! Il est grand temps, après cette nuit à la dure, que tu ailles louer à notre intention quelque palais qui soit le plus beau d'entre les palais de cette ville ! Et ne crains pas d'être à court d'argent, et d'acheter, comme meubles et tapis, ce que tu trouveras de plus cher et de plus précieux dans le souk. » Et moi je répondis par l'ouïe et l'obéissance, et j'exécutai ses ordres sans perdre de temps. Or lorsque nous fûmes installés dans notre nouvelle demeure, qui était la plus splendide du Caire, louée à son propriétaire moyennant dix sacs de mille dinars d'or, le jouvenceau me dit : « Mahmoud ! comment n'as-tu pas honte, habillé de loques comme tu es, et le corps servant de refuge à toutes les variétés de puces et de poux, de t'approcher de moi et de vivre à côté de moi ? Et qu'attends-tu pour aller au hammam te purifier et améliorer ton état ? Car, pour ce qui est de l'argent, tu en as plus qu'il n'en faut aux sultans maîtres des empires. Et pour ce qui est des vêtements, tu n'as que l'embarras du choix ! » Et moi je répondis par l'ouïe et l'obéissance, et me hâtai d'aller prendre un bain étonnant, et je sortis du hammam léger, parfumé et embelli.

Lorsque le jouvenceau me vit reparaître devant lui, transformé et habillé de vêtements de la plus grande richesse, il me considéra longuement, et parut satisfait de ma tournure. Puis il me dit : « Mahmoud ! c'est bien ainsi que je voulais que tu fusses. Viens maintenant t'asseoir près de moi ! » Et je m'assis près de lui, en pensant en mon âme : « Hé ! je crois bien que c'est le moment ! » Et je m'apprêtai à ne pas être en retard d'aucune manière et par n'importe quel endroit.

Or, au bout d'un moment, le jouvenceau me tapa amicalement sur l'épaule et me dit : « Mahmoud ! » Et je répondis : « Ya sidi ! » Il me dit : « Que penses-tu d'une jouvencelle fille de roi, plus belle que la lune du mois de Ramadân, qui deviendrait ton épouse ? » Je dis : « Je penserais, ô mon maître, qu'elle serait la bienvenue ! » Il dit : « Dans ce cas, lève-toi, Mahmoud, prends ce paquet que voici, et va demander au sultan du Caire sa fille aînée en mariage ! Car elle est écrite dans ta destinée ! Et son père, en te voyant, saura que tu es celui qui doit être l'époux de sa fille. Mais, toi, n'oublie pas en entrant, aussitôt après les salams, d'offrir au sultan ce paquet en présent ! » Et moi je répondis : « J'écoute et j'obéis ! » Et, sans hésiter un instant, puisque telle était ma destinée, je pris avec moi un esclave pour me tenir le paquet le long du chemin, et je me rendis au palais du sultan.

Et les gardes du palais et les eunuques, en me voyant habillé avec tant de magnificence, me demandèrent respectueusement ce que je désirais. Et, lorsqu'ils furent informés que je souhaitais parler au sultan, et que j'avais un cadeau à lui remettre en mains propres, ils ne firent aucune difficulté pour faire, en mon nom, une demande d'audience, et m'introduire aussitôt en sa présence. Et moi, sans perdre contenance, comme si toute ma vie j'avais été le commensal des rois, je jetai le salam au sultan, avec beaucoup de déférence mais sans platitude, et il me le rendit d'un air gracieux et bienveillant. Et je pris le paquet des mains de l'esclave, et le lui offris, en disant : « Daigne accepter ce modeste présent, ô roi du temps, bien qu'il ne soit point sur la voie de tes mérites mais sur l'humble sentier de mon impuissance ! » Et le sultan fit prendre et ouvrir le paquet par son grand vizir, et regarda dedans. Et il y vit des joyaux et des parures et des ornements d'une magnificence si incroyable, que jamais il n'avait dû rien voir de semblable. Et, émerveillé, il se récria sur la beauté de ce cadeau, et me dit : « Il est accepté ! Mais hâte-toi de m'apprendre ce que tu désires, et ce que je puis te donner en échange. Car les rois ne doivent point être en retard de largesses et de savoir-vivre ! » Et moi, sans attendre davantage, je répondis : « Ô roi du temps, mon souhait est de devenir ton connexe et ta parenté à travers cette perle cachée, cette fleur encalicée, cette vierge scellée et cette dame en ses voiles enfermée, ta fille aînée ! »

Lorsque le sultan eut entendu mes paroles et compris ma demande, il me regarda une heure de temps, et me répondit : « Il n'y a pas d'inconvénient ! » Puis il se tourna vers son vizir et lui dit : « Toi, que penses-tu de la demande de cet éminent seigneur ? Pour ma part, je le trouve tout à fait seyant ! Et je reconnais, à certains signes de sa physionomie, qu'il est envoyé par le destin pour être mon gendre ! » Et le vizir interrogé répondit : « Les paroles du roi sont sur notre tête ! Et le seigneur n'est point une connexité indigne de notre maître ni une parenté à rejeter. Loin de là ! Mais peut-être vaudrait-il mieux lui demander une preuve, autre que ce cadeau, de sa puissance et de sa capacité ! » Et le sultan lui dit : « Comment dois-je agir en cette affaire ? Conseille-moi, ô vizir. » Il dit : « Mon avis, ô roi du temps, est de lui montrer le plus beau diamant du trésor, et de lui accorder en mariage la princesse, ta fille, que sous la condition qu'il apportera, pour présent de noces, un diamant de la même valeur. » Alors moi, bien que violemment ému de tout cela dans mon intérieur, je demandai au sultan : « Si je t'apporte une pierre qui soit la sœur de celle-ci et sa pareille en tous points, me donneras-tu la princesse ? » Il me répondit : « Si tu m'apportes réellement une pierre identique à celle-ci, ma fille sera ton épouse. » Et moi j'examinai la pierre, je la tournai dans tous les sens, et la fixai dans mon œil. Puis je la rendis au sultan, et pris congé de lui, en lui demandant la permission de revenir le lendemain.

Et lorsque j'arrivai à notre palais, le jouvenceau me dit : « Quelle est l'affaire ? » Et je le mis au courant de ce qui s'était passé, en lui dépeignant la pierre comme si je la tenais entre mes doigts. Et il me dit : « La chose est aisée. Aujourd'hui, toutefois, il est trop tard ; mais demain, inschallah ! je te donnerai dix diamants exactement pareils à celui que tu m'as dépeint…

À ce moment de sa narration, Schahrazade vit apparaître le matin et, discrète, se tut.

Mais lorsque fut la huit cent trente-troisième nuit. Elle dit :

… Aujourd'hui, toutefois, il est trop tard ; mais demain, inschallah ! je te donnerai dix diamants exactement pareils à celui que tu m'as dépeint. » Et, effectivement, le lendemain matin, le jouvenceau sortit dans le jardin du palais, et, au bout d'une heure, il me rapporta les dix diamants, tous d'une beauté exactement égale à celui du sultan, taillés en forme d'œuf de pigeon et purs comme l'œil du soleil. Et j'allai les présenter au sultan, en lui disant : « Ô mon maître, excuse-moi du peu. Mais je n'ai pu avoir un seul diamant, et j'ai dû te rapporter un lot de dix. Et tu peux choisir, et jeter ensuite ceux qui te déplairont ! » Et il fit ouvrir par le grand vizir le petit coffret d'émail qui les contenait, et resta émerveillé de leur éclat et de leur beauté, et grandement surpris de voir qu'il y en avait réellement dix, tous pareils à celui qu'il possédait, exactement.

Et, lorsqu'il fut revenu de son étonnement, il se tourna vers le vizir et, sans lui adresser la parole, il lui fit de la main un geste qui signifiait : « Que dois-je faire ? » Et le vizir répondit, de la même manière, par un geste qui voulait dire : « Il faut lui accorder ta fille ! » Et aussitôt les ordres furent donnés pour qu'on fît tous les préparatifs de notre mariage. Et on manda le kâdi et les témoins, qui écrivirent le contrat de mariage, séance tenante. Et lorsque cet acte légal fut dressé, on me le remit, selon le cérémonial d'usage. Et, comme j'avais tenu à ce que le jouvenceau, que j'avais présenté au sultan comme mon proche parent, assistât à la cérémonie, je m'empressai de lui montrer le contrat afin qu'il le parcourût à ma place, vu que je ne savais moi-même ni lire ni écrire. Et, l'ayant lu à voix haute d'un bout à l'autre, il me le rendit, en me disant : « Il est fait selon les règles et selon la coutume. Et te voici licitement marié à la fille du sultan. » Puis il me prit à part et me dit : « Tout cela est bien, Mahmoud, mais maintenant j'exige de toi une promesse ! » Et je répondis : « Hé, par Allah ! quelle promesse peux-tu me demander qui soit plus grande que celle de te donner ma vie qui déjà t'appartient ! » Et il sourit et me dit : « Mahmoud ! Je ne veux pas que tu consommes le mariage, avant que je te donne la permission de pénétrer en elle. Car il y a quelque chose que je dois faire auparavant ! » Et je répondis : « Ouïr c'est obéir ! »

Aussi, lorsque vint la nuit de la pénétration, j'entrai chez la fille du sultan. Mais, au lieu de faire ce que fait l'époux en pareil cas, je m'assis loin d'elle, dans mon coin, malgré le désir. Et je me contentai seulement de la regarder de loin, en détaillant avec mes yeux ses perfections. Et j'agis de la sorte la seconde nuit et la troisième nuit, bien que chaque matin la mère de mon épouse vînt, selon l'usage, la questionner au sujet de sa nuit, lui disant : « J'espère d'Allah qu'il n'y a pas eu d'encombre et que la preuve est faite de ta virginité ! » Mais mon épouse répondait : « Il ne m'a rien fait encore ! » C'est pourquoi, au matin de la troisième nuit, la mère de mon épouse s'affligea à la limite de l'affliction, et s'écria : « Ô notre calamité ! pourquoi ton époux nous traite-t-il de cette manière humiliante, et persiste-t-il à s'abstenir de ta pénétration ? Et que vont penser de cette conduite injurieuse nos parentes et nos esclaves ? Et n'ont-elles pas le droit de croire que cette abstention est due à quelque motif dont l'aveu est difficile à faire, ou à quelque raison tortueuse ? » Et, pleine d'inquiétude, elle alla, ce matin du troisième jour, raconter la chose au sultan qui dit : « Si, cette nuit, il ne réduit pas son pucelage, je l'égorgerai ! » Et cette nouvelle parvint aux oreilles de l'adolescente, mon épouse, qui vint me la rapporter.

Alors moi je n'hésitai pas à mettre le jouvenceau au courant de la situation. Et il me dit : « Mahmoud, c'est le moment ! Mais avant de réduire son pucelage, il faut encore une condition, et c'est de lui demander, lorsque tu seras seul avec elle, de te donner un bracelet qu'elle porte au bras droit. Et tu le prendras, et me l'apporteras sur-le-champ. Après quoi il te sera loisible d'accomplir la pénétration, et de satisfaire sa mère et son père. » Et je répondis : « J'écoute et j'obéis ! »

Et lorsque je m'unifiai avec elle, à l'entrée de la nuit, je lui dis : « Par Allah sur toi, as-tu réellement le désir que je te donne cette nuit plaisir et joie ? » Elle me répondit : « J'ai ce désir, en vérité. » Et je repris : « Donne-moi alors le bracelet que tu portes à ton bras droit ! » Et elle s'écria : « Je veux bien te le donner, mais je ne sais ce qui pourrait résulter de l'abandon entre tes mains de ce bracelet-amulette qui m'a été donné par ma nourrice, quand j'étais tout enfant. » Et, ce disant, elle le défit de son bras et me le donna. Et moi je sortis à l'instant et allai le remettre à mon ami le jouvenceau, qui me dit : « C'est bien celui-ci qu'il me faut ! Maintenant tu peux retourner pour la pénétration. » Et je m'empressai de rentrer dans la chambre nuptiale, pour accomplir ma promesse concernant la prise de possession, et faire ainsi plaisir à tout le monde. Or, à partir du moment où je pénétrai auprès de mon épouse, qui m'attendait toute prête dans son lit, j'ignore, ô mon frère, ce qui m'est arrivé. Tout ce que je sais, c'est que je vis soudain ma chambre et mon palais fondre comme dans les rêves, et je me vis couché en plein air au milieu de la maison en ruine, où j'avais conduit le singe lors de son acquisition. Et j'étais dépouillé de mes riches vêtements et à moitié nu sous les haillons de mon ancienne misère. Et je reconnus ma vieille tunique rapiécée de morceaux de toile de toutes les couleurs, et mon bâton de derviche mendiant, et mon turban plein de trous comme un crible de grainetier.

À cette vue, ô mon frère, je ne sus trop tout ce que cela signifiait, et je me demandai : « Ya Mahmoud, es-tu à l'état de veille ou de sommeil ? Rêves-tu ou es-tu réellement Mahmoud le derviche mendiant ? » Et, ayant achevé de recouvrer mes sens, je me levai et me secouai, comme je l'avais vu faire au singe, autrefois. Mais je restai tel que j'étais, un pauvre fils de pauvre, et rien de plus.

Alors l'âme en détresse et l'esprit en mauvais état, je me mis à errer sans trop savoir où, en pensant à l'inconcevable fatalité qui m'avait mis dans cette posture. Et, errant de la sorte, j'arrivai dans une rue peu fréquentée où je vis, assis par terre sur un petit tapis, et tenant devant lui une petite natte couverte de papiers écrits et de divers objets divinatoires, un Maghrébin du Barbar. Et moi, heureux de cette rencontre, je m'approchai du Maghrébin, dans le but de me faire tirer mon sort et dire mon horoscope, et lui jetai un salam, qu'il me rendit. Et je m'assis par terre sur mes jambes repliées, m'accroupis en face de lui, et le priai de consulter pour moi l'Invisible.

Alors le Maghrébin, après m'avoir considéré avec des yeux où passaient des lames de couteau, s'exclama : « Ô derviche, est-ce bien toi qui as été la victime d'une exécrable fatalité qui t'a séparé d'avec ton épouse ? » Et je m'écriai : « Hé, ouallah ! hé, ouallah ! c'est moi-même ! » Il me dit : « Ô pauvre, le singe que tu as acheté cinq drachmes d'argent, et qui s'est métamorphosé si subitement en un jouvenceau plein de grâce et de beauté, n'est pas un être humain d'entre les fils d'Adam, mais un genni de mauvaise qualité. Et il ne s'est servi de toi que pour arriver à ses fins. Sache, en effet, qu'il est, depuis longtemps, passionnément épris de la fille du sultan, celle-là même qu'il t'a fait épouser. Mais comme, malgré toute sa puissance, il ne pouvait s'en approcher parce qu'elle portait sur elle un bracelet-talisman, il a employé ton entremise pour obtenir ce bracelet, et se rendre impunément maître de la princesse. Mais j'espère avant peu détruire le pouvoir dangereux de ce mauvais, qui est un des genn adultérins qui se sont révoltés contre la loi de notre seigneur Soleïman – sur Lui la prière et la paix ! »

Et, ayant ainsi parlé, le Maghrébin prit une feuille de papier, y traça des caractères compliqués, et me la remit en disant : « Ô derviche, ne doute pas de la grandeur de ton destin, reprends courage et va à l'endroit que je vais t'indiquer. Et là tu attendras le passage d'une troupe de personnages, que tu observeras avec attention. Et lorsque tu apercevras celui qui paraît être leur chef, tu lui remettras ce billet ; et il satisfera tes désirs ! » Puis il me donna les instructions nécessaires pour arriver à l'endroit dont il s'agissait, et ajouta : « Quant à la rémunération que tu me dois, tu me la donneras quand ton destin aura été accompli ! »

Alors moi, après avoir remercié le Maghrébin, je pris le billet et me mis en route vers l'endroit qu'il m'avait indiqué. Et je marchai, dans ce but, toute la nuit et tout le jour suivant et une partie de la seconde nuit. Et j'arrivai alors à une plaine déserte où il n'y avait, pour toute présence, que l'œil invisible d'Allah et l'herbe sauvage. Et je m'assis et attendis avec impatience ce qui allait m'arriver. Et j'entendis autour de moi comme un vol d'oiseaux de nuit que je ne voyais pas. Et l'effroi de la solitude commençait à faire trembler mon cœur, et l'épouvante de la nuit remplissait mon âme. Et voici que j'aperçus, tout à coup, à quelque distance, un grand nombre de flambeaux qui semblaient marcher d'eux-mêmes vers moi. Et bientôt je pus distinguer les mains qui les portaient ; mais les personnes à qui appartenaient ces mains restaient au fond de la nuit, et mes yeux ne les voyaient pas. Et un nombre infini de flambeaux, portés par des mains sans propriétaires, passèrent de la sorte deux à deux devant moi. Et enfin je vis, entouré d'un grand nombre de lumières, un roi sur son trône, revêtu de splendeur. Et, arrivé devant moi, il me regarda et me considéra, pendant que mes genoux s'entrechoquaient de terreur, et me dit : « Où est le billet de mon ami le Maghrébin Barbari ? » Et moi, alors j'affermis mon cœur et, m'avançant, je lui tendis le billet qu'il déplia et lut, pendant que s'arrêtait la procession. Et il cria à quelqu'un que je ne voyais pas : « Ya Atrasch, viens ici ! » Et aussitôt, sortant de l'ombre, s'avança un messager tout équipé, qui embrassa la terre entre les mains du roi. Et le roi lui dit : « Va vite au Caire enchaîner le genni un tel, et me l'amène sans retard ! » Et le messager obéit, et disparut à l'instant.

Or, au bout d'une heure, il revint avec le jouvenceau enchaîné, qui était devenu horrible à regarder et hideux à dévisager. Et le roi lui cria : « Pourquoi, ô maudit, as-tu frustré cet adamite de sa bouchée ? Et pourquoi as-tu avalé la bouchée ? » Et il répondit : « La bouchée est encore intacte, et c'est moi qui l'ai préparée. » Et le roi dit : « Il faut que tu rendes à l'instant le bracelet-talisman à ce fils d'Adam, ou bien tu auras affaire à moi ! » Mais le genni, qui était un cochon obstiné, répondit avec hauteur : « Le bracelet est avec moi, et nul ne l'aura ! » Et, ce disant, il ouvrit une bouche comme un four, et y jeta le bracelet qui s'engouffra dans son intérieur.

À cette vue, le roi nocturne avança le bras et, se baissant, il saisit le genni par la nuque et, le faisant tournoyer comme une fronde, il le lança contre terre, en lui criant : « Ça t'apprendra ! » Et du coup il fit entrer sa longueur dans sa largeur. Puis il commanda à une des mains porte-flambeaux de retirer le bracelet de l'intérieur de ce corps sans vie, et de me le rendre. Ce qui fut exécuté sur-le-champ. Et aussitôt, ô mon frère, que ce bracelet fut entre mes doigts, le roi et toute sa suite...

À ce moment de sa narration, Schahrazade vit apparaître le matin et, discrète, se tut.

Mais lorsque fut la huit cent trente-quatrième nuit. Elle dit :

... Et aussitôt, ô mon frère, que ce bracelet-talisman fut entre mes doigts, le roi et toute sa suite de mains disparurent, et je me retrouvai vêtu de mes riches habits, au milieu de mon palais, dans la chambre même de mon épouse. Et je la trouvai plongée dans un profond sommeil. Mais dès que j'eus rattaché le bracelet à son bras, elle s'éveilla et poussa un cri de joie en me voyant. Et moi, comme si rien ne s'était passé entre-temps, je m'étendis contre elle. Et le reste est le mystère de la foi musulmane, ô mon frère. Et, le lendemain, son père et sa mère furent à la limite de la joie de me savoir revenu de mon absence et oublièrent, tant était grande leur joie de savoir réduite la virginité de leur fille, de m'interroger à ce sujet. Et depuis lors nous vécûmes tous dans la paix, la concorde et l'harmonie.

Et, quelque temps après mon mariage, le sultan, mon oncle, père de mon épouse, mourut sans laisser d'enfant mâle, et, comme j'étais marié avec sa fille aînée, il me légua son trône. Et je devins ce que je suis, ô mon frère. Et Allah est le plus grand. Et de Lui nous procédons et vers Lui nous retournerons ! »

Et le sultan Mahmoud, ayant ainsi raconté son histoire à son nouvel ami le sultan-derviche, le vit extrêmement étonné d'une aventure si singulière, et lui dit : « Ne t'étonne pas, ô mon frère ; car tout ce qui est écrit doit courir, et rien n'est impossible à la volonté de Celui qui a tout créé ! Et maintenant que je me suis montré à toi en toute vérité, sans craindre de me diminuer à tes yeux en te révélant mon humble origine, et précisément pour que mon exemple te soit une consolation, et pour que tu ne te croies pas inférieur à moi en rang et en valeur individuelle, tu peux être mon ami, en toute tranquillité ; car jamais je ne me croirai le droit, après ce que je t'ai raconté, de m'enorgueillir de ma situation vis-à-vis de toi, ô mon frère ! » Puis il ajouta : « Et pour que ta situation soit plus régulière, ô mon frère d'origine et de rang, je te nomme mon grand vizir. Et tu seras ainsi mon bras droit, et le conseiller de mes actes ; et rien ne se fera dans le royaume sans ton entremise et sans que ton expérience l'ait d'avance approuvé ! » Et, sans plus tarder, le sultan Mahmoud convoqua les émirs et les grands de son royaume, et fit reconnaître le sultan-derviche comme grand vizir, et le revêtit lui-même d'une magnifique robe d'honneur, et lui confia le sceau du règne.

Et le nouveau grand vizir tint diwân le jour même, et continua ainsi les jours suivants, s'acquittant des devoirs de sa charge avec un tel esprit de justice et d'impartialité, que les gens, avertis de ce nouvel état de choses, venaient du fond du pays pour réclamer ses arrêts et s'en rapporter à ses décisions, le prenant pour juge suprême dans leurs différends. Et il mettait tant de sagesse et de modération dans ses jugements, qu'il obtenait la gratitude et l'approbation de ceux mêmes contre lesquels ses sentences étaient prononcées. Quant à ses moments de loisir, il les passait dans l'intimité du sultan, dont il était devenu le compagnon inséparable et l'ami à toute épreuve.

Or, un jour, le sultan Mahmoud, se sentant l'esprit déprimé, se hâta d'aller trouver son ami, et lui dit : « Ô mon frère et mon vizir, mon cœur d'aujourd'hui est lourd en moi, et mon esprit déprimé. » Et le vizir, qui était l'ancien sultan d'Arabie, répondit : « Ô roi du temps, les joies et les peines sont en nous, et c'est notre propre cœur qui les sécrète. Mais souvent la vue des choses extérieures peut influer sur notre humeur. As-tu essayé sur tes yeux la vue des choses extérieures, aujourd'hui ? » Et le sultan répondit : « Ô mon vizir, j'ai essayé sur mes yeux d'aujourd'hui la vue des pierreries de mon trésor, et je les ai prises les unes après les autres entre mes doigts, les rubis, les émeraudes, les saphirs et les gemmes de toutes les séries de couleurs ; mais elles ne m'ont point incité au plaisir, et mon âme est restée mélancolique et mon cœur rétréci. Et je suis entré ensuite dans mon harem, et j'ai passé en revue toutes les séries de mes femmes, les blanches, les brunes, les blondes, les cuivrées, les noires, les grasses et les fines, mais aucune d'elle n'a réussi à dissiper ma tristesse. Et j'ai visité ensuite mes écuries, et j'ai regardé mes chevaux et mes juments et mes poulains, mais toute leur beauté n'a pu lever le voile qui noircit le monde devant mon visage. Et maintenant je viens te trouver, ô mon vizir plein de sagesse, afin que tu découvres un remède à mon état, ou que tu me dises les paroles qui guérissent. » Et le vizir répondit : « Ô mon seigneur, que dirais-tu d'une visite à l'asile des fous, le maristân, que tant de fois nous avons voulu voir ensemble, sans y être encore allés ? Je pense, en effet, que les fous sont des personnes douées d'un entendement différent du nôtre, et qu'ils voient entre les choses des rapports que les non-fous ne distinguent jamais, et qu'ils sont visités par l'esprit. Et peut-être que cette visite lèvera la tristesse qui pèse sur ton âme et dilatera ta poitrine ! » Et le sultan répondit : « Par Allah, ô mon vizir, allons visiter les fous du maristân ! »

Alors le sultan et son vizir, l'ancien sultan-derviche, sortirent du palais, sans prendre aucune suite avec eux, et marchèrent, sans s'arrêter, jusqu'au maristân, qui était la maison des fous. Et ils y entrèrent et la visitèrent en son entier ; mais, à leur extrême étonnement, ils n'y trouvèrent guère d'autres habitants que le chef des clefs et les gardiens ; quant aux fous, il n'y en avait ni l'ombre ni l'odeur. Et le sultan demanda au chef des clefs : « Où sont les fous ? » Et il répondit : « Par Allah, ô mon seigneur, nous n'en trouvons plus depuis un long espace de temps, et le motif de cette pénurie réside sans doute dans l'affaiblissement de l'intelligence chez les créatures d'Allah ! » Puis il ajouta : « Nous pouvons tout de même, ô roi du temps, te montrer trois fous qui sont ici depuis un certain temps, et qui nous ont été amenés, l'un après l'autre, par des personnes de haut rang, avec défense de les montrer à qui que ce soit, petit ou grand. Mais rien ne peut être caché à notre maître le sultan ! » Et il ajouta : « Ce sont, sans aucun doute, de grands savants, car ils lisent dans les livres, tout le temps ! » Et il mena le sultan et le vizir dans un pavillon écarté, où il les introduisit, pour ensuite s'éloigner, respectueusement.

Et le sultan Mahmoud et son vizir aperçurent trois jeunes gens enchaînés au mur, dont l'un lisait, tandis que les deux autres écoutaient attentivement. Et tous trois étaient beaux, bien faits, et ne présentaient aucun aspect de démence ou de folie. Et le sultan se tourna vers son compagnon et lui dit : « Par Allah, ô mon vizir, le cas de ces trois jeunes gens doit être un cas bien étonnant, et leur histoire une surprenante histoire ! » Et il se tourna vers eux, et leur dit : « Est-ce réellement pour cause de folie que vous avez été enfermés dans ce maristân ? » Et ils répondirent : « Non, par Allah ! nous ne sommes ni fous ni déments, ô roi du temps, et nous ne sommes même pas idiots ou stupides. Mais si singulières sont nos aventures et si extraordinaires nos histoires, que, si elles étaient gravées avec les aiguilles sur l'angle de nos yeux, elles seraient une leçon salutaire à ceux qui seraient capables de les déchiffrer ! » Et le sultan et le vizir, à ces paroles, s'assirent par terre en face des trois jeunes hommes enchaînés, en disant : « Notre ouïe est ouverte, et prêt notre entendement ! » Alors le premier, celui qui lisait dans le livre, dit :

HISTOIRE DU PREMIER FOU

« De mon métier, ô mes seigneurs et la couronne sur ma tête, j'étais marchand dans le souk des soieries, comme l'étaient avant moi mon père et mon grand-père. Et, comme marchandises, je ne vendais que des articles indiens, de toutes les espèces et de toutes les couleurs, mais toujours à des prix fort élevés. Et je vendais et achetais avec beaucoup de profit et de bénéfices, selon la coutume des grands marchands.

Or, un jour, j'étais, selon mon habitude, assis dans ma boutique, quand survint une vieille dame qui me souhaita le bonjour et me gratifia du salam. Et je lui rendais ses salutations et compliments, quand elle s'assit sur le rebord de ma devanture, et me questionna, disant : « Ô mon maître, as-tu des étoffes de choix originaires de l'Inde ? » Je répondis : « Ô ma maîtresse, j'ai dans ma boutique de quoi te satisfaire. » Et elle dit : « Fais-moi sortir une de ces étoffes, que je la voie ! » Et moi je me levai et tirai, à son intention, de l'armoire des réserves, une pièce d'étoffe indienne du plus grand prix, et la lui mis entre les mains. Et elle la prit, et, l'ayant examinée, elle fut grandement satisfaite de sa beauté, et me dit : « Ô mon maître, pour combien cette étoffe ? » Je répondis : « Pour cinq cents dinars. » Et elle tira aussitôt sa bourse et me compta les cinq cents dinars d'or ;

puis elle prit la pièce d'étoffe et s'en alla en sa voie. Et moi, ô notre maître le sultan, je lui vendis de la sorte pour cette somme une marchandise qui ne m'avait coûté que cent cinquante dinars.

Et je remerciai le Rétributeur pour Ses bienfaits.

Or, le lendemain, la vieille dame revint me trouver, et me demanda une autre pièce, et me la paya également cinq cents dinars, et s'en alla avec son marché et sa démarche. Et, de nouveau, elle revint le jour suivant m'acheter une autre pièce d'étoffe indienne qu'elle paya comptant ; et, ô mon seigneur le sultan, elle agit de la sorte pendant quinze jours successifs, acheta et paya avec la même régularité. Et, le seizième jour, je la vis arriver comme à l'ordinaire et choisir une nouvelle pièce. Et elle se disposait à me payer, quand elle s'aperçut qu'elle avait oublié sa bourse, et me dit : « Ya Khawaga, j'ai dû laisser ma bourse à la maison. » Et je répondis : « Ya setti, rien ne presse. Si tu veux me rapporter demain l'argent, tu seras la bienvenue ; sinon tu seras encore la bienvenue ! » Mais elle se récria, disant qu'elle ne consentirait jamais à prendre une marchandise qu'elle n'avait pas payée, et moi, de mon côté, je lui dis à plusieurs reprises : « Tu peux l'emporter, à cause de l'amitié, et par sympathie pour ta tête ! » Et un débat de mutuelle générosité s'éleva entre nous, elle refusant et moi voulant donner. Car, ô mon seigneur, il était convenable qu'ayant fait tant de bénéfices sur elle, j'agisse si poliment vis-à-vis d'elle, et que même je fusse prêt, le cas échéant, à lui donner pour rien une ou deux pièces d'étoffe. Mais, à la fin, elle me dit : « Ya Khawaga, je vois que nous n'allons jamais nous entendre, si nous continuons de la sorte. Aussi le plus simple serait que tu me fisses la faveur de m'accompagner à la maison, pour y toucher le prix de ta marchandise. » Alors moi, ne voulant point la contrarier, je me levai, fermai ma boutique et la suivis.

Et nous marchâmes, elle me précédant et moi à dix pas derrière elle, jusqu'à ce que nous fussions arrivés à l'entrée de la rue où se trouvait sa maison. Alors elle s'arrêta et, tirant de son sein un foulard, elle me dit : « Il faut que tu consentes à te laisser bander les yeux avec ce foulard. » Et moi, bien étonné de cette singularité, je la priai poliment de m'en donner la raison. Et elle me dit : « C'est parce qu'il y a, dans cette rue que nous allons traverser, des maisons dont les portes sont ouvertes, et où les femmes sont assises, la face nue, dans les vestibules ; de telle sorte que, peut-être, ton regard tomberait sur l'une d'elles, mariée ou jeune fille, et ton cœur alors pourrait s'engager dans une affaire d'amour, et tu serais bien tourmenté dans ta vie ; car, dans ce quartier de la ville, il y a plus d'un visage, de femme mariée ou de vierge, si beau qu'il séduirait l'ascète le plus religieux. Et moi je crains beaucoup pour la paix de ton cœur…

À ce moment de sa narration, Schahrazade vit apparaître le matin et, discrète, se tut.

Mais lorsque fut la huit cent trente-cinquième nuit. Elle dit :

… Car, dans ce quartier de la ville, il y a plus d'un visage, de femme mariée ou de vierge, si beau qu'il séduirait l'ascète le plus religieux. Et moi je crains beaucoup pour la paix de ton cœur. » Et moi, là-dessus, je pensai : « Par Allah, cette vieille femme est de bon conseil. » Et je consentis à ce qu'elle me demandait. Alors elle me banda les yeux avec le foulard, et m'empêcha ainsi de voir. Puis elle me prit par la main, et marcha avec moi jusqu'à notre arrivée devant une maison, dont elle heurta la porte avec l'anneau de fer. Et on nous ouvrit à l'instant, de l'intérieur. Et dès que nous fûmes entrés, ma vieille conductrice m'enleva le bandeau, et je m'aperçus avec surprise que j'étais dans une demeure décorée et meublée avec tout le luxe des palais des rois. Et, par Allah ! ô notre maître le sultan, de ma vie je n'avais vu la pareille, ni rêvé quelque chose d'aussi merveilleux.

Quant à la vieille, elle me pria de l'attendre dans la pièce où je me trouvais, et qui donnait sur une salle plus belle à galerie. Et, me laissant seul dans cette pièce, d'où je pouvais voir tout ce qui se passait dans l'autre, elle s'en alla. Et, voici ! j'aperçus à l'entrée de la seconde salle, jetés négligemment en tas dans un coin, toutes les précieuses étoffes que j'avais vendues à la vieille. Et bientôt entrèrent deux jeunes filles belles comme deux lunes, qui tenaient chacune un seau plein d'eau de rose. Et elle déposèrent leurs seaux sur les dalles de marbre blanc, et, s'approchant du tas d'étoffes précieuses, elles en prirent une au hasard, et la coupèrent en deux parties, comme elles eussent fait d'un torchon de cuisine. Puis chacune d'elles se dirigea vers son seau, et relevant ses manches jusqu'aux aisselles, elle plongea le morceau d'étoffe précieuse dans l'eau de rose, et se mit à mouiller et à laver les dalles, et à les sécher ensuite avec d'autres morceaux de mes étoffes précieuses, pour enfin les frotter et les faire briller avec ce qui restait des pièces qui avaient coûté cinq cents dinars chacune. Et lorsque ces jeunes filles eurent fini ce travail et que le marbre fut devenu comme de l'argent, elles couvrirent le sol de tissus si beaux que ma boutique tout entière eût été vendue sans rapporter la somme nécessaire pour l'acquisition du moins riche d'entre eux. Et sur ces tissus elles étendirent un tapis en laine de chevreau musqué et des coussins gonflés de plumes d'autruche. Après quoi elles apportèrent cinquante carreaux de brocart d'or, et les rangèrent en bon ordre autour du tapis central ; puis elles se retirèrent.

Et, voici ! deux par deux, entrèrent des jeunes filles qui se tenaient par les mains, et qui vinrent se ranger chacune devant un des carreaux de brocart ; et comme elles étaient cinquante, elles se trouvèrent ainsi placées, en bon ordre, devant leurs carreaux respectifs. Et, voici ! sous un dais porté par dix lunes de beauté, une adolescente parut à l'entrée de la salle, si éblouissante dans sa blancheur et l'éclat de ses yeux noirs, que mes yeux se fermèrent d'eux-mêmes. Et lorsque je les ouvris, je vis près de moi la vieille dame, ma conductrice, qui m'invitait à l'accompagner pour qu'elle me présentât l'adolescente, qui était déjà nonchalamment couchée sur le tapis central, au milieu des cinquante jeunes filles debout sur les carreaux de brocart. Mais moi, ce ne fut point sans une grande appréhension que je me vis en butte aux regards de ces cinquante et une paires d'yeux noirs, et je me dis : « Il n'y a de puissance et de recours qu'en Allah le Glorieux, le Très-Haut ! Il est évident que c'est ma mort qu'elles désirent ! »

Or, lorsque je fus entre ses mains, la royale adolescente me sourit, me souhaita la bienvenue et m'invita à m'asseoir près d'elle sur le tapis. Et, bien confus et bien interdit, je m'assis pour lui obéir, et elle me dit : « Ô jeune homme, que dis-tu de moi et de ma beauté ? Et penses-tu que je pourrai être ton épouse ? » Et moi, à ces paroles, étonné à l'extrême limite de l'étonnement, je répondis : « Ô ma maîtresse, comment oserais-je me croire digne d'une telle faveur ? En vérité je ne m'estime pas à un prix assez haut pour devenir un esclave, ou moins encore, entre tes mains ! » Mais elle reprit : « Non, par Allah, ô jeune homme, mes paroles ne contiennent aucune tromperie, et il n'y a rien d'évasif dans mon langage, qui est sincère. Réponds-moi donc avec la même sincérité, et bannis toute crainte de ton esprit, car mon cœur est jusqu'au bord rempli de ton amour ! »

À ces paroles, je compris, ô notre maître le sultan, je compris, à ne pouvoir en douter, que l'adolescente avait réellement l'intention de m'épouser, mais sans qu'il me fût possible de deviner pour quelles raisons elle m'avait choisi entre des milliers de jeunes gens, ni comment elle me connaissait. Et je finis par me dire : « Ô un tel, l'inconcevable a l'avantage de ne pas coûter de pensées torturantes. Ne cherche donc pas à le comprendre, et laisse courir les choses suivant leur chemin. » Et je répondis : « Ô ma maîtresse, si réellement tu ne parles pas pour faire rire de moi ces honorables jeunes filles, souviens-toi du proverbe qui dit : « Quand la lame est rouge, elle est mûre pour le marteau ! » Or, je pense que mon cœur est si enflammé de désir, qu'il est temps de réaliser notre union. Dis-moi donc, par ta vie ! ce que je dois t'apporter comme dot et douaire ! » Et elle répondit en souriant : « La dot et le douaire sont payés, et tu n'as pas à t'en préoccuper. » Et elle ajouta : « Je vais, puisque tel est aussi ton désir, envoyer à l'instant chercher le kâdi et les témoins, afin que nous puissions être unis sans délai. »

Et, effectivement, ô mon seigneur, le kâdi et les témoins ne tardèrent pas à arriver. Et ils nouèrent le nœud, par le licite. Et nous fûmes mariés sans délai. Et tout le monde partit, après la cérémonie. Et je me demandai : « Ô tel, veilles-tu ou rêves-tu ? » Et ce fut encore bien autre chose quand elle eut commandé à ses belles esclaves de préparer le hammam à mon intention, et de m'y conduire. Et les jeunes filles me firent entrer dans une salle de bain parfumée à l'aloès de Comorin, et me confièrent aux laveuses qui me dévêtirent et me frottèrent et me donnèrent un bain qui me rendit plus léger que les oiseaux. Puis elles répandirent sur moi les parfums les plus exquis, me couvrirent d'une riche parure et me présentèrent des rafraîchissements et des sorbets de toute espèce. Après quoi elles me firent quitter le hammam et me conduisirent dans la chambre intime de ma nouvelle épouse, qui m'attendait parée de sa seule beauté.

Et aussitôt elle vint à moi, et me prit, et se renversa sur moi, et me frotta avec une passion étonnante. Et moi, ô mon seigneur, je sentis mon âme qui se logeait toute dans ce que tu sais, et j'accomplis l'ouvrage pour lequel j'étais requis et la besogne dont j'avais la commande, et je réduisis ce qui jusque-là était du domaine de l'irréductible, et j'abattis ce qui était à abattre, et je ravis ce qui était à ravir, et je pris ce que je pus, et je donnai ce qu'il fallut, et je me levai, et je m'étendis, et je fonçai, et je défonçai, et j'enfonçai, et je forçai, et je farcis, et j'amorçai, et je renfonçai, et j'agaçai, et je grinçai, et je renversai, et j'avançai et je recommençai, et tellement, ô mon seigneur le sultan, que, ce soir-là, Celui que tu sais fut réellement le gaillard qu'on nomme le bélier, le forgeron, l'assommeur, le calamiteux, le long, le fer, le pleureur, l'ouvreur, l'encorneur, le frotteur, l'irrésistible, le bâton du derviche, l'outil prodigieux, l'éclaireur, le borgne assaillant, le glaive du guerrier, l'infatigable nageur, le rossignol moduleur, le père au gros cou, le père aux gros nerfs, le père aux gros œufs, le père au turban, le père au crâne chauve, le père aux secousses, le père aux délices, le père des terreurs, le coq sans crête ni voix, l'enfant de son père, l'héritage du pauvre, le muscle capricieux, et le gros nerf de confiture. Et je crois bien, ô mon seigneur le sultan, que ce soir-là chaque surnom fut accompagné de son explication, chaque vertu de sa preuve, et chaque attribut de sa démonstration. Et nous ne nous arrêtâmes dans nos travaux que parce que la nuit était déjà écoulée, et qu'il fallait nous lever pour la prière du matin.

Et nous continuâmes à vivre ensemble de la sorte, ô roi du temps, pendant vingt nuits consécutives, à la limite de l'enivrement et de la félicité. Et, au bout de ce temps, le souvenir de ma mère vint s'offrir à mon esprit, et je dis à l'adolescente mon épouse : « Ya setti, voici déjà longtemps que je suis absent de la maison, et ma mère, qui n'a point de mes nouvelles, doit être dans une grande inquiétude à mon sujet. De plus, les affaires de mon commerce ont dû bien souffrir de la fermeture de ma boutique pendant tous ces jours passés. » Et elle me répondit : « Qu'à cela ne tienne ! Et je consens de bon cœur à ce que tu ailles voir ta mère et la tranquilliser. Et tu peux même désormais y aller chaque jour et vaquer à tes affaires, si cela te fait plaisir ; mais j'exige que la vieille dame te conduise chaque fois et te ramène. » Et moi je répondis : « Il n'y a point d'inconvénient ! » Sur ce, la vieille dame vint à moi, me mit un foulard sur les yeux, me conduisit à l'endroit où la première fois elle m'avait bandé les yeux et me dit : « Reviens ici ce soir, à l'heure de la prière, et tu me trouveras à cette même place pour te conduire chez ton épouse. » Et à ces mots, elle m'enleva le bandeau, et me quitta.

Et moi je me hâtai de courir à ma maison, où je trouvai ma mère dans la désolation et les larmes du désespoir, en train de coudre des habits de deuil. Et dès qu'elle m'aperçut, elle s'élança vers moi, et me serra dans ses bras en pleurant de joie ; et je lui dis : « Ne pleure pas, ô ma mère, et rafraîchis tes yeux, car cette absence m'a conduit à un bonheur auquel je n'eusse jamais osé aspirer. » Et je lui appris mon heureuse aventure, et elle s'écria avec transport : « Puisse Allah te protéger et te garder, ô mon fils ! Mais promets-moi que tu viendras me visiter chaque jour, car ma tendresse a besoin d'être payée de ton affection. » Et je n'eus point de peine à lui faire cette promesse, vu que mon épouse m'avait déjà donné la liberté de sortir. Après quoi j'employai le reste de la journée à mes affaires de vente et d'achat dans la boutique du souk, et lorsque l'heure fut venue, je retournai à l'endroit indiqué où je trouvai la vieille qui me banda les yeux comme à l'ordinaire, et me conduisit au palais de mon épouse, en me disant : « Il vaut mieux pour toi qu'il en soit ainsi, car, comme je te l'ai dit, mon fils, il y a dans cette rue quantité de femmes mariées ou jeunes filles, assises dans le vestibule de leur maison, et qui toutes n'ont qu'un désir, et c'est d'aspirer l'amour de passage comme on renifle l'air et comme on hume l'eau courante ! Et que deviendrait ton cœur au milieu de leurs filets ? »

Or, en arrivant au palais où maintenant j'habitais, mon épouse me reçut avec des transports inexprimables, et moi je répondis comme l'enclume répond au marteau. Et mon coq sans crête ni voix ne fut pas en retard avec cette volaille appétissante, et sut ne point déchoir de sa réputation de vaillant encorneur, car, par Allah ! ô mon maître, le bélier ce soir-là ne donna pas moins de trente coups de corne à cette brebis batailleuse, et ne cessa la lutte que lorsque sa partenaire eut crié grâce, en demandant l'amân.

Et pendant trois mois je continuai à vivre de cette vie active, pleine de combats nocturnes, de batailles matinales et d'assauts diurnes. Et en moi-même je m'émerveillais tous les jours de mon sort, en me disant : « Quelle chance est la mienne qui m'a fait faire la rencontre de cette ardente jouvencelle, et qui me l'a donnée pour épouse ! Et quelle étonnante destinée que celle qui m'a octroyé, en même temps que cette motte de beurre frais, un palais et des richesses comme n'en possèdent pas les rois ! » Et il ne se passait pas de jour sans que je fusse tenté de m'informer, auprès des esclaves, du nom et de la qualité de celle que j'avais épousée sans la connaître et sans savoir de qui elle était la fille ou la parente.

Mais, un jour d'entre les jours, me trouvant seul à l'écart avec une jeune négresse d'entre les esclaves noires de mon épouse, je la questionnai sur ces matières, en lui disant : « Par Allah sur toi, ô jeune fille bénie, ô blanche intérieurement, dis-moi ce que tu sais au sujet de ta maîtresse, et tes paroles je les mettrai profondément dans le coin le plus obscur de ma mémoire. » Et la jeune négresse, tremblante d'effroi, me répondit : « Ô mon maître, l'histoire de ma maîtresse est une chose tout à fait extraordinaire ; mais je craindrais, si je te la révélais, d'être mise à mort sans recours ni délai ! Tout ce que je puis te dire, c'est qu'elle t'a remarqué un jour, dans le souk, et qu'elle t'a choisi par pur amour. » Et je ne pus rien en tirer de plus que ces quelques mots. Et même, comme j'insistais, elle me menaça d'aller rapporter à ma maîtresse ma tentative de provocation aux paroles indiscrètes. Alors, je la laissai s'en aller en sa voie, et m'en retournai auprès de mon épouse engager une escarmouche sans importance.

Et ma vie s'écoulait de la sorte, dans les plaisirs violents et les tournois d'amour, quand, un après-midi, comme j'étais dans ma boutique, avec la permission de mon épouse, et que je dirigeais mes regards vers la rue, j'aperçus une jeune fille voilée…

À ce moment de sa narration, Schahrazade vit apparaître le matin et, discrète, se tut.

Mais lorsque fut la huit cent trente-sixième nuit. Elle dit :

… Et ma vie s'écoulait de la sorte, dans les plaisirs violents et les tournois d'amour, quand, un après-midi, comme j'étais dans ma boutique, avec la permission de mon épouse, et que je dirigeais mes regards vers la rue, j'aperçus une jeune fille voilée qui s'avançait de mon côté, ostensiblement. Et lorsqu'elle fut devant ma boutique, elle me jeta le plus gracieux salam, et me dit : « Ô mon maître, voici un coq d'or orné de diamants et de pierres précieuses, que j'ai offert en vain, pour le prix coûtant, à tous les marchands du souk. Mais ce sont des gens sans goût ni délicatesse d'appréciation, car ils m'ont répondu qu'une telle joaillerie n'était pas de vente facile, et qu'ils ne pourraient pas la placer avantageusement. C'est pourquoi je viens te l'offrir, à toi qui es un homme de goût, pour le prix que tu voudras bien me fixer toi-même ! » Et moi, je répondis : « Je n'ai nul besoin de ce joyau, moi non plus. Mais, pour te faire plaisir, je t'en offre cent dinars, pas un de plus, pas un de moins. » Et la jeune fille répondit : « Prends-le donc, et qu'il te soit un marché avantageux ! » Et moi, quoique je n'eusse réellement aucun désir d'acquérir ce coq d'or, je réfléchis cependant que cette figure pourrait faire plaisir à mon épouse, en lui rappelant mes qualités de fond, et j'allai vers mon armoire, et pris les cent dinars du marché. Mais lorsque je voulus les offrir à la jeune fille, elle les refusa en me disant : « En vérité, ils ne me sont d'aucune utilité, et je ne désire d'autre paiement que le droit de prendre un seul baiser sur ta joue. Et c'est là mon unique souhait, ô jeune homme ! » Et moi je me dis en moi-même : « Par Allah ! un seul baiser de ma joue pour un bijou qui vaut plus de mille dinars d'or, c'est là un marché aussi singulier qu'avantageux ! » Et je n'hésitai pas à donner mon consentement.

Alors la jeune fille, ô mon seigneur, s'avança vers moi et, relevant son petit voile de visage, elle prit un baiser de ma joue – puisse-t-il avoir été délicieux ! – mais, en même temps, comme si elle eût été mise en appétit d'avoir ainsi goûté à ma peau, elle enfonça dans ma chair ses dents de jeune tigresse et me fit une morsure dont je porte encore la trace. Puis elle s'éloigna en riant d'un rire satisfait, tandis que j'essuyais le sang qui coulait de ma joue. Et je pensai : « Ton cas, ô un tel, est un surprenant cas ! Et tu vas bientôt voir toutes les femmes du souk venir te demander, qui un échantillon de ta joue, qui un échantillon de ton menton, qui un échantillon de ce que tu sais, et peut-être vaut-il mieux, dans ce cas, écouler tes marchandises pour ne plus vendre que des morceaux de toi-même ! »

Et, le soir venu, moitié riant, moitié furieux, je retournai vers la vieille dame qui m'attendait comme à l'ordinaire, au coin de notre rue, et qui, après m'avoir mis un bandeau sur les yeux, me conduisit au palais de mon épouse. Et, le long de la route, je l'entendais qui grommelait entre ses dents des paroles confuses qui me semblaient bien être des menaces, mais je pensai : « Les vieilles femmes sont des personnes qui aiment à bougonner et passent leurs vieux jours décrépit à murmurer contre tout et à radoter ! »

Or, en entrant chez mon épouse, je la trouvai assise dans la salle de réception, les sourcils contractés, et vêtue des pieds à la tête de couleur rouge écarlate, comme en portent les rois dans les heures de leur courroux. Et sa contenance était agressive, et son visage vêtu de pâleur. Et, à cette vue, je dis en moi-même : « Ô Conservateur, sauvegarde-moi ! » Et, ne sachant à quoi attribuer cette attitude ennemie, je m'approchai de mon épouse, qui, contrairement à son habitude, ne s'était pas levée pour me recevoir, et détournait sa tête de mon visage ; et, lui offrant le coq d'or que je venais d'acquérir, je lui dis : « Ô ma maîtresse, accepte ce précieux coq qui est un objet vraiment admirable, et qui est curieux à regarder ; car je l'ai acheté pour te faire plaisir. » Mais, à ces mots, son front noircit, et ses yeux s'enténébrèrent, et, avant que j'eusse le temps de me garer, je reçus un soufflet tournoyant qui me fit virer comme une toupie et faillit me fracasser la mâchoire gauche. Et elle me cria : « Ô chien fils de chien, si réellement tu l'as acheté, ce coq, alors pourquoi cette morsure qui est sur ta joue ? »

Et moi, déjà anéanti par la secousse du violent soufflet, je me sentis m'en aller vers l'effondrement, et je dus faire sur moi-même de grands efforts pour ne pas tomber tout de mon long. Mais ce n'était que le commencement, ô mon seigneur, ce n'était, hélas ! que le tout premier commencement. Car, à un signe de mon épouse, je vis soudain s'ouvrir les draperies du fond et entrer quatre esclaves, conduites par la vieille. Et elles portaient le corps d'une jeune fille dont la tête était coupée et posée sur le milieu de son corps. Et je reconnus à l'instant cette tête pour celle de la jeune fille qui m'avait donné le bijou en échange d'une morsure. Et cette vue acheva de me liquéfier, et je roulai sur le sol, sans connaissance. Et lorsque je revins à moi, ô mon seigneur le sultan, je me vis enchaîné dans ce maristân. Et les gardiens m'apprirent que j'étais devenu fou. Et ils ne me dirent rien de plus.

Et telle est l'histoire de ma prétendue folie et de mon emprisonnement dans cette maison de fous. Et c'est Allah qui vous envoie tous les deux, ô mon seigneur le sultan, ô sage et judicieux vizir, pour me tirer de là-dedans. Et c'est à vous deux de juger, par la logique ou l'incohérence de mes paroles, si je suis réellement habité par l'esprit, ou si je suis seulement atteint de délire, de manie ou d'idiotie, ou si enfin je suis sain d'entendement. »

Lorsque le sultan et son vizir, qui était l'ancien sultan-derviche adultérin, eurent entendu cette histoire du jeune homme, ils furent plongés dans de profondes réflexions, et restèrent pensifs, le front penché et les yeux attachés au sol, pendant une heure de temps. Après quoi, le sultan releva, le premier, la tête et dit à son compagnon : « Ô mon vizir, je jure par la vérité de Celui qui me plaça comme gouverneur sur ce royaume, que je n'aurai de repos, et ne mangerai ni ne boirai avant d'avoir découvert l'adolescente qui a épousé ce jeune homme. Hâte-toi donc de me dire ce qu'il faut que nous fassions dans ce but. » Et le vizir répondit : « Ô roi du temps, il faut que nous emmenions sans retard ce jeune homme, en quittant momentanément les deux autres jeunes hommes enchaînés, et que nous parcourions avec lui les rues de la ville, de l'orient à l'occident et de la droite à la gauche, jusqu'à ce qu'il puisse trouver l'entrée de la rue où la vieille avait coutume de lui bander les yeux. Et alors nous lui banderons les yeux, et il se rappellera le nombre de pas qu'il faisait en compagnie de la vieille, et nous fera arriver de la sorte devant la porte de la maison, à l'entrée de laquelle on lui ôtait le bandeau. Et là, Allah nous éclairera sur la conduite à tenir en cette délicate affaire. » Et le sultan dit : « Qu'il soit fait selon ton conseil, ô mon vizir plein de sagacité. » Et ils se levèrent tous deux à l'instant, firent tomber les chaînes du jeune homme, et l'emmenèrent hors du maristân.

Et tout arriva suivant les prévisions du vizir. Car, après avoir parcouru un grand nombre de rues de divers quartiers, ils finirent par arriver à l'entrée de la rue en question, que le jeune homme reconnut sans difficulté. Et, les yeux bandés comme autrefois, il sut calculer ses pas, et les fit s'arrêter devant un palais dont la vue jeta le sultan dans la consternation. Et il s'écria : « Éloigné soit le Malin, ô mon vizir ! Ce palais est habité par une épouse d'entre les épouses de l'ancien sultan du Caire, celui qui m'a laissé le trône, faute d'enfants mâles dans sa postérité. Et cette épouse de l'ancien sultan, père de ma femme, habite ici avec sa fille, qui doit être certainement l'adolescente qui a épousé ce jeune homme ! Allah est le plus grand, ô vizir ! Il est donc écrit dans la destinée de toutes les filles de rois d'épouser des rien du tout, comme nous l'avons été nous-mêmes ! Les décrets du Rétributeur sont toujours motivés, mais nous en ignorons les motifs ! » Et il ajouta : « Hâtons-nous d'entrer, pour voir la suite de cette affaire. » Et ils frappèrent avec l'anneau de fer sur la porte qui résonna. Et le jeune homme dit : « C'est bien ce son-là ! » Et la porte fut ouverte aussitôt par des eunuques qui demeurèrent interdits en reconnaissant le sultan, le grand vizir et le jeune homme, époux de leur maîtresse…

À ce moment de sa narration, Schahrazade vit apparaître le matin et, discrète, se tut.

Mais lorsque fut la huit cent trente-septième nuit. Elle dit :

… Et ils frappèrent avec l'anneau de fer, et la porte fut ouverte aussitôt par des eunuques qui demeurèrent interdits en reconnaissant le sultan, le grand vizir et le jeune homme, époux de l'adolescente. Et l'un d'eux s'envola prévenir sa maîtresse de l'arrivée du souverain et de ses deux compagnons.

Alors l'adolescente s'orna et s'arrangea et sortit du harem, et vint dans la salle de réception, présenter ses hommages au sultan époux de sa sœur du même père mais non de la même mère, et lui baiser la main. Et le sultan la reconnut effectivement, et fit un signe d'intelligence à son vizir. Puis il dit à la princesse : « Ô fille de l'oncle, qu'Allah me garde de te faire des reproches sur ta conduite ; car le passé appartient au Maître du Ciel, et le présent seul nous appartient. C'est pourquoi je souhaite, à présent que tu te réconcilies avec ce jeune homme, ton époux, qui est un jeune homme possédant des qualités précieuses de fond, et qui, ne te gardant aucune rancune, ne demande pas mieux que de rentrer dans tes bonnes grâces. D'ailleurs, je te jure, par les mérites de mon défunt oncle le sultan, ton père, que ton époux n'a point commis de faute grave contre la pudeur conjugale. Et il a déjà bien durement expié la faiblesse d'un moment ! J'espère donc que tu ne repousseras pas ma demande ! » Et l'adolescente répondit : « Les souhaits de notre maître le sultan sont des ordres, et ils sont sur notre tête et sur nos yeux. » Et le sultan se réjouit beaucoup de cette solution, et dit : « Puisqu'il en est ainsi, ô fille de l'oncle, je nomme ton époux mon premier chambellan. Et il sera désormais mon commensal et mon compagnon de coupe. Et ce soir même je te l'enverrai afin que, sans témoins gênants, vous réalisiez tous deux la réconciliation promise. Mais, pour le moment, permets-moi de l'emmener, car nous avons à écouter ensemble les histoires de ses compagnons de chaîne ! » Et il se retira, en ajoutant : « Il est, bien entendu, convenu entre vous deux que désormais tu le laisseras aller et venir librement, sans bandeau sur les yeux et, de son côté, il promet que jamais plus il ne se laissera, sous aucun prétexte, embrasser par une femme, mariée ou jeune fille. »

Et telle est, ô Roi fortuné, continua Schahrazade, la fin de l'histoire que raconta au sultan et à son vizir le premier jeune homme, celui qui lisait dans le livre, au maristân. Mais pour ce qui est du second jeune homme, un des deux qui écoutaient la lecture, voici !

Lorsque le sultan, ainsi que le vizir et le nouveau chambellan, furent de retour au maristân, ils s'assirent par terre en face du second jeune homme, en disant : « À ton tour maintenant. » Et le second jeune homme dit :

HISTOIRE DU DEUXIÈME FOU

« Ô notre maître le sultan, et toi, judicieux vizir, et toi mon ancien compagnon de chaîne, sachez que le motif de mon emprisonnement dans ce maristân est encore bien plus surprenant que celui que vous connaissez déjà, car si mon compagnon que voici a été enfermé comme fou, ce fut bien par sa faute et à cause de sa crédulité et de sa confiance en lui-même. Mais, moi, si j'ai péché, ç'a été précisément par l'excès contraire, comme vous allez l'entendre, si toutefois vous voulez bien me permettre de procéder par ordre ! » Et le sultan et son vizir et son nouveau chambellan, qui était l'ancien premier fou, répondirent d'un commun accord : « Mais certainement ! » Et le vizir ajouta : « D'ailleurs, plus tu mettras d'ordre dans ton récit, plus nous serons disposés à te considérer comme injustement compris au nombre des fous et des déments. » Et le jeune homme commença son histoire en ces termes :

« Sachez donc, ô mes maîtres et la couronne sur ma tête, que moi aussi je suis marchand fils de marchand, et qu'avant que je fusse jeté dans ce maristân, je tenais boutique dans le souk, où je vendais des bracelets et des ornements de toutes sortes aux femmes des riches seigneurs. Et, à l'époque où commence cette histoire, je n'avais que seize ans d'âge, et j'étais déjà réputé dans le souk pour ma gravité, mon honnêteté, ma tête lourde et mon sérieux dans les affaires. Et jamais je n'essayais de lier conversation avec les dames clientes ; et je ne leur disais que juste les paroles nécessaires pour la conclusion de l'affaire. Et d'ailleurs je pratiquais les préceptes du Livre, et ne levais jamais les yeux sur une femme d'entre les filles des musulmans. Et les marchands me proposaient en exemple à leurs fils, quand ils les amenaient avec eux au souk pour la première fois. Et plus d'une mère avait déjà engagé des pourparlers avec ma mère, à mon sujet, pour quelque mariage honorable. Mais ma mère réservait sa réponse pour une meilleure occasion, et éludait la question, en prétextant mon jeune âge et ma qualité d'enfant unique, et mon tempérament délicat.

Or, un jour, j'étais assis devant mon livre de comptes et j'en vérifiais le contenu, quand je vis entrer dans ma boutique une accorte petite négresse qui, après m'avoir salué avec respect, me dit : « C'est bien ici la boutique du seigneur marchand un tel ? » Et je répondis : « C'est la vérité ! » Alors elle tira de son sein, avec des précautions infinies, et en regardant prudemment de droite et de gauche avec ses yeux de négresse, un petit billet qu'elle me tendit, en disant : « Ceci est de la part de ma maîtresse. Et elle attend la faveur d'une réponse. » Et, m'ayant remis le papier, elle se tint à l'écart, attendant mon bon plaisir. Et moi, après avoir déplié le billet, je le lus, et trouvai qu'il contenait une ode écrite en vers enflammés à ma louange et en mon honneur. Et les vers terminaux contenaient dans leur trame le nom de celle qui se disait mon amoureuse.

Alors moi, ô mon seigneur le sultan, je fus extrêmement formalisé de cette démarche, et je considérai que c'était une atteinte grave à ma bonne conduite, ou peut-être quelque tentative pour m'entraîner dans une aventure dangereuse ou compliquée. Et je pris cette déclaration, et la déchirai, et la foulai aux pieds. Puis je m'avançai vers la petite négresse, et la saisis par une oreille, et lui administrai quelques soufflets et quelques claques bien senties. Et j'achevai la correction en lui envoyant un coup de pied qui la fit rouler hors de ma boutique. Et je lui crachai au visage, bien ostensiblement, afin que tous mes voisins vissent mon acte et ne pussent douter de ma sagesse et de ma vertu, et je lui criai : « Ah ! fille des mille cornards de l'impudicité, va rapporter tout cela à la fille des entremetteurs, ta maîtresse ! » Et tous mes voisins, ayant vu cela, murmurèrent entre eux d'admiration ; et l'un d'eux me montra du doigt à son fils, en lui disant : « La bénédiction d'Allah sur la tête de ce jeune homme vertueux ! Puisses-tu, ô mon fils, savoir, à son âge, repousser les offres des malignes et des perverses qui sont à l'affût des beaux jeunes gens ! »

Et voilà, ô mes seigneurs, ce que je fis à seize ans. Et ce n'est, en vérité, que maintenant que je vois avec lucidité combien ma conduite était grossière, dénuée de discernement, pleine de stupide vanité et d'amour-propre déplacé, hypocrite, lâche et brutale. Et quoi que j'aie pu éprouver plus tard de désagréments, à la suite de cet acte de bêtise, je considère que j'en méritais encore davantage, et que cette chaîne, qui est à mon cou présentement pour un motif tout à fait différent, aurait dû m'être infligée lors de ce début insensé. Mais, quoi qu'il en soit, je ne veux pas embrouiller le mois de Chabân avec celui de Ramadân, et je continue à procéder par ordre dans le récit de mon histoire.

Donc, ô mes seigneurs, les jours et les mois et les années passèrent sur cet incident, et j'étais devenu tout à fait un homme. Et j'avais connu les femmes et tout ce qui s'ensuit, bien que célibataire ; et je sentais que le moment était réellement venu de choisir une jeune fille qui fût mon épouse devant Allah, la mère de mes enfants. Or, je devais être servi à souhait, comme vous allez l'entendre. Mais je n'anticipe en rien, et je procède par ordre. En effet, un après-midi, je vis s'approcher de ma boutique, au milieu de cinq ou six esclaves blanches qui lui faisaient cortège, une adolescente d'amour, parée des bijoux les plus précieux, les mains teintes de henné, et les tresses de ses cheveux flottant sur ses épaules, qui s'avançait dans sa grâce en se balançant avec noblesse et minauderie…

À ce moment de sa narration, Schahrazade vit apparaître le matin et, discrète, se tut.

Mais lorsque fut la huit cent trente-huitième nuit. Elle dit :

… Une adolescente d'amour, parée des bijoux les plus précieux, les mains teintes de henné, et les tresses de ses cheveux flottant sur ses épaules, qui s'avançait dans sa grâce, en se balançant avec noblesse et minauderie. Et elle entra, comme une reine, dans ma boutique, suivie de ses esclaves, et s'assit après m'avoir favorisé d'un salam gracieux. Et elle me dit : « Ô jeune homme, as-tu un beau choix d'ornements en or et en argent ? » Et je lui répondis : « Ô ma maîtresse, de toutes les espèces possibles et des autres ! » Alors elle me demanda à voir des anneaux d'or pour les chevilles. Et je lui apportai ce que j'avais de plus lourd et de plus beau en fait d'anneaux d'or pour les chevilles. Et elle y jeta un coup d'œil négligent et me dit : « Essaie-les-moi ! » Et aussitôt une de ses esclaves se baissa et, lui relevant le bas de sa robe de soie, découvrit à mes yeux la plus fine et la plus blanche cheville qui fût sortie des doigts du Créateur. Et moi je lui essayai les anneaux, mais je ne pus en trouver dans ma boutique qui fussent assez étroits pour la finesse charmante de ces jambes moulées dans le moule de la perfection. Et elle, voyant mon embarras, elle sourit et dit : « Qu'à cela ne tienne, ô jeune homme ! Je te demanderai autre chose. Mais, auparavant, dis-moi ! En vérité, on m'avait dit, chez moi, que j'avais des jambes d'éléphant. Est-ce vrai cela ? » Et moi, je m'écriai : « Le nom d'Allah sur toi et autour de toi et sur la perfection de tes chevilles, ô ma maîtresse ! la gazelle, en les voyant, dépérirait de jalousie ! » Alors elle me dit : « Et je croyais le contraire, pourtant ! » Puis elle ajouta : « Fais-moi voir des bracelets ! » Et, moi, les yeux encore pleins de la vision de ces chevilles adorables et de ces jambes de perdition, je cherchai ce que j'avais de plus fin et de plus étroit, en fait de bracelets d'or et d'émail, et les lui apportai. Mais elle me dit : « Essaie-les-moi, toi-même. Moi je suis bien lasse, aujourd'hui. » Et aussitôt une des esclave se précipita et releva les manches de sa maîtresse. Et à mes yeux apparut un bras, aïe ! aïe ! un col de cygne, plus blanc et plus lisse que le cristal, et terminé par un poignet et par une main et par des doigts, aïe ! aïe ! du sucre candi, ô mon seigneur, des dattes confites, une joie de l'âme, un délice, un pur délice suprême. Et moi, m'inclinant, j'essayai sur ce bras miraculeux mes bracelets. Mais les plus étroits, ceux confectionnés pour les mains d'enfants, ballottaient outrageusement sur ces fins poignets transparents ; et je me hâtai de les en retirer, de crainte que leur contact ne froissât cette peau candide. Et elle sourit de nouveau, en voyant ma confusion, et me dit : « Qu'as-tu vu, ô jeune homme ? Suis-je manchote, ou bien ai-je des mains de canard, ou bien un bras d'hippopotame ? » Et je m'écriai : « Le nom d'Allah sur toi, et autour de toi, et sur la rondeur de ton bras blanc, et sur la finesse de ton poignet d'enfant, et sur le fusèlement de tes doigts de houri, ô ma maîtresse ! » Et elle me dit : « Quoi donc ? Ainsi, ce n'est pas vrai ? Et pourtant, chez moi, si souvent on m'avait affirmé le contraire. » Puis elle ajouta : « Fais-moi voir des colliers et des pectoraux d'or. » Et moi, titubant sans avoir connu de vin, je me hâtai de lui apporter ce que j'avais de plus riche et de plus léger en fait de colliers et de pectoraux d'or. Et aussitôt une des esclaves, avec des soins religieux, découvrit, en même temps que le cou de sa maîtresse, une partie de sa poitrine. Et, holla ! holla ! les deux seins, les deux à la fois, ô mon seigneur, les deux petits seins d'ivoire rose apparurent tout ronds, et si mutins, sur l'éblouissante neige de la poitrine ; et ils semblaient suspendus au cou de marbre pur comme deux beaux enfants jumeaux au cou de leur mère. Et moi, à cette vue, je ne pus me retenir de crier, en détournant la tête : « Couvre ! couvre ! Qu'Allah étende ses voiles ! » Et elle me dit : « Eh quoi ! tu ne m'essaies pas les colliers et les pectoraux ? Mais qu'à cela ne tienne ! Je te demanderai autre chose. Toutefois, dis-moi auparavant ! suis-je difforme, ou mamelue comme la femelle du buffle, et noire, et velue ? Ou bien suis-je décharnée, et sèche comme un poisson salé, et plate comme l'établi du menuisier ? » Et moi je m'écriai : « Le nom d'Allah sur toi et autour de toi et sur tes charmes cachés et sur tes fruits cachés et sur toute ta beauté cachée, ô ma maîtresse ! » Et elle dit : « M'auraient-ils donc abusée, ceux-là qui m'ont si souvent affirmé qu'on ne pouvait trouver rien de plus laid que mes formes cachées ? » Et elle ajouta : « Soit ! mais, puisque tu n'oses, ô jeune homme, m'essayer ces colliers d'or et ces pectoraux, pourrais-tu du moins m'essayer des ceintures ? » Et moi, lui ayant apporté ce que j'avais de plus souple et de plus léger comme ceintures en filigrane d'or, je les déposai à ses pieds, discrètement. Mais elle me dit : « Mais non ! mais non ! par Allah, essaie-les-moi donc toi-même ! » Et moi, ô mon seigneur le sultan, je ne pus que répondre par l'ouïe et l'obéissance, et, devinant d'avance quelle pouvait être la finesse de cette gazelle, je choisis la plus petite et la plus étroite des ceintures, et, par-dessus ses robes et ses voiles, je lui en ceignis la taille. Mais cette ceinture, confectionnée sur commande pour une princesse enfant, se trouva trop large pour cette taille si fine qu'elle ne projetait point d'ombre sur le sol, et si droite qu'elle eût fait le désespoir d'un scribe de la lettre aleph, et si flexible qu'elle eût fait sécher de dépit l'arbre bân, et si tendre qu'elle eût fait fondre de jalousie une motte de beurre fin, et si souple qu'elle eût fait s'enfuir de honte le jeune faon, et si onduleuse qu'elle eût fait dépérir la tige du bambou. Et moi, voyant que je n'arrivais guère à trouver ce qu'il fallait, je fus bien perplexe et ne sus comment m'excuser. Mais elle me dit : « Apparemment, je dois être contrefaite, avec une double bosse par-derrière et une double bosse par-devant, avec un ventre d'une forme ignoble et un dos de dromadaire. » Et moi je m'écriai : « Le nom d'Allah sur toi et autour de toi et sur ta taille et sur ce qui la précède et sur ce qui l'accompagne et sur ce qui la suit, ô ma maîtresse ! » Et elle me dit : « Je suis étonnée, ô jeune homme ! Car, chez moi, si souvent on m'avait confirmée dans cette opinion désavantageuse sur moi-même ! Quoi qu'il en soit, puisque tu ne peux me trouver de ceinture, j'espère qu'il ne te sera pas impossible de me trouver des boucles d'oreilles et un frontal d'or pour retenir mes cheveux ! » Et, ce disant, elle souleva elle-même son petit voile de visage, et fit apparaître à mes yeux son visage qui était la pleine lune marchant vers sa quatorzième nuit. Et moi, à la vue de ces deux pierres précieuses qu'étaient ses yeux babyloniens, et de ses joues d'anémones, et de sa petite bouche, étui de corail contenant un bracelet de perles, et de tout ce visage émouvant, je m'arrêtai de respirer et ne pus faire un mouvement pour chercher ce qu'elle me demandait. Et elle sourit et me dit : « Je comprends, ô jeune homme, que tu sois ému de ma laideur. Je sais, en effet, pour me l'être entendu répéter bien des fois, que mon visage est d'une laideur effroyable, criblé de trous de petite vérole et parcheminé, que je suis borgne de l'œil gauche, que j'ai un nez mamelonné et hideux, et une bouche fétide avec des dents déchaussées et branlantes, et qu'enfin je suis mutilée et bretaudée quant à mes oreilles. Et je ne parle pas de ma peau qui est galeuse, ni de mes cheveux qui sont effilochés et cassants, ni de toutes les horreurs invisibles de mon intérieur ! » Et moi je m'écriai : « Le nom d'Allah sur toi et autour de toi et sur toute ta beauté visible, ô ma maîtresse, et sur ta beauté invisible, ô revêtue de splendeur, et sur ta pureté, ô fille des lys, et sur ton odeur, ô rose, et sur ton éclat et sur ta blancheur, ô jasmin, et sur tout ce qui en toi peut être vu, senti ou touché. Et bien heureux celui qui peut te voir, te sentir et te toucher ! »

Et je restai anéanti d'émotion, ivre d'une ivresse mortelle.

Alors l'adolescente d'amour me regarda avec un sourire de ses yeux longs, et me dit : « Hélas ! hélas ! pourquoi mon père me déteste-t-il donc tellement pour m'attribuer toutes les laideurs que je t'ai énumérées ? Car c'est mon père, lui-même, et non pas un autre, qui m'a toujours fait croire à toutes ces prétendues horreurs de ma personne. Mais loué soit Allah qui me prouve le contraire par ton entremise ! Car maintenant je suis persuadée que mon père ne m'a point trompée, mais qu'il est sous le coup d'une hallucination qui lui fait voir tout en laid autour de lui. Et, pour ce qui me regarde, il est prêt, pour se débarrasser de ma vue qui lui pèse, à me vendre comme une esclave au marchand d'esclaves de rebut. » Et moi, ô mon seigneur, je m'écriai : « Et qui donc est ton père, ô souveraine de la beauté ? » Elle me répondit : « C'est le Cheikh al-Islam, en personne ! » Et, moi, enflammé, je m'écriai : « Hé, par Allah ! plutôt que de te vendre au marchand d'esclaves, ne consentirait-il pas à te marier avec moi ? » Elle dit : « Mon père est un homme intègre et consciencieux. Et, comme il s'imagine que sa fille est un monstre repoussant, il ne voudrait pas avoir sur la conscience son union avec un jeune homme tel que toi ! Mais peut-être que tu pourras, tout de même, essayer de lui faire ta demande. Et je vais, dans ce but, t'indiquer les moyens qui te fourniront le plus de chances de le convaincre. »

Et, ayant ainsi parlé, l'adolescente du parfait amour réfléchit un moment et me dit : « Voici ! Lorsque tu te présenteras devant mon père, qui est le Cheikh al-Islam, et que tu lui feras ta demande, il te dira sûrement : « Ô mon fils, il faut que tu ouvres les yeux. Sache que ma fille est une percluse, une estropiée, une bossue, une… » Mais toi, tu l'interrompras pour lui dire : « J'en suis content ! j'en suis content ! » Et il continuera : « Ma fille est une borgne, une bretaudée quant aux oreilles, une puante, une boiteuse, une baveuse, une pisseuse, une… » Mais tu l'interrompras pour lui dire : « J'en suis content ! j'en suis content ! » Et il continuera : « Ô pauvre, ma fille est une dégoûtante, une vicieuse, une pétante, une morveuse, une… » Mais tu l'interrompras pour lui dire : « J'en suis content ! j'en suis content ! » Et il continuera : « Mais tu ne sais pas, ô pauvre ! Ma fille est une moustachue, une ventrue, une mamelue, une manchote, un pied-bot, une louche quant à l'œil gauche, une mamelonnée huileuse quant au nez, une criblée de petite vérole quant au visage, une fétide quant à la bouche, une déchaussée et branlante quant aux dents, une mutilée quant à son intérieur, une chauve, une galeuse épouvantable, une horreur tout à fait, une abominable malédiction ! » Et toi, l'ayant laissé achever de déverser sur moi cette jarre effroyable, tu lui diras : « Hé, par Allah ! j'en suis content ! j'en suis content…

À ce moment de sa narration, Schahrazade vit apparaître le matin et, discrète, se tut.

Mais lorsque fut la huit cent trente-neuvième nuit. Elle dit :

… Et toi, l'ayant laissé achever de déverser sur moi cette jarre effroyable, tu lui diras : « Hé, par Allah, j'en suis content ! j'en suis content ! »

Et moi, ô mon seigneur, en entendant ces paroles, et rien qu'à l'idée que de telles appellations pouvaient être appliquées par son père à cette adolescente du parfait amour, je sentais le sang me monter à la tête d'indignation et de colère. Mais, enfin, comme il fallait passer par cette épreuve pour arriver à me marier avec ce modèle des gazelles, je lui dis : « L'épreuve est dure, ô ma maîtresse, et je puis mourir en entendant ton père te traiter de la sorte. Mais Allah me donnera les forces nécessaires et le courage ! » Puis je lui demandai : « Et quand pourrai-je me présenter entre les mains du vénérable Cheikh al-Islam, ton père, pour faire ma demande ? » Elle me répondit : « Demain, sans faute, au milieu de la matinée. » Et elle se leva, à ces mots, et me quitta, suivie des jeunes filles, ses esclaves, en me saluant d'un sourire. Et mon âme suivit ses traces et s'attacha à ses pas, alors que je restais dans ma boutique, en proie aux affres de l'attente et de la passion.

Aussi, le lendemain, à l'heure indiquée, je ne manquai pas de m'envoler vers la résidence du Cheikh al-Islam, auquel je demandai une audience, en lui faisant dire que c'était pour une affaire urgente d'une extrême importance. Et il me reçut, sans retard, et me rendit mon salam avec considération, et me pria de m'asseoir. Et je remarquai que c'était un vieillard à l'aspect vénérable, à la barbe blanche immaculée et à l'attitude pleine de noblesse et de grandeur, mais qu'il avait, sur son visage et dans ses yeux, un air de tristesse sans espoir et de douleur sans remède. Et je pensai : « C'est bien ça ! Il a l'hallucination de la laideur. Puisse Allah le guérir ! » Puis, m'étant assis à la seconde invitation seulement, par respect et déférence pour son âge et sa haute dignité, je lui fis de nouveau mes salams et compliments, et je les réitérai une troisième fois, en me levant chaque fois. Et, ayant montré de la sorte ma politesse et mon savoir-vivre, je me rassis, mais en me tenant sur le bord extrême de la chaise, et j'attendis qu'il ouvrît, le premier, la conversation, et m'interrogeât sur le fond de l'affaire.

Et, effectivement, après que l'agha de service nous eut offert les rafraîchissements d'usage, et que le Cheikh al-Islam eut échangé avec moi quelques paroles sans importance sur la chaleur et la sécheresse, il me dit : « Ô marchand un tel, en quoi puis-je te satisfaire ? » Et je répondis : « Ô mon seigneur, je me suis présenté entre tes mains pour t'implorer et te solliciter au sujet de la dame celée derrière le rideau de chasteté de ton honorable maison, de la perle scellée du sceau de la conservation, et de la fleur cachée dans le calice de la modestie, ta fille sublime, la vierge insigne à laquelle je souhaite, moi indigne, m'unir par les liens licites et le contrat légal ! »

À ces paroles, je vis le visage du vénérable vieillard noircir puis jaunir, et son front se baisser tristement vers le sol. Et il resta un moment plongé dans de pénibles réflexions sur le cas de sa fille, sans aucun doute. Puis il releva lentement la tête, et me dit avec un accent d'infinie tristesse : « Qu'Allah conserve ta jeunesse et te favorise toujours de ses grâces, ô mon fils ! Mais la fille que j'ai dans ma maison, derrière le rideau de chasteté, est sans espoir ! Et on ne peut rien en faire, et il n'y a rien à en tirer. Car… » Mais moi, ô mon seigneur le sultan, je l'interrompis soudain, pour m'écrier : « J'en suis satisfait ! j'en suis satisfait ! » Et le vénérable vieillard me dit : « Qu'Allah te comble de ses grâces, ô mon fils ! Mais ma fille ne convient pas à un beau jeune homme comme toi, plein d'aimables qualités, de force et de santé. Car c'est une pauvre infirme, dont la mère a accouché avant terme, à la suite d'un incendie. Et elle est aussi contrefaite et laide que tu es beau et bien fait. Et, comme il faut que tu sois éclairé sur le motif qui me fait refuser ta demande, je pourrai, si tu le veux, te la dépeindre telle qu'elle est, car la crainte d'Allah est dans mon cœur, et je ne voudrais pas contribuer à t'induire en erreur ! » Mais moi je m'écriai : « Je la prends avec tous ses défauts, et j'en suis satisfait, tout à fait satisfait ! » Mais il me dit : « Ah, mon fils, n'oblige pas un père, qui tient à la dignité de son intérieur, à te parler de sa fille en termes pénibles ! mais ton insistance me force à te dire qu'en épousant ma fille tu épouses le plus effroyable monstre de ce temps. Car c'est une créature dont la seule vue… » Mais moi, redoutant l'épouvantable énumération des horreurs dont il se disposait à affliger mon ouïe, je l'interrompis, pour m'écrier avec un accent où je mis toute mon âme et tout mon désir : « J'en suis satisfait ! j'en suis satisfait ! » Et j'ajoutai : « Par Allah sur toi, ô notre père, épargne-toi la douleur de parler de ton honorable fille en termes pénibles, car, quoi que tu puisses m'en dire, et quelque dégoûtante que puisse être la description que tu m'en feras, je continuerai à la solliciter en mariage, car j'ai un goût spécial pour les horreurs, quand elles sont du genre de celles dont est affligée ta fille, et, je te le répète, je l'accepte telle qu'elle est, et j'en suis satisfait, satisfait, satisfait ! »

Lorsque le Cheikh al-Islam m'eut entendu parler de la sorte, et qu'il eut compris que ma résolution était inébranlable et mon désir inchangeable, il frappa ses mains l'une dans l'autre de surprise et d'étonnement, et me dit : « J'ai libéré ma conscience devant Allah et devant toi, ô mon fils, et tu ne pourras t'en prendre qu'à toi seul de ton acte de folie. Mais, d'un autre côté, les préceptes divins me défendent d'empêcher le désir de se satisfaire, et je ne puis que te donner mon consentement. » Et moi, à la limite du bonheur, je lui baisai la main, et je souhaitai que le mariage fût conclu et célébré le jour même. Et il me dit, en soupirant : « Il n'y a plus d'inconvénient ! » Et le contrat fut écrit et légalisé par les témoins ; et il y fut stipulé que j'acceptais mon épouse avec ses défauts, ses déformations, ses infirmités, ses difformités, ses malformations, ses maux, ses laideurs, et autres choses semblables. Et il y était également stipulé que si, pour une raison ou pour une autre, je divorçais d'avec elle, je devais lui payer, comme rançon de divorce, et comme douaire, vingt bourses de mille dinars d'or. Et moi, bien entendu, j'acceptai de tout cœur les conditions. Et j'eusse d'ailleurs accepté des clauses bien autrement désavantageuses.

Or, après l'écriture du contrat, mon oncle, père de mon épouse, me dit : « Ô un tel, c'est dans ma maison qu'il vaut mieux consommer le mariage, et établir ton domicile conjugal. Car le transport de ton épouse infirme, d'ici à ta maison lointaine, présenterait de graves inconvénients. » Et moi je répondis : « J'écoute et j'obéis ! » Et en moi-même je brûlais d'attente, et me disais : « Par Allah ! est-il vraiment possible que moi, l'obscur marchand, je sois devenu le maître de cette adolescente du parfait amour, la fille du vénéré Cheikh al-Islam ? Et est-ce vraiment moi qui vais me réjouir de sa beauté, et en prendre à mon aise avec elle, et manger mon plein de ses charmes cachés, et en boire mon plein, et m'en dulcifier jusqu'à satiété ? »

Et, lorsqu'enfin la nuit fut venue, je pénétrai dans la chambre nuptiale, après avoir récité la prière du soir et, le cœur battant d'émotion, je m'approchai de mon épouse et levai le voile de dessus sa tête et lui découvris le visage. Et je regardai avec mon âme et mes yeux.

Et – qu'Allah confonde la Malin, ô mon seigneur le sultan, et qu'Il ne te rende jamais témoin d'un spectacle semblable à celui qui s'offrit à mes regards ! – je vis la créature humaine la plus difforme, la plus dégoûtante, la plus repoussante, la plus détestable, la plus répugnante et la plus nauséeuse qu'on puisse voir dans le plus pénible des cauchemars. Et certes ! c'était un objet de laideur bien plus effroyable que celui que m'avait dépeint l'adolescente, un monstre de difformité, et une loque si pleine d'horreur qu'il me serait impossible, ô mon seigneur, de t'en faire la description sans avoir un haut-le-cœur et tomber à tes pieds sans connaissance. Mais qu'il me suffise de te dire que celle qui était devenue mon épouse, avec mon propre consentement, renfermait en sa personne nauséabonde tous les vices légaux et toutes les abominations illégales, toutes les impuretés, toutes les fétidités, toutes les aversions, toutes les atrocités, toutes les hideurs, et toutes les dégoûtations qui peuvent affliger les êtres sur qui pèse la malédiction. Et moi, me bouchant le nez et détournant la tête, je laissai retomber son voile, et je m'éloignai d'elle dans le coin le plus retiré de la chambre, car si même j'avais été un Thébaïdien mangeur de crocodile, je n'eusse pu induire mon âme à une approche charnelle avec une créature qui offensait à ce point la face de son Créateur.

Et, m'étant assis dans mon coin, avec mon visage tourné vers le mur, je sentais tous les soucis envahir mon entendement, et toutes les douleurs du monde monter dans mes reins. Et je gémis du fond du noyau de mon cœur. Mais je n'avais pas le droit de dire un seul mot, ou d'émettre la moindre plainte, puisque je l'avais acceptée pour épouse de mon propre mouvement. Car c'était bien moi, avec mon propre œil, qui avais, chaque fois, interrompu le père, pour m'écrier : « J'en suis satisfait ! j'en suis satisfait ! » Et je me disais : « Eh, oui ! la voilà bien, l'adolescente du parfait amour ! Ah ! meurs ! meurs ! meurs ! ah, idiot ! ah, stupide bœuf ! ah, lourd cochon ! » Et je me mordais les doigts, et me pinçais les bras en silence. Et une colère contre moi-même fermentait en moi d'heure en heure, et je passai toute cette nuit de mon destin, à contre-poil, tout comme si j'eusse été au milieu des tortures, dans la prison du Mède ou du Déilamite…

À ce moment de sa narration, Schahrazade vit apparaître le matin et, discrète, se tut.

Mais lorsque fut la huit cent quarantième nuit. Elle dit :

… Et je passai toute cette nuit de mon destin, à contre-poil, tout comme si j'eusse été au milieu des tortures, dans la prison du Mède ou du Déilamite.

Aussi, dès l'aube, je me hâtai de fuir la chambre de mes noces, et de courir au hammam me purifier du contact de cette épouse d'horreur. Et, après avoir fait mes ablutions suivant le cérémonial du Ghôsl, pour les cas d'impureté, je me laissai aller à sommeiller quelque peu. Après quoi, je m'en retournai à ma boutique, et m'y assis avec ma tête prise de vertige, ivre sans avoir bu du vin.

Et aussitôt mes amis et les marchands qui me connaissaient, et les particuliers les plus distingués du souk, commencèrent à se rendre auprès de moi, les uns séparément et les autres deux par deux, ou trois par trois, ou plusieurs à la fois, et ils venaient me féliciter et m'offrir leurs vœux. Et ils me disaient : « Une bénédiction ! une bénédiction ! une bénédiction ! Que la joie soit avec toi ! que la joie soit avec toi ! » Et d'autres me disaient : « Hé, notre voisin, nous ne vous savions pas si parcimonieux ! Où est le festin, où sont les friandises, où sont les sorbets, où sont les pâtisseries, où sont les plateaux de halawa, où est telle chose, et où est telle autre chose ? Par Allah, nous pensons que les charmes de l'adolescente, ton épouse, t'ont troublé la cervelle et fait oublier tes amis et perdre la mémoire et tes obligations élémentaires ! Mais qu'à cela ne tienne ! Et que la joie soit avec toi ! que la joie soit avec toi ! »

Et moi, ô mon seigneur, ne pouvant me rendre compte s'ils se moquaient de moi ou s'ils me félicitaient réellement, je ne savais quelle contenance prendre, et je me contentais de faire quelques gestes évasifs, et de répondre par quelques paroles sans portée. Et je sentais mon nez qui se bourrait de rage concentrée, et mes yeux prêts à fondre en larmes de désespoir.

Et mon supplice avait duré de la sorte depuis le matin jusqu'à l'heure de la prière de midi, et la plupart des marchands s'étaient rendus à la mosquée ou prenaient leur repos du milieu du jour, quand voici ! à quelques pas devant moi, l'adolescente du parfait amour, la vraie, celle qui était l'auteur de ma mésaventure et la cause de mes tortures. Et elle s'avançait de mon côté, souriante au milieu de ses cinq esclaves, et se penchait mollement, et se balançait de droite et de gauche voluptueusement, avec ses traînes et ses soieries, souple comme un jeune rameau de bân au milieu d'un jardin d'odeurs. Et elle était encore plus somptueusement parée que le jour précédent, et si émouvante dans sa démarche que, pour la mieux voir, les habitants du souk se rangèrent en espalier, sur son passage. Et, d'un air d'enfant, elle entra dans ma boutique, et me jeta le plus gracieux salam, et me dit en s'asseyant : « Que ce jour soit pour toi une bénédiction, ô mon maître Olâ Ed-Dîn, et qu'Allah soutienne ton bien-être et ton bonheur et mette le comble à ton contentement ! Et que la joie soit avec toi ! la joie avec toi ! »

Or, moi, ô mon seigneur, dès que je l'avais aperçue, j'avais déjà froncé les sourcils et grommelé des malédictions en mon cœur. Mais quand je vis avec quelle audace elle se jouait de moi, et comment elle venait me provoquer, après son coup perpétré, je ne pus me retenir plus longtemps ; et toute ma grossièreté d'autrefois, quand j'étais vertueux, me vint aux lèvres ; et j'éclatai en injures, lui disant : « Ô chaudron plein de poix, ô casserole de bitume, ô puits de perfidie ! que t'ai-je donc fait pour m'avoir traité avec cette noirceur, et plongé dans un abîme sans issue ? Qu'Allah te maudisse et maudisse l'instant de notre rencontre et noircisse ton visage à jamais, ô débauchée ! » Mais elle, sans paraître autrement émue, répondit en souriant : « Hé quoi, ô timbale, as-tu donc oublié tes torts à mon égard, et ton mépris à l'égard de mon ode en vers, et le mauvais traitement que tu as fait subir à ma messagère, la petite négresse, et les injures que tu lui a adressées, et le coup de pied dont tu l'as gratifiée, et les injures que tu m'as envoyées par son entremise ? » Et, ayant ainsi parlé, l'adolescente ramassa ses voiles et se leva pour partir.

Mais moi, ô mon seigneur, je compris alors que je n'avais récolté que ce que j'avais semé, et je sentis tout le poids de ma brutalité passée, et combien la vertu maussade était une chose détestable. Et, sans plus tarder, je me jetai aux pieds de l'adolescente du parfait amour, et la suppliai de me pardonner, en lui disant : « Je suis pénitent ! je suis pénitent ! je suis, en vérité, tout à fait pénitent ! » Et je lui dis des paroles aussi douces et aussi attendrissantes que les gouttes de pluie dans un désert brûlant. Et je finis par la décider à rester ; et elle daigna m'excuser, et me dit : « Pour cette fois, je veux bien te pardonner, mais ne recommence pas ! » Et je m'écriai, en lui baisant le bas de sa robe, et en m'en couvrant le front : « Ô ma maîtresse, je suis sous ta sauvegarde, et je suis ton esclave qui attend sa délivrance de ce que tu sais, par ton entremise ! » Et elle me dit, en souriant : « J'y ai déjà pensé. Et de même que j'ai su te prendre dans mes filets, de même je saurai t'en délivrer ! » Et je m'écriai : « Yallah ! yallah ! hâte-toi ! hâte-toi ! »

Alors elle me dit : « Écoute bien mes paroles, et suis mes instructions. Et tu pourras être débarrassé, sans peine, de ton épouse ! » Et je m'inclinai : « Ô rosée ! ô rafraîchissement ! » Et elle continua : « Voici ! Lève-toi et va, au pied de la citadelle, trouver les saltimbanques, les bateleurs, les charlatans, les bouffons, les danseurs, les funambules, les baladins, les conducteurs de singes, les montreurs d'ours, les tambourineurs, les clarinettes, les flageolets, les timbaliers et autres farceurs, et tu te concerteras avec eux pour qu'ils viennent te trouver, sans retard, au palais du Cheikh al-Islam, père de ton épouse. Et toi, à leur arrivée, tu seras assis à prendre des rafraîchissements avec lui, sur le perron de la cour. Et eux, dès leur entrée, ils te féliciteront et te congratuleront en s'écriant : « Ô fils de notre oncle, ô notre sang, ô veine de notre œil, nous partageons ta joie, en ce jour béni de tes noces ! En vérité, ô fils de notre oncle, nous nous réjouissons pour toi du rang où tu es parvenu. Et quand tu rougirais de nous, nous nous ferions honneur de t'appartenir ; et quand même, oublieux de tes parents, tu nous chasserais, et quand tu nous éconduirais, nous ne te quitterions pas ; car tu es le fils de notre oncle, notre sang et la veine de notre œil. » Et alors, toi, tu feras semblant d'être bien confus de la divulgation de ta parenté avec ceux-là, et, pour te débarrasser d'eux, tu commenceras à répandre sur eux, par poignées, les drachmes et les dinars. Et, à cette vue, le Cheikh al-Islam te questionnera, sans aucun doute ; et tu lui répondras, en baissant la tête : « Il faut bien que je dise la vérité, puisque mes parents sont là pour me trahir. Mon père était en effet un baladin, montreur d'ours et de singes, et telle est la profession de ma famille et son origine. Mais, par la suite, le Rétributeur ouvrit sur nous la porte de la fortune, et nous avons acquis la considération auprès des marchands du souk et de leur syndic. » Et le père de ton épouse te dira : « Ainsi donc tu es un fils de baladin, de la tribu des funambules et des montreurs de singes ? » Et tu répondras : « Il n'y a pas moyen que je renie mon origine et ma famille, pour l'amour de ta fille et pour son honneur. Car le sang ne renie pas le sang, et le ruisseau sa source ! » Et il te dira, sans aucun doute : « En ce cas, ô jeune homme, il y a eu illégalité dans le contrat de mariage, puisque tu nous as caché tes souche et origine. Et il ne convient pas que tu restes l'époux de la fille du Cheikh al-Islam, chef suprême des kâdis, qui est assis sur le tapis de la loi, et qui est un chérif et un saïed dont la généalogie remonte aux parents de l'apôtre Allah ! Et il ne convient pas que sa fille, quelque oubliée qu'elle soit des bienfaits du Rétributeur, soit à la discrétion du fils d'un bateleur. » Et toi, tu répliqueras : « La ! la ! ya éfendi, ta fille est mon épouse légale, et chacun de ses cheveux vaut mille vies. Et moi, par Allah ! je ne m'en séparerais pas quand tu me donnerais les royaumes du monde ! » Mais, peu à peu, tu te laisseras persuader, et quand le mot de divorce sera prononcé, tu consentiras lentement à te séparer de ton épouse. Et tu prononceras, par trois fois, en présence du Cheikh al-Islam et de deux témoins, la formule du divorce. Et, délié de la sorte, tu reviendras me trouver ici. Et Allah arrangera ce qui restera à arranger ! »

Alors moi, à ce discours de l'adolescente du parfait amour, je sentis se dilater les éventails de mon cœur, et je m'écriai : « Ô reine de l'intelligence et de la beauté, me voici prêt à t'obéir sur ma tête et sur mes yeux…

À ce moment de sa narration, Schahrazade vit apparaître le matin et, discrète, se tut.

Mais lorsque fut la huit cent quarante et unième nuit. Elle dit :

… À ce discours de l'adolescente du parfait amour, je sentis se dilater les éventails de mon cœur, et je m'écriai : « Ô reine de l'intelligence et de la beauté, me voici prêt à t'obéir sur ma tête et sur mes yeux ! » Et, prenant congé d'elle en la laissant dans ma boutique, j'allai sur la place qui est au pied de la citadelle, et me mis en rapport avec le chef de la corporation des bateleurs, saltimbanques, charlatans, bouffons, danseurs, funambules, baladins, conducteurs de singes, montreurs d'ours, tambourineurs, clarinettes, flageolets, fifres, timbaliers, et tous autres farceurs ; et je me concertai avec ce chef-là pour qu'il m'aidât dans mon projet, en lui promettant une rémunération considérable. Et, ayant obtenu de lui la promesse de son concours, je le précédai au palais du Cheikh al-Islam, père de mon épouse, auprès duquel je montai m'asseoir sur le perron de la cour.

Et je n'étais pas là depuis une heure à deviser avec lui, en buvant des sorbets, que soudain, par la grande porte laissée ouverte, fit son entrée, précédée par quatre saltimbanques marchant sur la tête, et par quatre funambules marchant sur le bout des orteils, et par quatre bateleurs marchant sur les mains, au milieu d'un charivari extraordinaire, toute la tribu tambourinante, tamtamante, tintamarrante, hurlante, dansante, gesticulante et bariolée de la nigauderie qui tenait ses assises au pied de la citadelle. Et ils étaient tous là, les conducteurs de singes avec leurs animaux, les montreurs d'ours avec leurs plus beaux sujets, les bouffons avec leurs oripeaux, les charlatans avec leurs hauts bonnets de feutre, et les instrumentistes avec leurs bruyants instruments dont s'exhalait un immense hourvari. Et ils vinrent se ranger, en bon ordre, dans la cour, les singes et les ours au milieu d'eux, et chacun œuvrant à sa manière. Mais soudain résonna un violent coup de tabbl, et tout le vacarme tomba comme par enchantement. Et le chef de la tribu s'avança jusqu'au pied des marches, et, au nom de tous mes parents assemblés, me harangua d'une voix magnifique, en me souhaitant prospérité et longue vie, et en me tenant le discours que je lui avais appris.

Et, effectivement, ô mon seigneur, tout se passa comme l'avait prévu l'adolescente. Car le Cheikh al-Islam, ayant eu, par la bouche même du chef de la tribu, l'explication de ce tintamarre, m'en demanda la confirmation. Et je l'assurai que j'étais, en effet, le cousin, de père et de mère, de tous ces gens, et que j'étais moi-même le fils d'un bateleur, conducteur de singe ; et je lui répétai toutes les paroles du rôle que m'avait appris l'adolescente, et que tu connais déjà, ô roi du temps. Et le Cheikh al-Islam, devenu bien changé de teint et bien indigné, me dit : « Tu ne peux plus rester dans la maison et dans la famille du Cheikh al-Islam, car je craindrais qu'on te crachât au visage, et qu'on te traitât avec moins d'égards qu'un chien de chrétien ou qu'un porc de Juif. » Et moi je commençai par répondre : « Par Allah, je ne divorcerai pas d'avec mon épouse, même si tu m'offrais le royaume de l'Irak ! » Et le Cheikh al-Islam, qui savait bien que le divorce par force était défendu par la Schariat, me prit à part et me supplia, par toutes sortes de paroles conciliantes, de consentir à ce divorce, en me disant : « Voile mon honneur, et Allah voilera le tien ! » Et moi je finis par condescendre à accepter le divorce, et je prononçai, par-devant témoins, en parlant de la fille du Cheikh al-Islam : « Je la répudie une fois, deux fois, trois fois, je la répudie ! » Or, c'était là la formule du divorce irrévocable. Et, l'ayant prononcée, parce que j'en étais instamment requis par le père lui-même, je me trouvais, du même coup, libéré de la redevance de la rançon et du douaire, et délivré du plus épouvantable cauchemar qui eût pesé sur la poitrine d'un être humain.

Et, sans prendre le temps de saluer celui qui avait été pendant une nuit le père de mon épouse, je livrai mes jambes au vent, sans regarder derrière moi, et j'arrivai, hors d'haleine, dans ma boutique où m'attendait toujours l'adolescente du parfait amour. Et elle, de sa langue la plus douce, elle me souhaita la bienvenue, et, de toute la bienséance de ses manières, elle me félicita de la réussite, et me dit : « Maintenant, voici le moment venu de notre réunion. Qu'en penses-tu, ô mon maître ? » Et je répondis : « Sera-ce dans ma boutique ou dans ta maison ? » Et elle sourit et me dit : « Ô pauvre ! mais tu ne sais donc pas combien une femme doit prendre de soins de sa personne, pour faire les choses comme il sied ? Il faut donc que ce soit dans ma maison ! » Et je répondis : « Par Allah, ô ma souveraine, depuis quand le lys va-t-il au hammam et la rose au bain ? Ma boutique est assez grande pour te contenir, lys ou rose. Et si ma boutique brûlait, il y aurait mon cœur. » Et elle me répondit, riant : « Tu excelles, vraiment ! Et te voilà revenu de tes anciennes manières, si ordinaires ! Et tu sais tourner un compliment, parfaitement ! » Et elle ajouta : « Maintenant, lève-toi, ferme ta boutique et suis-moi. »

Or, moi, qui n'attendais que ces mots, je me hâtai de répondre : « J'écoute et j'obéis. » Et, sortant le dernier de la boutique, je la fermai à clef, et suivis, à dix pas de distance, le groupe formé par l'adolescente et ses esclaves. Et nous arrivâmes de la sorte devant un palais dont la porte s'ouvrit à notre approche. Et, dès l'entrée, deux eunuques vinrent à moi et me prièrent de me rendre avec eux au hammam. Et moi, décidé à tout faire sans demander d'explication, je me laissai conduire par les eunuques au hammam, où l'on me fit prendre un bain de propreté et de rafraîchissement. Après quoi, revêtu de fins habits, et parfumé à l'ambre chinois, je fus conduit dans les appartements intérieurs où m'attendait, nonchalamment étendue sur un lit de brocart, l'adolescente de mes désirs et du parfait amour.

Or, dès que nous fûmes seuls, elle me dit : « Viens par ici, viens, ô timbale ! Par Allah ! faut-il que tu sois un nigaud de l'extrême extrémité des nigauds, pour avoir refusé naguère une nuit semblable à celle-ci ! mais, pour ne pas te troubler, je ne te rappellerai pas le passé. » Et moi, ô mon seigneur, à la vue de cette adolescente déjà toute nue, et toute blanche et si fine, et de la richesse de ses parties délicates, et de la grosseur de son derrière dodu, et de l'excellente qualité de ses divers attributs, je sentis se réparer en moi tous mes retards passés, et je reculai pour sauter. Mais elle m'arrêta d'un geste et d'un sourire, et me dit : « Avant le combat, ô Cheikh, il faut que je sache si tu connais le nom de ton adversaire. Comment s'appelle-t-il ? » Et je répondis : « La source des grâces ! » Elle dit : « Que non ! » Je dis : « Le père de la blancheur ! » Elle dit : « Que non ! » Je dis : « Le doux-viandu ! » Elle dit : « Que non ! » Je dis : « Le sésame décortiqué ! » Elle dit : « Que non ! » Je dis : « Le basilic des ponts ! » Elle dit : « Que non ! » Je dis : « Le mulet rétif ! » Elle dit : « Que non ! » Je dis : « Hé, par Allah, ô ma maîtresse, je ne connais plus qu'un nom encore, et c'est tout : l'auberge de mon père Mansour ! » Elle dit : « Que non ! » et ajouta : « Ô timbale, que t'ont-ils donc appris, les savants théologiens et les maîtres grammairiens ? » Je dis : « Rien du tout ! » Elle dit : « Alors écoute ! Voici quelques-uns de ses noms : le sansonnet muet, le mouton gras, la langue silencieuse, l'éloquent sans paroles, l'étau adaptable, le crampon sur mesure, le mordeur enragé, le secoueur infatigable, l'abîme magnétique, le puits de Jacob, le berceau de l'enfant, le nid sans œuf, l'oiseau sans plumes, le pigeon sans tache, le chat sans moustaches, le poulet sans voix et le lapin sans oreilles. »

Et, ayant fini d'orner de la sorte mon entendement, et d'éclairer mon jugement, elle me saisit soudain entre ses jambes et ses bras, et me dit : « Yallah !

yallah, ô timbale ! sois rapide dans l'assaut, et lourd dans la descente, et léger dans le poids, et solide dans l'étreinte, et un nageur de fond, et un bouchon sans vide, et un sauteur sans arrêt. Car le détestable est celui qui se lève une fois ou deux fois pour ensuite s'asseoir, et qui lève la tête pour la baisser, et qui se met debout pour retomber. Et donc, hardi, ô gaillard ! » Et moi, ô mon seigneur, je répondis : « Hé, par ta vie, ô ma maîtresse, procédons par ordre ! procédons par ordre ! » Et j'ajoutai : « Par qui faut-il commencer ? » Elle répondit : « À ton choix, ô timbale ! » Je dis : « Alors, donnons d'abord son grain au sansonnet muet ! » Elle dit : « Il attend ! il attend ! »

Alors moi, ô mon seigneur le sultan, je dis à mon enfant : « Satisfais le sansonnet ! » Et l'enfant répondit par l'ouïe et l'obéissance, et fut large et généreux pour la pitance du sansonnet muet qui, du coup, se mit à s'exprimer dans le langage des sansonnets, disant : « Qu'Allah augmente ton bien ! qu'Allah augmente ton bien ! »

Et moi je dis à l'enfant : « Fais ton salam maintenant au mouton gras qui attend ! » Et l'enfant fit au mouton en question le salam le plus profond. Et le mouton répondit en son langage d'état : « Qu'Allah augmente ton bien ! qu'Allah augmente ton bien ! »

Et moi je dis à l'enfant : « Parle maintenant à la langue silencieuse ! » Et l'enfant frotta son doigt sur la langue silencieuse, qui répondit aussitôt d'une voix harmonieuse : « Qu'Allah augmente ton bien ! qu'Allah augmente ton bien ! »

Et moi je dis à l'enfant : « Apprivoise le mordeur enragé ! » Et il se mit à caresser le mordeur en question, avec beaucoup de précautions, et fit si bien qu'il sortit de sa gueule sans dommage et sans rage, et que le mordeur, satisfait de son courage et de son ouvrage, lui dit : « Je te rends hommage ! ah ! quel breuvage ! »

Et moi je dis à l'enfant : « Comble le puits de Jacob, ô plus endurant que Job ! » Et l'enfant répondit aussitôt : « Il me gobe ! il me gobe ! »

Et le puits en question fut comblé sans fatigue ni objection, et bouché sans vide ni interruption.

Et moi je dis à l'enfant : « Réchauffe l'oiseau sans plumes ! » Et l'enfant répondit comme le marteau sur l'enclume ; et l'oiseau réchauffé répondit : « Je fume ! je fume ! »

Et moi je dis à l'enfant : « Ô excellent, donne du grain cette fois au poulet sans voix ! »

Et l'excellent garçon ne dit pas non, et donna du grain à profusion au poulet en question, qui se mit à chanter, disant : « La bénédiction ! La bénédiction ! »

Et moi je dis à l'enfant : « N'oublie pas ce bon lapin sans oreilles, et tire-le de son sommeil, ô père de l'œil sans pareil ! »

Et l'enfant, toujours en éveil, parla au lapin, bien qu'il fût sans oreilles, et lui donna de si bons conseils, qu'il s'écria : « Quelle merveille ! quelle merveille…

À ce moment de sa narration, Schahrazade vit apparaître le matin et, discrète, se tut.

Mais lorsque fut la huit cent quarante-deuxième nuit. Elle dit :

… Et l'enfant, toujours en éveil, parla au lapin, bien qu'il fût sans oreilles, et lui donna de si bons conseils, qu'il s'écria : « Quelle merveille ! quelle merveille ! »

Et je continuai, ô mon seigneur, à encourager l'enfant à converser de la sorte avec son adversaire, en changeant chaque fois de place la conversation, et en la faisant dévier selon chaque attribut, prenant-prenant, et donnant-donnant, sans oublier ni le chat sans moustaches, ni le pigeon sans tache, ni le berceau qui fut trouvé bien chaud, ni le nid sans œuf qui fut trouvé tout neuf, ni le crampon sur mesure qui fut affronté sans écorchure, ni l'abîme magnétique où il plongea d'une manière oblique pour rester pudique, et qui fit crier grâce à la propriétaire, disant : « J'abdique ! j'abdique ! ah ! quelle trique ! » ni l'étau adaptable d'où il sortit plus invulnérable et plus considérable, ni enfin l'auberge de mon père Mansour, plus chaude qu'un four, et d'où il sortit plus gros et plus lourd qu'un topinambour.

Et nous ne cessâmes la lutte, ô mon seigneur le sultan, qu'avec l'apparition du matin, pour réciter la prière et aller au bain. Et, lorsque nous fûmes sortis du hammam et réunis pour le repas du matin, l'adolescente du parfait amour me dit : « Par Allah, ô timbale, tu as vraiment excellé, et le sort m'a favorisé qui m'a fait jeter sur toi mon dévolu. Or, maintenant il s'agit de rendre licite notre union. Qu'en penses-tu ? Veux-tu rester avec moi, selon la loi d'Allah, ou veux-tu renoncer pour toujours à me revoir ? » Et moi je répondis : « Plutôt subir la mort rouge que de ne plus me réjouir de ce visage de blancheur, ô ma maîtresse ! » Et elle me dit : « En ce cas, sur nous le kâdi et les témoins ! » Et elle fit appeler le kâdi et les témoins, séance tenante, et écrire sans retard notre contrat de mariage. Après quoi, nous prîmes ensemble notre premier repas, et nous attendîmes que notre digestion fût terminée, et que tout risque de mal de ventre fût évité, pour recommencer nos ébats et nos divertissements, et unir la nuit avec le jour.

Et je vécus de cette vie-là, ô mon seigneur, avec l'adolescente du parfait amour pendant trente nuits et trente jours, rabotant ce qu'il y avait à raboter, et limant ce qu'il y avait à limer, et farcissant ce qu'il y avait à farcir, jusqu'à ce qu'un jour, pris d'une sorte de vertige, il m'échappa de dire à ma partenaire : « Je ne sais pas, mais, par Allah ! je ne puis aujourd'hui enfoncer le douzième épieu ! » Et elle s'écria : « Comment ? comment ? Mais ce douzième-là est le plus nécessaire ! Les autres ne comptent pas ! » Et je lui dis : « Impossible, impossible ! » Alors elle se mit à rire, et me dit : « Il te faut du repos ! Nous te le donnerons ! » Et je n'en entendis pas davantage. Car les forces m'abandonnèrent, ya sidi, et je roulai sur le sol comme un âne sans licol.

Et quand je me réveillai de mon évanouissement, je me vis enchaîné dans ce maristân, en compagnie de mes camarades, ces deux honorables jeunes gens. Et les gardiens, interrogés, me dirent : « C'est pour ton repos ! c'est pour ton repos ! » Or moi, par ta vie, ô mon seigneur le sultan, je me sens maintenant bien reposé et ragaillardi, et je demande de ta générosité d'arranger ma réunion avec l'adolescente du parfait amour. Quant à te dire son nom ou sa qualité, cela dépasse mes connaissances. Et je t'ai raconté tout ce que je savais. Et telle est, dans son ordre et l'arrangement de ses péripéties, mon histoire telle qu'elle s'est passée. Mais Allah est plus savant ! »

Lorsque le sultan Mahmoud et son vizir, l'ancien sultan-derviche, eurent entendu cette histoire du second jeune homme, ils s'émerveillèrent à la limite de l'émerveillement de l'ordre et de la clarté avec lesquels elle leur avait été racontée. Et le sultan dit au jeune homme : « Par ma vie ! même si le motif de ton emprisonnement n'avait pas été illicite, je t'aurais libéré après t'avoir entendu. »

Et il ajouta : « Pourras-tu nous conduire au palais de l'adolescente ? » Il répondit : « Je le puis, les yeux fermés ! » Alors le sultan et le vizir et le chambellan, qui était l'ancien premier fou, se levèrent ; et le sultan dit au jeune homme, après avoir fait tomber ses chaînes : « Précède-nous sur le chemin qui conduit chez ton épouse ! » Et ils se disposaient tous les quatre à sortir, quand le troisième jeune homme, qui avait encore les chaînes au cou, s'écria : « Ô mes maîtres, par Allah sur nous tous ! avant de partir, écoutez mon histoire, car elle est plus extraordinaire que celles de mes deux compagnons ! » Et le sultan lui dit : « Rafraîchis ton cœur et ton esprit, car nous ne tarderons pas à revenir. »

Et ils marchèrent, précédés par le jeune homme, jusqu'à ce qu'ils fussent arrivés à la porte d'un palais, à la vue duquel le sultan s'écria : « Allahou akbar ! Confondu soit Éblis le Tentateur ! Ce palais, ô mes amis, est la demeure de la troisième fille de mon oncle le sultan défunt. Et notre destinée est une prodigieuse destinée. Louanges à Celui qui réunit ce qui était séparé, et qui reconstitue ce qui était dissous ! » Et il pénétra dans le palais, suivi de ses compagnons, et fit annoncer son arrivée à la fille de son oncle, qui se hâta de se présenter entre ses mains.

Or, effectivement, c'était l'adolescente du parfait amour ! Et elle baisa la main du sultan, époux de sa sœur, et se déclara soumise à ses ordres. Et le sultan lui dit : « Ô fille de l'oncle, je t'amène ton époux, cet excellent gaillard que je nomme à l'instant mon second chambellan, et qui sera désormais mon commensal et mon compagnon de coupe. Car je connais son histoire et le malentendu passager qui a eu lieu entre vous deux. Mais désormais la chose ne se répétera plus, car il est maintenant reposé et ragaillardi. » Et l'adolescente répondit : « J'écoute et j'obéis ! Et, du moment qu'il est sous ta sauvegarde et ta garantie, et que tu m'assures qu'il est rétabli, je consens à vivre de nouveau avec lui ! » Et le sultan lui dit : « Grâces te soient rendues, ô fille de l'oncle ! Tu lèves un gros poids que j'avais sur le cœur ! » Et il ajouta : « Permets-nous seulement de l'emmener pour une heure de temps. Car nous avons à écouter ensemble une histoire qui doit être tout à fait extraordinaire ! » Et il prit congé d'elle et sortit avec le jeune homme, devenu son second chambellan, avec son vizir et avec son premier chambellan.

Et, quand ils furent arrivés au maristân, ils allèrent s'asseoir à leur place, en face du troisième jeune homme, qui les attendait sur des tisons enflammés, et qui, la chaîne au cou, commença aussitôt en ces termes son histoire :

HISTOIRE DU TROISIÈME FOU

« Sache, ô mon souverain maître, et toi, ô vizir de bon conseil, et vous, honorés chambellans, mes deux anciens compagnons de chaîne, sachez que mon histoire n'a aucun rapport avec celles qui viennent d'être racontées, car si mes deux compagnons ont été entrepris par des adolescentes, moi, ce fut tout autre chose. Et du reste, vous allez contrôler mon dire par votre propre jugement.

Donc, ô mes seigneurs, j'étais encore enfant lorsque mon père et ma mère trépassèrent dans la miséricorde du Rétributeur. Et je fus recueilli par les voisins miséricordieux, des pauvres comme nous, qui, n'ayant point le nécessaire, ne pouvaient faire les frais de mon instruction, et me laissaient vagabonder dans les rues, tête nue et jambes nues, et n'ayant pour tout vêtement que la moitié d'une chemise en cotonnade bleue. Et je ne devais pas être repoussant à regarder, car les passants qui me voyaient cuire au soleil s'arrêtaient souvent pour s'exclamer : « Qu'Allah préserve cet enfant du mauvais œil ! Il est aussi beau qu'un morceau de lune. » Et, des fois, quelques-uns d'entre eux m'achetaient de la halawa aux pois chiches ou du caramel jaune et pliant, de celui qu'on tire comme une ficelle, et, en me le donnant, ils me tapaient sur la joue, ou me frottaient la tête, ou me tiraient amicalement le toupet que j'avais juste sur le sommet de mon crâne rasé. Et moi, j'ouvrais une bouche énorme, et avalais d'une happée toute la friandise. Ce qui faisait s'exclamer d'admiration tous ceux qui me regardaient et ouvrir des yeux d'envie aux petits gamins qui jouaient avec moi. Et j'arrivai de la sorte à avoir douze ans d'âge.

Or, un jour d'entre les jours, j'étais allé avec mes camarades habituels chercher des nids d'épervier et de corbeau au sommet des maisons en ruines, quand j'aperçus dans une cahute recouverte de branchages de palmier, au fond d'une cour abandonnée, la forme indécise et immobile d'un être vivant. Et, sachant que les genn et les mareds hantent les maisons désertes, je pensai : « Celui-ci est un mared ! » Et, saisi d'épouvante, je dégringolai du sommet de la ruine, et voulus livrer mes jambes au vent et anéantir la distance entre moi et ce mared. Mais une voix très douce sortit de la cahute qui m'appela, disant : « Pourquoi fuis-tu bel enfant ? Viens goûter à la sagesse ! Viens sans peur près de moi. Je ne suis ni un genni, ni un éfrit, mais un être humain qui vit dans la solitude et la contemplation. Viens, mon enfant, et je t'enseignerai la sagesse…

À ce moment de sa narration, Schahrazade vit apparaître le matin et, discrète, se tut.

Mais lorsque fut la huit cent quarante-troisième nuit. Elle dit :

… Viens mon enfant, et je t'enseignerai la sagesse. » Et moi, retenu soudain dans ma fuite par une force irrésistible, je revins sur mes pas, et me dirigeai vers la cahute, tandis que la voix très douce continuait à me dire : « Viens, bel enfant, viens ! » Et j'entrai dans la cahute et vit que la forme immobile était celle d'un vieillard très ancien, qui devait avoir un nombre incalculable d'années. Et son visage, malgré tout ce grand âge, était comme le soleil. Et il me dit : « Bienvenu l'orphelin qui vient hériter de mon enseignement ! » Et il me dit encore : « Je serai ton père et ta mère. » Et il me prit la main et ajouta : « Et tu seras mon disciple. Et tu deviendras, un jour, le maître d'autres disciples. » Et, ayant ainsi parlé, il me donna le baiser de paix, et me fit asseoir à ses côtés, et commença sur l'heure mon instruction. Et moi, je fus subjugué par sa parole et par la beauté de son enseignement ; et je renonçai pour lui à mes jeux et à mes camarades. Et il devint mon père et ma mère. Et je lui montrai un respect profond, une tendresse extrême et une soumission sans bornes. Et cinq années s'écoulèrent, pendant lesquelles j'acquis une instruction admirable. Et mon esprit fut nourri du pain de la sagesse.

Mais, ô mon seigneur, toute sagesse est vaine si elle n'est pas semée dans un terrain dont le fond soit de bonne nature. Car elle s'efface avec le premier coup de râteau de la folie, qui racle la couche fertile. Et en dessous il ne reste que la sécheresse et la stérilité. Et je devais bientôt éprouver sur moi-même la force des instincts victorieux des préceptes.

Un jour, en effet, le vieux sage, mon maître, m'ayant envoyé mendier notre subsistance dans la cour de la mosquée, je m'acquittai de ma tâche ; et, après avoir été favorisé par la générosité des Croyants, je sortis de la mosquée et repris le chemin de notre solitude. Mais, en chemin, ô mon seigneur, je croisai un groupe d'eunuques au milieu desquels se balançait une adolescente voilée, dont les yeux sous le voile me parurent contenir tout le ciel. Et les eunuques étaient armés de longs bâtons avec lesquels ils tapaient sur les épaules des passants, pour les éloigner du chemin suivi par leur maîtresse. Et de tous côtés j'entendais les gens murmurer : « La fille du sultan ! la fille du sultan ! » Et moi, ô mon seigneur, je m'en retournai vers mon maître, l'âme en émoi et la cervelle en désordre. Et du coup j'oubliai les maximes de mon maître, et mes cinq années de sagesse, et les préceptes du renoncement.

Et mon maître me regarda tristement, tandis que je pleurais. Et nous passâmes toute la nuit l'un à côté de l'autre sans prononcer une parole. Et le matin, après lui avoir baisé la main, selon mon habitude, je lui dis : « Ô mon père et ma mère, pardonne à ton indigne disciple ! Mais il faut que mon âme revoie la fille du sultan, ne fût-ce que pour jeter sur elle un seul regard. » Et mon maître me dit : « Ô fils de ton père et de ta mère, ô mon enfant, tu verras, puisque ton âme le désire, la fille du sultan. Mais songe à la distance qu'il y a entre les solitaires de la sagesse et les rois de la terre ! Ô fils de ton père et de ta mère, ô nourri de ma tendresse, oublies-tu combien la sagesse est incompatible avec la fréquentation des filles d'Adam, surtout quand elles sont filles de rois ? Et as-tu donc renoncé à la paix de ton cœur ? Et veux-tu que je meure, persuadé qu'avec ma mort disparaîtra le dernier receleur des préceptes de la solitude ? Ô mon fils, rien n'est aussi plein de richesse que le renoncement, et rien n'est aussi satisfaisant que la solitude ! » Mais je répondis : « Ô mon père et ma mère, si je ne puis voir la princesse, ne fût-ce que pour jeter sur elle un seul regard, je mourrai. »

Alors mon maître, qui m'aimait, voyant ma tristesse et mon affliction, me dit : « Enfant, un regard sur la princesse satisferait-il tous tes désirs ? » Et je répondis : « Sans aucun doute ! » Alors mon maître s'approcha de moi en soupirant, frotta l'arc de mes yeux avec une sorte d'onguent, et, au même instant, une partie de mon corps disparut, et il ne resta en moi de visible que la moitié d'un homme, un tronc doué de mouvement. Et mon maître me dit : « Transporte-toi maintenant au milieu de la ville. Et tu atteindras ainsi le but que tu souhaites. » Et je répondis par l'ouïe et l'obéissance, et je me transportai en un clin d'œil sur la place publique, où dès mon arrivée, je me vis entouré d'une foule innombrable. Et chacun me regardait avec étonnement. Et de tous côtés, on accourait pour contempler cet être singulier qui n'avait d'un homme que la moitié, et qui se mouvait avec tant de rapidité. Et le bruit de cet étrange phénomène se répandit bientôt dans la ville, et parvint jusqu'au palais où demeurait la fille du sultan avec sa mère. Et elles désirèrent toutes deux satisfaire sur moi leur curiosité, et envoyèrent les eunuques me prendre pour me mener en leur présence. Et je fus conduit au palais et introduit dans le harem, où la princesse et sa mère satisfirent sur moi leur curiosité, tandis que je regardais. Après quoi elles me firent ramasser par les eunuques, qui me transportèrent là où ils m'avaient pris. Et moi, l'âme plus tourmentée que jamais et l'esprit plus bouleversé, je retournai auprès de mon maître, dans la cahute. Et je le trouvai, couché sur la natte, la poitrine oppressée, et le teint jaune comme s'il eût été à l'agonie. Mais j'avais le cœur trop occupé ailleurs pour me tourmenter à son sujet. Et il me demanda d'une voix faible : « As-tu vu, ô mon enfant, la fille du sultan ? » Et je répondis : « Oui, mais c'est pis que si je ne l'avais vue. Et désormais mon âme ne peut trouver de repos, si je ne parviens à m'asseoir près d'elle, et à rassasier mes yeux du plaisir de la regarder ! » Et il me dit, en poussant un grand soupir : « Ô mon bien-aimé disciple, que je tremble pour la paix de ton cœur ! Ah ! quel rapport peut jamais exister entre ceux de la Solitude et ceux du Pouvoir ? » Et je répondis : « Ô mon père, à moins que je ne repose ma tête près de la sienne, que je ne la regarde et que je ne touche son cou charmant de ma main, je me croirai à l'extrême limite du malheur, et je mourrai de désespoir. »

Alors mon maître, qui m'aimait, inquiet tout à la fois pour ma raison et pour la paix de mon cœur, me dit, tandis que des hoquets le secouaient douloureusement : « Ô fils de ton père et de ta mère, ô enfant qui portes en toi la vie et qui oublies combien la femme est troublante et pervertissante, va, satisfais tous tes désirs ! mais, comme une dernière grâce, je te supplie de creuser ici même ma tombe, et de m'ensevelir sans mettre de pierre indicatrice sur l'endroit où je reposerai. Penche-toi, mon fils, pour que je te donne le moyen d'arriver à tes fins. »

Et moi, ô mon seigneur, je me penchai vers mon maître, qui me frotta les paupières avec une sorte de kôhl en poudre noire très fine, et me dit : « Ô mon ancien disciple, te voici devenu, grâce aux vertus de ce kôhl, invisible aux yeux des hommes. Et tu peux maintenant, sans crainte, satisfaire tous tes désirs ! Et que la bénédiction d'Allah soit sur ta tête et te préserve, dans la mesure du possible, des embûches des maudites qui jettent le trouble parmi les élus de la Solitude ! » Et, ayant ainsi parlé, mon vénérable maître fut comme s'il n'avait jamais été. Et moi je me hâtai de l'ensevelir dans une fosse que je creusai sous la cahute où il avait vécu, – qu'Allah l'admette dans Sa miséricorde, et lui donne une place de choix ! Après quoi, je me hâtai de m'envoler vers le palais de la fille du sultan.

Or, comme j'étais invisible à tous les yeux, j'entrai dans le palais sans être aperçu et, poursuivant mon chemin, je pénétrai dans le harem et allai tout droit à la chambre de la princesse. Et je la trouvai couchée dans son lit, faisant la sieste, et n'ayant sur elle, pour tout vêtement, qu'une chemise en tissu de Mossoul. Et moi, ô mon seigneur, qui de ma vie n'avais encore eu l'occasion de voir la nudité d'une femme, je fus dans un émoi qui acheva de me faire oublier toutes les sagesses et tous les préceptes. Et je m'écriai : « Allah ! Allah ! » Et cela fut lancé d'une voix si forte que la jeune fille ouvrit à demi les yeux, en poussant un soupir d'éveil, et en se tournant dans son lit. Mais ce fut tout, heureusement. Et moi, ô mon seigneur, je vis alors l'inexprimable ! Et je fus frappé de ce qu'une jeune fille si frêle et si fine possédât un si gros derrière. Et, bien émerveillé, je m'approchai davantage, me sachant invisible, et, bien doucement, je posai mon doigt sur ce derrière-là pour le tâter, et avoir le cœur satisfait à son sujet. Et je sentis qu'il était plein, et rebondissant et beurré et granulé. Mais je ne pouvais revenir de la surprise où j'étais de son volume, et je me demandais : « Pourquoi si gros ? pourquoi si gros ? » Et, ayant réfléchi à ce sujet sans trouver la réponse satisfaisante, je me hâtai d'aller prendre contact avec la jeune fille. Et je fis cela avec des précautions infinies pour ne pas la réveiller. Et, quand je jugeai que le premier danger était passé, je me hasardai à quelque premier mouvement. Et doucement, doucement, l'enfant que tu sais, ô mon seigneur, entra en jeu à son tour. Mais il se garda bien d'être grossier ou d'user de procédés répréhensibles, de n'importe quelle manière ; et il se contenta, lui aussi, de faire seulement connaissance avec ce qu'il ne connaissait pas. Et rien de plus, ô mon seigneur. Et nous jugeâmes tous deux, pour cette première fois, qu'il était bien suffisant de nous être formé le jugement.

Mais voilà ! le Tentateur, au moment précis où j'allais me lever, me poussa à pincer la jeune fille, juste au milieu de l'une de ces étonnantes rondeurs dont le volume me rendait perplexe, et je ne pus résister à la tentation, et voilà ! je pinçai la jeune fille au milieu de cette rondeur-là. Et – éloigné soit le Malin ! – l'impression qu'elle en éprouva fut si vive que, réveillée pour de bon cette fois, elle sauta de son lit en jetant un cri d'effroi, et appela sa mère à grands cris…

À ce moment de sa narration, Schahrazade vit apparaître le matin et, discrète, se tut.

Mais lorsque fut la huit cent quarante-quatrième nuit. Elle dit :

… L'impression qu'elle en éprouva fut si vive, que réveillée pour de bon cette fois, elle sauta de son lit en jetant un cri d'effroi, et appela sa mère à grands cris.

Or, en entendant les signaux d'alarme de sa fille et ses cris de terreur et ses appels au secours, la mère accourut en se prenant les pieds dans ses robes, et suivie de près par la vieille nourrice de la jeune fille et par les eunuques. Et la jeune fille continuait à crier, en portant sa main là où elle avait été pincée : « Je me réfugie en Allah du Cheitân le lapidé ! » Et sa mère et la vieille nourrice lui demandèrent en même temps : « Qu'y a-t-il ? Qu'y a-t-il ? Et pourquoi as-tu la main sur l'honorable ? Et qu'est-ce qu'il a, l'honorable ! » Et qu'est-il arrivé à l'honorable ? Et montre-nous ce qu'il a, l'honorable ? Et la nourrice se tourna vers les eunuques, en leur lançant un regard de travers, et leur cria : « Allez-vous-en un peu ! » Et les eunuques s'éloignèrent, en maudissant entre leurs lèvres la vieille calamiteuse.

Tout cela ! Et moi je voyais sans être vu, grâce au kôhl de mon défunt maître – qu'Allah l'ait en Ses bonnes grâces !

Or donc, lorsque sa mère et sa nourrice l'eurent ainsi, en un instant, harcelée de pressantes questions, en allongeant le cou pour voir ce que pouvait bien être l'affaire, la jeune fille rougissante et endolorie finit par prononcer : « C'est là ! c'est là ! le pincement ! le pincement ! » Et les deux femmes regardèrent et virent, sur l'honorable, la trace rouge et déjà enflée de mon pouce et de mon doigt du milieu. Et elles reculèrent effarées et formalisées à l'extrême, en s'écriant : « Ô maudite, qui t'a fait ça ? qui t'a fait ça ? » Et la jeune fille se mit à pleurer, en disant : « Je ne sais pas ! je ne sais pas ! » Et elle ajouta : « J'ai été pincée comme ça, alors que je rêvais, dans mon sommeil, que je mangeais un gros concombre ! » Et les deux femmes, en entendant ces paroles, se penchèrent en même temps, et regardèrent sous les rideaux, et sous les draperies et sous la moustiquaire ; et, n'ayant rien trouvé de suspect, elles dirent à la jeune fille : « Es-tu bien sûre que tu ne t'es pas pincée toi-même, en dormant ? » Elle répondit : « Je préférerais mourir que de me pincer si cruellement ! » Alors la vieille nourrice opina, disant : « Il n'y a de recours et de puissance qu'en Allah le Très-Haut, l'Omnipotent. Celui qui a pincé notre fille est un innommable d'entre les innommables qui peuplent l'air ! Et il a dû entrer ici par cette fenêtre ouverte et, ayant vu notre fille endormie avec son honorable à nu, il n'a pas pu résister au désir de la pincer là même. Et c'est ce qui est arrivé, certainement. » Et, ayant ainsi parlé, elle courut fermer la fenêtre et la porte, et ajouta : « Avant de mettre à notre fille une compresse d'eau froide et de vinaigre, il faut nous hâter de chasser le Malin. Et il n'y a qu'un moyen efficace, et c'est de brûler dans la chambre des crottes de chameau. Car les crottes de chameau sont incompatibles avec l'odorat des genn, des mareds et de tous les innommables. Et je sais les paroles qu'il faut prononcer pendant cette fumigation ! » Et aussitôt elle cria aux eunuques : « Allez vite nous chercher un panier de crottes de chameau. »

Et, pendant que les eunuques étaient allés exécuter l'ordre, la mère s'approcha de sa fille et lui demanda : « Es-tu sûre, ô ma fille, que le Malin ne t'a rien fait de plus ? Et n'as-tu rien senti de ce que je veux dire ? » Elle dit : « Je ne sais pas ! » Alors la mère et la nourrice baissèrent la tête et examinèrent la jeune fille. Et elles virent, ô mon seigneur, que, selon ce que je t'avais dit, tout était à sa place, et qu'il n'y avait aucune trace de violence sur le revers ou sur la face. Mais le nez de la maudite nourrice, qui était perspicace, lui fit dire : « J'ai senti sur notre fille l'odeur d'un genni mâle ! » Et elle cria aux eunuques : « Où sont les crottes, ô maudits ! » Et, à ce moment, les eunuques arrivèrent avec le panier ; et ils se hâtèrent de le remettre à la vieille, à travers la porte un instant entrouverte.

Alors la vieille nourrice, après avoir enlevé les tapis qui recouvraient le sol, versa le panier de crottes sur les dalles de marbre, et y mit le feu. Et dès que s'éleva la fumée, elle se mit à marmonner sur le feu des paroles inconnues, en traçant dans l'air des signes magiques. Et voici ! la fumée des crottes brûlées qui remplit bientôt l'appartement affecta mes yeux d'une manière si insupportable qu'ils se remplirent d'eau, et que je fus obligé de les essuyer à plusieurs reprises avec le bas de ma robe. Et je ne réfléchis pas, ô mon seigneur, que, par cette manœuvre, j'enlevais, au fur et à mesure, le kôhl dont les vertus me rendaient invisible et dont, dans mon imprévoyance, j'avais oublié d'emporter une bonne quantité avant la mort de mon maître.

Et, effectivement, j'entendis soudain les trois femmes pousser trois cris simultanés d'épouvante, en dirigeant leur doigt de mon côté : « Voici l'éfrit ! voici l'éfrit ! Voici l'éfrit ! » Et elles appelèrent à leur secours les eunuques, qui aussitôt envahirent la chambre et se jetèrent sur moi et voulurent me tuer. Mais je leur criai de ma voix la plus terrible : « Si vous me faites le moindre mal, j'appellerai à mon aide mes frères les genn qui vous extermineront, et feront crouler ce palais sur la tête de ses habitants ! » Alors ils eurent peur, et se contentèrent de me garrotter. Et la vieille me cria : « Mes cinq doigts gauches dans ton œil droit, et mes cinq autres doigts dans ton œil gauche ! » Et je lui dis : « Tais-toi, ô sorcière maudite, ou j'appelle mes frères les genn, qui feront entrer ta longueur dans ta largeur ! » Alors elle eut peur et se tut. Mais ce fut pour s'écrier, au bout d'un moment : « Puisque celui-ci est un éfrit, nous ne pouvons le tuer. Mais nous pouvons l'enchaîner pour le reste de ses années ! » Et elle dit aux eunuques : « Prenez-le et conduisez-le au maristân, et mettez-lui une chaîne au cou, et rivez la chaîne au mur. Et dites aux gardiens que, s'ils le laissent échapper, leur mort sera sans recours ! »

Et aussitôt les eunuques, ô mon seigneur, m'emmenèrent, alors que j'avais le nez bien long, et me jetèrent dans ce maristân, où je rencontrai mes deux anciens compagnons, qui sont maintenant tes honorables chambellans. Et telle est mon histoire ! Et tel est, ô mon seigneur le sultan, le motif de mon emprisonnement dans cette prison de fous, et de cette chaîne qui est à mon cou. Et je t'ai raconté tout, d'un bout à l'autre bout, et c'est pourquoi j'espère d'Allah et de toi que mon errement est absous, et que ta bonté va me tirer de dessous ces verrous, pour me mettre n'importe où en dehors de cet écrou. Et le mieux est que je devienne l'époux de la princesse dont je suis fou. Et le Très-Haut est au-dessus de nous ! »

Lorsque le sultan Mahmoud eut entendu cette histoire, il se tourna vers son vizir, l'ancien sultan-derviche, et lui dit : « Voilà comment le destin a conduit les événements de notre famille ! Car la princesse, dont est amoureux ce jeune homme, est la dernière fille du sultan défunt, père de mon épouse ! Et maintenant il ne nous reste plus qu'à donner à cet événement la suite qu'il comporte. » Puis il se tourna vers le jeune homme et lui dit : « En vérité, ton histoire est une étonnante histoire, et si même tu ne m'avais pas demandé la fille de mon oncle en mariage, je te l'aurais accordée pour te marquer le contentement que j'éprouve de tes paroles ! » Et il fit tomber ses chaînes à l'instant, et lui dit : « Tu seras désormais mon troisième chambellan ; et je vais donner les ordres pour la célébration de tes noces avec la princesse dont tu connais déjà les avantages. »

Et le jeune homme baisa la main du généreux sultan. Et ils sortirent tous du maristân et se rendirent au palais, où, à l'occasion des deux précédentes réconciliations et du mariage du jeune homme avec la princesse, de grandes fêtes furent données et de grandes réjouissances publiques. Et tous les habitants de la ville, petits et grands, furent engagés à prendre part aux festins qui devaient durer quarante jours et quarante nuits, en l'honneur du mariage de la fille du sultan avec le disciple du sage, et de la réunion de ceux que le sort avait désunis. Et ils vécurent tous dans les délices intimes et les joies de l'amitié, jusqu'à l'inévitable séparation.

« Et telle est, ô Roi fortuné, continua Schahrazade, l'histoire compliquée de l'Adultérin sympathique, qui était sultan et qui devint derviche errant pour ensuite être choisi comme vizir par Mahmoud le sultan, et de ce qui lui arriva avec son ami et les trois jeunes gens enfermés comme fous dans le maristân. Mais Allah est plus grand, et plus généreux et plus savant ! » Puis elle ajouta, sans s'arrêter : « Mais ne crois point que cette histoire soit plus admirable ou plus instructive que les PAROLES SOUS LES QUATRE-VINGT-DIX-NEUF TÊTES COUPÉES *! » Et le roi Schahriar s'écria : « Quelles sont ces paroles, Schahrazade, et ces têtes coupées que je ne connais pas ? » Et Schahrazade dit :*

PAROLES SOUS LES QUATRE-VINGT-DIX-NEUF TÊTES COUPÉES

Il est raconté – mais Allah seul sait distinguer le réel et l'irréel, et les différencier infailliblement ! – qu'il y avait, en l'antiquité du temps, dans une ville d'entre les villes des Roums anciens, un roi d'un haut rang et d'un mérite signalé, un maître de pouvoir et de puissance, de forces et d'armées. Et ce roi avait, plus précieux que tous ses trésors, un fils adolescent qui était parfaitement beau. Et cet adolescent, fils de roi, n'était pas seulement beau à la perfection, mais il était doué d'une sagesse qui émerveillait la terre. Et, du reste, cette histoire ne sera que la confirmation de cette sagesse admirable et de cette beauté de l'adolescent princier.

Et, pour mettre ces qualités à l'épreuve, Allah Très-Haut fit tourner le temps du côté néfaste, sur les jours du roi et de la reine, père et mère de l'adolescent. Et de roi et de reine qu'ils étaient, au comble de la puissance et des richesses, ils se réveillèrent un jour dans leur palais vide, plus pauvres et plus misérables que les mendiants sur la route de la générosité. Car rien n'est plus aisé au Très-Haut que de faire s'écrouler les trônes les plus solides, et de faire habiter les palais par les bêtes de proie et les oiseaux de nuit…

À ce moment de sa narration, Schahrazade vit apparaître le matin et, discrète, se tut.

Mais lorsque fut la huit cent quarante-cinquième nuit. Elle dit :

… Et plus misérables que les mendiants sur la route de la générosité. Car rien n'est plus aisé au Très-Haut que de faire s'écrouler les trônes les plus solides et de faire habiter les palais par les bêtes de proie et les oiseaux de nuit. Or, devant ce retour offensif du temps et ce coup inattendu du sort, l'adolescent sentit son cœur se tremper comme la lame fumante dans l'eau, et il prit sur lui de relever le courage de ses parents et de les tirer de l'état où ils se trouvaient. Et il dit au roi pauvre : « Ô mon père, dis-moi, par Allah, voudrais-tu incliner ton ouïe vers ton enfant qui désirerait te parler ? » Et le roi, relevant la tête, répondit : « Ô mon fils, tu es l'élu de l'intelligence, parle et nous t'obéirons ! » Et l'adolescent dit : « Lève-toi, ô mon seigneur, et partons pour les terres où l'on ignore jusqu'à notre nom. Car à quoi bon se lamenter devant l'irréparable, alors que nous sommes encore les maîtres du présent ? Ailleurs nous trouverons une vie nouvelle et des joies renouvelées ! » Et le vieux roi répondit : « Ô mon admirable enfant, pieux et plein de déférence, ton conseil est une inspiration du Maître de la Sagesse. Et que le soin de cette affaire soit sur Allah et sur toi ! »

Alors l'adolescent se leva et, après avoir tout préparé pour le voyage, il prit son père et sa mère par la main, et sortit avec eux sur le chemin de la destinée. Et ils voyagèrent à travers les plaines et les déserts, et ne cessèrent de marcher jusqu'à ce qu'ils fussent arrivés en vue d'une ville grande et bien bâtie. Et l'adolescent fit reposer son père et sa mère à l'ombre des murailles, et entra seul dans cette ville. Et les passants qu'il questionna l'informèrent que cette ville était la capitale d'un sultan juste et magnanime, qui était l'honneur des rois et des sultans. Alors il arrêta son plan et son projet, et retourna aussitôt auprès de ses vieux parents, auxquels il dit : « J'ai l'intention de vous vendre au sultan de cette ville, qui est un grand sultan. Qu'en dites-vous, ô mes parents ? » Et ils répondirent : « Ô notre enfant, tu sais mieux que nous ce qui convient et ce qui ne convient pas, car le Très-Haut a mis la tendresse dans ton cœur et dans ton esprit toute l'intelligence. Et nous ne pouvons que t'obéir avec sécurité et confiance, ayant placé notre espoir en Allah et en toi, ô notre enfant. Et tout ce que tu jugeras bon aura notre agrément ! » Et l'adolescent prit de nouveau par la main ses vieux parents et s'achemina avec eux vers le palais du sultan. Et il les laissa dans la cour du palais, et demanda à être introduit dans la salle du trône, pour parler au roi. Et, comme il avait un aspect noble et beau, il fut introduit aussitôt dans la salle des audiences. Et il rendit ses hommages au sultan qui, l'ayant regardé, vit, à n'en pas douter, qu'il était le fils de grands de la terre, et lui dit : « Que souhaites-tu, ô jeune homme de clarté ? » Et l'adolescent, après avoir embrassé une seconde fois la terre entre les mains du roi, répondit : « Ô mon maître, j'ai avec moi un captif, pieux et craignant le Seigneur, un modèle d'honnêteté et d'honneur ; et j'ai également avec moi une captive, agréable de caractère et douce de manières et gracieuse de langage et pleine de toutes les qualités requises d'une esclave. Et tous deux ont connu de meilleurs jours, et se trouvent maintenant poursuivis par le destin. C'est pourquoi je désire les vendre à Ta

Hautesse, afin qu'ils soient des serviteurs entre tes pieds et des esclaves à ta disposition, comme nous sommes tous trois tes biens mobiliers. »

Lorsque le roi eut entendu de la bouche de l'adolescent ces paroles dites avec un délicieux accent, il lui dit : « Ô adolescent sans pareil, qui viens à nous peut-être du ciel, puisque les deux captifs dont tu me parles sont ta propriété, ils ne peuvent que me plaire. Hâte-toi d'aller me les chercher, afin que je les voie et les achète de toi ! » Et l'adolescent retourna auprès du roi pauvre qui était son père, et de la reine pauvre qui était sa mère, et, les prenant tous deux par la main, tandis qu'ils obéissaient, il les amena en présence du roi.

Et le roi, au premier regard qu'il jeta sur le père et la mère de l'adolescent, s'émerveilla à la limite de l'émerveillement, et dit : « Si ceux-ci sont des esclaves, comment peuvent être les rois ? » Et il leur demanda : « Et vous êtes tous les deux les esclaves et la propriété de ce bel adolescent ? » Et ils répondirent : « Nous sommes, en vérité, ses esclaves et sa propriété, par tous les liens, ô roi du temps ! » Alors il se tourna vers le jeune homme et lui dit : « Estime toi-même sur moi le prix qui te convient pour la vente de ces deux captifs qui n'ont point leurs pareils dans la demeure des rois. » Et le jeune homme dit : « Ô mon maître, il n'y a pas de trésor qui puisse me dédommager de la perte de ces deux captifs. C'est pourquoi je ne te les céderai pas au poids de l'or et de l'argent ; mais je les remettrai entre tes mains, comme un dépôt, jusqu'au jour que fixera le sort. Et je ne veux te demander, comme prix de cette cession temporaire, qu'une chose qui soit aussi précieuse dans son genre qu'ils le sont tous deux parmi les créatures d'Allah. Je te demanderai, en effet, pour la cession du captif, un cheval qui soit le plus beau de tes écuries, tout sellé, bridé et harnaché ; et je te demanderai, pour la cession de la captive, un équipement comme en portent les fils des rois. Et je mets comme condition que le jour où je te rapporterai le cheval et l'équipement, tu me rendras les deux captifs, qui auront été une bénédiction pour toi et pour ton royaume. » Et le sultan répondit : « Qu'il soit fait selon ton souhait ! » Et, à l'heure et à l'instant, il fit sortir des écuries et donner au jeune homme le plus beau cheval qui ait jamais henni sous l'œil du soleil, un alezan brûlé aux naseaux palpitants, aux yeux à fleur de tête, qui humait l'air et frappait le sol, prêt à la course et au vol. Et il fit sortir des magasins et remettre à l'adolescent, qui s'en vêtit sur-le-champ, le plus bel équipement que cavalier ait jamais revêtu dans un tournoi de combattants. Et le nouveau cavalier en parut si beau que le roi s'écria : « Si tu veux rester près de moi, ô cavalier, je te comblerai de bienfaits ! » Et l'adolescent dit : « Qu'Allah augmente le reste de tes jours, ô roi du temps ! Mais ma destinée ne se trouve pas ici. Et il faut que j'aille la trouver là où elle m'attend. » Et, ayant ainsi parlé, il fit ses adieux à ses parents, prit congé du roi, et partit au galop de son alezan. Et il traversa les plaines et les déserts, les fleuves et les torrents, et ne cessa de voyager que lorsqu'il fut arrivé en vue d'une autre ville, plus grande et mieux bâtie que la première.

Or, dès qu'il fut entré dans cette ville, un murmure étrange s'éleva sur son passage, et des exclamations de surprise et de pitié accueillirent chacun de ses pas. Et il entendait les uns qui disaient : « Quel dommage pour sa jeunesse ! Pourquoi un si beau cavalier vient-il s'exposer à la mort, sans motif ? » Et d'autres disaient : « Il sera le centième ! il sera le centième ! C'est le plus beau de tous ! C'est un fils de roi ! » Et d'autres disaient : « Un si tendre adolescent ne pourra pas réussir là où tant d'autres savants ont échoué ! » Et le murmure et les exclamations ne firent qu'augmenter, à mesure qu'il s'avançait dans les rues de la ville. Et l'attroupement autour de lui et devant lui finit par devenir si dense, qu'il ne put faire avancer son cheval sans risquer d'écraser quelque habitant. Et, bien perplexe, il se vit obligé de s'arrêter, et il demanda à ceux qui lui barraient le chemin : « Pourquoi, ô bonnes gens, empêchez-vous un étranger et son cheval d'aller se reposer de leurs fatigues ? Et pourquoi me refusez-vous si unanimement l'hospitalité ? »

Alors, du milieu de la foule, sortit un vieillard qui s'avança vers le jeune homme, saisit le cheval par la bride, et dit : « Ô bel adolescent, puisse Allah te sauvegarder de la calamité ! Que nul ne puisse éviter son destin, puisque le destin est attaché à notre cou, aucun homme sensé ne pourra jamais le contester ; mais que, au milieu d'une jeunesse en fleur, quelqu'un aille sans souci se jeter dans la mort, voilà qui est du domaine de la démence. Nous te supplions donc, et je te supplie au nom de tous les habitants, ô noble étranger, de retourner sur tes pas et ne de pas exposer ainsi ton âme à une perte sans recours ! » Et l'adolescent répondit : « Ô vénérable cheikh, je n'entre point dans cette ville dans l'intention de mourir ! Quel est donc l'événement singulier qui semble me menacer, et quel est ce danger de mort que je vais encourir ? » Et le vieillard répondit : « S'il est vrai, comme viennent de nous l'indiquer tes paroles, que tu ignores la calamité qui t'attend au cas où tu suivrais ce chemin, eh bien ! je vais te la révéler ! »

Et, au milieu du silence de la foule, il dit : « Sache, ô fils des rois, ô bel adolescent qui n'as point ton pareil dans le monde, que la fille de notre roi est une jeune princesse qui est, à n'en pas douter, la plus belle entre toutes les femmes de ce temps. Or, elle a résolu de ne se marier qu'avec celui qui répondra d'une façon satisfaisante à toutes les questions qu'elle lui posera ; mais, par contre, avec cette condition que la mort sera le châtiment de celui qui ne pourra pas deviner sa pensée ou laissera passer une question sans y répondre par les paroles qu'il faut. Et elle a déjà fait couper la tête, de la sorte, à quatre-vingt-dix-neuf jeunes gens, tous fils de rois, d'émirs ou de grands personnages, parmi lesquels il y en avait quelques-uns qui étaient instruits dans toutes les branches des connaissances humaines. Et cette fille de notre roi habite, le jour, au sommet d'une tour qui domine la ville, et du haut de laquelle elle pose les questions aux jeunes gens qui se présentent pour les résoudre. Ainsi donc, te voilà averti ! Et, par Allah sur toi ! aie pitié de ta jeunesse, et hâte-toi de retourner vers ton père et ta mère qui t'aiment, de crainte que la princesse n'entende parler de ton arrivée, et ne te fasse mander en sa présence. Et qu'Allah te préserve de tout malheur, ô bel adolescent ! »

En entendant ces paroles du vieillard, l'adolescent fils de roi répondit : « C'est auprès de cette princesse que m'attend mon destin. Ô vous tous, indiquez-moi le chemin ! » Alors de toute cette foule s'exhalèrent des soupirs et des gémissements, des plaintes et des lamentations. Et des cris, autour de l'adolescent, s'élevèrent qui disaient : « Il marche à la mort ! à la mort ! C'est le centième ! le centième ! » Et tout le flot des assistants se mut avec lui. Et des milliers de personnes l'escortèrent qui avaient fermé leurs boutiques et délaissé leurs occupations pour le suivre. Et il s'avança de la sorte sur le chemin qui conduisait à sa destinée. Et il arriva bientôt en vue de la tour, et aperçut, sur la terrasse de cette tour, la princesse qui était assise sur son trône, revêtue de la pourpre royale, et entourée de ses esclaves adolescentes, habillées de pourpre, comme elle. Et on ne distinguait du visage de la princesse, également couvert d'un voile rouge, que deux gemmes sombres qui étaient les yeux, pareils à deux lacs noirs éclairés par en dedans. Et, tout autour de la terrasse, pendues à égale distance les unes des autres, au-dessous de la princesse, les quatre-vingt-dix-neuf têtes coupées se balançaient.

Alors l'adolescent princier arrêta son cheval à quelque distance de la tour, de façon à voir la princesse et à être vu d'elle, à entendre et à être entendu. Et, à ce spectacle, tout le tumulte de la foule tomba. Et, au milieu de ce silence, la voix de la princesse se fit entendre qui disait : « Puisque tu es le centième, ô téméraire jeune homme, tu dois, sans doute, être prêt à répondre à mes questions ? » Et l'adolescent, fièrement dressé sur son cheval, répondit : « Je suis prêt, ô princesse ! »

Et le silence se fit plus complet, et la princesse dit : « Commence alors par me dire, sans hésiter, ô jeune homme, après avoir jeté les yeux sur moi et sur celles qui m'entourent, à qui je ressemble et à qui elles ressemblent, assises au haut de la tour ! »

Et l'adolescent, après avoir jeté les yeux sur la princesse et sur celles qui l'entouraient, répondit, sans hésiter : « Ô princesse, tu ressembles à une idole, et celles qui t'entourent ressemblent aux servantes de l'idole. Et tu ressembles également au soleil, et les jeunes filles qui t'entourent, aux rayons du soleil. Et tu ressembles aussi à la lune, et ces jeunes filles, aux étoiles qui servent de cortège à la lune. Et je te compare enfin au mois de Nissân, qui est le mois des fleurs, et toutes ces jeunes filles, aux fleurs qu'il vivifia de son souffle ! »

Lorsque la princesse eut entendu cette réponse, que la foule avait accueillie avec un murmure d'admiration, elle se montra satisfaite, et dit : « Tu as excellé, ô jeune homme, et ta première réponse ne te mérite pas la mort. Mais puisque tu as su résoudre ma première question, en nous comparant, moi et ces jeunes filles, d'abord à une idole et aux servantes de l'idole, ensuite au soleil et aux rayons du soleil, puis à la lune et aux étoiles qui font cortège à la lune, et enfin au mois de Nissân et aux fleurs qui naissent au mois de Nissân, je ne te poserai point de questions trop compliquées ni trop difficiles à résoudre. Et je te demanderai d'abord de me dire ce que signifient à la lettre ces mots : « Donne à l'épousée d'Occident le fils du roi d'Orient, et un enfant naîtra d'eux qui sera le sultan des beaux visages. »

Et l'adolescent, sans hésiter un instant, répondit : « Ô princesse, ces mots renferment tout le secret de la pierre philosophale, et ils veulent dire mystiquement ceci : « Fais corrompre par l'humidité qui vient de l'Occident la terre saine adamique qui vient de l'Orient, et de cette corruption s'engendrera le mercure philosophique, qui est tout-puissant dans la nature, et qui engendrera le soleil, et l'or fils du soleil, et la lune, et l'argent fils de la lune, et qui changera les cailloux en diamants…

À ce moment de sa narration, Schahrazade vit apparaître le matin et, discrète, se tut.

Mais lorsque fut la huit cent quarante-sixième nuit. Elle dit :

… Le soleil, et l'or fils du soleil, et la lune, et l'argent fils de la lune, et qui changera les cailloux en diamants. » Et, ayant entendu cette réponse, la princesse fit un signe d'assentiment, et dit : « Puisque tu as su, ô jeune homme, expliquer le sens caché du mariage du fils de l'Orient avec la fille de l'Occident, tu échappes cette fois également à la mort suspendue sur ta tête. Mais pourras-tu me dire maintenant ce qui donne leurs vertus aux talismans ? »

Et l'adolescent, sur son cheval, répondit : « Ô princesse, les talismans doivent leurs vertus sublimes et leurs effets merveilleux aux lettres qui les composent, car les lettres ont rapport aux esprits, et il n'y a point de lettre dans la langue qui ne soit gouvernée par un esprit. Et si tu me demandes ce que c'est qu'un esprit, je te dirai que c'est un rayon ou une émanation des vertus de la toute-puissance et des attributs du Très-Haut. Et les esprits qui résident dans le monde intelligible commandent à ceux qui habitent le monde céleste, et les esprits qui habitent le monde céleste commandent à ceux du monde sublunaire. Et les lettres forment les mots, et les mots composent les oraisons ; et ce ne sont que les esprits représentés par les lettres et assemblés dans les oraisons écrites sur les talismans qui font ces prodiges qui étonnent les hommes ordinaires, mais ne troublent point les sages, qui n'ignorent point la puissance des mots et savent que les mots gouverneront toujours le monde, et que les paroles écrites ou proférées pourront renverser les rois et ruiner leurs empires ! »

En entendant cette réponse de l'adolescent, que la foule avait accueillie avec des exclamations de joie et d'étonnement, la princesse dit : « Tu as excellé, ô jeune homme, à m'expliquer la puissance des mots et des paroles, qui gouvernent le monde et sont plus puissants que tous les rois. Mais je ne sais pas si tu vas pouvoir répondre à la question que voici ! Sauras-tu, en effet, me dire quels sont les deux ennemis éternels ? »

Et l'adolescent, sur son cheval, répondit : « Ô princesse, je ne dirai pas que les deux ennemis éternels sont le ciel et la terre, car la distance qui les sépare n'est point une distance réelle, et l'intervalle qui se creuse entre eux n'est point un intervalle réel, car cette distance et cet intervalle, qui paraissent être des abîmes, peuvent être comblés en un instant, et le ciel peut s'unir à la terre en moins d'un clin d'œil : car il ne faut, pour opérer cette union, ni des armées de genn et d'êtres humains ni des ailes par milliers, mais simplement une chose qui est plus puissante que toutes les forces des genn et des humains, et plus légère et plus douée de vertu que les ailes de l'aigle et de la colombe, et c'est la prière ! — Et je ne te dirai pas, ô princesse, que les deux ennemis éternels sont la nuit et le jour, car le matin les unit et le crépuscule les sépare, tour à tour. — Et je ne te dirai pas que les deux ennemis éternels sont le soleil et la lune, car ils éclairent la terre et sont unis par les mêmes bienfaits. — Et je ne te dirai pas que les deux ennemis éternels sont l'âme et le corps, car si nous connaissons l'un, nous ignorons complètement l'autre, et l'on ne peut émettre un avis sur ce que l'on ne connaît pas ! Mais je t'affirme, ô princesse, que les deux ennemis éternels sont la mort et la vie, car ils sont aussi néfastes l'un que l'autre, puisqu'ils se servent de l'être créé comme d'un jouet, qu'ils se combattent sans répit aux dépens de ce jouet, et que c'est le jouet qui finit par être la vraie victime de ce jeu, alors qu'eux-mêmes ne font que croître et prospérer. En vérité, voilà deux ennemis éternels, ennemis d'eux-mêmes et ennemis des créatures. »

En entendant cette réponse de l'adolescent, la foule entière s'écria d'une seule voix : « Louanges à celui qui t'a doué de tant de sagesse, et qui a orné ton esprit de tant de raison et de savoir ! » Et la princesse, assise dans la tour au milieu des jeunes filles, habillées comme elle de pourpre royale, dit : « Tu as excellé, ô jeune homme, dans ta réponse sur les deux ennemis éternels, ennemis d'eux-mêmes et ennemis des créatures. Mais je ne suis pas sûre que tu répondes à la question que je vais te poser. Peux-tu, en effet, me dire quel est l'arbre à douze rameaux portant chacun deux grappes, l'une formée par trente fruits blancs et l'autre par trente fruits noirs ? »

Et l'adolescent répondit, sans hésiter : « Cette question peut, ô princesse, être résolue par un enfant. Car cet arbre n'est autre que l'année, qui a douze mois formés chacun de deux parties, les deux grappes ; car chaque grappe porte trente nuits qui sont les trente fruits noirs, et trente jours qui sont les trente fruits blancs ! »

Et cette réponse, accueillie, comme les précédentes, avec admiration, fit dire à la princesse : « Tu as excellé, ô jeune homme ! Mais crois-tu pouvoir me dire quelle est la terre qui n'a vu le soleil qu'une fois ? »

Il répondit : « C'est le fond de la Mer Rouge, lors du passage des enfants d'Israël, sous les ordres de Moïse – sur Lui la prière et la paix ! »

Elle dit : « Oui, certes ! Mais peux-tu me dire qui a inventé le gong ? »

Il répondit : « Celui qui a inventé le gong n'est autre que Noé, quand il était à bord de l'arche. »

Elle dit : « Oui ! Mais sauras-tu me dire quelle est l'action illégale, qu'on la fasse ou qu'on ne la fasse pas ! »

Il répondit : « C'est la prière d'un homme ivre ! »

Elle demanda : « Et quel est le lieu de la terre qui est le plus proche du ciel ? Est-ce une montagne ou une plaine ? »

Il dit : « C'est la Kaâba sainte, à La Mecque ! »

Elle dit : « Tu as excellé ! Mais peux-tu me révéler quelle est la chose amère qu'on doit tenir cachée ? »

Il répondit : « C'est la pauvreté, ô princesse ! Car, bien que jeune, j'ai déjà goûté à la pauvreté, et, bien que fils de roi, j'en ai éprouvé l'amertume. Et j'ai trouvé qu'elle était plus amère que la myrrhe et que l'absinthe ! Et on doit la cacher à tous les yeux, car les amis et les voisins en riraient les premiers ; et les plaintes ne rapporteraient que du mépris. »

Elle dit : « Tu as parlé avec justesse et selon ma pensée. Mais peux-tu me dire quelle est la chose la plus précieuse, après la santé ? »

Il répondit : « C'est l'amitié, quand elle est tendre. Mais pour trouver l'ami capable de tendresse, il faut l'éprouver d'abord et le choisir ensuite. Et une fois qu'on a choisi ce premier ami, il ne faut jamais y renoncer : car on ne garderait pas longtemps le second. C'est pourquoi, avant de le choisir, il faut le bien examiner pour voir s'il est sage ou ignorant, car le corbeau deviendra blanc avant que l'ignorant comprenne la sagesse ; car les paroles du sage, même s'il nous frappe avec un bâton, sont préférables aux louanges et aux fleurs de l'ignorant ; car le sage ne laisse point échapper une parole de sa bouche avant d'avoir consulté son cœur. »

Elle demanda : « Et quel est l'arbre le plus difficile à redresser ? »

Et l'adolescent répondit, sans hésiter : « C'est le mauvais caractère ! On raconte qu'un arbre était planté sur le bord des eaux, dans un terrain propice ; et il ne portait pas de fruits. Et son maître, après qu'il lui eut prodigué tous les soins sans obtenir le moindre résultat, voulut le couper, et l'arbre lui dit : « Transporte-moi dans un autre endroit, et je porterai des fruits ! » Et son maître lui dit : « Tu es ici sur le bord des eaux, et tu n'as rien produit. Comment deviendrais-tu fécond, si je te transportais ailleurs ? » Et il le coupa ! » Et l'adolescent s'arrêta un moment, et dit : « On raconte également qu'un jour on fit entrer un loup dans une école pour lui apprendre à lire. Et le maître, pour lui apprendre les éléments de la langue, lui disait : « Aleph, Ba, Ta… », mais le loup répondait : « Mouton, chevreau, brebis… », parce que tout cela était dans sa pensée et dans sa nature. – Et on raconte également qu'on voulut habituer un âne à la propreté et lui inspirer des goûts délicats. Et on le fit entrer au hammam, et on lui donna un bain, et on le parfuma, et on l'installa dans une salle magnifique, et on le fit asseoir sur un riche tapis. Et voici qu'il fit tout ce qu'un âne, en liberté dans un herbage, peut faire d'incongru, depuis les bruits les plus inconvenants jusqu'aux exhibitions les plus indélicates. Après quoi, il renversa avec sa tête, sur le tapis, le poêle en cuivre qui était rempli de cendre, et se mit à se vautrer dans la cendre, les quatre jambes en l'air et les oreilles en arrière, en se frottant le dos et en se salissant à plaisir. Et son maître dit aux esclaves qui accouraient pour le corriger : « Laissez-le se vautrer, puis emmenez-le et laissez-le en liberté dans son écurie. Car vous ne sauriez changer son tempérament. » – Et on raconte enfin qu'on disait un jour à un chat : « Abstiens-toi de dérober, et nous te ferons un collier d'or, et, chaque jour, nous te donnerons à manger du foie et du poumon et des rognons et de petits os de poulet et des souris. » Et le chat répondit honnêtement : « Dérober fut le métier de mon père et de mon grand-père, comment voulez-vous que j'y renonce, pour vous faire plaisir ? »

Tout cela…

À ce moment de sa narration, Schahrazade vit apparaître le matin et, discrète, se tut.

Mais lorsque fut la huit cent quarante-septième nuit. Elle dit :

… Tout cela !

Et l'adolescent princier, après avoir parlé sur le caractère de l'homme et sur sa nature, dit : « Ô princesse, je n'ai plus rien à ajouter ! »

Alors, du sein de cette foule massée au pied de la tour, des milliers de cris d'admiration montèrent vers le ciel. Et la princesse dit : « Certes, ô jeune homme, tu as triomphé. Mais les questions ne sont pas épuisées, et il faut, pour que les conditions soient remplies, que je t'interroge jusqu'à l'heure de la prière du soir ! » Et l'adolescent dit : « Ô princesse, tu pourras me poser encore telles questions qui te sembleront insolubles, et, avec le secours du Très-Haut, je les résoudrai. C'est pourquoi je te supplie de ne pas fatiguer ta voix à m'interroger de la sorte, et permets-moi de te dire qu'il est, sans aucun doute, préférable que je te pose moi-même une question. Et si tu y réponds, ma tête sera coupée comme l'a été celle de mes prédécesseurs ; mais si tu n'y réponds pas, notre mariage sera célébré sans retard ! » Et la princesse dit : « Pose ta question, car j'accepte la condition ! »

Et l'adolescent demanda : « Peux-tu me dire, ô princesse, comment il se fait que je puisse, moi ton esclave, tout en étant à cheval sur cette noble bête, être en même temps à cheval sur mon propre père, et comment il se peut que, tout en étant visible à tous les yeux, je suis caché dans les effets de ma mère ? »

Et la princesse réfléchit une heure de temps, mais ne sut trouver aucune réponse. Et elle dit : « Explique cela toi-même ! »

Alors l'adolescent, devant tout le peuple assemblé, raconta toute son histoire à la princesse, depuis le commencement jusqu'à la fin, sans en oublier un détail. Mais il n'y a point d'utilité à la répéter. Et il ajouta : « Et voilà comment, ayant échangé mon père, le roi, contre le cheval, et ma mère, la reine, contre cet équipement, je me trouve à cheval sur mon père et caché dans les effets de ma mère ! »

Tout cela !

Et c'est ainsi que l'adolescent, fils du roi pauvre et de la reine pauvre, devint l'époux de la princesse aux énigmes. Et c'est ainsi que devenu roi à la mort du père de son épouse, il put restituer le cheval et l'équipement au roi de la ville qui les lui avait prêtés, et faire venir auprès de lui son père et sa mère, pour vivre avec eux et avec son épouse, à la limite des plaisirs et des délices. Et telle est l'histoire de l'adolescent qui dit les belles paroles au-dessous des quatre-vingt-dix-neuf têtes coupées. Mais Allah est plus savant !

Et Schahrazade, ayant ainsi raconté cette histoire se tut. Et le roi Schahriar dit : « J'aime, Schahrazade, les paroles de cet adolescent. Mais il y a longtemps que tu ne m'as raconté des anecdotes courtes et délicieuses, et j'ai bien peur que tu n'aies épuisé tes connaissances à ce sujet. » Et Schahrazade répondit vivement : « Les anecdotes courtes sont celles que je connais le mieux, ô Roi fortuné. Et, du reste, je ne veux pas tarder à te le prouver ! »

Et aussitôt elle dit :

LA MALICE DES ÉPOUSES

Il m'est revenu, ô roi fortuné, qu'il y avait, vivant à la cour d'un certain roi, un certain homme qui était bouffon de son métier et célibataire de son état. Or, un jour d'entre les jours, le roi, son maître, lui dit : « Père de la sagesse, tu es célibataire, et vraiment je désire te voir marié. » Et le bouffon répondit : « Ô roi du temps, par ta vie ! dispense-moi de cette béatitude-là. Moi, je suis un célibataire, et je crains beaucoup le sexe en question. Oui, en vérité, je crains beaucoup de tomber sur quelque débauchée, adultérine ou fornicatrice de la mauvaise espèce, et alors où serai-je ? De grâce, ô roi du temps, ne me force pas à devenir bienheureux, malgré mes vices et mon indignité. » Et le roi, à ces paroles, se mit à rire tellement qu'il se renversa sur son derrière. Et il dit : « Il n'y a pas ! aujourd'hui même il faut que tu te maries. » Et le bouffon prit un air résigné, baissa la tête, croisa ses mains sur sa poitrine, et répondit en soupirant : « Taïeb ! Ça va bien ! C'est bon ! »

Alors le roi fit mander son grand vizir, et lui dit : « Il faut trouver, pour notre fidèle serviteur que voici, une épouse qui soit belle et de conduite irréprochable et pleine de décence et de modestie. » Et le vizir répondit par l'ouïe et l'obéissance, et alla à l'instant trouver une vieille pourvoyeuse du palais, et lui donna l'ordre de fournir immédiatement au bouffon du sultan une épouse qui remplît les conditions précitées. Et la vieille ne se trouva pas prise au dépourvu ; et elle se leva à l'heure et à l'instant et engagea pour le bouffon une jeune femme, telle et telle, comme épouse. Et on célébra le mariage ce jour-là même. Et le roi fut content, et ne manqua pas de combler son bouffon de présents et de faveurs, à l'occasion de ses noces.

Or, le bouffon vécut en paix avec son épouse pendant une demi-année, ou peut-être sept mois. Après quoi, il lui arriva ce qui devait lui arriver, car nul n'échappe à sa destinée. En effet, la femme avec laquelle le roi l'avait marié avait déjà eu le temps de prendre, pour son plaisir, quatre hommes sur son époux, quatre exactement, et de quatre variétés. Et le premier de ces chéris d'entre les amants était, de sa profession, pâtissier ; et le second était marchand de légumes ; et le troisième était boucher pour la viande de mouton ; et le quatrième était le plus distingué, car il était clarinette en chef de la musique du sultan, et le cheikh de la corporation des clarinettes, un personnage important.

Et donc, un jour, le bouffon, l'ancien célibataire, le nouveau père aux cornes, ayant été appelé de très bon matin auprès du roi, laissa son épouse encore au lit et se hâta de se rendre au palais. Et la coïncidence voulut que ce matin-là le pâtissier se sentit en humeur de copulation et vînt, profitant de la sortie de l'époux, frapper à la porte de la jeune femme. Et elle lui ouvrit et lui dit : « Tu viens aujourd'hui de meilleure heure que d'habitude. » Et il répondit : « Hé, ouallah, tu as raison. Mais, ce matin, j'avais déjà préparé la pâte pour faire mes plateaux de pâtisserie, et je l'avais déjà roulée et amincie et réduite en feuilles, et j'allais déjà la farcir de pistaches et d'amandes, quand je m'aperçus que l'heure était très matinale et que les acheteurs n'étaient pas encore sur le point de venir. Alors je dis à moi-même : « Ô un tel, lève-toi, et secoue la farine de tes habits, et rends-toi par ce matin frais chez une telle, et réjouis-toi avec elle, car elle est réjouissante. » Et l'adolescente répondit : « Bien pensé, par Allah ! » Et, là-dessus, elle fut avec lui comme une pâte sous le rouleau, et il fut avec elle comme une farce dans une pâtisserie. Et ils n'avaient pas encore fini leur ouvrage, qu'ils entendirent frapper à la porte. Et le pâtissier demanda à la femme : « Qui ça peut-il bien être ? » Et elle répondit : « Je ne sais pas. Mais, en attendant, va te cacher dans les cabinets. » Et le pâtissier, pour plus de sûreté, se hâta d'aller s'enfermer là où elle lui avait dit d'aller.

Et elle alla ouvrir la porte, et elle vit devant elle son second amant, le marchand de légumes, qui lui apportait une botte de légumes, des primeurs de la saison, en cadeau. Et elle lui dit : « C'est un peu trop tôt, et l'heure n'est pas ton heure. » Et il dit : « Par Allah ! tu as raison. Mais comme je revenais, ce matin, de mon potager, je dis à moi-même : « Ô un tel, l'heure est vraiment trop matinale pour le souk, et tu feras bien d'aller porter cette botte de légumes frais à une telle, qui réjouira ton cœur, car elle est bien gentille. » Et elle dit : « Sois donc le bienvenu ! » Et elle réjouit son cœur, et il lui donna ce qu'elle aimait le mieux, un concombre héroïque et une courge de valeur. Et ils n'avaient pas encore fini le travail du potager, qu'ils entendirent frapper à la porte ; et il demanda : « Qui est-ce ? » Et elle répondit : « Je ne sais pas, mais toi va vite, en attendant, te cacher dans les cabinets. » Et il se hâta de s'enfermer là-dedans. Et il trouva la place occupée déjà par le pâtissier, et il lui dit : « Qu'est-ce que c'est que ça ? Et que fais-tu là ? » Et l'autre répondit : « Je suis ce que tu es, et je fais ici ce que tu viens y faire toi-même. » Et ils se rangèrent l'un à côté de l'autre, le marchand de légumes portant sur son dos la botte de légumes que l'adolescente lui avait recommandé d'emporter pour ne pas trahir sa présence dans la maison.

Or, pendant ce temps, la jeune femme était allée ouvrir la porte. Et voici devant elle son troisième amant, le boucher, qui arrivait avec, comme cadeau, une belle peau de mouton à laine frisée, à laquelle on avait conservé les cornes. Et elle lui dit : « Un peu trop tôt ! un peu trop tôt ! » Et il répondit : « Eh oui, par Allah ! j'avais déjà égorgé les moutons de la vente, et je les avais déjà accrochés dans ma boutique, quand je dis à moi-même : « Ô un tel, les souks sont encore vides, et tu feras bien d'aller porter, en cadeau à une telle, cette belle peau apprêtée avec les cornes, qui lui fera un tapis moelleux. Et comme elle est pleine d'agrément, elle te rendra cette matinée plus blanche que de coutume. » Et elle répondit : « Entre alors ! » Et elle fut pour lui plus tendre que la queue d'un mouton de la variété grasse, et il lui donna ce que donne le bélier à la brebis. Et ils n'avaient pas encore fini de prendre et de donner, qu'ils entendirent frapper à la porte. Et elle lui dit : « Allons, et vite ! prends ta peau à cornes, et va te cacher dans les cabinets ! » Et il fit ce qu'elle lui disait. Et il trouva les cabinets occupés déjà par le pâtissier et le marchand de légumes ; et il leur jeta le salam, et ils lui rendirent son salam ; et il leur demanda : « Quel est le motif de votre présence ici ? » Et ils répondirent : « Le même que pour toi ! » Alors il se rangea à côté d'eux, dans les cabinets.

Cependant la femme, étant allée ouvrir, vit devant elle son quatrième ami, le chef-clarinette de la musique du sultan. Et elle le fit entrer en lui disant : « En vérité, tu arrives de meilleure heure que d'habitude, ce matin. » Et il répondit : « Par Allah ! c'est toi qui as raison. Mais ce matin, étant sorti pour aller instruire les musiciens du sultan, je m'aperçus que l'heure était encore trop matinale, et je dis à moi-même : « Ô un tel, tu feras bien d'aller attendre l'heure de la leçon chez une telle, qui est charmante et te fera passer le plus délicieux des moments. » Et elle répondit : « Le calcul est excellent. » Et ils jouèrent de la clarinette ; et ils n'avaient pas encore fini le premier air de la chanson, qu'ils entendirent des coups pressés à la porte. Et le chef-clarinette dit à son amie : « Qui est-ce ? » Elle répondit : « Allah seul est omniscient, mais c'est peut-être mon mari. Et tu feras bien de courir t'enfermer, avec ta clarinette, aux cabinets. » Et il se hâta d'obéir, et trouva dans l'endroit en question le pâtissier, le marchand de légumes et le boucher. Et il leur dit : « La paix sur vous, ô compagnons ! Que faites-vous, rangés dans cet endroit singulier ? » Et ils répondirent : « Et sur toi la paix et la miséricorde d'Allah et ses bénédictions ! Nous y faisons ce que tu viens y faire toi-même ! » Et il se rangea, quatrième, à côté d'eux.

Et donc, le cinquième qui avait frappé à la porte était, en effet, le bouffon du sultan, époux de l'adolescente. Et il se tenait le ventre des deux mains, et disait : « Éloigné soit le Malin, le Pernicieux ! Donne-moi vite de l'infusion d'anis et de fenouil, ô femme ! Mon ventre marche ! mon ventre marche ! Il m'a empêché de rester longtemps auprès du sultan, et je rentre me coucher ! De l'infusion d'anis et de fenouil, ô femme ! » Et il courut droit aux cabinets, sans remarquer la terreur de sa femme, et ayant ouvert la porte, il vit les quatre hommes accroupis et rangés en bon ordre sur les dalles, au-dessus du trou, l'un devant l'autre…

À ce moment de sa narration, Schahrazade vit apparaître le matin et, discrète, se tut.

Mais lorsque fut la huit cent quarante-huitième nuit. Elle dit :

… Et il courut droit aux cabinets, sans remarquer la terreur de sa femme, et, ayant ouvert la porte, il vit les quatre hommes accroupis et rangés en bon ordre sur les dalles, au-dessus du trou, l'un devant l'autre. À cette vue, le bouffon du sultan ne douta pas de la réalité de son malheur. Mais, comme il était plein de prudence et de sagacité, il se dit : « Si je fais mine de les menacer, ils me tueront sans recours. Aussi, le mieux serait de feindre l'imbécillité. » Et, ayant ainsi pensé, il se jeta à genoux à la porte des cabinets, et cria aux quatre gaillards accroupis : « Ô saints personnages d'Allah, je vous reconnais ! Toi, qui es couvert de taches de lèpre blanche, et que les yeux profanes des ignorants prendraient pour un pâtissier, tu es, sans aucun doute, le saint patriarche Job l'ulcéré, le lépreux, le couvert de dartres ! Et toi, ô saint homme, qui portes sur ton dos cette botte de légumes excellents, tu es, sans aucun doute, le grand Khizr, gardien des vergers et des potagers, qui revêt les arbres de leurs couronnes vertes, fait courir les eaux fugitives, déroule le tapis verdoyant des prairies, et, revêtu de son manteau vert dans les soirs, mêle les teintes légères dont se colorent les cieux au crépuscule ! Et toi, ô grand guerrier qui portes sur tes épaules cette peau de lion, et sur ta tête ces deux cornes de bélier, tu es, sans aucun doute, le grand Iskandar aux deux cornes ! Et toi, enfin, ange bienheureux qui tiens dans ta droite cette clarinette glorieuse, tu es, sans aucun doute, l'ange du Jugement dernier ! »

À ce discours du bouffon du sultan, les quatre gaillards se pincèrent mutuellement les cuisses, et se dirent tout bas les uns aux autres, tandis que le bouffon continuait à embrasser la terre, à genoux à quelque distance : « Le sort nous favorise ! Et puisqu'il nous croit réellement de saints personnages, confirmons-le dans sa croyance. Car c'est, pour nous, la seule chance de salut. » Et ils se levèrent à l'instant et dirent : « Eh oui, par Allah ! tu ne te trompes pas, ô un tel ! Nous sommes, en effet, ceux que tu as nommés. Et nous sommes venus te visiter, en entrant par les cabinets, puisque c'est le seul endroit de la maison qui soit à ciel ouvert. » Et le bouffon, toujours prosterné, leur dit : « Ô saints et illustres personnages, Job le lépreux, Khizr père des saisons, Iskandar aux deux cornes et toi, messager annonciateur du Jugement, puisque vous me faites l'honneur insigne de me visiter, permettez-moi de faire un souhait entre vos mains ! » Et ils répondirent : « Parle ! parle ! » Il dit : « Faites-moi la grâce de m'accompagner au palais du sultan de cette ville, qui est mon maître, afin que je vous fasse faire sa connaissance, et que, ce faisant, il me soit obligé et me tienne en ses bonnes grâces ! » Et ils répondirent, bien que fort hésitants : « Nous t'accordons cette grâce ! »

Alors le bouffon les mena en la présence du sultan et dit : « Ô mon maître souverain, permets à ton esclave de te présenter les quatre saints personnages que voici ! Ce premier, qui est enfariné, est notre seigneur Job le lépreux ; et celui-ci, qui porte sur son dos cette botte de légumes, est notre seigneur Khizr, le gardien des sources, le père de la verdure ; et celui-ci, qui porte sur ses épaules cette peau de bête qui le coiffe de deux cornes, est le grand roi guerrier Iskandar aux deux cornes ; et ce dernier enfin, qui tient à la main une clarinette, est notre seigneur Israfil, l'annonciateur du Jugement dernier. » Et il ajouta, pendant que le sultan était à la limite de l'étonnement : « Or, ô mon seigneur le sultan, je dois le grand honneur de la visite de ces personnages sublimes à l'insigne sainteté de l'épouse que tu m'as généreusement octroyée. Je les ai trouvés, en effet, accroupis, en bon ordre, l'un derrière l'autre, dans les cabinets de mon harem intérieur ; et le premier accroupi était le prophète Job – sur lui la prière et la paix ! – et le dernier accroupi était l'ange Israfil – sur lui la paix et les faveurs du Très-Haut ! »

En entendant ces paroles de son bouffon, le sultan regarda avec attention les quatre personnages en question ; et soudain il fut prit d'un tel rire, qu'il entra en convulsion et se trémoussa et battit l'air de ses jambes en se renversant sur son derrière. Après quoi il s'écria : « Tu veux donc, ô perfide, me faire mourir de rire ! Ou bien es-tu devenu fou ? » Et le bouffon dit : « Par Allah, ô mon seigneur, ce que je te raconte est ce que j'ai vu, et tout ce que j'ai vu je te l'ai raconté ! » Et le roi, riant, s'écria : « Mais ne vois-tu pas que celui que tu nommes le prophète Khizr n'est qu'un marchand de légumes, et que celui que tu nommes le prophète Job n'est qu'un pâtissier, et que celui que tu nommes le grand Iskandar n'est qu'un boucher, et que celui que tu nommes l'ange Israfil n'est que mon chef-clarinette, le maître de ma musique ? » Et le bouffon dit : « Par Allah, ô mon seigneur, ce que je te raconte est ce que j'ai vu, et tout ce que j'ai vu je te l'ai raconté ! »

Alors le roi comprit toute l'étendue de l'infortune de son bouffon ; et il se tourna vers les quatre associés de l'épouse débauchée, et leur dit : « Ô fils des mille cornards, racontez-moi la vérité sur cette affaire, ou je vous fais enlever vos testicules ! » Et les quatre racontèrent au roi, en tremblant, ce qui était vrai et ce qui n'était pas vrai, sans mentir, tant ils craignaient qu'on leur enlevât l'héritage de leur père. Et le roi, émerveillé, s'écria : « Qu'Allah extermine le sexe perfide et la race des fornicatrices et des traîtresses ! » Et il se tourna vers son bouffon et lui dit : « Je t'accorde le divorce d'avec ton épouse, ô père de la sagesse, afin que tu redeviennes célibataire. » Et il le revêtit d'une magnifique robe d'honneur. Puis il se tourna vers les quatre compagnons, et leur dit : « Quant à vous, votre crime est si énorme, que vous ne pouvez échapper au châtiment qui vous attend ! » Et il fit signe à son porte-glaive de s'avancer, et lui dit : « Enlève-leur les testicules, afin qu'ils deviennent des eunuques au service de notre fidèle serviteur, cet honorable célibataire ! »

Alors, le premier des copulateurs coupables, celui qui était le pâtissier, autrement dit Job le lépreux, s'avança et embrassa la terre entre les mains du roi, et dit : « Ô grand roi, ô le plus magnanime d'entre les sultans, si je te raconte une histoire plus prodigieuse que notre histoire avec l'ancienne épouse de cet honorable célibataire, m'accorderas-tu la grâce de mes testicules ? » Et le roi se tourna vers son bouffon et lui demanda par signes ce qu'il pensait de la proposition du pâtissier. Et le bouffon avant fait « oui » avec la tête, le roi dit au pâtissier : « Oui, certes ! ô pâtissier, si tu me racontes l'histoire en question, et que je la trouve extraordinaire ou merveilleuse, je t'accorderai la grâce de ce que tu sais ! » Et le pâtissier dit :

HISTOIRE RACONTÉE PAR LE PÂTISSIER

« Il m'est revenu, ô roi fortuné, qu'il y avait une femme qui était, de sa nature, une fornicatrice étonnante et une compagne de calamité. Et elle était mariée – ainsi l'avait voulu le destin – avec un honnête kaïem-makam, gouverneur de la ville au nom du sultan. Et cet honnête fonctionnaire n'avait aucune idée – ainsi l'avait voulu son destin – de la malice des femmes et de leurs perfidies, mais pas une idée, pas une. Et, en outre, il y avait longtemps qu'il ne pouvait plus rien faire avec son épouse le tison, plus rien du tout, plus rien du tout. Aussi la femme s'excusait elle-même de ses débauches et de ses fornications, en se disant : « Je prends le pain où je le trouve, et la viande où elle est pendue. »

Or, celui qu'elle aimait le plus parmi ceux qui brûlaient pour elle, était un jeune saïss, un palefrenier de son époux le kaïem-makam. Mais comme depuis un certain temps l'époux s'était immobilisé dans la maison, les entrevues des deux amants devenaient plus rares et plus difficiles. Or, elle ne tarda pas à trouver un prétexte pour avoir plus de liberté, et dit alors à son mari : « Ô mon maître, je viens d'apprendre que la voisine de ma mère est morte, et je voudrais, à cause des convenances et des devoirs de bon voisinage, aller passer les trois jours des funérailles dans la maison de ma mère. » Et le kaïem-makam répondit :

« Qu'Allah répare cette mort en allongeant tes jours ! Tu peux aller chez ta mère passer les trois jours des funérailles. » Mais elle dit : « Oui, ô mon maître, mais je suis une femme jeune et timide, et je crains beaucoup de marcher seule dans les rues, pour aller à la maison de ma mère, qui est si loin ! » Et le kaïem-makam dit : « Et pourquoi irais-tu seule ? N'avons-nous pas à la maison un saïss plein de zèle et de bonne volonté, pour t'accompagner dans des courses comme celle-ci ? Fais-le appeler, et dis-lui de mettre à ton intention la housse rouge sur l'âne, et de t'accompagner en marchant à côté de toi et en tenant la bride de l'âne. Et recommande-lui bien de ne pas exciter l'âne avec la langue ou avec l'aiguillon, de peur qu'il ne rue et que tu ne tombes ! » Et elle répondit : « Oui, ô mon maître, mais appelle-le toi-même pour lui faire ces recommandations. Moi je ne saurais pas. » Et l'honnête kaïem-makam fit mander le saïss, qui était un jeune gaillard puissamment musclé, et lui donna ses instructions. Et le gaillard, ayant entendu ces paroles de son maître, fut énormément satisfait.

Et donc, il fit monter sa maîtresse, qui était l'épouse du kaïem-makam, sur l'âne dont la selle avait été recouverte d'une housse rouge, et s'en alla avec elle. Mais, au lieu d'aller à la maison de la mère, pour les funérailles en question, ces deux-là ! ils allèrent à un jardin qu'ils connaissaient, emportant avec eux des provisions de bouche et des vins exquis. Et, à l'ombre et dans la fraîcheur, ils se mirent à leur aise, et le saïss, que son père avait doté d'un héritage volumineux, sortit généreusement toute sa marchandise et l'étala aux yeux ravis de l'adolescente, qui la prit dans ses mains et la frotta pour en examiner la qualité. Et, l'ayant trouvée de premier choix, elle se l'attribua, sans plus de façons, du consentement du propriétaire…

À ce moment de sa narration, Schahrazade vit apparaître le matin et, discrète, se tut.

Mais lorsque fut la huit cent quarante-neuvième nuit. Elle dit :

… Et, l'ayant trouvé de premier choix, elle se l'attribua, sans plus de façons, du consentement du propriétaire. Et, en longueur et en largeur, cela s'adaptait excellemment, mieux même qu'une marchandise commandée sur mesure. Et c'est pourquoi elle appréciait si vivement le propriétaire de la marchandise. Et c'est ce qui explique comment, sans éprouver un moment de lassitude, elle la manipula et la travailla jusqu'au soir, et ne la laissa que lorsqu'elle ne vit plus assez pour enfiler le fil dans l'aiguille.

Alors ils se levèrent tous deux ; et le saïss fit enfourcher l'âne par l'adolescente. Et ils se rendirent tous ensemble à la maison du saïss, où, après avoir donné sa ration à l'âne, ils se hâtèrent d'aller se mettre en posture de prendre eux-mêmes leur ration. Et ils se rationnèrent mutuellement, jusqu'à satiété, et s'endormirent une heure de temps. Après quoi, ils se réveillèrent pour calmer de nouveau leur fringale, et ne cessèrent qu'avec le matin. Mais ce fut pour se lever et aller ensemble au jardin, et recommencer les manipulations de la veille et les mêmes amusements.

Et pendant trois jours ils agirent de la sorte, sans répit ni repos, faisant tourner la roue par l'eau, et ronfler sans arrêt le fuseau du jouvenceau, et téter sa mère par l'agneau, et entrer le doigt dans l'anneau, et reposer l'enfant dans son berceau, et s'embrasser les deux jumeaux, et serrer le clou par l'étau, et avancer le cou du chameau, et becqueter la moinelle par le moineau, et pépier dans son nid tout chaud le bel oiseau, et se gorger de grain le pigeonneau, et brouter le lapereau, et ruminer le veau, et sauter le chevreau, et s'appliquer la peau sur la peau, jusqu'à ce que le père des assauts, qui n'était jamais en défaut, cessât de lui-même de jouer du chalumeau. Au matin du quatrième jour, le saïss dit à l'adolescente, épouse du kaïem-makam : « Les trois jours de permission sont écoulés. Levons-nous et allons à la maison de ton époux. » Mais elle répondit : « Que non ! Quand on a trois jours de permission, c'est pour en prendre trois autres ! Eh quoi ! nous n'avons pas encore eu raisonnablement le temps de nous réjouir vraiment, moi de prendre mon plein de toi, et toi de prendre ton plein de moi. Quant à cet absurde entremetteur, laissons-le se morfondre tout seul à la maison, avec lui-même pour compagne et édredon, et replié sur lui-même, comme font les chiens, avec sa tête enfoncée entre ses deux jambes ! » Ainsi elle dit, et ainsi ils firent. Et ils passèrent encore ensemble trois jours nouveaux, fornicant et copulant, à la limite des ébats et de la jubilation. Et, au matin du septième jour, ils s'en allèrent à la maison du kaïem-makam, qu'ils trouvèrent assis bien soucieux, ayant en face de lui une vieille négresse qui lui parlait. Et l'infortuné bonhomme, qui était loin de soupçonner les débordements de la perfidie, la reçut avec cordialité et affabilité, et lui dit : « Béni soit Allah qui te ramène saine et sauve ! Pourquoi tout ce retard, ô fille de l'oncle ? Tu nous as occasionné une bien grande inquiétude ! » Et elle répondit : « Ô mon maître, on m'a confié, chez la défunte, l'enfant de la maison afin que je le console, et que je le dédommage de son sevrage. Et ce sont les soins donnés à cet enfant qui m'ont retenue jusqu'à maintenant. » Et le kaïem-makam dit : « La raison est péremptoire, et je dois la croire, et suis bien heureux de te revoir. » Et telle est mon histoire, ô roi plein de gloire ! »

Lorsque le roi eut entendu cette histoire du pâtissier, il se mit à rire tellement qu'il se renversa sur son derrière. Mais le bouffon s'écria : « Le cas du kaïem-makam est moins énorme que le mien ! Et cette histoire est moins extraordinaire que mon histoire. » Alors le roi se tourna vers le pâtissier et lui dit : « Puisque ainsi le juge l'offensé, je ne puis t'accorder, ô crapule, que la grâce d'un seul testicule. » Et le bouffon, qui triomphait et se vengeait de la sorte, dit sentencieusement : « C'est le juste châtiment et la férule des crapules qui manipulent et copulent le monticule d'une mule qui cumule sans scrupule pour faire boucher son cul. » Puis il ajouta : « Ô roi du temps, accorde-lui, tout de même, la grâce du second testicule ! »

Et, à ce moment, s'avança le second fornicateur, qui était le marchand de légumes ; et il embrassa la terre entre les mains du sultan, et dit : « Ô grand roi, ô le plus généreux des rois, m'accorderas-tu la grâce de ce que tu sais, si tu es émerveillé de mon histoire ? » Et le roi se tourna vers le bouffon, qui donna par signes son consentement. Et le roi dit au marchand de légumes : « Si elle est merveilleuse, je t'accorderai ce que tu demandes ! » Alors le marchand de légumes, qui avait passé pour Khizr le prophète vert, dit :

HISTOIRE RACONTÉE PAR LE MARCHAND DE LÉGUMES

« Il est raconté, ô roi du temps, qu'il y avait un homme qui était astronome, de son métier, et qui savait lire sur les visages et deviner les pensées par la physionomie. Et cet astronome avait une épouse qui était d'une insigne beauté et d'un charme singulier. Et cette épouse était toujours et partout derrière lui à vanter ses propres vertus et à faire parade de ses mérites, disant : « Ô homme, il n'y a point parmi le sexe ma pareille en pureté, en noblesse de sentiments et en chasteté. » Et l'astronome, qui était un grand physionomiste, ne douta point de ses paroles, tant, en effet, son visage reflétait de candeur et d'innocence. Et il se disait : « Ouallahi, il n'y a pas d'homme qui ait une épouse comparable à mon épouse, ce flacon de toutes les vertus. » Et il allait partout proclamant les mérites de son épouse, et chantant ses louanges, et s'émerveillant de sa tenue et de sa décence, alors que la vraie décence eût été, pour lui, de ne jamais parler de son harem devant les étrangers. Mais les savants, ô mon seigneur, et les astronomes en particulier, ne suivent pas les usages de tout le monde. C'est pourquoi les aventures qui leur arrivent ne sont pas celles de tout le monde.

Et donc, un jour, comme il vantait, selon son habitude, les vertus de son épouse, devant une assemblée de personnes étrangères, un homme se leva qui lui dit : « Tu n'es qu'un menteur, ô un tel ! » Et l'astronome devint bien jaune de teint, et, d'une voix agitée par la colère, il demanda : « Et quelle est la preuve de mon mensonge ? » il dit : « Tu es un menteur ou bien un imbécile, car ta femme n'est qu'une prostituée ! » En entendant cette injure suprême, l'astronome se jeta sur l'homme, pour l'étrangler et lui sucer le sang. Mais les assistants les séparèrent et dirent à l'astronome : « Si celui-ci ne prouve pas son dire, nous te l'abandonnerons pour que tu suces son sang. » Et l'insulteur dit : « Ô homme, lève-toi donc, et va annoncer à ton épouse, la vertueuse, que tu vas t'absenter pour quatre jours. Et fais-lui tes adieux, et sors de ta maison, et cache-toi dans un endroit d'où tu pourras tout voir sans être vu. Et tu verras ce que tu verras. Ouassalam ! »

Et les assistants dirent : « Oui, par Allah ! contrôle de la sorte ses paroles. Et si elles sont fausses, tu suceras son sang. »

Alors l'astronome, la barbe tremblante de colère et d'émotion, alla trouver son épouse la vertueuse, et lui dit : « Ô femme, lève-toi et prépare-moi les provisions pour un voyage que je vais faire, et qui me laissera absent pour quatre jours ou peut-être six. » Et l'épouse s'écria : « Ô mon maître, tu veux donc jeter mon âme dans la désolation, et me faire dépérir de chagrin ? Pourquoi ne me prendrais-tu pas plutôt avec toi, pour que je voyage avec toi, et te serve, et te soigne en route si tu es fatigué ou indisposé ? Et pourquoi m'abandonner seule ici avec la cuisante douleur de ton absence ? » Et l'astronome, ayant entendu ces paroles, se dit : « Par Allah ! mon épouse n'a pas sa seconde parmi les élues de l'espèce féminine. » Et il répondit à son épouse : « Ô lumière de l'œil, toi ne te chagrine pas à cause de cette absence qui ne doit durer que quatre jours ou peut-être six. Et ne songe qu'à te soigner et à te bien porter. » Et l'épouse se mit à pleurer et à gémir, en disant : « Oh, que je souffre ! oh, que je suis malheureuse, et abandonnée, et peu aimée ! » Et l'astronome s'essaya du mieux qu'il put à la calmer, lui disant : « Calme ton âme, et rafraîchis tes yeux. Je t'apporterai, à mon retour, de beaux cadeaux de retour ! » Et, la laissant dans les larmes et la désolation, évanouie entre les bras des négresses, il s'en alla en sa voie.

Mais, au bout de deux heures, il revint sur ses pas, et entra doucement par la petite porte du jardin, et alla se poster à un endroit qu'il connaissait, et d'où il pouvait tout voir dans la maison sans être vu…

À ce moment de sa narration, Schahrazade vit apparaître le matin et, discrète, se tut.

Mais lorsque fut la huit cent cinquantième nuit. Elle dit :

… À un endroit qu'il connaissait et d'où il pouvait tout voir dans la maison sans être vu. Et il n'y avait pas une heure de temps qu'il était dans sa cachette, que voici ! Il vit entrer un homme qu'il reconnut aussitôt pour le vendeur de cannes à sucre, établi en face de sa maison. Et il tenait à la main une canne à sucre de choix. Et il vit, au même moment, son épouse venir au-devant de lui, en se balançant, et lui dire, en riant : « C'est là tout ce que tu m'apportes en fait de cannes à sucre, ô père des cannes à sucre ? » Et l'homme dit : « Ô ma maîtresse, la canne à sucre que tu vois n'est rien, comparée à celle que tu ne vois pas ! » Et elle lui dit : « Donne ! donne ! » Et il dit : « Voici ! voici ! » Puis il ajouta : « Oui, mais où est l'entremetteur de mon cul, ton mari l'astronome ? » Elle dit : « Qu'Allah lui casse les jambes et les bras ! Il est parti pour un voyage de quatre jours ou peut-être six ! Puisse-t-il être enterré sous la chute d'un minaret ! » Et ils se mirent tous deux à rire ensemble. Et l'homme sortit sa canne à sucre et la donna à l'adolescente qui sut l'éplucher et la presser et en faire ce qu'on en fait, en pareil cas, de toutes les cannes à sucre de cette espèce-là. Et il l'embrassa, et elle l'embrassa, et il l'accola, et elle aussi l'accola, et il la chargea d'une charge pesante et sans merci. Et il se réjouit de ses charmes, jusqu'à ce qu'il eût pris son plein. Alors il la quitta et s'en alla en sa voie.

Tout cela ! Et l'astronome voyait et entendait. Et voici qu'au bout de quelques instants, il vit entrer un second homme qu'il reconnut pour le marchand de volailles du quartier. Et l'adolescente vint au-devant de lui, en faisant mouvoir ses hanches, et lui dit : « Le salam sur toi, ô père des volailles, que m'apportes-tu aujourd'hui ? » Il répondit : « Un coquelet, ô ma maîtresse, qui est un excellent sujet, coquet et grassouillet, tout jeunet, et guilleret, solide sur ses jarrets, et coiffé d'un rouge bonnet orné d'un beau toupet, qui n'a pas son pareil parmi les poulets, et que je t'offre, si tu me le permets ! » Et l'adolescente dit : « Je permets ! je permets ! » Il dit : « Je le mets ! je le mets ! » Et ils firent exactement, ô mon seigneur, avec le coquelet du marchand de volailles, ce qui avait eu lieu avec la canne à sucre des batailles. Après quoi l'homme se leva, et se secoua, et s'en alla en sa voie.

Tout cela ! Et l'astronome voyait et entendait. Et voici qu'au bout de quelques instants entra un homme qu'il reconnut aussitôt pour le chef des âniers du quartier. Et l'adolescente courut à lui, et l'accola, en lui disant : « Qu'apportes-tu aujourd'hui à ta canne, ô père des ânes ? » Il dit : « Une banane, ô ma maîtresse, une banane ! » Elle dit, riant : « Qu'Allah te damne, ô gros crâne ! Où est cette banane ? » Il dit : « Ô sultane, ô douée de peau tendre et diaphane, je l'ai reçue de mon père, cette banane, quand il était conducteur de caravane, et c'est mon seul héritage avec ma cabane ! » Elle dit : « Je ne vois, dans ta main, que ta canne de conducteur d'ânes ! Où est la banane ? » Il dit : « C'est un fruit, ô sultane, qui craint l'œil des profanes, et qu'on cache de peur qu'il ne se fane. Mais le voici qui plane ! le voici qui plane ! »

Tout cela ! Mais avant que fût mangée la banane, ô mon seigneur, l'astronome, qui avait tout vu et entendu, poussa un grand cri et tomba, corps sans vie ! Que la miséricorde d'Allah soit sur lui ! Et l'adolescente, qui préférait la banane à la canne à sucre et au poulet, se maria, après le temps licite, avec le chef des âniers de son quartier.

Et telle est mon histoire, ô roi plein de gloire ! »

Et le roi, en entendant cette histoire du marchand de légumes, se trémoussa d'aise et se convulsa de contentement. Et il dit à son bouffon : « Cette histoire, ô père de la sagesse, est plus énorme que ton histoire. Et il nous faut accorder à ce marchand de légumes la grâce de ses deux testicules. » Et il dit au bonhomme : « Et maintenant recule ! » Et le marchand recula au milieu du rang de ses compagnons, et le troisième fornicateur s'avança, qui était le boucher pour la viande de mouton. Et il demanda la même faveur, et le sultan, dans sa justice, ne put la lui refuser, mais toujours aux mêmes conditions.

Alors le boucher, qui avait été Iskandar aux deux cornes, dit :

HISTOIRE RACONTÉE PAR LE BOUCHER

« Il y avait un homme au Caire, et cet homme avait une épouse avantageusement connue pour sa gentillesse, son bon caractère, sa légèreté de sang, son obéissance et sa crainte du Seigneur.

Et elle avait dans sa maison une paire d'oies dodues et lourdes de délicieuse graisse ; et elle avait également, mais tout au fond de sa ruse et de sa maison, un amant dont elle était folle tout à fait.

Et donc, cet amant vint un jour lui faire une visite en cachette, et il vit devant elle les deux merveilleuses oies ; et du coup son appétit s'alluma sur elles ; et il dit à la femme : « Ô une telle, tu devrais bien nous cuisiner ces deux oies, et nous les farcir de la plus excellente manière, afin que nous puissions en réjouir notre gosier. Car mon âme souhaite ardemment la chair des oies aujourd'hui. » Et elle répondit : « Cela est vraiment aisé ; et satisfaire tes envies est mon plaisir. Et par ta vie, ô un tel, je vais égorger les deux oies et les farcir ; et je te les donnerai toutes deux ; et tu les prendras et les emporteras chez toi, et les mangeras en toutes délices et bonté sur ton cœur. Et, de cette manière, cet entremetteur de malheur, mon époux, ne pourra en connaître ni le goût ni l'odeur ! » Il demanda : « Et comment feras-tu ? » Elle répondit : « Je servirai à son intention un tour de ma façon, qui lui entrera dans la cervelle ; et je te donnerai les deux oies ; car nul n'est aussi chéri que toi, ô lumière de mes yeux ! Et ainsi cet entremetteur ne connaîtra ni le goût des oies ni leur odeur. » Et, là-dessus, ils s'accolèrent mutuellement. Et, en attendant d'avoir les oies, l'adolescent s'en alla en sa voie. Et voilà pour lui.

Mais pour ce qui est de l'adolescente, lorsque, vers le coucher du soleil, son mari fut rentré de son travail, elle lui dit : « En vérité, ô homme, comment peux-tu prétendre à ce titre d'homme, quand tu es tellement dénué de la vertu qui fait les hommes vraiment dignes de ce nom, la générosité ? As-tu, en effet, jamais invité quelqu'un dans ta maison, et m'as-tu jamais dit, un jour d'entre les jours : « Ô femme, j'ai aujourd'hui un hôte dans la maison ? » Et t'es-tu jamais dit à toi-même : « Les gens finiront, si je continue à vivre avec une telle avarice, par déclarer que je suis un misérable ignorant des voies de l'hospitalité. » Et l'homme répondit : « Ô femme, rien n'est plus facile à réparer que ce retard ! Et demain – inschallah ! – je t'achèterai de la viande d'agneau et du riz ; et tu cuisineras quelque chose d'excellent pour le dîner ou pour le souper, à ton choix, afin que je puisse inviter au repas quelqu'un de mes amis intimes. » Et elle dit : « Non, par Allah, ô homme ! Je préfère, au lieu de la viande en question, que tu m'achètes du hachis de viande, afin que je puisse en faire une farce, qui me servira à farcir nos deux oies, une fois que tu me les auras égorgées. Et je les rôtirai. Car rien n'est aussi savoureux que les oies farcies et rôties, et rien ne peut mieux que les oies blanchir le visage de l'hôte devant son invité. » Et il répondit : « Sur ma tête et sur mon œil ! Qu'il en soit ainsi ! » Donc, le lendemain à l'aube, l'homme égorgea les deux oies dodues, et alla acheter un ratl de hachis de viande, et un ratl de riz, et une once d'épices chaudes et d'autres assaisonnements. Et il porta le tout à la maison, et dit à son épouse : « Tâche de tenir les oies rôties prêtes pour midi, car c'est l'heure où je viendrai avec mes invités. » Et il s'en alla en sa voie.

Alors elle se leva, et dépluma les oies, et les nettoya, et les farcit d'une farce merveilleuse composée de hachis de viande, de riz, de pistaches, d'amandes, de raisins, de pignons et d'épices fines, et en surveilla la cuisson jusqu'à ce qu'elle fût parfaitement à point. Et elle envoya sa petite négresse appeler l'adolescent, son bien-aimé, qui se hâta d'accourir. Et elle l'accola, et il l'accola, et après qu'ils se furent dulcifiés et satisfaits mutuellement, elle lui remit les deux délicieuses oies en leur entier, contenant et contenu. Et il les prit et s'en alla en sa voie. Et voilà pour lui, définitivement…

À ce moment de sa narration, Schahrazade vit apparaître le matin et, discrète se tut.

Mais lorsque fut la huit cent cinquante et unième nuit. Elle dit :

… Elle lui remit les deux délicieuses oies en leur entier, contenant et contenu. Et il les prit et s'en alla en sa voie. Et voilà pour lui, définitivement.

Quant à l'époux de l'adolescente, il ne manqua pas d'être exact à l'heure. Et, à midi, il arriva chez lui, accompagné d'un ami, et frappa à la porte. Et elle se leva, et alla leur ouvrir, et les invita à entrer, et les reçut avec cordialité. Puis elle prit à part son mari et lui dit : « Nous tuons les deux oies, les deux à la fois, et tu n'amènes qu'un homme avec toi ? Mais quatre invités pourraient encore venir pour faire honneur à ma cuisine. Allons, sors et va vite chercher encore deux de tes amis, ou même trois, pour manger les oies. Et l'homme sortit docilement pour faire ce qu'elle lui ordonnait.

Alors la femme alla trouver l'invité, et l'aborda avec un visage retourné, et lui dit d'une voix tremblante d'émotion : « Ô ! hélas sur toi ! Tu es perdu sans recours ! Par Allah ! tu dois n'avoir pas d'enfants ni de famille pour te jeter ainsi, tête baissée, vers une mort certaine ! » Et l'invité, ayant entendu ces paroles, sentit la terreur l'envahir et s'enfoncer profondément dans son cœur. Et il demanda : « Qu'y a-t-il donc, ô femme de bien ? Et quel est le terrible malheur qui me menace dans ta maison ? » Et elle répondit : « Par Allah ! je ne puis garder le secret ! Sache donc que mon mari a à se plaindre gravement de ta conduite à son égard, et qu'il ne t'a amené ici que dans l'intention de te dépouiller de tes testicules, et de te réduire à la condition d'eunuque châtré. Et, après cela, que tu meures ou que tu vives, hélas et pitié sur toi ! » Et elle ajouta : « Mon mari est allé chercher deux de ses amis, pour l'aider dans ta castration. »

En entendant cette révélation de l'adolescente, l'invité se leva à l'heure et à l'instant, et sauta dans la rue, et livra ses jambes au vent. Et, au même moment, entra le mari, accompagné de deux amis, cette fois. Et l'adolescente l'accueillit en s'écriant : « Ô mon émoi, ô mon émoi ! les oies ! les oies ! » Et il demanda : « Par Allah, qu'y a-t-il, et pourquoi ? » Elle dit : « Ô mon désarroi ! ô mon émoi ! ah ! malheur à moi ! les oies ! les oies ! » Il demanda : « Hé, qu'ont-elles donc les oies ? Par Allah, tais-toi, et tiens ton gosier coi, et dis-moi ce qu'elles ont, tes oies ! Que je les voie, que je les voie ! » Elle dit : « Alors vois ! vois ! par là, par là ! ton hôte les emporta comme une proie, et s'en alla par la fenêtre, en sa voie ! » Et elle ajouta : « Et maintenant, festoie ! festoie ! »

À ces paroles de son épouse, l'homme sortit en toute hâte dans la rue, et vit son premier invité qui courait à toutes jambes, la tunique entre les dents. Et il lui cria : « Par Allah sur toi ! reviens, reviens, et je ne t'enlèverai pas le tout ! Reviens, et, par Allah, je ne te prendrai que la moitié ! » – Il voulait dire par là, ô roi du temps, qu'il ne prendrait qu'une oie, et lui laisserait la seconde oie. – Mais, en l'entendant crier de la sorte, le fugitif, persuadé qu'on ne le rappelait que pour lui enlever un œuf au lieu des deux, s'écria, en continuant à fuir : « M'enlever un œuf ? c'est loin de ta langue de bœuf ! Cours donc après moi, si tu veux me frustrer d'un de mes œufs ! »

Et telle est mon histoire, ô roi plein de gloire ! »

Et le roi, ayant entendu cette histoire du boucher, faillit s'évanouir de rire. Après quoi, il se tourna vers le bouffon, et lui demanda : « Faut-il, à celui-là, lui enlever un de ses œufs, ou bien tous les deux ? » Et le bouffon dit : « Laissons-lui ses œufs, car les lui enlever serait peu. Et ce n'est pas mon vœu. » Et le sultan dit à l'homme : « Retire-toi de devant nos yeux ! »

Et, l'homme s'étant retiré dans le rang de ses compagnons, s'avança le quatrième fornicateur, qui supplia le sultan de lui accorder la même faveur avec la même condition. Et le sultan lui ayant donné son consentement, le quatrième fornicateur qui était le chef clarinette, celui-là même qui avait passé pour l'ange Istrafil, dit :

HISTOIRE RACONTÉE PAR LE CHEF CLARINETTE

« Il est raconté qu'il y avait dans une ville d'entre les villes d'Égypte un homme déjà âgé qui avait un fils pubère, gaillard fainéant et sournois, qui ne pensait, du matin au soir, qu'à faire fructifier l'héritage de son père. Et cet homme âgé, père du jeune gaillard, avait dans sa maison, malgré son grand âge, une épouse de quinze ans, qui était belle à la perfection. Et le fils ne cessait de tourner autour de l'épouse de son père, dans l'intention de lui enseigner la véritable résistance du fer, et sa différence d'avec la cire molle. Et le père, qui savait que son fils était un garnement de la pire espèce, ne savait comment faire pour mettre sa jeune épouse à l'abri de ses entreprises. Et il finit par trouver que le moyen le plus sûr de garantie était, pour lui, de prendre une seconde épouse sur la première, de façon qu'ayant deux femmes l'une à côté de l'autre, il pût les sauvegarder l'une par l'autre, et les faire se prémunir mutuellement contre les embûches de son fils. Et il choisit une épouse, plus belle et plus jeune encore, et la mit avec la première. Et il cohabita avec chacune d'elles, alternativement.

Or, le jeune gaillard, ayant compris l'expédient de son père, se dit : « Hé, par Allah ! j'aurai la bouchée double, maintenant. » Mais il lui était bien difficile de réaliser son projet ; car le père, chaque fois qu'il était obligé de sortir, avait pris l'habitude de dire à ses deux jeunes épouses : « Gardez-vous bien contre les tentatives de mon fils, ce garnement. Car c'est un débauché insigne qui trouble ma vie, et qui m'a déjà forcé à divorcer d'avec trois épouses, avant vous autres. Prenez garde ! prenez garde ! » Et les deux adolescentes répondaient : « Ouallahi, si jamais il tentait le moindre geste sur nous, ou s'il nous disait la moindre parole inconvenante, nous lui claquerions la figure avec nos babouches ! » Et le vieux insistait, disant : « Prenez garde ! prenez garde ! » Et elles répondaient : « Nous sommes sur nos gardes ! nous sommes sur nos gardes ! » Et le garnement se disait : « Par Allah, nous verrons bien si elles me claqueront la figure avec leurs babouches, nous verrons bien ! »

Or, un jour, la provision de blé de la maison étant épuisée, le vieux dit à son fils : « Allons au marché du blé, en acheter un sac ou deux. » Et ils sortirent ensemble, le père marchant devant son fils. Et les deux épouses, pour les voir partir, montèrent sur la terrasse de la maison.

Or, en route, le vieux s'aperçut qu'il n'avait pas pris avec lui ses babouches, qu'il avait l'habitude de tenir à la main en chemin, ou de suspendre sur ses épaules. Et il dit à son fils : « Retourne vite à la maison me les chercher. » Et le gaillard retourna tout d'une haleine à la maison, et, ayant aperçu les deux adolescentes, épouses de son père, assises sur la terrasse, il leur cria d'en bas : « Mon père m'envoie vers vous autres, chargé d'une commission ! » Elles demandèrent : « Et laquelle ? » Il dit : « Il m'a ordonné de revenir ici, et de monter vous embrasser autant que je veux, toutes les deux, toutes les deux ! » Et elles répondirent : « Que dis-tu là, ô chien ? Par Allah ! ton père n'a jamais pu te charger d'une telle mission ; et tu mens, ô garnement de la pire espèce, ô cochon ! » Il dit : « Ouallahi, je ne mens pas ! » Et il ajouta : « Et je vais vous prouver que je ne mens pas ! » Et, de toute sa voix, il cria à son père, qui était loin : « Ô mon père, ô mon père ! une seulement, ou bien les deux ? une seulement ou bien les deux ? » Et le vieux répondit, de toute sa voix : « Les deux, ô débauché, les deux à la fois ! Et qu'Allah te maudisse ! » Or, ô mon seigneur le sultan, le vieux voulait signifier par là à son fils qu'il eût à lui apporter les deux babouches, et non à embrasser ses deux épouses. En entendant cette réponse de leur époux, les deux adolescentes se dirent l'une à l'autre : « Le gaillard n'a pas menti ! Laissons-le donc faire avec nous ce que son père lui a commandé de faire. »

Et c'est ainsi, ô mon seigneur le sultan, que, grâce à cette ruse des babouches, le gaillard put monter auprès des deux mouches, et avoir avec elles une extraordinaire escarmouche. Après quoi, il porta à son père les babouches. Et les deux adolescentes, depuis ce moment-là, ne cessèrent de vouloir l'embrasser sur la bouche, en lui disant : « Couche ! couche ! » Et les yeux du vieux ne voyaient rien, car ils étaient louches.

Et telle est mon histoire, ô roi plein de gloire ! »

Lorsque le roi eut entendu cette histoire de son chef clarinette, il fut à la limite de la jubilation, et lui accorda la grâce plénière qu'il demandait pour ses testicules. Puis il congédia les quatre fornicateurs, en leur disant : « Embrassez d'abord la main de mon fidèle serviteur, que vous avez trompé, et demandez-lui pardon ! » Et ils répondirent par l'ouïe et l'obéissance, et se réconcilièrent avec le bouffon, et vécurent, depuis lors, avec lui dans les meilleurs termes. Et lui également. »

Mais, continua Schahrazade, l'histoire de la malice des épouses, ô Roi fortuné, est si longue, que je préfère te raconter tout de suite la merveilleuse HISTOIRE D'ALI BABA ET DES QUARANTE VOLEURS.

HISTOIRE D'ALI BABA ET DES QUARANTE VOLEURS

Et Schahrazade dit au roi Schahriar :

Il m'est revenu, ô Roi fortuné, qu'il y avait, en les années d'il y a très longtemps et les jours du passé reculé, dans une ville d'entre les villes de la Perse, deux frères dont l'un se nommait Kassim et l'autre Ali Baba. – Exalté soit Celui devant qui s'effacent tous les noms, surnoms et prénoms, et qui voit les âmes dans leur nudité et les consciences dans leur profondeur, le Très-Haut, le Maître des destinées ! Amîn !

Lorsque le père de Kassim et d'Ali Baba, qui était un très pauvre homme du commun, eut trépassé dans la miséricorde de son Seigneur, les deux frères se partagèrent en toute équité de partage le peu qui leur était échu en héritage ; mais ils ne tardèrent pas à manger le maigre fourrage qui était tout leur apanage, et se trouvèrent, du jour au lendemain, sans pain ni fromage, et bien allongés quant à leur nez et à leur visage. Et voilà ce que c'est que d'être sot dans le jeune âge et d'oublier les conseils des sages !

Mais bientôt, l'aîné, qui était Kassim, se voyant en train de fondre d'inanition dans sa peau, se mit en quête d'une situation lucrative. Et, comme il était avisé et plein de rouerie, il ne tarda pas à faire la connaissance d'une entremetteuse – éloigné soit le Malin ! – qui, après avoir mis à l'épreuve ses facultés de monteur et ses vertus de coq sauteur et sa puissance de copulateur, le maria à une adolescente qui avait bon gîte, bon pain et muscles parfaits, et qui était une excellente chose, tout à fait. Béni soit le Rétributeur ! Et il eut, de la sorte, outre la jouissance de son épouse, une boutique bien garnie dans le centre du souk des marchands. Car telle était la destinée écrite sur son front, dès sa naissance. Et voilà pour lui !

Quant au second, qui était Ali Baba, voici ! Comme, de sa nature, il était dénué d'ambition, avait des goûts modestes, se contentait de peu et n'avait point l'œil vide, il se fit coupeur de bois, et se mit à mener une vie de pauvreté et de labeur. Mais il sut, malgré tout, vivre avec tant d'économie, grâce aux leçons de la dure expérience, qu'il put mettre de côté quelque argent qu'il employa sagement à s'acheter un âne, puis deux ânes, puis trois ânes. Et il se mit à les conduire tous les jours avec lui dans la forêt, et à les charger des bûches et des fagots qu'il était auparavant obligé de porter sur son dos.

Or, devenu de la sorte propriétaire de trois ânes, Ali Baba inspira une telle confiance aux gens de sa corporation, tous de pauvres bûcherons, que l'un d'eux se fit un honneur de lui offrir sa fille en mariage. Et les trois ânes d'Ali Baba furent inscrits sur le contrat, devant le kâdi et les témoins, comme toute dot et tout douaire de la jeune fille, qui, d'ailleurs, n'apportait dans la maison de son époux aucun trousseau ni rien de semblable, vu qu'elle était une fille de pauvres. Mais la pauvreté et la richesse ne durent qu'un temps, alors qu'Allah l'Exalté est l'éternel Vivant.

Et Ali Baba, grâce à la bénédiction, eut de son épouse, la fille des bûcherons, des enfants beaux comme des lunes, qui bénissaient leur Créateur. Et il vivait modestement dans l'honnêteté avec toute sa famille, du produit de la vente en ville de ses bûches et fagots, ne souhaitant de son Créateur rien de plus que ce simple bonheur tranquille.

Or, un jour d'entre les jours, comme Ali Baba était occupé à abattre du bois dans un fourré vierge de coups de hache, alors que ses trois ânes, attendant leur charge habituelle, se prélassaient en paissant et en pétant non loin de là, le coup de la destinée se fit entendre pour Ali Baba dans la forêt. Mais Ali Baba ne s'en doutait pas qui croyait que sa destinée suivait son cours depuis des ans ! Ce fut d'abord un bruit sourd, dans le loin, qui se rapprocha rapidement, pour devenir distinct à l'oreille sur le sol, comme un galop multiplié et grandissant. Et Ali Baba, homme paisible et détestant les aventures et les complications, se sentit bien effrayé de se trouver seul avec ses trois ânes pour tous compagnons, dans cette solitude. Et sa prudence lui conseilla de grimper sans retard au haut d'un grand et gros arbre qui s'élevait au sommet d'un petit monticule et qui dominait toute la forêt. Et il put, ainsi posté et caché entre les branches, examiner quelle pouvait bien être l'affaire.

Or, il fit bien ! Car il était à peine là, qu'il aperçut une troupe de cavaliers armés terriblement qui, d'un bon train, s'avançaient du côté où il se trouvait. Et à leur mine noire, à leurs yeux de cuivre neuf et à leurs barbes séparées férocement par le milieu en deux ailes de corbeau de proie, il ne douta pas qu'ils ne fussent des brigands voleurs, coupeurs de routes, de la plus détestable espèce. Ce en quoi Ali Baba ne se trompait pas.

Quand donc ils furent tout près du monticule rocheux où Ali Baba, invisible mais voyant, était perché, ils mirent pied à terre sur un signe de leur chef, un géant, débridèrent leurs chevaux, leur passèrent au cou, à chacun, un sac à fourrage plein d'orge, qui était placé sur la croupe, derrière la selle, et les attachèrent par le licou aux arbres avoisinants. Après quoi ils défirent les bissacs, et les chargèrent sur leurs propres épaules. Et comme ces bissacs étaient très lourds, les brigands marchaient courbés sous leur poids.

Et tous défilèrent en bon ordre au-dessous d'Ali Baba, qui put aisément les compter et trouver qu'ils étaient au nombre de quarante : pas un de plus, pas un de moins…

À ce moment de sa narration, Schahrazade vit apparaître le matin et, discrète, se tut.

Mais lorsque fut la huit cent cinquante-deuxième nuit. Elle dit :

… Au nombre de quarante : pas un de plus, pas un de moins. Et ils arrivèrent, ainsi chargés, au pied d'un grand rocher qui était la base du monticule, et s'arrêtèrent en file bien ordonnée. Et leur chef, qui était en tête de file, déposa un instant son lourd bissac sur le sol, se redressa de toute sa taille face au rocher et, d'une voix retentissante, s'adressant à quelqu'un ou à quelque chose d'invisible à tous les regards, il s'écria : « Sésame, ouvre-toi ! » Et aussitôt le rocher s'ouvrit largement.

Alors le chef des brigands voleurs s'écarta un peu, pour laisser d'abord ses hommes passer devant lui. Et quand ils furent tous entrés, il rechargea son bissac sur son dos, et pénétra le dernier. Puis il s'écria d'une voix de commandement sans réplique : « Sésame, referme-toi ! » Et le rocher se referma en se scellant, comme si jamais la sorcellerie du brigand ne l'avait divisé, par la vertu de la formule magique.

À cette vue, Ali Baba s'étonna en son âme prodigieusement, et se dit : « Pourvu que, par leur science de la sorcellerie, ils ne découvrent pas ma retraite et ne fassent pas alors entrer ma longueur dans ma largeur ! » Et il se garda bien de faire le moindre mouvement, malgré toute l'inquiétude qui le travaillait au sujet de ses ânes, qui continuaient à s'ébattre librement dans le fourré.

Quant aux quarante voleurs, après un séjour assez prolongé dans la caverne où Ali Baba les avait vus s'engouffrer, ils donnèrent quelque signe de leur réapparition par un bruit souterrain semblable à quelque tonnerre lointain. Et le rocher finit enfin par se rouvrir et laisser sortir les quarante, avec leur chef en tête, et tenant à la main leurs bissacs vides. Et chacun d'eux retourna à son cheval, le rebrida, et sauta dessus, après avoir fixé le bissac sur la selle. Et le chef se tourna alors vers l'ouverture de la caverne et prononça à haute voix la formule : « Sésame, referme-toi ! » Et les deux moitiés du rocher se rejoignirent et se soudèrent sans aucune trace de séparation. Et tous reprirent, avec leur mine de goudron et leurs barbes de cochons, le chemin par où ils étaient venus. Et voilà pour eux.

Mais pour ce qui est d'Ali Baba, la prudence, qui lui était échue en partage parmi les dons d'Allah, fit qu'il resta encore dans sa cachette, malgré tout le désir qu'il avait d'aller rejoindre ses ânes. Car il se dit : « Ces terribles brigands voleurs peuvent bien, ayant oublié quelque chose dans leur caverne, revenir sur leurs pas à l'improviste et me surprendre ici même. Et c'est alors, ya Ali Baba, que tu verras ce qu'il en coûte à un pauvre diable comme toi de se mettre sur la route de si puissants seigneurs ! » Donc, ayant ainsi réfléchi, Ali Baba se contenta de suivre de l'œil les redoutables cavaliers jusqu'à ce qu'il les eût perdus de vue. Et ce ne fut que bien longtemps après qu'ils eurent disparu, et que toute la forêt fut rentrée dans un silence rassurant, qu'il se décida enfin à descendre de son arbre, et encore avec mille précautions, et en se retournant à droite et à gauche au fur et à mesure qu'il quittait une branche élevée pour une branche plus basse.

Lorsqu'il fut à terre, Ali Baba s'avança vers le rocher en question, mais tout doucement et sur la pointe des pieds, en retenant sa respiration. Et il aurait bien voulu auparavant aller revoir ses ânes et se tranquilliser à leur sujet, vu qu'ils étaient toute sa fortune et le pain de ses enfants, mais une curiosité sans précédent s'était allumée dans son cœur de tout ce qu'il avait vu et entendu du haut de son arbre. Et d'ailleurs c'était sa destinée qui le poussait irrésistiblement vers cette aventure-là.

Or, arrivé devant le rocher, Ali Baba l'inspecta de haut en bas, et le trouva lisse et sans une anfractuosité où aurait pu se glisser la pointe d'une aiguille. Et il se dit : « C'est pourtant là-dedans que sont entrés les quarante, et c'est bien avec mon propre œil que je les ai vus disparaître là-dedans ! Ya Allah ! Quelle subtilité ! Et qui sait ce qu'ils sont entrés faire dans cette caverne défendue par toutes sortes de talismans dont j'ignore le premier mot ! » Puis il pensa : « Par Allah ! j'ai pourtant bien retenu la formule d'ouverture et la formule de fermeture ! Si je les essayais un peu, pour voir seulement si dans ma bouche elles ont la même vertu que dans la bouche de cet effrayant bandit géant ! » Et, oubliant toute sa pusillanimité ancienne, et poussé par la voix de sa destinée, Ali Baba le bûcheron se tourna vers le rocher et dit : « Sésame, ouvre-toi ! » Et bien que les trois mots magiques eussent été prononcés d'une voix mal assurée, le rocher se sépara et s'ouvrit largement. Et Ali Baba, dans une épouvante extrême, eût bien voulu tourner le dos à tout cela et livrer ses jambes au vent, mais la force de sa destinée l'immobilisa devant l'ouverture et le força à regarder. Et, au lieu de voir là-dedans une caverne de ténèbres et d'horreur, il fut à la limite de la surprise en voyant s'ouvrir devant lui une large galerie, qui donnait de plain-pied sur une salle spacieuse creusée en voûte à même la pierre, et recevant largement la lumière par des ouvertures angulaires ménagées dans le haut. Si bien qu'il se décida à mettre un pied devant l'autre, et à pénétrer dans ce lieu qui, à première vue, n'avait rien de particulièrement terrifiant. Il prononça donc la formule propitiatoire : « Au nom d'Allah le Clément, le Miséricordieux ! » qui acheva de le réconforter, et s'avança sans trop trembler jusque dans la salle voûtée. Et dès qu'il y fut arrivé, il vit les deux moitiés du rocher se rejoindre sans bruit et boucher complètement l'ouverture : ce qui ne laissa pas de l'inquiéter, malgré tout, vu que la constance dans le courage n'était pas son fort. Toutefois il pensa qu'il pourrait désormais, grâce à la formule magique, faire s'ouvrir d'elles-mêmes devant lui toutes les portes. Et il se laissa alors aller à regarder en toute tranquillité ce qui s'offrait devant ses yeux.

Et il vit, tout le long des murs, s'étageant jusqu'à la voûte, des piles et des piles de riches marchandises, et des ballots d'étoffes de soie et de brocart, et des sacs de provisions de bouche, et de grands coffres remplis jusqu'aux bords d'argent monnayé, et d'autres pleins d'argent en lingots, et d'autres remplis de dinars d'or et de lingots d'or par rangées alternées. Et comme si tous ces coffres et tous ces sacs ne suffisaient pas pour contenir les richesses accumulées, le sol était jonché de tas d'or, de bijoux et d'orfèvreries, tant que le pied ne savait où se poser sans se heurter à quelque joaillerie ou se buter à quelque tas de dinars flambants. Et Ali Baba, qui de sa vie n'avait vu la vraie couleur de l'or ni même connu son odeur, s'émerveilla de tout cela à la limite de l'émerveillement. Et à voir ces trésors entassés là, au hasard des fournées, et ces innombrables somptuosités dont les moindres eussent avantageusement orné le palais d'un roi, il se dit qu'il devait y avoir non pas des années mais des siècles que cette grotte servait de dépôt, en même temps que de refuge, à des générations de voleurs fils de voleurs, descendants des pillards de Babylone.

Lorsque Ali Baba fut quelque peu revenu de son émerveillement, il se dit : « Par Allah, ya Ali Baba, voici que ta destinée prend un visage blanc et te transporte d'à côté de tes ânes et de tes fagots au milieu d'un bain d'or comme n'en ont vu que les rois Soleïmân et Iskandar aux deux cornes ! Et du coup tu apprends les formules magiques et te sers de leurs vertus et te fais ouvrir les portes de roc et les fabuleuses cavernes, ô bûcheron béni ! C'est là une grande grâce du Rétributeur, qui te rend ainsi le maître des richesses accumulées par les crimes de générations de voleurs et de bandits. Et si tout cela est arrivé, c'est bien pour que tu puisses être désormais, avec ta famille, à l'abri du besoin, en faisant servir à un bon usage l'or du vol et du pillage ! »

Et, s'étant mis par ce raisonnement en paix avec sa conscience, Ali Baba le pauvre se pencha vers un des sacs à provisions, le vida de son contenu et le remplit rien que de dinars d'or et d'autres pièces en or monnayé, sans s'attacher à l'argent et aux autres objets de prix. Et il chargea le sac sur ses épaules et le porta au bout de la galerie. Puis il revint dans la salle voûtée, et remplit de la même manière un second sac, puis un troisième sac et, plusieurs autres sacs, autant qu'il pensait que pouvaient en porter, sans faiblir, ses trois ânes. Et, cela fait, il se tourna vers l'entrée de la caverne et dit : « Sésame, ouvre-toi ! » Et dans l'instant les deux battants de la porte rocheuse s'ouvrirent dans toute leur largeur, et Ali Baba courut rassembler ses ânes et les fit approcher de l'entrée. Et il les chargea des sacs, qu'il prit soin de cacher habilement, en accommodant des branchages par-dessus. Et, quand il eut achevé cette besogne, il prononça la formule de fermeture, et les deux moitiés du rocher se rejoignirent aussitôt.

Alors Ali Baba poussa devant lui ses ânes chargés d'or, en les encourageant d'une voix pleine de respect, et non point en les accablant des malédictions et des injures retentissantes qu'il leur adressait d'ordinaire, quand ils traînaient leurs pieds. Car si Ali Baba, comme tous les conducteurs d'ânes, gratifiait ses bêtes d'appellations telles que : « ô religion du zebb ! » ou « l'histoire de ta sœur ! » ou « fils d'enculé ! » ou « vente d'entremetteuse ! » ce n'était point certes pour les offusquer, car il les aimait à l'égal de ses enfants, c'était simplement pour leur faire entendre raison. Mais cette fois il sentit qu'il ne pouvait, en toute justice, leur appliquer de tels qualificatifs, quand ils portaient sur eux plus d'or qu'il n'y en avait dans la cassette du sultan. Et, sans les bousculer autrement, il reprit avec eux le chemin de la ville…

À ce moment de sa narration, Schahrazade vit apparaître le matin et, discrète, se tut.

Mais lorsque fut la huit cent cinquante-troisième nuit. Elle dit :

… Et, sans les bousculer autrement, il reprit avec eux le chemin de la ville. Or, en arrivant devant sa maison, Ali Baba trouva la porte fermée en dedans avec le gros loquet en bois, et se dit : « Si j'essayais sur elle la vertu de la formule ! » Et il dit : « Sésame, ouvre-toi ! » Et aussitôt la porte, se séparant d'avec son loquet, s'ouvrit toute grande. Et Ali Baba, sans annoncer autrement son arrivée, pénétra avec ses ânes dans la petite cour de sa maison. Et il dit, en se tournant vers la porte : « Sésame, referme-toi ! » Et la porte, tournant sur elle-même, alla rejoindre sans bruit son loquet. Et Ali Baba fut de la sorte convaincu qu'il était désormais détenteur d'un incomparable secret doué d'une puissance mystérieuse, dont l'acquisition ne lui avait guère coûté d'autre tourment qu'une émotion passagère plutôt due à la mine rébarbative des quarante et à l'aspect farouche de leur chef.

Lorsque l'épouse d'Ali Baba vit les ânes dans la cour et Ali Baba en train de les décharger, elle accourut en frappant ses paumes l'une contre l'autre de surprise, et s'écria : « Ô homme, comment as-tu fait pour ouvrir la porte dont j'avais moi-même fermé le loquet ? Le nom d'Allah sur nous tous ! Et qu'apportes-tu, en ce jour béni, dans ces gros sacs si lourds que je n'ai jamais vus à la maison ? » Et Ali Baba, sans répondre à la première question, dit : « Ces sacs nous viennent d'Allah, ô femme. Mais toi, viens m'aider à les porter dans la maison, au lieu de me tourmenter de questions sur les portes et les loquets. » Et l'épouse d'Ali Baba, comprimant sa curiosité, vint l'aider à décharger les sacs sur son dos et à les porter, l'un après l'autre, à l'intérieur de la maison. Et comme elle les palpait chaque fois, elle sentit qu'ils contenaient de la monnaie, et pensa que cette monnaie devait être de la vieille monnaie de cuivre ou quelque chose d'approchant. Et cette découverte, quoique fort incomplète et bien au-dessous de la réalité, jeta son esprit dans une grande inquiétude. Et elle finit par se persuader que son époux avait dû s'associer à des voleurs ou autres gens semblables, sinon comment s'expliquer la présence de tant de sacs pesants de monnaie ? Aussi, quand tous les sacs furent portés à l'intérieur, elle ne put davantage se retenir, et, éclatant soudain, elle se mit à se frapper les joues de ses deux mains, et à se déchirer les habits, en s'écriant : « Ô notre calamité ! Ô perte sans recours de nos enfants ! Ô potence ! »

En entendant les cris et les lamentations de son épouse, Ali Baba fut à la limite de l'indignation et lui cria : « Potence dans ton œil, ô maudite ! Qu'as-tu à ululer ainsi de travers ? Et pourquoi veux-tu attirer sur nos têtes le châtiment des voleurs ? » Elle dit : « Le malheur va entrer dans la maison avec ces sacs de monnaie, ô fils de l'oncle. Par ma vie sur toi, hâte-toi de les remettre sur le dos des ânes et de les transporter loin d'ici. Car mon cœur n'est pas tranquille de les savoir dans notre maison ! » Il répondit : « Allah confonde les femmes dénuées de jugement ! Je vois bien, ô fille de l'oncle, que tu t'imagines que j'ai volé ces sacs ! Eh bien, détrompe-toi et rafraîchis tes yeux, car ils nous viennent du Rétributeur, qui m'a fait rencontrer ma destinée aujourd'hui dans la forêt. D'ailleurs je vais te raconter comment s'est faite cette rencontre, mais pas avant que j'aie vidé ces sacs pour t'en montrer le contenu. »

Et Ali Baba, prenant les sacs par un bout, les vida, l'un après l'autre, sur la natte. Et des masses d'or s'écroulèrent sonores, en lançant des feux par milliers dans la pauvre chambre du bûcheron. Et Ali Baba, triomphant de voir sa femme éblouie de ce spectacle, s'assit sur le tas d'or, ramena ses jambes sous lui, et dit : « Écoute-moi maintenant, ô femme ! » Et il lui fit le récit de son aventure depuis le commencement jusqu'à la fin, sans omettre un détail. Mais il n'y a point d'utilité à la répéter.

Lorsque l'épouse d'Ali Baba eut entendu le récit de l'aventure, elle sentit l'épouvante faire place dans son cœur à une grande joie, et elle se dilata et s'épanouit, et dit : « Ô jour de lait, ô jour de blancheur ! Louanges à Allah qui a fait entrer dans notre demeure les biens mal acquis de ces quarante bandits coupeurs de routes, et qui a rendu de la sorte licite ce qui était illicite. Il est le Généreux, le Rétributeur ! »

Et elle se leva à l'heure et à l'instant, et s'assit sur ses talons devant le tas d'or, et se mit en devoir de compter un par un les innombrables dinars. Mais Ali Baba se mit à rire et lui dit : « Que fais-tu là, ô pauvre ? Comment peux-tu songer à compter tout cela ? Lève-toi plutôt, et viens m'aider à creuser une fosse dans notre cuisine, pour enfouir au plus vite tout cet or, et faire ainsi disparaître ses traces. Sinon nous risquons fort d'attirer sur nous la cupidité des voisins et des officiers de police ! » Mais l'épouse d'Ali Baba, qui aimait l'ordre en toute chose, et qui tenait à se faire une idée exacte sur la quantité des richesses qui leur entraient en ce jour béni, répondit : « Non certes, je ne veux pas m'attarder à compter cet or. Mais je ne puis le laisser enfouir sans l'avoir au moins pesé ou mesuré. C'est pourquoi je te supplie, ô fils de l'oncle, de me donner le temps d'aller chercher une mesure en bois dans le voisinage. Et je le mesurerai pendant que tu creuseras la fosse. Et de la sorte ce sera à bon escient que nous pourrons dépenser le nécessaire et le superflu sur nos enfants ! »

Et Ali Baba, bien que cette précaution lui parût pour le moins superflue, ne voulut pas contrarier sa femme dans une occasion si pleine de joie pour eux tous, et lui dit : « Soit ! Mais va et reviens vite, et surtout prends bien garde de divulguer notre secret ou d'en dire le moindre mot ! »

Lors donc l'épouse d'Ali Baba sortit à la recherche de la mesure en question, et pensa que le plus court serait d'aller en demander une à l'épouse de Kassim, le frère d'Ali Baba, dont la maison ne se trouvait pas loin de là. Et elle entra chez l'épouse de Kassim, la riche, la pleine d'infatuation, celle qui ne daignait jamais inviter à quelque repas chez elle le pauvre Ali Baba ni sa femme, vu qu'ils étaient sans fortune ni relations, celle qui n'avait jamais envoyé la moindre sucrerie aux enfants d'Ali Baba, lors des fêtes et anniversaires, ni même acheté pour eux une poignée de pois chiches comme en achètent les très pauvres gens aux enfants des très pauvres gens. Et, après les salams de cérémonie, elle la pria de lui prêter une mesure en bois pour quelques moments.

Lorsque l'épouse de Kassim eut entendu ce mot de mesure, elle fut extrêmement étonnée, car elle savait Ali Baba et sa femme très pauvres, et elle ne pouvait comprendre à quel usage ils destinaient cet ustensile dont ne se servent d'ordinaire que les propriétaires de grandes provisions de grains, tandis que les autres se contentent d'acheter leur grain du jour ou de la semaine chez le grainetier. Aussi, bien qu'en d'autres circonstances elle lui eût, sans aucun doute, tout refusé, sous n'importe quel prétexte, elle se sentit, cette fois, trop allumée de curiosité pour laisser échapper cette occasion de se satisfaire. Elle lui dit donc : « Qu'Allah augmente sur vos têtes ses faveurs ! Mais cette mesure, ô mère d'Ahmad, la veux-tu grande ou petite ? » Elle répondit : « Plutôt petite, ô ma maîtresse ! » Et l'épouse de Kassim alla chercher la mesure en question.

Or ce n'était point en vain que cette femme était un produit de vente d'entremise – qu'Allah refuse ses grâces aux produits de cette espèce, et qu'Il confonde toutes les rouées ! – car, voulant à tout prix savoir quelle sorte de grain sa parente pauvre voulait mesurer, elle s'avisa d'une supercherie comme en ont toujours entre leurs doigts les filles de putains. Elle courut, en effet, prendre du suif, et en enduisit adroitement le fond de la mesure, au-dessous, du côté où se pose cet ustensile. Puis elle revint auprès de sa parente, en s'excusant de l'avoir fait attendre, et lui remit la mesure. Et la femme d'Ali Baba se confondit en remerciements, et se hâta de revenir chez elle. Et elle commença par poser la mesure au milieu du tas d'or. Et elle se mit à l'emplir et à la vider un peu plus loin, en marquant sur le mur, avec un morceau de charbon, autant de traits noirs qu'elle l'avait vidée de fois. Et comme elle venait d'achever son travail, Ali Baba rentra, ayant fini, de son côté, de creuser la fosse dans la cuisine. Et son épouse lui montra sur le mur les traits au charbon, en exultant de joie, et lui laissa le soin d'enfouir tout l'or, pour aller elle-même en toute diligence rendre la mesure à l'impatiente épouse de Kassim. Et elle ne savait pas, la pauvre ! qu'un dinar d'or s'était attaché au-dessous de la mesure, grâce au suif de la perfide. Elle remit donc la mesure à sa riche parente, la vendue de l'entremetteuse, et la remercia beaucoup et lui dit : « J'ai voulu être exacte avec toi, ô ma maîtresse, afin qu'une autre fois ta bonté ne se décourage pas à mon égard. » Et elle s'en alla en sa voie. Et voilà pour l'épouse d'Ali Baba !

Quant à l'épouse de Kassim, la rouée, elle n'attendit que le dos tourné de sa parente pour retourner la mesure en bois, et en regarder le dessous. Et elle fut à la limite de la stupéfaction en voyant une pièce d'or collée dans le suif, au lieu de quelque grain de fève, d'orge ou d'avoine. Et de safran devint la peau de son visage et de bitume très foncé la couleur de ses yeux. Et pétri de jalousie et de dévorante envie devint son cœur. Et elle s'écria : « La destruction sur leur demeure ! Depuis quand ces misérables ont-ils comme ça de l'or par poids et par mesure ? » Et dans la fureur inexprimable où elle était, elle ne put attendre que son époux fût rentré de sa boutique ; mais elle envoya sa servante le chercher en toute hâte. Et dès que l'essoufflé Kassim eut franchi le seuil de la maison, elle l'accueillit par des exclamations furibondes, tout comme si elle l'avait surpris en train de triturer quelque jeune garçon.

Puis, sans lui laisser le temps de se reconnaître sous cette tempête, elle lui mit sous le nez le dinar d'or en question, et lui cria : « Tu le vois ! Eh bien, ce n'est que le reste de ces misérables ! Ah, tu te crois riche, et tu te félicites tous les jours d'avoir boutique et clients, alors que ton frère n'a que trois ânes pour tout lot ! Détrompe-toi, ô cheikh ! Car Ali Baba, fagoteur, ce ventre creux, ce rien du tout, ne se contente pas de compter son or comme toi, lui : il le mesure ! Par Allah ! il le mesure, comme fait le grainetier de son grain ! »

Et, dans un orage de paroles, de cris et de vociférations, elle le mit au courant de l'affaire, et lui expliqua de quel stratagème elle s'était servie pour faire la stupéfiante découverte de la richesse d'Ali Baba. Et elle ajouta : « Ça n'est pas tout ça, ô cheikh ! À toi maintenant de découvrir la source de la fortune de ton misérable frère, cet hypocrite maudit qui feint la pauvreté et manie l'or par mesures et par brassées ! »

En entendant ces paroles de son épouse, Kassim ne douta pas de la réalité de la fortune de son frère. Et loin de se trouver heureux de savoir le fils de son père et de sa mère à l'abri désormais de tout besoin, et de se réjouir de son bonheur, il en conçut une jalousie bilieuse et sentit éclater de dépit sa poche à fiel…

À ce moment de sa narration, Schahrazade vit apparaître le matin et, discrète, se tut.

Mais lorsque fut la huit cent cinquante-quatrième nuit. Elle dit :

… Il en conçut une jalousie bilieuse et sentit éclater de dépit sa poche à fiel. Et il se leva à l'heure et à l'instant, et courut chez son frère voir par ses propres yeux ce qu'il y avait à voir.

Et il trouva Ali Baba qui avait encore sa pioche à la main, ayant fini d'enfouir son or. Et, l'abordant sans lui donner le salam et sans l'appeler par son nom ni par son prénom et même sans le traiter de frère, car il avait oublié cette proche parenté depuis qu'il avait épousé le riche produit de l'entremetteuse, il lui dit : « Ah, c'est comme ça, ô père des ânes, que tu fais le réservé et le cachottier avec nous ! Oui, continue à simuler la pauvreté et la misère et à faire le gueux devant les gens, pour, dans ton gîte à poux et à punaises, mesurer l'or comme le grainetier son grain ! »

En entendant ces paroles, Ali Baba fut à la limite du trouble et de la perplexité, non point qu'il fût avare ou intéressé, mais parce qu'il redoutait la méchanceté et l'avidité d'œil de son frère et de l'épouse de son frère, et il répondit : « Par Allah sur toi ! je ne sais trop à quoi tu fais allusion. Hâte-toi plutôt de t'expliquer, et je ne manquerai pas de franchise à ton égard ni de bons sentiments, bien que depuis des années et des années tu aies oublié le lien du sang et que tu détournes ton visage du mien et de celui de mes enfants ! »

Alors l'impérieux Kassim dit : « Il ne s'agit pas de tout cela, Ali Baba ! Il s'agit seulement de ne pas feindre avec moi l'ignorance, car je sais ce que tu as intérêt à me tenir caché ! » Et, lui montrant le dinar d'or encore enduit de suif, il lui dit en le regardant de travers : « Combien de mesures de dinars semblables à celui-ci as-tu dans ton grenier, ô fourbe ? Et où as-tu volé tant d'or, dis, ô honte de notre maison ? » Puis, en quelques mots, il lui révéla comment son épouse avait enduit de suif le dessous de la mesure qu'elle leur avait prêtée, et comment cette pièce d'or s'y était trouvée attachée.

Lorsque Ali Baba eut entendu ces paroles de son frère, il comprit que la faute était faite et ne pouvait se réparer. Aussi, sans se faire poser un plus long interrogatoire, et sans donner à son frère le moindre signe d'étonnement ou de chagrin, de se voir découvert, il dit : « Allah est généreux, ô mon frère ! Il nous envoie Ses dons même avant leur désir ! Qu'Il soit exalté ! » Et il lui raconta, dans tous ses détails, son aventure dans la forêt, sans toutefois lui révéler la formule magique. Et il ajouta : « Nous sommes, ô mon frère, les fils du même père et de la même mère. C'est pourquoi tout ce qui m'appartient t'appartient, et je veux, si tu me fais la grâce de l'accepter, t'offrir la moitié de l'or que j'ai rapporté de la caverne ! »

Mais le méchant Kassim, dont l'avidité égalait la noirceur, répondit : « Certes ! c'est bien ainsi que je l'entends. Mais je veux également savoir comment je pourrais entrer moi-même dans le rocher s'il m'en prenait envie. Et ne t'avise pas surtout de me tromper à ce sujet, autrement je vais de ce pas te dénoncer à la justice comme le complice des voleurs. Et tu ne pourras que perdre à cette combinaison-là ! »

Alors le bon Ali Baba, songeant au son de sa femme et de ses enfants, en cas de dénonciation, et poussé encore plus par son naturel accommodant que par la peur des menaces d'un frère à l'âme barbare, lui révéla les trois mots de la formule magique, tant pour l'ouverture des portes que pour leur fermeture. Et Kassim, sans même lui dire une parole de remerciement, le quitta brusquement, résolu à aller s'emparer tout seul du trésor de la caverne.

Donc, le lendemain, avant l'aurore, il partit vers la forêt, en poussant devant lui dix mulets chargés de grands coffres qu'il se proposait de remplir du produit de sa première expédition. D'ailleurs il se réservait, une fois qu'il se serait bien rendu compte des provisions et des richesses accumulées dans la grotte, de faire un second voyage, avec un plus grand nombre de mulets et même, s'il le fallait, avec tout un convoi de chameaux. Et il suivit, en tous points, les indications d'Ali Baba qui avait poussé la bonté jusqu'à se proposer comme guide, mais qui s'était vu écarter durement par les deux paires d'yeux soupçonneux de Kassim et de son épouse, la résultante de l'entremise.

Et il arriva bientôt au pied du rocher qu'il reconnut, entre tous les rochers, à son aspect entièrement lisse et à son sommet surmonté d'un grand arbre. Et il leva ses deux bras vers le rocher et dit : « Sésame, ouvre-toi ! » Et le rocher se fendit soudain par le milieu. Et Kassim, qui avait déjà attaché des mulets aux arbres, pénétra dans la caverne dont l'ouverture se reboucha aussitôt sur lui, grâce à la formule de fermeture. Or, il ne savait pas ce qui l'attendait !

Et d'abord ce fut un éblouissement, à la vue de tant de richesses accumulées, d'or par monceaux et de joyaux entassés. Et le désir lui vint d'être le maître de ce fabuleux trésor. Et il vit bien qu'il lui faudrait pour emporter tout cela non seulement une caravane de chameaux, mais tous les chameaux réunis qui voyagent des confins de la Chine jusqu'aux frontières de l'Iran. Et il se dit que la prochaine fois il prendrait les mesures nécessaires pour organiser une véritable expédition à butin, se contentant cette fois de remplir d'or monnayé autant de sacs que pouvaient en porter ses dix mulets. Et, ce travail achevé, il revint vers la galerie qui aboutissait au rocher de fermeture, et s'écria : « Orge, ouvre-toi ! »

Car l'ébloui Kassim, l'esprit entièrement pris par la découverte de ce trésor, avait tout à fait oublié le mot qu'il fallait dire. Et il en fut ainsi pour sa perdition sans recours. Il dit donc à plusieurs reprises : « Orge, ouvre-toi ! Orge, ouvre-toi ! » Mais le rocher resta fermé. Alors il dit : « Avoine, ouvre-toi ! » Et le rocher ne bougea pas.

Alors il dit : « Fève, ouvre-toi ! » Mais aucune fissure ne se produisit.

Et Kassim commença à perdre patience, et cria, tout d'une haleine : « Seigle, ouvre-toi ! — Millet, ouvre-toi ! — Pois chiche, ouvre-toi ! — Maïs, ouvre-toi ! — Sarrasin, ouvre-toi ! — Blé, ouvre-toi ! — Riz, ouvre-toi ! — Vesce, ouvre-toi ! » Mais la porte de granit resta close. Et Kassim, à la limite de l'épouvante en s'apercevant qu'il restait enfermé pour avoir perdu la formule, se mit à débiter, devant le rocher impassible, tous les noms des céréales et les différentes variétés de grains que la main du Semeur lança sur la surface des champs, à l'enfance du monde. Mais le granit resta inébranlable. Car l'indigne frère d'Ali Baba n'oublia, parmi tous les grains, qu'un seul grain, celui-là même auquel étaient attachées les vertus magiques, le mystérieux sésame.

Or, c'est ainsi que tôt ou tard, et souvent plus tôt que plus tard, le destin aveugle la mémoire des méchants, leur dérobe toute clarté, et leur enlève la vue et l'ouïe, de par l'ordre du Puissant sans bornes. Car le Prophète – sur Lui les bénédictions et le plus choisi des salams ! – a dit, parlant des méchants : « Allah leur retirera le don de Sa clarté et les laissera tâtonner dans les ténèbres. Alors, aveugles, sourds et muets, ils ne pourront plus revenir sur leurs pas ! » Et ailleurs l'Envoyé – qu'Allah l'ait en Ses meilleures grâces ! – a dit de ceux-là : « À jamais leurs cœurs et leurs oreilles ont été fermés avec le sceau d'Allah, et leurs yeux voilés d'un bandeau. Pour eux est réservé un supplice épouvantable ! »

Donc, lorsque le méchant Kassim, qui ne s'attendait pas du tout à ce désastreux événement, eut vu qu'il ne possédait plus la formule vertueuse, il se mit, pour la retrouver, à se secouer la cervelle dans tous les sens, mais bien inutilement, car à tout jamais sa mémoire s'était dépouillée du nom magique. Alors, en proie à la frayeur et à la rage, il laissa là les sacs pleins d'or, et se mit à parcourir la caverne en tous sens, à la recherche de quelque issue. Mais il ne rencontrait partout que parois granitiques lisses désespérément. Et, comme une bête féroce ou quelque chameau en rut, il écumait d'une écume de bave et de sang, et se mordait les doigts de désespoir. Mais là ne fut point tout son châtiment : car il lui restait encore à mourir. Ce qui ne devait pas tarder !

En effet, à l'heure de midi, les quarante voleurs revinrent vers leur caverne, selon leur habitude journalière…

À ce moment de sa narration, Schahrazade vit apparaître le matin et, discrète, se tut.

Mais lorsque fut la huit cent cinquante-cinquième nuit. Elle dit :

… En effet, à l'heure de midi, les quarante voleurs revinrent vers leur caverne, selon leur habitude journalière. Et voilà qu'ils virent, attachés aux arbres, les dix mulets chargés de grands coffres. Et aussitôt, sur un signe de leur chef, ils dégainèrent farouchement, et lancèrent leurs chevaux à toute bride vers l'entrée de la caverne. Et ils mirent pied à terre, et commencèrent à tourner tout autour du rocher pour trouver l'homme à qui pouvaient appartenir les mulets. Mais comme leurs recherches n'aboutissaient à rien, le chef se décida à pénétrer dans la caverne. Il leva donc son sabre vers la porte invisible, en prononçant la formule, et le rocher se divisa en deux moitiés qui glissèrent en sens inverse.

Or, l'enfermé Kassim, qui avait entendu les chevaux et les exclamations de surprise et de colère des brigands voleurs, ne douta pas de sa perte sans recours. Toutefois, comme son âme lui était chère, il voulut tenter de la sauvegarder. Et il se blottit dans un coin, prêt à se jeter dehors au premier moment. Aussi, dès que le mot de « sésame » eut été prononcé et qu'il l'eut entendu, en maudissant sa courte mémoire, et dès qu'il vit l'ouverture se faire, il s'élança au-dehors comme un bélier, tête basse, et si violemment et avec si peu de discernement, qu'il heurta le chef même des quarante, qui tomba tout de son long sur le sol. Mais, dans sa chute, le terrible géant entraîna Kassim avec lui, et lui enfonça une main dans la bouche et une autre dans le ventre. Et, au même moment, les autres brigands, venant à la rescousse, saisirent tout ce qu'ils purent saisir de l'agresseur, du violateur, et coupèrent avec leurs sabres tout ce qu'ils saisirent. Et c'est ainsi, qu'en moins d'un clin d'œil, Kassim fut partagé en jambes, bras, tète et tronc, et expira son âme avant de se consulter. Car telle était sa destinée. Et voilà pour lui !

Quant aux voleurs, dès qu'ils eurent essuyé leurs sabres, ils entrèrent dans leur caverne et trouvèrent, rangés près de la sortie, les sacs qu'avait préparés Kassim. Et ils se hâtèrent de les vider là où ils avaient été remplis, et ne s'aperçurent pas de la quantité qui manquait et qu'avait emportée Ali Baba. Puis ils s'assirent en rond pour tenir conseil, et délibérèrent longuement sur l'événement. Mais dans l'ignorance où ils étaient d'avoir été épiés par Ali Baba, ils ne purent arriver à comprendre comment on avait pu s'introduire chez eux, et se refusèrent à réfléchir plus longtemps sur un pourquoi qui n'avait pas de parce que. Et ils préférèrent, après avoir déchargé leurs nouvelles acquisitions et pris quelque repos, sortir de leur caverne et remonter à cheval, pour aller couper les routes et razzier les caravanes. Car c'étaient des hommes actifs, qui n'aimaient pas les longs discours et les palabres. Mais on les retrouvera quand le moment sera venu.

Or, pour ce qui est de la suite de tout cela, voici. Et d'abord l'épouse de Kassim ! Ah, cette maudite-là, ce fut elle la cause de la mort de son mari, qui d'ailleurs méritait bien sa fin ! Car c'était la perfidie de cette femme inventrice du suif colleur qui avait été le point de départ de l'égorgement final. Aussi, ne doutant pas qu'il dût bientôt être de retour, elle avait préparé un repas spécial pour le fêter. Mais quand elle vit que la nuit était venue et qu'il n'y avait ni Kassim, ni ombre de Kassim, ni odeur de Kassim, elle fut extrêmement alarmée, non point qu'elle l'aimât outre mesure, mais parce qu'il était nécessaire à sa vie et à sa cupidité. Aussi, quand son inquiétude fut à ses limites extrêmes, elle se décida à aller trouver Ali Baba, elle qui n'avait jamais jusque-là voulu condescendre à franchir le seuil de sa maison. La fille de putain ! Elle entra avec un visage retourné, et dit à Ali Baba : « Le salam sur toi, ô frère de choix de mon époux ! Les frères se doivent aux frères, et les amis aux amis. Or, moi je viens te prier de me tranquilliser sur le sort de ton frère qui est allé, comme tu le sais, à la forêt, et qui, malgré la nuit avancée, n'est pas encore de retour. Par Allah sur toi ! ô visage de bénédiction, hâte-toi d'aller voir ce qui lui est arrivé dans cette forêt ! »

Et Ali Baba, qui était notoirement doué d'une âme compatissante, partagea l'alarme de l'épouse de Kassim, et lui dit : « Qu'Allah éloigne les malheurs de la tête de ton époux, ma sœur ! Ah ! si Kassim avait bien voulu écouter mon conseil fraternel, il m'eût pris avec lui comme guide ! Mais ne t'inquiète pas outre mesure de son retard ; car, sans doute, il aura jugé à propos, pour ne pas attirer l'attention des passants, de ne rentrer en ville que bien avant dans la nuit ! »

Or, cela était vraisemblable, bien qu'en réalité Kassim ne fût plus Kassim mais six quartiers de Kassim, deux bras, deux jambes, un tronc et une tête, qui avaient été disposés par les voleurs à l'intérieur même de la galerie, derrière la porte rocheuse, afin qu'ils épouvantassent par leur vue et repoussassent par leur puanteur quiconque aurait eu la hardiesse de franchir le seuil défendu.

Donc Ali Baba tranquillisa tant qu'il put la femme de son frère et lui fit remarquer que les recherches n'aboutiraient à rien pendant la nuit noire. Et il l'invita à passer la nuit en leur compagnie, en toute cordialité. Et l'épouse de Kassim la fit coucher dans son propre lit, tandis qu'Ali Baba l'assurait que dès l'aurore il s'en irait à la forêt. Et, en effet, dès les premières lueurs de l'aube, l'excellent Ali Baba était déjà dans la cour de sa maison, près de ses trois ânes. Et il partit sans retard avec eux, après avoir recommandé à l'épouse de Kassim de modérer son affliction, et à sa propre épouse de la soigner et de ne la laisser manquer de rien. Or, en approchant du rocher, Ali Baba fut bien obligé de s'avouer, en ne voyant pas les mulets de Kassim, que quelque chose de grave avait dû se passer, d'autant plus qu'il n'avait rien rencontré dans la forêt. Et son inquiétude ne put qu'augmenter en voyant le sol, au pied du rocher, taché de sang. Aussi ce ne fut point sans un grand émoi qu'il prononça les trois mots magiques de l'ouverture, et qu'il entra dans la caverne.

Et le spectacle des six quartiers de Kassim épouvanta ses regards et fit trembler ses genoux. Et il faillit tomber évanoui sur le sol. Mais les sentiments qu'il avait pour son frère lui firent surmonter son émotion, et il n'hésita pas à faire tout le possible pour essayer de rendre les derniers devoirs à son frère, qui était musulman après tout, et fils du même père et de la même mère. Et il se hâta de prendre, dans la caverne, deux grands sacs dans lesquels il mit les six quartiers de son frère, le tronc dans l'un, et la tête avec les quatre membres dans l'autre. Et il en fit la charge de l'un de ses ânes, en les recouvrant soigneusement de bois coupé et de branchages. Puis il se dit que, puisqu'il était là, il valait tout autant profiter de l'occasion pour prendre quelques sacs d'or, pour ne pas laisser ses ânes s'en retourner le bât à nu. Il chargea donc les deux autres ânes de sacs pleins d'or, avec du bois et des feuillages par-dessus, comme la première fois, Et, après qu'il eut commandé à la porte rocheuse de se refermer, il reprit le chemin de la ville, en déplorant en son âme la triste fin de son frère.

Or, dès qu'il fut arrivé dans la cour de sa maison, Ali Baba appela, pour l'aider à décharger les ânes, l'esclave Morgane. Or, Morgane était une jeune fille qu'Ali Baba et son épouse avaient recueillie enfant, et élevée avec les mêmes soins et la même sollicitude que s'ils avaient été ses propres parents. Et elle avait grandi dans leur maison, aidant sa mère adoptive dans le ménage et faisant le travail de dix personnes. Avec cela, elle était agréable, douce, adroite, entendue et féconde en inventions pour résoudre les questions les plus ardues et faire réussir les choses les plus difficiles.

Aussi, dès qu'elle fut descendue, elle commença par baiser la main de son père adoptif et lui souhaita la bienvenue, comme elle avait coutume de le faire chaque fois qu'il rentrait à la maison. Et Ali Baba lui dit : « Ô Morgane, ma fille, c'est aujourd'hui que ta finesse, ton dévouement et ta discrétion vont me donner leur preuve ! » Et il lui raconta la fin funeste de son frère et ajouta : « Et maintenant, il est là, en six quartiers, sur le troisième âne. Et il faut, pendant que je vais monter annoncer la funèbre nouvelle à sa pauvre veuve, que tu songes au moyen de le faire enterrer comme s'il était mort de sa mort naturelle, sans que personne puisse se douter de la vérité ! » Et elle répondit : « J'écoute et j'obéis ! » Et Ali Baba, la laissant réfléchir à la situation, monta chez la veuve de Kassim. Il avait une telle mine qu'en le voyant entrer, l'épouse de Kassim se mit à pousser des hurlements de travers. Et elle s'apprêta à s'écorcher les joues, à s'arracher les cheveux et à se déchirer les habits. Mais Ali Baba sut lui raconter l'événement avec tant de ménagement, qu'il réussit à éviter les cris et les lamentations qui eussent ameuté les voisins et provoqué un émoi dans tout le quartier. Et, avant de lui donner le temps de savoir si elle devait hurler ou si elle ne devait pas hurler, il ajouta : « Allah est généreux, et m'a donné la richesse au-delà de mes besoins. Si donc, dans ce malheur sans remède qui t'atteint, quelque chose est encore capable de te consoler, je t'offre de joindre les biens qu'Allah m'a envoyés à ceux qui t'appartiennent, et de te faire entrer désormais dans ma maison en qualité de seconde épouse. Et tu trouveras ainsi en la mère de mes enfants une sœur aimante et attentive. Et ensemble nous vivrons tous dans la tranquillité, en parlant des vertus du défunt ! » Et, ayant ainsi parlé, Ali Baba se tut, attendant la réponse. Et Allah éclaira, à ce moment, le cœur de l'ancienne vendue de l'entremise, et la débarrassa de ses tares. Car Il est le Tout-Puissant ! Et elle comprit la bonté d'Ali Baba et la générosité de son offre, et consentit à devenir sa seconde épouse. Et elle devint réellement, par suite de son mariage avec cet homme béni, une femme de bien. Et voilà pour elle !

Quant à Ali Baba, qui avait réussi, par ce moyen, à empêcher les cris perçants et la divulgation du secret, il laissa sa nouvelle épouse entre les mains de son ancienne épouse, et descendit rejoindre la jeune Morgane. Il la trouva qui rentrait d'une course au-dehors. Car Morgane n'avait pas perdu son temps, et avait déjà combiné tout un plan de conduite, en cette circonstance difficile. Elle était, en effet, allée à la boutique du marchand de drogues, qui habitait en face, et lui avait demandé d'une sorte de thériaque spécifique pour la guérison des maladies mortelles. Et le marchand lui avait donné de cette thériaque-là, pour l'argent qu'elle avait présenté, mais non sans lui avoir au préalable demandé qui était malade dans la maison de son maître. Et Morgane avait répondu, en soupirant : « Ô notre calamité ! le mal rouge tient le frère de mon maître Ali Baba, qui a été transporté chez nous pour être mieux soigné. Mais personne ne comprend rien à sa maladie. Il est immobile, avec un visage de safran ; il est muet ; il est aveugle ; et il est sourd ! Puisse cette thériaque, ô cheikh, le tirer de sa mauvaise posture ! » Et, ayant ainsi parlé, elle avait emporté la thériaque en question, dont, en réalité, Kassim ne pouvait plus guère faire usage, et elle était venue rejoindre son maître Ali Baba...

À ce moment de sa narration, Schahrazade vit apparaître le matin et, discrète, se tut.

Mais lorsque fut la huit cent cinquante-sixième nuit. Elle dit :

... Elle avait emporté la thériaque en question, dont, en réalité, Kassim n'était plus en état de faire usage, et était venue rejoindre son maître Ali Baba. Et, en peu de mots, elle le mit au courant de ce qu'elle comptait faire. Et il approuva son plan, et lui dit toute l'admiration qu'il ressentait pour son ingéniosité.

En effet, le lendemain, la diligente Morgane alla chez le même marchand de drogues, et, avec un visage baigné de larmes, et avec beaucoup de soupirs et d'arrêts dans les soupirs, elle lui demanda d'un certain électuaire qu'on ne donne d'ordinaire qu'aux moribonds sans espoir. Et elle s'en alla, en disant : « Hélas sur nous ! si ce remède n'agit pas, tout est perdu ! » Et elle prit soin, en même temps, de mettre tous les gens du quartier au courant du prétendu cas désespéré de Kassim, frère d'Ali Baba.

Aussi, quand le lendemain, à l'aube, les gens du quartier furent réveillés en sursaut par des cris perçants et lamentables, ils ne doutèrent pas que ces cris fussent poussés par l'épouse de Kassim, par l'épouse du frère de Kassim, par la jeune Morgane et par toutes les femmes parentes, pour annoncer la mort de Kassim. Pendant ce temps, Morgane continuait à mettre son plan à exécution. En effet, elle s'était dit : « Ma fille, ça n'est pas tout que de faire passer une mort violente pour une mort naturelle, il s'agit de parer à un danger plus grand ! Et c'est de ne pas laisser les gens s'apercevoir que le défunt est divisé en six quartiers ! Sans quoi, la gargoulette ne restera pas sans fêlure ! »

Et, sans tarder, elle courut chez un vieux savetier du quartier qui ne la connaissait pas, et tout en lui souhaitant le salam, elle lui mit dans la main un dinar d'or, et lui dit : « Ô cheikh Mustapha, ta main nous est nécessaire aujourd'hui ! » Et le vieux savetier, qui était un bonhomme plein d'entrain et de gaieté, répondit : « Ô journée bénie par ta blanche venue, ô visage de lune ! Parle, ô ma maîtresse, et je te répondrai sur ma tête et mes yeux ! » Et Morgane dit : « Ô mon oncle Mustapha, lève-toi simplement et viens avec moi. Mais avant, prends, si tu veux bien, tout ce qui t'est nécessaire pour coudre le cuir ! » Et lorsqu'il eut fait ce qu'elle lui demandait, elle prit un bandeau et lui banda soudain les yeux, en lui disant : « C'est la condition nécessaire ! Sans quoi rien n'est fait ! » Mais il se récria, disant : « Vas-tu, ô jeune fille, pour un dinar, me faire renier la foi de mes pères, ou commettre quelque larcin ou crime extraordinaire ? » Mais elle lui dit : « Éloigné soit le Malin, ô cheikh ! Que ta conscience soit en repos ! Ne redoute rien de tout cela, car il s'agit seulement d'un petit travail de couture ! » Et, ce disant, elle lui glissa dans la main une seconde pièce d'or, qui le décida à la suivre.

Et Morgane le prit par la main et le mena, les yeux bandés, dans la cave de la maison d'Ali Baba. Et là, elle lui ôta le bandeau, et, lui montrant le corps du défunt, qu'elle avait reconstitué en mettant les six quartiers à leur place respective, elle lui dit : « Tu vois à présent que c'est pour te faire coudre ensemble les six quartiers que voici, que j'ai pris la peine de te conduire par la main ! » Et comme le cheikh reculait effaré, l'avisée Morgane lui glissa dans la main une nouvelle pièce d'or, et lui en promit encore une, si le travail était rapidement fait. Ce qui décida le savetier à se mettre à la besogne. Et lorsqu'il eut achevé, Morgane lui rebanda les yeux, et, après lui avoir donné la récompense promise, elle le fit sortir de la cave et le reconduisit jusqu'à la porte de sa boutique, où elle le laissa, après lui avoir rendu la vue. Et elle se hâta de rentrer à la maison, tout en se retournant de temps à autre pour voir si le savetier ne l'observait pas.

Et dès qu'elle fut arrivée, elle lava le corps reconstitué de Kassim, le parfuma d'encens et l'arrosa d'aromates, et, aidée par Ali Baba, elle le mit dans le linceul. Après quoi, afin que les hommes qui apportaient la civière commandée ne pussent se douter de rien, elle alla prendre elle-même livraison de cette civière, et la paya largement. Puis, toujours aidée par Ali Baba, elle mit le corps dans le bois mortuaire, et recouvrit le tout de châles et d'étoffes achetés pour la circonstance.

Sur ces entrefaites, l'imam et les autres dignitaires de la mosquée arrivèrent ; et quatre des voisins assemblés chargèrent la civière sur leurs épaules. Et l'imam prit la tête du cortège, suivi par les lecteurs du Koran. Et Morgane marcha derrière les porteurs, tout en pleurs, en poussant des cris lamentables, en se frappant la poitrine à grands coups, et en s'arrachant les cheveux, tandis qu'Ali Baba fermait la marche, accompagné des voisins qui se détachaient à tour de rôle, de temps en temps, pour relayer et soulager les autres porteurs, et cela jusqu'à ce qu'on arrivât au cimetière, cependant que dans la maison d'Ali Baba, les femmes accourues pour la cérémonie funèbre mêlaient leurs lamentations et emplissaient tout le quartier de cris épouvantables.

Et, de la sorte, la vérité de cette mort resta soigneusement à l'abri de toute divulgation, sans que personne pût avoir le moindre soupçon sur la funeste aventure.

Et voilà pour tous ceux-là !

Quant aux quarante voleurs qui, à cause de la putréfaction des six quartiers de Kassim abandonnés dans la caverne, s'étaient abstenus pendant un mois de retourner à leur retraite, ils furent à leur retour dans la caverne, à la limite de l'étonnement de ne plus trouver ni quartiers de Kassim, ni putréfaction de Kassim, ni quoi que ce fût qui, de près ou de loin, se rapprochât de cela. Et, cette fois, ils réfléchirent sérieusement à la situation, et le chef des quarante dit : « Ô hommes, nous sommes découverts, il n'y a plus à en douter, et notre secret est connu. Mais si nous ne cherchons promptement à y apporter le remède, toutes les richesses, que nous et nos ancêtres avons amassées avec tant de peine et de fatigues, nous seront bientôt enlevées par le complice du voleur que nous avons châtié. Il faut donc que, sans perdre de temps, après avoir fait périr l'un, nous fassions périr l'autre. Cela établi, il n'y a qu'un moyen pour arriver au but, et c'est que quelqu'un de hardi à la fois et d'adroit aille à la ville déguisé en derviche étranger, qu'il use de tout son savoir-faire pour découvrir s'il n'est pas question de celui que nous avons coupé en six quartiers, et qu'il sache en quelle maison demeurait cet homme-là. Mais toutes ces recherches devront être faites avec la plus grande circonspection, car un mot de trop pourrait compromettre l'affaire et nous perdre sans recours. Aussi j'estime que celui qui assumera cette tâche doit s'engager à subir la peine de mort s'il fait preuve de légèreté dans l'accomplissement de sa mission ! » Et aussitôt l'un des voleurs s'écria : « Je m'offre pour l'entreprise et j'accepte les conditions ! » Et le chef et les camarades le félicitèrent et le comblèrent d'éloges. Et il partit déguisé en derviche.

Or, il entra dans la ville, et toutes les maisons et boutiques étaient encore closes, à cause de l'heure matinale, excepté la boutique de cheikh Mustapha, le savetier. Et cheikh Mustapha, l'alène à la main, était déjà en train de confectionner une babouche en cuir safran. Et il leva les yeux et vit le derviche qui le regardait travailler, en l'admirant, et qui se hâta de lui souhaiter le salam. Et cheikh Mustapha lui rendit son salam, et le derviche s'émerveilla de lui voir, à son âge, de si bons yeux et les doigts si experts. Et le vieux, fort flatté, se rengorgea et répondit : « Par Allah, ô derviche, je puis encore enfiler l'aiguille du premier coup, et je puis même coudre les six quartiers d'un mort au fond d'une cave sans lumière ! » Et le derviche-voleur, en entendant ces mots, faillit s'envoler de joie, et bénit sa destinée qui le conduisait par le plus court chemin au but souhaité. Aussi ne laissa-t-il pas échapper l'occasion, et, feignant l'étonnement, il s'écria : « Ô visage de bénédiction, les six quartiers d'un mort ? Que veux-tu dire par ces mots ? Est-ce que c'est par hasard l'habitude, dans ce pays, de couper les morts en six quartiers, puis de les recoudre ? Et agit-on de la sorte pour voir ce qu'il y a dedans ? » Et cheikh Mustapha, à ces paroles, se mit à rire, et répondit : « Non par Allah ! ce n'est pas l'habitude ici. Mais je sais ce que je sais, et ce que je sais nul ne le saura ! J'ai pour cela plusieurs raisons toutes plus sérieuses les unes que les autres ! Et d'ailleurs ma langue est courte ce matin et n'obéit pas au jeu de ma mémoire ! » Et le derviche-voleur se mit à rire à son tour, tant à cause de l'air avec lequel le cheikh savetier prononçait ces sentences, que pour se rendre favorable le bonhomme. Puis, faisant semblant de lui serrer la main, il y glissa une pièce d'or, et ajouta : « Ô fils des hommes éloquents, ô oncle, qu'Allah me garde de vouloir me mêler de ce qui ne me regarde pas. Mais si, en ma qualité d'étranger qui aime à se renseigner, j'ai une prière à t'adresser, ce serait de me faire la grâce de me dire où se trouve la maison dans la cave de laquelle il y avait les six quartiers du mort que tu as raccommodé. » Et le vieux savetier répondit : « Et comment le pourrais-je, ô chef des derviches, puisque je ne la connais pas moi-même, cette maison-là. Sache, en effet, que j'y ai été les yeux bandés, conduit par une jeune fille ensorceleuse qui a fait marcher les choses avec une célérité sans pareille. Il est vrai toutefois, mon fils, que si on me bandait les yeux de nouveau, je pourrais peut-être retrouver la maison, en me guidant sur certaines remarques que j'ai faites en marchant et en palpant toutes choses sur ma route. Car tu dois savoir, ô savant derviche, que l'homme voit avec ses doigts tout aussi bien qu'avec ses yeux, surtout s'il n'a pas la peau dure comme le dos du crocodile. Et, pour ma part, j'ai parmi les clients dont je chausse les pieds honorables, plusieurs aveugles plus clairvoyants, grâce à l'œil qu'ils ont au bout de chaque doigt, que le maudit barbier qui me rase la tête chaque vendredi en me tailladant le cuir atrocement, – qu'Allah le lui fasse expier…

À ce moment de sa narration, Schahrazade vit apparaître le matin et, discrète, se tut.

Mais lorsque fut la huit cent cinquante-septième nuit. Elle dit :

… Et, pour ma part, j'ai parmi les clients dont je chausse les pieds honorables, plusieurs aveugles plus clairvoyants, grâce à l'œil qu'ils ont au bout de chaque doigt, que le maudit barbier qui me rase la tête chaque vendredi en me tailladant le cuir atrocement, – qu'Allah le lui fasse expier ! » Et le derviche-voleur s'écria : « Béni soit le sein qui t'a allaité, et puisses-tu longtemps encore enfiler l'aiguille et chausser les pieds honorables, ô cheikh de bon augure ! Certes, je ne souhaite que me conformer à tes indications, afin que tu essayes de retrouver la maison dans la cave de laquelle se passent des choses si prodigieuses ! » Alors le cheikh Mustapha se décida à se lever, et le derviche lui banda les yeux et le mena par la main dans la rue, et marcha à ses côtés, tantôt le conduisant et tantôt guidé par lui, à tâtons, jusqu'à la maison même d'Ali Baba. Et le cheikh Mustapha dit : « C'est certainement là, et pas ailleurs. Je reconnais la maison à l'odeur de crottin d'âne qui s'en exhale, et à cette borne-ci où j'ai buté du pied la première fois ! » Et le voleur, à la limite de la joie, se hâta, avant d'enlever le bandeau du savetier, de faire une marque à la porte de la maison, avec un morceau de craie qu'il avait sur lui. Puis il rendit la vue à son compagnon, le gratifia d'une nouvelle pièce d'or, et le congédia après l'avoir remercié et lui avoir promis qu'il ne manquerait pas d'acheter des babouches chez lui pour le reste de ses jours. Et il se hâta de reprendre le chemin de la forêt, pour aller annoncer sa découverte au chef des quarante. Mais il ne savait pas qu'il courait droit pour voir sa tête sauter de ses épaules, comme on va le voir.

En effet, lorsque la diligente Morgane sortit pour aller aux provisions, elle aperçut sur la porte, à son retour du souk, la marque blanche que le derviche-voleur y avait faite. Et elle l'examina avec attention, et pensa en son âme attentive : « Cette marque-là ne s'est pas faite d'elle-même sur cette porte. Et la main qui l'a faite ne peut être qu'une main ennemie. Il faut donc en conjurer les maléfices, en égarant le coup ! » Et elle courut chercher un morceau de craie, et fit exactement la même marque, au même endroit, sur les portes de toutes les maisons de la rue, tant à droite qu'à gauche. Et chaque fois qu'elle faisait une marque, elle disait mentalement, s'adressant à l'auteur de la marque première : « Mes cinq doigts dans ton œil gauche, et mes cinq autres dans ton œil droit ! » Car elle savait qu'il n'y avait point de formule plus puissante pour conjurer les forces invisibles, éviter les maléfices et faire retomber sur la tête du maléficient des calamités perpétrées ou imminentes.

Aussi, le lendemain, quand les voleurs, renseignés par leur camarade, furent entrés deux par deux dans la ville pour envahir la maison marquée du signe, ils se trouvèrent à la limite de la perplexité et de l'embarras en constatant que toutes les portes des maisons du quartier portaient la même marque, exactement. Et ils se hâtèrent, sur un signe de leur chef, de retourner à leur caverne de la forêt, pour ne pas éveiller l'attention des passants. Et, quand ils se furent de nouveau rassemblés, ils traînèrent au milieu du cercle formé par leur groupe le voleur-guide qui avait si mal pris ses précautions, le condamnèrent à mort, séance tenante, et, au signal donné par leur chef, lui coupèrent la tête.

Or comme la vengeance à tirer de l'auteur premier de toute cette affaire devenait plus urgente que jamais, un second voleur s'offrit d'aller aux renseignements. Et, sa demande ayant été agréée par le chef, il entra en ville, se mit en rapport avec cheikh Mustapha, se fit conduire devant la maison présumée être la maison aux six quartiers cousus, et fit une marque rouge sur la porte, dans un endroit peu apparent. Puis il retourna à la caverne.

Mais il ne savait pas qu'une tête marquée pour le saut fatal ne peut que faire le saut même et non pas un autre.

En effet, quand les voleurs, guidés par leur camarade, furent arrivés dans la rue d'Ali Baba, ils trouvèrent toutes les portes marquées du signe rouge, exactement au même endroit. Car la fine Morgane, se doutant de quelque chose, avait pris ses précautions, comme la première fois. Et au retour à la caverne, le guide dut subir, quant à sa tête, le même sort que son prédécesseur. Mais cela ne contribua guère à éclairer les voleurs sur l'affaire, et ne servit qu'à diminuer la troupe des deux gaillards les plus courageux. Aussi, quand le chef eut réfléchi sur la situation pendant un bon moment, il releva la tête et se dit : « Désormais je ne m'en rapporterai qu'à moi-même ! » Et il partit tout seul pour la ville.

Or il ne fit pas comme les autres. Car, lorsqu'il se fut fait indiquer la maison d'Ali Baba par cheikh Mustapha, il ne perdit pas son temps à en marquer la porte de craie rouge, blanche ou bleue, mais il la considéra attentivement pour en bien fixer l'emplacement dans sa mémoire, vu que du dehors elle avait la même apparence que toutes les maisons voisines. Et, une fois son examen terminé, il retourna à la forêt, rassembla les trente-sept voleurs survivants, et leur dit : « L'auteur du dommage qui nous a été causé est découvert, puisque je connais bien sa maison maintenant. Et, par Allah ! sa punition sera une terrible punition. Pour vous, mes gaillards, hâtez-vous de m'apporter ici trente-huit jarres de terre cuite vernissée à l'intérieur, au col large et au ventre rebondi. Et que ces trente-huit jarres soient vides, à l'exception d'une seule que vous remplirez d'huile d'olive. Et veillez à ce qu'elles soient toutes exemptes de fêlure. Et revenez sans retard. » Et les voleurs, habitués à exécuter sans pensée les ordres de leur chef, répondirent par l'ouïe et l'obéissance, et se hâtèrent d'aller se procurer au souk des potiers les trente-huit jarres en question, et de les apporter à leur chef, deux par deux, sur leurs chevaux.

Alors le chef des voleurs dit à ses hommes : « Mettez vos habits et que chacun de vous entre dans une jarre, ne gardant avec lui que ses armes, son turban et ses babouches ! » Et les trente-sept voleurs, sans dire un mot, grimpèrent deux par deux sur le dos des chevaux porteurs de jarres. Et comme chaque cheval portait deux jarres, une à droite et l'autre à gauche, chaque voleur se laissa glisser dans une jarre, où il disparut entièrement. Et ils se trouvèrent de la sorte repliés sur eux-mêmes, les jambes touchant les cuisses, et les genoux à la hauteur du menton, dans les jarres, comme seraient au vingtième jour les poussins dans les œufs. Et, ainsi installés, ils tenaient un cimeterre dans une main et un gourdin dans l'autre main, avec leurs babouches soigneusement calées sous leur derrière. Et le trente-septième voleur faisait de la sorte vis-à-vis et contrepoids à l'unique jarre remplie d'huile.

Lorsque les voleurs eurent fini de se placer dans les jarres, dans la situation la moins gênante, le chef s'avança, les examina l'un après l'autre, et boucha les ouvertures des jarres avec des fibres de palmier, de façon à masquer le contenu et, en même temps à permettre à ses hommes de respirer librement. Et, pour que nul doute ne pût venir à l'esprit des passants sur le contenu, il prit de l'huile dans la jarre qui en était pleine, et en frotta soigneusement les parois extérieures des jarres neuves. Et toutes choses ainsi disposées, le chef des voleurs se déguisa en marchand d'huile et, poussant devant lui vers la ville les chevaux porteurs de marchandise improvisée, il se fit le conducteur de cette caravane. Or, Allah lui écrivit la sécurité, et il arriva sans encombre, vers le soir, devant la maison même d'Ali Baba. Et, comme si toutes les difficultés se levaient d'elles-mêmes, il n'eut pas la peine, pour exécuter le dessein qui l'amenait, de frapper à la porte, car Ali Baba en personne était assis sur le seuil qui prenait tranquillement le frais avant la prière du soir…

À ce moment de sa narration, Schahrazade vit apparaître le matin et, discrète, se tut.

Mais lorsque fut la huit cent cinquante-huitième nuit. Elle dit :

… Car Ali Baba en personne était assis sur le seuil qui prenait tranquillement le frais, avant la prière du soir. Et le chef des voleurs se hâta d'arrêter les chevaux, s'avança entre les mains d'Ali Baba et lui dit, après les salams et compliments : « Ô mon maître, ton esclave est marchand d'huile et ne sait où aller loger, cette nuit, dans une ville où il ne connaît personne. Il espère donc de ta générosité que, pour Allah, tu lui accorderas l'hospitalité jusqu'à demain matin, à lui et à ses bêtes, dans la cour de ta maison ! »

En entendant cette demande, Ali Baba se souvint du temps où il était pauvre et souffrait de l'inclémence du temps, et son cœur s'émut aussitôt. Et, loin de reconnaître le chef des voleurs qu'il avait naguère vu et entendu dans la forêt, il se leva en son honneur et lui répondit : « Ô marchand d'huile, mon frère, que la demeure te soit reposante, et puisses-tu y trouver aisance et famille. Sois le bienvenu ! » Et, ce disant, il le prit par la main et l'introduisit, avec ses chevaux, dans la cour. Et il appela Morgane et un autre esclave, et leur donna l'ordre d'aider l'hôte d'Allah à décharger les jarres et de donner à manger aux bêtes. Et quand les jarres furent rangées en bon ordre au fond de la cour, et les chevaux attachés le long du mur avec, au cou de chacun, un sac rempli d'orge et d'avoine, Ali Baba, toujours plein d'empressement et d'affabilité, reprit la main de son hôte et le conduisit à l'intérieur de sa maison, où il le fit asseoir à la place d'honneur et s'assit lui-même à ses côtés, pour prendre le repas du soir. Et, dès qu'ils eurent tous deux mangé et rendu grâces à Allah pour ses faveurs, Ali Baba ne voulut pas gêner son hôte, et se retira en lui disant : « Ô mon maître, la maison est ta maison, et ce qui est dans la maison t'appartient. »

Or, comme il s'en allait, le marchand d'huile, qui était le chef des voleurs, le rappela, en lui disant : « Par Allah sur toi, ô mon hôte, montre-moi l'endroit de ton honorable maison où il m'est loisible de donner le repos à l'intérieur de mes intestins et, aussi d'aller pisser. » Et Ali Baba, lui montrant le cabinet d'aisances situé précisément à l'angle de la maison, tout près de l'endroit où étaient rangées les jarres, répondit : « C'est là ! » Et il se hâta de s'esquiver, pour ne pas gêner les fonctions digestives du marchand d'huile.

Et, en effet, le chef des voleurs ne manqua pas de faire ce qu'il avait à faire. Toutefois, lorsqu'il eut fini, il s'approcha des jarres, et se pencha sur chacune d'elles, en disant à voix basse : « Ô toi, un tel, dès que tu entendras la jarre où tu es résonner sous le caillou que je lancerai de l'endroit où je loge, ne manque pas de sortir et d'accourir vers moi ! » Et, ayant ainsi donné à ses gens l'ordre de ce qu'ils devaient faire, il rentra dans la maison. Et Morgane qui l'attendait à la porte de la cuisine, avec une lanterne à huile à la main, le conduisit vers la chambre qu'elle avait préparée, et se retira. Et il se hâta, pour être bien dispos lors de l'exécution de son projet, de s'étendre sur la couche où il comptait dormir jusqu'à la moitié de la nuit. Et il ne tarda pas à ronfler comme un chaudron de lavandières. Et alors arriva ce qui devait arriver. En effet, pendant que Morgane était dans sa cuisine en train de laver les plateaux de mets et les casseroles, soudain la lampe, faute d'huile, s'éteignit. Or, précisément, la provision d'huile de la maison était équipée, et Morgane, qui avait oublié de s'en procurer une nouvelle dans la journée, se désola fort de ce contretemps, et appela Abdallah, le nouvel esclave d'Ali Baba, à qui elle fit part de sa contrariété et de son embarras. Mais Abdallah, éclatant de rire, lui dit : « Par Allah sur toi ! ô Morgane, ma sœur, comment peux-tu dire que nous manquons d'huile à la maison, alors que dans la cour il y a, en ce moment, rangées contre le mur, trente-huit jarres pleines d'huile d'olive qui, à en juger par l'odeur des parois qui la contiennent, doit être d'une qualité suprême. Ah ! ma sœur, mon œil ne reconnaît pas ce soir la diligente, l'entendue, la pleine de ressources Morgane ! » Puis il ajouta : « Je retourne dormir, ma sœur, pour me lever demain, à l'aube, afin d'accompagner au hammam notre maître Ali Baba ! » Et il la quitta pour aller, non loin de la chambre du marchand d'huile, ronfler comme un buffle des marais.

Alors Morgane, un peu confuse des paroles d'Abdallah, prit le pot à huile et alla dans la cour, pour le remplir à l'une des jarres. Et elle s'approcha de la première jarre, la déboucha, et plongea le pot dans l'ouverture béante. Et – ô bouleversement des entrailles, ô dilatation des yeux, ô gorge serrée ! – le pot, au lieu d'entrer dans de l'huile, heurta avec violence quelque chose de résistant. Et ce quelque chose-là remua ; et il en sortit une voix qui dit : « Par Allah, le caillou que le chef a lancé est un rocher pour le moins ! Allons, c'est le moment ! » Et il dégagea sa tête et se ramassa pour sortir de la jarre. Or, quelle créature humaine, trouvant un être vivant dans une jarre au lieu d'y trouver de l'huile, ne se fût imaginé voir arriver l'heure fatale du destin ? Aussi la jeune Morgane, fort saisie au premier moment, ne put-elle s'empêcher de penser : « Je suis morte ! Et tout le monde dans la maison est mort sans recours ! » Mais voici que soudain la violence de son émotion lui rendit tout son courage et toute sa présence d'esprit. Et, au lieu de se mettre à pousser des cris épouvantables et du vacarme, elle se pencha sur l'embouchure de la jarre, et dit : « Non pas, non pas, ô gaillard ! Ton maître dort encore ! Attends qu'il se réveille ! » Car Morgane, sagace comme elle était, avait tout deviné. Et, pour s'assurer de la gravité de la situation, elle voulut inspecter toutes les autres jarres, bien que la tentative ne fût pas sans danger ; et elle s'approcha de chacune, palpa la tête qui sortait aussitôt que le couvercle était enlevé, et dit à chaque tête : « Patience et à bientôt ! » Et elle compta de la sorte trente-sept têtes de voleurs barbus, et trouva que la trente-huitième jarre était la seule qui fût pleine d'huile. Alors elle remplit son pot, en toute tranquillité, et courut allumer sa lampe, pour revenir bientôt mettre à exécution le projet de délivrance que venait de susciter en son esprit le péril imminent.

Donc, une fois dans la cour, elle alluma un grand feu sous la chaudière qui servait à la lessive, et, au moyen du pot, elle remplit d'huile la chaudière en y vidant le contenu de la jarre. Et comme le feu flambait fort, l'huile ne tarda pas à entrer en ébullition. Alors Morgane remplit le plus grand seau de l'écurie de cette huile bouillante, s'approcha de l'une des jarres, en souleva le couvercle et, d'un seul coup, versa le liquide exterminateur sur la tête qui sortait. Et le bandit propriétaire de la tête fut irrévocablement échaudé, et avala la mort avec le cri qui ne sortit pas. Et Morgane, d'une main sûre, fit subir le même sort à tous les enfermés dans les jarres, qui moururent étouffés et bouillis, car nul homme, fût-il enfermé dans une jarre à sept parois, ne saurait échapper à sa destinée attachée à son cou.

Or, son exploit accompli, Morgane éteignit le feu sous la chaudière, reboucha les jarres avec les couvercles en fibres de palmier, et revint dans la cuisine où, soufflant la lanterne, elle resta dans l'obscurité, résolue à surveiller la suite de l'affaire. Et, postée de la sorte à l'affût, elle n'attendit pas longtemps. En effet, vers le milieu de la nuit, le marchand d'huile s'éveilla, vint mettre la tête à la fenêtre qui donnait sur la cour, et, ne voyant aucune lumière nulle part, et n'entendant aucun bruit, il jugea que toute la maison devait être plongée dans le sommeil. Alors, selon ce qu'il avait dit à ses hommes, il prit des petits cailloux qu'il avait sur lui, et les lança l'un après l'autre sur les jarres. Et, comme il avait l'œil sûr et la main habile, il atteignit le but à chaque coup : ce dont il jugea par le son rendu par la jarre sous le heurt du caillou. Puis il attendit, ne doutant pas qu'il allait voir surgir ses gaillards avec leurs armes brandies. Mais rien ne bougea. Alors, s'imaginant qu'ils étaient endormis dans leurs jarres, il leur jeta de nouveaux cailloux, mais pas une tête n'apparut, et pas un mouvement ne se produisit. Et le chef des voleurs fut extrêmement irrité contre ses hommes qu'il croyait plongés dans le sommeil ; et il descendit vers eux, en pensant : « Les fils de chiens ! ils ne sont bons à rien ! » Et il s'élança vers les jarres, mais ce fut pour reculer, tant était épouvantable l'odeur d'huile brûlante et de chair brûlée qui s'en exhalait. Pourtant il s'en approcha de nouveau et, y portant la main, il en sentit les parois aussi chaudes que celles d'un four. Alors il ramassa une gerbe de paille, l'alluma et regarda dans les jarres. Et il vit ses hommes, l'un après l'autre, bouillis et fumants avec des corps sans âme. À cette vue, le chef des voleurs, comprenant de quelle mort atroce avaient péri ses trente-sept compagnons, fit un bond prodigieux jusqu'au haut du mur de la cour, sauta dans la rue et livra ses jambes au vent. Et il s'envola et s'enfonça dans la nuit, anéantissant, sous ses pas, la distance…

À ce moment de sa narration, Schahrazade vit apparaître le matin et, discrète, se tut.

Mais lorsque fut la huit cent cinquante-neuvième nuit. Elle dit :

… Et il s'envola et s'enfonça dans la nuit, anéantissant sous ses pas la distance. Et, arrivé dans sa caverne, il se perdit dans les noires réflexions au sujet de ce qui lui restait à faire désormais pour venger tout ce qu'il avait à venger. Et, pour le moment, voilà pour lui !

Quant à Morgane, qui venait de sauver la maison de son maître et les vies qui s'y abritaient, une fois qu'elle se fut rendu compte que tout danger était conjuré par la fuite du faux marchand d'huile, elle attendit tranquillement que le jour se levât, pour aller réveiller son maître Ali Baba. Et, une fois qu'il se fut habillé, croyant qu'on ne l'avait réveillé de si bonne heure que pour qu'il allât au hammam, Morgane le conduisit devant les jarres, et lui dit : « Ô mon maître, enlève le premier couvercle et regarde ! » Et Ali Baba, ayant regardé, fut à la limite de l'effroi et de l'horreur. Et Morgane se hâta de lui raconter tout ce qui s'était passé, depuis le commencement jusqu'à la fin, sans omettre un détail. Mais il n'y a point d'utilité à le répéter. Et elle lui raconta également l'histoire des marques blanches et des rouges sur les portes, dont elle n'avait pas jugé à propos de l'entretenir. Mais pour cette histoire aussi, il n'y a point d'utilité à la répéter.

Lorsque Ali Baba eut entendu le récit de son esclave Morgane, il pleura d'émotion, et serrant la jeune fille avec tendresse contre son cœur, il lui dit : « Ô fille de la bénédiction, bénit soit le ventre qui t'a porté ! Certes, le pain que tu as mangé dans notre demeure n'a pas été mangé par l'ingratitude. Tu es ma fille et la fille de la mère de mes enfants. Et désormais tu seras à la tête de ma maison et l'aînée de mes enfants ! » Et il continua à lui dire des paroles gentilles et à la remercier beaucoup pour sa vaillance, sa sagacité et son attachement. Après quoi, Ali Baba, aidé par Morgane et par l'esclave Abdallah, procéda à l'enterrement des voleurs, qu'il se décida, après réflexion, à faire disparaître en leur creusant une fosse énorme dans le jardin et en les y enfouissant pêle-mêle, sans aucune cérémonie, pour ne pas éveiller l'attention des voisins. Et c'est ainsi qu'on acheva de se débarrasser de cette engeance maudite. Que c'est bien fait !

Et plusieurs jours se passèrent, dans la maison d'Ali Baba, au milieu des réjouissances et des congratulations. Et on ne se lassait pas de se raconter tes détails de cette aventure prodigieuse, en remerciant Allah de la délivrance, et de faire tous les commentaires qu'elle comportait. Et Morgane était plus choyée que jamais ; et Ali Baba, avec ses deux épouses et ses enfants, s'ingéniait à lui témoigner sa reconnaissance et son amitié.

Or, un jour, le fils aîné d'Ali Baba, qui dirigeait les affaires de vente et d'achat de l'ancienne boutique de Kassim, dit à son père, en rentrant du souk : « Ô mon père, je ne sais comment faire pour rendre à mon voisin, le marchand Hussein, toutes les honnêtetés dont il ne cesse de me combler, depuis sa récente installation dans notre souk. Voilà déjà cinq fois que j'ai accepté, sans le payer de retour, de partager son repas de midi. Or, je voudrais bien, ô père, le régaler, ne fût-ce qu'une seule fois, quitte à le dédommager par la somptuosité du festin, en cette unique fois, de toutes ses dépenses en mon honneur. Car tu conviens avec moi qu'il ne serait point bienséant de différer davantage à lui rendre les prévenances dont il a usé à mon égard ! » Et Ali Baba répondit : « Certes, ô mon fils, c'est le plus usuel des devoirs. Et tu aurais dû déjà m'y faire penser plus tôt ! Or précisément c'est demain vendredi, le jour de repos, et tu en profiteras pour inviter le hagg Hussein, ton voisin, à venir partager avec nous le pain et le sel du soir. Et s'il cherche des échappatoires, par discrétion, ne crains pas d'insister et de l'amener dans notre maison, où j'espère qu'il trouvera un régal pas trop indigne de sa générosité.

Et, en effet, le lendemain, le fils d'Ali Baba, après la prière, invita hagg Hussein, le marchand nouvellement établi dans le souk, à l'accompagner pour faire une partie de promenade. Et il dirigea sa promenade, en compagnie de son voisin, précisément du côté du quartier où se trouvait leur demeure. Et Ali Baba, qui les attendait sur le seuil, s'avança au-devant d'eux, le visage souriant, et, après les salams et les souhaits réciproques, il exprima à hagg Hussein sa gratitude pour les civilités prodiguées à son fils, et l'invita, en le pressant beaucoup, à entrer se reposer dans sa maison et partager avec lui et son fils le repas du soir. Et il ajouta : « Je sais bien que quoi que je puisse faire, je ne pourrai reconnaître tes bontés pour mon fils. Mais, enfin, nous espérons que tu accepteras le pain et le sel de notre hospitalité ! » Mais hagg Hussein répondit : « Par Allah, ô mon maître, ton hospitalité est certainement une grande hospitalité, mais comment pourrais-je l'accepter alors que j'ai fait, depuis longtemps déjà, le serment de ne jamais toucher aux aliments qui sont assaisonnés de sel, et de ne jamais goûter à ce condiment ? » Et Ali Baba répondit : « Qu'à cela ne tienne, ô hagg béni, je n'aurai qu'un mot à dire à la cuisine, et les mets seront cuits sans sel et sans rien de semblable ! » Et il pressa tellement le marchand qu'il l'obligea à entrer dans la maison. Et aussitôt il courut prévenir Morgane qu'elle eût à ne pas mêler de sel aux aliments, et qu'elle préparât spécialement, ce soir-là, les mets et les farces et les pâtés sans l'aide de cet ordinaire condiment. Et Morgane, extrêmement surprise de l'horreur du nouvel hôte pour le sel, ne sut à quoi attribuer un goût si extraordinaire, et se mit à réfléchir sur l'affaire. Toutefois elle ne manqua pas d'aviser la négresse cuisinière qu'elle eût à se conformer à l'ordre étrange de leur maître Ali Baba.

Lorsque le repas fut prêt, Morgane le servit sur les plateaux, et aida l'esclave Abdallah à les porter dans la salle de réunion. Et, comme de sa nature, elle était fort curieuse, elle ne manqua pas de jeter des coups d'œil, de temps en temps, sur l'hôte qui n'aimait pas le sel. Et lorsque le repas fut terminé, Morgane sortit pour laisser son maître Ali Baba s'entretenir à son aise avec son hôte invité. Mais au bout d'une heure, la jeune fille fit de nouveau son entrée dans la salle. Et, à la grande surprise d'Ali Baba, elle était habillée en danseuse, le front diadème de sequins d'or, le cou orné d'un collier de grains d'ambre jaune, la taille prise dans une ceinture aux mailles d'or, et des bracelets à grelots d'or aux poignets et aux chevilles. Et de sa ceinture pendait, selon la coutume des danseuses de profession, le poignard à manche de jade et à longue lame évidée et pointue qui sert à mimer les figures de la danse. Et ses yeux de gazelle énamourée, déjà si grands par eux-mêmes et si profonds d'éclat, étaient durement allongés de kôhl noir jusqu'à ses tempes, de même que ses sourcils tendus en arc menaçant. Et ainsi parée et attifée, elle s'avança à pas comptés, toute droite et les seins en avant. Et, derrière elle, entra le jeune esclave Abdallah tenant de sa main gauche, à la hauteur de son visage, un tambour à castagnettes de métal, sur lequel il frappait en mesure, mais très lentement, de façon à rythmer les pas de sa compagne. Et lorsqu'elle fut arrivée devant son maître, Morgane s'inclina gracieusement et, sans lui donner le temps de revenir de la surprise où l'avait plongé cette entrée inattendue, elle se tourna vers le jeune Abdallah et lui fit un léger signe avec ses sourcils. Et soudain le rythme du tambour s'accéléra sur un mode fortement cadencé, et Morgane, glissant comme un oiseau, dansa.

Elle dansa tous les pas, inlassable, et esquissa toutes les figures, comme jamais ne l'avait fait, dans les palais des rois, une danseuse de profession. Et elle dansa comme seul peut-être, devant Saül noir de tristesse, avait dansé le berger David. Et elle dansa la danse des écharpes, et celle du mouchoir, et celle du bâton. Et elle dansa les danses des Juives, et celles des Grecques, et celles des Éthiopiennes, et celles des Persanes, et celles des Bédouines, avec une légèreté si merveilleuse que, certes ! seule Balkis, la reine amoureuse de Soleïmân, aurait pu danser les pareilles.

Et quand elle eut dansé tout cela, quand le cœur de son maître, et celui du fils de son maître, et celui du marchand, l'invité de son maître, furent suspendus à ses pas, et leurs yeux rivés à la souplesse de son corps, elle esquissa la danse onduleuse du poignard. En effet, tirant soudain l'arme dorée de sa gaine d'argent, et tout émouvante de grâce et d'attitudes, au rythme accéléré du tambour, elle s'élança, le poignard menaçant, cambrée, flexible, ardente, rauque et sauvage, avec des yeux en éclairs, et soulevée par des ailes qu'on ne voyait pas. Et la menace de l'arme se tendait tantôt vers quelque ennemi invisible de l'air, et tantôt se tournait de la pointe vers les beaux seins de l'adolescente exaltée. Et l'assistance, à ces moments-là, poussait un long cri d'effroi, tant le cœur de la danseuse paraissait proche de la pointe mortelle. Puis peu à peu, le rythme du tambour se fit plus lent et la cadence fraîchit et s'atténua jusqu'au silence de la peau sonore. Et Morgane, la poitrine soulevée comme une vague de la mer, cessa de danser.

Et elle se tourna vers l'esclave Abdallah qui, à un nouveau signe de sourcil, lui jeta, de sa place, le tambour. Et elle l'attrapa au vol et, le retournant, elle s'en servit comme d'une sébile pour aller le tendre aux trois spectateurs et solliciter, selon la coutume des almées et des danseuses, leur libéralité. Et Ali Baba, qui, bien qu'un peu formalisé de l'action inattendue de sa servante, s'était laissé gagner par tant de charme et tant d'art, jeta un dinar d'or dans le tambour. Et Morgane le remercia d'une profonde révérence et d'un sourire, et tendit le tambour au fils d'Ali Baba, qui ne fut pas moins généreux que son père.

Alors, tenant toujours le tambour de la main gauche, elle le présenta à l'hôte qui n'aimait pas le sel. Et hagg Hussein tira sa bourse et se disposait à y puiser quelque argent pour le donner à la si désirable danseuse, quand soudain Morgane, qui avait reculé de deux pas, puis bondi en avant comme un chat sauvage, lui enfonça dans le cœur, jusqu'à la lamelle de garde, le poignard brandi de la main droite. Et hagg Hussein, les yeux soudain rentrés dans leurs orbites, ouvrit la bouche et la referma, en poussant à peine un demi-soupir, puis s'affaissa sur le tapis, sa tête précédant ses pieds, et déjà corps sans âme.

Et Ali Baba et son fils, à la limite de l'épouvante et de l'indignation, s'élancèrent vers Morgane qui, bien que tremblante d'émotion, essuyait sur son écharpe de soie le poignard ensanglanté. Et, comme ils la croyaient prise de délire et de folie, et qu'ils lui saisirent la main pour lui en arracher l'arme, elle leur dit d'une voix tranquille : « Ô mes maîtres, louanges à Allah qui a dirigé le bras d'une faible jeune fille pour vous venger du chef de vos ennemis ! Voyez si ce mort n'est pas le marchand d'huile, le capitaine des voleurs lui-même avec son propre œil, l'homme qui ne voulait pas goûter le sel sacré de l'hospitalité ! » Et, parlant ainsi, elle dépouilla de son manteau le corps gisant, et fit voir, sous sa longue barbe et le déguisement dont il s'était affublé pour la circonstance, l'ennemi qui avait juré leur destruction.

Lorsque Ali Baba eut reconnu de la sorte, dans le corps inanimé de hagg Hussein, le marchand d'huile maître des jarres et le chef des voleurs, il comprit qu'il ne devait, pour la seconde fois, son salut et celui de toute sa famille qu'au dévouement attentif et au courage de la jeune Morgane. Et il la serra contre sa poitrine et l'embrassa entre les deux yeux, et lui dit, les larmes aux yeux : « Ô Morgane, ma fille, veux-tu, pour mener mon bonheur à ses limites, entrer définitivement dans ma famille en épousant mon fils, le beau jeune homme que voici ? » Et Morgane baisa la main d'Ali Baba et répondit : « Sur ma tête et mes yeux ! »

Et le mariage de Morgane avec le fils d'Ali Baba fut célébré sans retard, devant le kâdi et les témoins, au milieu des réjouissances et des divertissements. Et l'on enterra secrètement le corps du chef des voleurs dans la fosse commune qui avait servi de sépulture à ses anciens compagnons – qu'il soit maudit ! Et, après le mariage de son fils…

À ce moment de sa narration, Schahrazade vit apparaître le matin et, discrète, se tut.

Mais lorsque fut la huit cent soixantième nuit. Elle dit :

… Et, après le mariage de son fils, Ali Baba, qui avait appris la prudence et suivait désormais les conseils de Morgane et écoutait attentivement ses avis, s'abstint encore quelque temps de retourner à la caverne, de peur d'y rencontrer les deux voleurs dont il ignorait le sort et qui en réalité avaient été comme tu le sais, ô Roi fortuné, exécutés sur l'ordre de leur capitaine. Et ce ne fut qu'au bout d'un an, lorsqu'il fut tout à fait tranquille de ce côté-là, qu'il se décida à aller, en compagnie de son fils et de l'avisée Morgane, visiter la caverne. Et Morgane, qui observait toutes choses sur la route, vit, en arrivant au rocher, que les arbrisseaux et les grandes herbes obstruaient entièrement le petit sentier qui en faisait le tour, et que, d'autre part, sur le sol, il n'y avait aucune trace de pas humains ni aucun vestige de chevaux. Et elle en conclut que personne n'était venu là, depuis longtemps. Et elle dit à Ali Baba : « Ô mon oncle, il n'y a pas d'inconvénient. Nous pouvons entrer, sans courir de risque, là-dedans ! »

Alors Ali Baba, étendant la main vers la porte de pierre, prononça la formule magique, disant : « Sésame, ouvre-toi ! » Et, de même qu'autrefois, la porte, obéissant aux trois mots, et comme mue par des serviteurs invisibles, s'ouvrit à même le rocher, et laissa le passage libre à Ali Baba, à son fils et à la jeune Morgane. Et Ali Baba constata qu'en effet rien n'avait changé depuis sa dernière visite au trésor, et fut bien fier de montrer à Morgane et à son époux les fabuleuses richesses dont il devenait désormais l'unique tenancier.

Et lorsqu'ils eurent tout examiné dans la caverne, ils remplirent d'or et de pierreries les trois grands sacs qu'ils avaient apportés, et s'en retournèrent chez eux, après avoir prononcé la formule de fermeture. Et, depuis lors, ils vécurent dans la paix et les félicités, en usant avec modération et prudence des richesses que leur avait octroyées le Donateur, qui est le Seul Grand, le Généreux. Et c'est ainsi qu'Ali Baba, le bûcheron propriétaire de trois ânes pour toute fortune, devint, grâce à sa destinée et à la bénédiction, l'homme le plus riche et le plus honoré de sa ville natale. Or, gloire à Celui qui donne sans compter aux humbles de la terre !

« Et voilà, ô Roi fortuné, continua Schahrazade, tout ce que je sais de l'histoire d'Ali Baba et des quarante voleurs. Mais Allah est plus savant ! »

Et le roi Schahriar dit : « Certes, Schahrazade, cette histoire est une étonnante histoire ! Et la jeune Morgane n'a point sa pareille parmi les femmes de maintenant. Et je le sais bien, moi qui fus obligé de faire couper la tête à toutes les dévergondées de mon palais. »

*Mais Schahrazade voyant que le roi fronçait déjà les sourcils, à ce souvenir, et s'excitait péniblement sur ces choses passées, se hâta de commencer en ces termes l'*HISTOIRE DES RENCONTRES D'AL-RACHID SUR LE PONT DE BAGDAD :

LES RENCONTRES D'AL-RACHID SUR LE PONT DE BAGDAD

Et Schahrazade, voyant que le roi Schahriar, au souvenir des tribulations anciennes, fronçait déjà les sourcils, se hâta de commencer la nouvelle histoire, disant :

Il m'est revenu, ô Roi du temps, ô la couronne sur ma tête, que le khalifat Haroun Al-Rachid – Allah l'ait en Ses bonnes grâces ! – était, un jour d'entre les jours, sorti de son palais, en compagnie de son vizir Giafar et de Massrour, son porte-glaive, tous deux déguisés, comme il l'était lui-même, en nobles marchands de la cité. Et il était déjà arrivé avec eux au pont de pierre qui unit les deux rives du Tigre, quand il vit, assis à terre sur ses jambes repliées, à l'entrée même du pont, un aveugle d'âge très ancien qui demandait l'aumône pour Allah ! aux passants sur la route de la générosité. Et le khalifat s'arrêta dans sa promenade devant le vieil infirme, et déposa un dinar d'or dans la paume qu'il tendait. Et le mendiant l'arrêta brusquement par la main, comme il voulait poursuivre son chemin, et lui dit : « Ô généreux donateur, qu'Allah te rende cet acte de ton âme pitoyable par les plus choisies de Ses bénédictions. Mais je te supplie, avant de t'en aller, de ne point me refuser la grâce que je te demande. Lève ton bras et donne-moi un coup de poing ou un soufflet sur le lobe de mon oreille. » Et, ayant ainsi parlé, il se dessaisit de la main qu'il tenait, afin que l'étranger pût lui appliquer le soufflet en question. Toutefois il prit soin, de crainte qu'il ne passât outre sans lui donner satisfaction, de le saisir par le pan de sa longue robe.

En voyant et en entendant cela, le khalifat devint fort perplexe, et dit à l'aveugle : « Ô oncle, qu'Allah me préserve d'obéir à ton injonction ! Car celui qui fait une aumône pour Allah ne doit point en effacer le mérite en maltraitant celui qui bénéficie de cette aumône. Et le mauvais traitement auquel tu m'enjoins de te soumettre est une action indigne d'un Croyant. » Et, ayant ainsi parlé, il fit un effort pour faire lâcher prise à l'aveugle. Mais il avait calculé sans la vigilance de l'aveugle qui, prévoyant le mouvement du khalifat, fit de son côté un effort bien plus grand pour ne point le lâcher. Et il lui dit : « Ô mon généreux maître, pardonne-moi mon importunité et la hardiesse de mon procédé. Et laisse-moi t'implorer encore de me donner ce soufflet sur le lobe de mon oreille. Sinon, j'aime mieux que tu reprennes ton aumône. Car je ne puis l'accepter qu'à cette seule condition, sans me parjurer devant Allah et contrevenir au serment que j'ai fait devant la face de Celui qui te voit et me voit. » Puis il ajouta : « Si tu savais, ô mon seigneur, la cause de mon serment, tu n'hésiterais pas à me donner raison. »

Et le khalifat se dit : « Il n'y a de recours qu'en Allah le Tout-Puissant contre l'importunité de ce vieil homme aveugle ! » Et comme il ne voulait pas être plus longtemps en butte à la curiosité des passants, il se hâta de faire ce que lui demandait l'aveugle qui, aussitôt qu'il eut reçu le soufflet, lâcha prise en le remerciant et en levant les deux mains vers le ciel pour appeler sur sa tête les bénédictions. Al-Rachid, délivré de la sorte, s'éloigna avec ses deux compagnons, et il dit à Giafar : « Par Allah ! l'histoire de cet aveugle doit être une étonnante histoire, et son cas un bien étrange cas ! Ainsi donc, retourne vers lui, et dis-lui que tu viens de la part de l'émir des Croyants pour lui ordonner de se trouver demain au palais, à l'heure de la prière de l'après-midi. » Et Giafar retourna auprès de l'aveugle, et lui communiqua l'ordre de son maître. Puis il revint rejoindre le khalifat. Et ils n'avaient pas fait quelques pas, qu'ils aperçurent sur le côté gauche du pont, assis presque en face de l'aveugle, un second mendiant estropié des deux jambes et la bouche fendue. Et Massrour, le porte-glaive, sur un signe de son maître, s'approcha de l'estropié des deux jambes à la bouche fendue, et lui donna l'aumône qui était écrite dans sa chance, pour ce jour-là. Et l'homme releva la tête et se mit à rire en disant : « Hé, ouallah ! de toute ma vie de maître d'école, je n'ai gagné autant que je viens de recevoir de la main de ta générosité, ô mon maître ! » Et Al-Rachid, qui avait entendu la réponse, se tourna vers Giafar, et lui dit : « Par la vie de ma tête ! si c'est là un maître d'école, et qu'il soit réduit à mendier sur les chemins, c'est que son histoire doit être étrange, certainement. Hâte-toi d'aller lui ordonner de se trouver demain, à l'heure de l'aveugle, à la porte de mon palais. » Et l'ordre fut exécuté. Et ils continuèrent leur promenade.

Mais ils n'avaient pas encore eu le temps de s'éloigner de l'estropié, qu'ils l'entendirent appeler à grands cris les bénédictions sur la tête d'un cheikh qui s'était approché de lui. Et ils regardèrent de ce côté, pour voir quelle pouvait être l'affaire. Et ils virent que le cheikh essayait de s'esquiver, tout confus des bénédictions et des louanges auxquelles il était en butte. Et ils comprirent, aux paroles de l'estropié, que l'aumône que le cheikh venait de lui remettre était encore plus considérable que celle de Massrour, et telle que le pauvre homme n'avait jamais reçu la pareille. Et Haroun exprima à Giafar son étonnement de voir un simple particulier faire preuve d'une plus grande largesse de paume que la sienne propre, et ajouta : « J'aimerais connaître ce cheikh, et approfondir le motif de sa générosité. Va donc, ô Giafar, lui dire qu'il ait à se présenter entre mes mains, dans l'après-midi de demain, à l'heure de l'aveugle et de l'estropié. » Et l'ordre fut exécuté.

Et ils allaient poursuivre leur chemin, quand ils virent s'avancer sur le pont un magnifique cortège, comme n'en peuvent d'ordinaire déployer que les rois et les sultans. Et des crieurs à cheval le précédaient, qui criaient : « Place à notre maître, l'époux de la fille du puissant roi de la Chine et de la fille du puissant roi du Sind et de l'Inde ! » Et à la tête du cortège, sur un cheval qui portait sa race dans son allure, caracolait un émir ou, peut-être, un fils de roi, dont l'aspect était brillant et plein de noblesse. Et derrière lui, immédiatement, s'avançaient deux saïs qui conduisaient, par un licou de soie bleue, un chameau merveilleusement harnaché et chargé d'un palanquin où étaient assises, une à droite et l'autre à gauche, sous un dais de brocart rouge, et le visage recouvert d'un voile de soie orange, les deux adolescentes princières, épouses du cavalier. Et le cortège se fermait par une troupe de musiciens qui jouaient sur leurs instruments aux formes inconnues des airs indiens et chinois.

Et Haroun, émerveillé à la fois et surpris, dit à ses compagnons : « Voilà un notable étranger, comme il en vient rarement dans ma capitale. Et pourtant j'ai déjà reçu les rois et les princes et les émirs les plus fiers de la terre. Et les chefs des mécréants d'au-delà des mers, ceux du pays des Francs et ceux des régions de l'extrême Occident m'ont envoyé des ambassades et des députations. Mais nul de tous ceux que nous avons vus n'était comparable à celui-ci en faste et en beauté. » Puis il se tourna vers Massrour, son porte-glaive, et lui dit : « Hâte-toi, ô Massrour, de suivre ce cortège, afin de voir ce qu'il y a à voir, et de revenir me renseigner sans retard, au palais, après avoir toutefois pris soin d'inviter ce noble étranger à se présenter demain entre mes mains, à l'heure de l'aveugle, de l'estropié et du cheikh généreux. »

Et Massrour étant parti exécuter l'ordre, le khalifat et Giafar traversèrent enfin le pont. Mais à peine étaient-ils arrivés à son extrémité, qu'ils aperçurent, au milieu du meidân qui s'ouvrait en face d'eux et qui servait aux joutes et aux tournois, un grand rassemblement de spectateurs qui regardaient un jeune homme monté sur une belle jument blanche qu'il poussait à toute bride de çà et de là, en la maltraitant à grands coups de fouet et d'éperon, sans répit et de manière qu'elle était tout en écume et tout en sang, et que ses jambes et que son corps étaient en proie au tremblement.

À cette vue, le khalifat, qui aimait les chevaux et ne souffrait pas qu'on les maltraitât, fut à la limite de l'indignation, et demanda aux spectateurs : « Pourquoi ce jeune homme agit-il d'une façon si barbare à l'égard de cette belle jument docile ? » Et ils répondirent : « Nous ne le savons pas, et Allah seul le sait. Mais tous les jours, à la même heure, nous voyons arriver le jeune homme avec sa jument, et nous assistons à cet exercice inhumain ! » Et ils ajoutèrent : « Après tout, il est le maître légitime de sa jument et il peut la traiter à sa guise. » Et Haroun se tourna vers Giafar et lui dit : « Je te laisse le soin, ô Giafar, de t'informer auprès de ce jeune homme de la cause qui le pousse à maltraiter de la sorte sa jument. Et s'il refuse de te la révéler, tu lui diras qui tu es, et tu lui ordonneras de se présenter entre mes mains, dans l'après-midi de demain, à l'heure de l'aveugle, de l'estropié, du cheikh généreux et du cavalier étranger. » Et Giafar répondit par l'ouïe et l'obéissance, et le khalifat le laissa au meidân pour rentrer seul à son palais, ce jour-là…

À ce moment de sa narration, Schahrazade vit apparaître le matin et, discrète, se tut.

Mais lorsque fut la huit cent soixante et unième nuit. Elle dit :

… Et Giafar répondit par l'ouïe et l'obéissance, et le khalifat le laissa au meidân pour rentrer seul à son palais, ce jour-là.

Or, le lendemain, après la prière du milieu de l'après-midi, le khalifat entra dans le diwân des audiences, et le grand vizir Giafar introduisit aussitôt en sa présence les cinq personnages qu'ils avaient rencontrés la veille sur le pont de Bagdad, à savoir l'aveugle qui se faisait souffleter, l'estropié maître d'école, le cheikh généreux, le noble cavalier derrière qui l'on jouait des airs indiens et chinois, et le jeune homme maître de la jument blanche. Et lorsqu'ils se furent prosternés tous les cinq devant son trône et eurent embrassé la terre entre ses mains, le khalifat leur fit de la tête signe de se relever, et Giafar les plaça en bon ordre l'un à côté de l'autre sur le tapis, au pied du trône.

Alors Al-Rachid se tourna d'abord vers le jeune homme maître de la jument blanche, et lui dit : « Ô jeune homme, qui t'es montré hier si inhumain à l'égard de la belle jument blanche si docile que tu montais, peux-tu me dire, afin que je le sache, le motif qui poussait ton âme à agir d'une façon si barbare à l'égard d'une bête muette qui ne peut répondre aux injures par des injures et aux coups par des coups ? Et ne me dis point que tu agissais de la sorte pour dresser ou pour dompter ta jument. Car, dans ma vie, j'ai moi-même dompté et dressé un grand nombre d'étalons et de cavales, mais jamais je n'eus besoin de maltraiter, comme tu le faisais, les bêtes que j'exerçais. Et ne me dis point que tu harcelais ainsi ta jument pour amuser les spectateurs ; car non seulement ce spectacle inhumain ne les amusait pas, mais il les scandalisait et me scandalisait moi-même avec eux. Et peu s'en fallut, par Allah ! que je ne me fisse connaître en public, pour te châtier comme tu le méritais et mettre fin à un spectacle si répugnant. Parle donc sans mentir et sans me rien cacher du motif de ta conduite ; car c'est le seul moyen qui te reste d'échapper à mon ressentiment et d'entrer dans mes bonnes grâces. Et même je suis prêt, si ton récit me satisfait et si tes paroles excusent ta conduite, à te pardonner et à oublier tout ce que j'ai vu d'offusquant dans ta manière d'agir. »

Lorsque le jeune homme maître de la jument blanche eut entendu les paroles du khalifat, il devint bien jaune de teint et baissa la tête en gardant le silence, visiblement en proie à un embarras fort grand et à un chagrin sans limites. Et comme il continuait à rester debout de la sorte, sans pouvoir arriver à prononcer un seul mot, tandis que des larmes coulaient de ses yeux et tombaient sur sa poitrine, le khalifat changea de ton à son égard et, plus intrigué que jamais, il lui dit d'une voix douce : « Ô jeune homme, oublie que tu es en présence de l'émir des Croyants, et parle ici en toute liberté, comme si tu étais au milieu de tes amis, car je vois bien que ton histoire doit être une bien étrange histoire, et le motif de ta conduite un bien étrange motif. Et, moi, je jure par les mérites de mes ancêtres les Glorieux, qu'il ne te sera fait aucun mal. » Et, de son côté, Giafar se mit à faire au jeune homme, avec la tête et avec les yeux, des signes péremptoires d'encouragement qui signifiaient clairement : « Parle en toute confiance. Et sois sans aucune inquiétude. »

Alors le jeune homme commença à rattraper son souffle perdu et, ayant relevé la tête, il embrassa encore une fois la terre entre les mains du khalifat, et dit :

HISTOIRE DU JEUNE HOMME

« Sache, ô émir des Croyants, que je suis connu dans mon quartier où l'on m'appelle Sidi Némân. Et l'histoire qui est mon histoire et que je vais, sur ton ordre, te raconter, est un mystère de la foi musulmane. Et si elle était écrite avec les aiguilles sur le coin intérieur de l'œil, elle servirait d'enseignement à quiconque la lirait d'une âme attentive. »

Et le jeune se tut un instant, pour ramener vers son esprit tous ses souvenirs, et reprit : « Lorsque mon père mourut, il me laissa ce qu'Allah m'avait écrit en héritage. Et je constatai que les bienfaits d'Allah sur ma tête étaient plus nombreux et plus choisis que mon âme ne l'eût jamais souhaité. Et je vis, en outre, que, du jour au lendemain, je me trouvais être l'homme le plus riche et le plus considéré de mon quartier. Mais ma nouvelle vie, loin de me donner de la suffisance et de l'orgueil, ne fit que développer en moi mes goûts très accentués pour le calme et la solitude. Et je continuai à vivre en célibataire, me félicitant, tous les matins d'Allah, de n'avoir point de soucis de famille ni de responsabilités. Et tous les soirs je me disais : « Ya Sidi Némân, que ta vie est modeste et tranquille ! Et que la solitude du célibat est délectable ! »

Mais, un jour d'entre les jours, ô mon seigneur, je me réveillai avec le désir violent et incompréhensible de changer soudain de vie. Et ce désir entra en mon âme sous la forme du mariage. Et je me levai à l'heure et à l'instant, mû par les mouvements intérieurs de mon cœur, en me disant : « N'as-tu pas honte, ya Sidi Némân, de vivre de la sorte, seul dans cette demeure, comme un chacal dans sa tanière, sans aucune présence douce à tes côtés, sans un corps toujours frais de femme pour te rafraîchir les yeux, et sans une affection qui te fasse sentir que tu vis réellement du souffle de ton Créateur ? Attends-tu pour connaître les avantages de nos adolescentes, que les années t'aient rendu impotent et bon tout au plus à voir sans pouvoir ? »

À ces pensées toutes naturelles, qui se présentaient à mon esprit pour la première fois, je n'hésitai plus à suivre les sollicitations de mon âme – vu que l'âme est chère et que tous ses souhaits méritent d'être satisfaits. Mais comme je ne connaissais point de femmes marieuses qui pussent me trouver une épouse parmi les filles des notables de mon quartier et des riches marchands du souk, et que d'ailleurs j'étais bien résolu à me marier en connaissance de cause, c'est-à-dire en me rendant compte par mes propres yeux des charmes et des qualités de mon épouse, et en ne suivant pas la coutume qui veut qu'on connaisse le visage de l'épousée que seulement après l'écriture du contrat et les cérémonies du mariage, je me décidai à choisir mon épouse simplement parmi les belles esclaves que l'on vend et que l'on achète. Et je sortis immédiatement de ma maison et me dirigeai vers le souk des esclaves, en me disant : « Ya Sidi Némân, ta résolution est excellente de prendre épouse parmi les adolescentes esclaves, au lieu de rechercher une alliance avec les filles notables. Car tu éludes de la sorte bien des ennuis et bien des tracas, non seulement en évitant d'avoir sur ton dos la nouvelle famille de ton épouse, et sur ton estomac les regards continuellement ennemis de la mère de ton épouse, une vieille calamiteuse certainement, et sur tes épaules le fardeau des frères, grands et petits, de ton épouse, et des parents, vieux et jeunes, de ton épouse, et des relations ennuyeuses et lourdes de ton oncle, père de ton épouse, mais encore en écartant de toi les futures récriminations de la fille des notables, qui ne manquerait, en toute occasion, de te faire sentir qu'elle est d'extraction supérieure, et que tu n'as sur elle ni droit ni autorité, et que tu n'as vis-à-vis d'elle que des devoirs, et lui dois tous les égards et toutes les obligations. Et c'est alors que tu pourrais regretter ta vie de célibataire et te mordre les doigts jusqu'au sang. Tandis qu'en choisissant toi-même une épouse, contrôlée par tes yeux et par tes doigts, et qui soit sans attaches et toute seule avec sa beauté, tu simplifies ton existence, tu évites les complications, et tu as tous les avantages du mariage sans en avoir les inconvénients ! »

Et c'est nourri, ce matin-là, de ces pensées nouvelles, ô émir des Croyants, que j'arrivai au souk des esclaves femmes, pour me choisir une épouse agréable avec qui vivre, dans les douceurs de toutes sortes, le mutuel amour et les bénédictions. Car, comme de ma nature j'étais capable d'affection, je souhaitais de toutes mes forces trouver en l'adolescente de mon choix les qualités de l'âme et du corps qui me permissent de placer en elle les réserves accumulées d'une tendresse dont je n'avais encore placé la moindre parcelle chez aucun être vivant.

Or, ce jour-là était précisément jour de marché, et un nouvel arrivage était fraîchement amené à Bagdad de jeunes filles de la Circassie, de l'Ionie, des Îles de l'extrême Nord, de l'Éthiopie, de l'Iran, du Korassân, de l'Arabie, du pays des Roums, du rivage anadolien, de Serendib, de l'Inde et de la Chine. Et quand j'arrivai au centre du marché, les courtiers et les crieurs y avaient déjà rassemblé les divers lots séparément, pour éviter les désordres qu'aurait occasionnés le mélange de ces races diverses. Et dans chacun de ces lots, chaque jeune fille était placée bien en valeur, de façon à ce qu'on pût l'examiner sur toutes ses faces et que chaque marché fût conclu à bon escient et sans duperie.

Et le destin voulut – nul ne saurait échapper à son destin ! – que mes pas premiers se dirigeassent d'eux-mêmes vers le groupe des adolescentes venues des Îles de l'extrême Nord. Et d'ailleurs mes pas ne se fussent-ils point d'eux-mêmes dirigés de ce côté-là que c'est de ce côté-là que mes yeux eussent immédiatement regardé. Car ce groupe tranchait sur les groupes plus sombres qui l'avoisinaient par sa clarté et par un écroulement de lourdes chevelures, jaunes comme l'or, sur des corps d'une blancheur de vierge argent. Et les adolescentes debout qui composaient ce groupe se ressemblaient toutes étrangement, comme des sœurs ressemblent à leurs sœurs quand elles sont du même père et de la même mère. Et toutes avaient des yeux bleus comme la turquoise iranique quand elle est encore humide du rocher…

À ce moment de sa narration, Schahrazade vit apparaître le matin et, discrète, se tut. Mais lorsque fut la huit cent soixante-deuxième nuit. Elle dit :

… Et toutes avaient des yeux bleus comme la turquoise iranique quand elle est encore humide du rocher. Et moi, ô mon seigneur, qui de ma vie n'avais eu l'occasion de voir des jeunes filles d'une beauté si étrange, j'étais dans l'émerveillement, et je sentais mon âme qui s'élançait de ma poitrine vers ce spectacle émouvant. Et, au bout d'une heure de temps, ne pouvant arriver à fixer mon choix sur l'une d'elles, tant elles étaient également belles, je pris par la main celle qui me paraissait être la plus jeune et j'en fis rapidement l'acquisition, sans marchander ni lésiner. Car les grâces la ceignaient tout entière, et elle était comme l'argent dans la mine et comme l'amande décortiquée, claire et pâle excessivement, avec sa toison de soie jaune, avec d'immenses yeux magiciens, bleus sous des cils sombres recourbés comme les lames des cimeterres, et abritant un regard d'une douceur marine. Et à sa vue je me remémorai ces vers du poète :

« Ô toi, dont le teint précieux est nuancé d'ambre comme le teint de la rose chinoise,

Et dont la petite bouche avec son contenu est une pourpre camomille, fleurie sur deux rangs de grêlons,

Ô propriétaire de deux yeux d'agate ombrés de pétales d'hyacinthe, et plus longs que ceux d'une antique pharaonne,

Ô splendide ! À te comparer aux plus belles que nous aimons, je me tromperais, car tu es belle sans comparaison.

Car ne serait-ce que le grain de beauté logé dans le creux aimable de ta commissure, et voici que les humains tituberaient dans la folie ;

Ne serait-ce que tes jambes sveltes qui se regardent, debout, au miroir de tes pieds nus, et voici surpassés les joncs qui se mirent dans l'eau ;

Ne serait-ce que ta taille docile au rythme de tes splendeurs, que voici jaloux les jeunes rameaux de l'arbre bân.

Ne serait-ce que ton port plus magnifique que celui d'un navire sur la mer, quand il est monté par des pirates, et voici tous les cœurs meurtris par tes prunelles. »

Et moi, ô mon seigneur, je pris donc l'adolescente claire par la main, et, après avoir protégé avec mon manteau sa nudité, je l'emmenai à ma demeure. Et elle me plut par sa douceur, son silence et sa modestie. Et je sentis combien elle m'attirait par sa beauté étrangère, sa pâleur, ses cheveux jaunes comme l'or en fusion, et ses yeux bleus toujours baissés qui, par timidité sans aucun doute, évitaient toujours les miens. Et, comme elle ne parlait point notre langue et que je ne parlais point la sienne, j'évitai de la fatiguer de questions qui devaient rester sans réponse. Et je remerciai le Donateur qui avait conduit dans ma demeure une femme dont la vue à elle seule m'était déjà un enchantement.

Mais, le soir même de son entrée à la maison, je ne fus point sans remarquer combien ses allures étaient singulières. Car, dès que tomba la nuit, ses yeux bleus se firent plus sombres, et leur regard devint, de noyé dans la douceur qu'il était pendant le jour, étincelant comme d'un feu intérieur. Et elle fut en proie à une sorte d'exaltation qui se traduisait sur ses traits par une pâleur plus grande encore, et par un léger tremblement des lèvres. Et de temps en temps elle regardait du côté de la porte, comme si elle avait envie de sortir prendre l'air. Mais comme l'heure nocturne n'était guère favorable à la promenade, et que d'ailleurs il était temps de prendre notre repas du soir, je m'assis et la fis s'asseoir à mes côtés.

Et, en attendant qu'on nous servît le repas, je voulus profiter de notre tête-à-tête pour lui faire comprendre combien sa venue m'était une bénédiction, et quels tendres sentiments germaient dans mon cœur à sa vue. Et doucement je la caressai, et essayai de la câliner et d'apprivoiser son âme étrangère. Et doucement je lui pris la main et la portai à mes lèvres et à mon cœur. Et, avec autant de soin que si je touchais quelque très ancienne étoffe prête à se désagréger au moindre contact, je passai légèrement mes doigts sur la soie tentante de sa chevelure. Et ce que j'éprouvai à ce contact, ô mon seigneur, je ne l'oublierai plus. Au lieu de sentir la tiédeur des cheveux vivants, ce fut comme si les crins jaunes de ses tresses étaient tirés de quelque métal glacé, ou comme si ma main, sur cette toison, avait pesé sur de la soie trempée dans la neige fondante. Et je ne doutai pas qu'elle ne fût tout entière nativement tissée en filets de filigrane d'or.

Et je pensai en mon âme à la toute-puissance infinie du Maître des créatures, qui, sous nos climats, faisait don à nos adolescentes de leurs chevelures noires et chaudes comme l'aile de la nuit, et couronnait le front des filles claires du Nord de cette couronne de flamme glacée. Et je ne pus, ô mon seigneur, m'empêcher d'être ému d'une émotion mêlée d'effarement à la fois et de délices, en me sachant l'époux d'une créature si rare et si différente des femmes de nos climats. Et j'eus même le sentiment qu'elle n'était ni de mon sang ni de notre commune extraction. Et je ne fus pas éloigné de lui attribuer soudain des dons surnaturels et des vertus inconnues. Et je la regardai avec admiration et stupeur.

Mais bientôt entrèrent les esclaves avec, sur leur tête, les plateaux qu'ils déposaient chargés de mets devant nous. Et je remarquai qu'aussitôt, à la vue de ces mets, s'était accentuée la gêne de mon épouse, et que des alternances de rougeur et de pâleur passaient sur ses joues de satin mat, tandis que ses yeux, fixant les objets sans les voir, se dilataient.

Et moi, attribuant tout cela à sa timidité et à son ignorance de nos usages, je voulus l'encourager à toucher aux mets servis, et je commençai par un plat de riz gonflé au beurre, dont je me mis à manger, comme nous le faisons d'ordinaire, en me servant de mes doigts. Mais cette vue, au lieu d'inviter l'âme de mon épouse à l'appétit, dut lui occasionner, à n'en pas douter, un sentiment voisin de la répulsion, sinon de la nausée. Et, loin de suivre mon exemple, elle détourna la tête, et regarda autour d'elle comme pour chercher quelque chose. Puis, après un long moment d'hésitation, comme elle voyait que mon regard la suppliait de toucher aux mets, elle prit dans son sein un mince étui taillé dans un os d'enfant, et en tira une très fine tige de chiendent, semblable à ces tiges menues dont nous nous servons comme cure-oreilles. Et elle tint délicatement entre deux doigts cette petite tige pointue et se mit à en piquer le riz lentement et à le porter plus lentement encore et grain par grain à ses lèvres. Et, entre chacune de ces bouchées minuscules, elle laissait s'écouler un assez long intervalle de temps. De telle sorte que j'avais déjà achevé mon repas, qu'elle n'avait pas encore pris plus d'une douzaine de grains de riz, de cette manière. Et ce fut tout ce qu'elle voulut manger ce soir-là. Et je crus comprendre, à un geste vague, qu'elle était rassasiée. Et je ne voulus point augmenter sa gêne ou l'effaroucher en insistant pour lui faire prendre quelque autre nourriture.

Et cela ne fit que me raffermir dans la croyance que mon épouse étrangère était un être différent des habitants de nos pays. Et je pensai en moi-même : « Comment ne serait-elle pas différente des femmes d'ici, cette adolescente qui n'a besoin, pour se nourrir, que de la pitance d'un petit oiseau ? Et s'il en est ainsi pour les besoins de son corps, que doit-il en être pour les besoins de son âme ? » Et je résolus de me consacrer entièrement à essayer de deviner son âme qui me paraissait impénétrable.

Et je m'imaginai, ce soir-là, pour tâcher de me donner à moi-même une explication plausible de sa manière d'agir, qu'elle n'avait pas l'habitude de manger avec les hommes, encore moins avec un mari, devant qui on lui avait peut-être enseigné qu'elle devait avoir de la retenue. Et je me dis : « Oui, c'est cela même ! Elle a poussé trop loin la retenue, parce qu'elle est simple et naïve. Ou peut-être qu'elle a déjà dîné ! Ou bien, si elle ne l'a pas encore fait, elle se réserve de manger seule et en liberté. » Et aussitôt je me levai, et la pris par la main avec des précautions infinies, et la conduisis à la chambre que je lui avais fait préparer.

Et là, je la laissai seule, afin qu'elle fût libre d'agir à sa guise. Et je me retirai discrètement.

Et, pour cette nuit-là, je ne voulus point, de peur de la déranger ou de lui paraître importun, entrer dans la chambre de mon épouse, comme font d'ordinaire les hommes lors de la nuit nuptiale ; mais, au contraire, je pensai que je m'attirerais par ma discrétion les bonnes grâces de mon épouse, et que je lui prouverais par là que les hommes de nos pays sont loin d'être des brutaux et des gens dénués de savoir-vivre, et qu'ils savent, quand il le faut, se montrer délicats et réservés. Pourtant, par ta vie, ô émir des Croyants ! ce n'est point que l'envie m'ait manqué cette nuit-là de pénétrer auprès de mon épouse claire, l'adolescente, fille de ceux du Nord, qui était douce à ma vue, et qui avait su charmer mon cœur par sa grâce étrange et le mystère où elle se mouvait. Mais mon plaisir était trop précieux pour aller se compromettre en brusquant les choses, et je ne pouvais que gagner en préparant le terrain et en laissant le fruit perdre son acidité et arriver à pleine maturité dans la fraîcheur propice. Toutefois, je passai cette nuit-là dans l'insomnie, en pensant à la beauté blonde de la jeune étrangère qui parfumait ma demeure, et dont le corps lustral me paraissait savoureux comme l'abricot cueilli sous la rosée, et duveté comme lui, et comme lui désirable…

À ce moment de sa narration, Schahrazade vit apparaître le matin et, discrète, se tut.

Mais lorsque fut la huit cent soixante-troisième nuit. Elle dit :

… En pensant à la beauté blonde de la jeune étrangère qui parfumait ma demeure, et dont le corps lustral me paraissait savoureux comme l'abricot cueilli sous la rosée, et duveté comme lui, et comme lui désirable.

Et le lendemain, quand nous fûmes réunis pour le repas, je l'accueillis avec un visage souriant et en m'inclinant devant elle comme je l'avais vu faire autrefois aux émirs d'Occident arrivés ici ou envoyés de la part du roi des Francs. Et je la fis s'asseoir à mes côtés devant les plateaux de mets, au nombre desquels il y avait, comme la veille, un plat de riz gonflé au beurre, et dont les grains se détachaient, merveilleusement cuits et parfumés à la cannelle. Mais mon épouse se comporta exactement comme la veille, ne touchant qu'au seul plat de riz, à l'exclusion de tous les autres mets, et piquant les grains un à un avec le cure-oreilles, lentement, pour les porter à sa bouche.

Et moi, encore plus surpris que la veille de cette manière de manger, je pensai : « Par Allah ! où a-t-elle pu bien apprendre à manger le riz de cette manière ? Peut-être que c'est dans sa famille, au milieu de son pays. Ou bien fait-elle ainsi parce qu'elle est une petite mangeuse ? Ou bien veut-elle compter les grains de riz afin de n'en pas manger plus une fois que l'autre ? Mais si elle agit de la sorte par esprit d'épargne et pour m'apprendre l'économie et m'enseigner à ne pas être prodigue, par Allah ! elle se trompe, car nous n'avons rien à craindre de ce côté-là, et ce n'est point par cet endroit-là que nous pourrons nous ruiner jamais. Car nous avons, grâce au Rétributeur, de quoi vivre dans une grande aisance et sans nous priver ni du nécessaire ni du superflu. »

Mais mon épouse, qu'elle eût compris ou non mes pensées et ma perplexité, ne continua pas moins à manger toujours de cette manière incompréhensible. Et même, comme si elle eût voulu me faire encore plus de peine, elle ne piqua plus les grains de riz que de loin en loin, et finit même par essuyer, sans me dire un seul mot ni me regarder, la petite tige pointue et la serrer dans son étui en os. Et ce fut tout ce que je la vis faire ce matin-là. Car, le soir, au souper, ce fut exactement la même chose, ainsi d'ailleurs que le lendemain et toutes les fois que nous nous mettions devant la nappe tendue pour manger ensemble.

Lorsque je vis qu'il n'était pas possible qu'une femme pût vivre du peu de nourriture que je la voyais prendre, je ne doutai plus qu'il y eût là-dessous quelque mystère encore plus étrange que l'existence même de mon épouse. Et cela me fit prendre le parti de patienter encore, dans l'espérance qu'avec le temps elle s'accoutumerait à vivre avec moi comme mon âme le souhaitait. Mais je ne tardai pas à constater que mon espoir était vain, et qu'il fallait me résoudre à trouver coûte que coûte l'explication de cette manière de vivre si dissemblable de la nôtre. Or, l'occasion se présenta d'elle-même, alors que je ne l'attendais pas.

En effet, au bout de quinze jours de patience et de discrétion de ma part, je résolus de tenter une visite dans la chambre nuptiale, pour la première fois. Et donc une nuit que je croyais mon épouse endormie depuis longtemps, je me dirigeai tout doucement vers l'appartement qu'elle occupait du côté opposé au mien, et j'arrivai à la porte de sa chambre, en étouffant mes pas de crainte de la déranger dans son sommeil. Car je voulais ne pas la réveiller trop brusquement, afin de pouvoir à mon aise la contempler endormie, me la figurant, avec ses paupières fermées et ses longs cils recourbés, aussi belle que les houris du Ciel.

Et voici qu'arrivé à cette porte, j'entendis au-dedans les pas de mon épouse. Et, comme je ne pouvais comprendre le dessein qui la tenait encore éveillée à cette heure tardive de la nuit, je fus poussé par la curiosité à me blottir derrière le rideau de la porte, pour essayer de voir quelle pouvait bien être l'affaire.

Et bientôt la porte s'ouvrit, et mon épouse apparut sur le seuil, vêtue de ses habits de sortie, et glissant sur les dalles de marbre sans faire le moindre bruit. Et je la regardai, comme elle passait devant moi dans le noir, et de stupeur mon sang se figea dans mon cœur. Sa face tout entière apparaissait au milieu des ténèbres éclairée par deux tisons qui étaient ses yeux, semblables aux yeux des tigres qui brûlent, dit-on, dans l'obscurité et éclairent la route à suivre pour le meurtre et le carnage. Et elle était pareille à ces figures d'épouvante que nous envoient les genn malfaisants durant le sommeil, quand ils veulent nous faire prévoir les catastrophes qu'ils trament contre nous. Mais elle-même déjà me semblait une gennia de l'espèce la plus cruelle, avec sa face de pâleur, ses yeux incendiaires, et ses cheveux jaunes qui se hérissaient sur sa tête terriblement !

Et moi, ô mon seigneur, je sentais mes mâchoires se serrer à se briser, et ma salive se dessécher dans ma bouche, et mon souffle s'anéantir. Et d'ailleurs j'eusse été capable de me mouvoir, que je me fusse bien gardé de donner le moindre signe de ma présence derrière ce rideau, à cette place qui n'était pas la mienne. J'attendis donc qu'elle se fût éloignée pour me lever de ma cachette, en rattrapant mon souffle perdu. Et je me dirigeai vers la fenêtre qui donnait sur la cour de la maison, et regardai à travers le grillage. Et j'eus le temps d'apercevoir, par une fenêtre qui donnait sur la cour, qu'elle ouvrait la porte de la rue et qu'elle sortait, foulant à peine le sol de ses pieds nus. Et je la laissai s'éloigner quelque peu, et je courus à la porte, qu'elle avait laissée entrouverte, et la suivis de loin, en tenant mes sandales à la main.

Et le dehors était éclairé par la lune décroissante, et le ciel tout entier se déployait sublime comme toutes les nuits, avec le tressaillement de ses clartés. Et, malgré mon émotion, j'élevai mon âme vers le Maître des créatures, et mentalement je dis : « Ô Seigneur, Dieu d'exaltation et de vérité, sois témoin que j'ai agi avec discrétion et honnêteté à l'égard de mon épouse, cette fille des étrangers, bien que tout d'elle me soit inconnu, et qu'elle appartienne peut-être à une race mécréante qui offense Ta face, Seigneur ! Et maintenant je ne sais ce qu'elle va faire, dans cette nuit, sous la clarté bienveillante de Ton ciel. Mais que, de près ou de loin, je ne paraisse pas complice de ses actions. Car je les réprouve d'avance, si elles sont contraires à Ta Loi et à l'enseignement de Ton Envoyé – sur Lui la paix et la prière ! » Et, ayant apaisé de la sorte mes scrupules, je n'hésitai plus à suivre mon épouse, où qu'elle allât.

Et voici qu'elle traversa toutes les rues de la ville, se dirigeant avec une sûreté remarquable, comme si elle était née parmi nous et avait grandi dans nos quartiers. Et moi je la suivais de loin au vacillement de sa chevelure, qui fuyait derrière elle sinistrement dans la nuit. Et elle arriva aux dernières maisons, et traversa les portes de la ville, et pénétra dans les champs inhabités qui servent depuis des centaines d'années de demeure aux morts. Et elle laissa derrière elle le premier cimetière, dont les tombes étaient excessivement anciennes, et se hâta vers celui où l'on continuait à enterrer journellement. Et moi je pensai : « Sûrement, elle doit avoir ici une amie ou une sœur morte, de celles qui sont venues avec elle des pays étrangers. Et elle aime à remplir vis-à-vis d'elle ses devoirs, pendant la nuit, à cause de la solitude et du silence. » Mais je me rappelai soudain son air terrible et ses yeux enflammés, et de nouveau mon sang retourna vers mon cœur.

Et voici que d'entre les tombes une forme s'éleva dont je ne pouvais encore deviner l'espèce, et qui vint à la rencontre de mon épouse. Et à l'horreur de sa physionomie et à sa tête d'hyène de proie, je reconnus en cette forme sépulcrale une goule.

Et je tombai à terre, derrière une tombe, mes jambes ayant fui sous moi en tremblant. Et je pus ainsi, grâce à cette circonstance, malgré la surprise épouvantable où j'étais, voir la goule, qui ne me voyait pas, s'approcher de mon épouse, et la prendre par la main, pour l'emmener vers le bord d'une fosse. Et elles s'assirent toutes deux, l'une en face de l'autre, sur le bord de cette fosse. Et la goule se baissa vers le sol, et se releva en tenant entre ses mains un objet rond qu'elle remit en silence à mon épouse. Et je reconnus en cet objet un crâne humain fraîchement coupé sur quelque corps sans vie. Et mon épouse, poussant un cri de bête féroce, enfonça ses dents à même cette chair morte et se mit à grignoter dedans affreusement.

Alors moi, ô mon seigneur, à cette vue, je sentis que le ciel s'effondrait de tout son poids sur ma tête. Et je dus, dans mon épouvante, jeter un cri d'horreur qui trahit ma présence. Car je vis soudain mon épouse debout sur la tombe qui m'abritait. Et elle me regardait avec les yeux de la tigresse affamée, quand elle va fondre sur sa proie. Et je ne doutai plus de ma perte sans recours. Et, avant que j'eusse le temps de faire le moindre mouvement pour me défendre, ou pour prononcer une formule invocatoire qui me prémunît contre les maléfices, je la vis étendre le bras au-dessus de moi, et crier quelques syllabes en une langue inconnue dont les accents étaient semblables aux rugissements que l'on entend dans les déserts. Et à peine eut-elle vomi ces syllabes diaboliques, que tout à coup je me vis métamorphosé en chien…

À ce moment de sa narration, Schahrazade vit apparaître le matin et, discrète, se tut.

Mais lorsque fut la huit cent soixante-quatrième nuit. Elle dit :

… Et à peine eut-elle vomi ces syllabes diaboliques, que tout à coup je me vis métamorphosé en chien. Et mon épouse se précipita sur moi, suivie de l'effroyable goule. Et toutes deux tombèrent sur moi à coups de pied, si violemment que je ne sais comment je ne demeurai pas mort sur place. Pourtant, le danger extrême où je me trouvais et l'attachement de l'âme à la vie me donnèrent la force et le courage de sauter sur mes quatre jambes et de m'enfuir, la queue ramenée sous mon ventre, poursuivi avec la même fureur par mon épouse et par la goule. Et ce ne fut que lorsqu'elles m'eurent chassé bien loin du cimetière, qu'elles cessèrent de me maltraiter et qu'elles cessèrent de courir derrière moi, qui, de douleur, aboyais lamentablement et qui roulais sur le dos tous les dix pas. Et je les vis s'en retourner vers le cimetière. Et je me hâtai de franchir les portes de la ville, comme un chien perdu et malheureux.

Et le lendemain, après une nuit passée à rôder en boitant à travers la ville, et à éviter les morsures des chiens du quartier, qui poursuivaient en moi l'intrus, j'eus l'idée, pour échapper à leurs attaques cruelles, de me réfugier dans quelque abri. Et je me jetai vivement dans la première boutique qui s'était ouverte à cette heure matinale. Et j'allai me fourrer dans un coin, où je me dérobai à leur vue. Or, c'était la boutique d'un vendeur de têtes et de pieds de mouton. Et mon hôte prit d'abord mon parti contre mes agresseurs qui voulaient pénétrer à ma poursuite jusque dans l'intérieur de la boutique. Et il parvint à les chasser et à les éloigner ; mais ce fut pour revenir de mon côté, dans le but évident de me faire déguerpir. Et, en effet, je vis bien que je ne devais point compter sur l'asile et la protection que j'avais espérés. Car ce tripier était un de ces gens formalistes à outrance et superstitieusement fanatiques, qui considèrent les chiens comme des bêtes immondes, et ne trouvent pas assez d'eau ni de savon pour laver leurs vêtements quand, par hasard, un chien les a touchés en passant près d'eux. Il s'approcha de moi, et m'enjoignit du geste et de la voix d'avoir à déguerpir au plus vite de sa boutique. Mais moi je me roulai encore davantage en rond, geignant d'une voix lamentable, et le regardant par en dessous avec des yeux qui demandaient grâce. Alors, quelque peu apitoyé, il lâcha le bâton dont il me menaçait, et, comme il tenait absolument à débarrasser sa boutique de ma présence, il prit un de ces admirables morceaux odorants de pieds cuits, et, le tenant au bout des doigts de façon à me le montrer ostensiblement, il sortit dans la rue. Et moi, ô mon seigneur, attiré par le fumet de ce bon morceau-là, je me levai de mon coin et suivis le tripier qui, dès qu'il me vit hors de sa boutique, me jeta le morceau et remonta chez lui. Et moi, aussitôt que j'eus avalé cette excellente viande, je voulus rentrer en toute hâte dans mon coin. Mais, j'avais calculé sans mon hôte, le vendeur de têtes, qui, prévoyant en effet mon mouvement, se tenait d'un air impitoyable sur le seuil, le terrible bâton noueux à la main. Et moi, en posture de suppliant, je le regardai en remuant la queue, pour bien marquer que je l'implorais de m'accorder la faveur de ce refuge. Mais il resta inflexible, et se mit même à brandir son bâton, en me criant d'une voix qui ne me laissait plus de doutes sur ses intentions : « Va-t'en, ô proxénète ! »

Alors moi, fort humilié et, d'un autre côté, redoutant les attaques des chiens du quartier qui commençaient déjà à foncer sur moi de tous les points du souk, je livrai mes jambes au vent et détalai en toute hâte vers la boutique ouverte d'un boulanger, toute proche de celle du tripier.

Or, à première vue, ce boulanger, tout au contraire du vendeur de têtes de mouton dévoré de scrupules et hanté par les superstitions, me parut un homme gai et de bon augure. Et il l'était, en effet. Et au moment où j'arrivai devant sa boutique, il était assis sur sa natte en train de déjeuner. Et tout de suite son âme compatissante le poussa, bien que je ne lui eusse donné aucune marque de mon besoin de manger, à me jeter un gros morceau de pain trempé dans de la sauce aux tomates, en me disant d'une voix très bonne : « Tiens, ô pauvre ! mange avec délices ! » Mais moi, loin de me jeter avec avidité et gloutonnerie sur le bien d'Allah, comme font d'ordinaire les autres chiens, je regardai le généreux boulanger en lui faisant un signe de tête et un mouvement de queue, pour bien lui témoigner ma gratitude. Et il dut être touché de ma civilité et m'en savoir quelque gré, car je le vis me sourire avec bonté. Et moi, bien que je ne fusse plus torturé par la faim et que je n'eusse pas besoin de manger, je ne laissai point, uniquement pour lui faire plaisir, de prendre le morceau de pain avec mes dents, et de le manger assez lentement pour lui faire comprendre que je le faisais par égard pour lui et par honneur. Et il remarqua tout cela, et m'appela et voulut bien me faire signe de m'asseoir près de sa boutique. Et je m'assis, en faisant entendre de petits gémissements de plaisir, et en me tournant du côté de la rue, pour lui marquer que, pour le présent, je ne lui demandais autre chose que sa protection. Et, grâce à Allah qui l'avait doué d'intelligence, il comprit toutes mes intentions, et me fit des caresses qui m'encouragèrent et me donnèrent de l'assurance : j'osai donc m'introduire dans sa maison. Mais je m'y pris d'une manière assez habile pour lui faire sentir que je ne le faisais qu'avec sa permission. Et, loin de s'opposer à mon entrée, il fut, au contraire, plein d'affabilité et me montra un endroit où je pouvais m'installer sans lui être incommode. Et je pris possession de cette place, que je conservai depuis lors pendant tout le temps que je demeurai dans la maison.

Et mon maître, à partir de ce moment, fut pris pour moi d'un grand attachement, et me traita avec une extrême bienveillance. Et il ne pouvait déjeuner, ni dîner, ni souper, que je ne fusse à ses côtés et n'eusse ma part au-delà de mon rassasiement. Et, de mon côté, j'avais pour lui toute la fidélité et tout le dévouement dont pouvait être capable la plus belle âme de chien. Et, dans ma reconnaissance pour ses bons soins, j'avais constamment les yeux attachés sur lui, et je ne le laissais pas faire un pas dans la maison ou dans la rue que je ne fusse derrière lui fidèlement, d'autant plus que j'avais remarqué que mon attention lui plaisait, et que si, par hasard, il avait besoin de sortir sans que j'eusse été au préalable averti par quelque signe, il ne manquait pas de m'appeler familièrement, en me sifflant. Et moi aussitôt je m'élançais de ma place dans la rue ; et je sautais, et je gambadais en faisant mille courses en un instant, et mille allées et venues devant la porte. Et je ne cessais tous ces jeux que lorsqu'il était déjà dans la rue. Et alors je l'accompagnais fort exactement, en le suivant ou en courant devant, et en le regardant de temps en temps, pour lui marquer ma joie et mon contentement.

Or, il y avait déjà un certain temps que j'étais dans la maison de mon maître le boulanger, lorsqu'un jour d'entre les jours entra dans la boutique une femme qui acheta une galette de pain qui venait de sortir toute soufflée du four. Et la femme, ayant payé mon maître, prit le pain et se dirigea vers la porte. Mais mon maître, qui s'aperçut que la pièce de monnaie qu'il venait de recevoir était fausse, rappela la femme et lui dit : « Ô tante, qu'Allah allonge ta vie ! mais, si cela ne t'offusque pas, je préfère une autre pièce à celle-ci ! » Et, en même temps, mon maître lui tendit la pièce de monnaie en question. Mais la femme, qui était une vieille endurcie, refusa, avec force protestations, de reprendre sa monnaie, prétendant qu'elle était bonne et disant : « D'ailleurs ce n'est pas moi qui l'ai faite, et dans les monnaies il n'y a pas à choisir entre pastèques et concombres ! » Et mon maître fut loin d'être convaincu par les arguments sans consistance de cette vieille, et lui dit d'une voix calme et non sans quelque mépris : « Ta pièce est si visiblement fausse, que même mon chien que voici, et qui n'est qu'un animal muet sans discernement, ne s'y tromperait pas. » Et, simplement dans le but d'humilier cette calamiteuse, et sans nullement croire au résultat de l'acte qu'il allait faire, il me cria en m'appelant par mon nom : « Bakht ! Bakht ! viens ! viens ici ! » Et moi, à sa voix, j'accourus vers lui, en remuant la queue. Et aussitôt, il prit le tiroir en bois où il mettait son argent et le renversa sur le sol en répandant devant moi toutes les pièces qu'il contenait. Et il me dit : « Ici ! ici ! vois tout cet argent ! Regarde bien toutes ces pièces ! Et dis-moi si dans le nombre il n'y a pas une pièce fausse ! » Et moi j'examinai attentivement toutes les pièces d'argent, l'une après l'autre, en les poussant légèrement du bout de ma patte, et je ne tardai pas à tomber sur la pièce fausse. Et je la mis de côté, en la séparant du tas, et en mettant dessus ma patte de façon à bien faire comprendre à mon maître que je l'avais trouvée. Et je le regardai, en poussant de petits cris, et en frétillant.

À cette vue, mon maître, qui était loin de s'attendre à cette perspicacité chez un animal de mon espèce, fut à l'extrême limite de la surprise et de l'émerveillement, et s'écria : « Allah est le plus grand ! Et il n'y a de toute-puissance qu'en Allah ! » Et la vieille, ne pouvant cette fois contester le témoignage de ses propres yeux, et d'ailleurs épouvantée de ce qu'elle voyait, se hâta de reprendre sa pièce fausse et d'en donner une bonne en échange. Et elle déguerpit en trébuchant dans sa traîne. Quant à mon maître, encore ému de ma perspicacité, il appela ses voisins et tous les boutiquiers du souk...

À ce moment de sa narration, Schahrazade vit apparaître le matin et, discrète, se tut.

Mais lorsque fut la huit cent soixante-cinquième nuit. Elle dit :

... Quant à mon maître, encore tout ému de ma perspicacité, il appela ses voisins et tous les boutiquiers du souk. Et il leur raconta, avec admiration, ce qui s'était passé, non sans exagérer mon mérite qui était déjà assez étonnant par lui-même.

À ce récit de mon maître, tous les assistants s'exclamèrent sur mon intelligence en disant qu'ils n'avaient jamais rencontré de chien aussi merveilleux. Et pour contrôler par eux-mêmes les paroles de mon maître, non point qu'ils soupçonnassent sa bonne foi, mais à seule fin de me louer davantage, ils voulurent faire la preuve de ma sagacité. Et ils allèrent chercher toutes les pièces fausses qu'ils avaient chez eux, et me les montrèrent mêlées avec d'autres de bon aloi. Et moi, voyant cela, je pensai : « Ya Allah ! c'est étonnant ce qu'il y a de pièces fausses chez tous ces gens ! »

Néanmoins, ne voulant pas, par mon abstention, faire noircir le visage de mon maître devant ses voisins, j'examinai avec attention toutes les pièces qu'ils me mirent sous les yeux. Et il ne s'en présenta pas une seule, parmi les fausses, que je ne misse la patte dessus et ne la séparasse d'avec les autres.

Et ma renommée se répandit à travers tous les souks de la ville, et même dans les harems, grâce à la loquacité de l'épouse de mon maître. Et, du matin au soir, la boulangerie fut assiégée par la foule des curieux qui voulaient expérimenter mon habileté à distinguer la fausse monnaie. Et je ne manquais pas ainsi d'occupation, toute la journée, devant contenter les clients qui venaient, plus nombreux de jour en jour, chez mon maître, des quartiers les plus éloignés de la ville. Et, de la sorte, ma réputation procura à mon maître plus de pratiques que n'en avaient tous les boulangers réunis de la ville. Et mon maître ne cessait de bénir ma venue qui lui avait été aussi précieuse qu'un trésor. Et sa fortune, due à des sentiments pitoyables, ne fut pas sans chagriner le marchand de têtes de moutons, qui se mordit les doigts de désappointement. Et, dans sa jalousie, il ne manqua pas de me dresser des embûches soit pour m'enlever, soit pour m'occasionner des désagréments, en excitant contre moi, dès que je sortais, les chiens du quartier. Mais, je n'avais plus rien à craindre ; car d'un côté, j'étais bien défendu par les boutiquiers, admirateurs de mon petit savoir.

Et il y avait déjà quelque temps que je vivais de la sorte, entouré par la considération générale ; et j'eusse été vraiment heureux de ma vie, si, dans ma mémoire, le souvenir ne me fût revenu sans cesse de mon état ancien de créature humaine. Et ce qui me faisait surtout souffrir, ce n'était pas tant d'être un chien d'entre les chiens, mais c'était d'être privé de l'usage de la parole et d'en être réduit à m'exprimer par le regard seulement et par le jeu des pattes ou par des cris inarticulés. Et, des fois, quand je me souvenais de la nuit terrible du cimetière, mes poils se hérissaient sur mon dos, et je frissonnais.

Or, un jour d'entre les jours, une vieille femme d'aspect respectable vint, comme tout le monde, acheter du pain à la boulangerie, attirée par ma réputation. Et, comme tout le monde, elle ne manqua pas, une fois qu'elle eut pris le pain et qu'il fallut payer, de jeter devant moi quelques pièces de monnaie parmi lesquelles elle avait mis exprès une pièce fausse, pour tenter l'expérience. Et moi, aussitôt je débrouillai la pièce de mauvais aloi d'avec les autres, et je mis la patte dessus, en regardant la vieille dame, comme pour l'inviter à contrôler. Et elle retira la pièce, en disant : « Tu as excellé ! c'est bien la fausse ! » Et elle me considéra avec une grande admiration, paya à mon maître le pain qu'elle avait acheté, et, en se retirant, elle me fit un signe imperceptible qui signifiait clairement : « Suis-moi ! »

Or, moi, ô émir des Croyants, je devinai que cette dame s'intéressait à moi d'une façon toute particulière ; car l'attention avec laquelle elle m'avait examiné était très différente de la manière dont les autres me regardaient. Toutefois, par mesure de prudence, je la laissai s'en aller, me contentant seulement de la regarder. Mais elle, au bout de quelques pas, se retourna de mon côté, et voyant que je ne faisais que la regarder sans bouger de ma place, me fit un second signe plus pressant que le premier. Alors moi, mû par une curiosité plus forte que ma prudence, je profitai de ce que mon maître était au fond de la boutique, occupé à une cuisson de pain, pour sauter dans la rue et suivre cette dame. Et je marchai derrière elle, en m'arrêtant de temps en temps, pris d'hésitation et remuant la queue. Mais encouragé par elle, je finis par surmonter mon incertitude, et j'arrivai avec elle devant sa maison.

Et elle ouvrit la porte de la maison, entra la première et m'invita d'une voix fort douce à faire comme elle, me disant : « Entre, entre, ô pauvre ! tu ne t'en repentiras pas ! » Et j'entrai derrière elle. Alors, ayant refermé la porte, elle me mena vers l'appartement intérieur, et ouvrit une chambre où elle m'introduisit. Et je vis, sur un divan, une jeune fille belle comme la lune, qui brodait. Et cette jeune fille se voila vivement à ma vue ; et la vieille dame lui dit : « Ô ma fille, je t'amène le chien fameux du boulanger, celui-là même qui sait si bien distinguer les pièces bonnes d'avec les pièces fausses. Et tu sais déjà que je t'ai fait part de mes doutes, dès le premier bruit qui s'est répandu à son sujet. Et je suis allée aujourd'hui acheter du pain chez le boulanger, son maître, et j'ai été témoin de la vérité des faits ; et je me suis fait suivre par ce chien si rare qui émerveille Bagdad. Dis-moi donc toute ta pensée, ô ma fille, afin que je sache si je me suis trompée dans mes conjectures ! » Et la jeune fille répondit aussitôt : « Par

Allah ! ô mère, tu ne t'es pas trompée. Et je vais tout de suite t'en donner la preuve. »

Et la jeune fille se leva à l'heure et à l'instant, prit un bassin de cuivre rouge plein d'eau, marmonna dessus quelques mots que je n'entendis pas, et, m'aspergeant avec quelques gouttes de cette eau, elle dit : « Si tu es né chien, demeure chien, mais si tu es né être humain, secoue-toi et reprends ta forme d'être humain, par la vertu de cette eau ! » Et à l'instant je me secouai. Et l'enchantement fut rompu, et je perdis la forme de chien pour redevenir homme, selon mon état de naissance.

Alors, pénétré de reconnaissance, je me jetai aux pieds de ma libératrice, pour la remercier d'un si grand bienfait ; et je baisai le bas de sa robe ; et je lui dis : « Ô jeune fille bénie, qu'Allah te rende, par les meilleurs de Ses dons, le bienfait sans égal dont je te suis redevable, et dont tu n'as pas hésité à faire bénéficier un homme inconnu de toi, un étranger à ta maison. Comment pourrais-je trouver des mots pour te remercier et te bénir comme tu le mérites ? Sache du moins que je ne m'appartiens plus, et que tu m'as acheté pour un prix qui dépasse, et de beaucoup, ma valeur. Et afin que tu connaisses exactement l'esclave qui est maintenant ta propriété et ta possession, je vais, sans peser sur tes oreilles et sans fatiguer ton entendement, te raconter en peu de mots mon histoire. »

Et alors je lui dis qui j'étais et comment, de célibataire que j'étais, j'avais subitement décidé de prendre femme, et de choisir, non point parmi les filles des notables de Bagdad, notre ville, mais parmi les étrangères esclaves que l'on vend et que l'on achète. Et, tandis que ma libératrice et sa mère m'écoutaient avec attention, je leur racontai également comment j'avais été séduit par l'étrange beauté de l'adolescente du Nord, et mon mariage avec elle, et ma complaisance et mes égards pour elle, et ma délicatesse de procédés, et ma patience à supporter ses manières extraordinaires. Et je leur fis le récit de l'épouvantable découverte nocturne, et de tout ce qui s'ensuivit, depuis le commencement jusqu'à la fin, sans leur en cacher un détail. Mais il n'y a point d'utilité à le répéter.

Lorsque ma libératrice et sa mère eurent entendu mon récit, elles furent à la limite de l'indignation contre mon épouse, l'adolescente du Nord. Et la mère de ma libératrice me dit : « Ô mon fils, quel étrange errement a été ton errement ! Comment ton âme a-t-elle pu se pencher vers la fille des étrangers, quand notre ville est si riche en adolescentes de toutes les couleurs, et quand les bienfaits d'Allah sur la tête de nos jeunes filles sont si choisis et si nombreux ? Certes ! il a fallu que tu fusses ensorcelé pour avoir ainsi choisi sans discernement, et confié ta destinée aux mains d'une personne qui différait de toi par le sang, par la race, par la langue et par l'origine. Et tout cela a été, je le vois bien, l'instigation du Cheitân, du Malin, du Lapidé. Mais rendons grâces à Allah qui, par l'entremise de ma fille, t'a délivré de la méchanceté de l'étrangère, et t'a rendu à ta forme ancienne d'être humain ! » Et moi je répondis, après lui avoir baisé les mains : « Ô ma mère bénie, je me repens, devant Allah et devant ta face vénérable, de mon action inconsidérée. Et je ne souhaite rien de plus que d'entrer dans ta famille comme je suis entré dans ta miséricorde. Si donc tu veux bien m'accepter comme époux légitime de ta fille à l'âme noble, tu n'as qu'à prononcer la parole de l'acceptation. » Et elle répondit : « Pour ma part, je ne trouve pas d'inconvénient ! Mais toi, ma fille, qu'en penses-tu ? Cet excellent jeune homme, qu'Allah a mis sur notre route, te convient-il ? » Et ma libératrice répondit : « Oui, par Allah ! il me convient, ô mère mienne. Mais ça n'est pas tout ça ! Il faut d'abord que nous le mettions à l'abri désormais des mauvais coups et de la méchanceté de son ancienne épouse. Car ce n'est pas assez que d'avoir rompu l'enchantement par lequel elle l'avait exclu de la société des êtres humains, il faut que nous la mettions pour toujours dans l'impossibilité de lui nuire ! » Et, ayant ainsi parlé, elle sortit de la chambre où nous nous tenions, mais pour revenir au bout d'un instant avec un flacon entre les doigts. Et elle me remit ce flacon, qui était rempli d'eau, et me dit : « Sidi Némân, mes livres anciens, que je viens de consulter, m'apprennent que la méchante étrangère n'est pas dans ta maison à l'heure qu'il est, mais qu'elle ne va pas tarder à y rentrer. Et ils m'apprennent également que la dissimulée fait semblant, devant tes serviteurs, d'être dans une grande inquiétude de ton absence. Hâte-toi donc, pendant qu'elle est dehors, de retourner à ta maison avec le flacon que je viens de te mettre entre les mains, et de l'attendre dans la cour, de façon qu'à sa rentrée elle se rencontre avec toi brusquement face à face. Et dans la stupeur où elle sera de te revoir, contre son attente, elle tournera le dos pour prendre la fuite. Et toi, aussitôt, tu l'aspergeras avec l'eau de ce flacon, en lui criant : « Quitte ta forme humaine, et deviens jument ! » Et aussitôt elle se muera en jument d'entre les juments. Et tu sauteras sur son dos, et tu la saisiras au crin et, malgré sa résistance, tu lui feras mettre dans la bouche un double mors à toute épreuve. Et, pour la punir comme elle le mérite, tu la châtieras à grands coups de fouet, aussi longtemps que la lassitude ne t'obligera pas de cesser. Et tous les jours d'Allah tu lui feras subir un pareil traitement. Et de la sorte tu la domineras. Sans quoi, sa méchanceté finira par prendre le dessus. Et tu en pâtirais. »

Et moi, ô émir des Croyants, je répondis par l'ouïe et l'obéissance, et je me hâtai d'aller à ma maison attendre l'arrivée de mon ancienne épouse, en me dissimulant de façon à la voir venir de loin, et à pouvoir me présenter à elle face à face et brusquement. Or, elle ne tarda pas à se montrer. Et moi, malgré le saisissement qui me tint à sa vue et à la vue de sa beauté émouvante, je ne manquai de faire ce pourquoi j'étais venu. Et je réussis pleinement à la changer en jument. Et depuis lors, m'étant uni par les liens licites avec ma libération, qui était de mon sang et de ma race, je ne manquai pas de faire subir à la jument que tu as vue sur le meidân, ô émir des Croyants, le traitement cruel, sans aucun doute, qui a offusqué ta vue, mais qui a sa justification dans la méchanceté si pernicieuse de l'étrangère. Et telle est mon histoire.

Lorsque le khalifat eut entendu ce récit de Sidi Némân, il s'étonna en son âme grandement, et dit au jeune homme : « Certes, ton histoire est singulière, et le traitement est mérité que tu fais subir à cette jument blanche. J'aimerais toutefois te voir intercéder auprès de ton épouse pour qu'elle consentît à trouver le moyen, tout en conservant à cette jument sa forme de jument, de ne pas la châtier journellement avec tant de rigueur. Mais si la chose n'est pas possible, Allah est le plus grand ! »

Et, ayant ainsi parlé, Al-Rachid se tourna vers le second personnage, qui était le beau cavalier rencontré à la tête du cortège sur un cheval qui portait sa race dans son allure, ce cavalier qui caracolait comme un émir ou quelque fils de roi, et dont le cortège était suivi par un palanquin où étaient assises deux adolescentes princières, et par des musiciens qui jouaient des airs indiens et chinois, et lui dit…

À ce moment de sa narration, Schahrazade vit apparaître le matin et, discrète, se tut.

Mais lorsque fut la huit cent soixante-sixième nuit. La petite Doniazade s'écria : « Ô ma sœur, de grâce ! hâte-toi de nous dire ce qui se passa lorsque le khalifat se fut tourné vers le jeune cavalier, derrière qui l'on jouait des airs indiens et chinois ! » Et Schahrazade répondit : « De tout cœur amical ! » Et elle continua de la sorte :

… Lorsque le khalifat se fut tourné vers le beau cavalier qui était debout entre ses mains, et qu'il avait rencontré caracolant sur un cheval qui portait sa race dans son allure, il lui dit : « Ô jeune homme, j'ai jugé à ta mine que tu devais être un noble étranger ; et, pour te faciliter l'accès de mon palais, je t'ai fait venir en ma présence afin que notre ouïe et notre vue se réjouissent de toi. Si donc tu as quelque chose à nous demander, ou quelque chose d'admirable à nous raconter, ne tarde pas davantage. » Et le jeune homme, après avoir embrassé la terre entre les mains du khalifat, s'inclina et répondit : « Ô émir des Croyants, le motif de ma venue dans Bagdad n'est point un motif d'ambassade ou de députation, pas plus que ce n'est un motif de curiosité, mais simplement le désir de revoir le pays où je suis né, et d'y vivre jusqu'à ma mort. Mais mon histoire est si étonnante, que je ne veux point hésiter à la raconter à notre maître l'émir des Croyants ! » Et il dit :

HISTOIRE DU CAVALIER

« Sache, ô mon maître et la couronne de notre tête, que, de mon ancien métier, qui était également le métier de mon père et du père de mon père, j'étais un bûcheron et le plus pauvre d'entre les bûcherons de Bagdad. Et ma misère était grande, et elle était journellement aggravée par la présence, dans ma maison, de la fille de mon oncle, ma propre épouse, une femme acariâtre, avare, querelleuse, douée d'un œil vide et d'un esprit mesquin. Avec cela elle n'était bonne à rien du tout, et le balai de notre cuisine aurait pu lui être comparé en tendreté et en souplesse. Et, comme elle était plus tenace qu'une mouche de cheval et plus criarde qu'une poule offusquée, je m'étais décidé, après bien des disputes et des déboires, à ne jamais lui adresser la parole et à exécuter, sans discuter, tous ses caprices, afin d'avoir quelque repos à ma rentrée du travail fatigant de la journée. Ce qui faisait que lorsque le Donateur rétribuait mes peines par quelques drachmes d'argent, la maudite ne manquait jamais d'accourir s'en emparer, dès le seuil franchi. Et c'est ainsi que s'écoulait ma vie, ô émir des Croyants.

Or, un jour d'entre les jours, ayant eu besoin de m'acheter une corde à lier les fagots, vu que celle que je possédais était tout effilochée, je me décidai, malgré toute la terreur que m'inspirait l'idée d'adresser la parole à mon épouse, à lui faire part du besoin où j'étais de l'achat de cette corde neuve. Et à peine les mots d'achat furent-ils sortis de ma bouche, ô émir des Croyants, que je crus entendre s'ouvrir sur ma tête toutes les portes des tempêtes. Et ce fut un orage lâché d'injures et de récriminations qu'il n'est point urgent de répéter en présence de notre maître. Et elle mit fin à tout cela, en me disant : « Ah ! le pire des vauriens et des mauvais sujets ! Sans doute tu ne me réclames cet argent que pour aller le dépenser en compagnie des gueuses de Bagdad. Mais sois tranquille, j'ai l'œil ouvert sur ta conduite. Et si réellement c'est pour une corde que tu réclames cet argent, eh bien, je vais sortir avec toi, afin que tu l'achètes en ma présence. Et d'ailleurs, désormais, tu ne sortiras plus sans moi de la maison ! » Et, ce disant, elle m'entraîna véhémentement dans le souk, et paya elle-même au marchand la corde qui était nécessaire à mon gagne-pain. Mais Allah seul sait au prix de quels marchandages et de quels yeux de travers, jetés alternativement de mon côté et du côté du marchand épouvanté, fut conclu cet achat mouvementé.

Mais, ô mon seigneur, tout cela n'était que le commencement de mon infortune, ce jour-là. Car, au sortir du souk, comme je voulais prendre congé de mon épouse, pour aller à mon travail, elle me dit : « Où ça ? où ça ? Je suis avec toi, et je ne te quitte pas ! » Et, sans plus, elle sauta sur le dos de mon âne, et ajouta : « Désormais je t'accompagnerai à la montagne, où tu prétends passer tes journées à fagoter, afin de surveiller ton travail. »

Et moi, à cette nouvelle, ô mon seigneur, je vis le monde entier noircir devant mon visage, et je compris que je n'avais plus qu'à mourir. Et je me dis : « Voici, ô pauvre, que la calamiteuse ne va plus laisser de répit à ta religion ! Du moins, auparavant, tu avais quelque tranquillité tant que tu étais seul à la forêt. Maintenant c'est bien fini ! Meurs dans ta misère et dans ton désespoir ! Il n'y a de recours et de puissance qu'en Allah le Miséricordieux ! De Lui nous venons, et vers Lui nous retournons ! » Et je résolus, une fois arrivé à la forêt, de me coucher sur le ventre, et de me laisser mourir de la mort noire.

Et, ayant ainsi pensé, sans répondre une parole, je marchai derrière l'âne qui portait sur son dos le poids qui pesait sur mon âme et sur ma vie. Or, en chemin, l'âme de l'homme, qui est chère à la vie, me suggéra, afin d'éviter la mort, un projet auquel je n'avais point songé jusque-là. Et je ne manquai pas de le mettre aussitôt à exécution.

En effet, dès que nous fûmes arrivés au pied de la montagne, et que mon épouse fut descendue de dessus le dos de l'âne, je lui dis : « Écoute, ô femme ! puisqu'il n'y a plus moyen de te rien cacher, je veux t'avouer que la corde que nous venons d'acheter n'est point destinée, dans mon esprit, à lier mes fagots, mais elle doit servir à nous enrichir à jamais ! » Et, pendant que mon épouse était sous le coup de la surprise où la jetait cette déclaration inattendue, je la conduisis vers l'orifice d'un puits ancien, desséché depuis des années, et je lui dis : « Tu vois ce puits ! Et bien, il contient notre destinée ! Et, avec la corde, je vais aller la recueillir. » Et, comme la fille de l'oncle était de plus en plus perplexe, j'ajoutai : « Eh oui, par Allah ! il y a longtemps que j'ai eu la révélation d'un trésor caché dans ce puits, et qui est écrit sur ma destinée. Et c'est aujourd'hui le jour où il faut que je descende le chercher ! Et c'est pourquoi je me suis décidé à te prier de m'acheter cette corde-là ! »

Or, à peine eus-je prononcé ces mots de trésor et de descente dans le puits, que ce que j'avais prévu se réalisa pleinement. Car mon épouse s'écria : « Non, par Allah ! c'est moi qui descendrai là-dedans ! Car toi, tu ne sauras jamais ouvrir le trésor et t'en emparer. Et puis je n'ai guère confiance dans ton honnêteté. » Et elle rejeta aussitôt son voile, et me dit : « Allons, hâte-toi de m'attacher à cette corde, et de me faire descendre dans ce puits. » Et moi, ô mon seigneur, après avoir fait quelques difficultés, rien que pour la forme, et essuyé quelques injures pour mon hésitation, je soupirai : « Qu'il soit fait selon la volonté d'Allah et selon ta volonté, ô fille des hommes de bien ! » Et je l'attachai solidement avec la corde, la lui ayant fait passer sous les bras, et je la laissai glisser le long du puits. Et quand je sentis qu'elle était arrivée au fond, je lâchai tout, jetant la corde au fond du puits. Et je poussai un soupir de satisfaction comme il ne s'en était exhalé de ma poitrine depuis ma sortie du sein de ma mère. Et je criai à la calamiteuse : « Ô fille des hommes de bien, aie la complaisance de rester là jusqu'à ce que je vienne t'en tirer ! » Et, sans me soucier de sa réponse, je retournai tranquillement à mon travail, et je me mis à fagoter en chantant, ce qui ne m'était pas arrivé depuis bien longtemps. Et, dans mon bonheur, je croyais qu'il m'avait poussé des ailes, tant je me sentais léger comme les oiseaux.

Et, délivré ainsi de la cause de mes tribulations, je pus enfin goûter la saveur de la tranquillité et de la paix. Mais, au bout de deux jours, je pensai en mon âme : « Ya Ahmad, la loi d'Allah et de Son Envoyé – sur Lui la prière et les bénédictions ! – ne permet pas à la créature d'ôter la vie à une créature à son image. Et toi, ayant abandonné la fille de ton oncle au fond du puits, tu risques de la laisser mourir d'inanition. Certes ! une pareille créature mérite le pire des traitements. Mais toi, ne va pas charger ta conscience de sa mort, et retire-la du puits. Et d'ailleurs il y a des chances pour que cette leçon l'ait corrigée à jamais de son mauvais caractère ! »

Et, ne pouvant résister à cet avis de ma conscience, je me dirigeai vers le puits, et je criai à la fille de mon oncle, en glissant vers elle une nouvelle corde : « Allons, hâte-toi de t'attacher, que je te retire. J'espère que cette leçon t'aura corrigée. » Et, comme je sentais que la corde venait d'être saisie au fond du puits, j'attendis un moment pour donner le temps à mon épouse de s'y attacher solidement. Après quoi, sentant qu'elle imprimait des secousses à la corde pour me signifier qu'elle était prête, je la hissai à grand-peine, tant le poids était lourd qui était au bout de cette corde. Et quelle ne fut pas mon épouvante, ô émir des Croyants, en voyant attaché à cette corde, au lieu de la fille de l'oncle, un genni géant d'aspect peu rassurant…

À ce moment de sa narration, Schahrazade vit apparaître le matin et, discrète, se tut.

Mais lorsque fut la huit cent soixante-septième nuit. Elle dit :

… Et quelle ne fut pas mon épouvante, ô émir des Croyants, en voyant attaché à cette corde, au lieu de la fille de l'oncle, un genni géant d'aspect peu rassurant, qui, aussitôt qu'il eut touché terre, s'inclina devant moi et me dit : « Que j'ai de remerciements à te faire, ya Sidi Ahmad, pour le service que tu viens de me rendre ! Sache, en effet, que je suis du nombre des genn qui n'ont pas la faculté de voler dans les airs, et qui ne peuvent que ramper sur terre, bien que de cette manière leur vitesse soit très grande et leur permette d'aller aussi vite que les genn aériens. Et donc, moi, un genni terrien, j'avais, depuis des années, élu ce puits ancien pour en faire ma demeure. Et j'y vivais en toute paix quand, il y a deux jours, est descendue chez moi la plus méchante femme de l'univers. Elle n'a cessé de me tourmenter depuis que je l'ai eue pour compagne, et m'a obligé, durant tout ce temps, à œuvrer en elle sans répit, moi qui depuis des années vivais dans le célibat et avais perdu l'habitude de la copulation ! Ya Allah ! ce que je te sais bon gré de m'avoir délivré de cette calamiteuse. Ah, certes ! un service aussi important ne restera pas sans récompense, car il est tombé dans l'âme de qui en connaît le prix. Voici donc ce que je peux et veux faire pour toi ! »

Et il s'arrêta un moment, pour reprendre haleine, tandis que moi, rassuré par ses bonnes intentions à mon égard, je pensais : « Par Allah ! cette femme est une chose effroyable, qui a réussi à effrayer les genn eux-mêmes, et les plus géants d'entre les genn. Comment ai-je pu résister si longtemps à sa malice et à sa méchanceté ! » Et, plein de commisération pour moi-même et pour mon semblable en malheur, je l'écoutai alors que déjà il continuait : « Oui, ya Sidi Ahmad, de bûcheron que tu es, je veux faire de toi l'égal des plus puissants rois. Et voici comment. Je sais que le sultan de l'Inde a une fille unique, qui est une adolescente belle comme la lune à son quatorzième jour. Elle est précisément pubère, âgée de quatorze ans et quart, et vierge comme la perle dans sa nacre. Et moi je veux te la faire donner en mariage par le sultan de l'Inde, son père, qui l'aime plus que sa propre vie. Et, pour réussir dans ce projet, je vais aller de ce pas, à ma plus grande vitesse, au palais du sultan, dans l'Inde, et j'entrerai dans le corps de l'adolescente princière et prendrai momentanément possession de son esprit. Et de la sorte, devenue possédée, elle paraîtra folle à tout son entourage, et le sultan son père cherchera à la faire guérir par les médecins les plus habiles de l'Inde. Mais aucun d'eux ne pourra deviner la cause réelle de son mal, qui sera ma présence dans son corps ; et tous leurs soins échoueront sous mon souffle et de par ma volonté. Et c'est alors que toi tu surviendras, et tu seras le guérisseur de la princesse. Et, pour cela, je vais t'en indiquer les moyens ! » Et, ayant ainsi parlé, le genni tira de sa poitrine quelques feuilles d'un arbre inconnu qu'il me remit, en ajoutant : « Une fois que tu auras été introduit auprès de la jeune princesse malade, tu l'examineras comme si son mal t'était complètement inconnu, tu prendras des airs penchés et pensifs, pour en imposer à l'entourage, et tu finiras par prendre une de ces feuilles que tu tremperas dans l'eau, et dont tu frotteras le visage de la jeune fille. Et moi, aussitôt, je serai forcé de sortir de son corps ; et, à l'heure et à l'instant, elle recouvrera la raison et reviendra à son état premier. Et du coup, pour récompense de la guérison opérée, tu deviendras l'époux de l'adolescente, fille de roi. Et telle est, ya Sidi Ahmad, la manière dont je veux reconnaître le service capital que tu m'as rendu, en me délivrant de cette femme effrayante qui est venue me rendre impossible le séjour de mon puits, de cet excellent endroit tranquille où j'espérais couler mes jours dans la retraite. Et qu'Allah maudisse la calamiteuse ! »

Et, ayant ainsi parlé, le genni prit congé de moi, et me pressant de me mettre aussitôt en route pour le pays de l'Inde, me souhaita bon voyage, et disparut à mes yeux, en courant à la surface de la terre, comme un navire poussé par la tempête.

Alors moi, ô mon seigneur, sachant que ma destinée m'attendait dans l'Inde, je n'hésitai pas à suivre les instructions du genni et à me mettre aussitôt en route pour ce pays lointain. Et Allah m'écrivit la sécurité et, après un long voyage plein de fatigues, de privations et de dangers, qu'il est sans aucune utilité de narrer à notre maître, j'arrivai sans encombre dans le pays de l'Inde, là où régnait le sultan, père de la princesse, ma future épouse. Et arrivé de la sorte au terme de mon voyage, j'appris qu'en effet la folie de la princesse avait été déclarée depuis déjà un certain temps, qu'elle avait jeté la cour et tout le pays dans la plus grande consternation, et qu'après avoir vainement employé la science des plus habiles médecins, le sultan avait promis la princesse en mariage à celui qui la guérirait.

Alors moi, ô émir des Croyants, fort des instructions que m'avait données le genni, et sans aucune inquiétude sur la réussite, je me présentai à l'audience qu'une fois par jour le sultan accordait à ceux qui voulaient essayer une cure sur l'esprit de la princesse. Et j'entrai en toute confiance dans la chambre où la jeune fille était enfermée, et je ne manquai pas de mettre en pratique la leçon du genni, en prenant toutes sortes d'airs importants, pour que l'on me prît tout à fait au sérieux. Puis, une fois que j'en eus bien imposé à tout l'entourage, et sans avoir posé aucune question sur l'état de la malade, je mouillai l'une des feuilles que je possédais, et j'en frottai le visage de la princesse.

Et, à l'instant, la jeune fille fut prise de convulsions, jeta un grand cri et tomba évanouie. Or, c'était le genni qui, par l'impétuosité de sa sortie du corps de la jeune fille, avait produit cet état, qui aurait pu effrayer tout autre que moi. Mais, loin de me montrer ému, j'aspergeai d'eau de rose le visage de la jeune fille, et la fis revenir à elle-même. Et elle se réveilla avec toute sa raison, et se mit à parler à tout le monde avec sagesse, douceur et pondération, en reconnaissant ceux qui l'entouraient, et en appelant chacun par son nom.

Et la joie fut immense au palais et dans toute la ville. Et le sultan de l'Inde, reconnaissant du service rendu, ne renia pas sa promesse, et m'accorda sa fille. Et nos noces furent célébrées le jour même avec la plus grande pompe, au milieu des réjouissances et du bonheur de tout un peuple. Et voilà comment je devins l'époux de la princesse, fille du roi de l'Inde.

Quant à la seconde princesse, que tu as vue assise sur le côté gauche du palanquin, ô émir des Croyants, voici !

Lorsque le genni géant eut quitté le corps de la princesse de l'Inde, grâce au pacte conclu entre nous, il chercha dans son esprit pour savoir où il irait habiter désormais, puisqu'il n'avait plus de logis, et que le puits était toujours occupé par la calamiteuse, fille de mon oncle. D'ailleurs, pendant son séjour dans le corps de l'adolescente, il avait fini par prendre goût à cette sorte de retraite, et il s'était promis qu'à sa sortie de là il irait choisir un autre corps d'adolescente. Ayant donc réfléchi un instant, il prit son élan, et se dirigea à toute vitesse vers le royaume de la Chine, comme un grand navire chassé par la tempête.

Et il ne trouva rien de mieux que d'aller se loger dans le corps de la fille du sultan de la Chine, une jeune princesse de quatorze ans et quart, belle comme la lune à son quatorzième jour, et vierge comme la perle dans sa nacre. Et, du coup, la princesse possédée se livra à une série de contorsions, de mouvements désordonnés, et à un débordement de paroles incohérentes, qui firent croire à sa folie. Et le malheureux sultan de la Chine eut beau appeler auprès de sa fille les plus habiles médecins chinois, il ne réussit guère à faire revenir sa fille à son état premier. Et il fut plongé, avec son palais et son royaume, dans la désolation et le désespoir, vu que la princesse était sa fille unique et qu'elle était aimable autant que charmante et belle. Mais enfin Allah l'eut en pitié, et fit parvenir jusqu'à ses oreilles le bruit de la guérison merveilleuse, grâce à mes soins, de la princesse indienne qui était devenue mon épouse. Et il envoya aussitôt un ambassadeur auprès du père de mon épouse, pour qu'il me priât d'aller guérir sa fille, la princesse de Chine, me la promettant en mariage, en cas de succès. Alors moi, j'allai trouver ma jeune épouse, fille du sultan de l'Inde, et la mis au courant de la demande et de la proposition qu'on me faisait. Et je réussis à la convaincre qu'elle pouvait fort bien accepter pour sœur la princesse de la Chine qu'on m'offrait, en cas de guérison, pour épouse. Et je partis pour la Chine.

Or, ô émir des Croyants, tout ce que je viens de te raconter au sujet de la possession par le genni de la princesse chinoise, je ne l'appris qu'en arrivant en Chine, et de la bouche même du genni en question. Car jusque-là je ne connaissais pas exactement la nature du mal dont souffrait la princesse chinoise, et je me disais que mes feuilles arriveraient à la guérir de n'importe quoi. C'est pourquoi j'étais parti plein de confiance, sans me douter que c'était mon ancien ami, le genni géant, qui, ayant élu domicile dans le corps de la fille du sultan, était la cause du mal.

Aussi, mon étonnement fut-il extrême, une fois entré dans la chambre de la princesse chinoise, où j'avais demandé à être laissé seul avec la malade, de reconnaître la voix de mon ami le genni géant, qui me disait par la bouche de la princesse : « Comment, c'est toi, ya Sidi Ahmad ! C'est toi que j'ai comblé de mes bienfaits, qui viens me chasser de la demeure que j'ai choisie pour mon retour d'âge ? N'as-tu pas honte de reconnaître le bien par le mal ? Et n'as-tu pas peur, si tu me forces à sortir d'ici, que j'aille en droite ligne aux Indes, pendant ton absence, me livrer à diverses copulations extrêmes sur la personne de ton épouse indienne, et que je la tue ensuite ? »

Et, comme je n'étais pas médiocrement effrayé de cette menace, il en profita pour me raconter son histoire à partir du jour où il était sorti du corps de mon épouse indienne, et m'adjura, pour mon bien, de le laisser vivre tranquillement dans le nouveau logement qu'il avait choisi. Alors moi, bien perplexe, et ne voulant pas manquer de gratitude à l'égard de cet excellent genni, qui en somme, avait été la cause de ma fortune, j'allais déjà me décider à retourner auprès du sultan de la Chine pour lui déclarer que j'étais incapable, de par ma science, de débarrasser la princesse de son mal, quand Allah souffla dans mon esprit un stratagème. Je me tournai donc vers le genni, et je le lui dis : « Ô chef des genn et leur couronne, ô excellent, ce n'est pas pour guérir la princesse de Chine que je suis venu ici, mais j'ai fait tout ce voyage pour te prier, au contraire, de venir à mon secours. Tu te rappelles sans doute cette femme avec laquelle tu as passé dans le puits quelques vilains moments. Et bien, cette femme était mon épouse, la fille de mon oncle. Et c'était moi qui l'avais jetée dans ce puits, pour avoir la paix. Or, la calamité me poursuit, car je ne sais qui a pu tirer de là cette fille de chien. Mais enfin elle est libre, et s'attache à mes pas. Elle me suit partout, et, ô notre malheur ! dans un instant, elle sera ici même. Et je l'entends déjà qui crie de sa voix abhorrée dans la cour du palais. De grâce, ô mon ami, aide-moi ! Je viens implorer ton assistance…

À ce moment de sa narration, Schahrazade vit apparaître le matin et, discrète, se tut.

Mais lorsque fut la huit cent soixante-huitième nuit. Elle dit :

… Et je l'entends déjà qui crie de sa voix abhorrée dans la cour du palais. De grâce, ô mon ami, aide-moi ! Je viens implorer ton assistance ! » Lorsque le genni eut entendu mes paroles, il fut pris d'une terreur inexprimable, et s'écria : « Mon assistance ! ya Allah ! mon assistance ! Que mes frères les genn me préservent de me retrouver jamais face à face avec une pareille femme ! Mon ami Ahmad, tire-t'en comme tu pourras ! Quant à moi, je n'y saurais rien faire. Et je me sauve à l'instant. »

Il dit, et sortit avec fracas du corps de la princesse, pour livrer ses jambes au vent et anéantir sous ses pas la distance : tel, sur la mer, un grand navire chassé par la tempête.

Et la princesse chinoise revint à la raison. Et elle devint ma seconde épouse. Et depuis lors je vécus avec les deux adolescentes royales dans les délices de toutes sortes et les plaisirs délicats. Et je songeai alors, avant de devenir sultan de l'Inde ou de la Chine, et d'être dans l'impossibilité de voyager, à revoir le pays où je suis né, et où je vécus en bûcheron, cette ville de Bagdad, la cité de paix. Et voilà comment, ô émir des Croyants, tu m'as rencontré sur le pont de Bagdad, à la tête de mon cortège, suivi du palanquin qui portait mes deux épouses, les princesses de l'Inde et de la Chine, en l'honneur desquelles les musiciens jouaient sur leurs instruments des airs indiens et chinois. Et telle est mon histoire. Mais Allah est plus savant ! »

Lorsque le khalifat eut entendu le récit du noble cavalier, il se leva en son honneur, et l'invita à venir s'asseoir auprès de lui, sur le lit du trône. Et il le félicita d'avoir été choisi par les décrets du Tout-Puissant pour devenir, de pauvre bûcheron qu'il était, l'héritier du trône de l'Inde et du trône de la Chine. Et il ajouta : « Qu'Allah scelle notre amitié, et te garde et te conserve pour le bonheur de tes futurs royaumes ! »

Après quoi, Al-Rachid se tourna vers le troisième personnage, qui était le vénérable cheikh à la paume généreuse, et lui dit : « Ô cheikh, je t'ai rencontré hier sur le pont de Bagdad, et ce que j'ai vu de ta générosité, de ta modestie et de ton humilité devant Allah m'a incité à te connaître de plus près. Et je suis persuadé que les voies dont il a plu au Rétributeur de se servir pour te gratifier de Ses dons doivent être extraordinaires. Je suis curieux à l'extrême de les apprendre de toi-même ; et c'est pour me donner cette satisfaction que je t'ai fait venir. Parle-moi donc avec sincérité, afin que je me réjouisse en prenant part à ton bonheur avec plus de connaissance. Et sois assuré que, quoi que tu puisses dire, tu es d'avance couvert par le mouchoir de ma protection et de ma sauvegarde ! »

Et le cheikh à la paume généreuse répondit, après avoir embrassé la terre entre les mains du khalifat : « Ô émir des Croyants, je te ferai le récit de ce qui mérite d'être raconté dans ma vie. Et si mon histoire est étonnante, la puissance et la munificence du Maître de l'univers sont plus étonnantes encore ! »

Et il raconta comme suit son histoire :

HISTOIRE DU CHEIKH

« Sache, ô mon seigneur et le seigneur de toute bienfaisance, que j'ai exercé toute ma vie le métier de pauvre cordier, travaillant dans le chanvre, comme avaient travaillé avant moi mon père et mes ancêtres. Et ce que je gagnais de ce métier suffisait à peine à me faire subsister avec mon épouse et mes enfants. Mais, faute de capacités pour exercer une autre profession, je me contentais, sans trop murmurer, du peu que nous octroyait le Rétributeur, et je n'attribuais ma misère qu'à mon propre manque de savoir et à la lourdeur de mon esprit. Et en cela je ne me trompais pas, je dois l'avouer en toute tranquillité devant le Maître de l'intelligence. Mais, ô mon seigneur, l'intelligence n'a jamais été l'apanage des cordiers, travaillant dans le chanvre, et sa place d'élection ne pouvait être sous le turban d'un cordier, travaillant dans le chanvre. C'est pourquoi, de toute manière, je n'avais qu'à manger le pain d'Allah sans émettre des souhaits plus irréalisables que d'enjamber d'un bond le sommet de la montagne Kaf.

Or, un jour d'entre les jours, comme j'étais assis dans ma boutique, avec une corde de chanvre attachée à mon orteil et que j'achevais de confectionner, je vis s'avancer deux riches habitants de mon quartier, qui avaient coutume de venir s'asseoir sur le devant de ma boutique, pour s'entretenir de choses et d'autres, en respirant l'air du soir. Et ces deux notables de mon quartier étaient liés d'amitié, et aimaient à discuter entre eux tantôt sur un point, tantôt sur un autre, en égrenant leur chapelet d'ambre. Mais jamais il ne leur était arrivé, dans l'animation de leurs entretiens, de prononcer un mot plus haut que l'autre ou de se départir de l'aménité que, dans les rapports de la vie, les amis doivent aux amis. Bien au contraire ! Quand l'un parlait, l'autre écoutait, et réciproquement. Ce qui faisait que leurs discours étaient toujours sensés, et que moi-même, malgré mon peu d'intelligence, je pouvais faire mon profit de si belles paroles.

Et ce jour-là, une fois qu'ils m'eurent donné le salam, et que je le leur eus rendu comme il fallait, ils prirent leur place habituelle, devant ma boutique, et continuèrent un entretien qu'ils avaient déjà commencé durant leur promenade. Et l'un d'eux qui s'appelait Si Saâd, dit à l'autre, qui s'appelait Si Saâdi : « Ô mon ami Saâdi, ce n'est pas pour te contredire, mais par Allah ! un homme ne peut être heureux en ce monde qu'autant qu'il a des biens et de grandes richesses pour vivre hors de la dépendance de qui que ce soit. Et d'ailleurs les pauvres ne sont pauvres que parce qu'ils sont nés dans la pauvreté, de père en fils, ou que, nés avec des richesses, ils les ont perdues par prodigalité, par débauche, par quelque mauvaise affaire ou simplement par une de ces fatalités contre lesquelles est impuissante la créature. En tout cas, ô Saâdi, mon opinion est que les pauvres ne sont pauvres que parce qu'ils ne peuvent parvenir à amasser une somme d'argent assez grosse qui leur permette, par quelque affaire commerciale entreprise au bon moment, de s'enrichir définitivement. Et mon sentiment est que, si, devenus riches de la sorte, ils font un usage convenable de leur richesse, il ne resteront pas seulement riches, mais il deviendront fort opulents avec le temps. »

Ce à quoi Si Saâdi répondit : « Ô mon ami Saâd, ce n'est pas pour te contredire, mais, par Allah ! je suis fâché de n'être pas de ton avis. Et d'abord il est certain qu'il vaut mieux, généralement, être dans l'aisance que dans la pauvreté. Mais la richesse, par elle-même, n'a rien qui puisse tenter une âme sans ambition. Elle est tout au plus utile pour faire des libéralités autour de nous. Mais qu'elle a d'inconvénients ! N'en savons-nous pas nous-mêmes quelque chose, nous qui avons journellement tant de tracas et tant d'ennuis ? Et le sort de notre ami Hassân le cordier, que voici, n'est-il point préférable au nôtre, en somme ? Et puis, ô Saâd, le moyen que tu proposes pour faire qu'un pauvre devienne riche ne me paraît pas aussi certain qu'à toi. Considère, en effet, que ce moyen est fort aléatoire, car il dépend d'une quantité de circonstances et de chances aussi aléatoires que lui-même, et qu'il serait trop long de discuter. Pour ma part, je crois qu'un pauvre dénué de tout argent préalable a, pour le moins, autant de chances de devenir riche que s'il en avait un peu ; je veux dire qu'il peut, sans première mise de fonds, devenir immensément riche du jour au lendemain, sans se donner la moindre peine, simplement parce que cela est dans sa destinée. C'est pourquoi je trouve qu'il est fort utile de faire des économies en prévision des mauvais jours, car les mauvais jours comme les bons nous viennent d'Allah, et c'est fort mal calculer que de lésiner sur les biens que nous octroie le Rétributeur au jour le jour, en essayant de mettre le surplus de côté. Le surplus, ô Saâd, s'il existe, doit aller aux pauvres d'Allah ; et le garder pour soi-même c'est manquer de confiance dans la générosité du Rétributeur. Quant à toi, ô mon ami, il n'y a pas de jour que je ne me réveille en me disant : « Réjouis-toi, ya Si Saâdi, car qui sait ce que va être aujourd'hui le bienfait de ton Seigneur ! » Et jamais ma foi dans le Rétributeur n'a été trompée. Et c'est pourquoi, de ma vie, je n'ai jamais travaillé, ni ne me suis jamais préoccupé du lendemain. »

En entendant ces paroles de son ami, le notable Si Saâd répondit : « Ô Saâdi, je vois bien que, pour aujourd'hui, il serait vraiment inutile de persister à soutenir mon opinion contre la tienne. C'est pourquoi, au lieu de discuter sans espoir, je préfère tenter une expérience qui puisse te convaincre de l'excellence de ma façon de considérer la vie. Je veux, en effet, sans retard, aller à la recherche d'un homme vraiment pauvre, né d'un père aussi gueux que lui, à qui je donnerai, en pur don, une somme importante qui lui servira de première mise de fonds. Et, comme l'homme que je choisirai devra avoir fait ses preuves d'honnêteté, l'expérience nous prouvera qui de nous deux a raison : si c'est toi, qui attends tout de la destinée, ou si c'est moi, qui pense qu'il faut bâtir soi-même sa propre maison. »

Et Si Saâdi répondit : « C'est cela même, ô mon ami ! Et, pour trouver l'homme pauvre et honnête dont tu parles, nous n'avons pas besoin d'aller bien loin. Voici notre ami Hassân le cordier, qui est vraiment dans les conditions requises. Et ta libéralité ne saurait tomber sur une tête plus digne…

À ce moment de sa narration, Schahrazade vit apparaître le matin et, discrète, se tut.

Mais lorsque fut la huit cent soixante-neuvième nuit. Elle dit :

… Voici notre ami Hassân le cordier, qui est vraiment dans les conditions requises. Et ta libéralité ne saurait tomber sur une tête plus digne ! » Et Si Saâd répondit : « Par Allah ! tu dis vrai. Et c'est un simple oubli de ma part que d'avoir voulu chercher ailleurs ce que nous avons sous la main. »

Puis il se tourna vers moi, et me dit : « Ya Hassân, je sais que tu as une nombreuse famille, qui a elle-même des bouches nombreuses et des dents nombreuses, et que pas un des cinq enfants dont t'a gratifié le Donateur n'est encore en âge de t'aider en la moindre chose. Je sais, d'autre part, que bien que le chanvre brut ne soit pas trop cher, au cours actuel du souk, il faut tout de même avoir quelque argent pour en acheter. Et, pour avoir de l'argent, il faut avoir fait des économies. Et les économies ne sont guère possibles dans un ménage comme le tien, où l'apport est plus faible que la dépense. Donc, ya Hassân, pour t'aider à sortir de la misère, je veux te faire don d'une somme de deux cents dinars d'or, qui te servira de mise de fonds pour élargir ton commerce de cordier. Dis-moi donc si tu penses pouvoir, avec cette somme de deux cents dinars, te tirer d'affaire en faisant fructifier l'argent avec habileté et sagacité ! »

Et moi, ô émir des Croyants, je répondis : « Ô mon maître, qu'Allah allonge ta vie et te fasse récupérer au centuple ce que m'offre ta munificence ! Et, puisque tu condescends à m'interroger, j'ose te dire que le grain, dans ma terre, tombe sur une couche de fertilité, et que, sans trop présumer de mes moyens, une somme beaucoup moindre suffirait, entre mes mains, non seulement pour que je devienne aussi riche que les principaux cordiers de ma profession, mais même pour que je devienne plus opulent, à moi seul, que ne le sont tous les cordiers réunis de cette ville de Bagdad, toute peuplée et toute grande qu'elle est, – si toutefois Allah me favorise – inschallah ! » Et Si Saâd, fort satisfait de ma réponse, me dit : « Tu m'inspires grandement confiance, ya Hassân ! » Et il tira de son sein une bourse qu'il me mit entre les mains, et me dit : « Prends cette bourse. Elle contient les deux cents dinars en question. Et puisses-tu en faire un usage heureux et judicieux et y trouver le germe de la richesse ! Et sache bien que, moi et mon ami Si Saâdi, nous serons extrêmement réjouis d'apprendre un jour que tu es devenu, dans la prospérité, plus heureux que tu ne l'es dans les privations ! »

Alors moi, ô mon seigneur, ayant pris la bourse, je fus à la limite des transports de joie. Et mon émotion était telle que je fus incapable de faire dire à ma langue les paroles de gratitude qu'il était séant de prononcer en une pareille circonstance ; et c'est tout juste si je pus arriver à avoir assez de présence d'esprit pour m'incliner jusqu'à terre et prendre le bord de la robe de mon bienfaiteur, que je portai à mes lèvres et sur mon front. Mais il se hâta de la retirer avec modestie et prit congé de moi. Et, accompagné de son ami Si Saâdi, il se leva pour continuer sa promenade interrompue.

Quant à moi, lorsqu'ils se furent éloignés, la première pensée qui se présenta naturellement à mon esprit fut de chercher où je pourrais bien mettre la bourse de deux cents dinars, pour qu'elle fût tout à fait en sûreté. Et comme, dans ma pauvre petite maison, composée d'une unique pièce, je n'avais ni armoire, ni odeur d'armoire, ni tiroir, ni coffre, ni rien de semblable, où cacher un objet à cacher, je fus extrêmement perplexe, et pensai un moment à aller enterrer cet argent dans quelque endroit désert, hors de la ville, en attendant de trouver le moyen de le faire fructifier. Mais je me ravisai, en songeant que ma cachette pourrait, par malchance, être découverte ou que moi-même je pourrais être aperçu par quelque laboureur. Et aussitôt l'idée me vint que ce que j'avais encore de mieux à faire, c'était de cacher cette bourse dans les plis de mon turban. Et, à l'heure et à l'instant, je me levai, je fermai sur moi la porte de la boutique, et déroulai mon turban dans toute sa longueur. Et je commençai par tirer de la bourse dix pièces d'or que je mis à part pour les dépenses, et j'enveloppai le reste, avec la bourse, dans les plis de la toile, en la prenant par son bout extrême. Et, appliquant ce bout, noué sur la bourse, contre mon bonnet, je disposai de nouveau mon turban sur quatre tours parfaitement combinés. Et je pus alors respirer plus à mon aise.

Or, ce travail achevé, je rouvris la porte de ma boutique, et me hâtai d'aller au souk pour m'approvisionner de tout ce dont j'avais besoin. Je commençai d'abord par m'acheter une bonne quantité de chanvre, que je portai à ma boutique. Après quoi, comme il y avait longtemps qu'on n'avait vu de viande dans ma maison, j'allai à la boucherie, et j'achetai une épaule d'agneau. Et je pris le chemin de la maison, pour porter à ma femme cette épaule d'agneau, afin qu'elle nous l'accommodât aux tomates. Et d'avance je me réjouissais de la joie des enfants à la vue de ce mets succulent.

Mais, ô mon seigneur, ma présomption était trop notoire pour qu'elle restât sans châtiment. Car cette épaule, je l'avais posée sur ma tête, et je m'acheminais les bras ballants, l'esprit perdu dans mes rêves d'opulence. Et voici qu'un épervier affamé fondit soudain sur l'épaule d'agneau et, avant que je pusse lever le bras où faire le moindre mouvement, il me l'enleva, ainsi que mon turban avec ce qu'il contenait, et s'envola en tenant l'épaule dans son bec et le turban dans ses griffes.

Et moi, à cette vue, je me mis à pousser des cris si affreux que les hommes, femmes et enfants du voisinage en furent émus, et joignirent leurs cris aux miens pour effrayer le voleur et lui faire lâcher prise. Mais nos cris, au lieu de produire cet effet, ne firent qu'exciter l'épervier à accélérer ses battements d'ailes. Et il disparut bientôt dans les airs, avec mon bien et mes chances.

Et moi, fort dépité et attristé, je dus me résoudre à chercher un autre turban, ce qui fit une nouvelle diminution aux dix dinars d'or, que j'avais pris soin de tirer de la bourse, et qui étaient maintenant tout mon avoir. Or, comme j'en avais déjà dépensé une bonne partie pour l'achat de mes provisions de chanvre, ce qui me restait était loin de suffire à me faire concevoir désormais de solides espérances sur mon avenir d'opulence. Mais, certes ! ce qui me causa le plus de peine et assombrit le monde devant mes yeux fut la pensée que mon bienfaiteur Si Saâd aurait une piètre satisfaction d'avoir si mal choisi l'homme à qui confier le placement de son argent et la réussite de l'expérience projetée. Et je me disais, en outre, que lorsqu'il apprendrait la malheureuse aventure, il la regarderait peut-être comme une invention de ma part, et m'accablerait de son mépris.

Quoi qu'il en soit, ô mon seigneur, tant que durèrent les quelques dinars qui me restaient, après le rapt de l'épervier, nous ne fûmes pas trop à plaindre à la maison. Mais quand les dernières petites monnaies en furent épuisées, nous retombâmes bientôt dans la même misère qu'auparavant, et je fus dans la même impuissance de me tirer de mon état. Pourtant je me gardai bien de murmurer contre les décrets du Très-Haut, et je pensai : « Ô pauvre, le Rétributeur t'a donné du bien dans le temps que tu t'y attendais le moins, et Il te l'a ôté dans le même temps, parce qu'il lui a plu ainsi, et que ce bien était à Lui ! Résigne-toi devant Ses décrets, et soumets-toi à Sa volonté ! » Et pendant que moi j'étais dans ces sentiments, ma femme, à qui je n'avais pu m'empêcher de faire part de la perte que j'avais faite, et par quel endroit elle m'était venue, était tout à fait inconsolable. Et pour comble d'infortune, comme il m'était également échappé, dans le trouble où j'étais, de dire à mes voisins qu'en perdant mon turban je perdais la valeur de cent quatre-vingt-dix dinars d'or, mes voisins, à qui ma pauvreté était dès longtemps connue, ne firent que rire de mes paroles, avec leurs enfants, persuadés que la perte de mon turban m'avait rendu fou. Et les femmes, sur mon passage, disaient en riant : « Voilà celui qui laissa s'envoler sa raison avec son turban ! »

Or, ô émir des Croyants, il y avait environ dix mois que l'épervier m'avait causé ce malheur, lorsque les deux seigneurs amis Si Saâd et Si Saâdi songèrent à venir me demander des nouvelles de l'usage que j'avais fait de la bourse de deux cents dinars. Et, tout en s'en venant de mon côté, Si Saâd disait à Si Saâdi : « Il y a déjà quelques jours que je pensais à notre ami Hassân, en me faisant un grand plaisir de la satisfaction que je vais avoir en te rendant témoin de la réussite de notre expérience ! Tu va voir en lui un si grand changement, que nous aurons de la peine à le reconnaître. » Et, comme ils étaient déjà tout proches de la boutique, Si Saâdi répondit en souriant : « Il me semble, par Allah ! ô mon ami Saâd, que tu manges le concombre avant sa maturité. Quant à moi, avec mon propre œil, je vois déjà Hassân assis comme à l'ordinaire, avec du chanvre attaché à son orteil, mais aucun changement notable n'étonne ma vue en sa personne. Car le voici aussi pauvrement vêtu que par le passé, et la seule différence que je vois en lui, c'est que son turban est un peu moins dégoûtant et crasseux qu'il y a six mois. D'ailleurs regarde par toi-même, et tu verras que ce que je te dis ne peut être contredit. »

Là-dessus Si Saâd, qui était déjà devant la boutique, m'examina et vit, lui aussi, que mon état était sans altération, et mon aspect sans amélioration. Et les deux amis entrèrent chez moi et, après les salams d'usage, Si Saâdi me dit :

« Eh bien, Hassân, pourquoi cette mine défaite et ce visage de travers ? » Sans doute, tes affaires te donnent du tracas, et le changement de vie t'attriste quelque peu ! » Et moi, les yeux baissés, je répondis : « Ô mes maîtres, qu'Allah prolonge votre vie, mais le destin est toujours mon ennemi, et les tribulations du présent sont pires que celles du passé. Quant à la confiance que mon maître Si Saâd a placée en son esclave, elle est trahie, non point il est vrai du fait de son esclave, mais du fait de l'hostilité du destin ! » Et je leur racontai mon aventure dans tous ses détails, telle que je l'ai racontée, ô émir des Croyants. Mais il n'y a point d'utilité à la répéter.

Lorsque j'eus terminé mon récit, je vis que Si Saâdi souriait avec malice, en regardant Si Saâd, fort désappointé. Et il y eut un moment de silence, au bout duquel Si Saâd me dit : « Certes, le succès n'est pas tel que je l'attendais. Mais je ne te ferai point de reproches, bien que cette histoire d'épervier soit quelque peu étrange, et que je puisse, à bon droit, la contester et te soupçonner de t'être diverti, de t'être régalé et d'avoir fait bonne chère avec l'argent que je t'ai donné pour un tout autre usage. Quoi qu'il en soit, je veux, encore une fois, tenter l'expérience avec toi, et te remettre une seconde somme, égale à la première. Car je ne veux pas que mon ami Saâdi ait gain de cause sur une seule tentative de ma part ! » Et, ayant ainsi parlé, il me compta deux cents dinars, en me disant : « J'aime à croire que cette fois tu ne cacheras pas cette somme dans ton turban…

À ce moment de sa narration, Schahrazade vit apparaître le matin et, discrète, se tut.

Mais lorsque fut la huit cent soixante-dixième nuit. Elle dit :

… J'aime à croire que cette fois, tu ne cacheras pas cette somme dans ton turban. » Et, comme déjà je lui prenais les mains pour les porter à mes lèvres, il me quitta et s'en alla avec son ami.

Or moi je ne repris pas mon travail après leur départ, et je me hâtai de fermer la boutique et de rentrer à la maison, sachant qu'à cette heure je ne risquais pas d'y rencontrer ma femme et les enfants. Et je mis à part dix dinars d'or, sur les deux cents, et j'enveloppai les cent quatre-vingt-dix autres dans un linge que je nouai. Et il ne s'agissait plus que de trouver le lieu sûr où cacher ce dépôt. Aussi, après y avoir longtemps réfléchi, je m'avisai de le mettre au fond d'une jarre pleine de son, où je m'imaginais bien que personne ne songerait à aller le chercher. Et, ayant replacé la jarre dans son coin, je sortis, tandis que ma femme rentrait pour préparer le repas. Et je lui dis, en la quittant, que j'allais faire une emplette de chanvre, mais que je serais rentré pour l'heure du repas.

Or, pendant que j'étais dans le souk pour faire cette emplette, un vendeur de cette terre à décrasser les cheveux dont les femmes se servent au hammam vint à passer par la rue et se fit annoncer par son cri. Et ma femme, qui depuis longtemps ne s'était décrassé les cheveux, appela le vendeur. Mais comme elle n'avait point d'argent sur elle, elle ne savait comment faire pour le payer, et elle pensa, se disant en elle-même : « Cette jarre de son, qui est ici depuis longtemps, ne nous est pour le moment d'aucune nécessité. Je vais la donner au vendeur en échange de sa terre à décrasser les cheveux. » Et il en fut ainsi. Et le vendeur, ayant consenti à ce troc, le marché fut conclu. Et il emporta la jarre, avec son contenu.

Quant à moi, à l'heure du repas, je revins chargé de chanvre, autant que j'en pouvais porter, et je le mis dans la soupente que j'avais ménagée à cet effet dans la maison. Puis je me hâtai d'aller, sans en avoir l'air, jeter un coup d'œil du côté de la jarre qui contenait mes chances. Et je vis ce que je vis. Et je demandai avec précipitation à ma femme pourquoi elle avait enlevé la jarre de sa place habituelle. Et elle me répondit tranquillement en me racontant le troc en question. Et, du coup, la mort rouge entra dans mon âme. Et je m'affalai sur le sol comme un homme pris de vertige. Et je m'écriai : « Éloigné soit le Lapidé, ô femme ! Tu viens d'échanger ma destinée, ta destinée et la destinée de nos enfants contre un peu de terre à décrasser les cheveux. Nous sommes, cette fois, perdus sans recours ! » Et, en peu de mots, je la mis au courant de l'affaire. Et, dans son désespoir, elle se mit à se lamenter, à se frapper la poitrine, à s'arracher les cheveux et à se déchirer les habits. Et elle s'écriait : « Ô notre malheur par ma faute ! J'ai vendu la chance des enfants à ce vendeur de terre à décrasser, que je ne connais pas. C'est la première fois qu'il passe par notre rue, et je ne pourrai jamais plus le trouver, surtout maintenant qu'il aura fait la découverte de la bourse. » Puis, avec la réflexion, elle se mit à me reprocher mon manque de confiance en elle, dans une affaire de cette importance, en me disant que ce malheur aurait été sûrement évité si je lui avais fait part de mon secret. Et d'ailleurs il serait trop long de te rapporter, ô mon seigneur, toi qui n'ignores point combien les femmes sont éloquentes dans l'affliction, tout ce que la douleur lui mit alors dans la bouche. Et je ne savais comment faire pour la calmer. Je lui disais : « Ô fille de l'oncle, modère-toi, de grâce ! Tu ne vois pas que tu vas attirer tous les voisins par tes cris et par tes pleurs, et il n'est vraiment pas besoin qu'ils soient informés de cette seconde disgrâce, alors que déjà ils n'ont pas assez de paroles moqueuses et de sourires pour nous tourner en dérision et nous humilier, à cause de l'épervier. Et, cette fois, à nous railler de notre simplicité, ils doubleront leur plaisir. Aussi est-il préférable pour nous, qui avons goûté déjà à leurs railleries, de dissimuler cette perte, et de la supporter patiemment, en nous soumettant aux décrets du Très-Haut. D'ailleurs bénissons-le de ce qu'Il a bien voulu ne retirer de Ses dons que deux cent quatre-vingt-dix pièces en nous laissant ces dix dont l'emploi ne laissera pas de nous apporter quelque soulagement. » Mais, quelques bonnes que fussent mes raisons, ma femme eut bien de la peine à s'y rendre. Et ce ne fut que peu à peu que je réussis à la consoler, en lui disant : « Nous sommes des pauvres, c'est vrai. Mais, en somme, les riches, qu'ont-ils dans la vie de plus que nous ? Ne respirons-nous pas le même air ? Ne jouissons-nous pas du même ciel et de la même lumière ? Et ne meurent-ils pas, en fin de compte, comme nous-mêmes ? » Et, de parler ainsi, ô mon seigneur, je finis, non seulement par la convaincre, mais par me convaincre moi-même. Et je continuai mon travail, avec un esprit aussi libre que si ces deux affligeantes aventures ne nous étaient pas arrivées.

Pourtant une seule chose restait qui continuait à me chagriner : j'étais inquiet quand je me demandais à moi-même comment je pourrais soutenir la présence de Si Saâd, mon bienfaiteur, lorsqu'il viendrait me demander compte de l'emploi des deux cents dinars d'or. Et cette idée noircissait le monde et la vie devant mon visage. Enfin, le jour tant redouté arriva, qui me mit en présence des deux amis. Et Si Saâd, d'avoir ainsi tardé à venir prendre de mes nouvelles, devait sans aucun doute dire à Si Saâdi : « Ne nous pressons pas d'aller trouver Hassân le cordier. Car plus nous différerons notre visite, plus il se sera enrichi, et plus la satisfaction que j'en aurai sera grande. » Et Si Saâdi devait, je suppose, lui répondre en souriant : « Par Allah ! je ne demande pas mieux que d'être de ton avis. Seulement je crois fort que le pauvre Hassân aura encore beaucoup de chemin à parcourir avant d'arriver à l'endroit où l'attend l'opulence. Mais nous voici arrivés. Et il va lui-même nous dire où en sont ses affaires ! »

Et moi, ô émir des Croyants, j'étais si confus que je n'avais qu'une envie, et c'était d'aller me cacher à leur vue ; et je souhaitais de toutes mes forces voir la terre s'entrouvrir et m'avaler. Aussi, quand ils furent devant la boutique, je fis semblant de ne pas les apercevoir, et je continuai à avoir l'air d'être fort attaché à mon travail de cordier. Et je ne levai les yeux, pour les regarder, que lorsqu'ils m'eurent donné le salam et que je fus obligé de le leur rendre. Et, pour que mon supplice et ma gêne ne durassent pas longtemps, je ne voulus même pas attendre qu'ils me questionnassent, et je me tournai résolument vers Si Saâd et lui racontai, tout d'une haleine, le second malheur qui m'était arrivé, à savoir le troc fait par ma femme de la jarre de son, où j'avais caché la bourse, contre un peu de terre à décrasser les cheveux. Et, m'étant soulagé quelque peu de la sorte, je baissai les yeux, regagnai ma place et repris mon travail en attachant de nouveau l'écheveau de chanvre à mon orteil gauche. Et je pensai : « J'ai dit ce que j'avais à dire. Et Allah seul sait ce qui arrivera ! »

Or, loin de se fâcher contre moi ou de m'injurier, en me traitant de menteur et d'homme de mauvaise foi, Si Saâd sut se contenir, sans trahir le dépit où il était de voir que la destinée lui donnait tort avec une telle persistance. Et il se contenta de me dire : « Après tout, Hassân, il est possible que tout ce que tu me racontes là soit la vérité, et que véritablement la seconde bourse soit partie, comme était partie sa sœur. Pourtant, en vérité, il est quelque peu étonnant que l'épervier et le vendeur de terre à décrasser se soient trouvés là juste au moment précis où tu étais distrait ou absent, pour enlever ce qui était si bien caché. Quoi qu'il en soit, je renonce désormais à tenter de nouvelles expériences ! » Puis il se tourna vers Si Saâdi, et lui dit : « Mais, ô Saâdi, je ne persiste pas moins à penser que sans argent rien n'est possible, et qu'un pauvre restera pauvre tant qu'il n'a pas, par son travail, forcé le destin à lui être favorable. »

Mais Si Saâdi répondit : « Quelle erreur est la tienne, ô généreux Saâd ! Tu n'as pas hésité, pour faire triompher ton opinion, à jeter quatre cents dinars, moitié à un épervier et moitié à un vendeur de terre à décrasser les cheveux. Eh bien, pour ma part, je ne serai pas aussi généreux que tu l'as été. Mais je veux seulement, à mon tour, essayer de te prouver que le jeu du destin est la seule règle de notre vie, et que les décrets du destin sont les seuls éléments de chance ou de malchance sur lesquels nous puissions compter. » Puis il se tourna vers moi et, me montrant un gros morceau de plomb qu'il venait de ramasser à terre, il me dit : « Ô Hassân que la chance a fui jusqu'à présent, je voudrais bien te venir en aide, comme l'a fait mon généreux ami Si Saâd. Mais Allah ne m'a pas favorisé d'autant de richesses, et tout ce que je puis te donner c'est ce morceau de plomb, qu'a sans doute perdu quelque pêcheur en traînant à terre ses filets. »

À ces paroles de Si Saâdi, son ami Si Saâd se mit à rire aux éclats, croyant qu'il voulait me faire quelque plaisanterie. Mais Si Saâdi n'y prêta pas attention, et me tendit, d'un air grave, le morceau de plomb, en me disant : « Prends-le, et laisse rire Si Saâd. Car un jour viendra où ce morceau de plomb, si tel est le décret du destin, te sera plus utile que tout l'argent des mines. »

Et moi, sachant quel homme de bien était Si Saâdi, et combien grande était sa sagesse, je ne voulus point le froisser en faisant la moindre observation. Et je pris le morceau de plomb qu'il me tendait, et le serrai soigneusement dans ma ceinture vide de toute monnaie. Et je ne manquai pas de le remercier chaleureusement et pour ses bons souhaits, et pour ses bonnes intentions. Et là-dessus les deux amis me quittèrent pour continuer leur promenade, tandis que je me remettais à mon travail.

Et lorsque, le soir, je fus rentré à la maison, et qu'après le repas je me déshabillai pour me coucher je sentis soudain quelque chose rouler à terre. Et, l'ayant cherché et ramassé, je trouvai que c'était le morceau de plomb qui avait glissé de ma ceinture. Et, sans y attacher la moindre importance, je le mis dans le premier endroit venu, et m'étendis sur le matelas, où je ne tardai pas à m'endormir…

À ce moment de sa narration, Schahrazade vit apparaître le matin et, discrète, se tut.

Mais lorsque fut la huit cent soixante et onzième nuit. Elle dit :

… Sur le matelas, où je ne tardai pas à m'endormir.

Or cette nuit-là, en se réveillant de fort bonne heure selon son habitude, un pêcheur de mes voisins s'aperçut, en inspectant ses filets avant de les charger sur son dos, qu'il y manquait un morceau de plomb, juste à une place où l'absence de plomb était un grave défaut pour le bon fonctionnement de son gagne-pain. Et, comme il n'en avait pas de rechange sous la main, et que ce n'était guère l'heure d'aller en acheter au souk, vu que toutes les boutiques étaient fermées, il fut dans une grande perplexité en songeant que s'il ne partait pas à la pêche deux heures avant le jour, il n'aurait pas de quoi nourrir sa famille le lendemain. Et il se décida alors à dire à sa femme d'aller, malgré l'heure inopportune et le dérangement, réveiller ses plus proches voisins, et leur exposer la situation en les priant de lui trouver un morceau de plomb qui suppléât à celui qui manquait à son filet.

Et comme nous étions précisément les plus proches voisins du pêcheur, la femme vint frapper à notre porte, tout en pensant, sans doute : « Je veux bien essayer de demander du plomb à Hassân le cordier, bien que je sache par expérience que c'est justement chez lui qu'il faut aller quand on n'a besoin de rien. » Et elle continua à frapper à la porte, jusqu'à ce que je fusse réveillé. Et je criai : « Qui est à la porte ? » Elle répondit : « C'est moi, la fille de l'oncle du pêcheur un tel, ton voisin ! Ô Hassân, mon visage est noirci de te déranger de la sorte dans ton sommeil, mais il s'agit du gagne-pain du père des enfants, et j'ai contraint mon âme à cet acte d'incivilité. Excuse-nous, de grâce ! et dis-moi, afin que je ne te retienne pas plus longtemps hors de ton lit, si tu n'as pas un morceau de plomb à prêter à mon époux pour qu'il en accommode ses filets. »

Et aussitôt je me rappelai le morceau de plomb que m'avait donné Si Saâdi, et je pensai : « Par Allah ! je ne saurais mieux l'utiliser qu'en rendant service à mon voisin, le père des enfants. » Et je répondis à la voisine que j'en avais précisément un morceau qui pourrait faire l'affaire, et j'allai chercher à tâtons le morceau en question, et le remis à ma femme afin qu'elle le donnât elle-même à la voisine. Et la pauvre femme, ravie de n'être pas venue en vain et de ne pas rentrer sans résultat à sa maison, dit à ma femme : « Ô notre voisine, c'est là un bien grand service que le cheikh Hassân nous rend cette nuit. Aussi, en retour, tout le poisson que mon époux amènera du premier jet de ses filets sera écrit à votre chance, et nous vous l'apporterons demain sur notre tête ! » Et elle se hâta d'aller remettre le morceau de plomb à notre voisin le pêcheur qui en accommoda aussitôt ses filets, et partit pour la pêche deux heures avant le jour, selon la coutume.

Or, le premier coup de filet, à notre chance, n'amena qu'un seul poisson. Mais ce poisson était long de plus d'une coudée, et gros à proportion. Et il nous le mit de côté dans un panier, et continua sa pêche. Mais de tout le poisson qu'il amena pas un n'égalait le premier en beauté et en grosseur. Aussi, quand il eut achevé sa pêche, son premier soin, avant d'aller vendre au souk le produit de sa pêche, fut de mettre le poisson réservé sur une couche de feuillage odorant et de nous l'apporter, en nous disant : « Qu'Allah vous le rende délicieux et réjouissant ! » Et il ajouta : « Je vous prie d'agréer ce don, bien qu'il ne soit pas suffisant et convenable. Et excusez-nous du peu, ô voisins ! Car c'est là votre chance, et c'est là tout mon premier coup de filet. » Et moi je répondis : « C'est là un marché où tu es notre dupe, ô voisin ! Car c'est la première fois qu'on vend un poisson de cette beauté et de ce prix pour un morceau de plomb qui vaut à peine une petite monnaie de cuivre. Mais nous recevons cela en cadeau de ta part, pour ne pas te faire de déplaisir, et parce que tu le fais d'un cœur amical et généreux. » Et nous échangeâmes encore quelques civilités, et il s'en alla.

Et moi je remis à mon épouse le poisson du pêcheur, en lui disant : « Tu vois, ô femme, que Si Saâdi n'avait pas tort, qui m'avait dit qu'un morceau de plomb pourrait m'être plus utile, si Allah veut, que tout l'or du Soudan. Voici un poisson comme jamais n'en ont eu sur leurs plateaux les émirs et les rois. » Et mon épouse, bien que fort réjouie à la vue de ce poisson, ne laissa pas néanmoins de me répondre : « Oui, par Allah ! mais comment m'y prendrai-je pour l'accommoder ? Nous n'avons pas de gril, et nous n'avons pas, non plus, de vase assez grand pour le faire cuire en son entier. » Et je répondis : « Qu'à cela ne tienne, nous le mangerons bien, qu'il soit entier ou en morceaux ! N'aie donc pas de scrupules pour sacrifier sa vue extérieure, et ne crains pas de le couper en morceaux pour nous le faire cuire en ragoût. » Et ma femme, l'ayant fendu par le milieu, retira les entrailles, et vit au milieu de ces entrailles quelque chose qui brillait d'un vif éclat. Elle le retira, le lava dans le seau, et nous vîmes que c'était un morceau de verre, gros comme un œuf de pigeon, et transparent comme l'eau du rocher. Et, après que nous l'eûmes regardé quelque temps, nous le donnâmes à nos enfants, pour qu'ils s'en fissent un jouet, et qu'ils ne gênassent pas leur mère qui préparait l'excellent poisson.

Or, le soir, au moment du repas, ma femme s'aperçut que, bien qu'elle n'eût pas encore allumé sa lampe à l'huile, une lumière, qu'elle n'avait pas elle-même produite, éclairait la chambre. Et elle regarda de tous côtés pour voir d'où venait cette lumière, et elle vit qu'elle était projetée par l'œuf de verre laissé à terre par les enfants. Et elle prit cet œuf, et le posa sur le bord de l'étagère, à la place ordinaire de la lampe. Et nous fûmes à la limite de l'étonnement en voyant la vivacité de la lumière qui en sortait, et je m'écriai : « Par Allah ! ô fille de l'oncle, voici que le morceau de plomb de Si Saâdi non seulement nous nourrit, mais nous éclaire, et nous épargnera désormais l'achat de l'huile à brûler. » Et, à la clarté merveilleuse de cet œuf de verre, nous mangeâmes le délectable poisson, en nous entretenant de notre double aubaine en ce jour béni, et en glorifiant le Rétributeur pour Ses bienfaits. Et nous nous couchâmes, cette nuit-là, satisfaits de notre sort, et ne souhaitant rien de mieux que la continuation d'un tel état de choses.

Or, le lendemain, le bruit de notre découverte de ce verre lumineux dans le ventre du gros poisson ne tarda pas, grâce à la longue langue de la fille de l'oncle, à se répandre dans le quartier. Et bientôt ma femme reçut la visite d'une juive de nos voisines, dont le mari était joaillier dans le souk. Et, après les salams et salutations de part et d'autre, la juive, après avoir longtemps considéré l'œuf de verre, dit à mon épouse : « Ô ma voisine Aischah, remercie Allah qui m'a conduite aujourd'hui chez toi. Car, comme le morceau de verre me plaît, et que j'ai un morceau de verre à peu près semblable dont je me pare quelquefois et qui ferait la paire avec celui-ci, j'aimerais te l'acheter, et je t'en offre, sans marchander, l'énorme somme de dix dinars en or neuf ! » Mais nos enfants, qui entendirent parler de vendre leur jouet, se mirent à pleurer, en priant leur mère de le leur garder. Et pour les apaiser, et parce que aussi cet œuf nous tenait lieu de lampe, elle éluda l'offre si tentante, au grand dépit de la juive qui s'en alla fort marrie.

Sur ces entrefaites, je rentrai de mon travail, et ma femme me mit au courant de ce qui venait de se passer. Et je lui répondis : « Certes, ô fille de l'oncle, si cet œuf de verre n'avait pas quelque valeur, cette fille des juifs ne nous aurait pas offert cette somme de dix dinars. Je prévois donc qu'elle reviendra à la charge, pour nous en offrir davantage. Mais, suivant ce que je verrai, je tiendrai bon, afin de faire monter l'offre. » Et cela me fit aussitôt penser aux paroles de Si Saâdi qui m'avait prédit qu'un morceau de plomb pouvait faire sûrement la fortune d'un homme, si telle était sa destinée. Et j'attendis en toute confiance que ma destinée se montrât enfin, après m'avoir fui si longtemps.

Or, le soir même, selon mes prévisions, la juive, épouse du joaillier, vint faire une seconde visite à mon épouse ; et, après les salams et salutations d'usage, elle lui dit : « Ô ma voisine Aischah, comment peux-tu mépriser les dons du Rétributeur ? Et n'est-ce point les mépriser que de repousser le pain que je t'offre pour un morceau de verre ! Mais, puisque c'est pour le bien de tes enfants, sache que j'ai parlé à mon mari de cet œuf-là, et il a consenti, parce que je suis enceinte et qu'il ne faut pas que le désir des femmes enceintes rentre en elles inexaucé, à me laisser t'offrir vingt dinars d'or, en or neuf, en échange de ton morceau de verre ! » Mais ma femme, qui avait reçu mes instructions à ce sujet, répondit : « Eh, ouallah ! ô voisine, tu me fais rentrer en moi-même. Mais moi je n'ai point de parole à la maison, c'est le fils de mon oncle qui est le maître de la maison et de son contenu, et c'est à lui qu'il faut s'adresser. Attends donc son retour pour lui faire ton offre ! »

Et donc, lorsque je fus rentré, la juive me répéta ce qu'elle avait dit à mon épouse, et ajouta : « Je t'apporte le pain de tes enfants, ô homme, pour un morceau de verre. Mais mon désir de femme enceinte doit être satisfait, et mon époux ne veut pas charger sa conscience de la rentrée du désir des femmes enceintes. C'est pourquoi il a consenti à me laisser te proposer cet échange et cette vente, avec une si grande perte pour lui ! »

Et moi, ô mon seigneur, ayant laissé cette juive me débiter tout ce qu'elle voulait me débiter, je pris mon temps pour lui répondre, et je finis, pour toute réponse, par la regarder sans dire un mot, en hochant simplement la tête.

À cette vue, la fille des juifs devint bien jaune de teint, me regarda avec des yeux pleins de défiance et me dit : « Prie sur ton Prophète, ô musulman ! » Et je répondis aussi : « Sur Lui la prière et la paix, ô mécréante, et les plus choisies des bénédictions du Dieu unique ! » Et elle reprit : « Pourquoi cet œil vide, ô père des enfants, et ce hochement de la négation devant les bienfaits du Rétributeur sur ta maison, par notre entremise ! » Je répondis : « Les bienfaits d'Allah sur Ses croyants, ô fille des mécréants, sont déjà incalculables ! Qu'il soit glorifié, sans l'entremise de ceux qui errent hors de la voie droite ! » Et elle me dit : « Alors, tu refuses les vingt dinars d'or ? » Et moi ayant fait de nouveau le signe du refus, elle me dit. « Eh bien, ô voisin, je t'offre pour ton verre cinquante dinars d'or ! Es-tu satisfait ? » Et, de nouveau, de mon air le plus détaché, je fis un hochement négatif de tête. Et je regardai ailleurs…

À ce moment de sa narration, Schahrazade vit apparaître le matin et, discrète, se tut.

Mais lorsque fut la huit cent soixante-douzième nuit. Elle dit :

… Et de nouveau, de mon air le plus détaché, je fis un hochement négatif de tête. Et je regardai ailleurs.

Alors la femme du joaillier ramassa ses voiles, comme pour s'en aller, se dirigea vers la porte, fit le geste de l'ouvrir et, comme se ravisant tout d'un coup, se tourna vers moi et me dit : « La dernière parole ! Cent dinars d'or ! Et encore je ne sais si mon mari voudra m'accorder cette formidable somme ! »

Et moi je condescendis alors à répondre et je lui dis, non sans un air de profond détachement : « Ce n'est pas pour te voir t'en aller mécontente, ô voisine, mais tu es bien loin du compte. Car cet œuf de verre, dont tu m'offres ce prix dérisoire de cent dinars, est une chose merveilleuse, et son histoire est aussi merveilleuse que lui-même. C'est pourquoi, et uniquement pour te faire plaisir à toi et à notre voisin, et ne point faire rentrer le désir d'une femme enceinte, je me bornerai à réclamer, comme prix de cet œuf lumineux, la somme de cent mille dinars d'or, pas un de plus, pas un de moins. Et c'est à prendre ou à laisser, car d'autres joailliers m'en offriront davantage, qui sont plus au courant que ton mari de la valeur réelle des belles choses uniques ! Quant à moi, je jure devant Allah l'Omniscient que je ne reviendrai point sur cette estimation, soit pour l'augmenter, soit pour la diminuer. Ouassalam ! »

Lorsque la femme du juif eut entendu ces paroles et qu'elle en eut compris la signification, elle ne trouva rien à répliquer, et me dit, en s'en allant : « Moi, je ne vends point ni n'achète. Mais c'est mon mari qui est la tête. Si la chose lui convient, il t'en parlera. Promets-moi seulement d'avoir la patience, avant d'engager d'autres pourparlers, d'attendre qu'il ait vu lui-même cet œuf de verre ! » Et je lui en fis la promesse. Et elle s'en alla.

Or, moi, ô émir des Croyants, après ce débat, je ne doutai plus que cet œuf que je croyais être de verre ne fût une gemme d'entre les gemmes de la mer, tombée de la couronne de quelque roi marin. Et d'ailleurs je savais, comme tout le monde, quels trésors gisent dans les profondeurs, dont se parent les filles de la mer et les reines de la mer. Et cette trouvaille était pour me confirmer dans ma croyance. Et je glorifiai le Rétributeur qui, par l'entremise du poisson du pêcheur, avait mis entre mes mains ce merveilleux échantillon des parures des adolescentes marines. Et je résolus de ne point démordre du chiffre de cent mille dinars, que j'avais fixé à la femme du juif, tout en pensant que j'aurais mieux fait de ne point me hâter de fixer de la sorte mon estimation, alors que j'aurais pu, peut-être, en obtenir davantage du joaillier juif. Mais comme j'avais fixé ce chiffre solennellement, je ne voulus point me dédire, et me promis de m'en tenir à ce que j'avais indiqué.

Et, comme je l'avais prévu, le joaillier juif, en personne, ne tarda pas à se présenter chez moi. Et il avait un air retors qui ne m'annonçait vraiment rien de bon, et m'avertissait plutôt que le fils des cochons allait se servir de toute sa rouerie pour me subtiliser la gemme, comme si de rien n'était. Et moi, de mon côté, je me mis sur mes gardes, tout en prenant l'air le plus souriant et le plus accueillant, et je le priai de prendre place sur la natte. Et, après les salams et salutations d'usage, il me dit : « J'espère, ô voisin, que le chanvre n'est pas trop cher, ces temps-ci, et que les affaires de ta boutique sont bénies ! » Et moi, sur le même ton, je répondis : « La bénédiction d'Allah ne fait point défaut à Ses Croyants, ô voisin. Mais j'espère que les affaires dans le souk des joailliers te sont favorables. » Et il me dit : « Par la vie d'Ibrahim et de Yacoub, ô voisin, elles périclitent ! elles périclitent ! Et c'est à peine si nous avons de quoi manger du pain et du fromage. » Et nous continuâmes à parler de la sorte, pendant un bon moment, sans aborder la question qui seule nous intéressait, jusqu'à ce que le juif, voyant qu'il n'obtenait rien de moi par ce moyen, finît par me dire, le premier : « La fille de mon oncle, ô voisin, m'a parlé d'un certain œuf de verre, d'ailleurs sans grande valeur, qui sert de jouet à tes enfants, et tu sais que lorsqu'une femme est enceinte, comme l'est la mienne, des désirs viennent qui sont étranges et bizarres. Mais malheureusement il nous faut satisfaire ces désirs, même s'ils sont irréalisables, faute de quoi l'objet désiré pourrait s'imprimer sur le corps de l'enfant et le déformer. Et, dans le cas actuel, comme le désir de ma femme s'est porté sur cet œuf de verre, je crains beaucoup, si je ne la satisfais pas, de voir cet œuf se reproduire avec toute sa grosseur sur le nez de notre enfant, à sa naissance, ou sur telle autre partie plus délicate encore et que la décence m'empêche de nommer. Je te prie donc, ô voisin, de me montrer d'abord cet œuf de verre, et, au cas où je verrais qu'il m'est impossible d'en acquérir un pareil au souk, de vouloir bien me le céder, moyennant tel prix raisonnable que tu m'indiquerais, sans trop profiter de la situation. »

Et moi, à ces paroles du juif, je répondis : « J'écoute et j'obéis. » Et je me levai et allai vers mes enfants, qui jouaient dans la cour avec l'œuf en question, et le pris d'entre leurs mains, malgré leurs cris et leurs protestations. Puis je revins dans la chambre, où le juif m'attendait assis sur la natte, et j'en fermai la porte et les fenêtres de façon à y faire l'obscurité complète, tout en m'excusant du procédé. Et, cela fait, je tirai l'œuf de mon sein, et le posai, bien en vue, sur un tabouret, devant le juif.

Et aussitôt la chambre fut illuminée, comme si quarante flambeaux y eussent brûlé. Et le juif, à cette vue, ne put s'empêcher de s'écrier : « C'est la gemme de Soleïmân ben Daoud, une de celles qui ornent sa couronne ! » Et, s'étant exclamé de la sorte, il s'aperçut qu'il en avait trop dit, et se rattrapa, en ajoutant : « Mais j'en ai déjà eu de semblables entre les mains. Et, comme elles n'étaient pas de vente courante, je m'étais hâté de les revendre, avec perte ! Hélas, pourquoi faut-il maintenant que la fille de l'oncle soit enceinte et m'oblige à acquérir une chose invendable ? » Puis il me dit : « Combien, ô voisin, demandes-tu pour la vente de cet œuf marin ? » Et je répondis : « Il n'est pas à vendre, ô voisin ! mais je pourrais te le donner, pour ne point faire rentrer le désir de la fille de ton oncle ! Et j'ai déjà fixé le prix de cette cession. Je ne me dédirai pas, Allah m'est témoin ! » Et il me dit : « Sois raisonnable, ô fils des gens de bien, et ne ruine pas ma maison ! Si je vendais ma boutique et ma maison, et si je me vendais moi-même au souk des crieurs, avec ma femme et mes enfants, je ne pourrais arriver à réaliser le chiffre exorbitant que tu as fixé, par manière de plaisanterie, sans aucun doute ! Cent mille dinars d'or, ya Allah ! cent mille dinars d'or, ô cheikh, pas un de plus, pas un de moins ! C'est ma mort que tu réclames ! » Et moi, ayant rouvert la porte et les fenêtres, je répondis tranquillement : « Cent mille dinars, pas un de plus ! l'augmentation serait illicite. Mais pas un de moins ! C'est à prendre ou à laisser ! » Et j'ajoutai : « Et encore ! si j'avais su que cet œuf merveilleux était une gemme d'entre les gemmes marines de la couronne de Soleïmân ben Daoud – sur eux deux la prière et la paix ! – ce n'est point cent mille dinars que j'eusse demandés, mais dix fois cent mille et, en outre, quelques colliers et bijoux de ta boutique comme présent à ma femme qui a amorcé l'affaire en ébruitant notre découverte. Estime-toi donc bien heureux d'en être quitte à ce prix dérisoire, ô homme, et va chercher ton or. »

Et le joaillier juif, le nez bien allongé, voyant qu'il n'y avait rien à faire, se recueillit un instant, puis me regarda avec résolution, et dit, en poussant un grand soupir : « L'or est à la porte ! Donne la gemme ! » Et, ce disant, il mit la tête à la fenêtre, et cria à un esclave nègre qui stationnait dans la rue et tenait par la bride un mulet chargé de plusieurs sacs : « Ho ! Moubarak, monte ici les sacs et la balance ! »

Et le nègre monta chez moi les sacs remplis de dinars, et le juif les éventa l'un après l'autre et me pesa les cent mille dinars, comme je les avais demandés, pas un de plus et pas un de moins. Et la fille de mon oncle vida notre grand coffre en bois, le seul que nous possédions, de toutes les hardes qu'il contenait, et nous le remplîmes avec l'or du juif. Et alors seulement je tirai de mon sein, où je l'avais mise en sûreté, la gemme salomonique, et la remis au juif en lui disant : « Puisses-tu la revendre dix fois plus cher que tu ne viens de l'acheter ! » Et il se mit à rire jusqu'aux oreilles, en médisant : « Par Allah ! ô cheikh, elle n'est pas à vendre. Elle est destinée à satisfaire le désir de ma femme enceinte. » Et il prit congé de moi et me fit voir la largeur de ses épaules. Et voilà pour lui !

Mais pour ce qui est de Si Saâd, de Si Saâdi et de ma destinée par l'entremise du poisson, voici…

À ce moment de sa narration, Schahrazade vit apparaître le matin et, discrète, se tut.

Mais lorsque fut la huit cent soixante-treizième nuit. Elle dit :

… Mais pour ce qui est de Si Saâd, de Si Saâdi et de ma destinée par l'entremise du poisson, voici !

Lorsque je me vis ainsi, du jour au lendemain, riche bien plus que ne l'eût souhaité mon âme, et enfoui dans l'or et l'opulence, je n'oubliai point que je n'étais en somme qu'un ancien pauvre cordier, fils de cordier, et je remerciai le Rétributeur pour Ses bienfaits, et je réfléchis à l'usage que je devais faire désormais de mes richesses. Mais j'eusse voulu d'abord aller embrasser la terre entre les mains de Si Saâdi, pour lui témoigner ma gratitude, et en user de même à l'égard de Si Saâd, à qui, en fin de compte, et bien qu'il n'eût pas réussi comme Si Saâdi dans les bonnes intentions qu'il avait eues pour moi, je devais d'être ce que j'étais. Mais la timidité m'en empêcha ; et, d'ailleurs, je ne savais pas exactement où ils demeuraient tous les deux. C'est pourquoi je préférai attendre qu'ils vinssent de leur propre mouvement demander des nouvelles du pauvre cordier Hassân, – qu'Allah l'ait en Sa compassion, celui-là, puisqu'il est déjà trépassé et que sa jeunesse fut miséricorde !

Et, en attendant, je résolus de faire le meilleur usage possible de la fortune qui m'avait été écrite. Et mon premier acte fut, non point de m'acheter de riches habits ou des affaires somptueuses, mais d'aller trouver tous les pauvres cordiers de Bagdad, qui vivaient dans le même état de misère que celui dans lequel j'avais si longtemps vécu, et, les ayant assemblés, je leur dis « Voici que le Rétributeur m'a écrit l'aisance et m'a envoyé Ses bienfaits alors que j'étais le dernier à les mériter. Et c'est pourquoi, ô frères musulmans, je tiens à ce que les faveurs du Très-Haut ne restent point accumulées sur la même tête, et que vous puissiez en bénéficier selon vos besoins. Aussi, dès aujourd'hui, je vous prends tous à mon service, en vous engageant à travailler pour moi aux ouvrages de corderie, avec la certitude d'être largement payés, selon votre habileté, à la fin de votre journée. De cette manière, vous avez la certitude de gagner largement le pain de votre famille, sans jamais être en peine du lendemain. Et voilà, pourquoi je vous ai assemblés dans ce local. Et c'est là ce que j'avais à vous dire. Mais Allah est plus généreux et plus magnanime ! » Et les cordiers me remercièrent et me louèrent pour mes bonnes intentions à leur égard, et acceptèrent ce que je leur proposais. Et depuis lors ils continuèrent à travailler pour mon compte, dans la tranquillité, heureux d'assurer leur vie et celle de leurs enfants. Et moi-même, grâce à cette organisation, je ne fis qu'accroître mes revenus et consolider ma situation.

Or il y avait déjà quelque temps que j'avais abandonné mon ancienne pauvre maison pour m'établir dans une autre que j'avais fait bâtir à grands frais, au milieu des jardins, quand Si Saâd et Si Saâdi pensèrent enfin à venir prendre des nouvelles du pauvre cordier Hassân qu'ils connaissaient. Et leur étonnement fut extrême quand nos anciens voisins, qu'ils interrogèrent en voyant ma boutique fermée comme si j'étais mort, leur eurent annoncé que non seulement j'étais encore vivant mais que j'étais devenu l'un des marchands les plus riches de Bagdad, que j'habitais un merveilleux palais au milieu des jardins, et qu'on ne m'appelait plus Hassân le cordier, mais Si Hassân le Magnifique.

Alors, s'étant fait donner des indications précises sur le lieu où se trouvait mon palais, ils s'y dirigèrent et ne tardèrent pas à arriver devant le grand portail qui donnait accès aux jardins. Et le portier leur fit traverser une forêt d'orangers et de citronniers chargés de fruits et dont les racines se rafraîchissaient à une eau vive qui coulait perpétuellement dans une rigole prenant sa source à la rivière. Et quand ils arrivèrent à la salle de réception, ils étaient déjà sous l'enchantement de la fraîcheur, de l'ombrage, du murmure de l'eau et du chant des oiseaux.

Et moi, dès que l'un de mes esclaves m'eut annoncé leur arrivée, je vins à leur rencontre avec empressement et voulus leur prendre le bord de la robe pour la baiser. Mais ils m'en empêchèrent, et m'embrassèrent comme si j'étais leur frère, et je les invitai à prendre place dans le kiosque qui avançait sur le jardin, en les priant de s'asseoir à la place d'honneur, qui leur était due. Et je m'assis un peu plus loin, comme il fallait. Et, après leur avoir fait servir les sorbets et les rafraîchissements, je leur racontai tout ce qui m'était arrivé, de point en point, sans oublier le moindre détail. Mais il n'y a point d'utilité à le répéter. Et Si Saâdi, à la limite de l'épanouissement, se tourna vers son ami et lui dit : « Tu vois, ô Si Saâd ! » Et il ne lui dit rien de plus.

Et ils n'étaient pas encore revenus de l'émerveillement où les avait jetés mon histoire, que deux de mes enfants, qui s'amusaient dans le jardin, entrèrent soudain en tenant entre leurs mains un grand nid d'oiseau que venait de dénicher à leur intention, au bout d'un dattier, l'esclave qui surveillait leurs jeux. Et nous fûmes fort étonnés de voir que ce nid, qui contenait quelques jeunes éperviers, était installé dans un turban. Et moi, ayant examiné de plus près ce turban, je reconnus, à n'en pouvoir douter, qu'il était celui même que m'avait enlevé autrefois l'épervier voleur. Et je me tournai vers mes hôtes, et leur dis : « Ô mes maîtres, vous souvenez-vous encore du turban que je portais le jour que Si Saâd me fit don des premiers deux cents dinars ? » Et ils répondirent : « Non, par Allah ! nous ne nous en souvenons pas exactement. » Et Si Saâd ajouta : « Mais je le reconnaîtrais certainement, si les cent quatre-vingt-dix dinars s'y trouvaient ! » Et je répondis : « Ô mes maîtres, n'en doutez pas ! » Et j'enlevai les petits oiseaux, que je donnai aux enfants, et défis le nid, et déroulai le turban dans toute sa longueur. Et, tout au bout, intacte et nouée comme je l'avais nouée, pendait la bourse de Si Saâd avec les dinars qu'elle contenait.

Et mes deux hôtes n'étaient pas encore revenus de leur étonnement, qu'un de mes palefreniers entra en tenant entre les mains un vase de son, que je reconnus aussitôt pour celui que ma femme avait autrefois cédé au marchand de terre à décrasser les cheveux. Et il me dit : « Ô mon maître, ce vase, que j'ai acheté aujourd'hui au souk, car j'avais oublié de prendre avec moi la pitance du cheval que je montais, contient un sac noué que j'apporte entre tes mains. » Et nous reconnûmes la seconde bourse de Si Saâd. Et depuis ce temps-là, ô émir des Croyants, nous vécûmes tous trois en amis, convaincus désormais de la puissance de la destinée et émerveillés des voies dont elle se sert pour accomplir des décrets.

Et, comme les biens d'Allah doivent revenir à Ses pauvres, je ne manquai point d'en user pour faire les largesses et les aumônes prescrites. Et c'est pourquoi tu m'as vu donner cette aumône au mendiant, sur le pont de Bagdad. Et telle est mon histoire ! » Lorsque le khalifat eut entendu ce récit du cheikh généreux, il lui dit : « Certes, ô cheikh Hassân, les voies de la destinée sont merveilleuses, et, comme preuve à l'appui de ce que tu m'as raconté, je vais te montrer quelque chose ! » Et il se tourna vers le vizir du Trésor et lui dit quelques mots à l'oreille. Et le vizir sortit, mais pour rentrer au bout de quelques instants, avec un petit étui à la main. Et le khalifat le prit, l'ouvrit, et en montra le contenu au cheikh, qui reconnut aussitôt la gemme salomonique cédée au joaillier juif. Et Al-Rachid lui dit : « Elle est entrée dans mon trésor, le jour même que tu l'as vendue au juif. »

Puis il se tourna vers le quatrième personnage, qui était le maître d'école estropié à la bouche fendue, et lui dit : « Raconte ce que tu as à nous raconter. » Et l'homme, après avoir embrassé la terre entre les mains du khalifat, dit :

HISTOIRE DU MAÎTRE D'ÉCOLE

« Sache, ô émir des Croyants, que pour ma part je débutai dans la vie comme maître d'école, et j'avais sous ma main quelque quatre-vingts jeunes garçons. Et mon histoire avec ces garçons-là est prodigieuse.

Je dois commencer par te dire, ô mon seigneur, que j'étais sévère à leur égard à la limite de la sévérité, et strict et rigoureux, au point que, même pendant les heures de récréation, j'exigeais qu'ils continuassent à travailler, et je ne les renvoyais à leurs maisons qu'une heure après le coucher du soleil. Et, même alors, je ne manquais pas de les surveiller, en les suivant à travers les souks et les quartiers, pour les empêcher de jouer avec les jeunes vauriens qui les eussent débauchés. Or, ce fut précisément ma rigueur qui attira sur ma tête les calamités, comme tu vas le voir, ô émir des Croyants !

En effet, étant entré un jour d'entre les jours dans la salle de lecture, au moment où tous mes élèves étaient assemblés, je les vis soudain se lever tous sur leurs deux jambes et s'écrier d'une seule voix : « Ô notre maître, que ton visage est jaune aujourd'hui ! » Et moi je fus bien surpris de cela ; mais comme je ne me sentais aucun mal intérieur qui pût jaunir de la sorte mon visage, je ne fus point affecté outre mesure de cette nouvelle, et j'ouvris la classe comme d'habitude, en leur criant : « Commencez, ô vauriens ! c'est l'heure du travail. » Mais voici que l'élève moniteur s'avança vers moi, avec un air fort soucieux, et me dit : « Par Allah ! ô maître, tu es bien jaune de visage aujourd'hui, et qu'Allah éloigne tout mal ! Je ferais bien la classe à ta place aujourd'hui, si tu es trop malade. » Et en même temps, tous les élèves, l'air empreint d'une grande inquiétude, me regardaient avec commisération, comme si j'étais déjà sur le point de rendre l'âme. Et moi je finis par être fort impressionné, et je dis en moi-même : « Ô un tel, tu dois certes aller très mal sans t'en rendre compte. Et les pires maladies sont celles qui entrent dans le corps subrepticement, sans que leur présence se révèle par des malaises trop marqués. » Et je me levai à l'heure et à l'instant, confiai la direction à l'élève moniteur, et entrai dans mon harem où je me couchai tout de mon long, en disant à mon épouse : « Prépare-moi ce qu'il y a à préparer pour me garantir des atteintes de la jaunisse ! » Et je dis cela en poussant force soupirs et en geignant, tout comme si j'étais déjà sous la puissance de toutes les pestes et rouges maladies.

Sur ces entrefaites, l'élève moniteur frappa à la porte et demanda la permission d'entrer. Et il me remit la somme de quatre-vingts drachmes, en me disant : « Ô notre maître, tes bons élèves viennent de se cotiser entre eux pour te faire ce présent, afin que notre maîtresse puisse te soigner tout à son aise, sans se préoccuper de la dépense. » Et moi, je fus bien sensible à ce procédé de mes élèves, et pour leur montrer ma satisfaction, je leur donnai un jour de congé, sans me douter que tout cela n'avait été combiné qu'à cette seule fin. Mais qui peut jamais deviner toute la malice qui se cache dans la poitrine des enfants ?

Quant à moi, je passai toute cette journée-là dans les transes, bien que la vue de l'argent qui m'était venu d'une manière si inattendue me donnât quelque plaisir. Et le lendemain, l'élève moniteur revint me voir, et, en m'apercevant, il s'écria : « Qu'Allah éloigne de toi tout mal, ô notre maître ! Mais tu es encore bien plus jaune de teint que dans la journée d'hier ! Repose-toi ! repose-toi ! Et ne te préoccupe pas du reste…

À ce moment de sa narration, Schahrazade vit apparaître le matin et, discrète, se tut.

Mais lorsque fut la huit cent soixante-quatorzième nuit. Elle dit :

… Qu'Allah éloigne de toi tout mal, ô notre maître ! Mais tu es encore bien plus jaune de teint que dans la journée d'hier. Repose-toi, repose-toi ! Et ne te préoccupe pas du reste ! » Et moi, fort impressionné des paroles du malin garçon, je dis en moi-même : « Soigne-toi bien, ô maître, soigne-toi aux frais de tes élèves. » Et, pensant ainsi, je dis au moniteur : « Tu feras la classe, comme si j'étais là ! » Et je me mis à geindre et à me lamenter sur moi-même. Et le garçon, me laissant dans cet état, se hâta d'aller rejoindre les autres élèves, pour les mettre au courant de la situation. Cet état de choses dura une semaine entière, au bout de laquelle l'élève moniteur m'apporta encore une somme de quatre-vingts drachmes, en me disant : « C'est la cotisation de tes bons élèves, afin que notre maîtresse te puisse bien soigner. » Et moi je fus encore bien plus touché que la première fois, et je dis en moi-même : « Ô un tel, ta maladie est une maladie bénie, en vérité, qui te rapporte tant d'argent sans peine ni efforts, et qui, en somme, ne te fait guère souffrir. Puisse-t-elle durer longtemps encore, pour ton plus grand bien ! » Dès ce moment, je résolus de feindre la maladie, persuadé à la longue que mon intérieur n'était pas réellement atteint, et me disant : « Jamais tes leçons ne te rapporteront autant que ta maladie. » Et, à partir de ce moment, ce fut à mon tour de faire croire à ce qui n'était pas. Et, chaque fois que l'élève moniteur revenait me voir, je lui disais : « Je vais mourir d'inanition, car mon estomac refuse la nourriture ! » Or, cela n'était pas vrai, car jamais je n'avais mangé avec autant d'appétit et ne m'étais mieux porté.

Et je continuai à vivre de la sorte pendant un certain temps, quand un jour l'élève entra juste au moment où je m'apprêtais à manger un œuf. Et mon premier mouvement, en le voyant, fut de cacher l'œuf dans ma bouche, dans la crainte que, me trouvant en état de manger, il ne soupçonnât la vérité et s'aperçût de ma duplicité. Et l'œuf qui était brûlant me faisait éprouver des douleurs intolérables. Et le mauvais sujet, qui devait, sans aucun doute, savoir à quoi s'en tenir sur la situation, au lieu de s'en aller, persista à me regarder avec un air de compassion, et en me disant : « Ô notre maître, que tes joues sont enflées et que tu dois souffrir ! Ce doit être sûrement un abcès malin. » Puis, comme mes yeux me sortaient de la tête, dans ma torture, et que je ne répondais pas, il me dit : « Il faut le crever ! il faut le crever ! » Et il s'avança vivement de mon côté, et voulut m'enfoncer une grosse aiguille dans la joue. Mais alors je sautai vivement sur mes deux pieds, et je courus à la cuisine, où je crachai l'œuf, qui déjà m'avait gravement brûlé les joues. Et c'est à la suite de cette brûlure, ô émir des Croyants, qu'un véritable abcès se déclara dans ma joue et me fit voir la mort rouge. Et on fit venir le barbier, qui me taillada la joue, pour vider l'abcès. Et c'est à la suite de cette opération que ma bouche resta fendue et déformée. Et voilà pour ce qui est de la fente et de la déformation de ma bouche. Mais pour ce qui est de mon estropiement, voici !

Lorsque je fus quelque peu reposé des suites de ma brûlure, je revins à l'école, où, plus que jamais, je fus rigoureux et sévère à l'égard de mes élèves, dont la turbulence devait être réprimée. Et, quand la conduite de l'un d'eux laissait quelque peu à désirer, je ne manquais pas de le corriger à coups de trique. Aussi avais-je fini par leur enseigner à me respecter tellement, que lorsqu'il m'arrivait d'éternuer, ils quittaient à l'instant leurs livres et leurs cahiers, se mettaient debout sur les deux pieds, les bras croisés, et s'inclinaient devant moi jusqu'à terre, en s'écriant d'un commun accord : « La bénédiction ! la bénédiction ! » Et moi je répondais, comme de raison : « Et sur vous le pardon ! et sur vous le pardon ! » Et je leur enseignais également mille autres choses, plus profitables les unes que les autres et aussi instructives. Car je ne voulais pas que l'argent fût dépensé en vain, que me donnaient leurs parents pour leur éducation. Et j'espérais de la sorte en faire d'excellents sujets et des commerçants respectables.

Or, un jour je les menai à la promenade, le jour de la sortie, un peu plus loin que de coutume. Et d'avoir longtemps marché, nous fûmes tous grandement altérés. Et comme nous étions précisément arrivés devant un puits, je résolus d'y descendre pour étancher ma soif à l'eau fraîche qu'il contenait, et en rapporter un seau, si je le pouvais, pour les élèves. Donc, comme il n'y avait pas de corde, je pris tous les turbans des élèves et, en ayant fait une corde assez longue, je m'y attachai par le milieu du corps, et ordonnai à mes élèves de me descendre dans le puits. Et ils m'obéirent aussitôt. Et je me vis suspendu à l'orifice du puits. Et ils me descendirent avec précaution, de peur que ma tête ne se heurtât à la pierre. Et voici que le passage de la chaleur à la fraîcheur et de la lumière à l'obscurité me fit éternuer. Et je ne pus réprimer mon éternuement. Et mes écoliers, soit involontairement, soit par habitude, soit par malice, d'un même mouvement lâchèrent la corde et, ainsi qu'ils le faisaient à l'école, croisèrent leurs bras et s'écrièrent tous à la fois : « La bénédiction ! la bénédiction ! » Mais je ne pus guère leur répondre, en l'occurrence, car je tombai lourdement au fond du puits. Et, comme l'eau n'était guère profonde, je ne me noyai pas, mais me cassai les deux jambes et l'épaule, tandis que les élèves, épouvantés de leur méfait ou de leur étourderie, je ne sais, s'enfuyaient livrant leurs jambes au vent. Et je jetai de tels cris de douleur que quelques passants, attirés de ce côté-là, me retirèrent du puits. Et, comme j'étais dans un état pitoyable, ils me placèrent sur un âne, et me ramenèrent à la maison, où je languis pendant un temps considérable. Mais jamais je ne guéris de mon accident. Et je ne pus guère me remettre à exercer ma profession de maître d'école.

Et c'est pourquoi, ô émir des Croyants, je fus obligé de mendier pour faire subsister ma femme et mes enfants. Et c'est ainsi que tu as pu me voir et me secourir généreusement sur le pont de Bagdad. Et telle est mon histoire ! »

Et lorsque le maître d'école estropié à la bouche fendue eut fini de raconter de la sorte la cause de son estropiement et de son infirmité, Massrour le porte-glaive le fit rentrer dans le rang. Et l'aveugle qui se faisait souffleter sur le pont s'avança, en tâtonnant, entre les mains du khalifat, et, sur l'ordre qui lui en fut donné, raconta ainsi ce qu'il avait à raconter. Il dit :

HISTOIRE DE L'AVEUGLE

« Sache, ô émir des Croyants, que pour ma part, au temps de ma jeunesse, j'étais conducteur de chameaux. Et, grâce à mon travail et à ma persévérance, j'avais fini par être propriétaire de quatre-vingts chameaux, en bien propre. Et je les louais aux caravanes, pour les affaires commerciales entre les pays, et pour le temps du pèlerinage, ce qui me valait de gros bénéfices, et faisait augmenter, d'année en année, mon capital et mes intérêts. Et, de jour en jour, mon désir de devenir encore plus riche augmentait avec mes bénéfices, et je ne pensais à rien moins qu'à devenir le plus riche des conducteurs de chameaux de l'Irak.

Or, un jour d'entre les jours, comme je revenais de Bassra à vide, avec mes quatre-vingts chameaux que j'avais conduits dans cette ville chargés de marchandises à destination de l'Inde, et comme j'avais fait halte près d'un réservoir d'eau, pour leur donner à boire et les laisser paître dans le voisinage, je vis s'avancer de mon côté un derviche. Et ce derviche m'aborda d'un air cordial et, après les salams de part et d'autre, s'assit auprès de moi. Et nous mîmes nos provisions en commun, et, selon les habitudes du désert, nous prîmes ensemble notre repas. Après quoi nous nous mîmes à nous entretenir de choses et d'autres, et nous nous interrogeâmes mutuellement sur notre voyage et sa destination. Et il me dit qu'il se dirigeait vers Bassra, et je luis dis que j'allais à Bagdad. Et, l'intimité ayant régné entre nous, je lui parlai de mes affaires et de mes gains, et je luis fis part de mes projets de richesse et d'opulence.

Et le derviche, m'ayant laissé parler jusqu'au bout, me regarda en souriant et me dit : Ô mon maître Baba-Abdallah que de peines tu prends pour arriver à un résultat si peu proportionné, quand il suffit quelquefois d'un tournant de chemin pour que la destinée vous rende, en un clin d'œil, non seulement plus riche que tous les conducteurs de chameaux de l'Irak mais plus puissant que tous les rois réunis de la terre. » Puis il ajouta : « Ô mon maître Baba-Abdallah, as-tu jamais entendu parler de trésors cachés et de richesses souterraines ? » Et je répondis : « Certes, ô derviche, j'ai souvent entendu parler de trésors cachés et de richesses souterraines. Et nous savons tous que chacun de nous peut un jour, si tel est le décret du destin, se réveiller plus opulent que tous les rois. Et il n'y a pas un laboureur qui, en labourant sa terre, ne songe qu'un jour doit venir où il tombera sur la pierre scellée de quelque trésor merveilleux, et il n'y a pas un pêcheur qui ne sache, en jetant à l'eau ses filets, qu'un jour viendra où il retirera la perle ou la gemme marine qui le fera parvenir à la limite de l'opulence. Donc, ô derviche, je ne suis point un ignorant, et je suis persuadé, d'ailleurs, que les hommes de ta corporation connaissent des secrets et des mots d'une grande puissance ! »

Et le derviche, à ces paroles, cessa de remuer le sable avec son bâton, me regarda de nouveau et me dit : « Ô mon maître Baba-Abdallah, je pense bien qu'aujourd'hui tu n'as point fait de mauvaise rencontre, en me rencontrant, et je crois que ce jour-ci est précisément pour toi le jour du tournant de la route où tu seras en face de ta destinée. » Et je lui dis : « Par Allah ! ô derviche, je l'accueillerai avec fermeté et d'un plein œil, et, quoi qu'elle puisse m'apporter, je l'accepterai d'un cœur reconnaissant ! » Et il me dit : « Alors, lève-toi, ô pauvre, et suis-moi. » Et il se leva sur ses deux pieds, et marcha devant moi. Et je le suivis, en pensant : « Certes, c'est bien aujourd'hui le jour de ma destinée, depuis le temps que je suis dans son attente ! » Et nous arrivâmes, au bout d'une heure de marche, dans un vallon assez spacieux, dont l'entrée était si étroite que mes chameaux pouvaient à peine y passer un à un. Mais bientôt le terrain s'élargit avec la vallée, et nous fûmes au pied d'une montagne si impraticable qu'il n'y avait pas à craindre qu'une créature humaine pût jamais, de ce côté-là, arriver jusqu'à nous. Et le derviche me dit : « Nous voici arrivés là où il fallait arriver. Pour toi, arrête tes chameaux, et fais-les se coucher sur le ventre, afin que, lorsque le moment sera venu de les charger avec ce que tu vas voir, nous n'ayons pas de peine à le faire. » Et je répondis par l'ouïe et l'obéissance, et me mis en devoir de faire se coucher tous mes chameaux sur le ventre, l'un après l'autre, dans le large espace qui s'étendait au pied de cette montagne.

Après quoi je rejoignis le derviche et je le trouvai un briquet à la main qui mettait le feu à un amas de bois sec. Et, dès que la flamme eut jailli du tas de bois, le derviche y jeta une poignée d'encens mâle, en prononçant des paroles dont je ne compris point la signification. Et aussitôt une colonne de fumée s'éleva en l'air, que le derviche coupa en deux avec son bâton. Et aussitôt un grand rocher, en face duquel nous nous trouvions, se sépara en deux, et nous laissa voir une large ouverture là où, l'instant d'auparavant, il y avait une muraille lisse et verticale…

À ce moment de sa narration, Schahrazade vit apparaître le matin, et discrète, se tut.

Mais lorsque fut la huit cent soixante-quinzième nuit. Elle dit :

… Et aussitôt un grand rocher, en face duquel nous nous trouvions, se sépara en deux, et nous laissa voir une large ouverture là où, l'instant d'auparavant, il y avait une muraille lisse et verticale. Et, là-dedans, des monceaux s'étendaient d'or monnayé et de pierreries, comme ces tas de sel qu'on voit sur le bord de la mer. Et moi, à la vue de ce trésor, je me jetai sur le premier tas d'or, avec la rapidité du faucon qui fond sur le pigeon, et je commençai par en remplir un sac dont je m'étais déjà saisi. Mais le derviche se mit à rire et me dit : « Ô pauvre, tu fais là un travail peu rémunérateur ! Ne vois-tu pas qu'en remplissant tes sacs d'or monnayé, tu les rendras trop lourds pour la charge de tes chameaux ? Remplis-les plutôt de ces pierreries en tas, que tu vois un peu plus loin, et dont une seule vaut à elle seule plus que chacun de ces monceaux d'or, tout en étant cent fois plus légère qu'une pièce de ce métal. »

Et moi je répondis : « Il n'y a point d'inconvénient, ô derviche ! » Car je vis combien juste était son observation. Et, l'un après l'autre, je remplis mes sacs de ces pierreries, et les chargeai deux par deux sur le dos des chameaux. Et lorsque j'eus chargé de la sorte mes quatre-vingts chameaux, le derviche qui m'avait regardé faire en souriant, sans bouger de sa place, se leva et me dit : « Il n'y a plus qu'à fermer le trésor et à nous en aller. » Et, ayant ainsi parlé, il entra dans le rocher, et je le vis qui se dirigeait vers une grande jarre en orfèvrerie qui était sur un socle en bois de santal. Et en moi-même je me disais : « Par Allah ! quel dommage de n'avoir pas avec moi quatre-vingt mille chameaux à charger de ces pierres-là et de ces monnaies et de ces orfèvreries, au lieu des quatre-vingts seulement qui sont ma propriété ! »

Or donc, je vis le derviche s'approcher de la jarre précieuse en question, et en soulever le couvercle. Et il y prit un petit pot en or qu'il mit dans son sein. Et comme je le regardais avec une sorte d'interrogation dans les yeux, il me dit : « Ce n'est rien, cela ! Un peu de pommade pour les yeux ! » Et il ne m'en dit pas davantage. Et comme, poussé par la curiosité, je voulais à mon tour m'avancer pour prendre de cette pommade bonne pour les yeux, il m'en empêcha, disant : « C'est assez pour aujourd'hui, il est temps que nous sortions d'ici. » Et il me poussa vers la sortie, et prononça certaines paroles que je ne compris pas. Et aussitôt les deux parties du rocher se rejoignirent, et, à la place de l'ouverture béante, une muraille se fit qui était aussi lisse que si elle venait d'être taillée à même la pierre de la montagne. Et le derviche se tourna alors de mon côté et me dit : « Ô Baba-Abdallah, nous allons maintenant sortir de ce vallon. Et une fois que nous serons arrivés à l'endroit où nous nous sommes rencontrés, nous diviserons notre butin en toute équité, et nous nous le partagerons en partage amical. »

Et là-dessus, je fis se lever mes chameaux. Et nous défilâmes en bon ordre par où nous étions entrés dans le vallon, et nous marchâmes ensemble jusqu'au chemin des caravanes, où nous devions nous séparer pour aller chacun en sa voie, moi vers Bagdad et le derviche vers Bassra. Mais en route je m'étais dit, en songeant au partage en question : « Par Allah ! ce derviche en demande bien trop pour ce qu'il a fait. Il est vrai que c'est lui qui m'a révélé le trésor, et qui l'a ouvert, grâce à sa science de la sorcellerie, que le Livre Saint réprouve ! Mais, sans mes chameaux, qu'aurait-il pu faire ? Et même peut-être que sans ma présence la chose n'eût pas réussi, puisque le trésor doit certainement être écrit en mon nom, sur ma chance et ma destinée ! Je pense donc qu'en lui donnant quarante chameaux chargés de ces pierreries, je suis frustré de mon gain, moi qui me suis fatigué à charger les sacs, tandis qu'il se reposait en souriant ; et que je suis, en somme, le maître des chameaux. Il ne faut donc pas que je le laisse agir à sa guise, lors de ce partage. Et je saurai bien lui faire entendre raison. »

Aussi quand vint le moment du partage, je dis au derviche : « Ô saint homme, toi qui, de par les principes mêmes de ta corporation, dois te soucier fort peu des biens du monde, que vas-tu faire des quarante chameaux avec leur charge que tu me réclames bien injustement pour prix de tes indications ? » Et le derviche, loin de se scandaliser de mes paroles ou de se fâcher, comme je m'y attendais, me répondit d'une voix calme : « Baba-Abdallah, tu es dans la vérité quand tu dis que je dois être un homme qui se soucie fort peu des biens de ce monde. Aussi n'est-ce point pour moi que je réclame la part qui doit me revenir selon un partage équitable, mais c'est pour la distribuer, à travers le monde, à tous les pauvres et à tous les déshérités. Quant à ce que tu appelles de l'injustice, songe, ya Baba-Abdallah, qu'avec cent fois moins que ce que je t'ai donné tu serais déjà le plus riche d'entre les habitants de Bagdad. Et tu oublies que rien ne m'obligeait à te parler de ce trésor, et que je pouvais garder pour moi seul le secret. Laisse donc de côté l'avidité, et contente-toi de ce qu'Allah t'a donné, sans chercher à revenir sur notre entente ! »

Alors moi, bien que convaincu de la mauvaise qualité de mes prétentions et certain de mon mauvais droit, je changeai la question de face et de forme, et je répondis : « Ô derviche, tu m'as convaincu de mes torts. Mais permets-moi de te rappeler que tu es un excellent derviche qui ignore l'art de conduire les chameaux, et ne sait que servir le Très-Haut. Tu oublies donc à quel embarras tu t'exposes en voulant conduire tant de chameaux accoutumés à la voix de leur maître. Si tu m'en crois, tu en prendras le moins possible, quitte à revenir plus tard au trésor les recharger de pierreries, puisque tu peux ouvrir et fermer à ta guise l'entrée de la grotte. Écoute donc mon conseil, et n'expose pas ton âme à des ennuis et à des préoccupations auxquels elle n'est pas habituée. » Et le derviche, comme s'il ne se voyait pas en état de pouvoir me rien refuser, répondit : « J'avoue, ô Baba-Abdallah, que je n'avais point d'abord réfléchi à ce que tu viens de me rappeler ; et me voici déjà extrêmement inquiet sur les suites de ce voyage, seul avec tous ces chameaux. Choisis donc, sur les quarante chameaux qui me reviennent, les vingt qu'il te plaira de choisir, et laisse-moi les vingt qui restent. Puis va sous la sauvegarde d'Allah ! »

Et moi, fort surpris de trouver chez le derviche une si grande facilité à se laisser persuader, je me hâtai néanmoins de choisir d'abord les quarante qui me revenaient en partage, puis les vingt autres que le derviche me concédait. Et, après l'avoir remercié pour ses bons offices, je pris congé de lui, et me mis en route du côté de Bagdad, tandis qu'il poussait ses vingt chameaux du côté de Bassra.

Or je n'avais pas fait quelque pas sur la route de Bagdad, que le Cheitân souffla l'envie et l'ingratitude dans mon cœur. Et je me mis à déplorer la perte de mes vingt chameaux, et encore plus les richesses qu'ils avaient en charge sur leur dos. Et je me dis : « Pourquoi me frustre-t-il de mes vingt chameaux, ce derviche maudit, alors qu'il est le maître du trésor et qu'il peut en tirer toutes les richesses qu'il veut ? » Et, du coup, j'arrêtai mes bêtes, et je courus après le derviche, en l'appelant de toutes mes forces, et en lui faisant signe d'arrêter ses bêtes et de m'attendre. Et il entendit ma voix et s'arrêta. Et, lorsque je l'eus rejoint, je lui dis : « Ô mon frère le derviche ! je ne t'ai pas eu plus tôt quitté que j'ai été préoccupé grandement à ton sujet, à cause de l'intérêt que je prends à ton repos. Et je n'ai point voulu me résoudre à me séparer de toi sans te prier de considérer encore une fois combien vingt chameaux chargés sont difficiles à mener, surtout quand on est, comme toi, ô mon frère derviche, un homme qui n'est pas accoutumé à ce métier et à ce genre d'occupation. Crois-moi, tu te trouveras beaucoup mieux si tu ne gardes avec toi que, tout au plus, dix chameaux, en te soulageant des dix autres sur un homme comme moi, à qui il ne coûte pas plus de prendre soin de cent que d'un seul ! » Et mes paroles produisirent l'effet que je souhaitais, car le derviche me céda, sans aucune résistance, les dix chameaux que je lui demandais, de manière qu'il ne lui en resta plus que dix, et que je me vis maître de soixante-dix chameaux avec leurs charges, dont la valeur surpassait les richesses de tous les rois réunis de la terre.

Or, après cela, il semble, ô émir des Croyants, que je devais avoir lieu d'être satisfait. Eh bien, pas du tout ! Et mon œil resta vide comme auparavant, sinon davantage, et mon avidité ne fit que croître avec mes acquisitions. Et je me mis à redoubler mes sollicitations, mes prières et mes importunités, pour décider le derviche à mettre le comble à sa générosité en condescendant à me céder les dix autres chameaux qui lui restaient. Et je l'embrassai et lui baisai les mains et fit tant et tant qu'il n'eut pas la force de me les refuser, et m'annonça qu'ils m'appartenaient, en me disant : « Ô mon frère Baba-Abdallah, fais un bon usage des richesses qui te viennent du Rétributeur, et souviens-toi du derviche qui t'a rencontré sur le tournant de ta destinée…

À ce moment de sa narration, Schahrazade vit apparaître le matin et, discrète, se tut.

Mais lorsque fut la huit cent soixante-seizième nuit. Elle dit :

… Ô mon frère Baba-Abdallah, fais un bon usage des richesses qui te viennent du Rétributeur, et souviens-toi du derviche qui t'a rencontré sur le tournant de ta destinée. »

Or, moi, ô mon seigneur, au lieu d'être à la limite de la satisfaction d'être devenu le propriétaire de toute la cargaison de pierreries, je fus poussé par l'avidité de mon œil à demander autre chose encore. Et c'est cela qui devait occasionner ma perte. Il me vint en effet à l'esprit que le petit pot en or qui contenait la pommade, et que le derviche, avant de sortir de la grotte, avait retiré de la jarre précieuse, devait également me revenir comme le reste. Car je me disais : « Qui sait ce que doivent être les vertus de cette pommade ! Et puis, j'ai bien le droit de prendre ce pot, puisque le derviche peut s'en procurer à la grotte de semblables, quand il lui plaira. » Et cette pensée me détermina à lui en parler. Aussi, comme il venait de m'embrasser en prenant congé de moi, je lui dis : « Par Allah sur toi ! ô mon frère le derviche, que veux-tu faire de ce petit pot de pommade que tu as caché dans ton sein ? Et que peut bien faire de cette pommade un derviche qui d'ordinaire ne se sert ni de pommades ni d'odeur de pommade ni d'ombre de pommade ? Donne-moi plutôt ce petit pot, afin que je l'emporte avec le reste, en souvenir de toi ! »

Or, cette fois, je m'attendais à ce que le derviche, irrité de mon insistance, me refusât tout simplement le pot en question. Et moi j'étais disposé à me baser sur son refus pour le lui enlever de force, puisque j'étais, et de beaucoup, le plus fort et, au cas où il résisterait, à l'assommer sur place, en cet endroit désert. Mais, contre toute attente, le derviche me sourit avec bonté, tira le pot de son sein, et me le présenta gracieusement, en me disant : « Tiens, voici le pot, ô mon frère Baba-Abdallah, et puisse-t-il satisfaire le dernier de tes désirs ! D'ailleurs si tu penses que je puis faire davantage pour toi, tu n'as qu'à parler, et me voici prêt à te satisfaire. »

Or, moi, quand j'eus le pot entre les mains, je l'ouvris et, en considérant le contenu, je dis au derviche : « Par Allah sur toi, ô mon frère le derviche, complète tes bontés en me disant quels sont les usages et les vertus de cette pommade que je ne connais pas ! » Et le derviche répondit : « De tout cœur amical ! » Et il ajouta : « Sache donc, puisque tu le demandes, que cette pommade a été triturée par les doigts des genn souterrains qui y ont mis un effet merveilleux. Si, en effet, on en applique un peu autour de l'œil gauche et sur la paupière, elle fait paraître devant celui qui s'en est servi les cachettes où se trouvent les trésors de la terre. Mais si l'application de cette pommade a été, par malheur, faite sur l'œil droit, du coup on devient aveugle des deux yeux à la fois. Et telle est la vertu et tel est l'usage de cette pommade, ô mon frère Baba-Abdallah ! Ouassalam ! »

Et, ayant ainsi parlé, il voulut de nouveau prendre congé de moi. Mais je le retins par la manche, et lui dis : « Par ta vie ! rends-moi un dernier service, en m'appliquant toi-même de cette pommade sur l'œil gauche, car tu sauras faire cela mieux que moi, et je suis à la limite de l'impatience d'expérimenter la vertu de cette pommade dont je suis devenu le possesseur. » Et le derviche ne voulut point se faire trop prier, et, toujours amène et tranquille, il prit un peu de la pommade sur la pulpe de son doigt et me l'appliqua autour de mon œil gauche et sur ma paupière gauche, en me disant : « Ouvre maintenant cet œil gauche, et ferme le droit ! »

Et j'ouvris mon œil gauche, l'empommadé, ô émir des Croyants, et je fermai mon œil droit. Et aussitôt toutes les choses visibles à mes yeux habituels disparurent, pour faire place à des plans superposés de grottes souterraines et marines, de troncs d'arbres géants creusés à leur base, de chambres creusées dans le roc, et de cachettes de toutes sortes. Et tout cela était rempli de trésors en pierreries, en orfèvreries, en joailleries, en bijouteries, en argenteries, de toutes les couleurs et de toutes les formes. Et je vis les métaux dans leurs mines, l'argent vierge et l'or naturel, les pierres cristallisées dans leur gangue et les filons précieux dont la terre est enceinte. Et je ne cessai de regarder et de m'émerveiller que lorsque je sentis que mon œil droit, que j'étais obligé de ternir fermé, était fatigué et demandait à s'ouvrir. Alors je l'ouvris, et aussitôt les objets du paysage d'alentour vinrent d'eux-mêmes se remettre à leur place habituelle, et tous les plans dus à l'effet de la pommade magique disparurent en s'éloignant.

Et, de la sorte, m'étant assuré de la vérité au sujet de l'effet réel de cette pommade, au cas où elle serait appliquée sur l'œil gauche, je ne pus m'empêcher d'avoir des doutes au sujet de l'effet de son application sur l'œil droit. Et je me dis en moi-même : « Je crois bien que le derviche est plein d'astuce et de duplicité, et qu'il n'a été si coulant avec moi et si affable que pour me tromper à la fin. Car il n'est pas possible que la même pommade produise deux effets si contraires, dans les mêmes conditions, simplement par suite de la différence d'endroit. » Et je dis au derviche, en riant : « Hé, ouallah ! ô père de l'astuce, je crois bien que tu te ris de moi présentement ! Car il n'est pas possible qu'une même pommade produise des effets si opposés l'un à l'autre. Mais je pense plutôt, puisque tu ne l'as pas essayée sur toi-même, qu'appliquée sur l'œil droit, cette pommade aura la vertu de mettre à ma disposition les trésors que m'aura montrés mon œil gauche. Qu'en dis-tu ? Tu peux parler sans réticence ! Et d'ailleurs, que tu me donnes tort ou raison, je veux expérimenter sur mon propre œil l'effet droitier de cette pommade, afin de n'être plus dans l'incertitude. Je te prie donc de m'en appliquer sur l'œil droit, sans retard ; car il faut que je me mette en route avant le coucher du soleil. »

Mais, pour la première fois depuis notre rencontre, le derviche eut un mouvement d'impatience, et me dit : « Baba-Abdallah, ta demande est déraisonnable et nuisible, et je ne puis me résoudre à te faire du mal, après t'avoir fait du bien. Ne m'oblige donc pas, par ton opiniâtreté, à t'obéir pour une chose dont tu te repentirais toute ta vie ! » Et il ajouta : « Séparons-nous donc en frères, et que chacun aille en sa voie. » Mais moi, ô mon seigneur, je ne le lâchai pas, et fus de plus en plus persuadé que les difficultés qu'il faisait n'avaient pour but que m'empêcher d'avoir sous ma main, en ma pleine possession, les trésors que je pouvais voir avec mon œil gauche. Et je lui dis : « Par Allah ! ô derviche, si tu ne veux pas que je me sépare de toi le cœur mal satisfait, et cela pour une chose si futile, après tout ce que tu m'as accordé d'important, tu n'as qu'à m'enduire l'œil droit avec cette pommade ; car moi je ne saurais pas. Et d'ailleurs je ne te lâcherai qu'à cette condition. »

Alors le derviche devint bien pâle, et son visage prit un air de dureté que je ne lui connaissais pas, et il me dit : « Tu te rends aveugle de tes propres mains. » Et il prit un peu de la pommade et me l'appliqua autour de l'œil droit et sur la paupière droite. Et je ne vis plus que ténèbres avec mes deux yeux, et je devins l'aveugle que tu me vois, ô émir des Croyants ! Et moi, en me sentant dans cet état affreux, je rentrai soudain en moi-même et m'écriai, en tendant les bras vers le derviche : « Sauve-moi de l'aveuglement, ô mon frère ! » mais je n'obtins aucune réponse. Et il fut sourd à mes supplications et à mes cris, et je l'entendis qui mettait les chameaux en marche, et qui s'éloignait, emportant ce qui avait été mon lot et ma destinée.

Alors moi, je me laissai tomber sur le sol, et restai anéanti pendant un long espace de temps. Et je serais certainement mort de douleur et de confusion, à cette place, si une caravane qui, le lendemain, revenait de Bassra ne m'eût recueilli et ramené à Bagdad.

Et depuis lors, après avoir vu passer à portée de ma main la fortune et la puissance, je me vis réduit à cet état de mendiant sur les routes de la générosité. Et le repentir de mon avidité et de mon abus des bienfaits du Rétributeur entra dans mon cœur, et, pour me punir moi-même, je m'imposai ce traitement d'un soufflet de la main de toute personne qui me ferait l'aumône.

Et telle est mon histoire, ô émir des Croyants. Et je te l'ai racontée, sans rien cacher de mon impiété et de la bassesse de mes sentiments. Et me voici prêt à recevoir un soufflet de la main de chacun des honorables assistants, bien que cela ne soit point un châtiment suffisant. Mais Allah est miséricordieux infiniment ! »

Lorsque le khalifat eut entendu cette histoire de l'aveugle, il lui dit : « Ô Baba-Abdallah, certes ! ton crime est un grand crime, et l'avidité de ton œil est une impardonnable avidité ! Mais je pense que ton repentir et ton humilité devant le Miséricordieux t'ont déjà valu la rémission. Et c'est pourquoi je veux que désormais, pour ne point te voir subir ce traitement public que tu t'es imposé, ta vie soit assurée sur mon trésor. Et, en conséquence, le vizir du trésor te donnera chaque jours dix drachmes de ma monnaie, pour ta subsistance. Et qu'Allah t'ait en Sa miséricorde ! »

Et il ordonna que la même somme fût également versée au maître d'école estropié à la bouche fendue. Et il garda auprès de lui pour les traiter suivant leur rang, avec toute la magnificence dont il était coutumier, le jeune homme maître de la jument blanche, le cheikh Hassân et le cavalier derrière qui on jouait des airs indiens et chinois.

Mais ne crois point, ô Roi fortuné, continua Schahrazade, que cette histoire soit comparable de près ou de loin à celle de LA PRINCESSE SULEIKA *! » Et, le roi Schahriar ne connaissant pas cette histoire, Schahrazade dit :*

HISTOIRE DE LA PRINCESSE SULEIKA

Il m'est revenu, ô Roi du temps, qu'il y avait sur le trône des khalifats, à Damas, un roi d'entre les Ommiades qui avait comme vizir un homme doué de sagesse, de savoir et d'éloquence, lequel, ayant lu les livres des anciens et les annales et les œuvres des poètes, avait retenu ce qu'il avait lu et savait, quand il fallait, raconter à son maître les histoires qui rendent la vie agréable et le temps délectable. Or, un jour d'entre les jours, comme il voyait que le roi, son maître, avait quelque ennui, il résolut de le distraire, et lui dit : « Ô mon seigneur, tu m'as souvent interrogé sur les événements de ma vie, et sur ce qui m'était arrivé avant que je devinsse ton esclave et le vizir de ta puissance. Et jusqu'à présent je me suis toujours récusé, dans la crainte de paraître importun ou atteint de suffisance, et j'ai préféré te raconter ce qui était arrivé à d'autres que moi. Mais aujourd'hui je veux, bien que la bienséance nous interdise de nous citer nous-mêmes, te parler de l'aventure singulière qui marqua toute ma vie, et grâce à laquelle je dois d'être parvenu jusqu'au seuil de ta grandeur. » Et, voyant que son maître était déjà plein d'attention, il raconta ainsi son histoire, disant :

« Je suis né, ô mon seigneur et la couronne sur ma tête, dans cette ville bienheureuse de Damas, d'un père qui se nommait Abdallah, et qui était l'un des marchands les plus estimables de tout le pays de Scham. Et rien ne fut épargné pour mon éducation, car je reçus les leçons des maîtres les plus versés dans l'étude de la théologie, de la jurisprudence, de l'algèbre, de la poésie, de l'astronomie, de la calligraphie, de l'arithmétique et des traditions de notre foi. Et l'on m'apprit également toutes les langues, qui se parlent dans le domaine de ta souveraineté, d'une mer à l'autre mer, afin que si je parcourais un jour le monde, par amour du voyage, cela pût me servir dans les pays des hommes. Et c'est ainsi que j'appris, outre tous les dialectes de notre langue, le parler des Persans, des Grecs, des Tatars, des Kurdes, des Indiens et des Chinois. Et mes maîtres surent m'enseigner tout cela d'une telle manière que je retins tout ce que j'appris, et que l'on me citait en exemple aux écoliers rétifs…

À ce moment de sa narration, Schahrazade vit apparaître le matin et, discrète, se tut.

Mais lorsque fut la huit cent soixante-dix-septième nuit. La petite Doniazade se leva du tapis où elle était blottie et embrassa sa sœur et lui dit : « Ô Schahrazade, de grâce ! hâte-toi de nous raconter l'histoire que tu as commencée, et qui est celle de la princesse Suleika. » Et Schahrazade dit : « De tout cœur amical et comme hommage dû à ce Roi doué de bonnes manières. » Et elle dit :

Le vizir du roi de Damas continua de la sorte l'histoire qu'il racontait à son maître : « Lorsque, ô mon seigneur, j'eus appris, grâce aux leçons de mes maîtres, toutes les sciences de mon temps, ainsi que les dialectes de notre langue et le parler des Persans, des Grecs, des Tatars, des Kurdes, des Indiens et des Chinois, et que, grâce à la méthode excellente de mes maîtres, j'eus retenu tout ce que j'avais appris, mon père, tranquillisé sur mon sort, vit sans amertume s'approcher pour lui le moment écrit pour le terme de la vie de chaque créature. Et, avant que de trépasser dans la miséricorde de son Seigneur, il m'appela près de lui et me dit : « Ô mon fils, voici que la Séparatrice va couper le lien de ma vie, et tu vas demeurer sans tête directrice dans la mer des événements.

Mais je me console de te laisser seul, en songeant que tu sauras, grâce à l'éducation que tu as reçue, hâter l'approche de la destinée favorable. Toutefois, ô mon enfant, nul d'entre les fils d'Adam ne peut savoir ce que lui réserve le sort, et nulle précaution ne peut prévaloir contre les arrêts du Livre de la Destinée. Si donc, ô mon fils, un jour vient où le temps se tourne contre toi et que ta vie devienne noire, tu n'as qu'à aller dans le jardin de cette maison, et à te suspendre à la branche maîtresse du vieil arbre que tu connais. Et cela te délivrera ! »

Et mon père, ayant prononcé ces paroles étranges, mourut dans la paix du Seigneur, sans avoir eu le temps de m'en dire plus long ou de revenir sur un tel conseil. Et moi, pendant toute la durée des funérailles et des jours de deuil, je ne manquai pas de réfléchir sur ces paroles si singulières de la part de l'homme sage et craignant Allah qu'avait été mon père durant toute sa vie. Et je me demandais sans cesse : « Comment se fait-il que mon père m'ait conseillé, contre les préceptes du Saint Livre, de me donner la mort par pendaison, en cas de revers, plutôt que de me fier à la sollicitude du Maître des créatures ? C'est là une chose qui dépasse l'entendement. »

Puis, peu à peu, le souvenir de ces paroles s'effaça en moi, et, comme j'aimais le plaisir et la dépense, je ne tardai pas, dès que je me vis à la tête de l'héritage considérable qui était mon lot, à me livrer à tous mes penchants. Et je vécus plusieurs années au sein de la folie et des prodigalités, si bien que je finis par manger tout mon patrimoine, et qu'un jour je me réveillai nu comme au sortir du sein de ma mère. Et je me dis, en me mordant les doigts : « Ô Hassân, fils d'Abdallah, te voilà réduit à la misère par ta faute et non par la traîtrise du temps. Et il ne te reste plus, pour tout bien, que cette maison avec ce jardin. Et tu vas être obligé de les vendre, pour subsister quelque temps encore. Après quoi tu seras réduit à la mendicité, car tes amis t'abandonneront, et nul n'accordera de crédit à quelqu'un qui a ruiné sa maison avec ses propres mains ! » Et je me souvins alors des paroles dernières de mon père, que je trouvai, cette fois, judicieuses, en me disant : « Certes ! il vaut mieux mourir par pendaison que de demander l'aumône sur les chemins ! »

Et, pensant ainsi, je pris une grosse corde, et descendis au jardin. Et, résolu à me pendre, je me dirigeai vers l'arbre en question, je cherchai la branche maîtresse, et l'ayant atteinte, en mettant deux grosses pierres au pied du vieil arbre, j'y attachai la corde par un bout. Et je fis avec l'autre bout un nœud coulant que je me passai au cou ; et, demandant pardon à Allah de mon acte, je m'élançai en l'air de dessus les deux pierres. Et déjà je me balançais étranglé, quand la branche, cédant sous mon poids, craqua et se détacha du tronc. Et je tombai sur le sol avec elle, avant que la vie eût quitté mon corps.

Et, lorsque je fus revenu de la sorte d'évanouissement où j'étais, et que j'eus compris que je n'étais pas mort, je fus très mortifié d'avoir dépensé un tel effort de volonté pour aboutir à cet échec final. Et déjà je me levais pour répéter mon acte criminel, quand je vis un caillou tomber de l'arbre, et je m'aperçus que ce caillou brûlait sur le sol comme un charbon ardent. Et, à ma grande surprise, je remarquai que, là où ma chute venait d'avoir lieu, le sol était jonché de ces cailloux brillants, et qu'il en tombait encore de l'arbre, précisément de l'endroit même d'où la branche s'était détachée. Et je remontai sur les deux grosses pierres, et je regardai de plus près la cassure. Et je vis, qu'à cet endroit, il y avait, non point un plein mais un creux, et que du creux s'échappaient de ces cailloux qui étaient des diamants, des émeraudes et d'autres pierres de toutes les couleurs.

À cette vue, ô mon seigneur, je compris la véritable signification des paroles de mon père, et je me les rappelai dans leur vraie valeur, en me souvenant que mon père, loin de m'avoir conseillé de me pendre, m'avait conseillé simplement de me suspendre à cette branche maîtresse de l'arbre, sachant par avance qu'elle céderait sous mon poids et mettrait à découvert le trésor qu'il avait lui-même enfoui à mon intention, en prévision des mauvais jours, dans le tronc évidé du vieil arbre.

Et, le cœur dilaté de joie, je courus chercher une hache dans la maison, et j'agrandis la cassure. Et je trouvai que tout le tronc immense du vieil arbre était creusé, et qu'il était rempli jusqu'à la base de rubis, de diamants, de turquoises, de perles, d'émeraudes, et de toutes les espèces de gemmes terrestres et marines.

Alors, moi, après avoir glorifié Allah pour ses bienfaits et béni en mon cœur la mémoire de mon père, dont la sagesse avait prévu mes folies et m'avait réservé ce salut inespéré, je détestai ma vie ancienne et mes habitudes de débauche et de prodigalité, et je résolus de devenir un homme de dignité et de pondération. Et, pour commencer, je ne voulus point vivre plus longtemps dans une ville qui avait été témoin de mes extravagances, et résolus de m'en aller vers le royaume de Perse, où m'attirait d'une attraction invincible la fameuse ville de Schiraz, dont j'avais souvent entendu mon père s'entretenir comme d'une ville où étaient réunies toutes les élégances de l'esprit et toutes les douceurs de la vie. Et je me dis : « Ô Hassân, dans cette ville de Schiraz, tu t'installeras comme marchand de pierreries, et tu feras la connaissance des hommes les plus délicieux de la terre. Et, comme tu sais parler le persan, cela ne te sera d'aucune difficulté ! »

Et je fis immédiatement ce que j'avais résolu de faire. Et Allah m'écrivit la sécurité, et, après un long voyage, j'arrivai sans encombre dans la ville de Schiraz, où régnait alors le grand roi Sabour-Schah. Je descendis dans le khân le mieux tenu de la ville, où je louai une belle chambre. Et, sans prendre le temps de me reposer, je changeai mes habits de voyage contre des vêtements neufs et fort beaux, et allai me promener à travers les rues et les souks de cette ville splendide.

Or, comme je venais de sortir de la grande mosquée en porcelaine, dont la beauté avait ému mon cœur et m'avait jeté dans l'extase de la prière, j'aperçus un vizir d'entre les vizirs du roi Sabour-Schah qui venait de mon côté. Et il m'aperçut également, et s'arrêta devant moi, me contemplant comme si j'étais un ange. Puis il m'aborda et me dit : « Ô le plus beau des adolescents, de quel pays es-tu ? Car je vois, à ton habit, que tu es étranger à notre ville ! » Et je répondis, en m'inclinant : « Je suis de Damas, ô mon maître, et je suis venu à Schiraz pour m'éduquer auprès de ses habitants ! » Et le vizir, en entendant mes paroles, se dilata considérablement, et me serra dans ses bras, et me dit : « Ô les belles paroles de ta bouche, ô mon fils ! Quel âge as-tu ? » Et je répondis : « Ton esclave est dans sa seizième année ! » Et il se dilata encore davantage, car il descendait des compagnons de Loth, et me dit : « C'est le bel âge, ô mon enfant ! c'est le bel âge. Et si tu n'as rien de mieux à faire, viens avec moi au palais, et je te présenterai à notre roi qui aime les beaux visages, et qui te nommera parmi ses chambellans. Et certes ! tu seras la gloire des chambellans et leur couronne. » Et je lui dis : « Sur ma tête et sur mon œil, et j'écoute et j'obéis ! »

Alors il me prit par la main. Et nous fîmes route ensemble, en nous entretenant de choses et d'autres. Et il s'étonnait énormément de m'entendre parler le persan, langue qui n'était pas la mienne, avec aisance et pureté. Et il s'émerveillait de ma mine et de mon élégance. Et il me disait : « Par Allah ! si tous les jeunes gens de Damas sont comme toi, cette ville est une région du paradis, et la portion du ciel au-dessus de Damas est le paradis même ! » Et nous arrivâmes de la sorte au palais du roi Sabour-Schah, auprès duquel il m'introduisit, et qui, en effet, sourit à mon visage, et me dit : « Que le visage de Damas soit le bienvenu dans mon palais ! » Et il me dit : « Comment t'appelles-tu, ô bel adolescent ? » Et je répondis : « Ton esclave Hassân, ô roi du temps ! » Et, de m'avoir entendu parler de la sorte, il se dilata et s'épanouit, et me dit : « Nul nom n'a jamais mieux convenu à un pareil visage, ô Hassân ! » Et il ajouta : « Je te nomme mon chambellan, afin que mes yeux se réjouissent chaque matin de ta vue ! » Et moi je baisai la main du roi, et le remerciai de la bonté qu'il me témoignait. Et le vizir m'emmena et me fit quitter mes habits, et me revêtit lui-même d'un habillement de page. Et il me donna la première leçon de tenue, dans nos fonctions de chambellan. Et je ne savais comment lui exprimer ma gratitude pour toutes ses attentions. Et il me prit sous sa protection. Et je devins son ami. Et, de leur côté, tous les autres chambellans, qui étaient jeunes et fort beaux, devinrent mes amis. Et ma vie s'annonçait délicieuse dans ce palais, qui déjà me donnait tant de joie et me promettait tant de plaisirs délicats.

Or, jusqu'à présent, ô mon seigneur, la femme n'avait été pour rien du tout dans ma vie. Mais elle devait bientôt faire son apparition. Et, avec elle, dans ma vie devait entrer la complication…

À ce moment de sa narration, Schahrazade vit apparaître le matin et, discrète, se tut.

Mais lorsque fut la huit cent soixante-dix-huitième nuit. Elle dit :

… Or, jusqu'à présent, ô mon seigneur, la femme n'avait été pour rien du tout dans ma vie. Mais elle devait bientôt y faire son apparition. Et, avec elle, dans ma vie devait entrer la complication.

En effet, je dois me hâter de te dire, ô mon seigneur, que mon protecteur m'avait dit, dès le premier jour : « Sache, ô mon chéri, qu'il est défendu à tous les chambellans des douze chambres, de même qu'à tous les dignitaires du palais, officiers et gardes, de se promener la nuit dans les jardins du palais après une certaine heure. Car, à partir de cette heure, les jardins sont réservés aux seules femmes du harem, afin qu'elles puissent y venir respirer l'air et causer entre elles. Et si quelqu'un, pour son malheur, est surpris dans le jardin, à cette heure-là, il risque sa tête. » Et moi, je m'étais bien promis de ne jamais courir ce risque.

Or, un soir, la fraîcheur aidant et la douceur de l'air, je me laissai gagner par le sommeil, sur un banc des jardins. Et je ne sais combien de temps je demeurai assoupi. Et, dans mon sommeil, j'entendais des voix de femmes qui disaient : « Ô ! c'est un ange ! c'est un ange ! c'est un ange ! Ô ! qu'il est beau ! qu'il est beau ! qu'il est beau ! » Et je me réveillai soudain. Et je ne vis rien que l'obscurité. Et je compris que je venais de faire un rêve. Et je compris également que si j'étais surpris à cette heure dans les jardins, je risquais fort de perdre ma tête, malgré tout l'intérêt que j'inspirais au roi et à son vizir. Et, affolé à cette idée, je me levai vivement sur mes deux pieds pour courir au palais avant qu'on m'eût aperçu en ces lieux prohibés. Mais voici qu'une voix de femme sortit tout à coup de l'ombre et du silence, qui me disait, toute rieuse de timbre : « Pour où ? pour où, ô beau réveillé ? » Et moi, plus ému que si j'étais poursuivi par tous les gardes du harem, je voulus livrer mes jambes au vent, ne songeant qu'à arriver au palais. Mais avant que j'eusse fait quelques pas, je vis, au détour d'une allée, apparue sous la lune qui sortait de dessous un nuage, une dame de beauté et de blancheur, debout devant moi et souriante, avec deux grands yeux de gazelle amoureuse. Et son port était majestueux, comme royale était son attitude. Et la lune qui brillait dans le ciel d'Allah était moins brillante que son visage.

Et moi, devant cette apparition descendue sans doute du paradis, je ne pus faire autrement que de m'arrêter. Et, plein de confusion, je baissai les yeux, et me tins dans l'attitude de la déférence. Et elle me dit de sa voix gentille : « Où allais-tu si vite, ô lumière de l'œil ? Et qui peut t'obliger à courir ainsi ? » Et je répondis : « Ô dame ! si tu es de ce palais, tu ne peux ignorer les raisons qui me poussent à m'éloigner si précipitamment de ces lieux. Tu dois savoir, en effet, qu'il est défendu aux hommes de s'attarder dans les jardins, passé une certaine heure, et qu'il y va de la perte de la tête de contrevenir à cette défense. Laisse-moi donc, de grâce ! m'éloigner avant que les gardes m'aperçoivent. » Et la jeune dame, continuant à rire, me dit : « Ô brise du cœur, tu t'avises un peu tard de te retirer ! L'heure dont tu parles est passée depuis longtemps. Et tu ferais bien mieux, au lieu de chercher à te sauver, de passer ici le reste de ta nuit, qui sera pour toi une nuit bénie, une nuit de blancheur ! » Mais moi, plus ému et plus tremblant que jamais, je ne songeais qu'à la fuite, et je me lamentais, disant : « Ô ma perte sans recours ! Ô fille des gens de bien, ô ma maîtresse, qui que tu sois, n'occasionne pas ma mort par l'attrait de tes charmes ! » Et je voulus m'échapper. Mais elle m'en empêcha, en étendant le bras gauche, et, de sa main droite, elle rejeta complètement son voile, et me dit, en cessant de rire : « Regarde-moi donc, jeune insensé, et dis-moi si, tous les soirs, tu en peux rencontrer de plus belles ou de plus jeunes que moi ? J'ai à peine dix-huit ans, et nul homme ne m'a touchée. Quant à mon visage, qui n'est point laid à regarder, nul jusqu'à toi n'a pu se flatter de l'avoir entrevu. Tu m'outragerais donc violemment si tu cherchais davantage à me fuir. » Et je lui dis : « Ô ma souveraine, certes ! tu es la pleine lune de la beauté, et quoique la nuit jalouse dérobe à mes yeux une partie de tes charmes, ce que j'en découvre suffit pour mon enchantement ! Mais, je t'en supplie, mets-toi un instant dans ma situation, et tu verras combien triste elle est et délicate. » Et elle répondit : « Je conviens avec toi, ô noyau du cœur, que délicate est, en effet, ta situation, mais sa délicatesse ne provient point du danger que tu cours, mais de l'objet même qui l'occasionne. Car tu ne sais point qui je suis, ni quel est mon rang dans le palais ! Et pour ce qui est du danger que tu cours, il serait réel pour tout autre que pour toi, puisque je te prends sous ma sauvegarde et ma protection. Dis-moi donc ton nom, qui tu es, et quelles sont tes fonctions au palais. » Et je répondis : « Ô ma maîtresse, je suis Hassân de Damas, le nouveau chambellan du roi Sabour-Schah et le favori du vizir du roi Sabour-Schah. » Et elle s'écria : « Ah ! c'est toi le bel Hassân qui a renversé la cervelle du descendant de Loth ! Ô mon bonheur de t'avoir cette nuit, pour moi seule, ô mon chéri ! Viens, mon cœur, viens ! Et cesse d'empoisonner des moments de douceur et de grâce par de pénibles réflexions ! »

Et, ayant ainsi parlé, la belle adolescente m'attira de force contre elle, et frotta son visage contre le mien, et appliqua ses lèvres sur mes lèvres, avec passion. Et moi, ô mon seigneur, bien que ce fût la première fois qu'une telle aventure m'arrivât, je sentis à ce contact vivre furieusement en moi l'enfant de son père, et, ayant embrassé avec transport l'adolescente en pâmoison, je retirai l'enfant et le présentai vers le nid. Mais, à sa vue, au lieu de se mouvementer en s'allumant, l'adolescente se désenlaça soudain et me repoussa rudement, en jetant un cri d'alarme. Et j'avais à peine eu le temps de rentrer l'enfant, qu'aussitôt je vis sortir d'un bosquet de roses dix adolescentes qui coururent à nous, en riant à mourir.

Et, à leur vue, ô mon seigneur, je compris qu'elles avaient tout vu et tout entendu, et que la jeune personne en question s'était amusée à mes dépens, et qu'elle ne s'était servie de moi que par moquerie, dans le but évident de faire rire ses compagnes. Et d'ailleurs, en un clin d'œil, toutes les jeunes filles étaient déjà autour de moi, rieuses, et bondissantes comme des biches apprivoisées. Et, au milieu de leurs éclats de rire, elles me regardaient avec des yeux allumés de malice et de curiosité, et disaient à celle qui m'avait abordé : « Ô notre sœur Kaïria, que tu as excellé ! Ô que tu as excellé ! Qu'il était beau l'enfant ! et vif ! » Et une autre dit : « Et rapide ! » Et une autre dit : « Et irritable ! » Et une autre dit : « Et galant ! » Et une autre dit : « Et charmant ! » Et une autre dit : « Et grand ! » Et une autre dit : « Et bien portant ! » Et une autre dit : « Et véhément ! » Et une autre dit : « Et surprenant ! » Et une autre dit : « Un sultan ! »

Et là-dessus, elles se mirent à faire de longs éclats de rire, tandis que moi j'étais à la limite de la gêne et de la confusion. Car, de ma vie, ô mon seigneur, je n'avais regardé une femme au visage, ni ne m'étais trouvé dans la société des femmes. Et celles-là étaient d'une effronterie et d'une audace qui n'avaient point d'exemple dans les annales de l'impudicité. Et je restai là, au milieu de leur délire, déconcerté, honteux, et le nez allongé jusqu'à mes pieds, comme un sot.

Mais soudain, du bosquet des roses, sortit, comme la lune à son lever, une douzième adolescente, dont l'apparition fit subitement cesser tous les rires et toutes les railleries. Et sa beauté était souveraine et faisait s'incliner sur son passage les tiges des fleurs. Et elle s'avança vers notre groupe, qui s'ouvrit à son approche ; et elle me regarda longuement et me dit : « Certes, ô Hassân de Damas, ton audace est une grande audace, et ton attentat sur la jeune dame que voici mérite le châtiment. Et, par ma vie ! quel dommage pour ta jeunesse et ta beauté ! »

Alors l'adolescente qui avait été la cause de toute cette aventure, et qui se nommait Kaïria, s'avança et baisa la main de celle qui venait de parler ainsi, et lui dit : « Ô notre maîtresse Suleika, par ta vie précieuse ! pardonne-lui son mouvement de tout à l'heure, qui n'est que la preuve de son impétuosité. Et son sort est entre tes mains ! Nous faut-il donc l'abandonner ou lui porter secours, à ce bel assaillant, à ce perpétrateur d'attentats contre les jeunes filles vierges ! » Et celle qu'on nommait Suleika réfléchit un instant et répondit : « Eh bien, pour cette fois, nous lui pardonnons, puisque toi-même, qui as subi son attentat, intercède en sa faveur. Que sa tête soit sauve, et qu'il soit délivré du danger où il se trouve ! Et il faut même, pour qu'il se souvienne des jeunes filles qui l'ont délivré, que nous tâchions de lui rendre un peu plus agréable son aventure de cette nuit. Emmenons-le donc avec nous et faisons-le entrer dans nos appartements privés, qu'aucun homme jusqu'ici n'a violés de sa présence. » Et, ayant ainsi parlé, elle fit signe à l'une des jeunes filles, ses compagnes, qui aussitôt disparut, légère, sous les cyprès, pour revenir au bout d'un instant, portant sur les bras un flot de soieries. Et elle développa à mes pieds ces soieries, qui composaient une robe charmante de femme ; et, à elles toutes, elles m'aidèrent à la passer par-dessus mes vêtements. Et, déguisé de la sorte, je me mêlai intimement à leur groupe. Et, à travers les arbres, nous gagnâmes les appartements privés.

Or, en entrant dans la salle des réceptions réservée au harem et tout en marbre ajouré et incrusté de perles et de turquoises, les jeunes filles me dirent à l'oreille que cette salle était celle où la fille unique du roi avait pour habitude de recevoir ses visiteuses et ses amies. Et elles me révélèrent également que la fille unique du roi n'était autre que la princesse Suleika elle-même.

Et je remarquai qu'il y avait, au milieu de cette salle si belle et si nue, vingt grands carreaux de brocart disposés en rond sur le grand tapis. Et toutes les jeunes filles, qui n'avaient pas cessé un instant de me faire subrepticement des agaceries et de me jeter des coups d'œil flambants, allèrent s'asseoir en bon ordre sur ces carreaux de brocart, en m'obligeant à m'asseoir au milieu d'elles, tout contre la princesse Suleika elle-même, qui me regardait avec des yeux dont mon âme était transpercée.

Alors Suleika commanda les rafraîchissements, et six nouvelles esclaves, non moins belles et richement vêtues, parurent à l'instant, et commencèrent par nous offrir, sur des plateaux d'or, des serviettes de soie, tandis que dix autres les suivaient avec de grandes porcelaines, dont la vue à elle seule était déjà un rafraîchissement…

À ce moment de sa narration, Schahrazade vit apparaître le matin et, discrète, se tut.

Mais lorsque fut la huit cent soixante-dix-neuvième nuit. Elle dit :

… Tandis que dix autres les suivaient avec de grandes porcelaines, dont la vue à elle seule était déjà un rafraîchissement. Et elles nous servirent les porcelaines qui contenaient des sorbets à la neige, du lait caillé, des confitures de cédrat, des tranches de concombre et des limons. Et la princesse Suleika se servit la première, et, avec la même cuiller d'or qu'elle avait portée à ses lèvres, elle m'offrit un peu de confiture et une tranche de cédrat, puis une nouvelle cuillerée de lait caillé. Puis la même cuiller circula plusieurs fois de main en main, si bien que toutes les jeunes filles se servirent de ces excellentes choses à différentes reprises, jusqu'à ce qu'il n'y eût plus rien dans les porcelaines. Et alors les esclaves nous présentèrent de fort belle eau dans des coupes de cristal.

Et l'entretien ne manqua pas de devenir aussi vif que si nous avions bu tous les ferments des vins. Et je m'étonnais de la hardiesse des discours sur les lèvres de ces jeunes filles, qui riaient aux éclats chaque fois que l'une d'elles avançait une plaisanterie forte et consistante sur le compte de l'enfant de son père, dont la vue les préoccupait outre mesure. Et la charmante Kaïria, contre qui avait été dirigé mon attentat, puisqu'il y avait attentat, ne me gardait plus aucune rancune, et s'était placée vis-à-vis de moi. Et elle me regardait en souriant, et me faisait comprendre par le langage des yeux qu'elle me pardonnait ma vivacité du jardin. Et moi, de mon côté, je levais les yeux sur elle de temps en temps, puis je les baissais vivement dès que je remarquais qu'elle avait la vue sur moi ; car, malgré tous les efforts que je faisais pour faire paraître quelque assurance sur mon visage, je continuais à avoir, au milieu de ces extraordinaires jeunes filles, une contenance fort embarrassée. Et la princesse Suleika et ses compagnes, qui s'en apercevaient bien, tâchaient, de leur côté, par toutes sortes de moyens, de m'inspirer de la hardiesse. Et Suleika finit par me dire : « Quand donc, ô notre ami Hassân, ô Damasquin, vas-tu prendre un air libre et de l'aisance ? Crois-tu que ces jeunes filles innocentes soient des mangeuses de chair humaine ? Et ne sais-tu que tu ne cours aucun risque dans les appartements de la fille du roi, où jamais un eunuque n'osera pénétrer sans permission ? Oublie donc, pour un instant, que tu parles avec la princesse Suleika, et suppose-toi en séance de causerie avec de simples filles de petits marchands de Schiraz. Lève donc la tète, ô Hassân, et regarde au visage toutes ces jeunes et charmantes personnes. Et, les ayant examinées avec la plus grande attention, hâte-toi de nous dire, en toute franchise et sans craindre de nous offusquer, quelle est celle d'entre nous qui te plaît davantage ! »

Or, ces paroles de la princesse Suleika, ô roi du temps, au lieu de me donner du courage et de l'assurance, ne firent qu'augmenter mon trouble et mon embarras, et je ne sus que balbutier des paroles incohérentes, en sentant la rougeur de l'émotion me monter au visage. Et j'eusse voulu, à ce moment-là, que la terre s'entrouvrît et me dévorât. Et Suleika, voyant ma perplexité, me dit : « Je vois, ô Hassân, que je te demande là une chose qui te met dans l'embarras. Car, sans doute, tu crains qu'en déclarant ta préférence pour l'une, tu ne déplaises à toutes les autres et les indisposes contre toi. Eh bien, tu as tort, si une telle crainte te noircit l'entendement. Sache, en effet, que moi et mes compagnes nous sommes tellement unies, et nous avons entre nous de tels liens de tendresse, qu'un homme, quoi qu'il fasse avec l'une de nous, ne saurait altérer nos sentiments mutuels. Chasse donc de ton cœur les craintes qui le font si prudent, examine-nous tout à ton aise, et si même tu désires que nous nous mettions toutes nues devant toi, dis-le sans réticence, et nous nous exécuterons sur nos têtes et nos yeux. Mais hâte-toi seulement de nous dire quelle est l'élue de ton choix. »

Alors moi, ô mon seigneur, je fis appel à ce qui m'était revenu de courage devant tous ces encouragements, et, quoique les compagnes de Suleika fussent parfaitement belles, et qu'il eût été bien difficile à l'œil le plus expert de faire la différence, et quoique, d'autre part, la princesse Suleika fût elle-même pour le moins aussi merveilleuse que ses jeunes filles, mon cœur désira ardemment celle qui, la première, l'avait fait battre si violemment dans le jardin, la sémillante et délicieuse Kaïria, la bien-aimée de l'enfant de son père. Mais je me gardai bien, malgré tout le désir, de révéler ces sentiments qui, en dépit des paroles rassurantes de Suleika, risquaient fort d'attirer sur ma tête les ressentiments de toutes ces vierges. Et je me contentai, après les avoir examinées toutes avec la plus grande attention, de me tourner vers la princesse Suleika et de lui dire : « Ô ma maîtresse, je dois commencer par te dire que je ne saurais comparer tes charmes à ceux de tes compagnes, car on ne compare point l'éclat de la lune avec le scintillement des étoiles. Et telle est ta beauté que les yeux ne sauraient avoir que pour elle des regards. » Et, en disant ces paroles, je ne pus m'empêcher de jeter un coup d'œil d'intelligence à la délectable Kaïria, de façon à lui faire comprendre que seule la bienséance me dictait cette flatterie à l'égard de la princesse.

Et lorsqu'elle eut entendu ma réponse, Suleika me dit, en souriant : « Tu as excellé, ô Hassân, bien que la flatterie soit apparente. Hâte-toi donc, maintenant que tu es plus libre de parler, de nous découvrir le fond de ton cœur, en nous disant quelle est celle, parmi toutes ces jeunes filles, qui te captive le plus ! » Et, de leur côté, les jeunes filles unirent leurs prières à celle de la princesse, pour me presser de leur révéler ma préférence. Et c'était, entre toutes, Kaïria qui se montrait la plus ardente à vouloir me faire parler, ayant déjà deviné mes secrètes pensées. Alors moi, ô mon seigneur, ayant banni le reste de ma timidité, je cédai à toutes ces instances réitérées des jeunes filles et de leur maîtresse, je me tournai vers Suleika, et lui dis, en montrant d'un geste de ma main la jeune Kaïria : « Ô ma souveraine, c'est celle-ci même que je veux ! Oui, par Allah ! c'est vers l'aimable Kaïria que va mon plus grand désir. »

Or, je n'avais pas encore achevé de prononcer ces mots, que toutes les jeunes filles poussèrent ensemble de longs éclats de rire, sans que sur leurs visages épanouis parût le moindre indice de dépit. Et je pensai en mon âme, en les regardant se pousser du coude et mourir de rire : « Quelle affaire prodigieuse est cette affaire ! Sont-ce là des femmes d'entre les femmes et des jeunes filles d'entre les jeunes filles ? Car depuis quand les créatures de ce sexe ont-elles acquis ce détachement et tant de vertu, pour ne pas se jalouser et se griffer le visage devant le succès de l'une de leurs semblables ! Par Allah ! les sœurs n'agiraient pas avec tant d'aménité et de désintéressement envers leurs sœurs. Voilà qui dépasse l'entendement. »

Mais la princesse Suleika ne me laissa pas longtemps plongé dans cette perplexité, et me dit : « La félicitation ! la félicitation, ô Hassân de Damas ! Par ma vie ! les jeunes gens de ton pays ont bon goût, œil fin et sagacité. Et je suis bien aise, ô Hassân, que tu aies donné la préférence à ma favorite, Kaïria. C'est la préférée de mon cœur et la plus aimée. Et tu ne te repentiras pas de ton choix, ô vaurien ! D'ailleurs tu es loin de connaître tout le prix et toute la valeur de l'élue, car nous toutes, telles que nous sommes, nous ne pouvons guère prétendre à lui être, de près ou de loin, comparées pour les charmes, les perfections du corps et l'attrait de l'esprit. Et, en vérité, nous sommes ses esclaves, quoique les apparences pussent être trompeuses. »

Puis toutes, l'une après l'autre, se mirent à féliciter la charmante Kaïria, et à la plaisanter sur le triomphe qu'elle venait de remporter. Et elle fut loin d'être à court de répliques, et à chacune de ses compagnes elle fit la réponse qu'il fallait, tandis que j'étais à la limite de l'étonnement. Après quoi, Suleika ramassa près d'elle un luth, et le mit entre les mains de sa favorite Kaïria, en lui disant : « Âme de mon âme, il convient que tu fasses voir à ton amoureux un peu de ce que tu sais, afin qu'il ne pense pas que nous avons exagéré tes mérites. » Et la délectable Kaïria prit le luth des mains de Suleika, l'accorda et, après un prélude ravissant, chanta en sourdine, en s'accompagnant :

« Je suis l'élève de l'amour. Il m'a enseigné les bonnes manières.

Il a mis en mon âme des trésors que je réserve à ce jeune faon qui m'a percé le cœur.

Avec les scorpions noirs de ses belles tempes.

Tant que je vivrai, j'aimerai le jouvenceau qu'a choisi mon cœur, car je suis fidèle à l'objet de mon amour.

Ô amoureux, lorsque vous avez choisi un objet aimable, aimez-le bien et jamais ne vous en séparez. Un objet qu'on perd ne se retrouve jamais.

Pour moi, j'aime ce jeune faon aux formes gracieuses dont le regard a pénétré mon cœur plus profondément que le tranchant d'une lame coupante.

La beauté a écrit sur son jeune front des lignes charmantes au sens concis.

Son regard de sorcellerie est si enchanteur qu'il fascine tous les cœurs par l'arc tendu où brillent ses flèches noires.

Ô toi, dont je ne pourrai plus me passer, et que je ne saurai remplacer dans mon intimité.

Viens au hammam avec moi. Les nards brûleront, et leurs vapeurs empliront la salle. Et moi je chanterai sur ton cœur notre amour. »

Lorsqu'elle eut fini de chanter, elle tourna les yeux vers moi si tendrement, qu'oubliant soudain toute ma timidité et la présence de la fille du roi et de ses malicieuses compagnes, je me jetai aux pieds de Kaïria, transporté d'amour et à la limite du plaisir. Et de sentir le parfum qui s'exhalait de ses fins habits et la chaleur de sa chair sur moi, je fus dans une telle ivresse, que je la pris tout d'un coup dans mes bras, et me mis à la baiser partout où je pouvais, avec véhémence, tandis qu'elle se pâmait comme une tourterelle. Et je ne revins à la réalité qu'en entendant les grands éclats de rire que faisaient les jeunes filles, de me voir déchaîné comme un bélier à jeun depuis sa puberté…

À ce moment de sa narration, Schahrazade vit apparaître le matin et, discrète, se tut.

Mais lorsque fut la huit cent quatre-vingtième nuit. Elle dit :

… Et je ne revins à la réalité qu'en entendant les grands éclats de rire que faisaient les jeunes filles, de me voir déchaîné comme un bélier à jeun depuis sa puberté.

Là-dessus on se mit à manger et à boire et à dire des folies et à se faire par en dessous des caresses et des cajoleries, jusqu'à ce qu'une vieille esclave entrât, qui avertit la compagnie que le jour allait bientôt paraître. Et toutes ensemble répondirent : « Ô nourrice de notre maîtresse, ton avis est sur notre tête et nos yeux ! » Et Suleika se leva en me disant : « Il est temps, ô Hassân, d'aller se reposer. Et tu peux compter sur ma protection pour arriver à t'unir avec ton amoureuse, car je n'épargnerai rien pour te faire arriver à la satisfaction de tes désirs. Mais pour le moment, nous allons te faire sortir sans bruit du harem. » Et elle dit quelques mots à l'oreille de sa vieille nourrice, qui me regarda un instant au visage, et me prit la main en me disant de la suivre. Et moi, après m'être incliné devant cette troupe de colombes, et avoir jeté un coup d'œil passionné à la délectable Kaïria, je me laissai conduire par la vieille, qui me mena dans plusieurs galeries, et, par mille détours, me fit arriver à une petite porte dont elle avait la clef. Et elle ouvrit cette porte. Et je me glissai au-dehors, et m'aperçus que j'étais hors de l'enceinte du palais.

Or, déjà le jour était levé, et je me hâtai de rentrer au palais par la grande porte, ostensiblement, de façon à être aperçu par les gardes. Et je courus à ma chambre, où, dès que j'en eus franchi le seuil, j'aperçus mon protecteur, le vizir, descendant de Loth, qui m'attendait à la limite de l'impatience et de l'inquiétude. Et il se leva vivement en me voyant entrer, et me serra dans ses bras, et m'embrassa tendrement, en me disant : « Ô Hassân, mon cœur était chez toi, et j'étais dans un grand émoi à ton sujet. Et je n'ai point fermé l'œil de toute la nuit, en songeant qu'étranger à Schiraz, tu courais des dangers nocturnes de la part des garnements qui infestent les rues. Ah ! mon chéri, où étais-tu, loin de moi ? » Et moi je me gardai bien de lui raconter mon aventure ou de lui dire que j'avais passé la nuit avec des femmes, et mécontentai de lui répondre que j'avais fait la rencontre d'un marchand de Damas établi à Bagdad, qui venait de partir pour El Bassra avec toute sa famille, et qu'il m'avait retenu chez lui toute la nuit. Et mon protecteur fut bien obligé de me croire, et se contenta de pousser quelques soupirs et de me réprimander amicalement. Et voilà pour lui !

Quant à moi, je sentais mon cœur et mon esprit liés aux charmes de la délectable Kaïria, et je passai toute cette journée-là et toute la nuit à me rappeler les moindres circonstances de notre entrevue. Et, le lendemain, j'étais encore plongé dans mes souvenirs, quand un eunuque vint frapper à ma porte et me dit : « C'est bien ici qu'habite le seigneur Hassân de Damas, le chambellan de notre maître le roi Sabour-Schah ? » Et je répondis : « Tu es chez lui ! » Alors il embrassa la terre entre mes mains et se releva pour tirer de son sein un papier roulé qu'il me remit. Et il s'en alla comme il était venu.

Et moi, aussitôt, je dépliai le papier, et je vis qu'il contenait ces lignes, tracées d'une écriture compliquée :

« Si le faon du pays de Scham vient cette nuit, au clair de lune, promener sa souplesse parmi les branches, il rencontrera une jeune biche, en mal d'amour, toute pâmée déjà de son approche, qui lui dira, en son langage, combien en son cœur elle est émue d'avoir été l'élue, entre les biches de la forêt, et la préférée entre ses compagnes. »

Et, ô mon seigneur, à la lecture de cette lettre, je me sentis ivre sans vin. Car, bien que j'eusse compris, le premier soir, que la délectable Kaïria avait quelque penchant pour moi, je ne m'attendais guère à une telle preuve de son attachement. Aussi, dès que je pus maîtriser mon émotion, je me présentai chez mon protecteur le vizir et lui baisai la main. Et, l'ayant ainsi bien disposé en ma faveur, je lui demandai la permission d'aller voir un derviche de mon pays, récemment arrivé de La Mecque, qui m'avait invité à passer la nuit avec lui. Et, la permission m'en ayant été accordée, je rentrai chez moi et choisis, parmi mes pierreries, les plus belles émeraudes, les rubis les plus purs, les diamants les plus blancs, les perles les plus grosses, les turquoises les plus délicates et les saphirs les plus parfaits, et, avec un fil d'or, les disposai en chapelet. Et, dès que la nuit fut descendue sur les jardins, je me parfumai de musc pur, et gagnai sans bruit les bosquets, par la petite porte dissimulée dont je connaissais le chemin et que je trouvai ouverte à mon intention.

Et j'arrivai sous les cyprès, au pied desquels je m'étais laissé aller au sommeil, le premier soir, et j'attendis haletant la venue de la bien-aimée. Et l'attente brûlait mon âme, et le temps de notre entrevue me semblait devoir ne venir jamais. Et voici que soudain, sous les rayons de la lune, une blancheur légère se mut parmi les cyprès, et la délectable Kaïria se montra devant mes yeux ravis. Et je me prosternai à ses pieds, le visage contre terre, sans pouvoir dire une parole, et je restai dans cet état jusqu'à ce que, de sa voix d'eau courante, elle m'eût dit : « Ô Hassân de mon amour, lève-toi, et, au lieu de ce silence tendre et passionné, donne-moi de vraies preuves de ton penchant pour moi ! Est-il possible, ô Hassân, que tu m'aies réellement trouvée plus belle et plus désirable que toutes mes compagnes, ces délicieuses jeunes filles, ces perles imperforées, et que même la princesse Suleika ! Il me faudrait l'entendre encore une seconde fois de ta bouche pour en croire mes oreilles. » Et, ayant ainsi parlé, elle se pencha vers moi et m'aida à me relever. Et moi je lui pris la main et la portai à mes lèvres passionnées, et lui dis : « Ô souveraine des souveraines, voici d'abord pour toi un chapelet de mon pays, dont tu égrèneras les grains durant les jours de ta vie heureuse, en te souvenant de l'esclave qui te l'a offert. Et, avec ce chapelet, don infime du pauvre, accepte aussi la déclaration d'un amour que je suis prêt à rendre licite devant le kâdi et les témoins. » Et elle me répondit : « Que je suis ravie de t'avoir inspiré tant d'amour, ô Hassân pour qui j'expose mon âme aux dangers de cette nuit. Mais hélas ! je ne sais si mon cœur doit se réjouir de sa conquête, ou si je ne dois pas regarder notre rencontre comme le début des calamités et des malheurs de ma vie. » Et, ayant ainsi parlé, elle pencha sa tête sur mon épaule, tandis que des soupirs soulevaient sa poitrine. Et je lui dis : « Ô ma maîtresse, pourquoi, en cette nuit de blancheur, vois-tu le monde si noir devant ton visage ? Et pourquoi appeler sur ta tête les calamités, en ayant de tels faux pressentiments ? » Et elle me dit : « Fasse Allah, ô Hassân, que ces pressentiments soient faux ! Mais ne crois point que la crainte soit insensée qui vient, en ce moment de notre rencontre tant désirée, troubler notre plaisir. Hélas ! mes alarmes ne sont que trop fondées. » Et elle se tut un moment, et me dit : « Sache, en effet, ô le plus aimé des amants, que la princesse Suleika t'aime secrètement, et qu'elle se dispose à t'avouer, d'un moment à l'autre, son amour. Or, toi, comment recevras-tu un tel aveu ? Et l'amour que tu dis avoir pour moi pourra-t-il tenir contre la gloire d'avoir pour amante la plus belle et la plus puissante des filles de rois ? » Mais moi je l'interrompis, pour m'écrier : « Oui, par ta vie ! ô délectable Kaïria, tu l'emporteras toujours en mon cœur sur la princesse Suleika ! Et plût à Allah que tu eusses une rivale encore plus redoutable, et tu verrais que rien ne saurait atteindre la constance de mon cœur asservi à tes charmes ! Et quand même le roi Sabour-Schah, père de Suleika, n'aurait point de fils pour lui succéder et laisserait le trône de Perse à celui qui serait devenu l'époux de sa fille, je te sacrifierais une telle destinée, ô la plus aimable des jeunes filles ! » Et Kaïria se récria, disant : « Ô infortuné Hassân, quel aveuglement est le tien ! Oublies-tu que je ne suis qu'une esclave au service de la princesse Suleika ? Si tu réponds par le refus à la déclaration de son amour, tu attires son ressentiment sur ma tête et sur la tienne, et nous serons tous deux perdus sans recours. Il est donc préférable, dans notre propre intérêt, que tu cèdes à la plus puissante. C'est le seul moyen de salut. Et Allah mettra son baume sur le cœur des affligés. » Et moi, loin de me rendre à son conseil, je me sentis à la limite de l'indignation d'être seulement soupçonné assez pusillanime pour céder à de tels calculs, et je m'écriai, en serrant la délectable Kaïria dans mes bras : « Ô résumé des plus beaux dons du Créateur, ne torture pas mon âme par des discours si pénibles. Et, puisque le danger menace ta tête charmante, prenons la fuite ensemble vers mon pays. Là-bas se trouvent des déserts où nul ne saurait trouver nos traces. Et je suis, grâce au Rétributeur, assez riche pour te faire vivre dans les splendeurs, fût-ce au bout du monde habité ! »

À ces paroles, mon amie se laissa aller avec grâce dans mes bras, et me dit : « Eh bien, Hassân, je ne doute plus de ton affection, et veux te tirer de l'erreur où, volontairement, je t'avais induit dans le but de mettre à l'épreuve tes sentiments. Sache donc que je ne suis point celle que tu crois, je ne suis point Kaïria la favorite de la princesse Suleika. La princesse Suleika, c'est moi-même, et celle que tu croyais être la princesse Suleika est précisément ma favorite Kaïria. Et je n'ai édifié ce stratagème que pour être plus sûre de ton amour. D'ailleurs, tu vas aussitôt avoir la confirmation de mes paroles. »

Et, à ces mots, elle fit un appel, et, de l'ombre des cyprès, sortit celle que je croyais être la princesse Suleika, et qui était réellement la favorite Kaïria. Et elle vint baiser la main de sa maîtresse, et s'inclina devant moi cérémonieusement. Et la délectable princesse me dit : « Maintenant, ô Hassân, que tu sais que je m'appelle Suleika et non point Kaïria, m'aimeras-tu autant, et auras-tu pour une princesse les mêmes sentiments tendres que tu avais pour une simple favorite de princesse ? » Et moi, ô mon seigneur, je ne manquai point de faire la réponse qu'il fallait…

À ce moment de sa narration, Schahrazade vit apparaître le matin et, discrète, se tut.

Mais lorsque fut la huit cent quatre-vingt et unième nuit. Elle dit :

… Et moi, ô mon seigneur, je ne manquai point de faire la réponse qu'il fallait, en disant à Suleika que je ne pouvais concevoir l'excès de mon bonheur ni par quel endroit j'avais pu mériter qu'elle daignât abaisser son regard jusqu'à l'esclave que j'étais, et, par là, rendre ma destinée plus enviable que celle des fils des plus grands rois. Mais elle m'interrompit, pour me dire : « Ô Hassân, ne t'étonne point de ce que je fais pour toi. Ne t'ai-je point vu endormi, une nuit, sous les arbres, à la clarté de la lune ? Or, dès ce moment mon cœur fut subjugué par ta beauté, et je ne pus faire autrement que de me donner à toi. »

Là-dessus, et pendant que l'aimable Kaïria se promenait non loin de nous pour surveiller les abords du lieu, nous laissâmes libre cours au fleuve de notre ardeur, sans que rien d'illicite, cependant, se passât. Et nous passâmes la nuit à nous embrasser et à nous entretenir tendrement jusqu'à ce que la favorite vînt nous prévenir que le moment était venu de nous séparer. Mais avant que je quittasse Suleika, elle me dit : « Ô Hassân, que mon souvenir soit avec toi ! Je te promets de te faire bientôt connaître jusqu'à quel point tu m'es cher. » Et, moi, je me jetai à ses pieds pour lui exprimer ma gratitude de toutes ses faveurs. Et nous nous séparâmes avec les larmes de la passion dans les yeux. Et je sortis des jardins, en faisant les mêmes détours que la première fois.

Or, le lendemain, de toute mon âme j'espérais un signe de ma bien-aimée qui me permît de compter sur un nouveau rendez-vous dans les jardins. Mais la journée passa sans m'apporter la réalisation de mon plus cher espoir. Et je ne pus fermer l'œil cette nuit-là, dans l'incertitude où j'étais sur le motif de ce silence. Et, le jour suivant, malgré la présence de mon protecteur, qui essayait de deviner la cause de mes préoccupations, et les paroles qu'il me disait pour me distraire, je voyais tout en noir devant mes yeux, et ne voulus toucher à aucune nourriture. Et, quand vint le soir, je descendis vers les jardins, alors que l'heure de la retraite n'était pas encore venue, et, à ma grande stupeur, je vis que tous les bosquets étaient occupés par les gardes, et, me doutant de quelque grave événement, je me hâtai de remonter chez moi. Et, en y arrivant, je trouvai l'eunuque de la princesse qui m'attendait. Et il était tremblant et n'avait guère l'air rassuré de se trouver dans ma chambre, comme si de tous les coins allaient sortir des hommes armés pour le mettre en pièces. Et il me remit en hâte un rouleau de papier, semblable à celui qu'il m'avait déjà remis, et s'esquiva rapidement. Et je dépliai le rouleau en question et lus ce qui suit :

« Sache, ô noyau de la tendresse, que la jeune biche a failli être surprise par les chasseurs, lorsqu'elle eut quitté son gracieux faon. Et maintenant elle est surveillée par les chasseurs qui occupent toute la forêt. Prends donc bien garde d'essayer d'aller, la nuit, au clair de lune, retrouver ta biche. Mais plutôt mets-toi sur tes gardes, et préserve-toi des embûches de nos persécuteurs. Et surtout ne te laisse point aller au désespoir, quoi qu'il puisse arriver et quoi que tu puisses entendre ces jours-ci. Et que ma mort elle-même ne te fasse point perdre la raison, au point d'oublier la prudence. Ouassalam ! »

À la lecture de cette lettre, ô roi du temps, mon anxiété et mes pressentiments furent à leur limite extrême, et je me laissai aller au torrent de mes tumultueuses pensées. Aussi, quand, le lendemain, le bruit se fut répandu dans le palais, ainsi qu'un battement d'aile de hibou, de la mort aussi soudaine qu'inexplicable de la princesse Suleika, ma douleur était déjà à son comble, et, sans un étonnement, je tombai évanoui dans les bras de mon protecteur, ma tête précédant mes pieds.

Et je restai dans un état voisin de la mort, pendant sept jours et sept nuits, au bout desquels, grâce aux soins attentifs que me prodiguait mon protecteur, je revins à la vie, mais avec mon âme pleine de deuil et mon cœur pris définitivement du dégoût de vivre. Et, ne pouvant souffrir de rester plus longtemps dans ce palais assombri par le deuil de ma bien-aimée, je résolus de m'enfuir secrètement à la première occasion, pour m'enfoncer dans les solitudes où il n'y a, pour toute présence, que celle d'Allah et de l'herbe sauvage. Dès que s'épaissirent les ténèbres de la nuit, je ramassai ce que je possédais de plus précieux en fait de diamants et de pierreries, en pensant : « Plût à la destinée que je fusse mort autrefois par pendaison, à la branche du vieil arbre, à Damas, dans le jardin de mon père, plutôt que de vivre désormais une vie de deuil et de douleur plus amère que la myrrhe ! » Et je profitai d'une absence de mon protecteur pour glisser hors du palais et de la ville de Schiraz, demandant les solitudes, loin des contrées des hommes.

Et je marchai, sans discontinuer, toute cette nuit-là, et toute la journée suivante, lorsque, vers le soir, à une étape que je faisais sur le bord de la route, au pied d'un œil d'eau vive, j'entendis derrière moi le galop d'un cheval, et vis à quelques pas, déjà près de moi, un jeune cavalier dont le visage, éclairé par la rougeur du soleil à son couchant, m'apparut plus beau que celui de l'ange Radouân. Et il était vêtu d'habits splendides, comme n'en portent que les émirs et les fils de rois. Et il me regarda, en me faisant, avec la main seulement, le salut de bienséance, sans prononcer les paroles consacrées du salam usuel entre musulmans. Et moi, lui ayant rendu, de la même manière, son salut, je pensai : « Quel dommage que ce merveilleux jeune homme soit un mécréant ! » Et, malgré tout, je l'invitai à se reposer et à faire boire son cheval, en lui disant : « Seigneur, que la fraîcheur du soir te soit propice, et que cette eau soit délicieuse à la fatigue de ton noble coursier. » Et il sourit, à ces paroles, et, sautant à terre, il attacha son cheval par la bride, près de l'œil d'eau, s'approcha de moi et, soudain, m'entoura de ses bras et me baisa avec une ardeur singulière. Et moi, surpris à la fois et charmé, je le regardai plus attentivement et poussai un grand cri, en reconnaissant en cet adolescent ma bien-aimée Suleika que je croyais sous la pierre du tombeau.

Et maintenant, ô mon seigneur, comment pourrais-je te dire le bonheur qui remplit mon âme, en retrouvant Suleika ? Ma langue deviendrait plutôt poilue, avant que je puisse te donner une idée de l'intensité de la joie qui remplit nos cœurs, en ces instants bienheureux. Qu'il me suffise de te dire qu'après que nous fûmes longtemps restés dans les bras l'un de l'autre, Suleika me mit au courant de tout ce qui s'était passé, pendant tous ces jours de ma douleur récente. Et je compris alors que, dénoncée au roi, son père, elle s'était vue en butte à une grande surveillance, et qu'alors, préférant tout à la vie qu'on lui faisait, elle avait simulé la mort, et, grâce à la complicité de sa favorite, avait pu s'échapper du palais, surveiller tous mes mouvements, me suivre de loin et, qu'ainsi, sûre désormais de mon amour, elle voulait vivre avec moi, loin des grandeurs, et se consacrer entièrement à faire mon bonheur. Et alors, nous passâmes notre nuit dans les délices partagées, sous l'œil du ciel. Et, le lendemain, nous montâmes ensemble sur le même cheval, et nous prîmes la route qui conduisait à mon pays.

Et Allah nous écrivit la sécurité, et nous arrivâmes en bonne santé à Damas, où la destinée me mit en ta présence, ô roi du temps, et me fit devenir le vizir de ta puissance. Et telle est mon histoire. Et Allah est plus savant ! »

Mais ne crois point, ô Roi fortuné, continua Schahrazade, que cette histoire de la princesse Suleika puisse être comparée à la moindre des histoires tirées des SÉANCES CHARMANTES DE L'ADOLESCENCE NONCHALANTE.

Et, sans donner le temps au roi Schahriar de donner son avis sur l'histoire de la princesse Suleika, elle dit :

LES SÉANCES CHARMANTES DE L'ADOLESCENCE NONCHALANTE

LE JEUNE GARÇON À LA TÊTE DURE

Il est raconté – mais Allah est plus savant – qu'il y avait, dans un village d'entre les villages d'un pays d'entre les pays, un homme honnête et soumis à la volonté du Très-Haut, qui avait une épouse excellente et craignant le Tout-Puissant, et dont il avait eu – grâce à la bénédiction – deux enfants, un garçon et une fille. Et le garçon était né avec une tête volontaire et dure, et la fille avec une âme douce et de délicieux petits pieds. Et quand les deux enfants eurent atteint un certain âge, leur père mourut. Mais, à l'heure de mourir, il avait appelé son épouse et lui avait dit : « Ô une telle, je te recommande tout particulièrement de veiller sur notre fils, la prunelle de notre œil, de ne point le gronder quoi qu'il fasse, de ne jamais le contredire quoi qu'il dise, et surtout de le laisser toujours agir comme il veut dans n'importe quelle circonstance de sa vie – puisse-t-elle être longue et prospère ! » Et, son épouse lui ayant fait cette promesse, en pleurant, il était mort heureux et ne souhaitant rien de plus.

Et la mère ne manqua pas de se conformer à la recommandation dernière de son époux, le défunt. Et, au bout d'un certain temps, elle se coucha pour mourir – Allah seul est l'éternel vivant ! – et appela sa fille, la sœur du garçon, et lui dit : « Ma fille, sache que ton défunt père – qu'il soit dans la miséricorde du Clément ! – m'a fait jurer, en mourant, de ne jamais contrarier les volontés de ton frère. Or, jure-moi à ton tour, afin que je meure tranquille, que tu suivras cette recommandation ! » Et la jeune fille en fit le serment à sa mère qui mourut contente, dans la paix de son Seigneur.

Or, dès que la mère fut enterrée, le jeune garçon alla trouver sa sœur et lui dit : « Écoute, ô fille de mon père et de ma mère ! Je veux, à l'heure et à l'instant, réunir dans la maison tout ce que possède notre main, en fait de meubles, de récoltes, de buffles, de chèvres, et, en un mot, tout ce que nous a laissé notre père, et brûler le contenant avec le contenu. » Et la jeune fille, pleine de stupeur, ouvrit de grands yeux, et s'écria, oubliant la recommandation : « Ô mon chéri, mais si tu fais cela, qu'allons-nous devenir ? » Et il répondit : « C'est comme ça ! » Et il fit ce qu'il avait dit. Ayant tout entassé dans la maison, il y mit le feu. Et tout flamba, l'avoir avec le fonds. Et le jeune garçon s'étant aperçu que sa sœur avait réussi à cacher différents objets chez les voisins, pour les sauver du désastre, se mit à la recherche de ces maisons et les trouva, en suivant les traces des petits pieds de sa sœur. Et, les ayant trouvées, il les fit flamber, l'une après l'autre, contenant et contenu. Mais les propriétaires, l'œil hagard, s'armèrent de fourches et se mirent à la poursuite du frère et de la sœur, pour les tuer. Et la jeune fille, mourante de peur, lui dit : « Tu vois, ô mon frère, ce que tu as fait ! Sauvons-nous ! ah, sauvons-nous ! » Et ils prirent ensemble la fuite, livrant leurs jambes au vent.

Et ils coururent pendant un jour et une nuit, et réussirent à échapper de la sorte à ceux qui voulaient leur mort. Et ils arrivèrent à une belle propriété, où des laboureurs faisaient la moisson. Et, pour vivre, ils s'offrirent tous deux comme aides ; et, sur leur bonne mine, ils furent acceptés.

Or, quelques jours après, le jeune garçon s'étant vu seul à la maison avec les trois enfants du chef, leur fit mille caresses pour les apprivoiser, et leur dit : « Allons sur l'aire jouer au jeu du battage des grains ! » Et ils allèrent, tous les quatre, en se tenant par les mains, sur l'aire en question. Et le jeune garçon, pour commencer le jeu, se fit grain, le premier, et les enfants s'amusèrent à le battre, mais, toutefois, sans lui faire de mal, juste assez pour que le jeu comptât. Et ce fut à leur tour de devenir grains. Et ils se firent grains. Et le jeune garçon les battit, en tant que grains. Et il les battit si bien, qu'ils en devinrent une pâtée. Et ils moururent sur l'aire. Et voilà pour eux ! »

Mais pour ce qui est de la jeune fille, sœur du garçon, lorsqu'elle se fut aperçue de l'absence de son frère, elle pensa bien qu'il devait être en train de commettre quelque action destructive. Et elle se mit à sa recherche, et finit par le trouver qui achevait d'aplatir les trois enfants, fils du propriétaire. Et ayant vu cela, elle lui dit : « Vite, sauvons-nous, ô mon frère, vite, sauvons-nous ! Voilà encore ce que tu as fait ! Nous étions pourtant fort bien dans cette propriété ! Mais vite, sauvons-nous ! sauvons-nous ! » Et, l'ayant saisi par la main, elle l'obligea à prendre la fuite avec elle. Et, comme cela était dans sa pensée, il se laissa entraîner. Et ils partirent. Et quand le père des enfants fut rentré à la maison et, qu'ayant cherché ses enfants, il les eut retrouvés en pâtée sur l'aire, et qu'il eut appris la disparition du frère et de la sœur, il s'écria, en se tournant vers ses gens : « Il nous faut courir sus à ces deux méchants qui ont reconnu nos bienfaits et l'hospitalité en tuant mes trois enfants ! » Et ils s'armèrent terriblement de flèches et de gourdins, et poursuivirent le frère et la sœur, en prenant les mêmes sentiers qu'eux. Et, à la tombée de la nuit, ils arrivèrent à un arbre très grand et très haut, au pied duquel ils se couchèrent, pour attendre le jour.

Or, le frère et la sœur s'étaient précisément cachés au sommet de cet arbre. Et, à leur réveil, à l'aube, ils virent au pied de l'arbre tous les hommes qui les poursuivaient, et qui dormaient encore. Et le jeune garçon dit à sa sœur, en lui montrant le chef, père des trois enfants : « Tu vois ce grand-là qui dort ? Eh bien, je vais satisfaire mes besoins sur sa tête ! » Et la sœur se donna dans sa terreur, un coup du revers de la main sur la bouche, et lui dit : « Ô notre perte sans recours ! Ne fais pas cela, ô mon chéri. Ils ne savent pas encore que nous sommes cachés au-dessus de leur tête, et, si tu restes tranquille, ils s'en iront et nous serons délivrés ! » Mais il dit : « Non ! » Et il ajouta : « Il faut que je fasse mes besoins sur la tête de ce grand ! » Et il s'accroupit sur la plus haute branche, et pissa, et laissa tomber ses excréments sur la tête et le visage du chef, qui en fut inondé.

Et l'homme, en sentant ces choses, se réveilla en sursaut, et aperçut, sur le sommet de l'arbre, le jeune garçon qui s'essuyait avec les feuilles, tranquillement. Et, à l'extrême limite de la fureur, il saisit son arc et décocha ses flèches sur le frère et la sœur. Mais comme l'arbre était très haut, les flèches ne les atteignaient pas, s'arrêtaient dans les branches. Alors il réveilla ses gens et leur dit : « Abattez cet arbre ! » Et la jeune fille, en entendant ces mots, dit au jeune garçon, son frère : « Tu vois ! Nous sommes perdus ! » Il demanda : « Qui te l'a dit ? » Elle répondit : « Ô notre supplice, à cause de ce que tu as fait ! » Il dit : « Nous ne sommes pas encore entre leurs mains ! » Et, au même moment, un grand oiseau rokh, qui les avait vus en passant par là, fondit sur eux et les emporta tous deux dans ses serres. Et il s'envola avec eux, tandis que l'arbre s'abattait sous les coups de hache, et que le chef, leurré, éclatait de rage et de fureur concentrées.

Quant à l'oiseau rokh, il continuait à s'élever dans les airs, en tenant dans ses serres le frère et la sœur. Et déjà il se disposait à aller les déposer quelque part sur la terre ferme, attendant pour cela qu'il eût seulement fini de traverser un bras de mer au-dessus duquel il planait, quand le jeune garçon dit à la jeune fille, sa sœur : « Ma sœur, je vais chatouiller le cul de cet oiseau…

À ce moment de sa narration, Schahrazade vit apparaître le matin et, discrète, se tut.

Mais lorsque fut la huit cent quatre-vingt-deuxième nuit. Elle dit :

… Le jeune garçon dit à la jeune fille, sa sœur : « Ma sœur, je vais chatouiller le cul de cet oiseau ! » Et la jeune fille, le cœur battant d'épouvante, s'écria d'une voix tremblante : « Ô ! de grâce, mon chéri, ne fais pas ça, ne fais pas ça ! Il nous lâchera, et nous tomberons ! » Il dit : « Pour ce qui est de chatouiller le cul de cet oiseau, j'en ai bien envie ! » Elle dit : « Nous mourrons ! » Il dit : « Il faut ! Et c'est comme ça ! » Et il fit cela même qu'il avait dit. Et l'oiseau chatouillé fit un soubresaut de travers, tant la chose lui fut désagréable, et lâcha ce qu'il tenait, à savoir le frère et la sœur.

Et ils tombèrent dans la mer. Et ils coulèrent jusqu'au fond de la mer, qui était excessivement profonde. Mais, comme ils savaient nager, ils purent remonter à la surface de l'eau, et gagner le rivage. Toutefois ils ne voyaient rien et ne distinguaient rien, tout comme s'ils étaient au milieu d'une nuit noire. Car le pays où ils se trouvaient était le pays des ténèbres. Et le jeune garçon, sans hésiter, chercha à tâtons des cailloux, et en frotta deux, l'un contre l'autre, si bien qu'ils projetèrent des étincelles. Et il ramassa du bois en grande quantité et en fit un tas énorme, auquel il mit le feu, au moyen des deux cailloux. Et lorsque tout le tas fut en feu, ils virent clair. Mais, au même moment, ils entendirent un effroyable mugissement, comme de mille voix réunies de buffles sauvages en une seule. Et, à la clarté du feu, ils virent s'avancer vers eux, terrible, une goule noire et gigantesque, qui criait avec sa gueule ouverte comme un four : « Quel est le téméraire qui fait de la lumière dans le pays que j'ai voué aux ténèbres ? »

Et de cela la sœur eut bien peur. Et elle dit, d'une voix éteinte, au garçon, son frère : « Ô fils de mon père et de ma mère, nous allons cette fois mourir certainement. Oh ! j'ai peur de cette goule-là ! » Et elle se blottit contre lui, prête à mourir, et déjà évanouie. Mais le garçon, sans perdre un instant contenance, se leva sur ses deux pieds, fit face à la goule, et prit une à une les grosses braises ardentes du bûcher, et se mit à les jeter tout droit dans la bouche large ouverte de la goule. Et lorsque, de cette manière, il eut lancé la dernière grosse braise, l'effroyable goule éclata par le milieu. Et le soleil éclaira de nouveau ce pays voué aux ténèbres. Car c'était la goule qui, ayant tourné son gigantesque derrière contre le soleil, l'empêchait d'éclairer cette terre. Et voilà pour le derrière de la goule !

Mais pour ce qui est du roi de cette terre, voici ! Lorsque le roi, qui régnait sur le pays, eut vu reluire le soleil, après tant d'années passées dans les ténèbres noires, il comprit que la terrible goule était morte, et il sortit de son palais, suivi de ses gardes, pour se mettre à la recherche du vaillant qui avait délivré le pays de l'oppression et de l'obscurité. Et, en arrivant sur le rivage de la mer, il vit de loin le tas de bois qui fumait encore, et dirigea ses pas de ce côté-là. Et la sœur, en voyant s'avancer toute cette troupe armée avec le roi qui brillait à sa tête, fut prise d'une grande terreur, et dit à son frère : « Ô fils de mon père et de ma mère, fuyons ! Ah ! fuyons ! » Et il demanda : « Pourquoi fuirions-nous ? Et qui nous menace ? » Elle dit : « Par Allah sur toi ! allons-nous-en, avant que nous atteignent ces gens armés qui s'avancent vers nous ! » Mais il dit : « Que non ! » Et il ne bougea pas.

Et le roi arriva avec sa troupe près du tas fumant, et trouva la goule fracassée en mille morceaux. Et il vit, à côté d'elle, une toute petite sandale de jeune fille. Or, c'était une des sandales que la sœur avait laissé échapper de son petit pied, en courant se réfugier près de son frère, derrière un monticule, où il était allé se coucher pour prendre quelque repos. Et le roi dit à ses gens : « C'est certainement la sandale de celle qui a tué la goule, et nous a délivrés de l'obscurité ! Cherchez bien, et vous la trouverez. » Et la jeune fille entendit ces paroles, et s'enhardit à sortir de derrière le monticule et à s'approcher du roi. Et elle se jeta à ses pieds, en implorant la sauvegarde. Et le roi vit à son pied la sandale sœur de celle qu'il avait trouvée. Et il releva la jeune fille et l'embrassa et lui dit : « Ô jeune fille bénie, c'est bien toi qui as tué cette terrible goule ? » Elle répondit : « C'est mon frère, ô roi ! » Il demanda : « Et où est ce vaillant ? » Elle dit : « Personne ne lui fera de mal ? » Il dit : « Au contraire ! » Alors elle alla derrière le rocher, et prit par la main le garçon qui se laissa faire. Et elle le conduisit devant le roi, qui lui dit : « Ô chef des vaillants et leur couronne, je te donne ma fille unique en mariage, et je prends pour épouse cette jeune fille au petit pied, dont j'ai trouvé la sandale. » Et le garçon dit : « Il n'y a pas d'inconvénient ! » Et ils vécurent tous dans les délices, contents et prospérant.

Puis Schahrazade dit :

LE BRACELET DE CHEVILLE

Il est dit, entre ce qui est dit, qu'il y avait dans une ville trois jeunes sœurs, filles du même père mais non de la même mère, qui vivaient ensemble en filant le lin pour gagner leur vie. Et toutes trois étaient belles comme des lunes, mais la plus petite était la plus douce et la plus charmante et la plus adroite de ses mains, car, à elle seule, elle filait plus que ses deux sœurs réunies, et ce qu'elle filait était mieux fait, et sans défaut le plus souvent. Ce qui rendait jalouses ses deux sœurs, qui n'étaient pas de la même mère.

Or, un jour elle alla au souk et, avec l'argent qu'elle avait mis de côté grâce à la vente de son lin, elle s'acheta un petit pot en albâtre, qu'elle avait trouvé à son goût, afin de le mettre devant elle avec une fleur dedans, alors qu'elle filait le lin. Mais lorsqu'elle fut rentrée à la maison avec son petit pot à la main, ses deux sœurs se moquèrent d'elle et de son achat, la traitant de dépensière et d'extravagante. Et elle, bien émue et tout honteuse, ne sut que dire, et, pour se consoler, elle prit une rose et la mit dans le petit pot. Et elle s'assit devant son pot et devant sa rose, et se mit à filer son lin.

Or, le petit pot en albâtre qu'avait acheté la jeune fileuse était un pot magique. Et quand sa maîtresse voulait manger, il lui procurait des mets délicieux, et quand elle voulait s'habiller, il lui donnait des robes merveilleuses, et quand elle avait le moindre désir, il le satisfaisait. Mais la jeune fille, craignant de rendre encore plus jalouses ses sœurs, qui n'étaient pas de la même mère, se gardait bien de leur révéler les vertus de son pot d'albâtre. Et, devant elles, elle faisait semblant de vivre comme elles et de s'habiller comme elles, et même plus modestement. Mais quand ses sœurs étaient sorties, elle s'enfermait toute seule dans sa chambre, plaçait son petit pot d'albâtre devant elle, le caressait doucement et lui disait : « Ô mon petit pot ! ô mon petit pot, je veux aujourd'hui telle et telle chose ! » Et aussitôt le petit pot d'albâtre lui procurait tout ce qu'elle avait demandé, en fait de belles robes et de sucreries. Et, toute seule avec elle-même, la jeune fille s'habillait de robes de soie et d'or, s'ornait de bijoux, se mettait des bagues à tous les doigts, des bracelets aux poignets et aux chevilles, et mangeait de délicieuses sucreries. Après quoi le petit pot d'albâtre faisait tout disparaître. Et la jeune fille le reprenait, et allait filer son lin, en présence de ses sœurs, le petit pot devant elle avec sa rose. Et elle vécut de la sorte un certain espace de temps, pauvre devant ses sœurs jalouses, et riche devant elle-même.

Or, un jour d'entre les jours, le roi de la ville, à l'occasion de sa fête, donna de grandes réjouissances dans son palais, auxquelles furent invités tous les habitants. Et les trois jeunes filles furent également invitées. Et les deux sœurs aînées se parèrent de ce qu'elles avaient de mieux et dirent à leur petite sœur : « Toi, tu resteras ici pour garder la maison. »

Mais, dès qu'elles furent parties, la jeune fille alla dans sa chambre, et dit à son pot d'albâtre : « Ô mon petit pot, ce soir je veux de toi une robe en soie verte, une veste en soie rouge et un manteau en soie blanche, tout ce que tu as de plus riche et de plus charmant, et de belles bagues pour mes doigts, et des bracelets en turquoises pour mes poignets, et des bracelets en diamants pour mes chevilles. Et donne-moi aussi tout ce qu'il faut pour que je sois la plus belle au palais, ce soir. » Et elle eut tout ce qu'elle avait demandé. Et elle s'en para, et se rendit au palais du roi, et entra au harem, où des réjouissances à part étaient réservées aux femmes. Et elle fut comme la lune au milieu des étoiles. Et personne ne la reconnut, pas même ses sœurs, tant la splendeur de sa mise avait rehaussé sa beauté naturelle. Et toutes les femmes venaient s'extasier devant elle, et la regardaient avec des yeux mouillés. Et elle recevait leurs hommages comme une reine, avec douceur et gentillesse, si bien qu'elle conquit tous les cœurs, et qu'elle rendit amoureuse d'elle toutes les femmes.

Mais quand la fête fut proche de sa fin, la jeune fille, ne voulant pas que ses sœurs rentrassent avant elle à la maison, profita du moment où les chanteuses attiraient toute l'attention, pour se glisser hors du harem et sortir du palais. Mais dans sa hâte de fuir, elle laissa tomber, en courant, un des bracelets en diamants de ses chevilles dans l'auge à ras de terre qui servait d'abreuvoir aux chevaux du roi. Et elle ne s'aperçut pas de la perte de son bracelet de cheville, et rentra à la maison, où elle arriva avant ses sœurs.

Or, le lendemain…

À ce moment de sa narration, Schahrazade vit apparaître le matin et, discrète, se tut.

Mais lorsque fut la huit cent quatre-vingt-troisième nuit. Elle dit :

Or, le lendemain, les palefreniers menèrent les chevaux du fils du roi boire à l'abreuvoir, mais aucun des chevaux du fils du roi ne voulut s'approcher de l'abreuvoir. Et, tous ensemble, ils reculèrent effrayés, les naseaux dilatés et soufflant avec violence. Car ils avaient vu quelque chose qui brillait et lançait des étincelles au fond de l'eau. Et les palefreniers les firent de nouveau s'approcher de l'eau, en sifflant avec insistance, mais sans arriver à les convaincre ; car ils tiraient sur leur corde, en se cabrant et en ruant. Alors les palefreniers visitèrent l'abreuvoir, et y découvrirent le bracelet en diamants qu'avait laissé tomber de sa cheville la jeune fille.

Lorsque le fils du roi, qui, selon son habitude, assistait aux soins qu'on donnait à ses chevaux et à leur pansage, eut examiné le bracelet en diamants que venaient de lui remettre les palefreniers, il s'émerveilla de la finesse de la cheville qu'il devait enserrer, et il pensa : « Par la vie de ma tête ! il n'y a point de cheville de femme assez fine pour être contenue dans un si petit bracelet. » Et il le tourna dans tous les sens, et trouva que les pierres en étaient si belles que la moindre d'entre elles valait toutes les gemmes qui ornaient le diadème du roi son père. Et il se dit : « Par Allah ! il faut que je prenne comme épouse la propriétaire d'une cheville si charmante et la maîtresse de ce bracelet. » Et il alla, à l'heure et à l'instant, réveiller le roi son père, et lui montra le bracelet, en lui disant : « Je veux prendre pour épouse la propriétaire d'une cheville si charmante et la maîtresse de ce bracelet. » Et le roi lui répondit : « Ô mon fils, il n'y a point d'inconvénient. Mais cette affaire regarde ta mère, et c'est à elle qu'il te faut t'adresser. Car, moi, je ne sais pas, et elle sait ! »

Et le fils du roi alla trouver sa mère et, lui ayant montré le bracelet et raconté l'affaire, lui dit : « C'est toi, ô mère, qui peux me marier avec la propriétaire d'une si charmante cheville, à laquelle mon cœur s'est attaché. Car mon père m'a dit que toi tu savais, et que lui ne savait pas ! » Et sa mère lui répondit : « J'écoute et j'obéis. » Et elle se leva sur ses deux pieds, et appela ses femmes, et sortit avec elles à la recherche de la maîtresse du bracelet.

Et elles parcoururent toutes les maisons de la ville, et entrèrent dans tous les harems, en essayant sur le pied de toutes les femmes et de toutes les jeunes filles le bracelet de cheville. Mais tous les pieds furent trouvés trop grands pour l'étroitesse de l'objet. Et, au bout de quinze jours de vaines recherches et d'essayages, elles arrivèrent à la maison des trois sœurs. Et la reine, avec ses propres mains, essaya le bracelet de diamants sur la cheville des trois jeunes filles, et elle poussa un grand cri de joie en constatant qu'il s'ajustait à merveille sur la cheville de la plus petite. Et la reine embrassa la jeune fille ; et les autres dames, suivantes de la reine, l'embrassèrent également. Et elles la prirent par la main, et la conduisirent au palais, où son mariage avec le fils du roi fut aussitôt décidé. Et l'on commença les cérémonies des noces, qui devaient durer quarante jours et quarante nuits.

Or, le dernier jour, après que la jeune fille eut été conduite au hammam, ses sœurs, qu'elle avait fait venir auprès d'elle afin qu'elles partageassent sa joie et devinssent de grandes dames au palais, l'habillèrent et la coiffèrent. Et comme, confiante dans l'affection qu'elles lui montraient, elle leur avait révélé le secret et les vertus du petit pot d'albâtre, il ne leur fut pas difficile d'obtenir du pot magique toutes les robes, tous les atours et tous les bijoux qu'il fallait pour orner la nouvelle mariée comme jamais n'avait été ornée fille de roi ou de sultan. Et lorsqu'elles eurent fini de la coiffer, elles lui enfoncèrent dans ses beaux cheveux de grandes épingles de diamants, en forme d'aigrette.

Or, la dernière épingle venait à peine d'être mise en place que la jeune mariée se métamorphosa soudain en tourterelle avec une huppe sur la tête. Et elle s'envola à tire-d'aile par la fenêtre du palais. Car les épingles que ses sœurs lui avaient enfoncées dans les cheveux étaient des épingles magiques, douées de ce pouvoir de transformer les jeunes filles en tourterelles. Et c'était la jalousie des deux sœurs qui leur avait fait demander ces épingles-là au petit pot en albâtre.

Et les deux sœurs, qui, à ce moment-là, se trouvaient seules avec leur cadette, se gardèrent bien de raconter la vérité au fils du roi. Et elles se contentèrent de lui dire que leur sœur était sortie un moment, et qu'elle n'était plus rentrée. Et le fils du roi, ne la voyant pas reparaître, fit faire des recherches dans toute la ville et tout le royaume. Mais les recherches n'aboutirent à rien. Et la disparition de la jeune fille le plongea dans la consomption et l'amertume. Et voilà pour le désolé fils du roi, le consumé d'amour !

Quant à la tourterelle, elle venait tous les matins et tous les soirs se poser sur la fenêtre de son jeune époux, et roucoulait d'une voix mélancolique, longtemps, longtemps. Et le fils du roi trouvait que son roucoulement répondait à sa propre tristesse ; et il l'aima d'un grand amour. Et, un jour, voyant qu'elle ne s'envolait pas à son approche, il tendit la main et l'attrapa. Et elle se mit à frétiller entre ses mains, et à se secouer, en continuant de roucouler tristement. Il se mit à la caresser délicatement, à lui lisser les plumes et à lui gratter la tête. Et voici qu'il sentit sous ses doigts, tandis qu'il lui grattait la tête, de petits objets durs comme des têtes d'épingle. Et il les retira délicatement, l'un après l'autre, de dessous la huppe. Et lorsqu'il eut retiré la dernière épingle, la tourterelle se secoua et redevint la jeune fille. Et ils vécurent tous deux dans les délices, contents et prospérant. Et les deux méchantes sœurs moururent de jalousie et d'une rentrée de sang. Et Allah accorda aux amants de nombreux enfants, aussi beaux que leurs parents.

Et Schahrazade, cette nuit-là, dit encore :

HISTOIRE DU BOUC AVEC LA FILLE DU ROI

Il est raconté, entre ce qu'il est raconté, qu'il y avait dans une ville de l'Inde un sultan qu'Allah, qui est généreux, avait rendu père de trois princesses belles comme des lunes, parfaites par n'importe quel endroit, et un délice pour l'œil du spectateur. Et le sultan, leur père, qui les aimait à l'extrême, voulut dès qu'elles furent pubères, leur trouver des époux qui fussent capables de les estimer à leur valeur et de faire leur bonheur. Et, dans ce but, il appela la reine, son épouse, et lui dit : « Voici que nos trois filles, les bien-aimées de leur père, ont atteint la nubilité, et quand l'arbre est à son printemps il faut que, sous peine de se dessécher, il porte des fleurs annonciatrices des beaux fruits. C'est pourquoi il nous faut trouver, pour nos filles, des époux qui les rendent heureuses. » Et la reine dit : « L'idée est excellente. » Et, après avoir délibéré entre eux sur les meilleurs moyens d'arriver à ce but, ils résolurent de faire annoncer par les crieurs publics, dans toute l'étendue du royaume, que les trois princesses étaient en âge de se marier, et que tous les fils d'émirs et de grands seigneurs, voire même de simples particuliers et d'hommes du commun, étaient requis de se présenter, à jour fixe, sous les fenêtres du palais. Car la reine avait dit à son époux : « Le bonheur dans le mariage ne dépend ni de la richesse ni de la naissance, mais du seul décret du Tout-Puissant. Il vaut donc mieux laisser le soin à la destinée de choisir elle-même les époux de nos filles. Et elles n'auront, quand le jour sera venu de choisir, qu'à jeter chacune son mouchoir par la fenêtre, sur la foule des prétendants. Et ceux sur qui tomberont les trois mouchoirs deviendront les époux de nos trois filles. » Et le sultan avait répondu : « L'idée est excellente. » Et il en fut ainsi.

Aussi, quand vint le jour fixé par les crieurs publics, et que le meidân qui s'étendait au pied du palais fut rempli par la foule des prétendants, la fenêtre s'ouvrit, et la fille aînée du roi, belle comme la lune, parut la première avec son mouchoir à la main. Et elle jeta le mouchoir en l'air. Et le vent l'emporta et le fit tomber sur la tête d'un jeune émir, brillant et beau.

Puis la seconde fille du roi parut à la fenêtre, belle comme la lune, et jeta son mouchoir, qui alla tomber sur la tête d'un jeune prince aussi beau et aussi charmant que le premier.

Et la troisième fille du sultan de l'Inde jeta son mouchoir sur la foule. Et le mouchoir tournoya un instant, s'immobilisa un instant, et tomba pour aller s'accrocher aux cornes d'un bouc, qui se tenait parmi les prétendants. Mais le sultan, bien qu'il eût solennellement promis sa fille à n'importe quel spectateur sur qui tomberait le mouchoir, considéra l'expérience comme non avenue, et la fit recommencer. Et la jeune princesse jeta de nouveau dans les airs son mouchoir qui, après s'être arrêté entre deux airs, au-dessus du meidân, tomba avec rapidité et en ligne droite sur les cornes du même bouc. Et le sultan, à la limite de la contrariété, tint pour non avenu ce second choix du sort, et fit recommencer l'épreuve à sa fille. Et le mouchoir, pour la troisième fois, voltigea quelque temps dans les airs, et alla se poser droit sur la tête cornue du bouc…

À ce moment de sa narration, Schahrazade vit apparaître le matin et, discrète, se tut.

Mais lorsque fut la huit cent quatre-vingt-quatrième nuit. Elle dit :

… Et le mouchoir, pour la troisième fois, voltigea quelque temps dans les airs, et alla se poser droit sur la tête cornue du bouc.

À cette vue, le dépit du sultan, père de la jeune fille, fut à ses limites extrêmes, et il s'écria : « Non, par Allah ! je préfère la voir vieillir vierge dans mon palais que de la voir devenir l'épouse d'un bouc immonde ! » Mais, à ces paroles de son père, la jeune fille se prit à pleurer ; et les larmes coulaient nombreuses sur ses joues ; et elle finit par dire, entre deux sanglots : « Puisque telle est ma destinée, ô père, pourquoi veux-tu l'empêcher de courir ? Pourquoi t'interposer entre moi et ma chance ? Ne sais-tu que chaque créature porte sa destinée attachée à son cou ? Et si la mienne est attachée à ce bouc, pourquoi m'empêcher de devenir son épouse ? » Et, de leur côté, ses deux sœurs, qui étaient en secret fort jalouses d'elle parce qu'elle était la plus jeune et la plus jolie, unirent leurs protestations aux siennes, parce que la réussite de son mariage avec le bouc les vengeait au-delà de leurs souhaits. Et, à elles trois, elles firent tant et tant, que le sultan, leur père, finit par donner son consentement à un mariage si étrange et si extraordinaire.

Et aussitôt l'ordre fut donné pour que les noces des trois princesses fussent faites avec toute la pompe désirable et selon le cérémonial d'usage. Et toute la ville fut illuminée et pavoisée, pendant quarante jours et quarante nuits, durant lesquels furent donnés de grandes réjouissances et de beaux festins, avec danses, chants et jeux d'instruments. Et la joie ne cessa de régner dans tous les cœurs, et elle eût été complète si chacun des invités n'eût été quelque peu préoccupé des résultats d'une telle union, entre une princesse vierge et un bouc, dont l'apparence était celle d'un bouc terrible entre tous les boucs. Et, pendant ces jours préparatoires de la nuit nuptiale, le sultan et son épouse, ainsi que les femmes des vizirs et des dignitaires fatiguèrent leur langue à vouloir dissuader la jeune fille de la consommation de son mariage avec l'animal à odeur répugnante, à œil allumé et à outil effrayant. Mais à tous et à toutes, elle répondait chaque fois par ces mots : « Chacun porte sa destinée attachée à son cou, et si la mienne est d'être l'épouse du bouc, nul ne saurait s'y opposer. »

Or, quand vint la nuit de la consommation, on conduisit la princesse, avec ses sœurs, au hammam. Après quoi elles furent parées, ornées et coiffées. Et chacune d'elles fut conduite à la chambre nuptiale qui lui était réservée. Et on introduisit auprès de chaque princesse l'époux qui lui avait été écrit par la destinée. Et il arriva ce qui arriva, pour les deux sœurs aînées !

Mais, pour ce qui est de la petite princesse et de son mari le bouc, voici ! Dès que le bouc eut été introduit dans la chambre de la jeune fille, et que la porte eut été fermée sur eux deux, le bouc embrassa la terre entre les mains de son épouse, et, se secouant soudain, il rejeta sa peau de bouc et se changea en un adolescent beau comme l'ange Harout. Et il s'approcha de la jeune fille, et la baisa entre les deux yeux, puis sur le menton, puis sur le cou, puis un peu partout, et lui dit : « Ô vie des âmes, ne cherche point à savoir qui je suis ! Qu'il te suffise de savoir que je suis plus puissant et plus riche que le sultan ton père et les deux fils de l'oncle, qui sont les époux de tes sœurs. Il y a longtemps que ton amour était dans mon cœur, et je n'ai pu que maintenant arriver jusqu'à toi. Et si tu me trouves à ta convenance, et que tu veuilles me garder, tu n'as qu'à me faire une promesse ! » Et la jeune fille, qui trouvait le bel adolescent à sa convenance tout à fait et à son goût absolument, répondit : « Et quelle est la promesse qu'il faut que je fasse ? Dis-la, et je m'exécuterai, quelque difficile qu'elle puisse être, pour l'amour de tes yeux ! » Il dit : « La chose est aisée, ya setti. Je te demande de me promettre simplement de ne jamais révéler à personne le pouvoir que je possède de me changer à ma guise. Car si jamais quelqu'un se doutait seulement que je suis tantôt bouc et tantôt être humain, à l'instant je disparaîtrais, et il te serait difficile de retrouver mes traces. » Et la jeune fille lui promit la chose, en toute certitude, et ajouta : « Je préfère mourir que de perdre en toi un si bel époux ! »

Alors, n'ayant plus de motifs plausibles de se tenir en suspicion, ils se laissèrent aller à leur penchant naturel. Et ils s'aimèrent d'un grand amour, et passèrent, cette nuit-là, une nuit de bénédiction, lèvres sur lèvres et jambes sur jambes, dans les délices pures et les échanges charmants. Et ils ne cessèrent leurs ébats et leurs travaux qu'avec la naissance du matin. Et l'adolescent se leva alors d'entre les blancheurs de ta jeune fille, et reprit sa forme première de bouc barbu, avec cornes, sabots fourchus, marchandises énormes et tout ce qui s'ensuit. Et de tout ce qui avait eu lieu, il ne resta rien, sinon quelques taches de sang sur la serviette de l'honneur.

Or, le matin quand la mère de la princesse fut entrée, selon l'usage, pour demander des nouvelles de sa fille et examiner avec son propre œil la serviette de l'honneur, elle fut à la limite de la stupeur en constatant que l'honneur de la jeune fille était apparent sur la serviette, et que la chose accomplie était péremptoire. Et elle vit que sa fille était fraîche et heureuse, et qu'à ses pieds, sur le tapis, le bouc était assis et ruminait sagement. Et, à cette vue, elle courut chercher le sultan, son époux, père de la princesse, qui vit ce qu'il vit, et ne fut pas moins stupéfait qu'elle-même. Et il dit à sa fille : « Ô ma fille, est-ce vrai cela ? » Elle répondit : « C'est vrai, mon père ! » Il demanda : « Et tu n'es pas morte de honte et de douleur ? » Elle répondit : « Par Allah ! pourquoi serais-je morte, alors que mon époux a été si empressé et si charmant ? » Et la mère de la princesse demanda : « Alors tu ne te plains pas ? » Elle dit : « Pas du tout ! » Alors le sultan dit : « Puisqu'elle ne se plaint pas de son époux, c'est qu'elle est heureuse avec lui. Et c'est là tout ce que nous pouvons souhaiter pour notre fille ! » Et ils la laissèrent vivre en paix avec le bouc, son époux.

Or, au bout d'un certain temps, le roi donna, à l'occasion de sa fête, un grand tournoi sur la place du meidân, au-dessous des fenêtres du palais. Et il convia à ce tournoi tous les dignitaires de son palais, ainsi que les deux époux de ses filles. Quant au bouc, le sultan ne l'invita pas, pour ne point s'exposer à la risée des spectateurs. Et le tournoi commença. Et les cavaliers, sur leurs coursiers dévorateurs de l'air, joutèrent à grands cris, en lançant leurs djérids. Et ceux qui se distinguèrent entre tous furent les deux époux des princesses. Et déjà la foule des spectateurs les acclamait à l'envi, quand entra dans le meidân un superbe cavalier, dont la seule allure faisait déjà plier les fronts des guerriers. Et il provoqua à la joute, l'un après l'autre, les deux émirs vainqueurs, et, du premier coup de son djérid, les désarçonna. Et il fut acclamé par la foule, comme le maître de la journée. Aussi, quand le jeune cavalier passa sous les fenêtres du palais, en saluant le roi avec son djérid, comme le veut l'usage, les deux princesses lui jetèrent des regards chargés de haine. Mais la plus jeune, ayant reconnu en lui son propre époux, n'en fit rien paraître sur son visage, pour ne point trahir son secret ; mais elle prit une rose dans ses cheveux, et la lui jeta. Et le roi et la reine et ses sœurs virent cela, et en furent extrêmement formalisés.

Et le second jour, la joute eut encore lieu au meidân. Et de nouveau le bel adolescent inconnu fut le maître de la journée. Et, comme il passait sous les fenêtres du palais, la plus jeune des princesses lui jeta ostensiblement un jasmin, qu'elle avait pris dans ses cheveux. Et le roi et la reine et les deux sœurs virent cela et en furent extrêmement suffoqués. Et le roi dit en lui-même : « Voilà que maintenant cette fille éhontée déclare publiquement ses sentiments à un étranger, ne se contentant pas de nous avoir fait voir le monde en noir en épousant le bouc de perdition ! » Et la reine lui jeta des regards de travers. Et ses deux sœurs se secouèrent les vêtements d'horreur, en la regardant.

Et le troisième jour, quand le vainqueur de la dernière joute, qui était le même beau cavalier, eut passé sous les fenêtres du palais, la jeune princesse, épouse du bouc, prit à ses cheveux, pour la lui jeter, une fleur de tamarinier. Car elle n'avait pu se retenir, en voyant son époux si splendide. À cette vue, la colère du sultan et l'indignation de la sultane et la fureur des deux sœurs éclatèrent avec violence. Et les yeux du sultan devinrent rouges, et ses oreilles tremblèrent et ses narines frémirent. Et il prit sa fille par les cheveux et voulut la tuer et faire disparaître ses traces. Et il lui cria : « Ah ! maudite dévergondée, tu ne t'es pas seulement contentée de faire entrer un bouc dans ma lignée, mais voici maintenant que tu provoques publiquement les étrangers, et que tu attires sur toi leurs désirs. Meurs donc, et délivre-nous de ton ignominie ! » Et il se disposa à lui fracasser la tête contre les dalles de marbre. Et la pauvre princesse, saisie de frayeur en voyant la mort devant ses yeux, ne put s'empêcher, tant l'âme est chose précieuse et chère, de s'écrier : « Je vais dire la vérité ! Épargnez-moi, je vais dire la vérité ! » Et, sans prendre haleine, elle raconta à son père, à sa mère et à ses sœurs, ce qui lui était arrivé avec le bouc, et qui était le bouc, et comment le bouc était tantôt bouc et tantôt être humain. Et elle leur dit que c'était son propre époux, le beau cavalier vainqueur des joutes.

Et le sultan, et l'épouse du sultan et les deux filles du sultan, sœurs de la jeune princesse, furent prodigieusement étonnés et s'émerveillèrent de sa destinée. Et voilà pour eux !

Mais pour ce qui est du bouc, il disparut. Et il n'y eut plus ni bouc, ni bel adolescent, ni odeur de bouc, ni vestige d'adolescent. Et la jeune princesse, l'ayant attendu en vain plusieurs jours et plusieurs nuits, comprit qu'il ne reparaîtrait plus ; et elle devint triste, douloureuse, sanglotante et sans espoir…

À ce moment de sa narration, Schahrazade vit apparaître le matin et, discrète, se tut.

Mais lorsque fut la huit cent quatre-vingt-cinquième nuit. Elle dit :

… Mais pour ce qui est du bouc, il disparut. Et il n'y eut plus ni bouc, ni bel adolescent, ni odeur de bouc, ni vestige d'adolescent. Et la jeune princesse, l'ayant attendu en vain plusieurs jours et plusieurs nuit, comprit qu'il ne reparaîtrait plus, et elle devint triste, douloureuse, sanglotante et sans espoir.

Et elle vécut de la sorte pendant un certain espace de temps, dans les larmes continuelles et la consomption, refusant toute consolation et tout délassement. Et elle répondait à tous ceux qui essayaient de lui faire oublier son malheur : « C'est inutile, je suis la plus infortunée d'entre les créatures, et je mourrai certainement. » Mais, avant que de mourir, elle voulut savoir par elle-même s'il existait, sur toute l'étendue de la terre d'Allah, une femme aussi abandonnée du sort qu'elle l'était elle-même, et aussi malheureuse. Et elle résolut d'abord de voyager et d'interroger toutes les femmes des villes où elle passerait. Puis elle abandonna cette première idée, pour faire construire à grands frais un hammam splendide qui n'avait pas son pareil dans tout le royaume de l'Inde. Et elle fit annoncer par les crieurs publics, dans tout l'empire, que l'entrée du hammam serait gratuite pour toutes les femmes qui voudraient venir s'y baigner, mais à condition que chaque bénéficiaire racontât à la fille du roi, pour la distraire, le plus grand malheur ou la plus grande tristesse qui avait affligé sa vie. Quant à celles qui n'avaient rien de semblable à lui raconter, elles n'avaient point la permission d'entrer au hammam.

Aussi ne tardèrent pas à affluer au hammam de la princesse toutes les affligées du royaume, toutes les abandonnées du sort, les malheureuses de toutes les couleurs, les misérables de toutes les espèces, celles qui étaient veuves et celles qui étaient divorcées, et toutes celles qui avaient été blessées, d'une manière ou d'une autre, par les vicissitudes du temps ou les trahisons de la vie. Et chacune d'elles, avant son bain, racontait à la fille du roi ce qu'elle avait éprouvé de plus attristant dans sa vie. Il y en eut qui racontèrent le nombre de coups dont les gratifiait leur époux, et il y en eut qui versèrent des larmes en faisant le récit de leur veuvage, tandis que d'autres disaient leur amertume de voir leur époux leur préférer quelque rivale affreuse et vieille ou quelque négresse à lèvres de chameau ; et il y en eut même qui trouvèrent des paroles émouvantes pour faire le récit de la mort d'un fils unique ou d'un mari très aimé. Et une année s'écoula de la sorte dans le hammam au milieu des histoires noires et des lamentations. Mais la princesse ne trouva pas une femme, parmi les milliers qu'elle avait vues, dont le malheur pût être comparé au sien en intensité et en profondeur. Et, de plus en plus, elle s'enfonça dans la tristesse et le désespoir.

Et voici qu'un jour entra dans le hammam une pauvre vieille, déjà tremblante sous le souffle de la mort, qui s'appuyait sur un bâton pour marcher. Et elle s'approcha de la fille du roi, et lui baisa la main, et lui dit : « Pour moi, ya setti, mes malheurs sont plus nombreux que le nombre de mes années, et ma langue se dessécherait avant que j'aie fini de te les raconter. C'est pourquoi je ne te dirai que le dernier malheur qui me soit arrivé, et qui est d'ailleurs le plus grand de tous, parce qu'il est le seul dont je n'ai compris ni le sens ni le motif. Et ce malheur m'est arrivé précisément hier, dans la journée. Et si je suis si tremblante devant toi, ya setti, c'est d'avoir vu ce que j'ai vu ! Or, voici : « Sache, ya setti, que pour tout bien je ne possède que cette seule chemise en cotonnade bleue que tu vois sur moi. Et, comme elle avait besoin d'être lavée, afin qu'il me fût possible de me présenter d'une façon convenable au hammam de ta générosité, je me décidai à aller au bord de la rivière, en un endroit solitaire où il me fût loisible de me dévêtir, sans être aperçue, et de laver ma chemise.

« Et la chose se passa sans encombre, et déjà j'avais lavé ma chemise et l'avais étendue sur les galets au soleil, quand je vis s'avancer de mon côté une mule sans muletier, qui était chargée de deux outres pleines d'eau. Et moi, croyant que le muletier allait bientôt paraître, je me hâtai de remettre ma chemise qui n'était qu'à moitié sèche, et laissai passer la mule. Mais comme je ne voyais ni muletier ni ombre de muletier, je fus dans une grande perplexité en pensant à cette mule sans maître, qui marchait en dodelinant de la tête sur le rivage, sûre de sa route et de sa direction. Et, poussée par la curiosité, je me levai sur mes deux pieds et la suivis de loin. Et elle arriva bientôt devant un monticule, non loin du bord de l'eau, et s'arrêta en frappant la terre de son sabot. Et, par trois fois, elle frappa ainsi la terre avec le sabot de sa jambe droite. Et, au troisième coup, le monticule s'entrouvrit et la mule descendit par une pente douce dans son intérieur. Et moi, malgré ma surprise extrême, je ne pus empêcher mon âme de suivre cette mule. Et j'entrai derrière elle dans le souterrain.

« Et je ne tardai pas à arriver de la sorte dans une grande cuisine qui devait être, sans aucun doute, la cuisine de quelque palais de dessous terre. Et je vis les belles marmites rouges qui étaient rangées en bon ordre sur les poêles, et qui chantaient en répandant un fumet de premier ordre, qui dilata les éventails de mon cœur et revivifia les membranes de mes narines.

« Et un grand appétit creusa mon intérieur, et mon âme désira ardemment goûter à cette cuisine excellente. Et je ne pus résister aux sollicitations de mon âme. Et, comme je ne voyais ni cuisinier, ni aide-cuisinier, ni personne à qui demander quelque chose pour Allah, je m'approchai de la marmite qui répandait la plus exquise odeur, et j'en soulevai le couvercle. Et un grand nuage odorant m'enveloppa, et une voix me cria soudain du fond de la marmite : « Hé la ! hé la ! c'est pour notre maîtresse cela ! Ne touche pas, ou tu mourras ! » Et moi, saisie d'épouvante, je laissai retomber le couvercle sur la marmite, et m'échappai de la cuisine. J'arrivai dans une seconde salle, un peu plus petite, où sur des plateaux étaient rangées des pâtisseries de qualité, et des galettes qui sentaient bon, et un tas d'autres choses de premier ordre, bonnes à manger. Et moi, ne pouvant résister aux sollicitations de mon âme, je tendis la main vers un des plateaux, et pris une galette encore moite de tiédeur. Et voici que je reçus une tape sur la main, qui me fit lâcher la galette ; et une voix sortit du milieu du plateau, qui me cria : « Hé la ! hé la ! c'est pour notre maîtresse cela ! Ne touche pas, ou tu mourras ! » Et ma frayeur arriva à ses limites extrêmes, et je courus droit devant moi, tremblant sur mes vieilles jambes qui se dérobaient sous moi. Et je me vis soudain, ayant traversé des galeries et des galeries, dans une grande salle creusée en voûte, dont la beauté et la richesse n'avaient rien à envier aux palais des rois, au contraire ! Et, au milieu de cette salle, était un grand bassin d'eau vive. Et autour de ce bassin, il y avait quarante trônes, dont un était plus haut et plus splendide que les autres.

« Et je ne vis personne dans cette salle, qui n'était habitée que par la fraîcheur et l'harmonie. Et j'étais là depuis quelque temps à admirer toute cette beauté, quand, au milieu du silence, mes oreilles furent frappées par un bruit semblable à celui que font les sabots des chèvres marchant en troupeau sur les pierres. Et, ne sachant quelle pouvait bien être l'affaire, je me hâtai de me blottir sous un divan qui était contre le mur, de façon à pouvoir regarder sans être vue. Et le bruit des sabots heurtant le sol se rapprocha de la salle, et je vis bientôt entrer quarante boucs à longue barbe. Et le dernier était monté sur l'avant-dernier. Et ils allèrent tous se placer en bon ordre, chacun devant un trône, autour du bassin. Et celui qui chevauchait son compagnon, descendit du dos de son porteur, et alla se placer devant le trône principal. Puis tous les autres boucs s'inclinèrent devant lui, la tête sur le sol, et restèrent ainsi un moment sans bouger. Puis ils se relevèrent tous ensemble, et, en même temps que leur chef, ils se secouèrent par trois fois. Et, au même instant, leurs peaux de boucs tombèrent. Et je vis quarante adolescents comme des lunes, dont le plus beau était le chef. Et ils descendirent dans le bassin, leur chef en tête, et se baignèrent dans l'eau. Et ils en sortirent avec des corps comme le jasmin, qui bénissaient leur Créateur. Et ils allèrent s'asseoir sur leurs trônes, tout nus avec leur beauté.

« Et, comme je considérais l'adolescent assis sur le grand trône, et que je m'émerveillais en mon cœur à sa vue, je vis soudain de grosses larmes qui dégouttelaient de ses yeux. Et des larmes tombaient également des yeux des autres adolescents, mais en moins grand nombre. Et tous se mirent à soupirer, disant : « Ô notre maîtresse ! ô notre maîtresse ! » Et l'adolescent, leur chef, soupirait : « Ô souveraine de la grâce et de la beauté ! » Puis j'entendis des gémissements sortir de terre, descendre de la voûte, partir des murs, des portes et de tous les meubles, répétant avec l'accent du regret et de la douleur, ces mêmes mots : « Ô notre maîtresse ! ô souveraine de la grâce et de la beauté ! »

« Et lorsqu'ils eurent pleuré et soupiré et gémi pendant une heure de temps, l'adolescent se leva et dit : « Quand vas-tu venir ? Moi je ne puis sortir ! Ô ma souveraine, quand vas-tu venir, puisque je ne puis sortir ? » Et il descendit de son trône, et rentra dans sa peau de bouc. Et tous également descendirent de leurs trônes, et rentrèrent dans leurs peaux de boucs. Et ils s'en allèrent comme ils étaient venus. Et moi, quand je n'entendis plus sur le sol le bruit de leurs sabots, je me levai de ma cachette, et m'en allai également comme j'étais venue. Et je ne pus respirer à mon aise, qu'en me voyant hors du souterrain.

« Et telle est, ô princesse, mon histoire. Or, c'est là le plus grand malheur de ma vie. Car non seulement je n'ai pu satisfaire mon désir sur les marmites et les plateaux, mais je n'ai rien compris à tout ce que j'ai vu de prodigieux dans ce souterrain. Et c'est là précisément le plus grand malheur de ma vie ! »

Lorsque la vieille eut terminé de la sorte son récit, la fille du roi, qui l'avait écoutée avec un cœur battant, ne douta point que le bouc qui chevauchait son compagnon, et qui était le plus bel adolescent, ne fût son bien-aimé, et elle faillit mourir d'émotion. Et quand elle put enfin parler, elle dit à la vieille : « Ô ma mère, Allah le Miséricordieux ne t'a conduite ici que pour que ta vieillesse soit heureuse par mon entremise. Car désormais tu seras comme ma mère, et tout ce que possède ma main sera sous ta main. Mais, de grâce ! si tu as quelque gratitude pour les bienfaits d'Allah sur ta tête, lève-toi à l'heure et à l'instant, et conduis-moi à l'endroit où tu as vu entrer la mule avec les outres. Et je ne te demande pas de venir avec moi, mais de m'indiquer l'endroit ! » Et la vieille répondit par l'ouïe et l'obéissance. Et, lorsque la lune se leva sur la terrasse du hammam, elles sortirent toutes deux et allèrent au bord de la rivière. Et elles virent bientôt la mule qui s'en venait de leur côté, chargée de ses deux outres pleines d'eau. Et elles la suivirent de loin, et la virent qui frappait du sabot le sol au pied du monticule, et qui s'engageait dans le souterrain ouvert devant elle. Et la fille du roi dit à la vieille : « Toi, attends-moi ici. » Mais la vieille ne voulut point la laisser entrer seule, et la suivit, malgré l'émotion.

Et elles entrèrent dans le souterrain et arrivèrent dans la cuisine. Et de toutes les belles marmites rouges, rangées en bon ordre sur les poêles, et qui chantaient avec harmonie, se dégageaient des fumets de tout premier ordre qui dilataient les éventails du cœur, revivifiaient les membranes des narines et dissipaient les soucis des âmes en peine. Et les couvercles des marmites se levaient d'eux-mêmes sur leur passage, et des voix en sortaient joyeuses qui disaient : « La bienvenue à notre maîtresse, la bienvenue ! » Et, dans la seconde salle, les plateaux étaient rangés qui contenaient les excellentes pâtisseries, et les galettes soufflées, et les choses si bonnes et si tendres qui satisfaisaient la vue du spectateur. Et de tous les plateaux, et du fond des huches qui contenaient le pain frais, des voix joyeuses s'exclamaient sur leur passage : « La bienvenue ! la bienvenue ! » Et l'air même, autour d'elles, semblait agité de frémissements de bonheur et résonnait d'exclamations de joie.

Et la vieille, voyant et entendant tout cela, dit à la fille du roi, en lui montrant l'entrée des galeries qui conduisaient à la salle voûtée : « Ô ma maîtresse, c'est par là qu'il te faut entrer. Pour moi, je t'attendrai ici, car la place des servantes est à la cuisine, et non dans les salles du trône ! » Et la princesse pénétra seule, à travers les galeries, dans la grande salle que lui avait décrite la vieille, tandis que sur son passage les voix heureuses faisaient entendre des concerts de bienvenue…

À ce moment de sa narration. Schahrazade vit apparaître le matin et, discrète, se tut.

Mais lorsque fut la huit cent quatre-vingt-sixième nuit. Elle dit :

… Et la princesse pénétra seule, à travers les galeries, dans la grande salle que lui avait décrite la vieille, tandis que sur son passage les voix heureuses faisaient entendre des concerts de bienvenue. Et, loin de se cacher sous le divan comme l'avait fait la vieille, elle alla s'asseoir sur le grand trône, qui s'élevait à la place d'honneur, au bord du bassin. Et, pour toute précaution, elle ramena son petit voile sur son visage.

Or, elle était à peine installée de la sorte, comme une reine sur son trône, qu'un bruit très doux se fit entendre, non point de sabots heurtant le sol, mais d'un pas léger qui courait, annonciateur de son propriétaire. Et, comme un diamant, entra l'adolescent. Et il arriva ce qui arriva.

Et dans le cœur des deux amoureux la joie succéda aux tourments. Et ils s'unirent comme l'amant s'unit à son amante, tandis que de la voûte et des murs et de tous les coins de l'appartement se faisait entendre l'harmonie des chants, et que s'élevaient les voix des servants en l'honneur de la fille du sultan.

Et, après un certain temps passé là par les amants dans les délices et les plaisirs charmants, ils s'en retournèrent au palais du sultan, où leur arrivée fut accueillie avec enchantement, aussi bien par leurs parents que par les petits et les grands, au milieu des réjouissances et des chants, et du pavoisement de toute la ville par ses habitants. Et dès lors, ils vécurent contents et prospérant. Mais Allah est le plus grand !

Et Schahrazade, ne se sentant pas fatiguée cette nuit-là, dit encore :

LE FILS DU ROI ET LA GROSSE TORTUE

On raconte entre ce qu'on raconte que, dans l'antiquité du temps et le passé de l'âge et du moment, il y avait un puissant sultan à qui le Rétributeur avait accordé trois enfants. Et ces trois enfants, qui étaient des mâles indomptables et d'héroïques guerriers, s'appelaient : le plus grand, Schater-Ali ; le second, Schater-Hôssein, et le plus petit, Schater-Môhammad. Et ce petit était de beaucoup le plus beau, le plus vaillant et le plus généreux d'entre les trois frères. Et leur père les aimait d'un égal amour, tellement qu'il avait résolu de leur laisser à chacun, après sa mort, une part égale de ses biens et de son royaume. Car il était juste et loyal. Et il ne voulait point avantager l'un au détriment des autres ni frustrer l'un au bénéfice des autres.

Et quand ils furent en âge de se marier, le roi, leur père, devint perplexe et hésitant, et, pour prendre conseil, il appela son vizir, un homme sage, intègre et plein de prudence, et lui dit : « Ô mon vizir, je désire beaucoup trouver des épouses à mes trois fils qui sont d'âge à se marier, et je t'ai appelé pour avoir ton avis à ce sujet. » Et le vizir réfléchit pendant une heure de temps, puis releva la tête et répondit : « Ô roi du temps, c'est là une affaire bien délicate ! » Puis il ajouta : « La chance et la malchance sont dans l'invisible ; et nul ne saurait forcer les décrets de la destinée. C'est pourquoi mon idée est que les trois fils de notre maître le roi laissent à leur destinée le choix de leurs épouses. Et, pour cela, ce que les trois princes ont de mieux à faire, c'est de monter sur la terrasse du palais, avec leur arc et leurs flèches. Et là on leur bandera les yeux, et on les fera tourner sur eux-mêmes plusieurs fois. Après quoi, chacun d'eux tirera une flèche dans la direction où il se trouvera arrêté. Et les maisons sur lesquelles tomberont les flèches seront visitées ; et notre maître le sultan appellera le propriétaire de chacune de ces maisons et lui demandera sa fille en mariage pour le prince propriétaire de la flèche, vu que la jeune fille aura été écrite de la sorte sur sa chance par la destinée. »

Lorsque le sultan eut entendu ces paroles de son vizir, Il lui dit : « Ô mon vizir, ton conseil est un excellent conseil, et ton avis est agréé. » Et il fit aussitôt appeler ses trois fils, qui revenaient de la chasse, leur fit part de l'arrangement décidé à leur sujet entre lui et le vizir, et monta avec eux sur la terrasse du palais, suivi de ses vizirs et de tous ses dignitaires. Et les trois princes qui étaient montés sur la terrasse, portant leur arc et leur carquois, choisirent chacun une flèche et tendirent leur arc. Et on leur banda les yeux.

Et, le premier, le fils aîné du roi, après qu'on l'eut fait tourner sur lui-même, pointa sa flèche dans la direction où il se trouvait tourné. Et la flèche, lancée par la corde violemment débandée, s'envola dans les airs et alla tomber sur la demeure d'un grand seigneur.

Et, à son tour, le second fils du roi lança sa flèche, qui alla tomber sur la terrasse du chef principal des troupes du royaume.

Et le troisième fils du roi, qui était le prince Schater-Môhammad, lança sa flèche dans la direction où il se trouvait tourné. Et la flèche alla tomber sur une maison dont on ne connaissait pas le propriétaire.

Et l'on alla visiter les trois maisons en question. Et il se trouva que la fille du grand seigneur et la fille du chef de l'armée étaient deux adolescentes belles comme des lunes. Leurs parents furent à la limite de l'épanouissement de les marier aux deux fils du roi. Mais quand on alla visiter la troisième maison, qui était celle où était tombée la flèche de Schater-Môhammad, on s'aperçut qu'elle n'était habitée que par une grosse tortue solitaire.

Et le sultan, père de Schater-Môhammad, et les vizirs et les émirs et les chambellans virent la grosse tortue, qui vivait toute seule dans cette maison, et s'en étonnèrent prodigieusement. Mais comme il n'y avait pas à songer un instant à la donner comme épouse au prince Schater-Môhammad, le sultan décida qu'il fallait recommencer l'expérience. Et, en conséquence, le jeune prince remonta sur la terrasse, portant sur son épaule son arc et son carquois, et, devant toute l'assistance, il lança une seconde flèche sur sa chance. Et la flèche, conduite par la destinée, alla tomber précisément sur la maison habitée par la grosse tortue solitaire.

À cette vue, le sultan fut extrêmement contrarié, et dit au prince : « Par Allah ! ô fils, ta main aujourd'hui n'a point sur elle la bénédiction. Prie sur le Prophète ! » Et le jeune prince répondit : « Que le salut et les bénédictions et toutes les grâces soient sur Lui, sur Ses compagnons et sur Ses fidèles ! » Et le sultan reprit : « Invoque le nom d'Allah, et lance ta flèche pour une troisième expérience ! » Et le jeune prince dit : « Au nom d'Allah le Clément sans bornes, le Miséricordieux ! » Et, bandant son arc, il lança, pour la troisième fois, la flèche, qui alla, dirigée par la destinée, tomber encore une fois sur la maison où vivait, en solitaire, la grosse tortue.

Lorsque le sultan vit, à n'en plus douter, que l'épreuve était si nette et si péremptoire en faveur de la grosse tortue, il décida que son jeune fils, le prince Schater-Môhammad, resterait célibataire. Et il lui dit : « Ô mon fils, comme cette tortue n'est ni de notre race, ni de notre espèce, ni de notre religion, il vaut mieux que tu ne te maries pas du tout, jusqu'à ce qu'Allah nous rende Ses grâces ! » Mais Schater-Môhammad se récria en disant : « Par les mérites du Prophète – sur Lui la prière et la paix ! – le temps de mon célibat est passé ; et puisque la grosse tortue m'a été écrite par la destinée, je consens à me marier avec elle. » Et le sultan, à la limite de l'étonnement, répondit : « Certes, Ô mon fils, la tortue t'a été écrite par la destinée ; mais depuis quand les fils d'Adam prennent-ils les tortues pour épouses ? C'est là une chose prodigieuse ! » Mais le prince répondit : « C'est cette tortue-là que je veux comme épouse, et non pas une autre ! » Et le sultan, qui aimait son fils, ne voulut point le contrarier ni lui faire de peine, et, revenant sur sa décision, il donna son consentement à cet étrange mariage.

Et de grandes fêtes et de grandes réjouissances et de grands festins, avec danses, chants et jeux d'instruments, furent donnés en l'honneur des noces des princes Schater-Ali et Schater-Hôssein, les deux fils aînés du sultan. Et quand les quarante jours et quarante nuits que durèrent les fêtes pour chaque noce furent écoulés, les deux princes entrèrent chez leurs épouses, pour la nuit nuptiale, et consommèrent leur mariage en toute félicité et vaillance.

Mais quand ce fut le tour des noces du jeune prince Schater-Môhammad avec son épouse la grosse tortue solitaire, les deux frères aînés et les deux épouses des deux frères, et les parents, et toutes les femmes des émirs et des dignitaires refusèrent leur présence aux cérémonies, et n'épargnèrent rien pour rendre ces fêtes attristantes et moroses. Aussi le jeune prince fut-il humilié en son âme, et subit-il toutes sortes d'avanies tant par les regards que par les sourires et par les dos tournés. Mais quant à ce qui se passa lors de la nuit nuptiale, lorsque le prince fut entré chez son épouse, nul ne peut le savoir. Car tout se passa sous le voile que seuls les yeux d'Allah peuvent pénétrer. Et il en fut de même pour la nuit suivante et, d'ailleurs, pour les autres nuits. Et chacun s'étonnait qu'une pareille union pût avoir lieu ! Et nul ne comprenait comment un fils d'Adam pouvait cohabiter avec une tortue, fût-elle grosse comme une jarre-réservoir. Et voilà pour les noces du prince Schater-Môhammad avec son épouse la tortue !

Mais pour ce qui est du sultan, les années, les préoccupations du règne et les émotions de toutes sortes, sans compter le chagrin que lui avait causé le mariage de son plus jeune fils, voûtèrent son dos et amincirent ses os. Et il maigrit, et jaunit, et perdit l'appétit. Et sa vue baissa avec ses forces et il devint presque complètement aveugle.

Lorsque ses trois fils, qui aimaient leur père comme il les aimait, virent l'état où il se trouvait, ils résolurent de ne plus laisser le soin de sa santé aux femmes du harem, qui étaient des ignorantes et des superstitieuses ; et ils se concertèrent sur les meilleurs moyens à employer pour rendre les forces à leur père avec la santé. Et ils vinrent le trouver et, après lui avoir baisé la main, ils lui dirent : « Ô notre père, voici que ton teint jaunit et que diminue ton appétit et que s'affaiblit ta vue. Et si les choses continuent de la sorte, nous n'aurons plus qu'à nous déchirer les vêtements dans notre douleur de perdre en toi notre soutien et notre voie ! Il faut donc que tu écoutes notre conseil, parce que nous sommes tes fils, et que tu es notre père. Or, nous sommes d'avis que désormais ce soient nos épouses qui te préparent la nourriture et non point les femmes de ton harem. Car nos épouses sont fort expertes en cuisine, et feront pour toi des mets qui te rendront l'appétit, et par l'appétit les forces, et par les forces la santé, et par la santé l'excellence de la vue et la guérison de tes yeux malades. » Et le sultan fut bien touché de cette attention de ses fils, et leur répondit : « Qu'Allah vous inonde de Ses grâces, ô fils de votre père ! Mais cela va être un bien grand dérangement pour vos épouses…

À ce moment de sa narration, Schahrazade vit apparaître le matin et, discrète, se tut.

Mais lorsque fut la huit cent quatre-vingt-septième nuit. Elle dit :

... Qu'Allah vous inonde de Ses grâces, ô fils de votre père ! Mais cela va être un bien grand dérangement pour vos épouses ! » Mais ils se récrièrent, disant : « Un dérangement ! Mais ne sont-elles pas tes esclaves ? Et qu'ont-elles de plus urgent à faire que préparer les mets pour ton rétablissement ? Et nous avons pensé, ô père, que le mieux pour toi serait que chacune d'elles te préparât un plateau de mets, cuisinés par elle, afin que ton âme puisse choisir dans le nombre ce qui te sera le plus agréable par l'aspect, par l'odeur et par le goût. De la sorte la santé te reviendra, et tes yeux guériront. » Et le sultan les embrassa et leur dit : « Vous savez mieux que moi ce qui me convient ! »

Et, à la suite de cet arrangement qui les réjouit à la limite de la réjouissance, les trois princes allèrent trouver leurs épouses, et leur commandèrent de préparer, chacune, un plateau de mets qui fussent admirables à la vue et à l'odorat. Et chacun d'eux excita l'émulation de son épouse respective, en lui disant : « Il faut que notre père préfère les mets de ma maison à ceux de la maison de mes frères ! » Entre-temps, les deux frères aînés ne cessèrent de se moquer de leur frère cadet, en lui demandant avec beaucoup d'ironie ce que son épouse, la grosse tortue, pourrait bien envoyer pour faire revenir l'appétit de leur père et lui dulcifier le palais. Mais il ne répondait à leurs demandes et interrogations que par un sourire tranquille.

Quant à l'épouse de Schater-Môhammad, qui était la grosse tortue solitaire, elle n'attendait que cette occasion pour montrer ce dont elle était capable. Et, à l'heure et à l'instant, elle se mit au travail. Et elle commença par envoyer à l'épouse du fils aîné du roi sa servante de confiance, avec mission de lui demander qu'elle voulût bien ramasser, pour elle tortue, tout le crottin des rats et des souris de sa maison, vu que, elle tortue, en avait un besoin urgent pour en assaisonner le riz, les farces et les autres mets, et qu'elle ne se servait jamais d'autres condiments que de ceux-là. Et l'épouse de Schater-Ali, en entendant cela, se dit : « Non, par Allah ! je me garderai bien de donner ces crottins de rats et de souris que me réclame cette misérable tortue. Car je saurai bien m'en servir, comme condiments, mieux qu'elle ! » Et elle répondit à la servante : « Je regrette de répondre par le refus. Mais, par Allah ! c'est à peine si le crottin dont je dispose peut me suffire pour mon usage personnel ! » Et la servante revint porter cette réponse à sa maîtresse, la tortue.

Alors la tortue se mit à rire ; et elle se convulsa de joie. Et elle envoya sa servante de confiance à l'épouse du second fils du roi, avec mission de lui demander toute la fiente de poulets et de pigeons qu'elle avait sous la main, sous prétexte que, elle tortue, en avait un pressant besoin pour en saupoudrer les mets qu'elle préparait pour le sultan. Mais la servante revint vers sa maîtresse avec rien dans la main, et avec des propos désobligeants sur la langue, de la part de l'épouse de Schater-Hôssein. Et la tortue, de ne voir rien sur la main de sa servante, et d'entendre les propos désobligeants qu'elle portait sur sa langue de la part de l'épouse du second fils du sultan, se trémoussa d'aise et de contentement, et se mit à rire tellement qu'elle se renversa sur son derrière.

Après quoi elle prépara les mets, suivant ses connaissances, les rangea sur le plateau, couvrit le plateau d'un couvercle en osier, et recouvrit le tout d'un foulard de lin parfumé à la rose. Et elle envoya sa servante fidèle porter le plateau au sultan, tandis que de leur côté les deux autres épouses des princes faisaient porter les leurs par des esclaves. Donc arriva le moment du repas ; et le sultan s'assit devant les trois plateaux ; mais, dès que l'on eut enlevé le couvercle du plateau de la première princesse, une odeur se dégagea infecte et nauséabonde de crottin de rat, capable d'asphyxier l'éléphant. Et le sultan fut si désagréablement affecté, quant à son odorat, que la tête lui tourna et qu'il tomba évanoui, les pieds sous le menton. Et ses fils s'empressèrent autour de lui, et l'aspergèrent d'eau de rose, et l'éventèrent et réussirent à lui faire reprendre connaissance. Et alors, se rappelant la cause de son malaise, il ne put s'empêcher de laisser éclater sa colère contre sa bru et de l'accabler de malédictions.

Et, au bout d'un certain temps, on parvint à le calmer, et on fit tant et tant qu'on le décida à goûter au second plateau. Mais dès qu'on l'eut découvert, une odeur atroce et fétide remplit la salle, comme si on venait d'y brûler la fiente de toutes les volailles de la ville. Et cette odeur pénétra dans la gorge, dans le nez et dans les yeux malades du malheureux sultan, qui pensa que cette fois il allait devenir tout à fait aveugle, et mourir. Mais on se hâta d'ouvrir les fenêtres et d'enlever le plateau, cause de tout le mal, et de brûler de l'encens et du benjoin pour purifier l'air et combattre la mauvaise odeur.

Et quand le dégoûté sultan eut quelque peu respiré le bon air et qu'il put parler, il s'écria : « Quel mal ai-je donc fait à vos épouses, ô mes enfants, pour qu'elles maltraitent de la sorte un vieillard, et creusent sa tombe de son vivant ? C'est là un crime punissable chez Allah ! » Et les deux princes, époux de celles qui avaient préparé les plateaux, firent de bien gros nez, et répondirent que c'était là une affaire qui dépassait l'entendement. Sur ces entrefaites, le jeune prince Schater-Môhammad vint baiser la main de son père, et le supplia d'oublier ses sensations désagréables, pour ne songer qu'au plaisir qu'il allait avoir du fait du troisième plateau. Et le sultan, entendant cela, fut à la limite de la colère et de l'indignation, et s'écria : « Que dis-tu là, ô Schater-Môhammad ? Et te moques-tu de ton vieux père ? Moi, toucher maintenant aux mets préparés par la tortue, quand ceux préparés par les doigts des femmes sont déjà si horribles et si épouvantables ? Je vois bien que vous avez juré, tous trois, de faire éclater mon foie, et de me faire boire la mort d'une gorgée. » Mais le jeune prince se jeta aux pieds de son père, et lui jura, sur sa vie et sur la vérité sacrée de la foi, que le troisième plateau lui ferait oublier ses tribulations, et qu'il consentait, lui Schater-Môhammad, à avaler tous les mets s'ils n'étaient pas du goût de son père. Et il supplia et pria et insista et intercéda avec tant de ferveur et d'humilité en faveur du plateau, que le roi finit par se laisser fléchir, et fit signe à l'un des esclaves de lever le couvercle du troisième plateau, tout en prononçant la formule : « Je me réfugie en Allah le Protecteur ! »

Mais voici que, le couvercle enlevé, il se dégagea du plateau de la tortue un fumet composé des plus suaves parfums de cuisine, et si exquis et si délicieusement pénétrant que, sur le moment même, se dilatèrent les éventails du cœur du sultan et s'épanouirent les éventails de ses poumons, et frémirent les éventails de ses narines, et revint son appétit depuis si longtemps disparu, et s'ouvrirent ses yeux et se clarifia sa vue. Et rose devint son teint et reposé l'air de son visage. Et il se mit à manger sans discontinuer, pendant une heure de temps. Après quoi il but d'un excellent sorbet au musc et à la neige hachée, et, de plaisir, il rota à plusieurs reprises quelques rots qui partaient du fond de son estomac satisfait. Et, à la limite de l'aise et du bien-être, il remercia le Rétributeur de Ses bienfaits, disant : « Al Gamdou lillah ! »

Et il ne sut comment exprimer à son fils, le petit, la satisfaction qu'il avait des mets cuisinés par la grosse tortue son épouse. Et Schater-Môhammad accepta les félicitations avec modestie, pour ne point rendre ses frères jaloux et les indisposer contre lui. Et il dit à son père : « Ce n'est là, ô père, qu'une partie des talents de mon épouse ! Mais, si Allah veut, un jour viendra où il lui sera donné de mieux mériter tes compliments ! » Et il le pria, du moment qu'il était satisfait, d'accepter qu'à l'avenir ce fût la tortue qui restât seule chargée de lui fournir les plateaux de mets, tous les jours. Et le sultan accepta, en disant : « De tout cœur paternel et affectueux, ô mon enfant ! » Et, à ce régime, il se rétablit complètement. Et ses yeux guérirent également.

Pour fêter sa guérison et le retour de sa vue, le sultan donna une grande fête au palais, avec un festin magnifique auquel il convia ses trois fils avec leurs épouses. Et les princesses se préparèrent de leur mieux à paraître devant le sultan, de manière à faire honneur à leurs époux et à blanchir leur visage devant leur père.

Et la grosse tortue se prépara également à blanchir le visage de son époux en public, par la beauté de sa mise et l'élégance de son habillement. Et, lorsqu'elle se fut parée comme elle voulait, elle envoya sa servante de confiance auprès de sa belle-sœur, la grande, la prier de lui prêter, à elle tortue, la grosse oie, qu'elle avait dans sa basse-cour, parce qu'elle avait l'intention, elle tortue, d'aller au palais à cheval sur cette belle monture. Mais la princesse lui fit répondre, par l'intermédiaire de la langue de la servante, que si elle, princesse, avait une si belle oie, c'était pour s'en servir pour son propre usage. Et la tortue, à cette réponse, se renversa sur son derrière par la force de son rire, et envoya la servante chez la seconde princesse avec mission de lui demander, comme simple prêt pour un jour, le gros bouc qui lui appartenait. Mais la servante revint auprès de sa maîtresse, lui rapportant, sur sa langue, un refus accompagné de paroles amères et de commentaires désagréables. Et la tortue s'en convulsa et s'en trémoussa et en fut à la limite de la dilatation et de l'épanouissement.

Et, lorsque vint l'heure du festin, et que les femmes de la sultane furent, sur l'ordre de leur maîtresse, rangées en bon ordre devant la porte extérieure du harem pour recevoir les trois épouses des fils du roi, on vit soudain s'élever un nuage de poussière, qui se rapprocha rapidement. Et, au milieu de ce nuage, apparut bientôt une oie gigantesque qui courait en avant, à ras du sol, les pattes éperdues, le cou tendu et les ailes battantes, et portant, juchée sauvagement sur son dos, et la figure retournée d'épouvante, la première princesse. Et, immédiatement derrière elle, à cheval sur un bouc bêlant et ruant, toute crottée de poussière, apparaissait la seconde princesse.

Et, à cette vue, le sultan et son épouse furent extrêmement formalisés, et devinrent bien noirs, quant au visage, de honte et d'indignation. Et le sultan éclata contre elles en réprimandes et en reproches, leur disant : « Voilà que, non contentes d'avoir voulu ma mort par l'asphyxie et l'empoisonnement, vous voulez me rendre la risée du peuple, et nous compromettre tous et nous déshonorer en public ! » Et la sultane, également, les reçut avec des paroles courroucées et des yeux de travers. Et on ne sait pas ce qui serait arrivé, si on n'était venu annoncer l'approche du cortège de la troisième princesse. Et le cœur du sultan et de son épouse furent pleins d'appréhension ; car ils se disaient : « Si tel a été l'équipage des deux premières, qui sont de notre espèce d'êtres humains, quel va être celui de la troisième, qui est de la race des tortues ? » Et ils invoquèrent le nom d'Allah, disant : « Il n'y a de recours et il n'y a de refuge qu'en Allah, qui est grand et puissant ! » Et ils attendirent la calamité, en s'arrêtant de respirer…

À ce moment de sa narration, Schahrazade vit apparaître le matin et, discrète, se tut.

Mais lorsque fut la huit cent quatre-vingt-huitième nuit. Elle dit :

… Et ils attendirent la calamité, en s'arrêtant de respirer.

Et voici qu'une première équipe de coureurs apparut sur le meidân, annonçant l'arrivée de l'épouse du prince Schater-Môhammad. Et bientôt on vit quatre beaux saïs vêtus de brocart et de splendides tuniques à manches traînantes s'avancer, leur longue baguette à la main, en criant : « Place à la fille des rois ! » Et le palanquin, recouvert d'étoffes précieuses aux belles couleurs, apparut porté sur les épaules des nègres noirs, et vint s'arrêter au pied des marches de l'entrée. Et il en sortit une princesse vêtue de splendeur et de beauté, que personne ne connaissait. Et, comme on s'attendait à voir également descendre la tortue, on crut que cette princesse était la dame d'honneur. Mais quand on vit qu'elle montait seule l'escalier, et que le palanquin s'éloignait, on fut bien obligé de reconnaître en elle l'épouse de Schater-Môhammad, et de la recevoir avec tous les honneurs dus à son rang et avec toute la cordialité désirable. Et le cœur du sultan se dilata d'aise à la vue de sa beauté, de sa grâce, de son tact, de ses belles manières et de tout le charme qui se dégageait d'elle et du moindre de ses gestes ou mouvements. Comme le moment était venu de se rendre au festin, le sultan invita ses fils et les épouses de ses fils à prendre place autour de lui et de la sultane. Et l'on commença le repas.

Or, le premier mets servi sur le plateau fut, suivant l'usage, un grand plat de riz gonflé au beurre. Mais, avant que personne eût eu le temps d'en prendre une bouchée, la belle princesse le souleva et le versa tout entier sur ses cheveux. Et, au même moment, tous les grains de riz se changèrent en perles, qui coulèrent le long des beaux cheveux de la princesse, et s'éparpillèrent autour d'elle et tombèrent sur le sol avec un bruit merveilleux.

Et, avant que les assistants fussent revenus de leur surprise devant un prodige si admirable, la princesse prit une grande soupière qui contenait un potage vert et épais de mouloukhia, et se le versa tel quel sur la tête. Et le potage vert se transforma aussitôt en une infinité d'émeraudes de la plus belle eau, qui coulèrent le long de ses cheveux et de ses habits, et allèrent s'éparpiller autour d'elle, en mélangeant leurs belles couleurs vertes aux blancheurs pures des perles, sur le sol. Et la vue de ces prodiges émerveilla à l'extrême le sultan et les convives. Et les servantes s'empressèrent d'apporter sur la nappe du festin d'autres plateaux de riz et de potage au mouloukhia. Et les deux autres princesses, devenues bien jaunes de jalousie, ne voulurent point rester si effacées par le succès de leur belle-sœur, et prirent à leur tour les plats de mets. Et l'aînée prit le plat de riz, et la seconde le plat de potage vert. Et elles se les versèrent chacune sur sa propre tête. Et le riz resta riz sur les cheveux de l'une, et se colla horriblement sur sa tête qu'il beurra. Et le potage vert resta potage, et coula sur les cheveux et la tête et les habits de la seconde, en la revêtant tout entière d'une couche verte, semblable à de la bouse de vache, gluante et horrible extrêmement.

Et le sultan, à cette vue, fut dégoûté à la limite du dégoût, et cria à ses deux brus aînées d'avoir à se lever de leur place et à sortir de la salle, loin de ses yeux. Et il leur signifia qu'il ne voulait plus les revoir désormais, ni même sentir leur odeur. Et elles se levèrent, à l'heure et à l'instant, et s'en allèrent hors de sa présence, avec leurs époux, honteuses, humiliées et dégoûtantes. Et voilà pour elles !

Mais pour ce qui est de la princesse merveilleuse et du prince Schater-Môhammad, son époux, ils restèrent seuls dans la salle avec le sultan, qui les embrassa et les serra contre son cœur avec effusion, et leur dit : « Vous seuls êtes mes enfants ! » Et il voulut à l'instant écrire le trône au nom de son fils le petit, et fit réunir les émirs et les vizirs, et écrivit devant eux le trône sur la tête de Schater-Môhammad, comme héritage et succession, à l'exclusion de ses autres héritiers. Et il leur dit à tous deux : « Je souhaite que désormais vous habitiez avec moi, dans le palais, car sans vous je mourrais certainement. » Et ils répondirent : « Ouïr c'est obéir ! Et ton désir est sur notre tête et notre œil ! »

Et la princesse merveilleuse, pour ne plus être tentée de revêtir sa forme de tortue, qui risquait de donner quelque émotion désagréable au vieux sultan, donna l'ordre à sa servante de lui apporter la carapace qu'elle avait laissée à la maison. Et lorsqu'elle eut la carapace entre les mains elle la brûla et la consuma. Et dès lors elle resta toujours sous sa forme de princesse. Et gloire à Allah qui l'a dotée d'un corps sans défaut, un émerveillement pour les yeux ! Et le Rétributeur continua à les combler de Ses grâces et leur accorda beaucoup d'enfants. Et ils vécurent contents et prospérant.

Et Schahrazade, voyant que le Roi l'écoutait sans déplaisir, raconta encore, cette nuit-là, l'histoire de

LA FILLE DU VENDEUR DE POIS CHICHES

Il m'est revenu entre ce qui m'est revenu, qu'il y avait dans la ville du Caire un honnête et respectable vendeur de pois chiches à qui le Donateur avait accordé trois filles, pour toute postérité. Et, bien que d'ordinaire les filles n'apportent point avec elles les bénédictions, le vendeur de fèves acceptait avec résignation le don de son Créateur ; et il aimait ses trois filles d'un grand amour. Elles étaient belles comme des lunes, et la plus petite surpassait ses deux sœurs en beauté, en charmes, en grâce, en sagacité, en intelligence et en perfections. Et cette petite-là s'appelait Zeina.

Or, tous les matins, les trois jeunes filles se rendaient chez leur maîtresse qui leur enseignait l'art de la broderie sur soie et sur velours. Car le vendeur de pois chiches, leur père, cet homme excellent, voulait qu'elles eussent une excellente éducation, afin que la destinée mît sur le chemin de leur mariage des fils de marchands et non point les fils de quelque vendeur comme lui. Et tous les matins, en se rendant chez leur maîtresse en broderie, les jeunes filles passaient sous la fenêtre du fils du sultan, avec leur taille onduleuse, avec leur allure de princesses, et avec leurs trois paires d'yeux babyloniens, qui paraissaient dans toute leur beauté seuls hors du voile de visage.

Et le fils du sultan, chaque matin, les voyant arriver, leur criait de sa fenêtre, d'une voix provocante : « Le salam sur les filles du vendeur de pois chiches ! Le salam sur les trois lettres droites de l'alphabet ! » Et la grande et la moyenne répondaient toujours, par un léger sourire de leurs yeux, au salut du fils du sultan ; mais la petite ne répondait par rien du tout, et elle passait son chemin sans même lever la tête. Mais si le fils du sultan insistait, en demandant par exemple des nouvelles des pois chiches et du prix en cours des pois chiches et de la vente des pois chiches, et de la bonté ou de la méchanceté des pois chiches, et de la santé du vendeur de pois chiches, alors c'était la petite qui, toute seule, répondait, sans même prendre la peine de le dévisager : « Et quel lien y a-t-il entre les pois et toi, ô visage de poix ? »

Et toutes trois éclataient de rire et s'en allaient en leur voie.

Or, le fils du sultan, qui était passionnément épris de la plus jeune d'entre les filles du marchand de pois chiches, la petite Zeina, ne cessait de se désoler de son ironie, de son dédain et de son peu d'empressement à répondre à ses désirs. Et, un jour qu'elle s'était moquée de lui plus qu'à l'ordinaire, en réponse à ses questions, il vit qu'il n'obtiendrait jamais rien d'elle par la galanterie, et résolut de se venger en l'humiliant et en la punissant dans la personne de son père. Car il savait que la jeune Zeina aimait son père à l'extrême limite de l'affection. Et il se dit : « C'est ainsi que je réussirai à lui faire sentir ma puissance. »

Et donc, comme il était fils de sultan et qu'il avait tout pouvoir sur les âmes, il fit venir le vendeur de pois chiches et lui dit : « C'est bien toi le père des trois jeunes filles ? » Et le vendeur, tremblant, répondit : « Oui, par Allah ! ya sidi. » Et le fils du sultan lui dit : « Eh bien, ô homme, je veux que demain, à l'heure de la prière, tu reviennes ici, entre mes mains, habillé et nu à la fois, riant et pleurant au même moment, et à cheval sur une monture en même temps que marchant sur tes pieds. Et si, pour ta malchance, tu m'arrives comme tu es, n'ayant pas satisfait à mes conditions, ou si, ayant satisfait à l'une tu n'as pas rempli les deux autres, ta perte est sans recours, et ta tête sautera de tes épaules ! » Et le pauvre vendeur de pois chiches embrassa la terre et s'en alla, en pensant : « C'est là, en vérité, une affaire bien énorme ! Et ma perte est sans recours, certainement ! »

Et il arriva bien jaune de teint auprès de ses filles, avec le sac de son estomac retourné, et le nez allongé jusqu'à ses pieds. Et ses filles virent son inquiétude et sa perplexité, et la plus petite, qui était la jeune Zeina, lui demanda : « Pourquoi, ô père mien, vois-je ton teint jaunir et le monde noircir sur ton visage ? » Et il lui répondit : « Ô ma fille, j'ai en mon être intime une calamité, et dans ma poitrine un rétrécissement ! » Et elle lui dit : « Raconte-moi la calamité, ô père, car peut-être que de la sorte cessera le rétrécissement, et se dilatera ta poitrine…

À ce moment de sa narration, Schahrazade vit apparaître le matin et, discrète, se tut.

Mais lorsque fut la huit cent quatre-vingt-neuvième nuit. Elle dit :

… La jeune fille dit au vendeur de pois chiches, son père : « Raconte-moi la calamité, ô père, car peut-être de la sorte cessera le rétrécissement, et se dilatera ta poitrine. » Et il lui raconta l'affaire, depuis le commencement jusqu'à la fin, sans en oublier un détail. Mais il n'y a aucune utilité à la répéter.

Lorsque la jeune Zeina eut entendu le récit de l'aventure de son père, et compris le motif de son chagrin, de son changement de teint et de son rétrécissement de poitrine, elle se mit à rire beaucoup, beaucoup, tellement qu'elle faillit s'évanouir. Puis elle se tourna vers lui, et lui dit : « N'est-ce donc que cela, ô mon père ? Par Allah ! sois alors sans inquiétude et sans soucis, et rapporte-t'en à mes conseils dans cette affaire ! Et ce sera au tour du fils du sultan, ce rien du tout, de se mordre les doigts et d'éclater de dépit. Voici ! » Et elle réfléchit un instant et dit : « Pour ce qui est de la première condition, tu n'auras qu'à aller chez notre voisin le pêcheur, et à le prier de te vendre un de ses filets. Et tu m'apporteras ce filet, et je t'en ferai une robe que tu passeras sur ton corps, après avoir enlevé tous tes vêtements. Et, de la sorte, tu seras habillé et nu à la fois. Pour ce qui est de la seconde condition, tu n'auras qu'à prendre avec toi, avant d'aller au palais du sultan, un oignon. Et tu t'en frotteras les yeux, dès le seuil. Et tu seras pleurant et riant au même moment.

« Pour ce qui est enfin de la troisième condition, va, ô père, chez notre voisin l'ânier, et prie-le de te prêter son ânon né de l'année. Et tu le prendras avec toi, et lorsque tu seras arrivé chez le fils du sultan, ce vaurien, tu monteras l'ânon, et, comme tes pieds toucheront le sol, tu marcheras en même temps sur tes pieds, à mesure que l'ânon avancera. Et, de la sorte, tu seras monté et à pied en même temps !

« Et tel est mon avis ! Et Allah est plus puissant et le seul intelligent ! »

Lorsque le vendeur de pois chiches, père de l'ingénieuse Zeina, eut entendu ces paroles de sa fille, il l'embrassa entre les deux yeux, et lui dit : « Ô fille de ton père et de ta mère, ô Zeina, celui qui engendre des filles comme toi ne meurt pas ! Gloire à Celui qui a mis tant d'intelligence sous ton front et tant de sagacité dans ton esprit ! » Et, à l'heure et à l'instant, le monde blanchit devant son visage, les soucis s'envolèrent de son cœur, et sa poitrine se dilata. Et il mangea un morceau et but une gargoulette d'eau, et sortit faire tout ce que lui avait enseigné sa fille.

Et le lendemain, lorsque tout fut prêt, comme il fallait, le vendeur de pois chiches s'en alla au palais, et entra chez le fils du sultan, sous la forme et l'aspect requis, habillé et nu à la fois, riant et pleurant en même temps, marchant et chevauchant au même moment, tandis que l'ânon affaré s'était mis à braire et à péter au milieu de la salle de réception. À cette vue, le fils du sultan fut à la limite de la fureur et du désappointement, et, ne pouvant point faire subir au vendeur de pois chiches le traitement dont il l'avait menacé, vu qu'il avait rempli les conditions requises, il sentit que sa poche à fiel allait lui éclater dans le foie. Et il jura en lui-même que cette fois ce serait à la jeune fille elle-même qu'il s'en prendrait, en l'abîmant sans recours. Et il chassa le vendeur de pois chiches, et se mit à méditer le plan de ses méfaits sur la jeune fille. Et voilà pour lui !

Mais pour ce qui est de la jeune Zeina, comme elle était pleine de prévoyance et que son œil voyait loin et que son nez sentait l'approche des événements, elle se douta bien, à la façon dont son père lui avait raconté l'état de fureur du fils du sultan, que le jeune garnement allait s'attaquer à elle d'une façon dangereuse. Et elle se dit : « Avant qu'il nous attaque, attaquons-le ! » Elle se leva sur ses deux pieds et alla trouver un armurier fort expert de son art et lui dit : « Je veux que tu me confectionnes, ô père des mains habiles, une armure tout en acier, à ma taille, et des jambières et des brassards et un casque du même métal. Mais il faut que tous ces objets soient faits d'une telle manière, qu'au moindre mouvement de la marche et au moindre contact, ils produisent un bruit assourdissant et un vacarme épouvantable. » Et l'armurier répondit par l'ouïe et l'obéissance, et ne tarda pas à lui livrer les objets en question, tels qu'elle les avait commandés.

Or, quand tomba la nuit, la jeune Zeina se déguisa terriblement, en revêtant le costume de fer, et prit dans sa poche une paire de ciseaux et un rasoir, et saisit dans sa main une fourche pointue, et se dirigea vers le palais, dans cet attirail.

Et, du plus loin qu'ils virent arriver ce guerrier effrayant, le portier et les gardes du palais s'enfuirent dans toutes les directions. Et, dans l'intérieur du palais, les esclaves terrifiés par le vacarme assourdissant que faisaient les diverses parties du costume de fer, et par l'aspect farouche de celui qui le portait, et par la fourche qu'il brandissait, suivirent l'exemple du portier et des gardes, et se hâtèrent d'aller se terrer chacun dans quelque coin bien à l'abri. Et, de la sorte, la fille du vendeur de pois chiches, ne rencontrant aucun obstacle ni la moindre velléité de résistance, parvint sans encombre dans la chambre où d'ordinaire se tenait le jeune garnement, fils du sultan.

Et le fils du sultan, ayant entendu tout ce bruit terrible, et voyant entrer celui qui le produisait, fut saisi, à sa vue, d'un grand effroi, et crut qu'il voyait apparaître un éfrit ravisseur des âmes. Et il devint bien jaune, se mit à trembler et à claquer des dents, et tomba sur le sol, en s'écriant : « Ô puissant éfrit ravisseur des âmes, épargne-moi et Allah t'épargnera ! » Mais la jeune fille lui répondit, en prenant une voix terrifiante : « Soude tes lèvres et tes mâchoires, ô proxénète, ou je t'enfonce cette fourche dans l'œil ! » Et l'épouvanté garçon se souda quant à ses lèvres et à ses mâchoires, et n'osa plus dire un mot ni faire un mouvement. Et la fille du vendeur de pois chiches s'approcha de lui, tandis qu'il était étendu sur le sol, immobilisé et évanoui ; et, sortant les ciseaux et le rasoir, elle lui rasa la moitié de ses jeunes moustaches, la moitié de sa barbe du côté gauche, la moitié de ses cheveux du côté droit, et les deux sourcils à la fois. Après quoi elle lui frotta la figure avec de la crotte d'âne et lui en enfonça un morceau dans la bouche. Et, cela fait, elle s'en alla comme elle était venue, sans que personne osât lui barrer le passage. Et elle rentra sans encombre à la maison, où elle se hâta d'enlever son costume de fer, et de se coucher à côté de ses sœurs, pour dormir d'un bon sommeil jusqu'au lendemain.

Et ce jour-là, comme à l'ordinaire, les trois sœurs, après s'être lavées et coiffées et arrangées, sortirent de leur maison pour aller chez leur maîtresse en broderie. Et, comme tous les matins, elles passèrent sous la fenêtre du fils du sultan. Et elles le virent assis, selon son habitude, près de la fenêtre, mais avec le visage et la tête emmitouflés dans un foulard, de telle manière que seuls ses yeux étaient apparents. Et toutes trois, contrairement à leur façon ordinaire de se comporter vis-à-vis de lui, le regardèrent avec insistance et coquetterie. Et le fils du sultan se dit : « Je ne sais pas, je crois bien qu'elles s'apprivoisent ! Peut-être est-ce parce que le foulard qui m'enveloppe la tête et le visage fait paraître plus beaux mes yeux ! » Et il leur cria : « Hé ! les trois lettres droites de l'alphabet, ô filles de mon cœur, le salam sur vous trois ! Comment vont les pois chiches, ce matin ? » Et la plus jeune des trois sœurs, la petite Zeina, leva la tête vers lui et répondit pour ses sœurs : « Hé ! ouallah, et le salam sur toi, ô visage emmitouflé ! Comment va ce matin le côté gauche de ta barbe et de tes moustaches, et comment va la moitié droite de ton crâne, et comment vont tes beaux sourcils, et as-tu trouvé à ton goût la crotte d'âne, ô mon chéri ? Puisse-t-elle avoir été sur ton cœur de délicieuse digestion ! » Et, ayant dit cela, elle se mit à courir avec ses sœurs, en riant aux éclats, et en faisant de loin, au fils du sultan, des gestes de moquerie et d'excitation. Tout cela !

Et, entendant et voyant, le fils du sultan comprit, à n'en pas douter, que l'éfrit de la nuit n'était autre que la fille du vendeur de pois chiches. Et, à la limite de la rage, il sentit le fiel de sa vésicule lui monter au nez, et il jura qu'il viendrait à bout de la jeune fille ou qu'il mourrait. Et ayant combiné son plan, il attendit quelque temps que sa barbe, ses moustaches, ses sourcils et ses cheveux eussent poussé, et il fit venir en sa présence le vendeur de pois chiches, père de la jeune adversaire, qui se dit, en se dirigeant vers le palais : « Qui sait, cette fois, quelle calamité m'attend de la part de ce proxénète ! » Et il arriva fort peu rassuré entre les mains du fils du sultan, qui lui dit : « Ô homme, je veux que tu m'accordes en mariage ta fille, la troisième, dont je suis épris éperdument ! Et si tu oses me la refuser, ta tête sautera de tes épaules ! » Et le vendeur de pois chiches répondit : « Il n'y a point d'inconvénient ! Mais que le fils de notre maître le sultan m'accorde un délai afin que j'aille consulter ma fille, avant de la marier ! » Et il répondit : « Va la consulter, mais sache bien que si elle refuse, elle goûtera comme toi à la mort noire ! »

Et le vendeur de pois chiches bouleversé alla trouver sa fille, et la mit au courant de la situation, et dit : « Ô ma fille, c'est là une calamité inévitable ! » Mais la jeune fille se mit à rire, et lui dit : « Par Allah ! ô père, il n'y a là-dedans ni calamité ni odeur de calamité. Car ce mariage est une bénédiction pour moi et pour toi et pour mes sœurs, les jeunes filles. Et je donne mon consentement. » Et le vendeur de pois chiches alla porter la réponse de sa fille au fils du sultan, qui se trémoussa d'aise et de contentement. Et il donna l'ordre de faire sans retard les préparatifs des noces, qui commencèrent aussitôt. Et voilà pour lui !

Mais pour ce qui est de la jeune fille, elle alla trouver un confiseur expert en l'art de confectionner les poupées en sucre, et lui dit : « Je désire de toi que tu me fasses une poupée tout en sucre, qui soit de ma taille et de ma ressemblance et de ma couleur, avec des cheveux en sucre filé, et de beaux yeux noirs, et une petite bouche et un joli petit nez et de longs sourcils déliés, et avec tout ce qu'il faut dans les autres endroits. » Et le confiseur, qui était fort habile de ses doigts, lui confectionna une poupée à ses traits et ressemblance, si bien faite qu'il ne lui manquait que la parole pour être une fille d'Adam.

Or, lorsque vint la nuit nuptiale de la pénétration, la jeune fille, aidée de ses sœurs, qui étaient devenues ses dames d'honneur, passa sa propre chemise sur le corps de la poupée, et la coucha dans le lit, à sa place, et abaissa sur elle la moustiquaire. Et elle donna les instructions nécessaires à ses sœurs, et alla se cacher dans la chambre, derrière le lit.

Et, quand vint le moment de la pénétration, les deux jeunes filles, sœurs de Zeina, allèrent au-devant de l'époux et l'introduisirent dans la chambre nuptiale. Et, après lui avoir fait les souhaits d'usage et les recommandations concernant leur petite sœur, en lui disant : « Elle est délicate, et nous te la confions ! Et elle est gentille et douce, et tu ne t'en plaindras pas ! » elles prirent congé de lui et le laissèrent seul dans la chambre.

Et le fils du sultan, se rappelant alors toutes les avanies que lui avait fait subir la fille du vendeur de pois chiches, et toutes ses fureurs accumulées contre elle, et toutes ses humiliations, et tous les dédains dont elle l'avait accablé, s'approcha de la jeune fille qu'il croyait couchée sous la moustiquaire, et qui l'attendait dans l'immobilité. Et il dégaina soudain son grand sabre, et lui en assena un coup de toutes ses forces, qui fit voler la tête en éclats de tous côtés. Et un des morceaux lui entra dans la bouche, qu'il tenait ouverte en proférant des injures à l'adresse de sa victime. Et il sentit le goût du sucre, et s'en étonna prodigieusement, et s'écria : « Par ma vie ! voici qu'après m'avoir, de son vivant, fait manger la crotte amère des ânes, elle me fait goûter, après sa mort, à la douceur exquise de sa chair. » Et, persuadé qu'il venait de trancher la tête à une si délicieuse créature, il laissa éclater son désespoir, et voulut se percer le ventre avec le sabre qui lui avait servi à fracasser la poupée.

Mais soudain la vraie jeune fille sortit de sa cachette, et, par-derrière, elle lui retint le bras, et l'embrassa en lui disant : « Pardonnons-nous et Allah nous pardonnera ! » Et le fils du sultan oublia toutes ses tribulations, en voyant le sourire de l'exquise adolescente qu'il avait tant désirée. Et il lui pardonna et l'aima. Et ils vécurent dans la prospérité, en laissant une nombreuse postérité.

Et Schahrazade, ne se sentant point fatiguée cette nuit-là, raconta encore au roi Schahriar l'histoire suivante, qui est celle du DÉLIEUR

LE DÉLIEUR

On raconte qu'il y avait dans la ville de Damas, au pays de Scham, un jeune marchand dans sa boutique, qui était beau comme la lune dans sa quatorzième nuit, si attirant que pas une des acheteuses du souk ne résistait à sa merveilleuse beauté. Car, en vérité, il était une joie pour l'œil qui le regardait, et une damnation pour l'âme du spectateur. Et c'est de lui que le poète a dit :

« Mon seigneur est le roi de la beauté, et dans son corps, œuvre de son Créateur, pas un coin n'est négligeable, car tout est également parfait.

Ses formes sont délicates autant que dur est son cœur ; ses longs yeux déclarent la guerre aux indifférents, et allument des incendies dans les cœurs les plus froids.

Ses cheveux sont bouclés et noirs comme des scorpions, sa taille, flexible comme le rameau de l'arbre bân, et fine comme la tige du bambou.

Mais sa croupe, qui est remarquable, tremble, quand il se balance, comme le lait caillé dans l'écuelle du Bédouin. »

Or, un jour d'entre les jours, l'adolescent était, comme à l'ordinaire, assis à la devanture de sa boutique, avec ses grands yeux noirs et la séduction de son visage, quand une dame entra pour faire quelque emplette. Et il la reçut avec dignité, et la conversation s'engagea entre eux sur la vente et l'achat. Mais, au bout d'un moment, la dame, absolument subjuguée par ses charmes, lui dit : « Ô visage de lune, je viendrai demain te revoir. Et tu seras content de moi ! » Et elle le quitta, après avoir acheté quelque chose qu'elle paya sans marchander, et s'en alla en sa voie.

Et, comme elle l'avait promis, elle revint à la boutique, le lendemain à la même heure. Mais elle tenait par la main une adolescente bien plus jeune qu'elle, et plus jolie et plus attirante et plus désirable. Et le jeune marchand, en voyant la nouvelle venue, ne s'occupa plus que d'elle, et ne fit pas plus attention à la première que s'il ne la voyait pas. Et celle-ci finit par lui dire à l'oreille : « Ô visage béni, par Allah ! tu n'as pas mal choisi. Et, si tu le veux, je servirai d'intermédiaire entre toi et cette adolescente, qui est ma propre fille. » Et le jeune homme dit : « C'est dans ta main que se trouve la bénédiction, ô dame choisie ! Certes, par le Prophète ! – sur Lui la prière et la paix ! – mon désir est extrême de cette adolescente, ta fille. Mais, hélas ! le désir n'est pas la réalité, et, si j'en juge par les apparences, ta fille est bien trop riche pour moi. » Mais elle se récria, disant : « Par le Prophète ! ô mon fils, qu'à cela ne tienne ! Car nous te faisons grâce de la dot que l'époux doit écrire au nom de l'épousée, et nous prendrons à notre charge tous les frais des noces et toutes les dépenses. Tu n'as donc qu'à te laisser faire, et tu trouveras bon gîte, pain chaud, chair ferme et bien-être ! Car, quand on trouve un être aussi beau que toi, on le prend tel qu'il est, sans lui demander autre chose que d'agir avec vaillance, lors de ce que tu sais, sec, dur et longtemps ! » Et l'adolescent répondit : « Il n'y a point d'inconvénient…

À ce moment de sa narration, Schahrazade vit apparaître le matin et, discrète, se tut.

Mais lorsque fut la huit cent quatre-vingt-dixième nuit. Elle dit :

… Sec, dur et longtemps ! »

Et l'adolescent répondit : « Il n'y a point d'inconvénient. »

Et, séance tenante, on tomba d'accord sur toutes les questions, et on convint que les noces se célébreraient dans le plus bref délai, sans cérémonies ni invitations, sans musiciens ni danseuses ni chanteuses, et sans promenades ni cortèges.

Et, au jour fixé, on fit venir le kâdi et les témoins. Et on écrivit le contrat, suivant les prescriptions de la Loi. Et la mère, en présence du kâdi et des témoins, introduisit le jeune homme dans la chambre nuptiale, et le laissa seul avec son épouse, en lui disant : « Jouissez de votre destinée, ô mes enfants ! » Et, cette nuit-là, il n'y eut pas dans toute la ville de Damas, au pays de Scham, un couple plus beau que celui de ces deux jeunes enlacés, qui s'adaptaient l'un à l'autre comme les deux moitiés de la même amande.

Et le lendemain, après une nuit passée dans les délices, l'adolescent se leva et alla faire ses ablutions au hammam. Après quoi il alla à sa boutique comme à l'ordinaire, et y resta jusqu'à la fermeture du souk. Et alors il se leva et revint à sa nouvelle maison retrouver son épouse.

Et il entra au harem, et alla droit à la chambre nuptiale, où la veille il avait goûté tant de choses excellentes. Et voilà que sous la moustiquaire son épouse était endormie, les cheveux défaits, côte à côte avec un jeune garçon à la joue vierge de poil, qui la serrait avec amour contre lui. À cette vue, le monde noircit sur le visage de l'adolescent qui se précipita hors de la chambre pour aller chercher la mère et lui faire voir ce qu'il y avait à voir. Et il rencontra précisément la mère qui était sur le seuil de la chambre et qui, le voyant jaune de teint et bien ému, lui dit : « Qu'as-tu, ô mon fils ! Prie sur le Prophète ! » Et il répondit : « Sur Lui la prière et la paix ! Qu'est cela, ô tante ? Qu'est cela que je vois sur le lit ? Je me réfugie en Allah contre les méfaits du Lapidé ! » Et il cracha violemment par terre, comme sur quelqu'un qui fût à ses pieds. Et la mère dit : « Et pourquoi, ô mon fils, toute cette colère et cette émotion ? Est-ce parce que ton épouse est avec une autre personne ? Mais, par les mérites du Prophète ! penses-tu donc qu'on puisse se nourrir de l'air du temps ? Et crois-tu que je t'aie accordé ma fille pour épouse, sans rien exiger de toi comme dot et douaire, pour que maintenant tu t'avises de réprouver sa conduite et de contrarier ses caprices ? C'est là une grande prétention de ta part, mon fils ! Car tu devais bien te dire que deux femmes comme nous ne sauraient arriver à subsister si elles n'étaient pas libres de leurs mouvements ! Comprends-tu maintenant ? » Et l'adolescent, stupéfait de tout ce qu'il entendait, ne sut que murmurer : « Je me réfugie en Allah ! Il est le Miséricordieux ! » Et la mère répondit : « Quoi ! tu te plains encore ! Mais, mon fils, si notre façon de vivre n'est pas à ta convenance, tu n'as qu'à nous faire voir la largeur de tes épaules ! »

À ces paroles, le jeune homme, à la limite de la colère, s'écria, de façon à être entendu aussi bien par la mère que par la fille : « Je divorce ! par Allah et par le Prophète, je divorce ! » Et, au même moment, de dessous la moustiquaire, la jeune femme se leva en s'étirant, et, ayant entendu la formule du divorce, se hâta d'abaisser son voile sur son visage, afin qu'elle ne fût plus à découvert devant celui qui désormais était redevenu pour elle un étranger. Et, en même temps qu'elle, sortit de dessous la moustiquaire la personne avec qui elle était si amoureusement enlacée. Or, cette personne, qui de loin ressemblait à un jeune garçon imberbe, était, rien qu'à voir le flot de ses cheveux soudain dénoués, qui lui caressèrent les chevilles, une jeune fille.

Et, pendant que le malheureux jeune homme était immobilisé par la stupeur, deux témoins, qu'avait cachés la mère derrière un rideau, firent leur apparition, et lui dirent : « Nous avons entendu la formule du divorce, et nous témoignons que tu es divorcé d'avec ton épouse ! » Et la mère lui dit, en riant : « Eh bien, mon fils, tu n'as plus qu'à t'en aller ! Et pour que tu ne partes pas sur une fâcheuse impression, sache que la jeune fille que voici, et qui était couchée avec ton épouse, est ma fille cadette. Et ce que tu as cru est un péché sur ta conscience ! Mais sache également que ton épouse était d'abord mariée avec un jeune homme qu'elle aimait et qui l'aimait. Mais un jour ils se disputèrent, et dans l'emportement de la dispute, mon gendre dit à ma fille : « Tu es divorcée par trois fois ! » Or c'est là, tu le sais, la plus grave formule du divorce, et la plus solennelle. Et celui qui l'a prononcée ne peut plus se remarier avec sa première épouse, si un jour il lui en prenait l'envie, à moins que son épouse ne consomme un nouveau mariage avec son second mari, qui, à son tour, la répudie. Il nous fallait donc un délieur, mon fils. Et j'ai longtemps cherché ce délieur-là, sans le trouver. Et j'ai fini par te rencontrer. Et j'ai compris, en te voyant, que tu serais un délieur parfait. Et je t'ai choisi. Et il est arrivé ce qui est arrivé. Ouassalam ! » Et là-dessus, elle le poussa hors de la maison, et ferma la porte, tandis que le premier époux, devant le même kâdi et les mêmes témoins, écrivait un second contrat de mariage sur sa première épouse.

Et telle est, ô Roi fortuné, l'histoire du Délieur. Mais elle est loin d'être aussi délicieuse que l'HISTOIRE DU CAPITAINE DE POLICE.

HISTOIRE DU CAPITAINE DE POLICE

Il y avait autrefois au Caire un Kurde, venu en Égypte sous le règne du roi victorieux Saladin – qu'Allah l'ait en Ses bonnes grâces ! Et ce Kurde était un homme d'une terrible carrure, avec de grosses moustaches et une barbe qui lui montait jusqu'aux yeux, et des sourcils qui lui tombaient sur les yeux, et des touffes de poils qui lui sortaient du nez et des oreilles. Et son air était si rébarbatif, qu'il devint bientôt capitaine de police. Et les gamins du quartier, rien qu'en le voyant de loin, s'enfuyaient livrant leurs jambes au vent, plus vite que s'ils avaient vu apparaître une goule. Et les mères menaçaient leurs enfants d'appeler le capitaine kurde, lorsqu'ils étaient insupportables. En un mot, il était l'épouvantail du quartier et de la ville.

Or, un jour d'entre les jours, il sentit la solitude lui peser, et il pensa qu'il serait bon, le soir en rentrant chez lui, de trouver de la chair fraîche à se mettre sous la dent. C'est pourquoi il alla trouver une marieuse, et lui dit : « Je désire prendre femme. Mais j'ai beaucoup d'expérience, et je sais quelles tribulations les femmes apportent d'ordinaire avec elles. C'est pourquoi, comme j'aime avoir le moins de complications possible, je veux que tu me trouves une jeune fille vierge qui n'ait jamais quitté la robe de sa mère, et qui soit disposée à vivre avec moi dans une maison qui est composée d'une seule chambre. Et je mets comme condition que jamais elle ne sorte de cette maison et de cette chambre. Et c'est à toi à voir si tu peux ou si tu ne peux pas me trouver cette jeune fille-là ! » Et la marieuse répondit : « Je peux ! Et dépose les arrhes ! » Et le capitaine de police lui remit un dinar comme arrhes, et s'en alla en sa voie. Et la marieuse se leva sur ses deux pieds, et se mit à la recherche de la jeune fille en question.

Et après plusieurs jours de recherches et de démarches, de demandes et de réponses, elle finit par trouver une jeune fille qui consentait à vivre avec le Kurde, sans jamais sortir de la maison composée d'une seule chambre. Et la marieuse alla faire part au capitaine de police de la réussite de ses démarches, et lui dit : « Celle que je t'ai trouvée est une jeune fille vierge qui n'a jamais quitté sa mère et qui m'a dit, quand je lui ai soumis la condition : « Que je vive avec le vaillant capitaine ou que je reste enfermée ici avec ma mère, c'est la même chose ! » Et le Kurde fut très satisfait de cette réponse, et demanda à la marieuse : « Et comment est-elle ? » Elle répondit : « Elle est grasse et dodue et blanche ! » Il dit : « C'est là ce que j'aime ! »

Et donc, comme le père de la jeune fille était consentant, et que la mère était consentante, et que la fille était consentante, et que le Kurde était consentant, les noces furent célébrées sans retard. Et le Kurde, père des grosses moustaches, emmena la jeune fille grasse et dodue et blanche dans sa maison composée d'une seule chambre, et s'enferma avec elle et avec sa destinée. Et Allah seul sait ce qui se passa cette nuit-là.

Et, le lendemain, le Kurde, en allant s'occuper des affaires de la police, se dit, en sortant de chez lui : « J'ai assuré ma chance sur cette jeune fille. » Et le soir, en rentrant chez lui, il lui suffit d'un regard pour juger que tout était en ordre dans sa maison. Et tous les jours il se disait : « Il n'est encore pas né celui à qui il sera donné de mettre son nez dans mon dîner. » Et sa quiétude était parfaite, et sa sécurité absolue. Et il ne savait pas, malgré toute son expérience, que la femme est née subtile, et que, lorsqu'elle désire quelque chose, rien ne saurait l'arrêter. Et il devait bientôt en faire l'expérience.

Il y avait, en effet, dans la rue, en face de la fenêtre de la maison, un boucher pour la viande de mouton. Et ce boucher avait un fils, un gaillard tout à fait, qui de sa nature était plein d'entrain et de gaieté, et qui, du matin au soir, chantait sans désemparer d'une voix fort belle. Et la jeune épouse du capitaine kurde fut subjuguée par les charmes et la voix du fils du boucher, et il arriva entre eux ce qui arriva…

À ce moment de sa narration, Schahrazade vit apparaître le matin et, discrète, se tut.

Mais lorsque fut la huit cent quatre-vingt-onzième nuit. Elle dit :

… Et la jeune épouse du capitaine kurde fut subjuguée par les charmes et la voix du fils du boucher ; et il arriva ce qui arriva.

Et le seigneur kurde rentra ce jour-là plus tôt que de coutume, et introduisit la clef dans la serrure, pour ouvrir la porte. Et son épouse, qui était en puissance de copulation, à ce moment-là, entendit le grincement de la clef, et lâcha tout pour sauter sur ses deux pieds. Et elle se hâta de cacher son amant dans un coin de la chambre, derrière la corde sur laquelle étaient pendus tous les habits de son époux et les siens propres. Puis elle prit son grand voile, celui dont elle s'enveloppait d'ordinaire, et descendit le petit escalier à la rencontre de son mari, le capitaine, qui, ayant monté la moitié des marches, avait déjà senti que quelque chose se passait chez lui qui ne se passait pas à l'ordinaire. Et il dit à sa femme : « Qu'y a-t-il ? Et pourquoi tiens-tu ce voile ? » Et elle répondit : « L'histoire de ce voile, ô mon maître, est une histoire qui, si elle était écrite avec les aiguilles sur le coin intérieur de l'œil, servirait de leçon à qui la lirait avec respect ! Mais d'abord viens t'asseoir sur le divan, pour que je te la raconte ! » Et elle l'entraîna vers le divan, le pria de s'asseoir, et continua ainsi : « Sache, en effet, qu'il y avait, dans la ville du Caire, un capitaine de police, homme terrible et jaloux, qui surveillait sa femme sans répit. Et, pour être sûr de sa fidélité, il l'avait enfermée dans une maison, comme celle-ci, d'une seule chambre. Mais, malgré toutes ses précautions, la jeune femme le cornufiait de tout son cœur, et copulait sur ses insensibles cornes avec le fils de leur voisin le boucher, tant et si bien qu'un jour, étant rentré plus tôt que de coutume, le capitaine se douta de quelque chose. Et, en effet, quand sa femme l'avait entendu rentrer, elle s'était hâtée de cacher son amant, et avait entraîné son mari sur un divan, tout comme je l'ai fait avec toi. Et alors elle lui jeta sur la tête un drap qu'elle tenait à la main, et lui en serra le cou de toutes ses forces, là, comme ça ! » Et, parlant ainsi, la jeune femme jeta le drap sur la tête du Kurde, et lui en serra le cou, en riant, et en continuant ainsi son histoire : « Et quand le fils de chien eut la tête et le cou bien pris dans le drap, la jeune femme cria à son amant, qui était caché derrière les habits du mari : « Hé, mon chéri, vite ! vite ! sauve-toi ! » Et le jeune boucher se hâta de sortir de sa cachette et de se précipiter à travers l'escalier dans la rue. Et telle est l'histoire du drap que je tenais à la main, ya sidi ! »

Et, ayant ainsi raconté cette histoire, et voyant que son amant était déjà en sûreté, la jeune femme lâcha le drap qu'elle avait solidement entortillé autour du cou de son mari le Kurde, et se mit à rire tellement qu'elle se renversa sur le derrière.

Quant au capitaine kurde, délivré de la sorte de la strangulation, il ne sut s'il devait rire ou se fâcher de l'histoire et du jeu de sa femme. Et d'ailleurs Kurde il était et Kurde il resta. Et c'est pourquoi il ne comprit jamais rien du tout à cet incident. Et ses moustaches et ses poils ne s'en portèrent pas plus mal. Et il mourut comme un bienheureux, content et prospérant, ayant laissé beaucoup d'enfants.

Et Schahrazade, cette nuit-là, dit encore l'histoire suivante, qui est un débat de générosité entre trois personnes d'espèce différente, à savoir entre un mari, un amant et un voleur.

QUEL EST LE PLUS GÉNÉREUX ?

On raconte qu'il y avait à Bagdad un cousin et une cousine qui s'aimaient depuis l'enfance d'un amour extrême. Et leurs parents les avaient destinés l'un à l'autre, disant toujours : « Quand Habib sera grand, nous le marierons avec Habiba ! » Et ils avaient vécu et grandi ensemble, et avec eux avait grandi leur mutuelle affection. Mais, quand ils furent en âge de se marier la destinée ne décréta point leur mariage. Car les parents, ayant subi les revers du temps, devinrent fort pauvres ; et le père et la mère de Habiba s'estimèrent favorisés en acceptant comme époux pour leur fille un respectable cheikh, l'un des marchands les plus riches de Bagdad, qui l'avait demandée en mariage.

Et, lorsque son mariage avec le cheikh fut décidé de la sorte, la jeune Habiba voulut voir son cousin Habib pour la dernière fois, et lui dit en pleurant : « Ô fils de mon oncle, ô mon bien-aimé, tu sais ce qui se passe, et que mes parents m'ont accordée en mariage à un cheikh que je n'ai jamais vu et qui ne m'a jamais vue ! Et voici que, par ce mariage, nous sommes à jamais frustrés de notre amour, ô mon cousin ! Et peut-être que notre mort est préférable à notre vie ! » Et Habib répondit en sanglotant : « Ô ma bien-aimée cousine, notre destin est amer, et notre vie est désormais sans signification ! Comment pourrions-nous, loin l'un de l'autre, savourer encore le goût de la vie et nous délecter aux beautés de la terre ? Hélas ! hélas ! ô ma cousine, comment allons-nous supporter le poids de notre destinée ! » Et ils pleurèrent l'un sur l'autre et faillirent s'évanouir de douleur. Puis on vint les séparer, en leur disant qu'on attendait la mariée pour la conduire à la maison de l'époux.

Et on conduisit la désolée Habiba en cortège à la maison du cheikh. Et, après les cérémonies d'usage, et les souhaits et les appels aux bénédictions, la noce prit fin, et tout le monde s'en alla, en laissant la jeune mariée chez son époux. Et quand vint le moment de la consommation, le cheikh pénétra dans la chambre nuptiale, et vit son épouse qui pleurait dans les coussins, et sa poitrine qui se soulevait pleine de sanglots. Et il pensa : « Sûrement, elle pleure comme pleurent toutes les jeunes filles qui quittent leur mère. Mais heureusement que ça ne dure pas longtemps, pour l'ordinaire. Avec de l'huile on vient à bout des cadenas les plus durs, et avec de la douceur on apprivoise les petits des lions ! » Et il s'approcha d'elle, tandis qu'elle pleurait, et lui dit : « Ya setti Habiba, ô lumière de l'âme, pourquoi abîmes-tu de la sorte la beauté de tes yeux ? Et quelle douleur est la tienne, qui te fait oublier même une présence nouvelle près de toi ? » Mais la jeune fille, en entendant la voix de son époux, fut prise d'un redoublement de larmes et de sanglots, et s'enfonça davantage la tête dans les oreillers. Et le cheikh, bien interloqué, lui dit : « Ya setti Habiba, si c'est ta mère que tu pleures, à cause de ta séparation d'avec elle, dis-le-moi, et j'irai te la chercher à l'instant ! » Et la jeune fille, pour toute réponse, secoua la tête dans ses oreillers, en pleurant plus fort, et rien de plus. Et son époux lui dit : « Si c'est ton père, où l'une de tes sœurs ou ta nourrice ou quelque animal familier, tel que coq, chat ou gazelle, que tu pleures si douloureusement, dis-le-moi, et par Allah ! j'irai te le chercher ! » Mais un signe négatif de tête dans les oreillers fut la réponse. Et le cheikh réfléchit un instant, et dit : « C'est peut-être la maison même de tes parents que tu pleures, où tu as passé ton enfance et ton adolescence, ô Habiba ! Si c'est elle que tu pleures, dis-le-moi, et je te prendrai par la main et t'y conduirai. » Et la jeune fille, quelque peu adoucie par les bonnes paroles de son époux, releva un peu la tête ; et ses beaux yeux étaient pleins de larmes, et son visage charmant était comme une flamme. Et elle répondit, d'une voix tremblante de pleurs : « Ya sidi, ce n'est point ma mère que je pleure, ni mon père, ni mes sœurs, ni ma nourrice, ni mes animaux familiers ! Je te supplie donc de me dispenser de te révéler le motif de mes larmes et de mon chagrin. » Et l'excellent cheikh, qui voyait pour la première fois le visage de sa femme à découvert, fut très ému par sa beauté, par le charme enfantin qui se dégageait d'elle toute, et par la douceur de son parler. Et il lui dit : « Ya setti Habiba, ô la plus belle d'entre les jeunes filles, et leur couronne, si ce n'est point l'éloignement de ta famille et de ta maison qui te donne tant de peine, c'est qu'il y a un autre motif. Et je te prie de me le dire, afin que j'y remédie. » Et elle répondit : « De grâce ! dispense-moi de te le raconter ! » Il dit : « C'est qu'alors ce motif n'est autre que la répugnance et l'aversion que tu as pour moi. Or, par ta vie ! si tu m'avais dit, par l'intermédiaire de ta mère, que tu ne voulais pas devenir mon épouse, je ne t'eusse certes pas obligée à entrer malgré toi dans ma maison ! » Et elle dit : « Non, par Allah ! ô mon maître, le motif de mon chagrin n'est point dû à de la répugnance ou de l'aversion ! Comment aurais-je ces sentiments pour quelqu'un que je n'ai jamais vu ? Mais cela est dû à tout autre chose, que je ne saurais te révéler ! » Mais il continua à la presser si fort et avec tant de bonté, que la jeune fille, les yeux baissés, finit par lui avouer son amour pour son cousin, disant : « Le motif de mes larmes et de mon chagrin, est un être cher qui est resté dans la maison, et c'est le fils de mon oncle, celui avec qui j'ai grandi, et qui m'aime et que j'aime depuis l'enfance ! Et l'amour, ô mon maître, est une plante dont les racines sont prises dans le cœur, et pour l'arracher il faudrait arracher le cœur avec elle ! »

À cette révélation de son épouse, le cheikh baissa la tête, sans dire un mot. Et il réfléchit une heure de temps, puis releva la tête et dit à la jeune fille : « Ô ma maîtresse, la loi d'Allah et de Son Prophète – sur Lui la prière et la paix ! – défend au Croyant d'obtenir quoi que ce soit du Croyant par la violence. Et si le morceau de pain ne doit pas être pris au Croyant par la force, que sera-ce s'il s'agit de lui enlever son cœur ? Ainsi donc, tranquillise ton âme et rafraîchis tes yeux ! Et rien n'arrivera que ce qui a été écrit sur ta destinée ! » Et il ajouta : « Lève-toi donc, ô mon épouse d'un moment, et, avec mon consentement et de mon plein gré, va trouver celui qui a sur toi des droits plus réels que les miens, et donne-toi à lui librement. Et tu reviendras ici avec le matin, avant que les domestiques soient réveillés et te voient rentrer. Car dès ce moment tu es comme ma fille, de ma chair et de mon sang ! Et le père ne touche point à sa fille. Et, quand je serai mort, tu seras mon héritière ! » Et il ajouta encore : « Lève-toi, ma fille, sans hésiter, et va consoler ton cousin, qui doit te pleurer comme on pleure les morts ! »

Et il l'aida à se lever, et lui passa lui-même ses belles robes et ses pierreries de noces, et l'accompagna jusqu'à la porte. Et elle sortit dans la rue, avec ses belles robes et ses pierreries, comme une idole promenée, un jour de fête, par les mécréants…

À ce moment de sa narration, Schahrazade vit apparaître le matin et, discrète, se tut.

Mais lorsque fut la huit cent quatre-vingt-douzième nuit. Elle dit :

… Et elle sortit dans la rue avec ses belles robes et ses pierreries, comme une idole promenée un jour de fête par les mécréants.

Mais à peine eut-elle fait vingt pas dans la rue, où pas une âme ne passait à cette heure de la nuit, que soudain une forme noire bondit de l'ombre et s'élança vers elle. Or, c'était un voleur, à l'affût de quelque gibier de nuit, qui avait vu briller ses pierreries, et s'était dit : « Voilà de quoi m'enrichir pour la vie ! » Et il l'arrêta brutalement et se prépara à la dépouiller, en lui disant d'une voix étouffée et effrayante : « Si tu ouvres la bouche pour crier, ta longueur entrera dans ta largeur ! » Et déjà il avait mis la main sur ses colliers, quand son regard rencontra la beauté de son visage ; et, tout interdit, il pensa : « Par Allah ! c'est elle tout entière que je vais enlever, car elle est plus précieuse que tous les trésors ! » Et il lui dit : « Ô ma maîtresse, il ne te sera fait aucun mal ! Mais ne résiste pas, et viens de ton plein gré avec moi. Et notre nuit sera une nuit bénie ! » Car il pensait : « C'est une almée ! Car il n'y a que les almées, pour sortir la nuit vêtues avec tant de splendeurs. Et elle doit revenir de quelque noce de grand seigneur ! »

Et la jeune fille, pour toute réponse, se mit à pleurer. Et le voleur lui dit : « Par Allah ! pourquoi pleures-tu ? Je fais le serment de ne point te maltraiter ni te dépouiller, si tu te donnes à moi librement ! » Et, en même temps, il la prit par la main, et voulut l'emmener. Alors, à travers ses larmes, elle lui dit qui elle était ; et lui raconta la générosité du cheikh, son époux, et ne lui cacha rien de son histoire. Et elle ajouta : « Et maintenant, je suis entre tes mains. Fais de moi ce que tu voudras ! »

Lorsque le voleur, qui était le plus habile détrousseur de toute la corporation des voleurs de Bagdad, eut entendu l'histoire singulière de la jeune fille, et compris toute la portée du procédé généreux du cheikh, son époux, il baissa un instant la tête et réfléchit profondément. Puis il releva la tête et dit à l'adolescente : « Et où demeure le fils de ton oncle, celui que tu aimes ? » Elle dit : « Dans tel quartier, telle rue, où il occupe la chambre qui se trouve dans le jardin de la maison ! » Et le voleur dit : « Ô ma maîtresse, il ne sera pas dit que deux amants ont été frustrés de leur amour par un voleur ! Puisse Allah t'accorder les plus choisies de Ses grâces pour cette nuit que tu vas passer avec ton cousin ! Quant à moi, je vais te conduire et t'escorter, pour t'éviter les rencontres fâcheuses d'autres voleurs que moi ! » Et il ajouta : « Ô ma maîtresse, si le vent est à tous, la flûte n'est pas à moi ! » Et, ayant ainsi parlé, le voleur prit l'adolescente par la main et l'escorta, avec tous les égards dont on fait preuve envers une reine, jusqu'à la maison de son amant. Et il prit congé d'elle, après avoir baisé le pan de sa robe, et s'en alla en sa voie.

Et la jeune fille poussa la porte du jardin, traversa le jardin, et alla droit à la chambre de son cousin. Et elle l'entendit qui sanglotait, tout seul, en pensant à elle. Et elle frappa à la porte ; et la voix pleine de larmes de son cousin demanda : « Qui est à la porte ? » Elle dit : « Habiba ! » Et de l'intérieur il s'écria : « Ô voix de Habiba ! » Et il dit encore : « Habiba est morte ! Qui es-tu, toi qui me parles avec sa voix ? » Elle dit : « Je suis Habiba, la fille de ton oncle ! »

Et la porte s'ouvrit, et Habib tomba évanoui dans les bras de sa cousine. Et lorsque, grâce aux soins de Habiba, il fut revenu de son évanouissement, Habiba le fit reposer à côté d'elle, lui posa la tête sur ses genoux et lui fit le récit de ce qui était arrivé avec le cheikh, son époux, et avec le voleur généreux. Et Habib, entendant cela, fut tellement ému qu'il ne put d'abord prononcer une parole. Puis il se leva soudain, et dit à sa cousine : « Viens, ô ma bien-aimée cousine ! » Et il la prit par la main, sans vouloir la connaître, et sortit avec elle dans la rue, et la conduisit, sans prononcer une parole, à la demeure du cheikh, son époux.

Lorsque le cheikh vit revenir son épouse avec le jeune Habib, son cousin, et qu'il eut compris la raison qui les amenait ainsi tous deux vers sa demeure, il les introduisit dans sa propre chambre, et les embrassa comme un père embrasse ses enfants, et leur dit d'une voix pleine de gravité : « Quand le Croyant a dit à son épouse : « Tu es ma fille, de ma chair et de mon sang ! » nulle puissance ne saurait le délier de ses paroles ! Ainsi donc, ô mes enfants, vous ne me devez rien ! Car je suis lié par mes propres paroles ! » Et, ayant ainsi parlé, il écrivit en leur nom sa maison et ses biens, et s'en alla habiter une autre ville.

Et Schahrazade laissa au roi Schahriar le soin de conclure, sans lui rien demander à ce sujet. Et, cette nuit-là, elle dit encore :

LE BARBIER ÉMASCULÉ

Il est raconté qu'il y avait au Caire un jeune garçon, sans égal pour la beauté et les mérites. Et il avait pour amie, qui l'aimait beaucoup et qu'il aimait, une adolescente dont l'époux était un youzbaschi, chef de cent gardiens de police, homme plein de fougue et de bravoure, avec des mains dont un doigt eût suffi pour écraser l'adolescent. Et ce youzbaschi avait toutes les qualités excellentes capables de satisfaire son harem ; mais l'adolescent n'avait point de barbe, et l'épouse était de celles qui préfèrent la viande d'agneau ; et une jument de celles qui aiment se sentir chevauchées, de préférence, par les jouvenceaux.

Or, un jour d'entre les jours, le youzbaschi entra dans sa maison et dit à l'adolescente, son épouse : « Ô une telle, je suis invité, cet après-midi, à aller à tel endroit, dans les jardins, pour respirer le bon air avec les amis. Si donc, pour une affaire ou pour une autre, on a besoin de moi, tu sauras où m'envoyer chercher. » Et son épouse lui dit : « Nul ne souhaitera autre chose de toi que de te savoir dans les délices et le contentement ! Va te réjouir dans les jardins, ô mon maître, et que cela te dilate et t'épanouisse, pour notre joie ! » Et le youzbaschi s'en alla en sa voie, en se félicitant, une fois de plus, d'avoir une épouse si attentive, et bien douée et bien obéissante et bien polie.

Et dès qu'il eut tourné le dos, son épouse s'écria : « Les louanges à Allah qui éloigne de nous, pour cet après-midi, ce cochon sauvage ! Voici que je vais envoyer chercher le pendu de mon cœur ! » Et elle appela le petit eunuque qui était à son service, et lui dit : « Ô garçon, va vite trouver un tel de ma part. Et si tu ne le trouves pas chez lui, cherche-le partout jusqu'à ce que tu le rencontres, et dis-lui : « Ma maîtresse t'envoie le salam et te dit d'aller la trouver à la maison, en ce moment ! » Et le petit eunuque sortit de chez sa maîtresse, et, n'ayant pas trouvé l'adolescent chez lui, il se mit à parcourir, à sa recherche, toutes les boutiques du souk où il avait coutume d'aller s'asseoir. Et il finit par le trouver dans la boutique d'un barbier, où il était entré pour se faire raser la tête. Et il s'approcha de lui, précisément au moment où le barbier lui entourait le cou d'une serviette propre, et lui disait : « Fasse Allah que le rafraîchissement te soit délicieux ! » Et le petit eunuque, s'étant donc approché de l'adolescent, se pencha vers lui, et lui dit à l'oreille : « Ma maîtresse une telle t'envoie ses salams les plus choisis, et me charge de te dire qu'aujourd'hui le rivage est clair, et que le youzbaschi est aux jardins ! Si donc tu tiens à la possession, tu n'as qu'à venir sans délai ni retard. » Et le jeune garçon, ayant entendu cela, ne put plus souffrir de rester là un moment de plus, et il cria au barbier : « Sèche vite ma tête, que je m'en aille ; et je reviendrai ici une autre fois ! » Et, en disant ces paroles, il mit dans sa main une drachme d'argent, tout comme s'il avait eu la tête déjà travaillée par le barbier. Et le barbier, voyant cette générosité, se dit : « Il me donne une drachme, alors que je ne lui ai rien rasé ! Que serait-ce si sa tête avait été rasée ! Par Allah !

voilà un client que je suivrai de l'œil. Sans aucun doute, lorsque je lui aurai rasé la tête, il me donnera une poignée de ces drachmes-là ! »

Sur ces entrefaites, l'adolescent se leva avec rapidité, et sortit dans la rue. Et le barbier l'accompagna jusqu'au seuil de la boutique, en lui disant : « Allah avec toi, ô mon maître ! Mon espoir est que, lorsque tu auras réglé les affaires pendantes, tu reviendras à cette boutique, d'où tu sortiras encore plus beau qu'à ton entrée. Allah avec toi ! » Et l'adolescent répondit : « Taïeb ! parfait ! je reviendrai ! » Et il détala en hâte, et disparut au tournant de la rue.

Et il arriva devant la maison de son amie, l'épouse du youzbaschi. Et il allait frapper à la porte, quand, à sa surprise extrême, il vit surgir devant lui, venant de l'autre bout de la rue, le barbier. Et, ne sachant quelle pouvait bien être l'affaire qui faisait accourir de la sorte ce barbier, qui de loin lui faisait des gestes d'appel, il s'arrêta de frapper. Et le barbier lui dit : « Ô mon maître, Allah avec toi ! Je te prie de ne pas oublier ma boutique, qui s'est parfumée de ta venue et s'en est illuminée. Et le sage a dit : « Quand tu t'es dulcifié dans un endroit, n'en cherche pas un autre ! » Et le grand médecin des Arabes, Abou-Ali el Hossein Ibn Sina – sur lui les grâces du Très-Haut ! – a dit : « Nul lait n'est comparable, pour l'enfant, au lait de la mère ! Et rien n'est plus doux à la tête que la main d'un habile barbier ! » J'espère donc de toi, ô mon maître, que tu reconnaîtras ma boutique entre toutes les boutiques des autres barbiers du souk. » Et l'adolescent dit : « Hé ouallah ! certainement, je la reconnaîtrai, ô barbier ! » Et il poussa la porte, qui déjà s'était ouverte de l'intérieur, et se hâta de la refermer après lui. Et il monta rejoindre son amoureuse, pour faire sa chose ordinaire avec elle.

Quant au barbier, au lieu de s'en retourner à sa boutique, il resta planté dans la rue, en face de la porte, en se disant : « Le mieux est que j'attende ici même ce client inespéré, afin de le conduire moi-même à ma boutique, de peur qu'il ne la confonde avec celles de mes voisins ! » Et, sans quitter la porte un instant des yeux, il s'immobilisa définitivement.

Mais pour ce qui est du youzbaschi, lorsqu'il arriva à l'endroit du rendez-vous, son ami, qui l'avait invité, lui dit : « Ya sidi, pardonne-moi l'incivilité sans pareille dont je suis coupable envers toi. Mais ma mère vient de mourir, et il faut que je prépare l'enterrement. Excuse-moi donc de ne pouvoir me réjouir aujourd'hui avec toi, et pardonne-moi mes mauvaises manières. Allah est généreux ! et nous reviendrons ici ensemble, prochainement. » Et il prit congé de lui, en s'excusant encore beaucoup, et s'en alla en sa voie. Et le youzbaschi, le nez bien allongé, dit en lui-même : « Qu'Allah maudisse les vieilles calamiteuses qui noircissent d'une si vilaine sorte les jours de l'amusement ! Et que le Malin les enfonce dans le plus profond des trous du cinquième enfer ! » Et, ce disant, il cracha en l'air, avec fureur…

À ce moment de sa narration, Schahrazade vit apparaître le matin et, discrète, se tut.

Mais lorsque fut la huit cent quatre-vingt-treizième nuit. Elle dit :

… Et le youzbaschi, le nez bien allongé, dit en lui-même : « Qu'Allah maudisse les vieilles calamiteuses qui noircissent d'une si vilaine sorte les jours de l'amusement ! Et que le Malin les enfonce dans le plus profond des trous du cinquième enfer ! » Et, ce disant, il cracha en l'air, avec fureur, en marmonnant dans sa barbe : « Je crache sur toi et sur la terre qui t'enfouira, ô mère des calamités ! » Et il reprit le chemin de sa maison, et arriva dans sa rue avec des yeux roulant de colère. Et il aperçut le barbier qui était immobilisé, la tête vers les fenêtres de la maison, comme un chien qui attend l'os qu'on lui jettera. Et il l'aborda et lui dit : « Qu'as-tu, ô homme ? Et qu'y a-t-il de commun entre toi et cette maison ? » Et le barbier s'inclina jusqu'à terre et répondit : « Ô sidi le youzbaschi, j'attends ici le meilleur client de ma boutique ! Car mon pain est entre ses mains ! » Et le youzbaschi, fort étonné, lui demanda : « Que dis-tu là, ô suppôt des éfrits ? Ma maison serait-elle maintenant un lieu de rendez-vous pour les clients des barbiers de ton espèce ? Marche, ô proxénète, ou tu connaîtras la lourdeur de mon bras ! » Et le barbier dit : « Le nom d'Allah sur toi, ô mon maître le youzbaschi, et sur ta maison et sur les habitants de ton honorable maison, réceptacle de l'honnêteté et de toutes les vertus ! Mais, par ta précieuse vie ! je jure que mon meilleur client est entré ici même ! Et, comme il y a déjà longtemps qu'il y est, et que mon travail et ma boutique me mettent dans l'impossibilité d'attendre plus longtemps, je te prie de lui dire, en le voyant, de ne pas tarder davantage ! » Et l'époux de l'adolescente lui dit : « Et quelle manière d'homme est-il, ton client, ô fils des entremetteurs et la descendance des procureurs ? » Il dit : « C'est un beau garçon, avec des yeux comme ça, et une taille comme ça, et le reste à l'avenant ! C'est un schalabi, tout à fait, un élégant, un raffiné de manières et de maintien, et généreux ! et délicieux ! un morceau de sucre, ya sidi, une ruche de miel, ouallahi ! »

Lorsque le capitaine des cent gardiens de police eut entendu cet éloge et cette description de celui qui était entré dans sa maison, il saisit le barbier par la nuque et, le secouant à plusieurs reprises, il lui dit : « Ô postérité des proxénètes et le fils des chiffons ! » Et le secoué barbier s'écria : « Il n'y a pas d'inconvénient ! » Et le youzbaschi continua : « Tu oses encore prononcer de telles paroles sur ma maison ? » Et le barbier dit : « Ô mon maître, tu verras ce que te dira mon client, lorsque tu lui auras dit : « Le barbier aux mains douces t'attend à la porte ! » Et le youzbaschi écumant lui cria : « Eh bien, reste ici, en attendant que j'aille contrôler tes paroles ! » Et il se précipita dans sa maison.

Or, pendant ce temps, la jeune femme qui avait entendu et vu, de derrière la fenêtre, tout ce qui venait de se passer dans la rue, avait déjà eu le loisir de cacher son amant dans la citerne de la maison. Et quand le youzbaschi eut pénétré dans les chambres, il n'y avait plus ni adolescent, ni odeur d'adolescent, ni rien qui s'en rapprochât de près ou de loin. Et il demanda à son épouse : « Hé, par Allah ! ô femme, y a-t-il vraiment lieu de croire qu'un homme a pénétré chez nous ? » Et l'épouse, comme formalisée à l'extrême de cette supposition, s'écria : « Ô la honte sur notre maison et sur moi-même ! Comment, ô mon maître, un homme pourrait-il entrer ici ? Éloigné soit le Malin ! » Et le youzbaschi dit : « C'est un barbier, qui est là dans la rue, qui m'a dit attendre la sortie de chez nous d'un jeune homme d'entre ses clients ! » Elle dit : « Et tu ne l'as pas écrasé contre le mur ? » Il dit : « J'y vais ! » Et il descendit, et saisit le barbier par la nuque et le fit tournoyer en lui criant : « Ô entremetteur sur ta mère et sur ton épouse ! Tu as osé dire de telles paroles sur le harem d'un Croyant ! » Et il allait sans doute faire entrer, d'un coup, sa longueur dans sa largeur, quand le barbier s'écria : « Par la vérité que nous a révélée le Prophète, ô youzbaschi, j'ai vu avec mes yeux entrer l'adolescent dans la maison ! Mais je ne l'ai pas vu en sortir ! » Et l'autre arrêta le tournoiement, et fut à la limite de la perplexité d'entendre cet homme soutenir cette chose devant la mort. Et il lui dit : « Je ne veux pas te tuer avant de te prouver que tu as menti, ô chien ! Viens avec moi ! » Et il le traîna dans la maison, et se mit à parcourir avec lui toutes les chambres, en bas, en haut et partout. Et lorsqu'ils eurent tout examiné et tout visité, ils redescendirent dans la cour et furetèrent dans tous les coins, sans rien trouver. Et le youzbaschi se tourna vers le barbier et lui dit : « Il n'y a rien ! » Et l'autre dit : « C'est vrai, mais il y a encore cette citerne-ci que nous n'avons pas visitée. »

Tout cela ! Et l'adolescent entendait leurs allées et venues, et leurs paroles. Et, à ces derniers mots de citerne et de visite à la citerne, il maudit en son âme le barbier, en pensant : « Ah ! le fils des prostituées de l'infamie ! Il va me faire prendre ! » Et de son côté l'épouse entendit le barbier qui parlait de visiter la citerne, et descendit en toute hâte, en criant à son époux : « Jusqu'à quand, ô homme, vas-tu faire parcourir ta maison et ton harem à ce produit des mille cornards de l'impudicité ? Et n'as-tu pas honte d'introduire de la sorte dans l'intimité de ta demeure un étranger de l'espèce de celui-ci ? Qu'attends-tu pour le châtier selon son crime ? » Et le youzbaschi dit : « Tu dis vrai, ô femme, il faut le punir. Mais c'est toi la calomniée, et c'est à toi de le châtier. Punis-le selon la gravité et la nature de ses imputations ! »

Alors l'adolescente monta prendre un couteau dans la cuisine, et le chauffa jusqu'à ce qu'il fût devenu blanc d'incandescence. Et elle s'approcha du barbier que le youzbaschi avait déjà étendu à terre d'un seul coup. Et, avec le couteau chauffé, elle lui cautérisa les cordons, et lui brûla les aiguillettes, pendant que le youzbaschi le maintenait sur le sol. Après quoi on le jeta dans la rue, en lui criant : « Cela t'apprendra à mal parler des harems des honnêtes gens ! » Et l'infortuné barbier resta là jusqu'à ce que des passants pitoyables l'eussent ramassé et porté à sa boutique. Et voilà pour lui !

Mais pour ce qui est de l'adolescent enfermé dans la citerne, il se hâta, dès que tous les bruits eurent cessé dans la maison, de s'échapper de sa cachette et de livrer ses jambes au vent. Et Allah voila ce qu'il y avait à voiler !

*Et Schahrazade ne voulut point laisser passer cette nuit-là sans raconter encore au roi Schahriar l'*HISTOIRE DE FAÏROUZ ET DE SON ÉPOUSE.

FAÏROUZ ET SON ÉPOUSE

On raconte qu'un certain roi était assis un jour sur la terrasse de son palais, prenant l'air et s'égayant les yeux par la vue du ciel sur sa tête et des beaux jardins à ses pieds. Et son regard rencontra soudain, sur la terrasse d'une maison située en face du palais, une femme dont il n'avait jamais vu la pareille en beauté. Et il se tourna vers ceux qui l'entouraient et leur demanda : « À qui appartient cette maison ? » Et ils répondirent : « À ton serviteur Faïrouz. Et celle-ci est son épouse ! » Alors il descendit ; et la passion l'avait rendu déjà ivre sans vin, et l'amour était dans son cœur. Et il appela son serviteur Faïrouz et lui dit : « Prends cette lettre et va à telle ville, et reviens avec la réponse ! » Et Faïrouz prit la lettre, et alla à sa maison, et mit la lettre sous sa tête et passa ainsi cette nuit-là. Et lorsque vint le matin, il se leva, fit ses adieux à son épouse, et alla vers la ville en question, ignorant ce que son souverain avait de projets contre lui.

Quant au roi, il se leva en hâte dès que l'époux fut parti, et se dirigea sous un déguisement vers la maison de Faïrouz, et frappa à la porte. Et l'épouse de Faïrouz demanda : « Qui est à la porte ? » Et il répondit : « Je suis le roi, maître de ton époux ! » Et elle ouvrit. Et il entra, et s'assit, en disant : « Nous venons te visiter. » Et elle sourit, et répondit : « Je me réfugie en Allah de cette visite-là, Car, en vérité, je n'attends d'elle rien de bon ! » Mais le roi dit : « Ô désir des cœurs, je suis le maître de ton mari, et je pense que tu ne me connais pas ! » Et elle répondit : « Certainement, je te connais, ô mon seigneur et mon maître, et je connais ton projet et je sais ce que tu veux, et que tu es le maître de mon époux. Et, pour te prouver que je comprends fort bien ton affaire, je te conseille, ô mon souverain, d'avoir l'âme assez haut placée pour t'appliquer à toi-même ces vers du poète :

« Je ne foulerai point le chemin qui conduit à la fontaine, si d'autres passants peuvent poser leurs lèvres sur la pierre humide qui me désaltérerait.

Quand le bourdonnant essaim des mouches immondes s'abat sur mes plateaux, quelle que soit la faim qui me torture, je détourne aussitôt ma main des mets préparés pour mon plaisir.

Les lions n'évitent-ils pas le chemin qui conduit au bord de l'eau, quand les chiens sont libres de laper au même endroit ? »

Et, ayant récité ces vers, l'épouse de Faïrouz ajouta : « Et toi, ô roi, boiras-tu à la fontaine où d'autres avant toi ont posé leurs lèvres ? » Et le roi, entendant ces paroles, la regarda avec stupéfaction. Et il fut si émotionné qu'il tourna le dos, sans trouver un mot de réponse ; et, dans sa hâte de fuir, il oublia l'une de ses sandales dans la maison. Et tel fut son cas.

Mais pour ce qui est de Faïrouz, voici ! Lorsqu'il fut sorti de sa maison, pour aller là où l'envoyait le roi, il chercha la lettre dans sa poche, mais ne la trouva pas. Et il se rappela qu'il l'avait laissée sous l'oreiller. Et il s'en revint à sa maison, et y entra juste au moment où le roi venait de s'en aller. Et il vit la sandale du roi, sur le seuil. Et aussitôt il comprit le motif de son envoi hors de la ville, vers un pays lointain. Et il se dit : « Le roi, mon maître, ne m'envoie là-bas que pour laisser libre cours à une inavouable passion ! » Toutefois, il garda le silence, et, pénétrant sans bruit dans sa chambre, il prit la lettre là où il l'avait laissée et sortit sans que son épouse se fût aperçue de son entrée. Et il se hâta de quitter la ville, et d'aller accomplir la mission dont l'avait chargé le roi, son maître. Et Allah lui écrivit la sécurité, et il porta la lettre à son destinataire, et revint à la ville du roi avec la réponse requise. Et, avant d'aller se reposer à sa maison, il se hâta de se présenter entre les mains du roi qui, pour le récompenser de sa diligence, lui fit un présent de cent dinars. Et rien ne fut dit ou prononcé sur ce que l'on sait.

Et Faïrouz, ayant pris les cent dinars, alla au souk des joailliers et des orfèvres, et acheta, pour toute la somme, des choses magnifiques, en fait de parures pour l'usage des femmes. Et il porta tout cela à son épouse, en lui disant : « C'est pour fêter mon retour ! » Et il ajouta : « Prends cela et tout ce qui t'appartient ici, et retourne à la maison de ton père ! » Et elle lui demanda : « Pourquoi ? » Il dit : « En vérité, le roi, mon maître, m'a comblé de sa bonté. Et c'est parce que je veux que tout le monde le sache, et que ton père se réjouisse en voyant sur toi toutes ces parures, que je désire te voir aller là où je te dis. » Et elle répondit : « Avec amour et de tout cœur joyeux ! »

Et elle se para de tout ce que lui avait apporté son époux, et de tout ce qu'elle possédait déjà, et alla à la maison de son père. Et son père se réjouit fort de sa venue et de voir tout ce qu'il y avait de beau sur elle. Et elle resta dans la maison de son père, pendant un mois entier, sans que son époux Faïrouz eût songé à venir la chercher, et sans qu'il eût seulement envoyé demander de ses nouvelles.

Aussi, au bout de ce mois de séparation, le frère de la jeune femme vint trouver Faïrouz et lui dit : « Ô Faïrouz, si tu ne veux pas révéler le motif de ta colère contre ton épouse et de l'abandon où tu la laisses, viens, et plaide l'affaire avec nous devant le roi, notre maître ! » Et Faïrouz répondit : « Si vous autres vous voulez plaider, moi je ne plaiderai pas ! » Et le frère de l'adolescente dit : « Viens tout de même, et tu m'entendras plaider ! » Et il s'en alla avec lui devant le roi.

Et ils trouvèrent le roi dans la salle des audiences, et le kâdi assis à côté de lui. Et le frère de la jeune femme, après avoir embrassé la terre entre les mains du roi, dit : « Ô notre maître, je viens plaider pour une affaire ! » Et le roi lui dit : « Les affaires à plaider regardent le seigneur kâdi. C'est à lui qu'il te faut t'adresser ! » Et le frère de la jeune femme se tourna vers le kâdi, et dit : « Qu'Allah assiste notre seigneur le kâdi ! Or, voici notre affaire et notre plainte : nous avons loué en simple location, à cet homme, un beau jardin, hautement protégé de murs et abrité ; merveilleusement entretenu et planté de fleurs et d'arbres fruitiers. Mais cet homme, après avoir cueilli toutes les fleurs et mangé tous les fruits, a abattu les murs, livré le jardin aux quatre vents, et mis partout la dévastation. Et maintenant il veut rompre le bail et nous rendre notre jardin dans l'état où il l'a mis ! Et telle est notre plainte et notre affaire, ya sidi' l kâdi ! »

Et le kâdi se tourna vers Faïrouz et lui dit : « Et toi, qu'as-tu à dire, ô jeune homme ? » Et il répondit : « En vérité, je leur rends le jardin en meilleur état qu'il n'était auparavant ! » Et le kâdi dit au frère : « Est-ce vrai qu'il rend le jardin en meilleur état, comme il vient de le déclarer ? » Et le frère dit : « Non ! Mais je désire savoir de lui le motif qui l'a poussé à nous le rendre ! » Et le kâdi demanda, en se tournant vers Faïrouz : « Qu'as-tu à dire, ô jeune homme ? » Et Faïrouz répondit : « Je le leur rends de bon cœur et à contrecœur ! Et le motif de cette restitution, puisqu'ils souhaitent le connaître, est qu'un jour je suis entré dans le jardin en question, et j'ai vu sur la terre les traces du passage du lion et de son pied. Et j'ai eu peur que, si je m'y hasardais de nouveau, le lion me dévorât. Et c'est pourquoi j'ai rendu le jardin à ses propriétaires. Et je ne l'ai fait que par respect pour le lion, et par peur pour moi…

À ce moment de sa narration, Schahrazade vit apparaître le matin et, discrète, se tut.

Mais lorsque fut la huit cent quatre-vingt-quatorzième nuit. Elle dit :

… Et c'est pourquoi j'ai rendu le jardin à ses propriétaires. Et je ne l'ai fait que par respect pour le lion, et par peur pour moi. »

Lorsque le roi, qui était étendu sur les coussins et qui écoutait sans en avoir l'air, eut entendu les paroles de Faïrouz, son serviteur, et en eut compris la portée et la signification, il se leva sur son séant et dit au jeune homme : « Ô Faïrouz, calme ton cœur, apaise tes scrupules, et retourne à ton jardin. Car, par la vérité et la sainteté de l'Islam ! ton jardin est le mieux défendu et le mieux gardé que j'aie trouvé de ma vie ; et ses murailles sont à l'abri de tous les assauts ; et ses arbres, ses fruits et ses fleurs sont les plus sains et les plus beaux que j'aie jamais vus ! »

Et Faïrouz comprit. Et il retourna à son épouse. Et il l'aima. Et, de cette manière, ni le kâdi, ni aucun des nombreux assistants qui étaient dans la salle des audiences, ne put rien comprendre à cette affaire, qui resta secrète entre le roi et Faïrouz et le frère de l'épouse. Mais Allah est Omniscient !

Et Schahrazade dit encore :

LA NAISSANCE ET L'ESPRIT

Il y avait un homme, Syrien de naissance, qu'Allah avait doué, comme tous les Schamites de sa race, d'un sang lourd et d'un esprit épais. Car c'est une chose notoire que lorsqu'Allah distribua ses dons aux humains, il mit dans chaque terre les qualités et les défauts qui devaient se transmettre à tous ceux qui y naîtraient. C'est ainsi qu'il accorda l'esprit et la finesse aux habitants du Caire, la force copulative à ceux de la Haute-Égypte, l'amour de la poésie à nos pères Arabes, la bravoure aux cavaliers du centre, des mœurs policées aux habitants de l'Irak, la cordialité envers les hôtes aux tribus errantes, et bien d'autres dons à bien d'autres pays, mais aux Syriens il ne donna que l'amour du gain et l'esprit de commerce, et les oublia totalement quand il distribua les dons charmants. C'est pourquoi, quoi qu'il fasse, un Syrien schamite, des pays qui s'étendent de la mer salée aux confins du désert de Damas, sera toujours un lourdaud au sang épais, et son esprit ne sera jamais ouvert qu'à l'appât grossier du gain et au trafic.

Et donc le Syrien en question se réveilla, un jour d'entre les jours, avec le désir d'aller trafiquer au Caire. Et c'était, sans aucun doute, sa mauvaise destinée qui lui suggérait cette idée d'aller vivre parmi les gens les plus délicieux et les plus spirituels de la terre. Mais, comme tous ceux de sa race, il était plein de suffisance, et il pensa qu'il allait éblouir les gens de là-bas par ce qu'il allait apporter de belles choses avec lui. Il prit, en effet, dans des coffres, ce qu'il possédait de plus somptueux en fait de soieries, d'étoffes précieuses, d'armes ouvragées et autres choses semblables, et s'en vint dans la cité sauvegardée, Misr Al-Kahirah, le Caire !

Et il commença par louer un local pour ses marchandises, et une chambre pour lui-même dans un khân de la ville, au centre des souks. Et il se mit à aller tous les jours chez les clients et les marchands, les invitant à venir visiter ses marchandises. Et il continua à travailler de la sorte, pendant quelque temps, lorsqu'un jour d'entre les jours, comme il était allé se promener et qu'il regardait à droite et à gauche, il fit la rencontre de trois jeunes femmes qui s'avançaient penchées et balancées, et qui riaient en se disant des choses comme ça et comme ça. Et chacune était plus belle que l'autre et plus attrayante et plus charmante. Et lorsqu'il les eut aperçues, ses moustaches se dressèrent et jouèrent ; et il s'approcha d'elles, comme elles lui lançaient des œillades, et leur dit : « Se peut-il que vous veniez me tenir agréable compagnie, à mon khân, pour nous divertir cette nuit ? » Et elles répondirent, rieuses : « Nous voulons bien, en vérité, et nous ferons ce que tu nous diras de faire, pour te plaire. » Et il demanda : « Chez moi ou chez vous autres, ô mes maîtresses ? » Elles dirent : « Hé, par Allah ! chez toi ! Crois-tu, par hasard, que nos maris nous laisseraient introduire chez nous des hommes étrangers ? » Et elles ajoutèrent : « Cette nuit nous viendrons chez toi ! Dis-nous donc où tu loges. » Il dit : « Je loge dans une chambre de tel khân, dans telle rue. » Et elles dirent : « En ce cas, tu nous prépareras un souper, et tu nous le tiendras au chaud ; et nous viendrons te visiter après l'heure de la prière de la nuit. » Et il dit : « Ce sont des paroles parfaites. » Et elles le quittèrent, pour continuer leur chemin. Et, de son côté, il alla aux provisions, et acheta du poisson, des concombres, des huîtres, du vin et des parfums, et il porta le tout à sa chambre ; et il prépara cinq espèces de mets à base de viande, sans compter le riz et les légumes ; et il les cuisina lui-même.

Il tint le tout prêt, dans les meilleures conditions.

Et lorsque fut le temps du souper, les trois femmes vinrent, comme elles l'avaient promis, enveloppées de kababits en toile bleue qui les rendaient méconnaissables. Mais, en entrant, elles rejetèrent ces enveloppes de dessus leurs épaules, et allèrent s'asseoir comme des lunes. Et le Syrien se leva et s'assit en face d'elles, comme une cruche, après avoir rangé devant elles les plateaux chargés de mets. Et ils mangèrent suivant leur capacité. Et il leur apporta ensuite le tabouret des vins. Et la coupe circula entre eux. Et le Syrien, sur leurs invitations pressantes, ne refusa aucune tournée, et but tellement que sa tête vogua dans toutes les directions. Et c'est alors, qu'enhardi quelque peu, il se mit à dévisager ses compagnes ; et il put admirer leur beauté et s'émerveiller de leurs perfections. Et il voyagea entre la perplexité et la stupéfaction. Et il se balança entre l'extravagance et l'effarement. Et il ne sut plus distinguer le mâle de la femelle. Et son état fut mémorable et son destin déplorable. Et il regarda sans voir et mangea sans boire. Et il se servit de ses pieds et marcha sur sa tête. Et il fit tourner ses yeux et secoua son nez. Et il se moucha et éternua. Et il rit et pleura. Après quoi, il se tourna vers l'une des trois, et lui demanda : « Par Allah sur toi ! ya setti, quel peut bien être ton nom ? » Elle répondit : « Je m'appelle As-tu-jamais-rien-vu-comme-moi ? » Et sa raison s'envola davantage, et il s'écria : « Non wallahi, je n'ai jamais rien vu comme toi ! » Puis il s'étendit par terre, en s'appuyant sur ses coudes, et demanda à la seconde : « Et toi, ya setti, ô sang de la vie de mon cœur, quel est ton nom ? » Elle répondit : « Jamais-tu-n'as-aperçu-quelqu'un-qui-me-ressemble ! » Et il s'écria : « Inschallah ! ce qu'Allah veut, ô ma maîtresse Jamais-tu-n'as-aperçu-quelqu'un-qui-me-ressemble ! » Puis il se tourna vers la troisième et lui demanda : « Et toi, ya setti, ô brûlure de mon cœur, quel peut bien être ton honorable nom ? » Elle répondit : « Regarde-moi-et-tu-me-connaîtras ! » Et, ayant entendu cette troisième réponse, le Syrien roula par terre, en s'écriant de toute sa voix : « Il n'y a pas d'inconvénient, ô ma maîtresse Regarde-moi-et-tu-me-connaîtras ! »

Et elles continuèrent à faire circuler la coupe, et à la vider dans son gosier, jusqu'à ce qu'il fût tombé, sa tête précédant ses pieds, avec sa circulation arrêtée. Alors, le voyant dans cet état, elles se levèrent et lui enlevèrent son turban et le coiffèrent d'un bonnet de fou. Puis elles regardèrent autour d'elles, et s'approprièrent tout ce qu'elles trouvèrent sur leur chance, en fait d'argent et de choses de prix. Et, chargées de butin, et le cœur léger, elles le laissèrent ronfler comme un buffle dans son khân, et abandonnèrent la demeure à son propriétaire. Et le voileur voila ce qu'il y avait à voiler.

Or, le lendemain, quand le Syrien revint de sa crapulerie, il se vit seul dans sa chambre, et ne tarda pas à constater que sa chambre était balayée de tout ce qu'elle contenait. Et du coup il recouvra complètement ses sens, et s'écria : « Il n'y a de majesté et de puissance qu'en Allah le Glorieux, le Grand ! » Et il se précipita hors du khân, avec le bonnet de fou sur la tête, et se mit à demander à tous les passants s'ils n'avaient pas rencontré les nommées une telle, une telle et une telle. Et il disait les noms que lui avaient révélés les jeunes femmes. Et les gens, le voyant affublé de la sorte, le croyaient échappé du maristân, et répondaient : « Non, par Allah ! nous n'avons rien vu comme toi ! » Et d'autres disaient : « Jamais nous n'avons aperçu quelqu'un qui te ressemble ! » Et d'autres répondaient : « Nous te regardons, en vérité, mais nous ne te connaissons pas ! »

Aussi, à bout de questions, il ne sut plus à qui recourir ni à qui se plaindre, et finit par rencontrer enfin un passant charitable et de bon conseil, qui lui dit : « Écoute-moi, ô Syrien ! Le mieux que tu aies à faire, en la circonstance, est de t'en retourner en Syrie, sans retard ni délai, car au Caire, vois-tu, les gens savent faire tourner les cerveaux durs comme les cerveaux légers, et jouer avec les œufs aussi bien qu'avec les pierres. »

Et le Syrien, le nez allongé jusqu'à ses pieds, s'en retourna dans son pays, la Syrie, d'où il n'aurait dû jamais sortir.

Et c'est parce que souvent de telles aventures leur sont arrivées, que les natifs de Syrie médisent à bouche ouverte des enfants de l'Égypte.

*Et Schahrazade, ayant fini de raconter cette histoire, se tut. Et le roi Schahriar lui dit : « Ô Schahrazade, ces anecdotes m'ont plu à l'extrême, et j'en sors plus instruit et plus éclairé ! » Et Schahrazade sourit et dit : « Allah seul est l'Instructeur et l'Éclaireur ! » Et elle ajouta : « Mais que deviendraient ces anecdotes, si on les comparait à l'*HISTOIRE DU LIVRE MAGIQUE *? » Et le roi Schahriar dit : « Quel est ce livre magique, ô Schahrazade, et quelle est son histoire ? » Et elle dit : « Je me réserve de te la raconter, ô Roi, la nuit prochaine, si Allah veut, et si telle est ta satisfaction ! » Et le Roi dit : « Certes ! je veux écouter, la nuit prochaine, cette histoire que je ne connais pas ! »*

*Et lorsque fut la huit cent quatre-vingt-quinzième nuit. La petite Doniazade se leva du tapis, où elle était blottie, et dit : « Ô ma sœur, quand vas-tu nous commencer l'*HISTOIRE DU LIVRE MAGIQUE *? » Et Schahrazade répondit : « Sans délai ni retard, puisqu'ainsi le désire notre maître le Roi ! » Et elle dit :*

HISTOIRE DU LIVRE MAGIQUE

Il est raconté, dans les annales des peuples et les livres des anciens temps – mais Allah seul connaît le passé et voit l'avenir – qu'une nuit d'entre les nuits, le khalifat, fils des khalifats orthodoxes de la postérité d'Abbas, Haroun Al-Rachid qui régnait à Bagdad, se leva dans son lit, en proie à l'oppression, et, vêtu de ses habits de nuit, manda auprès de lui Massrour, le porte-glaive de sa grâce, qui se présenta aussitôt entre ses mains. Et il lui dit : « Ô Massrour, cette nuit est accablante et lourde sur ma poitrine, et je désire que tu dissipes mon malaise. » Et Massrour répondit : « Ô émir des Croyants, lève-toi et allons sur la terrasse regarder avec nos yeux le baldaquin des cieux piqué d'étoiles, et voir se promener la lune brillante, tandis que vers nous montera la musique des clapotantes eaux, et les plaintes des norias chantantes dont le poète a dit :

« La noria qui, de chaque œil, verse des pleurs en gémissant, est semblable à l'amoureux qui, malgré la magie dont est plein son cœur, passe ses journées dans une plainte monotone. »

« Et c'est le même poète, ô émir des Croyants, qui a dit, en parlant de l'eau courante :

« Ma préférée est une jeune fille. Elle me dispense de boire et me divertit.

« Elle est un beau jardin : ses yeux en sont les sources, et sa voix en est l'eau courante. »

Et Haroun écouta son porte-glaive et secoua la tête et dit : « Je n'ai point envie de cela cette nuit ! » Et Massrour dit : « Ô émir des Croyants, il y a dans ton palais cent soixante adolescentes, de toutes les couleurs, semblables à autant de lunes et de gazelles, et habillées de belles robes comme des fleurs. Lève-toi et allons les passer en revue, sans qu'elles nous voient, chacune dans son appartement. Et tu entendras leurs chants et tu verras leurs jeux et tu assisteras à leurs ébats. Et peut-être qu'alors ton âme se sentira attirée vers l'une d'elles. Et tu la prendras pour société, cette nuit, et elle se livrera à ses jeux avec toi. Et nous verrons bien ce qui restera de ton malaise ! » Mais Haroun dit : « Ô Massrour, va me chercher Giafar, immédiatement. » Et il répondit par l'ouïe et l'obéissance. Et il alla trouver Giafar, dans sa maison, et lui dit : « Viens chez l'émir des Croyants. » Et il répondit : « J'écoute et j'obéis ! » Et il se leva à l'heure et à l'instant, s'habilla, et suivit Massrour au palais. Et il se présenta devant le khalifat, qui était toujours au lit, et embrassa la terre entre ses mains et dit : « Fasse Allah que ce ne soit pas pour quelque chose de mal ! » Et Haroun dit : « Il n'y a rien que de bien, ô Giafar ! Mais je suis las, cette nuit, et fatigué et oppressé. Et j'ai envoyé Massrour te dire de venir ici me distraire et dissiper mon ennui. » Et Giafar réfléchit un instant, et répondit : « Ô émir des Croyants, quand notre âme ne veut s'égayer ni par la beauté du ciel, ni par les jardins, ni par la douceur de la brise, ni par la vue des fleurs, il ne reste plus qu'un remède, et c'est le livre. Car, ô émir des Croyants, le plus beau des jardins est encore une armoire de livres. Et une promenade à travers ses rayons est la plus douce et la plus charmante des promenades ! Lève-toi donc et allons chercher quelque livre au hasard des étagères, dans les armoires des livres ! » Et Haroun répondit : « Tu dis vrai, ô Giafar, c'est le meilleur remède à l'ennui. Et je n'y avais point pensé. » Et il se leva, et, accompagné de Giafar et de Massrour, il alla dans la salle où se trouvaient les armoires des livres.

Et Giafar et Massrour tenaient chacun un flambeau, et le khalifat prenait les livres dans les armoires magnifiques et les coffres en bois de senteur, et les ouvrait et les refermait. Et il examina de la sorte plusieurs étagères, et finit par mettre la main sur un très vieux livre qu'il ouvrit au hasard. Et il tomba sur quelque chose qui dut l'intéresser vivement, car, au lieu de laisser le livre au bout d'un instant, il s'assit et se mit à le feuilleter, page par page, et à le lire attentivement. Et voici que soudain il se mit à rire tellement qu'il se renversa sur le derrière. Puis il reprit le livre et continua sa lecture. Et voici que des larmes tombèrent de ses yeux ; et il se mit à pleurer tellement que toute sa barbe en fut mouillée, et que les larmes coulaient à travers les interstices de la barbe jusqu'au livre qu'il tenait sur ses genoux. Puis il referma le livre, le mit dans sa manche, et se leva pour partir.

Lorsque Giafar vit le khalifat pleurer et rire de la sorte, il ne put s'empêcher de dire à son suzerain : « Ô émir des Croyants et souverain des deux Mondes, quel peut bien être le motif qui te fait rire et pleurer presque au même moment ? » Et le khalifat, ayant entendu cela, s'encoléra à la limite de la colère, et cria à Giafar, d'une voix irritée : « Ô chien d'entre les chiens des Barmécides, quelle est donc cette impertinence de ta part ? Et de quoi te mêles-tu ? Tu viens de t'arroger le droit d'être offusquant et suffisant, et tu as dépassé les limites de ta place ! Et il ne te manque plus qu'à braver le khalifat ! Or, par mes yeux ! du moment que tu t'es mêlé de ce qui ne te concerne pas, je veux que cette affaire ait toutes les suites qu'elle comporte. Je t'ordonne donc d'aller chercher quelqu'un qui puisse me dire pourquoi j'ai ri et pleuré à la lecture de ce livre, et qui devine ce qu'il y a dans ce volume depuis la première page jusqu'à la dernière. Et si tu ne trouves pas cet homme-là, je couperai ton cou, et te montrerai alors ce qui m'a fait rire et pleurer. »

Lorsque Giafar eut entendu ces paroles et vu cette colère, il dit : « Ô émir des Croyants, j'ai commis une faute. Et la faute est le fait des gens qui me ressemblent, mais le pardon est le fait de ceux qui ont l'âme comme celle de Ta Grandeur. » Et Haroun répondit : « Non ! je viens d'en faire le serment ! Tu dois aller me chercher quelqu'un qui m'explique tout le contenu de ce livre, ou bien je te couperai le cou à l'heure et à l'instant. » Et Giafar dit : « Ô émir des Croyants, Allah créa les cieux et les mondes en six jours, et, s'il l'avait voulu, il les aurait créés en une heure. Et s'il ne l'a pas fait, ça été pour enseigner à Ses créatures qu'il faut, en toutes choses, même pour faire le bien, agir avec patience et modération. À plus forte raison, quand il faut faire le contraire du bien, ô émir des Croyants. Toutefois, si tu tiens absolument à ce que j'aille chercher la personne en question, qui doit deviner ce qui t'a fait rire et pleurer, accorde à ton esclave un délai de trois jours seulement ! » Et le khalifat dit : « Si tu ne m'amènes pas la personne dont il s'agit, tu périras de la plus horrible des morts ! » Et à cela Giafar répondit : « Je m'en vais pour cette mission. » Et il sortit, là-dessus, avec le teint changé, l'âme troublée et le cœur plein d'amertume et de chagrin.

Et il s'en vint à la maison, avec son cœur amer, pour faire ses adieux à son père Yahia et à son frère El-Fadl, et pleurer. Et ils lui dirent : « Pourquoi te voyons-nous en cet état de trouble et de tristesse, ô Giafar ? » Et il leur raconta ce qui était arrivé entre lui et le khalifat, et les mit au courant de la condition posée. Et il ajouta : « Celui qui joue avec une pointe acérée, se piquera la main ; et celui qui lutte avec le lion, sera tué. Quant à moi, il n'y a plus de place pour moi aux côtés du khalifat ; car désormais le séjour auprès de lui est le plus grand des dangers pour moi, ainsi que pour toi, ô mon père, et pour toi, ô mon frère ! Il vaut donc mieux que j'aille loin de ses yeux ! Car la préservation de la vie est une chose inestimable, et n'est jamais assez jugée à sa valeur. Et l'éloignement est le meilleur préservatif pour nos cous. D'ailleurs, le poète a dit :

« Préserve ta vie des dangers qui la menacent, et laisse la maison se plaindre à son constructeur ! »

Et, à cela, son père et son frère répondirent : « Ne pars pas, ô Giafar, car probablement le khalifat te pardonnera ! » Mais Giafar dit : « Il a posé la condition ! Or, comment pourrais-je trouver quelqu'un qui fût capable de deviner à première vue le motif qui a fait rire et pleurer le khalifat, ainsi que le contenu, depuis le commencement jusqu'à la fin, de ce livre calamiteux ? » Et Yahia répondit alors : « Tu dis vrai, ô Giafar ! Il n'y a que le départ pour sauvegarder les têtes. Et le mieux est que tu partes pour Damas, et que tu y demeures jusqu'à ce que ce déclin de la fortune soit terminé et que soit revenue l'heureuse destinée. » Et Giafar demanda : « Et que deviendra mon épouse, en mon absence, et mon harem ? » Et Yahia dit : « Pars, et ne te préoccupe pas du reste. Ce sont là des portes que tu n'as pas le temps d'ouvrir. Pars pour Damas, car tel est pour toi le décret du destin…

À ce moment de sa narration, Schahrazade vit apparaître le matin et, discrète, se tut.

Mais lorsque fut la huit cent quatre-vingt-seizième nuit. Elle dit :

… Ce sont là des portes que tu n'as pas le temps d'ouvrir. Pars pour Damas, car tel est pour toi le décret du destin ! » Et il ajouta : « Quant à ce qui pourra survenir, après ton départ, Allah y pourvoira. »

En conséquence, Giafar le vizir inclina l'oreille aux paroles de son père, et, sans délai ni retard, prit avec lui un sac qui contenait mille dinars, passa sa ceinture et son épée, prit congé de son père et de son frère, monta sur une mule et, sans se faire accompagner par un esclave ou un serviteur, il se mit en route pour Damas. Et, en ligne droite, à travers le désert, il voyagea, et ne cessa de voyager que le dixième jour, en arrivant à la plaine verte, El-Marj, qui est l'entrée de Damas la réjouissante.

Et il vit le beau minaret de l'Épousée, qui émergeait de la verdure environnante, revêtu depuis la base jusqu'au sommet de tuiles dorées, et les jardins arrosés d'eaux courantes où vivaient les troupes des fleurs ; et les champs de myrtes, et les monts de violettes et les champs de lauriers-roses. Et il s'arrêta à regarder toute cette beauté, en écoutant dans les arbres les oiseaux chanteurs. Et il vit que c'était une ville dont la pareille n'avait pas été créée sur la surface de la terre. Et il regarda à droite, et il regarda à gauche, et finit par apercevoir un homme. Et il s'approcha de lui et lui dit : « Ô mon frère, quel est le nom de cette cité ? » Et il répondit : « Ô mon seigneur, cette cité, dans les temps anciens, était appelée Joullag, et c'est elle dont parle le poète dans ces vers :

« Je m'appelle Joullag, et je fixe les cœurs. En moi coulent les belles eaux, en moi et hors de moi.

Jardin d'Éden sur la terre et patrie de toutes les splendeurs, ô Damas,

Je n'oublierai jamais tes beautés, ni n'aimerai rien autant que toi.

Et bénies soient tes terrasses et tant de merveilles vivantes qui brillent sur tes terrasses ! »

Et l'homme, qui récita ces vers, ajouta : « Elle s'appelle aussi Scham, autrement dit Grain-de-Beauté, parce qu'elle est le grain de beauté de Dieu sur la terre. »

Et Giafar éprouva un vif plaisir à entendre ces explications. Et il remercia l'homme, et descendit de sa mule, et la prit par la bride pour s'engager avec elle à travers les maisons et les mosquées. Et, lentement, il se promena en examinant l'une après l'autre les belles maisons devant lesquelles il passait. Et, en regardant ainsi, il aperçut, au fond d'une rue bien balayée et arrosée, une magnifique maison au milieu d'un grand jardin. Et dans le jardin il vit une tente de soie ouvragée, tendue de beaux tapis du Khorassân et de riches draperies, et bien fournie de coussins de soie, de chaises et de lits de repos. Et un jeune homme était assis au milieu de la tente, beau comme la lune quand elle est à son quatrième jour. Et il était négligemment vêtu, n'ayant sur la tête qu'un foulard, et sur le corps qu'une tunique de couleur rose. Et, devant lui, il y avait une société attentive, et des boissons de toutes les espèces fines. Et Giafar s'arrêta un moment à contempler la scène, et fut très content de ce qu'il voyait en ce jeune homme. Et, en regardant plus attentivement, il aperçut aux côtés du jeune homme une jeune dame comme le soleil dans un ciel serein. Et elle avait un luth sur son sein, comme un enfant dans les bras de sa mère. Et elle en jouait, en chantant ces vers :

« Malheur à ceux-là qui ont leur cœur entre les mains de leurs aimés ; car, s'ils veulent le revoir, ils le trouveront tué.

Ils l'ont confié aux mains de leurs aimés quand ils l'ont senti amoureux ; et quand il est devenu amoureux, ils sont obligés de l'abandonner.

Nourrisson, ils l'arrachent du fond de leurs entrailles. Ô oiseau, répète : « Nourrisson, ils l'ont arraché ! »

On l'a tué injustement : le bien-aimé fait le coquet avec son humble amoureux.

Je suis celui qui recherche les effets de l'amour, je suis l'amour, le frère de l'amour, et je soupire :

Voyez celui que l'amour a vieilli ! Quoique son cœur n'ait pas changé, ils l'ont enterré ! »

Et Giafar, ayant entendu ces vers et ce chant, éprouva un plaisir infini, et ses organes furent émus aux accents de cette voix, et il dit : « Par Allah ! c'est beau ! » Mais déjà l'adolescente avait préludé sur un mode nouveau, le luth sur ses genoux, et chantait ces vers :

« Plein de ces sentiments, tu es amoureux. Ce n'est donc point étonnant si, moi, je t'aime.

Je lève ma main vers toi, demandant merci et pitié pour mon humilité. Puisses-tu te montrer charitable !

Ma vie s'est passée à solliciter ton consentement ; mais je n'ai jamais senti, dans mon intérieur, que tu étais charitable.

Et, à cause de la prise de possession de l'amour, je suis devenu un esclave, et mon cœur est empoisonné, et mes larmes coulent. »

Lorsque le chant de ce poème eut été terminé, Giafar s'avança de plus en plus, tout au plaisir où il était d'entendre et de regarder l'adolescente qui chantait. Et soudain, le jeune homme, qui était couché sous la tente, l'aperçut et se leva à demi et appela un de ses jeunes esclaves et lui dit : « Vois-tu cet homme qui est là, à l'entrée, en face de nous ? » Et le jeune garçon dit : « Oui ! » Et le jeune homme dit : « Ce doit être un étranger, car je vois sur lui les signes du voyage. Cours me le chercher, et garde-toi bien de l'offenser. » Et le garçon répondit : « Avec joie et plaisir ! » et se hâta d'aller trouver Giafar, qui le vit s'approcher, et il lui dit : « Au nom d'Allah ! ô mon seigneur, aie, de grâce ! la générosité de venir trouver notre maître. » Et Giafar franchit la porte avec le jeune garçon, et, arrivant devant l'entrée de la tente, il remit sa mule aux esclaves empressés, et franchit le seuil. Et le jeune homme était déjà debout sur ses deux pieds, en son honneur ; et il s'avança vers lui, en étendant largement ses deux mains, et le salua comme s'il l'eût toujours connu, et, après avoir remercié Allah pour son envoi, il chanta :

« Ô mon visiteur, sois le bienvenu. Tu nous égaies par ta présence, et nous fais revivre par cette union.

Je le jure par ton visage, je vis lorsque tu apparais, et je meurs lorsque tu disparais ! »

Et, ayant chanté cela en l'honneur de Giafar, il lui dit : « Qu'il te plaise de t'asseoir, ô mon doux seigneur. Et louanges à Allah pour ton heureuse arrivée ! » Et il récita la prière de l'envoi d'Allah, et il continua ainsi son chant :

« Si de ta venue, nous avions été d'avance prévenus,

Pour tapis à tes pieds nous aurions étendu le pur sang de nos cœurs et le velours noir de nos yeux.

Car ta place est au-dessus de nos paupières. »

Et lorsqu'il eut fini ce chant, il s'approcha de Giafar, le baisa sur la poitrine, exalta ses vertus, et lui dit : « Ô mon maître, ce jour est un jour heureux, et s'il n'était pas déjà une fête, je l'eusse rendu tel pour rendre grâces à Allah ! » Et aussitôt les esclaves s'empressèrent entre leurs mains ; et il leur dit :

« Apportez-nous ce qui est prêt ! » Et ils apportèrent les plateaux de mets, de viandes et de toutes les autres choses excellentes, et le jeune homme dit à Giafar : « Ô mon seigneur, les sages disent : « Si tu es invité, satisfais ton âme avec ce qui est devant toi ! » Or, nous, si nous avions su que tu allais nous favoriser aujourd'hui de ton arrivée, nous t'aurions servi la chair de nos corps, et sacrifié nos petits enfants. » Et Giafar répondit : « Je mets donc ma main, et je mangerai jusqu'à ce que je sois rassasié ! » Et le jeune homme se mit à lui servir, de sa propre main, les morceaux les plus délicats, et à s'entretenir en toute cordialité avec lui, et en tout plaisir. Puis on apporta l'aiguière et le bassin, et on lui lava les mains. Après quoi le jeune homme le fit passer dans la salle des boissons, où il dit à l'adolescente de chanter. Et elle prit le luth, l'accorda, l'appuya sur son sein et, après avoir fredonné un instant, elle chanta :

« C'est un visiteur dont la venue est respectée par tous, plus doux à la fois que l'esprit et que l'espoir.

Il répand les ténèbres de ses cheveux devant l'aube, et l'aube, de honte, n'apparaît pas.

Et quand mon destin voulut me tuer, je demandai sa protection ; et son arrivée fit revivre une âme que la mort réclamait.

Je suis devenu l'esclave du Prince des Amoureux, et être sous la domination de l'amour est devenu mon fait. »

Et Giafar fut ému d'une joie excessive, égale à celle du jeune homme, son hôte. Toutefois il ne cessait point d'être anxieux au sujet de son affaire avec le khalifat. Et cette anxiété était apparente sur son visage et dans son attitude. Et elle ne resta point cachée aux yeux du jeune homme, qui vit bien qu'il était inquiet, effrayé, songeur et dans l'incertitude de quelque chose. Et, de son côté, Giafar comprit que le jeune homme s'était aperçu de son état, et qu'il se retenait, par discrétion, de le questionner sur la cause de son trouble. Mais le jeune homme finit par lui dire : « Ô mon seigneur, écoute ce que les sages ont dit :

« Ne t'effraie point ni ne t'afflige des choses qui doivent arriver ; mais plutôt lève la coupe de ce vin, poison qui chasse au loin les soucis et les ennuis.

Ne vois-tu pas que des mains ont peint de belles fleurs sur les robes de la boisson ?

Le butin du rameau de vigne, les lis et les narcisses, et la violette et la fleur rayée de Némân !

Si des ennuis te troublent, berce-les, pour qu'ils s'endorment, au milieu des liqueurs, des fleurs et des favorites ! »

Puis il dit à Giafar : « Ne resserre ni ne contracte ta poitrine, ô mon maître ! » Et il dit à l'adolescente : « Chante ! » Et elle chanta. Et Giafar, qui se délectait à ses chants et en était émerveillé, finit par dire : « Ne cessons pas de nous réjouir, tantôt par le chant et tantôt par les paroles, jusqu'à ce que le jour se ferme et que vienne la nuit avec les ténèbres…

À ce moment de sa narration, Schahrazade vit apparaître le matin et, discrète, se tut.

Mais lorsque fut la huit cent quatre-vingt-dix-septième nuit. Elle dit :

… Ne cessons pas de nous réjouir, tantôt par le chant et tantôt par les paroles, jusqu'à ce que le jour se ferme et que vienne la nuit avec les ténèbres. »

Et le jeune homme ordonna ensuite aux esclaves d'aller chercher des chevaux. Et ils obéirent aussitôt ; et ils offrirent à l'hôte de leur maître une jument des rois. Et tous deux sautèrent sur le dos de leurs montures, et se mirent à parcourir Damas, et à regarder le spectacle des souks et des rues, jusqu'à ce qu'ils fussent arrivés devant une façade brillamment éclairée et décorée de lanternes de toutes les couleurs ; et devant une portière une grande lampe de cuivre ciselé était suspendue par une chaîne d'or. Et il y avait, au-dedans de la demeure, des pavillons entourés de statues merveilleuses, et contenant toutes les espèces des oiseaux et toutes les variétés des fleurs ; et au milieu de tous ces pavillons, il y avait une salle en dôme avec des fenêtres d'argent. Et le jeune homme ouvrit la porte de cette salle. Et elle apparut comme un beau jardin du paradis, animé par les chants des oiseaux et les parfums des fleurs et le clapotis des ruisseaux. Et la maison tout entière retentissait des langages divers de ces oiseaux, et était tapissée de tapis de soie et bien fournie de coussins en brocart et plumes d'autruche. Et elle contenait aussi un nombre incalculable de toutes sortes d'objets somptueux et d'articles de prix, et était parfumée par l'odeur des fleurs et des fruits ; et elle renfermait un nombre inimaginable de choses magnifiques, comme plats d'argent, vaisselle d'argent, coupes précieuses, brûle-parfum, et provisions d'ambre gris, de poudre d'aloès, et de fruits séchés. En un mot, elle était comme cette demeure décrite par ce vers du poète :

« La maison était parfaitement splendide, et brillait dans tout l'éclat de sa magnificence. »

Et lorsque Giafar se fut assis, le jeune homme lui dit : « Un millier de bénédictions sont descendues du ciel sur notre tête, ô mon seigneur et mon invité, par ta venue ! » Et il lui dit encore bien d'autres choses aimables, et lui demanda enfin : « Et quel est le motif auquel nous devons l'honneur de ton arrivée dans notre ville ? Ici tu trouves famille et aisance, en toute cordialité ! »

Et Giafar répondit : « Je suis, ô mon maître, soldat de profession, et je commande une compagnie de soldats. Et je suis originaire de la ville de Bassra, d'où je viens en ce moment. Et la cause de mon arrivée ici est que, ne pouvant payer au khalifat le tribut que je lui dois, j'ai été saisi de frayeur pour ma vie, et ai pris la fuite avec ma tête basse, par terreur. Et je n'ai cessé de courir, à travers les plaines et les déserts, jusqu'à ce que la destinée m'ait conduit jusqu'à toi. » Et le jeune homme dit : « Ô arrivée bénie ! Et quel est ton nom ? » Il répondit : « Mon nom est comme le tien, ô mon seigneur. » Et le jeune homme, ayant entendu cela, sourit, et dit en riant : « Ô mon seigneur, tu te nommes donc Abou'l Hassân ! Mais, je t'en prie, n'aie plus aucun resserrement de poitrine et aucun trouble dans ton cœur. » Et il donna l'ordre de les servir. Et on leur apporta des plateaux remplis de toutes sortes de choses délicates et délicieuses ; et ils mangèrent et furent satisfaits. Après quoi on enleva la table et on apporta l'aiguière et le bassin. Et ils se lavèrent les mains, et se levèrent et allèrent dans la salle des boissons, qui était pleine de fleurs et de fruits, à la perfection. Et le jeune homme parla à l'adolescente, au sujet de la musique et du chant. Et elle les enchanta tous deux et les délecta par la perfection de son art ; et la demeure elle-même avec ses murs en était émue et agitée. Et Giafar, dans l'excès de son enthousiasme, enleva ses habits et les jeta au loin, après les avoir mis en pièces. Et le jeune homme lui dit : « Ouallahi ! puisse la déchirure avoir été un reflet du plaisir et non point du chagrin et de la peine. Et qu'Allah éloigne de nous l'amertume de l'ennemi. » Puis il fit signe à un de ses esclaves, qui aussitôt apporta à Giafar des vêtements neufs, qui coûtaient cent dinars, et l'aida à s'en vêtir. Et le jeune homme dit à l'adolescente : « Change l'accord du luth ! » Et elle en changea l'accord, et chanta ces vers :

« Mon regard jaloux est attaché à lui. Et il en regarde un autre, je suis torturé. Je termine mes souhaits et mon chant, criant : « Mon amitié pour toi durera jusqu'à ce que la mort soit dans mon cœur ! »

Et, ce chant terminé, Giafar de nouveau se dépouilla de ses habits, en criant. Et le jeune homme lui dit : « Puisse Allah améliorer ta vie, et faire que son commencement soit la fin, et que sa fin en soit le commencement ! » Et les esclaves revêtirent Giafar de nouveaux habits, plus beaux que les premiers. Et l'adolescente ne dit plus rien pendant une heure de temps, tandis que les deux hommes causaient. Puis le jeune homme dit à Giafar : « Écoute, ô mon seigneur, ce que le poète a dit du pays où la destinée, pour notre bonheur, t'a conduit en ce jour béni. » Et il dit à l'adolescente : « Chante-nous les paroles du poète sur notre vallée, celle qu'on appelait dans l'ancien temps la vallée de Rabwat. » Et l'adolescente chanta :

« Ô générosité de notre nuit dans la vallée de Rabwat, où le délicat zéphyr apporte ses parfums !

C'est une vallée dont la beauté est comme un collier : des arbres et des fleurs l'entourent.

Ses champs sont tapissés de toutes les variétés de fleurs, et les oiseaux volent au-dessus d'elles.

Quand ses arbres nous voient assis sous eux, ils nous jettent eux-mêmes leurs fruits.

Et pendant que nous échangeons sur les bordures les coupes débordantes de la causerie et de la poésie.

La vallée nous est généreuse, et son zéphyr nous apporte ce que les fleurs nous envoient. »

Lorsque l'adolescente eut fini de chanter, Giafar, pour la troisième fois, se dépouilla de ses habits. Et le jeune homme se leva, et le baisa sur la tête, et le fit revêtir d'un autre habillement. Car ce jeune homme était, comme cela sera démontré, l'homme le plus généreux et le plus magnifique de son temps, et sa largeur de paume et sa hauteur d'âme étaient pour le moins aussi grandes que celles de Hatim, chef de la tribu de Thay. Et il continua à s'entretenir avec lui sur les événements des jours et les sujets et les anecdotes et les grandes pièces de poésie. Et il lui dit : « Ô mon seigneur, ne charge pas ton esprit de soucis et de préoccupations. » Et Giafar lui dit : « Ô mon maître, moi j'ai quitté mon pays, sans prendre le temps de manger ni de boire. Et je l'ai fait dans l'intention de me divertir et de voir le monde. Mais si Allah m'octroie le retour dans mon pays, et que ma famille, mes amis et mes voisins m'interrogent et me questionnent, me demandant où j'ai été et ce que j'ai vu, je leur dirai les bienfaits dont tu m'as favorisé et les faveurs que tu as amoncelées sur ma tête, dans la ville de Damas, au pays de Scham. Et je leur dirai ce que j'ai vu par ici et ce que j'ai vu par là, et je leur tiendrai de beaux discours et leur ferai d'instructifs entretiens sur tout ce dont se sera enrichi mon esprit près de toi, dans ta ville. » Et le jeune homme répondit : « Je me réfugie en Allah contre les idées d'orgueil ! Il est le Seul généreux. » Et il ajouta : « Tu resteras avec moi tant que tu voudras, dix ans, ou plus, à ton gré ! Car la maison est ta maison, avec son maître et ce qu'elle contient. »

Et, sur ces entrefaites, la nuit s'étant avancée, les eunuques entrèrent et dressèrent pour Giafar un lit délicat, à la tête de la salle, à la place d'honneur. Et ils étendirent un second lit, à côté de celui de Giafar. Et ils s'en allèrent, après avoir tout disposé et tout mis bien en ordre. Et Giafar le vizir, ayant vu cela, dit en lui-même : « Probablement, mon hôte est célibataire ! Et c'est pourquoi on a disposé son lit à côté du mien. Je crois que je puis hasarder une question. » Et, en conséquence, il risqua la question, demandant à son hôte : « Ô mon maître, es-tu célibataire ou marié ? » Et le jeune homme répondit : « Marié, ô mon seigneur ! » Et à cela Giafar répliqua : « Pourquoi donc, si tu es marié, vas-tu dormir à côté de moi, au lieu d'entrer dans ton harem et de te coucher comme les hommes mariés ? » Et le jeune homme répondit : « Par Allah ! ô mon maître, le harem, avec son contenu, ne va pas s'envoler, et j'aurai plus tard tout le temps d'y aller me coucher. Mais maintenant ce serait inélégant et disgracieux à moi et si impoli et quel manquement ! de te laisser seul, pour aller me coucher dans mon harem, un homme tel que toi, un visiteur, un hôte d'Allah ! Une telle action serait si contraire à la courtoisie et aux devoirs de l'hospitalité ! Et, en vérité, ô mon maître, tant que ta présence daignera favoriser cette maison, je ne reposerai pas ma tête dans mon harem, ni ne m'y coucherai, et cela tant que les adieux n'auront pas eu lieu entre toi et moi, au jour de ta convenance et de ton choix, quand tu voudras retourner en paix et sécurité dans ta ville et ton pays ! » Et Giafar dit à lui-même : « C'est là une prodigieuse affaire, émerveillante à l'excès ! » Et ils dormirent ensemble cette nuit-là.

Et le lendemain, de bon matin, ils se levèrent et allèrent au hammam, où déjà le jeune homme – qui, en réalité, s'appelait Attaf le Généreux – avait envoyé, pour l'usage de son hôte, un paquet de vêtements magnifiques. Et, après qu'ils eurent pris le plus délicieux des bains, ils montèrent sur des chevaux splendides, qu'ils trouvèrent tout sellés à la porte du hammam, et se dirigèrent du côté du cimetière visiter la tombe de la Dame, et passèrent toute cette journée-là à se remémorer les vies des hommes et leurs morts. Et ils continuèrent à agir de la sorte, tous les jours, visitant tantôt une place et tantôt une autre, et dormant la nuit côte à côte, de la manière déjà connue, et cela pendant l'espace de quatre mois…

À ce moment de sa narration, Schahrazade vit apparaître le matin et, discrète, se tut.

Mais lorsque fut la huit cent quatre-vingt-dix-huitième nuit. Elle dit :

… Et ils continuèrent à agir de la sorte, tous les jours, visitant tantôt une place et tantôt une autre, et dormant la nuit côte à côte, de la manière déjà connue, et cela pendant l'espace de quatre mois.

Or, au bout de ce temps, l'âme de Giafar devint triste et son esprit abattu ; et, un jour d'entre les jours, il s'assit et pleura. Et Attaf le Généreux, le voyant en larmes, l'interrogea, en lui disant : « Qu'Allah éloigne de toi l'affliction et le chagrin, ô mon maître ! Pourquoi te vois-je pleurer ? Et qu'est-ce qui peut t'occasionner du chagrin ? Si tu es lourd quant à ton cœur, pourquoi ne point me révéler le motif qui te rend le cœur lourd et l'âme amère ? » Et Giafar répondit : « Ô mon frère, je me sens la poitrine resserrée à l'extrême, et j'aimerais aller au hasard à travers les rues de Damas, et j'aimerais également calmer mon esprit par la vue de la mosquée des Ommiades ! » Et Attaf le Généreux répondit : « Et qui donc pourrait t'en empêcher, ô mon frère ? n'es-tu plus libre d'aller te promener où tu veux et de rafraîchir ton âme comme tu le souhaites, de manière que ta poitrine soit dilatée et ton esprit épanoui et réjoui ! En vérité, ô mon frère, tout cela n'est rien du tout, rien du tout ! » Et Giafar se levait pour sortir, quand son hôte l'arrêta pour lui dire : « Ô mon seigneur, aie seulement la bonté de patienter un moment, afin que nos gens puissent te seller une haquenée. » Mais Giafar répondit : « Ô mon ami, je préfère aller à pied ; car l'homme qui est à cheval ne peut guère se divertir à regarder et à observer autour de lui ; mais ce sont les gens qui se divertissent en le regardant et l'observant. » Et Attaf le Généreux lui dit : « Soit ! mais laisse-moi au moins te donner ce sac de dinars, afin que tu puisses faire des libéralités sur ton chemin, et distribuer l'argent par poignées en le jetant à la foule ! » Et il ajouta : « Maintenant, tu peux aller te promener. Et puisse cela te calmer l'esprit, et t'apaiser, et te faire revenir vers nous dans la joie et le contentement ! »

En conséquence, Giafar prit, de son généreux hôte, un sac de trois cents dinars, et sortit de la demeure, accompagné par les vœux de son ami. Et il se dirigea lentement avec ses pensées, au sujet de la condition que lui avait imposée le khalifat, et bien désespéré de ne trouver aucune solution et qu'aucune aventure ne lui eût encore permis de deviner la chose ou de trouver l'homme qui pût la deviner ; et il arriva de la sorte devant la magnifique mosquée, et monta les trente degrés de marbre de la porte principale, et contempla avec admiration les beaux revêtements de faïence, les dorures, les pierreries et les marbres magnifiques qui l'ornaient de toutes parts, et les beaux bassins où coulait une eau si pure qu'on ne la voyait pas. Et il se recueillit et fit sa prière et écouta le prêche, et resta là jusqu'à midi, sentant une grande fraîcheur descendre dans son âme et lui calmer le cœur. Puis il sortit de la mosquée, et fit des largesses aux mendiants de la porte, en récitant ces vers :

« J'ai vu les beautés réunies dans la mosquée de Jullag. Et sur ses murailles, la signification de la beauté est expliquée.

Si le peuple fréquente les mosquées, dis-lui que leur porte d'entrée est toujours large ouverte ! »

Et lorsqu'il eut quitté la belle mosquée, il continua sa promenade à travers les quartiers et les rues, regardant et observant, jusqu'à ce qu'il fût arrivé devant une maison splendide, d'apparence seigneuriale, ornée de fenêtres d'argent avec des bordures en or, qui ravissaient la raison, et des rideaux de soie sur chaque fenêtre. Et, en face de la porte, était un banc de marbre recouvert d'un tapis. Et, comme Giafar se sentait déjà fatigué de sa promenade, il s'assit sur ce banc, et se mit à penser à lui-même, à son propre état, aux événements des derniers temps, et à ce qui pouvait se passer, pendant son absence, à Bagdad. Et soudain, voici qu'à l'une des fenêtres le rideau s'écarta, et une main toute blanche suivie de sa propriétaire apparut avec un petit arrosoir d'or. Et elle était comme la pleine lune, avec des regards ravisseurs de raison, et un visage qui n'avait pas de frère. Et elle resta un moment à arroser ses fleurs, qui étaient dans des casiers sur la fenêtre, des fleurs de basilic, de jasmin double, d'œillet et de giroflée. Et ses grâces étaient pleines d'équilibre, de symétrie et d'harmonie, tandis qu'elle arrosait de sa main les fleurs odorantes. Et Giafar, à sa vue, se sentit le cœur blessé d'amour. Et il se leva sur ses deux pieds, et s'inclina jusqu'à terre devant elle. Et l'adolescente, ayant fini d'arroser ses plantes, regarda dans la rue et aperçut Giafar qui était incliné jusqu'à terre. Et elle voulut d'abord fermer sa fenêtre et disparaître. Puis elle se ravisa, et, se penchant sur le rebord, elle dit à Giafar : « Cette maison est-elle ta maison ? » Et il répondit : « Non, par Allah ! ô ma maîtresse, la maison n'est pas ma maison, mais l'esclave qui est à sa porte est ton esclave ! Et il attend tes ordres ! » Et elle dit : « Puisque cette maison n'est pas à toi, que fais-tu donc là, et pourquoi ne t'en vas-tu pas ? » Et il répondit : « C'est parce que, ya setti, je me suis arrêté ici pour composer en ton honneur quelques vers ! » Et elle demanda : « Et qu'as-tu bien pu dire sur moi, dans tes vers, ô homme ? » Et aussitôt Giafar récita ce poème, qu'il improvisa :

« Elle apparut dans une robe blanchissante avec des regards et des paupières d'émerveillement.

Et je lui dis : « Viens, ô unique, viens sans autre salam que celui de tes yeux ! Avec toi je serai heureux, jusque dans mon cœur heureux.

Béni soit Celui qui a habillé tes joues avec des roses ! Il peut créer ce qu'Il veut sans obstacle.

Blanche est ta robe, comme ta main et comme ta destinée ; et c'est blanc sur blanc, et blanc sur blanc ! »

Puis comme, malgré ces vers, elle voulait se retirer, il s'écria : « Attends, de grâce ! ô ma maîtresse. En voici d'autres, que j'ai composés sur ta physionomie et ton expression ! » Et elle dit : « Et qu'as-tu bien pu dire à ce sujet ? » Et il récita ces vers :

« Vois-tu sa figure apparaître et, malgré le voile, tant briller, comme la lune à l'horizon ?

Sa splendeur éclaire l'ombre des temples où on l'adore, et le soleil entre dans les ténèbres, devant sa course.

Son front éclipse la rose, et sa joue la pomme. Et son regard expressif émeut le peuple et l'enchante.

C'est par elle que, si un mortel la voyait, il deviendrait la victime de l'amour, et brûlerait dans les feux du désir. »

Lorsque la jeune dame eut entendu cette improvisation, elle dit à Giafar : « Tu as excellé ! Mais ce sont là des paroles plus grandes que toi ! » Et elle lui lança une œillade qui le transperça, et ferma la fenêtre et vivement disparut. Et Giafar le vizir patienta sur le banc, espérant et attendant que la fenêtre s'ouvrît une seconde fois et lui permît de jeter un second regard sur l'admirable objet. Et chaque fois qu'il voulait se lever, pour s'en aller, son tempérament lui disait : « Assieds-toi ! » Et il ne cessa d'agir de la sorte, jusqu'à ce que vînt le soir. Alors il se leva, avec son cœur épris, et retourna à la maison d'Attaf le Généreux. Et il trouva Attaf lui-même qui l'attendait à l'entrée de sa maison, sur le seuil, et qui s'écria, en le voyant : « Ô mon seigneur, tu m'as rendu aujourd'hui excessivement désolé par ton absence ! Et mes pensées étaient chez toi, à cause de la longue attente et du retard de ton retour. » Et il se jeta sur sa poitrine et le baisa entre les yeux. Mais Giafar ne répondait rien, et était dans le vague. Et Attaf le regarda et lut sur son visage beaucoup de paroles, l'ayant, en effet, trouvé bien changé de teint et jaune et anxieux. Et il lui dit : « Ô mon seigneur, je vois ta mine bouleversée et ton esprit cassé ! » Et Giafar répondit : « Ô mon seigneur, depuis le moment où je t'ai quitté jusqu'à présent, j'ai souffert d'un violent mal de tête et d'une attaque nerveuse, car cette nuit j'ai dormi sur mon oreille. Et, dans la mosquée, je n'entendais rien aux prières que récitaient les Croyants ! Et mon état est piteux, et ma condition lamentable ! »

Alors Attaf le Généreux prit son hôte par la main et le conduisit dans la salle où d'ordinaire ils se plaisaient à causer. Les esclaves apportèrent les plateaux des mets pour le repas du soir. Mais Giafar ne put rien manger, et leva la main. Et le jeune homme lui demanda : « Pourquoi, ô mon seigneur, lèves-tu la main et l'éloignes-tu des mets ? » Et il répondit : « C'est parce que le repas de ce matin a été lourd sur moi, et m'empêche de souper. Mais il n'y a aucun inconvénient à cela ! Car j'espère qu'une heure de sommeil fera passer la chose, et demain il n'y aura plus rien sur mon estomac ! »

En conséquence, Attaf fit dresser le lit de Giafar plus tôt que de coutume, et Giafar s'y étendit, bien déprimé quant à son esprit. Et il ramena sur lui la couverture, et il se mit à penser à l'adolescente, à sa beauté, à son élégance, à son allure, à ses proportions heureuses et à tout ce que le Donateur – qu'Il soit glorifié – lui avait accordé de beauté, de magnificence et de splendeur. Et il en oublia tout ce qui lui était arrivé dans les jours de son passé, son affaire avec le khalifat, la condition posée, sa famille, ses amis et son pays. Et tel était le bourdonnement de ses pensées, qu'il se sentit pris de vertige, et que son corps en fut dévasté. Et il ne cessa de se tourner et de se retourner avec fièvre sur son lit, jusqu'au matin. Et il était comme quelqu'un qui serait perdu dans la mer de l'amour.

Et, comme c'était l'heure habituelle où ils se levaient, Attaf se leva le premier et se pencha sur lui et lui dit : « Comment est ta santé ? Mes pensées ont été cette nuit attachées sur toi. Et j'ai bien vu que tu n'as goûté de sommeil, de toute la nuit. » Et Giafar répondit : « Ô mon frère, je ne suis pas bien portant, je suis sans keif…

À ce moment de sa narration, Schahrazade vit apparaître le matin et, discrète, se tut.

Mais lorsque fut la huit cent quatre-vingt-dix-neuvième nuit. Elle dit :

… Ô mon frère, je ne suis pas bien portant ! je n'ai pas de keif ! »

En entendant ces paroles, Attaf le Généreux, l'Excellent, fut ému à l'extrême limite de l'émotion, et envoya aussitôt un esclave blanc chercher un médecin. Et l'esclave s'en alla en toute hâte remplir sa mission, et ne tarda pas à revenir avec le meilleur médecin de Damas et le plus habile des médecins de son temps.

Et le médecin, un grand hakim, s'approcha de Giafar qui était étendu sur son lit, les yeux perdus, et le regarda au visage, et lui dit : « Ne te trouble pas à ma vue, et que le don de la santé soit sur toi ! Donne-moi ta main ! » Et il lui prit la main, et tâta son pouls, et vit que toute chose était à sa place, sans aucun dérangement, ni souffrance, ni douleur, et que les pulsations étaient solides et que les intermittences étaient régulièrement intermittentes. Et ayant constaté tout cela, il comprit la cause du mal, et que le malade était malade d'amour. Et il ne voulut point, devant Attaf, parler de sa découverte au malade. Et, pour faire les choses avec élégance et discrétion, il prit un papier et y écrivit sa prescription. Et il plaça doucement ce papier sous la tête de Giafar, en lui disant : « Le remède est sous ta tête ! Je t'ai prescrit une purge. Si tu la prends, tu seras guéri. » Et, ayant ainsi parlé, le hakim prit congé de Giafar, pour s'en aller traiter ses autres malades, qui étaient nombreux. Et Attaf l'accompagna jusqu'à la porte, et lui demanda : « Ô hakim, qu'a-t-il ? » Et il répondit : « La chose est sur le papier. » Et il s'en alla.

Et Attaf s'en revint auprès de son hôte, et le trouva qui finissait de réciter ce poème :

« Un médecin vint à moi, un jour, et prit ma main et mon pouls. Mais je lui dis : « Laisse aller ma main, le feu est dans mon cœur. »

Et il me dit : « Bois du sirop de roses, après l'avoir bien mélangé avec l'eau de la langue. Et ne le dis à personne ! »

Et je répondis : « Le sirop de roses est bien connu de moi : c'est l'eau des joues qui m'ont abîmé le cœur.

Mais comment, ô hakim, pourrais-je me procurer l'eau de la langue ? Et comment pourrais-je refroidir le feu brûlant qui, au fond de moi, habite ? »

Et le hakim me dit : « Tu es en amour ! » Je lui dis : « Oui ! » Et il me répondit : « Le seul remède est d'avoir l'objet ici ! »

Et Attaf, qui n'avait point entendu le poème et n'en avait saisi que le dernier vers, sans le comprendre, s'assit à la tête du lit, et interrogea son hôte sur ce que lui avait dit et prescrit le hakim. Et Giafar répondit : « Ô mon frère, il m'a écrit un papier, qui est ici, sous le coussin. » Et Attaf tira le papier de dessous le coussin, et le lut. Et il trouva ces lignes tracées de la main du hakim :

« Au nom d'Allah le Guérisseur, maître des cures et des bons régimes ! – Voici ce qui est à prendre, avec l'aide et la bénédiction d'Allah ! Trois mesures de pure présence de l'aimée, mélangées d'un peu de prudence et de crainte d'être guetté par les jaloux ; plus, trois mesures d'excellente union clarifiée avec un grain d'absence et d'éloignement ; plus, deux poids de pure affection et de discrétion sans mélange avec le bois de la séparation ; en faire une mixture avec un peu d'extrait d'encens de baisers, pris sur les dents et sur le milieu ; deux mesures de chaque variété ; plus cent baisers sur les deux belles grenades que l'on sait, dont cinquante doivent être dulcifiés en passant par les lèvres, suivant le mode des pigeons, et vingt suivant le mode des petits oiseaux ; puis deux mesures égales de mouvements d'Alep et de soupirs de l'Irak ; ensuite deux okes de pointes de langues, dans la bouche et hors de la bouche, à bien triturer et mélanger ; puis mettre sur un fourneau trois drachmes de grains d'Égypte en les additionnant de graisse de bonne qualité, à faire bouillir dans l'eau de l'amour et le sirop du désir sur un feu de bois de plaisir, dans la retraite de l'ardeur ; après quoi décanter le tout sur un divan bien moelleux, et ajouter deux okes de sirop de salive, et boire à jeun pendant trois jours. Et, le quatrième jour, prendre pour le repas de midi une tranche du melon du désir, avec du lait d'amandes et du jus de limon de l'accord, avec, enfin, trois mesures de bon travail de cuisses. Et finir par un bain, pour le bénéfice de la santé. Et le salam ! »

Lorsque Attaf le Généreux eut achevé la lecture de cette prescription, il ne put s'empêcher de rire, et de frapper ses mains l'une dans l'autre. Puis il regarda Giafar et lui dit : « Ô mon frère, ce médecin est un grand médecin, et sa découverte une grande découverte. Voici qu'il a trouvé que tu es malade d'amour ! » Et il ajouta : « Dis-moi donc avec qui tu es en amour, et de qui tu t'es énamouré. » Mais Giafar, la tête basse, ne fit aucune réponse et ne voulut prononcer aucune parole. Et Attaf fut bien chagriné du silence qu'il gardait et avait gardé à son égard, et fut bien affligé de son manque de confiance, et lui dit : « Ô mon frère, n'es-tu pas plus que mon ami, n'es-tu pas dans ma maison comme l'âme est dans le corps ? Et entre moi et toi n'y a-t-il pas eu quatre mois passés dans la tendresse, la camaraderie, la causerie et la pure amitié ? Pourquoi donc me cacher ton état ? Quant à moi, je suis bien attristé, et je suis effrayé de te voir seul, sans guide, dans une affaire aussi délicate ! Tu es, en effet, un étranger, tu n'es pas de cette capitale, et moi je suis un fils de la cité, et je puis t'aider avec efficacité, et dissiper ton trouble et ton inquiétude. Par ma vie qui t'appartient et par le pain et le sel qui sont entre nous, je te supplie de me révéler ton secret ! » Et il ne cessa de lui parler de la sorte, jusqu'à ce qu'il l'eût décidé à parler. Et Giafar releva la tête et lui dit : « Je ne te cacherai pas plus longtemps le motif de mon trouble, ô mon frère ! Et désormais je ne blâmerai plus les amoureux qui sont malades d'inquiétude et d'impatience. Car voici qu'une affaire m'est arrivée que je n'ai jamais pensé devoir m'arriver, non, jamais ! Et je ne sais pas ce qui va m'advenir de cela, car mon cas est un cas embarrassant, et compliqué de perte de vie. »

Et il lui raconta ce qui lui était arrivé ; comment, lorsqu'il s'était assis sur le banc de marbre, la fenêtre s'était ouverte en face de lui, et une jeune femme était apparue, la plus belle de son temps, qui avait arrosé son jardin de fenêtre. Et il ajouta : « Maintenant mon cœur tumultueux est agité d'amour pour elle ! Elle a subitement fermé sa fenêtre, après avoir jeté un seul coup d'œil dans la rue où j'étais, et elle l'a fermée aussi vite que si elle avait été vue à découvert par un étranger. Et me voici maintenant, à cause de l'excessive agitation et de l'ardeur d'amour où je suis pour elle, incapable de quoi que ce soit, et inapte à manger et à boire ; et mon sommeil est brisé par la force de mon désir sur celle qui s'est établie à demeure dans mon cœur. » Et il ajouta : « Et tel est mon cas, ô mon frère Attaf, et je t'ai raconté tout ce qui m'est survenu, sans t'en rien cacher. »

Lorsque le généreux Attaf eut entendu les paroles de son hôte, et compris leur portée, il baissa la tête et réfléchit une heure de temps. Car il venait d'apprendre, à n'en pas douter par tous les renseignements et indices entendus et la description de la maison, de la fenêtre et de la rue, que l'adolescente en question n'était autre que sa propre épouse, la fille de son oncle, qu'il aimait et dont il était aimé, et qui habitait dans une maison séparée, avec ses esclaves à elle et ses servantes à elle. Et il dit à lui-même : « Ô Attaf, il n'y a de recours et de puissance qu'en Allah le Très-Haut, le Très-Grand, nous venons d'Allah et vers Lui nous retournerons ! » Et sa générosité et sa grandeur d'âme prirent aussitôt le dessus, et il pensa : « Je ne serai pas semblable, dans mon amitié, à celui qui bâtirait sur le sable et sur l'eau, et par le Dieu magnanime ! je servirai mon hôte avec mon âme et mon bien. »

Et, ayant ainsi pensé, il se tourna, avec un visage souriant et calme, vers son hôte et lui dit : « Ô mon frère, calme ton cœur et rafraîchis tes yeux, car je prends sur ma tête de faire aboutir ton affaire dans le sens que tu souhaites. Je connais, en effet, la famille de l'adolescente dont tu m'as parlé, et qui est une femme divorcée d'avec son mari depuis quelques jours. Et je vais, à l'heure et à l'instant, m'occuper de l'affaire. Quant à toi, ô mon frère, attends mon retour en toute tranquillité, et sois content. » Et il lui dit encore d'autres paroles pour le calmer, et sortit de sa maison.

Et il alla à la maison où vivait son épouse, l'adolescente qu'avait vue Giafar, et entra dans la salle des hommes, sans changer d'habits et sans adresser la parole à personne, et appela un des jeunes eunuques, et lui dit : « Va chez mon oncle, père de ta maîtresse, et dis-lui de venir ! » Et le jeune eunuque se hâta d'aller chez le beau-père et de l'amener chez son maître.

Et Attaf se leva en son honneur, pour le recevoir, et l'embrassa et le fit asseoir, et lui dit : « Ô mon oncle, il n'y a rien que de bien ! Sache que lorsque Allah envoie Ses bienfaits à Ses serviteurs, il leur montre en même temps la voie à suivre. Or, ma voie est trouvée, car mon cœur incline vers La Mecque et souhaite d'aller visiter la maison d'Allah et baiser la pierre noire de la Kaaba sainte, puis d'aller ensuite à El-Medinah visiter la tombe du Prophète – sur Lui la prière, la paix, les grâces et les bénédictions ! Et j'ai résolu de visiter ces places saintes cette année, et d'y faire le pèlerinage, pour en revenir hajj accompli. C'est pourquoi il ne faut pas que je laisse derrière moi des attaches, des dettes ou des obligations, ni rien qui puisse me laisser des préoccupations, car nul homme ne sait s'il sera l'ami de sa destinée le lendemain. Et c'est pourquoi, ô oncle, je t'appelle pour te remettre l'écrit du divorce de ta fille, mon épouse ! »

Lorsque l'oncle du généreux Attaf, père de son épouse, eut entendu ces paroles et compris qu'Attaf voulait divorcer, il fut extrêmement ému, et, exagérant dans son esprit la gravité de ce cas, il dit : « Ô Attaf, mon fils, qu'est-ce qui t'oblige à recourir à de pareils procédés ? Si tu viens à partir, en laissant ici ton épouse, quelque longue que puisse être ton absence, et quelque durée que tu lui donnes, ton épouse n'en continuera pas moins d'être ton épouse et ta dépendance et ta propriété ! Mais rien ne t'oblige à divorcer, ô mon fils ! » Et Attaf répondit, tandis que des larmes coulaient de ses yeux : « Ô mon oncle, j'en ai fait le serment, et ce qui est écrit doit courir ! »

Et le père de la jeune femme, consterné à ces paroles d'Attaf, sentit la désolation entrer dans son cœur. Et la jeune épouse d'Attaf, à cette nouvelle, devint comme morte, et son état fut un lamentable état et son âme nagea dans la nuit, dans l'amertume et dans la douleur. Car elle aimait depuis l'enfance son époux Attaf, qui était le fils de son oncle, et sa tendresse pour lui était extrême…

À ce moment de sa narration, Schahrazade vit apparaître le matin et, discrète, se tut.

Mais lorsque fut la neuf centième nuit. Elle dit :

… Car elle aimait depuis l'enfance son époux Attaf, qui était le fils de son oncle, et sa tendresse pour lui était extrême.

Quant à Attaf, ayant annoncé cette nouvelle à son oncle, il se hâta d'aller trouver son hôte, et lui dit : « Ô mon frère, je me suis occupé de la jeune femme divorcée, et Allah a voulu faire réussir mon entremise. Réjouis-toi donc, car ton union avec elle va être maintenant aisée. Lève-toi et secoue ta tristesse et ton malaise. »

Et Giafar aussitôt se leva, et son malaise disparut, et il mangea et but avec appétit, et remercia son Créateur. Et Attaf lui dit alors : « Sache maintenant, ô mon frère, que pour que je puisse m'entremettre encore plus efficacement, il ne faut pas que le père de ton amoureuse, auquel je vais reparler de ton mariage, sache que tu es un étranger, et qu'il ne me dise pas : « Ô Attaf, et depuis quand les pères marient-ils leurs filles aux hommes étrangers, à ceux qu'ils ne connaissent pas ? » C'est pourquoi mon idée est que tu sois le plus avantageusement connu du père de l'adolescente. Et, dans ce but, je ferai dresser à ton intention des tentes hors de la ville avec de beaux tapis, des coussins, des choses somptueuses, et des chevaux. Et tu iras, sans que personne sache que tu sors d'ici, habiter sous ces belles tentes, qui seront tes tentes de voyage, et tu feras une entrée pompeuse dans notre ville. Et moi, de mon côté, je prendrai soin de répandre dans toute la ville le bruit que tu es un très grand personnage de Bagdad, et même je dirai que tu es Giafar Al-Barmaki en personne, et que tu viens, de la part de l'émir des Croyants, visiter notre ville ! Et le vali de Damas, le kâdi et le naïeb, que je serai allé moi-même informer de l'arrivée du vizir Giafar, viendront d'eux-mêmes à ta rencontre, et te feront leurs salams et embrasseront la terre entre tes mains. Et toi, alors, tu diras à chacun les paroles qu'il faut dire, et tu les traiteras selon leur rang. Et moi aussi j'irai te visiter, dans ta tente, et à nous tous tu diras : « Je viens dans votre ville, pour changer d'air, et trouver une épouse selon mon goût ! Et, comme j'ai entendu parler de la beauté de la fille de l'émir Amr, c'est elle que j'aimerais avoir pour épouse ! » Et alors, ô mon frère, il n'arrivera que ce que tu souhaites. »

Ainsi parla le généreux Attaf à l'hôte dont il ne connaissait point le nom et la situation, et qui n'était autre que Giafar Al-Barmaki avec son propre œil. Et il n'agissait de la sorte envers lui, que parce qu'il était son hôte et qu'il avait goûté le pain et le sel de son hospitalité. Car le généreux Attaf était doué d'une âme généreuse et de sentiments sublimes. Et il n'y eut jamais sur terre, avant lui, d'homme qui lui fût comparable, et il n'y en aura jamais après lui.

Quant à Giafar, lorsqu'il eut entendu ces paroles de son ami, il se leva sur ses deux pieds et prit la main d'Attaf et voulut la baiser, mais Attaf le prévint, et retira vivement sa main. Et Giafar, continuant à taire son nom et à cacher sa haute condition de grand vizir et de tête des Barmécides et leur couronne, remercia son hôte avec effusion, et passa cette nuit-là avec lui, et coucha dans le même lit que lui. Et le lendemain, à la pointe du jour, ils se levèrent tous deux, et firent leurs ablutions et récitèrent leurs prières du matin. Puis ils sortirent ensemble, et Attaf accompagna son ami hors de la ville.

Après quoi Attaf fit préparer les tentes et tout le nécessaire, en fait de chevaux, de chameaux, de mulets, d'esclaves, de mamalik, de coffres contenant toutes sortes de cadeaux à distribuer, et de grandes caisses contenant des sacs d'or et d'argent. Et il envoya tout cela hors de la ville, secrètement, et alla retrouver son ami, et le vêtit d'une robe de grand vizir, tout à fait somptueuse et de haut prix. Et il lui fit élever, dans la tente principale, un trône de grand vizir, et l'y fit asseoir. Et il ne savait pas que celui qu'il allait désormais appeler le grand vizir Giafar était en réalité Giafar lui-même, fils de Yahia le Barmécide ! Et, cela fait et combiné, il envoya des esclaves messagers au naïeb de Damas lui annoncer l'arrivée de Giafar le grand vizir, envoyé en mission par le khalifat.

Et aussitôt que le naïeb de Damas fut informé de cet événement, il sortit de la ville, accompagné par les notables de la ville de son autorité et de son gouvernement, et alla à la rencontre du vizir Giafar et embrassa la terre entre ses mains, et lui dit : « Ô mon seigneur, pourquoi ne nous as-tu pas informés plus tôt de ton arrivée bénie, afin qu'il nous ait été loisible de te préparer une réception digne de ton rang ? » Et Giafar répondit : « Cela n'était pas nécessaire du tout ! Puisse Allah te favoriser et augmenter ta bonne santé ; mais je ne suis venu ici que dans l'intention de changer d'air et de visiter la cité. Et, d'ailleurs, je ne vais y rester que fort peu de temps, juste pour pouvoir me marier. J'ai, en effet, appris que l'émir Amr a une fille de noble race, et je désire de toi que tu causes de l'affaire avec son père et que tu me l'obtiennes de lui pour épouse. » Et le naïeb de Damas répondit : « J'écoute et j'obéis. Précisément, son époux vient de divorcer d'avec elle, parce qu'il désire aller au Hedjaz pour le pèlerinage. Et, dès que le temps légal de la séparation sera écoulé, il n'y aura plus aucun empêchement pour que les accordailles de Ton Honneur prennent leur place. » Et il prit congé de Giafar et alla, à l'heure et à l'instant, trouver le père de la jeune femme, l'épouse divorcée du généreux Attaf, et le fit venir dans les tentes et lui dit que le grand vizir Giafar avait fait un souhait d'épousailles sur sa fille, de noble descendance. Et l'émir Amr ne put répondre que par l'ouïe et l'obéissance.

Alors Giafar donna l'ordre d'apporter les robes d'honneur et l'or des sacs, et d'en faire la distribution. Et il fit venir le kâdi et les témoins, et, sans retard, leur fit écrire le contrat de mariage. Et il fit écrire, comme dot et douaire de la jeune femme, dix coffres de somptuosités et dix sacs d'or. Et il fit sortir les cadeaux, grands et petits, et les fit distribuer avec la générosité d'un Barmécide aux assistants riches et pauvres, pour que tout le monde fût content. Et, après que le contrat eut été écrit sur une étoffe de satin, il fit apporter de l'eau au sucre, et fit dresser devant les invités les tables des mets et des choses excellentes. Et tout le monde mangea et se lava les mains. Puis on servit les douceurs et les fruits et les boissons rafraîchies. Et lorsque tout fut fini, et que le contrat eut été passé, le naïeb de Damas dit au vizir Giafar : « Je vais préparer une maison pour ta résidence et la réception de ton épouse ! » Et Giafar répondit : « Cela ne se peut pas. Je suis ici en mission officielle de l'émir des Croyants, et il faut que j'emmène avec moi mon épouse à Bagdad, où devront avoir lieu les cérémonies des noces, là seulement. » Et le père de l'épousée dit : « Entre en épousailles, et pars quand cela te plaira. » Et Giafar répondit : « Cela non plus, je ne puis le faire, car il faut d'abord que je fasse préparer le trousseau de ta fille, et, une fois qu'il sera prêt, je partirai, ce jour-là seulement ! » Et le père répondit : « Il n'y a pas le moindre inconvénient ! »

Et lorsque le trousseau fut prêt, et que toutes choses eurent marché comme il fallait, le père de la mariée fit avancer le palanquin et asseoir sa fille dedans. Et le convoi prit la route des tentes, avec une foule de gens. Et, après les adieux de part et d'autre, le signal du départ fut donné. Et Giafar sur son cheval, et l'épousée dans le palanquin superbe, prirent la route de Bagdad, avec une suite nombreuse et bien ordonnée.

Et ils voyagèrent pendant un certain temps. Et ils étaient déjà arrivés dans l'endroit appelé Tiniat el'Iqab, qui est à une demi-journée de marche de Damas, quand Giafar regarda derrière lui et aperçut dans le loin, dans la direction de Damas, un cavalier qui galopait vers eux. Et il fit aussitôt arrêter la caravane, pour voir qu'elle pouvait bien être l'affaire. Et lorsque le cavalier fut tout près d'eux, Giafar le regarda, et voici que c'était Attaf le Généreux, qui s'en venait derrière eux en criant : « Ne t'arrête pas, ô mon frère ! » Et il s'approcha de Giafar et l'embrassa et lui dit : « Ô mon seigneur, je n'ai eu aucun repos loin de toi. Ô mon frère Abou'l-Hassân, il eût mieux valu pour moi ne t'avoir jamais vu ni connu, car maintenant je ne saurai supporter ton absence. » Et Giafar le remercia et lui dit : « Je n'ai pas été capable de me défendre contre tous les bienfaits dont tu m'as comblé. Mais je prie Allah de faciliter notre réunion pour bientôt et de ne jamais plus nous séparer. Il est le Tout-Puissant, et Il peut ce qu'Il veut ! » Puis Giafar descendit de cheval, et fit étendre un tapis de soie, et s'assit à côté d'Attaf. Et on leur servit un plateau avec un coq rôti, des poulets, des douceurs et d'autres délicatesses. Et ils mangèrent. Et on leur apporta des fruits secs, et des confitures sèches et des dattes mûres. Puis ils burent pendant une heure de temps, et remontèrent sur leurs chevaux. Et Giafar dit à Attaf : « Ô mon frère, chaque voyageur doit partir vers son lieu de départ. » Et Attaf le serra contre sa poitrine, et le baisa entre les deux yeux et lui dit : « Ô mon frère Abou'l-Hassân, n'interromps pas sur nous l'envoi de tes lettres, et n'allonge pas ton absence sur notre cœur. Et mets-moi au courant de tout ce qui t'arrivera, de façon à ce que je sois comme si j'étais près de toi. » Et ils se dirent encore d'autres paroles d'adieu, et prirent congé l'un de l'autre, et chacun d'eux s'en alla en sa voie. Et voilà pour le vizir Giafar, que son ami ne soupçonnait pas d'être Giafar lui-même, et pour Attaf le Généreux !

Mais pour ce qui est de l'adolescente divorcée, la nouvelle épouse de Giafar, voici…

À ce moment de sa narration, Schahrazade vit apparaître le matin et, discrète, se tut.

Mais lorsque fut la neuf cent unième nuit. Elle dit :

… Mais pour ce qui est de l'adolescente divorcée, la nouvelle épouse de Giafar, voici : Lorsqu'elle se fut aperçue que les chameaux et la caravane s'étaient arrêtés dans leur marche, elle mis sa tête hors de la litière, et vit son cousin Attaf assis par terre sur le tapis à côté de Giafar, et que tous les deux mangeaient et buvaient ensemble, et se faisaient leurs adieux. Et elle se dit en elle-même : « Par Allah ! celui-ci est mon cousin Attaf, et celui-là est l'homme qui m'a vue à la fenêtre et sur qui je crois même avoir laissé tomber de l'eau, quand j'arrosais mon jardin de fenêtre. Et, sans aucun doute, il est l'ami de mon cousin. Il a été pris d'amour pour moi, et s'en est plaint à mon cousin Attaf. Et il m'a décrite, et a décrit ma maison ; et alors la générosité et la grandeur d'âme de mon cousin ont eut le dessus ; et il a divorcé pour que son ami me prît comme épouse. » Et, ayant ainsi pensé, elle se mit à pleurer toute seule, dans la litière, et à se lamenter sur ce qui leur était arrivé, sur sa séparation d'avec son cousin qu'elle aimait, d'avec ses parents et d'avec sa ville. Et elle se rappela tout ce qu'elle était et avait été. Et des larmes brûlantes tombèrent de ses yeux, tandis qu'elle récitait ces vers :

« Je pleure au souvenir des endroits que j'aimais, et des beautés que j'ai perdues. Ô ! ne blâmez pas l'amoureux si, quelque jour, il devient fou.

Car ces places, ces endroits, les chers aimés les habitent. Ô louange à Allah ! combien douce est leur habitation !

Qu'Allah protège les jours passés parmi vous, ô mes chers amis, et puisse, dans la même maison, le bonheur nous réunir ! »

Et lorsqu'elle eut fini cette récitation, elle pleura et se lamenta et récita encore :

« Je suis étonnée de vivre encore sans vous, au milieu de tous les soucis qui nous accablent.

Je désire pour vous, chers absents bien-aimés, que mon cœur blessé soit encore avec vous. »

Après quoi, elle pleura encore et sanglota, et ne put s'empêcher de se rappeler ces vers :

« Ô vous, à qui j'ai donné mon âme, revenez. J'ai désiré l'arracher de vous, mais je n'ai pu y parvenir.

Et toi ! Aie de la pitié pour le reste d'une vie que je t'ai sacrifiée, avant qu'à l'heure de la mort je jette mon dernier regard.

Si vous êtes tous perdus, je ne serai pas étonné : mon étonnement existerait si son destin appartenait à un autre. »

Et voilà pour elle ! Mais pour ce qui est du grand vizir Giafar, voici : Dès que la caravane se fut remise en marche, il s'approcha du palanquin et dit à la nouvelle mariée : « Ô maîtresse du palanquin, tu nous as tué ! » Mais à ces paroles, elle le regarda avec douceur et modestie et répondit : « Je ne dois pas te parler, parce que je suis la cousine-épouse de ton ami et compagnon, Attaf, prince de générosité et dévouement. S'il y a en toi le moindre sentiment humain, tu feras pour lui ce que, dans son dévouement, il a lui-même fait pour toi. »

Quand Giafar eut entendu ces paroles, il devint bien troublé quant à son âme, mais comprenant la hauteur de la situation, il dit à la jeune femme : « Ô toi, es-tu donc vraiment sa cousine-épouse ? » Et elle dit : « Oui ! C'est moi-même que tu vis à la fenêtre tel jour, quand telles et telles choses arrivèrent et que ton cœur s'attacha à moi. Et tu lui as raconté tout cela. Et il a divorcé. Et, en attendant l'expiration du temps légal, il a préparé tout ce qui, maintenant, me cause tant de peine. Et, maintenant que je t'ai expliqué la situation, il ne te reste plus qu'à agir comme un homme. »

Quand Giafar eut entendu ces mots, il se mit à sangloter tout haut, disant : « D'Allah nous provenons, et à Lui nous retournons. Ô toi ! Voici que, maintenant, tu m'es interdite, et tu es devenue entre mes mains un dépôt sacré, jusqu'à ton retour à telle place qu'il te plaira d'indiquer. » Alors il dit à un de ses serviteurs : « Je te charge de la garde de ta maîtresse. » Et ils continuèrent à voyager ainsi de jour et de nuit, et voilà pour eux !

Mais pour ce qui est du khalifat Haroun Al-Rachid, voici : Aussitôt après le départ de Giafar, il se sentit mal à son aise et plein de chagrin de son absence. Et il fut dans une grande impatience, et tourmenté du désir de le revoir. Et il regretta les conditions irréalisables qu'il lui avait imposées, l'obligeant à errer à travers les déserts et les solitudes comme un vagabond, et le forçant, en cette extrémité, à quitter sa contrée natale. Et il expédia des envoyés dans toutes les directions pour le chercher. Mais il ne put avoir aucune nouvelle de lui, et fut dans un grand embarras de ne plus l'avoir près de lui. Et ainsi il le regrettait et l'attendait.

Or, quand Giafar avec sa caravane fut proche de Bagdad, le khalifat en fut informé et se réjouit en son âme, et sentit son cœur s'alléger et sa poitrine se dilater. Et il alla à sa rencontre, et dès qu'il fut près de lui, il l'embrassa et le serra sur son sein. Et ils rentrèrent ensemble au palais, et l'émir des Croyants fit asseoir son vizir à ses côtés, et lui dit : « Maintenant, raconte-moi ton histoire depuis le moment où tu as quitté ce palais, et tout ce qui t'est arrivé pendant ton absence. » Et Giafar lui raconta tout ce qui lui était arrivé depuis le moment de son départ jusqu'à celui de son retour. Mais il n'y a aucune utilité à le répéter. Et le khalifat fut grandement étonné, et dit : « Ouallahi ! tu m'as causé bien du chagrin par ton absence. Mais maintenant j'ai grande envie de connaître ton ami ! Et, quant à l'adolescente du palanquin, mon opinion est que tu devrais immédiatement divorcer d'avec elle et la mettre sur le chemin de son retour, accompagnée d'un serviteur sûr. Car si ton compagnon trouve en toi un ennemi, il deviendra notre ennemi ; et s'il trouve en toi un ami, il deviendra aussi notre ami. Et nous le ferons venir au milieu de nous, et nous le verrons, et nous aurons du plaisir à l'entendre et nous passerons le temps avec lui, joyeusement. Un tel homme n'est pas à négliger, et de sa générosité nous tirerons un grand enseignement et beaucoup d'autres choses utiles. » Et Giafar répondit : « Ouïr c'est obéir. » Et il fit aménager, pour l'adolescente en question, une fort belle maison, dans un jardin délicieux, et mit sous ses ordres toute une suite d'esclaves et de serviteurs. Et il lui envoya encore des tapis et des porcelaines et toutes les autres choses dont elle pouvait avoir besoin. Mais il ne s'introduisit jamais près d'elle et ne chercha jamais à la voir. Et il lui faisait chaque jour parvenir ses salams et des mots rassurants concernant son retour et sa réunion avec son cousin. Et il lui alloua par mois mille dinars pour les frais de son existence. Et voilà pour Giafar et le khalifat et l'adolescente du palanquin !

Mais pour ce qui est d'Attaf, les choses tournèrent bien autrement ! En effet, dès qu'il eut fait ses adieux à Giafar et fut retourné en sa voie, tous ceux qui étaient jaloux de lui profitèrent des événements pour combiner sa perte dans l'esprit du naïeb de Damas. Et ils dirent au naïeb : « Ô notre seigneur, comment se fait-il que tu ne tournes pas tes yeux vers Attaf ? Ne sais-tu pas que le vizir Giafar était son ami ? Et ne sais-tu pas qu'Attaf courut derrière lui pour lui dire adieu, après que nos gens furent revenus, et qu'il l'accompagna jusqu'à Katifa ? Et ne sais-tu pas qu'alors Giafar lui dit : « N'as-tu besoin de rien que je puisse te procurer, ô Attaf ? » Et qu'Attaf répondit : « Oui, j'ai besoin de quelque chose. Et c'est un édit du khalifat par lequel sera déposé le naïeb de Damas. » Et ceci a été dit et promis entre eux. Et la chose la plus prudente à faire est que tu l'invites à ta nappe pour le repas du matin, avant que lui t'invite à la sienne pour le repas du soir. Car le succès se trouve dans l'occasion, et l'assaut ne profite qu'à celui qui le donne. » Et le naïeb de Damas leur répondit : « Vous avez bien parlé. Amenez-le-moi donc immédiatement. » Et ils allèrent à la maison d'Attaf, qui s'y reposait tranquillement, ignorant que quelqu'un pût tramer quelque chose contre lui. Et ils se jetèrent sur lui, armés de sabres et de bâtons, et le battirent jusqu'à ce qu'il fût couvert de sang. Et ils le traînèrent devant le naïeb. Et le naïeb ordonna le pillage de sa maison. Et ses esclaves, ses richesses et toute sa famille passèrent aux mains des forcenés. Et Attaf demanda : « Quel est mon crime ? » Et ils lui répondirent : « Ô visage de goudron ! es-tu donc si ignorant de la justice d'Allah (qu'Il soit exalté !) que tu t'attaques au naïeb de Damas, notre seigneur et notre père, et crois pouvoir ensuite dormir en paix dans ta maison ? » Et on ordonna au porte-glaive de lui couper la tête à l'heure et à l'instant. Et le porte-glaive lui déchira un morceau de sa robe et lui en banda les yeux. Et il levait déjà le glaive sur son cou, quand l'un des émirs, qui assistaient à l'exécution, se leva et dit : « Ô naïeb, ne te presse pas tant de faire couper la tête de cet homme. Car la hâte est un conseil du Cheïtân, et le proverbe dit : « Celui-là seul atteint son but qui porte la patience dans son cœur, tandis que l'erreur est le fait de celui qui se presse. » Cesse donc de te hâter, quant au cou de cet homme ; car peut-être que ceux qui ont parlé contre lui ne sont que des menteurs. Et personne n'est exempt de jalousie. Ainsi donc, prends patience, car peut-être regretterais-tu plus tard de lui avoir retiré la vie injustement. Et qui sait ce qui arriverait, si le vizir Giafar apprenait le traitement que tu as fait subir à son ami et compagnon ? Et c'est alors que ta tête ne serait plus en sécurité sur tes épaules…

À ce moment de sa narration, Schahrazade vit apparaître le matin et, discrète, se tut.

Mais lorsque fut la neuf cent deuxième nuit. Elle dit :

… Et c'est alors que ta tête ne serait plus en sécurité sur tes épaules ! »

Lorsque le naïeb de Damas eut entendu ces paroles, il se réveilla de son sommeil et leva la main, et arrêta le glaive qui, de si près, menaçait la vie d'Attaf. Et il ordonna qu'Attaf fût seulement jeté en prison et enchaîné par le cou. Et on le traîna, malgré ses cris et ses prières, à la prison de la ville, et on l'y enchaîna par le cou, selon qu'il avait été ordonné. Et, toutes les nuits et tous les jours, Attaf les passait à pleurer, à prendre Allah à témoin et à le supplier de le délivrer de son affliction et de ses malheurs. Et il vécut trois mois de cette manière-là.

Or, une nuit d'entre les nuits, il se réveilla et s'humilia devant Allah et marcha dans sa prison selon la longueur de sa chaîne. Et il vit qu'il était seul dans sa prison, et que le geôlier qui, la veille, lui avait apporté son pain et son eau, avait oublié de refermer la porte sur lui. Et une faible lueur venait de cette porte entrouverte. Et Attaf, à cette vue, sentit soudain ses muscles s'enfler d'une force extraordinaire, et, levant les yeux dans la direction du ciel d'Allah, il fit un grand effort et, d'un seul coup, brisa la chaîne qui le retenait. Et à tâtons, avec mille précautions, il se dirigea à travers les complications de la prison endormie, et finit par se trouver devant la porte même qui donnait sur la rue. Et il n'eut pas de peine à en découvrir la clef, suspendue dans un coin. Et l'ayant ouverte sans aucun bruit, il sortit dans la rue, et s'enfuit à travers la nuit. Et les ténèbres d'Allah le protégèrent jusqu'au matin. Et dès que les portes de la ville furent ouvertes, il sortit en se mêlant au peuple, et hâta sa marche dans la direction d'Alep. Et, après de longues marches, il arriva sans encombre à la ville d'Alep, et entra dans la mosquée principale. Et là, il vit un groupe d'étrangers qui se disposaient manifestement au départ. Et il leur demanda où ils allaient. Et ils répondirent : « À Bagdad ! » Et Attaf s'écria aussitôt : « Et moi avec vous ! » Et ils lui dirent : « C'est à la terre qu'appartient notre corps, mais notre subsistance est près d'Allah seulement ! » Et ils partirent, avec Attaf au milieu d'eux. Et au bout de vingt jours de marche, on arriva à la ville de Koufa ; et on continua ainsi le voyage jusqu'à ce qu'on atteignît Bagdad. Et Attaf vit une cité de fortes constructions, et élégante, et riche en palais magnifiques qui montaient dans le ciel, et en délectables jardins ; et elle contenait également les savants et les ignorants, les pauvres et les riches, les bons et les méchants. Et il entra dans la ville, avec sa robe de pauvre, avec un turban sale et déchiré sur sa tête, et une barbe inculte et des cheveux trop longs dans les yeux. Et sa condition était pitoyable. Et il franchit ainsi la porte de la première mosquée qu'il rencontra. Et il n'avait pas mangé depuis deux jours. Et il était assis dans un coin, à se reposer et à réfléchir tristement, quand un vagabond, de l'espèce des vagabonds qui mendient aux portes d'Allah, entra dans la mosquée, et vint s'asseoir juste en face de lui. Et il ôta de son épaule un vieux sac qui y était installé, et l'ouvrit et en tira un pain, puis un poulet, puis encore un pain, puis des confitures, puis une orange, puis des olives, puis des gâteaux aux dattes, puis un concombre. Et l'affamé Attaf voyait avec ses yeux et sentait avec son nez. Et le vagabond se mit à manger, et Attaf à le regarder pendant qu'il engloutissait avec calme ce repas, qui semblait la nappe même d'Issa, fils de Miriam (sur eux deux la paix et la bénédiction d'Allah !). Et Attaf qui, non seulement n'avait pas mangé depuis deux jours, mais qui depuis quatre mois n'avait pas eu son rassasiement, se dit en lui-même : « Par Allah ! je prendrais bien une bouchée de cet excellent poulet, et un morceau de ce pain, et une tranche au moins de ce concombre délicieux. » Et son désir sur le pain et le poulet et le concombre brillait si fort dans ses yeux que le vagabond le regarda. Et, de son extrême faim, Attaf ne put s'empêcher de pleurer. Et le vagabond hocha la tête en le contemplant, et quand il eut avalé la bouchée de bonnes choses qui encombraient sa bouche, il prit la parole et dit : « Pourquoi donc, ô père de la barbe sale, fais-tu comme les étrangers et comme les chiens faméliques qui demandent avec leurs yeux le morceau que mange leur maître ? Par la protection d'Allah ! quand tu verserais assez de larmes pour alimenter le Yaxarte, le Bactros, et la Dajlah, et l'Euphrate, et le fleuve de Bassra, et le fleuve d'Antioche, et l'Oronte, et le Nil d'Égypte, et la mer salée, et la profondeur de tous les océans, je ne te céderais pas un morceau de ce que je mange. Mais si tu veux manger du poulet blanc et du pain chaud et de l'agneau tendre et de toutes les confitures et pâtisseries d'Allah, tu n'as qu'à frapper à la maison du grand vizir Giafar, fils de Yahia le Barmécide. Car il a reçu à Damas l'hospitalité d'un homme nommé Attaf, et c'est en son souvenir et en son honneur qu'il répand ainsi ses bienfaits ; et il ne se lève ni ne se couche sans parler de lui. »

Lorsque Attaf eut entendu ces paroles du vagabond au sac si bien garni, il leva les yeux vers le ciel et dit : « Ô Toi dont les desseins sont impénétrables, voici que Tu répands de nouveau Tes bienfaits sur Ton serviteur ! » Et il récita ces vers :

« Confie tes affaires au Créateur, aussitôt que tu les verras embrouillées. Puis, assieds-toi à côté de tes peines, et congédie au loin tes pensées. »

Puis il alla chez un marchand de papier et lui demanda la charité d'un bout de papier, et le prêt d'un calame pour juste le temps d'écrire quelques mots. Et le marchand voulut bien lui accorder ce qu'il demandait. Et Attaf écrivit ce qui suit :

« De la part de ton frère Attaf, qu'Allah connaît ! Que celui qui possède le monde ne s'enorgueillisse point, car un jour il sera renversé et restera seul dans la poussière avec son amer destin. Si tu me vois, tu ne me reconnaîtras pas, à cause de la pauvreté et de la misère ; car les revers du temps, la faim, la soif et un long voyage ont réduit mon âme et mon corps à l'état d'inanition. Et voici que je te retrouve en arrivant ici. Et que la paix soit avec toi ! »

Puis il plia le papier et rendit le calame à son propriétaire, en le remerciant beaucoup. Et il demanda où était la maison de Giafar. Et quand on la lui eut indiquée, il s'arrêta et se tint debout devant la porte à quelque distance. Et les gardiens de la porte le virent ainsi, debout et ne prononçant pas une parole. Et eux, non plus, ne lui parlèrent pas. Et comme il commençait à se sentir fort embarrassé de cette situation, un eunuque vêtu d'une robe magnifique et ceinturé d'or, passa près de lui. Et Attaf alla à lui et lui baisa la main et lui dit : « Ô mon seigneur, l'Envoyé d'Allah (sur Lui la prière et la paix !) a dit : « L'intermédiaire d'une bonne action est comme celui qui fait la bonne action, et celui qui la fait appartient aux bienheureux d'Allah dans le ciel. » Et l'eunuque demanda : « Et de quoi as-tu besoin ? » Il dit : « Je désire de la bonté que tu portes ce papier au maître de cette maison, en lui disant : « Ton frère Attaf est à la porte. »

Quand l'eunuque eut entendu ces paroles, il entra dans une grande colère, et ses yeux lui sortirent de la tête et il cria : « Ô effronté menteur ! Ainsi tu prétends être le frère du vizir Giafar ? » Et, de sa main qui tenait un bâton à bout d'or, il frappa Attaf au visage. Et le sang d'Attaf jaillit de son visage, et il tomba de tout son long par terre, car sa fatigue, sa faim et ses larmes l'avaient extrêmement affaibli. Mais, comme il est dit dans le Livre : « Allah a placé l'instinct de la bonté dans le cœur de certains esclaves, de même qu'il a mis l'instinct de la méchanceté dans celui de certains autres. » C'est pourquoi un second eunuque, qui voyait de loin ce qui se passait, s'approcha du premier, plein de colère et d'indignation contre ce qu'il venait de faire, et de pitié pour Attaf. Et le premier eunuque lui dit : « N'as-tu pas entendu qu'il prétendait être le frère du vizir Giafar ? » Et le second eunuque lui répondit : « Ô homme de la méchanceté, fils de la méchanceté, esclave de la méchanceté ! Ô maudit ! Ô cochon ! Giafar est-il donc un de nos prophètes ? N'est-il pas un chien de la terre comme nous autres ? Tous les hommes ne sont-ils pas frères, ayant pour père et pour mère Adam et Ève, et le poète n'a-t-il pas dit :

« Les hommes, par comparaison, sont tous frères. Leur père est Adam, et leur mère est Ève. »

« Et la différence n'existe-t-elle pas seulement dans le plus ou moins de bonté des cœurs ? »

Et, ayant ainsi parlé, il se pencha sur Attaf et le releva et le fit asseoir, et essuya le sang qui coulait sur sa face, et le lava et secoua la poussière de ses vêtements, et lui demanda : « Ô mon frère ! quelle est la chose que tu désires ? » Et Attaf répondit : « Je désire seulement que ce papier soit porté à Giafar et remis entre ses mains. » Et le serviteur au cœur compatissant prit le papier des mains d'Attaf, et il entra dans la salle où se tenait le grand vizir Giafar le Barmécide, au milieu de ses officiers, de ses parents et de ses amis, assis les uns à sa droite et les autres à sa gauche. Et tous buvaient et récitaient des vers, et se réjouissaient de la musique des luths et des chants délicieux. Et Giafar le vizir, la coupe en main, disait à ceux qui l'entouraient : « Ô vous tous qui êtes assemblés, l'absence des yeux n'empêche pas la présence dans le cœur. Et rien ne peut me retenir de penser à mon frère Attaf et de parler de lui. C'est l'homme le plus magnifique de son temps et de son âge. Il m'a fait présent de chevaux, de jeunes esclaves blancs et noirs, de jeunes filles, et de belles étoffes, et de choses somptueuses, en assez grande quantité pour constituer la dot et le douaire de mon épouse. Et s'il n'eût pas agi de la sorte, j'eusse été certainement abîmé et perdu sans recours. Il a été mon bienfaiteur, sans savoir qui j'étais, et généreux sans aucune pensée de profit ou d'intérêt ! »

Lorsque l'excellent serviteur eut entendu ces paroles de son maître, il se réjouit en son âme, et s'avança et pencha son cou et sa tête devant lui, et lui présenta le papier. Et Giafar le prit et, l'ayant lu, il fut dans un tel état de bouleversement qu'il parut comme un homme qui aurait bu du poison. Et il ne sut plus ce qu'il faisait ni ce qu'il disait. Et il tomba de toute sa hauteur sur le visage, en tenant encore à la main la coupe de cristal et le papier. Et la coupe se brisa en mille morceaux, et le blessa au front, profondément. Et son sang coula, et le papier s'échappa de sa main.

Lorsque le serviteur vit cela, il se hâta de livrer ses jambes au vent, à cause de sa peur des conséquences. Et les amis du vizir Giafar relevèrent leur maître et étanchèrent son sang. Et ils s'écrièrent : « Il n'y a de recours et de force qu'en Allah le Très-Haut, le Tout-Puissant ! Ces maudits serviteurs sont toujours affligés du même caractère : ils troublent la vie des rois dans leurs plaisirs, et les arrêtent dans leur bonne humeur. Par Allah ! celui qui a écrit ce papier mérite tout simplement d'être traîné chez le wali qui lui appliquerait cinq cents coups de bâton et le jetterait en prison. »

Et, en conséquence, les esclaves du vizir sortirent à la recherche de celui qui avait écrit le papier. Et Attaf prévint toutes les recherches, en disant : « C'est moi, ô mes maîtres ! » Et ils se saisirent de lui et le traînèrent devant le wali, et réclamèrent pour lui cinq cents coups de bâton. Et le wali les lui accorda. Et, en outre, il fit écrire sur ses chaînes de la prison : « Pour la vie ! » Ainsi firent-ils à Attaf le Généreux ! Et ils le jetèrent de nouveau dans le cachot, où il demeura encore deux mois, et où ses traces furent perdues et effacées.

Et, au bout de ces deux mois, un enfant naquit à l'émir des Croyants Haroun Al-Rachid qui, à cette occasion, ordonna que des aumônes fussent distribuées, et que des largesses fussent faites à tout le monde, et que les prisonniers fussent délivrés des prisons et des cachots. Et parmi ceux qui furent ainsi relâchés se trouva Attaf le Généreux.

Lorsque Attaf se vit délivré de la geôle, affaibli, affamé, délabré et nu, il leva ses regards vers le ciel et s'écria : « Grâces te soient rendues, Seigneur, en toute circonstance ! » Et il sanglota et dit : « J'ai souffert tout cela à cause, sans doute, de quelque faute commise par moi dans le passé, car Allah m'a favorisé de Ses meilleurs bienfaits, et je Lui ai répondu par la désobéissance et la révolte. Mais je Le supplie de me pardonner, vu que j'ai été trop loin dans la débauche et dans mon abominable conduite ! » Puis il récita ces vers :

« Ô Dieu ! l'adorateur fait ce qu'il ne devrait pas faire ; il est pauvre et dépend de toi.

Dans les plaisirs de la vie, il s'oublie ; dans son ignorance, pardonne-lui ses fautes ! »

Et il versa encore quelques pleurs et se dit en lui-même : « Que vais-je faire maintenant ? Si je pars pour mon pays, faible comme je suis, je mourrai avant d'y arriver ; et si j'y arrive, pour ma chance, il n'y aura aucune sécurité pour ma vie à cause du naïeb ; et si je reste ici, parmi les mendiants, mendiant moi-même, aucun d'eux ne m'admettra dans la corporation, vu que personne ne me connaît ; et je ne serai pour moi-même d'aucune aide ni d'aucune utilité. C'est pourquoi je vais laisser le soin de ma destinée au Maître des destinées...

À ce moment de sa narration, Schahrazade vit apparaître le matin et, discrète, se tut.

Mais lorsque fut la neuf cent troisième nuit. Elle dit :

... C'est pourquoi je vais laisser le soin de ma destinée au Maître des destinées. Voici que tout s'est tourné contre moi, et tout a été contraire à mon attente. Et le poète était dans le vrai, quand il disait :

« Ô ami ! j'ai couru à travers le monde, de l'Orient à l'Occident. Tout ce que j'ai rencontré, c'est la peine et la fatigue.

J'ai fréquenté les hommes du temps. Mais je n'ai trouvé ni un ami agréable ni mon égal. »

Et, de nouveau, il pleura et s'écria : « Ô Dieu ! donne-moi la vertu de patience ! » Après quoi, il se leva et se dirigea vers une mosquée, où il entra. Et il y demeura jusqu'à l'après-midi. Et sa faim ne fit qu'augmenter, et il dit : « Par Ta magnanimité et Ta majesté, Seigneur, je jure que je ne demanderai rien à personne d'autre qu'à Toi. » Et il demeura dans la mosquée, sans tendre la main à aucun Croyant, jusqu'à la tombée de la nuit. Et alors il sortit, en disant : « Je connais la parole du Prophète – sur Lui la bénédiction et la paix d'Allah ! – qui dit : « Allah te laissera dormir dans le sanctuaire, mais, toi, laisse-le à Ses adorateurs, car le sanctuaire est pour la prière et non pour le sommeil. » Et il marcha quelque temps dans les rues, et finit par arriver à une bâtisse en ruine, où il entra pour passer la nuit et dormir. Et, dans l'obscurité, il trébucha et tomba sur le visage. Et il sentit qu'il était tombé sur l'obstacle même qui l'avait fait trébucher. Et il vit que c'était un cadavre d'homme fraîchement assassiné. Et le couteau de l'assassinat était à ses côtés, sur le sol.

Et Attaf, à cette découverte, se releva vivement, avec ses haillons couverts de sang. Et il resta là, immobile, perplexe, et ne sachant quel parti prendre, en se disant : « Faut-il rester ou faut-il fuir ? » Et, pendant qu'il était dans cette situation, le wali et ses hommes de police vinrent à passer devant l'entrée de la ruine, et Attaf leur cria : « Venez voir ici ! » Et ils entrèrent avec leurs torches et trouvèrent le corps de l'assassiné, et le couteau à ses côtés, et le malheureux Attaf debout à la tête du cadavre, avec ses haillons tachés de sang. Et ils lui crièrent : « Ô misérable, c'est toi qui l'as tué ! » Et Attaf ne fit aucune réponse. Alors ils se saisirent de lui, et le wali dit : « Garrottez-le, et jetez-le dans le cachot, jusqu'à ce que nous ayons fait notre rapport de l'affaire au grand vizir Giafar. Et si Giafar ordonne sa mort, nous l'exécuterons. » Et ils firent comme ils avaient dit.

En effet, le lendemain, l'homme chargé des écritures, écrivit à Giafar un rapport ainsi conçu : « Nous entrâmes dans une ruine et nous y rencontrâmes un homme qui en avait tué un autre. Et nous l'interrogeâmes, et il avoua, par son silence, qu'il était l'auteur de l'assassinat. Quels sont donc tes ordres ? » Et le vizir leur ordonna de le livrer à la mort. Et, en conséquence, ils tirèrent Attaf de la prison, le traînèrent à la place où se faisaient les pendaisons et les exécutions de têtes, déchirèrent un lambeau de ses haillons et lui en bandèrent les yeux. Et ils le livrèrent au porte-glaive. Et le porte-glaive demanda au wali : « Vais-je, ô mon seigneur, lui trancher le cou ? » Et le wali répondit : « Tranche ! » Et le porte-glaive brandit sa lame aiguisée, qui brilla et lança des étincelles dans l'air ; et il la fit tournoyer, et déjà il la ramenait en avant pour faire sauter la tête, quand un cri se fit entendre derrière lui : « Arrête ta main ! » Et c'était la voix du grand vizir Giafar qui revenait de la promenade.

Et le wali alla au-devant de lui, et baisa la terre entre ses mains. Et Giafar lui demanda : « Pourquoi ce grand rassemblement ici ? » Et le wali répondit : « C'est pour l'exécution d'un jeune homme de Damas, celui que nous avons trouvé hier dans la ruine, et qui, à toutes nos questions, trois fois répétées, a répondu par le silence, au sujet de l'homme de sang noble, l'assassiné. » Et Giafar dit : « Oh ! un homme est venu de Damas jusqu'ici pour se mettre dans une si mauvaise situation ? Ouallahi, ce n'est pas une chose possible ! » Et il ordonna qu'on amenât l'homme en sa présence. Et lorsque l'homme fut entre ses mains, Giafar ne le reconnut pas, car la physionomie d'Attaf avait changé, et sa belle mine et son beau maintien s'étaient évanouis. Et Giafar lui demanda : « De quel pays es-tu, ô jeune homme ? » Et il répondit : « Je suis un homme de Damas ! » Et Giafar demanda : « De la ville même ou des villages environnants ? » Et Attaf répondit : « Ouallahi ! ô mon seigneur, de la cité même de Damas, où je suis né. » Et Giafar demanda : « N'aurais-tu pas connu là, par hasard, un homme réputé pour sa générosité et sa largeur de paume, qui s'appelait Attaf ? » Et le condamné à mort répondit : « Je l'ai connu, lorsque tu étais son ami et que tu demeurais chez lui, dans telle maison, telle rue, tel quartier, ô mon maître, quand vous alliez tous deux vous promener ensemble dans les jardins ! Je l'ai connu lorsque tu t'es marié avec sa cousine-épouse ! Je l'ai connu lorsque vous vous êtes fait vos adieux sur le chemin de Bagdad, et lorsque vous avez bu dans la même coupe ! » Et Giafar répondit : « Oui ! tout ce que tu dis là au sujet d'Attaf est vrai ! Mais qu'est-il devenu après qu'il m'eut quitté ? » Et il répondit : « Ô mon maître, il a été poursuivi par la destinée ; et il lui est arrivé telle et telle et telle chose ! » Et lui fit le récit de tout ce qui lui était arrivé depuis le jour de leur séparation, sur le chemin qui conduisait à Bagdad, jusqu'au moment où le porte-glaive allait lui trancher le cou. Et il récita ces vers :

« Le temps a fait de moi sa victime, et toi, tu vis dans la gloire. Les loups cherchent à me dévorer, et toi, le lion, tu es là !

Chaque assoiffé qui vient, sa soif est étanchée par toi. Est-il possible que j'ai soif, tandis que tu es toujours notre refuge ? »

Et lorsqu'il eut récité ces vers, il cria : « Ô mon seigneur Giafar, je te reconnais ! » Et il cria encore : « Je suis Attaf ! » Et Giafar, de son côté, se leva sur ses deux pieds, en poussant un grand cri, et se précipita dans les bras d'Attaf. Et si grande fut leur émotion, qu'ils restèrent sans connaissance pendant quelques instants. Et lorsqu'ils furent revenus à eux, ils s'embrassèrent et s'interrogèrent mutuellement sur ce qui leur était arrivé, depuis le commencement jusqu'à la fin. Et ils n'avaient pas encore fini de se faire leurs confidences, quand un grand cri se fit entendre ; et on se retourna et on vit qu'il avait été poussé par un cheikh, qui s'avançait en disant : « Ce n'est point humain, ce qui se passe là ! » Et on le regarda, et on vit que ce cheikh était un vieillard avec une barbe teinte au henné, et la tête couverte d'un mouchoir bleu. Et Giafar, l'ayant vu, le fit s'avancer et l'interrogea sur son affaire. Et le cheikh à la barbe teinte s'écria : « Éloignez, ô hommes, l'innocent de dessous le glaive ! Car le crime n'est pas son crime, et il n'a tué personne ; et le cadavre du jeune homme assassiné n'est pas son fait, et il n'y est pour rien ! Car le seul meurtrier c'est moi-même ! » Et Giafar le vizir lui dit : « Alors, c'est toi qui l'as tué ? » Il répondit : « Oui ! » Il demanda : « Et pourquoi l'as-tu tué ? N'as-tu donc point la crainte d'Allah dans ton cœur, pour tuer de la sorte un fils de sang noble, un Haschimite ? » Et le cheikh répondit : « Ce jeune homme, que vous avez trouvé mort, était ma propriété, et je l'avais moi-même élevé. Et tous les jours il prenait de moi de l'argent pour ses dépenses. Mais au lieu de m'être fidèle, il allait s'amuser tantôt avec le nommé Schoumouschag, et tantôt avec le nommé Nagisch, et avec Ghasis, et avec Ghoubar, et avec Ghouschir, et avec bien d'autres crapules ; et il passait ses journées avec eux, me délaissant. Et tous se vantaient de l'avoir eu, à ma barbe, même Odis le balayeur d'ordures, et Abou-Boutrân le savetier.

Et ma jalousie ne faisait qu'augmenter tous les jours. Et j'avais beau le prêcher, et j'avais beau tenter de le dissuader d'agir de la sorte, il n'acceptait aucun conseil ni aucune réprimande ; quand enfin, tel soir, je le surpris avec le nommé Schoumouschag le tripier ; et, à cette vue, le monde noircit devant mon visage, et, dans la ruine même où je le surpris, je le tuai ! Et je me délivrai ainsi de tous les tourments qu'il m'occasionnait. Et telle est mon histoire ! »

Puis il ajouta : « Et j'ai gardé le silence jusqu'aujourd'hui. Mais, en apprenant qu'on allait exécuter l'innocent à la place du coupable, je n'ai pu taire mon secret, et je suis venu ici pour tirer l'innocent de dessous le glaive. Et me voici devant vous : frappez ma nuque, et prenez vie pour vie ! Mais délivrez d'abord ce jeune homme innocent, qui n'est pour rien dans cette affaire ! » Et Giafar, en entendant ces paroles du cheikh, réfléchit un instant, et dit : « Le cas est douteux ! Et, dans le doute, il n'y a qu'à éloigner la main ! Ô cheikh, va dans la paix d'Allah, et qu'il te soit pardonné ! » Et il le renvoya.

Après quoi il prit Attaf par la main, et le serra de nouveau contre sa poitrine, et le conduisit au hammam. Et après que le délabré Attaf eut été rafraîchi et restauré, il alla avec lui au palais du khalifat. Et il entra chez le khalifat et embrassa la terre entre ses mains, et dit : « Attaf le Généreux est là, ô émir des Croyants ! C'est lui qui a été mon hôte à Damas, qui m'a traité avec tant d'égards, de bonté et de générosité, et qui m'a préféré à sa propre âme ! » Et Al-Rachid dit : « Amène-le-moi immédiatement ! » Et Giafar l'introduisit, tel qu'il était, affaibli, exténué et tremblant encore d'émotion. Et Attaf, toutefois, ne manqua pas de rendre ses hommages au khalifat, de la meilleure manière et avec le langage le plus éloquent. Et Al-Rachid soupira, en le voyant, et lui dit : « En quel état je te vois, ô pauvre ! » Et Attaf pleura ; et, sur l'invitation d'Al-Rachid, il raconta toute son histoire depuis le commencement jusqu'à la fin. Et, pendant qu'il la racontait, Al-Rachid pleurait et souffrait, ainsi que Giafar le désolé.

Et voici que, sur ces entrefaites, entra le cheikh à la barbe teinte, qui avait été gracié par Giafar. Et le khalifat, à sa vue, se mit à rire. Puis il pria Attaf le Généreux de s'asseoir, et lui fit répéter son histoire. Et lorsque Attaf eut fini de parler, le khalifat regarda Giafar et lui dit : « Raconte-moi, ô Giafar, ce que tu comptes faire pour ton frère Attaf ! » Et il répondit : « D'abord mon sang lui appartient, et je suis son esclave. Ensuite je tiens prêts, à son intention, des coffres contenant trois millions de dinars d'or, et, pour autant de millions, des chevaux de race, des jeunes garçons, des esclaves noirs et blancs, des jeunes filles de tous les pays, et toutes sortes de somptuosités. Et il restera avec nous, afin que nous nous réjouissions de lui. » Et il ajouta : « Quant à ce qui est de sa cousine-épouse, c'est là une chose entre moi et lui ! »

Et le khalifat comprit que le moment était venu de laisser ensemble les deux amis ; et il leur permit de sortir. Et Giafar conduisit Attaf à sa maison, et lui dit : « Ô mon frère Attaf, sache que la fille de ton oncle, qui t'aime, est intacte, et que je n'ai pas vu son visage à découvert, depuis le jour de notre séparation…

À ce moment de sa narration, Schahrazade vit apparaître le matin et, discrète, se tut.

Mais lorsque fut la neuf cent quatrième nuit. Elle dit :

… Ô mon frère Attaf, sache que la fille de ton oncle, qui t'aime, est intacte, et que je n'ai pas vu son visage à découvert, depuis le jour de notre séparation. Et voici que je me suis délié vis-à-vis d'elle, et que j'ai divorcé à ton intention ; et j'ai annulé notre contrat. Et je te rends, dans le même état où il était, le précieux dépôt que tu as mis entre mes mains. » Et il en fut ainsi. Et Attaf et sa cousine se retrouvèrent, dans la même tendresse et la même affection.

Mais pour ce qui est du naïeb de Damas, qui avait été l'auteur de toutes les souffrances d'Attaf, le khalifat envoya des émissaires qui le mirent en état d'arrestation, et l'entourèrent de chaînes, et le jetèrent dans le cachot. Et il resta là jusqu'à nouvel ordre.

Et Attaf passa à Bagdad plusieurs mois dans le parfait bonheur, à côté de sa cousine, et à côté de Giafar, son ami, et dans l'intimité d'Al-Rachid. Et il eût bien voulu passer toute sa vie à Bagdad, mais de nombreuses lettres lui arrivèrent de Damas, de la part de ses parents et de ses amis, qui le suppliaient de revenir dans son pays, et il pensa qu'il était de son devoir de le faire. Et il alla demander le bon plaisir du khalifat, qui lui accorda l'autorisation, non sans regrets et soupirs amicaux. Et il ne voulut pas, toutefois, le laisser partir sans lui donner des marques durables de sa bienveillance. Il le nomma donc wali de Damas, et lui donna tous les insignes de sa charge. Et il le fit accompagner par une escorte de cavaliers, de mulets, de chameaux, avec des charges de cadeaux magnifiques. Et ainsi il fut escorté jusqu'à Damas.

Et toute la ville de Damas fut illuminée et pavoisée, à l'occasion du retour d'Attaf, le plus généreux des enfants de la cité. Car Attaf était aimé et respecté par toutes les classes du peuple, et surtout par les pauvres qui avaient toujours pleuré son absence.

Mais pour le naïeb, un second décret du khalifat arriva à son intention, qui le condamnait à mort, à cause de ses injustices. Mais le généreux Attaf intercéda en sa faveur auprès d'Al-Rachid, qui se contenta alors de commuer la peine de mort en bannissement à vie.

Quant à ce qui est du livre magique, où le khalifat avait lu des choses qui l'avaient fait rire et pleurer, il n'en fut plus question. Car Al-Rachid, tout à la joie de revoir son vizir Giafar, ne se souvint plus des choses du passé. Et Giafar qui, de son côté, n'avait point réussi à deviner ce que contenait ce livre ni à trouver l'homme capable de le deviner, se garda bien d'amener la conversation sur ce sujet. Et d'ailleurs il n'y a aucune utilité à le savoir, puisque, depuis lors, tous vécurent dans le bonheur et la tranquillité et l'amitié sans mélange, et tous les plaisirs de la vie, jusqu'à l'arrivée de la Destructrice des joies et de la Bâtisseuse des tombeaux, celle qui est commandée par le Maître des destinées, le Seul Vivant, le Miséricordieux pour Ses Croyants.

Et tel est, ô Roi fortuné, continua Schahrazade, ce que nous ont transmis les conteurs sur Attaf le Généreux, qui habitait à Damas. Mais son histoire ne peut être comparée, de près ou de loin, à celle que je me réserve de te raconter, si mes paroles n'ont point pesé sur ton esprit. » Et Schahriar répondit : « Que dis-tu, ô Schahrazade ? Cette histoire m'a instruit et m'a fait réfléchir. Et me voici disposé à t'écouter, comme au premier jour. » Alors Schahrazade dit...

HISTOIRE SPLENDIDE DU PRINCE DIAMANT

Et Schahrazade dit :

Il est raconté dans les livres des gens parfaits, les savants et les poètes qui ont ouvert le palais de leur intelligence à ceux qui tâtonnent dans la pauvreté, – louanges multiples et choisies à Celui qui, sur la terre, a doué d'excellence quelques-uns d'entre les hommes, de même qu'Il a placé au firmament le soleil, lucarne de la maison de Sa gloire, et, sur le bord du ciel, l'aurore, flambeau de la salle nocturne de Sa beauté ; qui a vêtu les cieux d'un manteau de satin humide, et la terre d'un manteau de verdure brillante ; qui a orné les jardins de leurs arbres, et les arbres de leurs habits verts ; qui a donné aux altérés les sources aux belles eaux, aux gens ivres l'ombre des vignes, aux femmes la beauté, au printemps les roses, aux roses le sourire, et, pour célébrer les roses, la gorge chantante du rossignol ; qui a mis la femme sous les yeux de l'homme, et le désir dans le cœur de l'homme, joyau au milieu de la pierre ! – il est donc raconté qu'il y avait dans un royaume d'entre les grands royaumes, un roi magnifique, dont chaque pas était une félicité, dont les esclaves étaient la fortune et le bonheur, et qui dépassait Khosroès-Anouschirwân pour la justice et Hatim-Taï pour la générosité.

Et ce roi au front serein s'appelait Schams-Schah, et avait un fils de manières exquises et de charmes enchanteurs, semblable, pour la beauté, à l'étoile Canopée quand elle brille sur la mer.

Et ce jouvenceau princier, qui s'appelait Diamant, vint un jour trouver son père, et lui dit : « Ô mon père, mon âme aujourd'hui est triste de vivre dans la ville, et désire que j'aille à la chasse et à la promenade, pour nous récréer. Sinon, dans mon ennui, je déchirerai mes vêtements jusqu'au bord. »

Lorsque le roi Schams-Schah eut entendu ces paroles de son fils, il se hâta, à cause de son grand amour pour lui, de donner les ordres nécessaires pour la chasse et la promenade en question. Et les directeurs des chasses et les oiseleurs préparèrent les faucons, et les palefreniers sellèrent les chevaux de montagne. Et le prince Diamant se mit à la tête d'une brillante troupe de jeunes gens de forte complexion, et se dirigea avec eux vers les lieux où il désirait chasser, pour dissiper son ennui.

Et, chevauchant dans le tumulte héroïque, il finit par arriver au pied d'une montagne qui s'unissait au ciel par son sommet. Et, au pied de cette montagne, il y avait un grand arbre ; et au pied de cet arbre, coulait une source ; et à cette source buvait un daim, la tête penchée vers l'eau. Et Diamant, ravi à cette vue, commanda à ses gens d'arrêter leurs chevaux, et de le laisser aller seul à la poursuite et à la capture de cette proie. Et il s'élança, de tout le feu de son coursier, sur le bel animal sauvage...

À ce moment de sa narration, Schahrazade vit apparaître le matin et, discrète, se tut.

Mais lorsque fut la neuf cent cinquième nuit. Elle dit :

... Et il s'élança de tout le feu de son coursier sur le bel animal sauvage, qui, comprenant que sa vie était attachée à l'instant, fit un grand bond, et, par un détour rapide, se trouva hors d'atteinte sur ses quatre jambes, anéantissant sous ses pas la distance, dans la plaine. Et Diamant, livré au vent de la course, suivit le daim dans le désert, loin de sa troupe armée. Et il continua la poursuite, par sables et par pierres, jusqu'à ce que le cheval, tout en écume et sans haleine, laissât pendre une langue desséchée, dans ce désert où ne se trouvait ni la trace ni l'odeur d'un fils d'Adam et où, pour toute présence, il n'y avait que celle de l'Invisible.

Or, à ce moment, il était arrivé en face d'une colline sablonneuse qui barrait la vue, et derrière laquelle le daim avait disparu. Et le désespéré Diamant monta sur cette colline, et arrivé sur l'autre versant, il vit soudain un spectacle différent se dérouler à ses regards. Car, au lieu de l'aridité sans merci du désert, une oasis rafraîchissante vivait là d'une vie de verdure, entrecoupée par les ruisseaux, et ornée par des espaces naturels de fleurs rouges et de fleurs blanches semblables au crépuscule du soir et au crépuscule du matin. Et Diamant sentit son âme s'épanouir et son cœur se dilater, tout comme s'il eût été dans le jardin dont Rizwân est le gardien ailé.

Lorsque le prince Diamant eut contemplé l'œuvre admirable de son Créateur, et fait boire son cheval et bu lui-même de la délicieuse eau de l'oasis, dans le creux de sa main, il se releva et fit circuler ses regards, pour juger des choses par leurs détails. Et voici qu'à l'abri d'un très vieil arbre, dont les racines devaient plonger jusqu'aux portes intérieures de la terre, il vit un trône solitaire. Et sur ce trône était assis un vieux roi, la tête couronnée de la couronne royale et les pieds nus, qui réfléchissait. Et Diamant, respectueux, l'aborda par le salam. Et le vieux roi lui rendit son salam, et lui dit : « Ô fils des rois, pour quel motif as-tu traversé le désert féroce où l'oiseau même ne peut agiter ses ailes, et où le sang des bêtes de proie se change en fiel ? » Et Diamant lui raconta son aventure, et ajouta : « Mais toi, ô vénérable roi, peux-tu me dire le motif de ton séjour dans ce site entouré par la désolation ? Car ton histoire doit être une étrange histoire ? » Et le vieux roi répondit : « Certes, mon histoire est étrange et prodigieuse ! Mais elle l'est tellement qu'il vaut mieux que tu renonces à en entendre le récit de ma bouche. Sinon, elle serait pour toi un motif de larmes et de calamités. » Mais le prince Diamant dit : « Tu peux parler, ô vénérable, car je suis nourri du lait de ma mère, et suis le fils de mon père. » Et il insista beaucoup pour le décider à lui faire le récit qu'il souhaitait entendre.

Alors le vieux roi, qui était assis sur le trône, au-dessous de l'arbre, dit : « Écoute donc les paroles qui vont sortir de la coquille de mon cœur. Recueille-les et mets-les dans le pan de ta robe. » Et il baissa la tête un instant, puis la releva, et parla ainsi : « Sache donc, ô toi l'adolescent, qu'avant mon arrivée dans cet îlot au milieu du désert, je régnais sur les terres de Babyl, au milieu de mes richesses, de ma cour, de mes armées et de ma gloire. Et Allah Très-Haut – qu'Il soit exalté ! – m'avait octroyé, pour postérité, sept enfants royaux qui bénissaient leur créateur, et étaient la joie de mon cœur. Et tout, dans mon empire, se passait dans la paix et la prospérité, lorsqu'un jour mon fils aîné apprit de la bouche d'un caravanier que, dans les contrées lointaines de Sînn et de Masînn, il y avait une princesse, fille du roi Qâmous fils de Tammouz, qui s'appelait Mohra, et n'avait pas sa pareille dans le monde ; que la perfection de sa beauté noircissait le visage de la nouvelle lune ; et que Joseph et Zuleikha avaient, devant elle, l'oreille percée par la boucle de l'esclave. En un mot elle était modelée suivant ces vers du poète :

« C'est une beauté voleuse des cœurs, splendide de tous côtés.

Les boucles de ses cheveux sont le nard du jardin de l'excellence, et sa joue est la rose épanouie ;

Ses lèvres tiennent à la fois du rubis et du sucre candi ;

Ses dents sont d'une pureté étonnante, et dans la colère même elles sourient.

C'est une beauté voleuse des cœurs, splendide de tous côtés.

« Et le caravanier apprit également à mon fils aîné que ce roi Qâmous n'avait point d'autre enfant que cette bienheureuse. Et ce rejeton charmant du jardin de la beauté étant arrivé au printemps de sa poussée, et les abeilles commençant à se grouper auprès de son corps fleuri, il devint urgent, selon la coutume, de réunir de toutes les contrées, pour qu'un époux fût choisi, les jeunes princes en âge de demander et d'être agréés. Mais il fut établi, pour toute condition, que les prétendants devaient répondre à une question que leur poserait la princesse, et qui consistait simplement en ces mots : « *Quels sont les rapports entre Pomme de Pin et Cyprès ?* » Et c'était là tout ce qu'on réclamait du prétendant en guise de douaire pour la princesse, mais avec cette clause que quiconque ne pourrait répondre pertinemment à la question devait avoir la tête coupée et accrochée au pinacle du palais.

« Or, lorsque mon fils aîné eut appris ces détails de la bouche du caravanier, son cœur brûla comme de la viande grillée ; et il vint à moi, versant des pleurs comme un nuage de tempête. Et, gémissant, il me demanda la permission du départ, pour s'en aller essayer d'obtenir la princesse des pays de Sînn et de Masînn. Et moi, effrayé à l'extrême de cette entreprise de folie, j'eus beau tenter de remédier à un tel état, l'avis de la médecine fut sans action sur la véhémence du mal d'amour. Et je dis alors à mon fils : « Ô lumière de mes yeux, si tu ne peux, sans mourir de tristesse, t'empêcher d'aller vers les contrées de Sînn et de Masînn, où règne le roi Qâmous fils de Tammouz, père de la princesse Mohra, je t'y accompagnerai à la tête de mes armées. Et si le roi Qâmous consent de bonne grâce à m'accorder sa fille à ton intention, tout est bien ; sinon, par Allah ! je ferai crouler sur sa tête les décombres de son palais, et je jetterai au vent son royaume. Et la jeune fille deviendra de la sorte ta captive et ta propriété. » Mais mon fils aîné ne sembla point trouver ce projet à son gré, et me répondit : « Il n'est pas de notre dignité, ô notre père, de prendre par la force ce qui ne nous est pas accordé par la persuasion. Il faut donc que j'aille moi-même donner la réponse exigée, et conquérir ainsi la fille du roi. »

« Alors moi je compris mieux que jamais que nulle créature ne peut effacer l'écrit du destin, ni même un caractère des mots qu'a tracé, dans le livre des destinées, le scribe ailé. Et voyant que la chose était ainsi décrétée dans le sort de mon enfant, je lui accordai, non sans beaucoup de soupirs, la permission du départ. Et, en conséquence, il prit congé de moi et s'en alla à la recherche de sa destinée. Et il arriva dans les contrées profondes où régnait le roi Qâmous, et se présenta au palais où résidait la princesse Mohra, et ne put répondre à la question dont je t'ai parlé, ô étranger. Et la princesse lui fit trancher la tête sans pitié, et la fit accrocher au pinacle de son palais. Et moi, à cette nouvelle, je pleurai toutes les larmes du désespoir. Et, vêtu d'habits de deuil, je restai enfermé avec ma douleur pendant quarante jours. Et mes intimes couvrirent leur tête de poussière. Et nous déchirâmes le vêtement de la patience. Et tout le palais retentit des cris de deuil et d'un bruit pareil à celui de la résurrection.

« Alors mon second fils, de sa propre main, appliqua sur mon cœur la seconde blessure du chagrin, en avalant, comme son frère, la boisson de la mort. Car, comme son aîné, il avait voulu tenter l'entreprise. Puis ce fut au tour des cinq autres enfants, qui, de la même manière, se mirent en route vers le chemin du trépas, et périrent martyrs du sentiment de l'amour. Et moi, mordu inguérissablement par le destin noir, et abattu par une douleur sans espoir, j'abandonnai la royauté et mon pays, et je sortis errant sur la voie de la fatalité. Et je traversai, comme le somnambule, les plaines et les déserts. Et j'arrivai, comme tu me vois, la couronne sur la tête et les pieds nus, à l'angle où je suis, attendant la mort sur ce trône. »

Lorsque le prince Diamant eut entendu ce récit du vieux roi, il fut blessé par la flèche du sentiment meurtrier, et il poussa des soupirs d'amour qui jetèrent des étincelles. Car, comme dit le poète :

« L'amour s'est insinué en moi par l'oreille seulement, sans que j'en aie vu l'objet ;

Et j'ignore ce qui s'est passé entre l'amie inconnue et mon cœur. »

Et voilà pour l'ancien roi de Babyl, assis sur le trône, dans l'oasis, et pour ce qui est de sa douloureuse histoire ! Quant aux compagnons de chasse de Diamant, ils furent très inquiets de la disparition du prince, et, au bout d'un certain temps, malgré l'ordre qu'il leur avait donné de ne pas le suivre, ils se mirent à sa recherche, et finirent par le trouver qui sortait de l'oasis. Et il avait la tête tristement penchée sur sa poitrine, et le visage atteint de pâleur. Et ils l'entourèrent, comme les papillons la rose, et lui présentèrent un cheval de rechange, rapide de course, un zéphyr pour la légèreté, qui allait plus vite que l'imagination. Et Diamant confia son premier cheval aux gens de sa suite, et monta celui qu'on lui présentait, qui avait une selle dorée, et une bride enrichie de perles. Et ils arrivèrent tous, sans encombre, au palais du roi Schams-Schah, père de Diamant.

Et le roi, au lieu de retrouver son fils avec un visage épanoui et un cœur dilaté à la suite de cette promenade et de cette chasse, le vit bien altéré quant à son teint, et plongé dans quelque océan de chagrin noir. Car l'amour avait pénétré jusqu'à ses os, l'avait rendu faible et sans force, et consumait présentement son cœur et son foie…

À ce moment de sa narration, Schahrazade vit apparaître le matin et, discrète, se tut.

Mais lorsque fut la neuf cent sixième nuit. Elle dit :

… Car l'amour avait pénétré jusqu'à ses os, l'avait rendu faible et sans énergie, et consumait présentement son cœur et son foie.

Et le roi, à force de supplications et de prières, finit par décider son fils à lui révéler la cause de son état douloureux. Et, le voile ayant été écarté de ce chemin caché, le roi embrassa son fils et le serra contre sa poitrine et lui dit : « Qu'à cela ne tienne ! rafraîchis tes yeux et calme ton âme chérie, car je vais envoyer mes ambassadeurs au roi Qâmous fils de Tammouz, qui règne sur les contrées de Sînn et de Masînn, avec une lettre de mon écriture, pour lui demander en mariage, à ton intention, sa fille Mohra. Et je lui ferai parvenir, sur les chameaux, des ballots de robes de prix, des joyaux de valeur, et des présents de toutes les couleurs, dignes des rois. Et si, pour le malheur de sa vie, le père de la princesse Mohra n'agrée pas notre demande et devient ainsi pour nous un capital d'humiliation et de chagrin, j'enverrai contre lui des armées de dévastation qui feront crouler son trône dans le sang et jetteront au vent sa couronne. Et de la sorte nous emmènerons honorablement la belle Mohra aux manières charmantes ! »

Ainsi parla, sur son trône doré, le roi Schams-Schah à son fils Diamant, devant les vizirs, les émirs et les ulémas, qui approuvèrent de la tête ces paroles royales. Mais le prince Diamant répondit : « Ô asile du monde, cela ne peut se faire ! mais plutôt j'irai moi-même, et je donnerai la réponse exigée. Et, par mon seul mérite, j'emmènerai la princesse miraculeuse. »

Et le roi Schams-Schah, ayant entendu cette réponse de son fils, se mit à pousser des gémissements douloureux, et dit : « Ô âme de ton père, j'ai conservé jusqu'ici, à cause de toi, la clarté de mes yeux et la vie de mon corps, car tu es l'unique consolation de mon vieux cœur, et le seul soutien de mon front. Comment donc peux-tu m'abandonner pour courir au-devant de la mort sans recours ? » Et il continua à lui parler de la sorte, pour attendrir son cœur. Mais ce fut en vain. Et, pour ne pas le voir mourir sous ses yeux de chagrin rentré, il fut bien obligé de le laisser libre de partir.

Et le prince Diamant monta sur un cheval beau comme un animal féerique, et prit le chemin qui conduisait au royaume de Qâmous. Et son père et sa mère et tous les siens se frottèrent les mains de désespoir, et furent plongés dans le puits sans fond de la désolation. Et le prince Diamant marcha d'étape en étape, et, grâce à la sécurité qui lui fut écrite, il finit par arriver à la capitale profonde du royaume de Qâmous. Et il se trouva en face d'un palais plus haut qu'une montagne. Et aux pinacles de ce palais étaient accrochées, par milliers, des têtes de princes et de rois, les unes avec leur couronne, et d'autres toutes nues et chevelues. Et, sur la place du meidân, étaient dressées les tentes en tissus d'or et de satin chinois, avec des portières en mousseline dorée.

Et, lorsqu'il eut contemplé tout cela, le prince Diamant remarqua que, sur la porte principale du palais, était suspendu un tambour enrichi de pierreries, ainsi que sa baguette. Et il était écrit en lettres d'or sur ce tambour : « Quiconque, de sang royal, désire voir la princesse Mohra, doit faire résonner ce tambour au moyen de cette baguette. » Et Diamant, sans hésiter, descendit de son cheval, et alla résolument vers la porte en question. Et il prit la baguette enrichie de pierreries et frappa le tambour avec une telle force que le son qu'il en tira fit trembler toute la ville.

Et aussitôt les gens du palais se présentèrent et conduisirent le prince auprès du roi Qâmous. Et le roi, à la vue de sa beauté, fut séduit en son âme et voulut le sauver de la mort. Et donc il lui dit : « Hélas sur ta jeunesse, ô mon fils ! Pourquoi veux-tu perdre la vie, comme tous ceux-là qui n'ont pu répondre à la demande de ma fille ? Renonce à cette entreprise, aie compassion de toi-même, et deviens mon chambellan. Car personne, si ce n'est Allah l'Omniscient, ne connaît les mystères, et ne peut expliquer les idées fantasques d'une jeune fille. » Et, comme le prince Diamant persistait dans son dessein, le roi Qâmous lui dit encore : « Écoute, ô mon fils ! C'est une grande douleur pour moi de voir s'exposer à cette mort sans gloire un adolescent si beau des contrées orientales. C'est pourquoi je te prie, avant d'affronter l'épreuve fatale, de réfléchir pendant trois jours et de revenir ensuite demander l'audience qui doit séparer ta gracieuse tête du royaume de ton corps. » Et il lui fit signe de se retirer.

Et le prince Diamant fut bien obligé de sortir ce jour-là du palais. Et, pour passer le temps, il se mit à errer à travers les souks et les boutiques, et trouva que les gens de ce pays de Sînn et de Masînn étaient pleins de tact et d'intelligence. Mais invinciblement il se sentit attiré vers la demeure où vivait celle dont l'influence l'avait attiré du fond de son pays comme l'aimant attire l'aiguille. Et il arriva devant le jardin du palais, et pensa que s'il parvenait à s'introduire dans ce jardin, il pourrait apercevoir la princesse et satisfaire son âme par la vue. Mais il ne savait comment s'y prendre pour entrer là-dedans sans être arrêté par les gardes des portes, quand il aperçut un canal dont l'eau se déchargeait dans le jardin, par-dessous la muraille. Et il se dit qu'il pourrait bien entrer dans le jardin avec l'eau. C'est pourquoi, plongeant soudain dans le canal, il entra de la sorte, sans difficulté, dans le jardin. Et il s'assit un instant, dans un endroit écarté, pour laisser sécher ses vêtements au soleil.

Alors il se leva et se mit à se promener à pas lents à travers les massifs. Et il admirait ce jardin verdoyant, que baignait l'eau des ruisseaux, où la terre était parée comme un riche dans un jour de fête ; où la rose blanche souriait à sa sœur la rose rouge ; où le langage des rossignols amoureux de leurs amantes, les roses, était touchant comme une belle musique sur des vers tendres ; où sur les lits de fleurs des parterres se manifestaient de multiples beautés ; où les gouttes de rosée, sur la pourpre des roses, étaient comme les larmes d'une jeune fille honnête qui a reçu un léger affront ; où, dans le verger, les oiseaux, ivres de joie, chantaient tous les chants de leur gosier, alors que, parmi les branches des cyprès droits sur le bord des eaux, les tourterelles, qui ont le cou orné du collier de l'obéissance, roucoulaient ; où, enfin, tout était si parfaitement beau que les jardins d'Irem ne pouvaient être en comparaison qu'un buisson d'épines.

Et, se promenant ainsi avec lenteur et précaution, le prince Diamant se trouva soudain à un tournant d'avenue, en face d'un bassin de marbre blanc, sur le bord duquel était étendu un tapis de soie. Et, sur ce tapis, était assise nonchalamment, comme une panthère au repos, une adolescente si belle que de son éclat tout le jardin brillait. Et l'odeur des boucles de ses cheveux était si pénétrante qu'elle allait jusqu'au ciel parfumer d'ambre le cerveau des houris.

Et le prince Diamant, à la vue de cette bienheureuse qu'il ne pouvait pas plus se lasser de regarder qu'un hydropique ne se lasse de boire l'eau de l'Euphrate, comprit qu'une telle beauté ne pouvait avoir été départie qu'à la seule Mohra, celle pour qui des milliers d'âmes se sacrifiaient comme les papillons à la flamme. Et voici que, pendant qu'il était dans l'extase et la contemplation, une jeune fille d'entre les suivantes de Mohra s'approcha de l'endroit où il était caché, et se disposa à remplir à l'eau du ruisseau une coupe d'or qu'elle tenait à la main. Et soudain la jeune fille poussa un cri d'effroi et laissa tomber dans l'eau sa coupe d'or. Et elle s'en retourna en courant, tremblante et la main sur le cœur, auprès de ses compagnes. Et celles-ci la conduisirent aussitôt à leur maîtresse Mohra, pour qu'elle s'expliquât sur le motif de son étourderie et de la chute de la coupe dans l'eau. Et la jeune fille, qui de son nom s'appelait Branche de Corail, ayant pu réprimer un peu les battements de son cœur, dit à la princesse : « Ô couronne sur ma tête, ô ma maîtresse, pendant que j'étais penchée sur le ruisseau, je vis soudain s'y refléter une jeune figure d'adolescent si belle que je ne sus si elle appartenait à un fils des genn ou des hommes. Et, dans mon émotion, je laissai tomber de ma main la coupe d'or dans l'eau…

À ce moment de sa narration, Schahrazade vit apparaître le matin et, discrète, se tut.

Mais lorsque fut la neuf cent septième nuit. Elle dit :

… S'y refléter une jeune figure d'adolescent si belle que je ne sus si elle appartenait à un fils des genn ou des hommes. Et, dans mon émotion, je laissai tomber de ma main la coupe d'or dans l'eau. »

En entendant ces paroles de Branche de Corail, la princesse Mohra ordonna que, pour vérifier la chose, une autre de ses suivantes allât promptement regarder dans l'eau. Et aussitôt une seconde jeune fille courut vers le ruisseau et, ayant vu s'y refléter la figure charmante, elle revint en courant, le cœur brûlé, et gémissante d'amour, dire à sa maîtresse : « Ô notre maîtresse Mohra, je ne sais pas, mais je crois que cette image dans l'eau est celle d'un ange ou d'un fils de genn ! Ou peut-être même que la lune est descendue dans le ruisseau ! »

À ces paroles de sa suivante, la princesse Mohra sentit le tison de la curiosité étinceler dans son âme ; et le désir de voir par elle-même surgit dans son cœur. Et elle se leva sur ses pieds charmants, et, orgueilleuse à la manière des paons, elle se dirigea vers le ruisseau. Et elle vit l'image de Diamant. Et toute pâle elle devint, et de l'amour elle fut la proie. Et chancelante déjà et soutenue par ses suivantes, elle fit appeler en toute hâte sa nourrice et lui dit : « Va, ô nourrice, et amène-moi celui dont le visage se réfléchit dans l'eau. Ou bien je suis morte ! » Et la nourrice répondit par l'ouïe et l'obéissance, et s'en alla, regardant de tous côtés. Et, au bout d'un certain temps, son regard finit par tomber sur l'angle où était caché le prince au corps charmant, le jeune homme à face de soleil, celui dont les astres étaient jaloux. Et, de son côté, le beau Diamant, se voyant découvert, eut soudain l'idée, pour sauver sa vie, de simuler la folie.

Aussi, lorsque la nourrice, qui venait de prendre l'adolescent par la main avec toutes les précautions que l'on prend pour toucher les ailes du papillon, l'eut conduit devant sa maîtresse sans pareille, cet adolescent à face de soleil, ce prince au corps charmant se mit à rire, à la manière des insensés et à dire : « Je suis affamé et n'ai point faim ! » et à dire aussi : « La mouche s'est changée en buffle ! » et à dire aussi : « Une montagne en coton est devenue de l'argile par l'effet de l'eau ! » Et il dit également, en faisant des yeux blancs : « La cire s'est fondue par l'action de la neige ; le chameau a mangé le charbon ; le rat a dévoré le chat ! » Et il ajouta : « Moi, et non pas un autre, je vais manger tout le monde ! » Et il continua, sans perdre haleine, à débiter de la sorte des quantités de paroles sens dessus dessous et sens devant derrière, jusqu'à ce que la princesse fût convaincue de sa folie.

Alors, comme elle avait déjà eu le temps d'admirer sa beauté, elle fut émue dans son cœur et troublée dans son esprit, et, pleine de chagrin, elle dit, en se tournant vers ses suivantes : « Hélas ! ô quel dommage ! » Et, ayant prononcé ces paroles, elle s'agita et se trémoussa comme le poulet à demi tué. Car l'amour, pour la première fois, était entré dans son sein et il produisait ses effets habituels.

Or, au bout d'un certain temps, elle put s'arracher à la contemplation du jeune homme, et dit tristement à ses femmes : « Vous voyez que ce jeune homme est fou du fait de son esprit habité par les genn. Et vous savez que les fous d'Allah sont de très grands saints, et qu'il est aussi grave de manquer d'égards aux saints que de douter de l'existence même d'Allah ou de l'origine divine du Koran. Il faut donc le laisser ici en toute liberté, afin qu'il vive à sa guise et qu'il fasse ce qu'il veut. Et que personne ne s'avise de le contrarier ou de lui refuser ce qu'il peut souhaiter et demander. » Puis elle se tourna vers l'adolescent, qu'elle prenait pour un santon, et lui dit, en lui baisant la main avec un respect religieux : « Ô santon vénéré, fais-nous la grâce d'élire pour ta demeure ce jardin et le pavillon que tu vois dans ce jardin, où tu auras tout ce qui t'est nécessaire. » Et le jeune santon, qui était Diamant lui-même avec son propre œil, répondit, en écarquillant ses yeux : « Nécessaire ! nécessaire ! nécessaire ! » Et il ajouta : « Rien du tout ! rien du tout ! rien du tout ! »

Alors la princesse Mohra le quitta, après s'être une dernière fois inclinée devant lui, et s'en alla édifiée et désolée, suivie de ses compagnes et de la vieille nourrice. Et, de fait, le jeune santon fut dès lors entouré de toutes sortes d'égards et de petits soins. Et le pavillon qu'on lui céda pour demeure fut desservi par les plus dévouées d'entre les esclaves de Mohra, et, du matin au soir, encombré de plateaux chargés de mets de toutes sortes et de confitures de toutes les couleurs. Et la sainteté du jeune homme fit l'édification générale du palais. Et ce fut à qui viendrait avec le plus d'empressement balayer le sol qu'il avait foulé et recueillir les restes de ses repas ou les rognures de ses ongles ou quelque autre chose semblable, pour s'en faire des amulettes.

Or, un jour d'entre les jours, la jeune fille qui s'appelait Branche de Corail, et qui était la favorite de la princesse Mohra, entra chez le jeune santon, qui était seul, et s'approcha de lui toute pâle d'émoi et tremblante, et plaça sa tête à ses pieds humblement, et, poussant soupirs et gémissements, elle lui dit : « Ô couronne sur ma tête, ô maître des perfections, Allah Très-Haut, auteur de la beauté qui te distingue, fera pour toi davantage par mon entremise, si tu y consens. Mon cœur, qui tremble pour toi, est attristé et se dissout d'amour comme la cire, car les flèches de tes regards l'ont percé, et le dard de l'amour l'a pénétré. Dis-moi donc, de grâce ! qui tu es et comment tu es arrivé dans ce jardin, afin que, te connaissant mieux, je puisse te servir plus efficacement. » Mais Diamant, qui craignait quelque ruse de la princesse Mohra, ne se laissa pas fléchir par les paroles suppliantes et les regards passionnés de la jeune fille, et continua à s'exprimer comme le font ceux dont l'esprit est réellement sous la puissance des genn. Et Branche de Corail, gémissante et soupirante, continua à supplier le jeune homme, à circuler autour de lui, comme le papillon nocturne autour de la flamme. Et, comme il s'abstenait toujours, répondant de côté, elle finit par lui dire : « Par Allah sur toi et par le Prophète ! Ouvre-moi les éventails de ton cœur, et évente ton secret de mon côté. Car il n'est pas douteux que tu as un secret caché. Et moi j'ai un cœur qui est un coffret dont la clef se perd après la fermeture. Hâte-toi donc, à cause de l'amour qui est déjà à ton intention dans ce coffret, de me dire en toute confiance ce que tu as certainement à me dire ! »

Lorsque le prince Diamant eut entendu ces paroles de la charmante Branche de Corail, il fut convaincu que l'odeur de l'amour se faisait sentir par ces paroles, et qu'ainsi il n'y avait aucun inconvénient à expliquer la situation à cette charmante. Il regarda donc un moment la jeune fille, sans parler, puis sourit de son côté, et, ouvrant les éventails de son cœur, il lui dit : « Ô charmante, si je suis arrivé jusqu'ici après avoir enduré mille peines et m'être exposé à de grands périls, c'est uniquement dans l'espoir de répondre à la question de la princesse Mohra, à savoir : « Quels sont les rapports entre Pomme de Pin et Cyprès ? » Si donc, ô compatissante, tu sais la véritable réponse à faire à cette question obscure, dis-la-moi, et la sensibilité de mon cœur travaillera à ton intention…

À ce moment de sa narration, Schahrazade vit apparaître le matin et, discrète, se tut.

Mais lorsque fut la neuf cent huitième nuit. Elle dit :

… Et la sensibilité de mon cœur travaillera à ton intention ! » Et il ajouta : « N'en doute pas ! » Et Branche de Corail répondit : « Ô jeune homme insigne, certes ! je ne doute point de la sensibilité du daim de ton cœur, mais si tu veux que je te réponde au sujet de la question obscure, promets-moi sur la vérité de notre foi que tu me prendras pour épouse, et que tu me mettras à la tête de toutes les dames du palais de ton père, dans ton royaume. » Et le prince Diamant prit la main de la jeune fille et la baisa et la mit sur son cœur, lui promettant les épousailles et le rang qu'elle demandait.

Lorsque la jeune Branche de Corail eut cette promesse et cette assurance du prince Diamant, elle se trémoussa d'aise et de contentement, et dit : « Ô capital de ma vie, sache qu'il y a sous le lit d'ivoire de la princesse Mohra un nègre noir. Et ce nègre est venu établir là sa demeure, ignoré de tous excepté de la princesse, après avoir fui son pays qui est la ville de Wâkâk. Or, c'est précisément ce nègre calamiteux qui a incité notre princesse à poser la question obscure aux fils des rois. Il faut donc, si tu veux connaître la vraie solution du problème, que tu ailles à la ville du nègre, à savoir la ville de Wâkâk. Et, c'est de cette seule manière que ce secret peut t'être dévoilé. Et c'est là tout ce que je sais au sujet des rapports entre Pomme de Pin et Cyprès ! Mais Allah est plus savant. »

Lorsque le prince Diamant eut entendu ces paroles de la bouche de Branche de Corail, il se dit en lui-même : « Ô mon cœur, il faut patienter un peu pour voir quelle clarté va nous apparaître derrière le rideau du mystère. Car, à présent, ô mon cœur, tu auras sans doute à éprouver, dans cette ville du nègre, à savoir la ville de Wâkâk, bien des choses fâcheuses qui t'endoloriront. » Puis il se tourna vers la jeune fille, et lui dit : « Ô secourable, certes ! tant que je ne serai pas allé à la ville de Wâkâk, qui est la ville du nègre, et que je n'aurai pas pénétré le mystère dont il s'agit, je considère le repos comme m'étant interdit. Mais si Allah m'octroie la sécurité et me fait obtenir le résultat souhaité, j'accomplirai alors ton désir. Sinon je consens à ne plus lever la tête jusqu'au jour de la résurrection. »

Et, lorsqu'il eut ainsi parlé, le prince Diamant prit congé de Branche de Corail, la soupirante, la gémissante, la sanglotante, et, le cœur fendu, il sortit du jardin, sans être aperçu, et se dirigea vers le khân où il avait déposé ses effets de voyage, et monta sur un cheval beau comme un animal féerique, et sortit sur le chemin d'Allah. Mais comme il ignorait de quel côté était située la ville de Wâkâk, et le chemin qu'il fallait prendre pour la joindre, et par où il devait passer pour y parvenir, et par où il devait passer pour y arriver, il se mit à tourner sa tête à la recherche de quelque indice qui pût l'éclairer, quand il aperçut un derviche revêtu d'une robe verte et les pieds chaussés de babouches en cuir jaune citron qui, un bâton à la main, et pareil à Khizr le Gardien, tant il avait le visage rayonnant et l'esprit éclairé sur les choses, se dirigeait de son côté. Et Diamant alla auprès de ce derviche vénérable, et l'aborda par le salam, en descendant de cheval. Et, le derviche lui ayant rendu le salam, il lui demanda : « De quel côté, ô vénérable, est située la ville de Wâkâk, et à quelle distance se trouve-t-elle ? » Et le derviche, après avoir regardé attentivement le prince pendant une heure de temps, lui dit : « Ô fils des rois, abstiens-toi de t'engager dans un chemin sans issue et dans une route effrayante. Renonce à un projet de folie, et occupe-toi de tout autre soin, parce que, si tu restais toute ta vie à tourner la tête à la recherche de ce chemin, tu n'en trouverais pas la trace. De plus, en voulant te rendre à la ville de Wâkâk, tu livres au vent de la mort ton existence et ta vie chérie ! » Mais le prince Diamant lui dit : « Ô respectable et vénéré cheikh, mon affaire est une grande affaire, et mon but est un but si important que je préfère sacrifier mille vies comme la mienne plutôt que d'y renoncer. Si donc tu connais quelque chose de ce chemin, sois mon guide comme Khizr le Gardien. »

Lorsque le derviche vit que Diamant ne se désistait en aucune façon de son idée, malgré toutes sortes d'utiles conseils qu'il continuait à lui donner, il lui dit : « Ô jeune homme béni, sache que la ville de Wâkâk est située au centre de la montagne Kâf, là où les genn, les mareds et les éfrits habitent, tant au-dedans qu'au-dehors. Et pour y arriver, il y a trois chemins : celui de droite, celui de gauche et celui du milieu ; mais il faut aller par le chemin de droite, et non par celui de gauche, pas plus qu'il ne faut essayer de prendre celui du milieu. Au surplus, lorsque tu auras voyagé un jour et une nuit, et que la vraie aurore se montrera, tu verras un minaret sur lequel se trouve une dalle de marbre, avec une inscription en caractères koufiques. Or, c'est précisément cette inscription qu'il faut lire. Et c'est d'après cette lecture qu'il te faudra régler ta conduite ! »

Et le prince Diamant remercia le vieillard et lui baisa la main. Puis il remonta sur son cheval et prit le chemin de droite, qui devait le conduire à la ville de Wâkâk. Et il marcha un jour et une nuit sur le chemin, et arriva au pied du minaret du derviche. Et vit que le minaret était aussi grand que le firmament azuré. Et on y avait enchâssé une dalle de marbre gravée de caractères koufiques. Et ces caractères se lisaient ainsi : « Les trois chemins que voici devant toi, ô passant, conduisent tous au pays de Wâkâk. Si tu prends celui de gauche, tu éprouveras bon nombre de vexations. Si tu prends celui de droite, tu t'en repentiras. Et si tu prends celui du milieu, ce sera épouvantable. »

Lorsqu'il eut déchiffré cette inscription et qu'il en eut compris toute la portée, le prince Diamant prit une poignée de terre et, l'ayant jetée dans l'ouverture de son vêtement, il dit : « Que je sois réduit en poussière, mais que j'arrive au but ! » Et il se remit en selle et prit, sans hésiter, la plus dangereuse des trois routes, celle du milieu. Et il y marcha un jour et une nuit, résolument. Et, au matin, un grand espace s'offrit à sa vue, qui était couvert d'arbres dont les branches allaient jusqu'au ciel. Et les arbres étaient disposés en haie qui servait de limite et abri contre le vent sauvage à un jardin verdoyant. Et la porte de ce jardin était fermée d'un bloc de granit. Et il y avait là, pour garder cette porte et ce jardin, un nègre dont le noir visage donnait une teinte sombre à tout le jardin, et à qui la nuit sans lune empruntait ses ténèbres. Et ce produit du goudron était gigantesque. Sa lèvre supérieure s'élevait bien au-delà de ses narines, en forme d'aubergine, et sa lèvre du dessous retombait jusqu'à son cou. Il avait sur sa poitrine une meule de moulin qui lui servait de bouclier ; et une épée de fer chinois était attachée à sa ceinture, qui était une chaîne de fer tellement grosse que par chacun de ses anneaux un éléphant de guerre aurait pu, en toute aisance, passer. Et ce nègre était en ce moment couché tout de son long sur des peaux d'animaux, et, de sa bouche large ouverte, sortaient des ronflements fils du tonnerre.

Et le prince Diamant mit pied à terre, sans s'émouvoir, attacha la bride de son cheval près de la tête du nègre, et, enjambant la porte de granit, il entra dans le jardin. Et l'air de ce jardin était si excellent que les branches des arbres se balançaient comme des gens ivres. Et au-dessous des arbres paissaient de grands daims, qui portaient, attachés à leurs cornes, des ornements d'or garnis de pierreries, tandis qu'un vêtement brodé couvrait leur dos, et que des mouchoirs de brocart étaient attachés à leur cou. Et tous ces daims, avec leurs pattes de devant et leurs pattes de derrière, avec leurs yeux et avec leurs sourcils, se mirent notoirement à faire signe à Diamant de ne pas entrer. Mais Diamant, sans tenir compte de leurs avertissements, et pensant plutôt que ces daims n'agitaient ainsi leurs yeux, leurs sourcils et leurs membres que pour lui mieux témoigner le plaisir qu'ils avaient à le recevoir, se mit à circuler tranquillement à travers les allées de ce jardin.

Et il finit par arriver, se promenant de la sorte, à un palais que n'aurait pas égalé celui de Kessra ou de Kaïssar. Et la porte de ce palais était entrouverte comme l'œil de l'amant. Et, dans l'entrebâillement de cette porte, une tête charmante de jouvencelle se montrait, qui était féerique, et qui eût fait se tordre de jalousie la nouvelle lune. Et cette petite tête, dont les yeux eussent rendu honteux ceux du narcisse, regardait de côté et d'autre, en souriant. Or, dès qu'elle eut aperçu Diamant, elle fut stupéfaite à la fois et conquise par sa beauté. Et elle resta quelques instants en cet état, puis elle lui rendit le salam, et lui dit : « Qui es-tu, ô jeune homme plein d'audace qui te permets de pénétrer dans ce jardin où les oiseaux n'osent agiter leurs ailes ? » Ainsi parla à Diamant l'adolescente, dont le nom était Latifa, si belle qu'elle était la sédition du temps…

À ce moment de sa narration, Schahrazade vit apparaître le matin et, discrète, se tut.

Mais lorsque fut la neuf cent neuvième nuit. Elle dit :

… Ainsi parla à Diamant l'adolescente, dont le nom était Latifa, si belle qu'elle était la sédition du temps. Et Diamant s'inclina jusqu'à terre entre ses mains et, s'étant redressé, il répondit : « Ô rejeton du jardin de la perfection, ô ma maîtresse, je suis un tel, fils d'un tel, et je suis ici pour telle et telle chose ! » Et il lui raconta son histoire depuis le commencement jusqu'à la fin, sans en omettre un détail. Mais il n'y a point d'utilité à la répéter.

Et Latifa, ayant entendu son histoire, le prit par la main et le fit asseoir à côté d'elle sur le tapis étendu sous la vigne grimpante de l'entrée. Puis employant de douces paroles, elle lui dit : « Ô cyprès ambulant du jardin de la beauté, quel dommage sur ta jeunesse ! » Puis elle dit : « Ô fâcheuse idée ! ô projet difficile à exécuter ! ô dangers ! » Et elle dit encore : « Il faut renoncer à cela, si tu tiens à ton âme chérie. Et reste plutôt ici, avec moi, afin que ta main bénie s'attache au cou de mon désir. Car l'union avec une belle à figure de fée, comme moi, est plus souhaitable que la recherche de l'inconnu. » Mais Diamant répondit : « Tant que je ne serai pas allé à la ville de Wâkâk, et que je n'aurai pas résolu le problème en question, à savoir : « Quels sont les rapports entre Pomme de Pin et Cyprès ? » les plaisirs et le bonheur me sont interdits. Mais, ô très charmante, lorsque j'aurai exécuté mon projet, je mettrai, en t'épousant, le collier de l'union au cou de ton désir. » Et Latifa soupira, disant : « Ô cœur abandonné ! » Puis elle fit signe à des échansons à joues de rose de s'avancer. Et elle fit venir des jeunes filles dont la vue étonnait le soleil et la lune, et dont les cheveux ondoyants faisaient éprouver une torsion involontaire aux cœurs des amants. Et on fit circuler les coupes de la bienvenue, pour fêter l'hôte charmant, au milieu de la musique et des chants. Et les délices des femmes unies à celles de l'harmonie séduisaient et enlevaient les cœurs, qu'ils fussent ouverts ou fermés.

Or, lorsque les coupes furent vidées, le prince Diamant se leva sur ses deux pieds pour prendre congé de la jouvencelle. Et il lui dit, après lui avoir exprimé ses vœux et ses remerciements : « Ô princesse du monde, je désire actuellement obtenir congé de toi ; car tu le sais, le chemin est long que j'ai à parcourir, et si je restais un moment de plus, le feu de ton amour jetterait des flammes dans la moisson de mon âme. Mais, si Allah veut, après la réussite de mon dessein, je reviendrai cueillir ici les roses du désir, et éteindre la soif de mon cœur altéré. »

Lorsque la jouvencelle vit que le prince Diamant, pour qui elle brûlait, persistait dans sa résolution de la quitter, elle se leva également sur ses deux pieds, et saisit un bâton en forme de serpent, sur lequel elle marmonna quelques paroles en un langage incompréhensible. Et soudain elle le brandit et en frappa le prince sur l'épaule, si violemment qu'il pirouetta trois fois sur lui-même et tomba par terre, pour aussitôt perdre sa forme humaine. Et il se changea en un daim d'entre les daims.

Et aussitôt Latifa lui fit mettre aux cornes des ornements semblables à ceux que portaient les autres daims, et lui attacha au cou un mouchoir de soie brodé, et le lâcha dans le jardin, en lui criant : « Va-t'en au milieu de tes semblables, puisque tu n'as pas voulu d'une belle figure de fée ! » Et Diamant le daim s'en alla sur ses quatre pieds, animal quant à la forme, mais restant semblable aux fils d'Adam quant aux qualités intérieures et aux sensations.

Et, marchant ainsi sur ses quatre pieds, à travers les allées, où, comme lui, erraient les autres animaux métamorphosés, Diamant le daim se mit à réfléchir profondément sur la situation nouvelle qui lui était faite et sur la manière dont il pourrait recouvrer sa liberté et se sauver des mains de cette ensorceleuse. Et il arriva, en rôdant de la sorte, à un angle du jardin où le mur était sensiblement plus bas que partout ailleurs. Et, après avoir élevé son âme vers le maître des destinées, il prit son élan et, d'un bond, franchit le mur. Mais il ne tarda pas à s'apercevoir qu'il se trouvait toujours dans le même jardin, tout comme s'il n'avait pas franchi le mur ; et il se convainquit alors que c'était la continuation des effets de l'enchantement. D'ailleurs, sept fois de suite il sauta le mur de la même manière, mais sans plus de résultat, car il se retrouvait toujours au même endroit. Alors sa perplexité fut à ses limites extrêmes, et la sueur de l'impatience transpira de ses sabots. Et il se mit à aller et à venir tout le long du mur, comme ferait un lion enfermé, jusqu'à ce qu'il se trouvât en face d'une ouverture en forme de fenêtre, creusée dans le mur, et qui avait été invisible à ses regards. Et il se glissa dans cette ouverture et, avec mille peines, il se trouva cette fois hors de l'enceinte du jardin.

Et il se trouva dans un second jardin dont la bonne odeur parfumait le cerveau. Et un palais lui apparut au bout des allées de ce jardin. Et à une fenêtre de ce palais il vit une jeune et charmante figure à couleurs tendres de tulipe, dont les prunelles eussent excité l'envie de la gazelle de Chine. Ses cheveux, couleur d'ambre, avaient retenu tous les rayons du soleil, et son teint était de jasmin persan. Et elle avait la tête dressée, et souriait dans la direction de Diamant.

Or, lorsque Diamant le daim fut tout proche de sa fenêtre, elle se leva en toute hâte et descendit dans le jardin. Et elle arracha quelques touffes d'herbe et, comme pour l'apprivoiser et l'empêcher de s'enfuir à son approche, elle lui tendit de loin la touffe bien gentiment, en faisant claquer sa langue. Et Diamant le daim, qui ne demandait pas mieux que de voir quelle pouvait bien être cette seconde affaire, s'approcha de la jeune fille, en accourant à la manière des animaux affamés. Et aussitôt la jeune fille qui s'appelait Gamila, et qui était la sœur de Latifa par le même père mais non par la même mère, saisit le cordon de soie qui était au cou du prince daim, et s'en servit comme d'une laisse pour le conduire à l'intérieur de son palais. Et là elle se hâta de lui offrir des fruits et des rafraîchissements exquis. Et il en mangea et but jusqu'à ce qu'il fût rassasié.

Et, cela fait, il pencha sa tête et la posa sur l'épaule de la jeune fille, et se mit à pleurer. Et Gamila, fort émue de voir les larmes couler de la sorte des yeux de ce daim, le caressa délicatement de sa douce main. Et, en sentant sur lui cet apitoiement, il plaça sa tête aux pieds de la jeune fille, et se mit à pleurer encore plus. Et elle lui dit : « Ô mon daim chéri, pourquoi pleures-tu ? Je t'aime mieux que moi-même ! » Mais il redoubla de pleurs et de larmoiement, et se frotta la tête contre les pieds de la douce et pitoyable Gamila, qui comprit cette fois, à n'en pas douter, qu'il la suppliait de lui rendre sa forme humaine.

Alors, bien qu'elle eût une grande peur de sa sœur aînée, la magicienne Latifa, elle se leva et alla prendre, dans un enfoncement du mur, une petite boîte enrichie de pierreries. Et, séance tenante, elle fit des ablutions rituelles, se vêtit de sept robes de lin nouvellement blanchies, et prit, dans la petite boîte, un peu de l'électuaire qui s'y trouvait…

À ce moment de sa narration, Schahrazade vit apparaître le matin et, discrète, se tut.

Mais lorsque fut la neuf cent dixième nuit. Elle dit :

… Et, séance tenante, elle fit des ablutions rituelles, se vêtit de sept robes de lin nouvellement blanchies, et prit, dans la petite boîte, un peu de l'électuaire qui s'y trouvait. Et elle donna à manger au daim cet électuaire, et, au même moment, elle le tira avec vigueur par le cordon magique qui entourait son cou. Et le daim se secoua aussitôt et, sortant de sa forme d'animal, il reprit son apparence de fils d'Adam.

Puis il vint embrasser la terre entre les mains de la jeune Gamila, et, lui rendant des actions de grâces, il lui dit : « Voici, ô princesse, que tu m'as sauvé de la griffe du malheur, et tu m'as rendu ma vie d'être humain. Comment donc pourrais-je, avec ma langue, te remercier selon tes mérites, alors que tous les poils de mon corps célèbrent les louanges de ta bienveillance et de ta grâce, ô bienheureuse ! » Mais Gamila se hâta de l'aider à se relever et, l'ayant vêtu de vêtements royaux, elle lui dit : « Ô jeune prince dont la blancheur se manifeste à travers tes vêtements, et dont la beauté éclaire notre demeure et ce jardin, qui es-tu et quel est ton nom ? Quel est le motif qui nous vaut l'honneur de ta venue, et comment as-tu été pris dans les filets de ma sœur Latifa ? »

Alors le prince Diamant raconta toute son histoire à sa libératrice. Et lorsqu'il eut fini de parler, elle lui dit : « Ô Diamant, mon œil, renonce, de grâce ! à l'idée dangereuse et sans fruit qui t'occupe, et ne va pas exposer ta jeunesse charmante et ta vie, qui est chérie, aux puissances inconnues. Car il est en dehors de la sagesse de s'exposer à périr sans motif. Reste plutôt ici, et remplis la coupe de ta vie du vin de la volupté. Car me voici prête à te servir selon ton désir, et à faire passer ton bien-être avant le mien, en t'obéissant comme un enfant à la voix de sa mère ! » Et Diamant répondit : « Ô princesse, les obligations que je t'ai sont d'un tel poids sur les ailes de mon âme que je devrais, sans retard, faire des sandales avec ma peau et en chausser tes petits pieds. Car tu m'as revêtu du vêtement de la forme humaine, m'ayant extrait de ma peau de daim et délivré des artifices de ta sœur, la sorcière. Mais, pour aujourd'hui, si ta générosité veut s'épandre de mon côté, je te supplie de m'accorder sans retard un congé de quelques jours, afin que je parvienne à réaliser mon désir. Et lorsque, grâce à la sécurité que j'attends d'Allah Très-Haut, je serai de retour de la ville de Wâkâk, j'agirai uniquement dans le sens de ton plaisir, en revoyant tes pieds magiciens. Et je ne ferai ainsi qu'accomplir les devoirs d'un cœur que tient la reconnaissance. »

Lorsque la jeune fille, malgré qu'elle eût continué à insister pour le faire fléchir, eut vu que Diamant ne pouvait agréer ce qu'elle lui proposait, et qu'il restait attaché à son idée désespérante, elle ne put faire autrement que de lui permettre de partir. C'est pourquoi, poussant plaintes, soupirs et gémissements, elle lui dit : « Ô mon œil, puisque nul ne peut fuir la destinée attachée à son cou, et qu'il est dans ta destinée de me quitter sitôt notre rencontre faite, je veux te donner, pour t'aider dans ton entreprise, assurer ton retour, et sauvegarder ton âme chérie, trois choses qui me sont échues en héritage ! » Et elle alla prendre une grande boîte dans un second enfoncement du mur, l'ouvrit et en retira un arc d'or avec ses flèches, une épée d'acier chinois et un poignard à poignée de jade, et les remit à Diamant en lui disant : « Cet arc et ces flèches ont appartenu au prophète Saleh – sur lui la prière et la paix ! Cette épée, qui est connue sous le nom de Scorpion de Soleïmân, est si excellente que si on en frappait une montagne elle la fendrait comme du savon. Et ce poignard enfin, fabriqué autrefois par le sage Tammouz, est inappréciable pour celui qui le possède, car il préserve de toute attaque par la vertu cachée dans sa lame. » Puis elle ajouta : « Toutefois, ô Diamant, tu ne pourras parvenir à la ville de Wâkâk, qui est séparée de nous par sept océans, qu'avec l'aide de mon oncle Al-Simourg. C'est pourquoi applique ton oreille contre mes lèvres, et écoute bien les instructions qui en sortiront à ton intention. » Et elle se tut un moment, et dit : « Sache, en effet, ô mon ami Diamant, qu'à une journée de marche d'ici il y a une fontaine ; et tout près de cette fontaine se trouve le palais d'un roi nègre du nom de Tâk-Tâk. Et ce palais de Tâk-Tâk est gardé par quarante Éthiopiens sanguinaires, dont chacun commande à une armée de cinq mille nègres féroces. Or, ce roi Tâk-Tâk sera bienveillant envers toi à cause des objets que je te remets ; et il te fera même beaucoup d'amitiés, alors que d'ordinaire il a pour habitude de faire griller les passants de la route, et de les manger sans sel ni condiments. Et, toi, tu resteras deux jours en sa compagnie. Après quoi il te fera accompagner au palais de mon oncle Al-Simourg, grâce à qui tu pourras peut-être parvenir à la ville de Wâkâk, et résoudre le problème des rapports entre Pomme de Pin et Cyprès. » Et, comme conclusion, elle dit : « Surtout, ô Diamant, prends bien garde de t'écarter de ce que je dis, même de la différence d'un cheveu ! » Puis elle l'embrassa, en pleurant, et lui dit : « Et maintenant qu'à cause de ton absence ma vie devient un malheur pour mon cœur, jusqu'à ton retour je ne sourirai plus, je ne parlerai plus, et j'ouvrirai sans cesse à mon esprit la porte de la tristesse. Des soupirs s'élèveront constamment de mon cœur, et je n'aurai plus de nouvelles de mon corps. Car, sans force et sans soutien intérieur, mon corps ne sera désormais que le mirage de mon âme. » Puis elle se mit à réciter ces strophes :

« Ne rejette pas mon cœur loin de ces yeux dont le narcisse est amoureux.

Ô abstinent, il ne faut pas rejeter les plaintes des gens ivres, mais les reconduire à la taverne.

Mon cœur ne pourra se sauver de l'armée de tes moustaches naissantes ; et, comme la rose blessée, l'ouverture de ma robe ne sera pas recousue.

Ô tyrannique beauté, ô beau, brun et charmant, mon cœur à tes pieds de jasmin,

Mon cœur de jeune fille simple, à l'âge le plus tendre de l'adolescente, gît aux pieds du voleur des cœurs. »

Puis la jeune fille fit ses adieux à Diamant, en appelant sur lui les bénédictions et en lui souhaitant la sécurité. Et elle se hâta de rentrer dans le palais, pour cacher les larmes qui couvraient son visage.

Quant à Diamant, il s'en alla sur son cheval, beau comme un fils de genn, et continua sa route d'étape en étape, demandant la ville de Wâkâk. Et, chevauchant ainsi, il finit par arriver sans encombre à la fontaine. Or, c'était précisément la fontaine de la jeune fille. Et c'était là que s'élevait le château fort du roi des nègres, le terrible Tâk-Tâk. Et Diamant vit, en effet, que les approches de ce château étaient gardées par des Éthiopiens hauts de dix coudées, à faces épouvantables…

À ce moment de sa narration, Schahrazade vit apparaître le matin et, discrète, se tut.

Mais lorsque fut la neuf cent onzième nuit. Elle dit :

… Le château fort du roi des nègres, le terrible Tâk-Tâk. Et Diamant vit, en effet, que les approches de ce château étaient gardées par des Éthiopiens hauts de dix coudées, à faces épouvantables. Et, sans laisser la crainte envahir sa poitrine, il attacha son cheval sous l'arbre de la fontaine, et s'assit à l'ombre pour se reposer. Et il entendit les nègres qui disaient entre eux : « Enfin voici qu'après bien du temps, un être humain vient nous ravitailler de chair fraîche. Vite emparons-nous de cette aubaine, afin que notre roi Tâk-Tâk s'en dulcifie la langue et le palais. » Et, en conséquence, dix à douze Éthiopiens des plus féroces s'avancèrent du côté de Diamant, pour s'emparer de lui et le présenter embroché à leur roi.

Lorsque Diamant vit que le tour de sa vie était venu réellement, il tira de sa ceinture l'épée salomonique, et, se ruant sur ses agresseurs, il en fit partir un grand nombre pour la plaine de la mort. Et lorsque ces fils de l'enfer furent parvenus à destination, la nouvelle en arriva par courrier au roi Tâk-Tâk, qui, entrant dans une colère rouge, envoya aussitôt, pour s'emparer de l'audacieux, le chef des nègres, le goudronné Mâk-Mâk. Et ce Mâk-Mâk, qui était une calamité reconnue, arriva à la tête de l'armée des goudronnés, comme l'irruption d'un essaim de frelons. Et la mort noire sortait de ses yeux, cherchant ses victimes. Or, à sa vue, le prince Diamant se leva sur ses deux pieds, et l'attendit, les jarrets tendus. Et le calamiteux Mâk-Mâk, sifflant comme une vipère à cornes, et mugissant avec ses larges narines, arriva tout contre Diamant, brandit sa massue abatteuse de têtes et la fit tournoyer de telle façon que l'air trembla. Mais, au même moment, Diamant le bien-aimé détendit son bras armé du poignard de Tammouz, et, comme l'éclair brille, il enfonça la lame dans les côtes de l'Éthiopien géant, et fit boire la mort d'une gorgée à ce fils des mille cornards. Et aussitôt l'ange de la mort s'approcha de ce maudit avec la dernière heure.

Quant aux nègres de la suite de Mâk-Mâk, lorsqu'ils virent leur chef tomber sur le sol, sa longueur rentrée dans sa largeur, ils livrèrent leurs jambes au vent et s'envolèrent comme les moineaux devant le Père du gros bec. Et Diamant les poursuivit, et tua ceux qu'il tua. Et s'enfuirent ceux qui s'enfuirent.

Lorsque le roi Tâk-Tâk eut appris la déconfiture de Mâk-Mâk, la colère envahit ses narines si violemment qu'il ne distingua plus sa main droite de sa main gauche. Et sa stupidité l'incita à aller lui-même attaquer le cavalier des gorges et des ravins, la couronne des cavaliers, Diamant. Mais à la vue du héros grondant, le fils noir de l'impudique au gros nez sentit ses muscles se relâcher, le sac de son estomac se retourner, et le vent de la mort passer sur sa tête. Et Diamant le prit pour cible, et décochant vers lui une des flèches du prophète Saleh – sur lui la prière et la paix ! – il lui fit avaler la poussière de ses talons et envoya, du coup, son âme habiter les lieux funèbres où la Nourricière des vautours a déposé son bagage.

Après quoi Diamant fit une pâtée des nègres qui entouraient leur roi mort, et traça un chemin droit à son cheval à travers leurs corps sans âme. Et il arriva de la sorte, en vainqueur, à la porte du palais où avait régné Tâk-Tâk. Et il frappa à la porte, comme un maître frappe à sa propre demeure. Et celle qui vint lui ouvrir était une qui avait été frustrée de son trône et de son héritage par ce Tâk-Tâk de malheur. Et c'était une adolescente semblable à la gazelle effarée, et dont la figure, tant elle était piquante, répandait du sel sur la blessure du cœur des amants. Et si elle n'était pas allée plus loin à la rencontre de Diamant, c'est que, en vérité, la lourdeur de ses hanches suspendues à sa taille frêle l'en avait empêchée, et que son derrière, orné de creux divers, était si remarquable et béni qu'elle ne pouvait pas le mouvoir à sa guise, vu qu'il tremblait de sa propre nature, comme le lait caillé dans l'écuelle du bédouin, et comme un monceau de gelée de coing au milieu du plateau parfumé au benjoin.

Et elle reçut Diamant avec les effusions de la captive pour son libérateur. Et elle voulut le faire asseoir sur le trône du roi défunt, mais Diamant se récusa, et, lui prenant la main, il l'invita à monter elle-même sur ce trône dont son père avait été frustré par Tâk-Tâk. Et il ne lui demanda rien en retour de tant de bienfaits. Alors, subjuguée par sa générosité, elle lui dit : « Ô beau, à quelle religion appartiens-tu pour faire ainsi le bien sans espoir de récompense ? » Et Diamant répondit : « Ô princesse, la foi de l'Islam est ma foi, et sa croyance est ma croyance ! » Et elle lui demanda : « Et en quoi consistent, ô mon maître, cette foi et cette croyance ? » Il répondit : « Elles consistent simplement à attester l'Unité par la profession de foi qui nous a été révélée par notre Prophète – sur Lui la prière et la paix ! » Elle demanda : « Et peux-tu me faire la grâce de me révéler, à ton tour, une profession de foi qui rend les hommes si parfaits ? » Il dit : « Elle consiste en ces seuls mots : « Il n'y a d'autre dieu qu'Allah, et Môhammad est l'envoyé d'Allah ! » Et quiconque la prononce avec conviction est, à l'heure et à l'instant, ennobli de l'Islam. Et, fût-il le dernier des mécréants, il devient aussitôt l'égal du plus noble des musulmans ! » Et, ayant entendu ces paroles, la princesse Aziza sentit son cœur ému de la vraie foi ; et elle leva spontanément la main et, portant son index à la hauteur de ses yeux, elle prononça la schehada, et s'ennoblit aussitôt de l'Islam…

À ce moment de sa narration, Schahrazade vit apparaître le matin et, discrète, se tut.

Mais lorsque fut la neuf cent douzième nuit. Elle dit :

… Elle leva spontanément la main et, portant son index à la hauteur de ses yeux, elle prononça la schehada, et s'ennoblit aussitôt de l'Islam.

Après quoi, elle dit à Diamant : « Ô mon maître, maintenant que tu m'as faite reine et que je suis éclairée sur la voie de la rectitude, me voici entre tes mains prête à te servir avec mes yeux, et à être une esclave d'entre les esclaves de ton harem. Veux-tu donc, comme une faveur de ta part, accepter pour épouse la reine de ce pays, et vivre avec elle partout où il te plaira, l'emmenant à ta suite dans l'auréole de ta beauté ? » Et Diamant répondit : « Ô ma maîtresse, tu m'es aussi chère que ma propre vie, mais en ce moment une affaire très importante m'appelle, pour laquelle j'ai quitté mon père, ma mère, ma demeure, mon royaume et mon pays. Et peut-être même que mon père, le roi Schams-Schah, me pleure à l'heure qu'il est comme mort ou pire encore. Et pourtant il faut que j'aille où m'attend ma destinée, dans la ville de Wâkâk. Et, à mon retour, inschallah ! je t'épouserai et t'emmènerai dans mon pays, et me réjouirai de ta beauté. Mais, pour l'instant, je désire apprendre de toi, si tu le sais, où se trouve Al-Simourg, oncle de la princesse Latifa. Car c'est cet Al-Simourg-là qui, seul, pourra me guider vers la ville de Wâkâk. Mais j'ignore sa demeure, et je ne sais même qui il est, et si c'est un genni ou un être humain. Si donc tu as quelques données sur l'oncle de Gamila, ce précieux Al-Simourg, hâte-toi de me les faire connaître, afin que j'aille à sa recherche. Et c'est là tout ce que je te demande pour l'instant, puisque tu désires m'être agréable. »

Lorsque la reine Aziza eut appris le projet de Diamant, elle se peina dans son cœur et s'affligea à l'extrême. Mais voyant bien que ni ses larmes ni ses soupirs ne pourraient détourner l'adolescent princier de sa résolution, elle se leva de son trône et, le prenant par la main, elle le conduisit en silence à travers les galeries du palais, et sortit avec lui dans le jardin. Et c'était un jardin pareil à celui dont Rizwân est le gardien ailé. Une étendue de roses en formait les avenues, et le zéphir, qui passait sur ces roses et semblait cribler le musc, parfumait l'odorat et embaumait le cerveau. Là s'entrouvrait la tulipe ivre de son propre sang, et le cyprès s'agitait de tout son murmure pour louer à sa manière le chant mesuré du rossignol. Là les ruisseaux couraient comme des enfants rieurs, au pied des roses qui s'accordaient avec leurs boutons.

Et donc la princesse Aziza, traînant derrière elle ses lourdes splendeurs, en dépit de sa taille frêle qui succombait sous un fardeau si considérable, arriva de la sorte avec Diamant au pied d'un grand arbre dont le généreux ombrage protégeait en ce moment le sommeil d'un géant. Et elle approcha ses lèvres de l'oreille de Diamant, et lui dit à voix basse : « Celui que tu vois ici couché est précisément celui que tu cherches, l'oncle de Gamila, Al-Simourg le Volant. Si, quand il sera sorti de son sommeil, ta chance veut qu'il ouvre son œil droit avant son œil gauche, il sera satisfait de te voir et, reconnaissant à tes armes que tu es envoyé vers lui par la fille de son frère, il fera pour toi ce que tu lui demanderas. Mais si, pour ta malchance et ton irrémédiable destinée, c'est son œil gauche qui s'ouvre le premier à la lumière, tu es perdu sans recours ; car il se saisira de toi, malgré ta vaillance, et te soulevant du sol, par la force de ses bras, il te tiendra suspendu comme le moineau dans les serres du faucon, et t'aplatira contre le sol, broyant tes os charmants, ô mon chéri, et faisant entrer la longueur de ton corps désirable dans sa largeur ! » Puis elle ajouta : « Et maintenant, qu'Allah te garde et te conserve et hâte ton retour auprès d'une amoureuse envahie déjà par les sanglots de ton absence ! » Et elle le quitta pour s'éloigner en toute hâte, avec des yeux pleins de larmes et des joues devenues semblables aux fleurs du grenadier.

Et Diamant attendit, pendant une heure de temps, que le géant Al-Simourg le Volant sortît de son sommeil. Et il pensait en son âme : « Pourquoi ce géant-ci s'appelle-t-il le Volant ? Et comment peut-il, étant un tel géant, se soulever dans l'air sans ailes et se mouvoir autrement qu'un éléphant ? » Puis, perdant patience en voyant qu'Al-Simourg continuait à ronfler sous l'arbre avec un bruit semblable à celui précisément d'un troupeau de jeunes éléphants, il se baissa et lui chatouilla la plante des pieds. Et le géant, sous cet attouchement, se convulsa soudain et battit l'air de ses jambes en lançant un pet épouvantable. Et, au même moment, il ouvrit ses deux yeux à la fois…

À ce moment de sa narration, Schahrazade vit apparaître le matin et, discrète, se tut.

Mais lorsque fut la neuf cent treizième nuit. Elle dit :

… Se convulsa soudain et battit l'air de ses jambes en lançant un pet épouvantable. Et, au même moment, il ouvrit ses deux yeux à la fois. Et il vit le jeune prince et comprit que c'était lui l'auteur, quant à son pied chatouillé, du désagrément. C'est pourquoi, levant sa jambe, il lui lâcha en plein visage une pétarade qui dura une heure de temps, et qui eût empoisonné, à quatre pharasanges autour et alentour, tous les êtres animés. Et Diamant n'échappa à ce souffle infernal que grâce à la vertu attachée aux armes dont il était porteur.

Et donc, lorsque le géant Al-Simourg eut épuisé sa provision, il s'assit sur son derrière et, regardant le jeune prince avec stupéfaction, il lui dit : « Comment ! N'es-tu donc pas mort par l'effet de mon cul, ô être humain ? » Et, disant cela, il le regarda attentivement, et vit les armes dont il était porteur. Alors il se leva sur ses deux pieds et s'inclina devant Diamant, et lui dit : « Ô mon maître, excuse le procédé ! Mais si tu m'avais fait prévenir de ta venue par quelque esclave, j'aurais jonché de mes propres poils le sol que tu devais fouler. J'espère donc que tu ne porteras pas sur ton cœur ce qui est involontaire de ma part et sans intention maligne. Aussi, fais-moi la grâce de me dire quelle importante affaire t'occupe, pour que tu aies pris sur toi de venir jusqu'en ce lieu où ne peuvent parvenir ni êtres humains ni animaux. Hâte-toi donc de m'expliquer ton cas, afin que je puisse agir en ta faveur, le cas échéant, et faire réussir ton entreprise. » Et Diamant, après avoir assuré Al-Simourg de sa sympathie, lui raconta toute son histoire, sans omettre un détail. Puis il lui dit : « Et je ne suis venu jusqu'à toi, ô Père des Volants, que pour avoir ton aide et parvenir jusqu'à la ville de Wâkâk, à travers les infranchissables océans. »

Lorsque Al-Simourg eut entendu le récit de Diamant, il porta la main à son cœur, à ses lèvres et à son front, et répondit : « Sur ma tête et mon œil. » Puis il ajouta : « Nous allons partir sans retard pour la ville de Wâkâk, après avoir toutefois préparé mes provisions de bouche. Pour cela, je vais aller à la chasse des ânes sauvages qui peuplent la forêt d'ici, et j'en prendrai quelques-uns pour faire des kababs avec leur chair, et des outres avec leur peau. Et, munis tous deux de ces choses nécessaires, tu te mettras sur mon épaule comme sur un cheval, et je m'envolerai avec toi. Et je te ferai ainsi passer les sept océans. Et quand je serai affaibli par la fatigue, tu me donneras des kababs et de l'eau, jusqu'à ce que nous soyons arrivés à la ville de Wâkâk. »

Et, conformément à ce discours, il se mit aussitôt en chasse, et prit sept ânes sauvages, un pour la traversée de chaque océan, et en fit les kababs et les outres en question. Puis il revint vers Diamant et le fit monter sur son épaule, après avoir rempli, avec les kababs des ânes sauvages, un bissac qu'il s'était passé au cou, et s'être chargé de sept outres remplies d'eau de source. Or, lorsque Diamant se vit ainsi juché sur l'épaule d'Al-Simourg le géant, il se dit en lui-même : « Celui-ci est un géant plus gros qu'un éléphant, et il prétend s'envoler avec moi dans les airs sans ailes ! Par Allah ! c'est là une chose prodigieuse, et dont je n'ai jamais entendu parler. » Et, pendant qu'il réfléchissait ainsi, il entendit soudain comme un bruit de vent dans l'interstice d'une porte, et vit le ventre du géant se gonfler à vue d'œil et atteindre bientôt les dimensions d'une coupole. Et ce bruit de vent devenait maintenant semblable à celui d'un soufflet de forgeron, à mesure que se gonflait le ventre du géant. Et soudain Al-Simourg frappa du pied le sol, et se trouva, en un instant, avec toute sa charge, planant au-dessus du jardin. Puis il continua à monter dans le ciel, en faisant manœuvrer ses jambes comme le crapaud dans l'eau. Et, arrivé à une hauteur convenable, il fila en ligne droite dans la direction de l'occident. Et, quand il se sentait porté malgré lui, par le vent, plus haut qu'il ne le désirait, il lâchait un ou deux ou trois ou quatre pets, de force et de longueur variées. Et quand, au contraire, par suite de cette déperdition, son ventre se dégonflait, il aspirait l'air avec toutes ses ouvertures du haut, à savoir sa bouche, son nez et ses oreilles. Et aussitôt il remontait dans le ciel azuré, et filait en ligne droite avec la rapidité de l'oiseau.

Et ils voyagèrent de la sorte, comme les oiseaux, planant au-dessus des eaux, et franchissant, l'un après l'autre, les océans. Et chaque fois qu'ils avaient traversé une mer d'entre les sept, ils descendaient se reposer un moment sur la terre ferme, pour manger des kababs d'âne sauvage et boire de l'eau des outres. En même temps, le géant renouvelait sa provision de forces volantes, après s'être toutefois couché quelques heures pour se remettre des fatigues du voyage…

À ce moment de sa narration, Schahrazade vit apparaître le matin et, discrète, se tut.

Mais lorsque fut la neuf cent quatorzième nuit. Elle dit :

… En même temps, le géant renouvelait sa provision de forces volantes, après s'être toutefois couché quelques heures pour se remettre des fatigues du voyage. Et, au bout de sept jours de traversée aérienne, ils arrivèrent un matin au-dessus d'une ville toute blanche qui dormait au milieu de ses jardins. Et le Volant dit à Diamant : « Tu es désormais comme mon fils, et je ne regrette point les fatigues que j'ai endurées pour te porter jusqu'ici. Je vais maintenant te déposer sur la plus haute terrasse de cette ville-ci, qui est précisément la ville de Wâkâk, et où tu trouveras sans doute la solution du problème que tu cherches, à savoir : « Quels sont les rapports entre Pomme de Pin et Cyprès ? » Puis il ajouta : « Oui, c'est ici la ville du nègre noir qui se trouve sous le lit d'ivoire de la princesse Mohra. Et c'est ici que tu pourras savoir en quoi ce nègre est le père de toute cette affaire compliquée. » Et, ayant ainsi parlé, il descendit en se dégonflant peu à peu, et déposa doucement et sans heurt le prince Diamant sur la terrasse en question. Et, en prenant congé de lui, il lui remit une touffe de poils de sa barbe, en lui disant : « Garde soigneusement sur toi ces poils de ma barbe, et ne t'en sépare jamais. Et lorsque quelque affaire pénible t'arrivera, et chaque fois que tu auras besoin de moi, soit pour te tirer d'embarras, soit pour te ramener là où je t'ai pris, tu n'auras qu'à brûler un de ces poils, et tu me verras sans retard devant toi. » Et, là-dessus, il se regonfla et remonta dans les airs, en voguant avec aisance et rapidité vers sa demeure.

Et Diamant, assis sur cette terrasse, se mit à réfléchir sur ce qu'il avait à faire. Et il se demandait comment il devait s'y prendre pour descendre de cette terrasse sans être aperçu par les gens qui habitaient la maison, quand il vit sortir de l'escalier et s'avancer vers lui un adolescent d'une beauté sans pareille, et qui était précisément le maître de cette demeure. Et l'adolescent l'aborda par le salam, en lui souriant au visage, et lui souhaita la bienvenue, disant : « Quel matin lumineux me vaut ta venue sur ma terrasse, ô le plus beau des humains ! Es-tu un ange, un genni ou un être humain ? » Et Diamant répondit : « Ô cher jouvenceau, je suis un être humain charmé d'ouvrir cette journée par ta vue délicieuse. Et je me trouve ici parce que ma destinée m'y conduit. Et c'est là tout ce que je puis te dire de ma présence sur ta demeure bénie. » Et, ayant ainsi parlé, il serra le jouvenceau contre sa poitrine. Et tous deux se jurèrent l'amitié. Et ils descendirent ensemble dans la salle des amis, et mangèrent et burent de compagnie. Louanges à Celui qui unit deux êtres beaux, et aplanit, sur leur route, les difficultés et dénoue les complications !

Or lorsque l'amitié fut consolidée entre Diamant et le jouvenceau, qui s'appelait Farah, et était précisément le favori du sultan de la ville de Wâkâk, Diamant lui dit : « Ô mon ami Farah, toi qui es le bien-aimé du sultan et son compagnon intime, et à qui, de ce fait, rien ne peut demeurer secret des affaires de ce royaume, peux-tu me rendre, à cause de l'amitié, un service qui ne te coûtera aucune dépense ? » Et le jeune Farah répondit : « Sur ma tête et mon œil, ô mon ami Diamant ! Parle, et s'il faut que je vende ma peau pour t'en faire des sandales, je m'exécuterai avec joie et contentement. » Et Diamant lui dit alors : « Peux-tu simplement me dire quels sont les rapports entre Pomme de Pin et Cyprès ? Et peux-tu m'expliquer, par la même occasion, le rôle du nègre noir couché sous le lit d'ivoire de la princesse Mohra, fille du roi Tammouz ben Qâmous, maître des contrées de Sînn et de Masînn ? »

En entendant cette question de Diamant, le jeune Farah devint bien changé quant à son visage, et jaune devint son teint et trouble son regard. Et il se mit à trembler comme s'il se fût trouvé devant l'ange Asraïl. Et Diamant, le voyant en cet état, lui dit les paroles les plus douces pour calmer son âme et la laver de l'effroi. Et le jeune Farah finit par lui dire : « Ô Diamant, sache que le roi a ordonné de faire mourir tout habitant ou tout voyageur qui prononcerait le nom de Cyprès ou de Pomme de Pin. Car Cyprès est précisément le nom de notre roi, et Pomme de Pin est celui de notre reine. Et voilà tout ce que je sais sur cette redoutable question. Quant aux rapports entre le roi Cyprès et la reine Pomme de Pin, je les ignore, de même que ma langue ne saurait rien dire sur le rôle du nègre en question, dans cette affaire dangereuse. Tout ce que je puis te dire, ô Diamant, pour te faire plaisir, c'est que nul autre que le roi Cyprès lui-même ne connaît ce secret caché. Et, moi, je m'offre à te conduire au palais et à te mettre en présence du roi. Et, toi, tu ne manqueras pas de gagner ses bonnes grâces ; et tu pourras peut-être alors dénouer directement ce nœud difficile. »

Et Diamant remercia son ami de cette intervention, et prit jour avec lui pour cette visite au roi Cyprès. Et quand vint le moment attendu, ils allèrent ensemble au palais ; et ils se tenaient par les mains, semblables à deux anges. Et le roi Cyprès, en voyant entrer Diamant, se dilata et s'épanouit. Et, après l'avoir admiré une heure de temps, il lui ordonna d'approcher. Et Diamant s'avança entre les mains du roi, et, après les hommages et les souhaits, il lui offrit en présent une perle rouge qu'il portait suspendue à un chapelet d'ambre jaune, si précieuse que tout le royaume de Wâkâk n'aurait pu en payer la valeur, et que les plus puissants rois n'auraient pu s'en procurer la sœur. Et Cyprès fut très content, et accepta le cadeau, disant : « Il est agréé de notre cœur. » Puis il ajouta : « Ô jouvenceau ceint de grâce, tu peux en retour me demander n'importe quelle faveur ; elle t'est d'avance acquise. » Et Diamant, sitôt qu'il eut entendu ces paroles qu'il espérait, répondit : « Ô roi du temps, qu'Allah me préserve de demander une autre faveur que d'être ton esclave ! Toutefois, si tu veux bien me le permettre, et que tu m'accordes la vie sauve, je te dirai ce que j'ai sur le cœur ! » Et Cyprès répondit…

À ce moment de sa narration, Schahrazade vit apparaître le matin et, discrète, se tut.

Mais lorsque fut la neuf cent quinzième nuit. Elle dit :

… Je te dirai ce que j'ai sur le cœur ! » Et Cyprès répondit : « Ô mon seigneur, les sourds et les aveugles sont bien heureux qui ne sont point exposés aux calamités, lesquelles entrent en nous par nos yeux et par nos oreilles. Car, dans le cas qui est mon cas, ce sont mes oreilles qui ont attiré sur moi la malchance ! Car, ô asile du monde, depuis le jour néfaste où j'ouïs mentionner devant moi ce que je vais te raconter, je n'eus plus de repos ni de sommeil. » Et il lui raconta toute son histoire dans ses moindres détails. Et il n'y a point d'utilité à la recommencer. Puis il ajouta : « Et maintenant que la destinée m'a gratifié de la vue de ta présence lumineuse, ô roi du temps, et que tu veux bien m'accorder, comme une faveur insigne, la grâce que tu me permets de solliciter, je te demanderai simplement de me dire quels sont exactement les rapports entre notre maître le roi Cyprès et notre maîtresse la reine Pomme de Pin, et de me dire, par la même occasion, quel est le rôle du nègre noir couché à l'heure qu'il est sous le lit d'ivoire de la princesse Mohra, fille du roi Tammouz ben Qâmous, souverain des contrées de Sînn et de Masînn. »

Ainsi parla Diamant au roi Cyprès, maître de la ville de Wâkâk. Et le roi Cyprès, à mesure que parlait Diamant, changeait sensiblement quant à son teint et à ses dispositions. Et lorsque Diamant eut achevé son discours, Cyprès était devenu comme une flamme ; et l'incendie était allumé dans ses yeux. Et son bouillonnement intérieur ronflait dans sa poitrine, en tous points semblable à la fureur du chaudron sur le brasier. Et il resta un moment sans pouvoir émettre des sons. Et soudain il éclata, disant : « Malheur sur toi, ô étranger ! Par la vie de ma tête, si tu ne m'étais devenu sacré, de par le serment que j'ai fait de t'accorder la vie sauve, je t'aurais à l'instant même séparé la tête du corps ! » Et Diamant dit : « Ô roi du temps, pardonne à ton esclave son indiscrétion ! Mais je ne l'ai commise que permise. Et maintenant, quoi que tu dises, tu ne peux faire autrement, à cause de ta promesse, que de céder à ma demande. Car tu m'as ordonné de faire, entre tes mains, un souhait, et cette chose que tu sais est précisément la seule qui me touche. »

Et le roi Cyprès, à ce discours de Diamant, fut à la limite de la perplexité et du désespoir. Et son âme s'acheminait tantôt vers le désir de la mort de Diamant, et tantôt vers celui de tenir ses propres engagements. Mais c'était le premier désir qui était, de beaucoup, le plus violent. Toutefois, il réussit à le dominer temporairement, et dit à Diamant : « Ô fils du roi Schams-Schah, pourquoi veux-tu m'obliger à livrer inutilement ta vie au vent ? Ne vaut-il pas mieux pour toi que tu renonces à l'idée dangereuse qui te préoccupe, et qu'en retour tu me demandes autre chose, fût-ce la moitié de mon royaume ? » Mais Diamant insista, disant : « Mon âme ne souhaite rien de plus, ô roi Cyprès ! » Alors il lui dit : « Il n'y a point d'inconvénient. Pourtant sache bien que, lorsque je t'aurai révélé ce que tu veux savoir, je te ferai couper la tête sans recours ! » Et Diamant dit : « Sur ma tête et mon œil, ô roi du temps ! lorsque j'aurai appris la solution que je souhaite, à savoir ; quels sont les rapports entre notre maître le roi Cyprès et notre maîtresse la reine Pomme de Pin, et quelle est l'affaire du nègre et de la princesse Mohra, je ferai mes ablutions et je mourrai, la tête coupée ! »

Alors le roi Cyprès fut bien marri, non seulement parce qu'il se voyait obligé de révéler un secret auquel il tenait plus qu'à son âme, mais à cause aussi de la mort certaine de Diamant. Il resta donc la tête basse et le nez allongé pendant une heure de temps. Après quoi, il fit évacuer la salle du trône par les gardes, auxquels il donna, par signes, quelques ordres. Et les gardes sortirent, et revinrent, au bout d'un moment, en tenant, par une laisse de cuir rouge enrichi de pierreries, un beau chien lévrier, de l'espèce des lévriers couleur d'étourneau. Et ils étendirent ensuite, en cérémonie, un grand tapis de brocart, de forme carrée. Et le lévrier vint s'asseoir sur un des coins du tapis. Après quoi entrèrent dans la salle quelques femmes esclaves, au milieu desquelles était une merveilleuse adolescente au corps délicat, les mains liées derrière le dos, sous l'œil vigilant de douze Éthiopiens sanguinaires. Et les esclaves firent asseoir cette adolescente sur le coin opposé du tapis, et posèrent devant elle un plateau sur lequel était la tête d'un nègre. Et cette tête était conservée dans le sel et les aromates et semblait fraîchement coupée. Puis le roi fit un nouveau signe. Et aussitôt entra le chef cuisinier du palais, suivi de porteurs de toutes sortes de mets agréables à la vue et au goût ; et il plaça tous ces mets, sur une nappe, devant le chien lévrier. Et quand l'animal eut mangé et se fut rassasié, on plaça ses restes dans une assiette sale de mauvaise qualité, devant la belle adolescente qui avait les mains liées. Et elle se mit à pleurer d'abord, puis à sourire ; et les larmes tombées de ses yeux étaient devenues des perles, et les sourires de ses lèvres, des roses. Et les Éthiopiens ramassèrent délicatement les perles et les roses et les donnèrent au roi.

Cela fait, le roi Cyprès dit à Diamant : « Le moment est venu de ta mort, soit par le glaive, soit par la corde ! » Mais Diamant dit : « Oui, certes ! ô roi, toutefois pas avant que j'aie eu de toi l'explication de ce que je viens de voir. Après quoi, je mourrai ! » Alors le roi Cyprès ramena le pan de sa robe royale sur son pied gauche, et, le menton dans la paume droite, il parla ainsi : « Sache donc, ô fils du roi Schams-Schah, que l'adolescente que tu vois ainsi les mains liées derrière le dos, et dont les larmes et les sourires sont des perles et des roses, s'appelle Pomme de Pin. Elle est mon épouse. Et moi, le roi Cyprès, je suis le maître de ce pays-ci et de cette ville-ci, qui est la ville de Wâkâk…

À ce moment de sa narration, Schahrazade vit apparaître le matin et, discrète, se tut.

Mais lorsque fut la neuf cent seizième nuit. Elle dit :

… Sache donc, ô fils du roi Schams-Schah, que l'adolescente que tu vois ainsi les mains liées derrière le dos, et dont les larmes et les sourires sont des perles et des roses, s'appelle Pomme de Pin. Elle est mon épouse. Et moi, le roi Cyprès, je suis le maître de ce pays-ci et de cette ville-ci, qui est la ville de Wâkâk.

« Or, un jour d'entre les jours d'Allah, je sortis de ma ville pour chasser, lorsque je fus atteint dans la plaine d'une soif ardente. Et, semblable au perdu dans le désert, j'allai de tous côtés à la recherche de l'eau. Et, après bien des peines et beaucoup d'anxiété, je finis par découvrir une citerne ténébreuse, creusée par les peuples anciens. Et je remerciai Allah Très-Haut pour cette découverte, bien que je n'eusse plus la force de me mouvoir. Toutefois, ayant invoqué le nom d'Allah, je réussis à toucher les bords de cette citerne dont l'approche était rendue difficile par des éboulements et des ruines. Puis, me servant de mon bonnet comme d'un seau, et de mon turban ajouté à ma ceinture comme d'une corde, je fis descendre le tout dans la citerne. Et mon cœur déjà se rafraîchissait, rien qu'en entendant le bruit de l'eau contre mon bonnet. Mais, hélas ! quand je voulus tirer la corde improvisée, rien ne vint à moi. Car mon bonnet était devenu aussi pesant que s'il eût contenu toutes les calamités. Et je pris des peines infinies pour essayer de le mouvoir, sans y réussir. Et, à la limite du désespoir, et ne pouvant supporter la soif qui me desséchait, je m'écriai : « Il n'y a de recours et de force qu'en Allah ! Ô êtres qui avez établi votre résidence dans cette citerne, que vous soyez des genn ou des êtres humains, ayez compassion d'un pauvre d'Allah, que la soif fait agoniser, et laissez monter mon seau. Ô habitants illustres de ce puits, mon haleine est suspendue, et mon souffle est arrêté dans ma bouche. »

« Et je me mis à crier de la sorte mon tourment et à gémir beaucoup, jusqu'à ce qu'enfin parvînt du puits à mon oreille une voix qui fit entendre ces mots : « La vie vaut mieux que la mort. Ô serviteur d'Allah, si tu nous retires de ce puits, nous te récompenserons. La vie vaut mieux que la mort ! » Alors moi, oubliant pour un instant ma soif, je rassemblai ce qui me restait de forces et, m'évertuant, je vins enfin à bout de tirer du puits mon seau avec son poids. Et je vis, cramponnées avec leurs doigts sur mon bonnet, deux très vieilles femmes aveugles, dont la taille était courbée comme l'arc, et si maigres qu'elles eussent passé dans le trou d'un passe-lacet. Leurs paupières étaient enfoncées dans leur tête, leurs mâchoires étaient sans dents, leur tête branlait lamentablement, leurs jambes tremblaient, et leurs cheveux étaient blancs comme du coton cardé. Et comme, pris de pitié, et oubliant finalement ma soif, je leur demandais quelle était la cause de leur habitation dans cette vieille citerne, elles me dirent : « Ô jeune homme secourable, nous avons encouru autrefois la colère de notre maître, le roi des genn de la Première Couche, qui nous priva de la vue et nous fit jeter dans ce puits. Et nous voici prêtes à te faire obtenir, par gratitude, tout ce que tu peux désirer. Toutefois, nous allons d'abord t'indiquer le moyen de nous guérir de notre cécité. Et, une fois guéries, nous sommes les achetées de tes bienfaits. » Et elles continuèrent ainsi : « À une petite distance d'ici, en tel endroit, il y a une rivière, sur les bords de laquelle une vache, de telle couleur, vient paître ordinairement. Va chercher de la bouse fraîche de cette vache, enduis-en nos yeux, et, à l'instant même, nous recouvrerons la vue. Mais, au moment où cette vache paraîtra, il faut te cacher d'elle, car si elle te voit, elle ne fientera pas. »

« Alors moi, conformément à ce discours, je me dirigeai du côté de la rivière en question, que je n'avais point vue lors de mes courses antérieures, et j'arrivai à l'endroit indiqué, où je me blottis derrière les roseaux. Et je ne tardai pas à voir sortir de la rivière une vache blanche comme l'argent. Et dès qu'elle fut à l'air, elle fienta largement, puis se mit à brouter l'herbe. Après quoi, elle rentra dans la rivière et disparut. Aussitôt, je me levai de mon endroit et ramassai la bouse de la vache blanche, et retournai à la citerne. Et j'appliquai de cette bouse sur les yeux des vieilles, et aussitôt elles furent clairvoyantes et regardèrent de tous côtés. Alors elles me baisèrent les mains, et me dirent : « Ô notre maître, veux-tu la richesse, la santé, ou une parcelle de la beauté ? » Et moi, sans hésiter, je répondis : « Ô mes tantes, Allah le Généreux m'a déjà octroyé la richesse et la santé. Quant à la beauté, on n'en a jamais entre les mains de quoi satisfaire le cœur ! Donnez-m'en la parcelle dont vous parlez ! » Et elles me dirent : « Sur notre tête et notre œil ! nous te donnerons cette parcelle de beauté. C'est la fille même de notre roi. Elle est semblable à la riante feuille de rose du jardin, et elle est elle-même une rose, soit cultivée, soit sauvage. Ses yeux sont languissants comme ceux d'une personne ivre, et un de ses baisers calme mille chagrins des plus noirs. Quant à sa beauté générale, le soleil en est abattu, la lune en brûle et tous les cœurs en sont défaillants. Et ses parents, qui l'affectionnent extrêmement, l'appliquent à chaque instant sur leur poitrine, et ouvrent leur journée en admirant sa beauté. Telle quelle, avec tout ce qu'elle a de caché, elle t'appartiendra ; et tu te réjouiras d'elle ; et réciproquement…

À ce moment de sa narration, Schahrazade vit apparaître le matin et, discrète, se tut.

Mais lorsque fut la neuf cent dix-septième nuit. Elle dit :

… Ses parents, qui l'affectionnent extrêmement, l'appliquent à chaque instant sur leur poitrine, et ouvrent leur journée en admirant sa beauté. Telle quelle, avec tout ce qu'elle a de caché, elle t'appartiendra ; et tu te réjouiras d'elle ; et réciproquement. Nous allons donc te conduire auprès d'elle ; et tous deux vous ferez ce que vous avez à faire. Toutefois prends garde que ses parents ne te voient, surtout en état d'enlacement ; car ils te jetteraient tout vif dans le feu. Mais le mal ne sera pas sans remède ; car nous serons toujours là pour veiller sur toi et te sauver de la mort. Et même rien ne t'arrivera que le bien, car nous irons te trouver en cachette, et nous enduirons ton corps avec l'huile du serpent pharaonique, de telle façon que si tu séjournais mille ans sur le bûcher ou dans la fournaise, ton corps n'éprouverait pas le moindre mal, et le feu serait pour toi un bain aussi frais que celui des sources dans le jardin d'Irem. »

« Et, m'ayant ainsi prévenu de tout ce qui devait m'arriver, et tranquillisé d'avance sur l'issue de l'aventure, les deux vieilles me transportèrent, avec une rapidité qui me stupéfia, dans le palais en question qui était celui du roi des genn de la Première Couche. Et, du coup, je crus me voir dans le paradis sublime. Et dans la salle retirée où je fus introduit, je vis celle qui m'était échue de par mon destin, une adolescente illuminée par sa propre beauté, et couchée sur son lit, la tête appuyée sur un oreiller charmant. Et certes ! l'éclat de ses joues rendait tout honteux le soleil lui-même ; et de la regarder trop longtemps vous eût lavé les mains de la raison et de la vie. Et tout aussitôt la flèche perçante du désir de son union entra profondément dans mon cœur. Et je restai devant elle la bouche ouverte, tandis que l'enfant qui m'était échu en héritage se mouvementait considérablement, et ne tendait à rien moins qu'à sortir prendre l'air du temps.

« À cette vue, l'adolescente lunaire fronça le sourcil, comme si elle était mue par quelque sentiment de pudeur, tandis que son regard plein de malice donnait son assentiment. Et elle me dit d'un ton qu'elle voulut courroucé : « Ô être humain, d'où es-tu venu, et quelle audace est la tienne ? Tu ne crains donc pas de laver tes mains de ta propre vie ? » Et moi, pénétrant ses vrais sentiments à mon égard, je répondis : « Ô ma maîtresse délicieuse, quelle vie est préférable à cet instant où mon âme jouit de ta vue ? Par Allah ! tu es écrite dans mon destin, et je suis venu ici précisément pour obéir à mon destin. Je te supplie donc, par tes yeux, ces diamants, de ne point perdre en paroles sans conséquence un temps que l'on pourrait employer utilement. »

« Alors l'adolescente quitta soudain sa pose nonchalante, et courut à moi, comme mue par un désir irrésistible et me prit dans ses bras, et me serra contre elle avec chaleur, et devint toute pâle et tomba en pâmoison dans mes bras. Et elle ne tarda pas à se mouvementer, à haleter et à frétiller, tant et si bien que, sans arrêt, l'enfant entra dans son berceau, sans cris ni souffrances, tout comme le poisson dans l'eau. Et mon esprit ému, libre de l'inconvénient de rivaux, ne fit plus attention qu'à la jouissance pure et sans défaut. Et nous passâmes toute la journée et toute la nuit, sans parler, ni manger, ni boire, dans les contorsions des jambes et des reins, et dans tout ce qui s'ensuit en fait de mouvements et de contre-mouvements. Et le bélier encorneur ne ménagea pas cette brebis batailleuse, et ses secousses étaient celles d'un vrai père au gros cou, et la confiture qu'il servit était une confiture de gros nerf, et le père de la blancheur ne fut pas inférieur à l'outil prodigieux, et le doux-viandu fut la ration du borgne assaillant, et le mulet rétif fut dompté par le bâton du derviche, et le sansonnet muet s'accorda avec le rossignol moduleur, et le lapin sans oreilles marcha de pair avec le coq sans voix, et le muscle capricieux fit mouvoir la langue silencieuse, et, en un mot, tout ce qui était à ravir fut ravi, et ce qui était à réduire fut réduit ; et nous ne cessâmes nos travaux qu'avec l'apparition du matin, pour réciter la prière et aller au bain.

« Et nous passâmes un mois de la sorte, sans que personne se doutât de ma présence au palais et de la vie extraordinaire que nous menions, toute remplie de copulations sans paroles et d'autres choses semblables. Et ma joie eût été complète, sans la grande appréhension que ne cessait de ressentir mon amie de voir notre secret découvert par son père et sa mère, appréhension si vive, en vérité, qu'elle arrachait le cœur du cœur. Or, ce jour tant redouté ne manqua pas d'arriver, car, un matin, le père de l'adolescente, en se réveillant, alla dans la chambre de sa fille, et remarqua que sa beauté lunaire et sa fraîcheur avaient décru, et qu'une sorte de fatigue profonde altérait ses traits et les voilait de pâleur. Et, à l'instant, il appela la mère et lui dit : « Pourquoi la couleur du visage de notre fille est-elle changée ? Ne vois-tu pas que le vent funeste de l'automne a flétri les roses de ses joues ? » Et la mère regarda longtemps, en silence et d'un air soupçonneux, sa fille qui dormait paisiblement, et, sans prononcer un mot, elle s'approcha d'elle, releva d'un mouvement brusque la chemise et, avec les deux doigts de la main gauche, elle sépara les deux moitiés charmantes du bas de sa fille. Et, avec son œil, elle vit ce qu'elle vit, à savoir la preuve péremptoire de la virginité volatilisée de ce lapin couleur de jasmin…

À ce moment de sa narration, Schahrazade vit apparaître le matin et, discrète, se tut.

Mais lorsque fut la neuf cent dix-huitième nuit. Elle dit :

… Et, avec son œil, elle vit ce qu'elle vit, à savoir la preuve péremptoire de la virginité volatilisée de ce lapin couleur de jasmin. Et, à cette constatation, elle faillit s'évanouir d'émotion, et s'écria : « Ô sa pudeur et son honneur mis au pillage ! Ô fille dévergondée et si tranquille ! Ô taches indélébiles sur le vêtement de sa chasteté ! » Puis elle la secoua furieusement et la réveilla, en lui criant : « Si tu ne dis pas la vérité, ô chienne, je te ferai goûter la mort rouge ! »

« Et l'adolescente, réveillée de la sorte en sursaut, et voyant sa mère avec un nez plein de colère noire contre elle, se douta de ce qui arrivait, et perçut confusément que le moment grave était venu. Aussi, elle n'essaya ni de nier ce qui n'était point niable, ni d'avouer ce qui était inavouable. Mais elle prit le parti de baisser la tête et les paupières et de garder le silence. Et, de temps à autre, sous le flot des paroles orageuses lancées par sa mère, elle se contentait de relever un instant les paupières pour les abaisser sitôt après, sur des yeux étonnés. Quant à répondre, d'une manière ou d'une autre, elle s'en garda bien. Et quand, à bout de questions, de menaces et de bruits de tempête, la mère eut senti sa voix s'enrouer et sa gorge refuser les sons, elle laissa là sa fille et sortit en tumulte donner l'ordre de faire des recherches dans tout le palais, pour retrouver le perpétrateur du dégât. Et on ne tarda pas à me trouver, au bout de fort peu de temps, les recherches ayant été faites en suivant ma piste à mon odeur d'être humain, perceptible à leur odorat.

« Et donc, ils se saisirent de moi et me firent sortir du harem et du palais ; et, ayant réuni une énorme quantité de bois, ils me déshabillèrent et se disposèrent à me jeter dans le tas. Et, en ce moment précis, les deux vieilles de la citerne s'approchèrent de moi et dirent aux gardes : « Nous allons jeter sur le corps de cet être humain malfaisant cette jarre d'huile à brûler, afin que le feu lèche mieux ses membres et nous délivre plus vite de sa vue de malheur. » Et les gardes n'y trouvèrent aucun inconvénient, bien au contraire ! Alors les deux vieilles me versèrent sur le corps une jarre pleine de l'huile salomonique dont elles m'avaient expliqué la vertu, et m'en frottèrent tous les membres, sans omettre une parcelle de mon individu. Après quoi les gardes me placèrent au milieu de l'immense bûcher, auquel ils mirent le feu. Et, en peu d'instants, je fus entouré par les flammes furieuses. Mais les langues rouges qui me léchaient m'étaient plus douces et plus fraîches que la caresse de l'eau dans les jardins d'Irem. Et je restai depuis le matin jusqu'au soir, au milieu de cette fournaise, aussi intact qu'au jour de ma sortie du ventre de ma mère.

« Or, les genn de la Première Couche, qui attisaient le feu où ils me croyaient en état d'ossements, demandèrent à leur maître ce qu'il fallait qu'ils fissent de mes cendres. Et le roi leur ordonna de prendre mes cendres, et de les jeter de nouveau dans le feu. Et la reine ajouta : « Mais auparavant, vous pisserez tous dessus ! » Et, conformément à cet ordre, les genn serviteurs éteignirent le feu pour prendre mes cendres et pisser dessus. Et ils me trouvèrent souriant et intact, en l'état dont j'ai parlé.

« À cette vue, le roi et la reine des genn de la Première Couche ne doutèrent pas de ma puissance. Et ils réfléchirent dans leur esprit, et opinèrent que leur devoir était désormais de respecter un personnage aussi éminent. Et ils trouvèrent qu'il était convenable de marier leur fille avec moi. Ils vinrent me prendre par la main, et s'excusèrent de leur conduite à mon égard, et me traitèrent avec beaucoup d'honneur et de cordialité. Et quand je leur eus révélé que j'étais le fils du roi de Wâkâk, ils se réjouirent à la limite de la réjouissance, bénissant le sort qui unissait leur fille avec le plus noble des fils d'Adam. Et ils célébrèrent avec pompe et manifestations mon mariage avec cette belle au corps de rose. Et lorsque, au bout de quelques jours, j'éprouvai le désir de retourner dans mon royaume, j'en demandai la permission à mon oncle, père de mon épouse. Et bien que cela leur fût douloureux de se séparer de leur fille, ils ne voulurent point s'opposer à mon désir. Et on nous fit préparer un char d'or, attelé de six paires de genn aériens, et on me donna, en guise de cadeaux, un nombre considérable de joailleries et de gemmes splendides. Et, après les adieux et les souhaits, nous fûmes transportés, le temps de fermer l'œil et de l'ouvrir, dans la ville de Wâkâk, ma ville.

« Or, sache maintenant, ô jeune homme, que cette adolescente-ci que tu vois devant toi les mains liées derrière le dos, est la fille de mon oncle, le roi des genn de la Première Couche. C'est elle précisément qui est mon épouse et s'appelle Pomme de Pin. Et c'est d'elle qu'il s'est agi jusqu'à présent, et c'est elle aussi qui va être le sujet de ce que je vais maintenant te raconter. En effet, une nuit, quelque temps après mon retour, j'étais endormi à côté de mon épouse Pomme de Pin. Et, à cause de la chaleur qui était grande, je me réveillai contre mon habitude, et je m'aperçus que, malgré la température de cette nuit étouffante, les pieds et les mains de Pomme de Pin étaient plus froids que la neige. Et je fus saisi de sentir ce froid singulier, et, croyant à quelque malaise profond de mon épouse, je la réveillai doucement et lui dis : « Ma charmante, ton corps est glacé ! Souffres-tu ou ne sens-tu rien ? » Et elle me répondit, d'un ton indifférent : « Ce n'est rien. Tout à l'heure j'ai satisfait un besoin, et c'est à cause de l'ablution que j'ai faite ensuite, que mes pieds et mes mains sont froids. » Et moi je crus son discours véridique et, ne disant mot, je me recouchai.

« Or, quelques jours après, la même chose eut lieu, et mon épouse, interrogée par moi, me donna la même explication. Mais cette fois je ne fus point satisfait, et de vagues soupçons pénétrèrent confusément mon esprit. Et je fus dès lors inquiet. Toutefois, je serrai ces soupçons dans le coffret de mon cœur, et appliquai la serrure du silence à la porte de ma langue…

À ce moment de sa narration, Schahrazade vit apparaître le matin et, discrète, se tut.

Mais lorsque fut la neuf cent dix-neuvième nuit. Elle dit :

… Toutefois, je serrai ces soupçons dans le coffret de mon cœur, et j'appliquai la serrure du silence à la porte de ma langue. Et, pour essayer un dérivatif à mon inquiétude, j'allai à mes écuries regarder mes beaux chevaux. Et je vis que les chevaux que j'avais réservés pour mon usage personnel, à cause de leur vitesse qui dépassait le vent, étaient devenus si maigres et exténués que les os leur perçaient la peau, et que leur dos était écorché en plusieurs endroits. Et moi, ne sachant plus rien, je fis venir en ma présence les palefreniers, et leur dis : « Ô fils de chien, qu'est cela ? Et comment cela ? » Et ils se jetèrent la face contre terre devant mon courroux, et l'un d'eux leva un peu la tête, en tremblant, et me dit : « Ô notre maître, si tu me fais grâce de la vie, je te dirai quelque chose en secret. » Et je lui jetai le mouchoir de la sécurité, en lui disant : « Dis-moi la vérité, et ne me cache rien, sinon le pal ! » Alors il dit : « Sache, ô notre maître, que toutes les nuits, sans y manquer, la reine notre maîtresse, revêtue de ses habits royaux, ornée de ses parures et de ses joyaux, semblable à Balkis au milieu de ses atours, vient à l'écurie, choisit un des chevaux particuliers de notre maître, le monte, et va se promener. Et quand, vers la fin de la nuit, elle revient, le cheval n'est plus bon à rien, et tombe sur le sol, exténué. Et voilà longtemps que dure cet état de choses dont nous n'avons jamais osé aviser notre maître le sultan ! »

« Or moi, en apprenant ces détails étranges, je fus troublé en mon cœur, et mon inquiétude se fit tumultueuse, et les soupçons s'enracinèrent profondément dans mon esprit. Et la journée se passa de la sorte pour moi, sans que j'eusse un moment de calme pour juger les affaires du royaume. Et j'attendais la nuit avec une impatience qui faisait se détendre mes jambes et mes bras malgré moi. Aussi quand fut l'heure où d'ordinaire j'allais trouver mon épouse, la nuit, j'entrai chez elle et la trouvai déjà dévêtue et qui s'étirait les bras. Et elle me dit : « Je suis bien fatiguée et n'ai envie que de me coucher. Voici d'ailleurs le sommeil qui se répand sur mes yeux. Ah, dormons ! » Et moi, de mon côté, je sus dissimuler mon agitation intérieure, et, faisant semblant d'être encore plus exténué qu'elle, je m'étendis à ses côtés et, quoique je fusse bien éveillé, je me mis à respirer en ronflant, comme ceux qui dorment dans la taverne.

« Alors, cette femme de mauvaise fortune se leva comme un petit chat, et approcha de mes lèvres une tasse dont elle versa le contenu dans ma bouche. Et moi j'eus la force de ne point me trahir ; mais, me tournant un peu du côté du mur, comme si je continuais à dormir, je crachai sans bruit dans l'oreiller le bang liquide qu'elle m'avait versé. Et elle, ne doutant pas de l'effet du bang, ne se gêna plus avec elle-même pour aller et venir dans la chambre, et se laver, et s'arranger, et se mettre du khôl aux yeux, et du nard dans les cheveux, et du surma indien sur les sourcils, et du missi également indien sur les dents, et se parfumer à l'essence volatile de roses, et se couvrir de bijoux, et se mettre en marche comme si elle était ivre.

« Alors, ayant attendu qu'elle fût sortie, je me levai de mon lit, et, jetant sur mes épaules une abaya à capuchon, je la suivis, pieds nus, à pas dérobés. Et je la vis se diriger vers les écuries, et choisir un cheval aussi beau et léger que celui de Schirîn. Et elle monta dessus, et partit. Et je voulus aussi monter à cheval pour la suivre ; mais je pensai que le bruit des sabots arriverait à l'oreille de cette épouse éhontée, et qu'elle serait ainsi avisée de ce qui devait lui rester caché. Aussi, serrant ma ceinture autour de mes reins à la manière des saïs et des messagers, je me mis à courir sans bruit derrière le cheval de mon épouse, livrant mes jambes au vent. Et quand je trébuchais, je me relevais ; et quand je tombais, je me relevais, sans perdre courage. Et je continuai ainsi ma course, me meurtrissant les pieds aux cailloux de la route.

« Or sache, ô jeune homme, que sans que j'eusse songé à lui donner l'ordre de me suivre, ce chien lévrier que voici debout devant toi, le cou orné d'un collier d'or, était sorti derrière moi et courait à mes côtés fidèlement, sans donner de la voix. Et, au bout de plusieurs heures de cette course sans répit, mon épouse arriva dans une plaine nue où il n'y avait qu'une seule maison, basse et construite en boue, qui était habitée par des nègres. Et elle descendit de cheval et entra dans la maison des nègres. Et moi je voulus pénétrer derrière elle ; mais la porte se ferma avant que je fusse arrivé sur le seuil, et je me contentai de regarder par une lucarne, pour tâcher de savoir ce que pouvait bien être l'affaire.

« Et voici que les nègres, qui étaient au nombre de sept, semblables à des buffles, accueillirent mon épouse par des injures épouvantables, et se saisirent d'elle, et la jetèrent sur le sol, et la piétinèrent en lui donnant de si grands coups que je crus ses os brisés et son âme expirée. Mais elle, loin de se montrer endolorie de ce traitement féroce, dont ses épaules, son ventre et son dos portent jusqu'aujourd'hui les traces, se contentait de dire aux nègres : « Ô mes chéris, par l'ardeur de mon amour pour vous, je vous jure que je ne suis un peu en retard cette nuit que parce que le roi, mon époux, ce galeux, ce mauvais cul, est resté éveillé au-delà de son heure habituelle. Sans cela, aurais-je attendu si longtemps pour venir, et faire jouir mon âme de la boisson de notre union ? »

« Et moi, voyant cela, je ne savais plus ni où j'étais, ni si j'étais la proie d'un horrible rêve. Et je pensais en mon âme : « Ya Allah ! je n'ai jamais frappé Pomme de Pin, même avec une rose ! Comment se fait-il donc qu'elle supporte de tels coups sans mourir ? » Et, pendant que je réfléchissais ainsi, je vis les nègres, apaisés par les excuses de mon épouse, la dévêtir entièrement en lui déchirant ses habits royaux, et lui arracher ses bijoux et ses ornements, puis se précipiter tous sur elle, comme un seul homme, pour l'assaillir de tous les côtés à la fois. Et elle, sous ces violences, répondait par des soupirs contents, des yeux blancs et des halètements.

« Alors moi, ne pouvant supporter plus longtemps cette vue, je me précipitai par la lucarne au milieu de la salle, et, ramassant une matraque d'entre les matraques qui étaient là, je profitai de la stupéfaction des nègres, qui croyaient à la descente parmi eux de quelque genni, pour me jeter sur eux et les assommer à grands coups assenés sur leurs têtes. Et je dénouai de la sorte cinq d'entre eux de dessus mon épouse, et les précipitai en ligne droite dans l'enfer. Ce que voyant, les deux autres nègres qui restaient se dénouèrent d'eux-mêmes d'avec mon épouse, et cherchèrent leur salut dans la fuite. Mais je réussis à en attraper un, et d'un coup je l'étendis à mes pieds ; et, comme il n'était qu'étourdi seulement, je pris une corde et voulus lui lier les poings et les pieds. Et, comme je me baissais, mon épouse accourut soudain par-derrière, et me poussa avec une telle force que je m'aplatis sur le sol. Alors le nègre profita de l'occasion pour se lever et monter sur ma poitrine. Et déjà il levait sa matraque pour terminer mon affaire d'un seul coup, lorsque mon chien fidèle, ce lévrier couleur d'étourneau, lui sauta à la gorge et le précipita sur le sol en s'y roulant avec lui. Et je profitai aussitôt de cet instant favorable pour prendre le dessus sur mon adversaire et, d'un tour de main, lui ligoter les bras et les jambes. Puis ce fut au tour de Pomme de Pin, que je pris et liai, sans prononcer une parole, tandis que des étincelles sortaient de mes yeux.

« Cela fait, je traînai le nègre hors de la maison et l'attachai à la queue de mon cheval. Puis je pris mon épouse et la plaçai devant moi sur la selle, en travers, comme un paquet. Et, suivi de mon chien lévrier, qui m'avait sauvé la vie, je rentrai à mon palais, où, de ma propre main, je coupai la tête au nègre dont le corps, traîné tout le long de la route, n'était déjà plus qu'une loque pantelante, et donnai sa chair à manger à mon chien. Et je fis saler sa tête, qui est celle précisément que tu vois ici même sur ce plateau, devant Pomme de Pin. Et pour toute punition, à mon épouse, cette éhontée, j'infligeai simplement la vue journalière de la tête coupée de son amant, le nègre. Et voilà pour ces deux-là. Mais pour ce qui est du septième nègre, qui avait réussi à prendre la fuite, il ne cessa de courir qu'il ne fût arrivé dans les contrées de Sînn et de Masînn, où règne le roi Tammouz ben Qâmous. Et, par une suite de machinations de nègre, il réussit à aller se cacher sous le lit d'ivoire de la princesse Mohra, fille du roi Tammouz. Et il est présentement son conseiller intime. Et nul dans le palais ne connaît sa présence sous le lit de la princesse.

« Et voilà, ô jeune homme, toute mon histoire avec Pomme de Pin ! Et tel est le rôle du nègre noir couché à l'heure qu'il est sous le lit d'ivoire de la fille du roi de Sînn et de Masînn, Mohra la tueuse de tant d'adolescents royaux. » Ainsi parla le roi Cyprès, maître de la ville de Wâkâk, au jeune prince Diamant. Puis il ajouta…

À ce moment de sa narration, Schahrazade vit apparaître le matin et, discrète, se tut.

Mais lorsque fut la neuf cent vingtième nuit. Elle dit :

… Ainsi parla le roi Cyprès, maître de la ville de Wâkâk, au jeune prince Diamant. Puis il ajouta : « Et maintenant que tu as entendu ce que nul être humain ne connaît, tends la tête qui ne t'appartient plus, et lave tes mains de la vie ! »

Mais Diamant répondit : « Ô roi du temps, je sais que ma tête est entre tes mains, et je suis prêt à m'en séparer sans trop de regrets. Toutefois, jusqu'à présent, le point le plus important de cette histoire n'est pas suffisamment élucidé pour mon esprit, car je ne sais pas encore pourquoi le septième nègre est allé se réfugier précisément sous le lit de la princesse Mohra, et non pas dans un autre endroit de la terre, et surtout comment il se fait que cette princesse ait consenti à le garder à demeure ! Fais-moi donc savoir comment la chose s'est passée ; et une fois que je le saurai, je ferai mes ablutions et je mourrai. »

Lorsque le roi Cyprès eut entendu ces paroles de Diamant, il fut prodigieusement surpris. Car il ne s'attendait pas à une telle question, et il n'avait d'ailleurs jamais eu la curiosité de connaître les détails que réclamait Diamant. C'est pourquoi, ne voulant pas paraître ignorer une si importante question, il dit au jeune prince : « Ô voyageur, ce que tu me demandes là est du domaine des secrets d'État, et si je venais à te le révéler, j'attirerais sur ma tête et sur mon royaume les pires calamités. C'est pourquoi je préfère te faire grâce de la vie et de ta tête, et te pardonner ton indiscrétion ! Hâte-toi donc de sortir du palais, avant que je revienne sur ma décision de te laisser aller en liberté ! »

Et Diamant, qui n'espérait pas se sauver à si bon compte, embrassa la terre entre les mains du roi Cyprès, et, instruit désormais de ce qu'il voulait tant connaître, il sortit du palais en rendant grâces à Allah qui lui avait octroyé la sécurité. Et il alla prendre congé de son jeune ami, le bel adolescent Farah, qui versa des larmes sur son départ. Puis il monta sur la terrasse et brûla un des poils de Simourg. Et aussitôt le Volant, précédé d'un souffle de tempête, apparut devant lui. Et, s'étant informé de son désir, il le prit sur son épaule, lui fit traverser les sept océans, et le fit entrer avec cordialité et bienveillance dans son habitation. Et il lui fit prendre là un repos de quelques jours. Après quoi il le transporta auprès de la délicieuse reine Aziza, au milieu des roses qui s'accordaient avec leurs boutons. Et il trouva cette délicieuse-là qui pleurait son absence et soupirait après son retour, ses joues devenues semblables à la fleur du grenadier. Et, en le voyant entrer, accompagné d'Al-Simourg le Volant, son cœur défaillit, et elle se leva en tremblant comme la biche qui rappelle. Et Al-Simourg le Volant, pour ne pas les gêner, sortit de la salle et les laissa se reconnaître à leur aise. Et quand il rentra, au bout d'une heure de temps, il les trouva encore enlacés, splendeurs sur splendeurs.

Et Diamant, qui avait ses projets arrêtés, dit à Al-Simourg : « Ô notre bienfaiteur, ô père des géants et leur couronne, je souhaite de toi maintenant que tu nous transportes chez ta nièce la charmante Gamila, qui m'attend sur les tisons rougis du désir ! » Et l'excellent Al-Simourg les prit tous deux, chacun sur une épaule, et les transporta, le temps de fermer un œil et de l'ouvrir, auprès de la gentille Gamila, qu'on trouva abîmée dans la tristesse, n'ayant plus de nouvelles de son corps, et en train de soupirer ces strophes :

« Ne rejette pas mon cœur loin de ces yeux dont le narcisse est amoureux.

Ô abstinent, il ne faut pas rejeter les plaintes des gens ivres, mais les reconduire à la taverne.

Mon cœur ne pourra se sauver de l'armée de tes moustaches naissantes ; et, comme la rose blessée, l'ouverture de ma robe ne sera pas recousue.

Ô tyrannique beauté, ô beau, brun et charmant, mon cœur gît à tes pieds de jasmin.

Mon cœur de jeune fille simple, à l'âge le plus tendre de l'adolescente, gît aux pieds du voleur des cœurs. »

Et Diamant, qui n'avait point oublié quelles obligations il devait à cette secourable Gamila, qui l'avait extrait de sa peau de daim et délivré des artifices de sa sœur Latifa, la sorcière, sans compter le don des armes magiques dont elle l'avait revêtu, ne manqua pas de lui témoigner avec chaleur ses sentiments de gratitude. Et, après les transports de la joie de se retrouver, il pria la reine Aziza de le laisser une heure avec Gamila, sans témoins. Et Aziza trouva la demande justifiée et la répartition égale, et sortit avec Al-Simourg. Et quand, au bout d'une heure de temps, elle fut rentrée, elle trouva Gamila épanouie dans les bras de Diamant.

Alors Diamant, qui aimait faire chaque chose à son heure, se tourna vers ses deux épouses et vers Al-Simourg, et leur dit : « Je pense qu'il est temps de régler l'affaire de Latifa la magicienne, qui est ta sœur, ya Gamila, et la fille de ton frère, ô père des Volants. » Et tous répondirent : « Il n'y a point d'inconvénient ! » Puis Al-Simourg, sur la prière de Diamant, se transporta auprès de sa nièce la magicienne Latifa, et, d'un tour de main, lui lia les bras derrière le dos et l'amena en présence de Diamant. Et le jeune prince, en l'apercevant, dit : « Pour la juger, asseyons-nous ici en rond, et réfléchissons sur le châtiment. » Et lorsqu'ils eurent pris place les uns en face des autres, Al-Simourg donna son opinion, disant : « Il faut, sans hésiter, débarrasser la race humaine de cette malfaisante. Je suis d'avis que, sans tarder, nous la pendions, la tête en bas, et qu'ensuite, nous l'empaillions. Ou encore nous pourrions, après la pendaison, donner sa chair à manger aux vautours et aux oiseaux de proie. » Et Diamant se tourna vers la reine Aziza et lui demanda son opinion. Et Aziza dit : « Je suis d'avis qu'il vaut mieux oublier ses torts envers notre époux Diamant, et lui pardonner à cause de notre union en ce jour béni ! » Et, à son tour, Gamila opina qu'il fallait absoudre sa sœur, et lui demander, en retour, de rendre la forme humaine à tous les jeunes gens qu'elle avait changés en daims. Alors Diamant dit : « Eh bien, que le pardon et la sécurité soient sur elle ! » Et il lui jeta son mouchoir. Puis il dit : « Il faudrait maintenant me laisser avec elle une heure de temps ! » Et ils acquiescèrent aussitôt à son désir. Et quand ils furent rentrés dans la salle, ils trouvèrent Latifa pardonnée et contente dans les bras de l'adolescent.

Et lorsque Latifa eut rendu à leur forme première les princes et les autres individus qu'elle avait, par ses sorcelleries, changés en daims, et qu'elle les eut congédiés après leur avoir donné à manger et de quoi se vêtir, Al-Simourg prit Diamant et ses trois épouses sur son dos, et les transporta en peu de temps à la ville du roi Tammouz ben Qâmous, père de la princesse Mohra. Et il dressa des tentes à leur intention, hors de la ville, et les y laissa prendre quelque repos, pour aller lui-même, sur la prière de Diamant, dans le harem où se trouvait la favorite Branche de Corail. Et il avisa la jeune fille de l'arrivée de Diamant, qu'elle attendait dans les soupirs et les douleurs du cœur. Et il n'eut pas de peine à la décider à se laisser conduire par lui auprès de son amoureux. Et il la transporta dans la tente où Diamant était assoupi, et la laissa seule avec lui, en emmenant les trois autres épouses. Et Diamant, après les épanchements du retour, sut prouver à Branche de Corail qu'il n'oubliait pas ses promesses, et, séance tenante, il lui parla le langage qui convenait. Et elle se dilata d'aise et de contentement, et fut trouvée charmante par les trois épouses de Diamant.

Or, lorsque les affaires intimes furent ainsi réglées entre Diamant et ses quatre épouses, on songea à l'accomplissement du projet principal. Et Diamant sortit des tentes, et se dirigea seul vers la ville, et arriva sur la place du meidân, devant le palais de Mohra, là où étaient accrochées, par milliers, les têtes de princes et de rois, les uns avec leur couronne, et d'autres toutes nues et chevelues. Et il se dirigea vers le tambour, et le fit résonner avec force, pour annoncer qu'il était prêt à donner à la princesse Mohra la réponse qu'elle réclamait de ses prétendants…

À ce moment de sa narration, Schahrazade vit apparaître le matin et, discrète, se tut.

Mais lorsque fut la neuf cent vingt et unième nuit. Elle dit :

… Pour annoncer qu'il était prêt à donner à la princesse Mohra la réponse qu'elle réclamait de ses prétendants. Et aussitôt les gardes le menèrent auprès du roi Tammouz ben Qâmous, qui reconnut en lui le jeune homme dont la beauté l'avait séduit, et à qui il avait dit, la première fois : « Réfléchis pendant trois jours, et reviens ensuite demander l'audience qui doit séparer ta gracieuse tête du royaume de ton corps. »

Or, cette fois, il lui fit signe d'avancer, et lui dit : « Ô mon fils, qu'Allah te protège ! Persistes-tu toujours à vouloir connaître les mystères et expliquer les idées fantasques d'une jeune fille ? » Et Diamant dit : « La science de la divination nous vient d'Allah, et nous n'avons pas à nous enorgueillir des dons d'Allah ! Or, ce secret que ta fille a caché dans le coffret de son cœur, et dont elle demande l'ouverture, personne ne le connaît, mais moi j'en ai la clef. » Et le roi dit : « Quel dommage pour ta jeunesse ! Voici que tu viens de laver tes mains de la vie ! » Et, comme il n'espérait plus détourner le jeune homme de son funeste projet, il donna l'ordre aux esclaves de prévenir leur maîtresse Mohra qu'un prince étranger venait essayer, dans le but d'être agréé par elle, d'expliquer ses fantasmagories.

Et bientôt entra dans la salle des audiences, précédée par l'odeur de ses boucles parfumées, l'adolescente princière aux manières charmantes, Mohra la bienheureuse, la cause de tant de vies tranchées, celle qu'on ne se lassait pas plus de regarder qu'un hydropique ne se lasse de boire l'eau de l'Euphrate, et pour qui des milliers d'âmes se sacrifiaient comme les papillons à la flamme. Et, d'un coup d'œil, elle reconnut en Diamant le jeune santon du jardin, l'adolescent à face de soleil, au corps charmant, dont la vue avait tant bouleversé son cœur. Et elle fut, de ce fait, à la limite de l'étonnement ; mais elle ne tarda pas à comprendre qu'elle avait été la dupe de ce santon, qui avait disparu du jour au lendemain, sans laisser de ses traces. Et elle devint furieuse en son âme, et se dit : « Cette fois-ci il ne m'échappera pas. » Et, s'étant assise sur le lit du trône, à côté de son père, elle regarda le jeune homme en face, avec des yeux ténébreux, et lui dit : « La question, nul ne l'ignore ! Réponds ! Quels sont les rapports entre Pomme de Pin et Cyprès ? » Et Diamant répondit : « La réponse, ô princesse, nul ne l'ignore ! D'ailleurs, la voici : les rapports entre Pomme de Pin et Cyprès sont de mauvaise qualité. Car Pomme de Pin, qui est l'épouse de Cyprès, roi de la ville de Wâkâk, a trouvé la juste rétribution de ce qu'elle a fait. Et il y a des nègres dans son affaire ! »

À ces paroles de Diamant, la princesse Mohra devint bien jaune de teint, et la crainte s'empara de son cœur. Toutefois, surmontant son inquiétude, elle dit : « Ces paroles ne sont pas claires. Lorsque tu auras donné des explications, je saurai si tu connais la vérité, ou si tu mens. »

Lorsque Diamant vit que la princesse Mohra ne voulait pas se rendre à l'évidence, et refusait de comprendre à demi-mot, il lui dit : « Ô princesse, si tu désires que je t'en raconte plus long, en levant le rideau qui cache ce qui doit être caché, commence par me dire de qui tu as appris toi-même ces choses-là, qu'une jeune fille vierge devrait ignorer ! Car il n'est pas possible que tu n'aies pas ici quelqu'un dont la venue a été une calamité pour tous les princes qui m'ont précédé ! » Et, ayant ainsi parlé, Diamant se tourna vers le roi et lui dit : « Ô roi du temps, il ne faut pas que tu ignores plus longtemps le mystère où vit ton honorée fille, et je te prie de lui ordonner de répondre à la question que je lui ai posée ! » Et le roi se tourna vers la belle Mohra et lui fit avec les yeux un signe qui voulait dire : « Parle ! » Mais Mohra garda le silence, et, malgré les signes réitérés de son père, ne voulut point délivrer sa langue du nœud qui l'attachait.

Alors Diamant prit le roi Tammouz par la main, et, sans prononcer une parole, le conduisit dans la chambre de Mohra. Et soudain il se pencha et, d'un seul coup, souleva le lit d'ivoire de la princesse. Et voici que soudain la fiole du secret de Mohra se brisa en morceaux sur la pierre de l'ouvreur, et le nègre, son conseiller, parut aux yeux de tous, avec sa tête crépue.

À cette vue, le roi Tammouz et tous les assistants furent plongés dans la stupéfaction ; puis ils baissèrent la tête de honte, et leur corps fut couvert de sueur. Et le vieux roi n'en demanda pas davantage, ne voulant pas que son déshonneur parût dans toute sa plénitude devant les gens de sa cour. Et, sans même réclamer d'autres explications, il remit sa fille entre les mains de Diamant, pour qu'il en disposât à son gré. Et il ajouta : « Je te demande seulement, ô mon fils, de t'en aller d'ici au plus vite, en emmenant cette fille éhontée, afin que je n'en entende plus parler, et que mes yeux ne souffrent plus de sa vue ! » Quant au nègre, il fut empalé.

Et Diamant ne manqua pas d'obéir au vieux roi, et, prenant par la main la princesse confuse, il l'emmena à ses tentes, pieds et poings liés, et pria Al-Simourg le Volant de le transporter avec toutes ses femmes à l'entrée de la ville de son père, le roi Schams-Schah. Ce qui fut exécuté à l'instant. Et l'excellent Al-Simourg prit alors congé de Diamant, sans vouloir accepter de remerciements. Et, se gonflant, il s'en alla en sa voie. Et voilà pour lui !

Quant au roi Schams-Schah, père de Diamant, lorsque la nouvelle de l'arrivée de son fils bien-aimé fut parvenue jusqu'à lui, le soir du chagrin fut changé pour lui en matin de la joie, alors qu'à cause de l'absence il avait fait de ses deux yeux une fontaine. Et il alla au-devant de son fils, tandis que la proclamation de la bonne nouvelle se répandait dans toute la ville, et que l'allégresse se manifestait dans toutes les maisons. Et il s'approcha, en tremblant d'émotion, et appliqua le prince contre sa poitrine, et lui baisa la bouche et les yeux, et pleura beaucoup sur lui en criant. Et Diamant, les mains jointes, tâchait d'arrêter ses pleurs et ses soupirs. Et lorsque les premiers émois furent enfin un peu calmés, et que le vieux roi put parler, il dit à son fils Diamant : « Ô œil et lampe de la maison de ton père…

À ce moment de sa narration, Schahrazade vit apparaître le matin et, discrète, se tut.

Mais lorsque fut la neuf cent vingt-deuxième nuit. Elle dit :

… Ô œil et lampe de la maison de ton père, raconte-moi en détail l'histoire de ton voyage, afin que je vive par la pensée les jours de ta douloureuse absence. » Et Diamant raconta au vieux roi Schams-Schah tout ce qui lui était arrivé, depuis le commencement jusqu'à la fin. Mais il n'y a point d'utilité à le répéter. Puis il lui présenta, l'une après l'autre, ses quatre épouses, et finit par faire amener devant lui la princesse Mohra, pieds et mains liés. Et il lui dit : « Maintenant, à toi, ô mon père, d'ordonner à son sujet ce qu'il te plaira. »

Et le vieux roi, que le Très-Haut avait doué de sagesse et d'intelligence, pensa dans son esprit que son fils devait, au fond de son cœur, aimer cette adolescente funeste, cause de la mort de tant de beaux princes, puisque c'était pour elle qu'il avait supporté toutes ces peines et toutes ces fatigues. Et il se dit que s'il rendait un jugement sévère, il l'affligerait sans aucun doute. Aussi, après avoir encore réfléchi un instant, il lui dit : « Ô mon fils, celui qui, après beaucoup de peines et de difficultés, obtient une perle sans prix, doit la garder soigneusement. Certes ! cette princesse à l'esprit fantasque s'est rendue coupable, par son aveuglement, d'actions répréhensibles ; mais il faut les considérer comme ayant été faites par la volonté du Très-Haut. Et si tant de jeunes gens ont été privés de la vie par sa faute, c'est que l'écrivain du destin l'avait ainsi écrit dans le livre de la destinée. D'autre part, n'oublie pas, ô mon fils, que cette adolescente t'a traité avec beaucoup d'égards, lorsque tu t'es introduit, comme santon, dans son jardin. Enfin tu sais que la main du désir de personne, pas plus du nègre que de n'importe qui au monde, n'a atteint le fruit du jeune arbrisseau de son être, et que personne n'a savouré le goût de la pomme de son menton ni de la pistache de ses lèvres. »

Et Diamant fut sensible aux paroles de ce doux langage, d'autant plus que les bienheureuses aux charmantes manières, ses quatre épouses, appuyaient ce discours de leur assentiment. C'est pourquoi, ayant choisi un jour et un moment favorables, ce jouvenceau au corps de soleil s'unit avec cette lune perfide, semblable au serpent auprès du trésor. Et il eut d'elle, comme de ses quatre épouses légitimes, des enfants merveilleux, dont les pas furent autant de félicités, et qui eurent pour esclaves, comme leur père Diamant le Splendide et leur grand-père Schams-Schah le Magnifique, la fortune et le bonheur. Et telle est l'histoire du prince Diamant, avec tout ce qui lui arriva de choses extraordinaires. Aussi, gloire à qui réserva les récits des anciens comme leçons à l'intention des modernes, afin que les gens intelligents apprennent la sagesse !

Et le roi Schahriar, qui avait écouté cette histoire avec une attention extrême, remercia Schahrazade pour la première fois, disant : « Louanges à toi, ô bouche de miel ! Tu m'as fait oublier d'amères préoccupations ! » Puis soudain son visage se rembrunit. Et Schahrazade, voyant cela, se hâta de dire : « Oui, ô Roi du temps ! Mais, qu'est cela comparé à ce que je vais te raconter du MAÎTRE DES DEVISES ET DES RIS *? » Et le roi Schahriar dit : « Quel est, ô Schahrazade, ce maître des devises et des ris que je ne connais pas ? » et Schahrazade dit :*

QUELQUES SOTTISES ET THÉORIES DU MAÎTRE DES DEVISES ET DES RIS

Il est raconté, ô Roi du temps, dans les annales des sages anciens et dans les livres des savants, et il nous est transmis par la tradition, qu'il y avait dans la ville du Caire, ce séjour du badinage et de l'esprit, un homme d'apparence stupide, qui cachait sous ses dehors de bouffon extravagant un fond sans égal de finesse, de sagacité, d'intelligence et de sagesse, sans compter qu'il était certainement l'homme le plus amusant, le plus instruit et le plus spirituel de son temps. De son nom il s'appelait Goha, et de son métier il n'était rien du tout, absolument, bien qu'il exerçât par occurrence la charge de prédicateur dans les mosquées.

Or, un jour, ses amis lui dirent : « Ô Goha, n'as-tu pas honte de passer ta vie dans la fainéantise, et de n'user de tes mains aux dix doigts que pour les porter pleines à ta bouche ! Et ne penses-tu pas qu'il est grand temps que tu cesses ta vie de vagabondage et te conformes aux manières de tout le monde ? » Or, à cela, il ne répondit rien. Mais un jour il attrapa une cigogne qui était grande et belle, douée d'ailes magnifiques qui la faisaient voler bien haut dans le ciel, et d'un bec merveilleux, terreur des oiseaux, et de deux tiges de lis pour pattes. Et, l'ayant prise, il monta sur sa terrasse, en présence de ceux-là qui lui avaient fait des reproches, et, avec un couteau, il lui coupa les magnifiques plumes des ailes, et le long bec merveilleux, et les charmantes pattes si fines, et, la poussant du pied dans le vide, il lui dit : « Vole ! vole ! » Et ses amis, scandalisés, lui crièrent : « Qu'Allah te maudisse, ô Goha ! Pourquoi cette folie ? » Et il leur répondit : « Cette cigogne m'ennuyait et pesait sur ma vue parce qu'elle n'était pas comme les autres oiseaux. Mais je l'ai rendue maintenant semblable à tout le monde. »

Et, un autre jour, il dit à ceux qui l'entouraient : « Ô musulmans, et vous tous qui êtes ici présents, savez-vous pourquoi Allah Très-Haut le Généreux – qu'Il soit glorifié et remercié ! – n'a point donné d'ailes au chameau et à l'éléphant ? » Et ils se mirent à rire, et répondirent : « Non, par Allah ! nous ne le savons pas, ô Goha ! Mais toi, à qui rien n'est caché des sciences et des mystères, hâte-toi de nous le dire, pour que nous nous instruisions. » Et Goha leur dit : « Je vais vous le dire. C'est parce que si le chameau et l'éléphant avaient des ailes, ils s'abattraient de tout leur poids sur les fleurs de vos jardins et les écraseraient. »

Et, un autre jour, un ami de Goha vint frapper à sa porte et lui dit : « Ô Goha, à cause de l'amitié, prête-moi ton âne, dont j'ai besoin pour une course urgente. » Et Goha, qui n'avait pas une grande confiance en cet ami, répondit : « J'eusse bien voulu te prêter l'âne, mais il n'est plus ici, je l'ai vendu. » Or, à ce moment même, l'âne se mit à braire dans l'étable, et l'homme entendit cet âne qui était en train de braire interminablement, et il dit à Goha : « Il est là, ton âne ! » Et Goha répondit d'un ton fort offusqué : « Hé, par Allah ! voilà maintenant que tu crois l'âne et tu ne me crois pas ! Va-t'en, je ne veux plus te voir ! »

Et, une autre fois, le voisin de Goha vint le trouver pour l'inviter à un repas, lui disant : « Viens, ô Goha, manger dans ma maison. » Et Goha accepta l'invitation. Et lorsqu'ils se furent tous deux assis devant le plateau des mets, on leur servit une poule. Et Goha, après plusieurs essais de mastication, finit par renoncer à toucher à cette poule, qui était une vieille d'entre les poules les plus vieilles, à la chair coriace ; et il se contenta d'absorber un peu de bouillon où elle avait cuit. Après quoi il se leva et, prenant la poule, il la plaça dans la direction de La Mecque, et se disposa à faire sa prière sur elle. Et son hôte, offusqué, lui dit : « Que vas-tu faire, ô mécréant ! Et depuis quand les musulmans font-ils leurs prières sur les poules ? » Et Goha répondit : « Ô oncle, tu te fais illusion ! Cette volaille, sur laquelle je vais faire ma prière, n'est pas une volaille ! Elle est seulement une apparence de volaille ; car, en réalité, elle est une vieille sainte femme changée en poule, ou quelque vénérable santon ! Car elle est allée au feu, et le feu l'a respectée ! »

Une autre fois, il était parti avec une caravane, et les provisions de bouche étaient minimes, et la faim des caravaniers était considérable. Quant à Goha, son estomac le sollicitait tellement qu'il eût avalé la ration des chameaux. Or donc, quand tout le monde se fut assis, à la première halte, pour manger, Goha fut d'une réserve et d'une discrétion qui émerveillèrent ses compagnons. Et comme on le pressait de prendre le pain et l'œuf dur qui lui revenaient de droit, il répondit : « Non, par Allah ! vous autres, mangez et soyez contents ! mais moi il me serait impossible de manger un pain entier et un œuf dur, à moi seul ! Que chacun de vous prenne donc le pain et l'œuf dur qui sont sa part ; puis, si vous le voulez bien, vous me donnerez la moitié de chaque pain et de chaque œuf ; car c'est là toute la capacité de mon estomac, qui est délicat. »

Et, dans une autre circonstance, il alla chez le boucher et lui dit : « C'est aujourd'hui fête à la maison ! Donne-moi donc le meilleur morceau de viande du mouton gras. » Et le boucher retira pour lui tout le filet du mouton, qui pesait un poids considérable, et le lui remit. Et Goha alla porter tout le filet à sa femme, en lui disant : « Fais-nous, avec cet excellent filet, des brochettes aux oignons. Et assaisonne-les bien à mon goût. » Puis il sortit faire une tournée au souk.

Or, l'épouse profita de l'absence de Goha pour cuire en toute hâte le filet de mouton et le manger avec son frère, sans en rien laisser. Et lorsque Goha fut rentré, il sentit l'odeur appétissante des brochettes grillées, et ses narines se gonflèrent, et son estomac se sensibilisa. Mais quand il se fut assis devant le plateau, sa femme lui apporta, pour tout repas, un morceau de fromage grec et un pain moisi. Quant au kabab, il n'y en avait pas trace. Et Goha, qui n'avait fait que penser à ce kabab-là, dit à sa femme : « Ô fille de l'oncle, et le kabab ? Quand vas-tu me le servir ? » Et elle répondit : « La miséricorde d'Allah sur toi et sur le kabab ! Le chat de la maison l'a dévoré, alors que j'étais allée aux cabinets. »

Et Goha, sans dire un mot, se leva et saisit le chat et le pesa dans la balance de la cuisine. Et il constata qu'il pesait bien moins que le filet de mouton qu'il avait apporté. Et il se tourna vers son épouse, et lui dit : « Ô fille des chiens, ô dévergondée ! si ce chat que je tiens est l'avaleur de la viande, où est le poids du chat ? Et si ce que je tiens est le chat, où est la viande ? »

Et, un autre jour, son épouse, étant occupée à la cuisine, lui remit le nourrisson, leur fils, qui était âgé de trois mois, et lui dit : « Ô père d'Abdallah, prends cet enfant et berce-le, pendant que je suis près de la poêle. Puis je le prendrai de toi. » Et Goha voulut bien se charger de l'enfant, bien qu'il n'aimât pas beaucoup cette besogne-là. Or, précisément à ce moment, l'enfant fut pris d'un besoin de pisser, et se mit à pisser sur le caftan neuf de son père. Et Goha, à la limite de la contrariété, se hâta de déposer à terre l'enfant ; et, dans sa fureur, il se mit à pisser à son tour, sur lui. Et son épouse le vit qui se comportait de la sorte, et accourut vers lui en criant : « Ô visage de goudron, que fais-tu là sur l'enfant ? » Et il lui répondit : « Es-tu aveugle ? Ne vois-tu pas que je pisse sur lui, sans plus, ne le traitant pas en fils d'étranger ? Car, en vérité, si c'eût été un fils d'étranger qui eût pissé sur moi, et non pas mon propre fils, sans aucun doute j'eusse entièrement vidé mon intérieur sur sa figure. »

Et, un soir, ses amis assemblés lui dirent : « Ya Si-Goha, toi qui es instruit dans les sciences et versé dans l'astronomie, peux-tu nous dire ce que devient la lune qui a passé son dernier quartier ? » Et Goha répondit : « Que vous a-t-on donc appris chez le maître d'école, ô compagnons ? Par Allah ! chaque fois qu'une lune est à son dernier quartier, on la brise pour en faire des étoiles ! » Et, un autre jour, Goha alla trouver un de ses voisins et lui dit : « Le voisin se doit à son voisin. Prête-moi donc une marmite, pour qu'à la maison on y fasse cuire une tête de mouton…

À ce moment de sa narration, Schahrazade vit apparaître le matin et, discrète, se tut.

Mais lorsque fut la neuf cent vingt-troisième nuit. Elle dit :

… Prête-moi donc une marmite pour qu'à la maison on y fasse cuire une tête de mouton. » Et le voisin prêta à Goha la marmite en question. Et on y cuisit ce qu'on y cuisit. Et, le lendemain, Goha rapporta la marmite à son propriétaire. Mais il avait pris soin de mettre dedans une seconde marmite, plus petite. Et le voisin fut fort étonné, ayant pris son bien, de voir qu'il avait fructifié. Et il dit à Goha : « Ya Si-Goha, qu'est-ce donc que cette petite marmite que je trouve à l'intérieur de ma marmite ? » Et Goha dit : « Je ne sais pas, mais je crois bien que c'est ta marmite qui en a accouché cette nuit. » Et l'autre dit : « Allahou akbar ! c'est là une aubaine de la bénédiction par ton entremise, ô visage de bon augure ! » Et il rangea sur l'étagère de la cuisine la marmite et sa fille.

Or, au bout d'un certain temps, Goha retourna chez son voisin et lui dit : « N'était la peur de te gêner, ô voisin, je te demanderais bien la marmite avec sa fille, pour les besoins d'aujourd'hui ! » Et l'autre répondit : « De tout cœur amical, ô voisin. » Et il lui remit la marmite avec la petite en dedans. Et Goha les prit et s'en alla. Et plusieurs jours se passèrent sans que Goha rendît ce qu'il avait emprunté. Et le voisin alla le trouver, et lui dit : « Ya Si-Goha, ce n'est certes pas manque de confiance en toi, mais à la maison on a besoin aujourd'hui de l'ustensile. » Et Goha demanda : « Quel ustensile, ô voisin ? » Il dit : « La marmite que je t'ai prêtée et qui a engendré ! » Et Goha répondit : « Qu'Allah l'ait en sa miséricorde ! Elle est morte. » Et le voisin dit : « Il n'y a d'autre dieu qu'Allah ! Comment, ô Goha ! Est-ce qu'une marmite peut mourir ? »

Et Goha dit : « Tout ce qui engendre meurt ! D'Allah nous venons, et vers lui nous retournerons ! »

Et, une autre fois, un fellah fit présent d'une poule grasse à Goha. Et Goha fit cuire la poule et invita le fellah au repas. Et ils mangèrent la poule et furent contents. Or, au bout d'un certain temps, un autre fellah vint qui frappa à la porte de Goha et demanda à être hébergé. Et Goha lui ouvrit et lui dit : « Sois le bienvenu, mais qui es-tu ? » Et le fellah répondit : « Je suis le voisin de celui qui t'a fait cadeau de la poule. » Et Goha répondit : « Sur ma tête et sur mon œil. » Et il l'hébergea en toute cordialité et lui donna à manger et ne le fit manquer de rien. Et l'autre s'en alla content. Et, quelques jours après, un troisième fellah vint frapper à la porte. Et Goha demanda : « Qui est là ? » Et l'homme dit : « Je suis le voisin du voisin de celui qui t'a fait cadeau de la poule. » Et Goha dit : « Il n'y a pas d'inconvénient. » Et il le fit entrer et asseoir devant le plateau des repas. Mais, pour toute nourriture et boisson, il plaça devant lui une marmite avec de l'eau chaude à la surface de laquelle se voyaient quelques gouttelettes de graisse. Et le fellah ne voyant rien d'autre venir, demanda : « Qu'est ceci, ô mon hôte ? » Et Goha répondit : « Ceci ! mais c'est la sœur de la sœur de l'eau où a cuit la poule. »

Et les amis de Goha voulant, un jour, s'amuser à ses dépens, se concertèrent entre eux, et l'emmenèrent au hammam. Et ils avaient emporté des œufs sans que Goha s'en doutât. Et lorsqu'ils furent arrivés au hammam et qu'ils se furent tous déshabillés, ils entrèrent avec Goha dans la salle des sudations et dirent : « C'est le moment ! Chacun de nous va pondre un œuf. » Et ils ajoutèrent : « Celui d'entre nous qui ne pourra pas pondre, aura à payer le prix du hammam pour tous les autres. » Et, là-dessus, ils s'accroupirent tous en caquetant à qui mieux mieux, à la manière des poules. Et chacun d'eux finit par retirer un œuf de dessous lui. Et Goha, ayant vu cela, brandit soudain l'enfant de son père et, lançant le cri du coq, il se précipita sur ses amis et se mit en devoir de les assaillir. Et tous se levèrent en hâte, en lui criant : « Que vas-tu faire, ô gredin ! » Et Goha répondit : « Ne le voyez-vous donc pas ? Par ma vie, je vois là devant moi des poules, et, étant le seul coq, il faut bien que je les monte ! »

Il nous est également revenu que Goha avait pris l'habitude de se tenir tous les matins devant la porte de sa maison, et de faire à Allah cette prière, disant : « Ô Généreux, je te demande cent dinars d'or, pas un de plus, pas un de moins, car j'en ai besoin. Mais si, par l'effet de Ta générosité, le chiffre de cent est dépassé, ne fût-ce que d'un seul dinar, ou si, à cause de mon manque de mérite, il manque un seul dinar aux cent que je te demande, je n'accepterai pas le don ! »

Or, parmi les voisins de Goha, il y avait un juif enrichi – la richesse nous vient d'Allah ! – par toutes sortes d'affaires répréhensibles – qu'il soit enseveli dans les feux du cinquième enfer ! – Et ce juif entendait tous les jours Goha qui faisait cette prière à haute voix devant sa porte. Et il pensa en lui-même : « Par la vie d'Ibrahim et de Yâcoub ! je vais faire l'essai de l'or sur Goha ! Et je verrai bien comment il va se tirer de l'épreuve. » Et il prit une bourse contenant quatre-vingt-dix-neuf dinars d'or neuf, et la jeta de sa fenêtre aux pieds de Goha qui faisait sa prière accoutumée, debout devant le seuil de sa maison. Et Goha ramassa la bourse, tandis que le juif le surveillait pour voir quelle allait bien être l'affaire. Et il vit Goha délier les cordons de la bourse, en vider le contenu dans son giron, et compter les dinars un par un. Puis il entendit Goha qui, ayant constaté qu'il manquait un dinar sur les cent qu'il avait demandés, s'écriait, en élevant ses mains vers son Créateur : « Ô Généreux, loué sois-tu pour tes bienfaits, et remercié et glorifié ! mais le don n'est pas complet ; et, à cause de mon vœu, je ne puis l'accepter tel qu'il est. » Et il ajouta : « C'est pourquoi je vais en gratifier ce juif, mon voisin, qui est un homme pauvre, chargé de famille et un modèle pour l'honnêteté. » Et, ce disant, il prit la bourse et la jeta à l'intérieur de la maison du juif. Puis il s'en alla en sa voie.

Lorsque le juif eut vu et entendu tout cela, il fut à la limite de la stupéfaction, et se dit : « Par les cornes lumineuses de Moussa ! notre voisin Goha est un homme plein de candeur et de bonne foi. Mais je ne puis vraiment me prononcer tout à fait à son sujet que lorsque j'aurai contrôlé la seconde partie de son dire. » Et, le lendemain, il prit la bourse, y mit cent dinars plus un, et la jeta aux pieds de Goha, au moment où celui-ci faisait sa prière accoutumée devant sa porte. Et Goha, qui savait bien d'où tombait la bourse, mais qui continuait à feindre de croire à l'intervention du Très-Haut, se baissa et ramassa le don. Et, ayant compté ostensiblement les pièces d'or, il trouva que cette fois les dinars étaient au nombre de cent et un. Alors, levant les mains au ciel, il dit : « Ya Allah, ta générosité est sans limites ! Voici que tu m'as accordé ce que je te demandais en toute confiance, et tu as même voulu combler mon désir en me donnant plus que je ne souhaitais. Aussi, pour ne pas froisser ta bonté, j'accepte ce don tel qu'il est, bien que dans cette bourse il y ait un dinar de plus que je ne demandais. » Et, ayant ainsi parlé, il serra la bourse dans sa ceinture et fit marcher l'une devant l'autre ses deux jambes.

Lorsque le juif, qui regardait dans la rue, eut vu Goha serrer de la sorte la bourse dans sa ceinture et s'en aller tranquillement, il devint bien jaune de teint et sentit son âme qui, de colère, lui jaillissait du nez. Et il se précipita hors de sa maison et courut derrière Goha, en lui criant : « Attends, ô Goha, attends ! » Et Goha s'arrêta de marcher et, se tournant vers le juif, il lui demanda : « Qu'as-tu ? » Il répondit : « La bourse ! rends-moi la bourse ! » Et Goha dit : « Te rendre la bourse de cent dinars et un dinar qu'Allah m'a octroyée ? Ô chien des juifs, ta raison a-t-elle donc fermenté ce matin dans ton crâne ? Ou bien penses-tu que je doive te la donner, comme je t'ai donné celle d'hier ? En ce cas, détrompe-toi ! car celle-ci, je la garde de peur d'offenser le Très-Haut dans Sa générosité pour moi l'indigne. Je sais bien qu'il y a un dinar de plus dans cette bourse, mais cela ne fait pas mal aux autres. Quant à toi, marche ! » Et il saisit un gros bâton noueux, et fit mine de le laisser tomber de tout son poids sur la tête du juif. Et le malheureux de la descendance de Yâcoub fut bien obligé de s'en retourner les mains vides et le nez allongé jusqu'à ses pieds. Et, un autre jour, Si-Goha écoutait dans la mosquée le khateb faire le prêche. Et à ce moment le khateb expliquait à ses auditeurs un point de droit canon, disant : « Ô Croyants, sachez que si le mari remplit, à la tombée de la nuit, le devoir d'un bon époux à l'égard de son épouse, il en sera récompensé par le Rétributeur comme du sacrifice d'un mouton. Mais si la copulation licite a lieu pendant le jour, il en sera tenu compte au mari comme de l'affranchissement d'un esclave. Et si la chose est accomplie au milieu de la nuit, la récompense sera celle obtenue par le sacrifice d'un chameau ! »

Or, rentré à sa maison, Si-Goha rapporta ces paroles à son épouse. Puis il se coucha à ses côtés pour dormir. Mais la femme, se sentant prise de violents désirs, dit à Goha : « Lève-toi, ô homme, afin que nous gagnions la récompense du sacrifice d'un mouton. » Et Goha dit : « Ça va bien. » Et il fit l'affaire, et se recoucha. Mais, vers le milieu de la nuit, la fille de chien se sentit de nouveau l'intérieur en dispositions copulatives, et elle réveilla Goha, en lui disant : « Viens, ô homme, que nous fassions ensemble le bénéfice du sacrifice d'un chameau…

À ce moment de sa narration, Schahrazade vit apparaître le matin et, discrète, se tut.

Mais lorsque fut la neuf cent vingt-quatrième nuit. Elle dit :

… Viens, ô homme, que nous fassions ensemble le bénéfice du sacrifice d'un chameau. » Et Goha se réveilla, en geignant, et, les yeux à demi fermés, il fit l'affaire en question. Et il se rendormit aussitôt. Mais, au premier matin, l'épouse, assaillie de désirs nouveaux, tira Goha de son sommeil, en lui disant : « Vite, ô homme, réveille-toi avant le lever du soleil, que nous nous hâtions de faire ensemble ce qui nous obtiendra du Rétributeur le prix accordé à l'affranchissement d'un esclave ! » Mais, cette fois, Goha ne voulut rien entendre et répondit : « Ô femme, quel pire esclavage que celui d'un homme qui est obligé de sacrifier son propre enfant ! Laisse donc l'enfant à son père, et affranchis-moi tout le premier, moi qui suis ton esclave. »

Et, un autre jour, dans une autre mosquée, Si-Goha écoutait pieusement l'imam qui disait : « Ô Croyants, qui évitez vos femmes pour courir derrière les fesses des garçons, sachez que chaque fois qu'un Croyant accomplit avec son épouse l'acte conjugal, Allah bâtit pour lui un kiosque dans le paradis. » Et Goha, étant rentré chez lui, rapporta la chose à son épouse, par manière de conversation, sans y attacher d'autre importance. Mais l'épouse, qui n'avait pas laissé sortir par la seconde oreille ce qui était entré par la première, attendit que les enfants fussent couchés, et dit à Goha : « Allons, viens que nous fassions bâtir un kiosque, au nom de nos enfants ! » Et Goha répondit : « Il n'y a point d'inconvénient. » Et il mit l'outil du maçon dans la boîte à mortier. Puis il se coucha.

Mais, au bout d'une heure de temps, l'épouse à l'œil vide réveilla Goha, et lui dit : « J'oublie que nous avons une fille à marier, qui doit habiter seule. Bâtissons un kiosque à son intention. » Et Goha dit : « Hé, ouallahi ! Sacrifions le garçon pour la fille ! » Et il introduisit l'enfant en question dans le berceau qui le réclamait. Puis il s'étendit sur son matelas, en soufflant, et se rendormit. Mais, au milieu de la nuit, l'épouse le tira par le pied, réclamant encore un kiosque pour sa mère. Mais Goha s'écria : « La malédiction d'Allah sur les quémandeurs indiscrets ! Ne sais-tu donc, ô femme à l'œil vide, que la générosité d'Allah se retirerait de nous, si nous l'obligions à bâtir tant de kiosques à notre intention ? » Et il se remit à ronfler.

Et, un jour d'entre les jours, une femme dévote, d'entre les voisines de Si-Goha, était en train de prier quand, par inadvertance, un pet lui échappa. Et, comme elle n'était pas coutumière du fait, elle ne sut pas au juste si le pet en question avait été réellement engendré par elle, ou si le bruit entendu ne provenait point de quelque frottement de son pied contre les dalles ou d'un gémissement fait en priant. Prise de scrupule, elle alla consulter Goha, qu'elle savait fort versé dans la jurisprudence. Et elle lui expliqua, et lui demanda son avis. Et Goha, en manière de réponse, lâcha aussitôt un pet d'importance, et demanda à la dévote : « Était-ce ce bruit-là, ma tante ? » Et la vieille dévote répondit : « C'était d'un point plus fort ! » Et Goha lâcha aussitôt un second pet, plus important que le premier, et demanda à la dévote : « Était-ce comme cela ? » Et elle répondit : « C'était encore plus fort. » Alors Goha s'écria : « Non, par Allah ! ce n'était point un vent, c'était une tempête ! Va en sécurité, ô Mère aux Vents, sinon, à force de faire des efforts, je vais engendrer des gâteaux ! »

Et, un jour, l'effrayant conquérant tartare Timour-Lenk, le Boiteux de fer, passa près de la ville où résidait Si-Goha. Et les habitants se réunirent, et, après avoir tenu mille palabres sur les moyens d'empêcher le khân tartare de dévaster leur ville, ils convinrent de prier Si-Goha de les tirer de leur perplexité. Et aussitôt Si-Goha fit apporter toute la mousseline disponible dans les souks, et s'en fabriqua un turban de la grandeur d'une roue de char. Puis il monta sur son âne, et sortit de la ville à la rencontre de Timour. Et, lorsqu'il fut en sa présence, le Tartare remarqua ce turban extraordinaire, et dit à Goha : « Qu'est-ce donc que ce turban ? » Et Goha répondit : « Ô souverain du monde, c'est mon bonnet de nuit, et je te supplie de m'excuser si je suis venu entre tes mains avec ce bonnet de nuit, mais, dans un instant, je vais avoir mon bonnet de jour qui arrive par-derrière, chargé sur un chariot loué exprès. » Alors Timour-Lenk épouvanté de l'énorme coiffure des habitants, ne passa point par cette ville. Et, pris de sympathie pour Goha, il le retint près de lui, et lui demanda : « Qui es-tu ? » Et Goha répondit : « Je suis, tel que tu me vois, le dieu de la terre ! » Et Timour, qui était de race tartare, était en ce moment entouré de quelques jeunes garçons, qui étaient des plus beaux de sa nation, et qui avaient, comme il convient à leur race, les yeux fort petits et bridés. Et il dit à Goha, en lui montrant ces enfants : « Eh bien, ô dieu de la terre, trouves-tu à ton goût ces jolis enfants que voici ? Et leur beauté a-t-elle son égale ? » Et Goha dit : « Ce n'est point pour te déplaire, ô souverain du monde, mais je trouve que ces enfants ont de trop petits yeux, et, par là même, leur visage manque de grâce. » Et Timour lui dit : « Qu'à cela ne tienne ! Et puisque tu es le dieu de la terre, fais-moi le plaisir de leur agrandir les yeux ! » Et Goha répondit : « Ô mon seigneur, pour ce qui est des yeux du visage, il n'y a qu'Allah seul qui puisse les agrandir ; car, pour ma part, étant le dieu de la terre, je ne puis que leur agrandir l'œil qu'ils ont sous la ceinture ! » Et Timour, entendant ces paroles, comprit à quel gaillard il avait affaire, et se réjouit de sa réplique, et le retint désormais près de lui, comme son bouffon habituel.

Et, un jour, Timour, qui non seulement était boiteux et avait un pied de fer, mais qui était borgne et extrêmement laid, s'entretenait de choses et d'autres avec Goha. Et, sur ces entrefaites, le barbier de Timour entra et, après lui avoir rasé la tête, il lui présenta une glace pour qu'il s'y regardât. Et Timour se mit à pleurer. Et, à son exemple, Goha se répandit en pleurs, et poussa soupirs sur gémissements ; et il employa ainsi une ou deux ou trois heures de temps. Aussi Timour avait-il déjà fini de pleurer, que Goha n'en continuait pas moins à sangloter et à se lamenter. Et Timour, étonné, lui dit : « Qu'as-tu ? Moi, si j'ai pleuré, c'est que je me suis regardé au miroir de ce barbier de malheur, et que je me suis trouvé vraiment laid. Mais toi, pour quel motif verses-tu tant de larmes, et continues-tu à gémir si lamentablement ? » Et Goha répondit : « Sauf ton respect, ô notre souverain, toi tu t'es regardé un petit instant dans un miroir, et cela t'a suffi pour pleurer deux heures de temps ! Qu'y a-t-il donc de surprenant à ce que ton esclave, qui te regarde toute la journée, pleure plus longtemps que toi ? » Et

Timour, à ces paroles, au lieu de se fâcher, se mit à rire tellement qu'il se renversa sur son derrière.

Et, un autre jour, Timour, étant à table, rota tout près du visage de Goha. Et Goha s'écria : « Hé, ô mon souverain, roter est un acte honteux ! » Et Timour, étonné, dit : « Le rot ne passe pas pour honteux dans notre pays. » Et Goha ne répondit rien ; mais, vers la fin du repas, il lâcha un pet bruyant. Et Timour, formalisé, s'écria : « Ô fils de chien, que fais-tu là ? Et n'as-tu pas honte ? » Et Goha répondit : « Ô mon maître, dans notre pays cela n'est pas considéré comme honteux. Et comme je sais que tu ne comprends pas la langue de notre pays, je ne me suis pas gêné ! »

Un autre jour, dans une autre circonstance, Goha remplaçait le khateb, dans la mosquée d'un village voisin. Et, après qu'il eut fini de prêcher, il dit à ses auditeurs, en branlant la tête : « Ô musulmans, le climat de votre ville est exactement le même que celui de mon village. » Et ils dirent : « Comment cela ? » Il répondit : « C'est que je viens de tâter mon zebb, et je le trouve comme dans mon village, relâché et pendant sur mes testicules. Le salam sur vous tous, je m'en vais ! »

Et, un autre jour, Goha prêchait dans la mosquée, et, en manière de conclusion, il leva ses mains vers le ciel, et dit : « Nous te remercions et te glorifions pour Tes bontés, ô Dieu véridique et tout-puissant, de ce que Tu ne nous as pas placé le derrière dans la main ! » Et ses auditeurs, étonnés de cette élévation, lui demandèrent : « Que veux-tu dire par cette étrange prière, ô khateb ? » Et Goha dit : « Eh oui, par Allah ! Si le Donateur nous avait créés avec notre derrière dans la main, nous nous serions sali le nez plus de cent fois par jour. »

Et, une autre fois, étant encore monté en chaire, il prit la parole, disant : « Ô musulmans, louanges à Allah qui n'a point placé derrière nous ce qui est mis devant ! » Et ils demandèrent : « Comment cela…

À ce moment de sa narration, Schahrazade vit apparaître le matin et, discrète, se tut.

Mais lorsque fut la neuf cent vingt-cinquième nuit. Elle dit :

… Ô musulmans, louanges à Allah qui n'a point placé derrière nous ce qui est mis devant. » Et ils demandèrent : « Comment cela ? » Il dit : « Parce que si le bâton était situé derrière, chacun pourrait, sans le vouloir, devenir semblable aux compagnons de Loth, en faisant ce dont Loth seul a pu se préserver. »

Et, un jour, la femme de Goha, se trouvant seule et toute nue, se mit à tâter son histoire avec beaucoup d'amour, en disant : « Ô cher trésor, pourquoi n'en ai-je pas deux, ou trois ou quatre comme toi ? Tu es la source de mes plaisirs, et tu me procures de précieux avantages. » Or, le destin voulut que Goha arrivât sur ces entrefaites. Et il entendit ces paroles, et vit à quel propos son épouse s'exprimait ainsi. Alors il fit sortir son héritage, et lui dit en pleurant : « Ô fils de chien, ô proxénète, que de calamités tu as attirées sur ma tête ! Puisses-tu n'avoir jamais été l'enfant de ton père ! »

Et, un autre jour, Goha pénétra dans la vigne de son voisin, et se mit à manger le raisin comme un renard, en prenant les grappes par un bout et en les faisant sortir de sa bouche, tiges sans grains. Et voici que tout à coup se montra le voisin qui le menaça du bâton, en lui criant : « Que fais-tu là, ô maudit ? » Et Goha répondit : « J'avais des coliques, et je suis entré ici pour me décharger le ventre. » Et l'autre demanda : « Si cela est vrai, eh bien ! où est alors ce que tu as fait ? »

Et Goha fut un instant bien perplexe ; mais, ayant regardé de côté et d'autre, pour trouver de quoi se justifier, il montra au vigneron une fiente d'âne, en lui disant : « Voici la preuve. » Et l'homme dit : « Tais-toi, ô menteur ! Depuis quand es-tu devenu un âne ? » Et Goha sortit aussitôt son zebb, qui était énorme, et dit : « Depuis que le Rétributeur m'a gratifié de l'outil calamiteux que voici. »

Et, un jour, Goha se promenait sur le bord de la rivière ; et il vit une troupe de lavandières qui lavaient du linge. Et les lavandières, en l'apercevant, s'approchèrent de lui et l'enveloppèrent comme un essaim d'abeilles. Et l'une d'elles, relevant sa robe, mit à découvert le viandu. Et Goha l'aperçut et détourna la tête, en disant : « Ô Protecteur de la pudeur, je me réfugie en toi ! » Mais les lavandières, offusquées, lui dirent : « Qu'as-tu, ô timbale ? Ne connais-tu donc pas son nom, à ce bienheureux ? » Il dit : « Je le connais bien, il s'appelle l'Origine de mes maux ! » Mais elles s'écrièrent : « Pas du tout ! C'est le Paradis du Pauvre ! » Alors Goha demanda la permission de se retirer un peu à l'écart, et enveloppa l'enfant avec la toile de son turban, comme d'un linceul, et revint vers les lavandières qui lui demandèrent : « Qu'est cela, ô Goha ? » Il dit : « C'est un pauvre qui est mort, et qui demande à entrer dans le paradis en question. » Et elles se mirent à rire jusqu'à tomber. Et elles aperçurent, en même temps, quelque chose qui pendait hors du linceul, et qui était la bourse énorme de Goha. Et elles lui dirent : « Soit ! mais qu'est ceci qui pend de la sorte au-dessous du mort, comme deux œufs d'autruche ? » Il dit : « Ce sont les deux fils de ce pauvre, qui sont venus visiter son tombeau ! »

Et, une fois, Goha était en visite chez la sœur de son épouse. Et elle lui dit : « Ya Si-Goha, je suis obligée d'aller au hammam. Je te prie de prendre soin de mon nourrisson, pendant mon absence. » Et elle s'en alla. Alors le petit se mit à criailler et à piailler. Et Goha, fort dérangé, se mit en devoir de l'apaiser. Il sortit donc son rahat-loucoum et le donna à sucer au nourrisson, qui ne tarda pas à s'endormir. Et quand la mère fut de retour, et qu'elle eut vu l'enfant endormi, elle remercia beaucoup Goha, qui lui dit : « De rien, ô fille de l'oncle ! car si je t'en avais fait autant, et que tu eusses goûté à mon soporifique, tu te serais endormie, ta tête précédant tes pieds. »

Et, une autre fois, Goha était en train de saillir son âne, à la porte d'une mosquée isolée. Et un homme survint, par hasard, pour faire ses dévotions dans cette mosquée. Et il aperçut Goha qui était fort occupé de l'affaire en question. Et, pris de dégoût, il cracha par terre, ostensiblement. Et Goha le regarda de travers, et lui dit : « Rends grâces à Allah ! car si je n'avais une affaire pressante en main, je t'apprendrais à cracher ici ! »

Et, une autre fois, Goha était couché sur le chemin, au grand soleil, par un jour de chaleur, en tenant à la main son galant bâton à découvert. Et un passant lui dit : « La honte sur toi, ô Goha ! Que fais-tu là ? » Et Goha répondit : « Tais-toi, ô homme, et va-t'en de ma brise ! Ne vois-tu pas que je fais prendre l'air à mon enfant pour le rafraîchir ? »

Et, un autre jour, on vint, en consultation juridique, demander à Goha : « Si l'imam, dans la mosquée, lâche un pet, que doit faire l'assemblée ? » Et Goha, sans hésiter, répondit : « Ce qu'elle doit faire est évident, elle doit répondre ! »

Et, un jour, Goha et sa femme suivaient les bords de la rivière, pendant la crue. Et soudain, faisant un faux pas, la femme glissa et tomba à l'eau. Et comme le courant était très fort, il l'emporta. Et Goha n'hésita pas à se jeter à l'eau, pour repêcher sa femme ; mais au lieu de suivre le courant, il se mit à remonter vers la source. Et le peuple assemblé là remarqua son action, et lui dit : « Que cherches-tu, ya Si-Goha ? » Et il répondit : « Hé, par Allah ! je cherche la fille de l'oncle qui est tombée à l'eau ! » Et ils répondirent : « Mais ô Goha, le courant a dû l'entraîner vers le bas, et toi tu la cherches vers la source ! » Il dit : « Pas du tout ! Je la connais mieux que vous autres, mon épouse ! Elle est d'un caractère si contrariant, que je suis sûr d'avance qu'elle est allée vers le haut ! »

Et, un autre jour, on amena un homme devant Goha, qui remplissait alors les fonctions de kâdi. Et on lui dit : « L'homme qui voici a été surpris, en pleine rue, en train de saillir un chat. Et, comme il y avait des témoins du fait, l'homme ne put nier d'une façon acceptable. » Et Goha lui dit : « Allons, parle ! Si tu me dis la vérité, l'indulgence d'Allah te sera acquise ! Dis-moi donc comment tu t'y es pris pour saillir le chat ! » Et l'homme répondit : « Par Allah, ô notre maître le kâdi, j'ai présenté ce que tu sais à la porte de la grâce, et j'ai forcé cette porte en tenant les pattes de la bête dans mes mains et sa tête entre mes genoux ! Et, comme l'affaire avait bien marché la première fois, j'ai eu le tort de recommencer ! J'avoue ma faute, ô seigneur kâdi ! » Mais Goha s'écria : « Tu mens, ô fils des proxénètes ! Car moi j'ai essayé plus de trente fois de faire comme toi sans jamais réussir ! » Et il lui fit donner la bastonnade.

Un autre jour, pendant que Goha était en visite chez le kâdi de la ville, deux plaideurs se présentèrent, et dirent : « Ô seigneur kâdi, nos maisons sont tellement voisines, qu'elles se touchent. Or, cette nuit, un chien est venu faire ses ordures entre nos deux portes, à égale distance. Et nous venons te trouver pour que tu nous dises à qui doit incomber le soin d'enlever la chose. » Et le kâdi se tourna vers Goha, et lui dit d'un ton ironique : « Je laisse à ton jugement le soin de l'examen de ce cas, et de l'arrêt. » Et Goha se tourna vers les deux plaideurs, et dit à l'un : « Voyons, ô homme, est-ce sensiblement plus près de ta porte ? » Il répondit : « Pour dire la vérité, la chose est exactement au milieu ! » Et Goha demanda au second : « Est-ce vrai, ou bien la chose est-elle plutôt de ton côté ? » Il répondit : « Le mensonge est illicite ! La chose est exactement entre nous deux, dans la rue. » Alors Goha dit, en manière d'arrêt : « L'affaire est entendue. Ce soin ne vous regarde ni l'un ni l'autre, mais celui à qui incombe, par devoir de charge, l'entretien des rues, à savoir notre maître le kâdi. »

Et un jour, le fils de Goha, qui était alors âgé de quatre ans, était allé avec son père chez les voisins, pour une fête. Et on lui présenta une belle aubergine, en lui demandant : « Qu'est ceci ? » Et le bambin répondit : « C'est un petit veau qui n'a pas encore ouvert les yeux ! » Et tout le monde de rire, tandis que Goha s'écriait : « Par Allah ! ce n'est pas moi qui le lui ai enseigné. »

Et, un autre jour enfin, Goha, en humeur de copulation, avait mis à l'air l'enfant de son père. Or, par aventure, une mouche à miel vint se poser sur la tête de l'outil. Et Goha se rengorgea, en s'écriant…

À ce moment de sa narration, Schahrazade vit apparaître le matin et, discrète, se tut.

Mais lorsque fut la neuf cent vingt-sixième nuit. Elle dit :

… Or, par aventure, une mouche à miel vint se poser sur la tête de l'outil. Et Goha se rengorgea, en s'écriant : « Par Allah ! tu sais ce qui est bon, ô mouche ! Car voilà une fleur digne d'être choisie entre toutes les fleurs pour faire le miel. »

Et tels sont, ô Roi fortuné, continua Schahrazade, quelques-uns seulement d'entre les nombreux traits, mots, sottises et théories du maître des devises et des ris, le délicieux et inoubliable Si-Goha – que la miséricorde d'Allah soit sur lui et la rémission ! Et puisse sa mémoire continuer à être vivante jusqu'au jour de la Rétribution ! »

Et le roi Schahriar dit : « Ces traits de Goha m'ont fait oublier les soucis les plus graves, Schahrazade ! » Et la petite Doniazade s'écria : « Ô ma sœur, que tes paroles sont douces et savoureuses et fraîches ! » Et Schahrazade dit : « Mais qu'est cela comparé à L'HISTOIRE DE LA JOUVENCELLE, LIEUTENANTE DES OISEAUX ? » *Et le roi Schahriar s'écria : « Par Allah ! ô Schahrazade, je connais déjà bien des adolescentes, et j'en ai vu un plus grand nombre encore ; mais je ne me rappelle pas du tout ce nom-là ! » Et Schahrazade dit :*

HISTOIRE DE LA JOUVENCELLE, LIEUTENANTE DES OISEAUX

Et Schahrazade dit :

Il m'est revenu, ô Roi fortuné, qu'à Bagdad, la cité de paix et la demeure de toutes les joies et la résidence des plaisirs et le jardin de l'esprit, le khalifat Haroun Al-Rachid, vicaire du Seigneur des trois mondes et émir des Croyants, avait pour compagnon de coupe et ami préféré, parmi ses intimes et ses échansons, celui dont les doigts maniaient l'harmonie, dont les mains étaient les bien-aimées des luths, et dont la voix était un enseignement pour les rossignols, le musicien, roi des musiciens et merveille de la musique de son temps, le prodigieux chanteur Ishak Al-Nadim, de Mossoul. Et le khalifat, qui l'aimait d'un amour extrême, lui avait donné pour demeure le plus beau de ses palais et le plus choisi. Et là Ishak avait pour charge et mission d'instruire dans l'art du chant et dans l'harmonie les jeunes filles les mieux douées d'entre celles qu'on achetait dans le souk des esclaves et sur les marchés du monde, pour le harem du khalifat. Et dès que l'une d'elles se distinguait entre ses compagnes et les devançait dans l'art du chant, du luth et de la guitare, Ishak la conduisait devant le khalifat et la faisait chanter et jouer devant lui. Et, si elle plaisait au khalifat, on la faisait immédiatement entrer dans son harem. Mais si elle ne lui plaisait pas assez, elle retournait reprendre sa place parmi les élèves du palais d'Ishak.

Or, un jour d'entre les jours, l'émir des Croyants, se sentant la poitrine rétrécie, envoya chercher son grand vizir Giafar le Barmécide, et Ishak son compagnon de coupe, et Massrour le porte-glaive de sa vengeance. Et quand ils furent entre ses mains, il leur ordonna de se déguiser comme il venait de le faire lui-même. Et ils devinrent, ainsi déguisés, semblables à une simple compagnie de particuliers. Et Al-Fazl, le frère de Giafar, et Younous le lettré se joignirent à eux, également déguisés. Et tous sortirent du palais sans être remarqués, et gagnèrent le Tigre, et appelèrent un batelier, et se firent conduire jusqu'à Al-Taf, faubourg de Bagdad. Et, là, ils atterrirent et marchèrent au hasard sur la route des rencontres fortuites et des aventures imprévues.

Et comme ils s'avançaient en s'entretenant et en riant, ils virent venir à eux un vieillard à la barbe blanche et à l'aspect vénérable, qui s'inclina devant Ishak et lui baisa la main. Et Ishak le reconnut pour l'un d'entre les fournisseurs qui approvisionnaient de jeunes filles et de jeunes garçons le palais du khalifat. Et c'était précisément à ce cheikh que d'ordinaire s'adressait Ishak, chaque fois qu'il désirait un nouveau lot d'élèves pour son école de musique.

Or, justement, lorsque le cheikh eut ainsi abordé Ishak, sans se douter qu'il était accompagné de l'émir des Croyants et de son vizir Giafar et de ses amis, il s'excusa beaucoup pour le dérangement et l'interruption de la promenade, et ajouta : « Ô mon maître, voici longtemps que je désire te voir. Et j'avais même décidé d'aller te trouver à ton palais. Mais puisque Allah m'a mis aujourd'hui sur la route de ta grâce, je vais tout de suite te parler de ce qui préoccupe mon esprit. » Et Ishak demanda : « Et de quoi s'agit-il donc, ô vénérable ? Et que puis-je pour te rendre service ? » Et le marchand d'esclaves répondit : « Voici. J'ai, en ce moment, au dépôt des esclaves, une jeune fille déjà fort adroite au luth, et qui ne tarderait pas, tant elle est bien douée, à faire honneur à ton école ; car elle saurait mieux qu'aucune profiter de ton admirable enseignement. Et comme, en outre, sa grâce est la continuation des dons de son esprit, je pense que tu ne dédaigneras pas de jeter sur elle un coup d'œil, et de prêter pour un instant ton ouïe précieuse à l'essai de sa voix. Et si elle te plaît, tout sera bon et bien. Sinon, je la vendrai à quelque marchand, et il ne me restera plus qu'à renouveler mes excuses du dérangement causé à toi et à ces honorables seigneurs, tes amis. » À ces paroles du vieux marchand d'esclaves, Ishak consulta d'un rapide coup d'œil le khalifat, et répondit : « Ô oncle, précède-nous donc au dépôt des esclaves, et préviens la jeune fille en question, afin qu'elle se prépare à être vue et entendue par nous tous. Car mes amis m'accompagneront. » Et le cheikh répondit par l'ouïe et l'obéissance, et disparut en hâtant le pas, tandis que le khalifat et ses compagnons, guidés par Ishak qui connaissait le chemin, se dirigeaient plus lentement vers le dépôt des esclaves.

Or, quoique l'aventure ne présentât rien que de très ordinaire, ils l'acceptaient cependant de bon cœur, comme un pêcheur, au bord de la mer, accepte la chance, quelque minime qu'elle soit, qu'Allah a écrite sur son premier coup de filet. Et ils virent, en approchant du dépôt des esclaves, un bâtiment haut en murailles et large en espace, qui pouvait loger, en tout confort, toutes les tribus du désert. Et ils en franchirent la porte et entrèrent dans une grande salle, réservée à la vente et à l'achat, et entourée de bancs où s'asseyaient les acheteurs. Et ils s'assirent eux-mêmes sur ces bancs, pendant que le vieillard qui les avait précédés allait chercher la jeune fille. Et, pour elle, on avait préparé, juste au milieu de la salle, une sorte de trône en bois précieux recouvert d'une étoffe brodée d'Ionie, au pied duquel était posé un luth de Damas à cordes d'argent et d'or.

Et soudain la jeune fille attendue fit son entrée, avec la grâce d'un rameau quand il se balance. Et elle s'assit sur le trône préparé, en saluant la compagnie. Et elle fut comme le soleil lorsqu'il brille au sommet du ciel de midi. Et, bien que ses mains fussent tremblantes quelque peu, elle prit le luth, l'appuya contre son sein comme une sœur fait de son jeune frère, et en fit jaillir un prélude qui ravit les esprits. Et, aussitôt après, elle attaqua sur un autre ton les cordes dociles, et chanta ces vers du poète :

« Soupire, ô matin, afin que l'un de tes soupirs flottants puisse s'égarer jusqu'à la terre de l'aimée. Et porte mon salut parfumé à toute la chère et brillante troupe.

Et dis à mon amie que j'ai laissé mon cœur en gage à son amour. Car mon désir est plus fort que tout ce qui décourage les amoureux.

Dis-lui qu'elle a d'un coup mortel frappé mon cœur et mes yeux. Mais ma passion n'a fait que grandir et s'exalter.

Et mon esprit, lacéré chaque nuit par l'amour, a désappris à mes paupières l'art de se faire obéir du sommeil. »

Quand la jeune fille eut achevé de chanter ces vers, le khalifat ne put s'empêcher de s'écrier : « Maschallah sur ta voix et sur ton art, ô bénie ! Tu as excellé, en vérité. » Mais il se souvint tout à coup de son déguisement, et n'en dit pas plus long, craignant de se faire reconnaître. Et Ishak prit à son tour la parole pour complimenter la jeune fille. Mais il n'eut pas plutôt ouvert la bouche, que l'harmonieuse jouvencelle se leva vivement de son siège et vint à lui et lui baisa respectueusement la main, disant : « Ô mon maître, les bras s'immobilisent en ta présence, et les langues, à ta vue, se taisent, et l'éloquence, en se confrontant à toi, se fait muette. Et toi seul peux être, en ce qui me concerne, le délieur du voile. » Et elle lui dit ces paroles, tandis que ses yeux pleuraient. À cette vue, Ishak, fort surpris et ému, lui demanda…

À ce moment de sa narration, Schahrazade vit apparaître le matin et, discrète, se tut.

Mais lorsque fut la neuf cent vingt-septième nuit. Elle dit :

… À cette vue, Ishak, fort surpris et ému, lui demanda : « Ô précieuse jeune fille, pourquoi ton âme s'attriste-t-elle et fait-elle pleurer tes yeux ? Et qui es-tu, ô toi que je ne connais pas ? » Et la jeune fille baissa les yeux sans répondre, et Ishak comprit qu'elle ne voulait point parler en public. Et, ayant consulté du regard le khalifat, il fit tirer le rideau qui pouvait séparer l'esclave à l'encan des acheteurs, et dit doucement : « Peut-être que maintenant tu voudras t'expliquer en toute aisance et liberté. »

Et la jeune fille, dès qu'elle se vit seule avec Ishak, souleva d'un geste plein de grâce son voile de visage, et parut ce qu'elle était en vérité, toute belle, blanche comme la lune nouvelle, avec une boucle noire sur chaque tempe, un nez droit et pur comme la nacre transparente, une bouche taillée dans la pulpe des grenades mûres, et un menton creusé d'un sourire. Et, sur ce beau visage délivré du voile, de grands yeux noirs s'allongeaient, sous l'arc deux fois répété des sourcils, jusqu'à menacer les tempes de les dépasser.

Et Ishak, après l'avoir regardée un moment sans parler, lui dit encore plus doucement : « Parle, ô jeune fille, en toute confiance. » Alors elle dit d'une voix semblable à la voix de l'eau dans les fontaines : « La longueur de l'attente et le tourment de mon esprit m'ont rendue méconnaissable, ô mon maître, et les larmes que j'ai versées ont lavé mes joues de leur fraîcheur. Et pas une des roses d'autrefois ne s'y épanouit. » Et Ishak sourit et dit, l'interrompant : « Et depuis quand, ô jeune fille, les roses fleurissent-elles sur la face de la pleine lune ? Et pourquoi cherches-tu, par tes paroles, à rabaisser ta propre beauté ? » Elle répondit : « À quoi pourrait prétendre une beauté qui jusqu'ici ne vivait que pour elle-même ? Ô mon seigneur, les jours passaient depuis des mois dans ce dépôt d'esclaves, alors que je m'ingéniais, à chaque nouvel encan, à trouver un nouveau prétexte pour ne pas être vendue ; car j'attendais toujours ta venue et mon entrée dans ton école de musique, dont la renommée s'est étendue jusqu'aux plaines de mon pays. »

Et, comme elle parlait ainsi, entra le marchand, son propriétaire. Et Ishak lui demanda : « Quel prix veux-tu de la jouvencelle ? Et d'abord quel est son nom ? » Et le cheikh répondit : « Pour ce qui est de son nom, ô mon maître, nous l'appelons Tohfat Al-Kouloub, Chef-d'œuvre des Cœurs ! Car, en vérité, nulle autre appellation ne saurait lui convenir. Quant à ce qui est de son prix, je dois te dire qu'il a été bien des fois débattu entre moi et les riches amateurs qui se présentaient à tour de rôle, séduits par ses yeux. Il est, pour le moins, de dix mille dinars. Et je dois ajouter, afin que tu le saches, que c'est elle qui a jusqu'ici empêché les acheteurs de pousser plus loin les avances. Car chaque fois que je lui faisais voir, selon sa demande, le visage de ceux qui se présentaient pour l'achat, elle me répondait, sachant que je ne la vendrais pas sans son propre consentement : « Celui-ci me déplaît pour telle et telle chose, et de cet autre je ne saurais jamais m'arranger, à cause de telle et de telle autre chose ! » Et c'est de cette manière qu'elle a fini par complètement éloigner d'elle les acheteurs ordinaires et décourager les étrangers. Car tous avaient fini par savoir d'avance qu'elle remarquerait en eux quelque grave défaut ou imperfection ; et nul n'osait affronter ses remarques désobligeantes. C'est pourquoi l'honnêteté me force à ne te demander, pour prix de cette esclave adolescente, que la somme de dix mille dinars ; ce qui me couvre à peine de mes frais. » Et Ishak sourit, et dit : « Ô cheikh, ajoute encore deux fois dix mille dinars à ceux que tu demandes, et elle aura atteint peut-être le prix qui convient. »

Et, ayant ainsi parlé devant le marchand stupéfait, il ajouta : « Il faut que tu conduises aujourd'hui même l'adolescente à ma demeure, afin qu'on te compte le prix entendu entre nous. » Et il le laissa après avoir souri à l'adolescente émue, et alla retrouver le khalifat et le reste de la compagnie. Et il les trouva à la limite de l'impatience, et leur raconta, sans omettre un détail, tout ce qui s'était passé. Et tous ensemble sortirent du dépôt des esclaves, pour continuer leur promenade, selon le caprice de leur mutuel destin. Quant à ce qui est de la jouvencelle Chef-d'œuvre des Cœurs, le vieux cheikh, son maître, se hâta de la conduire, à l'heure et à l'instant, au palais d'Ishak, et de toucher les trente mille dinars qui avaient été convenus pour son prix d'achat. Puis il s'en alla en sa voie. Alors les petites esclaves de la maison s'empressèrent autour d'elle, et la conduisirent au hammam où elles lui donnèrent un bain délicieux, et l'habillèrent, la coiffèrent, et la couvrirent d'ornements de toutes sortes, tels que colliers, bagues, bracelets de bras et de chevilles, voiles brodés d'or et pectoraux d'argent. Et la belle pâleur de son visage brillant et lisse était comme la lune du mois de Ramadân au-dessus du jardin d'un roi.

Lorsque le maître Ishak vit la jouvencelle Chef-d'œuvre des Cœurs dans cet éclat nouveau, plus émue et plus émouvante qu'une nouvelle mariée le jour de ses noces, il se félicita de l'acquisition qu'il avait faite et se dit en lui-même : « Par Allah ! quand cette jeune fille aura passé quelques mois à mon école, et se sera encore perfectionnée dans l'art du luth et du chant, et quand elle aura achevé, grâce au contentement de son cœur, de reprendre sa beauté native, elle sera pour le harem du khalifat une insigne acquisition ; car, en toute vérité, cette adolescente n'est point une fille d'Adam mais une houri de choix. » Et il donna les ordres pour qu'on mît à sa disposition tout ce qui était nécessaire pour ses études de l'harmonie, et recommanda qu'on ne négligeât rien pour que le séjour du palais de musique lui fût en tous points agréable. Et il en fut ainsi. Et de la sorte, tout devint aisé à la jouvencelle, dans la voie de l'art et de la beauté.

Or, un jour d'entre les jours, comme ses compagnes les adolescentes du luth et de la guitare étaient toutes dispersées dans les jardins qui leur étaient réservés, et que le palais de musique était complètement vide de ses jeunes lunes, la jouvencelle Chef-d'œuvre des Cœurs se leva du divan où elle reposait, et entra seule dans la salle de l'enseignement. Et elle s'assit sur son siège, et prit son luth contre sa poitrine, avec le geste du cygne qui ramène sa tête sous son aile. Et sa beauté tout entière était revenue, alors que pâle elle était autrefois et si nonchalante. Ainsi dans une plate-bande, au second printemps, l'anémone vient remplacer le narcisse aux joues décolorées par la mort de l'hiver. Et elle était, de la sorte, une séduction pour les yeux, un enchantement pour les cœurs et un chant d'allégresse vers Celui qui l'avait modelée. Et, toute seule, elle fit chanter son luth, faisant sortir du sein du bois une suite de préludes qui eussent enivré la plus réfractaire des créatures. Puis elle revint au premier mode, avec un art qui surpassait les trilles et les roulades des oiseaux musiciens. Car, en vérité, un miracle était caché dans chacun de ses doigts.

Et, certes, personne ne se doutait que, dans le palais d'Ishak, le maître lui-même eût, en cette jeune fille, son égal et même son supérieur. Car depuis le jour où, dans le dépôt des esclaves, l'émotion avait fait trembler les mains et la voix de la merveilleuse jouvencelle, elle n'avait plus eu occasion de jouer ou de chanter en public, ne faisant, comme ses compagnes, qu'écouter les enseignements d'Ishak et jouer ensuite et chanter, non point seule, mais en chœur avec toutes les élèves. Ainsi donc, lorsqu'elle eut fait exprimer au bois harmonieux du luth toutes les voix des oiseaux qui avaient autrefois peuplé l'arbre dont il était sorti, elle leva la tête et laissa tomber de ses lèvres, en chantant, ces vers du poète…

À ce moment de sa narration, Schahrazade vit apparaître le matin et, discrète, se tut.

Mais lorsque fut la neuf cent vingt-huitième nuit. Elle dit :

… Ainsi donc, lorsqu'elle eut fait exprimer au bois harmonieux du luth toutes les voix des oiseaux qui avaient autrefois peuplé l'arbre dont il était sorti, elle leva la tête et laissa tomber de ses lèvres, en chantant, ces vers du poète :

« Quand l'âme désire celle qui est la seule compagne possible, rien ne saurait la faire reculer, pas même le destin.

Ô toi, dont les tortures ont à jamais abîmé mon cœur, prends ma vie toute entière et fais-en ta propriété, puisque, seule, la langueur de ton absence peut m'abattre et me faire mourir.

Tu m'as dit, en riant : « Moi seule saurai guérir le mal dont tu souffres, alors qu'aucun médecin n'a su te délivrer ; et un seul de mes regards suffirait comme remède à ton état dolent. »

Combien de temps encore, ô cruelle, vas-tu railler ma blessure ? Le Seigneur n'a-t-il créé personne d'autre que moi sur la terre immense, comme cible aux javelots de ta raillerie ? »

Or, pendant qu'elle chantait, Ishak, qui depuis le matin se trouvait auprès du khalifat, était rentré sans avoir fait prévenir les serviteurs de son arrivée. Et, dès qu'il fut dans le vestibule de sa maison, il entendit la voix qui chantait, miraculeuse et si douce, telle la brise du premier matin quand elle salue les palmiers, et plus fortifiante pour l'esprit de l'écouteur que l'huile des amandes pour le corps du lutteur.

Et Ishak fut si ému aux accents de cette voix mêlée à l'accompagnement du luth, et qui ne pouvait être, sans aucun doute, une voix d'entre les voix de la terre, mais quelque fusée venue des accords édéniques, qu'il ne put s'empêcher de pousser un grand cri, de saisissement à la fois et d'admiration. Et la jeune chanteuse Tohfa entendit le cri, et accourut, tenant encore le luth dans ses bras. Et elle trouva, appuyé contre le mur du vestibule, une main sur le cœur, son maître Ishak si pâle et si ému qu'elle jeta le luth et courut à lui, pleine d'anxiété, en s'écriant : « Sur toi les grâces du Très-Haut, ô mon seigneur, et la délivrance de tout mal. Puisses-tu n'avoir aucun malaise ou dérangement ! » Et Ishak, reprenant ses esprits, demanda à voix basse : « Serait-ce toi, ô Tohfa, qui jouais et chantais dans la salle vide ? » Et la jeune fille se troubla et rougit et ne sut quelle réponse faire à une demande dont elle ne comprenait point le motif. Mais comme Ishak insistait, elle eut peur de le contrarier en se taisant davantage, et répondit : « Hélas ! ô mon seigneur, c'était ta servante Tohfa ! » Et Ishak, entendant cela, baissa la tête et dit : « Voilà le jour de la confusion ! Ô Ishak à l'âme orgueilleuse, qui te croyais le premier de ton siècle pour la voix et l'harmonie, tu n'es plus qu'un esclave sevré de tout talent, en présence de cette jeune fille du ciel ! »

Et, à la limite de l'émotion, il prit la main de la jouvencelle et la porta à ses lèvres avec respect, puis à son front. Et Tohfa se sentit défaillir, et trouva tout de même la force de retirer vivement sa main, en s'écriant : « Le nom d'Allah sur toi, ô mon maître ! Depuis quand le maître baise-t-il la main de l'esclave ? » Mais il répondit, en toute humilité : « Tais-toi, ô Chef-d'œuvre des Cœurs, ô la première des créatures, tais-toi ! Ishak a trouvé son maître, lui qui jusqu'à présent pensait n'avoir point d'égal. Car, par le Prophète ! – sur Lui la prière et la paix ! – je jure que je croyais jusqu'à présent n'avoir point d'égal, et que maintenant mon art, à côté du tien, n'est qu'un drachme à côté d'un dinar. Ô Tohfa, tu es l'excellence même. Et je vais, à l'heure et à l'instant, te conduire à l'émir des Croyants Haroun Al-Rachid. Et quand son regard étincellera sur toi, tu deviendras une princesse entre les femmes, comme déjà tu es une reine entre les créatures de Dieu. Et ainsi seront consacrés ton art et ta beauté. C'est pourquoi louanges et louanges à toi, ô ma souveraine Chef-d'œuvre des Cœurs ! Et fasse Allah seulement, quand ton merveilleux destin t'aura assise à la place de choix dans le palais de l'émir des Croyants, que tu ne chasses point de ton souvenir ton esclave Ishak le noyé ! » Et Tohfa, les yeux pleins de larmes, répondit : « Ô mon seigneur, comment t'oublierais-je, toi qui es la source de toute fortune, et la force même de mon cœur ? » Et Ishak lui prit la main et lui fit jurer sur le Livre qu'elle ne l'oublierait pas. Et il ajouta : « Oui, certes ! ta destinée est une merveilleuse destinée, et sur ton front je vois marqué le désir de l'émir des Croyants. Aussi laisse-moi te prier de chanter en présence du khalifat ce que tout à l'heure tu chantais pour toi seule, alors que derrière la porte je t'entendais, me croyant déjà au nombre des prédestinés. » Et, ayant eu la promesse de la jeune fille, il lui dit encore : « Ô Chef-d'œuvre des Cœurs, peux-tu maintenant, comme une dernière faveur, me dire par quelle suite d'événements mystérieux une reine a pu se trouver mêlée au nombre des esclaves qu'on vend et qu'on achète, alors qu'il serait impossible d'évaluer sa rançon, même si on entassait devant elle tous les trésors cachés des mines et toutes les richesses souterraines et marines qu'Allah Très-Haut a enfouies au cœur des éléments ? »

Et Tohfa, à ces paroles, sourit et dit : « Ô mon seigneur, l'histoire de Tohfa, ta servante, est une étrange histoire ; et son cas est fort surprenant ; car s'il était écrit avec les aiguilles sur le coin intérieur de l'œil, il servirait d'enseignement au lecteur attentif. Et un jour prochain, si Allah veut, je te conterai cette histoire, qui est celle de ma vie et de ma venue à Bagdad. Mais qu'il te suffise pour aujourd'hui de savoir que je suis une prise de Maghrébin, et que j'ai vécu au milieu des Maghrébins. » Et elle ajouta : « Je suis entre tes mains, prête à te suivre au palais de l'émir des Croyants ! »

Et Ishak, qui était d'un caractère réservé et délicat, se garda bien d'insister pour en savoir plus long, et, se levant, il frappa dans ses mains, et ordonna aux esclaves qui accoururent à ce signal de préparer les vêtements de sortie pour leur maîtresse Tohfa. Et aussitôt elles ouvrirent les grands coffres à vêtements, et en tirèrent tout un lot de merveilleuses robes rayées en soie de Nishabour, parfumées aux essences volatiles, et légères au toucher et à la vue. Et elles tirèrent également des cassettes à bijoux un assortiment de joyaux agréables à regarder. Et elles vêtirent la jouvencelle, leur maîtresse, de sept robes superposées de couleurs différentes, et la semèrent de pierreries, et la rendirent semblable à une belle idole chinoise.

Et, ces soins terminés, elles vinrent se tenir à ses côtés et la soutinrent à droite et à gauche, tandis que d'autres jeunes filles se chargeaient de porter sur leurs bras les pans frangés des traînes. Et elles sortirent avec elle de l'école de musique, précédées par Ishak qui ouvrait la marche avec un nègre porteur du luth miraculeux. Et le cortège arriva au palais du khalifat, et entra dans la salle des attentes. Et Ishak se hâta d'aller se présenter d'abord seul devant le khalifat, et lui dit, après les hommages dus et rendus : « Voici, ô émir des Croyants, que je conduis entre tes mains aujourd'hui une jouvencelle unique entre les plus belles, un don choisi, un miracle de son Créateur, une échappée du paradis, ma maîtresse et non mon élève, la merveilleuse chanteuse Tohfa, Chef-d'œuvre des Cœurs ! » Et Al-Rachid sourit et dit : « Et où est ce chef-d'œuvre, ô Ishak ? Serait-ce l'adolescente que j'avais entrevue un jour au dépôt des esclaves, alors qu'elle était invisible et voilée aux yeux de l'acheteur ? » Et Ishak répondit : « Elle-même, ô mon seigneur ! Et par Allah ! elle est plus fraîche à la vue que le matin frais, et plus harmonieuse à l'oreille que le chant de l'eau sur les cailloux ! » Et Al-Rachid répondit : « Alors, ô Ishak, ne tarde pas davantage à faire entrer le matin, et ce qui est plus frais que le matin. Et ne nous prive pas plus longtemps de la musique de l'eau et de ce qui est plus harmonieux que la musique de l'eau. Car, en vérité, le matin ne doit jamais être caché, ni l'eau cesser de chanter…

À ce moment de sa narration, Schahrazade vit apparaître le matin et, discrète, se tut.

Mais lorsque fut la neuf cent vingt-neuvième nuit. Elle dit :

… Ne tarde pas davantage à faire entrer le matin, et ce qui est plus frais que le matin. Et ne nous prive pas plus longtemps de la musique de l'eau et de ce qui est plus harmonieux que la musique de l'eau ; car, en vérité, le matin ne doit jamais être caché, ni l'eau cesser de chanter. »

Et Ishak sortit pour aller chercher Tohfa, tandis que le khalifat s'étonnait en son âme de le voir louer pour la première fois, et avec tant de véhémence, une chanteuse. Et il dit à Giafar : « N'est-ce point prodigieux, ô vizir, qu'Ishak s'exprime avec tant d'admiration sur le compte de tout autre que lui-même ? Voilà qui me stupéfie à la limite de la stupeur. » Et il ajouta : « Mais nous allons bien voir quelle va être l'affaire. »

Et, au bout de quelques instants, précédée par Ishak qui la tenait délicatement par la main, entra la jouvencelle. Et l'œil de l'émir des Croyants étincela sur elle. Et son esprit fut ému de sa grâce ; et ses yeux furent réjouis de sa démarche charmante semblable à la soie volante des écharpes. Et, tandis qu'il la contemplait, elle vint s'incliner entre ses mains, et releva son voile de visage. Et elle fut comme la lune dans sa quatorzième nuit, pure, éblouissante, blanche et sereine. Et, bien que troublée de se trouver en présence de l'émir des Croyants, elle n'oublia point ce que lui commandaient les bonnes manières, la politesse et le savoir-vivre, et, de sa voix à nulle autre pareille, elle salua le khalifat, disant : « Le salam sur toi, ô descendant du plus noble d'entre les fils des hommes, ô postérité bénie de notre seigneur Môhammad – sur Lui la prière, la paix et les grâces de choix ! – bercail et asile de ceux qui marchent dans la voie de la rectitude, intègre justicier des trois mondes. Le salam sur toi de la part de la plus soumise et de la plus éblouie de tes esclaves. »

Et Al-Rachid ayant entendu ces paroles dites avec un accent si délicieux, se dilata et s'épanouit et s'écria : « Maschallah ! ô moulage de la perfection ! » Et il la regarda encore plus attentivement, et faillit s'envoler de joie. Et Giafar et Massrour faillirent également s'envoler de joie. Puis Al-Rachid se leva de son trône et descendit vers la jouvencelle, et s'approcha d'elle et, tout doucement, lui ramena sur le visage son petit voile de soie : ce qui signifiait qu'elle était désormais de son harem, et que tout ce qu'elle était rentrait désormais dans le mystère prescrit aux élues des Croyants.

Après quoi il l'invita à s'asseoir, et lui dit : « Ô Chef-d'œuvre des Cœurs, tu es en vérité un don choisi. Mais ne pourrais-tu pas, avec ta venue qui illumine la demeure, faire entrer l'harmonie dans le palais ? Voici que notre ouïe t'appartient, comme notre vue ! » Et Tohfa prit le luth des mains du petit esclave noir, et s'assit au pied du trône du khalifat, pour aussitôt préluder de manière à sensibiliser l'oreille la plus réfractaire. Et le miracle de ses doigts était une réalité plus émouvante que la gorge des oiseaux. Puis, au milieu des respirations arrêtées, elle laissa chanter sur ses lèvres ces vers du poète :

« Quand, aux limites de l'horizon, la jeune lune sort de son lit et se rencontre soudain avec le roi de pourpre qui se couche,

Toute honteuse d'être surprise sans voile de visage, elle cache sa pâleur sous un léger nuage.

Elle attend que le brillant émir ait disparu, pour continuer sa promenade dans le ciel tranquille du soir.

Si la reine n'a pu surmonter sa terreur devant l'approche du roi, comme une jeune fille, sans mourir sur l'heure, soutiendrait-elle le regard de son sultan ? »

Et Al-Rachid regarda la jeune fille avec amour, complaisance et douceur, et fut si charmé de ses dons naturels, de la beauté de sa voix, et de l'excellence de son jeu et de son chant, qu'il descendit de son trône et vint s'asseoir près d'elle sur le tapis, et lui dit : « Ô Tohfa, par Allah ! tu es vraiment un don choisi. » Puis il se tourna vers Ishak, et lui dit : « En vérité, ô Ishak, tu n'as pas été assez juste dans ton appréciation de cette merveille, malgré tout ce que tu nous en as dit. Car je ne crains pas d'avancer qu'elle te surpasse toi-même, sans conteste. Et il était écrit que personne ne devait lui rendre justice, sinon le khalifat ! » Et Giafar s'écria : « Par la vie de ta tête, ô mon seigneur tu dis vrai ! Cette jouvencelle est la voleuse des esprits ! » Et Ishak dit : « En vérité, ô émir des Croyants, je ne fais point difficulté de le reconnaître, d'autant plus que, en l'entendant la première fois, j'avais déjà très nettement senti, tout de suite, que tout mon art et ce qu'Allah m'avait réparti de talent, n'étaient plus rien à mes propres yeux. Et je m'étais écrié : « Ô Ishak, c'est aujourd'hui pour toi le jour de la confusion ! » Et le khalifat dit : « Alors, c'est bien. »

Puis il pria Tohfa de recommencer le même chant. Et, l'ayant à nouveau entendue, il se récria de plaisir et se trémoussa. Et il dit à Ishak : « Par les mérites de mes ancêtres ! tu m'as apporté là un présent qui vaut l'empire du monde. » Puis, n'en pouvant plus d'émotion, et ne voulant point paraître trop expansif devant ses compagnons, le khalifat se leva et dit à Massrour, l'eunuque : « Ô Massrour, lève-toi et conduis ta maîtresse Tohfa à l'appartement d'honneur du harem. Et veille à ce qu'elle ne manque de rien » Et le castrat porte-glaive sortit en emmenant Tohfa. Et le khalifat, avec des yeux humides, la regarda s'éloigner dans sa démarche de gazelle, ses ornements et ses robes rayées. Et il dit à Ishak : « Elle est habillée avec goût. D'où lui viennent-elles, ces robes dont je n'ai point vu les pareilles dans mon palais ? » Et Ishak dit : « Elles lui viennent de ton esclave, par l'effet de tes générosités sur ma tête, ô mon seigneur. Elles sont un présent qui lui vient de toi par mon entremise. D'ailleurs, par ta vie ! tous les présents du monde n'existent plus, comparés à sa beauté. » Et le khalifat, qui n'était jamais en défaut de munificence, se tourna vers Giafar et lui dit : « Ô Giafar, tu compteras sur l'heure à notre fidèle Ishak, sur le trésor, cent mille dinars ; et tu lui donneras dix robes d'honneur de la garde-robe choisie ! »

Puis Al-Rachid, la figure épanouie, et l'esprit libéré de tous soucis, se dirigea vers l'appartement réservé où Tohfa avait été conduite par le porte-glaive. Et il entra auprès de l'adolescente, en disant : « La sécurité sur toi, ô Chef-d'œuvre des Cœurs ! » Et il s'approcha d'elle, et la prit dans ses bras, derrière le voile du mystère. Et il la trouva une pure vierge, intacte comme la perle marine nouvellement cueillie. Et il se réjouit d'elle. Et, dès ce jour, Tohfa prit un rang très haut dans son cœur, tellement qu'il ne put souffrir son absence un seul instant. Et il finit même par mettre entre ses mains les clefs de toutes les affaires du royaume. Car il avait trouvé en elle une femme d'intelligence. Et elle eut, pour son train habituel, deux cent mille dinars par mois, et cinquante jeunes filles esclaves pour son service de jour et de nuit. Et elle eut, en cadeaux et choses de prix, de quoi acheter tout le pays de l'Irak et les terres du Nil.

Et l'amour de cette adolescente s'incrusta tellement dans le cœur du khalifat, qu'il ne voulut se fier à personne pour sa garde. Et quand il sortait de chez elle, il gardait sur lui la clef de l'appartement réservé. Et même, un jour, comme elle chantait devant lui, il fut dans un tel excès d'exaltation, qu'il fit le geste de lui baiser la main. Mais elle recula d'un bond, et, dans ce brusque mouvement, elle cassa son luth. Et elle pleura. Et Al-Rachid, ému à l'extrême, essuya ses larmes, et, d'une voix tremblante, lui demanda pourquoi elle pleurait, et s'écria : « Fasse Allah, ô Tohfa, que jamais une goutte de larme ne tombe d'un seul de tes yeux ! » Et Tohfa dit : « Que suis-je, ô mon seigneur, pour que tu veuilles baiser ma main ? Veux-tu donc qu'Allah et Son Prophète – sur Lui la prière et la paix ! – me punissent de cela, et fassent s'évanouir ma félicité ? Car personne au monde n'a atteint un honneur semblable ! » Et Al-Rachid fut content de sa réponse, et lui dit : « Maintenant que tu sais, ô Tohfa, quel rang véritable tu occupes dans mon esprit, je ne recommencerai plus le geste qui t'a émue. Rafraîchis donc tes yeux, et sache bien que je n'aime que toi, et que je mourrai en t'aimant. » Et Tohfa tomba à ses pieds, et lui entoura les genoux de ses bras. Et le khalifat la releva et l'embrassa, et lui dit : « Toi seule es reine pour moi. Et tu es au-dessus même de la fille de mon oncle, sett Zobéida. »

Or, un jour, Al-Rachid était allé à la chasse, et Tohfa se trouvait seule dans son pavillon, assise sous un chandelier d'or qui l'éclairait de ses chandelles parfumées. Et elle lisait dans un livre. Et soudain une pomme de senteur tomba sur ses genoux. Et elle leva la tête et vit, au-dehors, la personne qui avait lancé la pomme. Et c'était sett Zobéida. Et, au plus vite, Tohfa se leva et, après les salams respectueux, dit : « Ô ma maîtresse, les excuses ! Par Allah ! si j'avais été libre de mes mouvements, je serais allée tous les jours te prier d'agréer mes services d'esclave ! Qu'Allah ne nous prive jamais de tes pas ! » Et Zobéida entra chez la favorite, et s'assit à côté d'elle. Et son visage était triste et soucieux. Et elle dit : « Ô Tohfa, je sais ton grand cœur, et tes paroles ne me surprennent pas. Car la générosité chez toi est un don naturel. Or moi, par la vie de l'émir des Croyants ! je n'ai point pour habitude de sortir de mes appartements, et d'aller rendre visite aux épouses et aux favorites du khalifat, mon cousin et époux. Mais aujourd'hui, je viens t'exposer la situation humiliante qui m'est faite, depuis ton entrée au palais. Sache, en effet, que je suis complètement délaissée, et réduite au rang de concubine sèche. Car l'émir des Croyants ne vient plus me voir et ne demande plus de mes nouvelles. » Et elle se mit à pleurer. Et Tohfa pleura avec elle et faillit s'évanouir. Et Zobéida lui dit : « Je suis donc venue t'adresser une requête, et c'est de faire en sorte qu'Al-Rachid m'accorde une nuit par mois, seulement, afin que je ne sois pas tout à fait au rang des esclaves. » Et Tohfa baisa la main de la princesse, et lui dit : « Ô couronne sur ma tête, ô notre maîtresse, je souhaite de toute mon âme que le khalifat passe tout le mois et non une nuit près de toi, afin que ton cœur soit réconforté, et que je sois pardonnée, moi qui, par ma venue, fus la cause de ton chagrin. Et puissé-je un jour n'être qu'une esclave entre tes mains de reine et de maîtresse. »

Or, sur ces entrefaites, Al-Rachid rentra de la chasse, et se dirigea en ligne droite vers le pavillon de sa favorite. Et sett Zobéida, l'ayant aperçu de loin, se hâta de s'enfuir, après que Tohfa lui eut promis son intervention. Et Al-Rachid entra, et s'assit en souriant, et fit asseoir Tohfa sur ses genoux. Puis ils mangèrent et burent ensemble, et se dévêtirent. Et alors seulement Tohfa parla de sett Zobéida, et le supplia d'exaucer son cœur et d'aller cette nuit même près d'elle. Et il sourit et dit : « Puisque ma visite à sett Zobéida est si urgente, tu aurais dû, ô Tohfa m'en parler avant que nous nous fussions dévêtus. » Mais elle répondit : « Je l'ai fait, pour donner raison au poète qui a dit :

« Aucune suppliante ne devrait se présenter voilée : car celle-là intercède le mieux qui intercède toute nue. »

Et quand Al-Rachid eut entendu cela, il fut content et serra Tohfa contre sa poitrine. Et il se passa ce qui se passa. Après quoi il la quitta pour faire ce qu'elle lui demandait au sujet de sett Zobéida. Et il ferma sur elle la porte à clef, et s'en alla. Et voilà pour lui ! Quant à Tohfa, ce qui lui arriva depuis cet instant est si prodigieux et étonnant, qu'il importe de le narrer lentement…

À ce moment de sa narration, Schahrazade vit apparaître le matin et, discrète, se tut.

Mais lorsque fut la neuf cent trentième nuit. Elle dit :

… Quant à Tohfa, ce qui lui arriva depuis cet instant est si prodigieux et étonnant, qu'il importe de le narrer lentement.

Lorsque Tohfa se trouva seule dans son appartement, elle reprit son livre, et continua sa lecture. Puis, s'étant quelque peu fatiguée, elle prit son luth, et se mit à en jouer pour elle seule. Et ce fut si beau que les choses inanimées en dansèrent de plaisir. Et soudain elle sentit instinctivement que quelque chose d'inusité se passait dans sa chambre, éclairée en ce moment à la lueur des chandelles. Et elle se retourna et vit, au milieu de la chambre, un vieil homme qui dansait en silence. Et il avait les yeux baissés, et son aspect était vénérable et son port majestueux. Et il dansait une danse extatique, comme nul être humain ne pourrait en danser jamais.

Et Tohfa se sentit refroidie d'épouvante. Car les fenêtres et les portes étaient fermées, et les issues étaient gardées jalousement par les eunuques. Et elle ne se rappelait point avoir jamais vu au palais la figure de cet étrange vieillard. Aussi se hâta-t-elle intérieurement de prononcer la formule de l'exorcisme : « Je me réfugie en Allah le Très-Haut contre le Lapidé ! » Et elle se dit : « Certes ! je ne vais pas montrer que je me suis aperçue de la présence de cet être étrange. Je continuerai plutôt à jouer, et il arrivera ce qu'Allah veut ! » Et, sans s'arrêter dans son jeu, elle eut la force de continuer l'air commencé, mais ses doigts tremblaient sur l'instrument.

Et voici qu'au bout d'une heure de temps le cheikh danseur s'arrêta de danser, s'approcha de Tohfa, et embrassa la terre entre ses mains, disant : « Tu as excellé, ô la plus exaltée de l'Orient et de l'Occident ! Puisse le monde n'être jamais privé de ta vue et de tes perfections ! Ô Tohfa, ô Chef-d'œuvre des Cœurs, ne me connais-tu pas ? » Et elle s'écria : « Non, par Allah ! je ne te connais pas ! Mais je pense bien que tu es un genni du pays de Gennistân. Éloigné soit le Malin ! » Et il répondit, en souriant : « Tu dis vrai, ô Tohfa. Je suis le chef de toutes les tribus du Gennistân, je suis Éblis ! » Et Tohfa s'écria : « Le nom d'Allah sur moi et autour de moi ! Je me réfugie en Allah ! » Mais Éblis lui prit la main, la baisa et la porta à ses lèvres et à son front, et dit : « Ne crains rien, ô Tohfa, car depuis longtemps tu es ma protégée et la bien-aimée de la jeune reine des genn, Kamariya, qui est pour la beauté, entre les filles des genn, ce que tu es toi-même parmi les filles d'Adam. Sache, en effet, que, depuis bien longtemps, je viens avec elle te rendre visite, toutes les nuits, sans que tu t'en doutes, et t'admirer sans que tu le saches. Car notre charmante reine Kamariya est amoureuse de toi à la folie et ne jure que par ton nom et par tes yeux. Et quand elle vient ici et qu'elle te voit, pendant que tu es endormie, elle fond de désir et meurt de ta beauté. Et le temps pour elle n'est que langueur, excepté la nuit quand elle vient à toi et qu'elle jouit de ta vue sans que tu la voies. Je viens donc auprès de toi, en messager, te raconter ses peines, et la langueur où elle se trouve loin de toi, et te dire de sa part que, si tu le veux bien, je te conduirai au Gennistân, où tu seras élevée au plus haut rang parmi les rois des genn. Et tu gouverneras nos cœurs, comme tu gouvernes ici les cœurs des fils des hommes. Or, aujourd'hui les circonstances se prêtent merveilleusement à ton voyage. Car nous allons célébrer les noces de ma fille et la circoncision de mon fils. Et la fête sera illuminée de ta présence ; et les genn seront touchés de ta venue, et t'agréeront tous pour leur reine. Et tu séjourneras parmi nous tant que tu voudras. Et si tu ne te plais pas au Gennistân, et que tu ne te fasses pas à notre vie, qui est une vie de fêtes continuelles, je fais ici le serment de te ramener où je te prends, sans insistances ni difficultés. »

Et, ayant entendu ce discours d'Éblis – qu'il soit confondu ! – l'épouvantée Tohfa n'osa pas refuser la proposition, par crainte de complications diaboliques. Et elle répondit « oui », d'un signe de tête. Et aussitôt Éblis prit d'une main le luth que lui confia Tohfa, et la prit elle-même de l'autre main, en disant : « Bismillah ! » Et la conduisant ainsi, il ouvrit les portes, sans l'aide de clefs, et marcha avec elle jusqu'à ce qu'ils arrivassent à l'entrée des cabinets. Or les cabinets, et quelquefois les puits et les citernes, sont les seuls endroits dont se servent les genn de dessous terre et les éfrits, pour venir à la surface de la terre. Et c'est pour ce motif que nul homme n'entre dans les cabinets sans prononcer la formule de l'exorcisme, et sans se réfugier par l'esprit en Allah. Et de même qu'ils sortent par les latrines, les genn rentrent chez eux par là même. Et on ne connaît pas d'exception à cette règle et de refus à cette coutume.

Aussi quand l'épouvantée Tohfa se vit devant les cabinets avec le cheikh Éblis, sa raison s'envola. Mais Éblis se mit à bavarder pour l'étourdir, et descendit avec elle dans le sein de la terre, par le trou béant des latrines. Et, ce passage difficile franchi sans encombre, on arriva à un passage souterrain creusé en voûte. Et lorsqu'on eut traversé ce passage, on se trouva soudain au-dehors, sous le ciel. Et, à la sortie du souterrain, un cheval sellé les attendait, sans maître ni conducteur. Et le cheikh Éblis dit à Tohfa : « Bismillah, ô ma maîtresse ! » Et, tenant les étriers, il la fit monter sur le cheval dont la selle avait un grand dossier. Et elle s'installa le mieux qu'elle put, et le cheval aussitôt se mut comme une vague sous elle, et étendit tout à coup d'immenses ailes dans la nuit. Et il s'éleva avec elle dans les airs, tandis que le cheikh Éblis volait, par ses propres moyens, à son côté. Et de tout cela elle eut si peur qu'elle s'évanouit, renversée sur la selle.

Et lorsque, grâce à l'air vif, elle fut revenue de son évanouissement, elle se vit dans une vaste prairie, si pleine de fleurs et de fraîcheur qu'on croyait voir une robe légère peinte de belles couleurs. Et au milieu de cette prairie s'élevait un palais, haut en tours dans les airs, et flanqué de cent quatre-vingts portes de cuivre rouge. Et sur le seuil de la porte principale se tenaient les chefs des genn, habillés de beaux vêtements. Et lorsque ces chefs eurent aperçu le cheikh Éblis, ils crièrent tous : « Voilà sett Tohfa qui s'avance ! » Et, dès que le cheval se fut arrêté devant la porte, ils se pressèrent tous autour d'elle, l'aidèrent à mettre pied à terre, et la portèrent au palais en baisant ses mains. Et, à l'intérieur, elle vit une grande salle faite de quatre salles qui se suivaient, où les murs étaient d'or et les colonnes d'argent, une salle à rendre poilue la langue qui en essaierait la description. Et, tout au fond, on voyait un trône d'or rouge rehaussé de perles marines. Et on la fit asseoir, en grande pompe, sur ce trône. Et les chefs des genn vinrent se ranger sur les marches du trône, autour d'elle et à ses pieds. Et ils étaient, quant à l'aspect, semblables aux fils d'Adam, sauf deux d'entre eux qui avaient une figure épouvantable. Car chacun de ces deux-là n'avait qu'un œil au milieu de la tête, fendu en long, et des crocs projetés en avant comme ceux des cochons sauvages.

Et quand chacun eut pris la place due à son rang, et que tout le monde fut tranquille, on vit s'avancer une jeune reine, gracieuse et belle, dont la face était si brillante qu'elle éclairait la salle autour d'elle. Et trois autres adolescentes féeriques marchaient derrière elle, se dandinant à qui mieux mieux. Et, arrivées devant le trône de Tohfa, elles la saluèrent d'un salam gracieux. Et la jeune reine qui marchait en tête, monta ensuite les marches du trône, tandis que Tohfa les descendait. Et, arrivée en face de Tohfa, la reine l'embrassa longuement sur les joues et sur la bouche.

Or, cette reine était précisément la reine des genn, la princesse Kamariya, celle-là qui était amoureuse de Tohfa. Et les trois autres étaient ses sœurs ; et l'une s'appelait Gamra, la seconde Scharara, et la troisième Wakhima. Et Kamariya était tellement heureuse de voir Tohfa, qu'elle ne put s'empêcher de se lever encore de son siège d'or pour venir l'embrasser une fois de plus, et la serrer contre ses seins, en lui caressant les joues. Et, voyant cela, le cheikh Éblis se mit à rire, et s'écria : « Ô la belle accolade ! Soyez gentilles, et prenez-moi entre vous deux…

À ce moment de sa narration, Schahrazade vit apparaître le matin et, discrète, se tut.

Mais lorsque fut la neuf cent trente et unième nuit. Elle dit :

… Et, voyant cela, le cheikh Éblis se mit à rire, et s'écria : « Ô la belle accolade ! Soyez gentilles, et prenez-moi entre vous deux ! » Et un grand rire secoua l'assemblée des genn. Et Tohfa rit également. Et la belle Kamariya lui dit : « Ô ma sœur, je t'aime, et les cœurs sont si profonds qu'ils ne peuvent avoir pour témoins que les âmes. Et mon âme témoigne que je t'aimais déjà avant de t'avoir vue. » Et Tohfa, ne voulant point paraître mal élevée, répondit : « Par Allah ! toi aussi tu m'es chère, ya setti Kamariya. Et je suis devenue ton esclave depuis que je t'ai vue. » Et Kamariya la remercia, et l'embrassa encore, et lui présenta ses trois sœurs, disant : « Celles-ci sont mariées à nos chefs. » Et Tohfa fit un salut approprié à chacune d'elles. Et elles vinrent, à tour de rôle, s'incliner devant elle.

Après quoi des esclaves genn entrèrent avec le grand plateau des mets, et tendirent la nappe. Et la reine Kamariya invita Tohfa à venir s'asseoir avec elle et ses sœurs autour du plateau, au milieu duquel étaient gravés ces vers :

Je suis fait pour porter des mets de toutes sortes ;
La générosité est ce que je comporte ;
Donc, sans rien laisser, mangez ce que je porte.
Les mains des plus puissants viennent me faire signe.
Que chacun de vous me désigne
Quelle est sa préférence insigne.
D'un si grand honneur je suis digne,
À cause des mets que j'aligne.

Après qu'elles eurent lu ces vers, elles touchèrent aux mets. Mais Tohfa ne mangeait point avec appétit, car elle était préoccupée de la vue des deux chefs de genn qui avaient un visage repoussant. Et elle ne put s'empêcher de dire à Kamariya : « Par ta vie, ô ma sœur, mes yeux ne peuvent plus souffrir la vue de celui-ci qui est là, et de cet autre qui est à côté de lui ! Pourquoi sont-ils si horribles, et qui sont-ils ? » Et Kamariya se mit à rire et répondit : « Ô ma maîtresse, celui-ci est le chef Al-Schisbân, et cet autre est le très grand Maïmoun, le porte-glaive. Si tu les trouves si laids, c'est parce qu'ils n'ont pas voulu, à cause de leur orgueil, faire comme nous toutes, et comme tous les genn, changer leur forme première pour celle d'êtres humains. Car sache que tous les chefs que tu vois sont, en leur état ordinaire, semblables à ces deux-là pour la forme et pour l'aspect ; mais aujourd'hui, pour ne point te faire peur, ils ont revêtu une apparence de fils d'Adam, de façon à ce que tu puisses te familiariser avec eux et te sentir bien à ton aise. » Et Tohfa répondit : « Ô ma maîtresse, en vérité, je ne peux pas les regarder. Surtout ce Maïmoun, qu'il est effrayant ! Véritablement j'ai peur de lui ! Oui, j'ai bien peur de ces deux jumeaux-là ! » Et Kamariya ne put s'empêcher de rire aux éclats. Et Al-Schisbân, l'un des deux chefs à face épouvantable, la vit qui riait et lui dit : « Pourquoi ces rires, ô Kamariya ? » Et elle lui parla en une langue que nulle oreille de fils d'Adam ne pouvait saisir, et lui expliqua ce que Tohfa avait dit à son sujet et au sujet de Maïmoun. Et le maudit Al-Schisbân, au lieu de se fâcher, se mit à rire d'un rire si prodigieux qu'on crut d'abord qu'une violente tempête s'était engouffrée dans la salle.

Et le repas s'acheva de la sorte, au milieu du rire général des chefs des genn. Et lorsque tout le monde se fut lavé les mains, on apporta les flacons des vins. Et le cheikh Éblis s'approcha de Tohfa, et lui dit : « Ô ma maîtresse, tu réjouis cette salle et l'illumines et l'embellis de ta présence. Mais dans quelle exaltation ne serions-nous pas, reines et rois, si tu voulais bien nous faire entendre quelque chose sur ton luth, en l'accompagnant de ta voix. Car voici la nuit qui a déjà ouvert ses ailes pour le départ, et elle ne les étendra pas longtemps encore. Avant donc qu'elle nous quitte, favorise-nous, ô Chef-d'œuvre des Cœurs ! » Et Tohfa répondit : « Ouïr c'est obéir ! » Et elle prit le luth et en joua merveilleusement, de sorte qu'il sembla à ceux qui l'écoutaient que le palais dansait avec eux, comme un navire sur ses ancres, et cela par l'effet de la musique. Et elle chanta ces vers :

« La paix sur vous tous qui êtes mes fidèles par serment.

N'aviez-vous pas dit que je vous rencontrerais, ô vous qui me rencontrez ?

Je vous ferai des reproches d'une voix plus douce que la brise du matin, plus fraîche que l'eau pure cristallisée.

Car mes paupières, fidèles aux larmes, sont toutes meurtries, alors que la sincérité essentielle de mon âme est une cure pour ceux qui la voient, ô mes amis ! »

Et les chefs des genn, en entendant ces vers et leur musique, furent dans l'extase de la jouissance. Et le laid Maïmoun, ce méchant, fut si enthousiasmé qu'il se mit à danser, le doigt enfoncé dans son cul. Et le cheikh Éblis dit à Tohfa : « De grâce ! change le ton, car le plaisir, en entrant dans mon cœur, a arrêté mon sang et ma respiration ! » Et la reine Kamariya se leva et vint l'embrasser entre les deux yeux, en lui disant : « Ô fraîcheur de l'âme ! Ô cœur de mon cœur ! » Et elle la conjura de jouer encore. Et Tohfa répondit : « Ouïr c'est obéir ! » Et elle chanta ceci, en s'accompagnant :

« Souvent, alors que grandit la langueur, je console mon âme par l'espoir.

Les choses difficiles seront malléables comme la cire, si ton âme connaît la patience ; et tout ce qui est loin se rapprochera, si tu te résignes. »

Et cela fut chanté d'une voix si belle que les chefs des genn se mirent tous à danser. Et Éblis vint à Tohfa, et lui baisa la main et lui dit : « Ô merveilleuse, serait-ce abuser de ta générosité que de te demander encore un chant ? » Et Tohfa répondit : « Pourquoi n'est-ce point sett Kamariya qui me le demande ? » Et la jeune reine accourut aussitôt et, baisant les deux mains de Tohfa, elle lui dit : « Par ma vie sur toi ! encore une fois ! » Et elle dit : « Par Allah ! ma voix est fatiguée de chanter ; mais, si tu le veux bien, je vous dirai à tous, sans les chanter, mais en les récitant dans leur rythme, les chants du zéphyr, des fleurs et des oiseaux. Et, pour commencer, je vous dirai d'abord le chant du zéphyr. » Et elle mit son luth de côté, et, au milieu du silence des genn, et sous le sourire séduit des jeunes reines des genn, elle dit : « Voici le *Chant du Zéphyr* :

« Je suis le messager des amants, je porte les soupirs de ceux qui se lamentent à cause de l'amour.

Je transmets avec fidélité les secrets des amoureux, et je redis les paroles telles que je les ai entendues.

Je suis tendre aux voyageurs de l'amour. Pour eux mon haleine se fait plus douce, et je m'épuise en cajoleries et badinages.

Je règle cependant ma conduite sur celle de l'amant. S'il est bon, je le caresse d'un souffle odorant ; mais s'il est méchant, je le moleste d'un souffle importun.

Si mon frémissement agite le feuillage, celui qui aime ne peut retenir ses soupirs. Et dès que mon murmure le caresse, il dit ses peines à l'oreille de sa maîtresse.

La douceur et la tendresse composent mon essence, et je suis comme un luth parmi l'air incandescent.

Si je suis mobile, ce n'est point l'effet d'un vain caprice, c'est pour suivre mes sœurs les saisons dans leurs variations et leur cours.

On me dit utile, alors que seulement je suis charmant. Dans la saison du printemps, je souffle du nord, fertilisant ainsi les arbres, et rendant la nuit semblable au jour.

Dans la saison chaude, je prends ma course de l'orient, pour favoriser les fruits et vêtir les arbres de leur beauté plénière.

En automne, je viens du sud, pour que les fruits, mes bien-aimés, atteignent leur perfection et mûrissent sagement.

En hiver enfin, je prends ma course de l'occident. Et de la sorte je soulage mes amis les arbres du poids fatigant de leurs fruits, et je sèche les feuilles pour conserver la vie aux belles branches.

C'est moi qui féconde le palmier, qui révèle à l'amante les secrets du cœur qu'elle a enflammé, et c'est mon haleine parfumée qui annonce au pèlerin de l'amour qu'il approche de la tente de sa bien-aimée.

Qu'elle a enflammé, et c'est mon haleine parfumée qui annonce au pèlerin de l'amour qu'il approche de la tente de sa bien-aimée. »

« Maintenant, si vous le voulez, ô mes maîtres et mes maîtresses, continua Tohfa, je vous dirai le *Chant de la Rose*…

À ce moment de sa narration, Schahrazade vit apparaître le matin et, discrète, se tut.

Mais lorsque fut la neuf cent trente-deuxième nuit. Elle dit :

… Maintenant, si vous le voulez, ô mes maîtres et mes maîtresses, continua Tohfa, je vous dirai le *Chant de la Rose.* Le voici :

« Je suis celle qui vient en visite entre l'hiver et l'été. Mais ma visite est aussi courte que l'apparition du fantôme nocturne.

Hâtez-vous de jouir du court espace de ma floraison, et souvenez-vous que le temps est un glaive tranchant.

J'ai à la fois et la couleur de l'amante et l'habit de l'amant. J'embaume celui qui respire mon haleine, et je cause à la jeune fille qui me reçoit de la main de son ami une émotion inconnue.

Je suis un hôte qui n'a jamais été importun ; et celui qui espère me posséder longtemps est dans l'erreur. Je suis celle dont le rossignol est énamouré.

Mais, avec toute ma gloire, je suis, hélas ! de toutes mes sœurs la plus éprouvée. Partout où, jeune encore, je m'épanouis, un cercle d'épines me presse de toutes parts.

Flèches acérées elles répandent mon sang sur mes habits et les teignent d'une couleur vermeille. Je suis éternellement blessée.

Pourtant, malgré tout ce que j'endure, je reste la plus élégante des éphémères. On m'appelle l'Orgueil du matin. Brillante de fraîcheur, je suis parée de ma propre beauté.

Mais voici la main terrible des hommes. Elle me cueille du milieu de mon jardin de feuilles, pour la prison de l'alambic.

Alors mon corps est liquéfié et mon cœur est brûlé ; ma peau est déchirée et ma force se perd ; mes larmes coulent, et personne n'a pitié de moi.

Mon corps est en proie à l'ardeur du feu, mes larmes à la submersion, et mon cœur au bouillonnement. La sueur que je répands est l'indice irrécusable de mes tourments.

Ceux que consume un mal brûlant reçoivent de mon âme volatile le soulagement ; et ceux que le désir agite respirent avec délices le musc de mes robes anciennes.

Aussi lorsque ma beauté extérieure quitte les hommes, mes qualités intérieures avec mon âme restent au milieu d'eux.

Et les contemplatifs, qui savent tirer de mes charmes passagers une allégorie, ne regrettent point le temps où ma fleur ornait les jardins ; mais les amants voudraient que ce temps durât toujours. »

« Et maintenant, ô mes maîtres et mes maîtresses, si vous le voulez bien, je vous dirai le *Chant du Jasmin.* Le voici :

« Cessez de vous chagriner, ô vous tous qui m'approchez, je suis le jasmin. Mes étoiles éclatent sur l'azur, plus blanches que l'argent dans la mine.

Je nais directement du sein de la divinité, et je me repose sur le sein des femmes. Je suis un merveilleux ornement à porter sur la tête.

Usez du vin en ma compagnie, et raillez celui qui passe le temps dans la langueur.

Ma couleur atteste le camphre, ô mes seigneurs, et mon odeur est la mère des odeurs. Par elle je suis encore présent, alors que je suis loin.

Mon nom, Yâs-mîn, offre une énigme dont le sens propre ne peut que plaire aux novices dans la vie spirituelle :

Il est composé de deux mots différents, *désespoir* et *erreur.* Je signifie donc, en mon langage muet, que le désespoir est une erreur.

C'est pourquoi j'apporte avec moi le bonheur, et je pronostique la félicité et la joie.

Je suis le jasmin. Et ma couleur atteste le camphre, ô mes seigneurs ! »

« Et maintenant, ô mes maîtres et mes maîtresses, si vous le voulez bien, je vous dirai le *Chant du Narcisse.* Le voici :

« Ma beauté ne m'enivre point, parce que mes yeux sont langoureux, que je me balance harmonieusement, et que noble est mon origine.

Toujours auprès des fleurs, je me plais à les considérer ; je m'entretiens avec elles au clair de la lune, et je suis constamment leur camarade.

Ma beauté me donne le premier rang parmi mes compagnes, et je suis néanmoins leur serviteur. Aussi apprendrai-je à quiconque le désirera quelles sont les obligations du service.

Je me ceins les reins de la ceinture de l'obéissance, et je me tiens debout comme un bon serviteur.

Je ne m'assieds point avec les autres fleurs, et je ne lève pas la tête vers mon commensal.

Je ne suis jamais avare de mon parfum pour celui qui désire le respirer, et je ne suis jamais rebelle à la main qui me cueille.

Je me désaltère à chaque instant dans mon calice, qui est pour moi un vêtement de pureté. Une tige d'émeraude me sert de base, et l'or et l'argent forment ma robe.

Lorsque je réfléchis sur mes imperfections, je ne puis m'empêcher de baisser avec confusion mes yeux vers la terre. Et lorsque je médite sur ce que je dois devenir un jour, mon teint change de couleur.

Je veux donc, par l'humilité de mes regards, confesser mes défauts et me faire pardonner mes clignements d'yeux.

Et si je baisse souvent la tête, ce n'est point pour me mirer dans les eaux et m'admirer, mais c'est pour considérer le moment cruel de ma fin. »

« Et maintenant, si vous le voulez bien, ô mes maîtres et mes maîtresses, je vous dirai le *Chant de la Violette*. Le voici :

« Je suis habillée du manteau d'une feuille verte, et d'une robe d'honneur ultra-marine. Je suis une toute petite chose d'un aspect délicieux.

Que la rose s'appelle Orgueil du matin ! Moi, j'en suis le mystère.

Mais qu'elle est digne d'envie, ma sœur la rose, qui vit de la vie des heureux et qui meurt martyre de sa beauté !

Moi, je me fane dès mon enfance, consumée de chagrin, et je nais vêtue de deuil.

Qu'ils sont courts les instants où je jouis d'une vie agréable ! Hélas ! hélas ! qu'ils sont longs les instants où je végète sèche et dépouillée de mes robes de feuilles.

Voyez ! Aussitôt que s'ouvre ma corolle, on vient me cueillir et me sevrer de mes racines, sans me laisser le temps de parvenir au terme de ma croissance.

Alors il ne manque pas de gens qui, abusant de ma faiblesse, me traitent avec violence, sans que mes agréments ni ma modestie les puissent toucher.

Je cause du plaisir à ceux qui sont auprès de moi, et je plais à ceux qui m'aperçoivent. Pourtant, à peine se passe-t-il un jour, ou même une partie d'un jour, que déjà l'on ne m'estime plus :

Et l'on me vend au plus bas prix, après avoir fait le plus grand cas de moi ; et on finit par me trouver des défauts, après m'avoir comblée d'éloges.

Le soir, par l'influence de la destinée ennemie, mes pétales se roulent et se fanent ; et le matin, je suis pâle et desséchée.

C'est alors que les gens studieux, qui connaissent mes vertus, me recueillent. Avec mon secours, ils éloignent les maux, apaisent les douleurs et adoucissent les tempéraments secs.

Fraîche, je fais jouir les hommes de la douceur de mon parfum, du charme de ma fleur ; sèche, je leur rends la santé.

Mais combien parmi les fils des hommes qui ignorent mes qualités intérieures et négligent de scruter mes vues de sagesse.

J'offre cependant un tel sujet de réflexion aux méditatifs qui, en m'étudiant, cherchent à s'instruire ! Car ma manière d'être retient ceux qui entendent la voix de la raison.

Mais je me console d'être si souvent méconnue, en voyant que mes fleurs, sur leurs petites tiges, ressemblent à une armée dont les voltigeurs, casqués d'émeraude, auraient orné de saphirs leurs lances, et adroitement enlevé avec ces lances les têtes de leurs ennemis. »

« Et maintenant, si vous le voulez bien, ô mes maîtres et mes maîtresses, je vous dirai le *Chant du Nénuphar*. Le voici :

« Si craintive et pudique est ma nature que, ne pouvant me résoudre à vivre nu dans l'air, je fuis les yeux et me cache dans l'eau. Et, par ma corolle immaculée, je me laisse deviner plutôt que voir.

Que les amoureux écoutent avec avidité mes leçons, et qu'ils usent avec moi de ménagements, et se comportent avec prudence !

Les lieux aquatiques sont mon lit de repos, car j'aime l'eau limpide et courante, et ne m'en sépare ni le matin ni le soir, ni l'hiver ni l'été.

Et, quelle chose extraordinaire ! tourmenté d'amour pour cette eau, je ne cesse de soupirer après elle, et, en proie à la soif brûlante du désir, je l'accompagne partout.

A-t-on jamais vu rien de pareil ! être dans l'eau, et se sentir dévoré par la soif la plus ardente.

Pendant le jour, sous les rayons du soleil, je déploie mon calice doré ; mais lorsque la nuit enveloppe la terre et s'étend sur les eaux, l'onde m'attire vers elle ;

Et ma corolle s'incline et, m'enfonçant dans le sein nourricier, je me retire au fond de mon nid de verdure et d'eau et je reviens à mes pensées solitaires.

Car mon calice, submergé dans l'eau nocturne, contemple alors, comme un œil vigilant, ce qui fait son bonheur.

Et les hommes irréfléchis ne savent plus où je suis, et ne se doutent point de mon bonheur caché, et nul censeur ne vient plus m'importuner pour m'éloigner de ma fraîche bien-aimée.

D'ailleurs, quelque part que mes désirs me portent, ma bien-aimée reste à mes côtés. Si je la prie de soulager l'ardeur qui m'enflamme, elle m'abreuve de sa douce liqueur. Et si je lui demande asile, complaisante, elle m'ouvre son sein pour m'y cacher.

Mon existence est liée à la sienne, et la durée de ma vie dépend du séjour qu'elle fait auprès de moi.

C'est par elle seule que je puis acquérir le dernier degré de la perfection, et c'est à ses seules qualités que je dois mes vertus.

Si craintive et pudique est ma nature que, ne pouvant me résoudre à vivre nu dans l'air, je fuis les yeux et me cache dans l'eau. Et, par ma corolle immaculée, je me laisse deviner plutôt que voir. »

« Et maintenant, si vous le voulez bien, ô mes maîtres et mes maîtresses, je vous dirai le *Chant de la Giroflée*…

À ce moment de sa narration, Schahrazade vit apparaître le matin et, discrète, se tut.

Mais lorsque fut la neuf cent trente-troisième nuit. Elle dit :

… Et maintenant, si vous le voulez bien, ô mes maîtres et mes maîtresses, je vous dirai le *Chant de la Giroflée*. Le voici :

« Les révolutions du temps ont changé ma couleur première et en ont formé trois différentes nuances, qui constituent mes variétés.

La première se présente sous le vêtement jaune du mal d'amour ; la seconde s'offre aux regards vêtue de la robe blanche de l'inquiétude produite par les tourments de l'absence ; et la troisième paraît sous le voile bleu du chagrin d'amour.

Quand je suis blanche, je n'ai ni éclat ni parfum. Aussi l'odorat dédaigne-t-il ma corolle, et l'on ne vient point enlever le voile qui couvre mes appas.

Mais je me réjouis d'être ainsi délaissée, car je l'ai voulu. Je cache soigneusement mon secret, je renferme en moi-même mon parfum, et je dérobe mes trésors avec tant de soin que ni les désirs ni les yeux ne peuvent en jouir.

Quand je suis jaune, je me promets, au contraire, de séduire ; je prends dans ce dessein, un air de volupté ; je répands, le matin et le soir, mon odeur musquée ; et, au crépuscule du matin et à celui du soir, je laisse échapper mon haleine odorante.

Ne me blâmez point, ô mes sœurs, si pressée par les désirs, je confie ma passion au souffle du zéphyr. L'amante qui trahit son secret n'est pas coupable ; elle est vaincue par la violence de son amour.

Mais quand je suis bleue, je comprime mon ardeur pendant le jour, je supporte ma peine avec patience, et je n'exhale point l'odeur de mon cœur.

Même à ceux-là qui m'aiment, je ne réponds rien, quand la lumière offusque le mystère où je me plais ; et je ne leur manifeste point le secret de mon âme, et je ne trahis même pas ma présence par mon arôme.

Mais dès que la nuit m'a couverte de ses ombres, je décèle mes trésors à mes amis, et je me plains de mes maux à ceux qui souffrent les mêmes peines que moi.

Et lorsque, dans le jardin où sont assis mes amis, les coupes de vin font la ronde, je bois à mon tour dans mon propre cœur.

Alors, comme l'instant me paraît favorable, j'exhale mes émanations nocturnes, et répands un parfum aussi doux que la société d'un ami très aimé.

Alors aussi, si l'on recherche ma présence et que l'on me caresse délicatement, je cède avec empressement à l'invitation, sans me plaindre de ce que les cœurs durs m'ont fait souffrir.

Ah ! j'aime les ténèbres que les amants choisissent pour leur tête-à-tête, où l'amoureuse se pâme dans les bras tendus. J'aime les ténèbres qui me permettent d'exhaler au vent mes plaintes parfumées, d'ôter les voiles qui cachent ma nudité, et de présenter à mes sœurs sans parfum l'hommage de mon encens. »

« Et maintenant, ô mes maîtres et mes maîtresses, je vous dirai, si vous le voulez bien, le *Chant du Basilic* :

« Mes sœurs, voici le moment où vous ornez à l'envi le jardin où je demeure. Donnez-moi vos ordres et, de grâce ! prenez-moi pour votre commensal.

Mes feuilles fraîches et délicates vous annoncent mes rares qualités. Je suis l'ami des ruisseaux ; je partage les secrets de ceux qui s'entretiennent au clair de lune, et j'en suis le dépositaire le plus fidèle.

Prenez-moi pour commensal, ô mes sœurs ! De même que de la danse ne saurait être agréable sans le son des instruments, de même l'esprit des gens délicieux ne saurait être réjoui sans ma présence.

Mon sein renferme un parfum précieux, qui pénètre jusqu'au fond des cœurs. Je suis promis aux élus dans le paradis.

Je vous ai dit, ô mes sœurs, que je n'étais point un indiscret. Cependant vous aurez peut-être entendu dire qu'il existe un délateur parmi les membres de ma famille : la menthe !

Mais, je vous en prie, ne lui faites point de reproches : elle ne répand que sa propre odeur, et ne divulgue qu'un secret qui la regarde.

Celui qui est indiscret pour lui-même ne peut être assimilé à celui qui révèle des secrets qu'on lui a confiés, et ne mérite point le nom injurieux de délateur.

Quoi qu'il en soit, je ne suis point lié à la menthe par des liens de proche parenté. Réfléchissez là-dessus, ô mes sœurs : je suis l'ami des ruisseaux ; je connais les secrets des amoureux au clair de lune ; je suis un dépositaire fidèle.

Voici le moment où vous ornez à l'envi le jardin où je demeure. Donnez-moi vos ordres et, de grâce ! prenez-moi pour votre commensal. »

« Et maintenant, ô mes maîtres et mes maîtresses, je vous dirai, si vous le voulez bien, le *Chant de la Camomille.* Le voici :

« Si tu es en état de comprendre les emblèmes, lève-toi, et viens profiter de ceux qui te sont offerts. Sinon, dors, puisque tu ne sais pas interpréter la nature. Mais il faut l'avouer, ton ignorance est bien coupable.

Comment les jours où ma fleur s'épanouit ne seraient-ils pas délicieux ! Voici l'époque où j'embellis les champs, où ma beauté est plus douce et plus agréable.

Mes pétales blancs servent à me faire reconnaître de loin, et mon disque jaune imprime une douce langueur à ma corolle.

On peut comparer la différence de mes deux couleurs à celle qui existe dans les versets du Koran, dont les uns sont clairs et les autres obscurs.

Sache tirer le sens caché de ma mort apparente, qui a lieu chaque année, et des tourments que le destin me fait souffrir.

Tu es souvent venu m'admirer, lorsque ma fleur épanouie enchantait les campagnes ; et tu es venu de nouveau peu après, mais tu ne m'as plus trouvée. Et tu n'as pas compris.

Aussi, lorsque mes plaintes douloureuses montent vers mes sœurs les colombes, tu prends ces gémissements pour le chant du plaisir et, joyeux, tu te divertis sur le gazon émaillé de mes fleurs. Hélas ! tu n'as pas compris.

Mes pétales blancs servent à me faire reconnaître de loin, mais toi ! Il est fâcheux que tu ne saches pas distinguer ma gaieté d'avec ma tristesse. »

« Et maintenant, ô mes maîtres et mes maîtresses, si vous le voulez bien, je vous dirai le *Chant de la Lavande.* Le voici :

« Oh ! que je suis heureuse de ne pas être au nombre des fleurs qui ornent les parterres ! Je ne risque pas de tomber entre des mains viles, et je suis à l'abri des discours frivoles.

Contre la coutume de mes sœurs les plantes, la nature me fait croître loin des ruisseaux ; et je n'aime point les lieux cultivés et les terres civilisées.

Je suis sauvage. Loin de la société, mon séjour est dans les déserts et les solitudes. Car je n'aime point me mêler à la foule.

Comme personne ne me sème ni ne me cultive, personne n'a à me reprocher les soins qu'il m'aurait donnés. Libre, je suis libre ! Et les mains de l'esclave et de l'homme des villes ne m'ont jamais touchée.

Mais si tu viens dans le Najd d'Arabie, tu m'y trouveras : là, loin des demeures des hommes pâles, les plaines spacieuses font mon bonheur, et la société des gazelles et des abeilles est mon unique plaisir.

Là, l'absinthe amère est ma sœur de solitude. Je suis la bien-aimée des anachorètes et des contemplatifs. Et j'ai consolé Agar et guéri Ismaël.

Libre, je suis libre et semblable aux filles de sang noble qu'on n'expose point en vente dans les marchés des villes.

Les libertins ne me recherchent point ; mais celui-là seul m'estime qui, formant un dessein inébranlable, se découvre la jambe et s'élance sur le coursier rapide, un brin de ma tige à sa tempe.

Je voudrais que tu fusses dans le désert de Najd, dont je suis originaire, lorsque la brise du matin erre auprès de moi dans les vallées.

Mon odeur fraîche et aromatique parfume le Bédouin solitaire, et mon exhalaison honnête réjouit l'odorat de ceux qui se reposent auprès de moi.

Aussi, lorsque le rude chamelier vient à décrire mes rares qualités aux gens de la caravane, ne peut-il s'empêcher de parler de moi avec attendrissement. »

« Et maintenant, si vous le voulez bien, ô mes maîtres et mes maîtresses, je vous dirai, pour finir, le *Chant de l'Anémone.* Le voici :

« Si mon intérieur était conforme à mon extérieur, je ne serais pas obligée de me plaindre et d'envier le sort de mes sœurs.

On vante sans cesse les riches nuances de mon vêtement, et le plus grand éloge à faire de la joue des vierges est de la trouver semblable à mon incarnat.

Et cependant, celui qui m'aperçoit me dédaigne ; on ne me place pas dans les vases qui décorent les salles des festins ; personne ne fait l'éloge de mes agréments ; je n'ai point part aux hommages que l'on rend à mes sœurs ; on ne me donne que le dernier rang dans les parterres, on va même jusqu'à m'en exclure complètement ; et je semble rebuter à la fois la vue et l'odorat.

Hélas sur moi ! Quelle est donc la cause de cette indifférence marquée ? Hélas ! hélas ! je m'imagine que c'est parce que mon cœur est noir.

Mais que puis-je contre les arrêts du destin ? Si mon intérieur est plein de défauts, et que mon cœur soit noir, mon extérieur n'est-il point la beauté ?

Je renonce à lutter. Hélas sur moi ! Si mon intérieur était pareil à mon extérieur, je ne serais pas obligée de me plaindre et d'envier le sort de mes sœurs. Tout mon malheur, je me l'imagine, vient de mon cœur. »

« Et maintenant que j'ai fini les chants du zéphyr et des fleurs, je vous dirai, si vous le voulez bien, ô mes maîtres et mes maîtresses, quelques chants d'oiseaux. Voici d'abord le *Chant de l'Hirondelle*...

À ce moment de sa narration, Schahrazade vit apparaître le matin et, discrète, se tut.

Mais lorsque fut la neuf cent trente-quatrième nuit. Elle dit :

... Et maintenant que j'ai fini les chants du zéphyr et des fleurs, je vous dirai, si vous le voulez bien, ô mes maîtres et mes maîtresses, quelques *Chants d'Oiseaux.* Voici d'abord le *Chant de l'Hirondelle :*

« Si je prends pour demeure les terrasses et les maisons, me séparant ainsi de mes pareils, les oiseaux, qui habitent le creux des arbres et les rameaux,

C'est qu'à mes yeux il n'y a rien de préférable à la condition d'étranger. Je me mêle donc aux humains, parce qu'ils ne sont pas de mon espèce, et précisément pour être étrangère au milieu d'eux.

Je vis toujours en voyageuse, et je jouis ainsi de la compagnie des gens instruits.

Loin de sa patrie, on est toujours accueilli avec bonté et d'une manière obligeante.

Lorsque je m'établis dans une maison, je ne me permets pas de faire le moindre tort aux habitants. Je me contente d'y bâtir ma cellule avec des matériaux pris au bord des ruisseaux.

J'augmente le nombre des gens du logis, mais je ne demande point à partager leurs provisions, car je vais chercher ma nourriture dans les lieux déserts.

Aussi, le soin que je mets à m'abstenir de ce que mes hôtes possèdent me concilie leur attachement ; car, si je voulais prendre part à leur nourriture, ils ne m'admettraient point dans leurs demeures.

Je suis auprès d'eux lorsqu'ils sont assemblés, mais je m'éloigne lorsqu'ils prennent leurs repas. Car c'est à leurs bonnes qualités que je désire participer, et non à leurs festins ; c'est leur mérite que je recherche et non leur froment ; je souhaite leur amitié, et non leur grain.

Aussi, comme je m'abstiens scrupuleusement de ce que possèdent les hommes, j'ai leur affection, et je suis reçue dans leurs demeures comme une pupille que l'on presse sur son sein !

« Et maintenant, si vous le voulez bien, ô mes maîtres et mes maîtresses, je vous dirai le *Chant du Hibou.* Le voici :

« On me dit le maître de la sagesse. Hélas ! connaît-on la sagesse ?

La sagesse, la paix et le bonheur ne se trouvent que dans la retraite. On a du moins quelque chance de les y rencontrer.

Dès ma naissance, je me retire du monde. Car, de même qu'une seule goutte d'eau est la source d'un torrent, de même la société est la source des calamités. Aussi, n'y ai-je jamais placé ma félicité.

Un creux dans quelque ruine très ancienne est mon habitation solitaire. Là, loin des compagnons, des amis et des proches, je suis à l'abri des tourments et n'ai point à craindre les envieux.

Je laisse les palais somptueux aux infortunés qui y font leur résidence, et les mets délicats aux pauvres riches qui s'en nourrissent.

Dans ma solitude austère, j'ai appris à réfléchir et à méditer. Mon âme surtout a attiré mon attention. J'ai pensé au bien qu'elle peut faire et au mal dont elle peut se rendre coupable. J'ai porté mon attention sur les qualités réelles et intérieures.

J'ai reconnu ainsi que ni joies ni plaisirs ne demeurent, et que le monde est un grand vide bâti sur le vide. Je parle obscurément, mais je me comprends. Il est des choses qu'il est funeste d'expliquer.

J'ai oublié ce que mes semblables ont droit d'attendre de moi, et ce que j'ai droit d'attendre d'eux. J'ai abandonné ma famille, mes biens et mon pays. J'ai passé avec indifférence au-dessus des châteaux. J'ai choisi le vieux trou de la muraille. Je me suis préféré.

C'est pourquoi l'on m'appelle le maître de la sagesse. Hélas ! connaît-on la sagesse ? »

« Et maintenant, si vous le voulez bien, ô mes maîtres et mes maîtresses, je vous dirai le *Chant du Faucon.* Le voici :

« C'est vrai, je suis taciturne. Je suis même bien sombre, quelquefois. Certes ! je ne suis point ce rossignol plein de fatuité, dont le chant continuel fatigue les oiseaux, et à qui l'intempérance de sa langue attire tous les malheurs.

Je suis fidèle aux règles du silence. La discrétion de ma langue est mon seul mérite, peut-être, et l'observation de mes devoirs, ma perfection, peut-être.

Emmené par les hommes en captivité, je reste réservé, et jamais je ne découvre le fond de ma pensée. Jamais on ne me verra pleurer sur les vestiges de mon passé. L'instruction, voilà ce que je recherche dans mes voyages.

Aussi, mon maître finit-il par m'aimer, et, craignant que ma froideur et ma réserve ne m'attirent la haine, il couvre ma vue avec le chaperon, selon ces paroles du Koran : « N'étends point la vue ! »

Il enlace ma langue sur mon bec, avec le lien qu'ont en vue ces paroles du Koran : « Ne remue point la langue ! »

Il me serre enfin avec les entraves désignées par ce verset du Koran : « Ne marche pas sur la terre avec pétulance ! »

Je souffre d'être ainsi lié, mais, toujours silencieux, je ne me plains point des maux que j'endure.

Aussi ayant longtemps mûri mes pensées dans la nuit du chaperon, mon instruction est faite. Et c'est alors que les rois deviennent mes serviteurs, que leur main royale est le point de départ de mon vol, et que leur poignet est sous mes pieds orgueilleux ! »

« Et maintenant, si vous le voulez bien, ô mes maîtres et mes maîtresses, je vous dirai le *Chant du Cygne.* Il est bref, mais le voici :

« Maître de mes désirs, je dispose de l'air, de la terre et de l'eau.

Mon corps est de neige, mon col est un lys, et mon bec un petit coffret d'ambre doré.

Ma royauté est faite de blancheur, de solitude et de dignité.

Je connais les mystères des eaux, les trésors de fond et les merveilles marines.

Et, tandis que je voyage et vogue par ma propre voilure, l'indifférent qui demeure sur la grève ne recueille jamais les perles marines, et ne peut prétendre qu'à l'écume amère. »

« Et maintenant, si vous le voulez bien, ô mes maîtres et mes maîtresses, je vous dirai le *Chant de l'Abeille.* Le voici :

« Je construis ma maison sur les collines. Je me nourris de ce qu'on peut prendre sans endommager les arbres, et de ce qu'on peut manger sans scrupule.

Je me pose sur les fleurs et sur les fruits, sans jamais détruire un fruit ni gâter une fleur ; j'en retire seulement une substance légère comme la rosée.

Contente de mon butin délicat, je reviens à ma demeure, où je me livre à mes travaux, à ma méditation et à la grâce qui m'a été prédestinée.

Ma maison est construite selon les lois d'une sévère architecture ; et Euclidos lui-même s'instruirait en admirant la géométrie de mes alvéoles.

Ma cire et mon miel sont le produit de l'union de ma science avec mon travail. La cire est le résultat de mes peines, et le miel est le fruit de mon instruction.

Je n'accorde mes grâces à ceux qui les désirent, qu'après leur avoir fait sentir l'amertume de mon aiguillon.

Si donc tu recherches les allégories, je t'en offre une bien instructive. Réfléchis que tu ne peux jouir de mes faveurs qu'en souffrant avec patience l'amertume de mes dédains et mes blessures.

L'amour rend léger ce qu'il y a de plus pesant. Si tu comprends, avance. Sinon, reste où tu es. »

« Et maintenant, ô mes maîtres et mes maîtresses, je vous dirai, si vous le voulez bien, le *Chant du Papillon.* Le voici :

« Je suis l'amant éternellement brûlé par l'amour de ma bien-aimée, la flamme.

Me consumer de désir et d'ardeur, telle est la loi qui régit ma courte vie.

Les mauvais traitements de mon amie, loin de diminuer mon amour, ne font que l'augmenter, et je me précipite vers elle, emporté par le désir de voir notre union consommée.

Mais elle me repousse avec cruauté et déchire le tissu de gaze de mes ailes. Non, jamais un amant n'a enduré ce que j'endure !

Et la chandelle me répond : « Véritable amant, ne te hâte pas de me condamner, car j'éprouve les mêmes tourments que toi.

« Qu'un amoureux se consume, rien d'étonnant, mais qu'une maîtresse éprouve le même sort, voilà ce qui doit surprendre.

« Le feu m'aime, comme je t'aime ; et ses soupirs enflammés me brûlent et me liquéfient.

« Il veut se rapprocher de moi, et il me dévore ; il veut s'unir à moi d'amour, mais il ne peut accomplir ses désirs qu'en me détruisant.

« C'est par le feu qu'on m'a arrachée de ma demeure, moi et le miel mon frère. Puis, me séparant d'avec lui, on mit entre nous un immense intervalle.

« Répandre ma lumière, brûler, verser des larmes, voilà mon sort. Et je me consume pour éclairer les autres. »

Ainsi me parla la chandelle. Mais le feu se tourna vers nous deux, et nous dit :

« Ô vous qui êtes tourmentés par ma flamme, pourquoi vous plaindre, puisque vous jouissez du doux instant de l'union ?

« Heureux ceux qui boivent, tandis que je suis leur échanson ! Heureuse la vie de celui qui, consumé par ma flamme immortelle, meurt à lui-même pour obéir aux lois de l'amour ! »

« Et maintenant si vous le voulez bien, ô mes maîtres et mes maîtresses, je vous dirai le *Chant du Corbeau*...

À ce moment de sa narration, Schahrazade vit apparaître le matin et, discrète, se tut.

Mais lorsque fut la neuf cent trente-cinquième nuit. Elle dit :

« Et maintenant si vous le voulez bien, ô mes maîtres et mes maîtresses, je vous dirai le *Chant du Corbeau.* Le voici :

« Oui, je le sais, vêtu de noir, je viens troubler, de mon cri importun, ce qu'il y a de plus pur, et rendre amer ce qu'il y a de plus doux.

Soit au lever de l'aurore, soit aux approches de la nuit, je m'adresse aux campements printaniers et les excite à la séparation.

Si je vois un bonheur parfait, je proclame sa fin prochaine ; si j'aperçois un palais magnifique, j'annonce sa ruine imminente.

Oui, tout cela on me le reproche, je le sais, et que je suis de plus mauvais augure que Kascher, et plus sinistre que Jader.

Mais, ô toi qui blâmes ma conduite, si tu connaissais ton véritable bonheur, comme je connais le mien, tu n'hésiterais pas à te couvrir comme moi d'un vêtement noir ; et tu me répondrais en tout temps par des lamentations.

Mais les plaisirs vains occupent tes moments, et ta vanité te retient loin des sentiers de la sagesse.

Tu oublies que ton ami sincère est celui qui te parle avec franchise, et non celui qui te cache tes erreurs ; que c'est celui qui te réprimande et non celui qui t'excuse ; que c'est celui qui t'enseigne la vérité et non celui qui venge tes injures.

Car quiconque t'adresse des remontrances, réveille en toi la vertu lorsqu'elle est endormie, et te met sur tes gardes en t'inspirant des craintes salutaires.

Quant à moi, habillé de deuil, je pleure sur la vie fugitive qui nous échappe, et ne puis m'empêcher de gémir toutes les fois que j'aperçois une caravane dont le conducteur accélère la marche.

Je suis ainsi semblable au prédicateur dans la mosquée, et ce n'est pas une chose nouvelle que les prédicateurs soient vêtus de noir. Mais, hélas ce ne sont que des objets muets et inanimés qui répondent à ma voix prophétique !

Ô toi qui as l'oreille dure, réveille-toi enfin, et comprends ce qu'indique la nuée matinale : il n'y a personne sur la terre qui ne doive s'efforcer d'entrevoir quelque chose du monde invisible !

Mais tu ne m'entends pas, tu ne m'entends pas ! Et je m'aperçois enfin que je parle à un mort ! »

« Et maintenant, si vous le voulez bien, ô mes maîtres et mes maîtresses, je vous dirai le *Chant de la Huppe*. Le voici :

« Lorsque je vins de Saba, messagère d'amour, je remis au roi doré la lettre de la reine aux longs yeux céruléens.

Et Soleïmân me dit : « Ô huppe tu m'as apporté de Saba une nouvelle qui fait danser mon cœur. »

Et il me combla de ses faveurs, et me mit sur la tête cette couronne charmante que j'ai depuis lors gardée.

Et il m'enseigna la sagesse. C'est pourquoi je reviens souvent à la solitude de mes pensées, et me remémore son enseignement, tel qu'il me l'a donné.

Il m'a dit : « Sache, ô huppe, que si le cœur était attentif à s'instruire, l'intelligence pénétrerait le sens caché des choses ;

Si l'esprit était bon, il apercevrait les signes de la vérité ; si la conscience savait comprendre, elle apprendrait sans peine les bonnes nouvelles ;

Si l'âme s'ouvrait aux influences mystiques, elle recevrait des lumières surnaturelles ;

Si l'intérieur était pur, les mystères des choses paraîtraient à découvert, et la Divine Maîtresse se laisserait voir.

Si l'on se dépouillait du vêtement de l'amour-propre, il n'existerait plus d'obstacle dans la vie, et l'esprit ne sécréterait plus de pensées glacées.

De la sorte ton tempérament pourrait acquérir le degré d'équilibre qui constitue la santé spirituelle, et tu serais ton propre médecin.

Tu saurais te rafraîchir avec l'éventail de l'espérance, et préparer pour toi-même le myrobolan du refuge, le sébeste de la correction, le jujube de la sollicitude et le tamarin de la direction.

Tu saurais te broyer dans le mortier de la patience, te tamiser sur le tamis de l'humilité, et t'administrer les remèdes spirituels, après la veille nocturne, dans la solitude du matin en tête-à-tête avec la Divine Amie.

Car celui qui ne sait pas tirer un sens allégorique du cri aigre de la porte, du bourdonnement de la mouche, et du mouvement des insectes qui bombillent dans la poussière,

Celui qui ne sait pas comprendre ce qu'indiquent la marche de la nue, la lueur du mirage, et la teinte du brouillard, alors celui-là n'est pas du nombre des gens intelligents. »

Et, ayant dit ces chants des fleurs et des oiseaux, l'adolescente Tohfa se tut. Alors, de tous les points du palais, s'élevèrent les exclamations des genn enthousiastes. Et le cheikh Éblis vint baiser ses pieds, et les reines, à la limite de l'exaltation, vinrent l'embrasser en pleurant. Et tous ensemble, avec leurs mains et leurs yeux, se mirent à faire des gestes et des signes qui signifiaient clairement : « Notre langue est liée par l'admiration, et les paroles ne peuvent sortir de notre bouche ! » Puis ils se mirent à sauter sur leurs sièges en cadence, et en levant les jambes en l'air, ce qui signifiait clairement, en leur langage de genn : « C'est bien beau ! Tu as excellé ! Nous sommes émerveillés. Nous te remercions ! » Et l'éfrit Maïmoun, ainsi que son compagnon de laideur, se leva et se mit à danser, le doigt au cul, ce qui signifiait péremptoirement, en son langage : « Je suis fou d'émerveillement. »

Et Tohfa, émue de voir l'effet, sur les genn, de ces chants et de ces poèmes, leur dit : « Par Allah ! ô mes maîtres et mes maîtresses, si je n'étais fatiguée, je vous aurais encore dit d'autres chants et d'autres vers concernant le reste des fleurs odorantes, des herbes et des oiseaux, notamment les chants du Rossignol, de la Caille, du Sansonnet, du Serin, de la Tourterelle, de la Colombe, du Ramier, du Chardonneret, du Paon, du Faisan, de la Perdrix, du Milan, du Vautour, de l'Aigle, de l'Autruche ; et je vous aurais dit les chants de quelques animaux, tels que le Chien, le Chameau, le Cheval, l'Onagre, l'Âne, la Girafe, la Gazelle, la Fourmi, le Mouton, le Renard, la Chèvre, le Loup, le Lion, et bien d'autres encore. Mais, inschallah ! nous nous réunirons dans une autre circonstance. Pour le moment, je prie le cheikh Éblis de me ramener au palais de l'émir des Croyants, mon maître, qui doit être dans une grande inquiétude à mon sujet. Et excusez-moi si je ne puis assister à la circoncision de l'enfant et aux noces de la jeune éfrita. Vraiment, je ne puis pas ! »

Alors le cheikh Éblis lui dit : « En vérité, ô Chef-d'œuvre des Cœurs, notre cœur se fend de savoir que tu veux nous quitter si tôt. N'y aurait-il pas moyen que tu restes encore un peu avec nous ? Tu nous fais goûter la douceur et tu nous la retires des lèvres ! Par Allah sur toi, ô Tohfa ! favorise-nous encore de quelques instants ! » Et Tohfa répondit : « Vraiment, la chose est au-dessus de ma capacité. Et il faut que je retourne auprès de l'émir des Croyants ; car, ô cheikh Éblis, tu n'ignores pas que les enfants de la terre ne sauraient goûter le vrai bonheur que sur la terre. Et mon âme est triste d'être si loin de ses semblables ! Ô vous tous, ne me retenez pas ici davantage, contre mon cœur ! »

Alors Éblis lui dit : « Sur ma tête et mon œil, mais je veux d'abord, ô Tohfa, te dire que je connais ton ancien maître de musique, l'admirable Ishak ibn-Ibrahim de Mossoul. » Puis il sourit et dit : « Et il me connaît également, car, par une certaine soirée d'hiver, il s'est passé entre nous certaines choses que je ne manquerai pas de te raconter, inschallah ! quelque jour, à mon tour. Car l'histoire de mes relations avec lui est une longue histoire ; et il n'a pas encore dû oublier les positions sur le luth que je lui ai enseignées, ni l'adolescente d'un soir que je lui ai procurée. Et ce n'est pas le moment de te raconter tout cela, puisque tu es si pressée de rentrer chez l'émir des Croyants. Toutefois, il ne sera pas dit que tu es partie de chez nous sans rien entre les mains. C'est pourquoi je veux te montrer un expédient sur le luth, par lequel tu seras exaltée du monde entier, et tu seras aimée encore davantage par ton maître le khalifat. » Et elle répondit : « Fais ce que bon te semble. »

Alors Éblis prit le luth de l'adolescente, et joua dessus un jeu sur un mode nouveau, avec des retours merveilleux, des reprises inouïes et des tremblements perfectionnés. Et il sembla à Tohfa, en entendant cette musique, que tout ce qu'elle avait appris jusqu'à ce moment était erreur, et que ce qu'elle venait d'apprendre du cheikh Éblis – qu'il soit confondu ! – était la source et la base de toute harmonie. Et elle se réjouit en pensant qu'elle pourrait faire entendre cette musique nouvelle à son maître l'émir des Croyants, et à Ishak Al-Nadim. Et, pour être sûre qu'elle ne se tromperait pas, elle voulut répéter l'air entendu, en présence de celui qui l'avait joué. Elle prit donc son luth des mains d'Éblis, et, se guidant sur le ton premier qu'il lui donna, elle répéta le jeu à la perfection. Et tous les genn s'écrièrent : « C'est excellent ! » Et Éblis lui dit : « Te voici maintenant, ô Tohfa, arrivée aux limites extrêmes de l'art. Aussi je vais te délivrer un diplôme, contresigné par tous les chefs des genn, par lequel tu seras reconnue et proclamée comme la meilleure joueuse de luth de la terre. Et, dans ce même diplôme, je te nommerai « lieutenante des oiseaux. » Car les poèmes que tu nous as récités et les chants dont tu nous as favorisés, te mettent hors de pair ; et tu mérites d'être à la tête des oiseaux musiciens. »

Et le cheikh Éblis fit appeler le scribe principal qui prit une peau de coq et la prépara, séance tenante, pour le diplôme en question…

À ce moment de sa narration, Schahrazade vit apparaître le matin et, discrète, se tut.

Mais lorsque fut la neuf cent trente-sixième nuit. Elle dit :

… Et le cheikh Éblis fit appeler le scribe principal qui prit une peau de coq et la prépara, séance tenante, pour le diplôme en question. Puis il traça dessus, d'une belle écriture, en caractères koufiques, des lignes parfaites, sous la dictée du cheikh Éblis. Et il fut établi et reconnu, dans ce diplôme, que l'adolescente Tohfa était désormais lieutenante des oiseaux, et qu'elle était, par un spécial décret, nommée la sultane des joueuses de luth et des chanteuses. Et ce diplôme fut marqué au sceau du cheikh Éblis, et contremarqué aux sceaux des autres chefs des genn et des reines des genn. Et, cela fait, on le serra dans un petit coffret d'or, et on vint le remettre, en cérémonie, à Tohfa qui le prit, et le porta à son front, en remerciant.

Alors Éblis fit un signe à ceux qui l'entouraient, et aussitôt entrèrent des genn portefaix chargés chacun d'une armoire. Et ils déposèrent devant Tohfa ces armoires qui, au nombre de douze, étaient toutes semblables. Et Éblis les ouvrit une à une, afin d'en faire voir le contenu à Tohfa, en lui disant : « Elles sont ta propriété ! » Or, la première armoire était entièrement remplie de pierreries ; la seconde, de dinars d'or ; la troisième, d'or en lingots ; la quatrième, de bijoux orfèvrés ; la cinquième, de candélabres d'or ; la sixième, de confitures sèches et de myrobolan ; la septième, de lingeries de soie ; la huitième, de fards et de parfums ; la neuvième, d'instruments de musique ; la dixième, de vaisselle d'or ; la onzième, de robes de brocart, et la douzième, de robes de soie de toutes les couleurs.

Et, lorsque Tohfa eut regardé le contenu de ces douze armoires, Éblis fit un nouveau signe aux portefaix, qui reprirent aussitôt les armoires sur leur dos, et se rangèrent en bon ordre derrière Tohfa. Alors, les reines des genn vinrent, en pleurant, faire leurs adieux à la lieutenante des oiseaux ; et la reine Kamariya lui dit : « Ô ma sœur, tu nous quittes, hélas ! mais tu nous permettras, du moins, d'aller quelquefois te voir dans le pavillon que tu habites, et nous réjouir les yeux de ta vue qui fait s'envoler les esprits. Mais tu voudras aussi que désormais, au lieu de rester invisible, je prenne une forme de fille terrestre, et que je te réveille de mon souffle ! » Et Tohfa dit : « De tout cœur amical, ô ma sœur Kamariya. Oui, certes ! je me réjouirai de me réveiller sous ton souffle, et de te sentir couchée contre moi. » Et là-dessus elles s'embrassèrent une dernière fois, et se firent mille serments d'amants.

Alors Éblis vint courber le dos devant Tohfa, et la prit à califourchon sur son cou. Et, au milieu des adieux et des soupirs de regret, il s'envola avec elle suivi de près par les genn portefaix qui portaient sur leur dos les armoires. Et, en un clin d'œil, ils arrivèrent tous, sans encombre, dans le pavillon de l'émir des Croyants, à Bagdad. Et Éblis déposa délicatement Tohfa sur son lit ; et les portefaix rangèrent en bon ordre contre le mur les douze armoires. Et, après avoir embrassé la terre entre les mains de la lieutenante des oiseaux, ils se retirèrent tous, Éblis en tête, sans faire le moindre bruit, comme ils étaient venus.

Or, lorsque Tohfa se retrouva dans sa chambre à elle et sur son lit à elle, il lui sembla qu'elle n'en était jamais sortie ; elle crut que tout ce qui lui était arrivé n'était qu'un rêve. Aussi, pour s'assurer de la réalité de ses sensations, prit-elle son luth, et l'accorda-t-elle, et y joua-t-elle, sur le mode nouveau qu'elle avait appris d'Éblis en improvisant des vers sur le retour. Et l'eunuque qui gardait le pavillon entendit le jeu et le chant, à l'intérieur de la chambre, et s'écria : « Par Allah ! ceci est le jeu de ma maîtresse Tohfa ! » Et il se précipita au-dehors, courant comme un homme poursuivi par une horde de Bédouins, et, tombant et se relevant, tant il était ému, il arriva auprès du chef eunuque, Massrour le porte-glaive, qui était de garde, selon sa coutume, à la porte de l'émir des Croyants. Et il tomba à ses pieds, en disant : « Ya sidi ! ya sidi ! » Et Massrour lui dit : « Que t'arrive-t-il ? Et que viens-tu faire ici à une heure pareille ? » Et l'eunuque dit : « Hâte-toi, ya sidi, de réveiller l'émir des Croyants ! J'apporte la bonne nouvelle ! » Et Massrour se mit à le gronder, en lui disant : « Es-tu fou, ô Sawab, pour me croire capable de réveiller à cette heure notre maître le khalifat ? » Mais l'autre se mit à insister tellement, et à crier si fort, que le khalifat finit par entendre le bruit et se réveiller. Et il demanda de l'intérieur : « Ya Massrour, pourquoi tout ce tumulte dehors ? » Et Massrour, tremblant, répondit : « C'est Sawab, ô mon seigneur, le gardien du pavillon, qui vient me trouver pour me dire : « Réveille l'émir des Croyants ! » Et le khalifat demanda : « Qu'as-tu à me dire, ô Sawab ? » Et l'eunuque ne put que balbutier : « Ya sidi ! ya sidi ! » Alors Al-Rachid dit à l'une des jeunes filles esclaves, qui veillaient à l'intérieur sur son sommeil : « Va voir quelle peut être l'affaire. »

Alors la jeune fille sortit vers les eunuques, et fit entrer celui qui gardait le pavillon. Et il était dans un tel état, qu'en voyant l'émir des Croyants il oublia d'embrasser la terre entre ses mains, et lui cria, comme s'il parlait à un de ses semblables en eunuquat : « Yallah, vite, lève-toi ! Ma maîtresse Tohfa est dans sa chambre, chantant et jouant du luth. Allons, vite, viens l'entendre, ô homme ! » Et le khalifat, stupéfait, regarda l'esclave sans pouvoir prononcer un mot. Et l'autre lui dit : « N'as-tu pas entendu le commencement de mon discours ? Je ne suis pas fou, par Allah ! Je te dis que ma maîtresse Tohfa est assise dans sa chambre à coucher, jouant du luth et chantant. Viens vite ! Hâte-toi ! » Et Al-Rachid se leva et passa en toute hâte la première robe qui lui tomba sous la main, sans d'ailleurs comprendre un mot aux paroles de l'eunuque, auquel il dit : « Malheur à toi ! Que dis-tu ? Comment oses-tu me parler de ta maîtresse El Sett Tohfa ? Ne sais-tu qu'elle a disparu de sa chambre, alors que les portes et les fenêtres étaient fermées, et que mon vizir Giafar, qui sait tout, m'a affirmé que sa disparition n'est pas naturelle mais qu'elle est du fait des genn et de leurs maléfices ! Et ne sais-tu qu'on ne voit point d'ordinaire revenir des personnes qu'ont enlevées les genn ! Malheur à toi, ô esclave, qui oses venir réveiller ton maître, à cause d'un rêve grotesque que tu as eu dans ta cervelle noire ! » Et l'eunuque dit : « Je n'ai eu ni rêve ni trêve, je n'ai point mangé de fèves, et donc lève-toi que je me lève ! Et viens voir, après tes douleurs griêves, la plus merveilleuse fille d'Ève ! » Et le khalifat, malgré tout, ne put s'empêcher de rire aux éclats en constatant la folie avérée de l'eunuque Sawab. Et il lui dit : « Si ton discours est vrai, ce sera pour ta bonne fortune, car je te libérerai et te donnerai mille dinars d'or, mais si tout cela est faux, et je puis d'avance te dire que cela est faux, étant le résultat d'un rêve de nègre, je te ferai crucifier ! » Et l'eunuque, levant les bras au ciel, s'écria : « Ô Allah, ô Protecteur, ô Maître de la sauvegarde, fais que je n'aie pas eu dans ma cervelle noire un rêve ni une vision ! » Et il marcha le premier, ouvrant la marche au khalifat, en disant : « L'oreille est pour l'ouïe, et les yeux pour la vue. Viens donc pour voir et écouter, avec ton œil et avec ton oreille. »

Et quand Al-Rachid fut arrivé à la porte du pavillon, il entendit le son du luth et la voix de Tohfa chantant. Et précisément elle chantait et jouait, à ce moment, selon le mode que lui avait enseigné le cheikh Éblis. Et Al-Rachid, bouleversé et retenant à grand-peine sa raison qui déjà s'envolait, mit la clef dans la serrure ; et sa main refusa d'ouvrir, tant elle tremblait. Enfin, au bout d'un moment, il prit du cœur, et, appuyant sur la porte qui céda, il entra disant : « Bismillah ! Confondu soit le Malin ! Je me réfugie en Allah contre les maléfices ! »

Lorsque Tohfa vit entrer l'émir des Croyants bouleversé comme il était et tremblant d'émoi, elle se leva vivement et courut à sa rencontre. Et elle l'entoura de ses bras et le prit sur son cœur. Et Al-Rachid poussa un cri comme s'il perdait l'âme, et tomba à la renverse, évanoui, sa tête précédant ses pieds. Et Tohfa l'aspergea d'eau de rose musquée, et lui en bassina les tempes et le front jusqu'à ce qu'il revînt de son évanouissement. Et il resta un moment comme un homme ivre. Et des larmes coulaient le long de ses joues et mouillaient sa barbe. Et, quand il eut repris complètement ses sens, il put enfin pleurer librement toute sa joie dans le sein de sa bien-aimée, qui pleurait également. Et les paroles qu'ils dirent et les caresses qu'ils se firent défient tous les discours. Et Al-Rachid lui dit : « Ô Tohfa, ton absence est certes une chose extraordinaire, mais ton retour l'est encore davantage et dépasse l'entendement. » Et elle répondit : « Par ta vie, ô mon seigneur, c'est la vérité ! Mais que diras-tu lorsqu'après t'avoir tout raconté, je t'aurai tout montré ? » Et, sans le faire plus longtemps attendre, elle lui raconta l'entrée silencieuse du vieux cheikh dans le pavillon, la danse ivre d'Éblis, la descente par les latrines, le cheval ailé, le séjour des genn, les reines des genn, et surtout la beauté de Kamariya, les mets et les honneurs, les chants des fleurs et des oiseaux, la leçon de musique d'Éblis, et enfin le diplôme qu'on lui avait délivré comme lieutenante des oiseaux. Et elle déplia devant lui le diplôme en question écrit sur la peau de coq. Puis, le prenant par la main, elle lui montra, l'une après l'autre, les douze armoires avec leur contenu, que mille langues ne pourraient décrire ni mille registres inscrire…

À ce moment de sa narration, Schahrazade vit apparaître le matin et, discrète, se tut.

Mais lorsque fut la neuf cent trente-septième nuit. Elle dit :

… Elle lui montra, l'une après l'autre, les douze armoires avec leur contenu que mille langues ne pourraient décrire ni mille registres inscrire. Et ce furent ces armoires qui devinrent plus tard la source des richesses des Bani-Barmak et des Banni-Abbas.

Quant à Al-Rachid, dans sa joie de retrouver sa bien-aimée Chef-d'œuvre des Cœurs, il fit décorer et illuminer Bagdad, d'une rive à l'autre rive, et donna des fêtes splendides, où nul pauvre ne fut oublié. Et durant ces fêtes, Ishak Al-Nadim, qui fut plus que jamais élevé en honneurs et en dignités, chanta en public le chant que ne manqua pas, par reconnaissance, de lui enseigner Tohfa, et qu'elle avait elle-même appris d'Éblis – qu'il soit à jamais confondu ! El Al-Rachid et Chef-d'œuvre des Cœurs ne cessèrent de vivre de la vie délicieuse, dans la prospérité de l'amour, jusqu'à l'arrivée de la Pourvoyeuse des tombeaux.

Et telle est, ô Roi fortuné, continua Schahrazade, l'histoire de l'adolescente Tohfa, Chef-d'œuvre des Cœurs, lieutenante des oiseaux.

*Et le roi Schahriar s'émerveilla de ce récit de Schahrazade, à la limite de l'émerveillement, surtout des poèmes et des chants des fleurs et des oiseaux, et notamment du chant de la Huppe et du chant du Corbeau. Et il pensa en son âme : « Par Allah ! cette fille de mon vizir a été pour moi une bénédiction insigne. Et une personne de son mérite et de ses qualités ne mérite pas la mort. Il faut donc, avant que je me décide définitivement à son sujet, que je réfléchisse encore quelque temps. Et puis ! elle a peut-être d'autres histoires non moins admirables à me raconter ! » Et il se sentit dans un état d'exaltation qu'il n'avait jamais éprouvé jusque-là, tellement qu'il ne put s'empêcher de serrer soudain Schahrazade contre son cœur, et de lui dire : « Bénies soient les filles qui te ressemblent, ô Schahrazade. Cette histoire m'a ému à l'extrême par ce qu'elle contient de chants de fleurs et d'oiseaux, et par le grand enseignement dont ces poèmes m'ont enrichi. Ainsi donc, ô fille vertueuse et diserte de mon vizir, si tu as encore une ou deux ou trois ou quatre histoires comme celle-ci à me raconter, n'hésite pas à commencer. Car je sens mon âme, ce soir, apaisée et rafraîchie par tes paroles, et mon cœur gagné par ton éloquence ! » Et Schahrazade répondit : « Je ne suis que l'esclave de mon maître le Roi, et ses louanges sont au-dessus de mes mérites. Mais, puisque tu le désires, j'aimerais te narrer certains faits au sujet des femmes, des capitaines de police et d'autres choses semblables, mais j'ai bien peur que mes paroles n'offusquent ton esprit et ton amour de la belle morale par ce qu'elles auront d'un peu libre et osé. Car, ô Roi du temps, le peuple ignore d'ordinaire le langage discret, et ses expressions dépassent quelquefois les limites des convenances. Si donc tu veux passer outre, je passerai outre ; mais si tu veux que je me taise, je me tairai ! » Et le roi Schahriar dit : « Certes, Schahrazade, tu peux parler ! car rien ne saurait plus m'étonner de la part des femmes, et je sais qu'elles sont semblables à une côte tordue ; et il est notoire que lorsqu'on veut redresser une côte tordue, on la tord davantage ; et si on insiste, on la casse. Donc, parle sans réticence, car la sagesse n'habite plus loin de nous, depuis le jour où eut lieu la trahison de cette épouse maudite que tu connais ! » Et, ces derniers mots prononcés, le visage du roi Schahriar se rembrunit soudain, ses yeux se froncèrent, ses sourcils se froncèrent, son teint pâlit, et son état devint un mauvais état. Et tout cela rien qu'au souvenir évoqué de l'ancienne mésaventure. Aussi, voyant ce changement qui n'annonçait rien de rassurant, la petite Doniazade prit-elle soin aussitôt de s'écrier : « Ô ma sœur, de grâce ! hâte-toi de nous raconter ce que tu nous as annoncé au sujet des capitaines de police et des femmes, et ne crains rien de la part de ce Roi bien élevé, qui sait bien que les femmes sont comme les pierreries, les unes avec des taches, des tares et des défauts, et les autres pures, transparentes et à toute épreuve. Et il saura mieux que toi, et mieux que moi, faire la différence, et ne point confondre les joyaux avec les cailloux ! » Et Schahrazade dit : « Tu dis vrai, ô petite ! Aussi est-ce de tout cœur amical que je vais raconter à notre maître l'*HISTOIRE D'AL-MALEK AL-ZAHER RÔKN AL-DÎN BAÏBARS AL-BONDOKDARI ET DE SES CAPITAINES DE POLICE, *et ce qui advint ! » Et Schahrazade dit :*

HISTOIRE DE BAÏBARS ET DES DOUZE CAPITAINES DE POLICE

Il est raconté – mais Allah l'Invisible est plus savant ! – qu'il y avait autrefois dans le pays d'Égypte, au Caire, un sultan d'entre les sultans valeureux et puissants de la très illustre race des Baharites turcomans. Et il s'appelait le sultan Al-Malek Al-Zaher Rôkn Al-Dîn Baïbars Al-Bondokdari. Et, sous son règne, l'Islam brilla d'un lustre sans précédent, et l'empire s'étendit glorieusement de l'extrême limite de l'orient aux confins profonds de l'occident. Et, sur la face de la terre d'Allah, et sous le ciel azuré, plus rien ne resta debout des places fortes des Francs et des Nazaréens, dont les rois étaient devenus un tapis pour ses pieds. Et sur les plaines vertes, et dans les déserts, et sur les eaux, aucune voix ne s'élevait qui ne fût la voix d'un Croyant, et aucun pas ne s'entendait qui ne fût le pas d'un marcheur dans la voie de la rectitude. Or, béni soit à jamais celui qui nous traça la voie, le Bienheureux, fils d'Abdallah le Khoreïchite, notre seigneur et suzerain Ahmad-Môhammad, l'Envoyé – sur Lui la prière, la paix et les plus choisies des bénédictions. Amîn !

Or, le sultan Baïbars aimait son peuple et en était aimé ; et tout ce qui, de près ou de loin, touchait au peuple, soit en tant que coutumes et mœurs, soit en tant que traditions et usages locaux, l'intéressait à l'extrême. Aussi, non seulement aimait-il à voir toutes choses avec son œil, et à écouter avec son oreille, mais se délectait-il aux histoires, et à entendre les conteurs ; et avait-il élevé aux plus hauts grades ceux de ses officiers, de ses gardes et de ses familiers qui savaient le mieux conter les choses du passé et rapporter les choses du présent.

Aussi, une nuit qu'il était plus disposé que de coutume à écouter et à s'instruire, il réunit tous les capitaines de police du Caire, et leur dit : « Je veux que vous me contiez ce soir ce que vous connaissez de plus digne d'être conté. » Et ils répondirent : « Sur nos têtes et nos yeux ! Mais, notre maître veut-il que nous racontions ce qui nous est arrivé personnellement, ou ce que nous savons sur autrui ? » Et Baïbars dit : « C'est là une demande délicate. C'est pourquoi, que chacun de vous soit libre de raconter ce qu'il désire, mais à la condition que ce soit tout à fait suprenant ! » Et ils répondirent : « Hé, ouallah, ô notre maître ! notre esprit t'appartient, ainsi que notre langue et notre fidélité ! »

Et le premier qui s'avança entre les mains de Baïbars, pour commencer, était un capitaine de police qui s'appelait Moïn Al-Dîn, dont le foie était ulcéré d'amour pour les femmes et le cœur empiégé sans cesse dans leurs traînes. Et, après les souhaits de longue vie au sultan, il dit : « Moi, ô roi du temps, je te raconterai une affaire extraordinaire qui m'est personnelle, et qui m'arriva dans les premiers temps de ma carrière ! » Et il s'exprima ainsi :

Sache, ô mon seigneur et la couronne de ma tête, que lorsque je suis entré au service de la police du Caire, sous les ordres de notre chef Alam Al-Dîn Sanjar, j'avais une grande réputation, et tout fils d'entremetteur, de chien ou de pendu, voire même de putain, me craignait et me redoutait à l'égal d'une calamité, et me fuyait comme le mal d'air jaune. Et lorsque je circulais à cheval à travers la ville, les gens entre eux me montraient du doigt, et me faisaient des clignements d'yeux entendus, tandis que d'autres ramassaient jusque sur le sol, avec leurs mains, les salams respectueux dont ils me saluaient au passage. Et moi je ne me souciais pas plus de leurs gestes que d'une mouche qui m'aurait effleuré le zebb. Et je passais mon chemin, avec une âme rengorgée.

Or, un jour, j'étais assis dans la cour du wali, appuyé du dos contre le mur, et je pensais à ma grandeur et à mon importance, quand soudain je vis tomber du ciel, dans mon giron, quelque chose de pesant comme l'arrêt du jugement dernier. Et c'était une bourse pleine et cachetée. Et je la pris dans mes mains et l'ouvris et en versai le contenu dans le pli de ma robe. Et je comptai jusqu'à cent drachmes, pas une de plus, pas une de moins. Et j'eus beau regarder de tous côtés, au-dessus de ma tête et autour de moi, je ne pus découvrir la personne qui l'avait laissée tomber. Et je dis : « Louanges au Seigneur, Roi des royaumes du Visible et de l'Invisible ! » Et je fis disparaître la fille dans le sein de son père. Et voilà pour elle !

Et, le lendemain, mon service m'avait appelé au même endroit que la veille ; et j'étais là depuis un certain moment, et voici qu'un objet me tomba lourdement sur la tête et me mit de fort mauvaise humeur. Et je regardai d'un air furieux, et je vis, par Allah ! que c'était une bourse pleine, en tous points la sœur de la chérie de son père, à qui j'avais accordé le droit d'asile contre mon cœur. Et je l'envoyai se réchauffer à la même place, pour tenir compagnie à son aînée et protéger sa pudeur contre les désirs indiscrets. Et, comme la veille, je levai ma tête et la baissai, et tournai mon cou et le retournai, et pirouettai sur moi-même et m'immobilisai, et regardai à ma droite et à ma gauche, mais sans réussir à trouver trace de l'expéditeur de cette charmante bienvenue. Et je me demandai : « Dors-tu ou ne dors-tu pas ? » Et je répondis : « Je ne dors pas. Non, par Allah ! le sommeil n'est pas sur moi. » Et, comme si de rien n'était, je serrai les pans de ma robe, et sortis du palais d'un air indifférent, en crachant par terre tous les quelques pas.

Mais la troisième fois, je pris mes précautions. En effet, dès que je fus arrivé au mur en question, où d'ordinaire je me prélassais en m'admirant, je m'étendis par terre, et faisant semblant de dormir, je me mis à ronfler avec autant de bruit qu'une compagnie de chameaux révoltés. Et soudain, ô mon seigneur le sultan, je sentis une main sur mon nombril, qui cherchait je ne sais plus quoi. Et, comme je n'avais rien à perdre dans cette perquisition-là, je laissai la main en question fureter dans la marchandise de haut en bas ; et lorsque je jugeai qu'elle était engagée dans le chemin étroit, au milieu du détroit, je la saisis brusquement, en disant : « Pour où, ô ma sœur ? » Et je me levai sur mon séant, en ouvrant les yeux, et vis que la propriétaire de la gentille main ornée de bagues de diamant, qui s'était fourvoyée dans cette voie de perdition, était une adolescente féerique, ô mon seigneur le sultan, qui me regardait en riant. Et elle était comme le jasmin. Et je lui dis : « Aisance et amitié, ô ma maîtresse ! Le marchand et sa marchandise sont ta propriété. Dis-moi seulement de quel parterre tu es la rose, de quel bouquet la jacinthe, et de quel jardin le rossignol, ô la plus désirable des jeunes filles ? » Et, parlant ainsi, je me gardais bien de lâcher prise.

Alors l'adolescente, sans aucune gêne dans le geste ou dans la voix, me fit signe de me lever et me dit : « Ya Si-Moïn, lève-toi et suis-moi, si tu désires savoir qui je suis et quel est mon nom. » Et moi, sans hésiter un instant, tout comme si je la connaissais depuis longtemps, ou comme si j'avais été son frère de lait, je me levai, et, après avoir secoué ma robe et ajusté mon turban, je marchai à dix pas derrière elle, pour ne pas attirer sur nous l'attention, mais sans la quitter un instant des yeux. Et nous arrivâmes de la sorte au fond d'une impasse retirée, où elle me fit signe que je pouvais approcher sans crainte. Et je l'abordai en souriant et voulus, sans retard, faire respirer l'air, à côté d'elle, à l'enfant de son père. Et, pour ne point paraître un sot ni un idiot, je fis sortir l'enfant en question, et lui dis : « Il est présent, ô ma maîtresse ! » Mais elle me regarda d'un air méprisant, et me dit : « Rentre-le, ô capitaine Moïn, car il va attraper un coup d'air. »

Et moi je répondis par l'ouïe et l'obéissance, et ajoutai : « Il n'y a point d'inconvénient, et tu es la maîtresse, et je suis le comblé de tes faveurs. Mais, ô fille légitime, puisque ce qui te tente n'est pas ce gros nerf de confiture, ni ce zebb avec sa garniture, pourquoi m'as-tu gratifié de deux bourses pleines, et m'as-tu chatouillé le nombril, et m'as-tu amené jusqu'ici, dans cette impasse obscure favorable aux sauts et aux assauts ? » Elle me répondit : « Ô capitaine Moïn, tu es l'homme en qui j'ai le plus de confiance en cette ville, et c'est pourquoi je me suis adressée à toi de préférence à tout autre. Mais c'est pour un tout autre motif que celui que tu croyais ! » Et moi je dis : « Ô ma maîtresse, quel que soit le motif, il est agréé. Parle, quel service réclames-tu de l'esclave que tu as acheté moyennant deux bourses de cent drachmes ? » Et elle sourit, et me dit : « Puisses-tu vivre longtemps ! Voici ! Sache, ô capitaine Moïn, que je suis une femme éperdument éprise d'une jouvencelle. Et son amour est dans mes entrailles à l'égal d'un feu pétillant. Et j'aurais mille langues et mille cœurs, que cette passion ne serait pas plus vive tant j'en suis imbue. Or cette adorée n'est autre que la fille du kâdi de la ville. Et entre elle et moi est arrivé ce qui est arrivé. Et c'est là un mystère d'amour. Et entre elle et moi un pacte passionné est conclu par traité, par promesses et par serment. Car elle brûle pour moi d'une égale ardeur. Et jamais elle ne se mariera, et jamais un homme ne me touchera. Et nos relations duraient déjà depuis un certain temps, et nous étions devenues inséparables, mangeant ensemble, et buvant à la même gargoulette, et dormant dans le même lit, quand un jour le kâdi, son père, cette barbe maudite, s'aperçut de nos relations et y coupa court en isolant complètement sa fille, et en me disant qu'il me casserait les mains et les pieds si je rentrais dans sa demeure. Et depuis lors je n'ai pu voir l'adorée, qui, je l'ai appris indirectement, est devenue comme folle en raison de notre séparation.

Et c'est précisément pour soulager mon cœur et lui rendre quelque joie, que je me suis décidée à venir te trouver, ô inégalable capitaine, sachant que de toi seul peuvent venir la joie et le soulagement ! »

Or moi, ô mon seigneur le sultan, en entendant ces paroles de l'incomparable adolescente que j'avais devant mes yeux, je fus stupéfait à la limite de la stupéfaction, et je me dis en moi-même : « Ô Allah Tout-Puissant ! Et depuis quand les jouvencelles se transforment-elles en jouvenceaux, et les chevreaux en boucs ? Et quelle sorte de passion et quelle espèce d'amour peuvent être la passion et l'amour d'une femme pour une autre femme ? Et comment le concombre peut-il pousser, du jour au lendemain, avec sa garniture, là où le terrain n'est pas disposé pour sa culture ? » Et je frappai mes mains l'une dans l'autre de surprise, et je dis à l'adolescente : « Ô ma maîtresse, par Allah ! je ne comprends rien à l'affaire de ta grâce ! Explique-la-moi d'abord en détail, par le commencement. Car, ouallahi ! je n'ai jamais entendu dire que d'ordinaire les biches soupiraient pour les biches et les poules pour les poules ! » Et elle me dit : « Tais-toi, ô capitaine, car c'est là un mystère d'amour, et peu de personnes sont faites pour le comprendre...

À ce moment de sa narration, Schahrazade vit apparaître le matin et, discrète, se tut.

Mais lorsque fut la neuf cent trente-huitième nuit. Elle dit :

… Tais-toi, ô capitaine, car c'est là un mystère d'amour, et peu de personnes sont faites pour le comprendre. Qu'il te suffise de savoir que je compte sur toi pour m'aider à pénétrer chez le kâdi ; et, ce faisant, tu auras acheté la gratitude d'une femme qui ne t'oubliera pas. » Et moi, entendant cela, je m'émerveillai à l'extrême, et pensai : « Hé, ouallahi, ô maître Moïn, te voilà maintenant choisi comme proxénète d'une femme sur une autre femme ! C'est là une aventure qui n'a pas eu sa pareille dans l'histoire du proxénétisme ! Il n'y a point d'inconvénient, tu peux prendre la chose sur ta conscience ! » Et je dis à l'adolescente dorée : « Ma pigeonne, ton affaire est une bien délicate affaire ; et, bien que je n'en comprenne ni les tenants ni les aboutissants, mon obéissance t'est acquise, ainsi que mon dévouement. Mais, par ta vie ! comment puis-je t'être utile en tout cela ? » Elle dit : « En me facilitant l'entrée auprès de mon adorée, la fille du kâdi ! » Et je répondis : « Hé, hé ! ô ma tourterelle, où suis-je, moi, et, où est-elle, la fille du kâdi, cette bienheureuse-là ? Par la vérité de ta grâce, la distance est grande qui nous sépare ! » Et elle me dit, d'un ton agacé : « Ô pauvre, ne va pas croire que je serai assez dénuée de bon sens pour t'introduire auprès de la jouvencelle, non, par Allah ! Mais je veux simplement que tu me serves de bâton d'appui dans ma marche vers la ruse et le stratagème. Et j'ai trouvé que toi seul, ô capitaine, pouvais faire ce que je souhaite ! » Et je dis : « J'écoute et j'obéis, et je suis un bâton aveugle et sourd entre tes mains, mon agneau. » Alors elle me dit : « Écoute donc et obéis. Cette nuit, j'irai, parée comme un paon de mes plus beaux vêtements, et voilée de façon à ce que nul autre que toi ne me reconnaisse dans le quartier, m'asseoir auprès de la maison du kâdi, père de mon amante. Alors, toi et les gardes qui sont sous tes ordres, attirés par le parfum pénétrant que j'exhalerai, vous vous dirigerez de mon côté. Et toi tu t'avanceras respectueusement vers moi, et tu me demanderas : « Que fais-tu là, à cette heure tardive, toute seule dans la rue, ô dame de haut rang ? » Et je te répondrai : « Ouallahi, ô vaillant capitaine, moi je suis une jeune fille du quartier de la citadelle, et mon père est un des émirs du sultan. Or aujourd'hui je suis sortie de notre maison et de notre quartier, et me suis rendue en ville pour faire quelques achats. Et une fois que j'eus acheté ce que je voulais, et commandé ce que j'avais à commander, je me suis trouvée en retard ; car, arrivée à notre quartier de la citadelle, j'en vis les portes déjà fermées. Et alors, espérant trouver quelque personne de ma connaissance chez qui passer la nuit, je redescendis en ville ; mais, pour mon mauvais sort, je ne rencontrai personne. Et désolée de me trouver ainsi, moi une fille de notable, sans gîte au milieu de la nuit, je vins m'asseoir au seuil de cette demeure-ci, qu'on m'a dit être celle du kâdi, afin que son ombre me protège. Et, avec le matin, je m'en retournerai chez mes parents, qui doivent me considérer maintenant comme morte ou, pour le moins, comme perdue. » Alors toi, ô capitaine Moïn, comme tu es intelligent, tu verras que je suis, en effet, vêtue de riches vêtements, et tu penseras : « Il n'est pas permis à un musulman de laisser dans la rue une femme si belle et si jeune, toute couverte de perles et de bijoux, qui pourrait être violentée et volée par les vauriens. D'ailleurs, si pareille chose se produisait dans le quartier, c'est moi-même, capitaine Moïn, avec mon œil, qui serais responsable de l'attentat, devant notre maître le sultan. Il faut donc que, d'une manière ou d'une autre, je prenne sous ma protection cette charmante personne. Je vais donc placer près d'elle un de mes hommes armés, pour la garder jusqu'au matin, ou plutôt, il serait préférable et de beaucoup, – car je n'ai point assez confiance en mes gardes, – de faire choix, sans retard, de quelque demeure de gens respectables qui l'hébergeraient en tout honneur jusqu'au matin. Et, par Allah ! je ne vois pas où elle pourrait se trouver mieux, à tous égards, que dans la maison de notre maître le kâdi, à la porte duquel le sort l'a fait asseoir. Mettons-la donc chez lui ! Et j'en recueillerai, sans aucun doute, tout le bénéfice, sans compter que la gratitude pourra faire pencher vers moi le foie de cette adolescente, dont les yeux ont déjà allumé dans mes entrailles un incendie. » Et, ayant ainsi justement pensé, tu feras raisonner l'anneau de la porte du kâdi, et tu me feras entrer dans son harem. Et je me trouverai ainsi réunie avec mon amante. Et mon désir sera satisfait. Et tel est mon plan, ô capitaine. Et telle est mon explication. Ouassalam ! »

Alors moi, ô mon seigneur le sultan, je répondis à l'adolescente : « Qu'Allah augmente Ses faveurs sur ta tête, ô ma maîtresse. C'est là un plan étonnant et facile à exécuter. L'intelligence est un don du Rétributeur. » Et là-dessus, m'étant mis d'accord avec elle sur l'heure de la rencontre, je lui baisai la main ; et chacun de nous s'en alla en sa voie.

Et donc vint le soir, puis l'heure du repos, puis celle de la prière ; et, quelques moments après, je sortis, à la tête de mes hommes armés de glaives nus, pour ma ronde nocturne. Et, de quartier en quartier, nous arrivâmes, vers minuit, dans la rue où devait se trouver la jeune femme aux amours étranges. Et l'odeur riche et étonnante que je sentis dès l'entrée de la rue me fit présager sa présence. Et bientôt j'entendis le cliquetis de ses bracelets de mains et de chevilles. Et je dis à mes hommes : « Je crois bien, ô fils, que je vois là une ombre ! Mais, quelle riche odeur ! » Et ils regardèrent de tous côtés, pour en découvrir la source. Et nous vîmes la belle en question, couverte de soieries et lourde de brocarts, qui nous regardait venir, penchée et l'oreille tendue. Et je m'approchai d'elle, faisant l'ignorant, et lui adressai la parole, disant : « Quelle dame, belle et parée, et toute seule à pareille heure, ô ma maîtresse, es-tu donc pour ne rien redouter de la nuit et des passants ? » Sur ce, elle me fit la réponse dont nous étions la veille convenus ; et je me tournai vers mes hommes, comme pour leur demander leur avis. Et ils me répondirent : « Ô notre chef, nous allons, si tu veux bien, conduire cette femme dans ta maison, où elle sera mieux que partout ailleurs. Et elle t'en saura gré, nous n'en doutons pas, car elle est riche certainement, et belle, et parée de précieuses choses. Et tu en feras ce que tu en feras ; et le matin tu la rendras à sa mère qui l'aime ! » Et je leur criai : « Taisez-vous ! Je me réfugie en Allah contre vos paroles ! Est-ce que ma maison est digne de recevoir une pareille fille d'émir ? Et puis, vous savez que je demeure fort loin d'ici ! Le mieux serait de demander pour elle l'hospitalité au kâdi du quartier, dont c'est ici précisément la maison. » Et mes hommes me répondirent par l'ouïe et l'obéissance, et se mirent à frapper à la porte du kâdi, qui s'ouvrit aussitôt. Et le kâdi lui-même, appuyé sur les épaules de deux esclaves nègres, apparut à l'entrée. Et, après les salams de part et d'autre, je lui racontai l'affaire et lui soumis le cas, tandis que l'adolescente se tenait debout soigneusement enveloppée de ses voiles. Et le kâdi me répondit : « Qu'elle soit ici la bienvenue ! Ma fille la soignera et veillera à ce qu'elle soit contente ! » Et, là-dessus, je lui mis entre les mains ce dépôt dangereux, et lui confiai le péril vivant. Et il l'emmena dans son harem, et je m'en allai en ma voie.

Or, le lendemain, je retournai chez le kâdi, pour reprendre le dépôt à lui confié ; et je me disais en moi-même : « Hé, ouallahi ! la nuit a dû être toute de blancheur pour ces deux jeunes filles ! Mais, certes ! ma cervelle s'userait, que je ne saurais jamais ce qui a dû se passer entre ces deux gazelles enamourées. A-t-on jamais entendu parler d'une aventure pareille ! » Et, sur ces entrefaites, j'arrivai à la maison du kâdi ; et, dès l'entrée, je tombai au milieu d'une rumeur extraordinaire et de serviteurs épouvantés et de femmes affolées. Et soudain le kâdi en personne, ce cheikh à barbe blanche, se précipita de mon côté, et me cria : « Honte aux hommes de rien ! Tu as amené dans ma maison une personne qui a dérobé toute ma fortune ! Il faut que tu la retrouves, sinon j'irai me plaindre de toi au sultan, qui te fera goûter la mort rouge. » Et, comme je lui demandais de plus amples détails, il m'expliqua, avec force interjections, tumulte, menaces et injures à l'adresse de la jeune fille, que, vers le matin, celle à qui il avait donné asile, sur ma requête, avait disparu, sans prendre congé de son harem ; et, avec elle, avait disparu sa ceinture, à lui, kâdi, qui contenait six mille dinars, tout son avoir. Et il ajouta : « Toi, tu connais cette femme, et, par conséquent, c'est de toi que je réclame mon argent ! »

Or moi, ô mon seigneur, je fus tellement stupéfait de cette nouvelle, qu'il me fut impossible d'articuler une parole. Et je me mordis l'extrémité de ma paume, en me disant : « Ô proxénète, te voilà dans la poix et le goudron. Où es-tu, et où est-elle ? » Puis, au bout d'un moment, je pus parler et répondis au kâdi : « Ô notre maître le kâdi, si la chose s'est passée ainsi, c'est qu'elle devait arriver, car ce qui doit arriver ne peut être évité. Accorde-moi seulement trois jours de délai pour voir si je pourrai apprendre quelque chose sur cette personne prodigieuse. Si je ne réussis pas, tu mettras à exécution ta menace concernant la perte de ma tête. » Et le kâdi me fixa attentivement, et me dit : « Je t'accorde les trois jours que tu demandes ! » Et je sortis de là, tout pensif, en me disant : « Il n'y a pas, cette fois ! Ah, certes ! tu es un idiot ; pis, un lourdaud et un imbécile. Comment vas-tu t'y prendre pour reconnaître, au milieu de toute la ville du Caire, une femme voilée ! Et comment feras-tu pour voir dans les harems, sans y pénétrer ! Tiens, il vaut mieux pour toi que tu ailles dormir ces trois jours de délai, et qu'au matin du troisième tu te présentes chez le kâdi, pour rendre compte de ta responsabilité. » Et, ayant ainsi décidé dans mon esprit, je rentrai chez moi, et m'étendis sur ma natte, où je passai les trois jours en question, refusant de sortir, mais ne pouvant fermer l'œil, tant j'étais préoccupé de cette mauvaise affaire. Et à l'expiration de mon délai, je me levai et sortis, pour aller chez le kâdi. Et, la tête penchée, je m'acheminais vers ma condamnation, quand, en passant par une rue située non loin de la demeure du kâdi, j'aperçus soudain, derrière la fenêtre grillagée à demi ouverte, l'adolescente de mes tribulations. Et elle me regarda en riant, et me fit avec ses paupières un signe qui voulait dire : « Monte vite ! » Et moi je me hâtai de profiter de cette invitation, à laquelle était attachée ma vie, et, en un clin d'œil, je fus auprès d'elle et, oublieux du salam, je lui dis : « Ô ma sœur, et moi qui suis à tourner et à te chercher dans tous les coins de la ville ! Ah, vers quelle mauvaise affaire tu m'as dirigé ! Par Allah ! tu me fais descendre les marches de la mort rouge ! » Et elle vint à moi, et m'embrassa, et me serra contre sa poitrine : « Comment peux-tu, étant le capitaine Moïn, avoir une si grande peur ? Va, ne me raconte rien de ce qui t'est arrivé, car je sais tout. Mais comme il m'est aisé de te tirer d'embarras, j'ai attendu, pour le faire, le dernier moment. Et c'est précisément pour te sauver que je t'ai appelé, alors que je pouvais si facilement te laisser continuer ta route vers la condamnation sans recours ! » Et moi je la remerciai et ne pus, tant elle était charmante, m'empêcher de baiser sa main, cause de ma présente calamité. Et elle me dit : « Sois tranquille, et calme ton inquiétude, car il ne t'arrivera rien de mal. D'ailleurs, lève-toi et regarde ! » Et elle me prit par la main et m'introduisit dans une chambre où se trouvaient deux coffres remplis de joyaux, de rubis, d'autres pierres précieuses et d'objets rares et somptueux. Puis elle ouvrit un autre coffre, qui se trouvait être plein d'or, et, le plaçant devant moi, elle me dit : « Eh bien, tu peux, si tu le désires, prendre dans ce coffre les six mille dinars qui ont disparu de la ceinture de ce kâdi de bitume, père de mon adorée. Mais, ô capitaine, sache bien qu'il y a mieux à faire qu'à rendre l'argent à cette barbe de malheur. D'ailleurs, cet argent, je ne le lui ai enlevé que pour qu'il meure de rage rentrée, le sachant avare et intéressé autant qu'il est encombrant. Ce n'est donc point par convoitise que j'ai agi ; et quand on est riche comme moi, on ne vole pas pour voler. D'ailleurs, sa fille sait bien que je n'ai fait ce coup que pour hâter l'arrêt de son destin. Quoi qu'il en soit, voici mon plan pour achever de lui faire perdre la raison à ce vieux bouc perclus. Écoute bien mes paroles, et retiens-les. » Et elle s'arrêta un moment, et dit : « Voici. Tu vas aller tout de suite chez le kâdi, qui doit t'attendre sur le gril de l'impatience, et tu lui diras : « Seigneur kâdi, c'est simplement par acquit de conscience que j'ai passé ces trois jours à faire des recherches dans toute la ville, concernant cette jeune femme à qui, sur ma prière, tu as accordé pour une nuit l'asile, et que tu accuses maintenant de t'avoir volé six mille dinars d'or. Or moi, capitaine Moïn, je sais pertinemment que cette femme n'est pas sortie de ta demeure depuis qu'elle y est entrée ; car, malgré les investigations en tous sens de nos hommes, et de tous les capitaines de police des autres quartiers, on n'a trouvé d'elle ni trace ni vestige. Et aucune des femmes espionnes que nous avons envoyées dans les harems n'en a eu de nouvelles. Or toi, ya sidi El-Kâdi, tu viens nous dire et nous déclarer que la jeune femme t'a volé. Cette affirmation devra être prouvée. Car je ne sais pas, par Allah ! si, dans cette affaire extraordinaire, cette jeune femme n'a pas été, dans ta propre maison, victime de quelque attentat, ou tout au moins l'objet d'une noire machination. Et, puisqu'il est à peu près prouvé par nos recherches qu'elle ne se trouve pas en ville, il serait utile, ô seigneur kâdi, de faire une perquisition dans ta maison, en vue de vérifier si on ne trouvera pas là une trace de cette perdue, et de s'assurer si ma supposition est exacte ou erronée. Et Allah est plus savant ! »

« Et de la sorte, ô capitaine Moïn, continua l'adolescente prodigieuse, d'accusé tu deviens accusateur ! Et le kâdi verra le monde noircir devant ses yeux et il se mettra dans une grande colère ; et son visage sera comme le poivre, et il s'écriera : « Tu es bien osé, maître Moïn, de faire de telles suppositions ! Mais qu'à cela ne tienne ! tu peux tout de suite commencer tes perquisitions. Mais ensuite, quand il sera bien prouvé que tu es dans ton tort, ton châtiment par le sultan n'en sera que plus mérité. » Alors toi, accompagné de tes hommes comme témoins, tu feras une perquisition dans la maison. Et, bien entendu, tu ne me trouveras pas. Et lorsque tu auras ainsi perquisitionné d'abord sur la terrasse, puis dans les chambres, dans les coffres et dans les armoires, sans résultat, tu baisseras la tête, occupé par un cruel embarras, et tu te mettras à te lamenter et à t'excuser. Et, à ce moment, tu te trouveras dans la cuisine de la maison. Alors, comme par hasard, tu regarderas au fond d'une grande jarre à huile, dont tu soulèveras le couvercle, et tu t'écrieras : « Hé, un instant ! attention ! je vois quelque chose là-dedans. » Et tu enfonceras ton bras dans la jarre, et tu sentiras là-dedans quelque chose comme un paquet de vêtements. Et tu le retireras, et tu verras, et tous les assistants verront avec toi, mon voile, ma chemise, mon caleçon et le reste de mes habits. Et tout sera taché de sang coagulé. À cette vue, tu triompheras, et le kâdi sera confondu ; et son teint sera jaune, et ses jointures trembleront ; et il s'effondrera et peut-être mourra. Et, s'il ne meurt pas du coup, il fera tout son possible, afin que son nom ne soit pas mêlé à cette singulière aventure, pour étouffer l'affaire. Et il achètera ton silence par beaucoup d'or. Et c'est là ce que je te souhaite, ô capitaine Moïn ! »

À ce discours, je compris quel plan merveilleux elle avait combiné pour se venger du kâdi. Et j'admirai son esprit ingénieux, sa rouerie et son intelligence. Et je me considérai comme hors de peine désormais, et en restai stupéfait et comme étourdi. Mais je ne tardai pas à prendre congé de l'adolescente, pour suivre la marche convenue. Et, comme je lui baisais la main, elle me glissa entre les doigts une bourse de cent dinars, en me disant : « C'est pour tes dépenses d'aujourd'hui, ô mon maître. Mais, inschallah ! tu connaîtras mieux bientôt la générosité de ton obligée. » Et moi je la remerciai vivement, et ne pus, tant j'étais conquis par elle, m'empêcher de lui dire : « Par ta vie, ô ma maîtresse, lorsque cette affaire sera terminée à ta satisfaction, ne consentiras-tu pas à m'épouser ? » Et elle se mit à rire, et me dit : « Mais tu oublies, ya saïed Moïn, que je suis déjà mariée et liée par promesses, par foi et par serment avec celle qui possède mon cœur. Mais Allah seul connaît l'avenir ! Et rien n'arrivera que ce qui doit arriver. Ouassalam…

À ce moment de sa narration, Schahrazade vit apparaître le matin et, discrète, se tut.

Mais lorsque fut la neuf cent trente-neuvième nuit. Elle dit :

… Je suis déjà mariée et liée par promesses, par foi et par serment avec celle qui possède mon cœur. Mais Allah seul connaît l'avenir. Et rien n'arrivera que ce qui doit arriver. Ouassalam ! »

Et moi je sortis de chez elle, en la bénissant, et me rendis sans retard, avec mes hommes, auprès du kâdi, qui, dès qu'il m'eut aperçu, s'écria : « Bismillah ! voilà mon débiteur ! mais où est mon bien ? » Et je répondis : « Ô seigneur kâdi, ma tête n'est rien à côté de la tête du kâdi, et je n'ai personne pour me soutenir en haut lieu. Mais si le droit est de mon côté, il apparaîtra clairement. » Et le kâdi, furieux, me cria : « Que parles-tu de droit ! Penses-tu donc pouvoir te disculper ou échapper à ce qui t'attend, si tu n'as pas retrouvé la femme et mon bien ? Hé, par Allah ! entre le droit et toi, la distance est considérable. » Alors moi, avec une grande assurance, je le regardai fixement dans les yeux, et lui débitai l'étonnante histoire que j'avais apprise, et qui, d'accusé, me rendait accusateur. Et son effet fut exactement tel que l'avait prévu la jeune femme. Car le kâdi, d'indignation, vit le monde noircir devant ses yeux ; et sa poitrine fut occupée par une grande colère ; et son visage fut comme le piment ; et il s'écria : « Que dis-tu là, ô le plus insolent d'entre les soldats ? Ne crains-tu pas de faire de telles suppositions à mon sujet, devant moi et dans ma maison. Mais, qu'à cela ne tienne ! Puisque tu as des soupçons, tu peux tout de suite faire tes perquisitions. Et quand il sera bien prouvé que tu as agi arbitrairement, alors ton châtiment par le sultan n'en sera que plus important. » Et, en parlant ainsi, il était devenu semblable à une marmite rougie où l'on aurait versé de l'eau froide.

Alors nous envahîmes sa maison, et nous perquisitionnâmes partout, dans tous les coins et recoins, de haut en bas, sans faire grâce d'un coffre, d'un trou ou d'une armoire. Et, au milieu de ces recherches, je ne manquai pas d'apercevoir à la dérobée, à mesure qu'elle s'enfuyait d'une pièce dans l'autre, pour échapper aux regards étrangers, la charmante gazelle dont sa pareille était enamourée. Et je pensai en moi-même : « Maschallah ! oua bismillah ! Et le nom d'Allah sur elle et autour d'elle ! Quel rameau et quelle flexibilité ! Quelle élégance et quelle beauté ! Béni soit le sein qui l'a portée, et louanges au Créateur qui l'a moulée dans le moule de la perfection ! » Et je compris un peu comment une telle adolescente pouvait en subjuguer une autre, semblable à elle, car je me dis : « Le bouton de rose se penche parfois vers le bouton de rose, et le narcisse vers le narcisse ! »

Et j'étais si parfaitement heureux de cette trouvaille que j'eusse voulu la soumettre sans retard à l'adolescente prodigieuse, afin qu'elle me donnât l'approbation et ne me considérât pas comme un homme tout à fait dénué de pensées délicates et de discernement.

Or, nous arrivâmes de la sorte jusqu'à la cuisine, accompagnés du kâdi plus furieux que jamais, sans rien trouver de suspect, et sans découvrir aucune trace ni aucun vestige de la femme. Alors moi, selon les instructions de ma docte maîtresse, je feignis d'avoir grandement honte de mon procédé arbitraire, et je m'excusai devant le kâdi qui jubilait de mon embarras ; et je m'humiliai devant lui. Mais tout cela était dans le but de ne pas dévoiler le coup préparé. Et le kâdi à l'esprit épais ne manqua pas de se laisser prendre dans le filet de l'araignée, et profita de cette occasion pour m'accabler de ce qu'il croyait être son triomphe. Et il me dit : « Eh bien, insolent et fils de menteur, et menteur toi-même de génération en génération, que sont maintenant devenues tes accusations menaçantes et tes imputations offensantes ? Mais sois tranquille, tu verras bientôt ce qu'il en coûte de manquer de respect à l'égard du kâdi de la ville ! » Et moi, pendant ce temps, appuyé à une énorme jarre d'huile, dont le couvercle était retiré, j'avais la tête basse et l'air contrit. Mais soudain je relevai la tête et m'écriai : « Par Allah ! je ne sais pas, mais je sens sortir de cette jarre-ci comme une odeur de sang ! » Et je regardai dans la jarre et y plongeai mon bras, et le retirai en disant : « Allah akbar ! bismillah ! » Et je ramenai de la sorte le paquet de vêtements tachés de sang qu'avait jeté dans cette jarre, avant de disparaître, l'adolescente ma maîtresse. Et il y avait là son voile, son mouchoir de tête, son mouchoir de sein, son caleçon, sa chemise, ses babouches et d'autres linges que je ne me rappelle pas, le tout sanglant.

À cette vue, le kâdi, comme l'avait prévu l'adolescente, parut confondu et plein de stupeur ; et il devint fort jaune de teint ; et ses jointures tremblèrent ; et il s'effondra sur le sol, sa tête précédant ses pieds, évanoui. Et moi, dès qu'il eut repris ses sens, je ne manquai pas de triompher de la tournure des événements, et je lui dis : « Hé bien, ya sidi El-Kâdi, qui d'entre nous est le menteur, et qui le véridique ? Louanges à Allah ! Me voici, je pense, justifié d'avoir perpétré le prétendu vol, de connivence avec la jeune femme ! Mais toi, qu'as-tu fait de ta sagesse et de ta jurisprudence ! Et comment, riche comme tu l'es, et nourri dans les lois, as-tu pris sur ta conscience de donner asile à une pauvre femme pour la trahir, en la volant et l'assassinant après l'avoir probablement violentée de la pire façon. C'est là, par ma vie ! un acte épouvantable dont il faut, sans retard, que j'instruise notre maître le sultan. Car je ne remplis pas mon devoir, en lui taisant l'affaire ; et comme rien ne reste caché, il ne manquerait pas de l'apprendre d'un autre côté ; et j'y perdrais du coup ma place et ma tête. »

Et l'infortuné kâdi, à la limite de la stupeur, se tenait là, devant moi, les yeux larges ouverts, semblant ne rien entendre, ni rien comprendre à tout cela. Et, plein de trouble et d'angoisse, il restait immobile, semblable à un arbre mort. Car la nuit s'étant faite dans son esprit, il ne savait plus distinguer son bras droit de son bras gauche, ni le vrai du faux. Et lorsqu'il fut revenu quelque peu de son hébétude, il me dit : « Ô capitaine Moïn, c'est là une affaire obscure qu'Allah seul peut comprendre. Mais, si tu veux ne pas l'ébruiter, tu ne le regretteras pas ! » Et, ce disant, il se mit à me combler de prévenances et d'égards. Et il me remit un sac qui contenait, en quantité, autant de dinars d'or qu'il en avait perdus. Et il acheta de la sorte mon silence et éteignit un feu dont il redoutait les dégâts.

Alors je pris congé du kâdi, que je laissai anéanti, et allai rendre compte de l'affaire à l'adolescente, qui me reçut en riant, et me dit : « Il est certain qu'il n'y survivra pas ! » Et, de fait, ô mon seigneur le sultan, trois jours ne se passèrent point que je n'apprisse la nouvelle que le kâdi était mort par rupture de sa poche à fiel. Et, comme je ne manquai pas de rendre visite à l'adolescente pour la mettre au courant de ce qui s'était passé, les servantes m'apprirent que leur maîtresse venait de partir avec la fille du kâdi, pour une propriété qu'elle possédait sur le Nil, près de Tantah. Et moi, émerveillé de tout cela, sans parvenir à comprendre ce que pouvaient bien faire ensemble ces deux gazelles sans clarinette, je fis mon possible pour me mettre sur leurs traces, mais sans y parvenir. Et, depuis lors, j'attends qu'un jour ou l'autre elles veuillent bien me donner de leurs nouvelles et éclaircir pour mon esprit une affaire aussi difficile à comprendre. Et telle est mon histoire, ô mon seigneur le sultan, et telle est l'aventure la plus singulière qui me soit arrivée depuis que j'exerce les fonctions dont ta confiance m'a investi.

Lorsque le capitaine de police Moïn Al-Dîn eut fait ce récit, un second capitaine s'avança entre les mains du sultan Baïbars, et, après les souhaits et les vœux, il dit : « Moi, ô notre seigneur le sultan, je te raconterai également une aventure qui m'est personnelle, et qui, si Allah veut, dilatera ta poitrine. » Et il dit :

Sache, ô mon seigneur le sultan, qu'avant de m'accepter pour époux, la fille de mon oncle – qu'Allah l'ait en Sa miséricorde ! – me dit : « Ô fils de l'oncle, si Allah veut, nous nous marierons ; mais je ne pourrai te prendre pour époux que si tu acceptes par avance mes conditions, qui sont au nombre de trois, pas une de plus, pas une de moins ! » Et moi je répondis : « Il n'y a point d'inconvénient ! Mais quelles sont-elles ? » Elle me dit : « Tu ne prendras jamais de hachisch, tu ne mangeras point de pastèque, et tu ne t'assoiras jamais sur une chaise ! » Et moi je répondis : « Par ta vie, ô fille de l'oncle, ces conditions sont dures. Mais, telles qu'elles sont, je les accepte d'un cœur sincère, bien que je n'en comprenne pas le motif. » Elle me dit : « C'est comme ça. Et c'est à prendre ou à laisser ! » Et moi je dis : « Je les prends, et de tout cœur amical ! »

Et donc notre mariage fut célébré, et l'affaire fut faite, et tout se passa comme ça doit se passer. Et nous vécûmes ensemble plusieurs années en parfaite union et tranquillité. Mais un jour vint où invinciblement mon esprit fut hanté par la recherche du motif des trois fameuses conditions, au sujet du hachisch, des pastèques et de la chaise ; et je me disais : « Quel intérêt peut-elle tout de même avoir, la fille de ton oncle, à te défendre ces trois choses-là, dont l'usage ne saurait en rien la léser ? Certes, il doit y avoir là-dessous quelque mystère que j'aimerais beaucoup éclaircir ! » Et, ne pouvant plus résister aux sollicitations de mon âme et à l'intensité de mes désirs, j'entrai dans la boutique d'un de mes amis, et, pour commencer, je m'assis sur une chaise rembourrée de paille. Puis je me fis apporter une pastèque excellente, préalablement rafraîchie dans l'eau. Et, l'ayant mangée avec délices, j'absorbai dans sa pâte un grain de hachisch, et m'envolai vers le rêve et le plaisir tranquille. Et je me sentais parfaitement heureux ; et mon estomac était heureux, à cause de la pastèque ; et, à cause de la chaise rembourrée, également était bien heureux mon derrière, si longtemps sevré du plaisir des chaises.

Mais, ô mon seigneur le sultan, lorsque je rentrai chez moi, ce fut le fifre et la clarinette. Car, dès que je fus en sa présence, ma femme se leva vivement, et ramena son voile sur son visage, comme si, au lieu d'être son époux, je n'étais plus pour elle qu'un homme étranger, et, me regardant avec courroux et mépris, elle me cria : « Ô chien fils de chien, est-ce ainsi que tu tiens tes engagements ? Allons, suis-moi ! De ce pas, nous nous rendons chez le kâdi pour le divorce ! » Et moi, le cerveau encore grisé par le hachisch, et le ventre encore alourdi par la pastèque, et le corps reposé d'avoir senti, après un si long temps, une chaise rembourrée sous mes fesses, j'essayai de payer d'audace, en niant mes trois forfaits. Mais je n'avais encore qu'ébauché le geste de la négation, que mon épouse me cria : « Musèle ta langue, ô proxénète ! Vas-tu oser nier l'évidence ? Tu pues le hachisch, et mon nez te sent. Tu t'es gavé d'une pastèque, et j'en vois les traces sur tes vêtements. Et tu as, enfin, assis ton sale derrière goudronné sur une chaise, et j'en vois les marques sur ta robe, là où tu t'es assis, et où la paille a laissé des raies visibles. Donc, je ne suis plus rien pour toi, et tu n'es plus rien pour moi…

À ce moment de sa narration, Schahrazade vit apparaître le matin et, discrète, se tut.

Mais lorsque fut la neuf cent quarantième nuit. Elle dit :

… Et tu as, enfin, assis ton sale derrière goudronné sur une chaise, et j'en vois les marques sur ta robe, là où tu t'es assis, et où la paille a laissé des raies visibles. Donc, je ne suis plus rien pour toi, et tu n'es plus rien pour moi ! »

Et, ayant ainsi parlé, elle acheva de s'envelopper de ses voiles, et me traîna, malgré mon nez, chez le kâdi. Et lorsque nous fûmes en sa présence, elle lui dit : « Ô mon seigneur le kâdi, ta servante est unie en légitime mariage avec cet homme abject qui est là devant toi. Or moi, avant notre mariage, je lui ai posé trois conditions essentielles, qu'il a acceptées et respectées pendant un certain laps de temps ; mais aujourd'hui il vient de les transgresser. Or donc, conformément à mon droit, j'entends cesser, à partir de ce moment, d'être son épouse ; et je viens te demander le divorce et réclamer mon trousseau et la pension. » Et le kâdi demanda à connaître les conditions. Et elle les lui détailla, en ajoutant : « Or, ce fils de pendu s'est assis sur une chaise, a mangé une pastèque et a absorbé du hachisch. » Et elle fit la preuve de son dire contre moi, alors que je n'osais point nier l'évidence, et me contentais de baisser la tête avec confusion.

Alors le kâdi, qui avait de bons sentiments et s'apitoyait sur mon état, dit à mon épouse, avant de rendre sa sentence : « Ô fille des gens de bien, tu es certainement dans ton droit, mais il t'appartient d'être miséricordieuse. » Et, comme elle s'emportait et tempêtait et ne voulait rien écouter ni entendre, le kâdi et les assistants se mirent à la prier, avec insistance, de me pardonner pour cette fois. Et, comme elle paraissait toujours impitoyable, ils finirent par la prier de suspendre simplement sa poursuite en divorce, pour qu'elle eût le temps de réfléchir sur le point de savoir si, en présence de l'unanimité des prières, il ne lui paraîtrait pas plus raisonnable de différer pour le moment sa demande, quitte à la reprendre une autre fois, en cas de besoin. Alors mon épouse, de guerre lasse, finit par dire : « Ça va bien, je consens à me réconcilier avec lui, mais à la condition expresse que le seigneur kâdi trouve réponse à une question que je lui poserai. » Et le kâdi dit : « Je veux bien. Pose la question, ô femme ! » Et elle dit : « Je suis d'abord un os ; puis je deviens un nerf ; puis je suis chair. Qui suis-je ? » Et le kâdi baissa la tête pour méditer. Mais il eut beau réfléchir en se caressant la barbe, il resta coi. Et il finit par se tourner vers mon épouse, et lui dit : « Ouallahi, aujourd'hui je ne saurais, étant fatigué de ma longue séance de justice, trouver la solution d'un pareil problème. Mais je te prie de revenir ici demain matin, et je te répondrai, ayant eu le temps de consulter mes livres de jurisprudence. »

Là-dessus, il leva la séance de justice, et se retira chez lui. Et il était si préoccupé du problème en question, qu'il ne pensa même pas à toucher au repas que sa fille, une adolescente de quatorze ans et demi, venait de lui servir. Et, hanté par son obsession, il se répétait à demi-voix : « Je suis d'abord un os ; puis je deviens un nerf ; puis je suis chair. Qui suis-je ? Hé, ouallahi, qui suis-je ? Oui, qui est-il ? Qu'est-ce que c'est que ça ? » Et il feuilleta tous ses livres de jurisprudence, et des ouvrages de médecine, et des grammaires, et des traités scientifiques, et nulle part il ne put trouver la solution de ce problème, ni quelque chose qui, de près ou de loin, pût le résoudre ou mettre sur la voie de son explication. Aussi finit-il par s'écrier : « Non, par Allah, je renonce ! Et jamais aucun ouvrage ne m'éclairera là-dessus. »

Et sa fille, qui l'observait et remarquait sa préoccupation, l'entendit qui prononçait ces dernières paroles, et lui dit : « Ô père, tu me parais soucieux et tracassé, qu'as-tu, par Allah sur toi ! Et quel est le motif de ton tracas et de tes soucis ? » Et il répondit : « Ô ma fille, c'est un motif qui ne peut être expliqué, et c'est une affaire sans aboutissant. » Elle dit : « Explique toujours. Rien n'est caché à la science du Très-Haut. » Alors il se décida à lui raconter toute l'affaire, et à lui soumettre le problème que lui avait posé la jeune femme, mon épouse. Et elle se mit à rire, et dit : « Maschallah ! est-ce là ce problème insoluble ? Mais, ô père, c'est aussi aisé que la marche de l'eau courante. En effet, cette solution est claire et se réduit à ceci : pour la vigueur, la dureté et la résistance, le zebb de l'homme, de quinze à trente-cinq ans, est comparable à un os ; de trente-cinq à soixante, à un nerf ; et après soixante, ce n'est plus qu'une pendeloque de chair sans vertu. »

En entendant ces paroles de sa fille, le kâdi se dilata et s'épanouit, et dit : « Louanges à Allah, dispensateur de l'intelligence ! Tu sauves mon honneur, ô fille bénie, et tu empêches un bon ménage de se désunir. » Et, à peine il fut jour, qu'il se leva, à la limite de l'impatience, et courut à la maison de la loi, où il présidait la séance de justice, et, après une longue attente, il vit entrer la femme qu'il attendait, à savoir mon épouse, et l'esclave que voici, à savoir moi-même. Et, après les salams de part et d'autre, mon épouse dit au kâdi : « Ya sidi, te souviens-tu de ma question, et as-tu résolu le problème ? » Et il répondit :

« El hamdou lillah ! la louange à Allah qui m'a éclairé ! Ô fille des gens de bien, tu aurais pu me poser une question un peu plus difficile, car celle-ci est résolue sans difficulté. Et tout le monde sait que le zebb de l'homme, de quinze à trente-cinq, est pareil à un os ; de trente-cinq à soixante, il devient semblable à un nerf ; et après soixante, il n'est plus qu'un morceau de chair sans conséquence. »

Or mon épouse, qui connaissait fort bien la jeune fille et son intelligence, devina ce qui s'était passé, et dit au kâdi d'un air narquois : « Elle n'a que quatorze ans et demi ta fille, mais sa tête en a le double ou davantage. Compliments ! compliments ! où s'arrêtera-t-elle de ce train-là ? Ouallahi, bien des femmes de métier n'en sauraient faire autant ! Ses dispositions sont excellentes pour les sciences, et son avenir est assuré. » Et, là-dessus, elle me fit signe de quitter la salle des séances de justice, et sortit, en laissant le kâdi morfondu, interdit, et couvert de confusion, en présence de toute l'assistance, jusqu'à la fin de ses jours.

Et, ayant ainsi parlé, le second capitaine de police se retira dans son rang. Et le sultan Baïbars lui dit : « Les mystères d'Allah sont insondables. Cette histoire est une étonnante histoire ! » Alors s'avança le troisième capitaine de police, qui s'appelait Ezz Al-Dîn, et, après avoir embrassé la terre entre les mains de Baïbars, il dit : « Pour moi, ô roi du temps, rien de saillant ne m'est arrivé au cours de ma vie, qui mérite de parvenir aux oreilles de Ta Hautesse. Mais, si tu me le permets, je te raconterai une histoire qui, pour impersonnelle qu'elle soit, n'en est pas moins attrayante et prodigieuse. D'ailleurs, la voici :

Sache, ô notre seigneur le sultan, que la mère de ton esclave savait bon nombre de contes des âges anciens. Et, entre autres histoires que j'ai entendues, elle me raconta un jour celle-ci :

Il y avait une fois, dans une contrée proche de la mer salée, un pêcheur qui était marié avec une belle. Et cette belle le rendait heureux ; et lui, également, la rendait heureuse. Et ce pêcheur descendait tous les jours pêcher, et vendait les poissons, dont le prix était juste suffisant pour leur nourriture à tous deux. Or, un jour, il tomba malade, et la journée se passa sans nourriture. Aussi, le lendemain, son épouse lui dit : « Ça va bien ! est-ce que tu ne vas pas aller aujourd'hui à la pêche ? Sinon, de quoi allons-nous vivre ? Voyons, lève-toi seulement ; et moi, comme tu es fatigué, je porterai à ta place le filet de pêche et le panier. Et, dans ce cas, si même nous ne prenions que deux poissons, nous les vendrions et nous aurions de quoi souper. » Et le pêcheur dit : « C'est bon ! » Et il se leva, et sa femme porta le panier et le filet de pêche, en marchant derrière lui. Et ils arrivèrent sur le rivage de la mer, à un endroit fertile en poissons, au pied du palais du sultan.

Or, le sultan, ce jour-là, était précisément à sa fenêtre et regardait la mer. Et il aperçut la femme du pêcheur, cette belle, et approfondit sur elle ses yeux, et en devint, à l'instant même, amoureux. Et il appela sur l'heure son grand-vizir, et lui dit : « Ô mon vizir, je viens de voir la femme de ce pêcheur, qui est là, et j'en suis passionnément épris, parce qu'elle est belle et qu'il n'y a pas sa pareille, de près ou de loin, dans mon palais. » Et le vizir répondit : « L'affaire est délicate, ô roi du temps. Aussi qu'allons-nous faire ? » Et le sultan répondit : « Il n'y a pas à hésiter ; il faut que tu fasses saisir le pêcheur par les gardes du palais, et que tu le tues. Alors, moi, j'épouserai sa femme. » Et le vizir, qui était un homme judicieux, lui dit : « Il n'est pas licite que tu le tues sans délit de sa part, sinon le monde dira du mal sur ton compte. On dira, par exemple : « Le sultan a tué le pêcheur, ce pauvre, en vue d'une femme. » Et le roi répondit au vizir : « C'est vrai, ouallahi ! Que faut-il donc que je fasse, pour satisfaire mon désir sur cette belle sans pareille ? » Et le vizir dit : « Tu peux arriver à ce but par les moyens licites. Tu sais, en effet, que la salle des audiences, au palais, est longue d'un arpent et large d'un arpent. Nous allons donc faire venir le pêcheur, dans la salle, et je lui dirai : « Notre maître le sultan veut mettre un tapis dans cette salle-ci. Et ce tapis doit être d'une seule pièce. Si tu ne l'apportes pas, nous te tuerons. » De cette manière, sa mort aura un motif. Et on ne dira pas que c'est à cause d'une femme. » Et le sultan répondit : « Bien. »

Alors le vizir se leva et envoya mander le pêcheur. Et quand il arriva, il le prit et l'amena dans la salle en question, en présence du sultan, et lui dit : « Ô pêcheur, notre maître le roi veut que tu lui mettes dans cette salle, longue d'un arpent et large d'autant, un tapis qui soit d'une seule pièce. Dans ce but, il te donne un délai de trois jours, au bout desquels, si tu n'apportes pas le tapis, il te brûlera dans le feu. Écris donc un engagement, à ce sujet, sur ce papier, et apposes-y ton cachet. »

En entendant ces paroles du vizir, le pêcheur répondit : « Bien. Mais, est-ce que je suis un homme de tapis ? Je suis un homme de poissons. Demande-moi des poissons de toutes les couleurs et de différentes variétés, et moi je te les apporterai. Mais, pour ce qui est des tapis, ils ne me connaissent pas, par Allah ! et je ne les connais pas, et je n'en connais même pas l'odeur ni la couleur. Quant aux poissons, je m'engagerai, et je cachetterai. » Mais le vizir répondit : « Inutile d'augmenter tes paroles oiseuses. Le roi a ordonné la chose. » Et le pêcheur dit : « Hé, par Allah ! tu peux prendre cent cachets, et non pas un cachet, du moment que me voici fournisseur de tapis ! » Et il frappa ses mains l'une contre l'autre, et sortit du palais, et s'en alla chez sa femme, fâché.

Et sa femme, le voyant en cet état, lui demanda : « Pourquoi es-tu fâché ? » Il répondit : « Tais-toi. Et, sans parler davantage, lève-toi et ramasse le peu de hardes que nous possédons et fuyons de ce pays-ci. » Elle demanda : « Pourquoi ? » Il répondit : « Parce que le roi veut me tuer dans trois jours. » Elle lui dit : « Pourquoi ? » Il répondit : « Il veut de moi un tapis long d'un arpent et large d'un arpent, pour la salle de son palais ! » Elle demanda : « Rien que ça ? » Il répondit : « Oui. » Elle dit : « Bien. Dors tranquille, et moi, demain, je t'apporterai le tapis en question, et tu le développeras dans la salle du roi. » Alors il dit : « Il ne me manquait plus que ça ! c'est parfait, maintenant. Es-tu donc devenue folle comme le vizir, ô femme, ou bien sommes-nous des gens de tapis ? » Mais elle répondit : « Le veux-tu maintenant, ce tapis ? Et t'enverrai-je tout de suite le prendre et l'apporter ici ? » Il dit : « Oui, je préfère tout de suite, au lieu de demain, pour me rassurer. De la sorte, je pourrai dormir tranquille. » Elle lui dit : « Puisqu'il en est ainsi, ô homme, yallah, lève-toi et va à tel endroit, près des jardins. Là tu trouveras un arbre tordu, au-dessous duquel se trouve un puits. Et toi, tu te pencheras sur ce puits et tu regarderas au-dedans, et tu crieras : « Ô une telle, ton amie chérie une telle t'envoie le salam avec moi, et te dit de me remettre, pour que je le lui donne, le fuseau qu'elle a oublié chez toi hier, dans sa hâte de rentrer à la maison avant la nuit, car nous voulons meubler et tapisser une chambre avec ce fuseau-là. » Et le pêcheur dit à sa femme : « Bien. »

Il alla donc, sans retard, au puits en question, sous l'arbre tordu, regarda vers le fond, et cria : « Ô une telle, ton amie chérie une telle t'envoie le salam avec moi, et te dit : « Donne le fuseau qu'elle a oublié chez toi, car nous voulons meubler une chambre avec ce fuseau-là. » Alors celle qui était dans le puits – Allah seul la connaît ! – lui répondit, disant : « Est-ce que je puis refuser quelque chose à mon amie chérie ? Tiens, voici le fuseau ! Prends-le et va meubler et tapisser avec lui la chambre, comme tu voudras. Puis tu me le rapporteras ici. » Il dit : « Bien. » Et il prit le fuseau, qu'il vit sortir du puits, le mit dans sa poche, et s'en alla sur la route, dans la direction de sa maison, en se disant : « Cette femme-là m'a rendu aussi fou qu'elle. » Et il continua son chemin, et arriva auprès de sa femme, et lui dit : « Ô fille de l'oncle, voilà que je t'ai apporté le fuseau ! » Elle lui dit : « Bien. Va maintenant chez le vizir qui veut ta mort, et dis-lui : « Donne-moi un gros clou ! » Et il te donnera un clou, et tu le planteras à un bout de la grande salle, tu y attacheras le fil de ce fuseau, et tu étendras le tapis selon telle longueur et telle largeur que tu voudras ! » Et le pêcheur se récria, disant : « Ô femme, veux-tu donc qu'avant ma mort prochaine les gens rient de ma raison et se moquent de moi, me prenant pour un fou ? Est-ce qu'il y aurait un tapis d'un arpent dans l'intérieur de ce fuseau-ci ? » Elle lui dit en se fâchant : « Veux-tu partir au plus vite ou ne veux-tu pas ? Tais-toi, ô homme, et va seulement, comme je te l'ai dit. » Et le pêcheur s'en alla au palais, avec le fuseau, en se disant : « Il n'y a de recours et de force qu'en Allah l'Omniscient. Voilà, ô pauvre, le dernier jour de ta vie…

À ce moment de sa narration, Schahrazade vit apparaître le matin et, discrète, se tut.

Mais lorsque fut la neuf cent quarante et unième nuit. Elle dit :

… Voilà, ô pauvre, le dernier jour de ta vie ! » Et il alla trouver le roi et le vizir. Et celui-ci lui dit, en regardant ailleurs : « Où est le tapis, ô pêcheur ? » Et il répondit : « Je l'ai là ! » Ils lui demandèrent : « Où ça ? » Il leur dit : « Ici, dans ma poche ! » Et ils se mirent à rire de lui, disant : « Voilà quelqu'un qui plaisante avant sa mort ! » Et le vizir lui demanda, en se moquant : « Est-ce qu'un tapis d'un arpent est une balle d'enfant qu'on peut mettre en poche ? » Il répliqua : « En quoi cela vous regarde-t-il ? Vous me demandez un tapis, et je vous l'apporte, vous n'avez rien d'autre à me réclamer. Au lieu donc de rire de moi, ô vizir, lève-toi et donne-moi un gros clou. Et le tapis sera devant vous autres dans cette salle-ci ! »

Alors le vizir se leva, en riant de la folie du pêcheur, prit le clou, et dit à l'oreille du porte-glaive : « Ô porte-glaive, tu vas rester là, près de la porte de la salle. Et, comme le pêcheur ne va pas pouvoir, quand je lui aurai remis le clou, tapisser la salle comme je le désire, tu tireras le sabre, sans attendre d'autre ordre de moi, et, d'un coup, tu feras voler sa tête. » Et le porte-glaive répondit : « Bien ! » Et le vizir alla remettre le clou au pêcheur, en lui disant : « Fais-nous voir le tapis maintenant. »

Alors le pêcheur planta le clou à une extrémité de la salle, y attacha le bout du fil du fuseau, et fit tourner le fuseau, en se disant : « Tourne ma mort, ô maudit ! » Et voici qu'un tapis magnifique s'étendit et se développa le long de la salle, dans tous les sens, dont il ne se trouvait pas le pareil dans le palais. Et le roi et le vizir se regardèrent avec stupéfaction pendant une heure de temps, tandis que le pêcheur se tenait tranquille, sans rien dire. Puis le vizir cligna de l'œil au roi, d'un air entendu, et se tourna vers le pêcheur et lui dit : « Le roi est content, et te dit : « Bien. » Mais il te demande encore une chose. » Il lui dit : « Et quelle chose est-ce ? » Il répondit : « Le roi te demande, et exige de toi, que tu lui apportes un petit garçon. Et ce garçon ne doit être âgé que de huit jours. Et il faut qu'il raconte à notre maître le roi une histoire. Et cette histoire doit commencer par un mensonge et finir par un mensonge ! »

Et le pêcheur, en entendant cela, dit au vizir : « Rien que ça ? Par Allah ! ce n'est pas beaucoup demander. Seulement je ne savais pas jusqu'à présent que les enfants de huit jours pouvaient parler, et parler pour raconter des histoires dont le commencement est un mensonge, et la fin un mensonge, ces enfants fussent-ils même des fils d'éfrits. » Et le vizir répondit : « Tais-toi ! La parole et le désir du roi doivent marcher. Nous te donnons, pour cela, un délai de huit jours, au bout desquels, si tu n'apportes pas le petit garçon en question, tu connaîtras la mort rouge. Écris donc un engagement sur cela, et appose ton cachet. » Et le pêcheur dit : « Bien, voilà mon cachet, ô vizir. Cachète toi-même à ma place, car moi je ne sais pas. Moi je sais seulement raccommoder mon filet. Il est entre tes mains, fais-en ce que tu veux, et cachète avec lui cent fois au lieu d'une ! Quant au petit garçon, Allah le Généreux y pourvoira ! » Et le vizir prit le cachet du pêcheur et cacheta l'engagement en question. Et le pêcheur le reprit, et s'en alla fâché.

Et il arriva chez sa femme, et lui dit : « Lève-toi, et fuyons de ce pays-ci ! Je te l'avais déjà dit, et tu n'avais pas voulu m'écouter. Lève-toi, moi je m'en vais ! » Elle lui dit : « Pourquoi ? Pour quelle raison ? Est-ce que le tapis n'est pas sorti du fuseau ? » Il répondit : « Il est sorti. Mais ce proxénète, ce vizir de mon cul, ce fils de chien, me demande maintenant un petit garçon, âgé de huit jours, qui devra raconter une histoire ; et cette histoire doit être mensonge sur mensonge sur mensonge. Et ils ont bien voulu me donner, pour ce faire, un délai de huit jours. » Et sa femme lui dit : « Bien. Mais ne te fâche pas, ô homme ! Les huit jours ne sont pas encore écoulés, et jusque-là nous avons le temps d'y songer, et de trouver la porte du salut ! »

Or, au matin du huitième jour, le pêcheur dit à sa femme : « As-tu oublié le garçon que j'ai à fournir ? C'est aujourd'hui la fin du délai ! » Elle lui dit : « Bien. Va au puits que tu connais, sous l'arbre tordu. Tu commenceras par rendre le fuseau à celle qui habite dans le puits, et par la remercier gentiment. Puis tu lui diras : « Ô une telle, ton amie chérie une telle t'envoie le salam et te dit de lui prêter l'enfant qui est né hier, parce que nous en avons besoin pour une affaire. »

À ces paroles, le pêcheur dit à son épouse : « Ouallahi, je ne connais personne d'aussi stupide et d'aussi fou que toi, si ce n'est peut-être ce vizir de goudron. Comment, ô femme ! le vizir me réclame un garçon de huit jours, et toi tu renchéris là-dessus en offrant de me livrer un enfant d'un jour sachant parler avec éloquence et raconter des histoires ! » Elle répondit : « De quoi te mêles-tu ? Va-t'en seulement comme je t'ai dit ! » Et il s'écria : « Bien. Voici le dernier jour de ma vie sur la terre. »

Et il sortit de sa maison, et marcha jusqu'à ce qu'il arrivât au puits. Et il y jeta le fuseau, en criant : « Voici le fuseau ! » Et il ajouta : « Ô une telle, ton amie chérie une telle t'envoie le salam et te dit de lui donner le petit garçon âgé d'un jour, parce que nous en avons besoin pour une affaire. Seulement fais vite, sinon ma tête va s'envoler de dessus mes épaules ! » Alors celle qui habitait le puits – Allah seul la connaît ! – répondit : « Le voici : prends-le ! » Et le pêcheur prit le petit enfant d'un jour qui lui était tendu, alors que celle qui habitait le puits lui disait : « Prononce sur lui la formule contre le mauvais œil ! » Et il prononça sur lui, en le prenant, le bismillah, disant : « Bismillah errahmân errahim ! » Et, le tenant dans ses bras, il s'en alla.

Et, en marchant, il se dit : « Y a-t-il des enfants, fussent-ils même âgés de trente jours, et non d'un jour comme celui-ci, qui sachent parler et raconter des histoires, même parmi les fils des plus étonnants éfrits ? » Puis, pour en avoir le cœur net à ce sujet, il s'adressa à l'enfant emmailloté qu'il portait dans ses bras, et lui dit : « Voyons, mon enfant, parle-moi un peu, que je voie et m'assure si c'est aujourd'hui le jour de ma mort ! » Mais l'enfant, en entendant la grosse voix du pêcheur, eut peur et se contracta quant à sa figure et à son ventre, et fit comme tous les petits enfants, à savoir, qu'il se mit à pleurer avec d'horribles grimaces et à pisser tant qu'il put. Et le pêcheur arriva tout mouillé et fâché chez sa femme, et lui dit : « Voilà que j'ai apporté l'enfant. Qu'Allah me sauvegarde ! Son savoir consiste à pleurer et à pisser, le fils de chien ! Regarde en quel état il m'a mis ! » Mais elle lui dit : « De quoi te mêles-tu ? Prie sur le Prophète, ô homme, et fais ce que je te dis ! Va porter sans retard cet enfant chez le roi. Et tu verras bien s'il sait parler ou s'il ne sait pas. Seulement, tu demanderas pour lui trois coussins, et tu le mettras au milieu du divan, et tu le soutiendras avec ces coussins, en lui en mettant un du côté droit, un du côté gauche et un derrière le dos ! Et prie sur le Prophète ! » Et il répondit : « Sur Lui la prière et la paix ! » Puis il s'en alla, portant le nouveau-né sur son bras, trouver le roi et le vizir.

Lorsque le vizir vit arriver le pêcheur avec ce petit enfant emmailloté, il se mit à rire, et lui dit : « C'est là l'enfant ? » Et il répondit : « Oui. » Et le vizir se tourna vers l'enfant, et lui dit avec la voix qu'on prend pour parler aux bambins : « Mon enfant ! » Mais l'enfant, au lieu de parler, se contracta quant à son nez et à sa bouche, et se mit à faire : « Oua ! oua ! » Et le vizir alla très content chez le roi, et lui dit : « J'ai parlé à l'enfant, mais il ne m'a pas répondu, et s'est contenté de pleurer et de faire « Oua ! oua ! » Or c'est là la fin de la vie du pêcheur. Mais la preuve ne doit être faite que devant l'assemblée des vizirs, des émirs et des notables, car je leur lirai les clauses du contrat que nous avons fait avec le pêcheur ; et après, nous le tuerons. Et alors tu pourras te réjouir avec la belle, sans que le monde ait le droit de parler sur ton compte ! » Et le roi dit : « C'est cela même, ô vizir ! » Et ils entrèrent tous deux dans la salle ; et les émirs et les fonctionnaires s'assemblèrent. Et on fit venir le pêcheur ; et le vizir lut devant lui et devant tous les assistants le contrat cacheté, et dit : « Maintenant, ô pêcheur, apporte l'enfant qui va nous parler. » Et le pêcheur dit : « Qu'on me donne d'abord trois coussins, puis l'enfant parlera ! » Et on lui apporta les trois coussins ; et le pêcheur mit l'enfant au milieu du divan et le consolida avec les trois coussins. Et le roi demanda au pêcheur : « Est-ce là l'enfant qui va nous raconter l'histoire, laquelle est mensonge sur mensonge sur mensonge ? »

Or, avant que le pêcheur eût le temps de répliquer, l'enfant d'un jour répondit : « Avant tout, le salam sur toi, ô roi ! » Et les vizirs et les émirs et tous les autres s'étonnèrent prodigieusement de l'enfant. Et le roi, aussi stupéfait que les assistants, rendit à l'enfant son salut, et lui dit : « Raconte-nous, l'Avisé, l'histoire qui est une confiture de mensonges ! » Et l'enfant lui répondit, disant : « Voici ! Une fois, j'étais alors dans la force de la jeunesse, comme je marchais hors de la ville dans les champs, au temps de la chaleur, je rencontrai un vendeur de pastèques ; et, comme j'avais bien chaud et bien soif, j'achetai une pastèque pour un dinar d'or. Et je pris la pastèque et j'en coupai une tranche que j'avalai et qui me rafraîchit. Puis, comme je regardais dans l'intérieur de la pastèque, j'y trouvai une ville avec sa citadelle. Alors moi, sans hésiter, je levai mes pieds l'un après l'autre, et j'entrai dans la pastèque. Et je me mis à me promener là-dedans, en regardant autour de moi les boutiques, et les maisons et les habitants de cette ville contenue dans la pastèque. Et je continuai à marcher de la sorte jusqu'à ce que je fusse arrivé dans les champs. Et là je vis un dattier qui portait un régime de dattes, longues chacune d'une aune. Aussi mon âme, qui désirait ces dattes, me poussa avec violence vers elles, et je ne pus résister à ses sollicitations ; et je montai sur le dattier pour cueillir une ou deux ou trois ou quatre dattes, et les manger. Mais je trouvai sur le dattier des fellahs qui semaient le grain sur le dattier, et coupaient les épis, tandis que d'autres fellahs battaient le blé et l'égrenaient. Et moi, ayant marché encore quelque temps sur le dattier, je rencontrai quelqu'un qui battait des œufs sur une aire, et je regardai plus attentivement et je vis que, de tous les œufs battus sur l'aire, sortaient des petits poussins. Et les coquelets allaient d'un côté et les poulettes de l'autre. Et moi je restai là à les regarder, et les vis qui grandissaient à vue d'œil. Alors je mariai ensemble les petits coqs et les jeunes poules ; puis je les laissai contents ensemble, et m'en allai sur une autre branche du dattier. Et là je rencontrai un âne qui portait des gâteaux de sésame ; et comme, précisément mon âme raffolait des gâteaux de sésame, je pris un de ces gâteaux et l'avalai en deux ou trois bouchées. Et, l'ayant ainsi mangé, je levai les yeux, et me trouvai hors de la pastèque. Et la pastèque se referma et redevint complète, comme elle était. Et telle est l'histoire que j'avais à vous raconter ! »

Lorsque le roi eut entendu ces paroles du nouveau-né, il lui dit : « Hé, hé, ô cheikh des menteurs et leur couronne, hé, hé, l'Avisé ! en voilà un tissu de faussetés ! Penses-tu vraiment que nous avons cru un mot à cette histoire diabolique ! Aïe, ouallahi ! Depuis quand, par exemple, les pastèques contiennent-elles des villes ? Et depuis quand les œufs, une fois qu'on les a battus sur l'aire, produisent-ils des poulets ? Avoue, l'Avisé, que tout ça est un composé de mensonges sur mensonges ! » Et l'enfant répondit : « Je ne nie rien ! Mais toi aussi, ô roi, tu devrais ne point nier ni cacher tes vrais sentiments au sujet de ce pauvre homme de pêcheur, que tu veux tuer uniquement pour lui ravir sa femme, la belle, que tu as aperçue sur le rivage ! Eh oui ! n'as-tu pas honte devant le visage d'Allah qui nous voit, de désirer, étant roi et sultan, ce qui ne t'appartient pas et de voler le bien de ton semblable, moins riche et moins puissant, comme l'est ce pauvre pêcheur ? Par Allah et les mérites du Prophète – sur Lui la prière et la paix ! – je jure que si, à l'heure et à l'instant, tu ne laisses pas tranquille ce pêcheur et ne te désistes de tes mauvaises intentions à l'égard de sa femme, je ferai disparaître votre trace, à toi et à ton vizir, de la terre des hommes, de sorte que même les mouches ne sauront plus vous trouver. »

Et, ayant ainsi parlé d'une voix terrifiante, l'enfant emmailloté laissa tout le monde saisi de stupeur, et dit au pêcheur : « Maintenant, mon oncle, reprends-moi et porte-moi hors d'ici, dans ta maison. » Et le pêcheur prit le nouveau-né d'un jour, l'Avisé ; et, sans être inquiété par personne, il sortit du palais, et s'en alla content chez sa femme. Et lorsqu'elle eut appris ce qu'elle avait à apprendre, elle lui dit : « Il te reste à aller, sans retard, reporter l'enfant où tu l'as pris. Et ne manque pas de transmettre mon salam à mon amie chérie et mes mercis, et demande-lui des nouvelles de sa santé ! » Et le pêcheur dit : « Bien ! » Et il fit ce qu'elle lui avait dit de faire. Après quoi il revint à sa maison et s'acquitta de ses ablutions et de la prière, et fit sa chose ordinaire avec sa femme, la belle. Et, depuis lors, ils vécurent ensemble heureux et prospères.

Et voilà pour eux ! Et, ayant ainsi raconté cette histoire, le troisième capitaine de police regagna sa place, et le sultan Baïbars dit : « Ô l'admirable histoire ! Quel dommage, ô capitaine Ezz Al-Dîn, que tu ne nous aies pas dit ce qui arriva par la suite des jours entre le roi et le pêcheur ! » Alors s'avança le quatrième capitaine de police, qui s'appelait Mohii Al-Dîn. Il dit : « Moi, ô roi, si tu me le permets, je te raconterai la suite de cette histoire, qui est bien plus étonnante que son commencement ! » Et le sultan Baïbars dit : « Certes ! et de tout cœur et de tout esprit ! » Alors le capitaine Mohii Al-Dîn dit :

Sache donc, ô roi du temps, que, grâce à la bénédiction, un enfant mâle naquit au pêcheur et à sa femme, la belle. Et ses parents appelèrent cet enfant mâle Môhammad l'Avisé, en souvenir de l'emmailloté d'un jour qui les avait tirés d'embarras. Et cet enfant était beau comme sa mère.

Et le sultan avait également un fils, de l'âge du fils du pêcheur ; mais il était atteint de laideur, et sa couleur était de la couleur des fils de fellahs. Or, les deux enfants allaient à la même école apprendre à lire et à écrire. Et quand le fils du roi, qui était un paresseux inférieur, voyait le fils du pêcheur, qui était un studieux supérieur, il lui disait : « Hé, que ton matin soit heureux, le fils du pêcheur ! » Et il l'appelait ainsi pour l'humilier. Et, Môhammad l'Avisé répondait : « Et que ton matin soit heureux, ô fils du sultan, et qu'il blanchisse ton visage qui est noir comme la courroie des vieilles socques ! » Et les deux enfants restèrent ainsi ensemble dans l'école durant l'espace d'une année, en se saluant toujours de cette manière-là. Aussi, à la fin, le fils du sultan s'en alla, fâché, raconter la chose à son père, lui disant : « Le fils du pêcheur, ce chien, me rend tous les jours mon salam en me disant : « Toi dont la figure est noire comme la courroie des vieilles socques. » Alors le roi se fâcha ; mais comme il n'osait pas, à cause du passé, punir lui-même le fils du pêcheur, il appela le cheikh maître d'école, et lui dit : « Ô cheikh, si tu veux tuer l'enfant Môhammad, le fils du pêcheur, moi je te ferai un beau cadeau, et je te donnerai des femmes concubines et de belles esclaves blanches. » Et le maître d'école se réjouit et répondit : « À tes ordres, ô roi du temps. Moi, tous les jours j'appliquerai la bastonnade à l'enfant, jusqu'à ce qu'il meure de ce régime !

Aussi, lorsque le lendemain Môhammad l'Avisé alla à l'école lire le Koran, le maître d'école dit aux écoliers : « Apportez l'instrument à bastonnade, et étendez à terre le fils du pêcheur ! » Et les écoliers, selon l'usage, se saisirent de Môhammad et l'etendirent à terre, et mirent ses pieds dans l'étau de bois. Et le maître d'école prit la verge et se mit à frapper le garçon sur la plante des pieds, jusqu'à ce que le sang en jaillît et que ses pieds et ses jambes enflassent. Et il lui dit : « Inschallah, demain je recommencerai, ô tête dure ! » Et le garçon, dès qu'on l'eut délivré de l'instrument de torture, s'enfuit de l'école, livrant ses jambes au vent. Et il alla chez son père et sa mère, et leur dit : « Voyez ! le cheikh de l'école m'a frappé jusqu'à me faire mourir, à cause du fils du sultan. Moi je n'irai plus à l'école, et je veux devenir un pêcheur comme mon père. » Et son père lui dit : « Bien, mon fils. » Et il se leva, et lui donna un filet et un panier, et lui dit : « Prends, voilà les outils de la pêche. Et demain va pêcher, quand même tu ne devrais gagner que ce qu'il faut pour vivre. »

Et donc, le lendemain, à l'aurore, Môhammad, le garçon, alla jeter le filet dans la mer. Mais il n'y eut de pris dans le filet qu'un petit rouget tout seul. Et Môhammad retira le filet, et se dit : « Je vais griller ce rouget, dans ses propres écailles, et le manger pour mon déjeuner. » Il alla donc rassembler un peu d'herbes sèches et des morceaux de bois, les alluma, et prit le rouget pour le griller sur le feu. Alors le rouget ouvrit la bouche, et lui adressa la parole en lui disant : « Ne me brûle pas, ya Môhammad ! Moi je suis une reine d'entre les reines de la mer. Remets-moi dans l'eau comme j'étais, et moi je te serai utile au temps du malheur, et je viendrai à ton aide aux jours de la nécessité ! » Et il dit : « Bien. » Et remit dans la mer le rouget en question. Et voilà pour lui…

À ce moment de sa narration, Schahrazade vit apparaître le matin et, discrète, se tut.

Mais lorsque fut la neuf cent quarante-deuxième nuit. Elle dit :

… Et remit dans la mer le rouget en question. Et voilà pour lui ! Mais pour ce qui est du roi, il appela, au bout de deux jours, le maître d'école et lui demanda : « Toi, as-tu tué le garçon Môhammad, fils du pêcheur ? » Et le maître d'école répondit : « Je lui ai donné la bastonnade, dès le premier jour, jusqu'à le faire s'évanouir. Alors il s'est enfui et n'est pas revenu. Et il est à présent pêcheur comme son père. » Et le roi le chassa, et lui dit : « Va-t'en, ô fils de chien ! Que ton père soit maudit, et que ta fille se marie à un cochon ! »

Après quoi il appela son vizir, et lui dit : « Le garçon n'est pas mort. Qu'allons-nous faire ? » Et le vizir répondit au roi : « Moi, je te trouverai un moyen pour sa mort ! » Et le roi lui demanda : « Comment vas-tu arranger sa mort ? » Il répondit : « Je connais une jeune fille très belle, fille du sultan de la Terre Verte. Cette terre-là est éloignée d'ici de la distance d'un voyage de sept ans. Nous allons donc faire venir ici le fils du pêcheur, et je lui dirai : « Le sultan, notre maître, a beaucoup de considération pour toi, et compte sur ta vaillance. Il faut donc que tu ailles à la Terre Verte, et que tu ramènes de là la fille du sultan de ce pays, parce que notre maître le roi veut l'épouser, et que personne ne saurait amener cette princesse excepté toi. » Et le roi répondit au vizir : « C'est bien ; fais venir le garçon. »

Alors le vizir fit venir, malgré son nez, le jeune garçon Môhammad, et lui dit : « Notre maître le sultan désire t'envoyer pour que tu lui amènes la fille du sultan de la Terre Verte. » Et il répondit : « Et depuis quand est-ce que je connais la route de ce pays-là ? » Le vizir dit : « Il faut. » Alors il sortit fâché, et alla chez sa mère lui conter la chose. Et sa mère lui dit : « Va promener ton chagrin sur le bord du fleuve, près de son embouchure sur la mer, et ton chagrin se dissipera de lui-même. » Et le garçon Môhammad s'en alla se promener avec son chagrin, sur le bord de la mer, près de l'embouchure du fleuve.

Et comme il marchait de long en large, fâché, le rouget d'autrefois sortit de la mer, et vint à lui sur le rivage, en le saluant. Et il lui dit : « Pourquoi es-tu fâché, Môhammad l'Avisé ? » Il répondit : « Ne m'interroge pas ! car la chose est sans remède. » Et le poisson lui dit : « Le remède est entre les mains d'Allah. Parle. » Il dit : « Songe, ô rouget, que le vizir de goudron m'a dit : « Il faut que tu ailles nous chercher la fille du sultan de la Terre Verte. » Et le rouget lui dit : « Bien. Va chez le roi, et dis-lui : « Je vais aller te chercher la fille du sultan de la Terre Verte. Mais pour cela il faut que tu me fasses construire une dahabieh en or. Et il faut que cet or soit pris sur la fortune de ton vizir. » Et le garçon Môhammad alla dire au roi ce que le rouget lui avait dit. Et le roi ne put faire autrement que de lui faire construire la dahabieh en or sur la fortune du vizir, et en dépit de son nez. Et le vizir faillit mourir de rage rentrée. Et Môhammad monta sur la dahabieh en or, et partit en remontant le fleuve.

Et le rouget, son ami, allait devant lui, lui montrant le chemin et le conduisant à travers les branches du fleuve et les rivières intérieures, jusqu'à ce qu'à la fin il arrivât à la Terre Verte. Et Môhammad l'Avisé envoya un crieur par la ville, qui criait : « Chacun, soit femme, soit homme, soit enfant, soit jeune, soit vieux, peut descendre au bord du fleuve pour regarder la dahabieh en or de Môhammad l'Avisé, fils du pêcheur. »

Alors tous les habitants de la ville, les grands et les petits, les hommes et les femmes, descendirent et regardèrent la dahabieh en or. Et ils restèrent à la regarder huit jours entiers. Alors la fille du roi ne put, elle aussi, résister à la curiosité, et demanda la permission à son père, en disant : « Je veux aller, comme les autres, regarder la dahabieh. » Alors le roi consentit à la chose, et fit, au préalable, crier par toute la ville que personne, ni homme ni femme, ne devait ce jour-là sortir de sa maison ni se promener du côté du rivage, puisque la princesse devait aller regarder la dahabieh.

Lors donc, la fille du roi alla sur le rivage regarder la belle dahabieh en or. Et elle demanda par signes à l'Avisé si elle pouvait entrer pour la regarder aussi à l'intérieur. Et Môhammad lui ayant fait avec la tête et les yeux un signe qui signifiait « oui », elle monta dans la dahabieh et se mit à la visiter. Alors Môhammad l'Avisé, la voyant occupée, leva sans bruit la cheville de la dahabieh et le piquet, et mit la dahabieh en marche, et partit.

Or, quand la fille du sultan de la Terre Verte eut fini sa visite, elle voulut sortir, leva les yeux, et vit la dahabieh en route, déjà bien loin de la ville de son père. Alors elle dit à l'ami du rouget : « Où me mènes-tu, l'Avisé ? » Il répondit : « Je te mène chez un roi pour qu'il t'épouse. » Elle lui dit : « Est-ce que par hasard le roi serait plus beau que toi, l'Avisé ? » Il répondit : « Je ne sais pas. Tout à l'heure tu vas toi-même le voir avec tes yeux. » Alors elle retira sa bague de son doigt, et la jeta dans le fleuve. Mais le rouget était là, qui prit la bague et la porta dans sa bouche, en leur ouvrant la route. Puis elle dit à l'Avisé : « Moi je ne me marierai qu'avec toi. Et je veux me donner ici librement à toi. » Et le garçon Môhammad lui dit : « Bien. » Et il la prit avec sa virginité. Et il se réjouit avec elle sur l'eau.

Et lorsqu'ils furent arrivés à destination, Môhammad, le fils du pêcheur, alla chez le roi et lui dit : « Me voici. Je t'ai amené la fille du sultan de la Terre Verte. Mais elle te dit qu'elle ne sortira de la dahabieh que si tu lui étends, sur la terre, des tapis en soie verte, sur lesquels elle marchera pour venir à ton palais. Et tu verras alors comme elle marche gracieusement. » Et le roi lui dit : « Bien. » Et il fit acheter, sur la fortune de son vizir, et en dépit de son nez, tous les tapis en soie verte qui étaient dans le souk des tapis, et les fit étendre par terre jusqu'à la dahabieh.

Alors la princesse de la Terre Verte sortit de la dahabieh, et marcha sur les tapis de soie, habillée de vert, et se balançant à ravir les esprits. Et le roi la vit, l'admira et en devint amoureux à cause de sa beauté. Et lorsqu'elle fut entrée au palais, il lui dit : « Je vais faire écrire ce soir même le contrat de mariage avec toi. » Et la jeune fille lui dit alors : « Bien. Mais, si tu veux m'épouser, rapporte-moi ma bague qui est tombée de mon doigt dans le fleuve. Et après nous ferons le contrat, et tu m'épouseras. » Or, cette bague-là, le rouget l'avait donnée à son ami Môhammad l'Avisé, fils du pêcheur.

Et donc le roi appela le vizir, et lui dit : « Écoute. La bague de la dame est tombée de son doigt dans le fleuve. Comment faire maintenant ? Et qui peut nous la rapporter ? » Et le vizir répondit : « Et qui peut la rapporter, si ce n'est Môhammad, le fils du pêcheur, ce maudit, cet éfrit. » Or, il ne parlait ainsi que pour faire tomber le garçon dans un piège sans issue. Aussi le roi le fit-il chercher en toute hâte. Et lorsqu'il vint, ils lui dirent : « Il y a une bague qui est tombée de la dame dans le fleuve. Et personne ne peut l'apporter, excepté toi. » Il leur répondit : « Bien. Prenez, voici la bague. »

Et le roi prit la bague, et alla la porter à la jeune fille de la Terre Verte, et lui dit : « Prends, voici ta bague, et faisons ce soir le contrat de mariage ! » Elle lui dit : « Bien. Mais dans mon pays, quand une jeune fille vient à se marier, il y a un usage. » Il lui dit : « Bien. Dis-le-moi. » Elle dit : « On creuse un fossé depuis la maison du fiancé jusqu'à la mer, on le remplit de bûches et de fagots, et on y met le feu. Et le fiancé se jette dans le feu, et y marche jusqu'à la mer, où il prend un bain pour aller alors directement chez sa fiancée. Et, de la sorte, il s'est purifié par le feu et par l'eau…

À ce moment de sa narration, Schahrazade vit apparaître le matin et, discrète, se tut.

Mais lorsque fut la neuf cent quarante-troisième nuit. Elle dit :

… Et, de la sorte, il s'est purifié par le feu et par l'eau. Et telle est la cérémonie du contrat de mariage dans mon pays. »

Alors le roi, qui était épris de la belle, ordonna de creuser le fossé en question, le remplit de bûches et de fagots, et appela son vizir, à qui il dit : « Demain, prépare-toi à marcher là-dessus avec moi. » Et, le lendemain, quand vint le moment de mettre le feu à ce canal de bois, le vizir dit au roi : « Il vaut mieux d'abord que Môhammad, le fils du pêcheur, s'y jette le premier, pour voir quelle va être l'affaire. S'il sort sain et sauf de ce feu-là, nous pourrons alors nous y jeter, nous aussi. » Et le roi dit : « Bien. »

Or, pendant ce temps, le rouget était monté dans la dahabieh chez son ami, le garçon, et lui avait dit : « L'Avisé, si le roi te fait venir et te dit : « Jette-toi dans ce feu ! » toi, n'aie pas peur, mais bouche tes oreilles, et dis la formule préservatrice : « Au nom d'Allah le Clément sans bornes, le Miséricordieux. » Puis, jette-toi résolument dans le canal de feu. »

Et donc, le roi fit mettre le feu aux bûches et fagots. Et ils appelèrent Môhammad, et lui dirent : « Jette-toi dans le feu et marches-y jusqu'à la mer ; car tu le peux, étant l'Avisé. » Il leur répondit : « Sur ma tête et mon œil ! à vos ordres ! » Il se boucha les oreilles, et prononça en son esprit la formule, et entra résolument dans le feu. Et il sortit du côté de la mer plus beau qu'il n'était. Et tout le monde le vit et fut ébloui de sa beauté.

Alors le vizir dit au roi : « Nous allons nous aussi entrer dans le feu, pour en sortir beaux comme le fils du pêcheur, ce maudit-là ! Et appelle aussi ton fils, pour qu'il s'y jette avec nous, et devienne beau comme nous le deviendrons. » Et le roi appela son fils, celui-là qui était laid et dont la figure était comme la courroie des vieilles socques. Et ils se prirent tous les trois par la main et se jetèrent, comme ça, dans le feu. Et ils furent un monceau de cendres. Alors Môhammad l'Avisé, le fils du pêcheur, alla chez la jeune fille, la princesse fille du sultan de la Terre Verte, et fit le contrat de mariage avec elle, et l'épousa. Et il s'assit sur le trône de l'empire, et fut roi et sultan. Et il appela auprès de lui son père et sa mère. Et ils vécurent tous ensemble dans le palais, en pleine félicité et harmonie, contents et prospérant. Or, louanges à Allah, Maître de la prospérité, du contentement, de la félicité et de l'harmonie !

Et lorsque le capitaine de police Mohii Al-Dîn eut ainsi raconté cette histoire, et que le sultan Baïbars l'en eut remercié et lui en eut exprimé son contentement, il retourna à sa place. Et un cinquième capitaine de police s'avança, qui s'appelait Nour Al-Dîn. Et, après avoir embrassé la terre entre les mains du sultan Baïbars, il dit : « Moi, ô notre seigneur et la couronne de notre tête, je te raconterai une histoire qui n'a point sa pareille parmi les histoires. » Et il dit :

Il y avait une fois un sultan. Et ce sultan-là, un jour d'entre les jours, appela son vizir, et lui dit : « Vizir ! » Et celui-ci répondit : « À tes ordres ! Qu'y a-t-il, ô roi ? » Il lui dit : « Je veux que tu me fasses écrire et graver un cachet, dont le pouvoir sera tel, que, si je suis gai, je ne me fâche pas, et que, si je suis fâché, je ne me réjouisse pas. Et il faut que celui qui écrira ce cachet prenne l'engagement d'y attacher le pouvoir en question. Et tu as, pour cela, un délai de trois jours ! »

Alors le vizir alla chez ceux qui d'ordinaire font les cachets et les amulettes, et leur dit : « Écrivez-moi un cachet pour le roi. » Et il leur raconta ce que le roi avait dit et exigé. Mais aucun d'eux ne voulut prendre sur lui de faire un cachet pareil. Alors le vizir se leva et s'en alla, fâché. Et il se dit : « Je ne trouverai pas dans cette ville-ci ce qu'il me faut. Je vais aller dans un autre pays. »

Et il sortit de la ville, et, en marchant dans la campagne, il fit la rencontre d'un cheikh arabe qui battait son blé dans son champ. Et il le salua, disant : « La paix sur toi, ô cheikh des Arabes ! » Et le cheikh des Arabes lui rendit le salam, et lui dit : « Où vas-tu à présent, ya sidi, par cette chaleur-là ? » Il lui répondit : « Je voyage à cause d'une affaire concernant le roi. » Il lui demanda : « Quelle affaire est-ce ? » Il répondit : « Le roi me demande de lui faire écrire un cachet qui soit de telle sorte que, s'il est gai, il ne se fâche pas, et, s'il est fâché, il ne se réjouisse pas. » Et le cheikh des Arabes lui dit : « Rien que ça ? » Le vizir répondit « Oui ! » Il lui dit : « Bien. Assieds-toi ! Et moi je vais t'apporter à manger. »

Et le cheikh des Arabes laissa un moment le vizir, et alla chez sa fille, qui s'appelait Yasmine, et lui dit : « Ô ma fille Yasmine, prépare le déjeuner pour un hôte. » Elle lui dit : « Cet hôte-là, d'où vient-il ? » Il répondit : « De la part du sultan. » Elle lui demanda : « Et que veut-il ? » Et son père lui raconta l'affaire. Et il n'y a point d'utilité à la répéter.

Alors Yasmine, cette dame des Arabes, prépara aussitôt un plat d'œufs, dans lequel se trouvaient trente œufs et beaucoup de beurre doux, et le remit à son père, avec huit galettes de pain, en lui disant : « Donne cela au voyageur, et dis-lui : « Ma fille Yasmine, dame des Arabes, te salue et te dit que c'est elle qui t'écrira le cachet. Et elle te dit en outre : le mois a trente jours à peine, la mer d'aujourd'hui est pleine, et huit jours font une semaine ! » Et son père dit : « Bien ! » Et il prit le déjeuner et s'en alla. Et, comme il marchait, le beurre du plat se répandit sur sa main. Alors il mit le plat à terre, prit un des pains, en essuya le beurre de sa main, et le mangea, ainsi qu'un œuf dont il eut envie. Après quoi il se leva, et alla porter le déjeuner au vizir, et lui dit : « Ma fille Yasmine, dame des Arabes, t'envoie le salam, et te dit que c'est elle qui t'écrira le cachet. Et en outre elle te dit : « Le mois a trente jours à peine, la mer d'aujourd'hui est pleine, et huit jours font une semaine. » Et le vizir dit : « Mangeons d'abord, et nous verrons ensuite. » Et lorsqu'il eut fini de manger, il dit au père de Yasmine : « Dis-lui qu'elle m'écrive le cachet, mais que le mois a manqué d'un jour, que la mer a été sèche, et que la semaine n'a eu que sept jours. »

Alors le cheikh des Arabes retourna auprès de sa fille, et lui dit : « Le vizir te dit de lui écrire le cachet, mais que le mois a manqué d'un jour, que la mer a été sèche, et que la semaine n'a eu que sept jours. » Alors la jeune fille lui dit : « N'as-tu pas honte, ô mon père, de ce que tu as fait ? Tu as déposé le déjeuner sur la route, tu as mangé une galette et un œuf, et tu as porté à l'hôte les œufs sans leur beurre ! » Il lui répondit : « Hé ouallahi, c'est vrai ! Mais, ô ma fille, le plat était plein et s'est répandu sur ma main ; alors je me suis assis, et j'ai essuyé le beurre avec une galette que j'ai mangée ; et j'ai alors eu envie d'un œuf, que j'ai avalé. » Elle dit : « Ça ne fait rien. Préparons le cachet. »

Alors elle prépara le cachet, et le composa en ces termes : « Tout sentiment, de peine ou de joie, nous vient d'Allah ! » Et elle envoya le cachet au vizir qui le prit, après les remerciements, et partit le porter au roi. Et le roi, après avoir pris le cachet et lu ce qui y était écrit, demanda au vizir : « Qui a fait ce cachet-là ? » Il répondit : « Une jeune fille nommée Yasmine, dame des Arabes. » Et le roi se leva sur ses deux pieds, et dit au vizir : « Viens, mène-moi chez le père afin que j'épouse la fille. »

Alors le vizir prit le roi par la main et partit avec lui. Et ils allèrent trouver le cheikh des Arabes, et lui dirent : « Ô cheikh des Arabes, nous venons chercher l'alliance avec toi. » Il leur répondit : « Famille et aisance ! Mais par le moyen de qui ? » Le vizir répondit : « Par le moyen de la dame des Arabes, Yasmine, ta fille, que notre maître le roi, qui est devant tes yeux, veut épouser. » Il dit : « Bien. Nous sommes vos serviteurs. Mais ma fille sera mise dans un plateau de la balance, et l'or dans l'autre. Et poids contre poids. Car Yasmine est chère au cœur de son père. » Et le vizir répondit : « Il n'y a point d'inconvénient. » Et ils allèrent chercher l'or, et le mirent dans un plateau de la balance, tandis que le cheikh des Arabes mettait sa fille dans l'autre plateau. Et quand la jeune fille et l'or s'équilibrèrent, on écrivit, séance tenante, le contrat de mariage. Et le roi donna une grande fête au village des Arabes. Et, la nuit même, il entra chez la jeune fille, dans la maison de son père, et lui prit sa virginité, et se réjouit avec elle. Et, au matin, il partit avec elle, et la mit dans son palais.

Or, lorsqu'elle fut restée quelque temps dans ce palais-là, la belle fille arabe Yasmine commença à descendre vers la maigreur, et à dépérir de langueur. Alors le roi appela le médecin, et lui dit : « Monte vite, et examine sett El-Arab, Yasmine. Je ne sais pas pourquoi elle maigrit comme ça et dépérit. » Et le médecin monta, et examina Yasmine. Puis il descendit, et dit au roi : « Elle n'est pas habituée au séjour des villes, car elle est une fille de la campagne, et sa poitrine se rétrécit par manque d'air. » Et le roi demanda : « Et qu'est-ce qu'il faut faire ? » Le hakim répondit : « Fais-lui bâtir un palais sur la mer, où elle pourra respirer le bon air ; et elle deviendra plus belle qu'elle n'était. » Et le roi donna aussitôt l'ordre aux maçons de bâtir un palais sur la mer. Et, lorsque le palais fut achevé, on y transporta la languissante Yasmine, dame des Arabes…

À ce moment de sa narration, Schahrazade vit apparaître le matin et, discrète, se tut.

Mais lorsque fut la neuf cent quarante-quatrième nuit. Elle dit :

… La languissante Yasmine, dame des Arabes.

Or, lorsqu'elle eut demeuré quelque temps dans le palais, elle redevint grasse et cessa de languir. Et, comme elle était un jour accoudée à sa fenêtre, à regarder la mer, un pêcheur vint jeter son filet au pied du palais. Et, lorsqu'il le retira, il ne vit dedans que des briques et des coquillages. Et il devint fâché. Alors Yasmine lui adressa la parole, et lui dit : « Ô pêcheur, cette fois-ci, si tu veux jeter le filet dans la mer sur ma chance, je te donnerai un dinar d'or pour ta peine. » Et le pêcheur répondit : « Bien, ô dame ! » Et il jeta le filet dans la mer, sur la chance de la dame des Arabes, Yasmine, le tira et, l'ayant ramené, y trouva un flacon de cuivre rouge. Et il le montra à Yasmine, qui aussitôt s'enveloppa du drap de lit comme d'un voile, et descendit vers le pêcheur et lui dit : « Tiens, voici le dinar, et donne-moi le flacon. » Mais le pêcheur répondit : « Non, par Allah ! je ne prendrai pas le dinar, en échange de ce flacon, mais un baiser sur ta joue. »

Or, au moment même où ils parlaient ensemble de la sorte, le roi les rencontra. Et il prit le pêcheur, et le tua avec son épée, et jeta son corps dans le fleuve. Puis il se tourna vers la dame des Arabes, Yasmine, et lui dit : « Et toi non plus, je ne veux plus te voir. Va-t'en où tu voudras ! »

Et elle s'en alla. Et, deux jours et deux nuits, elle marcha avec faim et soif. Et elle arriva alors dans une ville. Et elle s'assit à la porte d'une boutique de marchand, depuis le matin jusqu'à l'heure de la prière de midi. Alors le marchand lui dit ; « Ô dame, toi tu es assise ici depuis ce matin. Pourquoi ça ? » Elle répondit : « Je suis une étrangère. Je ne connais personne dans cette ville-ci. Et je n'ai rien mangé ni bu depuis deux jours. » Alors le marchand appela son nègre, et lui dit : « Emmène cette dame-ci, et conduis-la à la maison. Et dis-leur, à la maison, de lui donner à manger et à boire. » Et le nègre l'emmena, et la conduisit à la maison, et dit à l'épouse du marchand, sa maîtresse : « Mon maître te dit de donner à cette dame de quoi bien manger et boire. » Et la femme du marchand regarda Yasmine, et la vit, et en devint jalouse, parce que l'autre était plus belle. Et elle se tourna vers le nègre, et lui dit : « Bien. Fais monter cette dame dans le poulailler, sur la terrasse. » Et le nègre prit Yasmine par la main, et la fit monter dans le poulailler en question, sur la terrasse.

Et Yasmine reste là jusqu'au soir, sans que la femme du marchand s'occupât d'elle en aucune façon, ni pour le manger ni pour le boire. Alors la dame des Arabes, Yasmine, se souvint du flacon en cuivre rouge qui était sous son bras, et se dit : « Voyons, peut-être y a-t-il là-dedans un peu d'eau à boire ! » Et, pensant ainsi, elle prit le flacon et en tourna le couvercle. Et aussitôt une cuvette avec son aiguière en sortirent. Et Yasmine s'y lava les mains. Puis elle leva les yeux, et vit sortir du flacon un plateau rempli de mets et de boissons. Et elle mangea et but et fut contente. Elle tourna de nouveau le couvercle du flacon, et dix jeunes esclaves blanches en sortirent, les castagnettes dans les mains, qui se mirent à danser dans le poulailler. Et lorsqu'elles eurent fini leur danse, chacune d'elles jeta dix bourses d'or sur les genoux de Yasmine. Puis elles rentrèrent toutes dans le flacon.

Et la dame des Arabes, Yasmine, resta ainsi dans le poulailler trois jours entiers, mangeant, et se divertissant avec les jeunes filles du flacon. Et chaque fois qu'elle les faisait sortir, elles lui jetaient, après la danse, des bourses remplies d'or ; tant et tant qu'à la fin le poulailler fut rempli d'or jusqu'au plafond.

Or, au bout de ce temps, le nègre du marchand monta sur la terrasse pour satisfaire un besoin. Et il vit la dame Yasmine, et s'en étonna, car il la croyait déjà partie, suivant le dire de l'épouse du marchand. Et Yasmine lui dit : « Est-ce que ton maître m'a envoyée ici pour que vous me nourrissiez, ou que vous me laissiez plus morte qu'auparavant, de faim et de soif ? » Et l'esclave répondit : « Ya setti, mon maître croit qu'on t'a donné du pain, et que tu t'en es allée le même jour. » Puis il se hâta de courir chez son maître, à la boutique, et lui dit : « Ya sidi, la pauvre dame que tu as envoyée avec moi à la maison, il y a trois jours, est restée tout ce temps-là sur la terrasse, dans le poulailler, sans rien manger ni boire. » Et le marchand, un homme de bien, devint fâché, et quitta sur l'heure sa boutique, et alla dire à sa femme : « Comment, ô maudite ! tu ne donnes rien à manger à cette pauvre dame ! » Et il la prit, et se mit à la battre, jusqu'à ce que son bras fût fatigué de la battre. Puis il prit du pain, et autre chose encore, et monta sur la terrasse, et dit à Yasmine : « Ya sett, prends et mange. Et ne nous blâme pas pour l'oubli ! » Elle répondit : « Qu'Allah augmente ton bien ! C'est comme si tes faveurs étaient arrivées à leur destination ! Maintenant, si tu veux compléter tes bienfaits, je te demanderai une chose ! » Il dit : « Parle, ô dame ! » Elle dit : « Je voudrais que tu me bâtisses un palais hors de la ville, qui soit deux fois plus beau que celui du roi. » Il répondit : « Il n'y a pas d'inconvénient. Certainement ! » Elle dit : « Voilà de l'or. Prends-en autant que tu veux. Si les maçons travaillent d'ordinaire pour une drachme, dans leur journée, tu leur en donneras quatre pour hâter la construction. » Et le marchand dit : « Bien. »

Et il prit l'argent, et alla assembler les maçons et les architectes, qui lui bâtirent, en peu de temps, un palais deux fois plus beau que celui du roi. Et il revint alors au poulailler, auprès de la dame des Arabes, Yasmine, et lui dit : « Ya setti, le palais est fini. » Elle lui dit : « Voici de l'argent. Prends-le et va acheter des meubles en satin pour le palais. Et fais venir des domestiques nègres, qui soient étrangers et ne sachent pas l'arabe ! » Et le marchand alla acheter les meubles en satin, et se procurer les domestiques nègres en question, qui ne savaient ni ne pouvaient comprendre l'arabe, et revint au poulailler dire à la dame des Arabes, Yasmine : « Ô ma maîtresse, tout est complet maintenant. Aie la bonté de venir prendre possession de ton palais. » Et la dame des Arabes, Yasmine, se leva et, avant de sortir du poulailler, elle dit au marchand : « Le poulailler où je suis est plein d'or jusqu'au plafond. Prends-le pour toi, comme cadeau de moi, à cause de la complaisance que tu as eue envers moi. » Et elle prit congé du marchand. Et voilà pour lui !

Quant à Yasmine, elle fit son entrée dans le palais. Et, ayant acheté un magnifique habit de roi, elle s'en vêtit et s'assit sur le trône. Et elle devint semblable à un beau roi. Et voilà pour elle !

Quant à son époux, le roi qui avait tué le pêcheur et l'avait renvoyée elle-même, au bout d'un certain temps il se calma et se souvint d'elle pendant la nuit. Et le matin il appela son vizir, et lui dit : « Vizir ! » Et le vizir répondit : « Présent ! » Il dit : « Allons, déguisons-nous et sortons à la recherche de la dame des Arabes, Yasmine, mon épouse. » Et le vizir dit : « J'écoute et j'obéis. » Et ils sortirent du palais, sous un déguisement, et marchèrent deux jours à la recherche de la dame des Arabes, Yasmine, interrogeant et s'informant. Et ils arrivèrent ainsi dans la ville où elle se trouvait. Et ils virent son palais. Et le roi dit au vizir : « Ce palais est nouveau ici, car je ne l'ai point vu dans mes précédents voyages. À qui peut-il appartenir ? » Et le vizir répondit : « Je ne sais pas. Peut-être appartient-il à quelque roi envahisseur qui a conquis la ville, sans que nous le sachions. » Et le roi dit : « Par Allah ! c'est peut-être vrai. Aussi, pour nous en assurer, nous allons envoyer un crieur par la ville annonçant que personne ne doit allumer de lumière cette nuit dans sa maison. De cette manière, nous saurons si les gens qui habitent ce palais sont nos sujets obéissants, ou bien des rois conquérants. »

Et donc le crieur alla par la ville crier l'ordre en question. Et, lorsque vint la nuit, le roi se mit à parcourir les divers quartiers avec son vizir. Et ils virent que nulle part il n'y avait de lumière, sinon dans le palais splendide qu'ils ne connaissaient pas. Et ils y entendirent des chants et le son des théorbes, des luths et des guitares. Alors le vizir dit au roi : « Tu vois, ô roi ! Je t'avais bien dit que ce pays ne nous appartenait plus, et que ce palais était habité par les rois envahisseurs ! » Et le roi répondit : « Qui sait ? Viens, allons nous informer auprès du portier du palais. » Et ils allèrent interroger le portier. Mais comme ce portier était un Barbarin, et qu'il ne savait ni ne comprenait un mot d'arabe, il leur répondait à chaque question : « Chanou ! » Ce qui, en langue barbarine, signifiait : « Je ne sais pas ! » Et le roi et son vizir s'en allèrent, et ne purent dormir cette nuit-là, parce qu'ils avaient peur.

Et, le matin, le roi dit au vizir : « Dis au crieur de crier encore une fois par la ville que personne n'allume de lumière cette nuit. De cette manière nous aurons une certitude. » Et le crieur cria ; et la nuit vint ; et le roi se promena avec son vizir. Mais ils trouvèrent que l'obscurité régnait dans toutes les maisons, excepté dans le palais, où la lumière était deux fois plus vive que la veille, et où tout était dans l'illumination. Et le vizir dit au roi : « Maintenant, tu as la certitude au sujet de ce que je t'avais dit, concernant la prise de ce pays par les rois étrangers. » Et le roi dit : « C'est vrai ! mais qu'allons-nous faire ? » Le vizir dit : « Nous allons aller dormir, et demain nous verrons ! »

Et, le lendemain, le vizir dit au roi : « Viens, nous allons aller nous promener, comme tout le monde, du côté du palais. Et moi je te laisserai en bas, et je monterai seul, par ruse, pour voir avec mes yeux et entendre avec mes oreilles de quel pays est le roi. » Et donc, lorsqu'ils furent chez le portier du palais, le vizir trompa la vigilance des gardes et réussit à monter dans la salle du trône. Et, lorsqu'il vit la dame des Arabes, Yasmine, il la salua, croyant qu'il saluait un jeune roi. Et elle lui rendit le salam, et lui dit : « Assieds-toi. » Et, lorsqu'il se fut assis, la dame des Arabes, Yasmine, qui l'avait bien reconnu et n'ignorait pas la présence du roi, son époux, dans la ville, tourna le couvercle du flacon, et les rafraîchissements furent servis ; et dix belles esclaves blanches sortirent du flacon et se mirent à danser aux castagnettes. Et, après la danse, chacune d'elles jeta dix bourses pleines d'or sur les genoux de Yasmine. Et elle les prit et les donna toutes au vizir, en lui disant : « Prends-les comme cadeau, parce que je vois que tu es pauvre. » Et le vizir lui baisa la main et lui dit : « Qu'Allah t'accorde la victoire sur tes ennemis, ô roi du temps, et qu'Il prolonge pour nous tes jours ! » Puis il prit congé, et descendit près du roi qui était assis à côté du portier.

Et le roi dit : « Qu'as-tu fait là-haut, ô vizir ? » Il répondit : « Hé ouallah ! je t'ai bien dit que la terre t'a été prise ! Songe qu'il m'a donné cent bourses, en cadeau, et m'a dit : « Prends cela pour toi, parce que tu es un pauvre ! » Voilà ce qu'il m'a dit, celui-là ! Peux-tu, après ça, douter qu'il ait pris cette ville et ce pays ? » Et le roi dit : « Non, penses-tu cela, vraiment ? En ce cas, je vais, moi aussi, essayer d'endormir la vigilance des gardes barbarins, et monter en haut pour voir ce roi-là ! » Et il fit ce qu'il avait dit.

Or, lorsque la dame des Arabes, Yasmine, le vit, elle le reconnut, mais ne fit semblant de rien. Et elle se leva de son trône en son honneur, et lui dit : « Aie la bonté de t'asseoir ! » Et lorsque le roi vit que celui qu'il croyait être un roi étranger se levait droit en son honneur, son cœur se rassura, et il se dit à lui-même : « C'est certainement un sujet, et non pas un roi ; sans quoi il ne se lèverait pas comme ça pour quelqu'un qu'il ne connaît pas ! » Et il s'assit sur le siège ; et les rafraîchissements vinrent ; et il but et fut content. Alors il s'enhardit tout à fait, et demanda à la dame des Arabes, Yasmine : « Vous autres, quelle est votre qualité ? » Et elle sourit, et répondit : « Nous sommes des gens riches. » Et, parlant ainsi, elle tourna le couvercle du flacon, et, à l'instant, dix merveilleuses esclaves blanches en sortirent, qui dansèrent aux castagnettes. Et, avant de disparaître, chacune d'elles jeta dix bourses pleines d'or sur les genoux de Yasmine. Et le roi s'émerveilla du flacon, à la limite de l'émerveillement…

À ce moment de sa narration, Schahrazade vit apparaître le matin et, discrète, se tut.

Mais lorsque fut la neuf cent quarante-cinquième nuit. Elle dit :

… Et le roi s'émerveilla du flacon, à la limite de l'émerveillement, et dit à la dame des Arabes, Yasmine : « Peux-tu me dire, ô mon frère, où tu as acheté ce prodigieux flacon-là ? » Elle répondit : « Moi, je ne l'ai pas acheté avec de l'argent. » Il demanda : « Alors, avec quoi l'as-tu acheté ? » Elle dit : « Moi, j'ai vu ce flacon chez quelqu'un, et j'ai dit à ce quelqu'un : « Donne-moi ce flacon, et demande-moi ce que tu voudras ! » Et il me répondit : « Ce flacon n'est ni à vendre ni à acheter. Mais si tu veux que je te le donne, viens faire une fois avec moi le faire du coq avec la poule ! Et après je te donnerai ce flacon. » Et moi je lui ai fait ce qu'il voulait de moi. Et il m'a donné le flacon. »

Or Yasmine ne parlait ainsi que parce qu'elle avait une idée. Aussi, quand le roi eut entendu ses paroles, il lui dit : « C'est bien, et la chose est aisée. Car, moi aussi, si tu veux me donner le flacon, je consens à ce que tu me fasses la même chose deux fois au lieu d'une ! » Et la dame des Arabes dit : « Non, deux fois, ce n'est pas assez ! Qu'Allah ouvre la porte du gain ! » Il lui dit : « Alors viens, et fais-le-moi quatre fois, pour ce flacon-là ! » Elle lui dit : « Bien, lève-toi et entre dans cette chambre, pour cette affaire. » Et ils entrèrent, l'un derrière l'autre, dans la chambre.

Alors, la dame des Arabes, Yasmine, voyant que le roi se mettait pour de bon dans la posture de cette vente-là, se mit à rire tellement qu'elle se renversa sur son derrière. Puis elle lui dit : « Maschallah, ô roi du temps ! Tu es roi et sultan, et tu veux te faire enculer pour un flacon ! Comment alors, étant dans ces idées, as-tu pris sur toi de tuer le pêcheur qui m'avait dit : « Donne-moi un baiser, et prends le flacon » ?

En entendant ces paroles, le roi fut étourdi et stupéfait. Puis il reconnut la dame des Arabes, Yasmine, et se mit à rire, et lui dit : « Est-ce que c'est toi ? Et tout ça c'est par toi ? » Et il l'embrassa et se réconcilia avec elle. Et dès lors ils vécurent ensemble en pleine harmonie, contents et prospérant. Et louanges à Allah, Ordonnateur de l'harmonie, et Dispensateur de la prospérité et du bonheur !

Et le capitaine de police Nour Al-Dîn, ayant ainsi raconté l'histoire de la dame des Arabes, Yasmine, se tut. Et le sultan Baïbars se réjouit beaucoup et se dilata de l'avoir entendu, et lui dit : « Par Allah, cette histoire est extraordinaire ! » Alors un sixième capitaine de police, qui s'appelait Gamal Al-Dîn, s'avança entre les mains de Baïbars, et dit : « Moi, ô roi du temps, si tu me le permets, je te raconterai une histoire qui te plaira ! » Et Baïbars lui dit : « Certes tu as la permission. » Et le capitaine de police Gamal Al-Dîn, dit :

Une fois il y avait, ô roi du temps, un sultan qui avait une fille. Et cette princesse était belle, très belle, et était bien aimée et bien choyée et bien câlinée. Et, en outre, elle était fort coquette. C'est pourquoi elle s'appelait Dalal.

Or un jour elle était assise et se grattait la tête. Et elle trouva un petit pou sur sa tête. Et elle le regarda quelque temps. Puis elle se leva, et le prit dans ses doigts et alla au cellier des provisions où étaient rangées les grandes jarres d'huile, de beurre et de miel. Et elle ouvrit une grande jarre d'huile, y déposa délicatement le pou sur la surface, remit le couvercle de la jarre, la bouchant ainsi sur le pou, et s'en alla. Et les jours et les années s'écoulèrent. Et la princesse Dalal atteignit sa quinzième année, ayant, depuis longtemps, oublié le pou et son emprisonnement dans la jarre.

Mais un jour vint où le pou rompit la jarre par sa grosseur, et en sortit semblable, par la taille, les cornes et l'aspect, à un buffle du Nil. Et le gardien, préposé à la garde du cellier, s'enfuit terrifié, en appelant les domestiques à grands cris. Et on entoura le pou, on le prit aux cornes et on le conduisit devant le roi.

Et le roi demanda : « Qu'est-ce que c'est que ça ? » Et la princesse Dalal, qui était là debout, s'écria : « Yeh ! Mais c'est mon pou ! » Et le roi, stupéfait, lui demanda : « Que dis-tu, ma fille ? » Elle répondit : « Quand j'étais petite, je me grattai un jour la tête, et je rencontrai ce pou sur ma tête. Alors je le pris et allai le mettre dans la jarre d'huile. Et maintenant il est devenu gros et grand ; et il a brisé la jarre. »

Et le roi, ayant entendu cela, dit à sa fille : « Ma fille, à présent tu as besoin d'être mariée. Car le pou a cassé la jarre, et demain, toi aussi, tu risques de sauter de l'autre côté du mur et d'aller aux hommes. C'est pourquoi il vaut mieux à présent que je te marie. Qu'Allah nous protège des brisures ! » Puis il se tourna vers son vizir et lui dit : « Égorge le pou, et écorche-le et suspends sa peau à la porte du palais. Ensuite tu prendras avec toi mon porte-glaive et le cheikh des scribes du palais, chargé de l'écriture des contrats de mariage. Et on mariera avec ma fille Dalal celui qui reconnaîtra que la peau suspendue est une peau de pou. Mais celui qui ne reconnaîtra pas la peau, aura sa tête coupée et sa peau suspendue à la porte, à côté de celle du pou. » Et le vizir égorgea le pou, séance tenante, l'écorcha, et suspendit sa peau à la porte du palais. Puis il envoya un crieur, qui cria par la ville : « Celui qui reconnaîtra la peau suspendue à la porte du palais, épousera El Sett Dalal, la fille du roi. Mais celui qui ne la reconnaîtra pas, aura sa tête coupée. »

Et beaucoup d'habitants de la ville défilèrent devant la peau du pou. Et les uns dirent : « C'est la peau d'un buffle. » Et ils eurent la tête coupée. Et les autres dirent : « C'est la peau d'un bouquetin. » Et ils eurent la tête coupée. Et il y eut de la sorte quarante têtes coupées, et quarante peaux de fils d'Adam suspendues à côté de la peau du pou…

À ce moment de sa narration, Schahrazade vit apparaître le matin et, discrète, se tut.

Mais lorsque fut la neuf cent quarante-sixième nuit. Elle dit :

… Et quarante peaux de fils d'Adam suspendues à côté de la peau du pou. Alors un adolescent passa qui était beau comme l'étoile Canopée, quand elle brille sur la mer. Et il demanda aux gens : « Qu'est-ce que ce rassemblement devant le palais ? » Et on lui répondit : « Celui qui reconnaîtra cette peau épousera la fille du roi ! » Et l'adolescent alla auprès du vizir, du porte-glaive et du cheikh des scribes, qui étaient assis sous la peau, et leur dit : « Moi, je vous nommerai la peau ! » Et ils lui répondirent : « Bien. » Il leur dit : « C'est la peau d'un pou grandi dans l'huile. »

Et ils lui dirent : « C'est vrai ! Entre, ô brave, et fais le contrat de mariage chez le roi. » Et il entra auprès du roi, et lui dit : « C'est la peau d'un pou grandi dans l'huile. » Et le roi dit : « C'est vrai ! Qu'on écrive le contrat de mariage de ce brave sur ma fille Dalal ! »

Et on écrivit le contrat, à l'heure et à l'instant. Et on célébra les noces. Et l'adolescent canopéen pénétra dans la chambre nuptiale, et jouit de la vierge Dalal. Et Dalal fut contente dans les bras de l'adolescent qui était beau comme l'étoile Canopée, quand elle brille sur la mer. Et ils restèrent ensemble, dans le palais, quarante jours, au bout desquels l'adolescent entra chez le roi et lui dit : « Je suis le fils d'un roi et sultan, et je voudrais emmener mon épouse et partir, pour aller dans le royaume de mon père, et rester dans notre palais. » Et le roi, après avoir insisté pour le retenir encore quelque temps, finit par dire : « Bien. » Et il ajouta : « Demain, mon fils, nous allons faire sortir pour toi les cadeaux, les esclaves et les eunuques. » Et il répondit : « Pour quoi faire ? Nous en avons beaucoup, et je ne veux rien que mon épouse Dalal. » Et le roi lui dit : « Bien. Prends-la donc, et pars. Mais je te prie de prendre aussi sa mère avec elle, pour que sa mère sache où sa fille demeure, et aille la voir de temps en temps. » Il répondit : « Pourquoi allons-nous fatiguer inutilement sa mère, une femme d'âge ? Je m'engage plutôt à amener ici mon épouse, chaque mois, pour que vous la voyiez. » Et le roi dit : « Taïeb. » Et l'adolescent emmena son épouse Dalal et partit avec elle pour son pays.

Or cet adolescent si beau n'était pas autre chose qu'un ghoul d'entre les ghouls, et de la plus dangereuse espèce. Et il plaça Dalal dans sa maison, qui était située dans la solitude, au sommet d'une montagne. Puis il alla battre la campagne, couper les routes, faire avorter les femmes enceintes, faire peur aux vieilles femmes, terrifier les enfants, hurler dans le vent, aboyer aux portes, glapir dans la nuit, hanter les ruines anciennes, jeter des maléfices, grimacer dans les ténèbres, visiter les tombeaux, flairer les morts, et commettre mille attentats et provoquer mille calamités. Après quoi, il reprit sa forme d'adolescent, et rapporta dans sa main à son épouse Dalal une tête de fils d'Adam, en lui disant : « Prends, Dalal, cette tête-là, cuis-la au four, et dépèce-la, que nous la mangions ensemble. » Et elle lui répondit : « C'est la tête d'un homme ! Moi, je ne mange que du mouton. » Il dit : « Bien. » Et il alla lui chercher un mouton. Et elle le fit cuire et en mangea. Et ils continuèrent à vivre tout seuls dans cette solitude, Dalal livrée sans défense à cet ogre adolescent, et l'ogre se livrant à ses méfaits, pour revenir ensuite auprès d'elle avec des traces de meurtre, de viol, de carnage et d'assassinat.

Et, au bout de huit jours de ce régime-là, le ghoul adolescent sortit et se transforma, en prenant l'apparence et la figure de la mère de son épouse ; et il mit des vêtements de femme ; et il revint frapper à la porte. Et Dalal regarda par la fenêtre et demanda : « Qui frappe à la porte ? » Et le ghoul répondit avec la voix de la mère, et dit : « C'est moi ! ouvre, ma fille. » Et elle descendit en hâte et ouvrit la porte. Et elle était devenue, pendant les huit jours, maigre, pâle et languissante. Et le ghoul, sous la forme de la mère, lui dit, après les embrassades : « Ô ma fille chérie, je suis venue chez toi, malgré la défense. Car nous avons appris que ton mari était un ghoul, qui te faisait manger la chair des fils d'Adam. Ah ! Comment vas-tu, ma fille ? J'ai bien peur maintenant qu'il ne te mange à ton tour. Viens, et fuis avec moi ! » Mais Dalal, qui ne voulait pas parler contre son mari, répondit : « Tais-toi, ô ma mère ! Il n'y a ici ni ghoul ni odeur de ghoul ! Ne dis pas ces paroles, ô notre perte ! Mon époux est un fils de roi, beau comme l'étoile Canopée sur la mer. Et il me fait manger tous les jours un mouton gras. »

Alors le ghoul adolescent la quitta, le cœur réjoui par elle, parce qu'elle n'avait pas décelé son secret. Et il reprit sa belle forme première, et vint lui apporter un mouton, et lui dire : « Prends, fais-le cuire, Dalal ! » Elle lui dit : « Ma mère est venue ici. Ce n'est pas de ma faute. Et elle m'a dit de te saluer. » Il répondit : « Je regrette vraiment de ne m'être pas dépêché un peu, pour la rencontrer, cette dévouée épouse de mon oncle ! » Puis il lui dit : « Est-ce que tu aimerais aussi voir ta tante, sœur de ta mère ? » Elle répondit : « Oh ! oui ! » Il lui dit : « Bien. Demain je te l'enverrai. »

Or le lendemain, lorsque le jour parut, le ghoul sortit, se transforma en tante de Dalal, et alla frapper à la porte. Et Dalal demanda de la fenêtre : « Qui est là ? » Il lui dit : « Ouvre, c'est moi, ta tante ! Mes pensées travaillent à ton sujet, et je viens te voir. » Et elle descendit et lui ouvrit la porte. Et le ghoul, déguisé en tante, baisa Dalal sur les joues, pleura à longues et nombreuses larmes, et dit : « Ah ! ô fille de ma sœur, ah ! ô douleurs et calamités ! » Et Dalal demanda : « Pourquoi ? quand est-ce ? comment ? » Elle dit : « Aïe ! aïe ! aïe ! » Elle dit : « Où ça, ma tante, que tu as mal ? » Elle dit : « Non, ô fille de ma sœur, je souffre pour toi ! Nous avons appris que celui que tu as épousé est un ghoul ! » Mais Dalal répondit : « Tais-toi, ne dis pas ces paroles-là, ma tante ! Mon époux est le fils d'un roi et sultan, comme je suis la fille d'un roi et sultan. Ses trésors sont plus grands que les trésors de mon père. Et il est semblable, pour la beauté, à l'étoile Canopée quand elle brille sur la mer…

À ce moment de sa narration, Schahrazade vit apparaître le matin et, discrète, se tut.

Mais lorsque fut la neuf cent quarante-septième nuit. Elle dit :

… Et il est semblable, pour la beauté, à l'étoile Canopée quand elle brille sur la mer. » Puis elle la fit déjeuner d'une tête de mouton, pour bien lui montrer qu'on mangeait chez son époux du mouton et non point du fils d'Adam. Et le ghoul s'en alla, après déjeuner, content et ravi. Et il ne manqua pas de revenir sous sa forme d'adolescent, avec un mouton pour Dalal, et avec une tête de fils d'Adam, fraîchement coupée, pour lui-même. Et Dalal lui dit : « Ma tante est venue me visiter, et te salue. » Il dit : « Louanges à Allah ! tes parents sont bien aimables de ne pas m'oublier. Est-ce que tu aimes beaucoup ton autre tante, la sœur de ton père ? » Elle dit : « Oh, oui ! » Il dit : « Bien. Je te l'enverrai demain, et puis après, tu ne verras plus personne de tes parents, parce que j'ai peur de leur langue ! »

Et, le lendemain, il se présenta à Dalal sous la forme de sa tante, sœur de son père. Et, après les salams et les baisers de part et d'autre, la tante pleura abondamment et sanglota et dit : « Quel malheur et quelle désolation sur notre tête et sur la tienne, ô fille de mon frère ! Nous avons appris que celui que tu as épousé est un ghoul. Dis-moi la vérité, ma fille, par les mérites de notre seigneur Môhammad – sur Lui la prière et la paix ! » Alors Dalal ne put retenir plus longtemps le secret qui l'étouffait, et dit à voix basse, en tremblant : « Tais-toi, ma tante ! tais-toi, ou il va venir faire rentrer notre longueur dans notre largeur ! Imagine-toi qu'il m'apporte des têtes d'Adamites ; et, comme je les refuse, il les mange tout seul. Ah ! je crains fort qu'il ne me mange bientôt ! »

Or, dès que Dalal eut prononcé ces paroles, la tante prit sa vraie forme, devint un ghoul d'aspect effroyable, qui se mit à grincer des dents. Et Dalal, à sa vue, fut prise de terreur jaune et de tremblement. Et il lui dit, sans se fâcher : « Ainsi donc, tu décèles comme ça, tout de suite, mon secret, Dalal ? » Et elle se jeta à ses pieds, et lui dit : « Je me mets sous ta protection, pardonne-moi cette fois ! » Il lui dit : « Et toi, m'as-tu épargné devant ta tante ? Et m'as-tu laissé de l'honneur ? Non ! je ne puis t'épargner. Par où faut-il que je commence, pour te manger ! » Elle lui répondit : « Puisqu'il faut absolument que tu me manges, c'est que c'est dans ma destinée. Mais, aujourd'hui, je suis sale ; et le goût de ma chair sera mauvais dans ta bouche. Il vaut donc mieux que tu me conduises d'abord au hammam pour que je me lave à ton intention. Et quand je sortirai du bain, je serai blanche et douce. Et la saveur de ma chair sera délicieuse dans ta bouche. Et tu pourras alors me manger, en commençant par où tu voudras. » Et le ghoul répondit : « Ça, c'est vrai, ô Dalal ! »

Et, à l'heure et à l'instant, il lui présenta une grande cuvette de bain, et des linges de hammam. Puis il alla chercher un ghoul de ses amis qu'il changea en baudet blanc, et lui-même se transforma en conducteur d'âne. Et il mit Dalal sur le baudet, et sortit avec elle dans la direction du hammam du premier village, en portant la cuvette de bain sur sa tête.

Et, en arrivant au hammam, il dit à la femme gardienne : « Voici pour toi, comme cadeau, trois dinars d'or, afin que tu fasses prendre un bon bain à cette dame, fille de roi. Et tu me la rendras comme je te l'ai confiée. » Et il remit Dalal à la portière, et sortit et s'assit dehors, devant la porte du hammam.

Et Dalal entra dans la première salle du hammam, qui était la salle d'attente, et s'assit sur le banc de marbre, toute seule et triste, à côté de sa cuvette d'or et de son paquet de vêtements précieux, pendant que toutes les jeunes filles entraient au bain, et se baignaient et se faisaient masser, et sortaient joyeuses en badinant entre elles. Et Dalal, loin d'être contente comme les autres, pleurait en silence dans son coin. Et les jeunes filles vinrent à elle, à la fin, et lui dirent, chacune : « Qu'as-tu, ma sœur, et pourquoi pleures-tu ? Lève-toi plutôt, déshabille-toi et prends un bain avec nous. » Mais elle leur répondit, après les remerciements : « Est-ce que le bain peut laver les soucis ? Est-ce qu'il peut guérir les chagrins sans remède ? » Et elle ajouta : « Il est toujours temps de descendre au bain. »

Sur ces entrefaites, une vieille vendeuse de lupins et d'arachides grillées entra au hammam, portant sur sa tête sa jatte de lupins et d'arachides grillées. Et les jeunes filles lui en achetèrent, qui pour un piastre, qui pour une demi-piastre, qui pour deux piastres. Et, à la fin, voulant également se distraire un peu en mangeant des arachides et des lupins, l'attristée Dalal appela la vieille vendeuse, et lui dit : « Viens, ô ma tante, donne-moi des lupins seulement pour une piastre courante. » Et la vendeuse s'approcha et s'assit et remplit de lupins la mesure de corne, pour une piastre. Et Dalal, au lieu de lui donner une piastre, lui mit dans la main son collier de perles, en lui disant : « Ma tante, prends cela pour tes enfants. » Et, comme la vendeuse se confondait en remerciements et baisemains, Dalal lui dit :

« Voudrais-tu me donner ta jatte de lupins et les vêtements déchirés que tu portes, et prendre de moi, en échange, cette cuvette de bain en or, mes bijoux, mes habits et ce paquet de vêtements précieux ? » Et la vieille vendeuse, ne pouvant croire à tant de générosité, répondit : « Pourquoi, ma fille, te moques-tu de moi qui suis pauvre ? » Et Dalal lui dit : « Mes paroles avec toi sont sincères, ma vieille mère ! » Alors la vieille ôta ses vêtements et les lui donna. Et Dalal s'en vêtit en hâte, mit la jatte de lupins sur sa tête, s'enveloppa du voile bleu en loques, se noircit les mains avec la boue du pavé du hammam, et sortit par la porte où était assis son époux le ghoul. Et, occupée tout entière par une épouvante énorme, elle passa devant lui, en criant d'une voix chevrotante : « Lupins rôtis qui distraient ! Arachides grillées qui amusent ! » comme font les vendeuses de profession.

Or, lorsqu'elle se fut éloignée, le ghoul, qui ne l'avait pas reconnue, sentit son odeur, avec son odorat de ghoul, et se dit : « Comment est-il possible que l'odeur de Dalal soit sur cette vieille vendeuse de lupins ? Par Allah, je vais voir ce que peut bien être l'affaire ! » Et il cria : « Hé ! la vendeuse de lupins ! hé ! les arachides ! » Mais comme la vendeuse ne tournait pas la tête, il se dit : « Il vaut mieux que j'aille voir au hammam ! » Et il alla demander à la gardienne : « Pourquoi la dame que je t'ai confiée tarde-t-elle à sortir ? » Elle répondit : « Tout à l'heure elle sortira avec les autres dames, qui ne s'en vont que vers le soir, occupées qu'elles sont à s'épiler, à se teindre les doigts au henné, à se parfumer et à se natter les cheveux. »

Et le ghoul se rassura, et alla de nouveau s'asseoir devant la porte. Et il attendit là jusqu'à ce que toutes les dames fussent sorties du hammam. Et la gardienne de la porte sortit la dernière, et ferma le hammam. Et le ghoul lui dit : « Hé ! que fais-tu là ! Et la dame que je t'ai confiée, vas-tu donc l'enfermer ? » Elle dit : « Il n'y a plus personne au hammam, si ce n'est la vieille vendeuse de lupins, que nous laissons tous les soirs dormir dans le hammam, à cause qu'elle n'a pas de gîte. » Et le ghoul prit la gardienne au cou, et la bouscula et faillit l'étrangler. Et il lui cria : « Ô entremetteuse, c'est toi qui es responsable de la dame ! Et c'est à toi que je la demanderai ! » Elle répliqua : « Moi, je suis gardienne de vêtements et de babouches, je ne suis pas gardienne de femmes. » Et comme il lui serrait plus fort le cou, elle se mit à crier : « Ô musulmans, à mon secours ! » Et l'ogre se mit à la battre, alors que de tous côtés accouraient les hommes du quartier. Et il criait : « Fût-elle sur la septième planète, il faut que tu me la rendes, ô propriété des vieilles putains ! » Et voilà pour la vieille gardienne du hammam, et pour la vieille vendeuse de lupins ! »

Mais pour ce qui est de Dalal, voici ! Une fois qu'elle fut sortie du hammam, et qu'elle eut réussi à tromper la vigilance du ghoul, elle continua à marcher pour retourner dans son pays. Et lorsqu'elle se fut éloignée de la ville d'une assez grande distance, elle trouva un cours d'eau où elle se lava les mains, le visage et les pieds, et se dirigea vers une demeure qui s'élevait tout près de là, et qui était le palais d'un roi.

Et elle s'assit près du mur du palais. Et la négresse esclave, étant descendue pour une affaire, la vit et monta dire à sa maîtresse : « Ô ma maîtresse, n'étaient la peur et la terreur que j'ai de toi, je dirais, sans crainte de mentir, qu'il y a en bas une femme plus belle que toi. » Elle répondit : « Bien. Va lui dire de monter ici ! » Et la négresse descendit et lui dit : « Viens parler à ma maîtresse, qui te demande. » Mais Dalal répondit : « Est-ce que, par hasard, ma mère est une esclave noire, ou mon père un nègre, que je monte avec les esclaves ? » Et la négresse monta rapporter à sa maîtresse ce que lui avait dit Dalal. Alors elle envoya une esclave blanche, en disant : « Va, toi, appeler cette femme qui est en bas. » Et l'esclave blanche descendit et dit à Dalal : « Viens, ô dame, parler en haut à ma maîtresse. » Mais Dalal lui répondit : « Je ne suis pas une esclave blanche, et je ne suis point fille d'esclaves, pour monter avec une esclave blanche. » Et elle s'en alla raconter à sa maîtresse ce que Dalal lui avait dit. Alors la dame appela son fils, le fils du roi, et lui dit : « Descends alors, toi, et amène la dame qui est en bas. »

Et le jeune prince qui était, pour la beauté, semblable à l'étoile Canopée quand elle brille sur la mer descendit vers l'adolescente, et lui dit : « Ô dame, aie la bonté de monter au harem chez la reine, ma mère. » Et Dalal, cette fois, répondit : « Je monterai avec toi, parce que tu es le fils d'un roi et sultan, comme je suis la fille d'un roi et sultan. » Et elle monta les escaliers devant lui.

Or, aussitôt que le jeune prince vit Dalal monter les escaliers, dans sa beauté, l'amour pour elle descendit en son cœur…

À ce moment de sa narration, Schahrazade vit apparaître le matin et, discrète, se tut.

Mais lorsque fut la neuf cent quarante-huitième nuit. Elle dit :

… Or, aussitôt que le jeune prince vit Dalal monter les escaliers, dans sa beauté, l'amour pour elle descendit dans son cœur. Et, de son côté, Dalal fut sensible en son âme à la beauté de l'adolescent princier. Et, à son tour, la dame, épouse du roi, lorsqu'elle eut vu Dalal, se dit à elle-même : « Les paroles de l'esclave sont justes. Elle est, en effet, plus belle que moi. »

Aussi, après les salams et compliments, le fils du roi dit à sa mère : « Je voudrais épouser celle-ci, parce qu'il est clair qu'elle est une princesse du sang des rois. » Et la mère lui dit : « C'est ton affaire, mon fils. Tu dois savoir ce que tu fais. » Et le jeune prince appela le kâdi et, à l'heure et à l'instant, il fit écrire le contrat de mariage et célébrer ses noces avec Dalal. Et il entra dans la chambre nuptiale. Mais, qu'arriva-t-il au ghoul, pendant ce temps-là ? Voici.

Le jour même de la célébration des noces, un homme qui conduisait un mouton blanc vint dire au roi, père du prince : « Ô mon seigneur, je suis un de tes fermiers, et je t'apporte en cadeau, à l'occasion des noces, ce gros mouton blanc que nous avons engraissé. Mais il faut attacher ce mouton à la porte du harem, parce qu'il est né et a été élevé au milieu des femmes, et que, si tu le laisses en bas, il bêlera toute la nuit et ne laissera dormir personne. » Et le roi dit : « Bien, il est accepté. » Et il donna une robe d'honneur au fermier, qui s'en alla en sa voie. Et il remit le mouton blanc à l'agha du harem, en lui disant : « Monte attacher ce mouton-ci à la porte du harem, parce qu'il n'est content qu'au milieu des femmes ! »

Or, lorsque vint la nuit de la pénétration, et que le fils du roi fut entré dans la chambre nuptiale et que, après avoir fait ce qu'il avait à faire, il se fut endormi aux côtés de Dalal, le mouton blanc brisa sa corde et entra dans la chambre. Et il enleva Dalal et sortit avec elle dans la cour. Et il lui dit, sans se fâcher : « Dis-moi, Dalal, m'as-tu encore laissé de l'honneur ? » Elle lui dit : « Sous ta protection ! Ne me mange pas ! » Il lui dit : « Cette fois-ci, il n'y a pas ! » Alors elle dit : « Attends, avant de me manger, que je sois entrée dans les cabinets de la cour, pour un besoin. » Et le ghoul dit : « Bien. » Et il la conduisit aux cabinets, et resta là à garder la porte, en attendant qu'elle eût fini.

Or, dès que Dalal fut à l'intérieur des cabinets, elle leva ses deux mains, et dit : « Ô Notre Dame Zeinab, fille de notre Prophète béni, ô toi qui sauves du malheur, viens à mon secours ! » Et la sainte lui délégua aussitôt une de ses suivantes, d'entre les filles des genn, qui fendit le mur, et dit à Dalal : « Que souhaites-tu, Dalal ? » Elle répondit : « Le ghoul est dehors, qui va me manger dès que je serai sortie. » Elle dit : « Si je te sauve de lui, me laisseras-tu t'embrasser une fois ? » Elle dit : « Oui. » Alors la gennia de Sett Zeinab fendit le mur du côté de la cour, et fondit brusquement sur le ghoul, et lui appliqua un coup de pied sur ses testicules. Et il tomba raide mort.

Alors la gennia rentra aux cabinets et prit Dalal par la main et lui montra le mouton blanc étendu par terre sans vie. Puis elles le traînèrent hors de la cour, et le jetèrent dans le fossé. Et voilà pour lui, tout à fait ! Et la gennia embrassa Dalal une fois sur la joue, et lui dit : « Maintenant, ô Dalal, je veux te demander un service. » Elle répondit : « À tes ordres, ma chérie. » Elle dit : « Je désire que tu viennes avec moi, pour une heure seulement, à la mer d'Émeraude ! » Elle répondit : « Bien. Mais pour quoi faire ? » Et la gennia répondit : « Mon fils est malade, et notre médecin a dit qu'il ne guérira qu'en buvant une écuelle d'eau de la mer d'Émeraude. Or, personne ne peut remplir une écuelle de l'eau de la mer d'Émeraude, excepté une fille des hommes. Et, moi, je profite de ma venue auprès de toi pour te demander ce service-là. » Et Dalal répondit : « Sur ma tête et mon œil, pourvu que je sois de retour ici avant le lever de mon époux. » Elle dit : « Évidemment. » Et elle la fit monter sur ses épaules et la porta sur le rivage de la mer d'Émeraude. Et elle lui donna une écuelle d'or. Et Dalal remplit l'écuelle à cette eau merveilleuse. Mais, en la retirant, une vague lui trempa la main, qui, tout de suite, devint verte comme le trèfle. Après quoi, la gennia fit remonter Dalal sur ses épaules, et la rapporta dans la chambre nuptiale, à côté de l'adolescent. Et voilà pour la suivante de sett Zeinab – sur elle la prière et la paix !

Or cette mer d'Émeraude a un peseur qui vient la peser chaque matin, pour voir si quelqu'un en a volé ou non. Et il en est responsable. Et, ce matin-là, il la pesa et la mesura, et la trouva diminuée d'une écuelle, exactement. Et il se demanda : « Qui donc est l'auteur de ce vol ? Je vais courir à sa recherche, en voyageant, jusqu'à ce que je le découvre. Car, s'il a à sa main une marque de la mer d'Émeraude, je le conduirai à notre sultan, qui saura ce qu'il a à faire de lui. »

Là-dessus, il prit des bracelets en verre et des bagues, et les mit sur un plateau qu'il porta sur sa tête. Et il se mit à voyager, par toute la terre, sous les fenêtres des palais des rois, en criant : « Les bracelets de verre, ô princesses ! Les bagues d'émeraude, ô jeunes filles ! »

Et il parcourut ainsi les pays, sans trouver la propriétaire de la main verte, jusqu'à ce qu'il arrivât sous les fenêtres du palais où se trouvait Dalal. Et là il recommença à crier : « Les bracelets de verre, ô princesses ! Les bagues d'émeraude, ô jeunes filles ! » Et Dalal, qui était à sa fenêtre, vit sur le plateau les bracelets et les bagues qui lui plurent. Et elle dit au vendeur : « Ô vendeur, attends que je descende en essayer à ma main. » Et elle descendit auprès du marchand, qui était le peseur de la mer d'Émeraude, et étendit sa main gauche, en disant : « Essaie-moi des bagues et des bracelets, parmi ce que tu as de plus beau. » Mais le vendeur se récria, disant : « N'est-ce point une honte sur toi, ô dame, de me tendre la main gauche ? Je n'essaie pas sur les mains gauches. » Et Dalal, fort embarrassée de lui montrer sa main droite, qui était verte comme le trèfle, lui dit : « Ma main droite me fait mal. » Il lui dit : « Qu'est-ce que ça fait ? Moi, je ne veux que la voir avec mes yeux, et j'en connaîtrai la mesure. » Et Dalal lui montra sa main.

Or dès que le peseur de la mer d'Émeraude eut vu la main de Dalal, qui avait la marque verte, il sut que c'était elle qui avait pris l'écuelle d'eau. Et il l'enleva soudain dans ses bras, et la transporta chez le sultan de la mer d'Émeraude. Et il la lui remit, en disant : « Elle a dérobé une écuelle de ton eau, ô roi de la mer. Et tu sais ce que tu as à faire avec elle. »

Et le sultan de la mer d'Émeraude regarda Dalal avec courroux. Mais, dès que ses yeux furent tombés sur elle, il fut ému de sa beauté, et lui dit : « Ô jeune fille, je veux faire mon contrat de mariage sur toi. » Elle lui dit : « Quel dommage ! Mais je suis déjà mariée, par un contrat licite, avec un adolescent semblable, pour la beauté, à l'étoile Canopée quand elle brille sur la mer. » Alors il lui dit : « Et n'as-tu pas une sœur qui te ressemble, ou une fille, ou même un fils ? » Elle dit : « J'ai une fille qui est nubile d'aujourd'hui, ayant dix ans, et qui ressemble, pour la beauté, à son père. » Il dit : « Bien. » Et il appela le peseur de la mer d'Émeraude et lui dit : « Ramène ta maîtresse à la place où tu l'as prise. » Et le peseur la prit sur ses épaules. Et le sultan de la mer d'Émeraude partit avec eux, en tenant Dalal par la main.

Et ils entrèrent dans le palais du roi, et le sultan suivit Dalal chez son époux, et lui dit, après la présentation : « Je demande l'alliance avec toi, par ta fille. » Il lui dit : « Bien, fixe la dot que tu me donneras pour elle. » Et le sultan de la mer d'Émeraude dit : « La dot que je te donnerai pour elle sera quarante chameaux chargés d'émeraudes et d'hyacinthes. » Et l'accord fut établi. Et on célébra les noces du sultan de la mer d'Émeraude avec la fille de Dalal et du prince canopéen. Et ils vécurent tous ensemble, en pleine harmonie. Et la louange à Allah, en toute circonstance !

Lorsque le capitaine de police Gamal Al-Dîn eut raconté cette histoire, le sultan Baïbars, sans lui donner le temps de regagner sa place, lui dit : « Par Allah, ya Gamal Al-Dîn, c'est là la plus belle histoire que j'aie jamais entendue ! » Et il répondit : « Elle l'est devenue, maintenant qu'elle est agréée par notre maître ! » Et il rentra dans le rang. Alors s'avança un septième, qui s'appelait le capitaine Fakhr Al-Dîn ; et il embrassa la terre entre les mains du sultan Baïbars, et dit : « Moi, ô notre émir et notre roi, je te dirai une aventure qui m'est arrivée à moi-même, et qui n'a d'autre mérite que d'être courte ! La voici :

Un jour d'entre les jours, dans la localité où je me trouvais, un voleur d'entre les Arabes vint pendant la nuit à la maison d'un fermier, pour voler un sac de blé. Mais les gens de la ferme entendirent du bruit, et m'appelèrent à grands cris, en disant : « Au voleur ! » Mais notre homme réussit à se cacher si bien que, malgré toutes nos recherches, nous ne pûmes arriver à le découvrir. Et, comme je reprenais le chemin de la porte pour m'en aller, je passai à côté d'un gros tas de blé qui était dans la cour. Et sur le sommet de ce tas de blé, il y avait un bassin de cuivre qui servait de mesure. Et soudain j'entendis un pet épouvantable qui se produisait dans le tas de blé. Et je vis, au même moment, le bassin de cuivre projeté en l'air à cinq pieds de hauteur. Alors moi, malgré ma stupéfaction, je fouillai vivement le tas de blé, et j'y découvris l'Arabe, qui était caché là-dedans, le derrière tourné en haut. Et, l'ayant attrapé et ligoté, je l'interrogeai sur l'étrange bruit qui m'avait décelé sa présence. Et il me répondit : « C'est voulu de ma part, ô mon seigneur ! » Et je lui répondis : « Qu'Allah te maudisse ! Et éloigné soit le Malin ! Pourquoi péter ainsi contre ton intérêt ? » Et il me répondit : « C'est vrai, ya sidi, j'ai agi contre mon intérêt, c'est évident. Mais c'est précisément dans ton intérêt que je l'ai fait. » Et je lui demandai : « Comment ça, ô fils de chien ; et depuis quand un pet, fût-il de cette qualité-là, a-t-il servi à l'intérêt de quelqu'un sur la terre ? » Et il répondit : « Ne m'injurie pas, ô capitaine ! Moi je n'ai pété que pour t'épargner la peine de recherches plus longues, et la fatigue de courir inutilement la ville et les champs à mes trousses. Je te prie donc de me rendre le bien pour le bien, puisque tu es un fils de gens de bien ! » Alors moi, ô mon seigneur le sultan, je ne pus résister à un tel argument. Et je le relâchai généreusement. Et telle est mon histoire ! »

Et, ayant entendu ce récit du capitaine Fakhr Al-Dîn, le sultan Baïbars lui dit : « Hé ouallah ! ton indulgence était bien placée ! » Puis, comme Fakhr Al-Dîn était déjà rentré à sa place, un huitième s'avança, qui s'appelait Nizam Al-Dîn. Et il dit : « Moi, ce que je vais raconter n'a rien à voir, de près ou de loin, avec ce que tu viens d'entendre, ô notre maître le sultan ! » Et Baïbars lui demanda : « Est-ce une chose vue ou une chose entendue ? » Il dit : « Non, par Allah, ô mon seigneur, c'est une chose que j'ai seulement entendue. La voici ! » Et il dit :

Il y avait une fois un joueur de clarinette ambulant. Et il était marié avec une femme. Et elle devint enceinte de ses œuvres et accoucha, avec l'aide d'Allah, d'un garçon. Mais le joueur de clarinette n'avait aucune pièce d'argent chez lui, soit pour payer la sage-femme, soit pour acheter quelque chose à son épouse, l'accouchée. Et, ne sachant plus que faire, et son embarras étant devenu sans issue, il s'en alla fâché, en disant à sa femme : « Je vais aller sur la route d'Allah mendier deux piécettes de cuivre aux gens pitoyables ; et j'en donnerai une en acompte, à la sage-femme, et la seconde, en acompte, aussi, au marchand de poulets, pour t'acheter un poulet dont te nourrir en ce jour de tes couches. »

Et il sortit donc de sa maison. Et, comme il traversait un champ, il trouva une poule assise sur un tertre. Et il s'approcha doucement de la poule, et la saisit avant qu'elle eût le temps de s'échapper. Et il découvrit sous elle un œuf fraîchement pondu. Et il le mit dans sa poche, en disant : « La bénédiction est descendue aujourd'hui. C'est juste ce qu'il me faut ; et je n'ai plus besoin d'aller mendier. Car je vais donner cette poule à la fille de l'oncle, après l'avoir cuite à son intention, en ce jour de sa délivrance ; et je vendrai l'œuf pour une piécette de cuivre que je donnerai en acompte à la sage-femme. » Et il alla au souk des œufs, dans cette intention.

Or, en passant par le souk des orfèvres et bijoutiers, il rencontra un juif de ses connaissances, qui lui demanda : « Que portes-tu là ? » Il répondit : « C'est une poule avec son œuf ! » Il lui dit : « Fais voir ! » Et le joueur de clarinette montra au juif la poule et l'œuf. Et le juif lui demanda : « Veux-tu vendre cet œuf ? » Il répondit : « Oui ! » Il dit : « Pour combien ? » Il répondit : « Toi, parle le premier ! » Le juif dit : « Je te l'achète pour dix dinars d'or ! Il ne vaut pas davantage ! » Et le pauvre dit, croyant que le juif se moquait de lui : « Tu te moques de moi parce que je suis pauvre ; tu sais bien que ce n'est pas son prix. » Et le juif crut qu'il en demandait davantage, et lui dit : « Je t'en offre comme dernier prix, quinze dinars ! » Il répondit : « Qu'Allah ouvre ! » Alors le juif dit : « Voici vingt dinars d'or neuf. C'est à prendre ou à laisser. » Alors le joueur de clarinette, voyant que l'offre était sérieuse, remit l'œuf au juif, contre les vingt dinars d'or, et se hâta de lui tourner le dos. Mais le juif courut derrière lui, et lui demanda : « As-tu beaucoup de ces œufs-là, chez toi ? » Il répondit : « Je t'en apporterai un demain, lorsque la poule aura pondu, et ce sera au même prix. Mais, si c'était un autre que toi, je ne le lui vendrais pas pour moins de trente dinars d'or ! » Et le juif lui dit : « Montre-moi ta maison ; et tous les jours je viendrai prendre l'œuf, sans que tu te fatigues ; et je te donnerai les vingt dinars. » Et le joueur de clarinette lui montra sa maison, et se hâta ensuite d'aller acheter une autre poule que cette pondeuse-là, et alla la faire cuire pour son épouse. Et il paya largement la sage-femme pour ses peines. Et, le lendemain, il dit à son épouse : « Ô fille de l'oncle, garde-toi d'égorger la poule noire qui vit dans la cuisine. Elle est la bénédiction de la demeure. Elle nous pond des œufs qui valent chacun, au tarif courant, vingt dinars d'or…

À ce moment de sa narration, Schahrazade vit apparaître le matin et, discrète, se tut.

Mais lorsque fut la neuf cent quarante-neuvième nuit. Elle dit :

… Elle nous pond des œufs qui valent chacun, au tarif courant, vingt dinars d'or. Et c'est le juif un tel qui nous les achète à ce prix-là ! »

Et, de fait, le juif se mit à venir chaque jour prendre l'œuf fraîchement pondu, en le leur payant, au comptant, vingt dinars d'or. Et le joueur de clarinette ne tarda pas à parvenir à une grande aisance, et à ouvrir une belle boutique de marchand dans le souk.

Et quand son fils, qui était né le jour de l'entrée de la poule, fut devenu assez grand pour pouvoir aller à l'école, l'ancien joueur de clarinette fit bâtir à ses frais une belle école, et y rassembla les enfants pauvres pour qu'ils y apprissent à lire et à écrire avec son propre fils. Et il choisit pour eux tous un excellent maître d'école, qui savait le Koran par cœur, et qui pouvait le leur réciter, même en commençant par le dernier mot pour arriver au premier. Après quoi il résolut d'aller en pèlerinage au Hedjaz, et dit à son épouse : « Prends bien garde que le juif ne se moque de toi et ne te prenne la poule ! » Puis il partit avec la caravane de La Mecque.

Or quelque temps après le départ de l'ancien joueur de clarinette le juif dit un jour à la femme : « Je vais te donner une malle pleine d'or. Me donneras-tu la poule en échange ? » Elle répondit : « Comment le pourrais-je, ô homme ? mon époux, avant de partir, m'a bien recommandé de ne te céder que les œufs. » Il dit : « S'il se fâche, tu es hors de cause. J'en assume la responsabilité, et il peut s'en prendre à moi, qui suis dans une boutique au milieu du souk. » Et il lui ouvrit la malle, et lui montra l'or qu'elle contenait. Et la femme se réjouit d'avoir tant d'or à la fois, et remit la poule au juif. Et il la prit, et l'égorgea séance tenante, et dit à la femme : « Nettoie-la et fais-la cuire ; je viendrai la prendre. Mais si un morceau en manque, j'ouvrirai le ventre de celui qui l'a mangé, pour l'en retirer. » Et il s'en alla.

Or, à l'heure de midi, le fils du joueur de clarinette rentra de l'école. Et il vit que sa mère retirait la poule de la casserole et la mettait sur un plat de porcelaine et la couvrait d'un foulard de mousseline. Et son âme d'écolier souhaita vivement manger un morceau de cette belle poule-là. Et il dit à sa mère : « Donne-m'en un morceau, ma mère. » Elle lui dit : « Tais-toi donc ! est-ce qu'elle nous appartient ? »

Puis, comme elle s'était absentée un moment pour un besoin, le garçon découvrit le foulard de mousseline et, d'un seul coup de dents, trancha le cul de la poule et l'avala tout chaud. Et une des esclaves le vit, et lui dit : « Ô mon maître, quel malheur et quelle calamité sans remède ! Fuis de la maison, parce que le juif, qui va venir prendre sa poule, t'ouvrira le ventre pour en retirer le cul que tu as avalé ! » Et le garçon dit : « C'est vrai, il vaut mieux m'en aller que de perdre ce bon cul-là ! » Et il monta sur sa mule et partit.

Or, le juif ne tarda pas à venir pour prendre sa poule. Et il vit que le cul manquait. Et il dit à la mère : « Où est le cul ? » Elle répondit : « Pendant que j'étais sortie pour un besoin, mon fils a tranché le cul avec ses dents, à mon insu, et l'a avalé. » Et le juif s'écria : « Malheur à toi ! J'ai donné tout mon argent pour ce cul-là. Où est-il ton fils, le garnement, pour que je lui ouvre le ventre et l'en retire ? » Elle répondit : « Il s'est enfui, dans sa terreur ! »

Et le juif sortit en toute hâte, et se mit à voyager, à travers les villes et les villages, en donnant le signalement du garçon, jusqu'à ce qu'il l'eût rencontré dans les champs, endormi. Et il s'approcha doucement de lui pour le tuer, quand le garçon, qui ne dormait que d'un œil, se réveilla en sursaut. Et le juif lui cria : « Viens ici, ô fils de la clarinette. Qui t'a dit de manger le cul ? Moi j'ai donné pour lui une caisse remplie d'or, et j'ai posé des conditions à ta mère. Et maintenant les conditions vont marcher, par ta mort ! » Et le garçon, sans s'émouvoir, lui répondit : « Va-t'en, ô juif ! N'as-tu pas honte de faire tout ce voyage pour un cul de poule ? Et n'est-ce pas une honte encore plus grande de vouloir m'ouvrir le ventre à cause de ce cul-là ? » Mais le juif répondit : « Moi je sais ce que j'ai à faire. » Et il tira son couteau de sa ceinture pour ouvrir le ventre du garçon. Mais le garçon saisit le juif d'une seule main, et le souleva et le frappa contre le sol, où il broya ses os et fit entrer sa longueur dans sa largeur. Et le juif – qu'il soit maudit ! – mourut à son heure.

Or, le jeune garçon devait bientôt éprouver les effets, sur sa personne, de ce cul de poule. En effet, il revint sur ses pas, pour retourner chez sa mère ; mais il se perdit en route et arriva dans une ville où il vit un palais de roi à la porte duquel quarante têtes moins une étaient suspendues. Et il demanda aux gens : « Pourquoi ces têtes-là sont-elles suspendues ? » On lui répondit : « Le roi a une fille très forte à la lutte sur le terrain. Celui qui entrera et la vaincra, l'épousera ; mais celui qui ne la vaincra pas, aura la tête tranchée. »

Alors le jeune garçon entra sans hésiter chez le roi, et lui dit : « Je veux descendre sur le terrain avec ta fille, pour mesurer ma force avec la sienne. » Et le roi lui répondit : « Ô mon garçon, crois-moi, va-t'en ! Que d'hommes plus forts que toi sont venus qui ont été vaincus par ma fille ! C'est dommage de te tuer. » Sur ce, il répondit : « Je veux qu'elle me vainque, qu'on me coupe la tête, et qu'on la suspende à la porte. » Et le roi dit : « Bien, écris en ce sens, et appose ton cachet sur le papier. » Et le garçon écrivit et cacheta.

Là-dessus, on étendit un tapis dans la cour intérieure, et la jeune fille et le garçon descendirent sur le terrain, et se prirent l'un l'autre par le milieu du corps, et mirent leurs aisselles l'une dans l'autre. Et ils luttèrent ensemble merveilleusement. Et tantôt le garçon la prenait et la renversait par terre ; et tantôt elle se levait, comme un serpent, et le renversait à son tour. Il continua à la renverser, et elle à le renverser, pendant deux heures de lutte, sans qu'aucun d'eux pût faire toucher l'épaule à l'adversaire. Alors le roi devint fâché, en voyant que sa fille, cette fois, ne se distinguait pas davantage. Et il dit : « C'est assez pour aujourd'hui. Mais demain vous descendrez encore une fois sur le terrain, pour la lutte. »

Puis le roi les sépara et rentra dans ses appartements, et appela les médecins du palais et leur dit : « Cette nuit vous ferez respirer du bang narcotique, pendant son sommeil, au garçon qui a lutté avec ma fille ; et, quand le narcotique aura produit son effet, vous examinerez son corps pour voir s'il porte sur lui un talisman qui le rend aussi résistant. Car, en vérité, de tous les preux chevaliers du monde, ma fille a vaincu les plus forts, et a fait mordre la terre à quarante moins un d'entre eux. Comment donc n'a-t-elle pu terrasser un jouvenceau tel que celui-ci ? Il faut donc qu'il y ait une cause cachée, et c'est cette cause qu'il vous faut découvrir. Sans quoi, votre science sera en défaut, et votre assistance se montrera à moi sans vertu, et je vous chasserai de mon palais et de ma ville ! »

Aussi, lorsque la nuit fut venue et que le garçon fut endormi, les médecins allèrent lui faire respirer le bang narcotique, et l'assoupirent profondément. Et ils examinèrent son corps point par point, en frappant dessus comme on frappe sur les jarres, et ils finirent par découvrir, à l'intérieur de sa poitrine, enveloppé dans ses entrailles, le cul de la poule. Et ils allèrent chercher leurs ciseaux et leurs instruments, firent une incision, et retirèrent le cul de la poule de la poitrine du garçon. Puis ils recousirent la poitrine, l'arrosèrent de vinaigre héroïque, et la remirent dans l'état où elle était. Or, le matin, le garçon s'éveilla du sommeil narcotique, et sentit que sa poitrine était fatiguée, et que lui-même n'avait plus la même robustesse qu'auparavant. Car ses forces s'en étaient allées avec le cul de la poule, qui était doué de la vertu de rendre invincible celui qui l'avait mangé. Et se voyant désormais en état d'infériorité, il ne voulut point s'exposer à tenter une épreuve dangereuse, et s'enfuit de peur que la jeune lutteuse le vainquît et le tuât.

Et, ses jambes livrées au vent, il ne cessa de courir qu'il ne fût hors de la vue du palais et de la ville. Et il rencontra trois hommes qui se querellaient entre eux. Et il leur demanda : « Pourquoi vous querellez-vous ? » Ils répondirent : « Pour une chose ! » Il leur dit : « Une chose ? Quelle est-elle ? » Ils répondirent : « Nous avons ce tapis, que voici. Si quelqu'un se met dessus, et le frappe avec cette baguette, en lui demandant d'aller serait-ce jusqu'au sommet de la montagne Kâf, le tapis le transporte en un clin d'œil. Et nous nous étranglons en ce moment pour sa possession ! » Il leur dit : « Au lieu de vous étrangler mutuellement pour la possession de ce tapis volant, prenez-moi pour arbitre, et j'agirai avec justice entre vous. » Et ils répondirent : « Sois notre arbitre pour cette affaire. » Il leur dit : « Déployez par terre ce tapis, pour que je voie sa longueur et sa largeur. » Et il se mit au milieu du tapis, et leur dit : « Je vais lancer une pierre de toute ma force, et vous courrez après tous les trois ensemble. Et celui qui la saisira le premier, prendra le tapis volant. » Ils lui dirent : « Bien. » Alors il prit une pierre et la lança ; et les trois coururent après. Et, pendant qu'ils couraient, il frappa le tapis avec la baguette, en lui disant : « Transporte-moi en ligne droite au milieu de la cour du palais du roi un tel ! » Et le tapis exécuta l'ordre, à l'heure et à l'instant, et déposa le fils du joueur de clarinette dans la cour du palais en question, à l'endroit où d'ordinaire avaient lieu les luttes de la princesse.

Et le garçon s'écria : « Voici le lutteur ! Que vienne son vainqueur ! » Et la jeune fille descendit, devant tout le monde, au milieu de la cour, et se plaça sur le tapis en face du garçon. Et aussitôt il frappa le tapis avec sa baguette, en disant : « Vole avec nous jusque sur le sommet de la montagne Kâf. » Et le tapis s'éleva dans les airs, au milieu de la stupéfaction générale, et, en moins de temps qu'il n'en faut pour fermer un œil et l'ouvrir, il les déposa sur le sommet de la montagne Kâf.

Alors le garçon dit à la fille : « Qui est maintenant le vainqueur ? Est-ce celle qui a pris de ma poitrine le cul de la poule, ou celui qui a pris la fille du roi du milieu de son palais…

À ce moment de sa narration, Schahrazade vit apparaître le matin et, discrète, se tut.

Mais lorsque fut la neuf cent cinquantième nuit. Elle dit :

… Qui est maintenant le vainqueur ? Est-ce celle qui a pris de ma poitrine le cul de la poule, ou celui qui a pris la fille du roi du milieu de son palais ? » Elle répondit : « Sous ta protection ! Pardonne-moi ! Et si tu veux me reconduire dans le palais de mon père, je t'épouserai, en disant : « Celui-ci m'a vaincue. » Et j'ordonnerai aux médecins de remettre le cul de la poule dans ta poitrine. » Il dit : « Bien. » Mais le proverbe dit : « Il faut battre la barre quand elle est molle ! » Et moi je veux faire avec toi ce que tu sais, avant le transport ! » Elle dit : « Bien. » Alors il la prit, et se coucha sur elle, et, l'ayant trouvée à point, il s'apprêta à la battre où il fallait pendant qu'elle était molle. Mais, soudain, elle lui assena un coup de pied qui l'envoya rouler hors du tapis. Et elle frappa le tapis avec la baguette, en disant : « Vole, ô tapis, et transporte-moi dans le palais de mon père ! » Et le tapis, à l'instant même, s'envola avec elle et la porta au palais.

Et le fils du joueur de clarinette ambulant resta seul sur le sommet de la montagne, risquant de mourir de faim et de soif, sans que même les fourmis pussent retrouver ses traces. Et il se mit à descendre de la montagne, en se mordant la paume de rage. Et il descendit ainsi pendant une journée et une nuit, sans s'arrêter, et arriva, vers le matin, au milieu de la montagne. Et, pour sa chance, il trouva là deux dattiers qui ployaient sous leurs régimes de dattes mûres.

Or l'un des deux dattiers portait des dattes rouges, et l'autre des dattes jaunes. Et le garçon se hâta de cueillir une branche de chaque espèce. Et, comme il préférait les jaunes, il commença par avaler avec délices une de ces dattes jaunes-là. Mais, aussitôt, il sentit quelque chose qui lui grattait la peau de la tête ; et il porta sa main à sa tête, à l'endroit où ça le grattait, et sentit une corne qui lui sortait de la tête avec rapidité, et s'entortillait autour du dattier. Et il eut beau vouloir se dégager, il resta fixé par sa corne au dattier. Alors il se dit : « Mort pour mort, je préfère encore satisfaire d'abord ma faim, et ensuite mourir ! » Et il s'attaqua aux dattes rouges. Et voici ! Dès qu'il eut avalé une de ces rouges-là, il sentit que sa corne se dénouait du dattier, et que sa tête se dégageait. Et, en un clin d'œil, la corne fut comme si elle n'avait jamais été. Et il n'en resta pas même la trace sur sa tête.

Alors le garçon se dit : « Bien. » Et il se mit à manger des dattes rouges, jusqu'à ce qu'il eût satisfait sa faim. Puis il remplit sa poche de dattes rouges et jaunes, et continua à voyager jour et nuit, pendant deux mois entiers, jusqu'à ce qu'il arrivât à la ville de son adversaire, la fille du roi. Et il vint sous les fenêtres du palais, et se mit à crier, disant : « Ô dattes hors de saison, ô dattes ! Doigts des princesses, ô dattes ! Compagnes des cavaliers, ô dattes ! »

Et la fille du roi entendit le cri du vendeur de dattes hors de leur saison, et dit à ses suivantes : « Descendez vite m'acheter des dattes de ce vendeur, et choisissez-les bien croquantes, ô jeunes filles. » Et elles descendirent acheter des dattes, qui ne leur furent cédées, vu leur rareté, que moyennant un dinar chacune. Et elles en achetèrent seize, pour seize dinars, et montèrent les remettre à leur maîtresse.

Et la fille du roi vit que c'étaient des dattes jaunes, précisément celles qu'elle aimait le mieux. Et elle les mangea l'une après l'autre, toutes les seize, le temps de les porter à sa bouche. Et elle dit : « Ô mon cœur, qu'elles sont délicieuses ! » Mais elle avait à peine fini de prononcer ces mots, qu'elle sentit une vive démangeaison, qui lui démangeait, en seize endroits différents, la tête. Et elle porta vivement la main à sa tête, et sentit que seize cornes perçaient son cuir à cheveux en seize endroits différents et symétriques. Et, le temps de crier, que déjà les seize cornes s'étaient développées et, quatre par quatre, étaient allées se prendre au mur, solidement.

À cette vue, et aux cris perçants qu'elle se mit à lancer, de concert avec ses suivantes, son père accourut, en haletant, et demanda : « Qu'y a-t-il ? » Et les suivantes lui répondirent : « Ô notre maître, nous levions les yeux quand nous vîmes tout à coup ces seize cornes sortir de la tête de notre maîtresse, et aller se fixer quatre par quatre au mur, telles que tu les vois. » Alors son père assembla les médecins les plus habiles, ceux-là qui avaient retiré de la poitrine du garçon le cul de la poule. Et ils apportèrent des scies pour scier les cornes, mais elles ne se laissèrent pas scier. Et ils employèrent d'autres moyens, mais sans aboutir à un résultat, et sans réussir à la guérir. Alors son père recourut aux moyens extrêmes, et envoya un crieur par la ville, crier : « Celui qui donnera un remède à la fille du sultan, et la délivrera des seize cornes, l'épousera et sera désigné pour la succession au trône ! »

Or qu'arriva-t-il ? Le fils du joueur de clarinette, qui n'attendait que ce moment, entra au palais et monta chez la princesse, en disant : « Moi, je ferai disparaître ses cornes. » Et, dès qu'il fut en sa présence, il prit une datte rouge, la cassa en morceaux, et la mit dans la bouche de la princesse. Et, à l'instant même, une corne se détacha du mur, et, à vue d'œil, se raccourcit et finit par disparaître entièrement de la tête de la jeune fille.

À cette vue, tous les assistants, le roi en tête, s'exclamèrent de joie, et s'écrièrent : « Ô ! le grand médecin ! » Et il dit : « Demain je ferai disparaître une seconde corne ! » Alors on le retint au palais, où il resta seize jours, faisant disparaître chaque jour une corne, jusqu'à ce qu'il l'eût délivrée des seize cornes. Aussi, le roi, à la limite de l'émerveillement et de la gratitude, fit écrire aussitôt le contrat de mariage du garçon sur la princesse. Et les noces furent célébrées avec réjouissances et illuminations. Puis vint la nuit de la pénétration.

Or, dès que le garçon entra chez son épouse, dans la chambre nuptiale, il lui dit : « Et maintenant ? Qui de nous deux est le vainqueur ? Est-ce celle qui a enlevé de ma poitrine le cul de la poule, et volé le tapis magique ? Ou bien est-ce celui qui t'a fait pousser seize cornes sur la tête, et les a fait disparaître en un rien de temps ? » Et elle lui dit : « C'est donc toi ? Ah, l'éfrit ! » Il lui répondit : « Oui, c'est moi, le fils de la clarinette ! » Elle lui dit : « Par Allah ! tu es mon vainqueur ! » Et ils se couchèrent tous deux ensemble, et furent d'égale force et d'égale puissance. Et ils devinrent roi et reine. Et ils vécurent tous ensemble en pleine félicité et en bonheur parfait. Et telle est mon histoire ! »

Lorsque le sultan Baïbars eut entendu cette histoire du capitaine Nizam Al-Dîn, il s'écria : « Ouallahi, je ne sais pas si ce n'est pas celle-ci, la plus belle histoire que j'aie jamais entendue ! » Alors un neuvième capitaine de police s'avança, qui s'appelait Gelal Al-Dîn ; et il embrassa la terre entre les mains du sultan Baïbars, et dit : « Inschallah, ô roi du temps, l'histoire que je vais te raconter te plaira certainement. » Et il dit :

Il y avait une fois une femme qui, malgré tous les assauts, ne concevait ni n'accouchait. Aussi, un jour, elle se leva et fit sa demande au Rétributeur, disant : « Donne-moi une fille, quand même elle devrait mourir de l'odeur du lin ! » Et, en parlant ainsi de l'odeur du lin, elle voulait demander une fille, même si elle devait être assez délicate et sensible pour que l'odeur anodine du lin l'incommodât au point de la faire mourir. Et donc elle conçut et accoucha, sans encombre, de la fille qu'Allah lui avait donnée, et qui était aussi belle que la lune à son lever, et pâle comme un clair de lune, et délicate comme lui. Et on l'appela Sittoukhân.

Or, lorsqu'elle fut grande et âgée de dix ans, le fils du sultan passa dans la rue, et la vit penchée à sa fenêtre. Et l'amour pour elle descendit dans son cœur ; et il s'en alla malade à la maison. Et les médecins se succédèrent auprès de lui, sans connaître le remède qu'il lui fallait. Alors monta le voir une vieille, envoyée par la femme du portier, qui lui dit, après l'avoir regardé : « Ô ! tu es amoureux, ou bien tu as un ami que tu aimes ! » Il répondit : « Je suis amoureux. » Elle lui dit : « Dis-moi de qui, et je serai un lien entre toi et elle ! » Il dit : « De la belle Sittoukhân. » Elle répondit : « Rafraîchis tes yeux et tranquillise ton cœur, je te l'amènerai. »

Et la vieille s'en alla, et trouva la jeune fille qui prenait l'air sur le pas de sa porte. Et, après les salams et compliments, elle lui dit : « La sauvegarde sur les belles comme toi, ma fille ! Celles qui te ressemblent, et qui ont d'aussi jolis doigts que les tiens, devraient apprendre à tisser le lin. Car rien n'est plus délicieux que le fuseau entre les doigts fuselés. » Et elle s'en alla.

Et la jeune fille alla chez sa mère, et lui dit : « Conduis-moi, ma mère, chez la maîtresse. » Elle lui demanda : « Quelle maîtresse ? » Elle répondit : « La maîtresse du lin. » Et sa mère s'écria : « Tais-toi ! Le lin est dangereux pour toi. Son odeur est pernicieuse pour ta poitrine. Si tu le touches, tu mourras. » Elle dit : « Non, je ne mourrai pas. » Et elle insista et pleura tellement que sa mère l'envoya chez la maîtresse du lin.

Et la jeune fille resta là, tout un jour, à apprendre à filer le lin. Et toutes ses compagnes s'émerveillaient de sa beauté et de la beauté de ses doigts. Et voici qu'un brin de lin entra dans son doigt, entre la chair et l'ongle. Et elle tomba par terre, sans connaissance. Et on la crut morte, et on envoya chez son père et sa mère, et on leur dit : « Venez enlever votre fille, et qu'Allah prolonge vos jours : elle est morte ! »

Alors son père et sa mère, dont elle était l'unique joie, déchirèrent leurs vêtements, et, secoués par le vent de la calamité, allèrent, avec le linceul, pour l'enterrer. Mais voici que la vieille passa, et leur dit : « Vous êtes des gens riches, et ce serait une honte pour vous d'enterrer cette jeune fille dans la poussière. » Ils demandèrent : « Et que faut-il que nous fassions ? » Elle dit : « Construisez-lui un pavillon, au milieu du fleuve. Et vous la coucherez sur un lit dans ce pavillon. Et vous irez la voir, toutes les fois que vous en aurez le désir. »

Et ils lui construisirent un pavillon de marbre, sur des colonnes, au milieu du fleuve. Et ils l'entourèrent d'un jardin avec des pelouses. Et ils mirent la jeune fille sur un lit d'ivoire, dans le pavillon, et s'en allèrent en pleurant. Or qu'arriva-t-il ?

La vieille alla trouver aussitôt le fils du roi, qui était malade d'amour, et lui dit : « Viens voir la jeune fille. Elle t'attend, couchée dans un pavillon, au milieu du fleuve. »

Alors le prince se leva et dit au vizir de son père : « Viens avec moi, pour une promenade. » Et ils sortirent tous deux, précédés de loin par la vieille qui montrait au prince le chemin. Et ils arrivèrent au pavillon de marbre, et le prince dit au vizir : « Attends-moi à la porte. Je ne tarderai pas. » Puis il entra dans le pavillon. Et il trouva la jeune fille morte. Et il s'assit à la pleurer, en récitant des vers sur sa beauté. Et il lui prit la main, pour la baiser, et vit les doigts qui étaient si fins et si jolis. Et, en les admirant, il trouva, dans l'un, le brin de lin entre l'ongle et la chair. Et il s'étonna du brin de lin, et le retira délicatement. Et aussitôt la jeune fille s'éveilla de son évanouissement…

À ce moment de sa narration, Schahrazade vit apparaître le matin et, discrète, se tut.

Mais lorsque fut la neuf cent cinquante et unième nuit. Elle dit :

… Et aussitôt la jeune fille sortit de son évanouissement, et se mit droite sur son séant, et sourit au jeune prince, et lui dit : « Où suis-je ? » Et il la serra contre lui, et répondit : « Avec moi ! »

Et il l'embrassa, et se coucha avec elle. Et ils restèrent ensemble quarante jours et quarante nuits, à la limite de l'épanouissement.

Puis il prit congé d'elle, en lui disant : « C'est à cause du vizir de mon père, qui attend à la porte. Je le reconduirai au palais, et je reviendrai. » Et il descendit trouver le vizir. Et il sortit avec lui et traversa le jardin. Et les roses blanches et les jasmins le rencontrèrent. Et il s'émut de cette rencontre, et dit au vizir : « Attention ! Les roses et les jasmins sont blancs de la blancheur des joues de Sittoukhân ! Ô vizir, attends encore ici trois jours, que j'aille voir une seconde fois les joues de Sittoukhân ! »

Et il monta, et resta trois jours avec Sittoukhân, à admirer ses joues qui étaient comme les roses blanches et les jasmins. Puis il descendit et rejoignit le vizir, et continua, vers la sortie, sa promenade dans le jardin. Et le caroubier, aux longs fruits noirs, le rencontra. Et il fut ému de cette rencontre, et dit au vizir : « Attention ! les caroubes sont longs et noirs comme les sourcils de Sittoukhân ! Ô vizir, attends encore ici trois jours que j'aille voir une seconde fois les sourcils de Sittoukhân ! »

Et il monta et resta trois jours avec elle, à admirer ses beaux sourcils, longs et noirs comme les caroubes deux à deux sur les branches. Puis il descendit rejoindre le vizir, et continua avec lui, vers la sortie, sa promenade dans le jardin. Et une fontaine jaillissante le rencontra, dont le jet était beau et solitaire. Et il fut ému de cette rencontre, et dit au vizir : « Attention ! le jet de la fontaine est comme la taille de Sittoukhân ! Ô vizir, attends encore ici trois jours, que j'aille voir une seconde fois la taille de Sittoukhân ! »

Et il monta et resta trois jours avec elle, à admirer sa taille, qui était pareille au jet de la fontaine. Puis il descendit rejoindre le vizir, pour continuer avec lui, vers la sortie, sa promenade dans le jardin. Mais, voici ! La jeune fille, quand elle vit son amoureux remonter ainsi une troisième fois, sitôt après être descendu, se dit à elle-même : « Je veux aller voir, cette fois, pourquoi il s'en va et revient ainsi. » Et elle descendit du pavillon et se mit derrière la porte qui donnait sur le jardin, pour le regarder partir. Et le prince, s'étant retourné, la vit qui mettait sa tête à la porte. Et il revint vers elle, pâle et attristé, et lui dit : « Sittoukhân, Sittoukhân ! je ne te reverrai plus, oh ! plus jamais ! » Et il s'en alla et sortit avec le vizir, pour ne plus revenir.

Alors Sittoukhân alla errer dans le jardin, pleurant sur elle-même, et regrettant de n'être pas morte réellement. Et, pendant qu'elle errait ainsi, elle trouva quelque chose qui brillait près de l'eau. Et elle le ramassa et vit que c'était une bague soleïmanique. Et elle frotta la cornaline gravée qui la surmontait, et aussitôt la bague lui dit : « À tes ordres, me voici. Parle, que demandes-tu ? » Elle répondit : « Ô bague de Soleimân, je demande de toi un palais à côté du palais du prince qui m'a aimée, et que tu me donnes une beauté plus grande que ma beauté. » Et la bague lui dit : « Ferme ton œil et ouvre-le ! » Et elle ferma son œil, et, lorsqu'elle l'eut ouvert, elle se trouva dans un palais magnifique, bâti à côté du palais du prince. Et elle se regarda dans le miroir, et fut émerveillée de sa propre beauté.

Et elle alla s'accouder à sa fenêtre, alors que le prince passait sur son cheval. Et il la vit, sans la reconnaître, et s'en alla amoureux. Et il arriva chez sa mère, et lui dit : « Ma mère, n'as-tu pas quelque chose de très beau que tu irais porter comme cadeau à la dame qui s'est installée dans le nouveau palais ? Et ne pourrais-tu pas lui dire en même temps : « Épouse mon fils » ? Et la reine, sa mère, lui dit : « J'ai deux pièces de brocart royal. J'irai les lui porter, et lui ferai la demande. » Il lui dit : « Bien, porte-les-lui. »

Et la mère du prince alla chez la jeune fille, et lui dit : « Ma fille, accepte ce cadeau-ci, mon fils désire t'épouser. » Et la jeune fille appela sa négresse, et lui dit : « Prends-les, ces deux pièces de brocart, et fais-en des torchons pour laver les dalles. » Et la reine s'en alla, fâchée, trouver son fils qui lui demanda : « Que t'a-t-elle dit, ma mère ? » Elle répondit : « Elle a fait prendre par l'esclave les deux pièces de brocart d'or, et lui a ordonné d'en faire des torchons pour essuyer la maison ! » Il lui dit : « Je t'en supplie, ma mère, n'as-tu pas encore une chose précieuse que tu pourrais lui porter ? Car je suis malade d'amour pour ses yeux. » Elle lui dit : « J'ai un collier d'émeraudes sans tare ni tache. » Il lui dit : « Bien. Porte-le-lui. »

Et la mère du prince monta chez la jeune fille, et lui dit : « Accepte de nous ce cadeau-ci, ma fille ; mon fils désire t'épouser. » Et elle répondit : « Ton cadeau est accepté, ô dame ! » Et elle appela l'esclave, et lui dit : « Les pigeons ont-ils mangé ou pas encore ? » Elle répondit : « Pas encore, ya setti. » Elle lui dit : « Prends alors ces grains d'émeraude et donne-les aux pigeons, pour qu'ils les mangent et s'en rafraîchissent ! »

En entendant ces paroles, la mère du prince dit à la jeune fille : « Tu nous as humiliés, ma fille ! Je te prie de me dire seulement si tu veux épouser mon fils ou non. » Elle répondit : « Si tu veux que j'épouse ton fils, dis-lui de se faire passer pour mort ; enveloppe-le dans sept linceuls ; conduis-le par la ville, et dis à tes gens de ne l'enterrer que dans le jardin qui est dans mon palais. » Et la mère du prince dit : « Bien. Je vais aller soumettre tes conditions à mon fils. »

Et elle alla dire à son fils : « Tu ne sais pas ! Si tu veux l'épouser, elle demande que tu te fasses passer pour mort, qu'on t'enveloppe dans sept linceuls, qu'on te conduise en cortège funèbre par la ville, et qu'on te mène chez elle pour t'enterrer. Et, alors, elle t'épousera. » Et il répondit : « Rien que cela, ma mère ? Alors, déchire tes vêtements, crie et dis : « Mon fils est mort ! » Et la mère du prince déchira ses vêtements, et cria d'une voix aiguë autant que lamentable : « Ô ma calamité ! mon fils est mort ! »

Alors tous les gens du palais, ayant entendu le cri, accoururent et virent le prince étendu par terre, semblable aux morts, et sa mère dans un état lamentable. Et on prit le corps du défunt, on le lava, et on le mit dans sept linceuls. Puis les lecteurs du Koran et les cheikhs s'assemblèrent, et sortirent en cortège devant le corps, recouvert de châles précieux. Et, après avoir conduit le mort par toute la ville, ils revinrent le déposer dans le jardin de la jeune fille, suivant ses désirs. Là, ils le quittèrent, et s'en allèrent en leur voie.

Or, quand il n'y eut plus personne dans le jardin, la jeune fille, qui était morte autrefois par un brin de lin, et qui ressemblait par ses joues aux roses blanches et aux jasmins, par ses sourcils aux caroubes sur les branches, et par sa taille au jet de la fontaine, descendit vers le prince qui était dans les sept linceuls. Et elle détacha de lui les linceuls un à un. Et quand elle eut enlevé le septième linceul, elle lui dit : « Comment ! c'est donc toi ? Voilà que ta passion pour les femmes t'a poussé à te faire envelopper de sept linceuls ! » Et le prince fut plein de confusion, et se mordit le doigt, et se l'arracha de honte. Et elle lui dit : « Ça ne fait rien, cette fois-ci. » Et ils demeurèrent ensemble, s'aimant et se délectant.

Et le sultan Baïbars, ayant entendu cette histoire, dit au capitaine Gelal Al-Dîn : « Ouallahi oua tellahi, je crois bien que c'est ce que j'ai entendu de plus admirable ! » Alors un dixième capitaine de police, qui s'appelait Helal Al-Dîn, s'avança, baisa la terre entre les mains du sultan Baïbars, et dit : « J'ai une histoire à raconter qui est la sœur aînée de celles-là ! » Et il dit :

Il y avait une fois un roi qui avait un fils nommé Môhammad. Et ce fils dit un jour à son père : « Je veux me marier. » Et son père lui répondit : « Bien, attends que nous envoyions ta mère regarder les jeunes filles mariables, dans les harems, et faire la demande pour toi. » Mais le fils du roi dit : « Non, mon père, moi je veux me fiancer par mes propres yeux, après avoir vu la jeune fille. » Et le roi répondit : « Bien. »

Alors le jeune prince monta sur son cheval, beau comme un animal féerique, et partit, voyageant. Et, au bout de deux jours de voyage, il rencontra un homme assis dans un champ et occupé à couper des poireaux, pendant que sa fille, une jouvencelle, les liait. Et le prince, après les salams, s'assit près d'eux, et dit à la jeune fille : « N'aurais-tu pas un peu d'eau ? » Elle répondit : « J'en ai. » Il dit : « Donne-m'en, que je boive. » Et elle se leva et lui apporta la gargoulette. Et il but.

Or, la jeune fille lui plut, et il dit à son père : « Ô cheikh, me donneras-tu en mariage ta fille que voici ? » Il répondit : « Nous sommes tes serviteurs. » Et le prince lui dit : « Bien, ô cheikh ! Reste ici avec ta fille, pendant que je vais retourner dans mon pays chercher ce qui est nécessaire pour la noce, et je reviens. »

Et le prince Môhammad alla chez son père, et lui dit : « Je me suis fiancé avec la fille du sultan des poireaux ! » Et son père lui dit : « Est-ce que les poireaux ont maintenant un sultan ? » Il répondit : « Oui, et je veux épouser sa fille ! » Et le roi s'écria : « Louanges à Allah, ô mon fils, qui a donné un sultan aux poireaux ! » Et il ajouta : « Puisque la fille te plaît, attends au moins que nous envoyions ta mère au pays des poireaux pour voir le père poireau et la mère poireau, et la fille poireau. » Et le prince Môhammad dit : « Bien. »

Et donc sa mère alla au pays du père de la jeune fille, et trouva que celle que son fils lui avait dit être la fille du sultan des poireaux était une jouvencelle charmante de tous côtés, et vraiment faite pour être l'épouse d'un fils de roi. Et elle lui plut à l'extrême ; et elle l'embrassa et lui dit : « Ma chérie, je suis la reine, mère du prince que tu as vu, et je viens pour te marier avec lui ! » Et la jeune fille lui dit : « Comment ! ton fils est un fils de roi ? » Elle répondit : « Oui, mon fils est le fils du roi, et je suis sa mère ! » Et la jeune fille dit : « Alors, je ne l'épouserai pas. » Elle demanda : « Et pourquoi ? » Elle lui dit : « Moi, je n'épouse qu'un homme de métier ! »

Alors la reine s'en alla fâchée, et dit à son époux : « La jeune fille du pays des poireaux ne veut pas épouser notre fils ! » Le roi demanda : « Pourquoi ? » Elle dit : « Parce qu'elle ne veut épouser qu'un homme qui ait dans les mains un métier. » Le roi dit : « Elle a raison. » Mais le prince, en l'apprenant, tomba malade.

Alors le roi se leva et envoya chercher tous les cheikhs des corporations ; et, quand ils furent tous entre ses mains, il dit au premier, qui était le cheikh des menuisiers : « Toi, en combien de temps enseigneras-tu ton métier à mon fils ? » Il répondit : « En deux ans, tout au plus, mais pas moins. » Le roi dit : « Bien. Mets-toi de côté. » Puis il se tourna vers le second, qui était le cheikh des forgerons, et lui dit : « En combien de temps enseigneras-tu ton métier à mon fils ? » Il répondit : « Il me faut une année, jour pour jour. » Le roi lui dit : « Bien. Viens te mettre de côté ! » Et il interrogea de la sorte tous les cheikhs des corporations qui demandèrent, les uns une année, les autres deux, et d'autres trois ou même quatre années. Et le roi ne savait à quoi se résoudre, quand il vit quelqu'un derrière tout le monde qui sautait et se baissait, et faisait des signes avec ses yeux et avec son doigt levé. Et il l'appela, et lui demanda : « Pourquoi te dresses-tu et te baisses-tu ? » Il répondit : « Pour me faire remarquer par notre maître le sultan, car je suis pauvre, et les cheikhs des corporations ne m'ont pas averti de leur arrivée ici. Et moi je suis tisserand, et j'enseignerai mon métier à ton fils en une heure de temps. »

Alors le roi renvoya tous les cheikhs des corporations, et retint le tisserand, et lui apporta de la soie de différentes couleurs et un métier, et lui dit : « Enseigne ton art à mon fils. » Et le tisserand se tourna vers le prince, qui s'était levé, et lui dit : « Regarde ! moi je ne te dirai pas : « Fais comme ceci, et fais comme cela ! » Non, moi je te dis : « Ouvre tes yeux, et vois ! Et regarde comme mes mains vont et viennent. » Et, en un rien de temps, le tisserand tissa un mouchoir, tandis que le prince le regardait attentivement. Puis il dit à son élève : « Approche maintenant et fais un mouchoir comme celui-ci. » Et le prince se mit au métier, et tissa un mouchoir splendide, en dessinant dans sa trame le palais et le jardin de son père…

À ce moment de sa narration, Schahrazade vit apparaître le matin et, discrète, se tut.

Mais lorsque fut la neuf cent cinquante-deuxième nuit. Elle dit :

… Et le prince se mit au métier, et tissa un mouchoir splendide, en dessinant dans sa trame le palais et le jardin de son père.

Et l'homme prit les deux mouchoirs en montant chez le roi et lui dit : « Lequel de ces deux mouchoirs est mon œuvre, et lequel est l'œuvre de ton fils ? » Et le roi, sans hésiter, montra du doigt celui de son fils, là où il y avait le beau dessin du palais et du jardin, et dit : « Celui-ci est ton œuvre, et l'autre est aussi ton œuvre ! » Mais le tisserand s'écria : « Par les mérites de tes glorieux ancêtres, ô roi, le beau mouchoir est l'œuvre de ton fils, et celui-ci, le laid, est mon œuvre. »

Alors le roi, émerveillé, nomma le tisserand cheikh de tous les cheikhs des corporations, et le renvoya content. Après quoi, il dit à son épouse : « Prends le mouchoir, œuvre de notre fils, et va le montrer à la fille du sultan des poireaux, en lui disant : « Mon fils est, de son métier, tisserand en soie. » Et la mère du prince prit le mouchoir et alla chez la jeune fille, et lui montra le mouchoir, en lui répétant les paroles du roi. Elle s'émerveilla du mouchoir, et dit : « Maintenant, j'épouserai ton fils. »

Et les vizirs du roi prirent le kâdi et allèrent faire le contrat de mariage. Et on célébra les noces. Et le prince pénétra chez la jouvencelle du pays des poireaux, et eut d'elle des enfants qui étaient tous marqués, sur leurs cuisses, d'une marque de poireau. Et chacun d'eux apprit un métier. Et ils vécurent tous contents et prospérant. Mais Allah est plus savant !

Puis le sultan Baïbars dit : « Cette histoire de la fille du sultan des poireaux m'a plu par sa belle morale. Mais n'y a-t-il plus personne parmi vous qui ait encore quelque chose à me raconter ? » Alors s'avança un autre capitaine de police, qui était le onzième, et s'appelait Salah Al-Dîn. Et, après avoir embrassé la terre entre les mains du sultan Baïbars, il dit : « Moi, voici mon histoire ! »

Il arriva une fois à un sultan qu'un fils lui naquit dans le même temps qu'une jument de race, des écuries royales, mettait bas un poulain. Et il dit : « Le poulain qui est venu est écrit sur la chance de mon fils, le nouveau-né, et lui appartient en propriété. » Or, lorsque l'enfant devint grand et avança en âge, sa mère mourut ; et le même jour mourut la mère du poulain.

Et les jours passèrent, et le sultan épousa une autre femme, qu'il choisit parmi les esclaves du palais. Et on mit le garçon à l'école, sans plus veiller sur lui et sans l'aimer. Et l'orphelin de sa mère, chaque fois qu'il revenait de l'école, entrait auprès de son cheval, le caressait, lui donnait à manger et à boire, et lui contait ses peines et son délaissement.

Or l'esclave que le sultan avait épousée avait un amant qui était un médecin juif – qu'il soit maudit ! Et ces deux-là se voyaient fort gênés, pour leurs entrevues, par la présence au palais précisément de cet orphelin de sa mère. Et ils se demandèrent : « Comment faire ? » Et ils réfléchirent à ce sujet et résolurent d'empoisonner le jeune prince.

Quant à lui, lorsqu'il fut rentré de l'école, il alla voir son cheval, comme d'ordinaire. Et il le trouva pleurant. Et il lui dit, en le caressant : « Qu'est-ce qui te fait pleurer, mon cheval ? » Et le cheval lui répondit : « Je pleure sur la perte de ta vie. » Il lui demanda : « Et qui donc veut la perte de ma vie ? » Il lui répondit : « La femme de ton père, et le médecin juif, ce maudit. » Il demanda : « Comment ça ? » Il dit : « Ils t'ont préparé un poison qu'ils ont extrait de la peau d'un nègre. Et ils le mettront dans ta nourriture. Or, toi, prends garde d'en goûter. »

Et donc, lorsque le jeune prince fut monté chez la femme de son père, elle mit le manger devant lui. Et il prit le manger et, à son tour, le mit devant le chat de la femme du roi qui miaulait par là. Et, avant que sa maîtresse pût l'en empêcher, le chat avala le manger, et mourut à son heure. Et le prince se leva et sortit, sans faire semblant de rien.

Et la femme du roi et le juif se demandèrent : « Qui a pu lui dire cela ? » Et ils répondirent : « Personne ne le lui a dit, excepté son cheval. » Alors la femme dit : « Bien. » Et elle feignit d'être malade. Et le roi fit venir le maudit juif, qui était leur médecin, pour examiner la reine. Et il l'examina, et dit : « Son remède consiste en un cœur de poulain d'une jument de race, de telle et telle couleur. » Et le roi dit : « Il n'y a qu'un poulain, dans mon royaume, qui soit dans ces conditions, et c'est le poulain de mon fils, l'orphelin de sa mère. » Et, lorsque le garçon revint de l'école, son père lui dit : « Ta tante, la reine, est malade, et il n'y a pour elle d'autre remède que le cœur de ton poulain, fils de la jument de race. » Il lui répondit : « Il n'y a pas d'inconvénient. Mais, ô mon père, je n'ai pas encore monté une fois mon poulain. Je voudrais le monter d'abord, et, cela fait, ils l'égorgeront et prendront son cœur. » Et le roi dit : « Bien. » Et le jeune prince monta sur son cheval, devant toute la cour, et le lança au galop dans le meidân. Et, galopant ainsi, il disparut aux yeux des hommes. Et les cavaliers coururent après lui, mais ne le trouvèrent pas.

Et il arriva ainsi dans un autre royaume que celui de son père, près du jardin du roi de ce royaume. Et le cheval lui donna une touffe de ses crins, et une pierre à feu, et lui dit : « Si tu as besoin de moi, tu allumeras un de ces crins-ci, et je serai aussitôt à tes côtés. Maintenant il vaut mieux que je te laisse, d'abord pour aller vaquer aux soins de ma nourriture, et ensuite pour ne pas te gêner dans tes rencontres avec ta destinée. » Et ils s'embrassèrent et se quittèrent.

Et le jeune prince alla trouver le chef jardinier, et lui dit : « Je suis un étranger ici. Ne me prendras-tu pas à ton service ? » Il lui répondit : « Bien. J'ai justement besoin de quelqu'un pour conduire le bœuf qui tourne la roue à eau d'arrosage. » Et le jeune prince alla à la roue à eau et se mit à pousser le bœuf du jardinier.

Or les filles du roi se promenaient ce jour-là dans le jardin, et la plus jeune aperçut le garçon qui poussait le bœuf de la roue à eau. Et l'amour descendit dans son cœur. Et sans faire semblant de rien, elle dit à ses sœurs : « Mes sœurs, jusqu'à quand allons-nous rester sans maris ? Est-ce que notre père veut nous laisser aigrir ? Notre sang va tourner. » Et ses sœurs lui dirent : « C'est vrai ! Nous sommes en train d'aigrir, et notre sang va tourner. » Et elles s'assemblèrent et allèrent, toutes les sept, trouver leur mère, et lui dirent : « Notre père va-t-il nous faire aigrir chez lui ? Notre sang va tourner. Ou bien ne va-t-il pas nous trouver enfin des maris, qui empêchent en nous cette chose fâcheuse ? »

Alors la mère alla trouver le roi, et lui parla dans ce sens. Et le roi fit crier publiquement que tous les jeunes gens de la ville devaient passer sous les fenêtres du palais, parce que les princesses devaient se marier. Et tous les jeunes gens passèrent sous les fenêtres du palais. Et chaque fois que l'un d'eux plaisait à l'une des sœurs, elle jetait sur lui son mouchoir. Et, de la sorte, six d'entre elles furent pourvues d'un époux de leur choix, et s'en montrèrent satisfaites.

Mais la fille cadette ne jeta son mouchoir sur personne. Et on avertit le roi, qui dit : « Il ne reste donc personne dans la ville ? » On lui répondit : « Il ne reste qu'un garçon pauvre qui tourne la roue à eau dans le jardin. » Et le roi dit : « Il faut tout de même qu'il passe, bien que je sache que ma fille ne le choisira pas. » Et on alla le chercher, et on le poussa sous les fenêtres du palais. Et voici que le mouchoir de la jeune fille tomba droit sur lui. Et on la maria avec lui. Et, de chagrin, le roi, père de la jeune fille, tomba malade.

Et les médecins s'assemblèrent et lui ordonnèrent, comme régime et remède, de boire du lait d'ourse contenu dans une outre en peau d'ourse vierge. Et le roi dit : « C'est facile. J'ai six gendres, qui sont d'héroïques cavaliers, ne ressemblant en rien à ce septième maudit, qui est le garçon de la roue à eau. Allez leur dire de m'apporter ce lait-là ! »

Alors les six gendres du roi montèrent sur leurs beaux chevaux et sortirent, pour aller chercher le lait d'ourse en question. Et le garçon, mari de la fille cadette, monta sur un mulet boiteux et sortit également, alors que tout le monde se moquait de lui. Et lorsqu'il fut dans un endroit écarté, il frappa la pierre à feu, et brûla un des crins. Et son cheval parut, et ils s'embrassèrent. Et le garçon lui demanda ce qu'il avait à lui demander.

Or, au bout d'un certain temps, les six gendres du roi revinrent de leur expédition, portant avec eux une outre en peau d'ourse, pleine de lait d'ourse. Et ils la remirent à la reine, mère de leurs épouses, en lui disant : « Porte ceci à notre oncle, le roi ! » Et la reine frappa dans ses mains, et les eunuques montèrent, et elle leur dit : « Donnez ce lait aux médecins pour l'examiner. » Et les médecins examinèrent le lait, et dirent : « C'est du lait de vieille ourse, et il est dans une outre en peau de vieille ourse. Il ne peut qu'être nuisible à la santé du roi. »

Et voici que les eunuques montèrent de nouveau chez la reine, et lui remirent une seconde outre, en disant : « Cette outre de lait vient de nous être remise en bas par un adolescent à cheval plus beau que l'ange Harout ! » Et la reine leur dit : « Portez-la aux médecins pour qu'ils l'examinent. » Et les médecins l'examinèrent, contenant et contenu, et dirent : « Voilà ce que nous cherchions. C'est du lait de jeune ourse, dans une peau d'ourse vierge. » Et ils en donnèrent à boire au roi, qui guérit à l'heure et à l'instant, et dit : « Qui a apporté ce remède-là ? » On lui répondit : « C'est un adolescent à cheval, plus beau que l'ange Harout. » Il dit : « Qu'on aille lui remettre de ma part l'anneau du règne, et qu'on le fasse asseoir sur mon trône. Puis moi je me lèverai et irai faire divorcer ma fille cadette d'avec le garçon de la roue à eau. Et je la marierai avec cet adolescent qui m'a fait revenir du pays de la mort. » Et on exécuta ses ordres.

Puis le roi se leva et s'habilla et alla dans la salle du trône. Et il tomba aux pieds du bel adolescent assis sur le trône, et les baisa. Et il vit à côté de lui sa fille cadette qui souriait. Et il lui dit : « Bien, ma fille ! Je vois que tu as divorcé d'avec le garçon de la roue à eau, et que tu as jeté librement ton choix sur cet adolescent-ci qui est plus beau que l'ange Harout ! » Et elle lui dit : « Mon père, le garçon de la roue à eau, l'adolescent qui t'a apporté le lait d'ourse vierge, et celui qui est maintenant assis sur le trône du règne, ne sont qu'une seule et même personne. »

Et le roi fut stupéfait de ces paroles, et se tourna vers l'adolescent royal, et lui demanda : « Est-ce vrai ce qu'elle dit ? » Il répondit : « Oui, c'est vrai ! Et, si tu ne veux pas de moi comme gendre, cela t'est aisé, car ta fille est encore vierge ! » Et le roi l'embrassa, et le serra contre son cœur. Puis il fit célébrer ses noces avec la jeune fille. Et, lors de la pénétration, l'adolescent se comporta si bien qu'il empêcha à jamais sa jeune épouse d'aigrir et d'avoir le sang tourné.

Après quoi il retourna avec elle dans le royaume de son père, à la tête d'une nombreuse armée. Et il trouva que son père était mort, et que la femme de son père dirigeait les affaires du règne, de concert avec le médecin juif, ce maudit-là ! Alors il les fit saisir tous deux, et les empala au-dessus d'un feu ardent ! Et ils se consumèrent sur le pal. Et c'est fini pour eux ! Or louanges à Allah qui vit sans jamais se consumer !

Et le sultan Baïbars, ayant entendu cette histoire du capitaine Salah Al-Dîn, dit : « Quel dommage qu'il n'y ait plus personne pour me raconter des histoires semblables à celle-ci ! » Alors s'avança un douzième capitaine de police, nommé Nassr Al-Dîn, qui, après les hommages au sultan Baïbars, dit : « Moi, je n'ai encore rien dit, ô roi du temps. Et d'ailleurs, après moi, personne ne dira plus rien, car il n'y aura plus rien à dire ! » Et Baïbars fut content, et dit : « Donne ce que tu as ! » Alors il dit :

Il est raconté – mais y a-t-il d'autre science que celle d'Allah ? – qu'il y avait, après Allah, un roi sur la terre. Et ce roi était marié avec une reine stérile. Or, un jour, un Maghrébin vint chez le roi, et lui dit : « Si je te donne un remède pour que ta femme conçoive et accouche tant qu'elle veut, me donneras-tu ton premier fils ? » Et le roi répondit : « Bien, je te le donnerai. » Alors le Maghrébin donna au roi deux bonbons, un vert et un rouge, et lui dit : « Toi, tu mangeras le vert, et ta femme mangera le rouge. Et Allah fera le reste. » Puis il s'en alla.

Et le roi mangea le bonbon vert, et donna à son épouse, qui le mangea, le bonbon rouge. Et elle devint enceinte et accoucha d'un fils qu'ils appelèrent Môhammad – la bénédiction soit sur ce nom-là ! Et l'enfant se mit à croître et à grandir, intelligent dans les sciences et doué d'une belle voix. Puis la reine accoucha d'un second fils, qu'ils appelèrent Ali, et qui se mit à croître maladroit et malhabile en toutes choses. Après quoi elle devint encore enceinte, et accoucha d'un troisième fils, nommé Mahmoud, qui se mit à croître et à grandir idiot et stupide.

Or, au bout de dix ans, le Maghrébin vint chez le roi et lui dit : « Donne-moi mon fils. » Et le roi dit : « Bien. » Et il alla chez son épouse, et lui dit : « Le Maghrébin est venu nous demander notre fils aîné. » Et elle répondit : « Jamais ! Donnons-lui Ali le maladroit. » Et le roi dit : « Bien. » Et il appela Ali le maladroit, le prit par la main, et le donna au Maghrébin, qui l'emmena et s'en alla.

Et il marcha avec lui sur les routes, au milieu de la chaleur, jusqu'à midi. Puis il lui demanda : « Est-ce que tu n'as ni faim ni soif ? » Et le garçon répondit : « Par Allah ! est-ce là une question ? Comment veux-tu qu'après une demi-journée passée sans manger ni boire je n'aie ni faim ni soif ? » Alors le Maghrébin fit : « Hum ! » et prit le garçon par la main et le ramena à son père, en lui disant : « Celui-ci n'est pas mon fils. » Et le roi lui demanda : « Et quel est ton fils ? » Il répondit : « Fais-les-moi voir tous les trois, et je prendrai mon fils. » Alors le roi appela ses trois fils. Et le Maghrébin étendit la main et prit Môhammad, l'aîné, qui était précisément l'intelligent, le doué d'une belle voix. Puis il s'en alla.

Et il marcha avec lui une demi-journée, et lui dit : « As-tu faim ? As-tu soif ? » Et l'Avisé répondit : « Si toi tu as faim ou soif, moi aussi j'ai faim et soif. » Et le Maghrébin l'embrassa, et lui dit : « C'est cela, l'Avisé, tu es vraiment mon fils. » Et il le conduisit dans son pays, au fond du Maghreb, et le fit entrer dans un jardin, où il lui donna à manger et à boire. Après quoi il lui apporta un grimoire, et lui dit : « Lis dans ce livre. » Et le garçon prit le livre et l'ouvrit ; mais il ne sut pas même en déchiffrer un mot. Et le Maghrébin devint fâché, et lui dit : « Comment ! tu es mon fils, et tu ne sais pas déchiffrer ce grimoire ? Par Gogg et Magogg, et par le feu des astres tourneurs, si, dans un mois de trente jours, tu ne sais pas ce livre tout entier par cœur, je te coupe le bras droit. » Puis il le laissa et sortit du jardin.

Et le garçon prit le grimoire et s'appliqua à sa lecture pendant vingt-neuf jours. Mais, au bout de ce temps, il ne savait pas encore dans quel sens il fallait le tenir pour le lire. Alors il se dit à lui-même : « Puisqu'il ne me reste plus qu'un jour, mort pour mort ! je vais aller me promener dans le jardin, plutôt que de continuer à me trouer les yeux sur ce grimoire. »

Et il entra profondément sous les arbres du jardin, et soudain il vit devant lui une jeune fille suspendue par les cheveux. Et il se hâta de la délivrer. Et elle l'embrassa, et lui dit : « Je suis une princesse tombée au pouvoir de ce Maghrébin. Et il m'a suspendue parce que j'ai appris par cœur le grimoire. » Alors il lui dit : « Moi aussi je suis un fils de roi. Et le Maghrébin m'a donné le grimoire pour que je l'apprenne par cœur en trente jours ; et il ne manque, pour ma mort, que le jour de demain. » Et la jeune fille lui dit : « Je vais t'apprendre le grimoire ; mais, quand le Maghrébin viendra, dis-lui que tu ne l'as pas appris. » Là-dessus, elle s'assit à côté de lui, l'embrassa beaucoup et lui apprit le grimoire…

À ce moment de sa narration, Schahrazade vit apparaître le matin et, discrète, se tut.

Mais lorsque fut la neuf cent cinquante-troisième nuit. Elle dit :

… Là-dessus, elle s'assit à côté de lui, l'embrassa beaucoup et lui apprit le grimoire. Puis elle lui dit : « Il faut que tu me suspendes comme j'étais. » Et il lui obéit.

Et le Maghrébin arriva, à la fin du trentième jour, et dit au garçon : « Récite le grimoire. » Il répondit : « Comment le réciterais-je, alors que je n'en ai pas déchiffré un mot ? » Et le Maghrébin lui coupa aussitôt le bras droit, et lui dit : « Tu as encore un délai de trente jours. Si, au bout de ce temps, tu ne connais pas le grimoire, je te ferai voler la tête. » Puis il s'en alla.

Et le garçon alla trouver la jeune fille, sous les arbres, en tenant dans sa main gauche son bras coupé. Et il la délivra. Et elle lui dit : « Voici trois feuilles d'une plante que j'ai trouvée, alors que le Maghrébin est à sa recherche depuis quarante ans afin de compléter avec elle sa connaissance des chapitres de la magie. Applique-les sur les deux morceaux de ton bras, et il guérira. » Et le garçon le fit. Et son bras lui revint comme il était. Cela fait, la jeune fille frotta une autre feuille, en lisant dans le grimoire. Et, à l'instant, deux chameaux de course sortirent de terre, et s'agenouillèrent pour les recevoir. Et elle dit au garçon : « Rentrons, chacun, chez nos parents. Puis tu viendras me demander en mariage, au palais de mon père, en tel endroit, dans tel pays ! » Et elle l'embrassa gentiment. Et, sur leur mutuelle promesse, chacun partit de son côté.

Et le garçon Môhammad arriva chez ses parents, au galop formidable de son chameau. Mais il ne leur dit rien de ce qui était arrivé. Il remit seulement le chameau au chef eunuque, en lui disant : « Va le vendre au marché des bestiaux, mais garde-toi de vendre la corde qui est à son nez. » Et l'eunuque prit le chameau par la corde, et alla au marché des bestiaux. Alors un vendeur de hachisch se présenta qui voulut acheter le chameau. Et, après de longs débats et marchandages, il l'acheta à l'eunuque, moyennant un prix fort modique, vu que d'ordinaire les eunuques ne connaissent point le métier de là vente et de l'achat. Et, pour compléter l'affaire, il le vendit avec sa corde.

Et donc le vendeur de hachisch conduisit le chameau devant sa boutique, et le fit admirer par ses clients ordinaires, les mangeurs de hachisch. Et il alla chercher une jatte d'eau, pour abreuver le chameau, et la mit devant lui, tandis que les hachischins regardaient, en riant jusqu'au fond de leur gosier. Et le chameau posa ses deux pieds de devant dans la jatte. Alors le vendeur de hachisch le frappa, en lui criant : « Arrière, ô entremetteur ! » Et le chameau, entendant cela, leva ses deux autres pieds, et plongea, tête première, dans l'eau de la jatte, et ne reparut plus. À cette vue, le vendeur de hachisch frappa ses mains l'une dans l'autre, et se mit à crier : « Ô musulmans, à mon secours ! le chameau s'est noyé dans la jatte ! » Et, criant ainsi, il montrait la corde qui lui était restée dans les mains.

Et les gens s'assemblèrent de tous les points du souk, et lui dirent : « Tais-toi, ô homme ! tu es fou ! Comment un chameau peut-il se noyer dans une jatte ? » Il leur répondit : « Allez-vous-en ! Que faites-vous ici ? Je vous dis qu'il s'est noyé dans la jatte, tête première. Et voici sa corde qui m'est restée dans les mains ! Demandez aux honorables qui sont assis chez moi, si je dis la vérité ou si je mens. » Mais les marchands sensés du souk lui dirent : « Toi et ceux qui sont chez toi, vous n'êtes que des hachischins sans crédit. »

Or, pendant qu'ils disputaient de la sorte, le Maghrébin, qui s'était aperçu de la disparition du prince et de la princesse, entra dans une fureur sans limites, et se mordit le doigt et se l'arracha, disant : « Par Gogg et Magogg, et par le feu des astres tourneurs, je les rattraperai, fussent-ils sur la septième terre ! » Et il courut d'abord à la ville de l'Avisé ; et il y entra précisément au milieu de la dispute entre les hachischins et les gens du souk. Et il entendit parler de corde et de chameau, et de jatte servant de mer et de tombeau ; et il s'approcha du vendeur de hachisch et lui dit : « Ô pauvre, si tu as perdu ton chameau, je suis prêt à te le rembourser, pour Allah ! Donne-moi ce qui t'en reste, à savoir cette corde, et je te donnerai le prix qu'il t'a coûté, plus cent dinars de gain pour toi. » Et le marché fut conclu, à l'heure et à l'instant. Et le Maghrébin prit la corde du chameau, et s'en alla, en s'envolant dans sa joie.

Or, à cette corde était attaché le pouvoir de prise. Et il n'eut qu'à la montrer de loin au jeune prince, pour qu'aussitôt il vînt de lui-même passer son propre nez dans la corde. Et il fut changé aussitôt en chameau de course, et s'agenouilla devant le Maghrébin qui monta sur son dos.

Et le Maghrébin le poussa dans la direction de la ville où habitait la princesse. Et ils arrivèrent bientôt sous les murs du jardin qui entouraient le palais de son père. Mais, au moment où le Maghrébin faisait manœuvrer la corde pour faire s'agenouiller le chameau et descendre, l'Avisé put attraper la corde avec ses dents, et la coupa net par le milieu. Et le pouvoir qui y était attaché fut détruit par cette coupure. Et l'Avisé, pour échapper au Maghrébin, se changea en une grosse grenade, et alla se suspendre, sous cette forme, à un grenadier en fleur.

Alors le Maghrébin entra chez le sultan, père de la princesse, et après les salams et compliments, lui dit : « Ô roi du temps, je viens te demander une grenade, parce que la fille de mon oncle est enceinte, et son âme désire vivement une grenade. Et tu sais quel péché on commet en ne satisfaisant pas l'envie d'une femme enceinte. » Et le roi s'étonna de la demande, et répondit : « Ô homme, la saison n'est pas la saison des grenades, et les grenadiers de mon jardin sont fleuris seulement depuis hier. » Il dit : « Ô roi du temps, si dans ton jardin il n'y a pas de grenades, coupe-moi la tête ! »

Alors le roi appela son chef jardinier, et lui demanda : « Est-il vrai, ô jardinier, qu'il y a des grenades dans mon jardin ? » Et le jardinier répondit : « Ô mon maître, la saison présente est-elle la saison des grenades ? » Et le roi se tourna vers le Maghrébin, et lui dit : « Allons, ta tête est perdue… »

À ce moment de sa narration, Schahrazade vit apparaître le matin et, discrète, se tut.

Mais lorsque fut la neuf cent cinquante-quatrième nuit. Elle dit :

… Et le roi se tourna vers le Maghrébin, et lui dit : « Allons, ta tête est perdue. » Mais le Maghrébin répondit : « Ô roi, avant de faire voler ma tête, donne l'ordre au jardinier d'aller regarder les grenadiers. » Et le roi dit : « Bien. » Et il fit signe au jardinier d'aller voir sur les arbres si, oui ou non, il y avait des grenades hors de saison.

Et le jardinier descendit au jardin, et trouva, sur un grenadier, une grosse grenade qui n'avait pas eu sa pareille parmi toutes les grenades passées. Et il la prit, et alla la porter au roi.

Et le roi prit la grenade et s'en étonna prodigieusement ; et il ne sut s'il devait la garder pour lui-même ou s'il devait la donner à cet homme qui la réclamait pour sa femme tourmentée par les envies de la grossesse. Et il dit au vizir : « Ô mon vizir, je voudrais bien manger cette grosse grenade-là ! Qu'en penses-tu ? » Et le vizir lui répondit : « Ô roi, si l'on n'avait pas trouvé la grenade, est-ce que tu n'aurais pas coupé la tête au Maghrébin ? » Il dit : « Oui, certes ! » Et le vizir dit : « Alors, la grenade lui revient de droit. »

Alors le roi remit, de sa propre main, la grenade au Maghrébin. Mais, dès que le Maghrébin l'eut touchée, la grenade éclata, et tous les grains jaillirent et s'éparpillèrent de tous côtés. Et le Maghrébin se mit à les ramasser un par un, jusqu'à ce qu'il fût arrivé au dernier grain qui était tombé dans un petit trou, au pied du trône du roi. Or, c'était dans ce grain-là qu'était cachée la vie de Môhammad l'Avisé. Et le Maghrébin allongea son cou vers ce grain, et tendit la main pour le prendre et l'écraser. Mais soudain un poignard sortit du grain, et se plongea de toute la longueur de sa lame dans le cœur du Maghrébin. Et il mourut à son heure, crachant son âme mécréante avec son sang.

Et le jeune prince Môhammad apparut dans sa beauté, et embrassa la terre entre les mains du roi. Et la jeune fille, à ce moment précis, entra et dit : « Voici l'adolescent qui a détaché mes cheveux de l'arbre, alors que j'étais suspendue. » Et le roi dit : « Puisque c'est cet adolescent qui t'a déliée, tu ne peux faire autrement que de l'épouser. » Et la jeune fille dit : « Bien. » Et leur noce fut célébrée comme il fallait. Et leur nuit fut bénie entre toutes les nuits. Et, depuis lors, ils demeurèrent ensemble, contents et prospérant, et eurent, comme enfants, des fils et des filles. Et c'est fini.

Or gloire et louange au Seul, à l'Unique qui n'a ni fin ni commencement ! était le dernier. Et le sultan Baïbars se trémoussa de son récit ; et son contentement arriva à ses limites extrêmes.

Et, pour marquer son plaisir à ses capitaines de police, il les nomma tous chambellans du palais, avec des émoluments de mille dinars par mois sur le trésor du règne. Et il les prit comme compagnons de coupe, et ne s'en sépara pas plus en temps de guerre qu'en temps de paix. Que sur eux tous soit la miséricorde du Très-Haut !

Puis Schahrazade sourit et se tut. Et le roi Schahriar lui dit : « Ô Schahrazade, que les nuits sont courtes maintenant qui ne me permettent pas d'en entendre plus long de ta bouche ! » Et Schahrazade dit : « Oui, ô Roi ! Mais je crois, tout de même, que je puis encore cette nuit, si toutefois tu me le permets, te raconter une histoire qui laisse loin derrière elle toutes celles que tu as entendues. » Et le roi Schahriar dit : « Certes, Schahrazade, tu peux la commencer, puisqu'elle est, je n'en doute plus, admirable. » Alors Schahrazade dit…

HISTOIRE DE LA ROSE MARINE ET DE L'ADOLESCENTE DE CHINE

Et Schahrazade dit :

Il est raconté, ô Roi du temps, qu'il y avait, dans un royaume d'entre les royaumes du Scharkistân, – mais Allah l'Exalté est plus savant ! – un roi nommé Zein El-Moulouk, célèbre dans les horizons, et, pour la bravoure et la générosité, le frère des lions. Or, jeune encore, il avait eu déjà deux fils doués de qualités, lorsque, par l'effet de la bénédiction de son Seigneur et de la bonté du Rétributeur, il lui naquit un troisième fils, enfant insigne, dont la beauté dissipait les ténèbres, comme une lune fille de quatorze nuits. Et, à mesure que ses jeunes années s'accouplaient, ses yeux, coupes d'ivresse, troublaient les plus sages par les doux feux de leurs regards ; chacun de ses cils brillait comme la lame courbe d'un poignard ; les boucles de ses cheveux de musc noir embrouillaient les cœurs comme le nard ; ses joues étaient fraîches sans fard et faisaient honte aux joues des vierges, à tous égards ; ses sourires engageants étaient autant de dards ; son port était noble à la fois et mignard ; la commissure gauche de ses lèvres était ornée d'une éphélide arrondie avec art : et sa poitrine blanche et lisse était comme une tablette de cristal, et abritait un cœur vif et gaillard.

Et le roi Zein El-Moulouk, à la limite du bonheur, fit venir les devins et les astrologues, pour tirer l'horoscope de cet enfant. Et ils agitèrent le sable, et tracèrent les figures astrologiques, et prononcèrent les formules majeures de la divination. Après quoi ils dirent au roi : « Le sort de cet enfant est faste, et son étoile lui assure un bonheur infini. Mais il est également écrit dans sa destinée que si toi, son père, tu venais à le regarder dans le temps de son adolescence, tu perdrais aussitôt la vue. »

À ce discours des devins et des astrologues, le monde noircit devant le visage du roi. Et il fit retirer l'enfant de sa présence, et ordonna à son vizir de le placer, ainsi que sa mère, dans un palais éloigné de façon à ce qu'il ne pût jamais le rencontrer sur son passage. Et le vizir répondit par l'ouïe et l'obéissance, et exécuta ponctuellement l'ordre de son maître. Et les années passèrent après les années. Et le beau surgeon du jardin du sultanat, ayant reçu de sa mère les soins d'une délicatesse parfaite, fut verdoyant de santé, de vertu, et de beauté.

Or, comme on ne peut jamais effacer l'écrit du destin, le jeune prince Nourgihân monta, un jour, sur son coursier, et s'élança dans les bois à la poursuite du gibier. Et le roi Zein El-Moulouk était également sorti, ce jour-là, pour chasser le daim. Et la fatalité voulut que, malgré toute l'immensité de cette forêt, il passât près de son fils. Et, sans le reconnaître, son regard tomba sur lui. Et, à l'instant, la faculté de voir disparut de ses yeux. Et il devint le prisonnier du royaume de la nuit.

Et, ayant alors compris que sa cécité avait été causée par la rencontre du jeune cavalier, et que ce jeune cavalier ne pouvait être que son fils, il dit, en pleurant : « D'ordinaire les yeux du père qui regarde son fils deviennent plus lumineux. Mais les miens, par la volonté du sort, en sont à jamais aveuglés. » Après quoi il fit convoquer dans son palais les plus grands médecins du siècle, et ceux qui, pour le savoir, dépassaient Ibn-Sina, et les consulta sur les moyens de guérir sa cécité. Et tous, après s'être concertés et interrogés, s'accordèrent à déclarer au roi que cette cécité n'était point guérissable par les moyens ordinaires. Et ils ajoutèrent : « Le seul remède pour recouvrer la vue est tellement difficile à avoir, qu'il est préférable de ne pas même y songer. Car c'est la rose marine cultivée par l'adolescente de Chine…

À ce moment de sa narration, Schahrazade vit apparaître le matin et, discrète, se tut.

Mais lorsque fut la neuf cent cinquante-cinquième nuit. Elle dit :

… Car c'est la rose marine cultivée par l'adolescente de Chine. »

Et ils expliquèrent au roi qu'il y avait, dans l'intérieur lointain du pays de Chine, une princesse, fille du roi Firouz-Schah, qui avait, dans son jardin, le seul arbuste connu de cette rose marine, dont la vertu guérissait les yeux, et rendait la vue, même aux aveugles de naissance.

Et le roi Zein El-Moulouk, ayant entendu ces paroles de ses médecins, fit publier dans tout son royaume, par les crieurs que celui qui lui apporterait la rose marine de l'adolescente de Chine, aurait, en récompense, la moitié de son empire. Puis il attendit le résultat, en pleurant comme Jacob, en se consumant comme Job, et en s'abreuvant au sang de son cœur séparé en deux lobes.

Or, parmi ceux qui partirent pour le pays de Chine, à la recherche de la rose marine, étaient les deux fils aînés de Zein El-Moulouk. Et le jeune prince Nourgihân partit également. Car il s'était dit : « Je veux éprouver, sur la pierre de touche du danger, l'or de mon destin. Et puisque je suis la cause involontaire de la cécité de mon père, il est juste que j'expose ma vie pour le guérir. »

Et donc le prince Nourgihân, ce soleil du quatrième ciel, monta sur son coursier agile comme le vent, à l'heure où la lune, voyageuse montée sur le noir palefroi de la nuit, eut détourné sa bride de l'Orient.

Et il voyagea pendant des jours et des mois, traversant les plaines et les déserts, et les solitudes où il n'y avait d'autre présence que celle d'Allah et de l'herbe sauvage. Et il finit par arriver dans une forêt sans limites, plus noire que l'esprit de l'ignorant, et tellement obscure qu'on ne pouvait y distinguer la nuit du jour, ni voir la différence entre le blanc et le noir. Et Nourgihân, dont le brillant visage éclairait seul les ténèbres, s'avançait d'un cœur d'acier dans cette forêt dont les arbres portaient, par endroits, en guise de fruits, des têtes d'êtres animés qui se mettaient à ricaner et à rire et tombaient par terre, tandis que, sur d'autres branches, des fruits, qui ressemblaient à des pots de terre, s'ouvraient en craquant, et laissaient s'échapper de leur cavité des oiseaux aux yeux d'or.

Et voici que soudain il se trouva face à face avec un vieux genni, semblable à une montagne, assis sur le tronc d'un énorme caroubier. Et il l'aborda par le salam, et fit sortir de la boîte de rubis de sa bouche quelques paroles qui s'unirent à l'esprit du genni comme le sucre au lait. Et le genni, ému par la beauté de cette jeune plante du jardin de l'élévation, l'invita à se reposer auprès de lui. Et Nourgihân descendit de cheval, et prit dans son sac un gâteau au beurre fondu et à la fleur de farine, et l'offrit, en témoignage d'amitié, au genni, qui l'accepta et n'en fit qu'une bouchée. Et il fut tellement satisfait de cette nourriture qu'il sauta de joie, et dit : « Cette nourriture des fils d'Adam me fait plus de plaisir que si j'avais reçu en cadeau le soufre rouge qui sert de pierre à l'anneau de notre maître Soleïmân. Et, par Allah ! je suis tellement ravi, qui si chacun de mes poils se changeait en cent mille langues, et que chacune de ces langues célébrât tes louanges, je n'exprimerais pas encore ce que je ressens pour toi de gratitude.

Demande-moi donc, en retour, tout ce que tu voudras, et je l'accomplirai sans retard. Autrement mon cœur serait comme une assiette qui tomberait du haut d'une terrasse et se briserait en menus morceaux. »

Et Nourgihân remercia le genni pour ses paroles engageantes, et lui dit : « Ô chef des genn et leur couronne, ô gardien attentif de cette forêt, puisque tu me permets d'exprimer un souhait, voici. Je te demande simplement de me faire parvenir, sans retard ni délai, dans le royaume du roi Firouz-Schah, où je compte cueillir la rose marine de l'adolescente de Chine. »

Or, en entendant ces mots, le genni, gardien de la forêt, poussa un froid soupir, se frappa la tête de ses deux mains, et perdit connaissance. Et Nourgihân lui prodigua les soins les plus délicats ; mais voyant qu'ils restaient sans résultat, il lui mit dans la bouche un second gâteau au beurre fondu, au sucre et à la fleur de farine. Et aussitôt la sensibilité revint au genni qui se réveilla de son évanouissement, et, encore tout ému du gâteau et de la demande, dit au jeune prince : « Ô mon maître, la rose marine dont tu parles, et dont la maîtresse est une adolescente princière de Chine, est sous la garde des genn aériens qui, jour et nuit, sont employés à empêcher qu'aucun oiseau ne vole au-dessus d'elle, que les gouttes de pluie ne détériorent sa corolle et que le soleil ne la brûle de ses feux. Je ne vois donc point comme je pourrais faire, une fois que je t'aurais transporté dans le jardin où elle vit, pour tromper la vigilance de ces gardiens aériens qui en sont amoureux. En vérité, ma perplexité est une grande perplexité ! Mais donne-moi encore un de ces excellents gâteaux, qui m'ont déjà fait tant de bien. Et peut-être que sa vertu aidera mon cerveau à trouver le joint que je souhaite. Car il faut que j'accomplisse ma promesse à ton égard, en te faisant parvenir à la rose de ton désir. »

Et le prince Nourgihân se hâta de donner le gâteau en question au genni gardien de la forêt qui, après l'avoir fait disparaître dans l'abîme de son gosier, enfonça sa tête dans le capuchon de la réflexion. Et soudain il releva la tête, et dit : « Le gâteau a fait son effet. Viens sur mon bras et envolons-nous vers la Chine. Car maintenant j'ai trouvé le moyen de tromper la vigilance des gardiens aériens de la rose. Et c'est de leur jeter un de ces étonnants gâteaux au beurre fondu, au sucre et à la fleur de farine. »

Et le prince Nourgihân, qui avait commencé à être fort inquiet en voyant s'évanouir le genni de la forêt, se rasséréna et s'épanouit ; et il reverdit comme le jardin et fleurit comme le bouton de rose.

Et il répondit : « Il n'y a pas d'inconvénient. »

Alors le genni de la forêt plaça le prince sur son bras gauche et se mit en route, dans la direction du pays de Chine, garantissant des rayons du soleil, avec son bras droit, le fils d'Adam. Et, anéantissant sous son vol la distance, il arriva ainsi, sans encombre, grâce à la sécurité, au-dessus de la capitale du pays de Chine. Et il déposa doucement le prince à l'entrée d'un jardin merveilleux, qui n'était autre que le jardin où vivait la rose marine. Et il lui dit : « Tu peux entrer là-dedans d'un cœur tranquille, car je vais aller occuper les gardiens de la rose avec le gâteau que tu m'as donné à leur intention. Puis tu me retrouveras ici même dans ton attente, prêt à te conduire là où tu voudras. »

Et, là-dessus, le beau Nourgihân quitta son ami le genni et pénétra dans le jardin. Et il vit que ce jardin, morceau détaché du paradis élevé, se manifestait à ses yeux, beau comme un crépuscule vermeil…

À ce moment de sa narration, Schahrazade vit apparaître le matin, et discrète, se tut.

Mais lorsque fut la neuf cent cinquante-sixième nuit. Elle dit :

… Et il vit que ce jardin, morceau détaché du paradis élevé, se manifestait à ses yeux, beau comme un crépuscule vermeil. Et, au milieu de ce jardin, était une large pièce d'eau pleine d'eau de rose, jusqu'aux bords. Et, au centre de cette pièce d'eau précieuse, s'élevait, unique sur sa tige, une fleur rouge-feu épanouie. Et c'était la rose marine. Oh ! qu'elle était admirable ! Seul le rossignol pourrait en donner la description convenable.

Et le prince Nourgihân, émerveillé de sa beauté et ivre de son odeur, comprit sans peine qu'une telle rose devait être douée des plus miraculeuses vertus. Et, sans hésiter, il ôta ses vêtements, entra dans l'eau parfumée, et alla arracher le rosier tout entier avec son unique fleur. Puis le jouvenceau, riche de ce délicat fardeau, revint sur le bord de la pièce d'eau, se sécha et s'habilla sous les rameaux, et cacha la plante sous son manteau, tandis que les oiseaux, cachés dans les roseaux, racontaient dans leur langage aux ruisseaux l'enlèvement de la rose miraculeuse et de son arbrisseau.

Mais il ne voulut point s'éloigner de ce jardin avant d'avoir visité le charmant pavillon qui s'élevait sur le bord de l'eau, et qui était entièrement construit en cornalines de l'Yémen. Et il s'avança du côté de ce pavillon, et y entra hardiment. Et il se trouva dans une salle de la plus harmonieuse architecture, décorée avec un art parfait, et belle de ses proportions. Et au milieu de cette salle était un lit d'ivoire enrichi de pierreries, autour duquel étaient abaissés des rideaux habilement brodés. Et Nourgihân, sans hésiter, se dirigea vers le lit, entrouvrit les rideaux, et demeura immobilisé d'admiration en apercevant, couchée sur les coussins, une délicate jouvencelle, sans autre habit ni ornement que sa propre beauté. Et elle était plongée dans un profond sommeil, sans se douter que, pour la première fois de sa vie, un œil humain la contemplait sans le voile du mystère. Et ses cheveux étaient en désordre ; et sa petite main potelée aux cinq fossettes était nonchalamment posée sur son front. Et le nègre de la nuit était réfugié dans sa chevelure couleur du musc, tandis que les sœurs des Pléiades se cachaient derrière le voile des nuages en voyant le chapelet lumineux de ses dents.

Et le spectacle de la beauté de cette jouvencelle de Chine, qui s'appelait Visage de Lys, fit tant d'effet sur le prince Nourgihân, qu'il tomba privé de sentiment. Mais il ne tarda pas à reprendre connaissance, et, poussant un soupir, il s'approcha de l'oreiller de la belle qui l'ensorcelait, et ne put s'empêcher de réciter ces vers :

« Quand tu dors sur la pourpre, ta face claire est comme l'aurore, et tes yeux tels les cieux marins.

Quand ton corps vêtu de narcisses et de roses s'étire debout ou s'allonge délié, ne l'égalerait le palmier qui croît en Arabie.

Quand tes fins cheveux où brûlent les pierreries retombent massifs ou se déploient légers, nulle soie ne vaudrait leur tissu naturel. »

Après quoi, voulant laisser à la belle dormeuse une trace de son entrée en ce lieu, il lui mit au doigt un anneau qu'il portait, et retira du sien la bague qu'elle portait elle-même, et se la passa à son propre doigt. Et il sortit alors du pavillon, sans la réveiller, en récitant ces vers :

« Je quitte ce jardin en emportant dans mon cœur, comme la tulipe sanglante, la blessure de l'amour.

Le malheureux est celui qui sort du jardin du monde, sans avoir emporté la moindre fleur dans le pan de sa robe. »

Et il alla trouver le genni gardien de la forêt, qui l'attendait à la porte du jardin, et le pria de le transporter sans retard dans le royaume du roi Zein El-Moulouk, au Scharkistân. Et le genni répondit : « Ouïr c'est obéir ! Mais pas avant que tu m'aies donné un autre gâteau ! » Et Nourgihân lui donna le dernier gâteau qui lui restât encore. Et aussitôt le genni le prit sur son bras gauche, et partit avec lui, en course aérienne, vers le Scharkistân.

Et ils arrivèrent sans encombre dans le royaume du roi aveugle Zein El-Moulouk. Et lorsqu'ils eurent atterri, le genni dit au beau Nourgihân : « Ô capital de ma vie et de ma joie, je ne veux pas te quitter sans te laisser une marque de ma sollicitude. Prends cette touffe de poils que je viens de m'arracher de la barbe à ton intention. Et chaque fois que tu auras besoin de moi, tu n'auras qu'à brûler un de ces poils. Et je serai immédiatement entre tes mains. » Et, ayant ainsi parlé, le genni baisa la main qui l'avait nourri, et s'en alla en sa voie.

Quant à Nourgihân, il se hâta de monter au palais de son père, après avoir demandé l'audience et annoncé qu'il était porteur de la guérison. Et lorsqu'il fut introduit en présence du roi aveugle, il tira de dessous son manteau la plante miraculeuse, et la lui remit. Et le roi n'eut pas plutôt approché de ses yeux la rose marine, dont l'odeur et la beauté enlevaient l'âme des spectateurs, que ses yeux devinrent lumineux comme des étoiles.

Alors, à la limite de la joie et de la gratitude, il baisa au front son fils Nourgihân et le serra contre sa poitrine, lui témoignant la plus vive tendresse. Et il fit publier par tout le royaume qu'il partageait désormais l'empire entre lui et son fils cadet Nourgihân. Et il donna les ordres nécessaires pour que, pendant une année entière, des fêtes royales fussent célébrées qui tinssent ouverte à tous ses sujets, riches et pauvres, la porte de la joie et du plaisir, et fermée celle de la tristesse et du chagrin.

Puis Nourgihân, redevenu bien-aimé de son père, qui pouvait désormais le regarder sans danger de perdre la vue, songea à replanter la rose marine, pour qu'elle ne mourût pas. Et, dans cette intention, il eut recours au genni de la forêt, qu'il appela en brûlant un des poils de la barbe. Et le genni lui bâtit, en l'espace d'une nuit, un bassin creusé à la profondeur de deux piques, dont le ciment était d'or pur et les fondements en pierreries. Et Nourgihân se hâta de planter la rose au milieu de ce bassin. Et elle fut un enchantement pour les yeux et un baume pour l'odorat...

À ce moment de sa narration, Schahrazade vit apparaître le matin et, discrète, se tut.

Mais lorsque fut la neuf cent cinquante-septième nuit. Elle dit :

... Et elle fut un enchantement pour les yeux et un baume pour l'odorat.

Toutefois, malgré la guérison du roi, les deux fils aînés, qui étaient revenus avec le nez allongé, prétendirent que cette rose marine n'était point douée de vertus miraculeuses, et que le roi n'avait recouvré la vue que grâce à la sorcellerie et à l'intervention, en cette affaire, du démon le Lapidé.

Mais le roi, leur père, furieux de leurs allégations, et mécontent de leur manque de discernement, les réunit en présence de leur frère Nourgihân, et leur tint un discours sévère, et leur dit : « Pourquoi doutez-vous de l'effet de cette rose sur ma vue ? Ne croyez-vous donc pas qu'Allah Très-Haut puisse mettre la guérison dans le cœur d'une rose, Lui qui peut faire d'une femme un homme et d'un homme une femme ? D'ailleurs écoutez, à ce sujet, ce qui arriva à la fille d'un roi de l'Inde. » Et il dit :

« Il y avait, en l'antiquité du temps, un roi de l'Inde qui possédait, dans son harem, cent femmes belles et jeunes, choisies entre des milliers de jouvencelles qui n'avaient pas leurs pareilles dans les palais des rois. Mais aucune d'elles ne concevait de lui ni n'accouchait. Et de cela devenait triste et chagrin le roi de l'Inde, qui déjà était vieux et courbé par l'âge. Mais enfin, par l'effet de la Toute-Puissance d'Allah, la plus jeune des épouses du roi devint enceinte et, après neuf mois, mit au monde une fille, très belle et d'un aspect vraiment féerique. Et sa mère, dans la crainte que le roi ne se chagrinât en voyant qu'il n'avait pas d'enfant mâle, fit courir le bruit que la fille nouveau-née était un garçon. Et elle fut d'accord avec les astrologues pour faire croire au roi qu'il ne fallait pas qu'il vît cet enfant avant dix ans.

« Or quand la petite fille, qui grandissait en beauté, fut arrivée à l'âge où le roi, son père, pouvait enfin la voir, sa mère lui fit les recommandations nécessaires et lui expliqua comment elle devait s'y prendre pour se faire passer pour un garçon. Et la fillette, qu'Allah avait douée de finesse et d'intelligence, comprit parfaitement les instructions de sa mère, et s'y conforma en toute circonstance. Et elle allait et venait dans les appartements royaux, habillée en garçon, et se comportant comme si elle était réellement du sexe masculin.

« Et le roi, son père, se réjouissait de jour en jour de la beauté de l'enfant qu'il croyait être un garçon. Et, quand ce prétendu fils eut atteint l'âge de quinze ans, le roi résolut de le marier avec une princesse, fille d'un roi voisin. Et on décida le mariage. Et lorsqu'arriva le temps fixé, le roi fit revêtir son fils d'une robe magnifique, le fit asseoir à côté de lui dans un palanquin d'or, porté sur le dos d'un éléphant, et le conduisit en grand cortège au pays de sa future épouse. Et dans cette circonstance si embarrassante, le jeune prince, qui était intérieurement une princesse, pleurait et riait tour à tour.

« Or une nuit, le cortège s'étant arrêté dans une forêt touffue, la jeune princesse sortit de son palanquin, et alla au loin sous les arbres, pour satisfaire un besoin dont les princesses elles-mêmes sont les esclaves. Et voici qu'elle se trouva face à face avec un jeune genni, fort beau, assis sous un arbre, et qui était le gardien de cette forêt. Et le genni, ébloui de la beauté de la jeune fille, la salua gentiment et lui demanda qui elle était et où elle allait. Et elle, mise en confiance par son air engageant, lui raconta toute son histoire dans ses moindres détails, et lui dit combien elle allait se trouver gênée, lors de la nuit de noces, en entrant dans le lit de celle qu'on lui destinait comme épouse.

« Alors le genni, touché de son embarras, réfléchit un instant ; puis, généreusement, il lui offrit de lui prêter son sexe, en entier, et de prendre le sien, mais à condition qu'elle lui rendrait fidèlement le dépôt à son retour. Et la jeune fille, pleine de gratitude, accepta l'offre et consentit à la proposition. Et, par l'effet de la volonté du Tout-Puissant, l'échange fut aussitôt effectué, sans difficulté ni complication. Et, ravie à la limite du ravissement, la jeune princesse, alourdie de ce don nouveau et de cette marchandise, retourna vers son père et remonta dans le palanquin. Et, comme elle n'était pas encore habituée à ses nouveaux appendices, elle s'assit maladroitement dessus, et poussa un cri de douleur. Mais elle se rattrapa bien vite, pour ne pas se faire remarquer, et porta désormais toute son attention et tous ses soins à ne pas répéter le même mouvement, non seulement pour ne pas souffrir de la même douleur, mais aussi pour ne pas abîmer un dépôt qui lui était confié et qu'elle devait rendre en bon état à son propriétaire.

« Et, après quelques jours, le cortège arriva dans la ville de la fiancée. Et le mariage fut célébré en grande pompe. Et l'époux sut se servir à merveille de l'instrument que lui avait gracieusement prêté le genni, et le manœuvra si bien que la mariée devint enceinte, sans délai ni retard. Et tout le monde fut content.

« Or, au bout de neuf mois, la mariée accoucha d'un garçon charmant. Et lorsqu'elle se fut relevée de ses couches, son époux lui dit : « Il est temps que nous nous rendions dans mon pays, afin que tu voies ma mère, mes parents et mon royaume. » Il lui dit cela, mais, en réalité, c'était parce qu'il voulait, sans différer davantage, rendre au genni de la forêt le dépôt intact et bien portant, d'autant plus que, durant ces neuf mois de vie agréable, ce dépôt-là avait fructifié et s'était embelli et développé.

« Et la jeune épouse ayant répondu par l'ouïe et l'obéissance, on se mit en route. Et on ne tarda pas à arriver dans la forêt, séjour du genni maître de la marchandise. Et le prince s'éloigna de la caravane et se rendit à l'endroit où habitait le genni. Et il le trouva assis à la même place, visiblement fatigué et avec l'apparence d'une femme dont le ventre aurait grossi. Et, après les salams, il lui dit : « Ô chef des genn et leur couronne, grâce à ta bienveillance, j'ai pleinement réussi dans ce que j'avais à faire, et j'ai obtenu ce que je désirais. Et maintenant je viens, selon ma promesse, te rendre fidèlement ton bien qui a crû et embelli, et reprendre mon bien. » Et, ce disant, il voulut lui mettre dans la main le dépôt qu'il portait.

« Mais le genni lui répondit : « Certes, ta foi est une grande foi, et ton honnêteté est extrême. Mais, à mon grand regret, je dois te dire que maintenant je n'ai plus envie de reprendre ce que je t'ai prêté ni de te donner ce que je porte sur moi. C'est une affaire finie, et le destin l'a ainsi réglée. Car, depuis que nous nous sommes quittés, un fait nouveau s'est produit qui empêche désormais tout échange entre nous. » Et l'ancienne jeune fille demanda : « Et quel est, ô grand genni, ce fait nouveau qui nous empêche tous deux de reprendre notre sexe respectif ? » Il répondit : « Sache, ô ancienne jeune fille, que je t'ai longtemps attendue ici, en veillant délicatement sur le dépôt que tu m'avais confié, en échange du mien ; et je n'épargnais rien pour le conserver dans son état charmant de virginité et de candeur, quand, un jour, un genni, intendant de ces domaines, passa par la forêt et vint me voir. Et il sentit, à ma nouvelle odeur, que j'étais porteur d'un sexe qu'il ne me connaissait pas. Et il éprouva pour moi un violent amour ; et, réciproquement, il excita en moi le même sentiment. Et il s'unit à moi de la manière ordinaire, et brisa dans le dépôt le cachet de la virginité. Et j'éprouvai tout ce qu'une femme éprouve en pareille circonstance ; et je trouvai même que le plaisir des femmes était bien plus durable et de qualité plus délicate que celui des hommes. Et actuellement je ne puis reprendre mon sexe, car je suis enceinte de mon époux l'intendant ; et, si, par malheur, je consentais à redevenir un homme et que je vinsse à accoucher, en cet état d'homme, de l'enfant que je porte dans mon sein, je mourrais certainement de douleur, et le ventre déchiré. Et tel est le fait nouveau qui me fait une obligation de vie de garder ce que tu m'as prêté. Ainsi donc, de ton côté, garde ce que je t'ai prêté. Et rendons grâces à Allah qui a tout conduit sans dommage et sans encombre, et qui a permis entre nous cet échange qui ne lèse personne. »

Et le roi, ayant raconté cette histoire à ses deux fils aînés, devant leur frère Nourgihân, continua : « Ainsi donc, rien n'est impossible à la toute-puissance du Créateur. Et Celui qui a pu de la sorte changer une jeune fille en adolescent, et un genni mâle en femme enceinte, a pu également mettre la guérison de ma vue dans le cœur d'une rose. » Et, ayant ainsi parlé, il renvoya ses deux fils aînés de sa présence, et garda auprès de lui le jeune Nourgihân, en le comblant de prévenances et de marques de tendresse. Et voilà pour eux.

Mais pour ce qui est de la princesse Visage de Lys, l'adolescente de Chine, maîtresse de la rose marine, voici : Lorsque le parfumeur du ciel eut apporté le plateau d'or du soleil, rempli du camphre de l'aurore, sur la fenêtre de l'orient, la princesse Visage de Lys ouvrit ses yeux enchanteurs et sortit de son lit. Et elle arrangea son peigne, noua sa chevelure, et se dirigea tout doucement, en se balançant avec grâce, vers la pièce d'eau où se trouvait la rose marine. Car, chaque matin, sa première pensée, et sa première visite étaient pour sa rose. Et elle traversait le jardin, dont l'atmosphère était parfumée comme le magasin d'un marchand d'aromates, et dont les fruits, sur les branches, étaient autant de fioles de sucre suspendues au vent. Et le matin de ce jour était plus beau que tous les matins, et le ciel alchimiste était couleur de verre et de turquoise. Et chacun des pas de l'adolescente au corps de rose semblait faire naître des fleurs, et la poussière qu'excitait la traîne de ses robes était du collyre pour l'œil du rossignol...

À ce moment de sa narration, Schahrazade vit apparaître le matin et, discrète, se tut.

Mais lorsque fut la neuf cent cinquante-huitième nuit. Elle dit :

... Et la poussière qu'excitait la traîne de ses robes était du collyre pour l'œil du rossignol.

Et elle arriva ainsi au bout de la pièce d'eau, et jeta les yeux sur la place qu'occupait sa rose chérie. Mais elle n'en vit même pas la trace et n'en perçut pas l'odeur. Alors, anéantie de douleur, elle fut prête à se dissoudre comme for dans le creuset, et à se faner comme le bouton au simoun du chagrin. Et, au même moment, pour comble de malheur, elle s'aperçut que l'anneau qu'elle portait au doigt était un anneau étranger, et que la bague était disparue qu'elle avait depuis des ans.

Aussi, se souvenant de sa nudité pendant qu'elle dormait, et que les yeux d'un étranger avaient impunément violé tout le mystère charmant de sa personne, elle fut abîmée dans un océan de confusion. Et elle rentra en toute hâte dans son pavillon de rubis, et se mit à pleurer, toute seule, pendant toute la journée. Après quoi, les pensées raisonnables lui vinrent avec la réflexion, et elle se dit : « Certes, le dicton est faux qui dit : « Il n'y a pas de trace à trouver de ce qui ne laisse pas de trace ; car si on la trouve, on ne laisse pas soi-même de trace. » Et, en outre, rien également n'est plus mensonger que cet autre dicton : « Lorsqu'on va à la recherche d'un objet perdu, il faut se perdre soi-même pour le trouver. » Car, moi, par Allah ! toute faible et toute jeune fille que je sois, je veux, dès cet instant, me mettre à la recherche du ravisseur de ma rose, et connaître le motif de son larcin. Et je le punirai d'avoir osé porter le regard de son désir sur ma virginité de princesse assoupie. »

Elle dit, et, à l'heure même, elle se mit en chemin, au moyen des ailes de l'impatience, suivie de ses jeunes filles esclaves qu'elle avait habillées en guerriers. Et, à force de faire du chemin en demandant partout des renseignements durant le voyage, elle finit par arriver, sans encombre, dans le Scharkistân, royaume de Zein El-Moulouk, père de Nourgihân. Et, étant entrée dans la capitale, elle vit partout les pavoisements des fêtes qui devaient durer une année entière ; et elle entendit auprès de chaque porte retentir les instruments de musique, et les manifestations de la joie. Et, curieuse de savoir le motif de ces réjouissances, elle demanda, toujours déguisée en jeune homme, quelle était la cause de la joie générale qui régnait parmi les habitants de la ville. Et on lui répondit : « Le roi était aveugle ; mais son fils Nourgihân, l'excellent, le beau, est venu à bout, après des peines infinies, de lui apporter la rose marine de l'adolescente de Chine. Et le simple contact de cette rose miraculeuse sur les yeux du roi, lui a rendu la vue. Et ses yeux sont devenus lumineux comme des étoiles. Et, à cette occasion, le roi a ordonné qu'on se livrât au plaisir et aux réjouissances pendant une année entière, aux frais du trésor du règne, et qu'à chaque porte les instruments de musique se fissent entendre sans arrêt du matin au soir. »

Et Visage de Lys, à la limite de la joie d'avoir enfin des nouvelles précises de sa rose, commença par aller prendre un bain dans la rivière, pour se délasser les fatigues de la route. Puis, ayant repris ses vêtements de jeune homme, elle se dirigea du côté du palais du roi, en marchant avec grâce à travers les souks. Et ceux qui regardaient cet adolescent étaient effacés d'admiration, comme les traces des pas sur le sable. Et les boucles recroquevillées de ses cheveux tordaient le cœur des spectateurs.

Et elle arriva ainsi au jardin, et vit, dans le bassin d'or pur, sa rose marine épanouie comme jadis, au milieu de l'eau précieuse des roses, enchantement pour les yeux et baume pour l'odorat. Et, après la joie éprouvée de cette rencontre, elle se dit : « Je vais maintenant me cacher sous les arbres, pour voir l'impudent qui a enlevé la rose de mon jardin et la bague de mon doigt. »

Et bientôt arriva près du bassin à la rose l'adolescent dont les yeux, coupes d'ivresse, troublaient les plus sages par les doux feux de leurs regards, dont chacun des cils brillait comme la lame courbe d'un poignard, dont les boucles de musc noir embrouillaient les cœurs comme le nard, dont les joues, belles et fraîches sans fard, surpassaient les joues veloutées des vierges, à tous égards, dont les sourires engageants étaient autant de dards, dont le port était noble à la fois et mignard, dont la commissure gauche était ornée d'une éphélide arrondie avec art, et dont la poitrine, blanche et lisse, était comme une tablette de cristal et abritait un cœur vif et gaillard. Et, à sa vue, Visage de Lys tomba dans une sorte d'étourdissement et perdit presque la raison. Car c'est avec justesse que le poète a dit :

« Si, dans une assemblée, l'arc des sourcils tire les flèches des œillades, elles n'atteignent de leur pointe que le cœur digne de l'amour. »

Et quand Visage de Lys eut repris ses sens, elle se frotta les yeux, regarda de tous côtés, et ne revit plus l'adolescent. Et elle se dit : « Voici que le voleur de ma rose vient de m'enlever également l'âme et le cœur. Il n'a pas seulement brisé avec la pierre de la séduction la fiole précieuse de mon honneur, mais il a blessé sournoisement mon cœur avec la flèche de l'amour. Hélas ! loin de mon pays et de ma mère, où irai-je maintenant et à qui me plaindrai-je pour demander justice de tous ces dégâts ? »

Et le cœur brûlé de passion, elle alla retrouver ses jeunes filles. Et, s'étant isolée au milieu d'elles, elle prit un calam et un papier, et écrivit à Nourgihân une lettre qu'elle remit, avec son anneau, à sa suivante favorite, avec mission de remettre les deux objets entre les propres mains du prince adolescent. Et la jeune fille arriva en un clin d'œil auprès de Nourgihân, et le trouva assis et paraissant rêver à sa maîtresse Visage de Lys. Et, après les salams respectueux, elle lui remit la lettre et l'anneau dont la confiance de la princesse l'avait chargée. Et Nourgihân, à la limite de l'émotion, reconnut l'anneau. Et il ouvrit la lettre et lut ce qui suit :

« Après la louange à l'Être libre du « comment » et du « pourquoi », qui a donné aux vierges la grâce et la beauté, et aux adolescents l'œil de la séduction, en allumant dans le cœur des uns et des autres la lampe de l'amour où, comme le papillon, la sagesse vient se brûler.

« Voici que je me meurs d'amour pour tes yeux langoureux, et que le feu de la passion me dévore au-dedans et au-dehors. Ah ! qu'il est faux, le proverbe qui dit : “Les cœurs s'entendent.” Car je me consume et tu n'en sais rien. Quelle réponse me donneras-tu si je te demande pourquoi tu m'as assassinée par ta charmante tournure ?

« Mais, ô mon calam, n'écris pas davantage : je me suis assez livrée à une amoureuse douleur. »

À la lecture de cette lettre, le feu de l'amour étincela sous la cendre du cœur de Nourgihân, et, impatient comme le mercure, il prit en sa main le calam et le papier, et répondit par les lignes suivantes :

« À celle qui l'emporte sur toutes les belles au corps d'argent, et dont l'arc des sourcils est un sabre entre les mains d'un guerrier ivre !

« Ô femme charmante, dont le front, semblable à la planète Zohra, excite la jalousie des beautés de la Chine, le contenu de ta lettre avive les blessures de mon cœur isolé, qui palpitera pour toi tant que les grains de beauté apparaîtront sur le visage de la pleine lune.

« Une étincelle de ton cœur est tombée sur mes blessures, et l'éclair de mon désir a brillé sur ta moisson. Celui-là seul qui aime connaît le charme qu'on éprouve à être consumé. Et me voici pareil à un poulet à demi égorgé, qui se roule par terre jour et nuit, et ne tardera pas à périr si on ne le délivre promptement.

« Ô Visage de Lys, le voile n'est pas sur ton visage, mais tu es toi-même ce voile pour toi-même. Sors du milieu de ce voile et avance. Car le cœur est une chose admirable, et, malgré son exiguïté, le Créateur y a établi Sa demeure.

« Mais, ô charmante, je ne dois pas parler plus clairement, ni confier plus de secrets à mon calam, attendu que le calam ne doit pas être admis dans le harem des secrets des amants. »

Puis le prince Nourgihân plia la lettre d'amour, y appliqua le cachet de son œil, et la remit à la jeune porteuse, en la chargeant de dire de vive voix à sa maîtresse Visage de Lys les choses délicates qu'il n'avait pu exprimer par écrit. Et la favorite partit sans retard et arriva auprès de sa maîtresse.

Et elle la trouva assise, avec ses yeux de narcisse languissant, et chacun de ses cils changé en une fontaine…

À ce moment de sa narration, Schahrazade vit apparaître le matin et, discrète, se tut.

Mais lorsque fut la neuf cent cinquante-neuvième nuit. Elle dit :

… Et elle la trouva assise, avec ses yeux de narcisse languissant, et chacun de ses cils changé en une fontaine. Et elle l'aborda en souriant, et lui dit : « Ô rose du buisson de la joie, puisse la cause, qui te fait laver de tes larmes précieuses la fleur de ton visage, retomber sur moi, en sorte que tu sois toujours satisfaite et riante ! Voici que je t'apporte la bonne nouvelle. » Et elle lui remit la réponse de Nourgihân, en l'accompagnant des explications gentilles que lui avait données, à l'intention de sa maîtresse, le bel adolescent.

Et quand Visage de Lys eut pris connaissance de la lettre, et entendu de la bouche de sa favorite les choses délicates que n'avait pu exprimer par écrit le beau ravisseur Nourgihân, elle se leva consolée, et permit à ses jeunes filles de l'arranger, de la préparer et de l'habiller.

Alors ces charmantes employèrent toute leur habileté à faire briller leur maîtresse. Elles la peignèrent et la parfumèrent avec tant d'art, en disposant les peignes dans sa chevelure, que le musc de Tartarie s'évaporait par jalousie devant la bonne odeur qu'elle exhalait, et que les cœurs dansaient dans les poitrines en voyant la splendide natte qui lui tombait jusqu'aux reins, tressée comme les palmes aux jours de fête. Et elles lui passèrent ensuite autour de la taille une ceinture de mousseline rouge, dont chaque fil était tissé pour la chasse des cœurs. Puis elles l'enveloppèrent d'une gaze rose qui laissait voir la couleur du corps, et d'un caleçon d'une ampleur royale, en tissu plus épais, propre à asservir le monde. Et elles ornèrent de perles la raie qui séparait ses cheveux, si bien que les étoiles de la voie lactée en furent couvertes de confusion. Et elles mirent à son front un brillant diadème, qui la rendit si brillante qu'on pouvait croire à l'apparition dans le ciel d'une nouvelle lune. Et elles la rendirent si belle et si merveilleuse que chacun pouvait rester à la contempler, immobile d'étonnement comme devant la peinture d'un mur. Mais elle était embellie encore plus par sa propre beauté que par tous ses ornements.

Et lorsqu'elle fut parée de la sorte, elle se rendit, le cœur palpitant, sous les arbres du jardin, là où l'ombre était épaisse. Et, en la voyant, Nourgihân s'évanouit d'abord, tant fut violente la sensation qu'il éprouva. Mais bientôt, par l'effet de l'odeur du souffle suave de Visage de Lys, Nourgihân ouvrit les yeux, et se leva à l'apogée du bonheur, en contemplant son amie. Et, de son côté, Visage de Lys trouva l'adolescent si conforme à l'image qu'elle s'était gravée sur la feuille de son cœur, qu'il n'y avait pas un poil ou un point de différence. Et elle retira le voile de la retenue, et mit devant son bien-aimé tout ce qu'elle avait apporté en présent : les perles de ses dents, le rubis de ses lèvres préférables aux pétales de roses, ses bras d'argent, le clair de lune de son sourire, l'or de ses joues, le musc de son haleine, supérieur au musc de la Tartarie, les amandes de ses yeux, l'ambre noir de ses boucles, la pomme de son menton, les diamants de ses regards et les trente-six poses plastiques de son corps virginal. Et l'amour resserra ses liens sur les deux charmantes poitrines et sur les deux jeunes fronts. Et nul ne sut ce qui arriva, cette nuit, dans l'épaisseur de l'ombre, entre ces deux beaux adolescents.

Mais comme l'amour et le musc ne peuvent être ignorés, les parents ne tardèrent pas à être mis au courant des affaires des deux amants, et se hâtèrent de les unir par le mariage. Et leur vie s'écoula dans le bonheur, partagée entre l'amour et le spectacle de la rose marine.

Or, louanges à Allah qui fait fleurir les roses et s'unir les cœurs des amoureux, le Tout-Puissant, le Très-Haut. Et la bénédiction et la prière sur notre seigneur et suzerain Môhammad, prince des Envoyés, et sur tous les siens. Amîn.

*Et lorsque Schahrazade eut raconté cette histoire, elle se tut. Et la jeune Doniazade, sa sœur, s'écria : « Ô ma sœur, que tes paroles sont douces et charmantes et délicieuses en leur fraîcheur ! Et qu'elle est admirable cette histoire de la Rose marine et de l'Adolescente de Chine ! Ô ! de grâce ! hâte-toi, pendant qu'il en est encore temps, de nous dire quelque chose qui lui ressemble. » Et Schahrazade sourit et dit : « Oui, et ce que je veux raconter est bien plus admirable, ô petite ! Mais certainement je ne le dirai pas avant que me le permette notre maître le Roi. » Et Schahriar dit : « Doutes-tu donc de mon plaisir, ô Schahrazade ! Et pourrais-je désormais passer une nuit sans tes paroles à mes oreilles et sans ta vue sur mes yeux ? » Et Schahrazade remercia du sourire, et dit : « En ce cas, je raconterai l'*HISTOIRE DU GÂTEAU ÉCHEVELÉ AU MIEL D'ABEILLES ET DE L'ÉPOUSE CALAMITEUSE DU SAVETIER. » *Et elle dit :*

HISTOIRE DU GÂTEAU ÉCHEVELÉ AU MIEL D'ABEILLES

Il est raconté entre ce qui est raconté, ô Roi fortuné, qu'il y avait dans la ville sauvegardée du Caire un savetier d'un naturel excellent et proche de toutes les sympathies. Et il gagnait sa vie en raccommodant les vieilles babouches. Il s'appelait Mârouf, et était affligé par Allah le Rétributeur – qu'Il soit en tout cas exalté ! – d'une épouse calamiteuse macérée dans la poix et le goudron, et qui s'appelait Fattoumah. Mais ses voisins l'avaient surnommée la « Bouse chaude » ; car, en vérité, elle était un emplâtre insupportable sur le cœur du savetier, son époux, et un fléau noir sur les yeux de ceux qui l'approchaient. Et cette calamiteuse-là usait et abusait de la bonté et de la patience de son homme ; et elle l'invectivait et l'injuriait mille fois par jour, et ne lui laissait point de repos la nuit. Et l'infortuné en était arrivé à redouter sa méchanceté et à trembler de ses méfaits, car c'était un homme tranquille, sage, sensible et jaloux de sa réputation, quoique pauvre et d'humble condition. Et il avait pour habitude, afin d'éviter le bruit et les cris, de dépenser tout ce qu'il gagnait, et satisfaire ainsi aux dépenses de sa femme, cette sèche et méchante et acariâtre personne. Et s'il lui arrivait, par malchance, de ne pas gagner suffisamment dans sa journée, c'étaient des cris dans ses oreilles et des scènes épouvantables sur sa tête, pendant toute la nuit, sans paix ni merci. Et elle lui faisait passer ainsi des nuits plus noires que le livre de sa destinée. Et c'est à elle que pouvait s'appliquer le dire du poète :

« Que de nuits sans espoir je passe aux côtés de mon épouse, la teigne pattue !

Ah ! que n'ai-je, lors de la nuit funèbre de mes noces, apporté une coupe de poison froid, pour lui faire éternuer son âme ! »

Or, entre autres afflictions éprouvées par ce Job de la patience…

À ce moment de sa narration, Schahrazade vit apparaître le matin et, discrète, se tut.

Mais lorsque fut la neuf cent soixantième nuit. Elle dit :

… Or, entre autres afflictions éprouvées par ce Job de la patience, voici ce qui lui arriva.

Son épouse vint, en effet, le trouver un jour, – qu'Allah éloigne de nous de pareils jours ! – et lui dit : « Ô Mârouf, je veux que, cette nuit, en rentrant à la maison, tu m'apportes un gâteau de kenafa échevelée au miel d'abeilles. » Et Mârouf, ce pauvre, répondit : « Ô fille de l'oncle, si Allah le Généreux veut bien m'aider à gagner l'argent nécessaire pour l'achat de cette kenafa au miel d'abeilles, certes ! je te l'achèterai, sur ma tête et mon œil. Car aujourd'hui, par le Prophète ! – sur Lui la prière et la paix ! – je n'ai point encore sur moi la moindre monnaie. Mais Allah est miséricordieux, et Il nous rendra aisées les choses difficiles. » Et la mégère s'écria : « Que parles-tu de l'intervention d'Allah en ta faveur ? Penses-tu donc que je vais attendre, pour satisfaire mon envie de ce gâteau, que la bénédiction te vienne ou ne te vienne pas ? Non, par ma vie ! je ne m'arrange pas de cette façon de parler. Que tu gagnes ou que tu ne gagnes pas ta journée, il me faut une once de kenafa échevelée au miel d'abeilles ; et, en aucun cas, je ne consentirai à faire rentrer insatisfaite l'une quelconque de mes envies ! Et si, pour ton malheur, tu reviens à la maison, ce soir, sans la kenafa, je rendrai ta nuit aussi noire sur ta tête que la destinée qui t'a livré entre mes mains. » Et l'infortuné Mârouf soupira : « Allah est le Clément, le Généreux ; et en Lui seul est mon recours ! » Et le pauvre sortit de sa maison, et le chagrin et l'affliction lui suintaient de la peau du front.

Et il alla ouvrir sa boutique, dans le souk des savetiers, et, levant ses mains au ciel, il dit : « Je te supplie, Seigneur, de me faire gagner le prix d'une once de cette kenafa, et de me sauvegarder, la nuit prochaine, de la méchanceté de cette femme mauvaise ! » Mais il eut beau attendre dans sa misérable boutique, personne ne vint lui apporter de l'ouvrage ; de sorte qu'à la fin de la journée il n'avait même pas gagné de quoi acheter le pain pour le souper. Alors, le cœur serré, et plein d'épouvante de ce qui l'attendait de la part de sa femme, il ferma sa boutique et reprit tristement le chemin de sa maison.

Or, en traversant les souks, il passa précisément devant la boutique d'un pâtissier, marchand de kenafa et autres gâteaux, qu'il connaissait et dont il avait raccommodé autrefois les savates. Et le pâtissier vit Mârouf qui marchait, plongé dans le désespoir, et le dos courbé comme sous le faix d'un lourd chagrin. Et il l'appela par son nom, et vit alors que ses yeux étaient pleins de larmes, et que son visage était pâle et pitoyable. Et il lui dit : « Ô maître Mârouf, pourquoi pleures-tu ? Et quelle est la cause de ton chagrin ? Viens ! Entre ici te reposer, et me raconter quel malheur t'a frappé. » Et Mârouf s'approcha de la belle devanture du pâtissier et, après les salams, il dit : « Il n'y a de recours qu'en Allah le Miséricordieux ! La destinée me poursuit et me refuse même le pain du souper. » Et comme le pâtissier insistait pour avoir des détails précis, Mârouf le mit au courant de la demande de sa femme, et de l'impossibilité, par manque de gain dans la journée, d'acheter non seulement la kenafa en question mais une simple galette de pain.

Lorsque le pâtissier eut entendu ces paroles de Mârouf, il eut un rire de bonté, et dit : « Ô maître Mârouf, peux-tu au moins me dire combien d'onces de kenafa la fille de ton oncle désire que tu lui apportes ? » Il répondit : « Cinq onces lui suffiront peut-être. » Il reprit : « Il n'y a pas d'inconvénient. Moi je vais t'avancer cinq onces de kenafa, et tu m'en donneras le prix quand la générosité du Rétributeur descendra de ton côté. » Et il coupa dans le grand plateau, où la kenafa nageait au milieu du beurre et du miel, un volumineux morceau qui pesait bien plus de cinq onces, et le remit à Mârouf, en lui disant : « Cette kenafa échevelée est un gâteau digne d'être servi sur les plateaux d'un roi. Je dois te dire toutefois qu'elle n'est pas sucrée au miel d'abeilles, mais au miel de canne à sucre ; car elle est bien plus savoureuse de cette manière. » Et Mârouf qui ne connaissait pas, le pauvre, la différence entre le miel d'abeilles et celui de canne à sucre, répondit : « Elle est agréée de la main de ta générosité. » Et il voulut baiser la main du pâtissier, qui s'en défendit vivement, et qui lui dit en outre : « Cette pâtisserie est destinée à la fille de ton oncle, mais toi, ô Mârouf, tu ne vas ainsi rien avoir à souper. Tiens, prends ce pain et ce fromage, bienfait d'Allah, et ne me remercie point, car je ne suis que l'intermédiaire. » Et il remit à Mârouf, en même temps que la sublime pâtisserie, une galette fraîche de pain soufflé et odorant et un disque de fromage blanc enveloppé dans des feuilles de figuier. Et Mârouf qui, de sa vie entière, n'avait eu tant de bien à la fois, ne savait plus comment s'y prendre pour remercier le pâtissier charitable, et finit par s'en aller en levant les yeux au ciel pour le prendre à témoin de sa gratitude envers son bienfaiteur.

Et il arriva à sa maison, chargé de la kenafa, de la belle galette de pain et du disque de fromage blanc. Et, sitôt qu'il fut entré, sa femme lui cria d'une voix aigre et menaçante : « Eh bien, as-tu apporté la kenafa ? » Il répondit : « Allah est généreux. La voici. » Et il déposa devant elle le plat que lui avait prêté le pâtissier, et où s'étalait, dans toute sa beauté de fine pâtisserie, la kenafa croustillante et échevelée.

Mais la calamiteuse n'eut pas plutôt jeté les yeux sur le plat, qu'elle poussa un cri strident d'indignation en se frappant les joues, et dit : « Qu'Allah maudisse le Lapidé ! Ne t'avais-je pas dit de m'apporter une kenafa préparée au miel d'abeilles ? Et voici que, pour me narguer, tu m'apportes quelque chose d'apprêté au miel de canne à sucre ! Pensais-tu donc que tu réussirais à me tromper, et que je ne reconnaîtrais pas la supercherie ? Ah ! misérable, tu veux donc me tuer de désir rentré. » Et le pauvre Mârouf, atterré de toute cette colère qu'il était loin d'avoir prévue cette fois, balbutia des excuses d'une voix tremblante, et dit : « Ô fille des gens de bien, cette kenafa, je ne l'ai pas achetée, mais le pâtissier un tel, qu'Allah a doué d'un cœur charitable, a eu pitié de mon état, et me l'a avancée en prêt, sans me fixer de délai pour le paiement. » Mais l'effrayante mégère s'écria : « Tout ce que tu dis là n'est que mots, et je n'y ajoute aucun crédit ! Tiens ! attrape ta kenafa au miel de canne à sucre. Moi je n'en mange pas ! » Et, ce disant, elle lui jeta à la tête le plat de kenafa, contenant et contenu, et ajouta : « Lève-toi, maintenant, ô entremetteur, et va m'en chercher qui soit apprêtée au miel d'abeilles ! » Et, ajoutant le geste à la parole, elle lui assena sur la mâchoire un coup de poing si désastreux, qu'elle lui cassa une dent de devant, et que le sang lui en coula sur la barbe et la poitrine.

À cette dernière agression de son épouse, le pauvre Mârouf, affolé et perdant enfin patience, eut un geste vif qui heurta légèrement la mégère à la tête. Et celle-ci, rendue encore plus furieuse par cette manifestation anodine de son souffre-douleur, se précipita sur lui et l'attrapa, à pleines mains, par la barbe, et se suspendit de tout son poids aux poils de cette barbe, en criant à plein gosier : « À mon secours, ô Musulmans ! Il m'assassine...

À ce moment de sa narration, Schahrazade vit apparaître le matin et, discrète, se tut.

Mais lorsque fut la neuf cent soixante et unième nuit. Elle dit :

est un gâteau digne d'être servi sur les plateaux d'un roi. Je dois te dire toutefois qu'elle n'est pas sucrée au miel d'abeilles mais au miel de canne à sucre ; car elle est bien plus savoureuse de cette manière. » Et Mârouf qui ne connaissait pas, le pauvre, la différence entre le miel d'abeilles et celui de canne à sucre, répondit : « Elle est agréée de la main de ta générosité. » Et il voulut baiser la main du pâtissier, qui s'en défendit vivement, et qui lui dit, en outre : « Cette pâtisserie est destinée à la fille de ton oncle, mais toi, ô Mârouf, tu ne vas ainsi rien avoir à souper. Tiens, prends ce pain et ce fromage, bienfait d'Allah, et ne me remercie point, car je ne suis que l'intermédiaire. » Et il remit à Mârouf, en même temps que la sublime pâtisserie, une galette fraîche de pain soufflé et odorant et un disque de fromage blanc enveloppé dans des feuilles de figuier. Et Mârouf qui, de sa vie entière, n'avait eu tant de bien à la fois, ne savait plus comment s'y prendre pour remercier le pâtissier charitable, et finit par s'en aller en levant les yeux au ciel pour le prendre à témoin de sa gratitude envers son bienfaiteur.

Et il arriva à sa maison, chargé de la kenafa, de la belle galette de pain et du disque de fromage blanc. Et, sitôt qu'il fut entré, sa femme lui cria d'une voix aigre et menaçante : « Eh bien, as-tu apporté la kenafa ? » Il répondit : « Allah est généreux. La voici. » Et il déposa devant elle le plat que lui avait prêté le pâtissier, et où s'étalait, dans toute sa beauté de fine pâtisserie, la kenafa croustillante et échevelée.

Mais la calamiteuse n'eut pas plutôt jeté les yeux sur le plat, qu'elle poussa un cri strident d'indignation en se frappant les joues, et dit : « Qu'Allah maudisse le Lapidé ! Ne t'avais-je pas dit de m'apporter une kenafa préparée au miel d'abeilles ? Et voici que, pour me narguer, tu m'apportes quelque chose d'apprêté au miel de canne à sucre ! Pensais-tu donc que tu réussirais à me tromper, et que je ne reconnaîtrais pas la supercherie ? Ah ! misérable, tu veux donc me tuer de désir rentré. » Et le pauvre Mârouf, atterré de toute cette colère qu'il était loin d'avoir prévue cette fois, balbutia des excuses d'une voix tremblante, et dit : « Ô fille des gens de bien, cette kenafa, je ne l'ai pas achetée, mais le pâtissier un tel, qu'Allah a doué d'un cœur charitable, a eu pitié de mon état, et me l'a avancée en prêt, sans me fixer de délai pour le paiement. » Mais l'effrayante mégère s'écria : « Tout ce que tu dis là n'est que mots, et je n'y ajoute aucun crédit ! Tiens ! attrape ta kenafa au miel de canne à sucre. Moi je n'en mange pas ! » Et, ce disant, elle lui jeta à la tête le plat de kenafa, contenant et contenu, et ajouta : « Lève-toi, maintenant, ô entremetteur, et va m'en chercher qui soit apprêtée au miel d'abeilles ! » Et, ajoutant le geste à la parole, elle lui assena sur la mâchoire un coup de poing si désastreux, qu'elle lui cassa une dent de devant, et que le sang lui en coula sur la barbe et la poitrine.

À cette dernière agression de son épouse, le pauvre Mârouf, affolé et perdant enfin patience, eut un geste vif qui heurta légèrement la mégère à la tête. Et celle-ci, rendue encore plus furieuse par cette manifestation anodine de son souffre-douleur, se précipita sur lui et l'attrapa, à pleines mains, par la barbe, et se suspendit de tout son poids aux poils de cette barbe, en criant à plein gosier : « À mon secours, ô Musulmans ! Il m'assassine…

À ce moment de sa narration, Schahrazade vit apparaître le matin et, discrète, se tut.

Mais lorsque fut la neuf cent soixante et unième nuit. Elle dit :

… Et celle-ci, rendue encore plus furieuse par cette manifestation anodine de son souffre-douleur, se précipita sur lui et l'attrapa, à pleines mains, par la barbe, et se suspendit de tout son poids aux poils de cette barbe, en criant à plein gosier : « À mon secours, ô Musulmans ! Il m'assassine ! »

Et, à ses cris, les voisins accoururent, et intervinrent entre les deux, et eurent grand-peine à délivrer la barbe du malheureux Mârouf des doigts crispés de sa calamiteuse épouse. Et ils virent son visage ensanglanté, sa barbe souillée et sa dent cassée, sans compter les poils de barbe que lui avait arrachés cette femme furieuse. Et, connaissant déjà de longue date sa conduite indigne à l'égard du pauvre homme, et voyant d'ailleurs les preuves qui démontraient péremptoirement qu'il était, une fois de plus, la victime de cette calamiteuse, ils la sermonnèrent et lui tinrent des discours raisonnables qui eussent rempli de honte et corrigé à jamais toute autre qu'elle. Et, l'ayant ainsi blâmée, ils ajoutèrent : « Nous tous nous mangeons d'habitude avec plaisir la kenafa apprêtée au miel de canne à sucre ; et nous la trouvons bien meilleure que celle préparée au miel d'abeilles ! Où est donc le crime qu'a commis ton pauvre mari, pour mériter tous ces mauvais traitements que tu lui infliges, ainsi que la cassure de sa dent, et sa barbe arrachée. » Et ils la maudirent, à l'unanimité, et s'en allèrent en leur voie.

Or, dès qu'ils furent partis, la terrible mégère revint vers Mârouf, qui était, durant toute cette scène, resté silencieux dans son coin, et lui dit, d'une voix basse et haineuse d'autant : « Ah ! c'est comme ça que tu ameutes contre moi les voisins ! Ça va bien. Seulement tu verras ce qui va t'arriver. » Et elle alla s'asseoir, non loin de là, en le regardant avec des yeux de tigresse, et en méditant contre lui des projets terrifiants.

Et Mârouf, qui regrettait sincèrement son léger mouvement d'impatience, ne savait comment faire pour la calmer. Et il se décida à ramasser la kenafa qui gisait par terre au milieu des débris du plat, et, l'arrangeant proprement, il l'offrit timidement à son épouse, en lui disant : « Par ta vie, ô fille de l'oncle, mange tout de même un peu de cette kenafa-ci, et demain, si Allah veut, je t'apporterai de l'autre. » Mais elle le repoussa d'un coup de pied, en lui criant : « Va-t'en avec ton gâteau, ô chien des savetiers ! Penses-tu que je vais toucher à ce que te rapporte ton métier d'entremetteur des pâtissiers ? Inschallah ! demain je saurai faire entrer ta longueur dans ta largeur. »

Alors le malheureux, repoussé de la sorte dans sa dernière tentative de raccommodement, songea à calmer la faim qui le torturait depuis le matin, vu qu'il n'avait rien mangé de sa journée. Et il se dit : « Puisqu'elle ne veut pas manger cette excellente kenafa, je veux bien la manger, moi. » Et il s'assit devant le plat, et se mit à manger cette chose délicieuse, qui lui caressait le gosier agréablement. Puis il s'attaqua à la galette soufflée et au disque de fromage, et n'en laissa pas trace sur le plateau. Tout cela ! et sa femme le regardait faire avec des yeux flamboyants, et ne cessait de lui répéter, à chaque bouchée : « Puisse-t-elle s'arrêter dans ton gosier et t'étouffer ! » ou encore : « Si Allah veut, puisse-t-elle se changer en poison destructeur qui consume ton intérieur ! » et autres aménités semblables. Mârouf, affamé, continuait à manger consciencieusement, sans souffler mot ; ce qui finit par porter à son paroxysme la fureur de l'épouse, qui se leva soudain en hurlant comme une possédée, et, lui jetant à la figure tout ce qui lui tomba sous la main, s'en alla se coucher en l'invectivant, dans son sommeil, jusqu'au matin.

Et Mârouf, après cette nuit mauvaise, se leva de très bonne heure ; et, s'habillant à la hâte, il se rendit à sa boutique, dans l'espoir que la destinée le favoriserait ce jour-là. Et voici qu'au bout de quelques heures deux hommes de police vinrent l'arrêter, de par l'ordre du kâdi, et le traînèrent, à travers les souks, les bras liés derrière le dos, jusqu'au tribunal. Et Mârouf, à sa grande stupéfaction, trouva, devant le kâdi, son épouse qui avait le bras entouré de bandages, la tête enveloppée d'un voile ensanglanté, et qui tenait entre ses doigts une dent cassée. Et le kâdi, sitôt qu'il eut aperçu le terrifié savetier, lui cria : « Avance par ici ! Ne crains-tu donc pas Allah Très-Haut, pour faire subir tant de mauvais traitements à cette pauvre jeune femme, ton épouse, la fille de ton oncle, et lui briser si cruellement le bras et les dents ? » Et Mârouf qui, dans sa terreur, eût souhaité voir la terre s'entrouvrir et l'engloutir, baissa la tête avec confusion, et garda le silence. Car, dans son amour de la paix et dans son désir de sauvegarder son honneur et la réputation de sa femme, il ne voulut pas charger la maudite, et l'accuser et dévoiler ses méfaits, en appelant, au besoin, comme témoins, tous les voisins. Et le kâdi, convaincu que ce silence était la preuve de la culpabilité de Mârouf, ordonna aux exécuteurs des sentences de le renverser et de lui appliquer cent coups de bâton sur la plante des pieds. Ce qui fut exécuté sur l'heure, devant la maudite qui se trémoussait de plaisir en elle-même.

Et Mârouf, au sortir du tribunal, pouvait à peine se traîner. Et comme il préférait désormais plutôt mourir de la mort rouge que de rentrer dans sa maison et de revoir le visage de la calamiteuse, il gagna une maison en ruine, qui s'élevait sur les bords du Nil, et attendit là, au milieu des privations et du dénuement, de guérir des coups qui lui avaient gonflé les pieds et les jambes. Et lorsqu'il put enfin se lever, il s'engagea comme marinier à bord d'une dahabieh qui descendait le Nil. Et, arrivé à Damiette, il partit sur une felouque, en s'engageant comme raccommodeur de voiles, et confia sa destinée au Maître des destinées.

Or, au bout de plusieurs semaines de navigation, la felouque fut assaillie par une épouvantable tempête, et sombra, contenant et contenu, au fond de la mer. Et tout le monde fut noyé et mourut. Et Mârouf fut également noyé, mais ne mourut pas. Car Allah Très-Haut le sauvegarda et le délivra de la noyade en lui mettant sous la main une pièce de bois, débris du grand mât. Et il s'y cramponna, et réussit à se mettre dessus à califourchon, grâce aux efforts extraordinaires dont le rendirent capable le danger et la cherté de l'âme qui est précieuse. Et il se mit alors à battre l'eau avec ses pieds, comme avec des avirons, tandis que les vagues se jouaient de lui et le faisaient chavirer tantôt à droite et tantôt à gauche. Et il demeura ainsi à lutter contre l'abîme durant un jour et une nuit. Après quoi, il fut entraîné par le vent et par les courants jusqu'au rivage d'un pays, où s'élevait une ville aux maisons bien bâties.

Et il resta d'abord étendu sur le rivage, sans mouvement et comme évanoui. Et il ne tarda pas à dormir d'un profond sommeil. Et lorsqu'il se réveilla, il vit, penché sur lui, un homme magnifiquement vêtu, derrière lequel se tenaient deux esclaves, les bras croisés. Et l'homme riche regardait Mârouf avec une attention singulière. Et quand il vit qu'il s'était enfin réveillé, il s'écria : « Louanges à Allah ! ô étranger, et sois le bienvenu dans notre ville. » Et il ajouta : « Par Allah sur toi, hâte-toi de me dire de quel pays tu es et de quelle ville, car je crois reconnaître, à ce qui te reste de vêtements sur le dos, que tu es du pays d'Égypte. » Et Mârouf répondit : « C'est la vérité, ô mon maître, je suis un habitant d'entre les habitants du pays d'Égypte, et la ville du Caire est la ville où je suis né et où j'habitais. » Et l'homme riche lui demanda, d'une voix émue : « Et y aurait-il indiscrétion à te demander dans quelle rue du Caire tu habitais ? » Il répondit : « Dans la rue Rouge, ô mon maître. » Il demanda : « Et quelles sont les personnes que tu connais dans cette rue ? Et quel est ton métier, ô mon frère ? » Il répondit : « De mon métier et profession, ô mon maître, je suis savetier raccommodeur de vieilles savates. Quant aux personnes que je connais, ce sont des gens du commun, de mon espèce, d'ailleurs honorables et respectés. Et, si tu veux leurs noms, en voici quelques-uns. » Et il lui énuméra les noms de diverses personnes de sa connaissance, qui habitaient le quartier de la rue Rouge. Et l'homme riche, dont le visage s'éclairait de joie à mesure que se déroulait entre eux cette conversation, demanda : « Connais-tu, ô mon frère, le cheikh Ahmad, le marchand de parfums ? » Il répondit : « Qu'Allah prolonge ses jours ! Il est mon voisin, mur contre mur. » Il demanda : « Se porte-t-il bien ? » Il répondit : « La louange à Allah, il se porte bien. » Il demanda : « Combien d'enfants a-t-il maintenant ? » Il répondit : « Toujours trois. Qu'Allah les lui conserve ! Ce sont Moustapha, Môhammad et Ali. » Il demanda : « Que font-ils ? » Il dit : « Moustapha, l'aîné, est maître d'école dans une madrassah. C'est un savant reconnu, qui connaît par cœur tout le Livre Saint, et peut le réciter de sept différentes manières. Le second, Môhammad, est droguiste marchand de parfums, comme son père, qui lui a ouvert une boutique proche de la sienne, pour fêter la naissance d'un enfant qui lui est né. Quant au petit Ali, qu'Allah le comble de Ses dons choisis ! c'était mon camarade d'enfance, et nous passions nos journées à jouer ensemble et à faire mille espiègleries aux passants. Mais, un jour, mon ami Ali fit ce qu'il fit avec un petit garçon cophte, fils de nazaréens, qui alla se plaindre à ses parents d'avoir été humilié de la pire manière et violenté. Et mon ami Ali, pour éviter la vengeance de ces nazaréens, prit la fuite et disparut. Et nul ne l'a plus revu, quoiqu'il y ait de cela déjà une vingtaine d'années. Qu'Allah le préserve et éloigne de lui les maléfices et les calamités ! »

À ces paroles, l'homme riche jeta soudain ses bras autour du cou de Mârouf, et le serra contre sa poitrine, en pleurant, et lui dit : « Loué soit Allah qui réunit les amis ! Je suis Ali, ton camarade d'enfance, ô Mârouf, le fils du cheikh Ahmad le droguiste de la rue Rouge…

À ce moment de sa narration, Schahrazade vit apparaître le matin et, discrète, se tut.

Mais lorsque fut la neuf cent soixante-deuxième nuit. Elle dit :

… Loué soit Allah qui réunit les amis ! Je suis Ali, ton camarade d'enfance, ô Mârouf, le fils du cheikh Ahmad le droguiste de la rue Rouge. »

Et, après les transports de la joie la plus vive, de part et d'autre, il le pria de lui raconter comment il se trouvait sur ce rivage. Et lorsqu'il eut appris que Mârouf était resté un jour et une nuit sans nourriture, il le fit monter derrière lui sur sa mule, et le transporta à sa demeure, un palais splendide. Et il le traita magnifiquement. Et, le lendemain seulement, malgré tout le désir qu'il avait eu de s'entretenir avec lui, il se rendit auprès de lui, et put enfin causer longuement avec lui. Et il apprit de la sorte tous les tourments qu'avait éprouvés le pauvre Mârouf, depuis le jour de son mariage avec son épouse la calamiteuse, et comment il avait préféré quitter sa boutique et son pays que de rester plus longtemps exposé aux méfaits de cette mégère. Et il apprit également comment il avait reçu la bastonnade, et comment il avait fait naufrage et failli mourir par noyade.

Et, de son côté, Mârouf apprit de son ami Ali que la ville où ils se trouvaient actuellement était la ville de Khaïtân, capitale du royaume de Sohatân. Et il apprit aussi qu'Allah avait favorisé son ami Ali dans les affaires de vente et d'achat, et l'avait rendu le marchand le plus riche et le notable le plus respecté de toute la ville de Khaïtân.

Puis, lorsqu'ils eurent donné libre cours à leurs épanchements, le riche marchand Ali dit à son ami : « Ô mon frère Mârouf, sache que les biens qui me viennent du Rétributeur ne sont qu'un dépôt du Rétributeur entre mes mains. Or, comment pourrais-je mieux placer ce dépôt, qu'en t'en confiant une bonne partie, afin que tu la fasses fructifier ? » Et il commença par lui donner un sac de mille dinars d'or, le fit vêtir d'habits somptueux, et ajouta : « Demain matin, tu monteras sur ma plus belle mule, et tu te rendras au souk, où tu me verras assis au milieu des plus gros marchands. Et moi, à ton arrivée, je me lèverai pour venir au-devant de toi, et je m'empresserai autour de toi, et je prendrai les rênes de ta mule, et je te baiserai les mains en te donnant toutes les marques d'honneur et de respect possibles. Et cette conduite de ma part te procurera à l'instant une grande considération. Et je te ferai céder une vaste boutique, en ayant soin de la faire remplir de marchandises. Je te ferai faire ensuite la connaissance des notables et des plus grands marchands de la ville. Et tes affaires, avec l'aide d'Allah, fructifieront, et tu seras, loin de la fille de ton oncle la calamiteuse, à la limite de l'épanouissement et du bien-être. » Et Mârouf, ne pouvant trouver assez d'expressions pour témoigner à son ami toute sa reconnaissance, se baissa pour baiser le pan de sa robe. Mais le généreux Ali s'en défendit vivement et embrassa Mârouf entre les deux yeux, et continua à s'entretenir avec lui de choses et d'autres, sur leur passé d'enfants, jusqu'à l'heure du dormir.

Et le lendemain Mârouf, habillé magnifiquement et ayant toute l'apparence d'un riche marchand étranger, monta sur une superbe mule couleur étourneau, richement harnachée, et se rendit au souk à l'heure indiquée. Et, entre lui et son ami Ali, se passa exactement la scène qui avait été convenue. Et tous les marchands furent abîmés d'admiration et de respect pour le nouvel arrivé, surtout quand ils eurent vu le grand marchand Ali lui baiser la main et l'aider à descendre de la mule, et qu'ils l'eurent vu lui-même s'asseoir avec gravité et lenteur sur le siège que lui avait d'avance préparé son ami Ali sur la devanture de la nouvelle boutique. Et tous vinrent interroger Ali à voix basse, en lui disant : « Certainement ton ami est un grand marchand ! » Et Ali les regarda avec commisération, et répondit : « Ya Allah, un grand marchand, vous dites ? Mais c'est un des premiers marchands de l'univers, et il a plus de magasins et de dépôts dans le monde entier que le feu ne peut en consumer. Et moi-même je ne suis auprès de lui qu'un infime colporteur. Et ses associés et ses agents et ses comptoirs sont nombreux dans toutes les villes de la terre, depuis l'Égypte et l'Yémen jusqu'à l'Inde et aux limites extrêmes de la Chine. Ah ! vous verrez quel homme c'est, lorsqu'il vous sera donné de le connaître plus intimement. »

Et, d'après ces assurances, faites du ton de la plus exacte vérité et avec l'accent le plus pénétré, les marchands conçurent la plus grande idée de Mârouf. Et ce fut à qui viendrait lui faire des salams et des congratulations et des souhaits de bienvenue. Et ils tinrent à honneur de l'inviter tous à dîner les uns après les autres, tandis qu'il souriait d'un air complaisant et s'excusait de ne pouvoir accepter, vu qu'il était déjà l'hôte du marchand Ali, son ami. Et le syndic des marchands vint lui faire visite, ce qui était tout à fait contraire à la coutume qui veut que ce soit le nouveau venu qui fasse la première visite ; et il s'empressa de le mettre au courant de la cote des marchandises et des diverses productions du pays. Et, ensuite, pour lui montrer qu'il était tout disposé à le servir et à lui faire écouler les marchandises qu'il aurait apportées des pays du loin avec lui, il lui dit : « Ô mon maître, tu as sans doute beaucoup de ballots de drap jaune ? Car ici on a un goût particulier pour le drap jaune. » Et Mârouf, sans hésiter, répondit : « Du drap jaune ? Mais en quantité ! » Et le syndic demanda : « Et du drap rouge sang de gazelle, en as-tu beaucoup ? » Et Mârouf, avec assurance, répondit : « Ah ! Pour ce qui est du drap rouge sang de gazelle, on sera satisfait. Car mes ballots en contiennent de la plus fine espèce. » Et à toutes les questions semblables, Mârouf répondait toujours : « En quantité ! » Et le syndic lui demanda alors timidement : « Voudrais-tu, ô mon maître, nous en montrer quelques échantillons ? » Et Mârouf, sans se laisser arrêter par la difficulté, répondit avec condescendance : « Mais certainement, mais certainement ! Dès que sera arrivée ma caravane ! » Et il expliqua au syndic et aux marchands assemblés qu'il attendait l'arrivée, dans quelques jours, d'une immense caravane de mille chameaux chargés de ballots de marchandises de toutes les couleurs et de toutes les variétés. Et l'assemblée s'étonna prodigieusement et s'émerveilla au récit de l'arrivée prochaine de cette fantastique caravane.

Mais leur admiration ne fut à ses limites extrêmes, au-delà de toute expression, que lorsqu'ils furent témoins du fait suivant. En effet, pendant qu'ils s'entretenaient de la sorte, en ouvrant des yeux émerveillés au récit de l'arrivée de la caravane, un mendiant s'approcha de l'endroit où ils se tenaient, et tendit la main à chacun d'eux à tour de rôle. Et les uns lui donnèrent une pièce de monnaie, les autres une demi-pièce, et le plus grand nombre se contenta, en ne lui donnant rien, de répondre simplement : « Qu'Allah t'assiste ! » Et Mârouf, lorsque le mendiant vint de son côté, tira une grosse poignée de dinars d'or, et la mit dans la main du mendiant, aussi simplement que s'il lui avait donné une pièce de cuivre. Et l'édification des marchands fut telle, qu'un silence imposant régna sur leur assemblée, et que leur esprit fut confondu et leur entendement ébloui. Et ils pensèrent : « Ya Allah, que cet homme doit être riche, pour se montrer si généreux ! » Et, de cette manière, Mârouf s'acquit, d'un instant à l'autre, un grand crédit et une réputation merveilleuse de richesse et de générosité.

Et la renommée de sa liberté et de ses manières admirables arriva jusqu'aux oreilles du roi de la ville, qui fit aussitôt appeler son vizir, et lui dit : « Ô vizir, il doit arriver ici une caravane chargée d'immenses richesses, et qui appartient à un merveilleux marchand étranger. Or, je ne veux pas que les marchands du souk, ces fripons, qui sont déjà trop riches, fassent leur profit de cette caravane. Il vaut donc beaucoup mieux que ce soit moi qui en bénéficie, avec mon épouse ta maîtresse, et la princesse ma fille. » Et le vizir, qui était un homme plein de prudence et de sagacité, répondit au roi : « Il n'y a pas d'inconvénient. Mais ne penses-tu pas, ô roi du temps, qu'il serait préférable d'attendre l'arrivée de cette caravane-là pour prendre les mesures nécessaires ? » Et le roi se fâcha, et dit : « Es-tu fou ? Et depuis quand prend-on la viande chez le boucher quand les chiens l'ont dévorée ? Hâte-toi plutôt de faire venir en ma présence le riche marchand étranger, afin que je m'entende avec lui à ce sujet. » Et le vizir fut bien obligé, malgré son nez, d'exécuter l'ordre du roi.

Et lorsque Mârouf arriva en présence du roi, il s'inclina profondément, et embrassa la terre entre ses mains, et lui fit un compliment délicat. Et le roi s'étonna de son langage choisi et de ses manières distinguées, et lui adressa plusieurs questions sur ses affaires et ses richesses. Et Mârouf se contentait de répondre, en souriant : « Notre maître le roi verra et sera satisfait, lorsque la caravane arrivera. » Et le roi fut édifié comme tous les autres ; et voulant voir jusqu'où allait l'étendue des connaissances de Mârouf, il lui montra une perle d'une grosseur et d'un éclat merveilleux, qui coûtait pour le moins mille dinars, et lui dit : « Et dans les ballots de ta caravane, auras-tu des perles de cette espèce ? » Et Mârouf prit la perle, la considéra d'un air méprisant, et la jeta à terre comme un objet sans valeur ; et, la frappant du talon, de toute sa force, il la brisa tranquillement. Et le roi, stupéfait, s'écria : « Qu'as-tu fait, ô homme ? Tu viens de briser une perle de mille dinars ! » Et Mârouf, souriant, répondit : « Oui, certainement, elle valait bien ce prix-là ! Mais j'ai des sacs et des sacs pleins de perles infiniment plus grosses et plus belles que celle-là, dans les ballots de ma caravane. »

Et l'étonnement et la cupidité du roi s'accrurent encore à ce discours ; et il pensa : « Certes ! il faut que je prenne pour époux de ma fille cet homme prodigieux…

À ce moment de sa narration, Schahrazade vit apparaître le matin et, discrète, se tut.

Mais lorsque fut la neuf cent soixante-troisième nuit. Elle dit :

… Certes ! il faut que je prenne, pour époux de ma fille, cet homme prodigieux. »

Et il se tourna vers Mârouf, et lui dit : « Ô très honorable et très distingué émir, veux-tu accepter de moi, comme présent, à l'occasion de ton arrivée dans notre pays, ma fille unique, ta servante ? Et je l'unirai à toi par les liens du mariage, et tu régneras sur le royaume, à ma mort ! » Et Mârouf, qui se tenait dans une attitude modeste et réservée, répondit d'un ton plein de discrétion : « La proposition du roi honore l'esclave qui est entre ses mains. Mais ne penses-tu pas, ô mon souverain, qu'il vaut mieux attendre, pour la célébration du mariage, que ma grande caravane soit arrivée ? Car la dot d'une princesse, telle que ta fille, exige de ma part de grandes dépenses que je ne suis pas en état de faire dans ce moment-ci. Il me faudra, en effet, te payer, comme dot de la princesse, à toi, son père, au moins deux cent mille bourses de mille dinars chacune. De plus, il faudra que je distribue mille bourses de mille dinars aux pauvres et aux mendiants, la nuit des noces, mille autres bourses aux porteurs des cadeaux, et mille bourses pour les préparatifs du festin. En outre, je devrai faire présent d'un collier de cent grosses perles à chacune des dames du harem, et faire hommage, à toi et à ma tante, la reine, d'une quantité inestimable de joyaux et de somptuosités. Or tout cela, ô roi du temps, ne peut raisonnablement se faire qu'après l'arrivée de ma caravane. »

Et le roi, plus ébloui que jamais de cette prodigieuse énumération, et édifié dans la profondeur de son âme de la réserve, de la délicatesse de sentiments et de la discrétion de Mârouf, s'écria : « Non, par Allah ! C'est moi seul qui prendrai à ma charge toutes les dépenses des noces. Quant à la dot de ma fille, tu me la paieras lors de l'arrivée de la caravane. Mais je tiens absolument à ce que tu te maries avec ma fille le plus tôt possible. Et tu peux puiser dans le trésor du règne tout l'argent dont tu auras besoin. Et n'aie aucun scrupule à ce sujet, car tout ce qui m'appartient t'appartient. »

Et, à l'heure et à l'instant, il appela son vizir et lui dit : « Va, ô vizir, dire au cheikh al-islam de venir me parler. Car je veux établir aujourd'hui même le contrat de mariage entre l'émir Mârouf et ma fille. » Et le vizir, en entendant ces paroles du roi, baissa la tête d'un air fort gêné. Et, comme le roi s'impatientait, il s'approcha de lui et lui dit à voix basse : « Ô roi du temps, cet homme-là ne me plaît pas, et son air ne me dit rien de bon. Par ta vie, attends au moins, pour lui donner ta fille en mariage, que nous ayons quelque certitude au sujet de sa caravane. Car, jusqu'à présent, nous n'avons que paroles sur paroles ! Or, une princesse comme ta fille, ô roi, vaut, dans la balance, plus que ce que tient dans sa main cet homme inconnu. »

Et le roi, en entendant ces paroles, vit le monde noircir devant son visage, et cria au vizir : « Ô traître exécrable qui hais ton maître, tu ne parles ainsi, en cherchant à me dissuader de ce mariage, que parce que tu désires te marier toi-même avec ma fille. Mais cela est loin de ton nez ! Cesse donc de vouloir jeter le trouble et le doute dans mon esprit au sujet de cet admirable homme riche à l'âme délicate, aux manières distinguées. Sinon, dans mon indignation de tes perfides discours, je ferai entrer ta longueur dans ta largeur. » Et il ajouta, fort excité : « Ou, peut-être, veux-tu que ma fille me reste sur les bras, vieillie et inacceptée par les prétendants ! Pourrais-je jamais trouver un gendre pareil à celui-ci, parfait sous tous les rapports, et généreux et réservé et charmant, qui, sans aucun doute, aimera ma fille, et lui fera cadeau de choses merveilleuses, et nous enrichira tous, depuis le plus grand jusqu'au plus petit ! Allons ! marche, et va me chercher le cheikh al-islam ! » Et le vizir s'en alla, avec le nez allongé jusqu'à ses pieds, appeler le cheikh al-islam, qui se rendit aussitôt au palais, et se présenta devant le roi. Et il dressa, séance tenante, le contrat de mariage.

Et la ville entière fut décorée et illuminée, sur l'ordre du roi. Et partout il n'y eut que fêtes et réjouissances. Et Mârouf, le savetier, ce pauvre qui avait vu la mort noire et la mort rouge et goûté à toutes les calamités, s'assit sur un trône, dans la cour du palais. Et une foule de baladins, de lutteurs, de joueurs d'instruments, de tambourineurs, de saltimbanques, de bouffons et de gais charlatans se présenta devant lui pour l'amuser et amuser le roi et les grands du palais. Et ils déployèrent tous leur adresse et leurs talents. Et Mârouf se fit apporter, par le vizir lui-même, des sacs et des sacs pleins d'or, et se mit à prendre les dinars et à les jeter par poignées à tout ce peuple tambourinant, dansant et tintamarrant. Et le vizir, crevant de dépit, n'avait pas un instant de repos, tant il lui fallait sans cesse apporter de nouveaux sacs d'or.

Et ces divertissements et ces fêtes et ces réjouissances durèrent pendant trois jours et trois nuits ; et le quatrième jour, au soir, fut le jour des noces et de la pénétration. Et le cortège de la nouvelle mariée était d'une magnificence inouïe, car ainsi l'avait voulu le roi ; et chaque dame, sur son passage, comblait la princesse de cadeaux que ramassaient au fur et à mesure, les suivantes. Et elle fut ainsi conduite dans la chambre nuptiale, alors que Mârouf, à part lui, se disait : « Peste sur peste sur peste ! Arrivera ce qui arrivera ! Ça ne me regarde pas ! Ainsi l'a voulu la destinée. Il n'y a pas à fuir devant l'inévitable. Chacun porte sa destinée attachée à son cou ! Tout cela t'a été écrit dans le livre du sort, ô raccommodeur de vieilles savates, ô battu par ta femme, ô Mârouf, ô singe ! »

Et donc, quand tout le monde se fut retiré, et que Mârouf se trouva en présence de la jeune princesse, son épouse, couchée nonchalamment sous la moustiquaire de soie, il s'assit par terre, et, frappant ses mains l'une dans l'autre, il parut en proie à un violent désespoir. Et, comme il restait dans cette attitude, sans avoir trop l'air de bouger, la jeune fille sortit sa tête de la moustiquaire...

À ce moment de sa narration, Schahrazade vit apparaître le matin et, discrète, se tut.

Mais lorsque fut la neuf cent soixante-quatrième nuit. Elle dit :

... La jeune fille sortit sa tête de la moustiquaire, et dit à Mârouf : « Ô mon beau seigneur, pourquoi restes-tu ainsi loin de moi, en proie à la tristesse ? » Et Mârouf, poussant un soupir, répondit avec effort : « Il n'y a de recours et de puissance qu'en Allah le Tout-Puissant ! » Et elle lui demanda, émue : « Pourquoi cette exclamation, ô mon maître ? Me trouves-tu laide ou contrefaite, ou bien as-tu quelque autre cause de chagrin ? Le nom d'Allah sur toi et autour de toi ! Parle et ne me cache rien, ya sidi. » Et Mârouf, poussant un nouveau soupir, répondit : « Tout ça, vois-tu, c'est la faute de ton père ! » Et elle demanda : « Ça, quoi ? Et quelle faute a commise mon père ? » Il dit : « Comment ? N'as-tu donc pas vu que je me suis montré avare d'une avarice sordide à ton égard, et à l'égard des dames du palais ? Ah ! ton père a été bien coupable qui ne m'a pas permis d'attendre l'arrivée de ma grande caravane, pour me marier ! Je t'aurais alors fait cadeau de quelques colliers à cinq ou six rangs de perles grosses comme des œufs de pigeon, de quelques belles robes qui n'ont pas leurs pareilles chez les filles des rois et de quelques joyaux, pas trop indignes de ton rang. En outre, j'aurais pu montrer une main moins sèche à tes parents et à tes invités. Mais voilà ! ton père m'a fort embarrassé avec son idée de faire les choses trop vite ; et il a commis, en cela, à mon égard, une action semblable à celle que commet celui qui brûle l'herbe encore verte. » Mais la jeune fille lui dit : « Par ta vie, ne te mets pas en peine, comme ça, pour ces petites choses-là ; et ne te chagrine pas davantage. Lève-toi plutôt, rejette tes vêtements, et viens vite près de moi, que nous nous délections ensemble. Et laisse de côté toutes ces idées de cadeaux et autres choses semblables, qui n'ont rien à voir avec ce que nous devons faire cette nuit. Quant à la caravane et aux richesses, je ne m'en soucie pas. Ce que je te demande, ô gaillard, est bien plus simple et plus intéressant que cela ! Hardi donc, et consolide tes reins pour le combat. » Et Mârouf répondit : « Le voici ! il arrive, il arrive ! »

Et, ce disant, il se déshabilla vivement et s'avança, en pointeur, vers la princesse, sous la moustiquaire. Et il s'étendit à côté de cette tendre adolescente, en pensant : « C'est moi-même, Mârouf, c'est moi-même, l'ancien raccommodeur de savates de la rue Rouge, au Caire ! Où étais-je et où suis-je ? » Et, là-dessus, eut lieu la mêlée des jambes et des bras, des cuisses et des mains. Et le combat s'enflamma. Et Mârouf mit sa main sur les genoux de la jeune fille, qui se dressa aussitôt et fut dans son giron. Et la lèvre parla dans son langage à sa sœur ; et arriva l'heure qui fait oublier à l'enfant son père et sa mère. Et il la serra avec force contre lui, de façon à en exprimer tout le miel, et que les bouchées fussent directes. Et il glissa sa main sous son aisselle gauche, et aussitôt se raidirent ses muscles vitaux à lui, et se tendirent ses parties vitales à elle. Et il appuya sa main gauche sur le pli de son aine droite, et aussitôt gémirent toutes les cordes de leurs arcs. Alors il la heurta entre les deux seins, et soudain le coup se répercuta entre les deux cuisses, on ne sait comment. Et il se ceintura aussitôt avec les deux jambes de la princesse, et pointa le gaillard dans les deux directions, en criant : « À moi, ô père des baiseurs ! » Et il amorça, sans retard, ce qui était à amorcer, et alluma la mèche, et enfila l'aiguille, et fit glisser l'anguille sur le feu qui pétille, en modulant toutes les trilles, alors que son œil disait : « Brille ! » que sa langue disait : « Babille ! » que ses dents disaient : « Mordille ! » que sa main droite disait : « Fourmille ! » que sa main gauche disait : « Pille ! » que ses lèvres disaient : « Grille ! » et que sa vrille disait : « Frétille sur ta quille, ô gentille jeune fille, ô perle dans sa coquille ; et grésille de plaisir et sautille, ô bien-aimée de ta famille ! » Et, ce disant, la citadelle fut ébréchée aux quatre encoignures, et se déroula l'héroïque aventure, sans meurtrissures mais avec larges déchirures, sans froissures mais avec morsures, sans fissures, mais avec cassures, élargissure craquement de jointures du monteur à la grosse encolure et de la monture à la belle tournure, et le tout fut conduit avec désinvolture et d'une magnifique belle tournure, et le tout fut conduit avec désinvolture et d'une magnifique allure. Or, louanges au Maître des créatures qui rend la jeune fille mûre pour toutes les postures, et fait don au jeune homme de sa forte nature, en vue de la future progéniture !

Et donc, après une nuit passée entièrement dans les délices des embrassements, des sucements et des allaitements, Mârouf se décida enfin à se lever pour aller au hammam, accompagné par les soupirs contents et les regrets de la jeune fille. Et, après avoir pris son bain et s'être habillé d'une robe magnifique, il se rendit au diwân, et s'assit à la droite du roi, son oncle, père de son épouse, pour recevoir les compliments et félicitations des émirs et des grands. Et, de sa propre autorité, il envoya chercher le vizir, son ennemi, et lui ordonna de distribuer des robes d'honneur à tous les assistants, et de faire des largesses innombrables aux émirs et aux épouses des émirs, aux grands du palais et à leurs épouses, aux gardes et à leurs épouses, et aux eunuques, grands et petits, jeunes et vieux. En outre, il fit apporter des sacs de dinars, et se mit à y puiser l'or par poignées et à le distribuer à tous ceux qui en désiraient. Et, de la sorte, tout le monde le bénit et l'aima et fit des vœux pour sa prospérité et sa longue vie.

Et vingt jours s'écoulèrent de la sorte, employés par Mârouf à faire des largesses incalculables, le jour, et à se prélasser, à son aise, la nuit, avec la princesse, son épouse, qui était devenue passionnément éprise de lui. Or, au bout de ces vingt jours, durant lesquels on n'avait eu aucune nouvelle de la caravane de Mârouf, les prodigalités et les folies de Mârouf avaient été poussées si loin, qu'un matin le trésor fut complètement épuisé, et qu'en ouvrant l'armoire aux sacs, le vizir constata qu'elle était absolument vide et qu'il n'y avait plus rien à y puiser. Alors, à la limite de la perplexité et plein, en son âme, de fureur rentrée, il alla se présenter entre les mains du roi, et lui dit : « Qu'Allah éloigne de nous les mauvaises nouvelles, ô roi ! Mais je dois te dire, afin de ne pas encourir, par mon silence, tes reproches justifiés, que le trésor du règne est complètement à sec, et que la merveilleuse caravane de l'émir Mârouf, ton gendre, n'est pas encore arrivée pour en remplir les sacs vides. » Et le roi, devenu, à ces paroles, quelque peu soucieux, dit : « Oui, par Allah ! c'est vrai, cette caravane est un peu en retard. Mais elle arrivera, inschallah ! » Et le vizir sourit, et dit : « Qu'Allah te comble de ses grâces, ô mon maître, et prolonge tes jours ! Mais nous sommes tombés dans les pires calamités depuis l'arrivée dans notre pays de l'émir Mârouf ! Et, en l'état actuel des choses, je ne vois pas pour nous de porte de sortie. Car, d'un côté, le trésor est vide, et, de l'autre, ta fille est devenue l'épouse de cet étranger, de cet inconnu ! Qu'Allah nous sauvegarde du Malin, l'Éloigné, le Maudit, le Lapidé ! Notre État est un bien mauvais État ! » Et le roi, qui commençait déjà à s'inquiéter et à s'impatienter, répondit : « Tes paroles me fatiguent et pèsent sur mon entendement. Au lieu de discourir de la sorte, tu feras bien mieux de m'indiquer le moyen de remédier à la situation, et surtout de me prouver que mon gendre, l'émir Mârouf, est un imposteur ou un menteur. » Et le vizir répondit : « Tu dis vrai, ô roi, et c'est là une idée excellente. Il faut prouver, avant de condamner. Or, pour arriver à la vérité, personne ne pourra nous être d'un plus précieux secours que la princesse, ta fille. Car nul n'est plus proche du secret du mari, que l'épouse. Fais-la donc venir ici, afin que je puisse l'interroger de derrière le rideau qui nous séparera, et me renseigner ainsi sur le sujet qui nous intéresse. » Et le roi répondit : « Il n'y a pas d'inconvénient. Et, par la vie de ma tête ! s'il vient à nous être prouvé que mon gendre nous a trompés, je le ferai mourir de la pire mort, et lui ferai goûter le plus noir trépas. » Et aussitôt il fit prier la princesse sa fille de se présenter dans la salle de réunion. Et il fit tendre entre elle et le vizir un grand rideau, derrière lequel elle s'assit. Et tout cela fut dit, combiné, et exécuté pendant une absence de Mârouf.

Et donc, le vizir, ayant réfléchi à ses questions et combiné son plan, dit au roi qu'il était prêt. Et, de son côté, la princesse, de derrière le rideau, dit à son père : « Me voici, ô mon père. Que désires-tu de moi ? » Il répondit : « Que tu parles avec le vizir. » Et elle demanda alors au vizir : « Eh bien, toi, le vizir, que veux-tu ? » Il dit : « Ô ma maîtresse, tu dois savoir que le trésor du règne est vide, complètement, grâce aux dépenses et aux prodigalités de l'émir Mârouf, ton époux. En outre, la caravane étonnante dont il nous a si souvent annoncé l'arrivée ne nous a point donné de ses nouvelles. Aussi le roi, ton père, inquiet de cet état de choses, a jugé que toi seule tu pourrais nous éclairer à ce sujet, en nous disant ce que tu penses de ton époux, et quel effet il produit sur ton esprit, et quels soupçons tu as conçus à son égard, durant ces vingt nuits qu'il a passées avec toi. »

À ces paroles du vizir, la princesse répondit de derrière le rideau : « Qu'Allah comble de ses grâces le fils de mon oncle, l'émir Mârouf ! Ce que je pense de lui ? Mais par ma vie ! rien que le bien. Il n'y a pas sur la terre nerf de confiture qui lui soit comparable pour la douceur, la saveur et le plaisir. Depuis que je suis son épouse, j'engraisse et j'embellis, et tout le monde, émerveillé de ma bonne mine, dit sur mon passage : « Qu'Allah la préserve du mauvais œil, et la sauvegarde des envieux et des jaloux ! » Ah ! le fils de mon oncle, Mârouf, il est une pâte de délices, il fait ma joie et je fais la sienne. Qu'Allah nous laisse l'un à l'autre ! »

Et le roi, ayant entendu cela, se tourna vers son vizir, dont le nez s'allongeait, et lui dit : « Tu vois ! Que t'ai-je dit ? Mon gendre Mârouf est un homme admirable, et tu mérites, pour tes soupçons, que je te fasse empaler ! » Mais le vizir, se tournant du côté du rideau, demanda : « Et la caravane, ô ma maîtresse, la caravane qui n'arrive pas ? » Elle répondit : « Et en quoi cela peut-il me regarder ? Qu'elle arrive ou qu'elle n'arrive pas, mon bonheur en sera-t-il augmenté ou amoindri ? » Et le vizir dit : « Et qui te nourrira désormais, maintenant que les armoires du trésor sont vides ? Et qui pourvoira aux dépenses de l'émir Mârouf ? » Elle répondit : « Allah est généreux et n'abandonne pas ses adorateurs. » Et le roi dit au vizir : « Ma fille a raison. Tais-toi. » Puis il dit à la princesse : « Tâche toutefois, ô chérie de ton père, de savoir du fils de ton oncle, l'émir Mârouf, à quelle date approximative il pense que sa caravane arrivera. J'aimerais le savoir, simplement pour régler nos dépenses et voir s'il y a lieu de lever de nouveaux impôts qui puissent combler le vide de nos armoires. » Et la princesse répondit : « J'écoute et j'obéis ! Les enfants doivent l'obéissance et le respect à leurs parents. Dès ce soir, j'interrogerai l'émir Mârouf, et je te rapporterai ce qu'il m'aura dit. »

Et donc, à la tombée de la nuit, quand la princesse fut, comme à l'ordinaire, à s'ébattre aux côtés de Mârouf, et qu'il s'ébattit à ses côtés, elle lui mit la main sous l'aisselle, pour l'interroger, et, plus douce que le miel, et câline et dorlotante et tendre et caressante comme toutes les femmes qui ont quelque chose à demander et à obtenir…

À ce moment de sa narration, Schahrazade vit apparaître le matin et, discrète, se tut.

Mais lorsque fut la neuf cent soixante-cinquième nuit. Elle dit :

… Et donc, à la tombée de la nuit, quand la princesse fut, comme à l'ordinaire, à s'ébattre aux côtés de Mârouf, et qu'il s'ébattit à ses côtés, elle lui mit la main sous l'aisselle, pour l'interroger, et, plus douce que le miel, et câline et dorlotante et tendre et caressante comme toutes les femmes qui ont quelque chose à demander et à obtenir, elle lui dit : « Ô lumière de mon œil, ô fruit de mon foie, ô noyau de mon cœur et vie et délices de mon âme, les feux de ton amour ont entièrement embrasé mon sein. Et moi je suis prête à sacrifier ma vie pour toi et à partager ton sort, quel qu'il puisse être. Mais, par ma vie sur toi ! n'aie rien de caché pour la fille de ton oncle. Dis-moi donc de grâce, afin que je le garde au plus secret de mon cœur, pour quel motif cette grande caravane, dont s'entretient toujours mon père avec son vizir, n'est pas encore arrivée ? Et si tu as quelque embarras ou quelque doute à ce sujet, confie-toi à moi, en toute sincérité, et je m'emploierai à trouver le moyen d'éloigner de toi tout désagrément. » Et, ayant ainsi parlé, elle l'embrassa, et le serra contre sa poitrine, et se laissa fondre dans ses bras. Et Mârouf se mit soudain à rire aux éclats, et répondit : « Ô ma chérie, pourquoi prendre tant de détours pour me demander une chose aussi simple ? Car moi je suis disposé, sans aucune difficulté, à te dire la vérité, et à ne te rien cacher. »

Et il se tut un instant, pour avaler sa salive, et reprit : « Sache, en effet, ô ma chérie, que je ne suis ni marchand, ni maître de caravanes, ni possesseur d'aucune richesse ou autre semblable calamité. Car, dans mon pays, je n'étais qu'un pauvre savetier-raccommodeur, marié à une peste de femme appelée Fattoumah la Bouse chaude, un emplâtre sur mon cœur et un fléau noir sur mes yeux. Et il m'arriva avec elle telle et telle chose. » Et il se mit à raconter à la princesse toute son histoire avec son épouse du Caire et ce qui lui advint à la suite de l'incident de la kenafa échevelée au miel d'abeilles. Et il ne lui cacha rien et n'omit aucun détail de tout ce qui lui était arrivé à partir de ce moment jusqu'à son naufrage et la rencontre de son camarade d'enfance, le généreux marchand Ali. Mais il n'y a aucune utilité à le répéter.

Lorsque la princesse eut entendu le récit de cette histoire de Mârouf, elle se mit à rire tellement qu'elle se renversa sur le derrière. Et Mârouf se mit à rire également, et dit : « C'est Allah qui est l'Octroyeur des destinées. Et tu étais écrite dans mon sort, ô ma maîtresse. » Et elle lui dit : « Certes, ô Mârouf, tu es un maître en fait de ruses, et nul ne peut t'être comparé en finesse, en sagacité, en délicatesse et en bonheur. Mais que dira mon père et que dira surtout son vizir, ton ennemi, s'ils viennent à apprendre la vérité de ton histoire et l'invention de la caravane ? Certainement, ils te feront mourir ; et moi, de douleur, je mourrai à côté de toi. Il vaut donc mieux, pour le moment, que tu quittes le palais, et que tu te retires vers quelque pays éloigné, en attendant que je trouve le moyen d'arranger les choses et d'expliquer l'inexplicable. » Et elle ajouta : « Prends donc ces cinquante mille dinars que je possède, monte à cheval et va vivre dans un endroit caché, en me faisant connaître ta retraite, afin que je puisse, tous les jours, t'expédier un courrier qui te donne de mes nouvelles et m'en apporte des tiennes. Et c'est là, ô mon chéri, le meilleur parti que nous ayons à prendre dans cette circonstance. » Et Mârouf répondit : « Je me fie à toi, ô ma maîtresse ; et je me mets sous ta protection. » Et elle l'embrassa, et fit avec lui sa chose ordinaire jusqu'au milieu de la nuit.

Alors elle lui dit de se lever, le revêtit d'un habit de mamelouk, et lui donna le meilleur cheval des écuries de son père. Et Mârouf sortit de la ville, semblable à un mamelouk du roi, et s'en alla en sa voie. Et, pour le moment, voilà pour ce qui lui arriva. Mais pour ce qui est de la princesse, du roi, du vizir et de la caravane invisible, voici.

Le lendemain, de bonne heure, le roi vint s'asseoir dans la salle de réunion, ayant à ses côtés, son vizir. Et il fit appeler la princesse, pour s'informer auprès d'elle de ce qu'il lui avait recommandé d'apprendre. Et, comme la veille, la princesse vint se tenir derrière le rideau qui la séparait des hommes, et demanda : « Qu'y a-t-il, ô mon père ? » Il demanda : « Eh bien, ma fille, qu'as-tu appris, et qu'as-tu à nous dire ? » Et elle répondit : « Ce que j'ai à dire, ô mon père ? Ah ! qu'Allah confonde le Malin, le Lapidé ! Et, puisse-t-il, par la même occasion, maudire les calomniateurs, et noircir le visage de goudron de ton vizir qui a voulu noircir mon visage et celui de mon époux, l'émir Mârouf ! » Et le roi demanda : « Et comment cela ? Et pourquoi ? » Elle dit : « Comment, par Allah ! est-il possible que tu accordes ta confiance à cet homme néfaste, qui a tout mis en œuvre pour discréditer dans ton esprit le fils de mon oncle ? » Et elle se tut un instant, comme suffoquée d'indignation, et ajouta : « Sache, en effet, ô mon père, qu'il n'y a pas sur la face de la terre un homme aussi intègre, aussi droit et aussi véridique que l'émir Mârouf – qu'Allah le comble de Ses grâces ! – Voici ce qui est arrivé depuis l'instant où je t'ai quitté : À la tombée de la nuit, au moment où mon époux bien-aimé était entré dans mon appartement, voici que l'eunuque que j'ai à mon service demanda à nous parler pour une communication qui ne souffrait pas de délai. Et il fut introduit ; et il tenait à la main une lettre. Et il nous dit que cette lettre venait de lui être remise par dix mamalik étrangers, richement habillés, qui demandaient à parler à leur maître Mârouf. Et mon époux ouvrit la lettre et la lut ; puis il me la passa et je la lus également. Or, elle était du chef même de la grande caravane que vous attendez avec tant d'impatience. Et le chef de la caravane, qui a sous ses ordres, pour accompagner le convoi, cinq cents jeunes mamalik, semblables aux dix qui attendaient à la porte, expliquait, dans cette lettre, que, durant le voyage, ils avaient fait la rencontre malencontreuse d'une horde de Bédouins pillards, coupeurs de routes qui avaient voulu leur disputer le chemin. D'où premier motif de retard de l'arrivée de la caravane. Et il disait qu'après avoir triomphé de cette horde-là, ils avaient été attaqués, la nuit, quelques jours plus tard, par une autre bande de Bédouins, beaucoup plus nombreuse et mieux armée. Et il en était résulté un sanglant combat où, malheureusement, la caravane perdit cinquante mamalik tués, deux cents chameaux, et quatre cents ballots de marchandises de prix.

« À cette nouvelle désagréable, mon époux, loin de se montrer ému, déchira la lettre, en souriant, sans même demander d'autres explications aux dix esclaves qui attendaient à la porte, et me dit : « Qu'est-ce que c'est que quatre cents ballots et deux cents chameaux perdus ? C'est à peine si ça représente une perte de neuf cent mille dinars d'or. En vérité, ça ne mérite pas qu'on en parle, et surtout que tu t'en préoccupes, ma chérie. Le seul ennui qui en résulte pour nous est qu'il faut que je m'absente quelques jours, pour aller presser l'arrivée du reste de la caravane. » Et il se leva, en riant, et me serra contre sa poitrine, et prit congé de moi, tandis que je versais les larmes de la séparation. Et il descendit, en me recommandant encore de tranquilliser mon cœur et de rafraîchir mes yeux. Et moi, l'ayant vu disparaître, ce noyau de mon cœur, je penchai ma tête par la fenêtre qui donne sur la cour, et je vis mon bien-aimé qui causait avec les dix jeunes mamalik, beaux comme des lunes, qui avaient apporté la lettre. Et il monta sur son cheval, et sortit à leur tête du palais, pour aller hâter l'arrivée de la caravane. »

Et, ayant ainsi parlé, la jeune princesse se moucha bruyamment, comme une personne qui aurait pleuré à cause de l'absence, et ajouta d'une voix devenue soudain irritée : « Eh bien, mon père, que serait-il arrivé, dis-le-moi, si j'avais eu l'indiscrétion de parler à mon époux comme tu m'avais conseillé de le faire, poussé que tu étais par ton vizir de goudron ? Oui, que serait-il arrivé ? Mon époux m'aurait désormais considérée avec l'œil du mépris et de la méfiance, et ne m'aurait plus aimée, et m'aurait même haïe, et à juste titre, en vérité ! Et tout cela à cause des suppositions offensantes et des soupçons injurieux de ton vizir, cette barbe de malheur ! » Et, ayant ainsi parlé, la princesse se leva, derrière le rideau, et s'en alla, en faisant beaucoup de bruit et de démonstrations irritées. Et le roi se tourna alors vers son vizir, et lui cria : « Ah ! fils de chien, tu vois ce qui nous arrive par ta faute ? Par Allah ! je ne sais ce qui me retient encore de faire entrer ta longueur dans ta largeur. Mais avise-toi encore une fois de jeter la suspicion sur mon gendre Mârouf, et tu verras ce qui t'attend ! » Et il lui lança un regard de travers, et leva le diwân. Et voilà pour eux !

Mais pour ce qui est de Mârouf, voici. Lorsqu'il fut sorti de la ville de Khaïtân, qui était la capitale du roi, père de la princesse, et qu'il eut voyagé dans les plaines désertes pendant quelques heures, il commença à sentir qu'une grande fatigue le courbaturait, vu qu'il n'était pas habitué à monter les chevaux des rois, et que son métier de savetier ne l'avait point destiné à être un jour le splendide cavalier qu'il était présentement. Et, en outre, il ne laissait point d'être inquiet sur les suites de son affaire ; et il commençait à regretter amèrement d'avoir dit la vérité à la princesse. Et il se disait : « Voilà que tu es maintenant réduit à errer sur les routes, au lieu de te délecter dans les bras de ton épouse beurrée, dont les caresses t'avaient fait oublier la calamiteuse Bouse chaude, du Caire…

À ce moment de sa narration, Schahrazade vit apparaître le matin et, discrète, se tut.

Mais lorsque fut la neuf cent soixante-sixième nuit. Elle dit :

… Voilà que tu es maintenant réduit à errer sur les routes, au lieu de te délecter dans les bras de ton épouse beurrée, dont les caresses t'avaient fait oublier la calamiteuse Bouse chaude, du Caire. » Et, songeant à tous les amoureux passés, qui avaient eu leur cœur brûlé par la séparation, il se prit à s'apitoyer sur son propre état et à pleurer à chaudes larmes, en se récitant des vers désespérés sur l'absence. Et, gémissant de la sorte et exhalant sa douleur d'amant par les tirades des vers analogues à sa situation, il arriva, après le lever du soleil, auprès d'un petit village. Et il aperçut dans un champ un fellah qui labourait avec une charrue attelée de deux bœufs. Et comme, dans sa hâte de fuir le palais et la ville, il avait oublié de se munir de provisions de bouche pour le voyage, il était torturé par la faim et la soif ; et il s'approcha de ce fellah, et le salua, disant : « Le salam sur toi, ô cheikh ! » Et le fellah lui rendit son salut, disant : « Et sur toi le salam, la miséricorde d'Allah et Ses bénédictions ! Tu es sans doute, ô mon maître, un mamelouk d'entre les mamalik du sultan ? » Et Mârouf répondit : « Oui. » Et le fellah dit : « Sois le bienvenu, ô visage de lait, et fais-moi la grâce de descendre chez moi et d'accepter mon hospitalité. » Et Mârouf, qui vit tout de suite qu'il avait affaire à un homme généreux, jeta un coup d'œil sur la pauvre habitation qui était à proximité, et constata qu'elle ne contenait rien ce qui pouvait le nourrir et le désaltérer.

Et il dit au fellah : « Ô mon frère, je ne vois rien dans ta maison que tu puisses offrir à un hôte affamé comme moi. Comment donc feras-tu si j'accepte ton invitation ? » Et le fellah répondit : « Le bien d'Allah ne manque pas ; il est tout trouvé. Descends seulement de cheval, ô mon maître, et laisse-moi te soigner et t'héberger, pour Allah. Le village est tout proche, et j'aurai vite fait d'y courir de toute la vitesse de mes jambes, et de t'en rapporter ce qu'il faut pour te restaurer et te rendre content. Et je ne manquerai pas non plus d'apporter le fourrage et le grain pour la nourriture de ton cheval. » Et Mârouf, pris de scrupule, et ne voulant pas déranger ce pauvre homme et l'arracher à son travail, lui répondit : « Mais puisque le village est tout proche, ô mon frère, j'aurai bien plus vite fait que toi d'y courir à cheval, et d'acheter au souk tout ce qu'il faut, pour moi et pour mon cheval. » Mais le fellah, qui ne pouvait se résoudre, dans sa générosité native, à laisser partir ainsi, sans lui donner l'hospitalité, un étranger de la voie d'Allah, reprit : « De quel souk parles-tu, ô mon maître ? » Est-ce qu'un misérable petit village comme le nôtre, dont les maisons sont bâties en bouse de vache, possède un souk ou quoi que ce soit qui, de près ou de loin, ressemble à un souk ? Nous n'avons guère d'affaires de vente ou d'achat ; et chacun vit sur le peu qu'il possède. Je te supplie donc, par Allah et par le Prophète béni, de descendre chez moi, pour m'obliger et faire plaisir à mon esprit et à mon cœur. Et j'irai vite au village et je reviendrai plus vite encore. » Alors Mârouf, voyant qu'il ne pouvait refuser l'offre de ce pauvre fellah sans le peiner et le chagriner, descendit de cheval, et alla s'asseoir à l'entrée de la hutte en bouse séchée, tandis que le fellah, aussitôt, livrant ses jambes au vent dans la direction du village, ne tarda pas à disparaître dans le loin.

Et, en attendant qu'il revînt avec les provisions, Mârouf se mit à réfléchir et à se dire : « Voici que j'ai été une cause de tracas et d'embarras pour ce pauvre, à qui je ressemblais tellement quand je n'étais qu'un misérable savetier-raccommodeur. Mais, par Allah ! je veux réparer, autant qu'il est en mon pouvoir, le dommage que je lui cause en le laissant quitter ainsi son ouvrage. Et, pour commencer, je vais m'essayer, sur-le-champ, à labourer à sa place, et à lui faire regagner de la sorte le temps qu'il perd pour moi. »

Et il se leva, à l'heure et à l'instant, et, vêtu de ses habits dorés de mamelouk royal, il prit en main la charrue et fit avancer la paire de bœufs, dans la ligne du sillon déjà tracé. Mais à peine avait-il fait faire quelques pas aux bœufs, que le soc de la charrue s'arrêta soudain, avec un bruit singulier, contre quelque chose qui fit résistance ; et les bœufs, entraînés par leur effort, tombèrent sur leurs jambes de devant. Et Mârouf, donnant de la voix, fit se relever les bêtes, et les fouetta vivement, pour vaincre la résistance. Mais, malgré l'énorme coup de collier que les bœufs donnèrent, la charrue ne bougea pas d'un pouce, et resta fixée au sol comme pour attendre le jour du Jugement. Alors Mârouf se décida à examiner quelle pouvait bien être l'affaire. Et, après avoir enlevé la terre, il trouva que le soc de la charrue s'était engagé de la pointe dans un fort anneau de cuivre rouge scellé dans une table de marbre, presque à ras du labour.

Et, poussé par la curiosité, Mârouf se mit à essayer de mouvoir et d'enlever cette table de marbre. Et, après quelques efforts, il finit par réussir à la remuer et à la faire glisser. Et il aperçut, à l'intérieur, un escalier qui conduisait, par des marches de marbre, dans un caveau souterrain, de forme carrée, de la grandeur d'un hammam. Et Mârouf, prononçant la formule du « bismillah », descendit dans ce caveau, et vit qu'il était composé de quatre salles consécutives. Et la première de ces salles était remplie de pièces d'or, depuis le sol jusqu'au plafond ; et la seconde était pleine de perles, d'émeraudes et de corail, également du sol au plafond ; et la troisième d'hyacinthes, de rubis, de turquoises, de diamants et de pierreries de toutes les couleurs ; mais la quatrième, qui était la plus vaste et la mieux conditionnée, ne contenait rien autre chose qu'un socle en bois d'ébène sur lequel était posé un tout petit coffret de cristal, pas plus gros qu'un citron.

Et Mârouf s'étonna prodigieusement de sa découverte et se réjouit de ce trésor. Mais ce qui l'intriguait le plus, c'était ce minuscule coffret de cristal, seul objet apparent dans l'immense quatrième salle du souterrain. Aussi, ne pouvant résister aux sollicitations de son âme, il tendit la main vers le petit objet insignifiant, qui le tentait infiniment plus que toutes les merveilles du trésor, et, s'en étant emparé, il l'ouvrit. Et il y trouva un anneau d'or, surmonté d'un chaton en cornaline, où étaient gravés, en caractères extrêmement fins et semblables aux pattes des fourmis, des écritures talismaniques. Et Mârouf, d'un mouvement instinctif, passa cet anneau à son doigt, et l'y ajusta en le frottant.

Et aussitôt une voix forte sortit du chaton de l'anneau, qui dit : « À tes ordres ! à tes ordres ! De grâce ne me frotte pas davantage ! Ordonne, et tu seras obéi. Que souhaites-tu, parle ! Veux-tu que je démolisse ou que je construise, que je tue quelques rois et quelques reines ou que je te les amène, que je fasse surgir une ville entière ou que j'anéantisse tout un pays, que je couvre de fleurs une contrée ou que je la dévaste, que je rase une montagne ou que je dessèche une mer, parle, souhaite, désire. Mais, de grâce ! ne me frotte pas avec violence, ô mon maître ! Je suis ton esclave, par la permission du Maître des genn, du Créateur du jour et de la nuit. » Et Mârouf, qui ne s'était pas d'abord bien rendu compte d'où sortait cette voix, finit par constater qu'elle sortait du chaton même de l'anneau qu'il avait mis à son doigt, et dit, en s'adressant à celui qui était dans la cornaline : « Ô créature de mon Seigneur, qui es-tu ? » Et la voix de la cornaline répondit : « Je suis le genni Père au Bonheur, esclave de cet anneau. Et j'exécute, en aveugle, les ordres de quiconque s'est rendu maître de cet anneau. Et rien ne m'est impossible, car je suis le chef suprême de soixante-douze tribus de genn, d'éfrits, de cheitâns, d'aouns et de mareds. Et chacune de ces tribus est composée de douze mille gaillards irrésistibles, plus forts que les éléphants et plus subtils que le mercure. Mais, comme je te l'ai dit, ô mon maître, je suis, à mon tour, soumis à cet anneau ; et, quelque grande que soit ma puissance, j'obéis à celui qui le possède, comme un enfant à sa mère. Toutefois, laisse-moi t'avertir que si, par malheur, tu frottais deux fois de suite le chaton, au lieu d'une, tu me ferais consumer dans le feu des noms terribles qui sont gravés sur l'anneau. Et tu me perdrais irrévocablement…

À ce moment de sa narration, Schahrazade vit apparaître le matin et, discrète, se tut.

Mais lorsque fut la neuf cent soixante-septième nuit. Elle dit :

… Toutefois, laisse-moi t'avertir que si, par malheur, tu frottais deux fois de suite le chaton, au lieu d'une, tu me ferais consumer dans le feu des noms terribles qui sont gravés sur l'anneau. Et tu me perdrais irrévocablement. »

Et Mârouf, ayant entendu cela, répondit à l'éfrit de la cornaline : « Ô excellent et puissant Père au Bonheur, sache que j'ai fixé tes paroles dans l'endroit le plus sûr de ma mémoire. Mais, pour commencer, peux-tu me dire qui t'a enfermé dans cette cornaline, et qui t'a soumis à la puissance du maître de l'anneau ? » Et le genni répondit de l'intérieur du chaton : « Sache, ya sidi, que le lieu où nous nous trouvons est le trésor antique de Scheddad fils d'Aad, le bâtisseur de la fameuse ville, maintenant en ruine, d'Irem aux Colonnes. Or moi, pendant sa vie, j'étais l'esclave du roi Scheddad. Et c'est précisément son anneau que tu possèdes, l'ayant trouvé dans le cristal où il était enfermé depuis les temps ! »

Et l'ancien raccommodeur de savates de la rue Rouge, du Caire, devenu maintenant, grâce à la possession de cet anneau, le successeur direct de la postérité de Nemrod et de cet héroïque et orgueilleux Scheddad, qui avait vécu l'âge de sept aigles, voulut expérimenter, sans retard, les vertus merveilleuses incluses dans le chaton. Et il dit à celui qui était dans la cornaline : « Ô esclave de l'anneau, pourrais-tu faire sortir de ce souterrain et porter sur la terre, à la lumière, le trésor enfermé ici ? » Et la voix du Père au Bonheur répondit : « Mais sans aucun doute, et c'est précisément ce qui m'est le plus facile ! » Et Mârouf lui dit : « Puisqu'il en est ainsi, je te demande de faire sortir tout ce qu'il y a ici de richesses et de merveilles, sans en rien laisser à ceux qui pourraient venir après moi, pas même la trace. » Et la voix répondit : « J'écoute et j'obéis. » Puis elle cria : « Hé, les petits garçons ! »

Et aussitôt Mârouf vit apparaître devant lui douze jeunes garçons d'une grande beauté, portant sur leurs têtes de vastes corbeilles. Et, après avoir embrassé la terre entre les mains de Mârouf charmé, ils se relevèrent, et, en un clin d'œil, ils transportèrent dehors, en plusieurs fournées, tous les trésors contenus dans les trois salles du souterrain. Et lorsqu'ils eurent fini ce travail, ils vinrent de nouveau présenter leurs hommages à Mârouf, de plus en plus charmé, et disparurent comme ils étaient venus.

Alors Mârouf, à la limite du contentement, se tourna vers l'habitant de la cornaline, et lui dit : « C'est parfait. Mais je voudrais maintenant des caisses, des mules avec leurs muletiers, et des chameaux avec leurs chameliers, pour transporter ces trésors à la ville de Khaïtân, capitale du royaume de Sohatân. » Et l'esclave enfermé dans le chaton répondit : « À tes ordres ! rien n'est plus aisé à se procurer. » Et il poussa un grand cri, et, à l'instant même, mules et muletiers, chameaux et chameliers, caisses et paniers, et mamalik somptueusement vêtus, beaux comme des lunes, apparurent devant Mârouf, au nombre de six cents de chaque espèce. Et, en moins de temps qu'il n'en faut pour fermer un œil et l'ouvrir, ils chargèrent sur les bêtes les caisses et paniers, remplis au préalable d'or et de joyaux, et se rangèrent en bon ordre. Et les jeunes mamalik montèrent sur leurs beaux chevaux et encadrèrent, de distance en distance, la caravane.

Et l'ancien savetier dit alors à son serviteur de l'anneau : « Ô Père au Bonheur, je désire maintenant de toi un millier d'autres animaux chargés de soieries et d'étoffes précieuses de la Syrie, de l'Égypte, de la Grèce, de la Perse, de l'Inde et de la Chine. » Et le genni répondit par l'ouïe et l'obéissance. Et, aussitôt, les mille chameaux et mulets chargés des objets en question apparurent devant Mârouf, et allèrent se ranger d'eux-mêmes, en file régulière, à la suite du convoi, encadrés, comme leurs semblables, par d'autres jeunes mamalik aussi superbement vêtus et montés que leurs frères. Et Mârouf fut content, et dit à l'habitant de l'anneau : « Maintenant, avant de partir, je désire manger. Dresse-moi donc un pavillon de soie, et sers-moi des plateaux de mets choisis et de boissons fraîches. » Et cela fut exécuté sur-le-champ.

Et Mârouf entra dans le pavillon et s'assit devant les plateaux, juste au moment où le bon fellah revenait du village. Et le pauvre arriva, portant sur sa tête une écuelle de bois remplie de lentilles à l'huile, sous son bras gauche du pain noir et des oignons, et sous son bras droit un sac à picotin rempli d'avoine pour le cheval. Et il vit, devant sa maison, la prodigieuse caravane, et le pavillon de soie où était assis Mârouf entouré par des esclaves empressés qui le servaient, tandis que d'autres esclaves se tenaient derrière lui, les bras croisés sur la poitrine. Et il fut extrêmement ému, et pensa : « Sûrement, le sultan, qui s'était fait précéder par le premier mamelouk que j'ai vu, est arrivé ici, pendant mon absence ! Quel dommage que je n'aie pas pensé à égorger mes deux poules et à les lui préparer au beurre de vache. » Et il résolut tout de même de le faire, bien qu'il fût en retard, et se dirigea vers ses deux poules pour les égorger et les offrir au sultan, rôties au beurre de vache...

À ce moment de sa narration, Schahrazade vit apparaître le matin et, discrète, se tut.

Mais lorsque fut la neuf cent soixante-huitième nuit. Elle dit :

... Et se dirigea vers ses deux poules pour les égorger et les offrir au sultan, rôties au beurre de vache.

Mais Mârouf l'aperçut et l'appela. Et il dit en même temps aux esclaves qui le servaient : « Amenez-le-moi ! » Et ils coururent à lui, et le transportèrent dans le pavillon avec son écuelle de lentilles, ses oignons, son pain noir et son sac à picotin. Et Mârouf se leva en son honneur et l'embrassa et lui dit : « Que portes-tu là, ô mon frère de misère ? » Et le pauvre fellah s'étonna prodigieusement d'être traité si affectueusement par un homme de cette importance, et de l'entendre lui parler sur ce ton et l'appeler son « frère de misère ». Et il se dit : « Si celui-ci est un pauvre, alors que suis-je moi ? » Et il lui répondit : « Je t'apporte le repas de l'hospitalité, ô mon maître, et la ration de ton cheval. Mais je te prie d'excuser mon ignorance ! Car si j'avais su que tu étais le sultan, je n'aurais pas hésité à sacrifier en ton honneur les deux poules que je possède, et à te les faire rôtir au beurre de vache. Mais la misère rend l'homme aveugle et lui enlève toute perspicacité. » Et il baissa la tête, à la limite de la honte et de la confusion. Et Mârouf, à ces paroles, se rappelant son état ancien, alors qu'il était dans une misère semblable ou même pire que celle de ce pauvre fellah, se mit à pleurer. Et ses larmes coulaient abondamment entre les poils de sa barbe, et tombaient dans les plateaux. Et il dit au fellah : « Ô mon frère, tranquillise ton cœur. Je ne suis point le sultan, mais seulement son gendre. À la suite de quelques difficultés que nous avions eues ensemble, j'avais quitté le palais. Mais il m'envoie maintenant tous ces esclaves et tous ces cadeaux, pour me prouver qu'il veut se réconcilier avec moi. Je vais donc retourner sur mes pas, sans différer davantage. Quant à toi, mon frère, qui voulus me traiter, sans me connaître, avec tant de bonté, sache que tu n'as pas semé dans un terrain desséché. »

Et il obligea le fellah à s'asseoir à sa droite, et lui dit : « Nonobstant tous les mets que tu vois dans ces plateaux, je jure par Allah que je ne veux manger que de ton plat de lentilles, et que je ne toucherai point à autre chose qu'à ce pain et à ces oignons. » Et il ordonna aux esclaves de servir les mets somptueux au fellah ; et, pour sa part, il ne mangea que les lentilles de l'écuelle, le pain noir et les oignons. Et il se dilata et se réjouit, en voyant l'étonnement du pauvre fellah à la vue de tant de mets dont le parfum satisfaisait le cerveau, et de tant de couleurs qui charmaient les regards.

Et lorsqu'on eut fini de manger, on remercia le Rétributeur pour ses bienfaits ; et Mârouf se leva et, prenant le fellah par la main, il le conduisit hors du pavillon vers la caravane. Et il l'obligea à choisir, de chaque variété de marchandise et de ballot, une paire de chameaux et une paire de mulets. Puis il lui dit : « Cela devient ta propriété, ô mon frère. Et je te laisse, en outre, ce pavillon avec tout ce qu'il contient. » Et, sans vouloir écouter ses refus ni l'expression de sa gratitude, il prit congé de lui, en l'embrassant encore une fois, remonta sur son cheval, se mit à la tête de la caravane, et, se faisant précéder dans la ville par un courrier plus rapide que l'éclair, chargé d'annoncer son arrivée au roi, il s'en alla en sa voie.

Or, le courrier de Mârouf arriva au palais, juste au moment où le vizir disait au roi : « Dissipe ton erreur, ô mon maître, et n'ajoute pas foi aux paroles de la princesse, ta fille, concernant le départ de son époux. Car par la vie de ta tête ! l'émir Mârouf est parti d'ici en fugitif, craignant ton juste ressentiment, et non point pour aller hâter l'arrivée d'une caravane qui n'existe pas. Par les jours sacrés de ta vie, cet homme n'est qu'un menteur, un fourbe et un imposteur ! » Et, comme le roi, déjà à moitié persuadé par ces paroles, ouvrait la bouche pour faire la réponse qu'il fallait, le courrier entra et, après s'être prosterné, lui annonça l'arrivée imminente de Mârouf, en disant : « Ô roi du temps, je viens vers toi comme annonciateur. Et je t'apporte la bonne nouvelle de l'arrivée, derrière moi, de mon maître l'émir puissant et généreux, le héros insigne, Mârouf, ton gendre. Et il est à la tête d'une caravane qui n'a pu aller aussi vite que moi, à cause des lourdes splendeurs dont elle est chargée. » Et, ayant ainsi parlé, le jeune mamelouk baisa de nouveau la terre entre les mains du roi, et s'en alla comme il était venu.

Alors le roi, à la limite du bonheur, mais furieux contre son vizir, se tourna de son côté et lui dit : « Qu'Allah noircisse ton visage et le rende aussi ténébreux que ton esprit ! Et puisse-t-il maudire ta barbe, ô traître, et te convaincre de mensonge et de duplicité, comme tu vas être enfin convaincu de la grandeur et de la puissance de mon gendre ! » Et le vizir, atterré et se refusant désormais toute réflexion, se jeta aux pieds de son maître, sans avoir la force de répondre une seule parole. Et le roi le laissa dans cette position, et sortit donner l'ordre d'orner et de pavoiser la ville, et de tout préparer pour aller, en cortège, au-devant de son gendre.

Après quoi il alla dans l'appartement de sa fille, et lui annonça l'heureuse nouvelle. Et la princesse, en entendant son père lui parler de l'arrivée de son époux à la tête d'une caravane qu'elle croyait avoir elle-même inventée de toutes pièces, fut à la limite de la perplexité et de l'étonnement. Et elle ne sut que penser, que dire ou que répondre ; et elle se demanda si son époux se raillait une nouvelle fois du sultan, ou s'il avait voulu, lors de la nuit, où il lui avait raconté son histoire, se moquer d'elle ou simplement lui faire subir une épreuve pour voir si elle éprouvait un réel penchant pour lui. Et, quoi qu'il en fût, elle préféra garder pour elle seule ses doutes et ses étonnements, en attendant de voir quelle pouvait bien être l'affaire. Et elle se contenta de montrer à son père un visage épanoui de contentement. Et le roi sortit de chez elle, et se mit à la tête du cortège qui alla au-devant de Mârouf.

Mais celui qui fut le plus étonné de tous, et le plus abasourdi, fut sans conteste l'excellent marchand Ali, le camarade d'enfance de Mârouf, qui savait, mieux que personne, à quoi s'en tenir sur les richesses de Mârouf. Aussi, quand il vit le pavoisement de la ville, et les préparatifs de fête, et le cortège royal qui sortait de la ville, il interrogea les passants, leur demandant le motif de tout ce mouvement. Et ils lui répondirent : « Comment, tu ne sais pas ? Mais c'est le gendre du roi, l'émir Mârouf qui revient à la tête d'une caravane splendide ! » Et l'ami de Mârouf frappa ses mains l'une dans l'autre, et se dit : « Quelle peut bien être cette nouvelle fourberie du savetier ? Par Allah ! depuis quand le travail du raccommodage des savates a-t-il pu rendre mon ami Mârouf possesseur et conducteur de caravanes ? Mais Allah est le Tout-Puissant…

À ce moment de sa narration, Schahrazade vit apparaître le matin et, discrète, se tut.

Mais lorsque fut la neuf cent soixante-neuvième nuit. Elle dit :

… Et l'ami de Mârouf frappa ses mains l'une dans l'autre, et se dit : « Quel peut bien être ce nouveau tour du savetier ? Par Allah ! depuis quand le travail du raccommodage des savates a-t-il pu rendre mon ami possesseur ou conducteur de caravanes ? Mais Allah est le Tout-Puissant ! Et puisse-t-il sauvegarder son honneur et le préserver de la honte publique ! » Et il resta là, attendant, comme les autres, l'arrivée de la caravane.

Et bientôt le cortège fit son entrée dans la ville. Et Mârouf chevauchait en tête, plus brillant mille fois que le roi, et magnifique et triomphant, à faire éclater d'envie la poche à fiel des cochons. Et il était suivi de l'immense caravane encadrée par les beaux mamalik vêtus d'étoffes merveilleuses. Et tout cela était si beau et si prodigieux, que nul ne se souvenait avoir vu ou entendu raconter quelque chose de semblable. Et le marchand Ali vit également Mârouf en cet état extraordinaire, et se dit : « C'est bien ça. Il aura combiné quelque chose avec la princesse, son épouse, pour se moquer du roi. » Et il s'approcha de Mârouf, et réussit à le joindre, malgré tout l'apparat qui l'entourait, et il lui dit, mais de façon à n'être entendu que de lui seul : « Sois le bienvenu, ô cheikh des heureux fripons, et le plus adroit des fourbes ! Qu'est-ce que c'est que tout ça ? Mais Allah, tu mérites tout ce qui t'arrive de faveurs et de faste, ô mon ami. Va ! sois content et dilate-toi ! Et qu'Allah augmente tes tours et tes friponneries ! » Et Mârouf se mit à rire des paroles de son ami, et prit rendez-vous avec lui pour le lendemain.

Et, là-dessus, Mârouf arriva au palais, aux côtés du roi, et monta s'asseoir, dans sa gloire, sur un trône dressé dans la grande salle des audiences. Et il ordonna qu'on commençât par transporter dans le trésor du roi les caisses remplies d'or, de joyaux, de perles et de pierreries, de remplir avec ces matières tous les sacs des armoires, et de lui apporter ensuite tout le reste, ainsi que les ballots qui contenaient les étoffes précieuses et les soieries. Et on exécuta ponctuellement ses ordres. Et il fit ouvrir en sa présence les caisses et les ballots, l'un après l'autre, et se mit à distribuer, à pleines mains, aux grands du palais et à leurs épouses les étoffes merveilleuses, les perles et les pierreries, et à faire de grandes largesses aux membres du diwân, aux marchands qu'il connaissait, aux pauvres et aux petits. Et malgré les objurgations du roi, qui voyait ces choses précieuses disparaître comme l'eau dans un crible, Mârouf ne se leva qu'il n'eût distribué toute la charge de la caravane. Car le moins qu'il donnait était une poignée ou deux d'or, d'émeraudes, de perles ou de rubis. Et il les jetait à pleines mains, alors que le roi souffrait horriblement et grimaçait de douleur, en s'écriant à chaque don : « Assez, ô mon fils, assez ! Il ne va plus rien nous rester. » Mais Mârouf, souriant, répondait chaque fois : « Par ta vie ! ne crains pas cela. Car ce que j'ai est inépuisable ! »

Sur ces entrefaites, le vizir vint annoncer au roi que les armoires du trésor étaient maintenant pleines jusqu'au haut, et qu'on ne pouvait plus rien y mettre. Et le roi lui dit : « Bien. Choisis une autre salle, et remplis-la comme la précédente ! » Et Mârouf, sans le regarder, lui dit : « Tu peux ! » Et il ajouta : « Et tu en rempliras une troisième salle, puis une quatrième. Et, si le roi ne s'y oppose pas, je pourrai également remplir toutes les salles du palais avec ces choses-là qui, pour moi, n'ont aucune valeur. » Et le roi ne savait plus si tout cela se passait en rêve ou à l'état de veille. Et il était à la limite extrême de l'étonnement. Et le vizir sortit pour aller remplir encore une ou deux nouvelles salles avec les trésors rapportés par Mârouf.

Quant à Mârouf, il se hâta, dès que ces préliminaires furent terminés et qu'il eut ainsi prouvé qu'il avait accompli tout ce qu'il avait annoncé, et même au-delà, de lever la séance de la distribution, et de se rendre auprès de sa jeune épouse. Et la princesse, dès qu'elle l'eut vu, vint à lui, les yeux pleins de joie, et lui baisa la main, et lui dit : « Sans doute, ô fils de l'oncle, tu as voulu t'égayer à mes dépens et rire de moi, ou peut-être mettre mon affection à l'épreuve, en me racontant l'histoire de ton ancienne pauvreté et de tes malheurs avec ton épouse calamiteuse Fattoumah la Bouse chaude. Mais je remercie Allah Très-Haut qui m'a empêchée de me conduire à ton égard, ô mon maître, autrement que je ne l'ai fait. » Et Mârouf l'embrassa, lui fit la réponse qu'il fallait, et lui donna un habit magnifique et un collier formé de dix rangs de quarante perles orphelines, grosses comme des œufs de pigeon, et des bracelets de poignets et de chevilles ouvrés par les magiciens. Et la princesse, voyant tous ces beaux objets, éprouva un très vif plaisir, et s'écria : « Certes ! je veux garder cette belle robe et ces parures pour les jours de fête seulement ! » Et Mârouf sourit et lui dit : « Ô ma chérie, ne te préoccupe pas de cela ! Tous les jours je te donnerai de nouvelles robes et de nouvelles parures, tant que tes armoires ne seront pas débordées et que tes coffres ne seront pas remplis jusqu'aux bords. » Et, là-dessus, ils firent leur chose ordinaire jusqu'au matin.

Or, il n'était pas encore sorti de la moustiquaire, qu'il entendit la voix du roi qui demandait à entrer. Et il se hâta d'aller lui ouvrir, et le vit bouleversé et le visage jaune et l'aspect terrifié. Et il le fit entrer avec précaution, et s'asseoir sur le divan ; et la princesse se leva, tout émue de cette visite inattendue et de l'air de son père, et se hâta de l'asperger d'eau de rose pour calmer son état et lui faire recouvrer la parole. Et lorsqu'il put enfin s'exprimer, il dit à Mârouf : « Ô mon fils, je suis porteur, hélas ! de mauvaises nouvelles ! mais il faut que je te les dise, pour que tu sois averti du malheur qui t'arrive. Ah ! faut-il ou ne faut-il pas ? » Et Mârouf répondit : « Il faut, certainement ! » Et le roi dit : « Eh bien, sache, ô mon enfant, que mes serviteurs et mes gardes, à la limite de la perplexité, sont venus m'annoncer, il y a un moment, que tes deux mille mamalik, caravaniers, chameaux et mulets ont disparu cette nuit, sans que personne ait su par quel chemin ils étaient partis, ni découvert la moindre trace de leur marche. Un oiseau qui s'envole d'une branche laisse plus de trace que toute cette caravane n'en a laissé sur nos chemins. Or, comme cette perte est pour toi une perte sans recours, j'ai été tellement frappé que j'en suis encore tout étourdi. »

Et Mârouf, ayant entendu ces paroles du roi, se mit à rire soudain, et répondit : « Ô oncle, calme ton esprit. Car la perte ou la disparition de mes caravaniers et de mes animaux n'est pas plus importante pour moi que la perte d'une goutte d'eau de la mer. Car, aujourd'hui, comme demain et comme après-demain et les autres jours, je pourrai, sur un simple souhait, avoir plus de caravaniers et de bêtes de somme avec leur charge que n'en peut contenir toute la ville de Khaïtân. Tu peux tranquilliser ton âme, et nous laisser maintenant nous lever pour aller au hammam du matin. »

Et le roi, plus stupéfait qu'il ne l'avait jamais été, sortit de chez Mârouf, et alla appeler son vizir, et lui raconta ce qui venait de se passer, et lui dit : « Eh bien ! que penses-tu cette fois de la puissance incompréhensible de mon gendre ? » Et le vizir, qui n'oubliait pas les humiliations subies depuis que Mârouf était apparu sur son chemin, se dit : « Voici l'occasion de me venger de ce maudit ! » Et il dit au roi, d'un air soumis : « Ô roi du temps, mon avis ne peut t'être d'aucune lumière. Mais puisque tu me le demandes, je te dirai que le seul moyen pour toi de savoir à quoi t'en tenir sur la puissance mystérieuse de ton gendre, l'émir Mârouf, est de te réunir avec lui pour boire, et de l'enivrer. Et lorsque le ferment aura fait danser sa raison, tu l'interrogeras avec prudence sur son état ; et il te répondra certainement, sans te rien cacher de la vérité. » Et le roi dit : « C'est là une idée excellente, ô vizir, et je vais la mettre à exécution dès ce soir. »

Et donc, quand vint le soir, le roi se réunit avec son gendre Mârouf et son vizir, devant les plateaux des boissons. Et les coupes circulèrent. Et le gosier de Mârouf fut une gargoulette sans fond. Et son état devint un pitoyable état. Et sa langue se mit à tourner comme l'aile du moulin…

À ce moment de sa narration, Schahrazade vit apparaître le matin et, discrète, se tut.

Mais lorsque fut la neuf cent soixante-dixième nuit. Elle dit :

… Et le gosier de Mârouf fut une gargoulette sans fond. Et son état devint un pitoyable état. Et sa langue se mit à tourner comme l'aile du moulin. Et lorsqu'il ne sut plus distinguer sa main droite de sa main gauche, le roi, père de son épouse, lui dit : « En vérité, ô notre gendre, tu ne m'as jamais raconté les aventures de ta vie qui a dû être une vie merveilleuse et extraordinaire. Et je serais bien aise de t'entendre, ce soir, m'en narrer les péripéties étonnantes. » El Mârouf, qui était sens dessus dessous et sens devant derrière, se laissa aller, dans son ivresse, comme tous les gens ivres qui aiment la vantardise, à raconter au roi et au vizir toute son histoire, depuis le commencement jusqu'à la fin, à partir du moment où il s'était marié, pauvre raccommodeur de savates, avec la calamiteuse du Caire, jusqu'au jour où il avait trouvé le trésor et l'anneau magique dans le champ du pauvre fellah. Mais il n'y a point d'utilité à la répéter.

Et le roi et le vizir, au récit de cette histoire qu'ils étaient loin d'avoir imaginée aussi stupéfiante, se regardèrent en se mordant la paume. Et le vizir dit à Mârouf : « Ô mon maître, montre-nous un peu cet anneau qui possède de si merveilleuses vertus. » Et Mârouf, comme un fou privé de raison, ôta de son doigt l'anneau et le remit au vizir, en disant : « Le voici ! Il contient, dans sa cornaline, mon ami l'éfrit Père au Bonheur. » Et le vizir, les yeux flamboyants, prit l'anneau et en frotta le chaton, comme l'avait expliqué Mârouf.

Et aussitôt la voix sortit de la cornaline, disant : « Me voici ! me voici ! commande et j'obéis ! Veux-tu ruiner une ville, bâtir une capitale ou tuer un roi ? » Et le vizir répondit : « Ô serviteur de l'anneau, je t'ordonne de t'emparer de ce roi proxénète et de son gendre Mârouf, l'entremetteur, et de les jeter dans quelque désert sans eau pour qu'ils y meurent de soif et de privation. » Et, à l'instant, le roi et Mârouf furent enlevés comme un fétu de paille et transportés dans un désert sauvage tout à fait affreux, qui était le désert de la soif et de la faim, habité par la mort rouge et la désolation. Et voilà pour eux.

Quant au vizir, il s'empressa de convoquer le diwân, et exposa aux dignitaires, aux émirs et aux notables que le bonheur des sujets et la tranquillité de l'État avaient exigé que le roi et son gendre Mârouf, un imposteur de la plus mauvaise qualité, fussent exilés au loin, et qu'il fût nommé lui-même souverain de l'empire. Et il ajouta : « Du reste, si vous hésitez un instant à accepter le nouvel ordre de choses et à me reconnaître pour votre légitime souverain, je vous enverrai à l'instant, par l'effet de ma nouvelle puissance, rejoindre votre ancien maître et son gendre l'entremetteur dans le coin le plus sauvage du désert de la soif et de la mort rouge. »

Et il se fit ainsi prêter serment par tous les assistants, malgré leur nez, et nomma ceux qu'il nomma et destitua ceux qu'il destitua. Après quoi il envoya dire à la princesse : « Prépare-toi à me recevoir, car j'ai une grande envie de toi. » Et la princesse qui avait appris, comme les autres, les nouveaux événements, lui fit répondre par l'eunuque : « Certes ! je te recevrai volontiers, mais pour le moment j'ai le mal mensuel qui est naturel aux femmes et aux jeunes filles. Mais dès que je serai nette de toute impureté, je te recevrai. » Mais le vizir lui fit dire : « Moi, je ne veux aucun retard, et ne connais ni mal mensuel ni mal annuel. Et c'est tout de suite que je désire te voir. » Alors elle lui répondit : « Bien ! viens, dans un moment, me trouver. »

Et elle s'habilla le plus magnifiquement possible, et s'orna et se parfuma. Et quand, au bout d'une heure de temps, le vizir de son père eut pénétré dans son appartement, elle le reçut avec un visage content et réjoui, et lui dit : « Quel honneur pour moi ! Et quelle heureuse nuit va être celle-ci ! » Et elle le regarda avec des yeux qui achevèrent de subtiliser le cœur de ce traître. Et, comme il la pressait de se dévêtir, elle commença de le faire, avec force regards, agaceries et retards. Et soudain, poussant un cri de terreur, elle se rejeta en arrière, en se voilant le visage. Et l'étonné vizir lui demanda : « Qu'as-tu, ô ma maîtresse ? Et pourquoi ce cri de terreur et ce visage soudain voilé ? » Et elle lui répondit, de plus en plus enveloppée dans ses voiles : « Comment ? tu ne vois pas ? » Et il répondit : « Non, par Allah ! qu'y a-t-il ? je ne vois rien ! » Elle dit : « Ô honte sur moi ! ô déshonneur ! Pourquoi veux-tu m'exposer nue aux regards de cet homme étranger qui t'accompagne ? » Et le vizir, ayant regardé à droite et à gauche, lui répondit : « Quel est l'homme qui m'accompagne ? Et où est-il ? » Elle dit : « Là, dans la cornaline du chaton de l'anneau que tu portes au doigt ! » Et le vizir répondit : « Par Allah ! c'est vrai. Je n'y pensais plus. Mais, ya setti, ce n'est pas un fils d'Adam, un être humain. C'est un éfrit, le serviteur de l'anneau ! » Et la princesse, pleine d'épouvante, s'écria, en enfonçant sa tête dans les oreillers : « Un éfrit, ô ma calamité ! Moi j'ai une peur intense des éfrits ! Ah ! de grâce, éloigne-le ! J'ai peur et j'ai honte de celui-ci ! » Et le vizir, pour la tranquilliser, et arriver enfin à ce qu'il désirait d'elle, enleva l'anneau de son doigt et le cacha sous le coussin du lit. Puis il s'approcha d'elle, à la limite du transport.

Et la princesse le laissa s'approcher, et soudain lui lança un si violent coup de pied dans le bas-ventre qu'elle le renversa par terre sur le derrière, sa tête précédant ses pieds. Et sans perdre un instant, elle s'empara de l'anneau, en frotta le chaton et dit à l'éfrit de la cornaline : « Empare-toi vite de ce cochon, et jette-le dans le cachot souterrain du palais. Puis tu iras, sans retard, reprendre mon père et mon époux dans le désert où tu les as transportés, et tu me les rapporteras ici sains et saufs, sans heurt et en bon état…

À ce moment de sa narration, Schahrazade vit apparaître le matin et, discrète, se tut.

Mais lorsque fut la neuf cent soixante et onzième nuit. Elle dit :

… Puis tu iras, sans retard, reprendre mon père et mon époux dans le désert où tu les as transportés, et tu me les rapporteras ici sains et saufs, sans heurt et en bon état. »

Et aussitôt le vizir fut ramassé comme on ramasse un chiffon, et jeté au fond du cachot du palais. Et, au bout d'un très court espace de temps, le roi et Mârouf étaient dans la chambre de la princesse, le roi fort épouvanté, et Mârouf à peine remis de son ivresse. Et elle les reçut avec une joie inexprimable, et commença tout d'abord par leur donner à manger et à boire, vu que cette course rapide les avait affamés et altérés. Et, pendant ce temps, elle leur raconta ce qui venait de se passer, et comment elle avait enfermé le traître. Et le roi s'écria : « Nous allons l'empaler sans retard et le brûler ! » Et Mârouf dit : « Il n'y a pas d'inconvénient. » Puis il se tourna vers son épouse et lui dit : « Mais, ô ma chérie, rends-moi d'abord mon anneau. » Et la princesse répondit : « Ah ! pour ça, non ! Puisque tu n'as pas su le conserver, c'est moi qui le garderai désormais, de peur que tu ne t'exposes à le perdre de nouveau. » Et il dit : « Bien ! C'est juste. »

Alors on fit préparer le pal, dans le meidân, en face de la porte du palais, et, devant le peuple assemblé, on y installa le vizir. Et pendant que fonctionnait l'instrument, on alluma un grand feu au pied du poteau. Et, de cette manière, le traître mourut embroché et grillé. Et voilà pour lui. Et le roi partagea avec Mârouf la puissance souveraine, et le désigna comme son unique successeur au trône. Et l'anneau resta désormais au doigt de la princesse qui, plus prudente et plus avisée que son époux, en prenait le soin le plus attentif. Et Mârouf, en sa compagnie, fut à la limite de la dilatation et de l'épanouissement.

Et voici qu'une nuit, comme il venait de finir sa chose ordinaire avec la princesse, et qu'il était rentré dans son appartement pour dormir, une vieille femme sortit soudain de son lit et se jeta sur lui, la main levée et menaçante. Et à peine Mârouf l'eut-il regardée, qu'à sa terrible mâchoire, à ses longues dents et à sa laideur noire, il reconnut en elle sa calamiteuse épouse Fattoumah la Bouse chaude. Et il n'avait pas fini de faire cette effroyable constatation, que déjà il recevait, coup sur coup, deux soufflets retentissants qui lui cassèrent deux nouvelles dents. Et elle lui cria : « Où étais-tu, ô maudit ? Et comment as-tu osé quitter notre maison du Caire, sans m'avertir et sans prendre congé de moi ? Ah ! fils de chien, je te tiens maintenant ! » Et Mârouf, à la limite de l'épouvante, se mit soudain à courir dans la direction de l'appartement de la princesse, la couronne sur la tête et ses habits royaux traînant derrière lui, en criant : « Au secours ! À moi, l'éfrit de la cornaline ! » Et il pénétra comme un fou auprès de la princesse, et tomba à ses pieds, évanoui d'émotion.

Et bientôt, dans la chambre où la princesse prodiguait ses soins à Mârouf en l'aspergeant d'eau de rose, fit irruption l'effrayante mégère, tenant à la main une matraque qu'elle avait apportée avec elle du pays d'Égypte. Et elle criait : « Où est-il, ce vaurien, ce fils d'adultérin ? » Et la princesse, voyant ce visage de goudron, eut le temps de frotter sa cornaline et de donner un ordre rapide à l'éfrit Père au Bonheur. Et, à l'instant, la terrible Fattoumah, comme si elle était maîtrisée par quarante bras, resta figée à sa place, dans l'attitude de menace qu'elle avait en entrant.

Et Mârouf, ayant recouvré ses sens, vit son ancienne épouse dans cette attitude immobile. Et, poussant un cri de terreur, il retomba évanoui. Et la princesse, qu'Allah avait douée de sagesse, comprit alors que celle qui était là devant elle dans cette attitude de menace impuissante, n'était autre que l'effroyable mégère Fattoumah, du Caire, la première épouse de Mârouf, du temps qu'il était savetier. Et, ne voulant pas exposer Mârouf aux méfaits probables de cette calamiteuse, elle frotta l'anneau et donna un nouvel ordre à l'éfrit de la cornaline. Et aussitôt la mégère fut enlevée et conduite au jardin. Et elle fut attachée, par une énorme chaîne de fer, à un énorme caroubier, comme sont attachés les ours non apprivoisés. Et elle resta là, destinée à changer de caractère ou à mourir. Et voilà pour elle. Quant à Mârouf et à son épouse, la princesse, ils vécurent depuis lors dans les délices parfaites, pendant des années et des années, jusqu'à l'arrivée de la Séparatrice des amis, la Destructrice du bonheur, la Bâtisseuse des tombeaux, l'inévitable Mort.

Or, gloire au Seul vivant, dont l'existence est par-delà la vie et la mort, dans le domaine de l'éternité.

Puis Schahrazade, cette nuit-là, ne sentant point la fatigue l'envahir, et voyant que le roi Schahriar était disposé à l'écouter, commença l'histoire suivante, qui est celle du jeune homme riche qui a regardé par LES LUCARNES DU SAVOIR ET DE L'HISTOIRE *Elle dit :*

LES LUCARNES DU SAVOIR ET DE L'HISTOIRE

On raconte qu'il y avait dans la ville d'El-Iskandaria un adolescent qui, à la mort de son père, était devenu possesseur de richesses immenses et de grands biens, tant en terres irrigables qu'en bâtisses solidement construites. Et cet adolescent, né sous la bénédiction, était doué d'un esprit tourné vers la voie de la rectitude. Et comme il n'ignorait point les préceptes du Saint Livre, qui prescrivent l'aumône et recommandent la générosité, il hésitait sur le choix du meilleur moyen de faire le bien. Et, dans sa perplexité, il se décida à aller consulter à ce sujet un vénérable cheikh, ami de son défunt père. Et il le mit au courant de ses scrupules et de ses hésitations, et lui demanda conseil. Et le cheikh réfléchit pendant une heure de temps. Puis, relevant la tête, il lui dit : « Ô fils d'Abderrahmân – qu'Allah comble le défunt de Ses grâces ! – sache que distribuer à pleines mains l'or et l'argent, à ceux qui sont dans le besoin, est, sans aucun doute, une action des plus méritoires devant l'œil du Très-Haut. Mais une telle action, ô mon enfant, est à la portée du premier riche venu. Et il n'est point nécessaire d'avoir une vertu bien grande pour donner le surplus de ce que l'on possède. Mais il est une générosité qui est autrement parfumée et agréable au Maître des créatures, et c'est, ô mon enfant, la générosité de l'esprit. Car celui qui peut répandre les bienfaits de son esprit sur les êtres dénués de savoir, celui-là est le plus grand méritant. Et pour répandre les bienfaits de ce genre, il faut avoir un esprit hautement cultivé. Et pour avoir un esprit de cette marque, un seul moyen est entre nos mains, la lecture des écrits des gens hautement cultivés, et la méditation sur ces écrits. Donc, ô fils de mon ami Abderrahmân, cultive ton esprit, et sois généreux dans la voie de l'esprit. Et tel est mon conseil, ouassalam ! »

Et l'adolescent riche eût bien voulu demander au cheikh des explications complémentaires. Mais le cheikh n'avait plus rien à lui dire. Aussi se retira-t-il avec ce conseil, fermement résolu à le mettre en pratique, et, se laissant aller à son inspiration, il prit le chemin du souk des libraires. Et il assembla tous les marchands de livres, dont quelques-uns avaient des livres qui provenaient du palais des livres que les Roums chrétiens avaient brûlé lors de l'entrée d'Amrou ben El-Ass à El-Iskandaria. Et il leur commanda de transporter dans sa maison tous les livres de valeur qui étaient en leur possession. Et il les rétribua au-delà même de leurs prétentions, sans marchandage ni hésitation. Mais il ne se contenta point de ces achats. Il envoya des émissaires au Caire, à Damas, à Bagdad, en Perse, au Maghreb, dans l'Inde et même dans les pays des Roums acheter les livres les plus réputés de ces diverses contrées, avec mission de ne point lésiner sur le prix de l'achat. Et les émissaires, au bout d'un certain temps, revinrent les uns après les autres, avec des ballots chargés de manuscrits précieux. Et l'adolescent fit ranger le tout, en bon ordre, dans les armoires d'une magnifique coupole qu'il avait fait bâtir dans cette intention, et qui portait, inscrits en grandes lettres d'or et d'azur, sur le fronton de son entrée principale, ces simples mots : « Coupole du Livre. » Et, cela fait, l'adolescent se mit à l'œuvre…

À ce moment de sa narration, Schahrazade vit apparaître le matin et, discrète, se tut.

Mais lorsque fut la neuf cent soixante-douzième nuit. Elle dit :

…Et, cela fait, l'adolescent se mit à l'œuvre. Et il se consacra à lire avec méthode, lenteur et méditation les livres de sa merveilleuse coupole. Et, comme il était né sous la bénédiction, et que ses pas étaient marqués par le succès et la félicité, il retenait en sa mémoire heureuse tout ce qu'il lisait et notait. Aussi, en peu de temps, arriva-t-il à la limite extrême de l'instruction et du savoir, et son esprit s'enrichit-il de dons plus abondants que tous les biens qui lui étaient échus en héritage. Et il songea alors, avec sagesse, à faire bénéficier ceux qui l'entouraient des dons dont il était le possesseur. Et, dans ce but, il donna, sous la coupole du livre, un grand festin auquel il convia tous ses amis, ses familiers, ses parents proches et éloignés, ses esclaves, ses palefreniers même, et jusqu'aux pauvres et mendiants coutumiers de son seuil. Et, lorsqu'ils eurent mangé et bu et remercié le Rétributeur, l'adolescent riche se leva debout au milieu du cercle attentif de ses invités, et leur dit : « Ô mes hôtes, cette nuit, au lieu des chanteurs et des musiciens, que l'intelligence préside notre assemblée ! Car le sage a dit : « Parle et tire de ton esprit ce que tu sais, pour que l'oreille de celui qui t'écoute s'en nourrisse. Et quiconque a obtenu la science, a obtenu un bien immense. Et le Rétributeur donne la sagesse à qui il veut, et l'esprit a été créé par son ordre ; mais il n'y a qu'un petit nombre d'entre les fils des hommes qui soit en possession des dons spirituels. » Aussi Allah Très-Haut, par la bouche de Son Prophète béni – sur Lui la prière et la paix ! – a-t-il dit : « Ô Croyants ! faites l'aumône des meilleures choses que vous ayez acquises, car vous n'atteindrez à la perfection que lorsque vous aurez fait l'aumône de ce que vous chérissez le plus. Mais ne le faites point par ostentation ; sinon vous serez semblables à ces collines rocailleuses couvertes à peine d'un peu de terre : qu'une averse tombe sur ces collines, et elle n'y laissera qu'une roche dénudée. De pareils hommes n'auront aucun profit de leurs œuvres. Mais ceux qui se montrent généreux, en vue de l'affermissement de leurs âmes, ressemblent à un jardin planté sur un coteau qu'arrosent les pluies abondantes du ciel, et dont les fruits sont portés au double. Si la pluie n'y tombe pas, ce sera la rosée. Et ils entreront dans les jardins d'Éden. » C'est pourquoi, ô mes hôtes, je vous ai assemblés ce soir. Car ne voulant pas, comme l'avare, garder pour moi seul les fruits de la science, je désire que vous en goûtiez avec moi, pour que nous marchions ensemble dans la voie de l'intelligence. » Et il ajouta : « Promenons donc nos regards par les lucarnes du savoir et de l'histoire, et assistons, par là, au défilé du cortège merveilleux des figures anciennes, afin que, de leur passage, notre esprit s'éclaire, et s'achemine, illuminé, vers sa perfection. Amîn ! » Et tous les invités de l'adolescent riche portèrent les deux mains à leur visage, en répondant : « Amîn ! »

Alors il s'assit au milieu de leur cercle silencieux, et dit : « Ô mes amis, je ne saurais mieux commencer la distribution des choses admirables, qu'en faisant bénéficier votre entendement du récit de quelques traits de la vie de nos pères arabes de la gentilité, les vrais Arabes des sables, dont les merveilleux poètes ne savaient ni lire ni écrire, chez qui l'inspiration était un don véhément, et qui formèrent, sans encre ni calam ni censeurs, cette langue arabe qui est la nôtre, la langue par excellence, celle dont le Très-Haut s'est servi, de préférence sur toutes les autres, pour dicter Ses paroles à Son Envoyé – sur Lui la prière, la paix et les plus choisies des bénédictions. Amîn ! » Et les invités ayant répondu de nouveau : « Amîn ! » il dit : « Voici donc, de ces temps héroïques de la gentilité, une histoire entre mille :

LE POÈTE DOREÏD

On raconte qu'un jour le poète Doreïd, fils de Simmah, cheikh de la tribu des Bani-Joucham, qui vivait à l'époque de la gentilité, cavalier valeureux autant que poète reconnu, et maître de nombreuses tentes et de beaux pâturages, partit en razzia contre la tribu rivale des Bani-Firâs, dont le cheikh était Rabiah, le plus intrépide guerrier du désert.

Et Doreïd était à la tête d'une troupe de cavaliers choisis parmi les meilleurs de la tribu. Et, en débouchant dans une vallée du territoire ennemi des Bani-Firâs, il aperçut dans le loin, à l'extrémité opposée de la vallée, un homme à pied qui conduisait une femme montée sur un chameau. Et Doreïd, après avoir examiné un moment le convoi, se tourna vers un de ses cavaliers et lui dit : « Lance ton cheval, et sus à cet homme ! »

Et le cavalier partit et, étant arrivé à portée de voix, il cria à l'homme : « Lâche prise, laisse-moi cette femme, et sauve ta vie ! » Et il réitéra par trois fois sa sommation. Mais l'homme le laissa approcher, puis, calme et placide, sans presser le pas, il jeta à celle qu'il conduisait le licou du chameau, et d'une voix tranquille, il entonna ce chant :

« Ô dame, marche du pas heureux d'une femme dont le cœur n'a jamais palpité de crainte, et dont la croupe saillante s'est arrondie dans la sécurité.

Et sois témoin de l'accueil que va faire à ce cavalier, le Firâcide qui n'a jamais connu la honte de tourner le dos à l'ennemi.

Car voici, sous tes yeux, un échantillon de mes coups. »

Sur ce, il chargea le cavalier de Doreïd, le désarçonna d'un coup de lance, et l'étendit raide mort dans la poussière. Puis il prit le cheval sans maître et, après en avoir fait hommage à sa dame, il sauta en selle d'un coup de jarret, et se mit à cheminer comme auparavant, sans plus de hâte ni d'émotion…

À ce moment de sa narration, Schahrazade vit apparaître le matin et discrète, se tut.

Mais lorsque fut la neuf cent soixante-treizième nuit. Elle dit :

… Sans plus de hâte ni d'émotion.

Quant à Doreïd, comme il ne voyait pas reparaître son messager, il envoya à la découverte un autre cavalier. Et celui-ci, trouvant son compagnon sans vie sur le sentier, poussa vers le voyageur et lui cria, de loin, la même sommation que lui avait adressée le premier agresseur. Mais l'homme fit comme s'il n'avait point entendu. Et le cavalier de Doreïd courut sus à lui, la lance brandie. Mais l'homme, sans s'émouvoir, jeta de nouveau à sa dame le licou du chameau, et chargea soudain le cavalier, en lui adressant ces vers :

« Voici sur toi la fatalité aux canines de fer, ô rejeton de l'infamie, qui te mets sur la route de la femme libre et inviolable.

Entre elle et toi est ton maître Rabiah, dont la loi pour un ennemi est le fer de sa lance, une lance qui lui obéit à souhait. »

Et le cavalier, le foie transpercé, fut abattu, déchirant la terre de ses ongles. Et il but la mort d'une gorgée. Et le vainqueur continua, sans se presser, son chemin. Doreïd, plein d'impatience, et inquiet sur le sort de ses deux cavaliers, détacha un troisième homme avec la même consigne. Et l'éclaireur arriva sur les lieux, et trouva ses deux compagnons allongés sans vie sur le sol. Et il aperçut, plus loin, l'étranger qui cheminait avec tranquillité, conduisant d'une main le chameau de la dame, et traînant nonchalamment après lui sa lance. Et il lui cria : « Lâche prise, ô chien des tribus ! » Mais l'homme, sans même se retourner vers son agresseur, dit à sa dame : « Dirige-toi, mon amie, vers nos tentes les plus proches d'ici. » Puis, soudain, il fut en face de son adversaire, et lui cria ces vers :

« N'as-tu pas vu, ô tête sans yeux, tes frères qui se débattent dans leurs caillots ? Et ne sens-tu pas déjà passer sur ton visage le souffle de la Mère des Vautours » ?

Que penses-tu recevoir du cavalier au visage renfrogné, sinon le cadeau d'un superbe coup de lance qui t'habille les reins d'une couche de sang d'un beau noir de corbeau ? »

Et, ce disant, il pointa le cavalier de Doreïd, et le culbuta dès la première passe, la poitrine percée d'outre en outre. Mais, en même temps, sa lance se brisa de la violence du choc. Et Rabiah, – car c'était lui-même, ce cavalier des gorges et des ravins – se sachant déjà proche de sa tribu, ne voulut même pas se baisser pour ramasser l'arme de son ennemi. Et il continua sa route, n'ayant pour toute arme que le bois brisé de sa lance.

Or Doreïd, sur ces entrefaites, étonné de ne voir revenir aucun de ses cavaliers, partit lui-même à la découverte. Et il rencontra, étalés sur le sable, les corps sans vie de ses compagnons. Et soudain il vit apparaître, au détour d'un monticule, Rabiah lui-même, son ennemi, avec son arme dérisoire. Et de son côté, Rabiah reconnut Doreïd, et regretta l'imprudence qu'il avait commise de ne s'être pas approprié la lance de son dernier agresseur. Toutefois il attendit Doreïd, droit sur sa selle, et le bois de sa lance brisée au poing.

Et Doreïd, d'un coup d'œil, vit l'état d'infériorité de Rabiah, et sa grande âme l'incita à adresser ces paroles au héros Firâcide : « Ô père des cavaliers des Bani-Firâs, certes ! des hommes comme toi, on ne les tue pas. Toutefois, mes gens, qui battent le pays, voudront venger sur toi la mort de leurs frères, et, comme tu es désarmé, seul et si jeune ! tiens, prends ma lance. Quant à moi, je m'en retourne pour ôter à mes compagnons l'envie de te poursuivre. » Et Doreïd repartit à grande course vers ses gens, et leur dit : « Le cavalier a su défendre sa dame. Car il a tué nos trois hommes et, de plus, il m'a accroché ma lance. En vérité c'est un rude champion qu'il ne faut pas songer à attaquer ! » Et ils tournèrent bride et rentrèrent tous, sans razzia, dans leur tribu.

Et les années passèrent. Et Rabiah mourut comme meurent les cavaliers sans reproche, dans une rencontre sanglante avec ceux de la tribu de Doreïd. Et, pour le venger, une troupe de Firâcides partit en nouvelle razzia contre les Bani-Joucham. Et ils tombèrent inopinément de nuit sur le campement, et firent nombre de captifs, et enlevèrent un butin considérable en femmes et en biens. Et, dans le nombre des captifs, était Doreïd lui-même, le cheikh des Jouchamides.

Et, lorsqu'on arriva à la tribu des vainqueurs, Doreïd, qui avait pris bien soin de cacher son nom et sa qualité, fut mis, avec tous les autres captifs, sous une garde sévère. Mais les femmes firâcides, frappées de sa bonne mine, venaient d'un air coquet passer et repasser en triomphatrices devant lui. Et tout à coup l'une d'elles s'écria : « Par la mort noire ! quel beau coup vous avez fait là, enfants de Firâs ! Savez-vous qui est celui-ci ? » Et on accourut, et on regarda, et on répondit : « Celui-ci est un de ceux qui ont éclairci nos rangs ! » Et la femme dit : « Certes ! c'est un brave ! C'est précisément celui qui fit cadeau de sa lance à Rabiah le jour de la vallée. » Et elle jeta sa tunique, en signe de sauvegarde, sur le prisonnier, en ajoutant : « Enfants de Firâs, je prends, moi, ce captif-là sous ma protection. » Et on se pressa encore davantage, et on demanda son nom au captif, qui répondit : « Je suis Doreïd ben Simmah. Mais toi, ô dame, qui es-tu ? » Elle répondit : « Je suis Raïta, fille de Gizl El-Tiân, celle dont Rabiah conduisait le chameau. Et Rabiah était mon mari. »

Puis elle alla se présenter à toutes les tentes de la tribu, et tint aux guerriers ce langage : « Enfants de Firâs, rappelez-vous la générosité du fils de Simmah, lorsqu'il donna à Rabiah sa lance à la hampe longue et belle. Or, le bien pour le bien, et à chacun le fruit de ses œuvres. Que la bouche des hommes ne se gonfle pas de mépris, en racontant votre conduite à l'égard de Doreïd. Brisez ses liens et, en payant l'indemnité, retirez-le des mains de celui qui l'a fait captif. Sinon, vous poseriez devant vous une œuvre de honte qui serait, jusqu'à votre mort, un marchepied aux regrets sans aboutissant et au repentir. » Et les Firâcides, l'ayant entendue, se cotisèrent pour indemniser Mouharrik, le cavalier qui avait fait Doreïd captif. Et Raïta donna à Doreïd, mis en liberté, les armes de son époux défunt. Et Doreïd s'en retourna à sa tribu, et jamais plus ne fit la guerre aux Bani-Firâs.

Et les années s'écoulèrent encore. Et Doreïd, devenu vieux, mais toujours doué de sa belle âme de poète, vint un jour à passer à peu de distance du campement de la tribu des Bani-Sôlaïm. Et, en ce temps-là, vivait dans cette tribu la Sôlamide Toumâdir, fille de Amr, connue dans toute l'Arabie sous le surnom d'El-Khansâ, et admirée pour son merveilleux talent poétique.

Et la belle Sôlamide, au moment où Doreïd passait près de sa tribu, était occupée à oindre de goudron une des chamelles de son père. Et, comme l'endroit était isolé, que la chaleur était grande et que personne ne passait par là, Toumâdir avait quitté ses habits, et travaillait presque entièrement dévêtue. Et Doreïd, caché, l'observait et l'examinait sans qu'elle s'en doutât. Et, émerveillé de sa beauté, il improvisa les vers que voici :

« Allez, ô mes amis, saluer la belle Sôlamide Toumâdir, et saluez-la encore, ma jolie gazelle à la noble origine.

Jamais, dans nos tribus, on n'a vu, de face ou de dos, aussi ravissante frotteuse de chamelles.

Il n'y a pas de ruse là où il n'y a pas de voile. C'est une superbe fille brune de race pure.

Visage ravissant, du poli le plus admirable, beau comme la face de nos statues d'or, visage que pare la richesse d'une chevelure semblable à la queue brillante des étalons de haute noblesse.

Opulente, riche chevelure ! Abandonnée à elle-même nonchalamment, elle flotte en longues chaînes miroitantes ; peignée et rangée, l'on dirait de belles grappes qu'une petite pluie a lissées.

Deux sourcils déliés à la douce courbure, deux lignes sans défaut tracées par le calam d'un savant, couronnes superbes au-dessus de deux grands yeux d'antilope.

Des joues doucement modelées qu'avive une pourpre légère, aurore levée sur un champ d'un tendre blanc de perle.

Une bouche que la grâce a fait fleurir, source de suavité, sur des dents aux stries imperceptibles, perles pures, pétales de jasmin humectés de miel parfumé.

Un cou blanc comme l'argent dans la mine, onduleux, monté sur une poitrine semblable aux poitrines magnifiques de nos statuettes d'ivoire.

Deux bras remplis d'une chair ferme, délicieux d'embonpoint ; deux avant-bras où l'on ne sent pas d'os, où l'on ne touche pas de veines ; des phalanges et des doigts dont rougiraient d'envie les dattes sur les branches.

Un ventre luxuriant, aux plis délicats et rapprochés, comme le papier plié en gradins minces, et rangés autour d'un nombril, petite boîte d'ivoire où l'on garde les parfums.

Le dos ! ô gracieux sillon de ce dos qui aboutit à la taille svelte si flexible, oh oui ! si fragile qu'il a fallu toute la puissance de la divinité pour y maintenir, attachée, cette croupe si considérable !

La voici ! fille magnifique, elle se lève, et ses lourdes hanches la font se rasseoir ; elle s'assied, et sa croupe opulente rebondit et la fait se tenir debout. Ô ! deux monticules charmants et sablonneux !

Et tout cela porté sur deux colonnes de gloire bien dressées, bien tournées, tiges de perles, sur deux tiges de papyrus finement duvetées d'un brun duvet, et le tout sur deux petits pieds merveilleux, effilés et fins comme deux jolis fers de lance.

Ô ! gloire à la divinité ! comment deux bases si délicates ont-elles la force de supporter tout cet ensemble du haut ?

Allez, ô mes amis, saluer la belle Sôlamide Toumâdir, et saluez-la encore, ma jolie gazelle à la noble origine. »

Et, dès le lendemain, le noble Doreïd, accompagné des notables de sa tribu, vint, en grand apparat, trouver le père de Toumâdir, et le pria de la lui donner en mariage. Et le vieux Amr, sans faire attendre sa réponse, dit au poète cavalier : « Mon cher Doreïd, l'homme généreux comme toi, on ne rejette pas ses propositions ; le chef honoré comme toi, on ne repousse pas ses désirs ; l'étalon comme toi, on ne lui donne pas sur le nez. Mais je dois te dire que ma fille Toumâdir a en tête des idées, des manières de voir…

À ce moment de sa narration, Schahrazade vit apparaître le matin et, discrète, se tut.

Mais lorsque fut la neuf cent soixante-quatorzième nuit. Elle dit :

… L'étalon comme toi, on ne lui donne pas sur le nez. Mais je dois te dire que ma fille Toumâdir a en tête des idées, des manières de voir… Et ce sont idées et manières de voir que n'ont pas d'ordinaire les autres femmes. Et moi je la laisse toujours libre d'agir comme il lui plaît, car ma Khansâ n'est pas comme les autres femmes. Je vais donc lui parler de toi, le plus avantageusement que je le pourrai, je te le promets ; mais je ne réponds point de son consentement qui lui appartient en propre. » Et Doreïd le remercia de ce qu'il voulait bien faire ; et Amr entra chez sa fille, et lui dit : « Khansâ, un valeureux cavalier, un noble personnage, chef des Bani-Joucham, homme vénéré pour son grand âge et son héroïsme, Doreïd enfin, le noble Doreïd, fils de Simmah, celui dont tu connais les odes guerrières et les beaux vers, vient sous ma tente te demander en mariage. C'est là, ma fille, une alliance qui nous honore. Du reste, je n'ai point à influer sur ta décision. » Et Toumâdir répondit : « Mon père, laisse-moi quelques jours de délai, pour que, avant de répondre, je puisse me consulter. »

Et le père de Toumâdir revint auprès de Doreïd, et lui dit : « Ma fille Khansâ désire attendre un peu avant de donner une réponse définitive. J'espère d'ailleurs que l'on acceptera ton alliance. Reviens donc dans quelques jours. » Et Doreïd répondit : « D'accord, ô père des héros. » Et il se retira dans la tente mise à sa disposition.

Or la belle Sôlamide, sitôt que Doreïd se fut éloigné, envoya sur ses pas une de ses servantes, en lui disant : « Va, surveille Doreïd, et suis-le lorsqu'il s'écartera des tentes pour satisfaire ses besoins. Et regarde bien le jet, et vois sa force et la trace qu'il laissera dans le sable. Et nous jugerons ainsi s'il est encore en force virile. » Et la servante obéit. Et elle fut si diligente qu'au bout de peu d'instants elle était de retour auprès de sa maîtresse, et lui dit ces simples mots : « Homme usé. »

Or, au bout du délai demandé par Toumâdir, Doreïd revint dans la tente d'Amr, pour avoir la réponse. Et Amr le laissa dans la partie de la tente réservée aux hommes, et entra chez sa fille, et lui dit : « Notre hôte attend ta décision, ma Khansâ, et ce que tu as résolu. » Et elle répondit : « Je me suis consultée, et j'ai résolu de ne point sortir de ma tribu. Car je ne veux pas renoncer à m'unir à quelqu'un de mes cousins, jeunes hommes beaux comme de belles et grandes lances, pour me marier avec un vieux Jouchamide comme l'est ce Doreïd au corps exténué, qui aujourd'hui, demain, va rendre sa chouette d'âme. Par l'honneur de nos guerriers ! je préfère encore vieillir vierge que d'être la femme d'un jambe-grêle. »

Et Doreïd, qui était dans la tente, du côté des hommes, entendit la réponse méprisante, et en fut cruellement touché. Et, par fierté, il ne laissa rien voir de ses sentiments, et, prenant congé du père de la belle Sôlamide, il partit vers sa tribu. Mais il se vengea de la cruelle par la satire que voici :

« Tu déclares, ma chère, que Doreïd est vieux, trop vieux. T'avait-il donc dit, lui, qu'il est né d'hier ?

Tu souhaites avoir pour mari, ô Khansâ – et certes ! tu as raison – un lourdaud à jambes pattues qui sait, la nuit, manœuvrer le fumier des troupeaux.

Oui, que nos divinités te préservent, ma fille, de maris comme moi ! Car moi je suis et fais autre chose.

On sait, en effet, qui je suis, et que si ma main est forte, c'est pour des œuvres autrement sérieuses.

On sait partout que, dans les grandes crises, ni la lenteur ne m'enchaîne, ni la précipitation ne m'emporte, et que j'ai, en tout, prudence et sagesse.

On sait partout que, dans ma tribu, par respect pour moi, nul ne questionne l'hôte que j'abrite, et que mes protégés n'ont jamais de nuits inquiétées.

On sait enfin que même dans les mois affamés de la sécheresse, lorsque les nourrices mêmes oublient leurs nourrissons, mes tentes regorgent de nourritures et mon foyer bouillonne.

Garde-toi donc bien de prendre un mari comme moi, et de faire des enfants de moi.

Toi, ô Khansâ, tu souhaites avoir pour mari – et certes ! tu as raison – un lourdaud à jambes pattues qui sait, la nuit, manœuvrer le fumier des troupeaux.

Car tu déclares, ma chère, que Doreïd est vieux, trop vieux. T'avait-il donc dit, lui, qu'il est né d'hier ? »

Lorsque ces vers se furent répandus dans les tribus, on conseilla à Toumâdir d'accepter pour mari ce Doreïd à la main généreuse, à la verve inégalable. Mais elle ne revint pas sur sa décision.

Or, ce fut sur ces entrefaites que, dans une rencontre sanglante avec la tribu ennemie des Mourrides, un frère de Toumâdir, le valeureux cavalier Moawiah, périt de la main de Haschem, chef des Mourrides et père de la belle Asma qui avait été autrefois offensée par ce même Moawiah. Et c'est précisément cette mort de son frère que Toumâdir déplora dans le chant funèbre que voici, dont l'air se psalmodiait sur le rythme du premier grave-léger et sur la tonique de la corde du doigt annulaire :

« Pleurez, mes yeux, versez des larmes intarissables. Hélas ! celle qui verse ces larmes, pleure un frère qu'elle a perdu.

Désormais, entre elle et lui, est le voile qu'on ne soulève plus, la terre récente de la tombe.

Ô mon frère, tu es parti pour cette réserve d'eau dont tous goûteront un jour l'amertume. Tu y es allé pur, disant : « Mieux vaut mourir : la vie n'est qu'un rayon de frelons sur la pointe d'une lance. »

Mon cœur se souvient, ô fils de mon père et de ma mère, et je m'affaisse comme l'herbe de l'été. Je me renferme dans la consternation.

Il est mort, celui qui était le bouclier de nos tribus et la base de notre maison, il est parti dans une calamité.

Il est mort, celui qui était le phare et le modèle des hommes de haut courage ; qui était, pour eux, comme les feux allumés sur les cimes des montagnes.

Il est mort, celui qui montait les cavales précieuses, éblouissant dans ses vêtements ;

Le héros au long baudrier, qui était le roi de nos tribus quand il n'était encore qu'imberbe, le jeune homme de vaillance et de beauté,

Mon frère aux deux mains généreuses, la main même de la générosité. Il n'est plus ! Il est sous la tombe, froid, enfermé sous le roc et la pierre.

Dites à sa jument Alwa au poitrail admirable : « Pleure, gémis sur les courses vagabondes : ton maître ne te chevauchera plus ! »

Ô fils d'Amr, la gloire galopait à tes côtés, quand la bataille en fureur retroussait jusqu'aux cuisses sa longue cotte d'armes,

Quand la flamme de la guerre faisait heurter les hommes corps à corps, et qu'avec tes frères vous passiez, chevaux contre chevaux, vampires et vautours enfourchés par des démons.

Certes ! tu la méprisais la vie aux jours des combats, quand mépriser la vie est plus grand et plus digne de souvenir.

Combien de fois tu t'es précipité contre les tourbillons hérissés de casques de fer et bardés de doubles cottes de mailles, impassible au milieu des horreurs sombres comme les teintes goudronnées de l'orage.

Fort et élancé, telle une hampe de Roudaïna, tu brillais de toute ta jeunesse, sur ta taille semblable à un bracelet d'or,

Quand autour de toi, au milieu du pêle-mêle des batailles, la mort traînait les pans de son manteau dans le sang.

Combien de chevaux tu as précipités sur les escadrons ennemis, ô mon frère, alors que la meule rouge des batailles roulait terriblement sur les plus braves des deux camps !

Tu relevais alors les pans de ton étincelante cotte de mailles sur ton coursier à qui les entrailles bondissaient et grondaient dans les flancs.

Tu animais les lances, tu les excitais à confondre leurs éclairs, quand elles allaient fouiller les entrailles des guerriers jusqu'au fond des reins.

Tu étais le tigre hardi qui se lance à la curée, au milieu de la tourmente, armé de ses doubles armes, dents et griffes.

Que de captives désolées et heureuses tu as conduites devant toi, en troupes comme de belles antilopes que mettent en émoi les premières gouttes de pluie !

Que de belles et blanches femmes tu as sauvées le matin, à l'heure de la mêlée, lorsqu'elles erraient, leur voile en désordre, éperdues de frayeur et d'épouvante !

Que de malheurs tu nous as évités, dont l'effroyable aspect ou le seul récit eût fait avorter les femmes enceintes ! Que de mères, si ton sabre n'avait pas été là, fussent restées sans enfant !

Et puis, ô mon frère, que de rimes de combat tu as chantées sans effort, dans le tumulte, perçantes comme le fer de ta lance, et qui vivront à jamais parmi nous !

Ah ! après le trépas du généreux fils d'Amr, que les étoiles s'éteignent, que le soleil anéantisse ses rayons. Il était notre soleil et notre étoile.

Maintenant que tu n'es plus, mon frère, qui recueillera l'étranger lorsque du Nord lugubre soufflent les vents sifflants qui bruissent dans les échos ?

Hélas ! celui qui vous nourrissait de ses troupeaux, ô voyageurs, qui vous protégeait de ses armes, vous l'avez déposé et laissé dans la poussière où vous avez creusé sa fosse.

Dans la demeure affreuse, au milieu de quelques pieux plantés en haie, vous l'avez déposé. Et de sombres rameaux de salamah furent jetés sur lui,

Parmi les tombeaux de nos ancêtres sur lesquels, depuis longtemps déjà, passent les années et les jours.

Ô mon frère, enfant le plus beau des Sôlamides, que ta perte m'est une douleur poignante ! Elle éteint en moi la résolution et le courage.

Non, la méhara qui, privée de son nouveau-né, tourne autour du simulacre qu'on lui a donné pour tromper sa tendresse, poussant plaintes et cris de détresse,

Qui va et cherche, anxieuse, de tous côtés, qui ne broute plus aux pâturages quand s'éveille son souvenir, qui n'a que gémissements et bonds effarés,

Ne donne qu'une faible image de la douleur dont je suis accablée, ô mon frère !

Oh ! jamais ne tariront mes larmes pour toi, jamais ne s'arrêteront mes sanglots et mes accents de douleur. Pleurez, mes yeux, versez les larmes intarissables. »

Et ce fut précisément à l'occasion de ce poème, que le poète Nabigha El-Dhobiani et les autres poètes assemblés à la grande foire d'Okaz, pour la récitation annuelle de leurs poésies devant toutes les tribus de l'Arabie, furent interrogés sur le mérite de Toumâdir El-Khansâ, et répondirent à l'unanimité : « Elle surpasse en poésie les hommes et les genn ! »

Et Toumâdir vécut jusqu'après la prédication de l'Islam béni en Arabie. Et en l'an huit de l'hégire de Sidna-Môhammad – sur Lui la prière et la paix – elle vint avec son fils Abbas, qui était alors devenu chef suprême des Sôlamides, faire sa soumission au Prophète, et s'ennoblit de l'Islam. Et le Prophète la traita avec honneur, et aima l'entendre réciter de ses vers, bien qu'il n'appréciât pas les poètes. Et il la félicita de son souffle poétique et de sa renommée. Et, du reste, c'est en répétant lui-même un vers de Toumâdir qu'il laissa voir qu'il ne sentait pas la mesure prosodique. Car il faussa la quantité de ce vers, en transposant l'un par rapport à l'autre les deux derniers mots. Et le vénérable Abou-Bekr, qui entendit cette offense à la régularité métrique, voulut rectifier la position des deux mots intervertis, mais le Prophète – sur Lui la prière et la paix – lui dit : « Qu'importe ? c'est la même chose. » Et Abou-Bekr répondit : « Certes, ô Prophète d'Allah, tu justifies complètement ces paroles qu'Allah t'a révélées dans son saint Koran : « Nous n'avons pas appris à notre Prophète la versification : il n'en a pas besoin. Le Koran est l'enseignement, c'est une lecture simple et claire ! » Mais Allah est plus savant !

Puis le jeune homme dit à ses auditeurs : « Voici encore un trait admirable de la vie de nos pères arabes de la gentilité. » Et il dit :

LE POÈTE FIND

Il nous est revenu que le poète Find, alors centenaire et chef de la tribu des Bani-Zimmân, branche de la grande tribu des Békrides, de la souche première des Rabiah, avait deux filles adolescentes qui s'appelaient, l'aînée, Ofaïrah les Soleils, et, la petite, Hozeilah les Lunes. Et, en ce temps-là, la tribu entière des Békrides était en guerre avec les Thaâlabides nombreux et puissants. Et Find, malgré son grand âge, fut jugé digne, parce qu'il était le cavalier le plus renommé de sa tribu, d'être envoyé par ses compagnons à la tête de soixante-dix cavaliers, pour tout contingent, afin de se joindre à l'expédition générale des Békrides. Et les deux adolescentes, ses filles, étaient au nombre des soixante-dix. Et le messager, qui alla annoncer à l'assemblée générale des Békrides l'arrivée du contingent de guerre des Bani-Zimmân, dit à ceux vers qui il était envoyé : « Notre tribu vous envoie un contingent de mille guerriers, plus soixante-dix cavaliers. » Il voulait dire par là que Find, à lui seul, valait une armée de mille hommes.

Puis, quand tous les contingents des tribus békrides furent réunis, la guerre se déchaîna comme l'ouragan. Et c'est alors que fut livrée cette bataille, restée célèbre dans toutes les mémoires, qui fut appelée la Journée de la coupe des toupets, à cause de la grande humiliation que firent subir à leurs prisonniers les Békrides vainqueurs, en leur coupant le toupet avant de les renvoyer, libres, montrer leur défaite à leurs frères des tentes thaâlabides. Et ce fut précisément à cette bataille mémorable que s'illustrèrent à jamais les deux filles de Find, lutins pétulants, héroïnes de la journée…

À ce moment de sa narration, Schahrazade vit apparaître le matin et, discrète, se tut.

Mais lorsque fut la neuf cent soixante-quinzième nuit. Elle dit :

… Et ce fut précisément à cette bataille mémorable que s'illustrèrent à jamais les deux filles de Find, lutins pétulants, héroïnes de la journée.

Car, au plus fort du combat, et comme le succès semblait chancelant, les deux jeunes filles sautèrent soudain à bas de leurs chevaux, se dévêtirent en un clin d'œil, et, jetant au loin habits et cottes de mailles, elles se précipitèrent toutes nues, les bras en avant, l'une au milieu de l'aile droite de l'armée békride, et l'autre au milieu de l'aile gauche, frémissantes et toutes nues, ayant seulement gardé sur la tête leurs ornements aux vertes couleurs. Et, dans la mêlée, elles clamèrent de toute leur voix chacune un chant de guerre improvisé, qui, depuis lors, se chanta sur le rythme *ramel* lourd et sur la tonique de la moyenne corde du tétracorde, en marquant le second rythme frappé sourdement par le daff. Or, voici d'abord le chant de guerre d'Ofaïrah les Soleils :

« À l'ennemi ! à l'ennemi ! à l'ennemi !

Chauffez la bataille, enfants de Bekr et de Zimmân, serrez la mêlée !

Les hauteurs sont inondées d'escadrons sauvages.

En avant donc, à l'ennemi ! à l'ennemi !

Honneur ! honneur à qui, en cette matinée, s'habille du rouge manteau !

Allons, nos guerriers ! Fondez sur eux, et nous vous embrasserons à pleins bras.

Que les blessures, larges, ressemblent à l'ouverture du vêtement d'une folle en furie !

Et nous vous préparerons une couche aux coussins moelleux.

Mais si vous reculez, nous vous fuirons, comme des hommes indignes d'amour.

En avant donc, à l'ennemi ! à l'ennemi !

En avant, et honneur aux enfants de Bekr et de Zimmân.

Chauffez la bataille, serrez la mêlée.
Tuez et vivez, enfants de ma race ! En avant ! »

Et voici le chant de guerre clamé par la colère de Hozeilah les Lunes, pour exalter l'ardeur de ceux qui entouraient le drapeau des Bani-Zimmân, aux côtés de son père Find qui avait coupé les jarrets de son chameau pour être sûr de ne pas reculer d'un pas :

« Courage, enfants de Zimmân, courage nobles Békrides,
Frappez, frappez de vos sabres coupants.
Secouez sur leurs têtes les mille brandons de la guerre rouge !
Égorgeons, égorgeons tout !

Courage, défenseurs de vos mères et de vos femmes !
Nous sommes les belles filles de l'étoile du matin ;
Le musc parfume nos chevelures, les perles nous ornent le cou,
Égorgez, égorgez tout ! Et nous vous serrerons dans nos bras.
« Courage, courage, héroïques cavaliers de Rabiah !
Au plus brave de vous je sacrifierai ma fleur virginale.
Foncez sur l'ennemi ! Au plus brave, Hozeilah des Lunes !
Égorgez, égorgez tout !

« Mais les lâches qui reculent, nous les dédaignons
De ce dédain des lèvres et du cœur qu'accompagne le mépris.
Frappez donc de vos sabres coupants ! Que leur sang serve de tapis à nos pieds !
Égorgez tout, frappez de vos sabres coupants ! Égorgez tout ! »

Et, à ce double chant de mort, un nouvel enthousiasme fit bouillonner l'ardeur des Békrides, l'acharnement redoubla, et la victoire leur resta, décisive et définitive.

Et voilà comment se battaient nos pères de la gentilité. Et voilà comment étaient taillées leurs filles ! Que les feux de la géhenne ne leur soient pas trop cruels !

Puis le jeune homme dit à ses auditeurs exaltés : « Écoutez maintenant l'AVENTURE AMOUREUSE DE LA PRINCESSE FATIMAH AVEC LE POÈTE MOURAKISCH, qui vivaient tous deux également à l'époque de la gentilité. » Et il dit :

LE POÈTE MOURAKISCH

On raconte que Némân, roi de Hirah, dans l'Irak, avait une fille nommée Fatimah, qui était aussi belle qu'ardente. Et le roi Némân, qui connaissait le tempérament peu rassurant de la jeune princesse, avait pris la précaution, pour prévenir un déshonneur sur sa race ou une calamité, de la tenir enfermée dans un palais éloigné. Et il avait pris également soin, par honneur pour sa fille et aussi par prudence, de faire veiller jour et nuit des gardes armés, autour de ce palais. Et personne d'autre que la suivante de la princesse n'avait droit d'entrer dans cet asile conservateur de la vertu de Fatimah. Et, par surcroît de sagesse et de méfiance, chaque soir, à la tombée de la nuit, on traînait par terre, autour du palais, de grands manteaux de laine, afin d'égaliser et d'unir la surface sablonneuse du sol, de manière à faire disparaître l'empreinte des petits pieds de la jeune fille qui servait la princesse, et aussi de manière à reconnaître, le lendemain, si des empreintes avaient été laissées par quelque rôdeur en quête d'aventure.

Or, la belle captive montait souventes fois chaque jour au haut de son cloître forcé, et de là elle regardait au loin les passants, et soupirait. Et, un jour, elle vit ainsi sa jeune suivante, qui s'appelait Ibnat-Ijlân, causer avec un jeune homme de belle tournure. Et elle finit par apprendre de la jeune fille que ce jeune homme dont elle était amoureuse était le célèbre poète Mourakisch, et qu'elle avait maintes fois déjà joui de son amour. Et la suivante, qui était, en vérité, belle et sémillante, vanta à sa maîtresse la beauté et la magnifique chevelure du poète, et en termes si exaltés que l'ardente Fatimah désira passionnément à son tour le voir et jouir de lui, à l'égal de sa suivante. Mais elle voulut d'abord, dans sa délicatesse raffinée de princesse, s'assurer si le beau poète avait quelque naissance. Et, en cela précisément, elle fit preuve de savoir-vivre en vraie Arabe de haute lignée qu'elle était. Et elle se distingua ainsi de sa suivante, moins noble qu'elle, et, partant, moins scrupuleuse et moins exigeante.

Dans ce but donc, une épreuve, décisive dans son esprit, fut exigée par la recluse princière. Car, lorsqu'elle se fut entretenue avec la jeune fille sur les probabilités de l'entrée du poète au château, elle finit par lui dire : « Écoute ! Quand le jeune homme sera demain avec toi, présente-lui un cure-dents en bois odorant, puis une cassolette où tu jetteras quelque peu de parfum. Et, cela fait, prie-le de se tenir debout, la cassolette sous les vêtements, pour se parfumer. Or, s'il se sert du cure-dents, sans en couper et émécher un peu l'extrémité, ou s'il refuse de le prendre, c'est un homme du commun, sans délicatesse. Et s'il va se placer au-dessus de la cassolette, ou s'il la refuse, c'est encore un homme de rien. Et, alors, quelque grand poète qu'il puisse être, un homme qui ne connaît point la délicatesse n'est pas digne des princesses. »

Aussi, dès le lendemain, la jeune fille, étant allée retrouver son amoureux, ne manqua pas de faire l'expérience. Car, après avoir disposé une cassolette allumée au milieu de la pièce, et y avoir jeté du parfum, elle dit au jeune homme : « Approche-toi pour te parfumer ! » Mais le poète ne se dérangea pas, et répondit : « Apporte-la toi-même ici, tout près de moi. » Et la jeune fille le fit ; mais le poète ne plaça point la cassolette sous ses vêtements, et se contenta de s'en parfumer seulement la barbe et la chevelure. Après quoi, il accepta le cure-dents que lui présentait son amante, et, après en avoir coupé et jeté un petit morceau, il en taillada l'extrémité en pinceau flexible, et s'en frotta ainsi les dents et s'en parfuma les gencives. Cela fait, il arriva entre lui et la jeune fille ce qui arriva. Et, lorsqu'elle fut rentrée au palais gardé, la petite raconta à sa pétulante maîtresse le résultat de l'épreuve. Et Fatimah dit aussitôt : « Amène-moi ce noble Arabe ! Et hâte-toi. »

Mais les gardiens étaient sévères et armés et sans relâche aux aguets. Et, chaque matin, les devins du roi Némân, père de la princesse, arrivaient sur les lieux pour voir et reconnaître les traces des pieds imprimés sur le sable. Et les devins retournaient dire à leur maître : « Ô roi du temps, nous n'avons trouvé, ce matin, que l'empreinte des petits pieds de la jeune Ibnat-Ijlân. »

Or, que fit la maligne suivante de la princesse, pour introduire le poète auprès d'elle, sans trahir son passage ? Voici. La nuit fixée par sa maîtresse, elle se rendit auprès du jeune homme et, sans hésiter, elle se le chargea sur le dos, l'y maintint solidement en lui passant sous les reins un manteau qu'elle se noua sur le devant du corps, et introduisit ainsi, sans danger de se trahir, le séducteur chez sa séduite. Et le poète passa là avec la véhémente fille du roi, une nuit bénie, nuit de blancheur, de douceurs, et d'ardeur. Et il repartit avant l'aube, de la même manière qu'il était entré, à savoir porté sur le dos de la jeune fille.

Or qu'arriva-t-il au matin ? Les devins du roi vinrent, comme tous les matins, examiner les pas marqués sur le sable. Puis ils allèrent dire au roi, père de la princesse : « Ô seigneur, nous n'avons aperçu, ce matin, que les traces des petits pieds d'Ibnat-Ijlân. Mais cette jeune fille a dû considérablement engraisser au palais, car l'empreinte de ses pieds devient plus profonde dans le sable. »

Et donc les choses continuèrent à ailer de la sorte pendant quelques temps, les deux jeunes gens s'entr'aimant, la jeune suivante portant l'amant, et les devins parlant d'engraissement. Et il n'y aurait pas eu de raison pour que cessât cet état de choses, si le poète n'avait pas lui-même détruit de ses mains son bonheur.

En effet, le beau Mourakisch avait un ami très aimé, à qui il ne refusait jamais rien. Et, comme il l'avait mis au courant de sa singulière aventure, ce jeune ami souhaita avec instances être introduit de la même manière auprès de la princesse Fatimah, et se faire passer pour Mourakisch en personne, grâce aux ténèbres de la nuit et à sa ressemblance de taille et de manières avec son ami. Et Mourakisch se laissa vaincre par les instances de l'adolescent, et engagea par serment son consentement. Et, la nuit venue, le jeune ami prit sa place sur le dos de la jeune fille, et fut introduit auprès de la princesse.

Et, dans l'obscurité, commença ce qui devait commencer. Mais, aussitôt, en dépit des ténèbres, Fatimah, experte, s'aperçut de la substitution, en constatant mollesse là où il y avait dureté, et tiédeur là où il y avait brûlante ardeur, et pauvreté où il y avait abondance. Et, se levant à l'heure et à l'instant, elle repoussa l'intrus d'un dédaigneux coup de pied et le fit ramasser par sa suivante qui le transporta dehors, par le procédé de transport ordinaire…

À ce moment de sa narration, Schahrazade vit apparaître le matin et, discrète, se tut.

Mais lorsque fut la neuf cent soixante-seizième nuit. Elle dit :

… Et le fit ramasser par sa suivante qui le transporta dehors par le procédé de transport ordinaire.

Et, dès lors, le poète fut éconduit par la fille du roi, qui ne consentit jamais à lui pardonner sa trahison. Et, pour épancher sa douleur et ses regrets, il composa la kacidah que voici :

« Adieu, la belle Békride ! Et que le bonheur reste, malgré mon départ, à tes côtés !

Hélas ! naguère encore, malheureux Mourakisch, ta Fatimah, par sa taille élégante comme la branche du nabk, et par sa démarche cadencée comme celle de l'autruche,

Par sa taille et par sa démarche et par sa beauté limpide comme l'eau des étangs,

Par sa beauté et par ses belles dents limpides humectées d'une fraîche salive,

Qui semblait être une pure rosée ! et par ses joues unies et lisses comme une surface d'argent ; et par ses mains jolies et leurs bracelets ; et par les flots noirs de ses cheveux,

Elle enchantait tes nuits, et poignardait ton cœur. Hélas ! c'est l'adieu. Et tout s'est évanoui.

Pour un caprice d'ami, ô généreux Mourakisch, tu as fait tout s'évanouir. Mords-toi de désespoir, et coupe avec tes dents tes dix doigts à cause du caprice d'un bel ami.

Hélas ! tout s'est évanoui, et ce n'est point un songe, car tu veilles, et les songes sont de belles illusions du sommeil, et ils sont à tout jamais interdits ! »

Et le poète Mourakisch fut un de ceux qui moururent d'amour.

Puis le jeune homme dit à ses auditeurs : « Avant d'arriver aux temps islamiques, écoutez cette histoire du roi des Kindites avec son épouse Hind. » Et il dit :

LA VENGEANCE DU ROI HOJJR

Il nous est transmis par les récits de nos pères anciens que le roi Hojjr, chef des tribus kindites, et père d'Imrou Oul-Kaïs, le plus grand poète de la gentilité, était l'homme le plus redouté parmi les Arabes pour sa férocité et son intrépide témérité. Et il était si sévère envers les membres mêmes de sa propre famille, que son fils, le prince Imrou Oul-Kaïs, dut fuir les tentes paternelles afin de pouvoir donner libre essor à son génie poétique. Car le roi Hojjr considérait que s'affubler publiquement du titre de poète était pour son fils une dérogation à la noblesse et à la hauteur de son rang.

Or, comme le roi Hojjr était un jour loin de son territoire, en expédition guerrière contre la tribu dissidente des Bani-Assad, il advint que les Kodâïdes, ses anciens ennemis, commandés par Ziâd, envahirent soudain ses terres, en razzia, enlevèrent un butin considérable, d'énormes provisions de dattes sèches, nombre de chevaux, de chameaux et de bestiaux, et nombre de femmes et de jeunes filles kindites. Et, parmi les captives de Ziâd, se trouva la femme la plus aimée du roi Hojjr, la belle Hind, joyau de la tribu.

Aussi, dès que la nouvelle de cet événement lui fut parvenue, Hojjr revint à la hâte sur ses pas, avec tous ses guerriers, et se dirigea vers le lieu où il pensait rencontrer son ennemi Ziâd, le ravisseur de Hind. Et il ne tarda pas, en effet, à arriver à peu de distance du camp des Kodâïdes. Et il y envoya aussitôt deux espions éprouvés, nommés Saly et Sâdous, reconnaître les lieux et recueillir le plus de renseignements possible sur la troupe de Ziâd.

Et les deux espions réussirent à s'insinuer au camp sans être reconnus. Et ils recueillirent de précieuses observations sur le nombre de l'ennemi et la disposition du camp. Et, après quelques heures passées à tout inspecter, l'espion Saly dit à son compagnon Sâdous : « Tout ce que nous venons de voir me paraît suffisant comme notions et renseignements sur les projets de Ziâd. Et je vais de ce pas mettre le roi Hojjr au courant de ce dont nous avons été témoins. » Mais Sâdous répondit : « Moi, je ne pars pas que je n'aie des détails encore plus importants et plus précis. » Et il resta seul dans le camp des Kodâïdes.

Or, dès la nuit close, des hommes de Ziâd arrivèrent pour faire la garde auprès de la tente de leur chef, et se postèrent en groupes çà et là. Et Sâdous, l'espion de Hojjr, craignant d'être découvert, paya d'audace, et alla hardiment frapper de la main sur l'épaule d'un garde qui venait de s'asseoir par terre comme les autres, et l'apostropha d'un ton impératif, lui disant : « Qui es-tu ? » Et le garde répondit : « Je suis un tel fils d'un tel. » Et Sâdous reprit d'une voix nette et ferme : « C'est bien ! » Puis il alla s'asseoir tout contre la tente du chef Ziâd, sans que personne songeât à l'inquiéter.

Et voici qu'il entendit bientôt parler à l'intérieur de la tente. Et c'était la voix de Ziâd lui-même qui, s'étant mis à côté de sa belle captive Hind, l'embrassait et jouait avec elle. Et, entre autres choses, Sâdous entendit le dialogue suivant. La voix de Ziâd dit : « À ton avis, Hind, dis-moi, que ferait ton mari Hojjr s'il savait qu'en ce moment je suis à côté de toi, en doux tête à tête. » Et Hind répondit : « Par la mort ! il courrait sur ta piste, comme un loup, et ne s'arrêterait de courir que devant les tentes rouges, bouillant, plein de colère et de rage, impatient de vengeance, la bouche lui foisonnant d'écume comme un chameau en rut qui mange des herbes amères. » Et Ziâd, entendant ces paroles de Hind, fut pris de jalousie, et, appliquant un soufflet à sa captive, il lui dit : « Ah ! je te comprends. Hojjr, cette bête fauve, te plaît, tu l'aimes, et tu veux m'humilier. » Mais Hind se récria vivement, disant : « Je le jure par nos dieux Lât et Ozzat, je n'ai jamais détesté de mâle comme je déteste mon époux Hojjr. Mais pourquoi, puisque tu m'interroges, te cacher ma pensée ? En vérité, je n'ai jamais vu d'homme plus vigilant et plus circonspect que Hojjr, soit qu'il dorme soit qu'il veille. » Et Ziâd lui demanda : « Comment cela ? Explique-toi. » Alors Hind dit : « Écoute. Quand Hojjr est sous la puissance du sommeil, il tient un œil fermé mais l'autre ouvert, et il a la moitié de son être en éveil. Et cela est si vrai, qu'une nuit d'entre les nuits, alors qu'il dormait à mon côté, et que je veillais sur son sommeil, voilà qu'un serpent noir parut soudain de dessous la natte, et vint droit sur son visage. Et Hojjr, tout en dormant, détourna d'instinct la tête. Et le serpent glissa du côté de la main, vers la paume ouverte. Et Hojjr ferma aussitôt la main. Alors le serpent, dérangé, se dirigea vers le pied allongé. Mais Hojjr, toujours dormant, plia la jambe et remonta le pied. Et le serpent, décontenancé, ne sut plus où aller, et se décida à se glisser sur une jatte de lait que Hojjr me recommandait de placer toujours pleine près de son lit. Et, une fois sur la jatte, le serpent huma goulûment le lait, puis le revomit dans la jatte. Et moi, à cette vue, je pensais, en me réjouissant dans mon âme : « Quelle chance inespérée ! Quand Hojjr se réveillera, il boira ce lait maintenant empoisonné, et mourra à l'instant. Ah ! je serai donc débarrassée de ce loup. » Et Hojjr se réveilla, au bout d'un certain temps, altéré et demandant le lait. Et il prit la jatte de mes mains ; mais il eut soin d'en flairer d'abord le contenu. Et voici que sa main trembla, et la jatte tomba et se renversa. Et il fut sauvé. Ainsi fait-il pour tout, en n'importe quelle circonstance, il pense à tout, prévoit tout, et n'est jamais pris au dépourvu. »

Et Sâdous l'espion entendit ces paroles ; puis il ne saisit plus rien de ce qui se disait entre Ziâd et Hind, sinon le bruit de leurs baisers et soupirs. Alors il se leva doucement et s'évada. Et, une fois hors du camp, il marcha à grands pas et fut, avant l'aube, près de son maître Hojjr, à qui il raconta tout ce qu'il avait vu et entendu. Et il termina son rapport, en disant : « Quand je les quittai, Ziâd avait la tête appuyée sur les genoux de Hind ; et il jouait avec sa captive qui lui répondait à plaisir. » Et Hojjr, à ces paroles, fit rouler dans sa poitrine un soupir grondant, et, se levant debout…

À ce moment de sa narration, Schahrazade vit apparaître le matin et, discrète, se tut.

Mais lorsque fui la neuf cent soixante-dix-septième nuit. Elle dit :

… Et Hojjr, à ces paroles, fit rouler dans sa poitrine un soupir grondant, et, se levant debout, il ordonna le départ et l'attaque immédiate du camp kodaïde.

Et tous les escadrons des Kindites se mirent en marche. Et on tomba à l'improviste sur le camp de Ziâd. Et la mêlée s'engagea furieusement. Et les Kodaïdes de Ziâd ne tardèrent pas à être culbutés et mis en fuite. Et leur camp, pris d'assaut, fut saccagé et brûlé. Et l'on tua ceux qu'on tua, et on fit voler au vent de la fureur tout ce qui resta.

Quant à Ziâd, il fut aperçu par Hojjr dans la foule, alors qu'il cherchait à ramener vers la lutte ceux qui fuyaient. Et Hojjr, grondant et mugissant, fondit sur lui comme l'oiseau de proie, le saisit à bras-le-corps sur son cheval, et le soulevant en l'air, il le tint ainsi un moment à la force des poignets, puis le frappa contre terre et broya ses os. Et il lui coupa la tête et la suspendit à la queue de son cheval.

Et sa vengeance satisfaite du côté de Ziâd, il se dirigea vers Hind, qu'il avait reprise. Et il la lia à deux chevaux qu'il fouetta et fit partir à contre-sens l'un de l'autre. Et tandis qu'elle était ainsi écartelée et déchirée en morceaux, il lui cria : « Meurs, ô femme dont la langue était si doucereuse et les secrets de la pensée si amers ! »

Et, ayant raconté cette vengeance sauvage, le jeune homme dit à ses auditeurs : « Puisque nous sommes encore à cette époque d'avant l'Islam béni, écoutez le récit que nous rapporte, sur les mœurs des femmes arabes de ce temps-là, l'épouse bien-aimée du Prophète – sur Lui la prière et la paix ! – notre dame Aischah, la plus belle et la plus haute physionomie féminine de l'Islam primitif, la femme d'intelligence, de passion, de tendresse et de courage, dont la parole éclatante avait la mâle vigueur du robuste jeune homme, et dont le langage éloquent avait la saine et fraîche beauté d'une vierge pure. » Et il dit ce récit d'Aischah :

LES MARIS APPRÉCIÉS PAR LEURS ÉPOUSES

Un jour d'entre les jours, quelques nobles femmes yéménites se trouvaient réunies dans ma demeure. Et elles convinrent entre elles par serment de se dire en toute vérité, et sans rien dissimuler, ce qu'étaient leurs époux, bons ou mauvais.

Et la première prit la parole et dit : « Mon homme à moi ? laid et inabordable, semblable à une viande de lourd chameau qui serait juché au sommet d'une montagne de difficile accès. Et, avec cela, si maigre et si desséché qu'on ne lui trouverait pas un brin de moelle dans les os. Paillasson usé ! »

Et la deuxième femme yéménite dit : « Le mien ! je ne devrais réellement pas en dire un mot. Car en parler seulement, me répugne. Animal intraitable, pour une parole que je lui réponds, vite il menace de me répudier ; et si je me tais, il me bouscule et me tient comme portée sur la pointe nue d'un fer de lance. »

Et la troisième dit : « Pour moi, voici mon charmant mari ; s'il mange, il lèche jusqu'au fond des plats ; s'il boit, il suce jusqu'à la dernière goutte ; s'il s'accroupit, il se ramasse et se blottit comme un paquet sur lui-même ; et s'il lui arrive de tuer un animal pour vous en nourrir, il tue toujours le plus sec et le plus décharné. Quant au reste, c'est moins que rien : il ne glisserait pas sa main sur moi, même pour seulement savoir comment je me porte. »

Et la quatrième dit : « Le fils de mon oncle, éloigné soit-il ! Masse pesante sur mes yeux et sur mon cœur, la nuit, le jour ! Réservoir de défectuosités, extravagances et folies. Il vous allonge pour rien un coup à la tête ; ou bien il vous pointe et déchire le ventre ; ou bien il rue contre vous ; ou bien, tout à la fois, il vous frappe, vous darde et vous blesse. Loup dangereux, puisse-t-il crever ! »

Et la cinquième dit : « Oh ! mon époux, il est bon et beau comme une belle nuit des nuits de Tihamah, généreux comme la généreuse pluie des nuées, et honoré et craint de tous nos guerriers. Quand il sort, c'est un lion magnifique et vigoureux. Il est grand, et sa générosité fait que la cendre de son foyer, ouvert à tous, est toujours abondante. La colonne de son nom est haute et glorieuse. Sobre, il reste sur sa faim la nuit d'un festin ; vigilant, il ne dort jamais la nuit du danger ; hospitalier, il a fixé sa demeure tout près de la place publique, pour recueillir les voyageurs. Ô ! qu'il est grand et beau ! qu'il est charmant ! Il a la peau douce et moelleuse, une soie de lapin qui vous chatouille délicieusement. Et le parfum de son haleine est l'arôme suave du zarnab. Et, avec toute sa force et sa puissance, j'en fais à ma guise avec lui. »

Enfin la sixième dame yéménite sourit doucement et dit à son tour : « Oh ! moi, mon mari c'est Malik Abou-Zar, l'excellent Abou-Zar, connu de toutes nos tribus. Il m'a trouvée enfant d'une pauvre famille, dans la gêne et à l'étroit, et il m'a conduite dans sa tente aux belles couleurs, et m'a enrichi les oreilles de précieuses pendeloques, la poitrine de belles parures, les mains et les chevilles de beaux bracelets, et les bras d'un rond embonpoint. Il m'a honorée comme épouse, et m'a portée dans une demeure où retentissent sans cesse les vives chansons des théorbes, où étincellent les belles lances sahariennes aux hampes bien dressées, où l'on entend sans cesse le hennissement des cavales, les grondements des chamelles réunies dans des parcs immenses, le bruit des gens qui foulent et battent le grain, les cris confondus de vingt troupeaux. Auprès de lui, je parle à mon gré, et jamais il ne me reprend ni ne me blâme. Si je me couche, il ne me laisse jamais dans la sécheresse ; si je m'endors, il me laisse faire grasse matinée. Et il a fécondé mes flancs, et m'a donné un enfant, quel admirable enfant ! si mignon, que sa gentille petite couche semble l'espace que laisse vide un léger brin de jonc enlevé du tissu de la natte ; si bien élevé, qu'à son appétit suffirait la broutée d'un petit chevreau ; si charmant, que lorsqu'il marche et se balance avec tant de grâce dans les anneaux de sa petite cotte de mailles, il enlève la raison de ceux qui le regardent ! Et la fille que m'a donnée Abou-Zar ! ô délicieuse, oui ! délicieuse la fille d'Abou-Zar ! C'est le joyau de la tribu. Potelée, elle remplit à ravir son vêtement, serrée dans son mantelet comme une tresse de cheveux ; le ventre bien fait et sans saillie ; la taille délicate et onduleuse sous le mantelet ; la croupe riche et dégagée ; le bras rondelet ; l'œil grand et bien ouvert ; la prunelle noir foncé ; le sourcil fin et gentiment arqué ; le nez légèrement cambré comme la pointe d'un riche sabre ; la bouche belle et sincère ; les mains belles et généreuses ; la gaîté franche et sémillante ; la conversation fraîche comme l'ombre ; le souffle de son haleine plus doux que la soie et plus embaumé que le musc qui emporte l'âme ! Ah ! que le ciel me conserve Abou-Zar, et le fils d'Abou-Zar, et la fille d'Abou-Zar ! Qu'il les conserve à ma tendresse et à ma joie ! »

Or, lorsque la sixième dame yéménite eut ainsi parlé, je les remerciai toutes pour m'avoir donné le plaisir de les écouter, et je pris la parole, à mon tour, et leur dis : « Ô mes sœurs, qu'Allah Très-Haut nous conserve le Prophète béni ! Il m'est plus cher que le sang de mon père et de ma mère…

À ce moment de sa narration, Schahrazade vit apparaître le matin et, discrète, se tut.

Mais lorsque fut la neuf cent soixante-dix-huitième nuit. Elle dit :

... Ô mes sœurs, qu'Allah Très-Haut nous conserve le Prophète béni ! Il m'est plus cher que le sang de mon père et de ma mère. Mais ma bouche n'est pas assez pure, certes ! pour chanter ses louanges. C'est pourquoi je me contenterai de vous répéter seulement ce qu'il m'a dit, une fois, à notre sujet, nous les femmes qui, dans la géhenne, sommes les plus nombreux tisons que le feu rouge dévore. Un jour, en effet, que je le priais de me donner conseils et paroles qui me servissent dans la voie du ciel, il me dit : « Ô Aischah, ma chère Aischah, puissent les femmes des Musulmans s'observer et veiller sur elles-mêmes, avoir patience dans la peine et la reconnaissance dans le bien-être, donner à leurs maris de nombreux enfants, les environner de prévenances et de soins, et ne jamais méconnaître les bienfaits d'Allah par leur entremise. Car, ô ma bien-aimée Aischah, le Rétributeur chasse de Sa miséricorde la femme qui a méconnu Ses bontés. Et celle qui, fixant des regards insolents sur son mari, aura dit devant ou derrière lui : « Que laide est ta face ! que tu es hideux, vilain être ! » cette femme-là, ô Aischah, Allah lui tordra l'œil et la fera louche, lui allongera et déformera le corps, la rendra lourde et ignoble, masse repoussante de viande flasque, salement accroupie sur sa base aux chairs fripées, affaissées, et pendantes. Et la femme qui, dans la couche conjugale, ou ailleurs, se fait hostile à son mari, ou l'irrite par d'aigres paroles, ou souille son humeur, oh ! celle-là le Rétributeur, au jour du Jugement, lui tirera la langue en une sale lanière charnue, allongée de soixante-dix coudées, et qui viendra s'enrouler au cou de la coupable, viande horrible et livide. Mais, ô Aischah, la femme de vertu qui ne trouble jamais la tranquillité de son mari, qui ne passe jamais la nuit hors de sa demeure sans en avoir du moins pris la permission, qui ne s'affuble point de vêtements recherchés et de voiles précieux, qui ne se passe pas des cercles précieux aux bras et aux jambes, qui ne cherche jamais à attirer les regards des Croyants, qui est belle de la beauté naturelle mise en elle par son Créateur, qui est douce de paroles, riche en œuvres de bien, prévenante et empressée pour son mari, tendre et aimante pour ses enfants, bonne conseillère pour sa voisine, et bienveillante pour toute créature d'Allah, oh ! oh ! celle-là, ma chère Aischah, entrera au paradis avec les prophètes et les élus du Seigneur ! »

Et moi, tout émue, je m'écriai : « Ô Prophète d'Allah, tu m'es plus cher que le sang de mon père et de ma mère ! »

Et maintenant que nous sommes arrivés aux temps bénis de l'Islam, continua le jeune homme, écoutez quelques traits de la vie du khalifat Omar ibn Al-Khattab – qu'Allah le comble de Ses faveurs ! – qui fut l'homme le plus pur et le plus rigide de ces temps purs et rigides, l'émir le plus juste d'entre tous les émirs des Croyants ! » Et il dit :

OMAR LE SÉPARATEUR

On raconte que l'émir des Croyants Omar ibn Al-Khattab – qui fut le khalifat le plus juste et l'homme le plus désintéressé de l'Islam – avait été surnommé El-Farroukh, ou le Séparateur, parce qu'il avait l'habitude de séparer en deux, d'un coup de sabre, tout homme qui refusait d'obéir à une sentence prononcée contre lui par le Prophète, – sur Lui la prière et la paix !

Et sa simplicité et son désintéressement étaient tels qu'un jour, après s'être rendu maître des trésors des rois de l'Yémen, il fit distribuer tout le butin entre les Musulmans, sans distinction. Et chacun eut pour sa part, entre autres choses, une toile rayée de l'Yémen. Et Omar eut sa part exactement comme le moindre de ses soldats. Et il se fit faire un vêtement neuf avec cette pièce de toile rayée de l'Yémen, qui lui était échue en partage ; et, ainsi vêtu, il monta dans la chaire de Médine et harangua les Musulmans pour une nouvelle expédition contre les infidèles. Mais voici qu'un homme de l'assemblée se leva et l'interrompit dans sa harangue, lui disant : « Nous ne t'obéirons pas. » Et Omar lui demanda : « Pourquoi cela ? » Et l'homme répondit : « Parce que, quand tu as fait le partage égal des toiles rayées de l'Yémen, chacun des Musulmans en a eu une pièce, et toi-même en as eu également une seule pièce. Or, cette pièce n'a pas pu suffire pour te faire l'habit complet dont nous te voyons vêtu aujourd'hui. Si donc tu n'avais pas pris, à notre insu, une part plus considérable que celle que tu nous as donnée, tu n'aurais pas pu avoir la robe que tu portes, alors surtout que tu es d'une grande taille. » Et Omar se retourna vers son fils Abdallah, et lui dit : « Ô Abdallah, réponds à cet homme. Car sa remarque est juste. » Et Abdallah, se levant, dit : « Ô Musulmans, sachez que lorsque l'émir des Croyants, Omar, a voulu se faire coudre un habit de sa pièce de toile, elle s'est trouvée insuffisante. En conséquence, comme il n'avait pas de robe convenable pour s'en vêtir en ce jour, je lui ai donné une partie de ma pièce de toile pour compléter son habit. » Puis il s'assit. Alors l'homme, qui avait interpellé Omar, dit : « Louanges à Allah ! À présent, nous t'obéirons, ô Omar ! »

Et Omar, une autre fois, après qu'il eut conquis la Syrie, la Mésopotamie, l'Égypte, la Perse, et tous les pays des Roums, et après qu'il eut fondé Bassra et Koufa, dans l'Irak, était rentré dans Médine, où, vêtu d'une robe tellement usée qu'elle avait jusqu'à douze morceaux, il se tenait tout le jour sur les marches qui conduisaient à la mosquée, écoutant les plaintes des derniers de ses sujets, et rendant à tous une justice égale, à l'émir comme au chamelier.

Or, à cette époque-là, le roi Kaïssar Héraclios, qui gouvernait les Roums de Constantinia, lui envoya un ambassadeur, chargé secrètement de juger par ses propres yeux des moyens, des forces et des actions de l'émir des Arabes. Aussi, lorsque cet ambassadeur fut entré dans Médine, il demanda aux habitants : « Où est votre roi ? » Et ils répondirent : « Nous n'avons pas de roi, car nous avons un émir ! Et c'est l'émir des Croyants, le khalifat d'Allah, Omar ibn Al-Khattab ! » Il demanda : « Où est-il ? Conduisez-moi vers lui. » Ils répondirent : « Il rend la justice, ou peut-être il se repose. » Et ils lui indiquèrent le chemin de la mosquée.

Et l'ambassadeur de Kaïssar arriva à la mosquée, et vit Omar endormi au soleil de l'après-midi sur les marches brûlantes de la mosquée, la tête reposant directement sur la pierre. Et la sueur coulait de son front, et faisait une large flaque d'eau autour de sa tête. À cette vue, la crainte descendit dans le cœur de l'ambassadeur de Kaïssar, et il ne put s'empêcher de s'écrier : « Voilà, en cet état de mendiant, celui devant qui tous les rois de la terre inclinent leur tête, et qui est le maître du plus vaste empire de ce temps. » Et il resta debout, en proie à l'épouvante, car il s'était dit : « Quand un peuple est gouverné par un homme tel que celui-ci, les autres peuples doivent se vêtir d'habits de deuil. »

Et, lors de la conquête de la Perse, il y eut, entre autres objets merveilleux pris dans le palais du roi Jezdejerd, à Istakhar, un tapis long et large de soixante coudées, qui représentait un parterre dont chaque fleur, formée de pierres précieuses, s'élevait sur une tige d'or. Et le chef de l'armée musulmane, Saad ben Abou-Waccas, bien qu'il ne fût pas fort versé dans l'estimation marchande des objets précieux, comprit néanmoins tout ce que valait une semblable merveille, et la racheta du pillage du palais des Khosroès, pour en faire un présent à Omar. Mais le rigide khalifat – qu'Allah le couvre de Ses grâces ! – qui déjà, lors de la conquête de l'Yémen, n'avait pas voulu prendre, dans les dépouilles du pays conquis, plus de grosse toile rayée qu'il ne lui en fallait pour se faire une robe, ne voulut point, en acceptant pareil don, encourager un luxe dont il redoutait les effets sur son peuple. Et, séance tenante, il fit couper le précieux tapis en autant de parts qu'il y avait alors de chefs musulmans à Médine. Et il n'en prit aucune part pour lui-même. Or, telle était la valeur de ce riche tapis, même morcelé, qu'Ali – sur lui les grâces les plus choisies ! – put vendre pour vingt mille drachmes, à des marchands syriens, le lambeau qui lui était échu en partage.

Et ce fut également lors de l'invasion de la Perse, que le satrape Harmozân, qui avait résisté avec le plus de courage aux guerriers musulmans, consentit à se rendre, mais en s'en remettant à la personne même du khalifat pour prononcer sur son sort. Or, Omar se trouvait à Médine ; et Harmozân fut donc conduit en cette ville, sous la garde d'une escorte commandée par deux émirs des plus valeureux d'entre les Croyants. Et, arrivés à Médine, ces deux émirs, voulant faire valoir aux yeux d'Omar l'importance et le rang de leur prisonnier persan, lui firent revêtir le manteau brodé d'or et la haute tiare étincelante, que portaient les satrapes à la cour des Khosroès. Et, ainsi paré des insignes de sa dignité, le chef persan fut amené devant les marches de la mosquée, où le khalifat était assis sur une vieille natte, à l'ombre d'un portique. Et, averti par les rumeurs du peuple de l'arrivée de quelque personnage, Omar leva les yeux, et vit devant lui le satrape vêtu avec toute la pompe usitée au palais des rois persans. Et, de son côté, Harmozân vit Omar, mais se refusa à reconnaître le khalifat, le maître du nouvel empire, en cet Arabe vêtu d'habits rapiécés et assis seul, sur une vieille natte, dans la cour de la mosquée. Mais bientôt Omar, ayant reconnu en ce prisonnier l'un de ces orgueilleux satrapes qui avaient si longtemps fait trembler, d'un froncement de leur regard, les tribus les plus fières de l'Arabie, s'écria : « Louanges à Allah qui a suscité l'Islam béni pour vous humilier toi et tes pareils ! » Et il fit dépouiller le Persan de ses habits dorés, et le fit couvrir d'une étoffe grossière du désert ; puis il lui dit : « Maintenant que te voilà vêtu selon tes mérites, reconnaîtras-tu la main du Seigneur à qui appartient seul toute grandeur ? » Et Harmozân répondit : « Certes, je la reconnais sans peine. Car, tant que la divinité a été neutre, nous vous avons vaincus, j'en atteste tous nos triomphes passés, et toute notre gloire. Il faut donc que le Seigneur dont tu parles ait combattu en votre faveur, puisque vous venez de nous vaincre à votre tour. » Et Omar, entendant ces paroles où l'acquiescement était trop voisin de l'ironie, fronça le sourcil de telle manière que le Persan craignit que leur dialogue ne se terminât par un arrêt de mort. Aussi, feignant une soif violente, il demanda de l'eau, et, prenant le vase de terre qu'on lui présentait, il fixa ses regards sur le khalifat, et parut hésiter à la porter à ses lèvres. Et Omar lui demanda : « Que crains-tu ? » Et le chef persan répondit : « Je crains…

À ce moment de sa narration, Schahrazade vit apparaître le matin et, discrète, se tut.

Mais lorsque fut la neuf cent soixante-dix-neuvième nuit. Elle dit :

… Et le chef persan répondit : « Je crains qu'on ne profite du moment où je boirai pour me donner la mort. » Mais Omar lui dit : « Qu'Allah nous garde de mériter de tels soupçons ! Tu es en sûreté jusqu'à ce que cette eau ait rafraîchi tes lèvres et étanché ta soif. » À ces mots du khalifat, l'adroit Persan jeta le vase à terre et le brisa. Et Omar, lié par sa propre parole, renonça généreusement à l'inquiéter. Et Harmozân, touché de cette grandeur d'âme, s'ennoblit de l'Islam. Et Omar lui fixa une pension de deux mille drachmes.

Et, lors de la prise de Jérusalem, – qui est la ville sainte d'Issa, fils de Mariam, le plus grand prophète avant l'arrivée de notre seigneur Môhammad (sur Lui la prière et la paix !) et vers le temple de laquelle se tournaient primitivement les croyants pour la prière – le patriarche Sophronios, chef du peuple, avait consenti à capituler, sous la condition que le khalifat en personne viendrait prendre possession de la cité sainte. Et, informé du traité et des conditions, Omar se mit en marche. Et l'homme qui était le khalifat d'Allah sur la terre, et qui avait fait courber devant l'étendard de l'Islam la tête des potentats, quitta Médine sans gardes, sans suite, monté sur un chameau qui portait deux sacs, dont l'un contenait de l'orge pour la bête, et l'autre des dattes. Et devant lui était un plat de bois, et derrière lui, une outre remplie d'eau. Et marchant jour et nuit, ne s'arrêtant que pour faire la prière, ou pour rendre la justice au sein de quelque tribu rencontrée sur son passage, il arriva ainsi à Jérusalem. Et il signa la capitulation. Et les portes de la ville s'ouvrirent. Et Omar, arrivé devant l'église des chrétiens, s'aperçut que l'heure de la prière était proche ; et il demanda au patriarche Sophronios où il pouvait s'acquitter de ce devoir des Croyants. Et le chrétien lui proposa l'église même. Mais Omar se récria, disant : « Je n'entrerai point prier dans cette église, et cela dans votre intérêt, à vous autres, chrétiens. Car si le khalifat priait dans un lieu, les Musulmans s'en empareraient aussitôt, et vous en frustreraient sans retour. » Et, après avoir récité la prière, en se tournant vers la kâaba sainte, il dit au patriarche : « Maintenant, indique-moi un endroit pour élever une mosquée où les Musulmans pourront désormais se réunir pour la prière, sans troubler les vôtres dans l'exercice de leur culte. » Et Sophronios le conduisit à l'emplacement du temple de Soleïmân ben Daoud, à l'endroit même où Yâcoub fils d'Ibrahim s'était endormi. Et une pierre marquait cette place, qui servait de réceptacle aux immondices de la ville. Et, comme la pierre de Yâcoub était couverte de ces immondices, Omar, donnant l'exemple aux ouvriers, remplit du fumier les pans de sa robe et alla le transporter loin de là. Et il fit ainsi déblayer l'emplacement de la mosquée qui porte encore son nom, et qui est la mosquée la plus belle sur la terre.

Et Omar – qu'Allah le comble de Ses dons choisis ! – avait pour habitude de tenir un bâton à la main et, vêtu d'un habit troué et raccommodé en divers endroits, de parcourir les souks et les rues de La Mecque et de Médine, en admonestant avec sévérité et rigueur, et même en châtiant à coups de bâton, séance tenante, les marchands qui trompaient les acheteurs ou surfaisaient la marchandise.

Or, un jour, comme il passait par le souk au lait frais et caillé, il vit une vieille femme qui avait devant elle plusieurs jattes de lait pour la vente. Et il s'approcha d'elle, après l'avoir regardée faire pendant un certain temps, et lui dit : « Ô femme, garde-toi désormais de tromper les Musulmans comme je viens de te le voir faire, et veille à ne plus mettre d'eau dans ton lait. » Et la vieille répondit : « J'écoute et j'obéis, ô émir des Croyants. » Et Omar passa outre. Mais le lendemain il fit sa tournée du côté du souk au lait, et, s'approchant de la vieille laitière, il lui dit : « Ô femme de malheur, ne t'ai-je pas déjà avertie de ne pas mettre d'eau dans ton lait ? » Et la vieille répondit : « Ô émir des Croyants, je te certifie que je ne l'ai plus fait. » Mais elle n'avait pas prononcé ces mots que, de l'intérieur, une voix de jeune fille se fit entendre, indignée, qui dit : « Comment, ma mère ! Tu oses mentir à la face de l'émir des Croyants, ajoutant ainsi à la fraude un mensonge et au mensonge le manque de vénération au khalifat ! Qu'Allah vous pardonne ! »

Et Omar entendit ces paroles et s'arrêta ému. Et il ne fit aucun reproche à la vieille. Mais se tournant vers ses deux fils Adballah et Acim, qui l'accompagnaient dans sa tournée, il leur dit : « Lequel de vous deux veut épouser cette jeune fille vertueuse ? Il y a tout espoir qu'Allah, par le souffle parfumé de Ses grâces, donnera à cette enfant une descendance vertueuse comme elle. » Et Acim, le fils cadet d'Omar, répondit : « Ô père, moi je l'épouse. » Et le mariage fut fait, de la fille de la laitière avec le fils de l'émir des Croyants. Et ce fut un mariage béni. Car il leur naquit une fille qui fut mariée plus tard à Abd El-Aziz ben Merwân. Et c'est de ce dernier mariage que naquit Omar ben Abd El-Aziz, qui monta sur le trône des Ommiades, huitième dans l'ordre dynastique, et fut l'un des cinq grands khalifats de l'Islam. Louanges à Celui qui élève qui il Lui plaît.

Et Omar avait coutume de dire : « Je ne laisserai jamais sans vengeance le meurtre d'un Musulman. » Or, un jour, on apporta devant lui, alors qu'il tenait la séance de justice sur les marches de la mosquée, le cadavre d'un adolescent encore imberbe, à la joue douce et polie comme celle d'une jeune fille. Et on lui dit que cet adolescent avait été assassiné par une main inconnue, et qu'on avait trouvé son corps jeté sur la face du chemin.

Et Omar demanda des renseignements et s'efforça de recueillir des détails sur le meurtre ; mais il ne put arriver à rien savoir, ni à découvrir la trace du meurtrier. Et il fut peiné en son âme de justicier de voir la stérilité de ses recherches. Et il invoqua le Très-Haut, disant : « Ô Allah ! ô Seigneur, permets que je vienne à bout de découvrir le meurtrier. » Et on l'entendit souvent répéter cette prière.

Or, au commencement de l'année suivante, on lui apporta un petit enfant nouveau-né, encore vivant, qu'on avait trouvé abandonné à l'endroit même où avait été jeté le cadavre de l'adolescent. Et Omar s'écria aussitôt : « Louanges à Allah ! maintenant je suis maître du sang de la victime. Et le crime sera découvert, si Allah veut. » Et il se leva et alla trouver une femme de confiance à qui il remit le nouveau-né, en lui disant : « Charge-toi de ce pauvre petit orphelin, et ne t'inquiète pas de son nécessaire. Mais applique-toi à écouter tout ce qui se dira autour de toi au sujet de cet enfant, et veille à ne le laisser prendre, ni conduire par personne loin de tes yeux. Et si tu rencontres une femme qui l'embrasse et le serre contre sa poitrine, informe-toi sans bruit de sa demeure, et avertis-moi tout de suite. » Et la nourrice garda en sa mémoire les paroles de l'émir des Croyants…

À ce moment de sa narration, Schahrazade vit apparaître le matin et, discrète, se tut.

Mais lorsque fut la neuf cent quatre-vingtième nuit. Elle dit :

... Et la nourrice garda en sa mémoire les paroles de l'émir des Croyants.

Et dès lors l'enfant grandit, venant à bien. Et quand il eut deux ans d'âge, une jeune esclave vint un jour accoster la nourrice, et lui dit : « Ma maîtresse m'envoie te prier de me laisser conduire chez elle ton enfant. Car elle est enceinte et désire, à cause de la beauté de cet enfant – qu'Allah te le conserve ! et éloigne de lui l'œil malfaisant ! – passer quelques instants à le regarder, pour que l'enfant qu'elle porte dans son sein se forme à sa ressemblance. » Et la nourrice répondit : « Bien. Conduis-lui l'enfant, mais je t'accompagnerai. »

Et ainsi fut fait. Et la jeune esclave entra avec l'enfant chez sa maîtresse. Et dès que la dame eut aperçu l'enfant, elle se jeta sur lui en pleurant, et le prit dans ses bras, le couvrant de baisers, et le serrant contre elle, à la limite de l'émotion. Quant à la nourrice, elle se hâta d'aller se présenter entre les mains du khalifat, et lui raconta ce qui venait de se passer, en ajoutant : « Et cette dame n'est autre que la très pure Saleha, la fille du vénérable Ansarien le cheikh Saleh, qui a vu et suivi en disciple dévoué notre Prophète béni – sur Lui la prière et la paix ! »

Et Omar réfléchit. Puis il se leva, prit son sabre, le cacha sous son vêtement, et se rendit à la maison indiquée. Et il trouva l'Ansarien assis à la porte de sa demeure, et lui dit, après des salams : « Ô vénérable cheikh, qu'a fait ta fille Saleha ? » Et le cheikh répondit : « Ô émir des Croyants, ma fille Saleha ? Qu'Allah la récompense pour ses œuvres de bien. Ma fille est connue de tous pour sa piété et sa conduite exemplaire, pour sa conscience à remplir ses devoirs envers Allah et envers son père, pour son zèle à s'acquitter des prières et de toutes les obligations imposées par notre religion, pour la pureté de sa foi. » Et Omar dit : « Bien. Mais je désirerais avoir une entrevue avec elle, pour chercher à accroître en elle l'amour du bien, et à l'animer encore à la pratique des œuvres méritoires. » Et le cheikh dit : « Qu'Allah te comble de Ses faveurs, ô émir des Croyants, pour ton bon vouloir à l'égard de ma fille. Demeure ici un moment, jusqu'à ce que je revienne ; car je vais annoncer ton intention à ma fille. » Et il entra, et demanda à Saleha de recevoir le khalifat. Et Omar fut introduit.

Or, arrivé auprès de l'adolescente, Omar ordonna aux personnes présentes de se retirer. Et elles sortirent immédiatement et laissèrent le khalifat et Saleha seuls, absolument seuls. Alors Omar, découvrant son sabre soudain, dit à l'adolescente : « Je veux de toi des notions précises sur le meurtre du jeune homme trouvé autrefois sur le chemin. Ces notions, tu les as. Et, si tu essaies de me cacher la vérité, entre toi et elle il y aura ce sabre, ô Saleha. » Et elle répondit, sans se troubler : « Ô émir des Croyants, tu es tombé juste sur le fait que tu recherches. Et moi, par la grandeur du nom d'Allah Très-Haut et par les mérites du Prophète béni ! – sur Lui la prière et la paix ! – je vais te dire la vérité tout entière. » Et elle baissa la voix et dit :

« Sache donc, ô émir des Croyants, que j'avais une vieille femme, qui était toujours chez moi, et qui m'accompagnait partout quand je sortais. Et je la considérais et l'aimais comme une fille aime sa mère. Et, de son côté, à tout ce qui me touchait et m'intéressait, elle portait une attention et un soin extrêmes. Et longtemps il en fut ainsi, moi la choyant et l'écoutant avec respect et vénération.

Or, un jour vint où elle me dit : « Ô ma fille, il faut que je fasse un voyage chez mes proches. Mais j'ai une fille. Et, à l'endroit où elle est, j'ai peur qu'elle ne soit exposée à quelque malheur sans recours. Je te supplie donc de me permettre de te l'amener, et de la laisser auprès de toi jusqu'à mon retour. » Et je lui donnai aussitôt mon consentement. Et elle sortit. Et le lendemain sa fille vint à la maison. Et c'était une jeune fille d'aspect délicieux, de belle allure, grande et bien prise. Et j'eus pour elle une grande affection. Et je la faisais coucher dans la chambre où je dormais. Et un après-midi, comme je donnais, je me sentis soudain assaillie dans mon sommeil, et ravagée par un homme qui pesait sur moi de tout son poids et m'immobilisait, me tenant les deux bras. Et, déshonorée, souillée, je pus enfin me dégager de son étreinte. Et, toute bouleversée, je saisis un couteau et l'enfonçai dans le ventre de mon infâme assaillant. Et je découvris qu'il n'était autre que la jeune fille, ma compagne. Et j'avais été trompée par le déguisement de ce jeune homme imberbe, à qui il avait été si aisé de se faire passer pour une fille. Et lorsque je l'eus tué, je fis enlever son cadavre, et je l'envoyai jeter à l'endroit où on l'a trouvé. Et Allah permit que je devinsse mère, des œuvres illicites de cet homme. Et lorsque j'eus mis l'enfant au monde, je le fis également exposer sur le chemin, où avait été jeté son père, ne voulant pas me charger devant Allah d'élever un enfant qui m'était né contre mon consentement. Et telle est, ô émir des Croyants, l'histoire exacte de ces deux êtres. Et je t'ai dit la vérité. Et Allah est mon garant ! »

Et Omar s'écria : « Certes, tu m'as dit la vérité. Qu'Allah répande sur toi Ses grâces. » Et il admira la vertu et le courage de cette fille, lui recommanda la persévérance dans les œuvres de bien, et adressa au ciel des vœux pour elle. Puis il sortit. Et, en partant, il dit au père : « Qu'Allah comble de bénédictions ta maison ! vertueuse fille est ta fille. Qu'elle soit bénie ! Je lui ai fait mes exhortations et mes recommandations. » Et le vénérable cheikh ansarien répondit : « Qu'Allah te conduise au bonheur, ô émir des Croyants, et qu'il te dispense les faveurs et les bienfaits que ton âme désire ! »

Puis le jeune homme riche, après avoir pris quelque repos, continua : « Je vous dirai maintenant, pour changer de sujet, l'histoire de LA CHANTEUSE SALLAMAH LA BLEUE. » Et il dit :

LA CHANTEUSE SALLAMAH LA BLEUE

Le beau poète, musicien et chanteur, Môhammad le Koufique, raconte ceci : Je n'eus jamais, parmi les jeunes filles et les esclaves à qui je donnais des leçons de musique et de chant, une élève plus belle, plus vive, plus séduisante, plus spirituelle et plus douée que Sallamah la Bleue. Nous l'appelions la Bleue, cette adolescente brune, parce que, à sa lèvre, était une charmante trace de folle moustache bleuâtre, semblable à un petit trait de musc qu'aurait gracieusement promené là une plume de scribe savant ou la main légère d'un enlumineur. Et, quand je lui donnais mes leçons, elle était toute jeunette, une jouvencelle fraîchement éclose, avec deux petits seins en croissance qui soulevaient et repoussaient un peu son léger vêtement et l'éloignaient de sa poitrine. Et, de la regarder, c'était un ravissement ; c'était à bouleverser l'esprit, à éblouir les yeux, à voler la raison. Et, quand elle était dans une réunion, fût-elle composée des plus renommées beautés de Koufah, on n'avait de regards que pour Sallamah ;

et il suffisait qu'elle parût pour qu'on s'exclamât : « Ah ! voilà la Bleue. » Et elle fut passionnément aimée, mais sans aucun aboutissant, par tous ceux qui l'ont connue, et par moi-même, à la folie. Et, quoiqu'elle fût mon élève, j'étais pour elle un humble sujet, un obéissant serviteur, un esclave dévoué à ses ordres. Et m'eût-elle demandé de l'usnée humaine, que je fusse allé lui en chercher dans tous les crânes de pendus, dans tous les os mousseux du monde…

À ce moment de sa narration, Schahrazade vit apparaître le matin et, discrète, se tut.

Mais lorsque fut la neuf cent quatre-vingt et unième nuit. Elle dit :

… Je fusse allé lui en chercher dans tous les crânes de pendus, dans tous les os mousseux du monde.

Et c'est moi, précisément, qui ai composé, en souvenir d'elle, ce chant, musique et paroles, quand son maître Ibn Ghamîn fut parti pour le pèlerinage, l'emmenant avec lui ainsi que ses autres esclaves.

« Ô Ibn Ghamîn ! quel état de chagrin que celui d'un amant malheureux que tu as laissé mort, bien qu'il vive encore.

Tu lui as donné en breuvage les deux affreuses amertumes, coloquinte et absinthe pontique.

Ô chamelier de l'Yémen qui conduisais la caravane, tu m'as brisé, homme sinistre !

Tu as séparé des cœurs comme on n'en vit jamais, tu les as consternés avec ton aspect de buffle sauvage. »

Mais, quoi qu'il en soit de mon chagrin d'amour, mon sort n'est tout de même point comparable en noirceur à celui d'un autre amoureux de la Bleue, Yézid ben Aûf, le changeur.

Un jour, en effet, le maître de Sallamah s'avisa de lui dire : « Ô Bleue, de tous ceux qui t'ont aimée sans résultat, est-il quelqu'un qui ait obtenu de toi un tête-à-tête secret ou un baiser ? Dis-le-moi sans me cacher la vérité. » Et, à cette question inattendue, Sallamah craignant que son maître n'eût été informé récemment de quelque petite licence qu'elle se serait permise en présence de témoins indiscrets, répondit : « Non, certainement, personne n'a jamais rien obtenu de moi, excepté Yézid ben Aûf, le changeur. Et encore il n'a fait que m'embrasser, une seule fois. Du reste, je n'ai consenti à lui donner ce baiser, que parce qu'il m'a glissé alors dans la bouche, en échange de ce baiser, deux perles magnifiques que j'ai vendues quatre-vingt mille drachmes. »

Or, ayant entendu cela, le maître de Sallamah, dit simplement : « Bien. » Et, sans ajouter un mot de plus, tant il sentit en son âme entrer la colère jalouse, il s'attacha à la piste d'Yézid ben Aûf, le suivit jusqu'à ce qu'il l'eût trouvé sous sa main dans une occasion opportune, et le fit mourir sous les coups de fouet.

Quant aux circonstances dans lesquelles avait été donné à Yézid ce baiser unique et funeste de la Bleue, les voici. J'allais un jour, selon mon habitude, chez Ibn Ghamîn, pour donner à la Bleue une leçon de chant, quand je rencontrai en chemin Yézid ben Aûf. Et, après les salams, je lui dis : « Où vas-tu, ô Yézid, si bellement habillé ? » Et il me répondit : « Je vais où tu vas. » Et je dis : « Parfait ! Allons. »

Et lorsque nous fûmes arrivés et entrés dans la demeure d'Ibn Ghamîn, nous nous assîmes dans la salle de réunion. Et bientôt parut la Bleue, vêtue d'un mantelet orange et d'un superbe cafetan rouge-rose. Et nous crûmes voir le soleil embrasé se levant entre la tête et les pieds de l'éblouissante chanteuse. Et elle était suivie de la jeune fille esclave, qui portait le théorbe.

Et la Bleue chanta, sous ma direction, sur un mode nouveau que je lui avais appris. Et sa voix était riche, grave, profonde et émouvante. Et, à un moment donné, son maître s'excusa auprès de nous, et nous laissa seuls afin d'aller donner ses ordres pour le repas. Et Yézid, saisi au cœur d'amour pour la chanteuse, s'approcha d'elle, l'implorant du regard. Et elle parut s'animer, et eut pour lui, en continuant à chanter, un regard chargé de la réponse. Et Yézid, enivré de ce regard, se passa la main dans le vêtement, en retira deux perles magnifiques, qui n'avaient pas de sœurs, et dit à Sallamah, qui s'interrompit un moment de chanter : « Vois, ô Bleue ! Ces deux perles ont été payées par moi, aujourd'hui même, soixante mille drachmes. Si tu voulais, elles t'appartiendraient. » Elle répondit : « Et que veux-tu que je fasse pour te plaire ? » Il répondit : « Que tu chantes pour moi. »

Alors Sallamah, après avoir porté sa main à son front, en signe d'acquiescement, accorda l'instrument, et chanta les vers que voici, chant et musique de sa composition, sur le rythme grave-léger et premier, qui a comme tonique le ton simple de la corde du doigt annulaire :

« Sallamah la Bleue a blessé mon cœur d'une blessure durable comme la durée des temps.

La plus habile science du monde ne la saurait fermer. Car on ne ferme pas au fond du cœur une blessure d'amour.

Sallamah la Bleue a blessé mon cœur. Ô Musulmans, venez à mon secours ! »

Et, ayant chanté cette ravissante mélodie de tendresse, en regardant Yézid, elle ajouta : « Eh bien, donne-moi maintenant à ton tour ce que tu as à me donner. » Et il dit : « Certes, ce que tu veux, je le veux. Mais écoute, ô Bleue. J'ai juré par un serment qui oblige ma conscience – et tout serment est sacré – que je ne passerais ces deux perles qu'à tes lèvres avec mes lèvres. » Et, à ces paroles d'Yézid, l'esclave de Sallamah, offusquée, se leva avec vivacité et la main levée pour admonester l'amoureux. Mais moi je l'arrêtai par le bras, et lui dis, pour la détourner de se mêler de l'affaire : « Reste donc tranquille, ô jeune fille, et laisse-les. Ils sont en marché, comme tu le vois, et chacun d'eux en veut retirer profit avec le moins de pertes possible. Ne les trouble pas. »

Quant à Sallamah, elle se mit à rire en entendant Yézid exprimer ce souhait. Et, se décidant soudain, elle lui dit : « Eh bien, soit ! Donne-les-moi, ces perles, de la manière que tu veux. » Et Yézid se mit à s'avancer vers elle, en marchant sur les genoux et les mains, les deux magnifiques perles entre les lèvres. Et Sallamah, poussant de petits cris d'effroi, se mit de son côté à reculer, ramenant sur elle ses robes, et évitant le contact d'Yézid. Et, à droite et à gauche, elle s'éloignait en courant et revenait à sa place, essoufflée, provoquant par là de plus nombreux essais de la part d'Yézid, et de plus nombreuses coquetteries. Et ce jeu dura assez longtemps. Comme il fallait tout de même conquérir les perles, aux conditions acceptées, Sallamah fit un signe à son esclave, qui, subitement, se jeta sur Yézid, le saisit par les deux épaules, et le retint ferme en place. Et Sallamah, ayant prouvé par ce manège qu'elle était victorieuse et non point vaincue, vint d'elle-même, un peu confuse, et la sueur au front, prendre de ses jolies lèvres les perles magnifiques emprisonnées entre les lèvres d'Yézid, qui les troqua ainsi contre un baiser. Et, dès qu'elle les eut en sa possession, Sallamah, retrouvant bien vite son assurance, dit à Yézid, en riant. « Par Allah ! te voilà vaincu de toutes les manières, le sabre enfoncé dans les reins. » Et Yézid, courtois, répondit : « Par ta vie, ô Bleue, d'être vaincu, je n'ai souci. Le délicieux parfum que sur tes lèvres j'ai recueilli me restera au cœur, tant que je vivrai, comme un éternel arôme ! » Qu'Allah ait en sa compassion Yézid ben Aûf ! Il mourut martyr de l'amour.

Puis le jeune homme riche : « Écoutez maintenant un trait de tofaïlisme. Et vous savez que nos pères arabes entendaient par ce mot – qui tire son origine de Tofaïl le gourmand –, l'habitude qu'ont certaines personnes de s'inviter elles-mêmes aux festins et d'avaler les repas et les boissons, sans qu'on les en prie. Ainsi, écoutez. » Et il dit :

LE PARASITE

On raconte que l'émir des Croyants El-Walid, fils d'Yézid, l'Ommiade, se plaisait extrêmement en la compagnie d'un gourmand fameux, ami des bons plats et de tout fumet, qui s'appelait Tofaïl aux Festins, et dont le nom a servi depuis à caractériser les parasites qui s'invitent eux-mêmes aux noces et festins. Du reste ce Tofaïl, gastronome en grand, était homme d'esprit, savant, malin, moqueur ; et il était vif à la repartie et à l'à-propos. En outre, sa mère avait été convaincue d'adultère. Et c'est lui, précisément, qui a condensé la doctrine des parasites en quelques règles courtes, en même temps que pratiques, qui se résument dans les données suivantes :

« Que celui qui s'invite à un bon repas de noces, évite avec soin de regarder çà et là d'un air incertain.

Qu'il entre d'un pied ferme et choisisse la meilleure place, sans fixer personne, afin que les invités et convives pensent qu'il est un personnage de première importance.

Si le portier de la maison est revêche et difficile, qu'il soit semoncé et tenu bas à sa place, sans qu'il puisse se permettre la moindre observation.

Une fois assis devant la nappe, qu'il se jette sur le manger et le boire, et qu'il soit plus attaché au rôti que la broche elle-même.

Qu'il travaille dans les poulets farcis et dans la viande, fût-elle séchée, avec des doigts plus coupants que de l'acier. »

Et tel était le code du parfait broyeur, établi par Tofaïl dans la ville de Koufa. Et, en vérité, Tofaïl fut le père des broyeurs et la couronne des parasites…

À ce moment de sa narration, Schahrazade vit apparaître le matin et, discrète, se tut.

Mais lorsque fut la neuf cent quatre-vingt-deuxième nuit. Elle dit :

… Et tel était le code du parfait broyeur, établi par Tofaïl dans la ville de Koufa. Et, en vérité, Tofaïl fut le père des broyeurs et la couronne des parasites. D'ailleurs, voici, sur sa manière de procéder, un fait entre mille.

Un notable de la ville avait invité quelques amis et se régalait avec eux d'un plat de poissons merveilleusement apprêté. Et voici qu'à la porte on entendit la voix bien connue de Tofaïl, qui parlait à l'esclave portier. Et l'un des convives s'écria : « Qu'Allah nous préserve du broyeur ! Vous connaissez tous la capacité inouïe de Tofaïl. Hâtons-nous donc de préserver de ses dents ces beaux poissons, et de les mettre en sécurité dans un coin de la chambre, en ne laissant sur la nappe que ces tout petits poissons-ci. Et quand il aura dévoré les petits, comme il n'aura plus rien à avaler, il s'en ira, et nous nous régalerons avec les gros poissons. » Et, à la hâte, on mit de côté les gros poissons.

Et donc Tofaïl entra et, souriant et plein d'aisance, il jeta le salam à tout le monde. Et, après le bismillah, il tendit la main vers le plateau. Mais voilà ! il ne contenait que du fretin de mauvais aspect. Et les convives, enchantés de leur bon tour, lui dirent : « Hé ! maître Tofaïl, que penses-tu de ces poissons-là ? Tu n'as pas l'air de trouver le plat tout à fait à ton goût. » Il répondit : « Moi, il y a longtemps que je suis en mauvais termes avec la famille des poissons, et je suis en grande fureur contre eux. Car mon pauvre père, qui est mort par noyade dans la mer, a été mangé par eux. » Et les convives lui dirent : « Fort bien, voici donc pour toi une excellente occasion de prendre le talion de ton père, en mangeant ces petits-là à ton tour. » Et Tofaïl répondit : « Vous avez raison. Mais attendez. » Et il saisit un des petits poissons et se l'approcha tout contre l'oreille. Et son œil de parasite avait déjà avisé le plateau relégué dans le coin et qui contenait les gros poissons. Et donc, après avoir eu l'air d'écouter attentivement le petit poisson frit, il s'écria tout d'un coup : « Hé là ! hé là ! Savez-vous ce que vient de me dire ce petit bout de fretin-là ? » Et les convives répondirent : « Non, par Allah ! Comment le saurions-nous ? » Et Tofaïl dit : « Eh bien ! sachez alors qu'il m'a dit ceci : « Moi, je n'ai pas assisté à la mort de ton père – qu'Allah l'ait en Sa miséricorde ! – et je n'ai pas pu le voir, attendu que je suis beaucoup trop jeune pour avoir vécu en ce temps-là. » Ensuite il m'a glissé à l'oreille ces autres paroles-ci : « Prends plutôt ces beaux gros poissons qui sont cachés dans le coin, et venge-toi. Car ce sont eux-mêmes qui se sont précipités autrefois sur le défunt, ton père, et qui l'ont mangé. »

En entendant ce discours de Tofaïl, les invités et le maître de la maison comprirent que leur ruse avait été éventée par le nez du parasite. C'est pourquoi ils s'empressèrent de faire servir les beaux poissons à Tofaïl, et lui dirent, en se renversant de rire : « Mange-les donc, et puissent-ils te donner la grande indigestion ! »

Puis le jeune homme dit à ses auditeurs : « Écoutez maintenant l'histoire funèbre de la belle esclave du destin. » Et il dit :

LA FAVORITE DU DESTIN

Il est raconté, par les chroniqueurs et les annalistes, que le troisième des khalifats abbassides, l'émir des Croyants El-Mahdi, avait laissé le trône, en mourant, à son fils aîné Al-Hadi, qu'il n'aimait pas, et pour lequel il éprouvait même une grande aversion. Toutefois il avait bien spécifié qu'à la mort d'Al-Hadi, le successeur immédiat devait être le cadet, Haroun Al-Rachid, son fils préféré, et non le fils aîné d'Al-Hadi.

Mais quand Al-Hadi fut proclamé émir des Croyants, il surveilla avec une jalousie et une suspicion croissantes son frère Haroun Al-Rachid ; et il fit tout ce qu'il put pour frustrer Haroun du droit de succession. Mais la mère de Haroun, la sagace et dévouée Khaïzarân, ne cessa de déjouer toutes les intrigues dirigées contre son fils. Aussi Al-Hadi finit-il par la détester à l'égal de son frère ; et il les confondit tous les deux dans la même réprobation. Et il n'attendait qu'une occasion pour les faire disparaître.

Or, sur ces entrefaites, Al-Hadi était un jour assis dans ses jardins, sous une riche coupole soutenue par huit colonnes, qui avait quatre entrées dont chacune regardait un des points du ciel. Et à ses pieds était assise sa belle esclave favorite Ghâder, qu'il ne possédait que depuis quarante jours. Et là se trouvait également le musicien Ishâk ben Ibrahim, de Mossoul. Et la favorite, en ce moment, chantait accompagnée sur le luth par Ishâk lui-même. Et le khalifat s'agitait de plaisir et frémissait des pieds, à la limite du transport et de l'enthousiasme. Et, au-dehors, la nuit tombait ; et la lune montait entre les arbres ; et l'eau courait en jasant à travers les ombres entrecoupées, tandis que la brise lui répondait doucement.

Et soudain le khalifat, changeant de visage, s'assombrit et fronça les sourcils. Et toute sa gaieté s'évanouit ; et les pensées de son esprit devinrent noires comme l'étoupe au fond de l'encrier. Et, après un long silence, il dit d'une voix sourde : « À chacun est fixé son lot. Et nul ne reste que l'Éternel Vivant. » Et il s'enfonça de nouveau dans un silence de mauvais augure qu'il interrompit tout à coup, en s'écriant : « Qu'en hâte on appelle Massrour, le porte-glaive ! » Et c'était précisément ce même Massrour, l'exécuteur des vengeances et des colères khalifales, qui avait été le gardien d'enfance d'Al-Rachid et l'avait porté entre ses bras et sur ses épaules. Et il arriva bientôt en présence d'Al-Hadi, qui lui dit : « Va tout de suite chez mon frère Al-Rachid, et apporte-moi sa tête...

À ce moment de sa narration, Schahrazade vit apparaître le matin et, discrète, se tut.

Mais lorsque fut la neuf cent quatre-vingt-troisième nuit. Elle dit :

... Et il arriva bientôt en présence d'Al-Hadi, qui lui dit : « Va tout de suite chez mon frère Al-Rachid, et apporte-moi sa tête. »

En entendant ces mots, qui étaient la sentence de mort de celui qu'il avait élevé, Massrour resta stupéfait, étourdi et comme frappé de la foudre. Et il murmura : « Nous sommes à Allah et nous retournerons à lui. » Et il finit par sortir, semblable à un homme ivre. Et il alla, à la limite de l'émotion, trouver la princesse Khaïzarân, la mère d'Al-Hadi et de Haroun Al-Rachid. Et elle le vit qui était éperdu et bouleversé, et lui demanda : « Qu'y a-t-il, ô Massrour ? Qu'est-il donc arrivé, que tu parais ici à cette heure, si tard dans la nuit ? Dis-moi ce que tu as. » Et Massrour répondit : « Ô ma maîtresse, il n'y a de recours et de force qu'en Allah le Tout-Puissant ! Voici que notre maître le khalifat Al-Hadi, ton fils, vient de me donner cet ordre-ci : « Va tout de suite chez mon frère Al-Rachid, et apporte-moi sa tête. »

Et Khaïzarân, à ces paroles du porte-glaive, fut pleine de terreur ; et l'épouvante descendit dans son âme ; et l'émotion lui serra le cœur à le briser. Et elle baissa la tête et se recueillit un instant. Puis elle dit à Massrour : « Va vite chez mon fils Al-Rachid, et amène-le ici avec toi. » Et Massrour répondit par l'ouïe et l'obéissance, et partit.

Et il entra dans l'appartement de Haroun. Et Haroun, à ce moment, était déjà déshabillé, au lit, les jambes sous sa couverture. Et Massrour lui dit vivement : « Lève-toi, au nom d'Allah, ô mon maître, et viens avec moi immédiatement chez ma maîtresse, ta mère, qui t'appelle. » Et Al-Rachid se leva et, s'habillant à la hâte, il passa avec Massrour dans l'appartement de Sett Khaïzarân. Or, dès qu'elle eut aperçu son fils préféré, elle se leva et courut à lui et l'embrassa, sans lui dire un mot, et le poussa dans une petite pièce dissimulée, dont elle ferma sur lui la porte, et il ne songeait même pas à protester ou à demander la moindre explication.

Et, cela fait, Sett Khaïzarân envoya quérir dans leurs maisons, où ils dormaient, les émirs et les principaux personnages du palais khalifal. Et quand ils furent tous réunis chez elle, elle leur adressa, de derrière le rideau de soie du harem, ces simples paroles : « Je vous demande, au nom d'Allah le Tout-Puissant, le Très-Haut, et au nom de Son Prophète béni, si vous avez jamais ouï dire que mon fils Al-Rachid ait eu quelque connivence, relation ou lien avec les ennemis de l'autorité khalifale ou avec les hérétiques Zanadik, ou qu'il ait jamais essayé la moindre tentative d'insubordination ou de révolte contre son souverain Al-Hadi, mon fils et votre maître ? » Et tous répondirent à l'unanimité : « Non, jamais. » Et Khaïzarân reprit aussitôt : « Eh bien, sachez qu'à présent, à cette heure-ci, mon fils Al-Hadi envoie demander la tête de son frère Al-Rachid. Pouvez-vous m'en expliquer le motif ? » Et les assistants furent tellement atterrés et épouvantés, que nul d'entre eux n'osa articuler un mot. Mais le vizir Rabia se leva et dit au porte-glaive Massrour : « Va à l'heure et à l'instant te présenter entre les mains du khalifat. Et, lorsque en te voyant, il te demandera : « En as-tu fini ? » toi, tu répondras : « Notre maîtresse Khaïzarân, ta mère, épouse de ton défunt père Al-Mahdi, mère de ton frère, m'a aperçu alors que je me précipitais sur Al-Rachid ; et elle m'a arrêté et m'a repoussé. Et me voici devant toi, sans avoir pu exécuter ton ordre. » Et Massrour sortit et se rendit aussitôt auprès du khalifat.

Et dès qu'Al-Hadi l'eut aperçu, il lui dit : « Eh bien ! où est ce que je t'ai demandé ? » Et Massrour répondit : « Ô mon maître, la princesse Khaïzarân, ma maîtresse, m'a aperçu me jetant sur ton frère Al-Rachid ; et elle m'a arrêté, et m'a repoussé et m'a empêché de remplir ma mission. » Et le khalifat, à la limite de l'indignation, se leva et dit à Ishâk et à la chanteuse Ghâder : « Restez ici à la place où vous êtes, jusqu'à ce que je revienne. »

Et il arriva chez sa mère Khaïzarân, et vit tous les dignitaires et les émirs assemblés chez elle. Et la princesse, en l'apercevant, se leva debout ; et les personnages qui étaient chez elle se levèrent également. Et le khalifat, se tournant vers sa mère, lui dit d'une voix que la colère étouffait : « Pourquoi donc, lorsque je veux et ordonne une chose, t'opposes-tu à mes volontés ? » Et Khaïzarân s'écria : « Qu'Allah me préserve, ô émir des Croyants, de m'opposer à aucune de tes volontés ! Mais je désire seulement que tu m'indiques pour quel motif tu exiges la mort de mon fils Al-Rachid. C'est ton frère et ton sang ; il est comme toi l'âme et la vie issues de ton père. » Et Al-Hadi répondit : « Puisque tu veux le savoir, sache donc que je veux me débarrasser d'Al-Rachid à cause d'un songe que j'ai eu la nuit dernière et qui m'a pénétré d'épouvante. Dans ce songe, en effet, j'ai vu Al-Rachid assis sur le trône, à ma place. Et mon esclave favorite Ghâder, était près de lui ; et il buvait et jouait avec elle. Et moi, aimant ma souveraineté, mon trône et ma favorite, je ne veux pas voir plus longtemps à mes côtés, vivant sans cesse près de moi comme une calamité, un rival dangereux, fût-il mon frère. » Et Khaïzarân lui répondit : « Ô émir des Croyants, ce sont là les illusions et les faussetés du sommeil ; des visions mauvaises occasionnées par les mets échauffants. Ô mon fils, rarement un songe est véridique. » Et elle continua à lui parler de la sorte, approuvée par les regards des assistants. Et elle fit si bien qu'elle réussit à calmer Al-Hadi et à faire s'évanouir ses craintes. Et alors elle fit paraître Al-Rachid, et lui fit prêter serment que jamais il n'avait eu dans l'idée le moindre projet de révolte ou la moindre ambition, et que jamais il ne tenterait rien contre l'autorité khalifale.

Et, après ces explications, la colère d'Al-Hadi disparut. Et il retourna à la coupole où il avait laissé sa favorite avec Ishâk. Et il congédia le musicien et resta seul avec la belle Ghâder, à s'égayer, à se réjouir et à se laisser pénétrer des délices mêlées de la nuit et de l'amour. Et voici que tout à coup il se sentit une vive douleur aux plantes des pieds. Et il porta aussitôt sa main à l'endroit douloureux qui le démangeait, et le frotta. Et, en quelques instants, une petite tumeur s'y forma, qui grossit jusqu'au volume d'une noisette. Et elle s'irrita, accompagnée d'intolérables démangeaisons. Et il frotta de nouveau ; et elle s'accrut jusqu'au volume d'une noix, et finit par crever. Et aussitôt Al-Hadi tomba à la renverse, mort.

Or, la cause de cela était que Khaïzarân, pendant les quelques instants que le khalifat était resté chez elle, après la réconciliation, lui avait donné à boire un sorbet au tamarin, qui contenait l'arrêt du destin. Or, le premier qui apprit la mort d'Al-Hadi fut précisément l'eunuque Massrour. Et immédiatement il courut chez la princesse Khaïzarân et lui dit : « Ô mère du khalifat, qu'Allah prolonge tes jours ! mon maître Al-Hadi vient de mourir. » Et Khaïzarân lui dit : « Bien. Mais, ô Massrour, garde secrète cette nouvelle, et ne divulgue point cet événement subit. Et maintenant va au plus vite chez mon fils Al-Rachid, et amène-le-moi. » Et Massrour alla chez Al-Rachid, et le trouva couché. Et il le réveilla, lui disant : « Ô mon maître, ma maîtresse t'appelle à l'instant. » Et Haroun, bouleversé, s'écria : « Par Allah ! mon frère Al-Hadi lui aura encore parlé contre moi, et lui aura révélé quelque complot tramé par moi et dont je n'ai jamais eu l'idée. » Mais Massrour l'interrompit, lui disant : « Ô Haroun, lève-toi vite et suis-moi. Calme ton cœur et rafraîchis tes yeux, car tout est en voie prospère, et tu ne trouveras que succès et joie. »

Là-dessus Haroun se leva debout et s'habilla. Et aussitôt Massrour se prosterna devant lui, et, baisant la terre entre ses mains, il s'écria : « Le salam sur toi, ô émir des Croyants, imam des serviteurs de la foi, khalifat d'Allah sur la terre, défenseur de la loi sainte et de ce qu'elle impose. » Et Haroun, plein d'étonnement et d'incertitude, lui demanda : « Que signifient ces paroles, ô Massrour ? Il y a un moment tu m'appelais de mon nom, simplement ; et à présent tu me donnes le titre d'émir des Croyants. À quoi dois-je attribuer ces paroles contradictoires, et un changement de langage si imprévu ? » Et Massrour répondit : « Ô mon maître, toute vie a son destin et toute existence son temps ! Qu'Allah prolonge tes jours, ton frère vient d'expirer…

À ce moment de sa narration, Schahrazade vit apparaître le matin et, discrète, se tut.

Mais lorsque fut la neuf cent quatre-vingt-quatrième nuit. Elle dit :

… Ô mon maître, toute vie a son destin et toute existence son temps. Qu'Allah prolonge tes jours, ton frère vient d'expirer. » Et Al-Rachid dit : « Qu'Allah l'ait en sa pitié. » Et il se hâta de partir, n'ayant plus ni crainte ni souci, et entra chez sa mère, qui s'écria, à sa vue : « Joie et bonheur ! Bonheur et joie à l'émir des Croyants ! » Et elle se leva debout, et lui passa le manteau khalifal, et lui remit le sceptre, le sceau suprême et les insignes de la puissance. Et, au même moment, entra le chef des eunuques du harem, qui dit à Al-Rachid : « Ô notre maître, reçois une nouvelle de bonheur, un fils vient de te naître de ton esclave

Marâhil. » Et Haroun laissa alors se manifester sa double joie, et donna à son fils le nom d'Abdallah, avec le surnom d'Al-Mâmoun.

Et la mort d'Al-Hadi et l'avènement d'Al-Rachid au trône khalifal furent, avant le lever du jour, connus de la population de Bagdad. Et Haroun, au milieu de l'appareil de la souveraineté, reçut les serments d'obéissance des émirs, des notables et du peuple assemblé. Et, le jour même, il éleva au vizirat El-Fadl et Giafar, tous deux fils de Yahia le Barmakide. Et toutes les provinces et contrées de l'empire, et toutes les populations islamiques, Arabes et non Arabes, Turks et Deylamides, reconnurent l'autorité du nouveau khalifat et lui jurèrent obéissance. Et il commença son règne dans la prospérité et la magnificence, et s'assit, brillant, dans sa gloire nouvelle et sa puissance.

Quant à la favorite Ghâder, entre les bras de laquelle avait expiré Al-Hadi, voici. Dès le soir de son élévation au trône, Al-Rachid, qui connaissait sa beauté, voulut la voir, et fixer sur elle ses premiers regards. Et il lui dit : « Je désire, ô Ghâder, que moi et toi nous visitions ensemble le jardin et la coupole où mon frère Al-Hadi – qu'Allah l'ait en Sa pitié ! – aimait à se réjouir et à se reposer. » Et Ghâder, déjà vêtue des habits de deuil, baissa la tête et répondit : « Je suis l'esclave soumise de l'émir des Croyants. » Et elle se retira un instant pour quitter les vêtements de deuil, et les remplacer par les parures qui convenaient. Puis elle entra dans la coupole, où Haroun la fit asseoir à ses côtés. Et il restait là, les yeux attachés sur cette magnifique adolescente, ne se lassant pas d'en admirer la grâce. Et, de joie, sa poitrine respirait largement, et son cœur s'épanouissait. Puis, comme on servait les vins qu'aimait Haroun, Ghâder refusa de boire à la coupe que lui tendait le khalifat. Et il lui demanda, étonné : « Pourquoi refuses-tu ? » Elle répondit : « Le vin sans la musique perd la moitié de sa générosité. Je serais donc bien aise de voir auprès de nous, nous tenant harmonieuse compagnie, l'admirable Ishâk, fils d'Ibrahim. » Et Al-Rachid répondit : « Il n'y a point d'inconvénient. » Et il envoya aussitôt Massrour chercher le musicien, qui ne tarda pas à arriver. Et il baisa la terre entre les mains du khalifat, et lui rendit hommage. Et, sur un signe d'Al-Rachid, il s'assit en face de la favorite.

Et dès lors la coupe passa de main en main ; et on but nombre de rasades ; et on continua de la sorte jusqu'à la nuit noire. Et tout à coup, lorsque le vin eut fermenté dans les raisons, Ishâk s'écria : « Ô ! la louange éternelle à Celui qui change à Son gré les événements, et qui en conduit la succession et les vicissitudes ! » Et Al-Rachid lui demanda : « À quoi penses-tu, ô fils d'Ibrahim, pour t'exclamer de la sorte ? » Et Ishâk répondit : « Hélas, ô mon seigneur, hier, à pareille heure, ton frère se penchait par la fenêtre de cette coupole, et regardait, sous la lune semblable à une épousée, les eaux murmurantes s'enfuir en soupirant avec de douces et légères voix de chanteuses nocturnes. Et, au spectacle de l'apparente félicité, il se mit à s'épouvanter de sa destinée. Et il voulut te verser le breuvage de l'humiliation. » Et Al-Rachid dit : « Ô fils d'Ibrahim, la vie des créatures est écrite dans le livre du destin. Pouvait-il donc me ravir cette vie, mon frère, si le terme n'en était pas échu ? » Et il se tourna vers la belle Ghâder et lui dit : « Et toi, ô jeune fille, que dis-tu ? » Et Ghâder saisit son luth, et préluda, et, d'une voix profondément émue, elle chanta ces vers :

« La vie de l'homme a deux vies : l'une limpide et l'autre troublée.

Le temps a deux sortes de jours : jours de sécurité et jours de dangers.

Ne te fie ni au temps ni à la vie, car aux jours les plus limpides succèdent les jours sombres et troublés. »

Et, en achevant ces vers, la favorite d'Al-Hadi défaillit soudain et tomba, la tête contre le sol, sans connaissance ni mouvement. Et on la secourut et on la secoua. Mais déjà elle n'existait plus, réfugiée au sein du Très-Haut. Et Ishâk dit : « Ô mon seigneur, elle aimait le défunt. Et le moins que veuille l'amour, est d'aller jusqu'au moment où le fossoyeur a fini le tombeau. Qu'Allah répande Ses miséricordes sur Al-Hadi, sur sa favorite et sur tous les Musulmans. »

Et une larme tomba des yeux d'Al-Rachid. Et il ordonna de laver le corps de la morte, et de le déposer dans le tombeau même d'Al-Hadi. Et il dit : « Oui ! Qu'Allah répande Ses miséricordes sur Al-Hadi, sur sa favorite et sur tous les Musulmans ! »

Et, ayant ainsi raconté cette histoire de l'infortunée adolescente, le jeune homme riche dit à ses auditeurs émus : « Écoutez maintenant, comme autre manifestation des jeux inexorables du destin, l'histoire du COLLIER FUNÈBRE. » Et il dit :

LE COLLIER FUNÈBRE

Un jour, le khalifat Haroun Al-Rachid, ayant entendu vanter le talent du musicien chanteur Hâchem ben Soleïmân, l'envoya chercher. Et quand le chanteur fut introduit, Haroun le fit asseoir devant lui, et le pria de lui faire entendre quelque chose de sa composition. Et Hâchem chanta une cantilène de trois vers avec tant d'art et d'une si belle voix, que le khalifat, à la limite de l'enthousiasme et du ravissement, s'écria : « Tu as été admirable, ô fils de Soleïmân ! Qu'Allah bénisse l'âme de ton père ! » Et, plein de gratitude, il enleva de son cou un magnifique collier, enrichi d'émeraudes en pendeloques grosses comme des poires musquées, et le passa au cou du chanteur.

Et Hâchem, à l'aspect de ce joyau, loin de se montrer satisfait et réjoui, eut ses yeux troublés par les larmes. Et la tristesse descendit dans son cœur et fit jaunir son visage…

À ce moment de sa narration, Schahrazade vit apparaître le matin et, discrète, se tut.

Mais lorsque fut la neuf cent quatre-vingt-cinquième nuit. Elle dit :

… Et Hâchem, à l'aspect de ce joyau, loin de se montrer satisfait et réjoui, eut ses yeux troublés par les larmes. Et la tristesse descendit dans son cœur, et fit jaunir son visage. Et Haroun, qui était loin de s'attendre à une telle manifestation, se montra fort surpris, et crut que le joyau n'était pas du goût du musicien. Et il lui demanda : « Pourquoi ces larmes et cette tristesse, ô Hâchem ? Et pourquoi, si ce collier ne t'agrée pas, gardes-tu un silence gênant pour moi et pour toi ? » Et le musicien répondit : « Qu'Allah augmente Ses faveurs sur la tête du plus généreux des rois ! Mais le motif qui fait couler mes larmes et accable de tristesse mon cœur n'est pas ce que tu crois, ô mon maître ! Et si tu veux bien me le permettre, je te raconterai l'histoire de ce collier, et pourquoi sa vue m'a plongé dans l'état où tu me vois. » Et Haroun répondit : « Certes, je te le permets. Car l'histoire d'un collier que je possède comme héritage de mes pères, doit être étonnante à l'extrême. Et je suis bien curieux de savoir ce que tu connais à ce sujet, et que j'ignore. »

Alors le musicien chanteur, ayant rassemblé ses souvenirs, dit : « Sache, ô émir des Croyants, que l'incident qui se rapporte à ce collier date du temps de ma toute première jeunesse. À cette époque-là je vivais dans le pays de Scham, qui est la patrie de ma tête, là où je suis né.

« Un soir, en effet, je me promenais au crépuscule sur le bord d'un lac, et j'étais habillé du costume des Arabes du désert de Scham, et la figure couverte jusque près des yeux par le litham. Et voici que je fis la rencontre d'un homme magnifiquement vêtu, accompagné, contre tout usage, par deux adolescentes superbes, d'une élégance rare, qui étaient, à en juger par les instruments de musique qu'elles portaient, chanteuses sans aucun doute. Et soudain je reconnus en ce promeneur le khalifat El-Walid, deuxième du nom, qui avait quitté Damas, sa capitale, pour venir chasser la gazelle dans nos parages, du côté de ce lac de Tabariah.

« Et, de son côté, le khalifat, à ma vue, se tourna vers ses compagnes, et leur dit, ne croyant être entendu que d'elles seules : « Voilà un Arabe qui arrive du désert, tout frais dans sa crasse et sa sauvagerie. Par Allah ! je vais l'appeler, pour qu'il nous tienne compagnie, et que nous nous amusions un peu à ses dépens. » Et il me fit signe de la main. Et, m'étant approché, il me fit asseoir à côté de lui, sur l'herbe, en face des deux chanteuses. Et voici que, sur le désir du khalifat, qui était loin de me connaître et ne m'avait jamais vu, l'une des jeunes filles accorda son luth et, d'une voix émouvante, chanta une mélopée de ma composition. Mais, malgré toute son habileté, elle commit quelques légères erreurs, et même elle tronqua l'air en plusieurs endroits. Et moi, malgré la contenance réservée que je m'étais imposée précisément pour ne pas attirer sur moi la raillerie toute prête du khalifat, je ne pus m'empêcher de m'écrier, en m'adressant à la chanteuse : « Tu t'es trompée, ô ma maîtresse, tu t'es trompée ! » Et la jeune fille, entendant mon observation, se mit à rire d'un rire railleur, et dit, en se tournant vers le khalifat : « Tu as entendu, ô émir des Croyants, ce que vient de nous dire cet Arabe bédouin, conducteur de chameaux ! Il ne craint pas de nous accuser d'erreur, l'insolent ! » Et El-Walid me regarda d'un air à la fois moqueur et désapprobateur, et me dit : « Est-ce dans ta tribu, ô Bédouin, qu'on t'a appris le chant et le jeu délicat des instruments de musique ? » Et moi je m'inclinai respectueusement et répondis : « Non, par ta vie ! ô émir des Croyants. Mais, si tu ne t'y opposes pas, je vais prouver à cette admirable chanteuse que, malgré tout son art, elle a commis quelques erreurs d'exécution. » Et El-Walid me l'ayant permis, pour voir, je dis à la jeune fille : « Serre d'un quart la deuxième corde, et relâche d'autant la quatrième. Et pars sur le mode grave de la mélodie. Et tu verras alors que l'expression et la couleur de ton chant s'en ressentiront, et que les quelques passages que tu as légèrement tronqués se rétabliront d'eux-mêmes. »

« Et la jeune chanteuse, surprise de voir un Bédouin parler de cette manière, accorda son luth selon le mode que je lui indiquais, et recommença son chant. Et cela fut si beau et si parfait, qu'elle-même fut profondément émue à la fois et étonnée. Et, se levant soudain, elle se jeta à mes pieds, en s'écriant : « Tu es Hâchem ben Soleïmân, je le jure par le Seigneur de la Kaaba ! » Et, comme je n'étais pas moins ému que la jeune fille, et que je ne répondais pas, le khalifat me demanda : « Es-tu vraiment celui qu'elle dit ? » Et je répondis, en me découvrant alors la figure : « Oui, ô émir des Croyants, je suis ton esclave Hâchem le Tabarien ! » Et le khalifat fut extrêmement satisfait de me connaître, et me dit : « Loué soit Allah qui t'a mis sur mon chemin, ô fils de Soleïmân. Cette jeune fille t'admire plus que tous les musiciens de ce temps, et ne me chante jamais autre chose que tes chants et tes compositions ! » Et il ajouta : « Je veux que désormais tu sois mon ami et mon compagnon ! » Et je le remerciai et lui baisai la main.

« Puis la jeune fille, qui avait chanté, se tourna vers le khalifat et lui dit : « Ô émir des Croyants, à cause de ce moment heureux, j'ai une demande à te faire ! » Et le khalifat dit : « Tu peux la faire. » Elle dit : « Je te supplie de me permettre de rendre hommage à mon maître, en lui offrant un gage de ma gratitude. » Il répondit : « Certes ! il le faut. » Alors la charmante chanteuse dénoua le magnifique collier qu'elle portait, et dont lui avait fait cadeau le khalifat, et me le mit au cou, en me disant : « Accepte-le comme le don de ma reconnaissance, et excuse-moi pour le peu ! » Et c'était précisément ce collier-ci, que je reçois aujourd'hui de nouveau en présent de ta générosité, ô émir des Croyants ! Or, maintenant, voici comment ce collier est parti de ma main, pour me revenir aujourd'hui...

À ce moment de sa narration, Schahrazade vit apparaître le matin et, discrète, se tut.

Mais lorsque fut la neuf cent quatre-vingt-sixième nuit. Elle dit :

... Or, maintenant, voici comment ce collier est parti de ma main, pour me revenir aujourd'hui, et pourquoi sa vue me fait pleurer.

« En effet, après que nous eûmes passé un certain temps à chanter, alors que la brise était fraîche sur le lac, El-Walid se leva et nous dit : « Embarquons-nous pour une promenade sur l'eau. » Et aussitôt, des serviteurs qui se tenaient au loin accoururent, et amenèrent une barque. Et le khalifat descendit le premier, puis moi-même. Et quand vint le tour de la jeune fille qui m'avait fait don du collier, elle avança la jambe pour passer dans la barque. Mais, comme elle avait ramené son grand voile autour d'elle pour ne pas être remarquée par les rameurs, elle se trouva embarrassée et, le pied lui manquant, elle tomba dans le lac et, avant qu'on eût le temps de lui porter secours, elle coula au fond de l'eau. Et, malgré toutes les recherches que nous fîmes, nous ne réussîmes guère à la retrouver. Qu'Allah l'ait en Sa compassion !

« Et la peine et l'affliction d'El-Walid furent très profonds, et les pleurs lui baignèrent le visage. Et moi aussi je versai des larmes amères sur le sort de cette infortunée jeune fille. Et le khalifat, qui était resté longtemps silencieux après cette catastrophe, me dit : « Ô Hâchem, une légère consolation à ma douleur serait d'avoir entre mes mains le collier de cette pauvre jeune fille, comme souvenir de ce qu'elle fut pour moi pendant sa courte vie. Mais qu'Allah me garde de te reprendre ce que nous t'avons donné. Je te prie donc de consentir à me vendre ce collier. » Et moi, aussitôt, je remis le collier au khalifat, qui, à notre arrivée dans la ville, me fit compter trente mille drachmes d'argent, et me combla de cadeaux précieux.

« Et telle est, ô émir des Croyants, la cause qui m'a fait aujourd'hui pleurer. Et Allah Très-Haut qui a dépossédé les khalifats ommiades de la puissance souveraine en faveur des Bani-Abbas, dont tu es la glorieuse descendance, a permis que ce collier arrivât entre tes mains avec l'héritage de tes nobles ancêtres, pour me revenir par ce chemin détourné. »

Et Al-Rachid fut très ému de ce récit de Hâchem ben Soleïmân, et dit : « Qu'Allah ait en Sa compassion ceux qui méritent la compassion ! » Et, par cette formule générale, il évita de prononcer le nom de l'un des membres de la dynastie rivale abattue.

Puis le jeune homme dit : « Puisque nous sommes sur la porte des musiciens et des chanteuses, je veux vous raconter un trait, entre mille, de la vie du plus célèbre d'entre les musiciens de tous les temps, Ishâk ben Ibrahim, de Mossoul. » Et il dit :

ISHAK DE MOSSOUL ET L'AIR NOUVEAU

Entre les divers écrits qui nous sont parvenus de la main du musicien-chanteur Ishâk ben Ibrahim, de Mossoul, est celui-ci. Ishâk dit : J'entrai, un jour, selon mon habitude, chez l'émir des Croyants Haroun Al-Rachid, et je le trouvai assis en compagnie de son vizir El-Fadl et d'un cheikh du Hedjaz, lequel avait une fort belle physionomie et un extérieur empreint de noblesse et de gravité. Et, après les salams de part et d'autre, je me penchai discrètement vers le vizir El-Fadl, et lui demandai le nom de ce cheikh hedjazien qui me plaisait et que je n'avais jamais vu. Et il me répondit : « C'est le petit-fils du vieux poète musicien et chanteur du Hedjaz, Maâbad, dont tu connais la renommée. » Et, comme je me montrais satisfait de connaître le petit-fils de ce vieux Maâbad que j'avais tant admiré dans ma jeunesse, El-Fadl me dit à l'oreille : « Ô Ishâk, le cheikh du Hedjaz que voici, si tu te montres aimable à son égard, te fera connaître et même te chantera toutes les compositions de son grand-père. Il est accueillant, et il est doué d'une fort belle voix. »

Alors moi, voulant expérimenter sa méthode et me remettre en mémoire les chants anciens qui avaient enchanté mes jeunes années, je me montrai plein de prévenances pour le Hedjazien ; et, après une amicale causerie sur différentes choses, je lui dis : « Ô très noble cheikh, peux-tu, je te prie, me rappeler combien de chants a composés ton grand-père, l'illustre Maâbad, honneur du Hedjaz ? » Et il me répondit : « Soixante, pas un de plus, pas un de moins ! » Et je lui demandai : « Serait-ce peser trop lourdement sur ta patience que de te prier de me dire quel est, de ces soixante chants, celui que tu aimes le mieux, soit à cause de sa mesure, soit pour d'autres motifs ? » Et il me répondit : « Sans conteste, et à tous égards, c'est le chant quarante-troisième qui commence par ce vers :

« Ô beauté du cou de ma Molaïkah ! ma Molaïkah à la belle poitrine ! »

Et, comme si la simple récitation de ce vers avait eu la vertu d'exciter en lui l'inspiration, il prit soudain le luth de ma main, et, après un très léger prélude d'accords, il chanta la cantilène en question d'une voix merveilleuse, et rendit le sentiment de cette musique nouvelle et si ancienne avec un art, un charme, une grâce et une émotion inexprimables. Et, de l'entendre, je tressaillais de plaisir, j'étais ébloui, hors de moi, à la limite de l'enthousiasme. Et, comme j'étais sûr de ma facilité à retenir les airs nouveaux, quelque compliqués qu'ils fussent, je ne voulus pas répéter immédiatement devant le cheikh hedjazien la cantilène délicieuse et si neuve pour moi qu'il venait de me faire entendre. Et je me contentai de le remercier. Et il retourna à Médine, son pays, tandis que je sortais du palais, ivre de cette mélodie…

À ce moment de sa narration, Schahrazade vit apparaître le matin et, discrète, se tut.

Mais lorsque fut la neuf cent quatre-vingt-septième nuit. Elle dit :

... Et il retourna à Médine, son pays, tandis que je sortais du palais, ivre de cette mélodie.

Et, en rentrant chez moi, je pris mon luth, qui était suspendu au mur, et j'en agençai, j'en harmonisai les cordes et les polis dans les plus petits détails. Mais, par Allah ! quand je voulus répéter la musique de cet air hedjazien qui m'avait tant ému, je ne pus parvenir à me rappeler la moindre note ni à me souvenir même du mode sur lequel il avait été chanté, moi qui d'ordinaire retenais des cantilènes de cent couplets pour les avoir entendues d'une oreille à peine attentive. Mais cette fois un voile de coton impénétrable était tombé entre ma mémoire et cette musique, et, malgré tous mes efforts de rappel, je ne pus répéter ce qui me tenait tant à cœur.

Et depuis lors, jour et nuit, je m'évertuai à exciter ma mémoire sur cette musique, mais sans plus de résultat. Et, de désespoir, je renonçai à mon luth et à mes leçons, et me mis à parcourir Bagdad, puis Mossoul, et Bassrah, puis tout l'Irak, en demandant cette musique et ce chant à tous les plus vieux chanteurs et à toutes les plus anciennes chanteuses ; mais je ne réussis à rencontrer personne qui en connût l'air ou qui me renseignât sur le moyen de le retrouver.

Alors, voyant que toutes mes recherches étaient inutiles, je résolus pour me délivrer de cette obsession, de faire, à travers le désert, le voyage du Hedjaz, pour aller à Médine retrouver le cheikh hedjazien, et le prier de me chanter encore une fois la cantilène de son grand-père. Et lorsque je pris cette résolution, je me trouvais à Bassrah, me promenant sur le bord du fleuve. Et voici que je fus accosté par deux jeunes femmes vêtues d'habits discrets et riches, et paraissant être des femmes de haut rang. Et elles saisirent la bride de mon âne et l'arrêtèrent, en me saluant.

Et moi, fort ennuyé et ne pensant qu'à ma cantilène hedjazienne, je leur dis d'un ton péremptoire : « Laissez ! laissez ! » Et je voulus reprendre la bride de mon âne. Mais voici que l'une d'elles, sans soulever son voile de visage, me sourit d'en dessous, et me dit : « Eh bien, ô Ishâk, où en est maintenant ta passion pour la belle cantilène de Maâbad le Hedjazien : *Ô beauté du cou de ma Molaïkah !* Et as-tu cessé de courir le monde à sa recherche ? » Et elle ajouta, avant que j'eusse le temps de revenir de ma surprise : « Ô Ishâk, je t'ai vu, de derrière le grillage du harem, alors qu'en présence du khalifat et d'El-Fadl, le cheikh hedjazien chantait, et que le charme de la mélodie ancienne te faisait bondir, et faisait danser les choses inanimées autour de toi. Dans quel ravissement tu étais, ô Ishâk ! Tu battais la mesure avec tes mains, en dodelinant de la tête et en te balançant doucement. Tu semblais ivre. Tu étais comme fou. »

Et moi, entendant ces paroles, je m'écriai : « Ah ! par la mémoire de mon père Ibrahim, je suis maintenant plus fou que jamais de ce chant riche et beau. Ya Allah ! que ne donnerais-je pas pour l'entendre, même faussé, même tronqué ! Une note de ce chant pour dix ans de ma vie ! Voilà qu'en m'en parlant, ô ma tendresse, tu viens de rallumer cruellement les feux de mes regrets et de souffler sur la braise de mon désespoir ! » Et j'ajoutai : « De grâce, laissez, laissez que je m'en aille. J'ai hâte de préparer, d'organiser mon départ immédiat pour le Hedjaz ! »

Et l'adolescente, à ces paroles, sans lâcher la bride de mon âne, se mit à rire d'un rire éclatant, et me dit : « Et si je te chantais moi-même la cantilène hedjazienne : « *Ô beauté du cou de ma Molaïkah !* » persisterais-tu à partir pour le Hedjaz ? » Et je répondis : « Par ton père et par ta mère, ô fille des gens de bien, ne torture pas davantage quelqu'un que guette la folie ! »

Là-dessus, l'adolescente, tenant toujours la bride de mon âne, entonna soudain la cantilène de ma folie, et d'une voix et avec une méthode mille fois plus belles que ce que j'avais autrefois entendu de la bouche du Hedjazien. Et pourtant elle n'avait chanté qu'à mi-voix ! Et, à la limite du transport et du bonheur, je sentis une grande douceur calmer mon âme torturée. Et je me précipitai à bas de mon âne, et me jetai aux pieds de l'adolescente et lui baisai les mains et le bas de la robe. Et je lui dis : « Ô ma maîtresse, je suis ton esclave, l'acheté de ta générosité. Veux-tu accepter mon hospitalité ? Et tu me chanteras la cantilène de Molaïkah, et je te la chanterai tout le jour, et toute la nuit. Oh ! tout le jour et toute la nuit ! » Mais elle me répondit : « Ô Ishâk, nous connaissons ton caractère peu agréable et ton avarice concernant tes compositions. Oui, nous savons qu'aucune de tes élèves n'a jamais reçu et appris de toi et par toi un seul chant. Ce qu'elles en savent, tu le leur as communiqué et enseigné par l'entremise d'étrangers tels qu'Alawiah, Wahdj El-Karah et Moukhârik. Mais de toi directement, ô trop jaloux Ishâk, personne n'a jamais rien appris. » Puis elle ajouta : « Donc, comme je sais que tu n'es pas assez aimable pour nous traiter convenablement, inutile d'aller chez toi. Et puisque tu désires apprendre l'air de Molaïkah, pourquoi aller si loin ? Je te le chanterai volontiers jusqu'à ce que tu le retiennes. » Et moi je m'écrirai : « En retour, ô fille du ciel, je verserai pour toi mon sang ! Mais qui donc es-tu ? Et quel est ton nom…

À ce moment de sa narration, Schahrazade vit apparaître le matin et, discrète, se tut.

Mais lorsque fut la neuf cent quatre-vingt-huitième nuit. Elle dit :

… Et moi je m'écriai : « En retour, ô fille du ciel, je verserai pour toi mon sang ! Mais qui donc es-tu ? Et quel est ton nom ? » Et elle me répondit : « Une simple chanteuse d'entre des chanteuses qui comprennent ce que dit le feuillage à l'oiseau, et la brise au feuillage. Mais je suis Wahba. Celle dont parle le poète dans la cantilène qui porte mon nom. » Et elle chanta :

« Ô Wahba ! les délices et la joie n'habitent qu'à tes côtés.

Ô Wahba ! qu'elle était embaumée ta salive, que nul autre que moi n'a goûtée.

Rare comme sont rares les sources au désert, tu n'es venu qu'une seule fois m'offrir la coupe de tes lèvres.

Ô Wahba, n'imite pas le coq qui ne pond qu'un œuf dans sa vie. Viens parfumer la demeure.

Apporte-moi le délice plus doux que le sucre, ce nectar transparent comme la lumière et plus léger que le karkafa et le khandaris. »

Et cette charmante cantilène, dont les paroles étaient du poète Farrouge, était sur un air délicat que Wahba avait elle-même composé. Et elle acheva, par ce chant, de transporter ma raison. Et je la suppliai tellement, qu'elle finit par accepter de venir chez moi, avec sa sœur. Et nous passâmes tout le jour et toute la nuit dans l'extase du chant et de la musique. Et je trouvai en elle, sans contredit, la chanteuse la plus admirable que j'eusse jamais entendue. Et son amour me pénétra jusqu'à l'âme. Et elle finit par me faire le don de sa chair, comme elle m'avait fait celui de sa voix. Et elle orna ma vie pendant les années heureuses que m'octroya le Rétributeur ! Puis le jeune homme riche dit : « Voici maintenant une anecdote sur les danseuses des khalifats. » Et il dit :

LES DEUX DANSEUSES

Il y avait, à Damas, sous le règne du khalifat Abd El-Malek ben Merwân, un poète-musicien, nommé Ibn Abou-Atik, qui dépensait en folles prodigalités tout ce que lui procuraient son art et la générosité des émirs et des gens riches de Damas. Aussi, malgré les sommes considérables qu'il gagnait, était-il sans cesse dans le dénuement, et parvenait-il à grand-peine à pourvoir à la subsistance de sa nombreuse famille. Car l'or dans les mains d'un poète et la patience dans l'âme d'un amant sont comme l'eau dans un crible.

Or le poète avait comme ami un des intimes du khalifat, Abdallah le chambellan. Et Abdallah, qui avait déjà, à maintes reprises, intéressé en faveur du poète les notables de la ville, résolut d'attirer sur lui la faveur même du khalifat. Un jour donc que l'émir des Croyants était dans des dispositions favorables, Abdallah aborda la question et lui dépeignit la pauvreté et le dénuement de celui que Damas et tout le pays de Scham considéraient comme le poète-musicien le plus admirable de l'époque. Et Abd El-Malek répondit : « Tu peux me l'envoyer. »

Et Abdallah s'empressa d'aller annoncer la bonne nouvelle à son ami, en lui répétant l'entretien qu'il venait d'avoir avec le khalifat. Et le poète remercia son ami et alla se présenter au palais. Et lorsqu'il eut été introduit, il trouva le khalifat assis entre deux superbes danseuses debout, qui se balançaient doucement, sur leur taille flexible, comme deux rameaux de bân, en agitant chacune, avec une grâce charmante, un éventail en feuilles de palmier, avec lequel elles rafraîchissaient leur maître. Et sur l'éventail de l'une des danseuses, étaient peints en lettres d'or et d'azur les vers que voici :

« Le souffle que j'apporte est frais et léger, et je joue avec la pudeur rosée de celles que je caresse.

Je suis un voile candide pour cacher le baiser des bouches amoureuses.

Je suis d'un précieux secours pour la chanteuse qui ouvre la bouche, et pour le poète qui récite des vers. »

Et sur l'éventail de la seconde danseuse étaient peints, également en lettres d'or et d'azur, les vers que voici :

« Je suis vraiment charmant dans la main des belles, aussi mon séjour de prédilection est-il le palais du khalifat.

Que celles qui sont en désaccord avec la grâce et l'élégance renoncent à m'avoir pour ami !

Mais j'accorde aussi avec plaisir mes caresses au jouvenceau souple et dégagé comme une belle esclave. »

Et quand le poète eut considéré ces deux merveilleuses filles, il fut pris d'un éblouissement, d'un profond frémissement. Et, du coup, il oublia sa misère, ses tristesses, les privations de sa famille, et la cruelle réalité. Et il se crut transporté au milieu des délices du paradis, entre deux houris de choix. Et leur beauté lui fit regarder toutes les femmes passées, dont le souvenir lui restait, comme de laides pécores.

Quant au khalifat, après les hommages et les salams, il dit au poète : « Ô Ibn Abou-Atik, j'ai été impressionné par la description que m'a faite Abdallah de ton état précaire et de la misère où se trouvent plongés les tiens. Demande-moi donc tout ce que tu voudras ; et cela te sera accordé à l'heure et à l'instant. » Et le poète, dans l'émotion où il était de par la vue des deux danseuses, ne comprit même pas la portée des paroles du khalifat ; et l'eût-il comprise qu'il se fût peu soucié de demander de l'argent ou des richesses. Car, à ce moment, une seule idée dominait son esprit : la beauté des deux danseuses, et le désir de les posséder à lui tout seul et de s'enivrer de leurs yeux et de leur influence.

Aussi, à la proposition généreuse du khalifat, il répondit : « Qu'Allah prolonge les jours de l'émir des Croyants ! Mais ton esclave est déjà comblé par les bienfaits du Rétributeur. Il est riche, il ne manque de rien, il est comme un émir ! Ses yeux sont contents, son esprit est content, son cœur est content. Et d'ailleurs, dans la position où je suis maintenant ici, en présence du soleil, et entre ces deux lunes, si j'étais dans la plus noire des misères et dans l'absolu dénuement, je me considérerais comme l'homme le plus riche de l'empire. »

Et le khalifat Abd El-Malek fut extrêmement satisfait de la réponse et, voyant que les yeux du poète exprimaient véhémentement ce que sa langue ne disait pas, il se leva et lui dit : « Ô Ibn Abou-Atik, ces deux jeunes filles que voici, et qu'aujourd'hui seulement je reçus en cadeau du roi des Roums, sont ta propriété légale et ton champ. Et tu peux entrer dans ton champ à ton gré. » Et il sortit.

Et le poète prit les danseuses et les emmena dans sa maison.

Mais lorsque Abdallah fut retourné au palais, le khalifat lui dit : « Ô Abdallah, la description que tu t'es plu à me faire au sujet du dénuement et de la misère de ce poète-musicien, ton ami, est vraiment entachée d'exagération. Car il m'a affirmé qu'il était parfaitement heureux, et qu'il ne manquait absolument de rien. » Et Abdallah sentit son visage se couvrir de confusion, et ne sut que penser de ces paroles. Mais le khalifat reprit : « Eh oui, par ma vie, ô Abdallah, cet homme était d'ailleurs dans un état de bonheur dont je n'ai jamais vu le pareil chez aucune créature. » Et il lui répéta les hyperboles que lui avait débitées le poète-musicien. Et Abdallah, moitié formalisé, moitié riant, répondit : « Par la vie de ta tête, ô émir des Croyants, il en a menti ! Il en a impudemment menti ! Lui, à son aise ! Lui, content ! Mais c'est l'homme le plus misérable, le plus dénué de tout ! La vue de sa femme et de ses enfants vous ferait trembler les larmes sur le bord des paupières. Crois bien, ô émir des Croyants, que nul, dans tout l'empire, n'a plus besoin que lui du plus mince de tes bienfaits. » Et le khalifat, à ces paroles, ne sut plus que penser du poète-musicien.

Et Abdallah, dès qu'il fut sorti de chez le khalifat, se hâta de se rendre chez Ibn Abou-Atik. Et il le trouva en grande expansion avec les deux belles danseuses, une sur son genou droit et une sur son genou gauche, en face d'un plateau couvert de boissons…

À ce moment de sa narration, Schahrazade vit apparaître le matin et, discrète, se tut.

Mais lorsque fut la neuf cent quatre-vingt-neuvième nuit. Elle dit :

… Et il le trouva en grande expansion avec les deux belles danseuses, une sur son genou droit et une sur son genou gauche, en face d'un plateau couvert de boissons. Et il l'interpella d'un ton de mauvaise humeur, lui disant : « À quoi pensais-tu donc, ô fou, pour démentir mes paroles à ton sujet, devant le khalifat ? Tu m'as noirci le visage jusqu'à la teinte la plus sombre. » Et le poète, à la limite de la réjouissance, répondit : « Ah ! mon ami, qui aurait pu crier pauvreté ou chanter misère dans la situation où je me trouvais soudain transporté ? Je l'eusse fait, que c'eût été d'une suprême indécence au moins pour ces deux houris, sinon pour mes propres intérêts. »

Et, ce disant, il tendit à son ami une énorme coupe dans laquelle souriait un liquide parfumé au musc et au camphre, et lui dit : « Bois, ô mon ami, sous les yeux noirs ! Les yeux noirs sont ma folie. » Et il ajouta, en montrant les deux magnifiques danseuses : « Ces deux bienheureuses sont ma propriété et ma richesse. Que souhaiterais-je davantage, sans risquer d'offenser la générosité du Rétributeur ? »

Et pendant qu'Abdallah, obligé de sourire devant tant d'ingénuité, approchait la coupe de ses lèvres, le poète-musicien prit son théorbe, et l'animant par un prélude pétillant, il chanta :

« Sémillantes, sveltes et gracieuses, les jouvencelles ! Des gazelles admirables, des cavales aux flancs élancés.

Leurs beaux seins arrondis s'élèvent sur leur poitrine, deux coupes de jade sur un ciel lumineux.

Comment ne chanterais-je pas ? Mais si aux montagnes chauves on faisait boire ce que me font boire ces gazelles, elles chanteraient ! »

Et, comme par le passé, le poète-musicien continua à vivre dans l'insouciance du lendemain, se fiant à la destinée et au Maître des créatures. Et les deux danseuses restèrent sa consolation dans les mauvais jours, et son bonheur durant toute sa vie. Puis le jeune homme dit : « Ce soir, je vous dirai encore l'histoire de LA CRÈME À L'HUILE DE PISTACHES. » Et il dit :

LA CRÈME À L'HUILE DE PISTACHES

Sous le règne du khalifat Haroun Al-Rachid, le kâdi suprême de Bagdad était Yâcoub Abou-Youssef, l'homme le plus savant et le jurisconsulte le plus profond et le plus fin de son temps. Il avait été le disciple et le compagnon le plus aimé de l'imam Abou-Hanifah. Et ce fut lui qui, le premier, doué de l'érudition la plus éclairée, écrivit, rassembla et coordonna en un ensemble méthodique et raisonné l'admirable doctrine instaurée par l'imam, son maître. Et ce fut cette doctrine, ainsi rédigée, qui servit désormais de guide et de base au rite orthodoxe hanéfite. Et il nous raconte lui-même l'histoire de sa jeunesse et de ses humbles débuts, ainsi que ce qui a trait à une crème aux pistaches et à une grave difficulté juridique résolue. Il dit :

Quand mon père mourut – qu'Allah l'ait en Sa miséricorde et lui réserve une place choisie ! – je n'étais qu'un tout petit enfant dans le giron de ma mère. Et, comme nous étions de pauvres gens et que j'étais le seul soutien de la maison, ma mère, dès que j'eus grandi, se hâta de me placer, comme apprenti, chez un teinturier du quartier. Et je pus ainsi gagner de bonne heure de quoi me nourrir avec ma mère.

Mais Allah Très-Haut n'ayant point écrit dans ma destinée le métier de teinturier, je ne pouvais me résoudre à passer toutes mes journées auprès des cuves de teinture. Et souvent je m'échappais de la boutique pour aller me mêler aux assistants attentifs qui écoutaient l'enseignement religieux de l'imam Abou-Hanifah – qu'Allah le comble de Ses dons les plus choisis ! Mais ma mère, qui surveillait ma conduite et me suivait fréquemment, réprouvait avec violence ces sorties, et venait souvent me retirer du milieu de l'assemblée qui écoutait le vénérable maître. Et elle me traînait par la main, en me gourmandant et me battant, et me faisait réintégrer de force la boutique du teinturier.

Et moi, malgré ces poursuites assidues et ces harcèlements de la part de ma mère, je trouvais toujours le moyen de suivre avec régularité les leçons du maître vénéré, qui déjà me remarquait et me citait même pour mon zèle, mon empressement et mon ardeur à rechercher l'instruction. Si bien qu'un jour ma mère, furieuse de mes fuites de la boutique du teinturier, vint crier au milieu de l'auditoire scandalisé, et, s'en prenant violemment à Abou-Hanifah, l'invectiva, lui disant : « C'est toi, ô cheikh, qui es la cause de la perte de cet enfant, et de la chute certaine dans le vagabondage de cet orphelin sans ressource aucune. Car moi je n'ai que les profits insuffisants de mon fuseau ; et, si cet orphelin ne gagne pas quelque chose de son côté, nous mourrons bientôt de faim. Et la responsabilité de notre mort retombera sur toi au jour du Jugement. » Et mon vénéré maître, devant cette violente sortie, ne perdit rien de sa quiétude, et répondit à ma mère d'une voix conciliante : « Ô pauvre, qu'Allah te comble de Ses grâces ! Mais va, ne crains rien. Cet orphelin apprend ici à manger, un jour, de la crème de fine fleur préparée à l'huile de pistaches. » Et ma mère, en entendant cette réponse, fut persuadée que le vénérable imam était de raison chancelante, et se retira en lui jetant cette dernière injure : « Qu'Allah abrège tes jours ! tu es un vieux radoteur, et ta raison s'en va ! » Mais, moi, je gardai en ma mémoire ces paroles de l'imam.

Et donc, comme Allah avait mis en mon cœur la passion de l'étude, cette passion résista à tout, et finit par triompher des obstacles. Et je m'attachai fermement à Abou-Hanifah. Et le Donateur m'accorda la science et les avantages qu'elle procure, de telle sorte que je montai peu à peu en grade, et je finis par arriver aux fonctions de kâdi suprême de Bagdad. Et j'étais admis dans l'intimité de l'émir des Croyants Haroun Al-Rachid, qui m'invitait souvent à partager ses repas.

Or, un jour que j'étais à manger avec le khalifat, voici qu'à la fin du repas les esclaves apportèrent une grande porcelaine où tremblait une merveilleuse crème blanche, saupoudrée de poudre de pistaches, et dont l'odeur était déjà un plaisir. Et le khalifat se tourna de mon côté, et me dit : « Ô Yâcoub, goûte de ceci. On ne réussit pas tous les jours ce mets. Il est excellent aujourd'hui. » Et je demandai : « Comment s'appelle ce mets, ô émir des Croyants ? Et avec quoi est-il préparé pour être déjà si beau à la vue et si agréable à l'odorat ? » Et il me répondit : « C'est la balouza préparée à la crème, au miel, à la fine fleur de farine et à l'huile de pistaches…

À ce moment de sa narration, Schahrazade vit apparaître le matin et, discrète, se tut.

Mais lorsque fut la neuf cent quatre-vingt-dixième nuit. Elle dit :

… C'est la balouza préparée à la crème, au miel, à la fine fleur de farine et à l'huile de pistaches. »

Et moi, entendant cela, je me rappelai les paroles de mon vénéré maître qui avait ainsi prédit ce qui devait m'arriver. Et je ne pus, à ce souvenir, m'empêcher de sourire. Et le khalifat me dit : « Qu'est-ce donc qui t'incite à sourire, ô Yâcoub ? » Et je répondis : « Rien que de bien, ô émir des Croyants. C'est un simple souvenir de mon enfance qui me traverse l'esprit, et je lui souris au passage. » Et il me dit : « Alors, hâte-toi de me raconter cela. Je suis persuadé qu'il y aura profit à l'écouter. »

Et moi, pour satisfaire au désir du khalifat, je lui racontai mes débuts dans l'étude de la science, mon assiduité à suivre l'enseignement d'Abou-Hanifah, les désespoirs de ma pauvre mère en me voyant déserter la teinturerie, et la prédiction de l'imam au sujet de la balouza à la crème et à l'huile de pistaches.

Et Haroun fut charmé de mon récit, et conclut : « Oui, certes ! l'étude et la science portent toujours leurs fruits, et leurs avantages sont nombreux dans le domaine humain et dans le domaine de la religion. En vérité, le vénérable Abou-Hanifah prédisait juste, et voyait avec les yeux de son esprit ce que les autres hommes ne pouvaient voir avec les yeux de leur tête. Qu'Allah le comble de Ses miséricordes et des plus parfumées de Ses grâces ! » Et voilà pour ce qui est de la balouza à la crème et l'huile de pistaches.

Mais pour ce qui est de la difficulté juridique résolue, voici. Un soir, me trouvant fatigué, je m'étais mis au lit de bonne heure. Et j'étais endormi profondément, quand on vint frapper à grands coups à ma porte. Et, en hâte, je me levai au bruit, je m'enveloppai les reins de mon izar de laine, et j'allai moi-même ouvrir. Et je reconnus Harthamah, l'eunuque de confiance de l'émir des Croyants. Et je le saluai. Mais lui, sans prendre le temps de me rendre le salam, ce qui me jeta dans un grand trouble et me fit présager de sombres événements à mon sujet, me dit d'un ton péremptoire : « Viens vite chez notre maître le khalifat. Il désire te parler. » Et moi, tâchant de dominer mon trouble et essayant de démêler quelque chose dans l'affaire, je répondis : « Ô mon cher Harthamah, je voudrais bien te voir montrer plus d'égards pour le vieillard malade que je suis. La nuit est déjà avancée, et je ne crois pas qu'il y ait réellement une affaire assez grave pour nécessiter que je me rende à cette heure au palais du khalifat. Je te prie donc d'attendre jusqu'à demain. Et d'ici là l'émir des Croyants aura oublié l'affaire ou changé d'avis. » Mais il me répondit : « Non, par Allah ! je ne puis différer jusqu'à demain l'exécution de l'ordre qui m'a été donné. » Et je demandai : « Peux-tu au moins me dire, ô Harthamah, pourquoi il m'appelle ? » Il me répondit : « Son serviteur Massrour est venu me trouver, courant et essoufflé, et m'a ordonné, sans me fournir aucune explication, de t'amener, à l'heure même, entre les mains du khalifat. »

Alors moi, à la limite de la perplexité, je dis à l'eunuque : « Ô Harthamah, me permettras-tu au moins de me laver rapidement et de me parfumer un peu ? Car ainsi, s'il s'agit de quelque affaire grave, je serai convenablement arrangé ; et si Allah Très-Bon me fait la grâce, comme je l'espère, de trouver là-bas une affaire sans inconvénient pour moi, ces soins de propreté ne pourraient me nuire, bien au contraire. »

Et l'eunuque ayant cédé à mon désir, je montai me laver, et mettre des vêtements convenables et me parfumer aussi bien que je pus. Puis je redescendis rejoindre l'eunuque, et nous marchâmes bon pas. Et, en arrivant au palais, je vis Massrour qui nous attendait à la porte. Et Harthamah lui dit, en me désignant : « Voici le kâdi. » Et Massrour me dit : « Viens ! » Et je le suivis. Et, tout en le suivant, je lui dis : « Ô Massrour, toi qui sais comment je sers mon maître le khalifat, et les égards que l'on doit à un homme de mon âge et de ma fonction, et qui n'ignores pas l'amitié que j'ai toujours eue pour toi, tu voudras bien me dire pourquoi le khalifat me fait venir à cette heure si tardive de la nuit. » Et Massrour me répondit : « Je ne le sais pas moi-même. » Et moi, plus troublé que jamais, je lui demandai : « Pourras-tu du moins me dire qui il y a chez lui ? » Il me répondit : « Il n'y a là qu'une seule personne, Issa, le chambellan, et, dans la pièce voisine, l'épouse du chambellan. »

Alors moi, refusant désormais de comprendre, je dis : « Je me fie à Allah ! Il n'y a de recours et de force qu'en Allah le Tout-Puissant, l'Omniscient ! » Et, arrivé dans la chambre qui précédait la pièce où d'ordinaire se tenait le khalifat, je fis entendre le mouvement de ma marche et le bruit de mes pas. Et le khalifat demanda de l'intérieur : « Qui est à la porte ? » Et je répondis aussitôt : « Ton serviteur Yâcoub, ô émir des Croyants. » Et la voix du khalifat dit : « Entre ! »

Et j'entrai. Et je trouvai Haroun assis, ayant à sa droite le chambellan Issa. Et je m'avançai en me prosternant ; et je l'abordai par le salam. Et, à mon grand soulagement, il me rendit le salam. Puis il me dit, en souriant : « Nous t'avons troublé, dérangé, peut-être effrayé ? » Et je répondis : « Effrayé seulement, ô émir des Croyants, moi et ceux que j'ai laissés chez moi. Par la vie de ta tête, nous avons tous été bouleversés ! » Et le khalifat me dit avec bonté : « Assieds-toi, ô père de la loi. » Et je m'assis, léger, délivré de mes appréhensions et de ma peur.

Et, au bout de quelques instants, le khalifat me dit : « Ô Yâcoub, sais-tu pourquoi nous t'avons mandé ici à cette heure de la nuit ? » Et je répondis : « Je ne le sais pas, ô émir des Croyants. » Il me dit : « Écoute donc ! » Et, me montrant son chambellan Issa, il me dit : « Je t'ai fait venir, ô Abou-Youssef, pour te prendre à témoin du serment que je vais faire. Sache, en effet, qu'Issa que voici a une esclave. Or, moi, j'ai demandé à Issa de me la céder ; mais il s'en est excusé. Je lui ai demandé alors de me la vendre ; mais il s'y est refusé. Eh bien ! devant toi, ô Yâcoub, qui es le kâdi suprême, je jure par le nom d'Allah Très-Haut l'Exalté que si Issa persiste à ne pas vouloir me céder son esclave d'une manière ou de l'autre, je le fais tuer à l'instant, sans recours. »

Alors moi, tout à fait assuré sur mon propre compte, je me tournai d'un air sévère vers Issa, et lui dis : « Quelles qualités ou quelle vertu extraordinaire Allah a-t-il donc départies à cette fille, ton esclave, pour que tu ne veuilles pas la céder à l'émir des Croyants ? Ne vois-tu donc pas que, par ton refus, tu te mets dans la situation la plus humiliante, et que tu te dégrades et te ravales ? » Et Issa, sans se montrer ému de mes remontrances, me dit : « Ô notre seigneur le kâdi, la précipitation dans les jugements est haïssable. Avant de me faire des observations, tu aurais dû t'enquérir du motif qui m'a dicté ma conduite. » Et je lui dis : « Soit ! Mais peut-il y avoir au monde un motif valable pour un tel refus ? » Il me répondit : « Oui certes ! Un serment ne peut, en aucun cas, être déclaré nul, s'il a été fait de plein gré et en pleine lucidité d'esprit. Or j'ai, comme motif d'empêchement, la force d'un serment solennel. Car j'ai juré, par le triple divorce et avec la promesse d'affranchir tout ce que j'ai sous ma main d'esclaves des deux sexes et sous l'engagement de distribuer tous mes biens et richesses aux pauvres et aux mosquées, j'ai juré, dis-je, à la jeune fille en question de ne jamais la vendre ni la donner…

À ce moment de sa narration, Schahrazade vit apparaître le matin et, discrète, se tut.

Mais lorsque fut la neuf cent quatre-vingt-onzième nuit. Elle dit :

… J'ai juré à la jeune fille en question de ne jamais la vendre ni la donner. »

Et le khalifat, à ces paroles, se tourna vers moi, et me dit : « Ô Yâcoub, y a-t-il moyen de résoudre cette difficulté ? » Et moi, sans hésiter, je répondis : « Certainement, ô émir des Croyants ! » Il me demanda : « Et comment cela ? » Je dis : « La chose est simple. Pour ne pas manquer à son serment, Issa te donnera en présent la moitié de la jeune fille, cette esclave que tu désires ; et il te vendra l'autre moitié. Et, de cette manière, il sera en règle avec sa conscience, puisqu'il ne t'aura réellement ni donné ni vendu la jeune fille. »

Et Issa, à ces paroles, se tourna vers moi, fort hésitant, et me dit : « Et ce procédé-là, ô père de la loi, est-il licite ? Est-il acceptable par la loi ? » Et je répondis : « Sans aucun doute ! » Alors il leva la main incontinent, et me dit : « Eh bien, je te prends à témoin, ô kâdi Yâcoub, que, pouvant ainsi libérer ma conscience, je donne à l'émir des Croyants la moitié de mon esclave, et lui en vends l'autre moitié pour la somme de cent mille drachmes d'argent qu'elle m'a coûtée en entier. » Et Haroun s'écria aussitôt : « J'accepte le cadeau, mais j'achète la seconde moitié pour cent mille dinars d'or. » Et il ajouta : « Qu'on m'amène ici même la jeune fille. »

Et Issa alla tout de suite chercher son esclave dans la salle d'attente, en même temps qu'on apportait les sacs contenant les cent mille dinars d'or. Et bientôt la jeune fille fut introduite par son maître, qui dit : « Prends-la, ô émir des Croyants, et qu'Allah te couvre près d'elle de Ses bénédictions. Elle est ta chose et ta propriété. » Et, ayant reçu les cent mille dinars, il sortit.

Alors le khalifat se tourna de mon côté et me dit d'un air soucieux : « Ô Yâcoub, il reste encore une autre difficulté à résoudre. Et la chose me paraît ardue. » Je demandai : « Quelle est la difficulté, ô émir des Croyants ? » Il dit : « Cette jeune fille doit, ayant été l'esclave d'un autre, subir, avant de m'appartenir, un nombre prévu de jours d'attente, afin qu'il soit certain qu'elle n'est point mère par l'influence de son premier maître. Or moi, si, dès cette nuit même, je ne suis point avec elle, j'aurai le foie qui m'éclatera d'impatience, j'en suis sûr, et je mourrai certainement. »

Alors moi, ayant réfléchi un instant, je répondis : « La solution de la difficulté est fort simple, ô émir des croyants. Cette loi n'est faite que pour la femme esclave, mais elle ne prévoit pas les jours d'attente pour la femme libre. Affranchis donc tout de suite cette esclave, et marie-toi avec elle, femme libre. » Et Al-Rachid, le visage éclairé de joie, s'écria : « J'affranchis mon esclave ! » Puis il me demanda, subitement inquiet : « Mais qui va nous marier légalement, à cette heure tardive ? Car c'est maintenant, c'est tout de suite que je veux être avec elle. » Et je répondis : « Moi-même, ô émir des Croyants, à cette heure, je vous marierai légalement. »

Et je fis appeler, comme témoins, les deux serviteurs du khalifat, Massrour et Hossein. Et lorsqu'ils furent présents, je récitai les prières et les formules d'invocation, je dis l'allocution rituelle, et, après avoir rendu grâces au Très-Haut, je prononçai les paroles de l'union. Et je stipulai que le khalifat devait, selon l'usage, payer à la fiancée une dot nuptiale, que je fixai à la somme de vingt mille dinars.

Puis, lorsque cette somme fut apportée et livrée à l'épousée, je me disposai à me retirer. Mais le khalifat leva la tête vers son serviteur Massrour, qui dit aussitôt : « À tes ordres, ô émir des Croyants ! » Et Haroun lui dit : « Porte tout de suite chez le kâdi Yâcoub, pour le dérangement que nous lui avons causé, la somme de deux cent mille drachmes, et vingt robes d'honneur. » Et je sortis, après les remerciements, laissant Haroun à la limite de la jubilation. Et l'on m'accompagna chez moi avec l'argent et les robes.

Or, dès que je fus arrivé à ma maison, je vis entrer une vieille dame qui me dit : « Ô Abou-Youssef, la bienheureuse que tu as fait affranchir et que tu as unie au khalifat, lui ayant ainsi donné le titre et le rang d'épouse de l'émir des Croyants, est devenue ta fille, et m'envoie te présenter ses salams et ses souhaits de bonheur. Et elle te prie d'accepter la moitié de la dot nuptiale que lui a livrée le khalifat. Et elle s'excuse de ne pouvoir mieux reconnaître, pour le moment, ce que tu as fait pour elle. Mais, inschallah ! elle saura un jour te prouver mieux encore sa gratitude. » Et, ce disant, elle mit devant moi les dix mille dinars d'or, qui étaient la moitié de la dot payée à l'adolescente, me baisa la main, et s'en alla en sa voie.

Et moi je remerciai le Rétributeur pour Ses bienfaits, et pour avoir changé, cette nuit, la perplexité de mon esprit en joie et en contentement. Et je bénis en mon cœur, la mémoire vénérée de mon maître Abou-Hanifah, dont l'enseignement m'avait appris toutes les subtilités du code canonique et du code civil. Qu'Allah le couvre de Ses dons et de Ses grâces !

Ensuite le jeune homme riche dit : « Écoutez maintenant, ô mes amis, l'histoire de LA JEUNE FILLE ARABE À LA FONTAINE. » Et il dit :

LA JEUNE FILLE ARABE À LA FONTAINE

Lorsque la puissance khalifale échut à Al-Mâmoun, fils de Haroun Al-Rachid, ce fut une bénédiction pour l'empire. Car Al-Mâmoun, qui fut sans contredit le khalifat le plus brillant et le plus éclairé d'entre tous les Abbassides, féconda les contrées musulmanes par la paix et la justice, protégea efficacement et honora les savants et les poètes, et lança nos pères arabes dans le meidân des sciences. Et, malgré ses immenses occupations et ses journées remplies par le travail et l'étude, il savait trouver des heures pour les réjouissances, les gaietés et les festins. Et les musiciens et les chanteuses eurent une large part de ses sourires et de ses bienfaits. Et il savait choisir, pour en faire ses épouses légales et les mères de ses enfants, les femmes les plus intelligentes, les plus éclairées et les plus belles de leur temps. Et d'ailleurs voici un exemple, entre vingt autres, de la manière dont s'y prenait Al-Mâmoun pour jeter son dévolu sur une femme et la choisir comme épouse.

Un jour, en effet, comme il revenait de la chasse à courre avec une escorte de cavaliers, il arriva à une fontaine. Et là se tenait une jeune fille arabe qui se disposait à charger sur ses épaules une outre qu'elle venait de remplir à la fontaine. Et cette jeune Arabe était douée par son Créateur d'une taille charmante de cinq empans, et d'une poitrine moulée dans le moule de la perfection ; et, pour tout le reste, elle était semblable à une pleine lune dans une nuit de pleine lune…

À ce moment de sa narration, Schahrazade vit apparaître le matin et, discrète, se tut.

Mais lorsque fut la neuf cent quatre-vingt-douzième nuit. Elle dit :

… Et cette jeune Arabe était douée par son Créateur d'une taille charmante de cinq empans, et d'une poitrine moulée dans le moule de la perfection ; et, pour tout le reste, elle était semblable à une pleine lune dans une nuit de pleine lune.

Or, lorsque la jeune fille vit arriver cette brillante troupe de cavaliers, elle se hâta de charger l'outre sur son épaule et de se retirer. Mais comme, dans sa précipitation, elle n'avait pas pris le temps de bien lier l'ouverture du col de l'outre, le lien se détacha, au bout de quelques pas, et l'eau s'échappa de l'outre à grand bruit. Et la jeune fille cria, en se tournant vers l'endroit où s'élevait son habitation : « Mon père, mon père, viens, maîtrise la bouche de l'outre ! La bouche m'a trahie ! Je ne suis plus maîtresse de la bouche »

Et ces trois indications, criées à son père, furent dites par la jeune Arabe avec un choix de mots si élégants et une intonation si charmante que le khalifat, émerveillé, s'arrêta court. Et tandis que la jeune fille, ne voyant point venir son père, lâchait son outre, pour ne pas se mouiller, le khalifat s'avança vers elle et lui dit : « Ô jeune enfant, de quelle tribu es-tu ? » Et elle répondit de sa voix délicieuse : « Je suis de la tribu des Bani-Kilab. » Et Al-Mâmoun, qui savait fort bien que cette tribu des Bani-Kilab était une des plus nobles parmi les arabes, voulut jouer sur les mots, pour éprouver le caractère de la jeune fille, et lui dit : « Quelle idée as-tu eue, ô belle enfant, d'appartenir, à la tribu des « fils de chiens » ? Et la jeune fille regarda le khalifat d'un air moqueur, et répondit : « En vérité ! Ne connais-tu donc pas la signification vraie des mots ? Apprends donc, ô étranger, que la tribu des Bani-Kilab, dont je suis l'enfant, est la tribu de ceux qui savent être généreux et sans reproche, qui savent être magnifiques à l'égard des étrangers, et qui savent, au besoin, frapper les beaux coups de sabre ! » Puis elle ajouta : « Mais toi, ô cavalier qui n'es point d'ici, quelle est ta lignée, dis, et ta généalogie ? » Et le khalifat, de plus en plus émerveillé du tour de langage de la jeune fille arabe, lui dit, en souriant : « Aurais-tu donc, par hasard, outre tes charmes, ô belle enfant, des connaissances en généalogie ? » Et elle dit : « Réponds à ma question, et tu verras ! » Et Al-Mâmoun, piqué au jeu, se dit : « Je vais bien voir, en effet, si cette Arabe connaît nos origines ! » Et il dit : « Eh bien, sache que je suis de la lignée des Moudharides-au-rouge. » Et la jeune Arabe, qui savait fort bien que l'origine de cette qualification des Moudharides tenait à la couleur rouge de la tente en cuir que possédait, dans les temps anciens, Moudhar, le père de toutes les tribus moudharides, ne se montra point surprise des paroles du khalifat, et lui dit : « Bien, mais, dis-moi, de quelle tribu des Moudharides es-tu ? » Il répondit : « De celle qui est la plus illustre, la plus excellente de paternité et de maternité, la plus grande en ancêtres glorieux, la plus respectée parmi les Moudharides-au-rouge. » Et elle dit : « Alors tu es de la tribu des Kinanides ! » Et Al-Mâmoun, surpris, répondit : « C'est vrai ! je suis de la grande tribu des Bani-Kinanah ! » Et elle sourit, et demanda : « Mais à quelle branche des Kinanides appartiens-tu ? » Il répondit : « À celle dont les fils sont les plus nobles de sang, les plus purs d'origine, les maîtres des paumes généreuses, les plus craints et révérés parmi leurs frères ! » Et elle dit : « Il me semble, à ces traits, que tu es des Koreïschides. » Et Al-Mâmoun, de plus en plus émerveillé, répondit : « Tu l'as dit, je suis des Bani-Koreïsch. » Et elle reprit : « Mais les Koreïschides sont nombreux. De quel rameau es-tu ? » Il répondit : « De celui sur qui est descendue la bénédiction ! » Et la jeune fille s'écria : « Par Allah ! tu es des descendants de Haschem le Koreïschide, le bisaïeul du Prophète – sur Lui la prière et la paix ! » Et Al-Mâmoun répondit : « C'est la vérité, je suis Haschémide. » Elle demanda : « Mais de quelle famille des Haschémides ? » Il répondit : « De celle qui est la plus haut placée, qui est l'honneur et la gloire des Haschémides, qui est vénérée par tout ce qu'il y a de Croyants sur la terre ! » Et la jeune Arabe, en entendant cette réponse, se prosterna soudain et baisa ta terre entre les mains d'Al-Mâmoun, en s'écriant : « Hommage et vénération à l'émir des Croyants, au vicaire du Seigneur de l'univers, au glorieux Al-Mâmoun l'Abbasside ! »

Et le khalifat fut stupéfait, profondément ému, et s'écria, pénétré d'une joie indicible : « Par le Seigneur de la Kaaba et les mérites de mes glorieux ancêtres, les Purs, je veux pour épouse cette admirable enfant ! Elle est le bien le plus précieux qui soit écrit dans ma destinée…

À ce moment de sa narration, Schahrazade vit apparaître le matin et, discrète, se tut.

Mais lorsque fut la neuf cent quatre-vingt-treizième nuit. Elle dit :

… Par le Seigneur de la Kaaba et les mérites de mes glorieux ancêtres, les Purs, je veux pour épouse cette admirable enfant ! Elle est le bien le plus précieux qui soit écrit dans ma destinée. »

Et il fit aussitôt appeler le père de la jeune fille, lequel était précisément le cheikh de la tribu. Et il lui demanda l'admirable enfant en mariage. Et, ayant obtenu son consentement, il lui offrit, comme dot nuptiale de sa fille, la somme de cent mille dinars d'or, et lui écrivit le revenu des impositions de tout le Hedjaz pour cinq années.

Et le mariage d'Al-Mâmoun avec la noble jeune fille fut célébré avec une pompe qui n'avait jamais eu la pareille, même sous le règne d'Al-Rachid. Et, la nuit des noces, Al-Mâmoun fit verser sur la tête de la belle enfant, par sa mère, mille perles qui étaient contenues dans un plateau d'or. Et, dans la chambre nuptiale, il fit brûler un immense flambeau d'ambre gris, qui pesait quarante mines, et avait été acheté avec la somme produite par les impôts d'une année de la Perse. Et Al-Mâmoun fut, pour son épouse arabe, tout cœur et tout entraînement. Et elle lui donna un fils, qui porta le nom d'Abbas. Et elle fut comptée au nombre des femmes les plus étonnantes, les plus instruites et les plus éloquentes de l'Islam.

Et, ayant raconté cette histoire, le jeune homme riche dit à ses auditeurs, qui étaient réunis sous la coupole du livre : « Je vous dirai encore un trait de la vie d'Al-Mâmoun, mais sur un tout autre sujet. » Et il dit :

L'INCONVÉNIENT DE L'INSISTANCE

Lorsque le khalifat Môhammad El-Amîn, fils de Haroun Al-Rachid et de Zobéida, eut été assassiné, après sa défaite, sur l'ordre du général en chef de l'armée d'Al-Mâmoun, toutes les provinces qui jusque-là tenaient encore pour El-Amîn se hâtèrent de faire leur soumission à Al-Mâmoun, son frère, fils d'Al-Rachid et d'une esclave nommée Marahil. Et Al-Mâmoun inaugura son règne par de larges mesures de clémence à l'égard de ses anciens ennemis. Et il avait pour habitude de dire : « Si mes ennemis connaissaient toute la bonté de mon cœur, ils viendraient tous se livrer à moi, en avouant leurs crimes. »

Or, la tête et la main dirigeante de tous les désagréments dont avait eu à souffrir Al-Mâmoun, du vivant de son père Al-Rachid et de son frère El-Amîn, n'étaient autres que Sett Zobéida elle-même, l'épouse d'Al-Rachid. Aussi lorsque Zobéida eut appris la fin lamentable de son fils, elle songea d'abord à se réfugier sur le territoire sacré de La Mecque, pour fuir la vengeance d'Al-Mâmoun. Et longtemps elle hésita sur le parti à prendre. Puis brusquement elle se décida à livrer son sort entre les mains de celui qu'elle avait fait déshériter, et à qui elle avait fait longtemps goûter l'amertume de la myrrhe. Et elle lui écrivit la lettre suivante :

« Toute faute, ô émir des Croyants, quelque grande qu'elle ait pu être, devient peu de chose en regard de ta clémence, et tout crime se change en simple erreur devant ta magnanimité.

« Celle qui t'envoie cette supplique, te prie de te rappeler une mémoire chère, et de pardonner, en songeant à celui qui était tendre pour la suppliante d'aujourd'hui.

« Si donc tu veux prendre en pitié ma faiblesse et mon dénuement, et te montrer miséricordieux envers qui ne mérite point la miséricorde, tu auras agi selon l'esprit de celui qui, s'il était encore en vie, aurait été mon intercesseur auprès de toi. Ô fils de ton père, souviens-toi de ton père ; et ne ferme pas ton cœur à la prière de la veuve abandonnée. »

Or, lorsque le khalifat Al-Mâmoun eut pris connaissance de cette lettre de Zobéida, son cœur fut ému de pitié et profondément remué ; et il pleura sur le sort funèbre de son frère El-Amîn et sur l'état lamentable de la mère d'El-Amîn. Puis il se leva, et répondit à Zobéida comme il suit :

« Ta lettre, ô ma mère, est arrivée à la place où il fallait qu'elle arrivât, et elle a trouvé mon cœur émietté de regrets sur tes malheurs. Et Allah m'est témoin que mes sentiments sont, pour la veuve de celui dont la mémoire nous est sacrée, les sentiments d'un fils à l'égard de sa mère.

« La créature ne peut rien contre les arrêts du destin. Mais j'ai fait de mon mieux pour atténuer tes douleurs. Je viens, en effet, de donner l'ordre de te restituer tes domaines confisqués, tes propriétés, tes biens et tout ce dont le sort contraire t'avait frustrée, ô mère. Et si tu veux revenir au milieu de nous, tu retrouveras ton état premier, et le respect et la vénération de tous tes sujets.

« Et sache bien, ô ma mère, que tu n'as perdu que le visage de celui qui est allé dans la miséricorde d'Allah. Car un fils te reste en moi plus attentionné que tu ne le saurais souhaiter.

« Et que la paix et la sécurité soient sur toi…

À ce moment de sa narration, Schahrazade vit apparaître le matin et, discrète, se tut.

Mais lorsque fut la neuf cent quatre-vingt-quatorzième nuit. Elle dit :

… Et que la paix et la sécurité soient sur toi. »

Aussi, quand Zobéida vint, les yeux pleins de larmes et défaillante, se jeter à ses pieds, il se leva en son honneur et lui baisa la main et pleura dans son sein. Puis il lui rendit toutes ses anciennes prérogatives d'épouse d'Al-Rachid et de princesse du sang abbasside, et la traita jusqu'à la fin de sa vie tout comme s'il avait été le fils de ses entrailles. Mais Zobéida, malgré toute l'illusion de la puissance, ne pouvait oublier ce qu'elle avait été, et les tortures de son cœur à la nouvelle de la mort d'El-Amîn. Et jusqu'à sa mort elle garda, au fond de sa poitrine, une sorte de ressentiment qui, quelque soigneusement caché qu'il fût, n'échappait point à la perspicacité d'Al-Mâmoun.

Et, du reste, bien des fois Al-Mâmoun eut à souffrir, sans se plaindre, de cet état d'hostilité dormante. Et voici un trait qui, mieux que tout commentaire, prouve le ressentiment continu de celle que rien ne pouvait consoler. Un jour, en effet, étant entré dans l'appartement de Zobéida, Al-Mâmoun la vit soudain qui remuait les lèvres et marmonnait quelque chose, en le fixant. Et, comme il ne pouvait saisir ce qu'elle prononçait ainsi entre ses lèvres, il lui dit : « Ô ma mère, je crois bien que tu es en train de me maudire, en pensant à ton fils assassiné par les Persans hérétiques, et à mon avènement au trône qu'il occupait. Et pourtant Allah seul a dirigé nos destinées. » Mais Zobéida se récria, disant : « Non, par la mémoire sacrée de ton père, ô émir des Croyants ! éloignées soient de moi de telles tendances ! » Et Al-Mâmoun lui demanda : « Alors, peux-tu me dire ce que tu marmonnais entre tes lèvres, en me regardant ? » Mais elle baissa la tête, comme une personne qui ne veut pas parler, par respect pour son interlocuteur, et répondit : « Que l'émir des Croyants veuille bien m'excuser et me dispenser de lui dire le motif qu'il me demande. » Mais Al-Mâmoun, pris de vive curiosité, se mit à insister beaucoup et à presser Zobéida de questions, tellement que, poussée à bout, elle finit par lui dire : « Eh bien, voici ! Je maudissais l'insistance, en marmottant : « Qu'Allah confonde les gens importuns affligés du vice de l'insistance ! » Et Al-Mâmoun lui demanda : « Mais à quel propos ou à quel souvenir lançais-tu cette réprobation ? » Et Zobéida répondit : « Puisque tu tiens absolument à le savoir, voici ! » Et elle dit :

« Sache donc, ô émir des Croyants, qu'un jour, ayant joué aux échecs avec ton père l'émir des Croyants, Haroun Al-Rachid, je perdis la partie. Et ton père m'imposa, comme amende, de faire le tour du palais et des jardins, toute nue, au milieu de la nuit. Et, malgré mes prières et mes supplications, il mit une insistance singulière à me faire payer cet enjeu, sans vouloir accepter d'autre amende. Et je fus obligée de me mettre nue, et de faire la chose à laquelle il me condamnait. Et, quand j'eus fini, j'étais folle de rage et à moitié morte de fatigue et de froid.

« Mais le lendemain, à mon tour, je le vainquis aux échecs. Et ce fut à moi de lui imposer, cette fois, mes conditions. Et, après avoir réfléchi un instant et cherché dans mon esprit ce qui pouvait lui être le plus désagréable, je le condamnai, en connaissance de cause, à aller passer la nuit dans les bras de l'esclave la plus laide et la plus sale d'entre les esclaves de cuisine. Et comme celle qui réunissait ces conditions était l'esclave nommée Marahil, je la lui indiquai comme but de l'enjeu et expiation de sa défaite. Et, pour m'assurer que les choses se passeraient sans tricherie de sa part, je le conduisis moi-même dans la chambre fétide de l'esclave Marahil, et l'obligeai à s'étendre à ses côtés, et à faire avec elle, toute la nuit, ce qu'il aimait tant à faire avec les belles concubines dont je lui faisais si souvent cadeau. Et, au matin, son état était lamentable, et son odeur épouvantable.

« Or je dois maintenant te dire, ô émir des Croyants, que tu es précisément né de la cohabitation de ton père avec cette esclave horrible, et de ses culbutes avec elle, dans la chambre attenante à la cuisine. Et je fus ainsi, sans le savoir, par ta venue au monde, la cause de la perte de mon fils El-Amîn, et de tous les malheurs qui se sont abattus sur notre race durant ces dernières années. Or, tout cela ne serait pas arrivé si je n'avais pas tellement insisté auprès de ton père pour l'obliger à culbuter cette esclave, et s'il n'avait pas été, de son côté, si plein d'insistance pour me faire faire ce que je t'ai raconté. Et tel est, ô émir des Croyants, le motif qui me faisait marmonner des malédictions contre l'insistance et contre les importuns. »

Et Al-Mâmoun, ayant entendu cela, se hâta de prendre congé de Zobéida, pour cacher sa confusion. Et il se retira en se disant : « Par Allah ! je mérite la leçon qu'elle vient de me faire. Sans mon insistance, je n'aurais pas eu le rappel de cette affaire désagréable. »

Et le jeune homme, maître de la coupole du livre, ayant raconté tout cela à ses auditeurs et à ses invités, leur dit : « Fasse Allah, ô mes amis, que j'aie pu servir d'intermédiaire entre la science et vos oreilles. Or, voilà une partie des richesses que l'on peut, sans dépenses ni dangers, amasser par la fréquentation des livres et la culture de l'étude. Pour aujourd'hui, je ne vous en dirai pas plus long. Mais, une autre fois, inschallah ! j'étalerai une autre face des merveilles qui nous ont été transmises comme l'héritage le plus précieux de nos pères. »

Et, ayant ainsi parlé, il distribua à chacun des assistants cent pièces d'or et une pièce d'étoffe de prix, pour les récompenser de leur attention et reconnaître leur zèle à s'instruire. Car il se disait : « Il faut encourager les bonnes dispositions, et faciliter la voie aux gens bien intentionnés. » Puis, après les avoir régalés d'un excellent repas, où rien n'avait été oublié de ce qui est délicat, il les congédia dans la paix. Et voilà pour eux tous. Mais Allah est plus savant !

Et Schahrazade, ayant fini de raconter cette longue suite d'histoires admirables, se tut. Et le roi Schahriar lui dit : « Ô Schahrazade, que tu m'as instruit ! Mais tu as sans doute oublié de me parler du vizir Giafar. Et moi, il y a déjà longtemps que je souhaite t'entendre me raconter tout ce que tu sais à son sujet. Car, en vérité, ce vizir ressemble étonnamment, par les qualités, à mon grand-vizir, ton père. Et c'est pourquoi j'aimerais tellement connaître de toi la vérité de son histoire, dans tous ses détails, vu qu'elle doit être admirable. » Mais Schahrazade baissa la tête et répondit : « Qu'Allah éloigne de nous le malheur et la calamité, ô Roi du temps, et qu'Il ait en Sa compassion Giafar le Barmakide et toute sa famille ! De grâce, dispense-moi de te raconter son histoire, car elle est pleine de larmes. Hélas ! qui ne pleurerait au récit de la fin de Giafar, de son père Yahia, de son frère El-Fadl et de tous les Barmakides ! Certes, leur fin est lamentable, et le granit même s'en attendrirait ! » Et le roi Schahriar dit : « Ô Schahrazade, raconte-la-moi tout de même. Et qu'Allah éloigne de nous le Malin et le malheur ! » Alors Schahrazade dit :

LA FIN DE GIAFAR
ET DES BARMAKIDES

Voici donc, ô Roi fortuné, cette histoire pleine de larmes, qui marque le règne du khalifat Haroun Al-Rachid d'une tache de sang que ne sauraient laver les quatre fleuves.

Tu sais déjà, ô mon maître, que le vizir Giafar était l'un des quatre fils de Yahia ben Khaled ben Barmak. Et son frère aîné était El-Fadl, frère de lait d'Al-Rachid. Car, à cause de la grande amitié et du dévouement sans bornes qui liait la famille de Yahia à celle des Abassides, la mère d'Al-Rachid, la princesse Khaïzarân, et la mère d'Al-Fadl, la noble Itâbah, unies elles-mêmes par la plus vive affection et la plus profonde tendresse, avaient échangé leurs nourrissons, qui étaient à peu près du même âge, donnant chacune au fils de son amie le lait qu'Allah avait destiné à son propre fils. Et c'est pourquoi Al-Rachid appelait toujours Yahia « mon père », et Al-Fadl « mon frère »…

À ce moment de sa narration, Schahrazade vit apparaître le matin et, discrète, se tut.

Mais lorsque fut la neuf cent quatre-vingt-quinzième nuit. Elle dit :

… Et c'est pourquoi Al-Rachid appelait toujours Yahia « mon père », et Al-Fadl « mon frère ».

Quant à l'origine des Barmakides, les chroniqueurs les plus réputés et les plus dignes de foi la placent dans la ville de Balkh, dans le Khorassân, où déjà cette famille occupait un rang distingué. Et c'est à peu près une centaine d'années après l'hégire de notre Prophète béni – sur Lui la prière et la paix ! – que cette illustre famille vint se fixer à Damas, sous le règne des khalifats ommiades. Et c'est alors que le chef de cette famille, qui était sectateur de la religion des mages, se convertit à la vraie foi et se purifia et s'ennoblit par l'Islam. Or, cela advint exactement sous le règne de Hescham l'Ommiade.

Mais ce ne fut toutefois qu'après l'avènement des descendants d'Abbas au trône des khalifats, que la famille des Barmakides fut admise au conseil des vizirs, et illumina la terre de son éclat. Car le premier vizir sorti de son sein fut Khaled ben Barmak, qui fut choisi comme grand-vizir par le premier des Abbassides, Abou'l Abbas Es-Saffah. Et, sous le règne d'Al-Mahdi, troisième Abbasside, Yahia ben Khaled fut chargé de l'éducation de Haroun Al-Rachid, le fils préféré du khalifat, ce même Haroun qui était né seulement sept jours après El-Fadl, fils de Yahia.

Aussi, lorsqu'après la mort inopinée de son frère aîné Al-Hadi, Haroun Al-Rachid eut vêtu les insignes de la toute-puissance khalifale, il n'eut pas besoin de revenir aux souvenirs de sa première enfance, passée aux côtés des jeunes enfants Barmakides, pour appeler Yahia et ses deux fils à partager son pouvoir souverain ; il n'avait qu'à se rappeler les soins donnés à sa jeunesse par Yahia, et l'éducation qu'il lui devait, et le dévouement dont ce serviteur de toutes les fidélités venait de lui donner la preuve en bravant, pour lui assurer l'héritage du trône, les menaces terribles d'Al-Hadi, mort la nuit même où il voulait faire trancher la tête de Yahia et de ses enfants.

Aussi, lorsque Yahia vint, au milieu de la nuit, en compagnie de Massrour, réveiller Haroun pour lui apprendre qu'il était le maître de l'empire et le khalifat d'Allah sur la terre, Haroun lui donna immédiatement le titre de grand-vizir, et nomma vizirs ses deux fils El-Fadl et Giafar. Et il commença ainsi son règne sous les auspices les plus heureux.

Et dès lors la famille des Barmakides fut à son siècle ce qu'est un ornement sur le front et une couronne sur la tête. Et le destin leur prodigua tout ce que ses faveurs ont de plus séduisant, et les combla de ses dons les plus choisis. Et Yahia et ses fils devinrent des astres brillants, de vastes océans de générosité, des torrents impétueux de grâces, des pluies bienfaisantes. Le monde fut vivifié de leur souffle, et l'empire porté au plus haut sommet de la splendeur. Et ils étaient le refuge des affligés et la ressource des malheureux. Et c'est d'eux que le poète Abou-Nôwas, entre mille, a dit :

« Depuis que le monde vous a perdus, ô fils de Barmak, les routes, au crépuscule du matin et au crépuscule du soir, ne sont plus couvertes de voyageurs. »

Ils étaient, en effet, des vizirs sages, des administrateurs admirables, remplissant le trésor public, éloquents, instruits, fermes, d'un bon conseil, et généreux à l'égal de Hatim-Taï. Ils étaient des sources de félicité, des vents bienfaisants qui amènent les nuages fécondateurs. Et c'est surtout grâce à leur prestige que le nom et la gloire de Haroun Al-Rachid retentirent depuis les plateaux de l'Asie centrale jusqu'au fond des forêts nordiques, et depuis le Maghreb et l'Andalousie jusqu'aux frontières extrêmes de la Chine et de la Tartarie.

Et voici que soudain les fils de Barmak, de la plus haute fortune qu'il soit donné aux fils d'Adam d'atteindre, furent précipités au sein des plus affreux revers, et burent à la coupe de la Distributrice des calamités. Car, ô retour du temps ! les nobles fils de Barmak étaient non seulement les vizirs qui administraient le vaste empire des khalifats, mais ils étaient les amis chers, les compagnons inséparables de leur roi. Et Giafar, en particulier, était le cher commensal dont la présence était plus nécessaire à Al-Rachid que la lumière de ses yeux. Et il était arrivé à occuper une si large place dans le cœur et la pensée d'Al-Rachid, qu'un jour Al-Rachid en vint jusqu'à ceci, qu'il fit faire un manteau à double encolure et qu'il s'y enveloppa avec son ami Giafar, tout comme s'ils n'étaient tous deux qu'un seul homme. Et il agit ainsi avec Giafar jusqu'à la terrible catastrophe finale.

Or, ô peine de mon âme ! voici comme advint cet événement lugubre qui obscurcit le ciel de l'Islam, et jeta la désolation dans tous les cœurs, éclat de foudre du ciel destructeur.

Un jour – qu'ils soient loin de nous les jours pareils à celui-là ! – Al-Rachid, de retour d'un pèlerinage à La Mecque, se rendait par eau de Hira à la ville d'Anbar. Et il s'arrêta à un couvent nommé Al-Oumr, sur les bords de l'Euphrate. Et la nuit vint pour lui, comme les autres nuits, au milieu des festins et des plaisirs. Mais, cette fois, son commensal Giafar n'était point en sa compagnie. Car Giafar était à la chasse, depuis quelques jours, dans les plaines voisines du fleuve. Toutefois les dons et les cadeaux d'Al-Rachid le suivaient partout. Et, à chaque heure du jour, il voyait arriver sous sa tente quelque messager du khalifat lui apportant, en marque d'affection, quelque précieux présent plus beau que le précédent.

Or, cette nuit-là – qu'Allah nous fasse ignorer de telles nuits ! – Giafar était assis sous sa tente, en compagnie du médecin Gibraïl Bakhtiassoû, qui était le médecin particulier d'Al-Rachid, et dont Al-Rachid s'était privé pour qu'il accompagnât son cher Giafar. Et il y avait également, sous la tente, le poète favori d'Al-Rachid, Abou-Zaccar l'aveugle, dont Al-Rachid s'était également privé pour qu'il égayât de ses improvisations son cher Giafar, au retour de la chasse. Et c'était l'heure du repas. Et Abou-Zaccar l'aveugle chantait, en s'accompagnant sur la mandole, des vers philosophiques sur l'inconstance du sort…

À ce moment de sa narration, Schahrazade vit apparaître le matin et, discrète, se tut.

Mais lorsque fut la neuf cent quatre-vingt-seizième nuit. Elle dit :

… Et c'était l'heure du repas. Et Abou-Zaccar l'aveugle chantait, en s'accompagnant sur la mandole, des vers philosophiques sur l'inconstance du sort. Et voici que brusquement, à l'entrée de la tente, apparut Massrour, le porte-glaive du khalifat et l'exécuteur de sa colère. Et Giafar le voyant entrer ainsi, contre toute étiquette, sans demander l'audience et sans même annoncer sa venue, devint bien jaune de teint, et dit à l'eunuque : « Ô Massrour, sois le bienvenu, car je te vois toujours avec un nouveau plaisir. Mais je m'étonne, ô mon frère, que, pour la première fois de notre vie, tu ne te sois pas fait précéder de quelque serviteur pour m'annoncer ta visite. » Et Massrour, sans même jeter le salam à Giafar, répondit : « Le sujet qui m'amène est trop grave pour me permettre ces futiles formalités. Lève-toi, ô Giafar, et prononce la scheada pour la dernière fois. Car l'émir des Croyants demande ta tête. »

En entendant ces paroles, Giafar se leva sur ses pieds, et dit : « Il n'y a d'autre Dieu qu'Allah, et Môhammad est l'Envoyé d'Allah ! Nous sortons des mains d'Allah, et tôt ou tard nous retournons entre Ses mains ! » Puis il se tourna vers le chef des eunuques, son ancien compagnon, son ami de tant d'années et de tous les instants, et lui dit : « Ô Massrour, un tel ordre n'est pas possible. Notre maître l'émir des Croyants a dû te le donner dans un moment d'ivresse. Je te supplie, ô mon ami de toujours, en souvenir de nos promenades ensemble et de notre commune vie de jour et de nuit, de retourner auprès du khalifat, pour voir si je ne me trompe pas. Et tu constateras qu'il aura déjà oublié de telles paroles ! » Mais Massrour dit : « Ma tête répond de la tienne. Je ne puis reparaître en présence du khalifat que ta tête à la main. Écris donc tes dernières volontés, c'est la seule grâce qu'il me soit possible, à cause de l'ancienne amitié, de t'accorder. » Alors Giafar dit : « Nous appartenons tous à Allah ! Je n'ai point de dernières volontés à écrire. Qu'Allah allonge la vie de l'émir des Croyants des jours qui me sont enlevés ! »

Puis il sortit de sa tente, s'agenouilla sur le cuir du sang, que venait d'étendre sur le sol le porte-glaive Massrour, et se banda les yeux de ses propres mains. Et il fut décapité. Qu'Allah l'ait en Sa compassion ! Après quoi, Massrour s'en retourna vers l'endroit où campait le khalifat, et entra en sa présence, portant sur un bouclier la tête de Giafar. Et Al-Rachid regarda la tête de son ancien ami, et soudain il cracha dessus.

Mais son ressentiment et sa vengeance ne s'arrêtèrent pas là. Il donna l'ordre que le corps décapité de Giafar fût crucifié sur le pont de Bagdad, à une extrémité, et que la tête fût exposée à l'autre extrémité : supplice qui dépassait en dégradation et en ignominie celui des plus vils malfaiteurs. Et il ordonna également qu'au bout de six mois les restes de Giafar fussent brûlés sur du crottin de bestiaux, et jetés dans les latrines. Et tout cela fut exécuté.

Aussi, ô pitié et misère ! le scribe Amrani put-il écrire, sur la même page du registre des comptes du trésor : « Pour une robe d'apparat, donnée par l'émir des Croyants en présent à son vizir Giafar, fils de Yahia Al-Barmaki, quatre cent mille dinars d'or. » Et, peu de temps après, sans aucune autre addition, sur cette même page : « Naphte, roseaux et fumier pour brûler le corps de Giafar ben Yahia, dix drachmes d'argent. »

Telle fut la fin de Giafar. Quant à Yahia, son père, le père nourricier d'Al-Rachid, et à Al-Fadl, son frère, le frère de lait d'Al-Rachid, ils furent arrêtés dès le lendemain, avec tous les Barmakides, au nombre de mille environ, qui occupaient des charges ou des emplois. Et ils furent tous plongés, pêle-mêle, au fond d'infects cachots, tandis que leurs immenses biens étaient confisqués et que leurs femmes et leurs enfants erraient sans asile, et sans que personne osât les regarder. Et les uns moururent d'inanition, et les autres par strangulation, excepté Yahia, son fils Al-Fadl, et le frère de Yahia, Môhammad, qui moururent dans les tortures. Qu'Allah les ait tous en Sa compassion ! Leur disgrâce fut terrible !

Et maintenant, ô Roi du temps, si tu souhaites connaître le motif de cette disgrâce des Barmakides, et de leur fin lamentable, voici. Un jour, la jeune sœur d'Al-Rachid, Aliyah, quelques années après la fin des Barmakides, se prit à dire au khalifat qui la caressait : « Ô mon seigneur, je ne te vois plus un jour de calme et de tranquillité réelle depuis la mort de Giafar et la disparition de sa famille. Pour quel motif prouvé ont-ils encouru ta disgrâce ? » Et Al-Rachid, assombri soudain, repoussa la jeune princesse, et lui dit : « Ô mon enfant, ma vie, le seul bonheur qui me reste ! que te servirait de le connaître, ce motif ? Si je savais, en effet, que ma chemise le connût, je la déchirerais en morceaux ! » Or donc, les historiens et les maîtres des annales sont loin d'être d'accord sur les causes de cette catastrophe. Du reste voici les versions qui nous sont parvenues dans leurs écrits.

Selon les uns, ce sont les libéralités sans nombre de Giafar et des Barmakides, dont le récit fatiguait l'oreille même de ceux qui les avaient acceptées, qui, leur créant encore plus d'envieux et d'ennemis que d'amis et d'obligés, avaient fini par donner de l'ombrage à Al-Rachid. En effet, il n'était bruit que de la gloire de leur maison ; on ne pouvait parvenir aux faveurs que par eux, directement ou indirectement ; les membres de leur famille remplissaient à la cour de Bagdad, à l'armée, dans la magistrature et dans les provinces, les postes les plus élevés ; les plus beaux domaines qui avoisinaient la ville leur appartenaient ; les abords de leur palais étaient plus encombrés par la foule des courtisans et des quémandeurs que ceux de la demeure du khalifat. Du reste, voici en quels termes s'exprime à cet égard le médecin d'Al-Rachid, ce même Gibraïl Bakhtiassoû qui se trouvait dans la tente de Giafar lors de la nuit fatale. Il dit : « J'entrai un jour dans l'appartement d'Al-Rachid, qui habitait alors le palais nommé Kasr el Khould, à Bagdad. Les Barmakides, eux, logeaient de l'autre côté du Tigre, et il n'y avait entre eux et le palais du khalifat que la largeur du fleuve. Et, ce jour-là, Al-Rachid remarquant la multitude de chevaux qui étaient arrêtés devant la demeure de ses favoris, et la foule qui se pressait à leur porte, dit devant moi, comme se parlant à lui-même : « Qu'Allah récompense Yahia et ses fils El-Fadl et Giafar ! Ils se sont chargés à eux seuls de tout l'embarras des affaires, et, en me soulageant de ce soin, ils m'ont laissé le temps de regarder autour de moi, et de vivre à ma guise. » C'est là ce qu'il dit ce jour-là. Mais une autre fois, appelé de nouveau auprès de lui, je remarquai qu'il commençait déjà à ne plus voir du même œil ses favoris. En effet, ayant regardé par les fenêtres de son palais, et ayant observé la même affluence de gens et de chevaux que la première fois, il dit : « Yahia et ses fils se sont emparés de toutes les affaires ; ils me les ont toutes enlevées. Ce sont eux vraiment qui exercent la puissance khalifale, alors que je n'en ai que l'apparence à peine. » Cela, je l'entendis. Et je connus dès lors qu'ils tomberaient dans la disgrâce : ce qui arriva effectivement. »

Selon d'autres annalistes, au mécontentement caché, à la jalousie toujours croissante d'Al-Rachid, à leurs magnifiques manières qui leur créaient de redoutables ennemis et des détracteurs anonymes qui les desservaient auprès du khalifat, soit par des poésies acerbes non signées, soit par de la prose perfide ; à tout le faste, à tout l'apparat et à toutes les choses dont les rois ne sauraient d'ordinaire supporter la concurrence, vint se joindre une grande imprudence commise par Giafar. Un jour, Al-Rachid l'avait chargé de faire périr secrètement un descendant d'Ali et de Fatimah, la fille du Prophète, qui s'appelait El-Saïed Yahia ben Abdallah El-Hossaïni. Mais Giafar, par pitié et mansuétude, fit évader cet Alide, dont l'influence était jugée par Al-Rachid comme dangereuse pour l'avenir de la dynastie abbasside. Or cette action généreuse de Giafar ne tarda pas à être divulguée et rapportée au khalifat avec tous les commentaires faits pour en aggraver les conséquences. Et le ressentiment d'Al-Rachid, à cette occasion, devint la goutte de fiel qui fit déborder la coupe de la colère. Et il interrogea à ce sujet Giafar qui, avec une grande franchise, avoua son action, en ajoutant : « J'ai agi pour la gloire et le bon renom de mon maître l'émir des Croyants ! » Et Al-Rachid, fort pâle, dit : « Tu as bien agi ! » Mais on l'entendit qui murmurait : « Qu'Allah me fasse périr si je ne te fais pas périr, ô Giafar ! »

Selon d'autres historiens, il faudrait chercher la cause de la disgrâce des Barmakides, dans leurs opinions hérétiques en face de l'orthodoxie musulmane. Il ne faut pas oublier, en effet, que leur famille, avant sa conversion à l'Islam, professait à Balkh la religion des mages. Et on dit que, lors de l'expédition dans le Khorassân, berceau primitif de ses favoris, Al-Rachid avait remarqué que Yahia et ses fils faisaient tout leur possible pour empêcher la destruction des temples et des monuments des mages. Et, dès lors, il eut sur leur foi des soupçons qui ne firent que s'aggraver par la suite, quand il vit les Barmakides user de douceur, en toutes circonstances, envers les hérétiques de toutes sortes, surtout envers ses ennemis personnels les guèbres et les zanadikah, et autres dissidents et réprouvés. Et ce qui ferait admettre cette opinion, ajoutée aux autres motifs déjà énoncés, c'est que, immédiatement après la mort d'Al-Rachid, des troubles religieux d'une gravité sans précédent éclatèrent à Bagdad, et faillirent porter une atteinte fatale à l'orthodoxie musulmane. Mais, en dehors de tous ces motifs, la cause la plus probable de la fin des Barmakides nous est rapportée par le chroniqueur Ibn-Khillikân, et par Ibn El-Athir. Ils disent :

C'était au temps où Giafar, fils de Yahia le Barmakide, était si proche du cœur de l'émir des Croyants, que le khalifat avait fait confectionner ce manteau à deux encolures l'une à côté de l'autre, dont il s'enveloppait avec Giafar tout comme s'ils n'avaient été tous deux qu'un seul homme. Et cette intimité était si grande que le khalifat ne pouvait plus se séparer de son favori, et le voulait voir sans cesse auprès de lui.

Or Al-Rachid aimait également d'une extraordinaire et très profonde tendresse sa propre sœur Abbassah, jeune princesse ornée de tous les dons, la femme la plus remarquable de son époque. Et elle était, entre toutes les femmes de sa famille et de son harem, la plus chère au cœur d'Al-Rachid. Et il ne pouvait vivre que près d'elle, tout comme si elle était un Giafar femme. Et ces deux amitiés faisaient son bonheur ; mais il les lui fallait réunies, en jouissance simultanée ; car l'absence de l'une détruisait le charme qu'il éprouvait de l'autre. Et que Giafar ou Abbassah ne fût pas avec lui, il n'avait plus qu'une joie incomplète, et il souffrait. C'est pourquoi il lui fallait ensemble ses deux amis. Mais nos lois saintes défendent à l'homme, qui n'est point parent rapproché, de regarder la femme dont il n'est pas le mari ; et elles défendent à la femme de laisser voir sa figure à un homme qui lui est étranger. Transgresser ces prescriptions est un grand déshonneur, une honte, une offense à la pudeur de la femme. Aussi Al-Rachid, qui était un rigoureux observateur de la loi dont il avait la garde, ne pouvait avoir ses deux amis auprès de lui sans qu'ils fussent dans une contrainte fatigante, et dans une position difficile et inconvenante.

C'est pourquoi, voulant transformer une situation qui le gênait et lui déplaisait, il se décida, un jour, à dire à Giafar : « Ô Giafar, mon ami, je n'ai de joie vraie, sincère et complète qu'en ta compagnie et en celle de ma bien-aimée sœur

Abbassah. Or, comme votre position relative me gêne et vous gêne, je veux te marier avec Abbassah, afin que désormais, sans inconvénient, sans motif de scandale et sans péché, vous puissiez vous trouver tous deux auprès de moi. Mais je vous demande expressément de ne jamais vous réunir, ne fût-ce qu'un instant, hors de ma présence. Car je ne veux entre vous que la formalité et l'apparence du mariage légal ; mais je ne veux pas les conséquences du mariage, qui peuvent léser, dans leur héritage khalifal, les nobles fils d'Abbas. » Et Giafar s'inclina devant ce désir de son maître, et répondit par l'ouïe et l'obéissance. Et il fallut accepter cette condition singulière. Et le mariage fut prononcé légalement.

Et donc, suivant les conditions imposées, les deux jeunes époux ne se rencontraient qu'en présence du khalifat, et rien de plus. Et, même là, leurs regards se croisaient à peine, quelquefois. Quant à Al-Rachid, il jouissait à pleine jouissance de la double amitié si vive qu'il éprouvait pour ce couple, que désormais il torturait, sans avoir l'air de s'en douter. Car depuis quand l'amour a-t-il pu obéir aux exigences des censeurs…

À ce moment de sa narration, Schahrazade vit apparaître le matin et, discrète, se tut.

Mais lorsque fut la neuf cent quatre-vingt-dix-septième nuit. Elle dit :

… Car depuis quand l'amour a-t-il pu obéir aux exigences des censeurs ? Et le moyen qu'une pareille contrainte, entre deux êtres jeunes et beaux, ne soulève et ne remue pas les émotions et les désirs de l'amour ?

Et voici, en effet, que ces deux époux qui avaient le droit de s'aimer et de se laisser aller aux entraînements de leur mutuel amour si légitime, réduits maintenant à l'état de soupirants, s'enivraient chaque jour davantage de cette ivresse cachée qui concentre la fièvre au cœur. Et voici qu'Abbassah, tourmentée par cet état d'épouse séquestrée, devint folle de son mari. Et elle finit par informer Giafar de ce qu'elle avait d'amour. Et elle l'appela à elle, et le sollicita, en cachette, de toutes les manières. Mais Giafar, en homme loyal et prudent, résista à toutes les sollicitations et ne se rendit point chez Abbassah. Car il se sentait retenu par le serment prêté à Al-Rachid. Et, du reste, il savait, mieux que tout autre, combien le khalifat avait de hâte dans l'exécution de ses vengeances.

Lors donc que la princesse Abbassah vit que ses sollicitations et ses prières demeuraient sans succès, elle recourut à d'autres voies. Ainsi font les femmes, d'ordinaire, ô Roi du temps. Usant en effet de stratagème, elle envoya dire à la noble Itâbah, mère de Giafar : « Ô notre mère, il faut que tu m'introduises sans retard chez ton fils Giafar, mon époux légal, tout comme si j'étais une de ces esclaves que tu lui procures chaque jour. » Car, chaque vendredi, la noble Itâbah avait pour habitude d'envoyer à son bien-aimé fils Giafar une jeune esclave vierge, choisie entre mille, intacte et parfaitement belle. Et Giafar ne s'approchait de la jeune fille qu'après s'être régalé, et s'être imbibé de vins généreux.

Mais la noble Itâbah, au reçu de ce message, refusa énergiquement de se prêter à cette sorte de trahison que voulait Abbassah, et donna à entrevoir à la princesse ce qu'il y avait, en cette affaire, de périls pour tout le monde. Mais la jeune épouse énamourée insista, pressante jusqu'à la menace, et ajouta : « Réfléchis, ô notre mère, aux conséquences de ton refus. Pour ma part, ma résolution est arrêtée, et je l'accomplirai malgré toi, quoi qu'il puisse m'en coûter. Je préfère perdre la vie que de renoncer à Giafar et à mes droits sur lui. »

Il fallut donc que l'éplorée Itâbah cédât devant de telles extrémités, pensant qu'il était encore préférable que la chose fût accomplie par son intermédiaire, dans les meilleures conditions de sécurité. Elle promit donc son concours à Abbassah pour la réussite de ce complot si innocent et si dangereux. Et elle alla, sans retard, annoncer à son fils Giafar qu'elle lui enverrait bientôt une esclave qui n'avait point sa pareille en grâce, en élégance et en beauté. Et elle lui en fit une description si enthousiaste, qu'il sollicita avec chaleur, pour le plus tôt, le don qui lui était promis. Et Itâbah manœuvra si bien que Giafar, affolé de désir, se mit à attendre la nuit avec une impatience sans précédent. Et sa mère, le voyant au point voulu, envoya dire à Abbassah : « Prépare-toi pour ce soir. »

Et Abbassah se prépara, et s'orna de parures et de bijoux, à la manière des esclaves, et vint chez la mère de Giafar, qui l'introduisit, à la tombée de la nuit, dans l'appartement de son fils.

Or Giafar, étourdi un peu par la fermentation des vins, ne s'aperçut pas que l'esclave adolescente, debout entre ses mains, était son épouse Abbassah. Et d'ailleurs il n'avait pas les traits d'Abbassah bien fixés dans l'esprit. Car jusque-là, dans leurs séances communes chez le khalifat, il ne l'avait qu'entrevue ; et il n'avait jamais osé, dans la crainte de déplaire à Al-Rachid, fixer son regard sur son épouse Abbassah, qui, de son côté, par pudeur, détournait toujours la tête, à chaque coup d'œil furtif de Giafar.

Et donc, lorsque le mariage fut consommé de fait, et après une nuit passée dans les transports d'un amour partagé, Abbassah se leva pour partir, et, avant de se retirer, elle dit à Giafar : « Comment trouves-tu les filles des rois, ô mon maître ? Sont-elles différentes, dans leurs manières, des esclaves que l'on vend et que l'on achète ? Que t'en semble, dis ? » Et Giafar, étonné, demanda : « Quelles filles de rois vises-tu dans tes paroles ? En serais-tu une toi-même ? Quelque captive, peut-être, de nos guerres victorieuses ? » Elle répondit : « Ô Giafar, je suis ta captive, ta servante, je suis Abbassah, sœur d'Al-Rachid, fille d'Al-Mahdi, du sang d'Abbas, oncle du Prophète béni ! »

En entendant ces paroles, Giafar fut à la limite de la stupéfaction, et, revenu soudain de l'éblouissement de l'ivresse, il s'écria : « Tu t'es perdue et tu nous as perdus, ô fille de mes maîtres ! » Et, en hâte, il entra chez sa mère Itâbah, et lui dit : « Ô ma mère, ma mère, tu m'as vendu bon marché ! » Et l'attristée épouse de Yahia raconta à son fils comment elle avait été forcée de recourir à cette ruse, pour ne pas attirer sur leur maison de plus grands malheurs. Et voilà pour ce qui la regardait.

Quant à Abbassah, elle devint mère, et donna le jour à un fils. Et elle confia l'enfant à la surveillance d'un serviteur dévoué appelé Ryasch, et aux soins maternels d'une femme appelée Barrah. Puis, craignant sans doute que la chose s'ébruitât, malgré toutes les précautions, et parvînt à la connaissance d'Al-Rachid, elle envoya à La Mecque le fils de Giafar en compagnie de deux serviteurs.

Or Yahia, père de Giafar, avait, dans ses prérogatives, la garde et l'intendance du palais et du harem d'Al-Rachid. Et il avait pour habitude, après une certaine heure de la nuit, de fermer les portes de communication du palais et d'en emporter les clés. Or, cette sévérité finit par devenir une gêne pour le harem du khalifat, et surtout pour Sett Zobéida qui alla s'en plaindre amèrement à son cousin et époux Al-Rachid, en maudissant le vénérable Yahia et ses rigueurs déplacées. Et Al-Rachid, quand Yahia se présenta, lui dit : « Père, qu'a donc Zobéida à se plaindre de toi ? » Et Yahia demanda : « Est-ce que l'on m'accuse du côté de ton harem, ô émir des Croyants ? » Al-Rachid sourit et dit : « Non pas, ô père ! » Et Yahia dit : « En ce cas, ne tiens pas compte de ce qui t'est dit sur moi, ô émir des Croyants. » Et, dès lors, il redoubla encore de sévérité, si bien qu'une nouvelle fois Sett Zobéida se plaignit avec aigreur et ressentiment à Al-Rachid, qui lui dit : « Ô fille de l'oncle, il n'y a pas lieu vraiment d'accuser mon père nourricier Yahia pour rien de ce qui concerne le harem. Car Yahia ne fait qu'exécuter mes ordres et accomplir son devoir. » Et Zobéida répliqua avec véhémence : « Eh, par Allah ! que ne s'occupe-t-il donc un peu plus de son devoir, qui est d'empêcher les imprudences de son fils Giafar. » Et Al-Rachid demanda : « Quelles imprudences ? Qu'y a-t-il ? » Alors Zobéida raconta l'affaire d'Abbassah, sans d'ailleurs y attacher d'autre importance. Et Al-Rachid, devenu sombre, demanda : « Et y a-t-il des preuves de cela ? » Elle répondit : « Et quelle meilleure preuve que l'enfant qu'elle a eu de Giafar ? » Il demanda : « Où est-il, cet enfant ? » Elle répondit : « Dans la ville sainte, berceau de nos aïeux. » Il demanda : « D'autres que toi ont-ils connaissance de cela ? » Elle répondit : « Il n'y a pas dans ton harem et dans ton palais une seule femme, fût-ce la dernière esclave, qui ne le sache. »

Et Al-Rachid n'ajouta pas une parole de plus. Mais, peu de temps après, il annonça son intention d'aller en pèlerinage à La Mecque. Et il partit, emmenant Giafar avec lui. Or, de son côté, Abbassah expédia aussitôt une lettre à Ryasch et à la nourrice, leur ordonnant de quitter immédiatement La Mecque et de passer avec l'enfant dans l'Yémen. Et ils s'éloignèrent en toute hâte.

Et le khalifat arriva à La Mecque. Et tout de suite il chargea quelques-uns de ses affidés intimes de se mettre à la recherche et de s'enquérir de l'enfant. Et il obtint la vérification du fait, et apprit que l'enfant existait, et était en parfaite santé. Et il réussit à se saisir de lui dans l'Yémen, et à l'envoyer en secret à Bagdad. Et c'est alors, qu'à son retour du pèlerinage, étant en campement au couvent Al-Oumr, près d'Anbar, sur l'Euphrate, il donna le terrible ordre en question, concernant Giafar et les Barmakides. Et il arriva ce qui arriva.

Quant à l'infortunée Abbassah et à son fils, ils furent tous deux enterrés vifs dans une fosse creusée sous l'appartement même habité par la princesse.

Qu'Allah les ait tous en Sa compassion !

Enfin, il me reste encore à te dire, ô Roi fortuné, que d'autres chroniqueurs dignes de foi racontent que Giafar et les Barmakides n'avaient rien fait pour mériter une telle disgrâce, et que cette fin lamentable leur échut parce que c'était simplement écrit dans leur destinée, et que le temps de leur puissance était écoulé. Mais Allah est plus savant !

Et, pour terminer, voici un trait qui nous est rapporté par le célèbre poète Môhammad, de Damas. Il dit : J'entrai un jour dans un hameau pour prendre un bain. Et le maître baigneur chargea de me servir un jeune garçon fort bien fait. Et moi, pendant que me soignait le jeune garçon, je me mis, je ne sais par quelle fantaisie, à me chanter à moi-même, à mi-voix, des vers que j'avais autrefois composés pour célébrer la naissance du fils de mon bienfaiteur El-Fadl ben Yahia El-Barmaki. Et voici que tout à coup le jeune garçon qui me servait tomba par terre sans connaissance. Puis, quelques instants après, il se releva et, le visage baigné de larmes, il prit aussitôt la fuite, me laissant seul au milieu de l'eau…

À ce moment de sa narration, Schahrazade vit apparaître le matin et, discrète, se tut.

Mais lorsque fut la neuf cent quatre-vingt-dix-huitième nuit. Elle dit :

... Il se releva et, le visage baigné de larmes, il prit aussitôt la fuite, me laissant seul au milieu de l'eau.

Et moi, étonné, je sortis du bain, et je reprochai vivement au maître baigneur de m'avoir donné, pour mon service de bain, un épileptique. Mais le maître baigneur me jura qu'il n'avait jamais jusque-là reconnu cette maladie dans ce jeune serviteur. Et, pour me prouver son dire, il fit venir le jeune garçon en ma présence. Et il lui demanda : « Qu'est-il donc arrivé, que ce seigneur soit si mécontent de ton service ? » Et le jeune garçon, qui me parut revenu de son trouble, baissa la tête, puis, se tournant de mon côté, il me dit : « Ô mon maître, connais-tu l'auteur des vers que tu récitais pendant le bain ? » Et je répondis : « Par Allah ! c'est moi-même. » Et il me dit : « Alors tu es le poète Môhammad El-Dameschgy. Et tu as composé ces vers pour célébrer la naissance du fils d'El-Fadl le Barmakide. » Et il ajouta, tandis que je demeurais stupéfait : « Excuse-moi, ô mon maître, si, en t'écoutant, mon cœur s'est serré subitement et si je suis tombé accablé par l'émotion. Je suis moi-même ce fils d'El-Fadl dont tu as si magnifiquement chanté la naissance. » Et, de nouveau, il tomba évanoui à nos pieds.

Alors moi, ému de compassion devant une telle infortune, et voyant réduit à ce degré de misère le fils du généreux bienfaiteur à qui je devais tout ce que je possédais et même mon renom de poète, je relevai l'enfant et le serrai contre ma poitrine, et lui dis : « Ô fils de la plus généreuse des créatures d'Allah, je suis vieux et n'ai point d'héritiers. Viens avec moi devant le kâdi, ô mon enfant, car je veux dresser un acte par lequel je t'adopterai. Et je te laisserai ainsi tous mes biens après ma mort. » Mais l'enfant barmakide me répondit en pleurant : « Qu'Allah répande sur toi Ses bénédictions, ô fils des hommes de bien ! Mais à Allah ne plaise que je reprenne, d'une manière ou d'une autre, une seule obole de ce que mon père El-Fadl t'a donné. » Et, depuis, toutes mes instances et prières furent inutiles. Et je ne pus lui faire accepter la moindre marque de ma reconnaissance envers son père. Il était vraiment d'un sang pur, ce fils des nobles Barmakides ! Puisse Allah les rétribuer tous selon leurs mérites, qui étaient très grands !

Quant au khalifat Al-Rachid, après s'être vengé si cruellement d'une injure qu'il était seul, après Allah, à connaître, et qui devait être bien vive, il rentra à Bagdad, mais il ne fit qu'y passer. En effet, ne pouvant plus désormais habiter cette ville, que pendant tant d'années il s'était plu à embellir, il alla se fixer à Raccah, et ne revint jamais plus dans la cité de paix. Et c'est précisément ce subit abandon de Bagdad, après la disgrâce des Barmakides, que le poète Abbas ben El-Ahnaf, qui était de la suite du khalifat, a déploré dans les vers suivants :

« À peine avions-nous ordonné aux chameaux de plier le genou, qu'il a fallu nous remettre en route, sans que nos amis aient pu distinguer notre arrivée de notre départ.

Ô Bagdad ! nos amis venaient s'informer de nos nouvelles et nous souhaiter la bienvenue au retour ; mais nous devions leur répondre par les adieux.

Ô cité de paix ! il est bien vrai que de l'orient à l'occident je ne connais pas de ville plus heureuse et plus riche et plus belle que toi. »

Du reste, depuis la disparition de ses amis, jamais plus Al-Rachid ne goûta le repos du sommeil. Ses regrets étaient devenus cuisants : et il aurait donné tout son royaume pour faire revenir Giafar à la vie. Et si, par hasard, les courtisans avaient le malheur de rappeler d'une façon tant soit peu désobligeante la mémoire des Barmakides, Al-Rachid leur criait avec mépris et colère : « Qu'Allah damne vos pères ! Cessez de blâmer ceux que vous blâmez, ou essayez de remplir le vide qu'ils ont laissé ! »

Et, bien qu'il fût resté tout-puissant jusqu'à sa mort, Al-Rachid se sentait désormais entouré de gens peu sûrs. Il craignait, à chaque instant, d'être empoisonné par ses fils, dont il n'avait pas à se louer. Et, au début d'une expédition au Khorassân, où des troubles venaient d'éclater, et d'où il ne devait plus revenir, il confia douloureusement ses doutes et ses peines à l'un de ses courtisans, El-Tabari le chroniqueur, qu'il avait choisi pour confident de ses pensées. Car, comme El-Tabari cherchait à le rassurer sur les présages de mort qui venaient l'assaillir, il le tira à l'écart ; et, lorsqu'il se vit éloigné des hommes de sa suite, et que l'ombre épaisse d'un arbre l'eut caché aux regards indiscrets, il ouvrit sa robe, et, lui faisant remarquer un bandage de soie qui lui enveloppait le ventre, il lui dit : « J'ai là un mal profond, sans remède possible ! Tout le monde ignore ce mal, il est vrai ; mais regarde ! j'ai autour de moi des espions chargés par mes fils El-Amîn et El-Mâmoun de guetter ce qui me reste de vie. Car ils trouvent que la vie de leur père est trop longue ! Et ces espions, mes fils les ont choisis parmi ceux précisément que je croyais les plus fidèles et sur le dévouement desquels je pensais pouvoir compter. Voici d'abord Massrour ! Eh bien, il est l'espion de mon fils préféré El-Mâmoun. Voici mon médecin Gibraïl Bakhtiassoû ! Il est l'espion de mon fils El-Amîn. Et ainsi de suite pour tous les autres. » Et il ajouta : « Maintenant veux-tu connaître jusqu'où va la soif de régner qu'ont mes fils ? Je vais donner l'ordre qu'on m'amène une monture, et tu verras qu'au lieu de me présenter un cheval à la fois doux et vigoureux, on m'amènera un animal épuisé dont le trot inégal est fait pour augmenter ma souffrance. » Et, en effet, Al-Rachid ayant demandé un cheval, on le lui amena tel qu'il l'avait décrit à son confident. Et il jeta un triste regard sur El-Tabari, et accepta avec résignation la monture qu'on lui présentait.

Et, quelques semaines après cet incident, Haroun vit, pendant son sommeil, une main étendue au-dessus de sa tête ; et cette main contenait une poignée de terre rouge ; et une voix cria : « Voici la terre qui doit servir de sépulture à Haroun ! » Et une autre voix demanda : « Quel est le lieu de sa sépulture ? » Et la première voix répondit : « La ville de Tous ! »

Or, au bout de quelques jours, les progrès de son mal obligèrent Al-Rachid de s'arrêter à Tous. Et il témoigna d'une vive inquiétude, et envoya Massrour chercher une poignée de terre aux environs de la ville. Et le chef des eunuques revint, au bout d'une heure de temps, porteur d'une poignée de terre de couleur rouge. Et Al-Rachid s'écria : « Il n'y a d'autre dieu qu'Allah, et Môhammad est l'Envoyé d'Allah ! Voici ma vision accomplie. La mort n'est pas loin de moi. »

Et, de fait, jamais plus il ne revit l'Irak. Car, le lendemain, se sentant faiblir, il dit à ceux qui l'entouraient : « Voici l'instant redoutable qui s'approche. J'étais pour tous les humains un sujet d'envie, et maintenant pour qui ne serais-je point un objet de pitié ! » Et, à Tous même, il mourut. Et on était alors au troisième jour de djomadi, second de l'année 193 de l'hégire. Et Haroun avait alors quarante-sept ans d'âge, plus cinq mois et cinq jours, ainsi que nous le rapporte

Aboulféda. Qu'Allah lui pardonne ses errements et l'ait en Sa pitié ! Car il fut un khalifat orthodoxe.

Puis, comme Schahrazade voyait le roi Schahriar profondément attristé par ce récit, elle se hâta de lui raconter LA TENDRE HISTOIRE DU PRINCE JASMIN ET DE LA PRINCESSE AMANDE. *Elle dit :*

HISTOIRE DU PRINCE JASMIN ET DE LA PRINCESSE AMANDE

Il est raconté – mais Allah l'Exalté est plus savant ! – qu'il y avait, dans un pays d'entre les pays musulmans, un vieux roi dont le cœur était comme l'océan, dont l'intelligence était égale à celle d'Aflatoun, dont le naturel était celui des Sages, dont la gloire surpassait celle de Faridoun, dont l'étoile était l'étoile même d'Iskandar, et le bonheur celui de Khosroès Anouchirwân. Et il avait sept fils brillants, pareils aux sept feux des Pléiades. Mais le plus petit était le plus brillant et le plus beau. Il était rose et blanc, et s'appelait le prince Jasmin.

Et, en vérité, le lys et la rose s'évanouissaient en sa présence. Car il avait une taille de cyprès, un visage de tulipe nouvelle, des cheveux de violette, des boucles musquées qui étaient un échantillon de mille nuits obscures, un teint d'ambre blond, des dards recourbés pour cils, de longs yeux de narcisse ; et deux pistaches étaient ses lèvres charmantes. Quant à son front, il faisait honte, par son éclat, à la pleine lune dont il barbouillait de bleu le visage ; et sa bouche aux dents de pierreries, à la langue de rose, sécrétait un doux langage qui faisait oublier la canne à sucre. Ainsi fait, et sémillant, et hardi, il était une idole de séduction pour l'œil des amants.

Or, le prince Jasmin était celui des sept frères qui avait la garde de l'innombrable troupeau de buffles du roi Noujoum-Schah. Et sa demeure était dans les vastes solitudes et les pâturages. Et il était un jour assis à surveiller ses bêtes, en jouant de la flûte, quand il vit s'avancer de son côté un vénérable derviche qui, après les salams, le pria de lui traire un peu de lait. Et le prince Jasmin répondit : « Ô saint derviche, une peine aiguë est en moi de ne pouvoir te satisfaire. Car j'ai trait mes buffles ce matin, et il m'en coûte de ne pas avoir le moyen d'étancher ta soif en ce moment. » Et le derviche lui dit : « Invoque tout de même, sans temporiser, le nom d'Allah, et va traire à nouveau tes buffles. Et la bénédiction descendra. » Et le prince pareil au narcisse répondit par l'ouïe et l'obéissance, et alla, prononçant la formule de l'invocation, à la mamelle de sa plus belle bête. Et la bénédiction descendit ; et le vase se remplit d'un lait bleu et écumant. Et le beau Jasmin le plaça devant le derviche, qui but à sa soif et fut content.

Et alors il se tourna en souriant vers le jeune prince, et lui dit : « Ô enfant délicat, tu n'as point nourri une terre inféconde, et rien n'est plus avantageux pour toi que ce qui vient de se passer. Sache, en effet, que je viens vers toi en messager d'amour, qui est le premier des dons et le dernier, selon ces paroles du poète :

« Lorsque rien n'existait, l'amour existait ; et lorsqu'il ne restera plus rien, l'amour restera. Il est le premier et le dernier.

Il est le pont de la vérité ; il est au-dessus de tout ce que l'on peut dire. Il est le compagnon dans l'angle du tombeau.

Il est le lierre qui s'attache à l'arbre et prend sa belle vie verte dans le cœur qu'il dévore. »

Puis le vieux derviche continua : « Oui, mon fils, je viens vers ton cœur en messager d'amour ; mais nul ne m'a envoyé que moi-même. Et si j'ai traversé les plaines et les déserts, c'est que j'étais à la recherche de l'être assez parfait pour mériter d'approcher la féerique jeune fille qu'un matin, passant par un jardin, il me fut donné d'entrevoir. » Et il s'arrêta un moment, puis reprit : « Sache en effet, ô plus léger que le zéphyr, que dans le royaume limitrophe de ce royaume de ton père Noujoum-Schah, vit dans l'attente du jouvenceau de son rêve, dans ton attente, ô Jasmin, une houri de race royale, au visage de fée, honte de la lune, une perle unique dans l'écrin de l'excellence, un printemps de fraîcheur, une niche de beauté. Son corps délicat couleur d'argent est moulé comme le buis ; une taille d'une minceur de cheveu ; un port de soleil ; une démarche de perdrix. Sa chevelure est d'hyacinthe ; ses yeux sorciers sont pareils aux sabres d'Ispahan ; ses joues sont, comme dans le Koran, le verset de la Beauté ; ses sourcils d'arc, comme le sourate du Calam ; sa bouche, taillée dans un rubis, est étonnante ; une petite pomme creusée d'une fossette est son menton, et le grain de beauté qui l'orne est un remède contre le mauvais œil. Ses toutes petites oreilles ne sont pas des oreilles mais des mines de gentillesse, et portent, suspendus en pendants d'oreilles, les cœurs énamourés ; et l'anneau de son nez – une noisette – oblige la pleine lune à se passer au cou la boucle de l'esclavage. Quant à la plante de ses deux petits pieds, elle est tout à fait charmante. Son cœur est un flacon d'odeur scellé, et son esprit est doué du don suprême de l'intelligence. Qu'elle s'avance, et c'est le tumulte de la résurrection ! Elle est la fille du roi Akbar et s'appelle la princesse Amande ; ô bénis soient les noms qui désignent de telles créatures ! » Et, ayant ainsi parlé, le vieux derviche respira longuement, puis ajouta…

À ce moment de sa narration, Schahrazade vit apparaître le matin et, discrète, se tut.

Mais lorsque fut la neuf cent quatre-vingt-dix-neuvième nuit. Elle dit :

… Et, ayant ainsi parlé, le vieux derviche respira longuement, puis ajouta : « Mais je dois te dire, ô source de la sympathie, que cette jeune fille asile de l'amour a le foie grillé de tristesse ; et une montagne de chagrin est sur son cœur. Et la cause en est à un songe qu'elle eut, une nuit, dans son sommeil. Et je l'ai quittée douloureuse, et désolée comme le sumbul. » Puis il dit : « Et maintenant que mes paroles ont été pour ton cœur la semence de l'amour, qu'Allah te sauvegarde et te conduise vers celle qui est dans ton destin. Ouassalam ! » Et ayant ainsi parlé, le derviche se leva et s'en alla en sa voie.

Et le cœur du prince Jasmin, par la seule audition de ce discours, fut ensanglanté ; et la flèche de l'amour le pénétra ; et, comme Majnoun amoureux de Leila, il déchira ses vêtements depuis le cou jusqu'à la ceinture ; et, pris dans les cheveux bouclés de la charmante Amande, il jeta cris et soupirs ; et, abandonnant son troupeau, il s'en alla errant ivre sans vin, agité, silencieux, anéanti dans le tourbillon de l'amour. Car, si le bouclier de la sagesse garantit de toutes les blessures, il est sans vertu contre l'arc de l'amour. Et la médecine de l'avis et des conseils n'avait plus désormais de prise sur l'esprit de l'affligé par pur sentiment. Et voilà pour le prince Jasmin.

Mais pour ce qui est de la princesse Amande, voici. Une nuit, comme elle dormait sur la terrasse du palais de son père, elle vit se manifester à elle, dans un songe envoyé par les genn de l'amour, un adolescent plus beau que l'amant de Suleika, et qui était, trait pour trait, l'image charmante du prince Jasmin. Et à mesure que se manifestait devant les yeux de son âme de vierge cette vision de beauté, le cœur jusque-là sans souci de la jeune fille glissait de sa main et devenait le prisonnier du filet des boucles entortillées de l'adolescent. Et elle se réveilla le cœur agité par la rose de son sommeil, et, jetant dans la nuit des cris comme le rossignol, elle se mit à laver son visage avec ses larmes. Et ses servantes accoururent en grand émoi et s'exclamèrent, en la voyant : « Ya Allah ! quel est ce malheur qui fait tomber les larmes de notre maîtresse Amande ? Que s'est-il passé dans son cœur, pendant le sommeil ? Hélas ! voici que semble s'envoler l'oiseau de son intelligence. »

Et des gémissements et des soupirs eurent lieu jusqu'au matin. Et, à l'aurore, le roi, son père, et la reine, sa mère, furent instruits de ce qui se passait. Et, brûlés dans leur cœur, ils vinrent regarder, et virent que leur fille, cette charmante, avait une apparence extraordinaire et un état singulier. Elle était assise, les cheveux et les vêtements en désordre, le visage décomposé, sans nouvelles de son corps et sans attention pour son cœur. Et, à toutes les questions qu'ils lui posaient, elle ne répondait que par le silence, branlant la tête avec pudeur, et répandant ainsi sur l'âme de son père et de sa mère le trouble et la désolation.

Alors on se décida à faire venir les médecins et les savants exorcistes, qui mirent tout en œuvre pour la tirer de son état. Mais ils n'obtinrent aucun résultat ; bien plus, ce fut le contraire qui arriva. Ce que voyant, ils se crurent obligés de recourir à la saignée. Et, lui ayant bandé le bras, ils appliquèrent la lancette. Mais il ne sortit pas une goutte de sang de la veine charmante. Alors ils retirèrent leur main de son traitement, et renoncèrent à l'espoir de la guérir. Et ils s'en allèrent désappointés et confus.

Et quelques jours se passèrent dans cette pénible situation, sans que personne pût comprendre ou expliquer le motif d'un tel changement. Aussi, un jour que la belle Amande au cœur calciné était plus mélancolique que jamais, ses suivantes la conduisirent, pour la distraire, dans le jardin. Mais là, partout où elle promenait les yeux, elle ne voyait que la face de son bien-aimé : les roses lui offraient sa couleur et le jasmin l'odeur de ses vêtements ; le cyprès balancé, sa taille flexible, et le narcisse, ses yeux. Et, voyant ses cils dans les épines, elle les mettait sur son cœur.

Mais bientôt la belle verdure de ce jardin fit un peu reverdir son cœur fané ; et l'eau jaillissante qu'on lui fit boire diminua la sécheresse de son cerveau. Et les jeunes filles, ses suivantes, du même âge qu'elle, s'assirent en cercle autour de cette beauté, et commencèrent par lui chanter doucement un ghazal léger sur le mode musical mineur et le rythme ramel nonchalant.

Après quoi, la voyant plus accueillante, sa suivante la plus chérie se rapprocha d'elle, et lui dit : « Ô notre maîtresse Amande, sache que, depuis quelques jours, se trouve dans nos terres un adolescent joueur de flûte, venu du pays des nobles Hazara, dont la voix mélodieuse ramène l'oiseau envolé de la raison, arrête l'eau qui coule et l'hirondelle qui vole. Et cet adolescent princier est blanc et rose, et s'appelle Jasmin. Et, en vérité, le lys et la rose s'évanouissent en sa présence. Car sa taille est un balancement de cyprès, son visage une tulipe nouvelle, ses cheveux des violettes, ses boucles musquées un échantillon de mille nuits obscures, son teint de l'ambre blond, ses cils des dards recourbés, ses longs yeux deux narcisses, et deux pistaches sont ses lèvres charmantes. Quant à son front, il fait honte, par son éclat, à la pleine lune et lui barbouille de bleu le visage. Sa petite bouche aux dents de pierreries, à la langue de rose, sécrète un doux langage qui fait oublier la canne à sucre. Et, tel qu'il est, sémillant et hardi, il est une idole de séduction pour l'œil des amants. »

Puis elle ajouta, alors que la princesse Amande était dans la stupeur de la joie : « Et ce princier joueur de flûte a dû, agile comme le zéphyr matinal et plus léger, franchir les montagnes et les plaines, pour venir de son pays dans le nôtre, et traverser les eaux effrayantes des rivières sans bords, où le cygne lui-même n'est pas en sûreté, et dont le seul aspect donne le vertige aux poules d'eau et aux canards, leur faisant éprouver mille étonnements. Et s'il a surmonté tant de difficultés pour arriver jusqu'ici, c'est qu'un motif caché l'y a déterminé. Et nul motif ne peut décider un prince adolescent à tenter une telle épreuve, sinon l'amour. »

Et, ayant ainsi parlé, la jeune favorite de la princesse Amande se tut, en observant l'effet de son discours sur sa maîtresse. Et voici que soudain la fille dolente du roi Akbar se leva debout sur ses deux pieds, heureuse et dansante. Et son visage était éclairé par le feu du dedans, et toute son âme ivre jaillissait de ses yeux. Et de tout son mal mystérieux, que nul médecin n'avait compris, plus une trace ne subsistait : les simples paroles d'une jouvencelle parlant d'amour l'avaient fait s'évanouir comme la fumée.

Et, vive comme la gazelle, elle rentra dans ses appartements, suivie par sa favorite. Et elle prit le calam de la joie et le papier de l'union, et écrivit au prince Jasmin, l'adolescent ravisseur de sa raison, le bienheureux qu'elle avait vu en songe avec les yeux de son âme, cette lettre aux blanches ailes :

« Après la louange à Celui qui, sans calam, a tracé l'existence des créatures dans le jardin de la beauté.

« Salut à la rose qui a rendu plaintif le rossignol énamouré ! Quand j'ai entendu la mention de ta beauté, mon cœur a glissé de ma main.

« Quand tu m'as montré ta face féerique en songe, elle a fait une telle impression sur mon cœur, que j'ai oublié mon père et ma mère, et suis devenue étrangère à mes frères. Qu'a-t-on à faire avec sa famille lorsqu'on est étranger à soi-même ?

« Devant toi, les belles sont balayées comme un torrent, et les flèches de tes cils ont percé mon cœur de part en part.

« Oh ! viens me montrer ta forme charmante dans le réveil, afin que je la voie avec les yeux de ma tête, ô toi qui es instruit des signes de l'amour et qui dois savoir que le vrai chemin du cœur c'est le cœur.

« Et sache enfin que tu es l'eau et l'argile de mon essence, que les roses de mon lit se sont changées en épines, que le cachet du silence est sur mes lèvres, et que j'ai renoncé à me promener nonchalamment...

À ce moment de sa narration, Schahrazade vit apparaître le matin et, discrète, se tut.

Mais lorsque fut la millième nuit. Elle dit :

... Le cachet du silence est sur mes lèvres, et j'ai renoncé à me promener nonchalamment. »

Et elle plia les deux ailes de la lettre, y glissa un grain de musc pur, et la remit à sa favorite. Et la jeune fille la prit, la porta à ses lèvres et à son front, la plaça sur son cœur, et se rendit, pareille au pigeon, au bois où le prince Jasmin jouait de la flûte. Et elle le trouva assis sous un cyprès, sa flûte à côté de lui, et chantant ce court ghazal.

« Que dirai-je en voyant mon cœur ? c'est le nuage, l'éclair, le mercure, et l'océan ensanglanté.

Quand la nuit de l'absence sera terminée, nous serons réunis comme le cygne et la rivière. »

Et la jeune fille, après avoir baisé la main du prince Jasmin, lui remit la lettre de sa maîtresse Amande. Et il la lut et faillit s'envoler de joie. Et il ne savait plus s'il dormait ou s'il veillait. Et son esprit devint tumultueux et son cœur semblable à la fournaise. Et, lorsqu'il se fut un peu calmé, la jeune fille lui indiqua les moyens d'arriver jusqu'à sa maîtresse, lui donna ses dernières instructions, et revint sur ses pas.

Et donc, à l'heure indiquée et au moment favorable, le prince Jasmin, conduit par l'ange de l'union, prit le chemin qui menait au jardin d'Amande. Et il réussit à pénétrer dans ce lieu, morceau détaché du paradis. Et, à ce moment, le soleil disparaissait à l'horizon occidental, et la lune montrait son visage sous les voiles de l'Orient. Et le jeune homme à la démarche de faon avisa l'arbre que lui avait indiqué la jeune fille, et monta se cacher entre ses branches.

Et la princesse Amande à la démarche de perdrix vint avec la nuit dans le jardin. Et elle était vêtue de bleu, et tenait à la main une rose bleue. Et elle leva sa charmante tête vers l'arbre, en tremblant comme le feuillage du saule. Et, dans son émotion, elle ne sut, cette gazelle, si, dans les branches, le visage apparu était celui de la pleine lune ou la face brillante du prince Jasmin. Mais voici ! Comme une fleur mûrie par le désir, ou comme un fruit détaché par son poids précieux, le jouvenceau aux cheveux de violette se détacha d'entre les branches et fut aux pieds de la pâlissante Amande. Et elle reconnut celui qu'elle aimait d'espoir, et le trouva plus beau que l'image de son rêve. Et, de son côté, le prince Jasmin vit que le derviche ne l'avait pas trompé, et que cette lune était la couronne des lunes. Et ils sentirent tous deux leur cœur fixé par les liens de la tendre amitié et de l'affection réelle. Et leur bonheur fut aussi profond que celui de Majnoun et de Leila, et aussi pur que celui des vieux amis.

Et, après les baisers très doux et les expansions de leur âme charmante, ils invoquèrent le Maître du parfait amour, pour que jamais le firmament tyrannique ne fît pleuvoir sur leur tendresse les pierres du trouble et ne déchirât la couture de leur réunion. Ensuite, pour se mettre désormais à l'abri du poison de la séparation, les deux amants réfléchirent en tête-à-tête, et pensèrent qu'il fallait, sans retard, s'adresser au roi Akbar lui-même, qui, aimant sa fille Amande, n'avait rien à lui refuser.

Et donc, laissant son bien-aimé sous les arbres, la suppliante Amande alla trouver le roi, son père, et, les mains jointes, elle lui dit : « Ô méridien des deux mondes, ta servante vient te faire une demande. » Et son père, extrêmement étonné et charmé à la fois, la souleva de ses deux mains et la serra contre sa poitrine, et lui dit : « Certes, ô l'Amande de mon cœur, ta demande doit être d'une urgence extrême, puisque tu n'hésites pas à quitter ton lit, au milieu de la nuit, pour venir me prier de te l'accorder. Quoi qu'il en soit, ô lumière de l'œil, explique-toi sans crainte, confiante en ton père. » Et la gentille Amande, après avoir hésité pendant quelques instants, releva la tête et tint à son père ce discours habile, disant : « Ô mon père, excuse ta fille si elle vient, à cette heure de la nuit, troubler le sommeil de tes yeux. Mais voici que les forces de la santé me sont revenues, après une promenade nocturne, avec mes suivantes, dans la prairie. Et je viens te dire que j'ai remarqué que nos troupeaux de bœufs et de brebis sont mal soignés et négligemment tenus. Et j'ai pensé que si je rencontrais un serviteur digne de confiance, je te le présenterais, et que tu le chargerais de veiller sur nos troupeaux. Or, par une heureuse rencontre, j'ai trouvé à l'instant cet homme actif et diligent. Il est jeune, bien intentionné, propre à tout, et ne craint ni les fatigues ni les peines ; car la paresse et la nonchalance sont à des parasanges loin de lui. Charge-le donc, ô mon père, de nos bœufs et de nos brebis. »

Lorsque le roi Akbar eut entendu le discours de sa fille, il s'étonna à la limite de l'étonnement, et resta un moment les yeux écarquillés. Puis il répondit : « Par ma vie ! je n'ai jamais entendu dire que l'on engageait au milieu de la nuit les gardiens des troupeaux. Et c'est la première fois que nous arrive pareille aventure. Mais, ô ma fille, je veux bien, à cause du plaisir que tu donnes à mon cœur par ta subite guérison, accéder à ta demande et accepter le jeune homme en question comme gardien de nos troupeaux. Toutefois j'aimerais le voir avec les yeux de ma tête, avant de lui confier ces fonctions. »

Dès qu'elle eut entendu ces paroles de son père, la princesse Amande s'envola avec les ailes de la joie vers le bienheureux Jasmin, et, le prenant par la main, elle le conduisit au palais. Et elle dit au roi : « Voici, ô mon père, ce berger excellent ! Son bâton est solide, et son cœur est éprouvé. » Et le roi Akbar, qu'Allah avait doué de sagacité, s'aperçut aisément que l'adolescent que lui présentait sa fille Amande n'était point de l'espèce de ceux qui gardent les bestiaux. Et il fut en son âme intérieure plein de perplexité. Toutefois, pour ne point faire de la peine à sa fille Amande, il ne voulut ni s'appesantir ni insister sur ces détails, qui avaient leur importance. Et l'aimable Amande, qui devinait ce qui se passait en son esprit, lui dit d'une voix déjà prête à s'émouvoir, et avec des mains jointes : « L'extérieur, ô mon père, n'est pas toujours l'indice de l'intérieur. Et moi je t'assure que ce jeune homme est un berger de lions. » Et, bon gré mal gré, le père d'Amande, pour contenter cette aimable et charmante, mit sur son propre œil le doigt du consentement, et nomma le prince Jasmin, au milieu de la nuit, berger de ses troupeaux...

À ce moment de sa narration, Schahrazade vit apparaître le matin et, discrète, selon son habitude, se tut.

Et sa sœur, la jeune Doniazade, qui était devenue une adolescente désirable à tous égards, et qui, de jour en jour et de nuit en nuit, se faisait plus charmante et plus belle et plus développée et plus compréhensive et plus silencieuse et plus attentive, se leva à demi du tapis où elle était blottie, et lui dit : « Ô Schahrazade, ma sœur, que tes paroles sont douces et savoureuses et réjouissantes et délectables ! » Et Schahrazade lui sourit, et l'embrassa et lui dit : « Oui, ma chérie, mais qu'est cela comparé à la suite que je vais raconter la nuit prochaine, si toutefois n'est point fatigué de m'entendre notre maître, ce Roi bien élevé et doué de bonnes manières ? » Et le sultan Schahriar s'écria : « Ô Schahrazade, que dis-tu ? moi, fatigué de t'entendre ? Mais tu instruis mon esprit et tu calmes mon cœur ! Et la bénédiction est sur le pays depuis que je suis avec toi ! Tu peux donc, en toute certitude, nous dire demain la suite de cette histoire délicieuse ; et tu peux même, si tu n'es pas toi-même fatiguée, nous la continuer cette nuit.

Car, en vérité, je désire savoir ce qui va arriver au prince Jasmin et à la princesse Amande ! » Et Schahrazade, à cause de sa discrétion, ne voulut pas abuser de la permission, et sourit et remercia, sans rien dire de plus cette nuit-là.

Et le roi Schahriar la pressa sur son cœur, et s'endormit à ses côtés jusqu'au lendemain. Alors il se leva et sortit présider aux affaires de sa justice. Et il vit arriver son vizir, père de Schahrazade, qui, selon son habitude, tenait sous le bras le linceul destiné à sa fille qu'il s'attendait à voir condamner à mort chaque matin, à cause du serment du Roi concernant les femmes. Et Schahriar, sans rien lui dire à ce sujet, présida le diwân de la justice. Et les officiers et les dignitaires et les plaignants entrèrent. Et il jugea, et nomma aux emplois, et destitua, et termina les affaires pendantes, et donna ses ordres, et cela jusqu'à la fin de la journée. Et le vizir, père de Schahrazade et de Doniazade, était, de plus en plus, à la limite de la perplexité et de l'étonnement.

Quant au roi Schahriar, lorsqu'il eut levé la séance et terminé le diwân, il se hâta de rentrer dans ses appartements, auprès de Schahrazade.

Et cette nuit-là était la mille et unième nuit. Et dès que le roi Schahriar eut fini sa chose ordinaire avec Schahrazade, la jeune Doniazade dit à sa sœur : « Par Allah sur toi, ô ma sœur, si tu n'as pas sommeil, hâte-toi de nous raconter la suite de la tendre histoire du prince Jasmin et de la princesse Amande. » Et Schahrazade caressa les cheveux de sa sœur, et dit : « De tout cœur amical, et comme hommage dû à ce Roi magnanime, notre maître ! » Et elle continua l'histoire en ces termes :

… Et il nomma le prince Jasmin, au milieu de la nuit, berger de ses troupeaux.

Et, depuis lors, le prince Jasmin exerça extérieurement la profession de berger, et intérieurement il s'occupait d'amour. Et, le jour, il menait paître les bœufs et les brebis jusqu'à une distance de trois ou quatre parasanges ; et, quand venait le soir, il les rassemblait au moyen des sons de sa flûte et les ramenait dans les étables du roi. Et, la nuit, il habitait le jardin, en compagnie de sa bien-aimée Amande, cette rose de l'excellence. Et telle était son occupation constante.

Mais qui peut affirmer que le bonheur le plus caché restera toujours à l'abri de l'œil jaloux des censeurs ? En effet, l'attentive Amande avait pour habitude de faire parvenir à son ami, dans le bois, la boisson et la nourriture nécessaires. Et, un jour, cette imprudente de l'amour alla, en cachette, lui porter elle-même un plateau de friandises délicieuses à l'égal de ses lèvres de sucre, des fruits, des noix et des pistaches, le tout gentiment arrangé sur des feuilles d'argent. Et elle lui dit, en lui offrant ces choses : « Qu'elle te soit douce et de facile digestion cette nourriture qui convient à ta bouche délicate, ô perroquet au doux langage et qui ne devrais croquer que du sucre ! » Elle dit, et disparut comme le camphre.

Et lorsque cette amande sans écorce eut ainsi disparu comme le camphre, le berger Jasmin s'apprêta à goûter à ces friandises préparées par les doigts de la fille du roi. Alors il vit s'avancer de son côté l'oncle même de sa bien-aimée, un vieillard hostile et malintentionné, qui passait ses jours à détester tout le monde et à empêcher les musiciens de jouer et les chanteurs de chanter. Et lorsqu'il fut arrivé à côté de l'adolescent, il le regarda avec les yeux torves de la défiance, et lui demanda ce qu'il avait là, devant lui, dans le plateau du roi. Et Jasmin, qui était sans méfiance, crut que le vieillard avait envie de manger. Et il ouvrit son cœur, généreux comme la rose de l'automne, et lui fit don de tout le plateau de friandises.

Et le calamiteux vieillard se retira aussitôt pour aller montrer ces friandises et ce plateau au père d'Amande, le roi Akbar, qui était son propre frère. Et il lui fit voir de la sorte la preuve des rapports d'Amande et de Jasmin.

Et le roi Akbar, en apprenant cela, fut à la limite de la colère, et, faisant venir sa fille Amande, il lui dit : « Ô honte de tes pères, tu as jeté l'opprobre sur notre race ! Jusqu'à ce jour, notre demeure était libre des mauvaises herbes et des épines de la honte. Mais toi, tu as jeté sur moi le nœud coulant de la fourberie, et tu m'y as pris. Et, par les manières câlines que tu as eues envers moi, tu as voilé la lampe de mon intelligence. Ah ! quel est l'homme qui peut se dire sauf des ruses des femmes ? Et le Prophète béni – sur Lui la prière et la paix – a dit, en parlant d'elles : « Ô Croyants, vous avez des ennemis dans vos épouses et dans vos filles ! Elles sont défectueuses quant à la raison et quant à la religion. Elles sont nées d'une côte tordue. Vous les réprimanderez ; et, celles qui vous désobéiront, vous les battrez. » Or moi, comment vais-je te traiter maintenant que tu as joué le jeu de l'inconvenance avec un étranger, gardien de bestiaux, dont l'union ne saurait convenir aux filles des rois ? Dois-je, dis-le-moi, par un coup d'épée, faire voler ta tête et la sienne, et brûler votre double existence dans le feu de la mort ? » Et, comme elle pleurait, il ajouta : « Retire-toi plutôt de ma présence, et va t'enterrer derrière le rideau du harem. Et n'en sors plus sans ma permission. »

Et, ayant puni de la sorte sa fille Amande, le roi Akbar donna l'ordre de faire disparaître le gardien des bestiaux. Or il y avait, près de la ville, un bois, terrible séjour des bêtes effroyables. Et les hommes les plus braves étaient saisis de crainte en entendant prononcer le nom de cette forêt, et restaient paralysés et les cheveux hérissés. Et là, le matin paraissait être la nuit, et la nuit était pareille au lever sinistre de la Résurrection. Et il y avait là, entre autres épouvantements, deux cochons-daims qui étaient l'effroi des quadrupèdes et des oiseaux, et qui venaient même quelquefois porter la dévastation dans la ville.

Et donc, les frères de la princesse Amande, sur l'ordre du roi, envoyèrent l'infortuné Jasmin dans ce lieu de malheur, avec l'intention de le faire périr. Et l'adolescent, sans se douter de ce qui l'attendait, conduisit là ses bœufs et ses brebis. Et il entra dans cette forêt à l'heure où l'astre aux deux cornes paraissait à l'horizon, et alors que l'Éthiopien de la nuit tournait son visage vers la fuite. Et, laissant paître ses bêtes à leur gré, il s'assit sur une peau blanche qu'il avait étendue par terre, et prit sa flûte, source d'ivresse.

Et voici que soudain les deux terribles cochons-daims, guidés par l'odorat, arrivèrent à la clairière où était Jasmin, en rugissant à l'imitation du nuage chargé de tonnerre. Et le prince au doux regard les accueillit aux sons de sa flûte, et les immobilisa sous le charme de son jeu. Puis, lentement, il se leva et sortit de la forêt, accompagné par les deux effroyables animaux, l'un à sa droite et l'autre à sa gauche, et suivi par tout le troupeau. Et il arriva de la sorte sous les fenêtres du roi Akbar. Et tout le monde le vit et fut dans la stupéfaction.

Et le prince Jasmin fit entrer dans une cage de fer les deux cochons-daims et les offrit au père d'Amande, en hommage dû. Et le roi fut, de cet exploit, à la limite de la perplexité, et retira sa main de la condamnation de ce lion des héros.

Mais les frères de l'énamourée Amande ne voulurent point abdiquer leur ressentiment, et, pour empêcher leur sœur de s'unir au jeune homme, ils imaginèrent de la marier contre son gré à leur cousin, fils de l'oncle calamiteux. Car ils se disaient : « Il faut lier le pied de cette folle avec la corde solide du mariage. Et alors elle oubliera son amour insensé. » Et ils organisèrent sans délai la procession nuptiale, et firent venir les musiciens, les chanteuses, les clarinettes et les tambourineurs. Et, tandis que ces tyrans veillaient ainsi aux cérémonies de ce mariage, la désolée Amande, revêtue contre son gré de robes splendides et d'ornements d'or et perles, qui annonçaient une nouvelle épousée, était assise sur un élégant lit de parade recouvert de draps brochés d'or, semblable à la fleur sur l'arbrisseau, mais avec la tristesse et l'abattement à ses côtés, le cachet du mutisme sur les lèvres, silencieuse comme le lis, immobile comme l'idole. Et jeune morte, en apparence, dans la main des vivants, son cœur palpitait comme le coq qu'on égorge, son âme était habillée d'un vêtement de crépuscule, son sein était déchiré par l'ongle de la douleur, et son esprit effervescent songeait avec des yeux noirs au corbeau d'argile qui allait devenir son compagnon de lit. Et elle était sur le sommet du Caucase des peines.

Mais voici que le prince Jasmin, invité avec les autres serviteurs aux noces de sa maîtresse, lui donna, par une simple rencontre de leurs yeux, un espoir libérateur des liens de la douleur. Car, qui ne sait que, par de simples regards, les amants peuvent se dire vingt choses dont personne n'a la moindre idée ?

Aussi, quand vint la nuit, et que la princesse Amande fut introduite, en nouvelle mariée, dans la chambre nuptiale, alors seulement le destin montra sa face heureuse aux amants, et vivifia leur cœur avec les huit odeurs. Et la belle Amande, mettant à profit l'instant de solitude qu'on lui avait laissé dans cette chambre où allait pénétrer son cousin, sortit sans bruit dans ses vêtements d'or, et prit son vol vers Jasmin le bienheureux. Et ces deux amants bénis se prirent par la main et, plus légers que le zéphyr rosé, ils disparurent et s'évanouirent comme le camphre.

Et depuis lors nul ne sut retrouver leur trace, et nul n'entendit parler d'eux ou du lieu de leur retraite. Car, sur la terre, quelques-uns seulement d'entre les fils des hommes sont dignes du bonheur, de suivre le chemin qui mène au bonheur, et d'approcher de la maison où se cache le bonheur. Or gloire à jamais au Rétributeur, Maître de la joie, de l'intelligence et du bonheur. Amîn !

CONCLUSION

Et Schahrazade, ayant ainsi raconté cette histoire, ajouta : « Et telle est, ô Roi fortuné, la tendre histoire du prince Jasmin et de la princesse Amande. Et je l'ai racontée telle qu'elle m'est revenue ! » Puis elle se tut.

Alors le roi Schahriar s'écria : « Ô Shahrazade, que cette histoire est splendide ! Oh ! qu'elle est admirable ! Tu m'as instruit, ô docte et diserte, et tu m'as fait voir les événements qui arrivèrent à d'autres qu'à moi, et considérer attentivement les paroles des rois et des peuples passés, et ce qui leur advint de choses extraordinaires ou merveilleuses ou simplement dignes de réflexion. Et, en vérité, voici que, de t'avoir écoutée durant ces mille nuits et une nuit, je sors avec une âme profondément changée et joyeuse et imbibée du bonheur de vivre. Aussi gloire à qui t'a octroyé, ô fille bénie de mon vizir, tant de dons choisis, et a parfumé ta bouche, et mis l'éloquence sur ta langue, et, sous ton front, l'intelligence ! »

Et la petite Doniazade se leva tout à fait du tapis où elle était blottie, et courut se jeter dans les bras de sa sœur, et s'écria : « Ô Schahrazade, ma sœur, que tes paroles sont douces et charmantes et délicieuses et instructives et émouvantes et savoureuses en leur fraîcheur ! Et Schahrazade se pencha vers sa sœur, et, en l'embrassant, elle lui glissa à l'oreille quelques paroles qu'elle fut seule à entendre. Et la jeune fille disparut aussitôt, comme le camphre.

Et Schahrazade resta seule, pendant quelques instants, avec le roi Schahriar. Et comme il se disposait, à la limite du contentement, à prendre dans ses bras sa merveilleuse épouse, voici que les rideaux s'ouvrirent et Doniazade reparut, suivie par une nourrice qui tenait deux jumeaux suspendus à ses seins, alors qu'un troisième enfant marchait à quatre pattes derrière elle. Et Schahrazade se tourna en souriant vers le roi Schahriar, et rangea devant lui les trois petits, après les avoir serrés contre sa poitrine, et, les yeux mouillés de larmes, elle lui dit : « Ô Roi du temps, voici les trois enfants que, durant ces trois années, t'a octroyés le Rétributeur par mon entremise. »

Et, pendant que le roi Schahriar, pénétré d'une joie indicible, et remué jusqu'au fond de ses entrailles, embrassait ses enfants, Schahrazade continua : « Ton fils aîné a maintenant deux ans passés, et ces deux jumeaux-ci ne vont pas tarder à avoir un an d'âge – qu'Allah éloigne d'eux trois le mauvais œil ! » Et elle ajouta : « Tu te souviens, en effet, ô Roi du temps, que j'ai été indisposée pendant une vingtaine de jours, entre la six cent soixante-dix-neuvième nuit et la sept centième. Or c'est précisément à ce moment-là que j'ai donné naissance à ces deux jumeaux, dont la venue m'a fatiguée beaucoup plus que celle de leur aîné, l'année précédente. Car j'ai été si peu dérangée par mes premières couches que j'ai pu, sans interruption, te continuer l'histoire, alors en cours, de Docte Sympathie. » Et, ayant ainsi parlé, elle se tut.

Et le roi Schahriar, qui était à l'extrême limite de l'émotion, promenait ses regards de la mère aux enfants, et des enfants à la mère, et ne pouvait parvenir à prononcer un seul mot.

Alors la jeune Doniazade, après avoir embrassé les enfants pour la vingtième fois, se tourna vers le roi Schahriar et lui dit : « Et maintenant, ô Roi du temps, vas-tu faire couper la tête à ma sœur Schahrazade, la mère de tes enfants, et laisser ainsi orphelins de leur mère ces trois petits rois que nulle femme ne saurait aimer et soigner avec le cœur d'une mère ? »

Et le roi Schahriar dit, entre deux sanglots, à Doniazade : « Tais-toi, ô jeune fille, et reste tranquille. » Puis, étant parvenu à dominer quelque peu son émotion, il se tourna vers Schahrazade et lui dit : « Ô Schahrazade, par le Seigneur de la pitié et de la miséricorde ! tu étais déjà dans mon cœur avant la venue de nos enfants. Car tu as su me gagner par les qualités dont t'a ornée ton Créateur ; et je t'ai aimée en mon esprit parce que j'ai trouvé en toi une femme pure, pieuse, chaste, douce, indemne de toute duperie, intacte à tous égards, ingénue, subtile, éloquente, discrète, souriante et sage. Ah ! qu'Allah te bénisse et bénisse ton père et ta mère et ta race et ton origine ! » Et il ajouta : « Ô Schahrazade, cette nuit, qui est la mille et unième à compter du moment où je t'ai vue pour la première fois, est pour nous une nuit plus blanche que le visage du jour. » Et, ce disant, il se leva et l'embrassa sur la tête.

Et Schahrazade prit alors la main du Roi, son époux, et la porta à ses lèvres, à son cœur et à son front, et dit : « Ô Roi du temps, je te supplie d'appeler ton vieux vizir, afin que son cœur se tranquillise à mon sujet. »

Et le roi Schahriar fit aussitôt mander son vizir qui, persuadé que c'était la nuit funèbre écrite dans la destinée de sa fille, arriva avec, sous son bras, le linceul destiné à Schahrazade. Et le roi Schahriar se leva en son honneur, et l'embrassa entre les deux yeux et lui dit : « Ô père de Schahrazade, ô vizir à la postérité bénie, voici qu'Allah a suscité ta fille pour le salut de mon peuple ; et, par son entremise, il a fait entrer le repentir dans mon cœur. » Et le père de Schahrazade fut tellement bouleversé de joie, en voyant et entendant cela, qu'il tomba évanoui. Et on s'empressa autour de lui, et on l'aspergea d'eau de rose, et on lui fit reprendre connaissance.

Et le roi Schahriar s'empressa d'envoyer des courriers rapides mander son frère Schahzamân, roi de Samarkand Al-Ajam. Et le roi Schahrazân répondit par l'ouïe et l'obéissance, et s'empressa de se rendre auprès de son frère aîné, qui était sorti à sa rencontre, à la tête d'un magnifique cortège, au milieu de la ville entièrement ornée et pavoisée, alors que dans les souks et dans les rues on brûlait l'encens, le camphre sublimé, l'aloès, le musc indien, le nadd et l'ambre gris, et que les tambours, les flûtes, les clarinettes, les fifres, les cymbales et les tympanons faisaient résonner l'air comme aux jours de grandes fêtes.

Et, après les épanchements de la rencontre, et tandis que les réjouissances et les festins se donnaient entièrement aux frais du trésor, le roi Schahriar prit en particulier son frère le roi Schahzamân, et lui raconta tout ce qui lui était arrivé durant ces trois années avec Schahrazade, la fille du vizir. Et il lui dit sa beauté, sa sagesse, son éloquence, sa sagacité, son intelligence, sa pureté, sa piété, sa douceur, son honnêteté, son ingénuité, sa discrétion et toutes les qualités de corps et d'esprit dont l'avait ornée son Créateur. Et il ajouta : « Et elle est maintenant mon épouse légitime, et la mère de mes enfants ! »

Tout cela ! Et le roi Schahzamân s'étonnait prodigieusement et s'émerveillait à la limite de l'émerveillement. Puis il dit au roi Schahriar : « Ô mon frère, puisqu'il en est ainsi, moi aussi je veux me marier. Et je prendrai comme épouse la sœur de Schahrazade, cette petite dont je ne connais pas le nom. Et nous serons ainsi deux frères germains mariés à deux sœurs germaines. » Puis il ajouta : « Et de la sorte, ayant désormais deux épouses sûres et honnêtes, nous oublierons notre malheur d'autrefois. Car, pour ce qui est de l'ancienne calamité en question, elle a commencé par m'atteindre, moi le premier ; puis, à cause de moi, elle t'a atteint à ton tour. Et, sans la découverte de mon malheur, tu n'aurais rien su du tien. Hélas ! ô mon frère, durant ces trois dernières années, mon état a été un bien mauvais état. Je n'ai jamais pu goûter réellement à l'amour. Car, à ton exemple, chaque nuit je prenais une fille vierge, et le matin je la faisais tuer, pour faire expier à la race des femmes la calamité qui nous avait atteints tous deux. Mais maintenant je veux suivre l'exemple que tu me donnes et me marier avec la seconde fille de ton vizir. »

Lorsque le roi Schahriar eut entendu ces paroles de son frère, il se trémoussa de joie, et se leva, à l'heure et à l'instant, et alla trouver son épouse Schahrazade, et la mit au courant de ce qui venait d'être dit entre lui et son frère. Et il lui apprit ainsi que le roi Schahzamân se fiançait d'office avec sa sœur Doniazade.

Et Schahrazade répondit : « Ô Roi du temps, nous accordons notre consentement, mais c'est à la condition expresse que ton frère, le roi Schahzamân, habite désormais avec nous. Car moi je ne pourrais me séparer, ne fût-ce qu'une heure, de ma petite sœur. C'est moi qui l'ai élevée ; et elle ne peut pas plus me quitter que moi la quitter. Si donc ton frère accepte cette condition, ma sœur est, dès cet instant, son esclave. Sinon, nous la gardons. »

Alors le roi Schahriar alla trouver son frère, avec la réponse de Schahrazade. Et le roi de Samarkand s'écria : « Par Allah ! ô mon frère, c'était là précisément mon intention. Car moi aussi, je ne pourrais plus me séparer de toi, ne fût-ce qu'une seule heure ! Quant à ce qui est du trône de Samarkand, Allah lui choisira et lui enverra qui Il voudra. Car, pour ma part, je ne veux plus régner là-bas, et je ne bougerai plus d'ici. »

En entendant ces paroles, le roi Schahriar ne connut plus les bornes de la joie, et répondit : « Voilà ce que je souhaitais ! Loué soit Allah, ô mon frère, qui nous a enfin réunis après la longue séparation ! »

Et, séance tenante, on envoya chercher le kâdi et les témoins. Et on dressa le contrat de mariage du roi Schahzamân avec Doniazade, la sœur de Schahrazade. Et les deux frères furent ainsi mariés aux deux sœurs. Et c'est alors que les réjouissances et les illuminations furent à leur apogée, et que, pendant quarante jours et quarante nuits, toute la ville mangea et but et se divertit aux frais du trésor. Quant aux deux frères et aux deux sœurs, ils entrèrent au hammam, et se baignèrent dans l'eau de rose et l'eau de fleurs et l'eau de saule odorant et l'eau parfumée au musc, et on brûla à leurs pieds du bois d'aigle et de l'aloès.

Et Schahrazade peigna et natta les cheveux de sa jeune sœur, et les arrosa de perles. Puis elle la revêtit d'une robe en étoffe ancienne, du temps des Khosroès, brochée d'or rouge, et agrémentée, à même le tissu, de broderies figurant, dans leurs couleurs naturelles, des animaux ivres et des oiseaux pâmés. Et elle lui passa au cou un collier féerique. Et Doniazade devint aussi, sous les doigts de sa sœur, plus belle que ne le fut jamais l'épouse d'Iskandar aux Deux Cornes.

Aussi, quand les deux rois furent sortis du hammam, et qu'ils se furent assis sur leurs trônes respectifs, le cortège de la mariée, composé des épouses des émirs et des dignitaires, se forma en deux rangs immobiles, l'un à droite et l'autre à gauche des deux trônes. Et les deux sœurs firent leur entrée, se soutenant l'une l'autre, pareilles à deux lunes en une nuit de pleine lune.

Alors s'avancèrent vers elles les plus nobles d'entre les dames présentes. Et elles prirent Doniazade par la main et, après lui avoir enlevé les habits qu'elle portait, elles la vêtirent d'une robe de satin bleu, de teinte ultramarine, qui enlevait la raison. Et elle fut semblable à la description que faisait d'elle le poète, en ces vers :

« Elle s'avance vêtue d'une robe bleu ultra-marin, telle qu'on la croirait un morceau détaché de l'azur des cieux.

Ses yeux sont des sabres fameux, et ses paupières ont des regards pleins de sorcellerie.

Ses lèvres sont une ruche de miel, ses joues un parterre de roses et son corps une corolle de jasmin.

À voir la finesse de sa taille et sa charmante croupe arrondie dans la sécurité, on la confondait avec la tige de bambou enfoncée dans le monticule de sable mouvant. »

Et le roi Schahzamân, son époux, se leva et descendit la regarder, le premier. Et quand il l'eut admirée, ainsi vêtue, il remonta sur son trône. Et ce fut le signal du changement de robe. Et Schahrazade, aidée par les dames du cortège, revêtit sa sœur d'une robe de soie abricot. Puis elle l'embrassa, et la fit passer devant le trône de l'époux. Et, ainsi, plus charmante que dans sa première robe, elle était en tous points celte qu'a décrite le poète :

« La lune d'été au milieu d'une nuit d'hiver n'est point plus belle que ta venue, ô jeune fille !

Les nattes sombres de tes cheveux, qui gênent tes talons, et les bandeaux de ténèbres qui te ceignent le front, me font te dire :

« Tu assombris l'aurore avec l'aile de la nuit ! » Mais tu me réponds : « Non pas ! non pas ! un simple nuage qui cache la lune. » »

Et le roi Schahzamân descendit regarder Doniazade, la nouvelle épousée, et l'admira de tous côtés. Et, ayant ainsi été le premier à jouir de la vue de sa beauté, il remonta s'asseoir à côté de son frère Schahriar. Et Schahrazade, après avoir embrassé sa jeune sœur, lui enleva sa robe abricot et la revêtit d'une tunique de velours grenat, et la rendit ainsi semblable à ce que dit d'elle le poète, en ces deux strophes :

« Tu te balances, ô pleine de grâce, dans ta tunique grenat, légère comme la gazelle ; et tes paupières, à chacun de tes mouvements, nous lancent les flèches mortelles.

Astre de beauté, ton apparition remplit de gloire les cieux et les terres, et ta disparition étendrait les ténèbres sur la face de l'univers. »

Et, de nouveau, Schahrazade et les dames d'honneur firent faire, lentement et à pas comptés, le tour de la salle à l'épousée. Et, lorsque Schahzamân l'eut considérée et s'en fut émerveillé, la sœur aînée la vêtit d'une robe de soie jaune citron, rayée de dessins tout du long. Et elle l'embrassa et la serra contre sa poitrine. Et Doniazade fut exactement celle dont le poète avait dit :

« Elle apparaît comme la pleine lune dans la sérénité des nuits, et ses regards sorciers éclairent notre chemin.

Mais si je m'approche pour me réchauffer au feu de ses yeux, je suis repoussé par deux sentinelles, ses deux seins tendus, et durs comme la pierre. »

Et Schahrazade la promena, à pas lents, devant les deux rois et devant toutes les invitées. Et le nouveau marié vint la regarder de tout près et remonta sur son trône, charmé. Et Schahrazade l'embrassa longuement, lui changea ses vêtements et lui passa une robe de satin vert broché d'or, semée de perles. Et elle lui arrangea symétriquement les plis, et lui ceignit le front d'un diadème léger où couraient des émeraudes. Et Doniazade, ce rameau de bân, cette camphorée fit le tour de la salle, soutenue par sa sœur chérie. Et elle fut un enchantement. Et le poète n'a point menti quand il a dit d'elle :

« Les feuilles vertes, ô jeune fille, ne voilent pas d'une façon plus charmante la fleur rouge de la grenade, que ne te voile ta tunique verte.

Et je lui dis : « Ce vêtement, ô jeune fille, quel est son nom ? » Elle me dit : « Il n'a point de nom, c'est ma chemise. »

Et je m'écriai : « Ô ta merveilleuse chemise, qui nous perce le foie ! Je l'appellerai désormais : la chemise crève-cœur ! »

Puis Schahrazade prit sa sœur par la taille, et s'achemina lentement avec elle, à travers les deux rangs d'invitées et devant les deux rois, vers les appartements intérieurs. Elle la déshabilla et la prépara et la coucha et lui recommanda ce qui était à lui recommander. Puis elle l'embrassa en pleurant, car c'était la première fois qu'elle se séparait d'elle pour une nuit. Et Doniazade pleura également en embrassant sa sœur. Mais, comme elles devaient se voir dès le matin, elles prirent leur douleur en patience, et Schahrazade se retira dans ses appartements.

Et cette nuit-là fut, en joie, en félicité et en blancheur, pour les deux frères et les deux sœurs, la continuation de la mille et unième nuit. Et elle devint la date d'une ère nouvelle pour les sujets du roi Schahriar. Et quand fut le matin de cette nuit bénie, et que les deux frères, au sortir du hammam, se furent de nouveau réunis aux deux sœurs bienheureuses, et qu'ainsi tous les quatre furent ensemble, le vizir, père de Schahrazade et de Doniazade, demanda la permission d'entrer, et fut introduit aussitôt. Et ils se levèrent tous deux en son honneur ; et ses deux filles vinrent lui baiser la main. Et il souhaita longue vie à ses gendres, et leur demanda les ordres pour la journée.

Mais ils lui dirent : « Ô notre père, nous voulons que désormais tu aies des ordres à donner et jamais à recevoir. C'est pourquoi d'un commun accord, nous te nommons roi de Samarkand Al-Ajam. » Et Schahzamân dit : « Oui, car moi j'ai renoncé à la royauté. » Et Schahriar dit à son frère : « Mais c'est à condition, ô mon frère, que tu m'aides dans les affaires de mon royaume, en acceptant de partager avec moi la royauté, moi gouvernant un jour, et toi un autre jour, chacun à son tour. » Et Schahzamân fit à son frère aîné la réponse qui convenait en disant : « J'écoute et j'obéis. »

Alors les deux sœurs se jetèrent au cou du vizir, leur père, qui les embrassa, et embrassa les trois enfants de Schahrazade, et leur fit à tous de tendres adieux. Puis il partit pour son royaume, à la tête d'une escorte magnifique. Et Allah lui écrivit la sécurité, et le fit arriver sans encombre à Samarkand Al-Ajam. Et les habitants de Samarkand se réjouirent de sa venue. Et il régna sur eux en toute justice, et devint un grand roi entre les rois. Et voilà pour lui.

Mais pour ce qui est du roi Schahriar, il se hâta de faire venir les scribes les plus habiles des pays musulmans, et les annalistes les plus renommés, et leur donna l'ordre d'écrire tout ce qui lui était arrivé avec son épouse Schahrazade, depuis le commencement jusqu'à la fin, sans omettre un seul détail. Et ils se mirent à l'œuvre, et écrivirent de la sorte, en lettres d'or, trente volumes, pas un de plus pas un de moins. Et ils appelèrent cette suite de merveilles et d'étonnements : LE LIVRE DES MILLE ET UNE NUITS.

Puis, sur l'ordre du roi Schahriar, ils en tirèrent un grand nombre de copies fidèles, qu'ils répandirent aux quatre coins de l'empire, pour servir d'enseignement aux générations. Quant au manuscrit original, ils le déposèrent dans l'armoire d'or du règne, sous la garde du vizir du trésor.

Et le roi Schahriar et son épouse la reine Schahrazade, cette bienheureuse, et le roi Schahzamân et son épouse Doniazade, cette charmante, et les trois petits rois, enfants de Schahrazade, vécurent dans les délices et les félicités et les joies, pendant des années et des années, avec des jours plus admirables que les précédents, et des nuits plus blanches que le visage des jours, jusqu'à l'arrivée de la Séparatrice des amis, la Destructrice des palais et la Bâtisseuse des tombeaux, l'Inexorable, l'Inévitable !

Et telles sont les histoires splendides nommées MILLE ET UNE NUITS, *avec ce qu'il y a en elles de choses extraordinaires, d'enseignements, de merveilles, de prodiges, d'étonnements et de beauté.*

Mais Allah est plus savant. Et seul il peut distinguer dans tout cela ce qui est vrai et ce qui n'est pas vrai. Il est l'Omniscient !

Or louanges et gloire, jusqu'à la fin des temps, à Celui qui reste intangible dans Son éternité, qui change à son gré les événements, et n'éprouve aucun changement, le Maître du Visible et de l'Invisible, le Seul Vivant ! Et la prière et la paix et les plus choisies des bénédictions sur l'élu du suprême Potentat des deux mondes, notre seigneur Môhammad, Prince des Envoyés, le joyau de l'univers ! À Lui notre recours pour une heureuse et bienheureuse FIN *!*

NOTES

Page 139
1. *Hassaân* : Beau

Page 170
1. C'est-à-dire la mort.

Page 183
1. Le mot arabe *Koss* (le *Kussos* des Grecs) est composé de deux lettres dont la première, le Kaf, est représentée par 20, et la seconde, le Sîn, par 60.

Page 225
1. Le Père de la Beauté.

Page 241
1. *Zein Al-Mawassif* signifie Ornement des Qualités.

Page 325
1. En arabe : *Alâ-eddîn*, hauteur ou gloire de la vie.

Page 413
1. En d'autres termes : « Je lui demande : « Quel est ton nom ? » Il me répond : « Perle ! » Je m'écris : « À moi ! à moi ! » mais il me dit : « Ah ! mais non ! »

TABLE

Composé par Nord Compo Multimédia
7, rue de Fives, 59650 Villeneuve-d'Ascq

Cet ouvrage a été achevé d'imprimer en mars 2013
sur les presses de Normandie Roto Impression s.a.s.
61250 Lonrai
N° d'imprimeur : 130767

Imprimé en France